KB151878

Atlas of Surgical Procedures

외과수술아틀라스

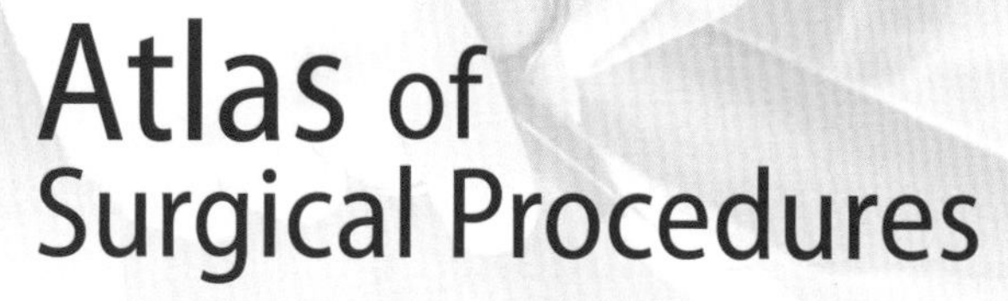

Second Edition

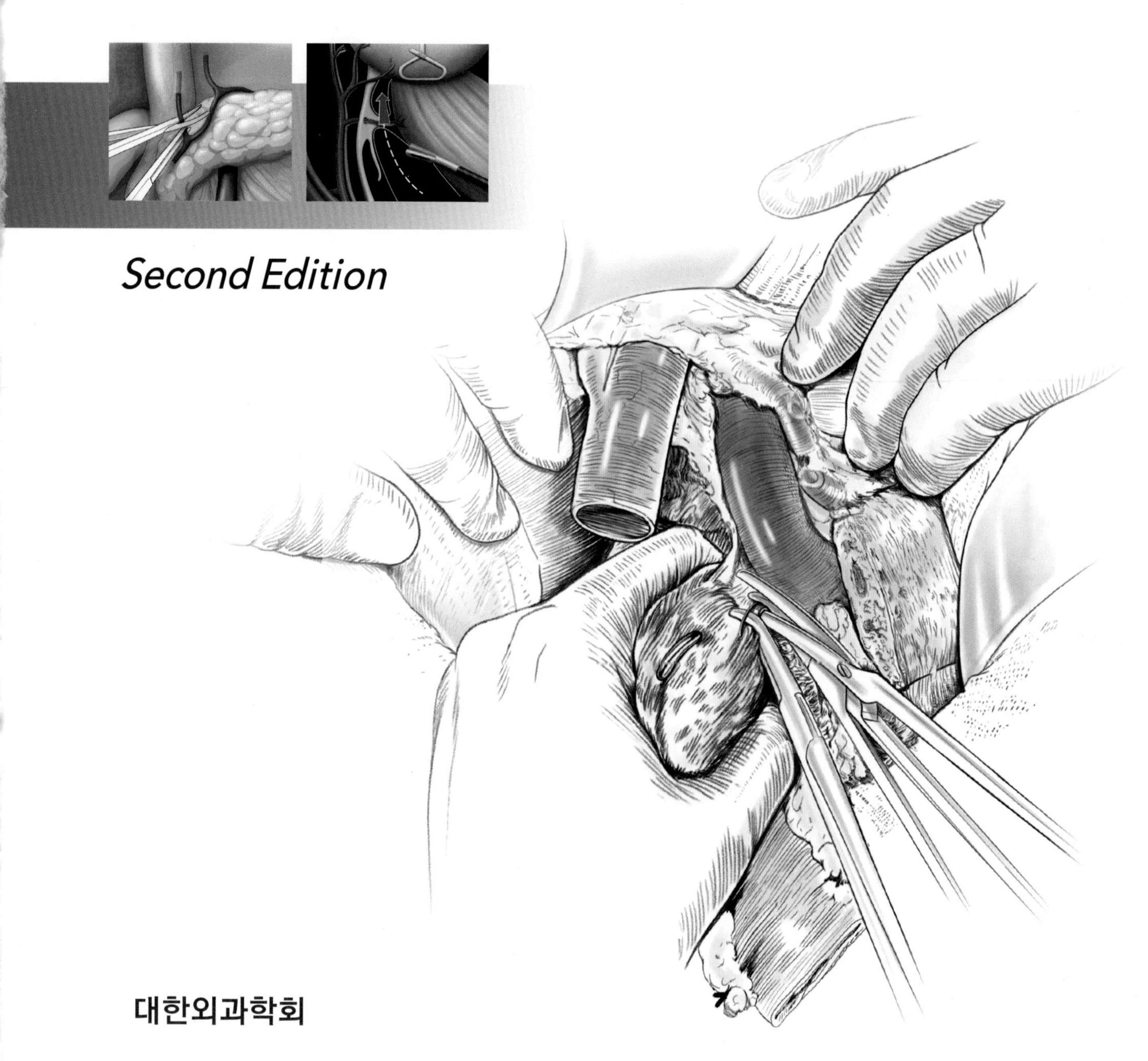

대한외과학회

외과수술아틀라스

ATLAS OF SURGICAL PROCEDURES

첫째판 1쇄 인쇄 | 2014년 05월 09일
첫째판 1쇄 발행 | 2014년 05월 22일
둘째판 1쇄 인쇄 | 2020년 10월 20일
둘째판 1쇄 발행 | 2020년 11월 05일

지 은 이 대한외과학회
발 행 인 장주연
출판기획 장희성
책임편집 이경은
표지디자인 김재욱
편집디자인 유현숙
일러스트 김경열, 유학영
발 행 처 군자출판사(주)
등록 제4-139호(1991. 6. 24)
(10881) **파주출판단지** 경기도 파주시 회동길 338(서패동 474-1)
전화 (031) 943-1888 팩스 (031) 943-0209
www.koonja.co.kr

ISBN 979-11-5955-613-5

정가 180,000원

발간사

ATLAS OF SURGICAL PROCEDURES

72년의 역사와 8,000명 이상의 회원을 가진 대한외과학회는 그동안 원로 회원님들과 선배 회원님들의 눈부신 활약으로 국민 건강을 수호하고, 증진시키기 위해 기여하여 왔으며, 학문적으로도 국내외 괄목할만한 업적을 성취하였습니다. 외과학회의 본연의 임무 중에 하나는 외과전공의 교육과 미래 외과전문의를 육성하는 것입니다. 우리 외과학 교육은 외국교과서에 의존해오다가 다행히 외과학회가 중심이 되어 2011년에 외과 교과서인 "외과학" 초판을 출간하였고, 2014년도에는 "외과 수술아틀라스" 초판을 출간하였습니다.

최근 외과학 분야가 하루가 다르게 발전하고 있습니다. 복강경 및 로봇수술이 개복수술을 빠르게 대체하고 있고, 간이식 등 이식 분야를 비롯한 많은 분야에서 점점 고도의 수술 기법이 개발되고 있으며, 세계적으로 인정받고 있는 국내의 수술기법들이 소개되어 한국의 외과 수준이 세계적으로 발돋움하고 있습니다. 따라서, 대한외과학회에서는 이러한 변화에 대응하기 위하여 2017년 외과학 교과서 개정판을 출간하였고, 이어서 2년여의 준비 기간과 집필을 통하여 이번에 외과수술 아틀라스도 개정판을 출간하게 되었습니다.

외과 수술 아틀라스의 초판의 출간 후에 많은 분들이 비판적인 의견을 주셨습니다. 그림들과 기술이 너무 개괄적이라는 평이 많았습니다. 이러한 지적한 점들을 최대한 수정, 보완하고자 노력하였습니다. 아직도 외과수술 아틀라스에 미흡한 부분이 있으리라 생각됩니다만, 이 책을 읽으시는 외과학회 회원 여러분들이 주인 의식을 가지고 부족한 부분에 대하여 지속적인 지적과 조언을 해주시기 바랍니다.

외과수술의 술기에 관한 지식을 담은 이번 개정판은 의과대학 학생, 외과 전공의, 전임의를 비롯한 모든 외과 전문의들과 외과수술에 대한 정보가 필요한 모든 타과 의료인들에게 하나의 지침서가 되리라 생각합니다. 그리고, 이 개정판이 젊은 외과의사들의 술기 교육에 도움이 되어 향후 세계 외과계를 주도할 수 있는 외과의를 배출하는 초석이 되기 바랍니다.

지난 2년간 외과수술 아틀라스 2판의 발간을 위하여 수고를 아끼지 않으신 유희철 편찬위원회 위원장님을 비롯한 편찬위원들 그리고, 저술에 참여해 주신 저자들에게 감사의 마음을 전하는 바입니다.

2020년 10월

대한외과학회 회 장 **왕희정**

대한외과학회 이사장 **윤동섭**

2판 집필진

ATLAS OF SURGICAL PROCEDURES

대한외과학회 교과서편찬위원

위원장 유희철 간사 김찬영

김봉완 김현영 김형진 박순철 변승재 손명원 손병호 이동식 엄준원 장혜경 정진향 주동진

강구정 계명의대 외과학교실
강길호 안산한사랑병원
강수환 영남의대 외과학교실
강재승 서울대 외과학교실
계봉현 가톨릭의대 외과학교실
권오경 경북의대 외과학교실
권윤혜 서울의대 외과학교실
김경식 연세의대 외과학교실
김대연 울산의대 외과학교실
김동식 고려의대 외과학교실
김민찬 동아의대 외과학교실
김봉완 아주의대 외과학교실
김상윤 미즈맘병원
김선회 서울의대 외과학교실
김성철 울산의대 외과학교실
김성훈 국립암센터
김송철 울산의대 외과학교실
김수홍 부산의대 외과학교실
김순일 연세의대 외과학교실
김영욱 성균관대 외과학교실
김원준 고려의대 외과학교실
김원태 성균관의대 외과학교실
김익용 원주의대 외과학교실
김장용 가톨릭의대 외과학교실
김정수 가톨릭의대 외과학교실
김정한 성균관의대 외과학교실
김종한 고려의대 외과학교실
김지연 충남의대 외과학교실
김진조 가톨릭의대 외과학교실
김찬영 전북의대 외과학교실
김현영 서울의대 외과학교실
김형기 경북의대 외과학교실
김형진 가톨릭의대 외과학교실
김형철 순천향의대 외과학교실
김혜진 경북의대 외과학교실
김호승 연세의대 외과학교실
김훈엽 고려의대 외과학교실
김희준 전남의대 외과학교실
남소현 동아의대 외과학교실
류성엽 조선의대 외과학교실
민승기 서울의대 외과학교실
박기혁 대구가톨릭의대 외과학교실
박귀원 서울의대 외과학교실
박규주 서울의대 외과학교실
박다원 고려의대 외과학교실
박도중 서울의대 외과학교실
박상재 국립암센터
박성수 고려의대 외과학교실
박순철 가톨릭의대 외과학교실
박양진 성균관의대 외과학교실
박윤준 단국의대 외과학교실
박일영 가톨릭의대 외과학교실
박제훈 가톨릭관동의대 외과학교실
박준성 연세의대 외과학교실
박중민 중앙의대 외과학교실
박진영 경북의대 외과학교실
박진우 충북의대 외과학교실
배숭준 연세의대 외과학교실
변승재 원광의대 외과학교실
서경석 서울의대 외과학교실
서윤석 서울의대 외과학교실
서정민 성균관의대 외과학교실
설지영 충남의대 외과학교실
소병준 원광의대 외과학교실
손명원 순천향의대 외과학교실
손병호 울산의대 외과학교실
손상용 아주의대 외과학교실
손영길 계명의대 외과학교실
손준혁 한양의대 외과학교실
송교영 가톨릭의대 외과학교실
신 성 울산의대 외과학교실
안문상 충남의대 외과학교실
안상현 서울의대 외과학교실
양승윤 연세의대 외과학교실
양신석 성균관의대 외과학교실
양재도 전북의대 외과학교실
양한광 서울의대 외과학교실
엄준원 고려의대 외과학교실
오성진 인제의대 외과학교실
오정탁 연세의대 외과학교실
오흥권 서울의대 외과학교실
왕희정 아주의대 외과학교실
우상욱 고려의대 외과학교실
유니나 가톨릭의대 외과학교실

유문원 울산의대 외과학교실
유승범 서울의대 외과학교실
유영경 가톨릭의대 외과학교실
유진수 성균관의대 외과학교실
유창식 울산의대 외과학교실
유희철 전북의대 외과학교실
육정환 울산의대 외과학교실
윤동섭 연세의대 외과학교실
윤상섭 가톨릭대 외과학교실
윤용식 울산의대 외과학교실
윤우성 영남의대 외과학교실
윤유석 서울의대 외과학교실
윤종호 원주의대 외과학교실
이강영 연세의대 외과학교실
이광웅 서울의대 외과학교실
이규언 서울의대 외과학교실
이남준 서울의대 외과학교실
이동식 영남의대 외과학교실
이명덕 가톨릭의대 외과학교실
이상권 가톨릭의대 외과학교실
이상수 부산의대 외과학교실
이상훈 성균관의대 외과학교실
이석구 성균관의대 외과학교실
이석환 경희의대 외과학교실
이승규 울산의대 외과학교실
이영주 울산의대 외과학교실
이우정 연세의대 외과학교실
이우형 울산의대 외과학교실

이윤석 가톨릭의대 외과학교실
이재길 연세의대 외과학교실
이정무 서울의대 외과학교실
이정언 성균관의대 외과학교실
이혁준 서울의대 외과학교실
이호균 전남의대 외과학교실
인 경 연세의대 외과학교실
장진영 서울의대 외과학교실
장항석 연세의대 외과학교실
장혜경 경희의대 외과학교실
전숙영 서울의대 외과학교실
정 준 연세의대 외과학교실
정기욱 울산의대 외과학교실
정민성 한양의대 외과학교실
정성은 서울의대 외과학교실
정순섭 이화의대 외과학교실
정연준 전북의대 외과학교실
정용식 아주의대 외과학교실
정은영 계명의대 외과학교실
정재희 가톨릭의대 외과학교실
정진향 경북의대 외과학교실
성지영 경상의대 외과학교실
조용범 성균관의대 외과학교실
조용필 울산의대 외과학교실
조재영 서울의대 외과학교실
조재원 성균관의대 외과학교실
조진현 경희의대 외과학교실
조철균 전남의대 외과학교실

조해창 대구파티마병원
조현민 가톨릭의대 외과학교실
주동진 연세의대 외과학교실
주재균 전남의대 외과학교실
최규석 경북의대 외과학교실
최기홍 연세의대 외과학교실
최동욱 성균관의대 외과학교실
최민규 성균관의대 외과학교실
최선근 인하의대 외과학교실
최수진나 전남의대 외과학교실
최순옥 계명의대 외과학교실
최원준 건양의대 외과학교실
최윤백 울산의대 외과학교실
최진섭 연세의대 외과학교실
한덕종 울산의대 외과학교실
한석주 연세의대 외과학교실
한영석 경북의대 외과학교실
한원식 서울의대 외과학교실
한호성 서울의대 외과학교실
허 승 경북의대 외과학교실
허윤석 인하의대 외과학교실
형우신 연세의대 외과학교실
홍석준 울산의대 외과학교실
홍순찬 경상의대 외과학교실
홍 정 아주의대 외과학교실
황 신 울산의대 외과학교실
황정기 가톨릭의대 외과학교실
황홍필 전북의대 외과학교실

1판 집필진

ATLAS OF SURGICAL PROCEDURES

대한외과학회 교과서편찬위원

위원장 홍순찬

김송철 김정수 김창남 김형철 민영돈 박규주 박병우 이태승 정치영 정호영 조용범 한석주

권성준 한양의대 외과학교실
권우형 영남의대 외과학교실
김광호 이화의대 외과학교실
김남규 연세의대 외과학교실
김대연 울산의대 외과학교실
김동구 가톨릭의대 외과학교실
김동헌 부산의대 외과학교실
김민찬 동아의대 외과학교실
김상윤 대구파티마병원
김선회 서울의대 외과학교실
김성주 성균관의대 외과학교실
김성철 울산의대 외과학교실
김송철 울산의대 외과학교실
김순일 연세의대 외과학교실
김영진 전남의대 외과학교실
김욱환 아주의대 외과학교실
김정수 가톨릭의대 외과학교실
김종석 고려의대 외과학교실
김종훈 전북의대 외과학교실
김진천 울산의대 외과학교실
김창남 을지의대 외과학교실
김충배 연세의대 외과학교실
김형철 순천향의대 외과학교실
김형호 서울의대 외과학교실
김홍진 영남의대 외과학교실
노성훈 연세의대 외과학교실
노승무 충남의대 외과학교실
목영재 고려의대 외과학교실
문병인 이화의대 외과학교실
문홍영 고려의대 외과학교실
민승기 서울의대 외과학교실
민영돈 조선의대 외과학교실
박규주 서울의대 외과학교실
박귀원 서울의대 외과학교실
박병우 연세의대 외과학교실
박상재 국립암센터
박양진 성균관의대 외과학교실
박웅채 건국의대 외과학교실
박윤준 단국의대 외과학교실
박재갑 서울의대 외과학교실
박제훈 인제의대 외과학교실
박조현 가톨릭의대 외과학교실
박진영 경북의대 외과학교실
박진우 충북의대 외과학교실
박해린 차의대 외과학교실
배옥석 계명의대 외과학교실
변승재 원광의대 외과학교실
서경석 서울의대 외과학교실
서정민 성균관의대 외과학교실
설지영 충남의대 외과학교실
손수상 계명의대 외과학교실
손승국 연세의대 외과학교실
안문상 충남의대 외과학교실
안세현 울산의대 외과학교실
양대현 한림의대 외과학교실
양두현 전북의대 외과학교실
양한광 서울의대 외과학교실
오승택 가톨릭의대 외과학교실
오정탁 연세의대 외과학교실
왕희정 아주의대 외과학교실
유문원 울산의대 외과학교실
유희철 전북의대 외과학교실
육정환 울산의대 외과학교실
윤동섭 연세의대 외과학교실
윤상섭 가톨릭의대 외과학교실
윤영국 경북의대 외과학교실
윤정한 전남의대 외과학교실
이규언 서울의대 외과학교실
이남준 서울의대 외과학교실
이명덕 가톨릭의대 외과학교실
이봉화 한림의대 외과학교실
이상권 가톨릭의대 외과학교실
이상수 부산의대 외과학교실
이상전 충북의대 외과학교실
이석구 성균관의대 외과학교실
이석환 경희의대 외과학교실
이수정 영남의대 외과학교실
이승규 울산의대 외과학교실
이영돈 가천의대 외과학교실
이영주 울산의대 외과학교실
이우정 연세의대 외과학교실
이재길 연세의대 외과학교실
이재복 고려의대 외과학교실
이태승 서울의대 외과학교실
장정환 조선의대 외과학교실
장진영 서울의대 외과학교실
정 민 가천의대 외과학교실
정상설 가톨릭의대 외과학교실
정성은 서울의대 외과학교실
정연준 전북의대 외과학교실
정웅윤 연세의대 외과학교실
정인목 서울의대 외과학교실
정종길 여수전남병원
정치영 경상의대 외과학교실
정호영 경북의대 외과학교실
조백환 전북의대 외과학교실
조세헌 동아의대 외과학교실
조용범 성균관의대 외과학교실
조용필 울산의대 외과학교실
조재원 성균관의대 외과학교실
조진현 경희의대 외과학교실
조철균 전남의대 외과학교실
지경천 중앙의대 외과학교실
최동욱 성균관의대 외과학교실
최수진나 전남의대 외과학교실
최순옥 계명의대 외과학교실
최윤백 울산의대 외과학교실
최진섭 연세의대 외과학교실
한덕종 울산의대 외과학교실
한상욱 아주의대 외과학교실
한석주 연세의대 외과학교실
한애리 원주의대 외과학교실
한호성 서울의대 외과학교실
허경열 순천향의대 외과학교실
허윤석 인하의대 외과학교실
홍기천 인하의대 외과학교실
홍석준 울산의대 외과학교실
홍순찬 경상의대 외과학교실
홍 정 아주의대 외과학교실
황 신 울산의대 외과학교실

목차

ATLAS OF SURGICAL PROCEDURES

SECTION 1 총론 Introduction

SECTION 2 위장관 Gastrointestinal

목차

ATLAS OF SURGICAL PROCEDURES

SECTION 3 탈장 Hernia

SECTION 4 대장, 항문 Colon, Rectum, and Anus

목차

ATLAS OF SURGICAL PROCEDURES

SECTION 5 간담췌, 비장 Liver, Biliary Tract and Pancreas

SECTION 6 소아외과 Pediatric surgery

목차

ATLAS OF SURGICAL PROCEDURES

SECTION 7 이식 Transplantation

SECTION 8 유방 Breast

SECTION 9 혈관, 림프관 Vascular, Lymphatics

목차

ATLAS OF SURGICAL PROCEDURES

SECTION 10 내분비 Endocrine

SECTION 1

총론
Introduction

Chapter Outline

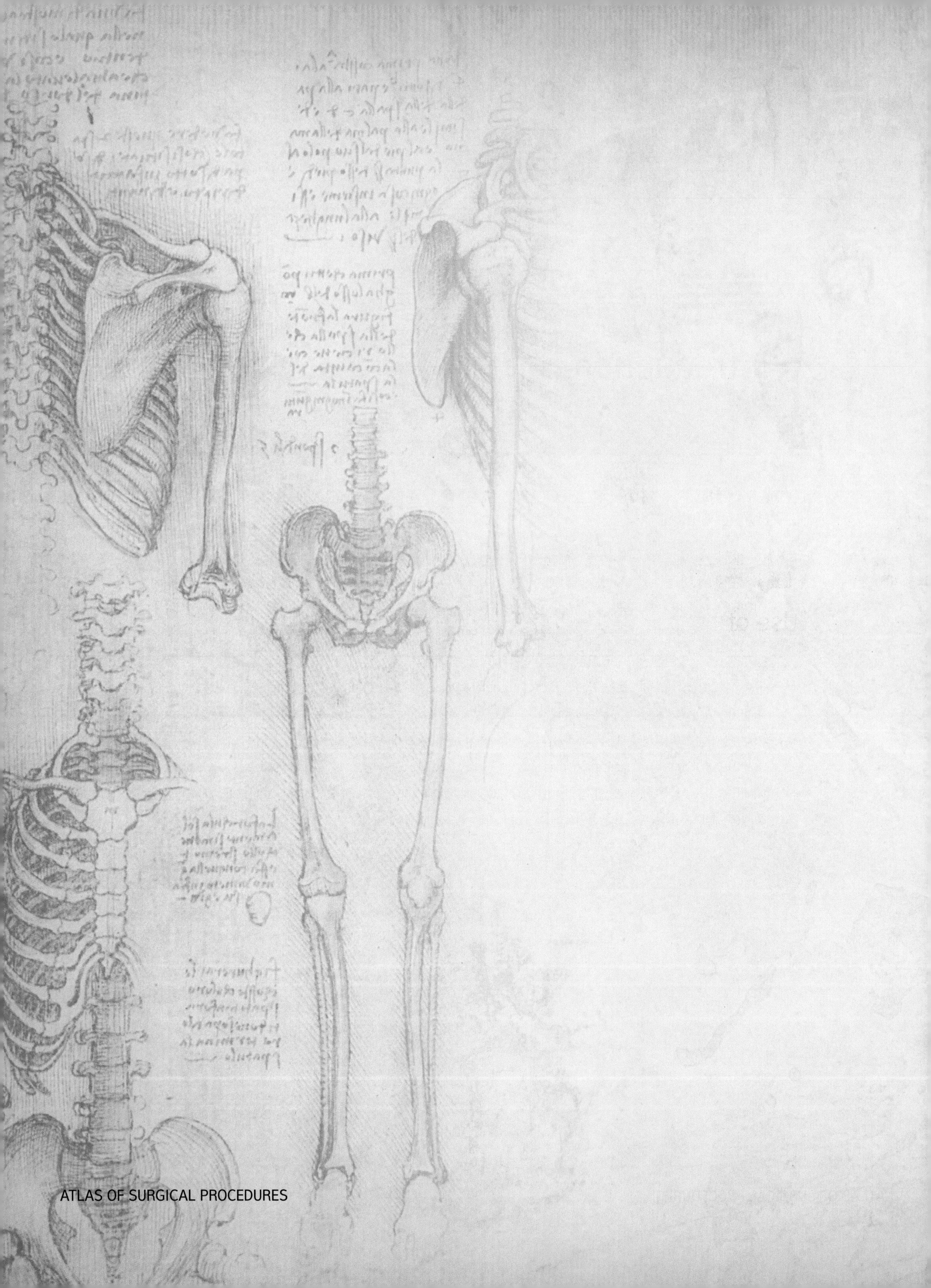

ATLAS OF SURGICAL PROCEDURES

칼, 바늘 집게, 집게와 가위의 사용법

Use of scalpel, needle holder, forceps and scissors

외과의사에 있어서 여러 가지 수술 기구를 올바른 방법으로 잘 다루는 것은 필수적이고 가장 중요하다. 여기서는 칼(Scalpel), 바늘 집게(Needle holder), 집게(Forcep), 가위(Scissor)를 다루는 방법에 대해서 알아본다.

1. 칼(Scalpel)

칼은 피부나 조직을 절개할 때 사용하는 가장 기본적인 기구이다. 칼은 칼날(Blade)과 손잡이로 이루어진다. 칼날은 모양과 크기가 다양하지만 주로 사용하는 것은 #10번, #11번, #15번, #20번이다(그림 1-1).

피부 절개를 할 때는 주로 #10번과 #20번 칼을 사용하고, 얼굴과 같이 조금 더 세밀한 것이 필요할 때는 칼날이 작은 #15번 칼을 사용한다. #11번 칼은 끝이 뾰족하여 농양 절개나 매우 작은 구멍을 내기 위한 절개에 사용하는 경우가 많다. #10번과 #20번 칼은 손잡이를 중지와 엄지로 쥐고 검지로 칼의 위를 지그시 누르면서 힘을 준다. 일반적인 피부절개와 같이 약간의 누르는 힘이 필요할 경우에 알맞으며 피부 표면과 칼은 30°를 이루는 것이 좋다(그림 1-2).

마치 스테이크를 자를 때 사용하는 방법을 생각하면 된다.

#11번과 #15번 칼은 좀 더 세밀한 곳에 사용하므로 마치 연필을 잡듯이 쥐어서 안정감을 주고 45° 각도로 사용한다(그림 1-3).

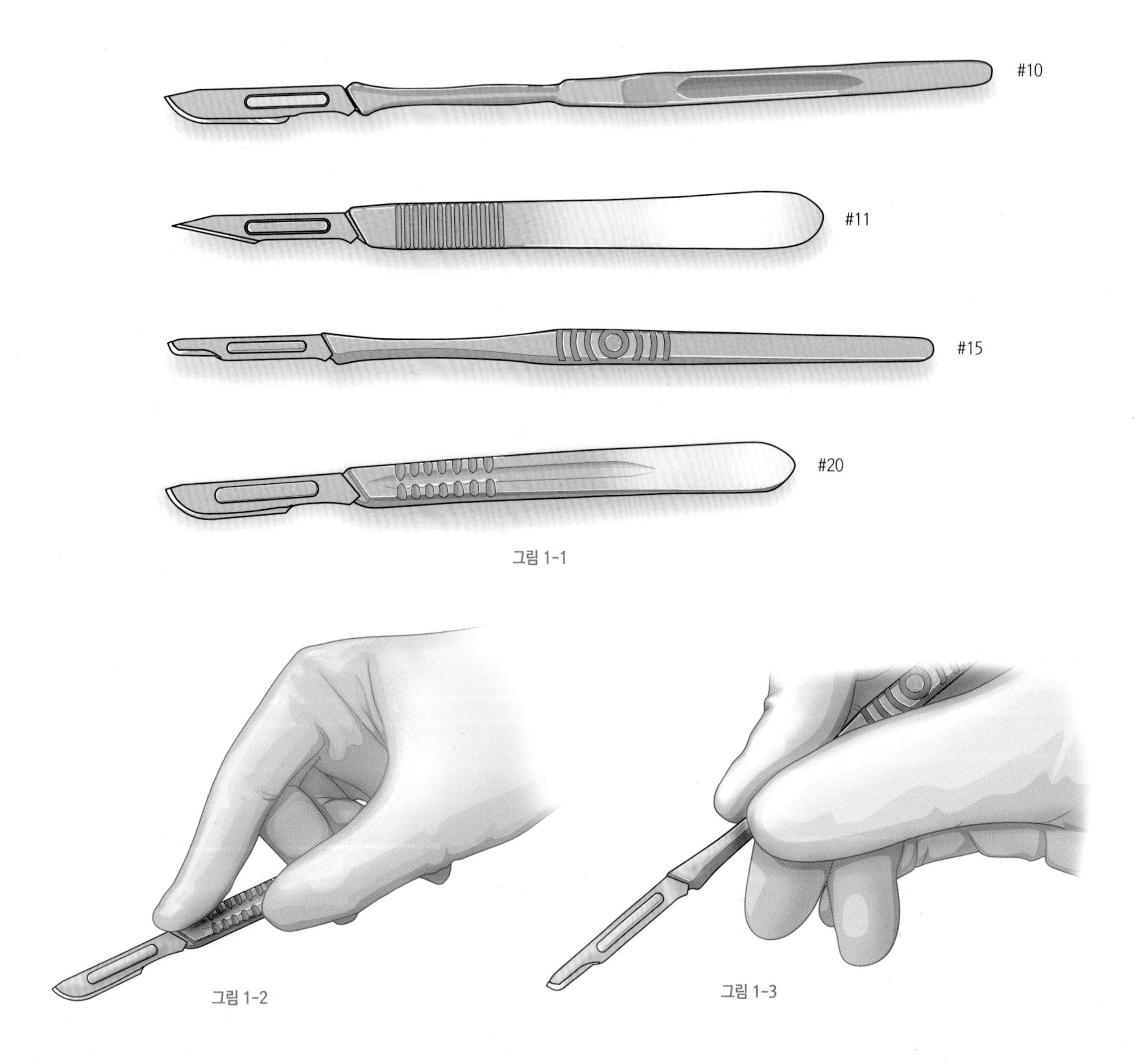

그림 1-1

그림 1-2

그림 1-3

2. 바늘 집게(Needle holder)

바늘 집게는 바늘을 잡고 피부나 조직을 봉합하는 기구이다. 엄지와 약지를 바늘 집게의 손잡이 구멍에 넣어 잡고, 검지를 펴서 바늘 집게를 살짝 눌러서 흔들리지 않게 안정시킨다 (그림 1-4).

바늘의 끝에서 약 2/3 부분을 잡는 것이 바늘이 흔들리지 않고 가장 조작하기가 편리하다 (그림 1-5).

숙달이 되면 빠른 조작을 위해서 엄지와 약지를 구멍에 넣지 않고 손바닥을 이용하여 잡거나 약지 한 손가락 정도만 넣고 잡는 것이 좋다 (그림 1-6).

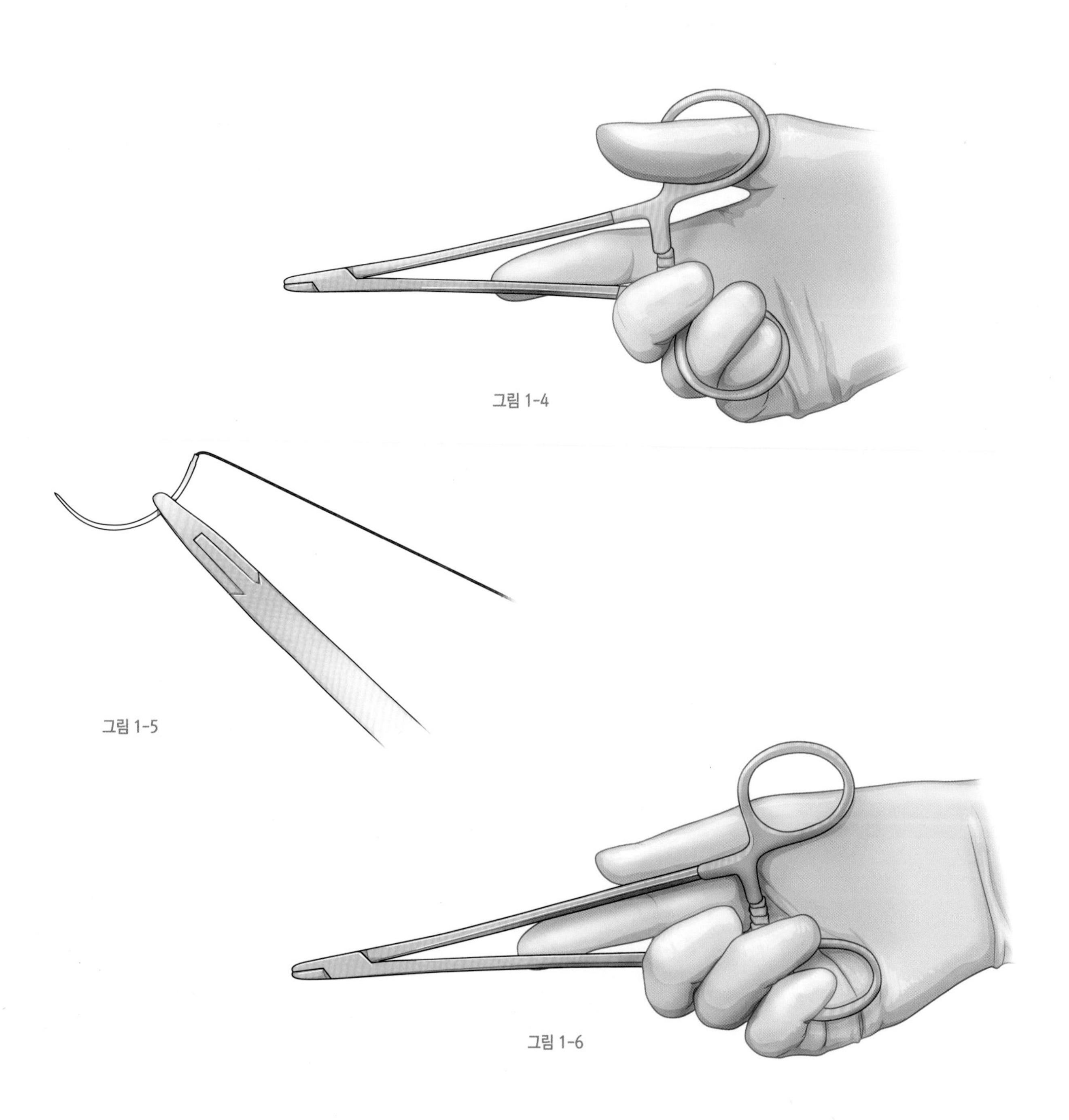

그림 1-4

그림 1-5

그림 1-6

3. 집게(Forcep)

집게는 피부나 조직을 잡을 때 사용하는 기구이다. 집게의 종류는 여러 가지가 있으며 집게로 잡을 때 조직의 손상이 덜 한 매끄러운 집게인 무구 집게(smooth forcep)와 조직을 놓치지 않게 강하게 잡을 수 있는 이빨이 달린 집게인 유구 집게(tissue forcep=tooth forcep)가 있다(그림 1-7).

집게는 엄지와 중지로 쥐고 검지는 집게를 안정시키는 데 사용하며 연필을 잡듯이 쥐는 것이 가장 기본이다(그림1-8).

혼자서 시술할 경우에는 왼손으로 사용하는 경우도 있다.

4. 가위(Scissor)

가위는 조직 가위(tissue scissor)와 봉합사 가위(cut scissor) 두 가지가 기본이다. 조직 가위는 조직을 자르거나 박리할 때 사용한다. 바늘 집게를 사용할 때와 마찬가지로 엄지와 약지를 가위의 손잡이 구멍에 넣어 잡고, 검지

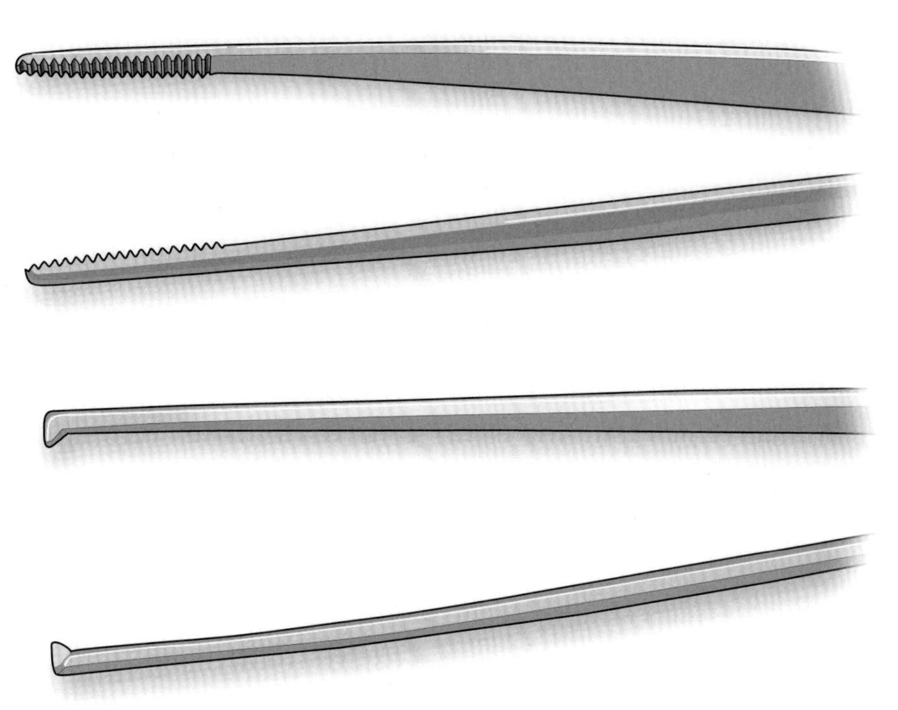

그림 1-7

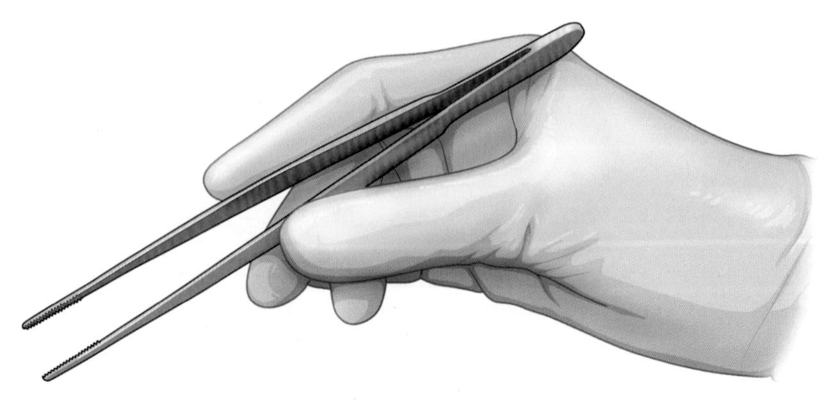

그림 1-8

를 펴서 바늘 집게를 살짝 눌러서 흔들리지 않게 안정시키고 정확성을 유지한다(그림 1-9). 조금 더 안전하게 사용하기 위해서는 왼손으로 가위 아래를 살짝 받쳐 주는 것이 좋다(그림 1-10).

봉합사 가위는 봉합사를 자르거나 튼튼한 조직을 자를 때 사용할 수 있다. 봉합사를 자를 때는 봉합사의 매듭 위에서 가위를 약간 틀어서 매듭이 살짝 보이게 한 후 자르는 것이 매듭을 자르지 않는 안전한 방법이다(그림 1-11).

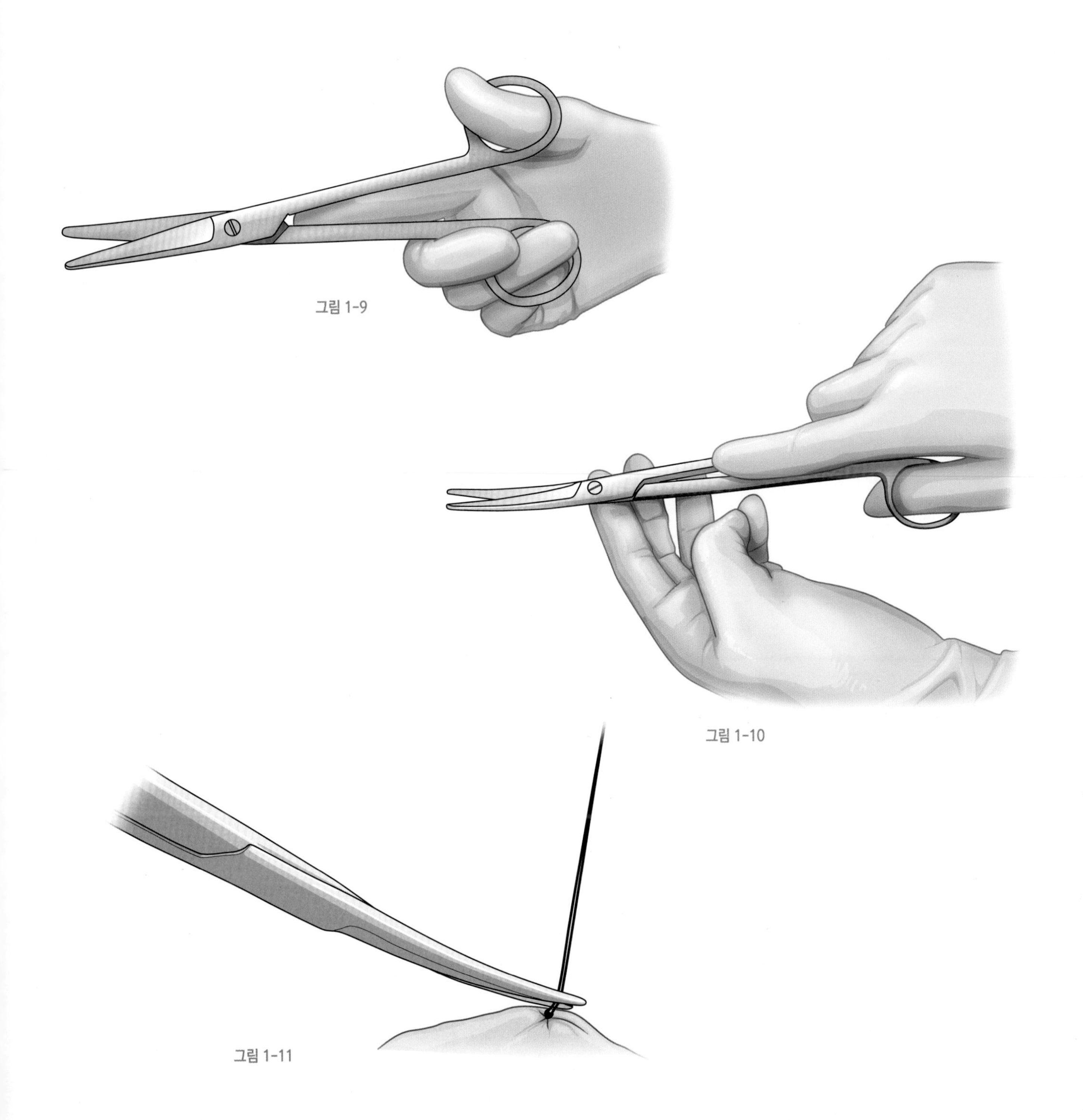

그림 1-9

그림 1-10

그림 1-11

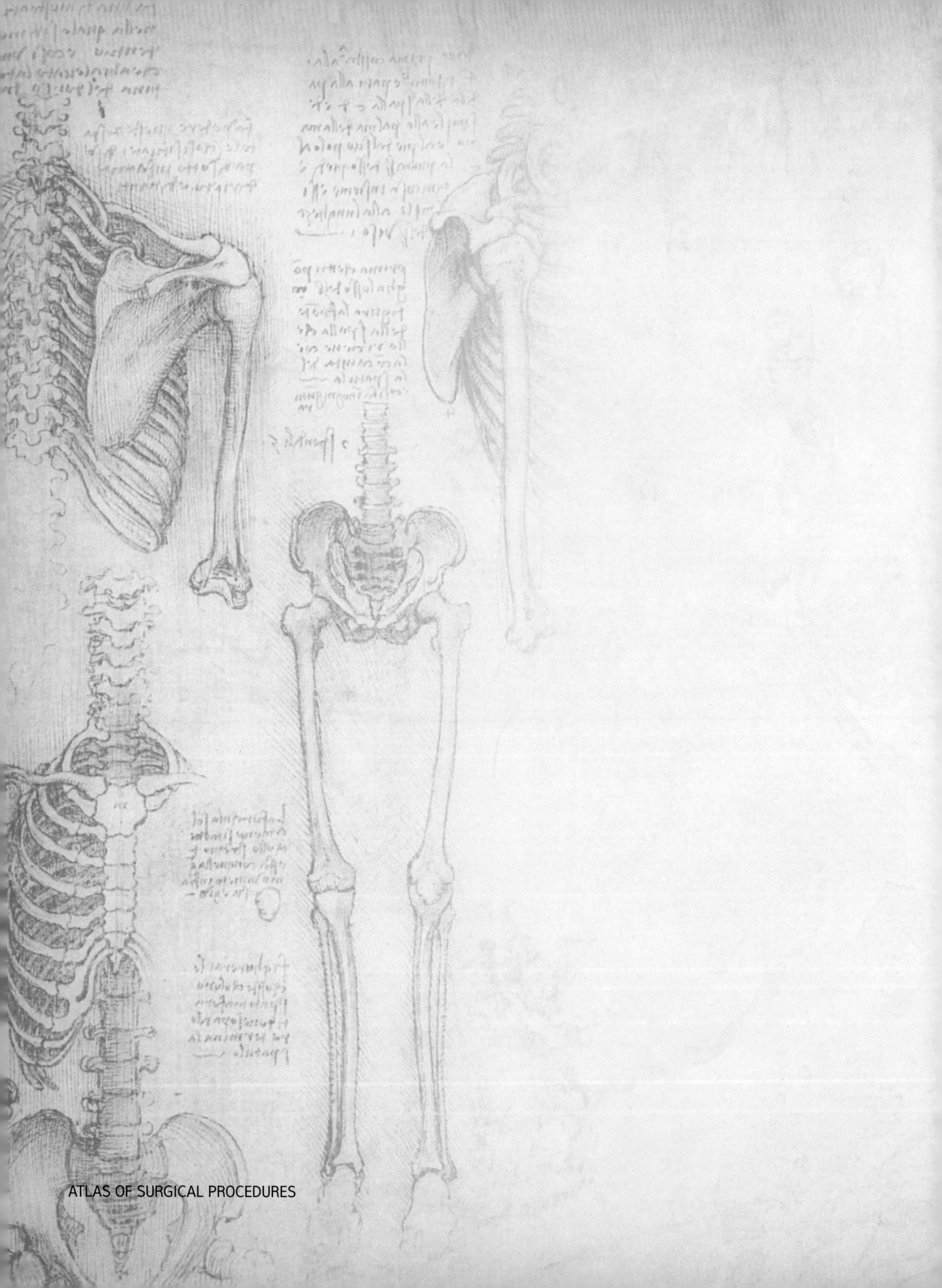

ATLAS OF SURGICAL PROCEDURES

CHAPTER 2

매듭과 결찰

Knots and tie

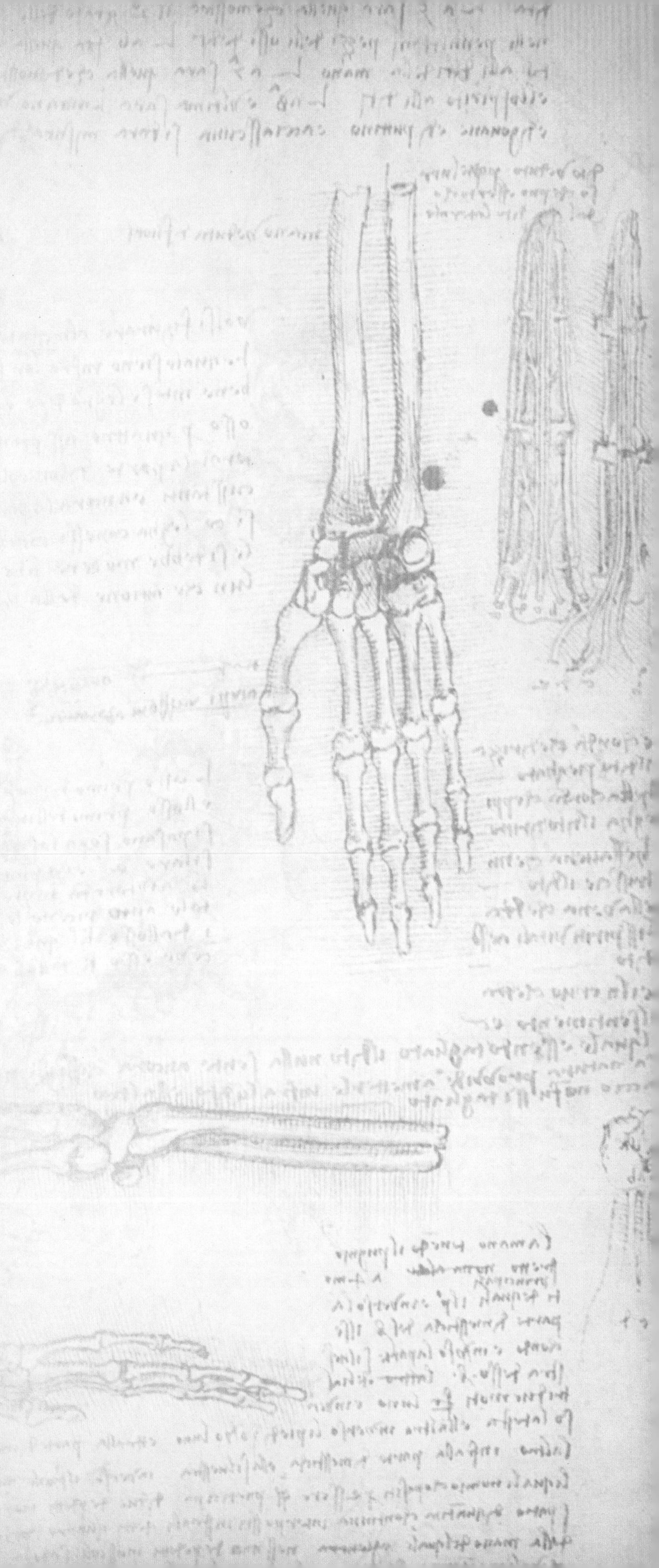

매듭법(knot tying)은 외과술기의 기본이 되는 술기이다.

매듭(knot)은 손가락으로 전해지는 실의 장력을 느끼며, 손가락의 움직임으로 실을 다루는 외과술기의 기본이 되는 술기이다. 손가락이나 도구를 사용하여 다양한 상황과 다양한 부위에서 매듭(knot)을 만들 수 있는 최선의 방법을 부단히 연습하여야 한다.

1. 양손 매듭(Two hand tying)

양손 매듭(Two hand tying)은 가장 안전한 매듭법이다. 양손을 이용하여 실의 장력을 정확하게 느끼고, 매듭의 방향과 장력의 세기를 완전히 제어하여, 정확하고 안전한 매듭을 만들 수 있다.

(그림 2-1) 목표물에 걸린 실을 교차시켜 앞의 실을 왼손으로 파지하고 좌측 검지로 왼쪽 실을 건 후 좌측 엄지로 우측 실을 걸어 좌측 실 아래로 통과시킨 후 좌측 검지와 엄지를 이용하여 실을 잡고 그사이의 공간으로 실을 통과시켜 첫 번째 매듭을 만든 후 검지 끝으로 매듭을 밀면서 목표물에 매듭을 짓는다.

(그림 2-2) 이때 양쪽 실은 서로 일직선이 되도록 하며 같은 장력을 가하여야 한다.

(그림 2-3) 좌측 엄지로 좌측 실을 걸고 우측실을 좌측으로 이동시켜 좌측 엄지 위에서 두 실 사이의 공간으로 좌측 검지를 통과시킨 후 좌측 엄지와 검지로 실을 잡고 다시 그 공간으로 빼내어 매듭을 형성하여 두번째 매듭을 만든다. 이때 첫번째 매듭이 느슨해진 경우 두번째 매듭과 함께 검지로 밀어 목표물을 결찰한다. 세번째 매듭은 첫번째 매듭과 같은 방법으로 시행하여 이 때 불필요하게 과도한 장력을 가하여 실이 끊어지지 않도록 한다. 실크를 이용할 경우 3회의 매듭으로 안전한 매듭을 만들 수 있으며, Vicryl, Dexon과 같은 Polyglycolic Synthetics 봉합사을 이용할 경우 4회의 매듭으로 안전한 매듭을 만들 수 있다. PDS, Maxon과 같은 monofilament stainless steel wire를 이용하여 봉합할 경우에는 안전한 매듭을 만들기 위해 6회의 매듭이 필요하다.

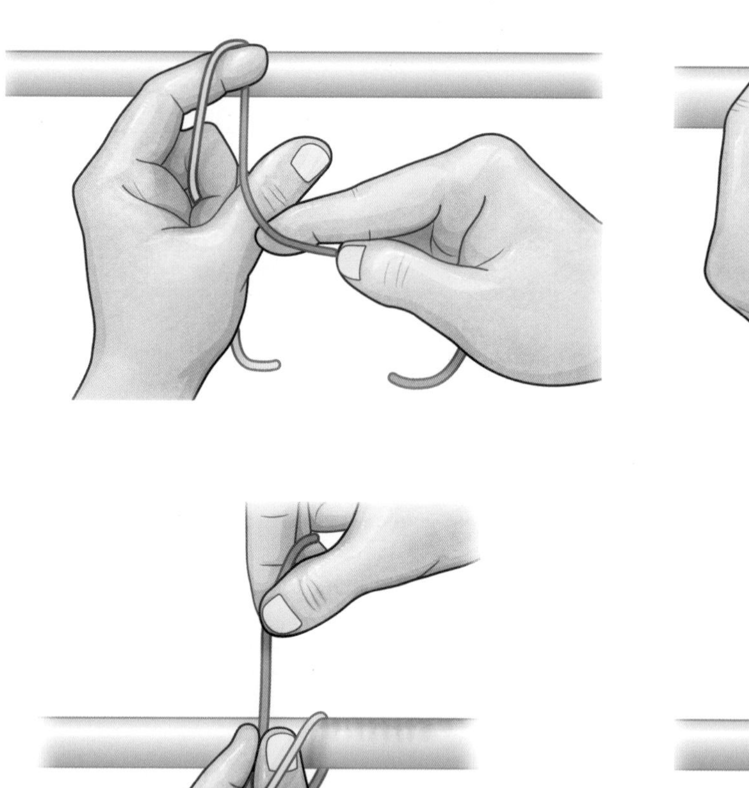
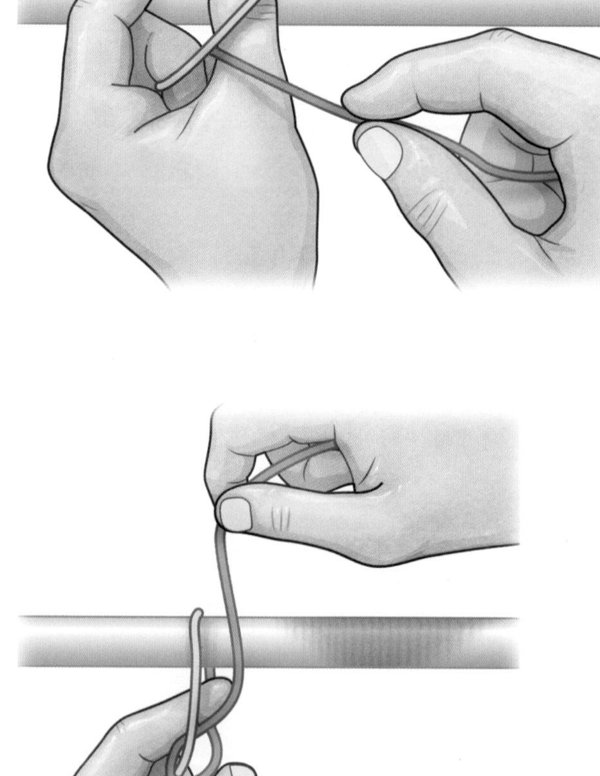

그림 2-1

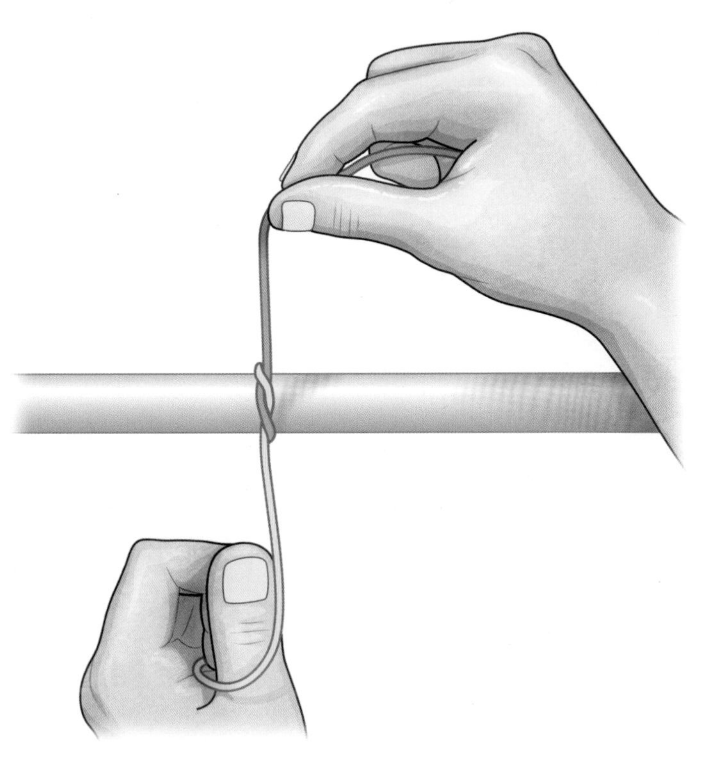

그림 2-2

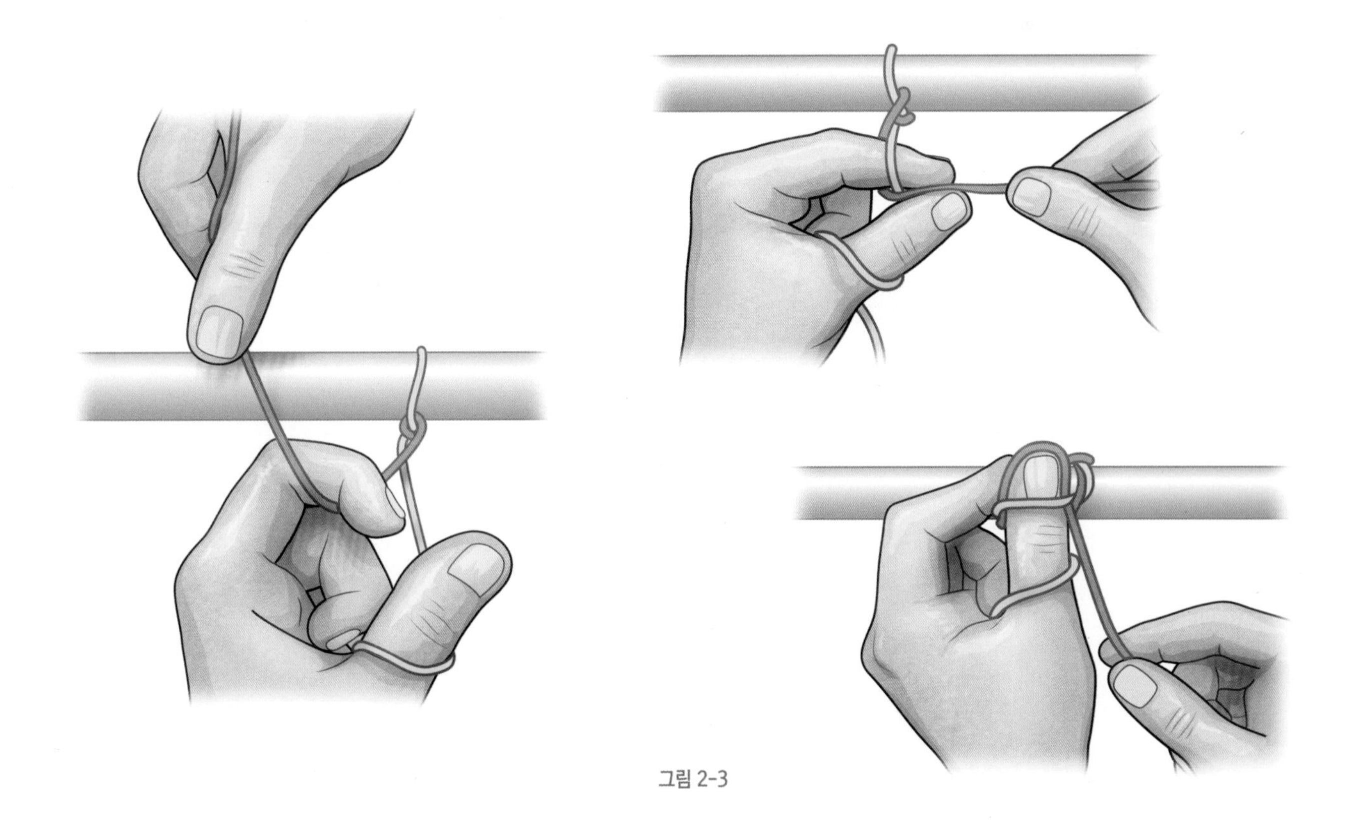

그림 2-3

2. 3지점 술기

(그림 2-4) 매듭을 위한 "3지점 술기"는 출혈되는 혈관을 결찰 할 경우나 깊은 부위에 있는 구조물을 결찰 할 때 중요하다. 술자의 양손으로 봉합사의 끝을 잡고 출혈 혈관을 결찰한다. 이 때 양 손은 직선 상 일렬로 배치되어야 한다. 양 손이 직선 상 일렬로 배치가 안 될 경우, 장력에 의해 혈관이 찢기게 되고 당겨져서 깊은 지점의 출혈일 경우 과다한 출혈을 일으킨다.

(그림 2-5) 담낭동맥처럼 깊은 부위의 혈관을 매듭지을 때 술자는 먼저 깊은 공간의 밖에서 매듭을 만든다. 한 쪽 실을 잡고 반대쪽 실을 손가락 끝(finger taps)으로 knot pusher처럼 결찰을 약하고 손상되기 쉬운 조직 방향으로 밀면서 양쪽 실에 동일한 장력을 가하면서 직선을 이루도록 한다. 이 때 혈관을 밀거나 매듭이 빠지지 않도록 주의한다.

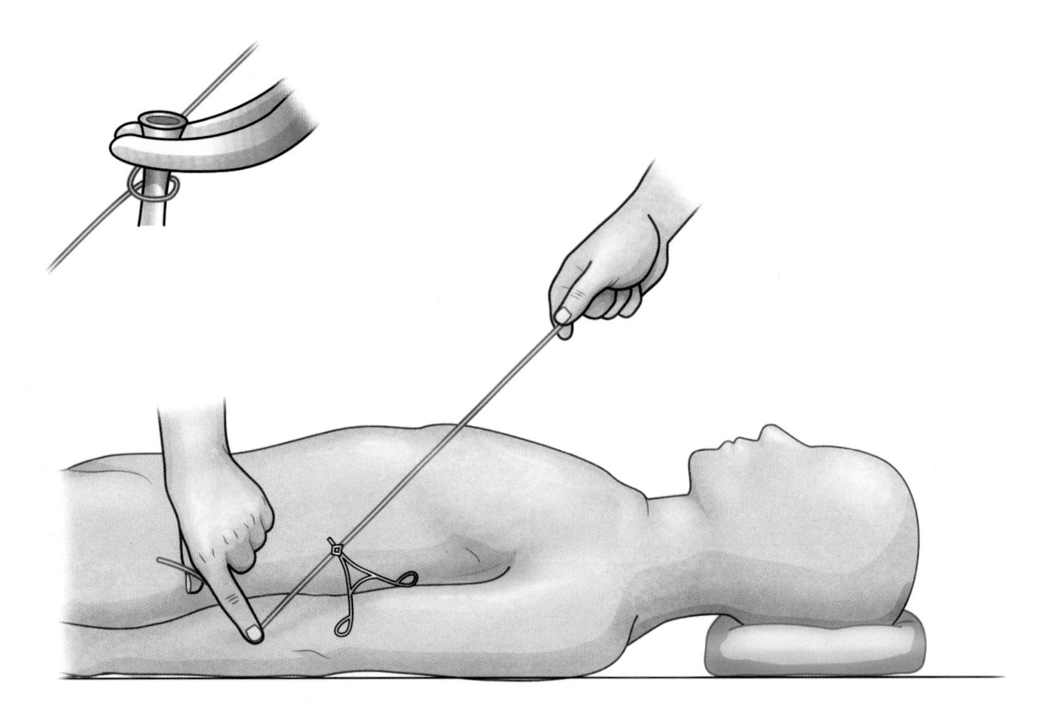

그림 2-4

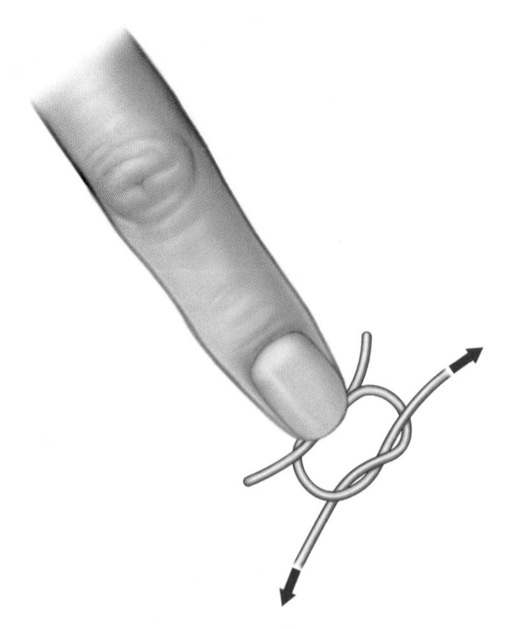

그림 2-5

3. Surgeon's knot

(그림 2-6) Surgeon's knot란 첫 매듭으로 2번 이상의 매듭을 짓는 것을 말한다. PDS, Maxon과 같은 monofilament를 이용하여 봉합할 경우나, 긴장(tension)이 있는 조직에 매듭을 만들 경우 첫 매듭으로 Surgeon's knot가 선호된다.이런 경우 Surgeon's knot는 미끄러지지 않고 잘 고정된다. 하지만 다음 번 매듭을 만드는 과정에서 실을 당기는 경우 매듭이 느슨해 질 수 있다.

4. 한 손 매듭(One hand tying)

(그림 2-7) 한 손 매듭(One hand tying)이라 불리는 중지매듭법은 엄지와 검지로 실을 잡고 중지와 약지로 같은 쪽 실을 걸어 반대쪽 실을 중지 위에 얹고 중지로 그 실을 걸어 중지와 약지로 실을 잡아 빼 내 매듭을 만든다. 반대쪽도 같은 방법으로 시행한다. 여러 연속 매듭이 필요할 때 쉽게 시행할 수 있으며, 좁은 공간이나 실이 짧은 상황에서 유용하게 사용할 수 있다. 왼쪽 실이 앞에 오도록 한 후 오른손으로 시행하여야 square konts가 형성된다. Square kont가 아닌 경우 실이 엇갈려 끊어질 위험이 높다.

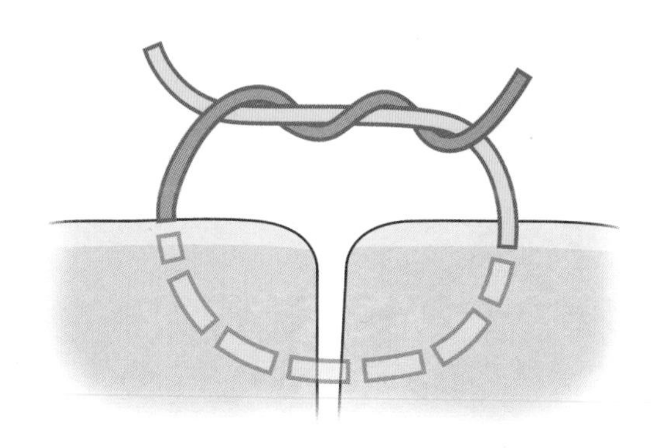
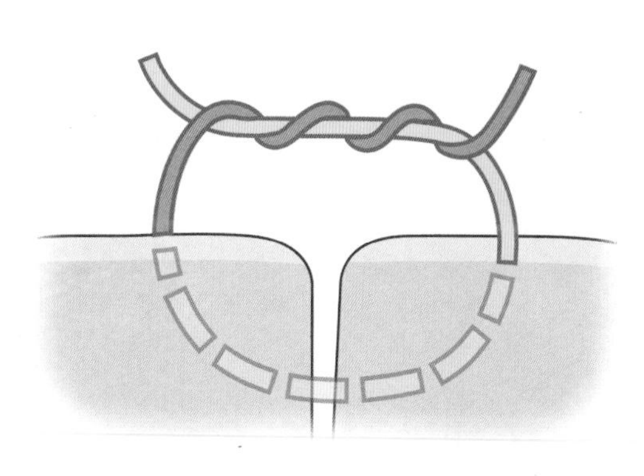

그림 2-6

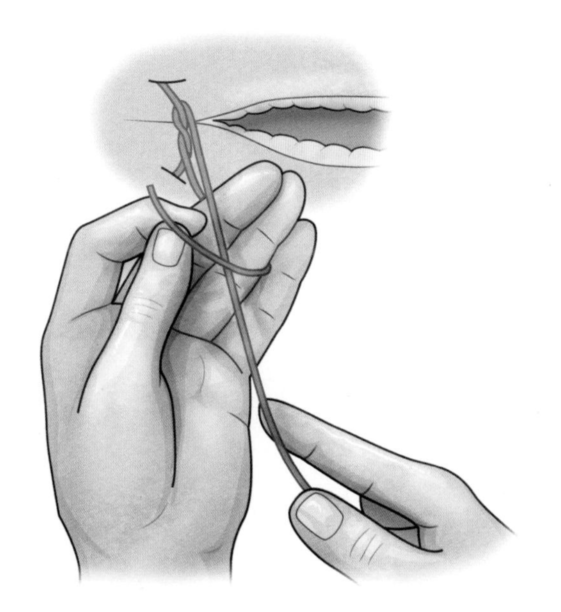
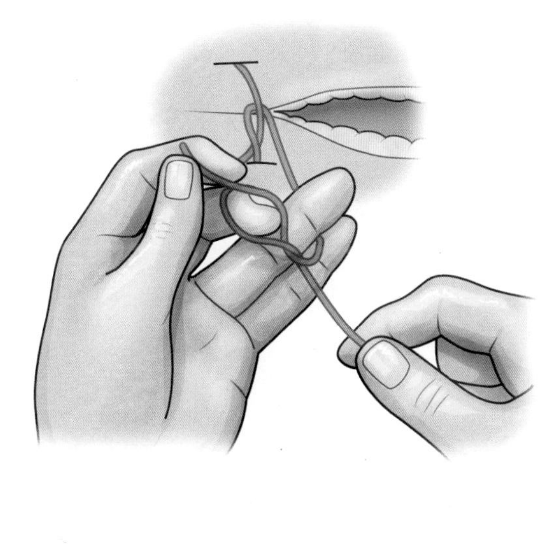

그림 2-7

(그림 2-8) 검지 매듭법(one finger tying)은 교차 된 왼쪽 실을 좌측 엄지와 약지로 실 끝이 아래로 향하도록 잡고 좌측 검지를 이용하여 매듭을 만든다. 반대쪽도 같은 방법으로 시행한다.

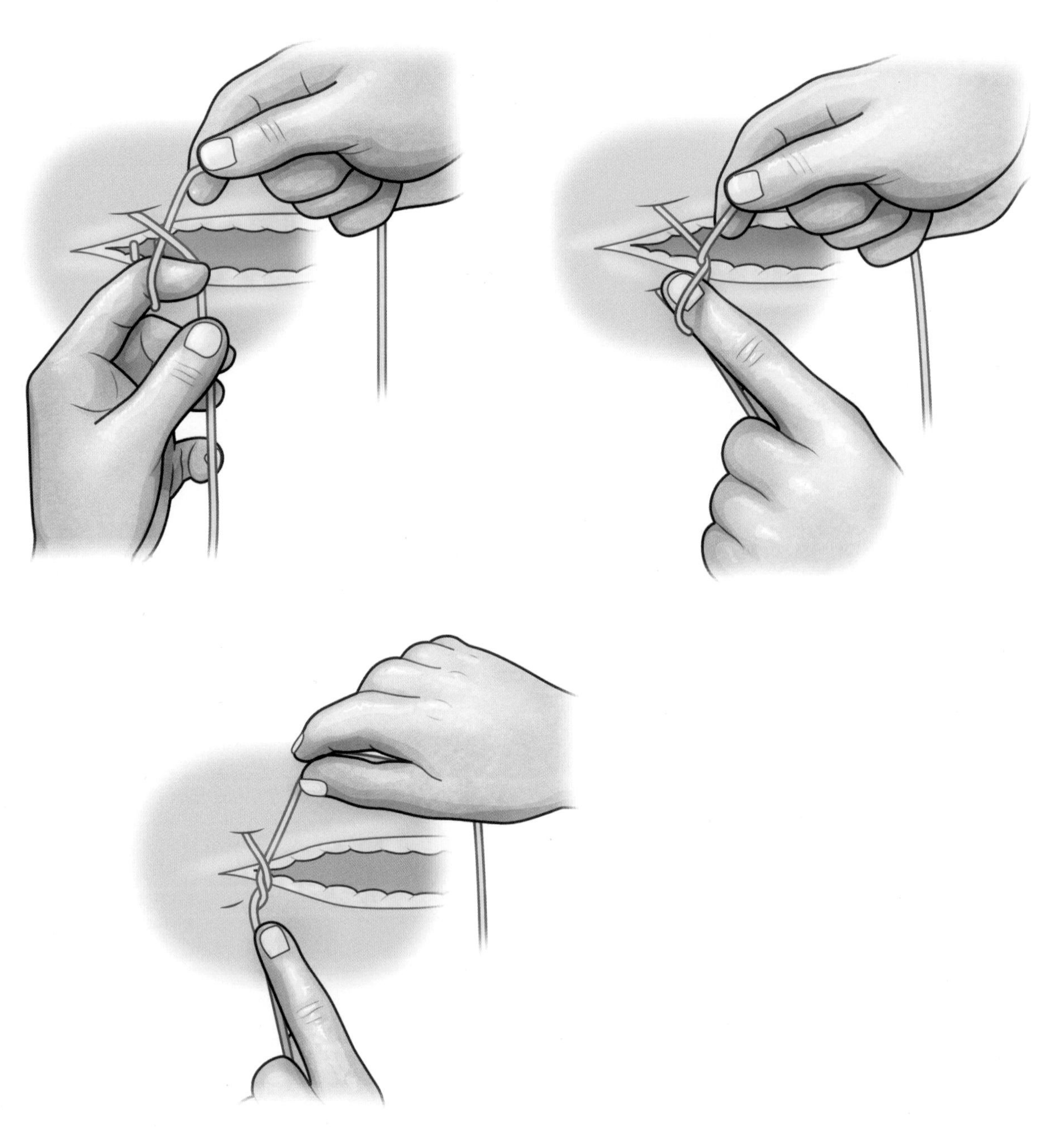

그림 2-8

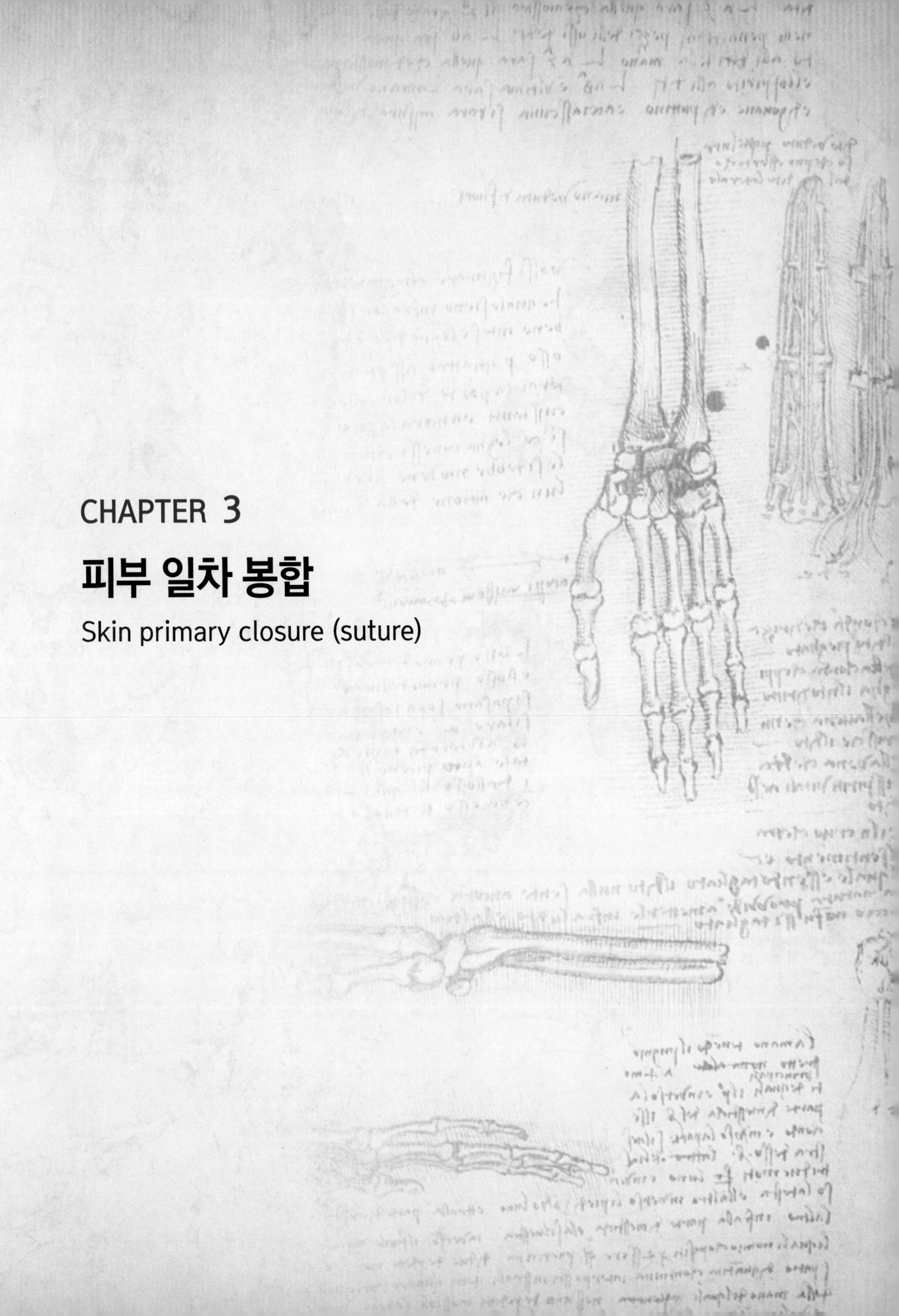

CHAPTER 3

피부 일차 봉합

Skin primary closure (suture)

1. 적응증

- 피부 찢김 상처, 수술 후 피부 절개 상처

2. 비적응증

- 상처가 육안적으로 오염되어 있거나 감염이 되어 있는 경우
- 조직의 괴사가 발생한 경우

3. 수술 전 처치

1) 제모

좀더 정확한 상처 봉합을 위하여 제모가 필요할 수 있으나 조직 손상으로 인하여 감염이 발생할 수 있으므로 주의한다. 눈썹 주변부일 경우 봉합 후에 눈썹이 비정상적 방향으로 성장할 수 있기 때문에 일반적으로 면도를 하지 않는다.

2) 상처 세척

포비돈 용액, 과산화수소 등이 전통적으로 사용되어 왔으나 조직 손상 효과가 있으므로 더 이상 사용을 권장하지 않는다. 조직 손상을 일으키지 않는 생리식염수가 가장 많이 널리 쓰이며 비용도 저렴하다. 보통 1 cm의 상처에 100 ml의 생리식염수가 쓰인다.

3) 고압 세척

주사기 등을 이용하여 지속적인 고압 세척(250~415 mmHg, 30~60 ml 주사기에 19 게이지 바늘을 꽂아 사용)을 하는 경우 세균 수를 줄일 수 있고 혈류가 원활하지 않은 오염된 조직에서 효과를 볼 수 있다. 다만, 혈관 분포가 많은 눈꺼풀과 같은 연조직에서는 조직 손상을 일으켜 감염의 가능성을 높일 수 있으므로 사용하지 않는다.

4) 상처 청결

상처 주변부를 물리적으로 손상을 입히지 않도록 유의하면서 오염물질을 제거하고 포비돈 또는 클로르헥시딘 용액 등을 이용하여 소독한다.

4. 마취

대체로 일차 피부 봉합은 국소마취 하에 시행되나, 국소마취제의 독성이 나타나는 용량보다 더 많은 양의 국소마취제가 요구될 경우 또는 심한 오염으로 죽은조직제거술(debridement)이 광범위하게 예상될 경우 전신마취가 필요할 수 있다. 그 외 수술 후 피부 절개 상처 봉합을 위해서는 해당 수술의 마취 종류에 따른다.

5. 환자 자세

외과의사가 가장 편하게 수술할 수 있도록 환자가 가능한 한도 내에서 자세를 취한다. 환자에게 무리한 자세를 요구해서는 안 되며, 장시간 자세를 취했을 때 신경 손상이 되는 자세는 피한다. 피부 일차 봉합 시 일반적인 자세는 환자가 처치대 또는 수술 침대에 누웠을 때 주로 상처가 하늘을 향하도록 자세를 잡는다.

6. 수술 준비

- 준비물: 봉합사(주로 단선 비흡수성 봉합사), 바늘집게(Needle holder), 유구집게(tooth forceps), 가위, 거즈

7. 수술 과정

1) 단순 불연속 봉합 (Simple interrupted suture)

(그림 3-1, 2) 찢어진 상처에 가장 흔히 사용되는 봉합법이다. 바늘을 피부에 통과시킬 때 바늘과 피부가 이루는 각도가 직각이 되도록 삽

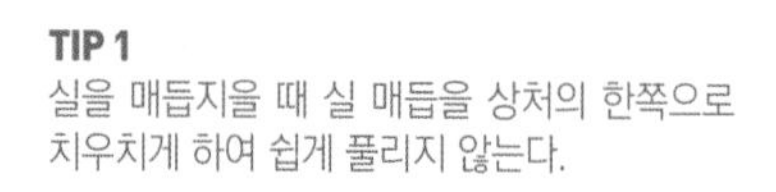

TIP 1
실을 매듭지을 때 실 매듭을 상처의 한쪽으로 치우치게 하여 쉽게 풀리지 않는다.

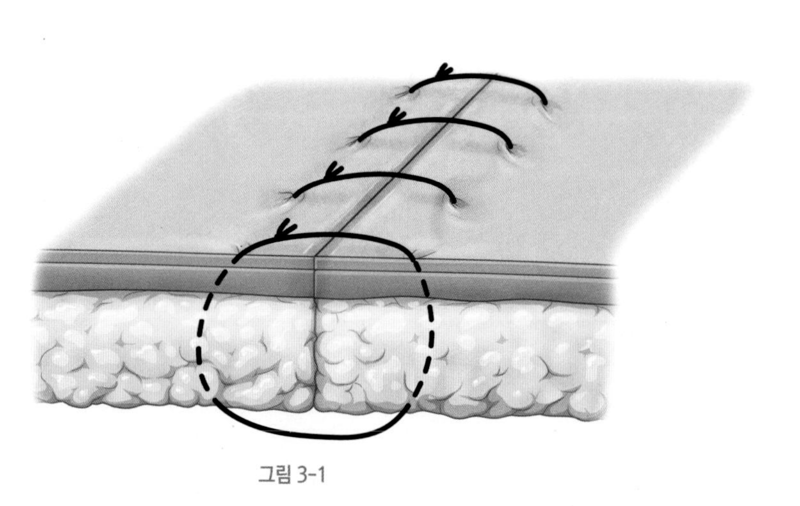

그림 3-1

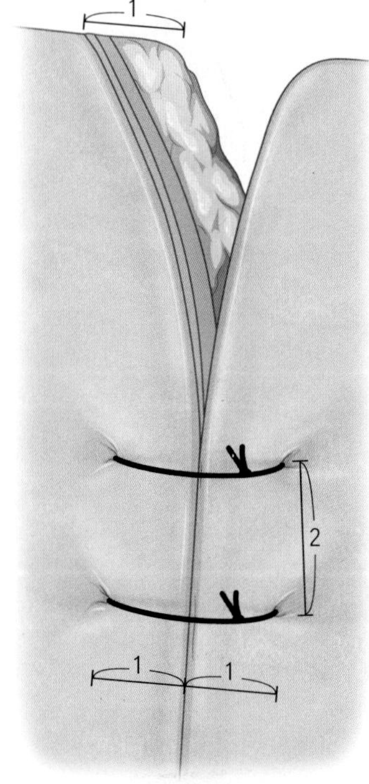

그림 3-2

입한다. 바늘의 삽입 부위와 상처와의 간격은 바늘을 빼내는 부위와 상처와의 간격과 같게 하며, 그 간격은 상처의 깊이와 동일하게 한다. 결국 바늘의 입구 부위와 출구 부위의 너비는 상처 깊이의 2배가 된다.

사강(dead space)을 최소화하고 상처가 외번되게 하기 위하여 바늘이 상처의 모든 층을 통과하도록 봉합한다. 이때 상처 밑면을 긁어내듯 바늘을 통과시키면 전체적인 모양이 직사각형 형태가 되도록 할 수 있다.

양쪽 실을 묶을 때의 긴장도는 상처가 바싹 죄어져 압축되지 않도록 하며 상처 양 끝이 살짝 붙을 정도로 만든다.

매듭 후 실을 자를 때 남아 있는 실의 길이는 1 cm 미만으로 하는데 실이 너무 많이 남을 경우 다음 봉합에 방해가 되며 실이 너무 짧게 남을 경우 매듭이 풀릴 위험이 있고 실 제거 시 어려울 수 있다.

첫 봉합 후 두 번째 봉합은 상처 깊이의 2배 간격을 두고 시행한다.

2) 수직 매트리스 봉합 (Vertical mattress suture)

(그림 3-3, 4) 이 봉합법은 피부나 피하지방이 두터워 단순 봉합법으로 봉합하였을 때 상처의 가장자리가 내번될 가능성이 있을 때 시행하면 유용하며, 복부 수술 후 상처를 봉합할 때 흔히 사용된다.

단순봉합과 비슷하게 시작하지만 바늘이 상처 가장자리에 방향을 바꾸어 얕게 표피와 진

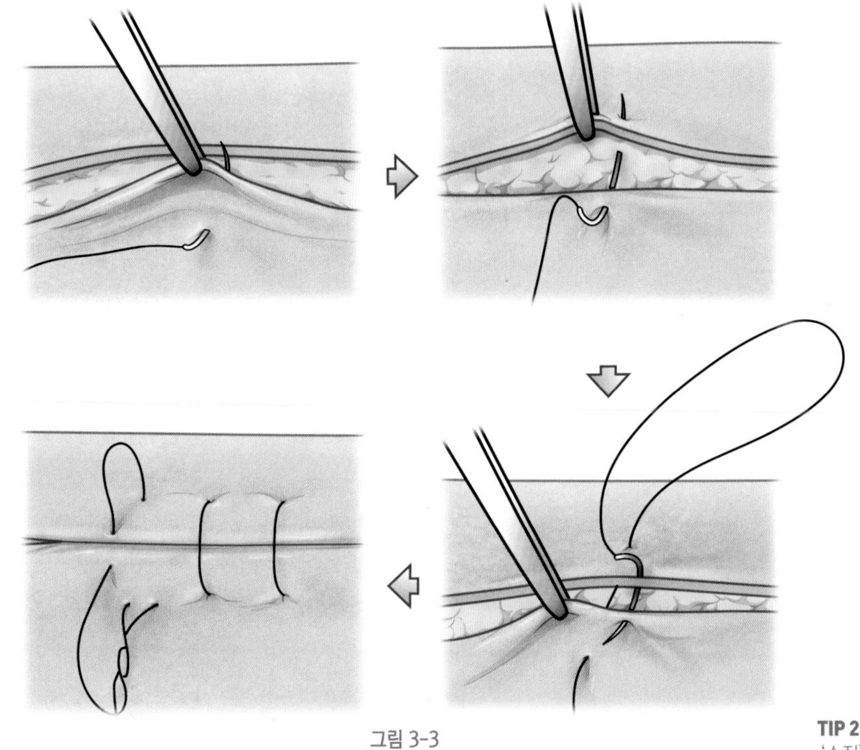

그림 3-3

TIP 2
'수직'이란 상처의 방향과 피부 위에 나타난 봉합사의 방향이 직각이라는 것을 뜻한다.

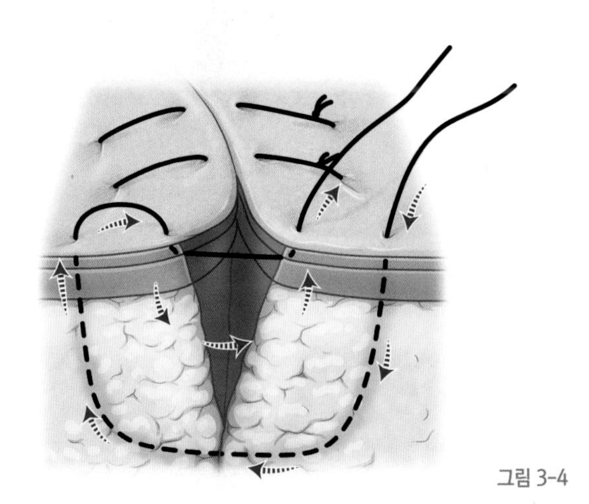

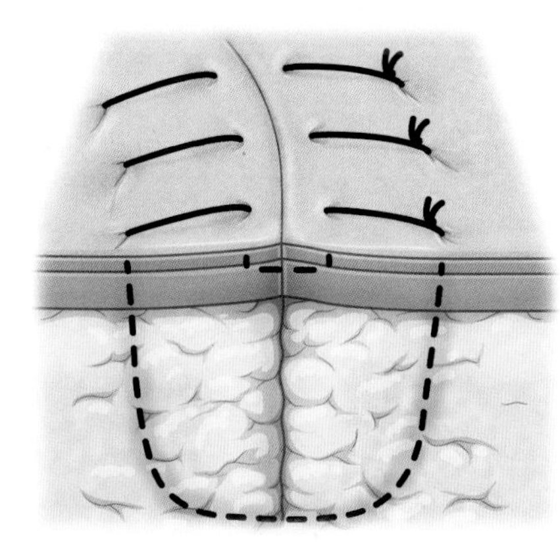

그림 3-4

피층 사이를 한 번 더 지나가게 만들어 가장자리를 모아주고 높이를 맞춰 주며 상처를 외번시킬 수 있다. 이때 상처의 높이를 똑같이 맞추어야 상처 회복이 빠르고 흉터가 덜 생기므로 주의한다.

3) 수평 매트리스 봉합 (Horizontal mattress suture)

(그림 3-5) 상처와 피부 위에 나타난 봉합사의 방향이 수평을 이루며 피부의 가장자리를 외번 시키면서 접근시키는 봉합법이다. 약간의 긴장이 있는 손바닥이나 두터운 발바닥을 봉합할 때 사용된다.

이 봉합법을 사용할 때 두 봉합 부위 사이의 상처 부위 허혈이 가능하며 피부 가장자리의 부분적 괴사가 나타날 수 있으므로 유의한다.

4) 표피밑봉합(Subcuticular suture)

(그림 3-6) 봉합사가 외부에서 보이지 않게 상처 양쪽의 표피밑층을 바늘이 연속적으로 왕래하며 봉합하는 방법으로, 감염이 전혀 없는 청결 상처(clean wound)에 사용될 수 있으며 피부 가장자리가 가장 잘 근접할 수 있으므로 흉터가 매우 가늘고 깔끔하게 남는다. 흡수성 봉합사를 사용할 경우 상처의 끝부분에서 봉합사의 매듭이 피부에서 상처 가장자리에서 떨어져 피부 안쪽으로 묻히도록 하며, 비흡수성 봉합사를 사용할 경우는 매듭을 피부 바깥에서 한다. 봉합이 끝난 후 보조적으로 외과테이프를 사용할 수 있다.

단점은 상처 아래쪽의 조직을 지지해 줄 수 없어 사강(dead space)가 발생할 수 있다. 그러므로 깊은 상처에서는 사용하지 않거나 피부지방층을 따로 봉합해 주는 과정이 필요하다.

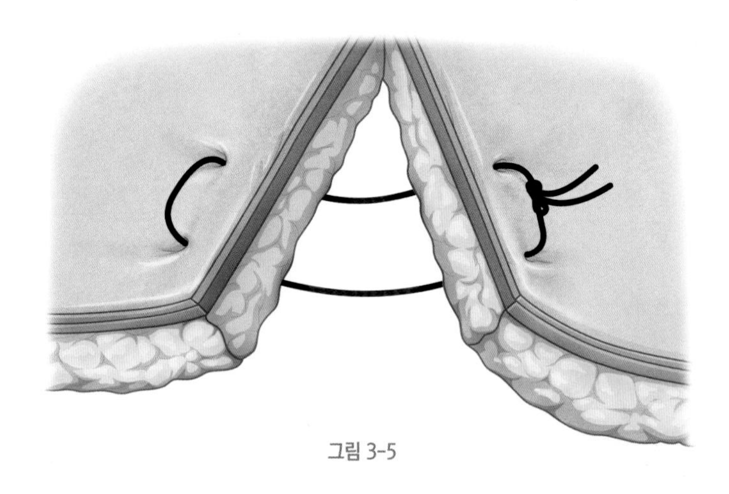

그림 3-5

TIP 3
긴 상처를 비흡수성 봉합사를 이용하여 표피밑봉합을 할 경우 상처의 중간 부위에 다리를 만들거나 피부 바깥에 외부 고리를 만들면 실밥 제거를 쉽게 할 수 있다.

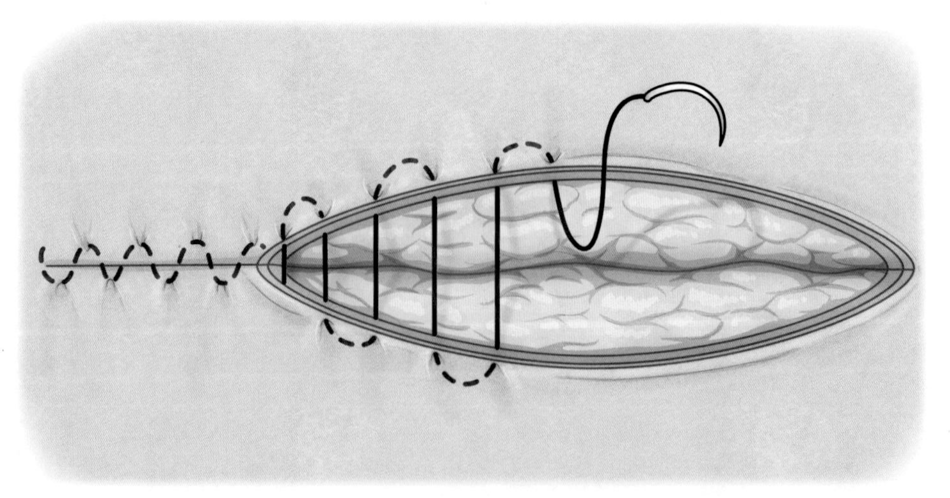

그림 3-6

5) 실밥 제거

(그림 3-7) 실밥을 제거할 때 매듭이 놓여진 쪽의 반대 방향의 실을 당겨 피부 속에 있던 실을 노출시킨 후 가위나 칼로 끊은 후 처음 실을 당긴 방향의 반대 방향으로 당겨 전체 실을 제거한다. 이렇게 하면 피부 바깥 쪽의 실이 피부 밑으로 파고 들어가 상처를 오염시키는 것을 최소화할 수 있고, 불완전하게 붙은 상처가 벌어지는 것을 막을 수 있다.

6) 기타

(1) 봉합기(Stapler)

(그림 3-8) 실을 이용한 봉합보다 빠르게 봉합할 수 있으며 감염가능성이 떨어지며 이물질 반응이 낮다. 주로 두피, 사지, 몸통에 사용한다. 피부 층이 외번된 상태로 봉합되게 한다.

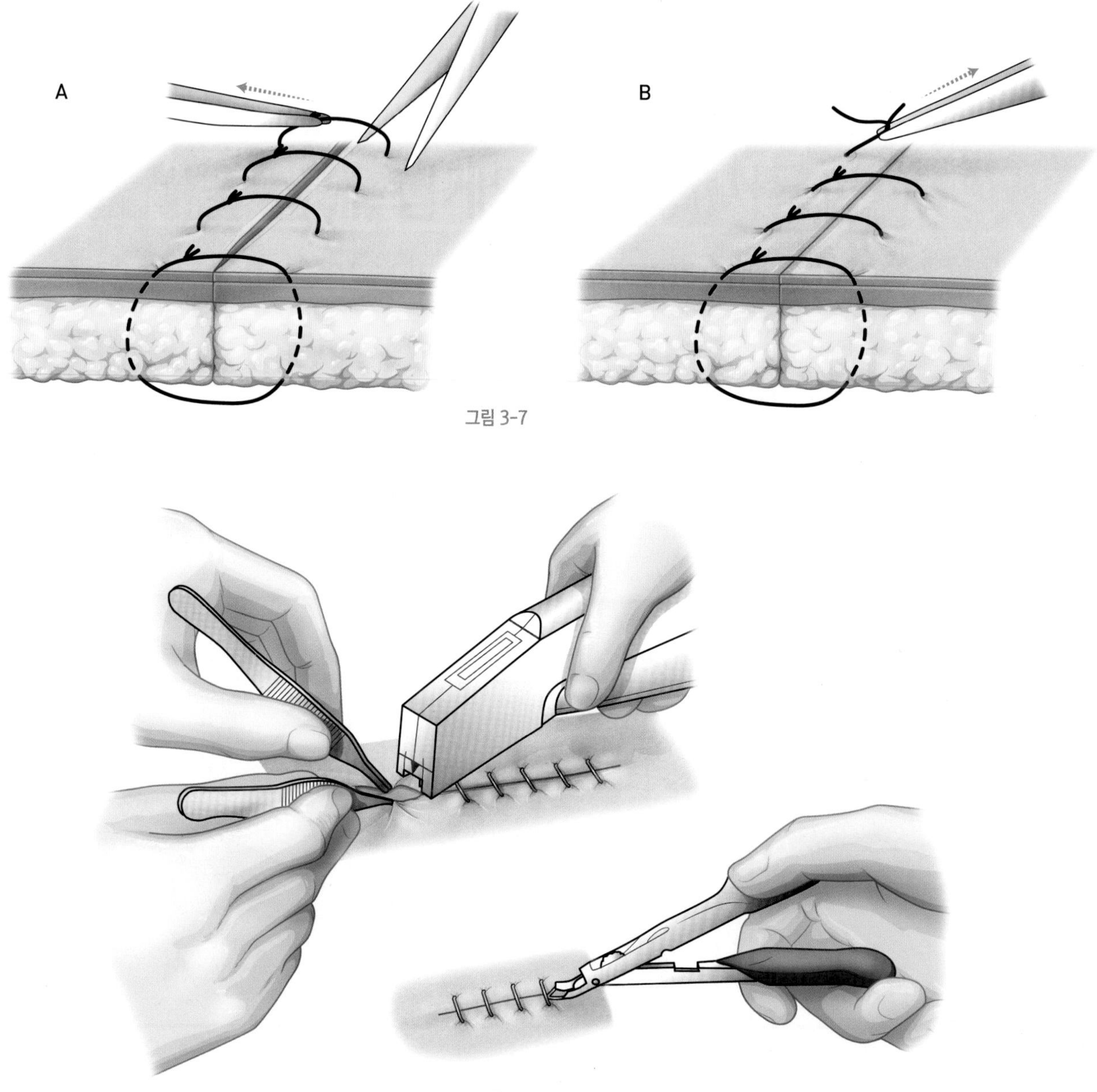

그림 3-7

그림 3-8

(2) 외과 테이프(Surgical tapes)

(그림 3-9) 일차 피부 봉합에는 잘 쓰이지는 않으나 봉합사를 제거한 후 보조적으로 사용하면 피부 긴장도를 떨어뜨려 실밥 제거 후 상처의 안정성을 높일 수 있다. 일차 피부 봉합 시에 어린이들에게 통증을 최소화하기 위해서 또는 상처가 작은 경우 사용할 수 있고 피부밑 봉합과 함께 사용할 수 있다.

(3) 비바늘 피부 접근 봉합
(Needle-free skin approximation)

(그림 3-10) 외과 테이프와 마찬가지로 피부를 찌르는 바늘 없이 상처를 접근 시켜 치유하는 방법으로 봉합할 때와 봉합물질 제거할 때 통증과 소요시간을 줄일 수 있다. 상처의 피부층이 내번되지 않도록 유의한다.

(4) 조직 접착제(Tissue adhesives)

시아노아크릴레이트(cyanoacrylate)를 포함한 접착제로 통증이 적고 상처 접착에 시간이 많이 걸리지 않아 주로 어린이들에게 유용하다. 단, 감염률이 높고 피부 가장자리가 잘 맞추어져야 하며 접착제가 고르게 도포되어야 하므로 유의한다. 긴장도가 높은 상처에는 사용하지 않는다.

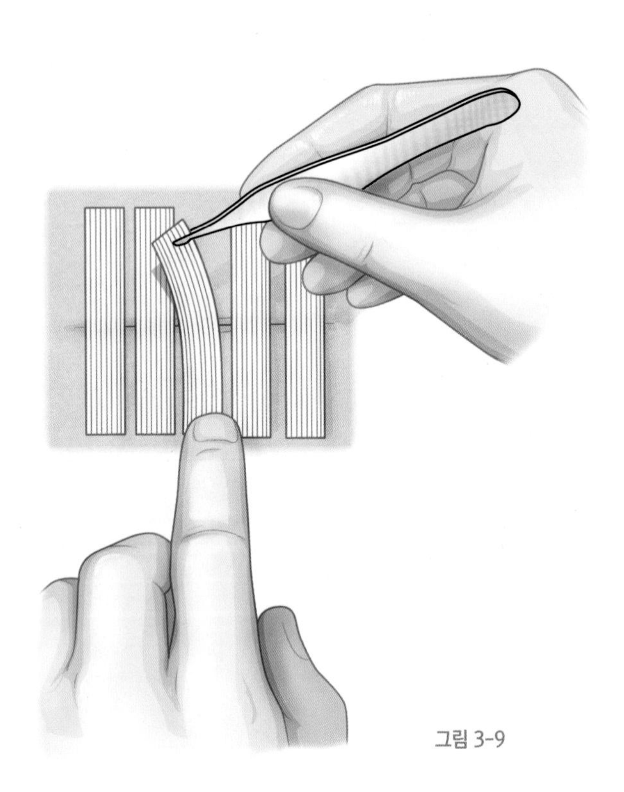

그림 3-9

정확한 위치에 부착한다.

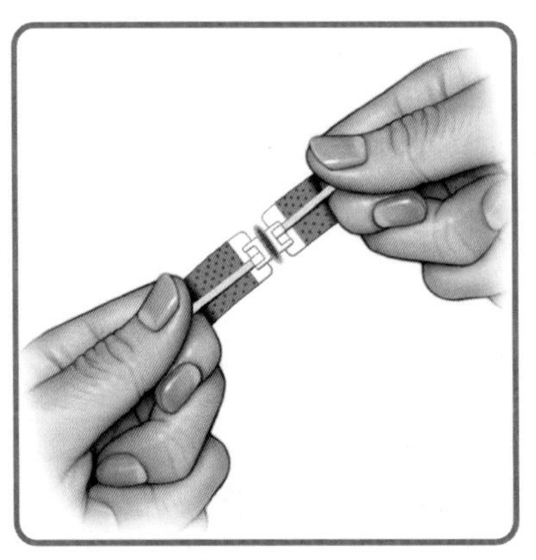

라인을 당겨준다.

라인을 제거한다.

그림 3-10

CHAPTER 4

장문합: 소장절제와 문합

Intestinal anastomosis; small bowel resection and anastomosis

1. 적응증

- 소장폐색: 장축염전, 감돈 헤르니아 등에 의한 괴사된 소장, 종양에 의한 폐색
- 장간막의 경색으로 인한 괴사된 소장
- 소장 천공: 외상이나 복부 좌상에 의한 소장 천공, 복부 수술 시에 유착 등에 의한 소장 천공

2. 수술 전 처치

- 수술 전 검사: 초음파, 복부전산화단층촬영, 조영제를 사용한 영상학적 검사
- 비위관삽관, 도뇨관 삽관
- 수액보충 및 전해질 교정

3. 마취

전신마취 하에 기관내 삽관을 시행한다. 복막염이 의심되는 경우 수술 전 항생제를 투여한다.

4. 환자 자세

환자는 앙와위 자세에서 수술대에 잘 고정하도록 한다. 복강경 수술의 경우 수술자와 카메라의 위치를 상의하여 환자의 양측에 복강경 장비를 위치하도록 한다.

5. 절개 및 노출

개복수술의 경우 일반적으로는 정중절개를 시행한다. 셀프 견인기를 사용하여 수술 부위를 충분히 노출시킨다. 복강경 수술의 경우 배꼽이나 배꼽 위 또는 아래에 카메라 포트를 설치하고 부위에 따라 추가 포트를 삽입한다.

6. 수술 과정

1) 단단문합 (End-to-end anastomosis)

(1) 소장장간막의 박리

(그림 4-1) 장간막 내에 혈관 줄기를 박리하는 것은 장에 가장 가까운 부위에서 시작한다. 장간막이 두껍거나 염증으로 인해 두꺼워진 경우에는 장간막과 장사이의 경계를 분리하는데 있어 어려움이 있을 수 있으므로 엄지와 검지를 사용하여 촉진하면서 시행한다. 장간막 중간 부위의 혈관들은 수술자가 익숙한 겸자 등을 이용하여 혈관을 피해서 분리하고 결찰한다. 지방층이 많이 함유된 장간막은 봉합결찰을 하는 것이 유리하다.

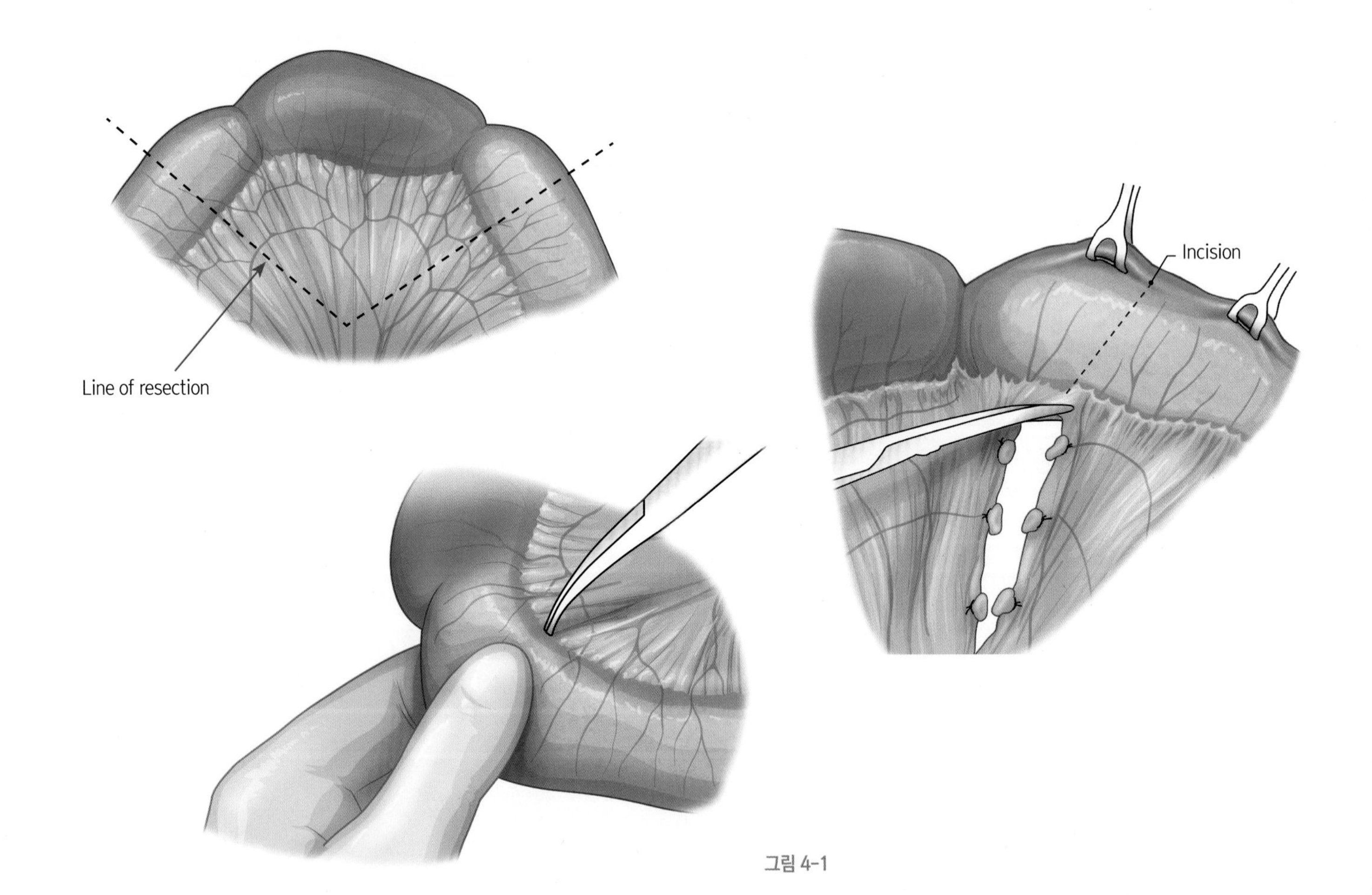

그림 4-1

(2) 소장의 부분 절제

(그림 4-2) 장간막을 박리하여 분리한 후 부분 절제를 시행할 소장의 상태를 확인한다. 문합될 부위의 장들은 비교적 소장에 손상을 덜 주는 겸자로 잡고 검체 쪽은 수술자가 익숙한 겸자를 이용해서 단단히 잡도록 하여 복강내로 장 내용물이 흘러나오는 것을 방지한다. 문합부의 허혈성 합병증 발생가능성을 낮추기 위해 소장 절단 시 장간막측에서 장간막반대측으로 약간 비스듬하게 절단하고, 복강 내를 오염시키는 것을 방지하기 위해 항균제를 묻힌 거즈를 이용하여 잘려진 면을 닦아낸다.

(3) 후벽부문합

(그림 4-3) 소장을 절제한 후 절단 부위를 접근시키고 문합을 시행한다. 3-0 또는 4-0의 봉합사를 이용하여 후벽 장막층의 문합을 시행한다. 후벽부문합은 약 0.5 cm 간격으로 하는 것을 추천한다.

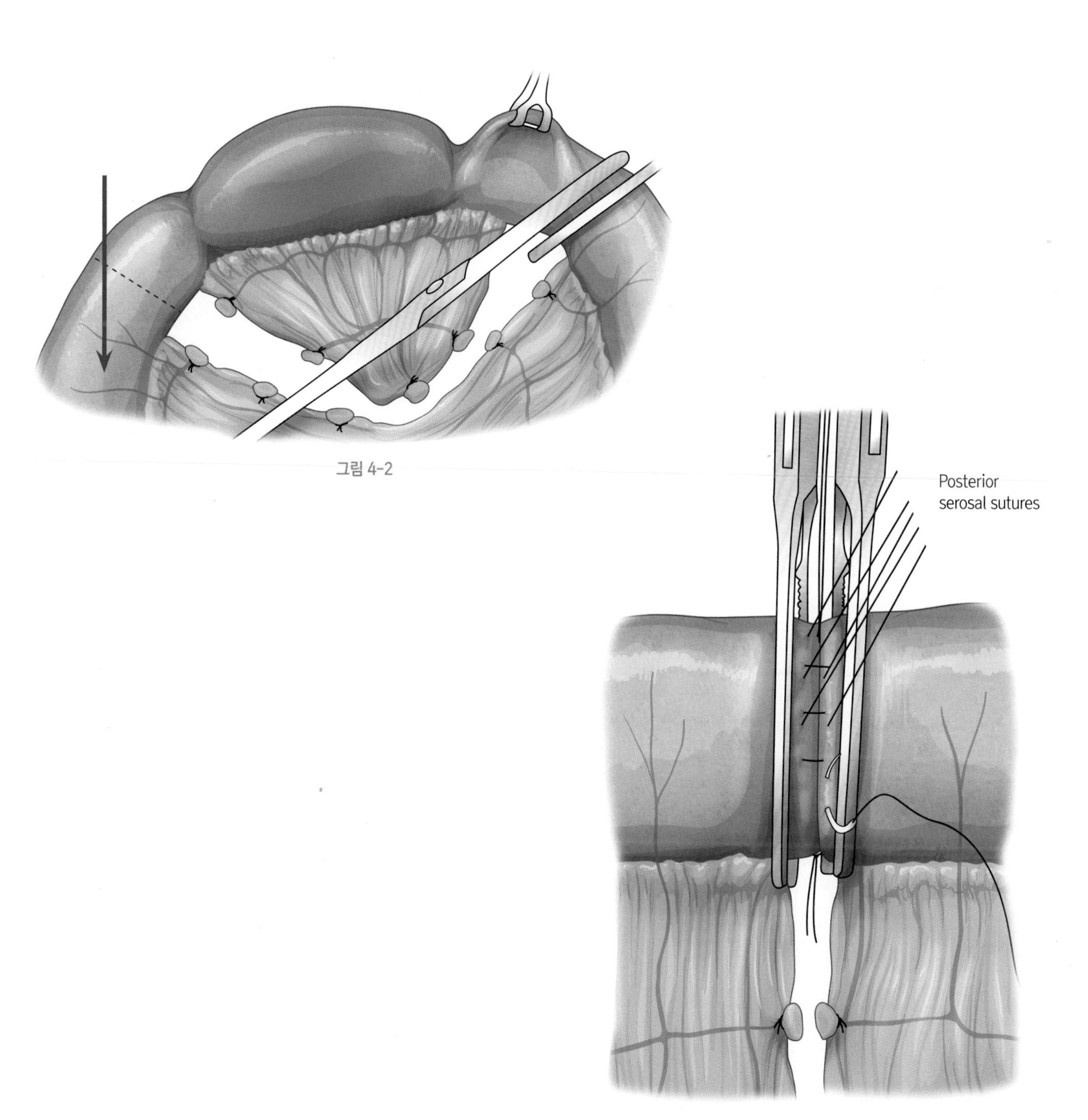

그림 4-2

그림 4-3

(4) 소장문합

(그림 4-4) 3-0 또는 4-0의 흡수사를 이용하여 장간막의 반대편 소장벽에서 시작하며 이를 봉합 결찰 후 소장 내강으로 바늘이 나오게 한다. 이후 소장 후면을 점막부터 장막을 포함하여 연속으로 장벽을 봉합한다.

(5) 전벽부문합

(그림 4-5) 전벽부문합은 후벽부문합과 같은 방법으로 시행한다.

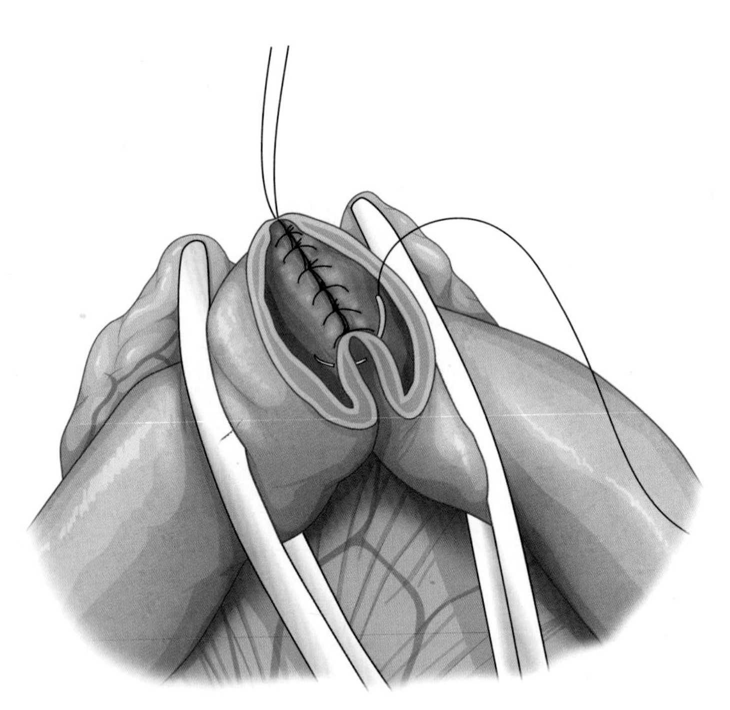

그림 4-4

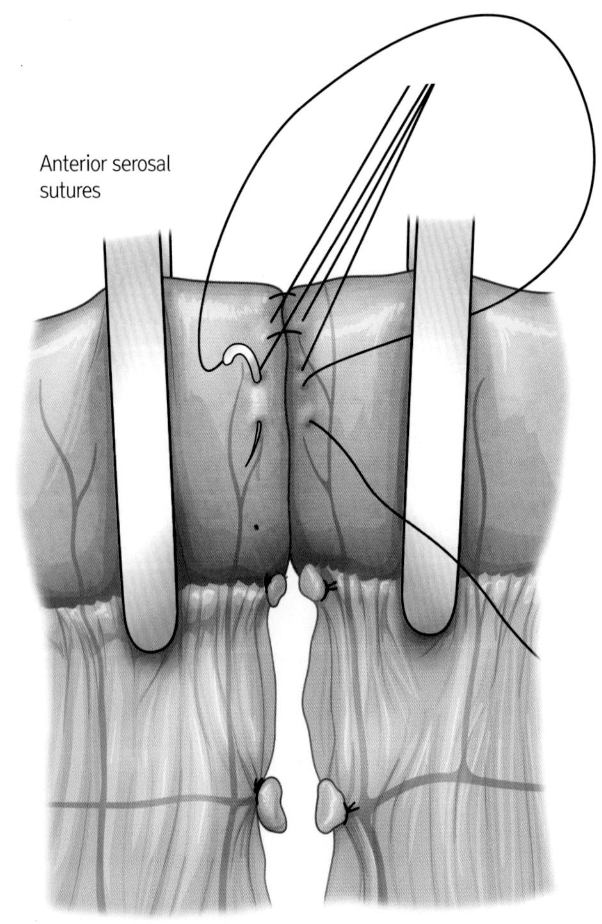

그림 4-5

(6) 장간막 결손 부위 봉합

(그림 4-6) 장간막 결손 부위의 봉합은 단순 봉합으로 시행하고 혈관에 손상을 주지 말아야 한다. 혈관이 손상되면 장의 혈류 공급에 문제가 생길 수 있고, 문합 부위의 괴사로 인해 문합부 누출의 위험성이 있게 된다.

(7) 내강 폭의 확인

(그림 4-7) 봉합이 완료되면 엄지와 검지를 이용하여 적절한 내강의 폭이 확보되었는지 확인한다. 적어도 엄지와 검지의 끝이 만져질 수 있을 정도가 되어야한다.

2) 측측문합 (Side-to-side anastomosis)

(1) 소장 절단단봉합

(그림 4-8) 소장의 부분 절제까지 시행 후에 양쪽 소장의 절단단은 봉합사를 이용하여 봉합을 시행한다.

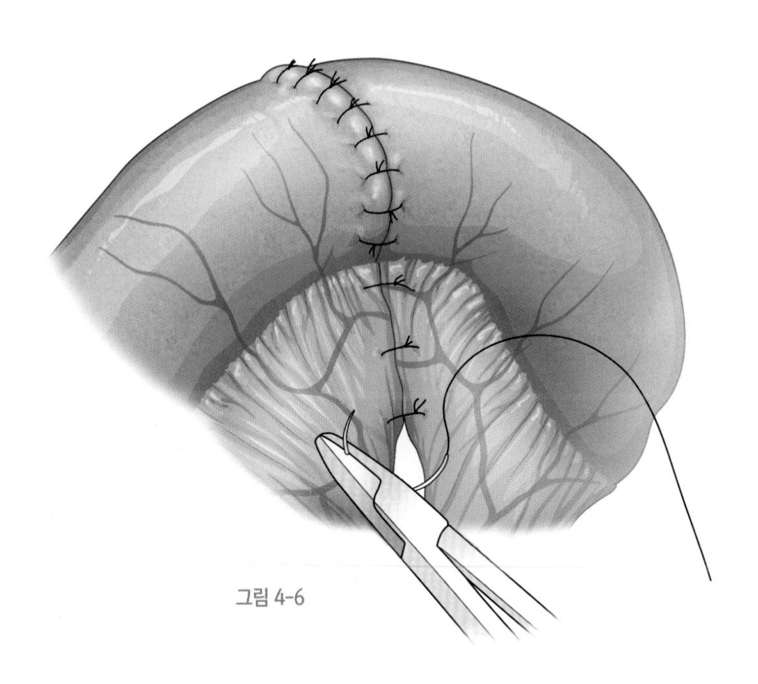
그림 4-6

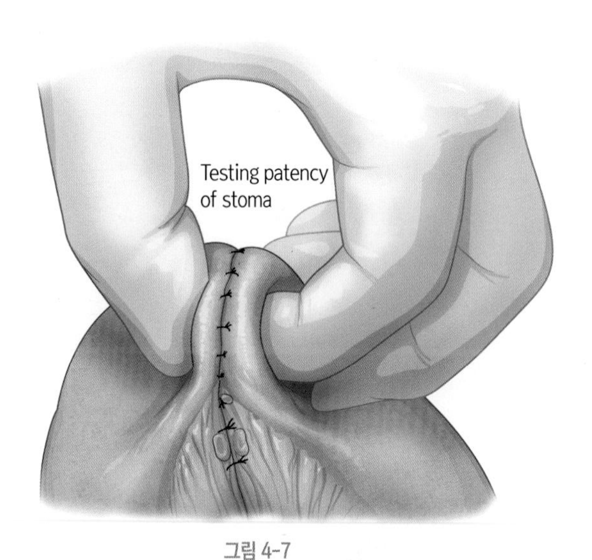

그림 4-7

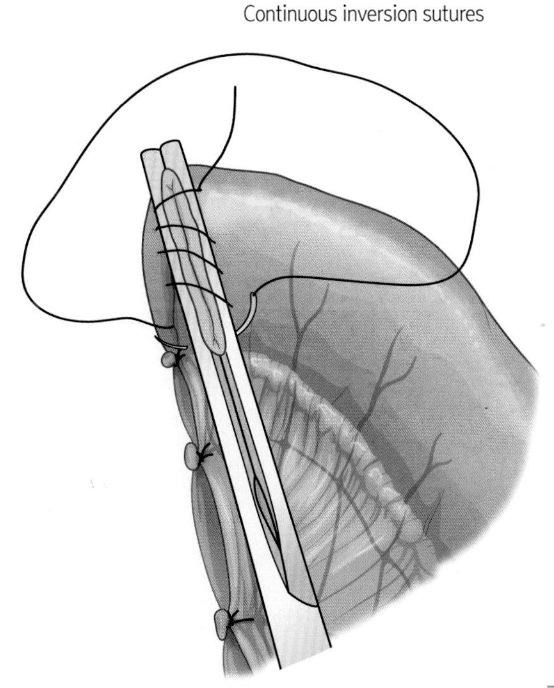

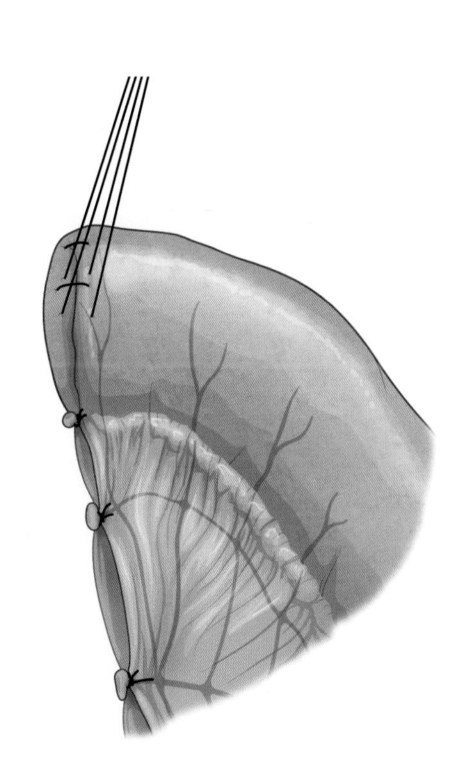
그림 4-8

(2) 후벽부문합

(그림 4-9) 그림과 같이 봉합할 반대편의 소장 부위를 비교적 소장에 손상을 덜 주는 겸자로 잡고 가깝게 둔다. 후벽부문합은 단단문합에서 소개된 것처럼 봉합한다.

(3) 소장문합

(그림 4-10) 후벽부문합이 이루어지면 후벽부문합에서 약 0.5 cm 되는 부위에서 양쪽 소장을 후벽봉합의 길이보다 약간 작게 절개를 넣는다. 이후 단단문합에서 소개된 것처럼 연속된 봉합을 시행한다.

(4) 전벽부문합

(그림 4-11) 전벽부문합은 후벽부문합과 같은 방법으로 시행한다.

(5) 장간막 결손 부위 봉합

(그림 4-12) 장간막의 결손 부위는 단단문합에서 소개된 것처럼 혈관을 주의하면서 단순봉합을 시행한다.

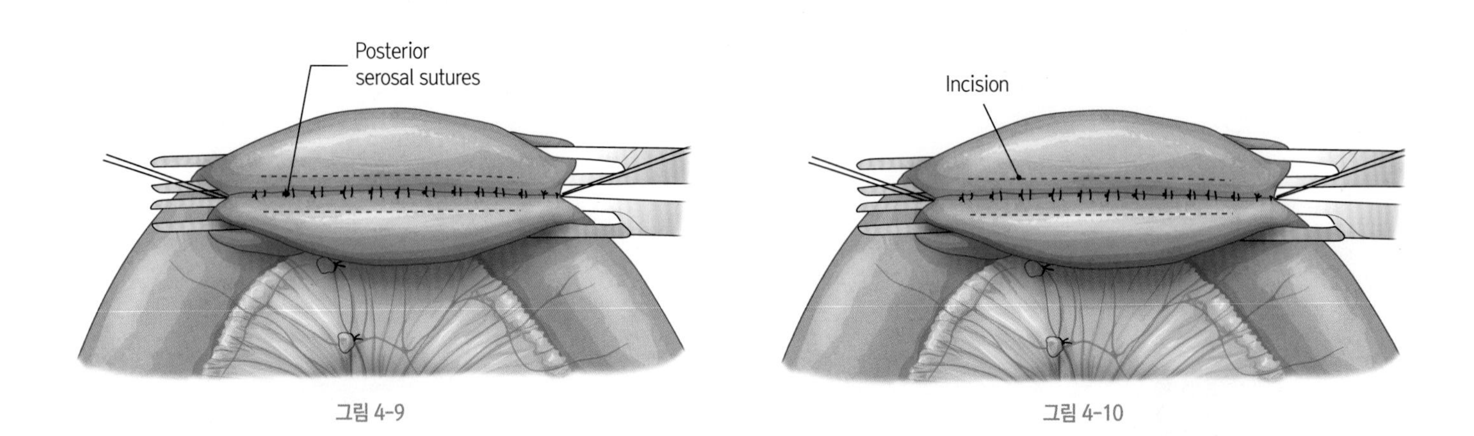

그림 4-9

그림 4-10

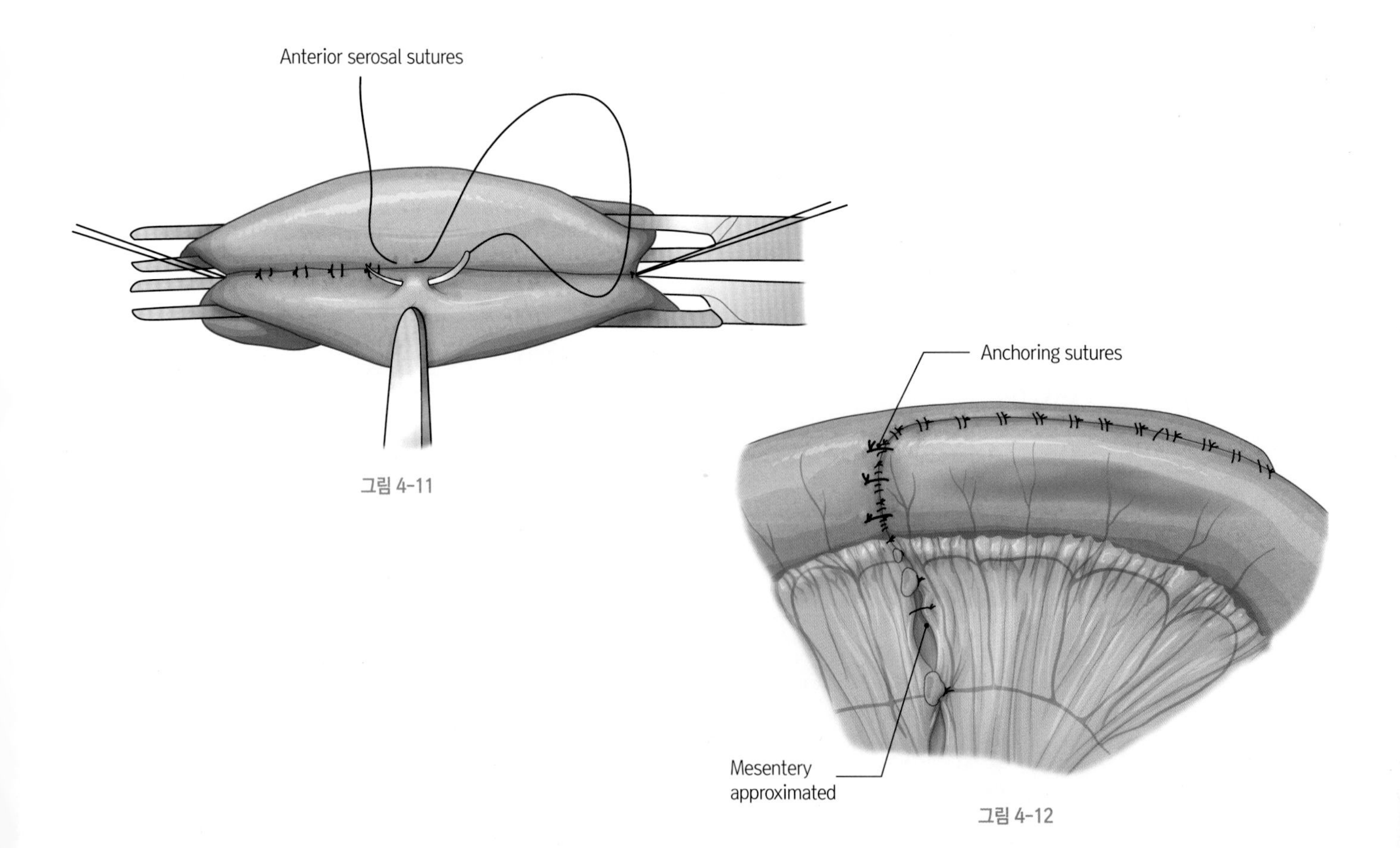

그림 4-11

그림 4-12

3) 자동봉합기를 이용한 소장문합 (Resection and anastomosis of small bowel, stapled)

(1) 장간막 박리 및 소장절제

(그림 4-13) 그림과 같이 소장의 절제 범위를 정하고 장간막을 박리하여 결찰한 후 자동봉합기를 이용하여 소장을 절제한다.

(2) 소장문합 위한 공통 구멍 만들기

(그림 4-14) 자동봉합기로 잘려진 양쪽 소장에서 장간막 반대편 부분의 소장 끝을 자동봉합기가 들어갈 수 있도록 절제한다.

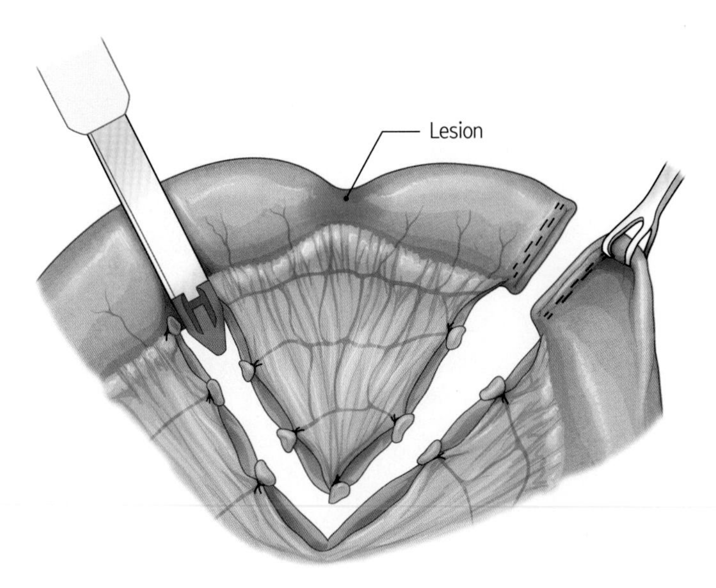

그림 4-13

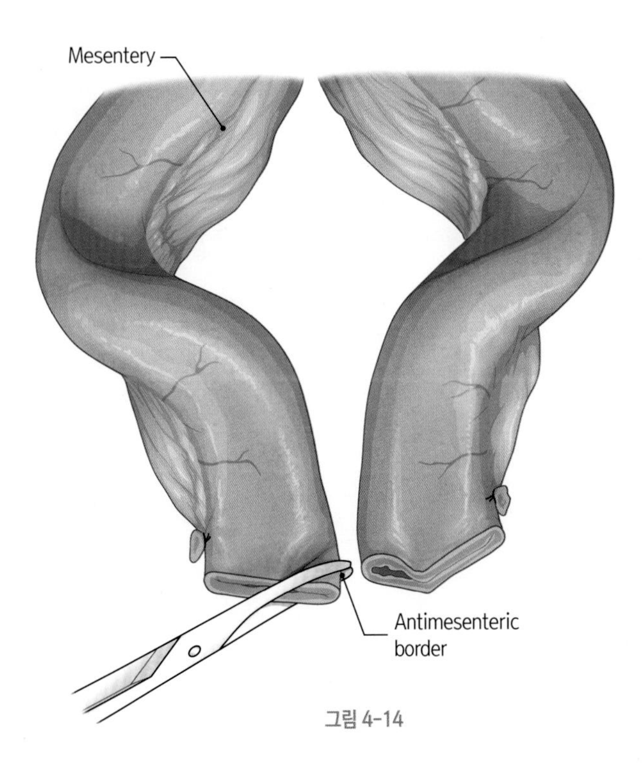

그림 4-14

(3) 소장문합 및 공통 구멍 봉합

(그림 4-15) 그림과 같이 자동봉합기를 장간막 반대측에 소장과 일직선이 되게 넣은 다음 자동봉합기로 소장문합을 시행한다. 문합 시행 후 공통 구멍은 다시 자동봉합기를 이용하여 봉합하도록 한다. 소장문합은 수술자마다 수술 과정이 다를 수 있는 것을 유념하고 최근에는 자동봉합기를 이용한 봉합에 있어서도 원형 형태의 자동봉합기를 이용할 수도 있다.

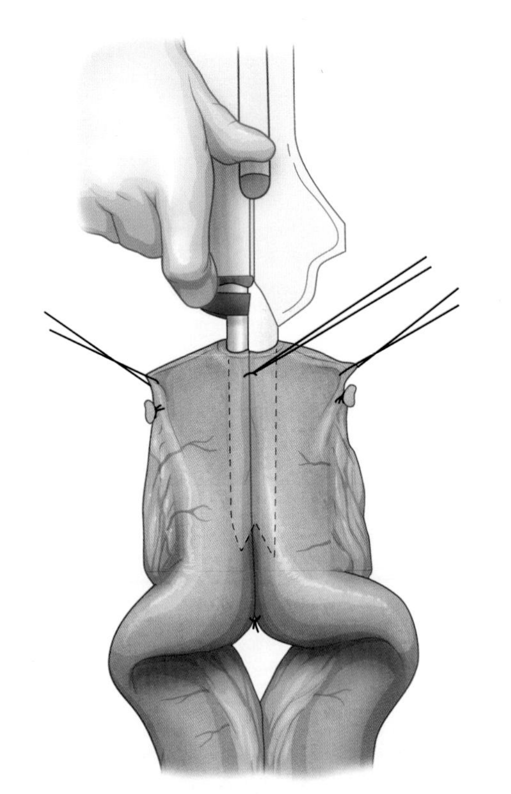

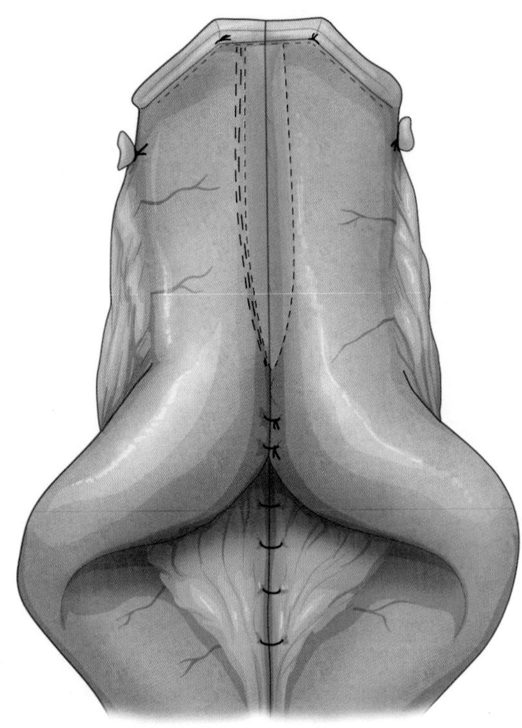

그림 4-15

CHAPTER 5

혈관접근: 포트(히크만 카테터) 삽입술, 중심정맥 카테터

Vascular access; port (Hickman catheter) placement, central venous catheter

1. 적응증

다양한 형태의 중심정맥관이 거치 위치 및 매몰 유무, 사용 기간 등에 따라 시행되고 있다.

1) 매몰형 중심정맥관(포트)

장기간의 항암화학요법, 총 비경구영양 공급 및 약물 투여를 위해 시행된다.

2) 비매몰 터널형 중심관 (Hickman, PermCath)

Cuff에 의한 유착으로 감염 방지에 유리하여 비교적 장기간 사용이 필요한 항암화학요법, 혈장교환술, 혈액투석 등에 이용된다.

3) 비매몰 비터널형 중심정맥관

단기간의 혈액투석, 수액, 약물 주입, 반복적인 혈액 검사가 필요한 경우 시행된다. 특히 응급으로 정맥 확보가 필요한 경우, 중심정맥압 감시가 필요한 경우 내경정맥/쇄골하정맥을 통한 중심정맥관이 시행된다.

2. 마취

중등도의 진정 또는 국소마취 하에 시행한다.

3. 환자 자세

내경정맥/쇄골하정맥 접근의 경우 정맥을 충분히 충만시키고 공기 색전증의 위험을 피하기 위하여 20° Trendelenburg 자세로 시행하는 것이 안전하다. 팔의 정맥을 통한 접근은 앙와위(supine)에서 편하게 벌리고 시행한다.

4. 수술 전 준비

술기만을 위해서는 입원할 필요는 없으며, 시술 전에 전해질과 혈액응고 검사를 시행한다. 과거력 상 중심 정맥 카테터를 삽입한 경력이 있는 환자나 편측성 질환(유방암, 폐암)으로 인한 수술 등 치료 병력이 있는 경우는 시술 부위를 신중히 선택하여야 한다. 정확한 정맥 천자와 카테터 위치 확인을 위해 초음파 기기(duplex ultrasonography)와 방사선투시기(fluoroscopy)를 준비한다.

5. 노출

내경정맥/쇄골하정맥 접근의 경우 동측의 상부 흉부와 목 부위를 소독하고 소독포로 덮는다. 팔 정맥 접근의 경우 상완 전체를 소독한다.

6.수술과정

1) 내경정맥 접근법

내경정맥은 흉쇄유돌근(sternocleidomastoid muscle, SCM)의 쇄골지(clavicular head)와 흉골지(sternal head) 및 쇄골(clavicle)이 이루는 목삼각(jugular triangle)의 후방에 위치하며 쇄골하정맥 접근보다 비교적 안전하다(그림 5-1).

목삼각(jugular triangle)의 윗꼭지점에 국소 마취 후 피부를 절개 후 초음파 유도 하에 주사바늘로 몸통과 45° 각도로 내경정맥을 천자한다(그림 5-2).

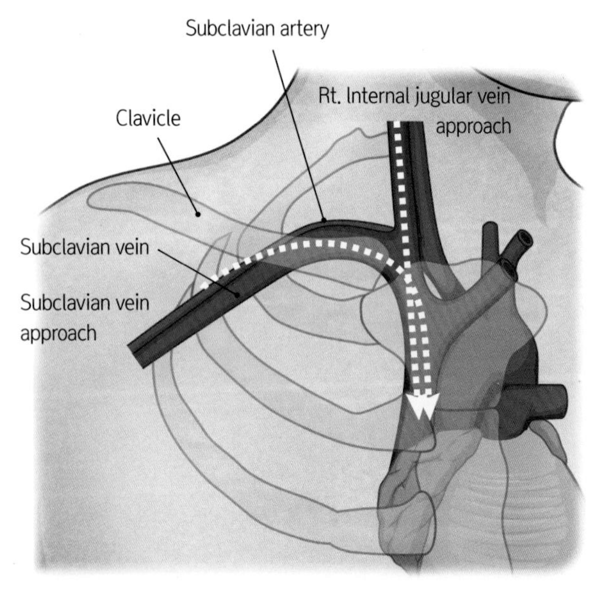

그림 5-1 포트(히크만 카테터) 삽입과 중심정맥 카테터 삽입의 접근경로

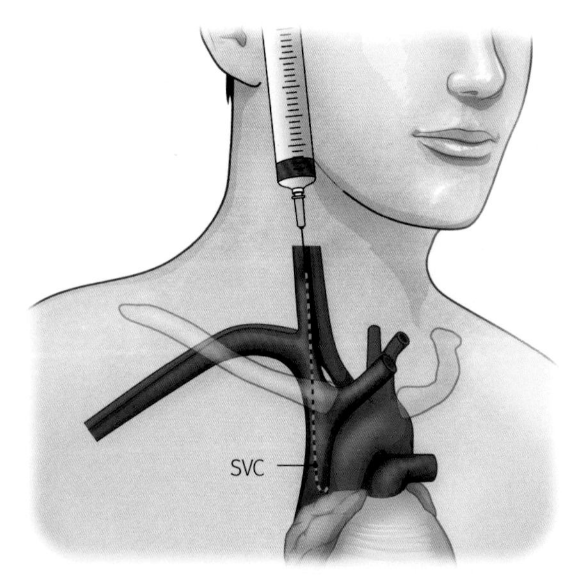

그림 5-2 내경정맥 천자

이 때 21G 미세천자침(micropuncture)을 이용하면 초음파로 바늘을 확인하기 용이하고 잘못된 천자 시 출혈이 적어 안전하다. 주사기만 제거한 뒤 바늘을 통하여 유도 철사를 삽입한다(그림 5-3).

우측 상 흉부의 쇄골에서 손가락 두개의 두께만큼 하부 부위에 3~4 cm 길이의 피부를 절개 후 피하지방층을 박리하여 포트가 들어갈 수 있는 주머니 공간을 만들어 준다. 터널형 카테터의 경우 1~2 cm 절개로 충분하며 주머니를 만들 필요가 없다. 동봉된 터널 막대(tunneling rod)를 이용하여 두 절개 부위 사이에 피하지방층에 카테터가 들어갈 수 있는 통로를 만들고 Silastic 카테터를 두 절개 사이의 피하 통로에 위치시킨다(그림 5-4).

동봉된 peel-away sheath가 있는 유도침(introducer)을 유도철사를 통하여 내경정맥으로 삽입 후 유도철사와 확장기를 제거한다(그림 5-5).

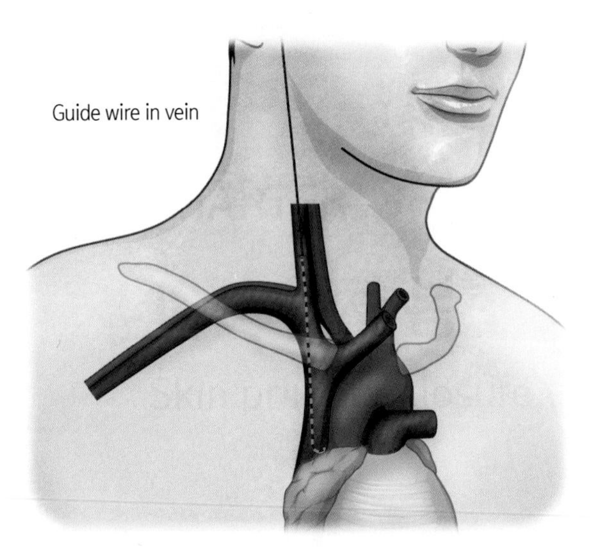

그림 5-3 유도철사 삽입

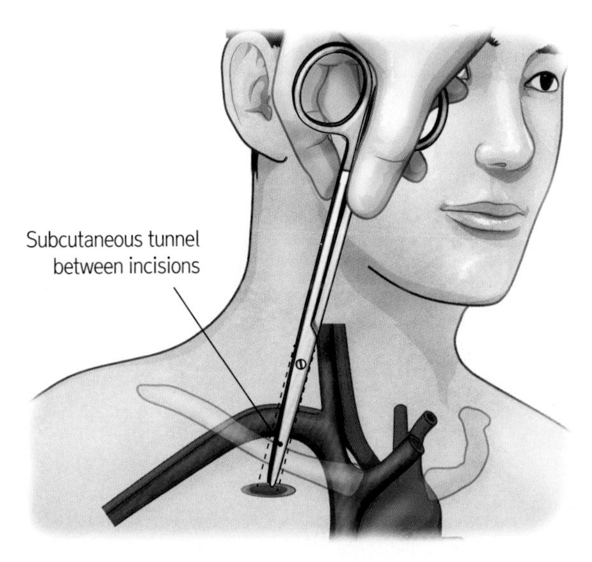

그림 5-4 상 흉부 절개창 위치와 피하 통로 조성

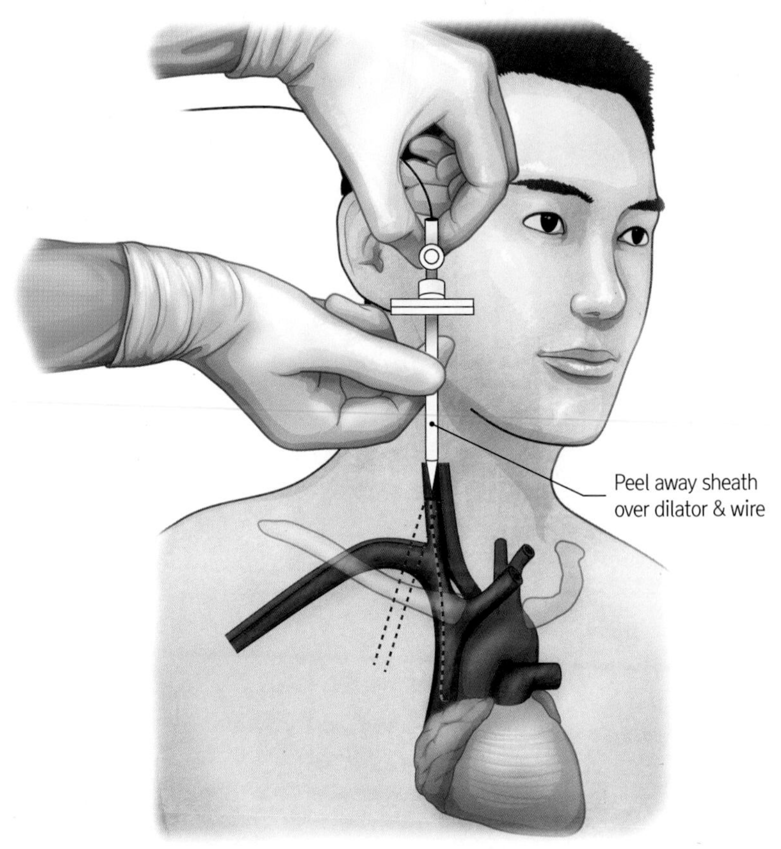

그림 5-5 확장기와 peel-away sheath가 있는 유도침을 유도철사를 통하여 내경정맥으로 삽입

silastic 카테터를 peel-away sheath에 삽입하고 방사선 투시기로 카테터 끝이 우심방과 상대정맥의 경계(cavoatrial junction, 2 vertebral body below carina)에 위치하는지 확인한다. Sheath를 제거할 때 silastic 카테터가 움직이지 않게 하기 위하여 forcep 등으로 잡고 sheath를 양쪽으로 잡아당기며 peel-away시킨다(그림 5-6).

카테터를 적당한 길이만큼 자른 뒤, 바깥쪽 끝을 포트에 견고히 부착시킨다. 포트를 피하층에 잘 촉지될 수 있게 위치시키고 절개창을 봉합한다. 방사선 투시기를 이용하여 다시 한번 카테터의 끝이 우심방 경계에 위치하는지 확인하고 혈액이 저항 없이 잘 흡입되는지 확인 후 헤파린 생리식염수로 채운다(그림 5-7).

2) 쇄골하정맥 접근법

우측 쇄골 하 정맥은 쇄골의 중간 1/3부위 뒤에 위치하며, 내경정맥과 합쳐져서 상대정맥으로 이행되며, 쇄골하동맥의 앞쪽, 아래에 위치하고 뒤에는 우측 폐 의 상부가 있다(그림 5-8). 시술 전에 초음파 검사를 통하여 정맥의 위치와 개존 여부를 확인한다.

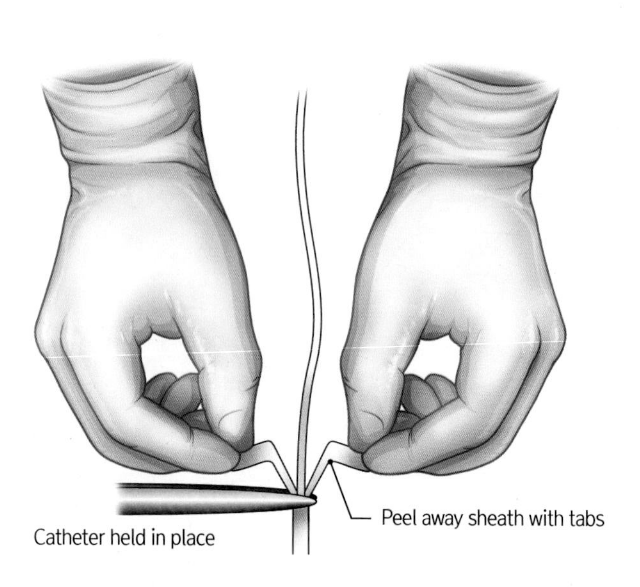

그림 5-6 카테터를 삽입 후 sheath 제거(peeled-away)

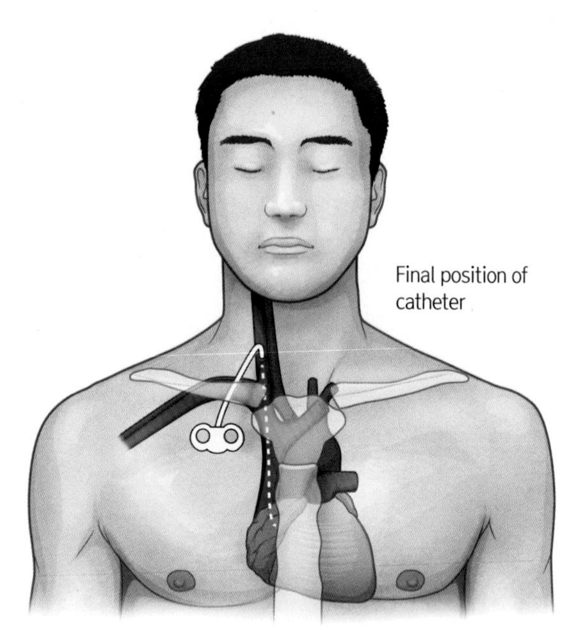

그림 5-7 내경정맥을 통한 포트 삽입 모습

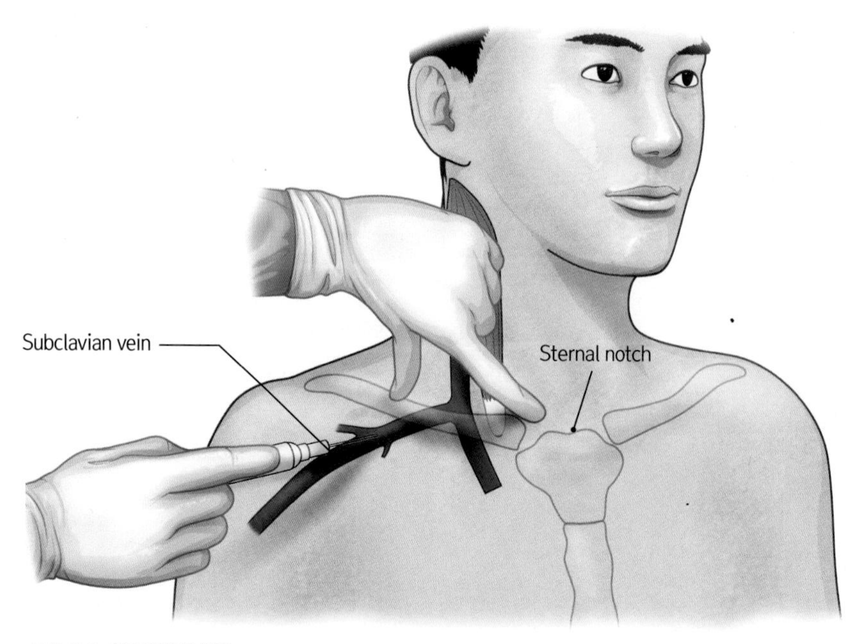

그림 5-8 쇄골하정맥 천자

환자는 앙와위로 누인 다음 베개를 등 중간 부위에 받쳐 어깨가 떨어지게 하고 20° Trendelenburg 자세를 취한다. 머리는 시술 반대쪽으로 돌린다.

국소마취제를 쇄골의 골막을 포함시켜 주사한 후 쇄골하정맥을 천자한다. 쇄골의 중간 1/3과 안쪽 1/3의 경계에서 손가락 하나 넓이 외측부위를 천자한 후 흉골위패임(suprasternal notch)을 향하여 진입한다(그림 5-8).

혈액 유출로 정맥천자가 확인되면 유도철사를 삽입하고(그림 5-9),

바늘을 제거한 뒤 카테터를 유도철사를 통하여 삽입하고 유도철사를 제거한다. 포트 삽입이 필요한 경우 쇄골 하방에 주머니를 만들어 거치한다. 비터널형 카테터의 경우 피부에 봉합사로 고정한다.

시술 후 흉부 방사선 촬영을 시행하여 카테터의 위치와 기흉 등의 합병증 발생 유무를 확인한다(그림 5-10).

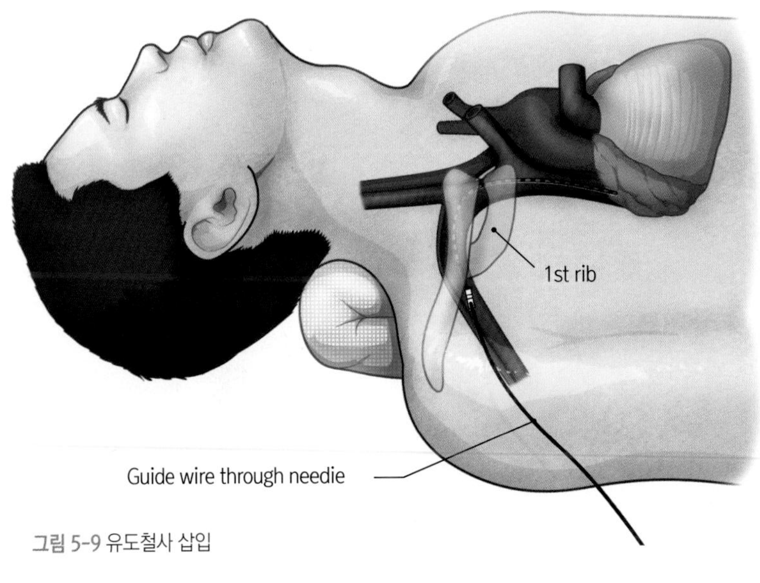

그림 5-9 유도철사 삽입

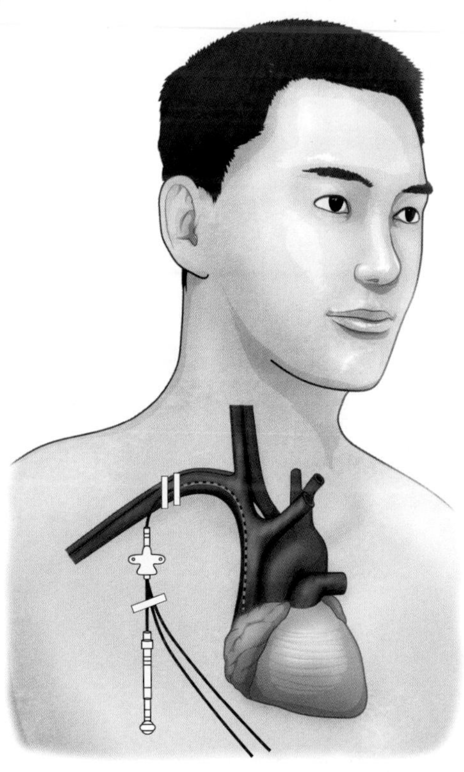

그림 5-10 쇄골하정맥을 통한 카테터 삽입 모습

3) 팔 정맥 접근법

앞팔꿉오목(antecubital fossa)의 상방 3~5 cm 근위부의 노쪽피부정맥(cephalic vein), 자쪽피부정맥(basilar vein) 또는 위팔정맥(brachial vein)을 천자한다. 적절한 천자 부위는 위팔을 삼등분 시 중간 부분으로 팔꿈치 관절을 구부렸을 때 카테터가 꺾이지 않도록 천자 위치를 선정한다.

팔에 압박띠를 감아 정맥을 충만시킨다. 앞팔꿉오목(antecubital fossa)의 천자하고자 하는 정맥주변의 피부에 국소마취제를 소량 투여한다. 초음파로 목표 혈관을 확인 후 21G 바늘로 천자 후 유도 철사를 삽입한 후 압박띠를 푼다(그림 5-11).

유도철사의 끝을 우심방과 상대정맥의 경계(cavoatrial junction, 2 vertebral body below carina)에 위치시킨 후 삽입된 철사 길이만큼 카테터를 자른다. 동봉된 peel-away sheath가 있는 유도침(introducer)을 유도철사를 통하여 삽입한 후 정맥안으로 진행시킨다(그림 5-12).

이때 필요시 sheath dilator 로 정맥 조영술을 시행하여 중심 정맥 협착을 확인할 수 있다. 긴 유도철사가 있는 경우 dilator 제거 후 카테터를 바로 유도철사를 따라 삽입한다. 짧은 유도철사의 경우 카테터 안에 철사를 삽입하여 dilator 제거 후 동시에 sheath 로 삽입한다. peel-away sheath 를 제거하면서 카테너를 끝까지 삽입 후 철사를 제거한다(그림 5-13~17).

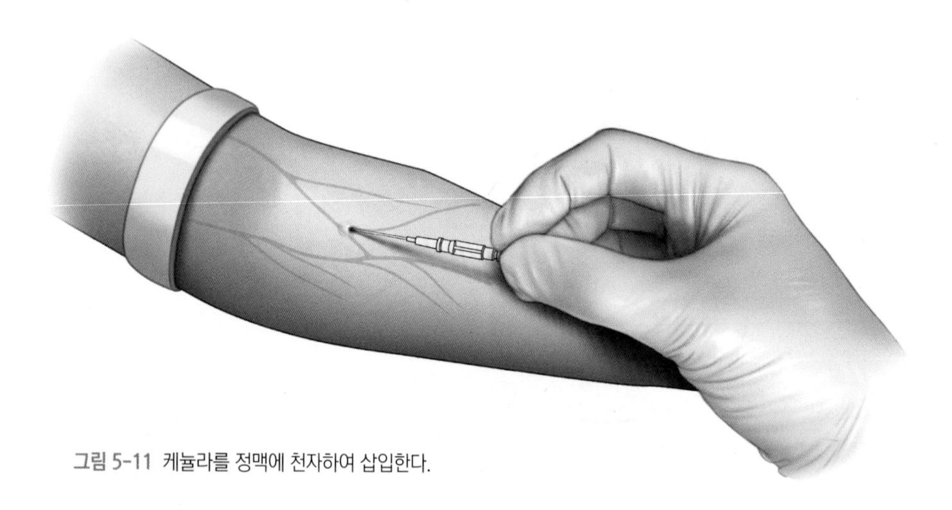

그림 5-11 케뉼라를 정맥에 천자하여 삽입한다.

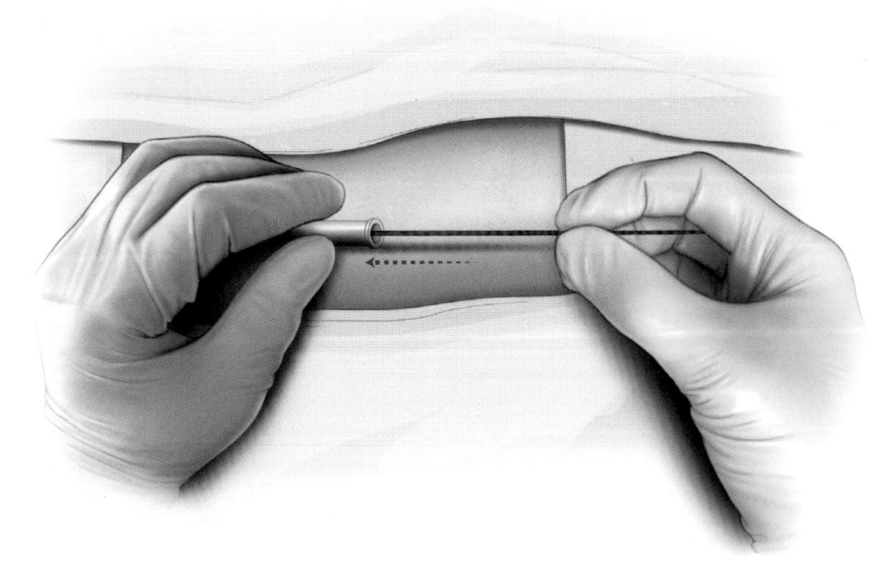

그림 5-12 유도철사를 삽입하여 진행한다. 저항이 걸리지 않아야 한다.

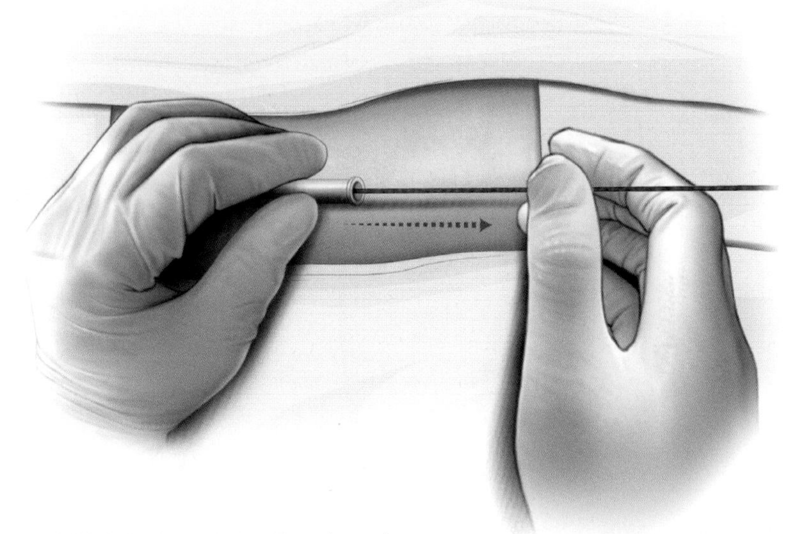

그림 5-13 삽입했던 케뉼라를 제거한 후, 확장자 (dilator)를 삽입해 유도 sheath가 삽입되기 쉽게 한다.

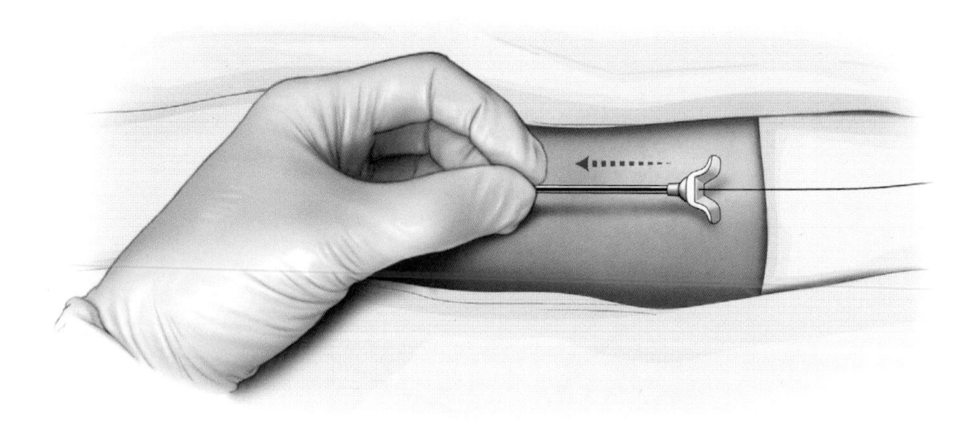

그림 5-14 유도철사를 따라 유도카테터 sheath를 삽입한다.

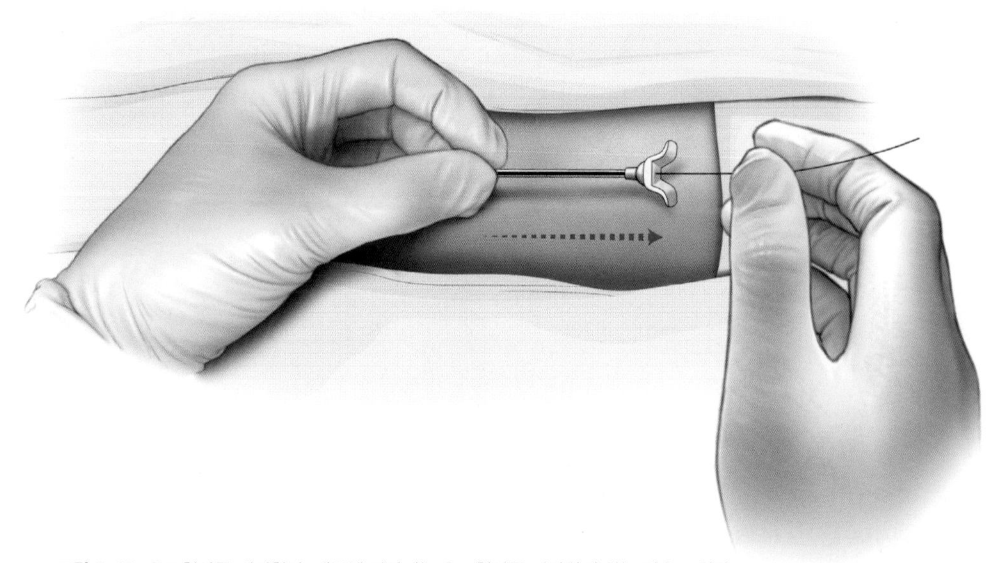

그림 5-15 유도철사를 제거한다. 제품에 따라서는 유도철사를 제거하지 않는 경우도 있다.

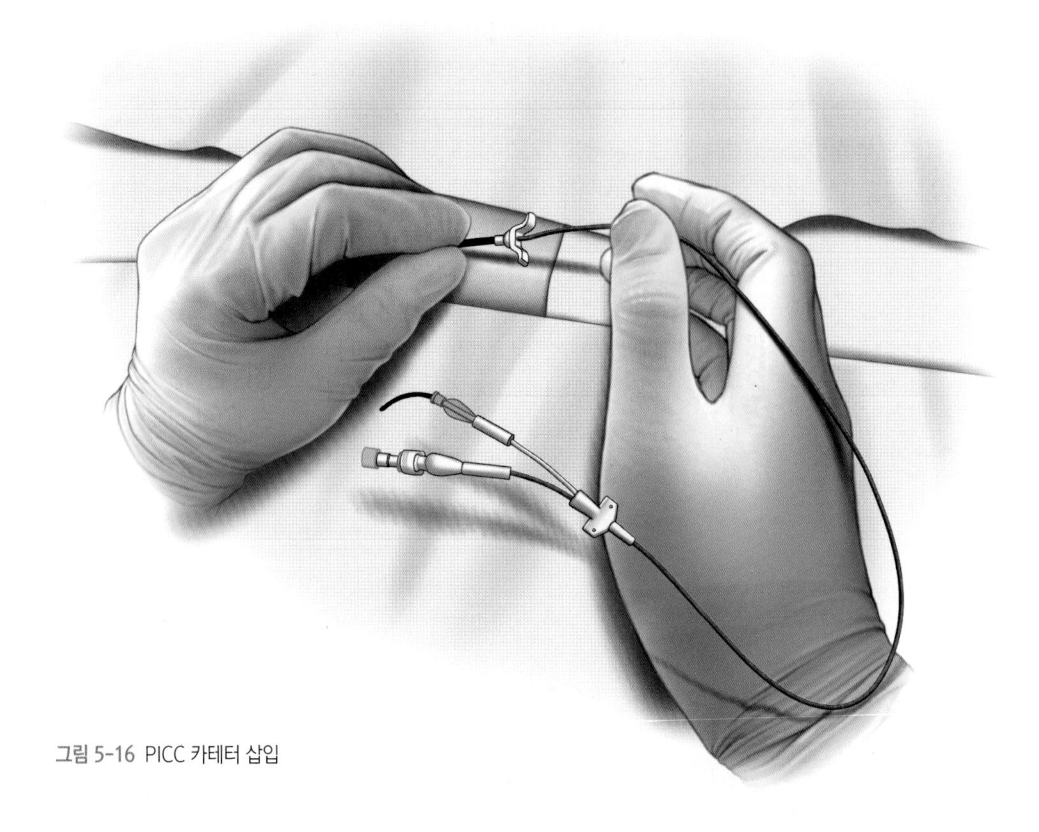

그림 5-16 PICC 카테터 삽입

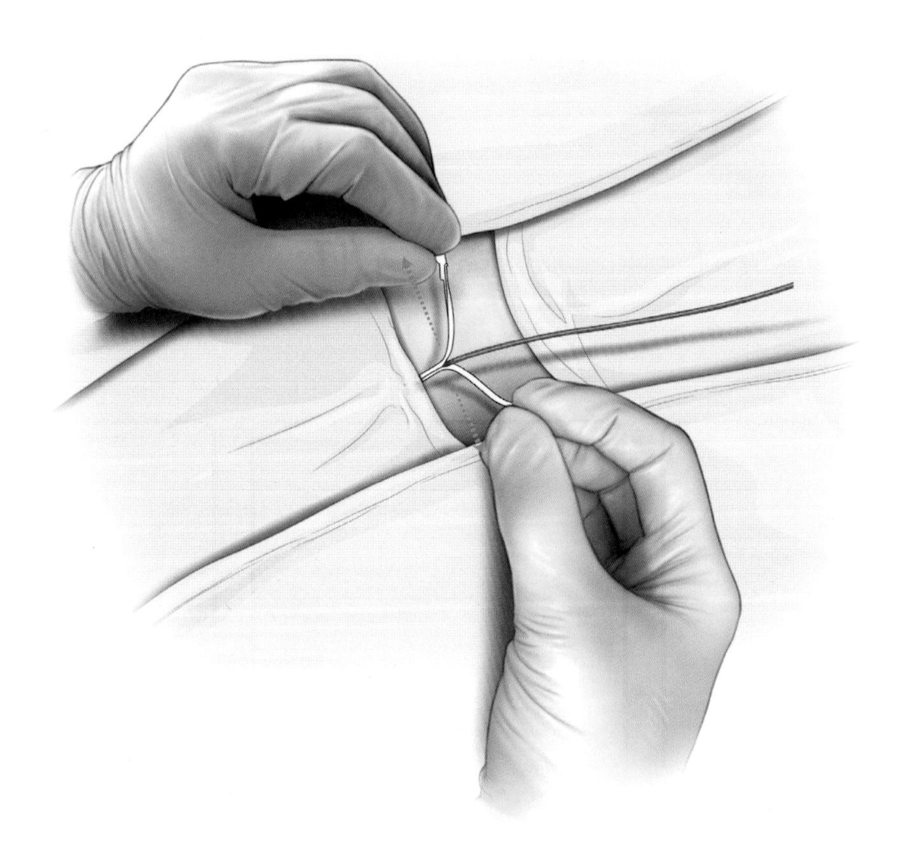

그림 5-17 마지막으로 유도 카테터 sheath를 양쪽으로 벌려 찢으면서 제거한다.

삽입된 말초삽입중심정맥관(Peripherally Inserted Central Cathete, PICC)를 안전하게 StatLock® (Bard Medical) 등으로 고정을 하고, 무균 드레싱을 한다(그림 5-18).

카테터 안에는 생리식염수 10 ml와 헤파린이 섞인 식염 수 5 ml를 투여한 후 수술을 마친다.

수술을 마친 후 도관의 위치를 확인하기 위해 단순 방사선 촬영을 시행한다. 만일 수술장 안에서 수술을 시행한 경우, C-Arm 장치를 이용하여 즉시 확인할 수 도 있다. 이상적인 카테터 끝의 위치는 상대정맥 말단부~우심방접합부이다(그림 5-19).

팔에 포트를 삽입하는 경우 천자부의 원위부로 3 cm 피부 절개 후 앞팔꿉오목의 상방에 주머니를 형성한다. 카테터 삽입은 PICC 삽입 과정과 동일하다. 형성한 주머니 위치에서 카테터와 포트를 연결 후 거치한다. 피부 봉합 후 헤파린 식염수로 포트 기능을 확인 후 채우고 수술을 마친다.

A

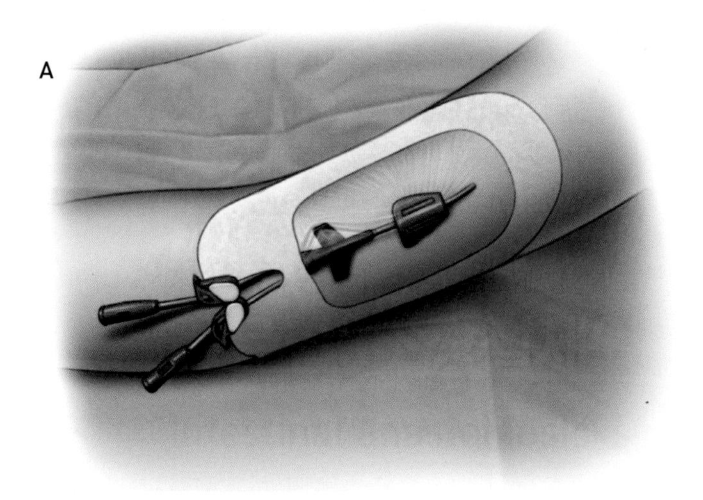

B

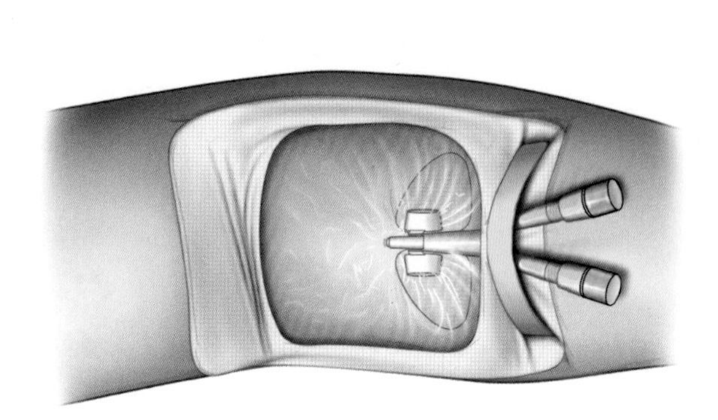

그림 5-18 무균 드레싱을 한 후 수술을 마친다. PICC 삽입술의 완성도이다.

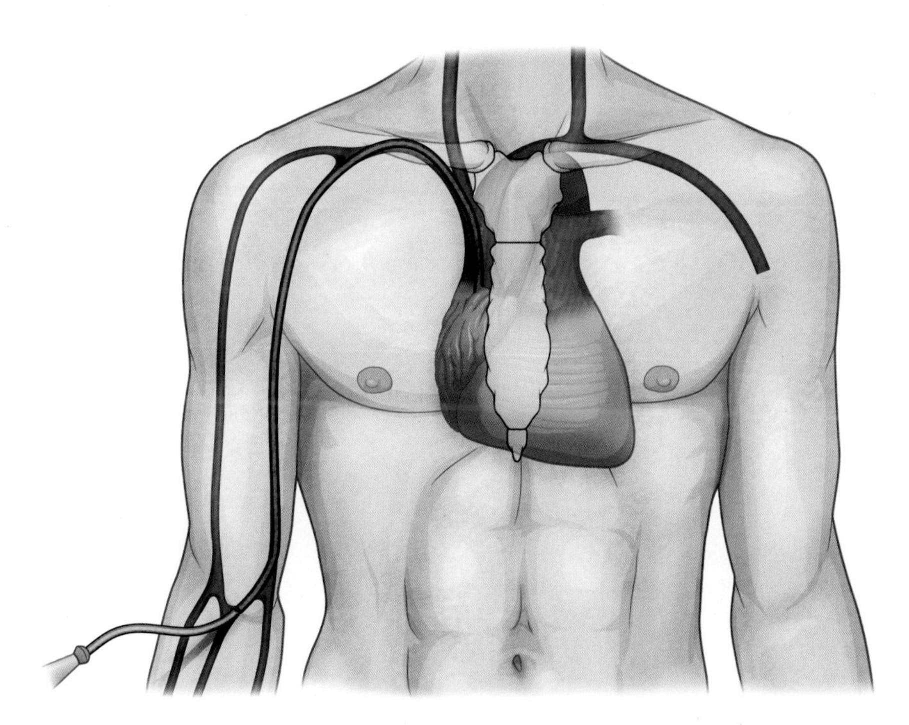

그림 5-19 도관 끝의 위치는 상대정맥 말단부나 상대정맥-우심방 접합부가 가장 이상적이다.

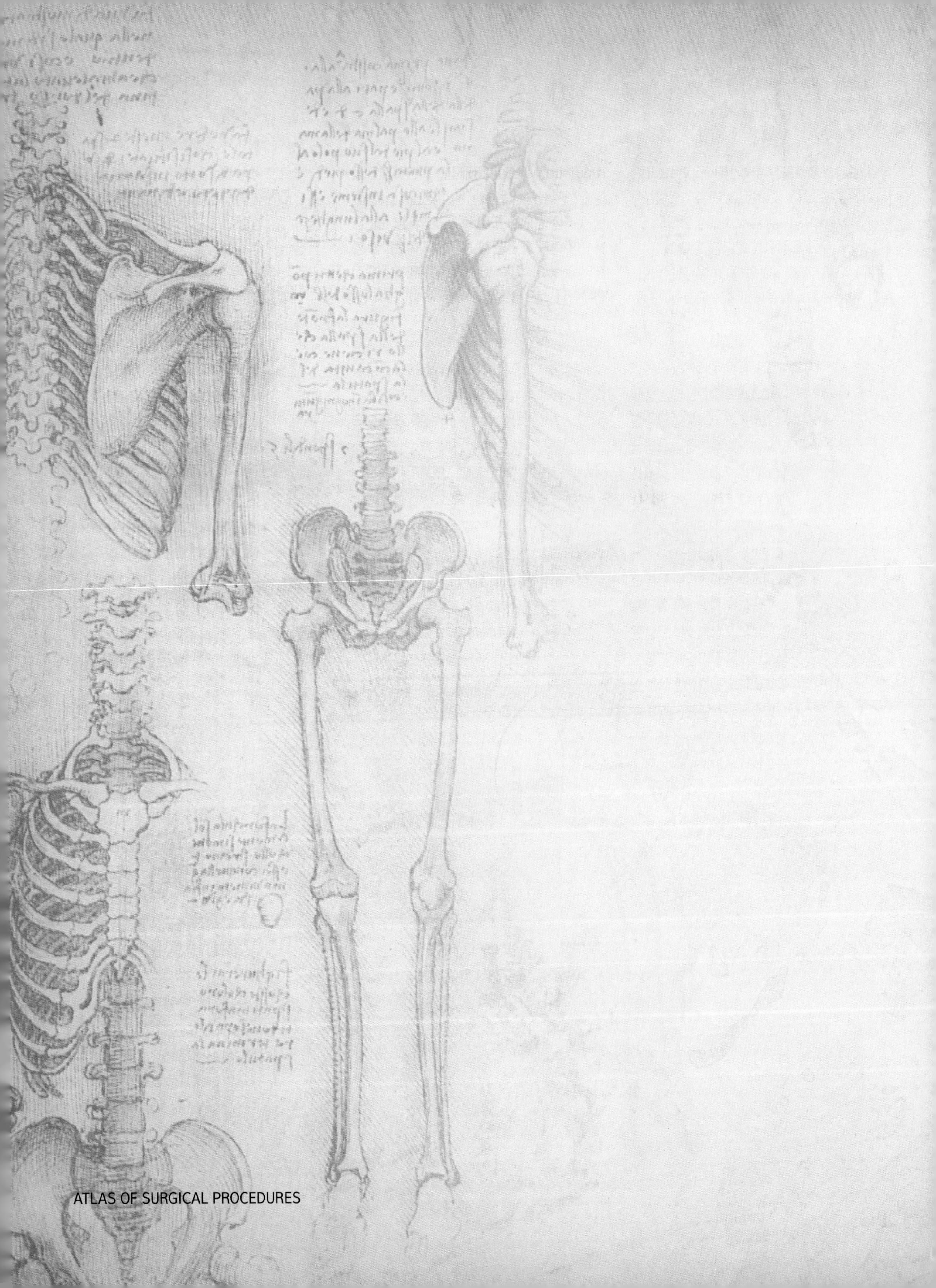

ATLAS OF SURGICAL PROCEDURES

CHAPTER 6

혈관 접근: 말초부위에서 삽입한 중심도관

Vascular access: PIC (peripherally inserted central catheter)

1. 적응증

- 장기간의 항암치료제 또는 항생제 투여
- 경구영양이 불가능한 환자에서 완전 비경구영양법을 하기 위해
- 혈액질환이 있는 환자의 경우, 반복적인 혈액 또는 혈액 제제 투여를 위해
- 반복적인 혈액 채취가 필요한 경우(특히 신생아의 경우)
- 심혈관계가 불안한 중환자에서 중심정맥압 측정이 필요한 경우

2. 비적응증

- 피부염, 혈관염이 있는 경우
- 패혈증이 있는 경우
- 중심정맥 폐색증이 이미 있는 경우
- 투석용 동정맥루가 있는 경우
- 유방절제술을 한 경우
- 림프부종이 있는 경우

3. 수술 전 처치

- 초음파를 이용하여 미리 정맥의 주행경로를 파악하여 표시한다.
- 통상적으로 PICC 삽입 전에 항생제를 투여할 필요는 없다.

4. 마취

- 국소마취[1% 리도케인(lidocaine)]

5. 환자 자세

- 누운 자세에서 시술을 시행하고자 하는 팔을 편하게 벌린다.

6. 수술 준비

- 압박띠(tourniquet), 국소마취제(1% 리도케인), 클로르헥시딘 소독제
- 초음파 장비

7. 수술 과정

- 이용되는 정맥은 대개 앞팔꿈치오목(antecubital fossa) 부위의 노쪽피부정맥(cephalic vein), 자쪽피부정맥(basilic vein), 때로는 위팔정맥(brachial vein) 등이다. 대개는 절개가 필요하지 않으며 초음파를 이용하면 직경이 가느다란 정맥에도 천자를 할 수 있다(그림 6-1).
- 팔 쪽의 입구에서 상대정맥 말단 부위까지의 길이를 미리 측정해 PICC에 표시해 둔다. 적정 길이는 시술 중 이용하는 유도철사를 C-Arm 등을 이용하여 관찰하면서 측정할 수도 있다(그림 6-5).
- 팔에 압박띠를 감는다.
- 앞팔꿈치오목(antecubital fossa) 부위의 천자하고자 하는 정맥주변의 피부에 국소마취제를 소량 투여한다.
- 셀딩거 기술을 이용하여 케뉼라를 정맥 안으로 삽입하여 혈액이 역류하는 것을 확인한 후, 바늘을 빼고 압박띠를 푼다(그림 6-1, 2).
- 유도 철사를 케뉼라 안에 삽입한 후 정맥 안으로 진행시킨다(그림 6-2).
- 피부쪽 입구를 확장시키기 위해 케뉼라만을 빼고(그림 6-3), 보다 구경이 큰 유도 카테터 sheath를 삽입한다(그림 6-4).
- 유도철사를 이용하여 C-Arm 등을 보면서 PICC의 적정 길이를 측정한다(그림 6-5).
- 적정 길이를 측정한 후 유도철사를 제거하고(그림 6-6), 유도철사에 PICC를 삽입해 둔다(그림 6-7). Sheath 내 introducer를 제거하고(그림 6-8) 미리 유도철사를 삽입해 둔 PICC를 유도 카테터 sheath 안으로 삽입하여 미리 측정해 둔 위치까지 진행한다(그림 6-9). 유도 카테터 sheath를 양쪽으로 찢으면서 빼내며, PICC를 끝까지 밀어 넣은 후(그림 6-10), 유도철사를 제거한다(그림 6-11).
- PICC 내에는 생리식염수 10 ml와 헤파린이 섞인 식염수 5 ml를 각각 주입한다(그림 6-12). 삽입부위를 알코올 솜 등으로 무균 드레싱을 한 후(그림 6-13), PICC를 안전하게 StatLock® (BardMedical) 등으로 고정하여(그림 6-14), 시술을 마친다(그림 6-15).
- 도관 끝의 위치는 상대정맥 말단 부위나 상대정맥-심방 접합부위가 가장 이상적이다(그림 6-16). 수술을 마친 후 도관의 정상 위치를 확인하기 위해 단순 방사선 촬영을 시행한다.

8. 수술 후 관리

헤파린 flushing

- 2Fr 이상의 크기의 경우, 10 unit/ml 강도로 헤파린 포함 생리식염수 1.5~2 ml를 채우며, 통상적으로 12시간마다 시행한다.
- 거치할 수 있는 최장 기간은 아직 규명되지 않았다.

9. 합병증

PICC 삽입 후 발생할 수 있는 합병증은 다음과 같다.

- 도관 위치 이상
- 투여 약제의 유출
- 신경손상 및 자극
- 도관 손상 및 절단(Pinch-off syndrome)
- 혈관염
- 혈관 천공 및 출혈
- 혈전증: 삽입 후 첫 2주 내에 발생률이 높다. 체질량지수가 높거나 흡연 등은 위험 인자로 알려져 있다.
- 감염: Power PICC, Charison score가 높은 경우, 당뇨, 다중 내강 등이 특히 중환자에서 위험 인자로 알려져 있다.
- 카테터 폐색
- 공기색전증

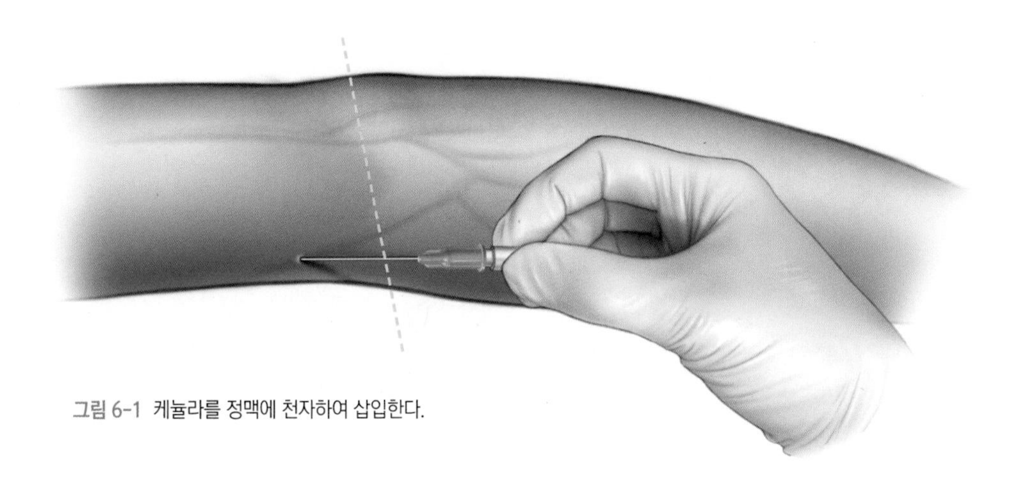

그림 6-1 케뉼라를 정맥에 천자하여 삽입한다.

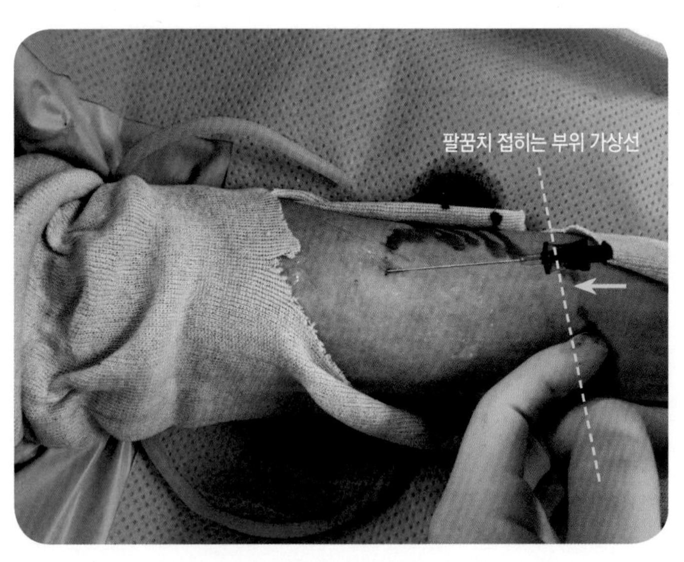

그림 6-2 케뉼라 안에 유도철사를 삽입하여 진행한다. 이 때 저항이 걸리지 않아야 한다.

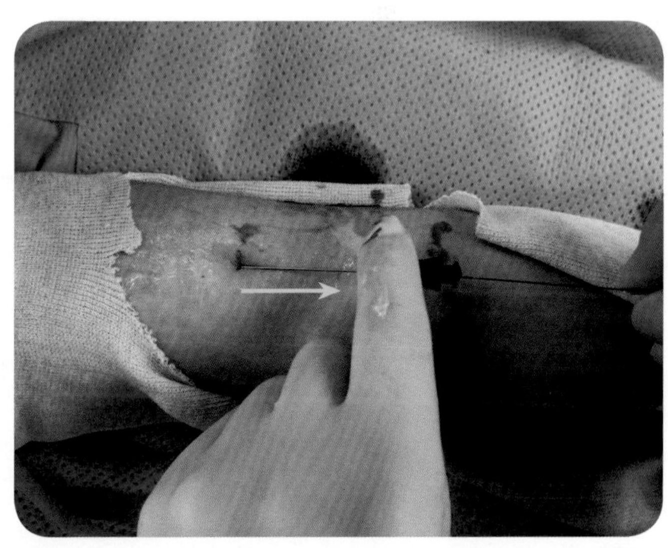

그림 6-3 유도철사를 삽입한 후 삽입했던 케뉼라를 제거한다.

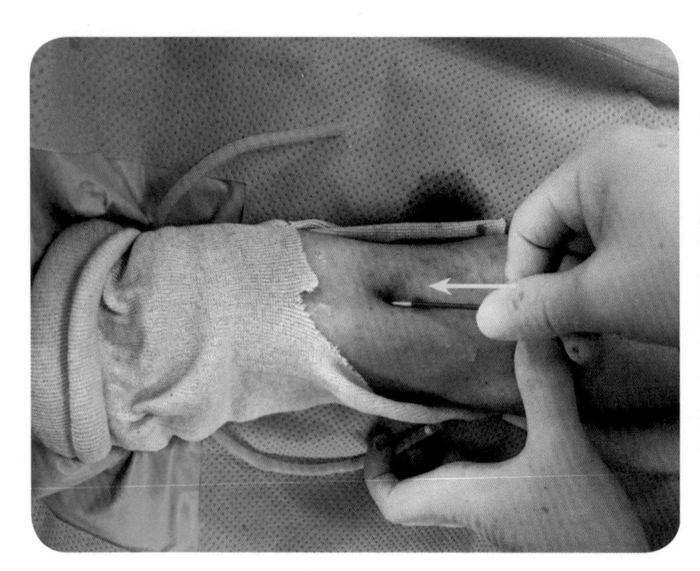

그림 6-4 유도철사를 따라 유도 카테터 sheath를 삽입한다.

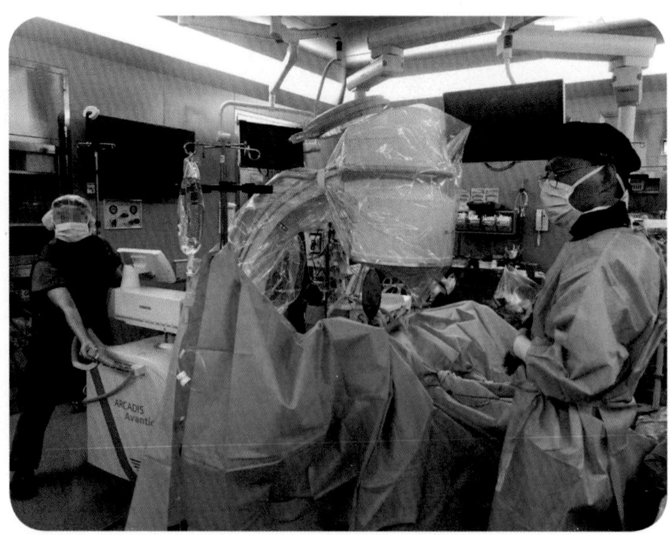

그림 6-5 C-Arm을 보면서 삽입한 유도철사를 이용하여 PICC 카테터의 적정 길이를 측정한다.

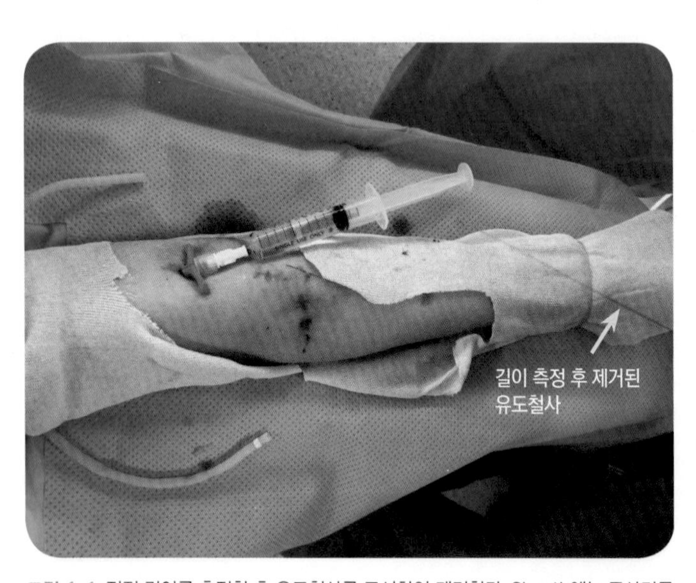

그림 6-6 적정 길이를 측정한 후 유도철사를 표시하여 제거한다. Sheath에는 주사기를 끼워 놓아 혈액역류를 방지한다.

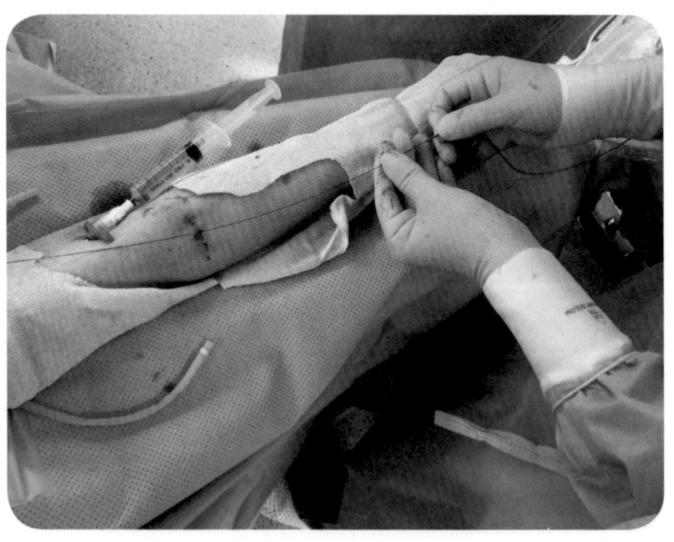

그림 6-7 적정 길이로 미리 자른 후 PICC를 유도철사에 끼워 놓는다.

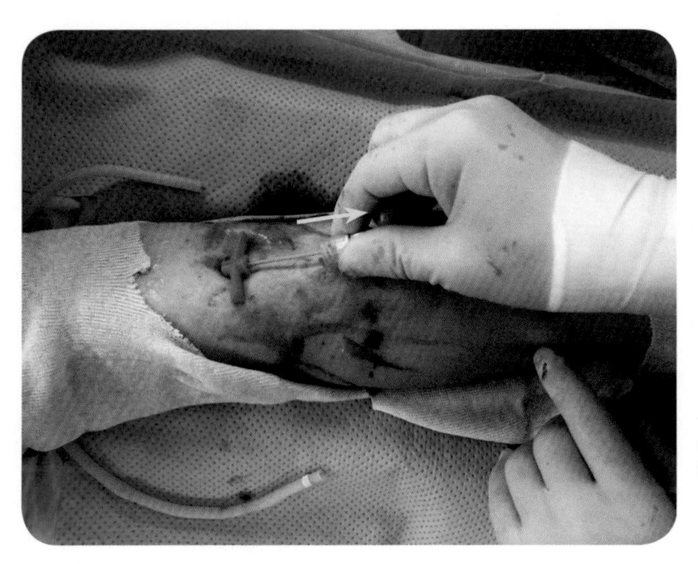

그림 6-8 Sheath 내 introducer를 제거한다.

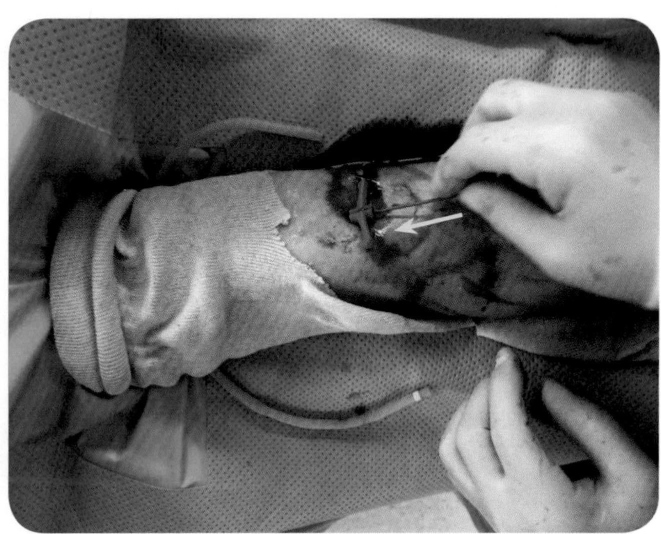

그림 6-9 유도철사가 끼워진 PICC를 sheath 안으로 삽입한다. 이 때도 저항이 걸리지 않아야 한다.

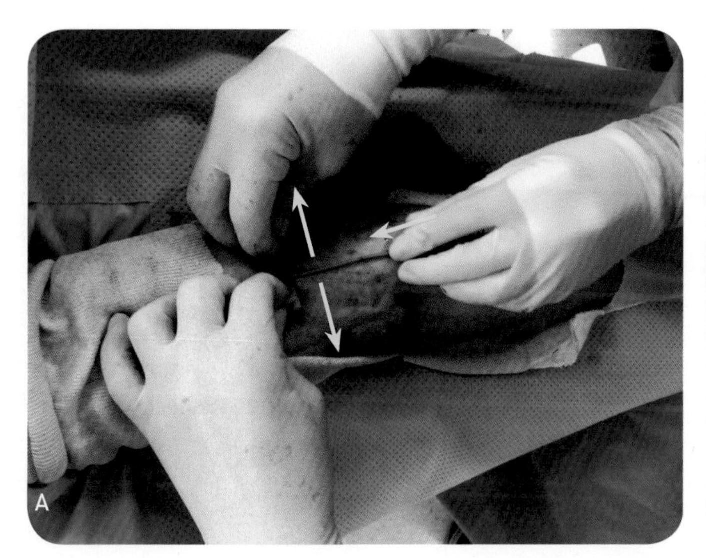

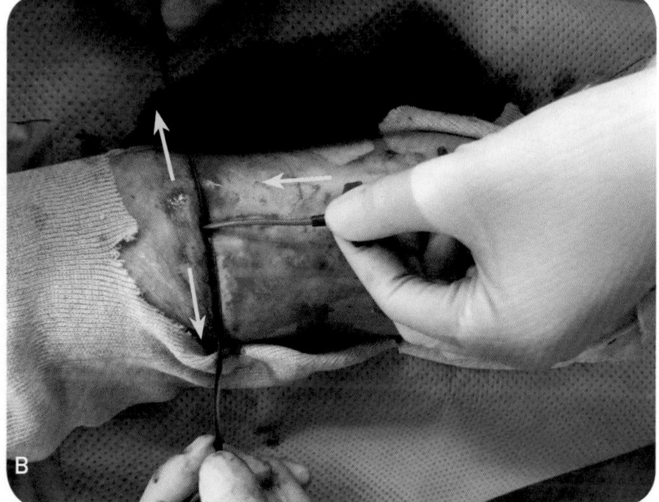

그림 6-10 A, B: PICC가 거의 들어가면 Sheath를 양쪽으로 벌리면서 찢어, PICC를 완전히 삽입한다.

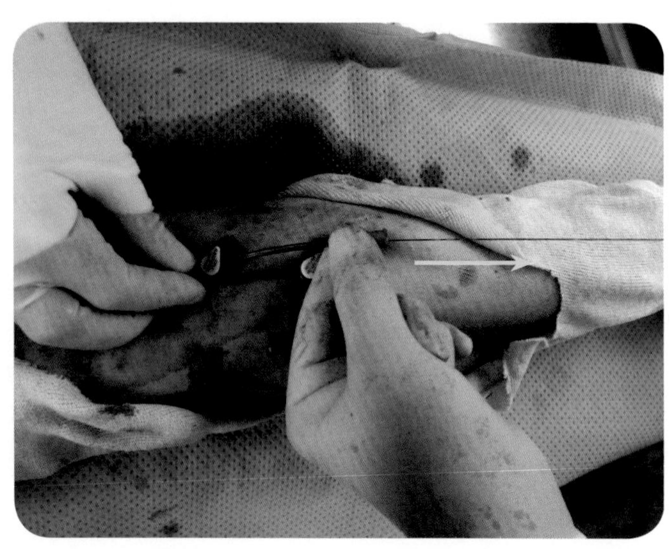

그림 6-11 PICC를 끝까지 삽입하면 C-Arm을 다시 시행하여 정확한 카테터 위치를 확인한 후, 유도철사를 제거한다.

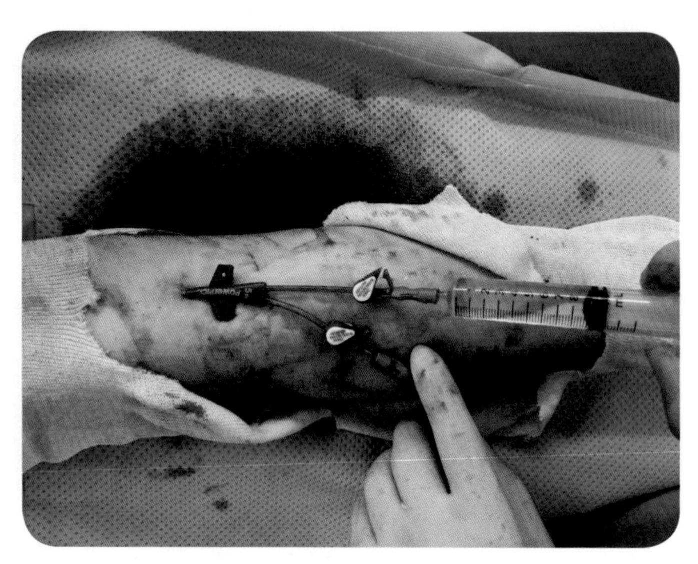

그림 6-12 PICC 내에 헤파린 용액을 주입한다.

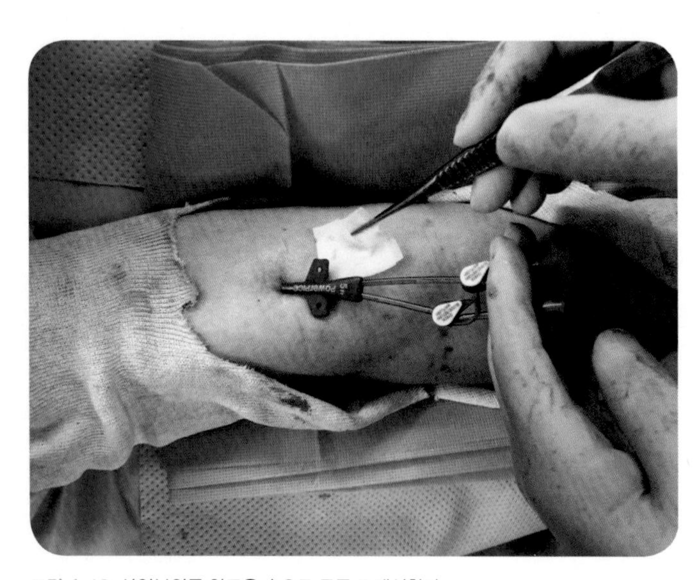

그림 6-13 삽입부위를 알코올 솜으로 무균 드레싱한다.

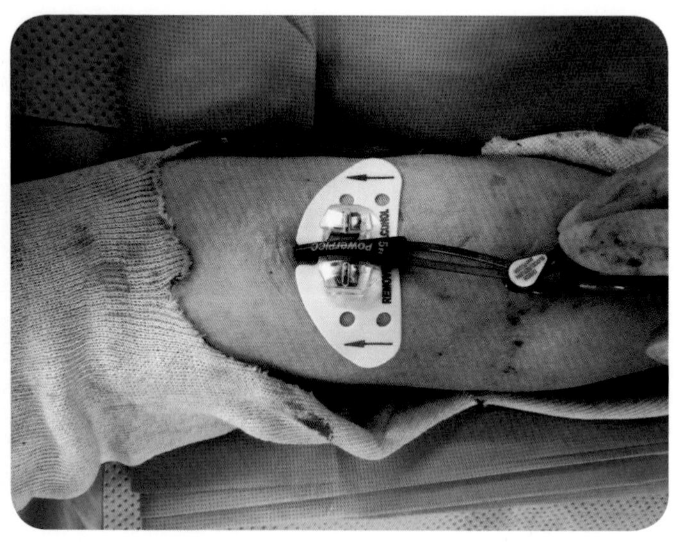

그림 6-14 PICC를 고정한다[예, StatLock®(BardMedical)].

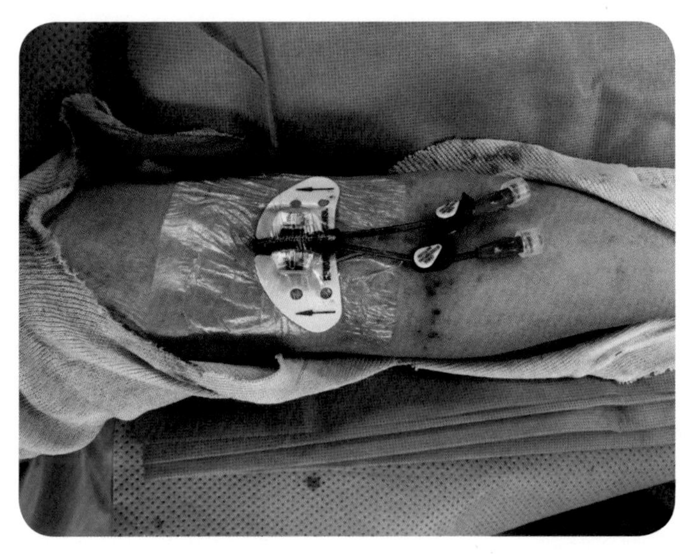

그림 6-15 완성도

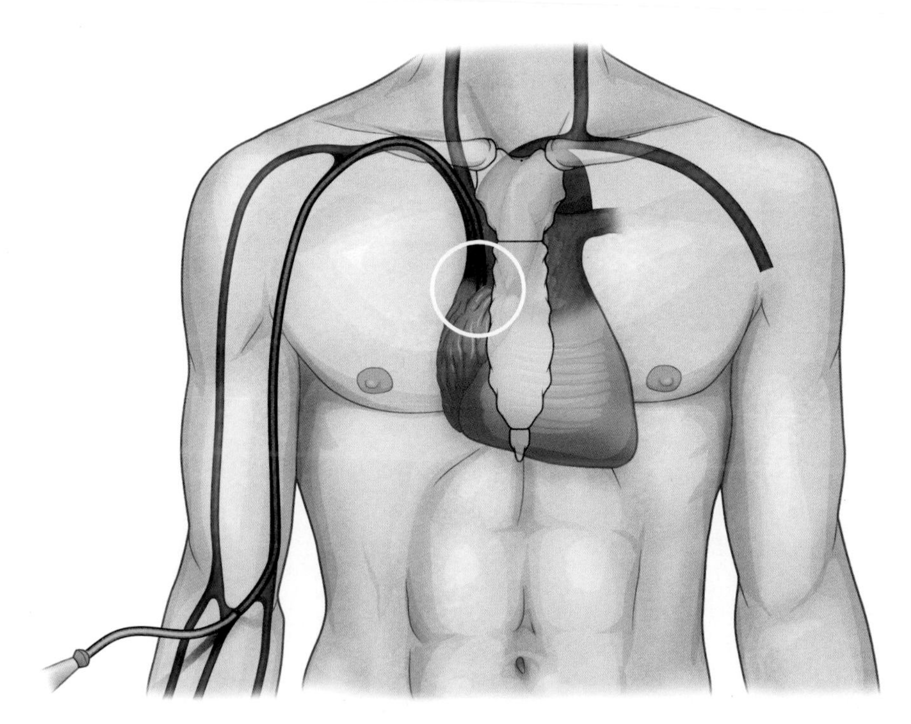

그림 6-16 도관 끝의 위치는 상대정맥 말단부나 상대정맥-우심방 접합부가 가장 이상적이다.

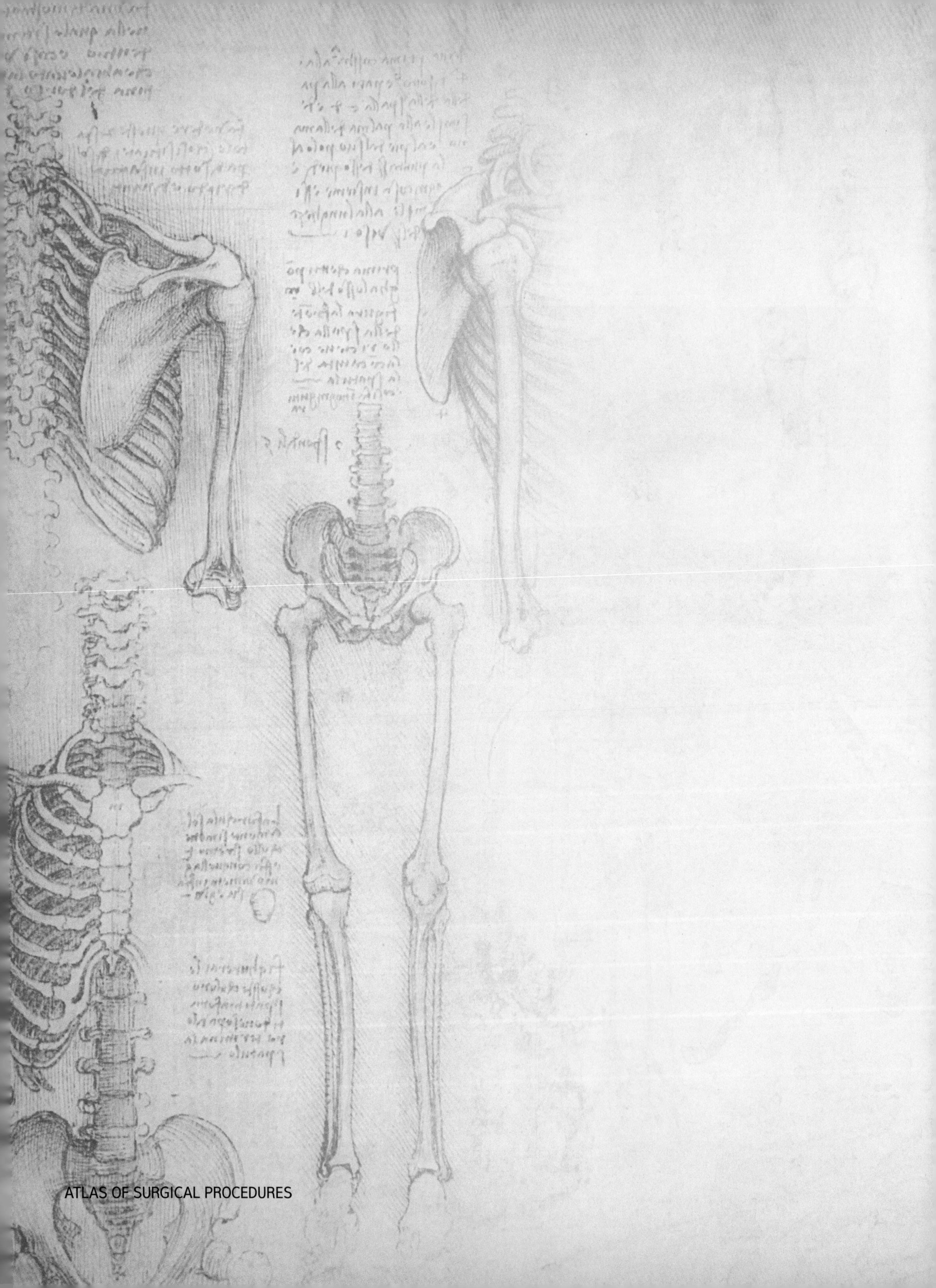

ATLAS OF SURGICAL PROCEDURES

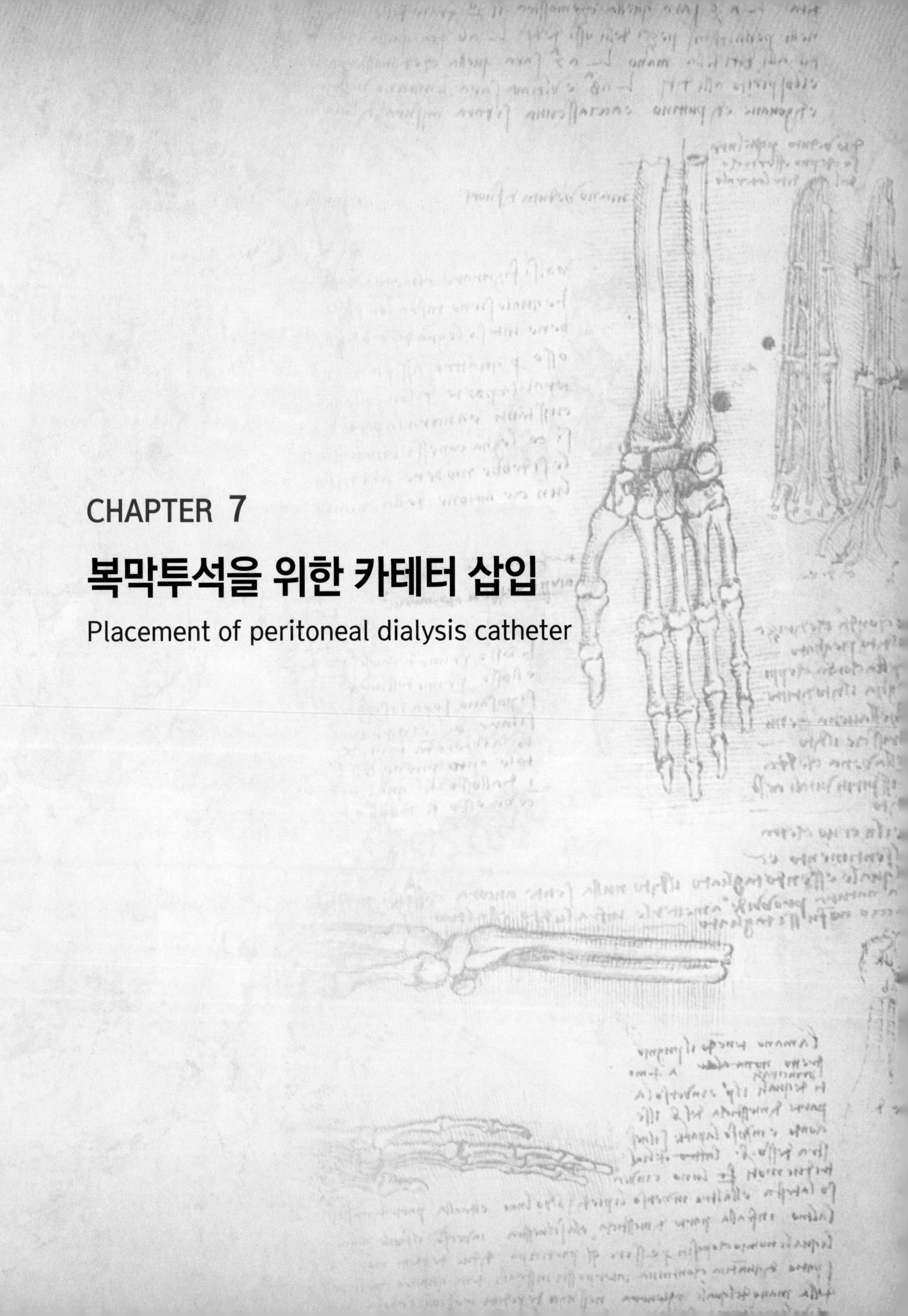

CHAPTER 7

복막투석을 위한 카테터 삽입

Placement of peritoneal dialysis catheter

1. 적응증

- 혈관접근(vascular access)이 어려운 환자(예: 소아)
- 심혈관 질환(예: 울혈심부전, 허혈심장병)
- 복막투석을 선호하는 환자

2. 비적응증

- 이전 개복 수술로 유착이 심하여 효과적인 투석이 어려운 경우
- 환자 스스로 관리가 불가능한 경우
- 심한 염증성 장질환 환자
- 복벽결손이나 감염의 위험성이 높은 경우(수술적 교정이 불가능한 탈장, 배꼽탈장, 복벽파열증, 횡경막탈장, 방광외번(bladder exstrophy)

3. 상대적 비적응증

- 최근 복강에 인공물을 삽입한 경우
  (예: 뇌실단락, ventricular-peritoneal shunt)
- 복강 또는 피부 감염
- 심한 비만
- 심한 영양실조
- 게실염

4. 수술 전 처치

- 수술 전날 금식하고 변비가 심하면 수술 수 시간 전 관장을 한다.
- 소변량이 많은 환자는 배뇨시킨다.
- 복부 제모, 카테터 출구(exit site)를 표시한다
  (허리띠 선 아래, 일상 생활에 지장을 주지 않는 곳을 환자와 상의하여 결정).
- 예방적 항생제를 투여한다
  (예: 1세대 cephalosporin 1 g IV를 수술 1시간 전과 수술 12시간 후 반복 투여 또는 수술 전 Vancomycin 1 g IV 1회 투여).

5. 마취

성인의 경우 일반적으로 국소마취를 하고 복막을 열기 전 주변 조직에 다시 국소마취제를 주입하여 통증을 감소시킨다. 필요시 진정제를 투여한다. 소아환자는 충분한 진정과 근이완을 위해 전신마취를 선호한다.

6. 환자 자세

- 바로 누운 자세

7. 카테터 선택

두 개의 Dacron 띠(cuff)가 있는 Standard Tenckhoff catheter가 가장 많이 사용되고 있다. 두 번째로 많이 이용되는 Swan-neck catheter는 띠 사이에 굽음(bent)이 형성되어 있어 카테터 출구방향을 아래로 위치하게 한다. 이는 감염의 위험성을 낮출 수 있다. Missouri형은 내측 cuff에 45° 방향으로 테두리가 있다. 테두리를 복벽에 고정하면 카테터끝이 환자의 복강에서 다리쪽(caudal)을 향하게 된다.

카테터 끝의 모양은 직선형과 코일형이 있으며 Tenchhoff, Swan-neck, Missouri catheter 중 어느 것이나 결합하여 상품화 되어있다(그림 7-1). 저자들은 pigtail형의 Tenchhoff catheter를 선호한다.

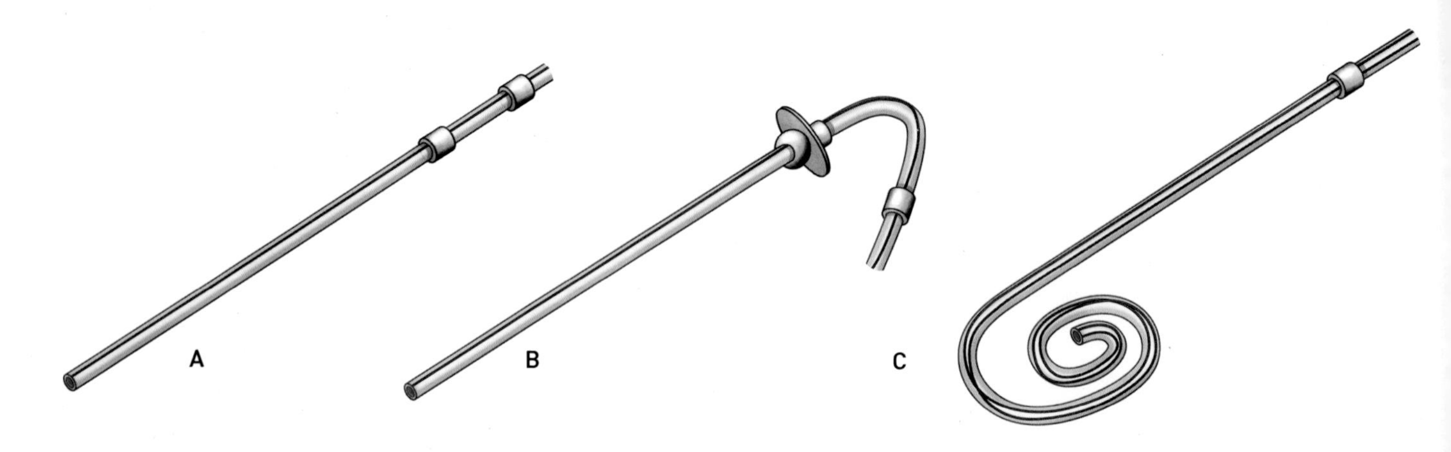

그림 7-1 A. Standard Tenckhoff catheter, B. Swan-neck Missouri catheter, C. Coil (pigtail) catheter

8. 수술 과정

(그림 7-2) 수술 전 미리 표시해 놓은 belt line에 걸리지 않도록 배꼽에서 2 cm 가쪽으로 배곧은근(rectus muscle)의 측면이나 중앙을 3 cm 수직절개한다. 이는 아래배벽동맥(inferior epigastric artery)의 손상을 줄이고 투석액의 누출을 예방할 수 있다. 저자들은 정중옆절개(paramedian incision)를 선호한다.

(그림 7-3) 앞배곧은근집을 절개한 후 배곧은근 섬유를 비절개분할(blunt split)한다.

(그림 7-4) 복막의 절개부위는 원위부띠(cuff)가 들어갈 만큼만 열고(0.5 cm) 구멍주변으로 주머니끈봉합(purse-string suture)을 해놓는다. 이때 환자의 다리쪽(caudal)으로 복막을 열어야 그림 7-7과 같이 카테터가 놓이게 된다.

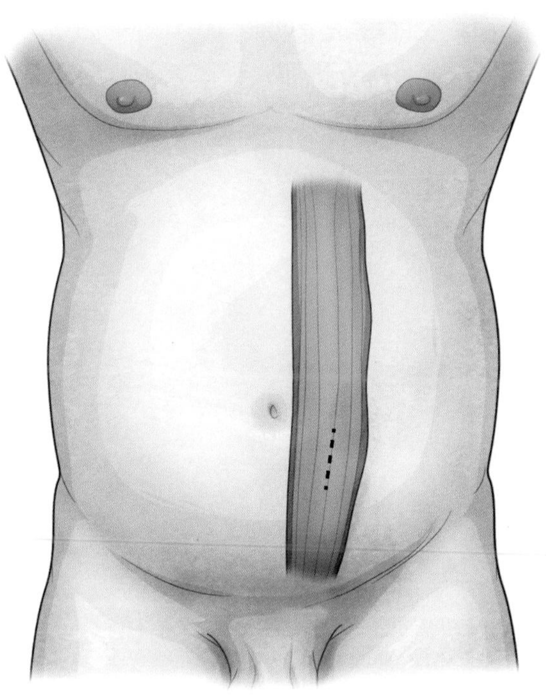

그림 7-2

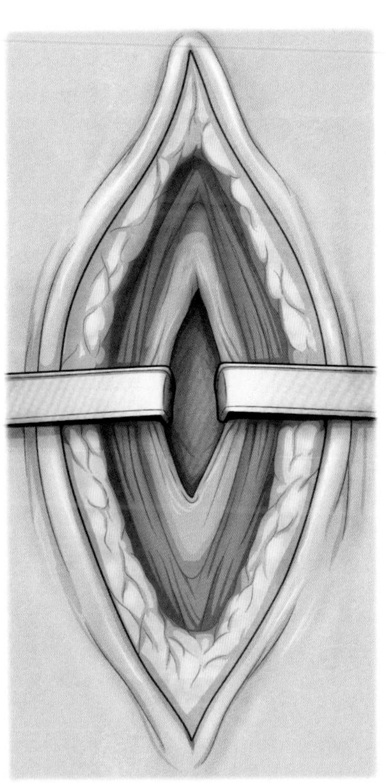

그림 7-3

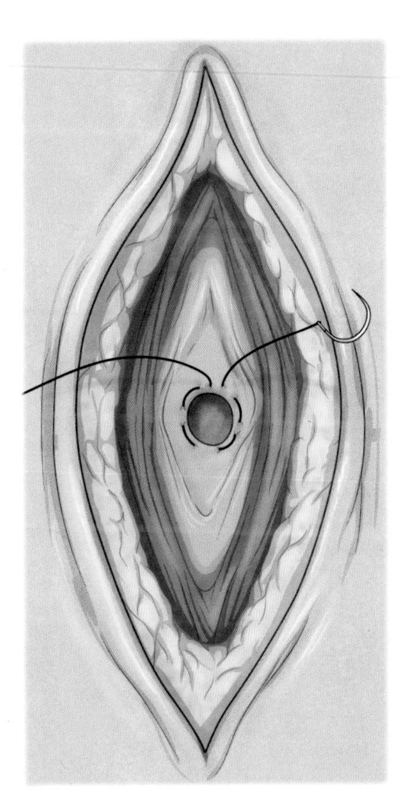

그림 7-4

(그림 7-5) 카테터 내부를 생리식염수로 씻어내고, Dacron 띠도 충분히 적신 후 잘 짜준다. 이는 Dacron 띠 주변에 복막과 주변 조직이 잘 유착되어 복막액이 새는 것을 방지한다. 카테터의 복강 내 진입을 용이하게 하기 위해 속심(stylet)을 넣는다. 이때 속심의 끝이 카테터 밖으로 나오지 않게 주의한다.

(그림 7-6) 수술침대를 환자의 머리가 낮아지게 기울여서 Trendelenburg position으로 만든 뒤 카테터를 미골(coccyx) 쪽 방향으로 넣는다. 이때, 장기 손상을 최소화하기 위해서 카테터를 복막을 따라 집어 넣는다. 즉 전방복벽을 따라 내려가다가 방광위의 접힌 부위에서 방광의 돔을 타고 넘어 방광과 직장사이의 맹낭(cul-de-sac)에 카테터 끝을 위치시킨다. 여자 환자의 경우 방광 뒤에서 자궁의 돔을 한번 더 넘겨 직장앞 맹관에 위치시킨다. 카테터 끝이 맹낭에 도달하면 저항감이 느껴지고 항문주변의 통증 또는 불편감을 호소하게 된다. 카테터를 고정하여 빠지지 않도록 주의하면 속심을 제거한다. 헤파린 함유된 생리식염수 50 cc를 주입한 후 저항 없이 배액 되는지 확인한다. 자연 배액하는 것이 좋으나 주사기로 조심스럽게 흡인해 볼 수 있다. 단 심한 음압을 줄 경우 장이나 장간막 등이 카테터 곁구멍(side hole)에 낄 수 있으므로 주의한다. 카테터 팁 위치를 확인하기 위해 C-arm 또는 KUB사진을 촬영한다.

(그림 7-7) 내측 카테터 띠를 복막 구멍에 위치하고 미리 준비해 둔 주머니끈 봉합을 결찰하여 고정한다. 환자에게 발살바조작(Valsalva maneuver)으로 배에 힘을 주게 한 뒤 카테터 주위로 복막액이 새는지 확인한다. 복막액이 누출되는 경우 추가로 복막과 띠 사이를 봉합한다.

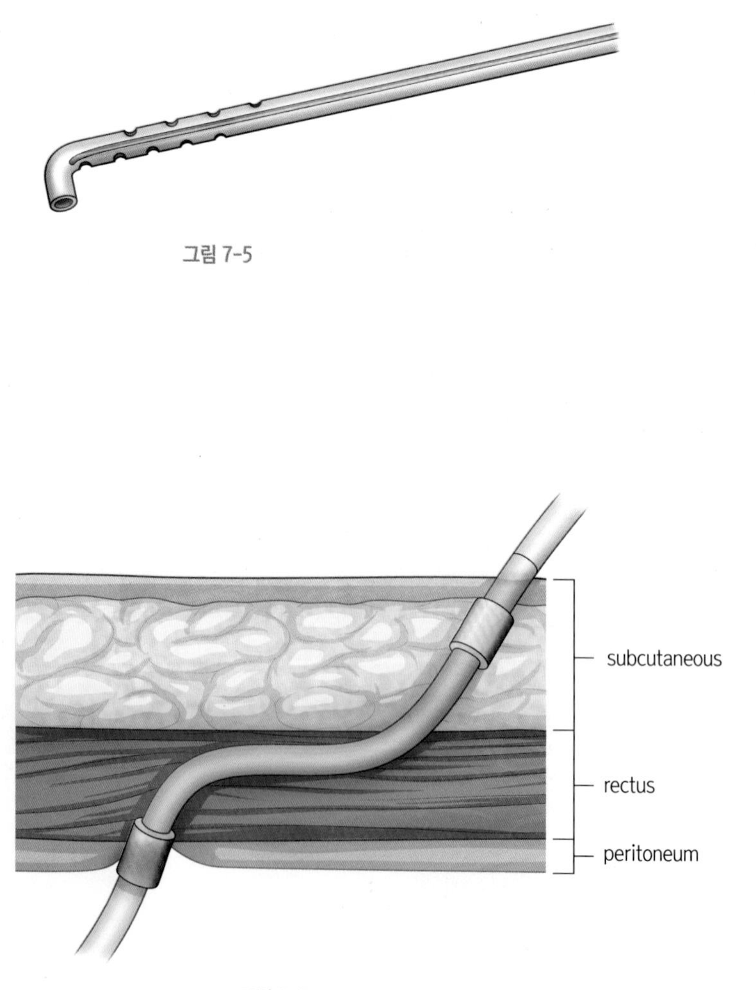

그림 7-5

그림 7-7

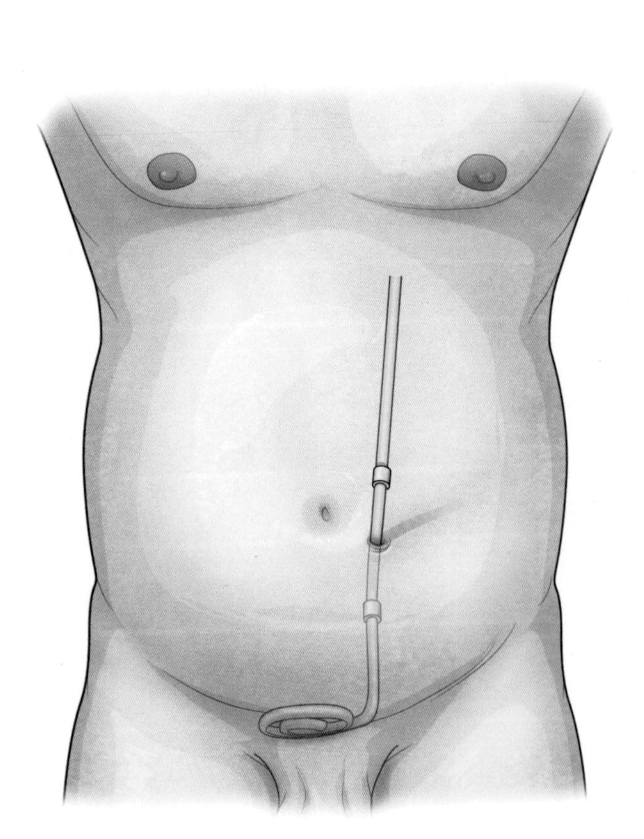

그림 7-6

(그림 7-8) 앞배곧은근집을 원위부부터 2-0 또는 1-0 비흡수성 봉합사로 봉합한다.
이때 복막액의 누출 가능성을 최소화하기 위해 shutter action을 할 수 있게 카테터를 머리방향으로 위치시키고 원위부근막부터 봉합한다. 카테터 주위의 근막을 너무 조이면 관이 꺽일 수 있으므로 Kelly 수술기구 하나가 들어갈 정도의 여유를 준다. 근막 봉합이 끝난 뒤 50 cc 주사기로 식염수 주입 및 배출이 잘 되는 지 확인한다.

(그림 7-9) 피부 출구 부위에 카테터 직경보다 작게 절개 후 tunneler를 이용하여 피하터널을 만든다. 카테터의 바깥쪽 띠가 출구에서 2 cm 이상 떨어진 피하에 놓이도록 한다. 카테터 띠가 출구부에 가까우면 감염 위험성이 높아진다. 카테터가 피하 얕은 부위에 위치하여 예각으로 꺽여 kinking이 되지 않게 주의한다. 보통, 카테터는 감염과 자극의 우려가 있어 피부에 고정하지 않는다.
Swan-neck catheter의 경우 수술 전 카테터 모양의 형지(stencil)를 이용하여 선을 그려 놓는다. 굽임이 위치할 부분을 박리한 후 투관침(trocar)를 이용하여 출구로 빼낸다.
티타늄으로 된 연결기(titanium connector)를 조립하고 마지막으로 생리식염수를 주입하여 투석관의 기능을 평가한다. 이때 공기가 들어가지 않도록 주의해야 한다. 환부의 치유를 위해 2주 동안 14 kg 이상의 무거운 물건을 들지 않도록 교육한다.

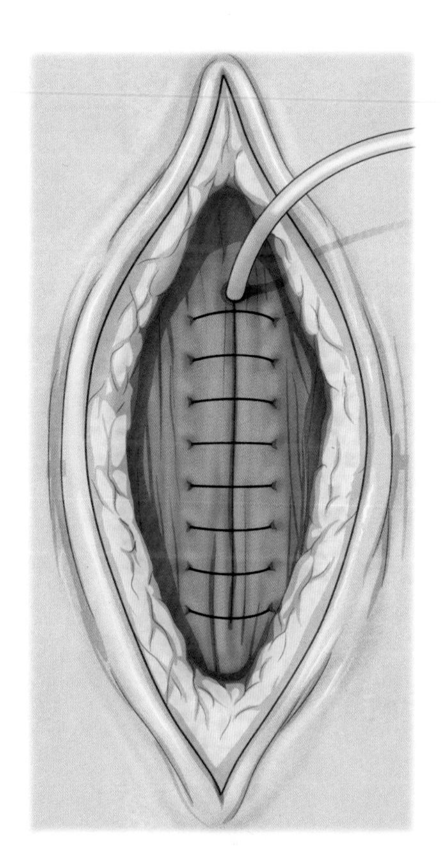

그림 7-8

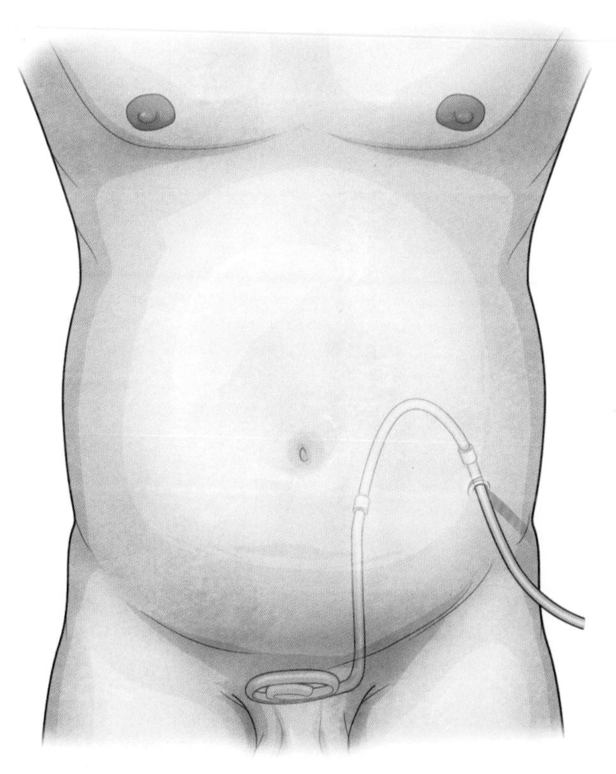

그림 7-9

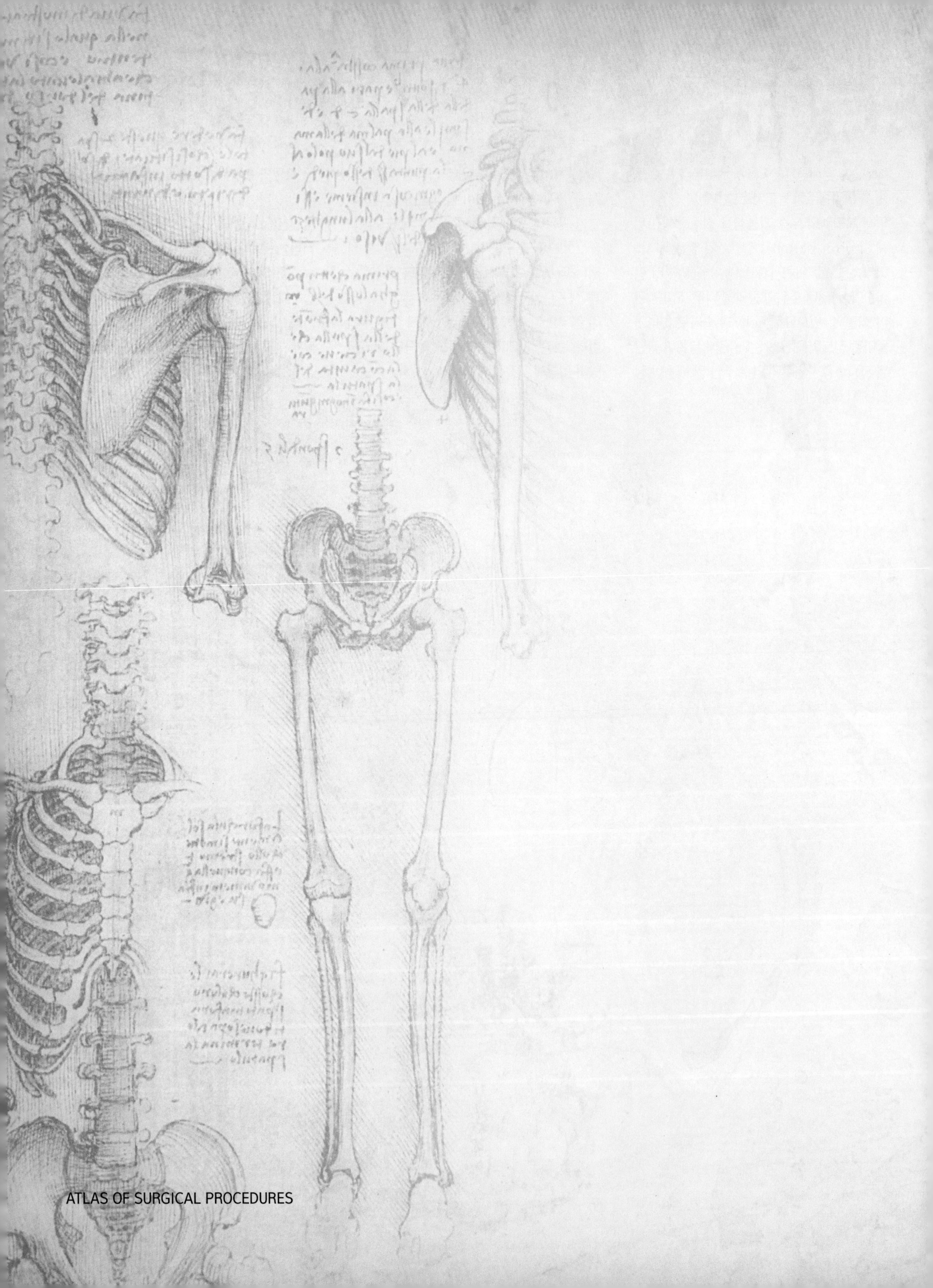

ATLAS OF SURGICAL PROCEDURES

CHAPTER 8

흉관 삽입

Chest tube insertion

1. 적응증

- 기흉, 혈흉, 흉막삼출, 농흉, 수흉증, 유미흉, 흉부손상 또는 수술 후

2. 금기증

1) 절대적 금기증은 없음

2) 상대적 금기증

- 응고장애, 출혈성 혈액질환
- 흉관 삽입 부위의 피부감염
- 흉막유착
- 소포성 축농(loculated empyema) 또는 흉막삼출

3. 준비할 기구

1) 적절한 크기의 흉관

- 혈액이나, 농, 점액 등을 배액 시키기 위해서는 굵은 튜브를 사용하며, 흉막삼출이나 기흉의 경우에는 더 가는 튜브를 사용한다.
- 성인은 20~40 F를 사용하며, 소아는 6~26 F를 사용한다.
- 배액통: 그림 8-1

2) 흉관삽입 세트 (수술용 칼, 켈리 겸자 등)

- 피부 소독제
- 무균 구멍포 또는 수술용 포(drape)
- 수술 가운, 마스크, 멸균장갑
- 국소마취제
- 봉합셋트(봉합사 및 바늘집게)
- 드레싱용 거즈
- 고정용 반창고

4. 준비사항

- 시술 전 특별한 준비사항은 없으며, 시술 전 전신항생제의 사용은 필요 없다. 환자의 의식이 있고, 활력징후가 안정되어 있다면 전신 진통제를 주어야 한다. 필요시 환자를 진정시킨 상태에서 시행한다.

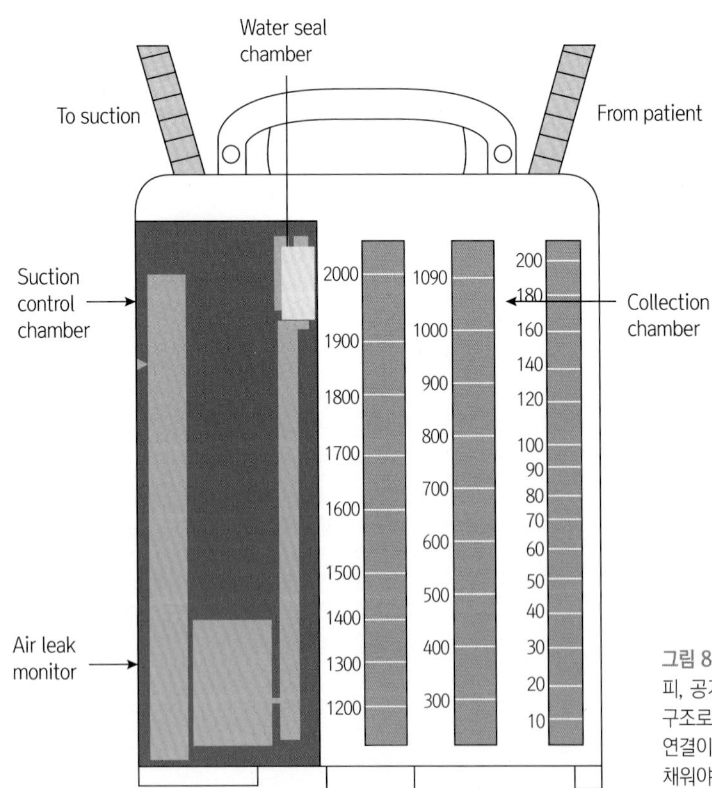

그림 8-1 흉관배액통의 구조. 흉관배액통은 환자의 배액관을 연결하여 흉강액이나 피, 공기 등을 배액통으로 모으며, 배액된 공기는 물을 채운 통으로 이동하게 되는 구조로 되어 있다. 공기가 모이는 곳은 필요시 음압을 유지할 수 있도록 흡인장치에 연결이 가능하다. 배액통에는 공기 배액관이 2cm 잠길 정도로 멸균수나 식염수로 채워야 한다.

5. 환자 자세

- 환자는 똑바로 눕게 하거나 상체를 약 45° 정도 올리고, 동측 팔은 머리위로 올려서 고정한다.

6. 시술 과정

- 흉관을 삽입할 위치를 확인한다(그림 8-2). 겨드랑이 꼭지점과 제4-5 늑간(intercostal space)의 앞겨드랑선, 중간겨드랑선 사이는 안전삼각으로 불리는 부위이다. 흉벽이 가장 얇고, 대흉근이나 유방 실질, 넓은 등근, 혈관이나 신경 등의 구조물을 피할 수 있는 곳으로, 위험한 구조물이 없는 부위이다. 흉골연을 따라 4-5 늑간을 찾은 후에 외측으로 이동하여 안전삼각 부위에 흉관 삽입 위치를 표시한다. 또한 흉관 삽입은 갈비뼈의 위쪽 경계를 따라 삽입하는 것이 늑간 혈관과 신경 손상을 피할 수 있다. 초음파 기계가 있다면, 흉관 삽입 전에 횡격막의 위치와 간이나 비장 등의 복강내 장기, 흉막 삼출 또는 혈흉을 삽입하기 위한 최적의 위치를 잡는데 도움이 된다.
- 표준주의 지침에 따라 마스크와 모자를 착용하고, 손을 소독한 후 수술 가운을 착용한다.
- 흉관 삽입할 부위로 주변을 피부소독제를 이용하여 소독한다.
- 흉관 삽입 부위를 노출 시킨 후 수술포를 덮는다.
- 절개부 주변의 피부, 피하조직, 근육 및 벽측 흉막까지 국소마취를 시행한다. 흉관을 삽입할 때 절개부에서 1개의 갈비뼈 위쪽에 삽입하므로 국소마취는 충분히 넓게 시행한다(그림 8-3). 국소마취를 할 때 주사기

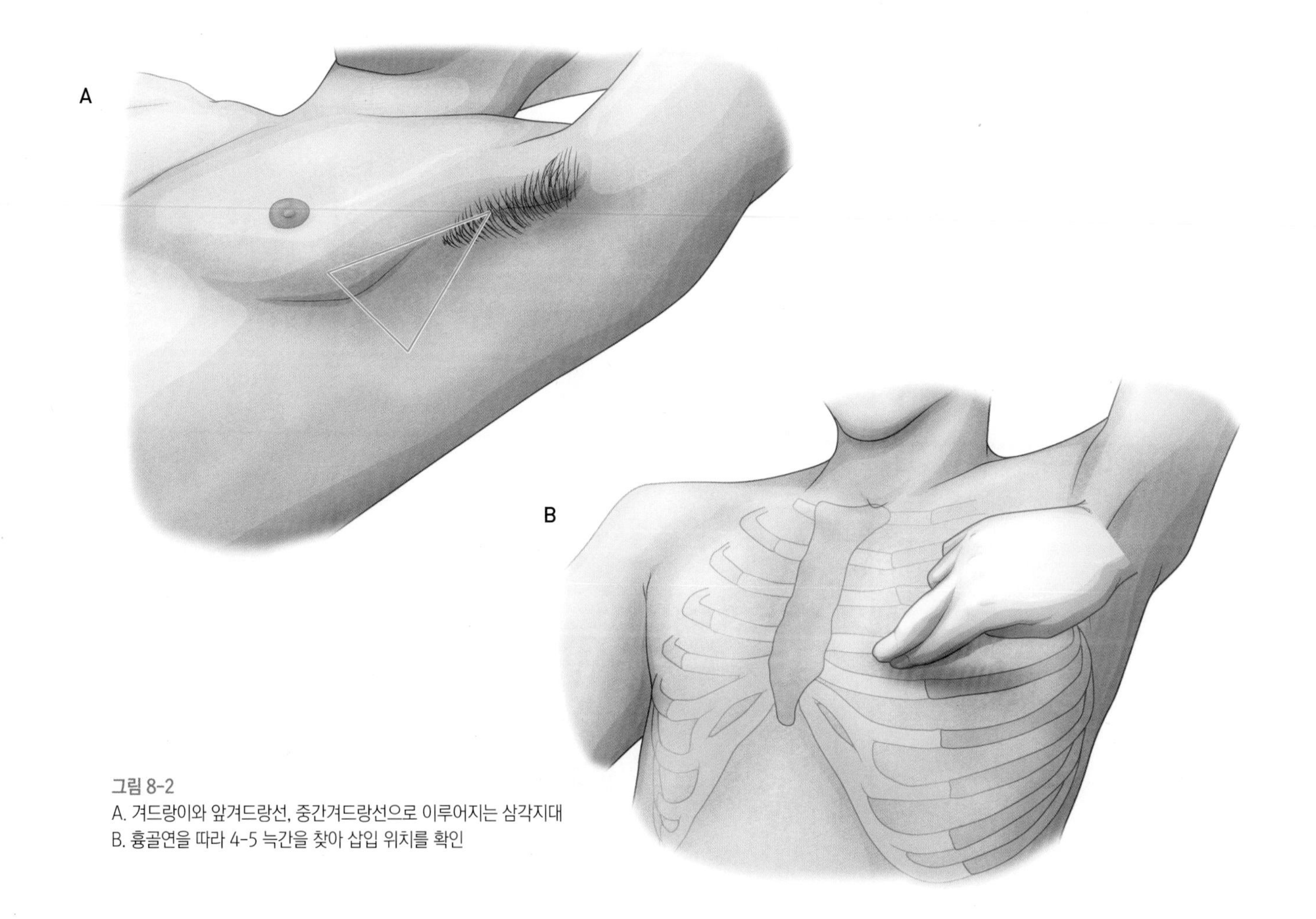

그림 8-2
A. 겨드랑이와 앞겨드랑선, 중간겨드랑선으로 이루어지는 삼각지대
B. 흉골연을 따라 4-5 늑간을 찾아 삽입 위치를 확인

를 흡인하면서 흉막삼출액, 혈액, 공기 등이 나오는지 확인한다. 벽측 흉막까지 국소마취를 시행하여야 한다.

- 흉관 삽입부로 표시한 부위에서 1늑간 아래쪽에서 집게 손가락이 들어갈 정도의 크기로 가로 절개를 시행한다.
- (그림 8-4) 절개부위에 겸자를 삽입하여 피하조직과 늑간근(intercostal muscle) 사이로 굴을 파듯이 접근하여 표시한 부위의 갈비뼈의 위쪽 경계를 따라 벽측 흉막을 개방한다. 겸자가 흉강내로 들어가면 공기나 혈액이 충분히 빠져 나올 수 있도록 겸자를 개방한 채로 유지한다. 겸자를 흉강내로 삽입할 때 너무 깊이 넣으면 폐를 손상시킬 수 있으므로 주의하여야 한다. 이때 환자의 호흡을 내쉰 채 참게 하거나, 인공호흡기를 하고 있는 경우 호흡을 멈추고 시행한다.

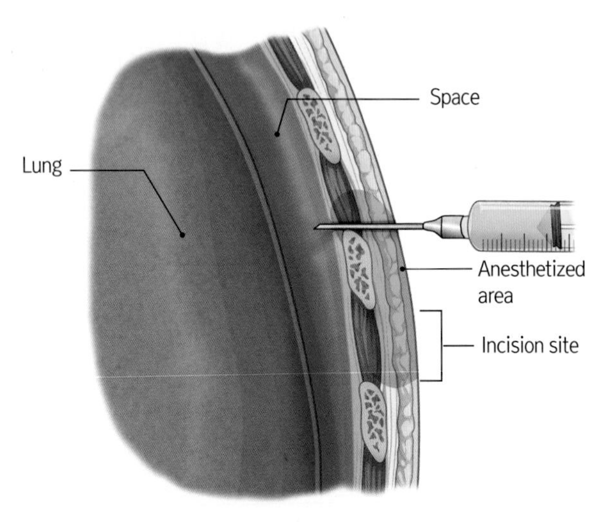

그림 8-3 절개부위에서부터 피하조직, 흉관이 삽입되는 근육, 흉막까지 마취시행

TIP 1
복강내 장기 손상을 예방하기 위해서는 횡격막의 위치를 잘 파악하여야 하며, 너무 낮은 위치에 흉관을 삽입하지 않도록 한다. 초음파 기계가 있다면, 흉관 삽입 전에 횡격막의 위치와 간이나 비장 등의 복강내 장기, 흉막 삼출 또는 혈흉을 삽입하기 위한 최적의 위치를 잡는데 도움이 된다.

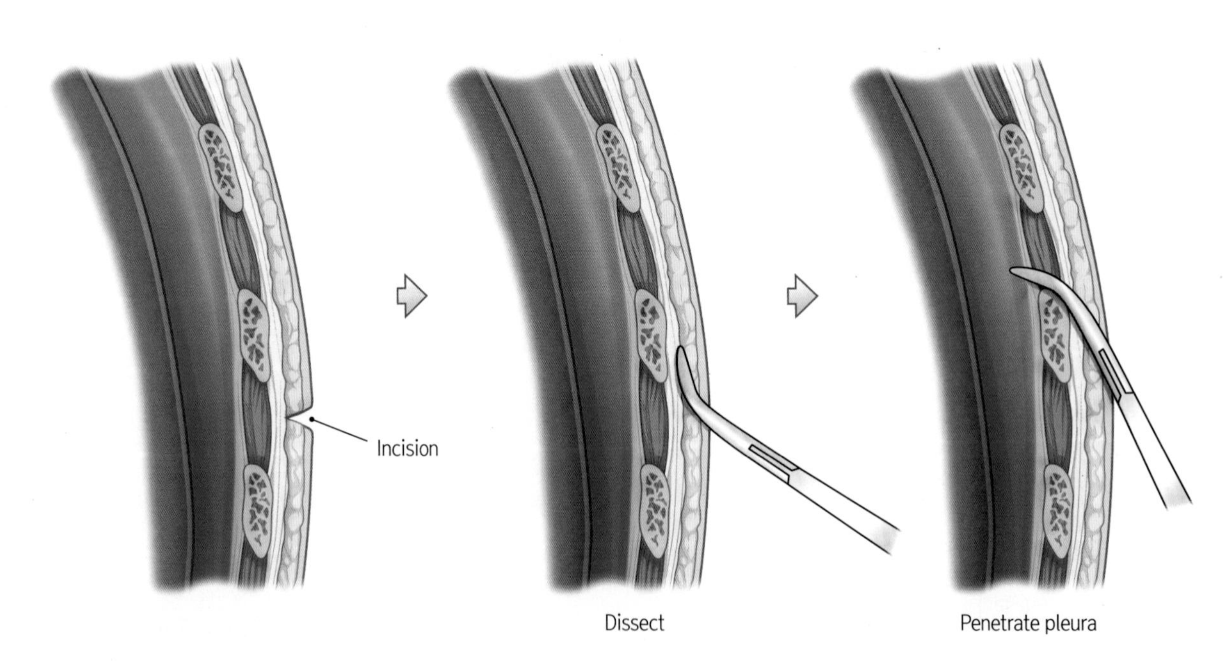

그림 8-4 피부에 2~3 cm 길이의 절개를 가한 후 굴을 파듯이 접근하여 늑골의 위경계를 따라 접근하여 흉막을 개방시킴. 흉막을 뚫을 때 압력이 필요함

- (그림 8-5) 박리된 부위를 따라 검지를 삽입하여 갈비뼈의 상연을 만져서 확인하고, 흉강내에 유착이나 종괴 등의 유무를 확인한다. 손가락이 흉강내로 들어가야 하며 벽측 흉막과 폐를 만질수 있어야 한다.
- (그림 8-6) 절개부위에서 폐첨부까지 거리를 확인한 후에 흉관을 삽입한다. 흉관을 Kelly 겸자로 잡고 손가락으로 유도하여 흉강내로 삽입하며, 마지막 구멍이 2~3 cm까지 들어가게 한다.
- 흉관은 기흉 환자에서는 앞쪽으로 위치시키며, 혈흉이나 늑막 삼출 환자에서는 뒤쪽으로 진행시켜 유지한다.
- 기흉이 있는 환자의 경우 심호흡을 하거나 기침을 하게 해서 공기 방울이 나오는지 확인한다.
- 흉관의 끝부분을 배액병에 연결하며, 배액을 촉진하기 위해 20 cm H_2O로 음압흡인을 시행하기도 한다.

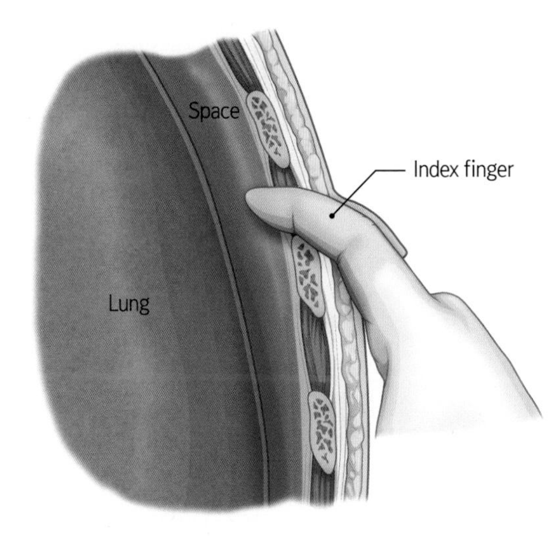

그림 8-5 검지를 이용하여 늑골의 상연을 확인하고, 유착이나 종괴 유무 확인

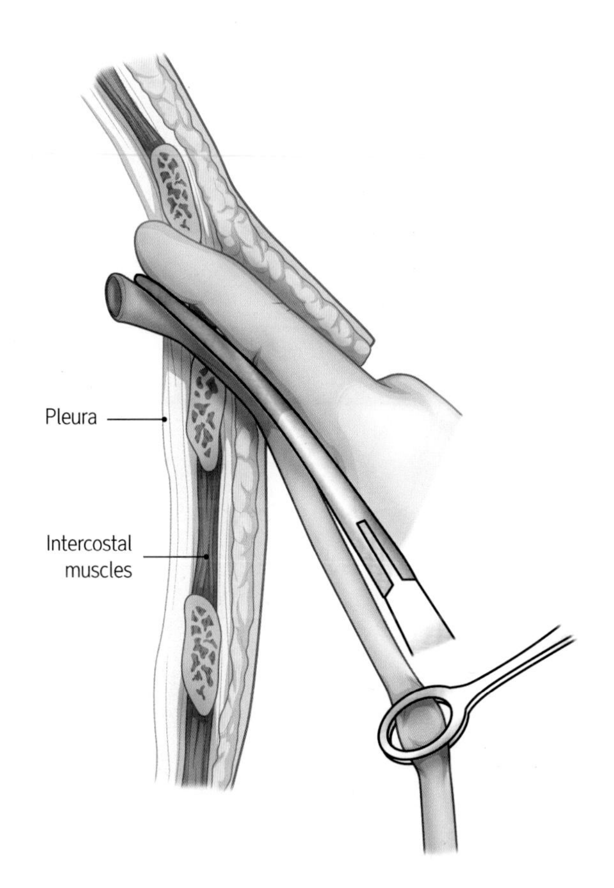

그림 8-6 흉관을 겸자로 잡고 손가락으로 유도하여 흉강내로 삽입

TIP 2

갈비뼈의 하연을 따라 흉막에 접근하는 경우 늑간신경과 늑간혈관에 손상을 줄 수 있으며, 이는 시술 중 출혈과 통증을 유발할 수 있으며, 흉관 제거 후 늑간통의 원인이 될 수 있다. 또한 갈비뼈 골절이 동반된 환자에서 골절이 없는 부위를 찾아서 삽입하여야 한다.

- (그림 8-7) 흉관을 삽입한 후에 굵은(1-0 또는 2-0) 비흡수성 봉합사를 이용하여 흉관이 잘 고정되게 묶는다. 그리고 삽입부 주변으로 공기나 혈액 등이 나오지 않도록 단단하게 거즈드레싱을 시행한다.
- 흉부 X-ray를 촬영하여 흉관의 위치를 확인하고, 필요시 위치를 재조정한다.

7. 흉관 삽입 후 관리

- 흉관배액통은 가슴보다 낮게 유지한다.
- 흉관이 꼬이거나 꺾이지 않도록 주의하여 관리한다.
- 배액량, 공기의 배출 유무를 주기적으로 확인한다.
- 흉관을 삽입한 후 주기적으로 흉부 X-ray를 촬영하여 변화 여부를 확인하며, 배액량이 24시간 동안 100 ml 이하로 되면 흉관을 제거한다.
- (그림 8-7) 흉관을 제거할 때는 고정된 봉합사를 이용하여 피부를 봉합하며, 상처가 오염되지 않게 관리하여야 한다.
- 흉관 제거 4시간 이내에 흉부 X-ray를 촬영하여 폐의 팽창 여부를 확인하는 것이 좋다.

8. 시술 후 합병증

1) 2~30%까지 다양하게 보고됨

2) 흔한 합병증

- 위치 이상(malposition): 약 3% 정도로 보고됨
- 감염: 삽입부위 감염, 흉강내 감염
- 기흉(흉관 삽입 관련)

3) 드문 합병증

- 폐 손상: 혈흉, 지속적인 공기 누출, 기흉, 피하기종 등

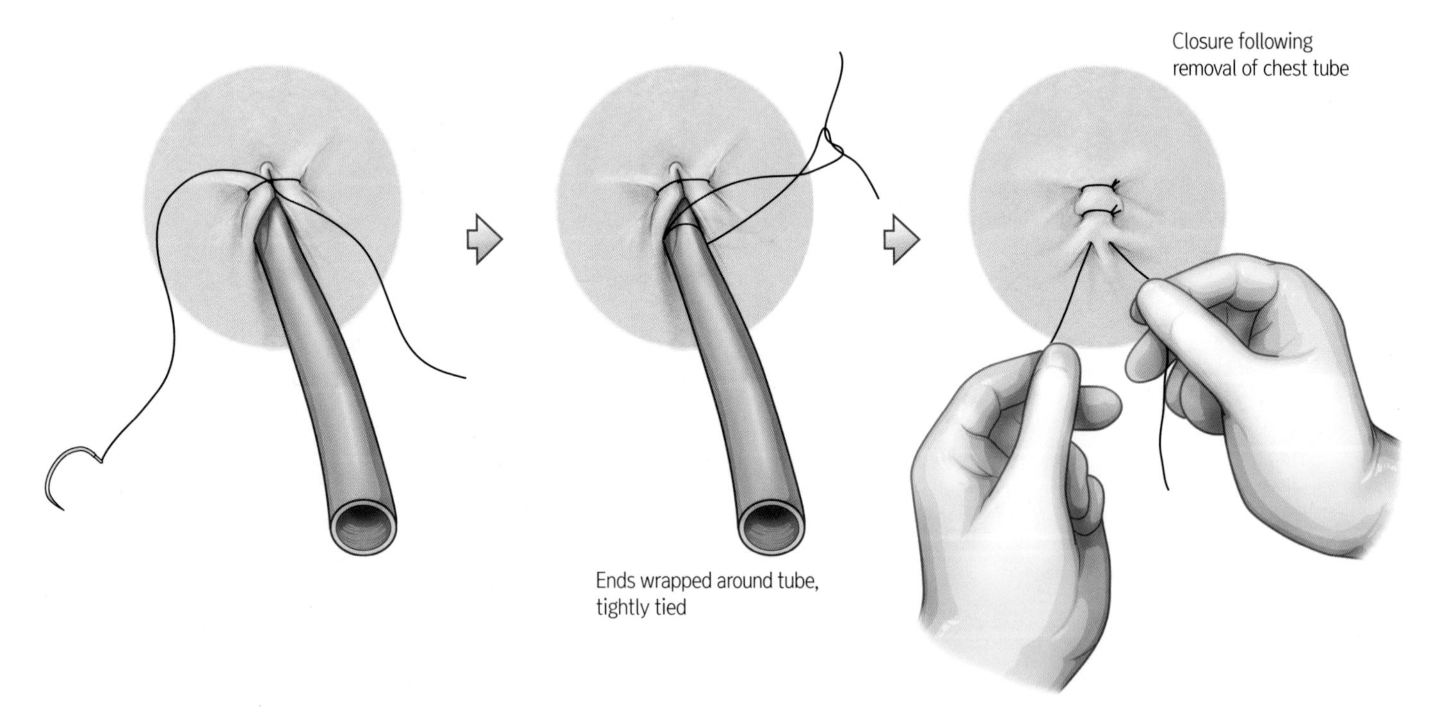

그림 8-7 U자 모양으로 흉관을 고정하고, 흉관을 제거한 후에는 봉합사를 그대로 이용하여 피부 봉합 시행

- 늑간혈관 손상: 혈흉, 출혈성 쇼크 등, 수술이 필요한 경우도 있음
- 유미흉(chylothorax): 가슴관 손상 시 발생 가능
- 긴가슴신경(long thoracic nerve) 손상, 날개어깨뼈(winged scapula)
- 늑간신경통: 늑간신경 손상시 발생
- 횡격막신경 마비

4) 심각한 합병증

- 재팽창 폐부종(reexpansion pulmonary edema)
    - 대량의 혈흉, 기흉, 흉막 삼출액 배액 후 호흡 곤란 발생
    - 흉관 삽입 후 폐부종 발생
    - 보존적 치료로 호전
    - 대량의 배액이 필요시 천천히 배액 시키는 것이 중요함
- 식도 손상
- 심장 손상
- 횡격막 손상
- 혈복강: 간 또는 비장 손상에 의한 혈복강 발생 가능
- 흉관 삽입 시 횡격막의 위치를 확인하고 안전한 부위를 찾아서 삽입하는 것이 중요함

9. 초음파를 이용한 흉관 삽입

- 흉관 삽입 시 초음파를 이용하여 폐손상 등의 합병증을 줄일 수 있음
- 흉막삼출이나 혈흉의 양을 예측할 수 있고, 흉관을 삽입하기 좋은 위치를 선정하는데 도움이 됨
- 흉관 삽입의 일반적인 방법과 동일
- 셀딩거방법을 이용하여 흉관을 삽입하는 경우 동일한 위치의 늑골 사이로 삽입 가능

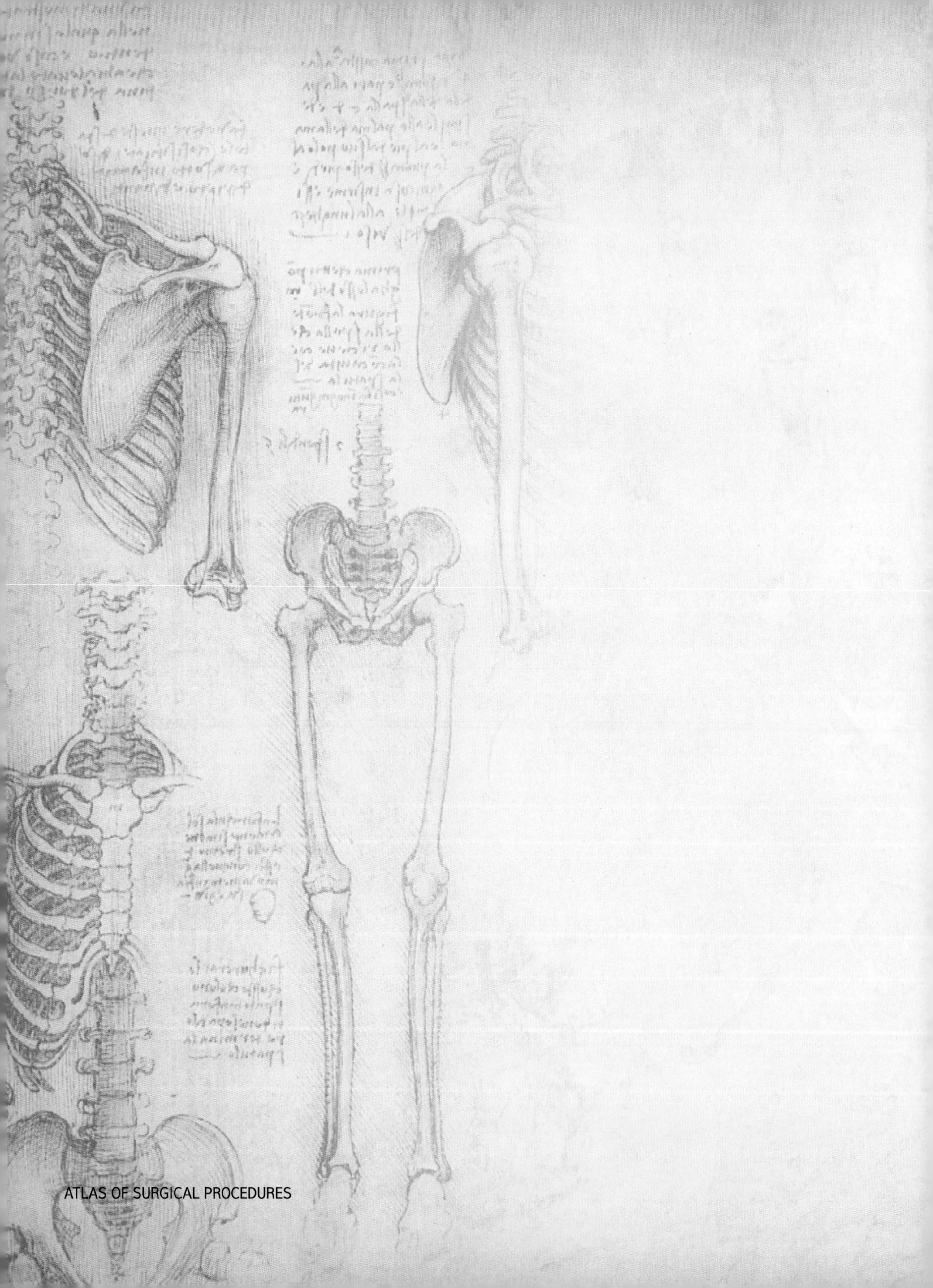

ATLAS OF SURGICAL PROCEDURES

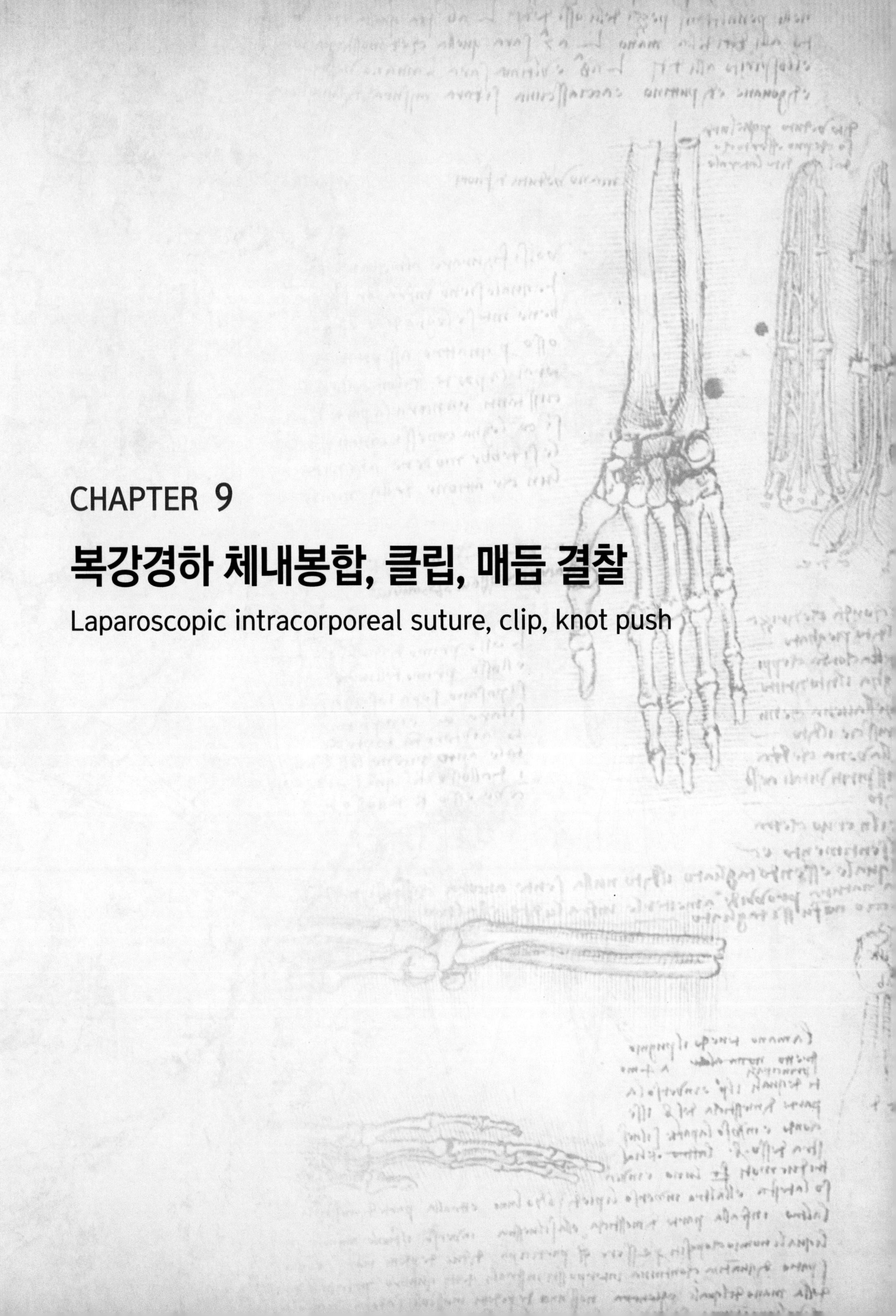

CHAPTER 9

복강경하 체내봉합, 클립, 매듭 결찰

Laparoscopic intracorporeal suture, clip, knot push

1. Laparoscopic intracorporeal suture

1) 내시경하 봉합의 최대의 제한

이것은 투관침(Trocar)의 위치에 관계한다. 즉, 수술대상과 지침기와의 ① 방향, ② 각도, ③ 거리 3대 요소는 모든 투관침의 위치에 따라서 한번에 규정되는 것이다(그림 9-1 A, B, C).

(1) 방향

30° 정도면 봉합이 가능하다. 30° 이상 틀어지면 창상면을 봉합하기 위한 방향이 어렵게 된다.

(2) 각도

창상을 포함한 면과 지침기축이 0°(평행)의 경우가 가장 좋은 자세이다. 창상면과 지침 기축이 이루는 각도가 커지면 커질수록 봉합하기가 힘들어진다.

(3) 거리

봉합 기구의 중심축이 투관침의 어느 부위에 위치하느냐에 따라 봉합 시의 움직임이 증폭 또는 축소된다.

2) Laparoscope, 봉합기구, 투관침의 위치 선정

복강경 기구를 이용하여 봉합 시에 원활히 진행되도록 Scope와 투관침의 배치를 수술 전에 이미지화하고 수술에 임하도록 한다. 복강경 기구와 Scope는 다이아몬드 구조를 이루게 하는 것이 가장 안정적으로 봉합할 수 있다(그림 9-2).

3) 봉합기구를 이용한 봉합사의 기본 조작

(1) 봉합사의 길이

봉합사의 길이는 봉합하는 부위에 따라 다르게 되나 일반적으로 15 cm이 되도록 길이를 맞춘다. 봉합사의 길이가 너무 짧거나 긴 경우에는 봉합 후 매듭을 만들 때 조작이 어려울 수가 있고 봉합사가 엉키는 문제점이 생길 수 있다. 봉합사의 길이는 수술자가 여러 번의 경험을 통하여 봉합하기에 적당한 길이를 맞추면 된다.

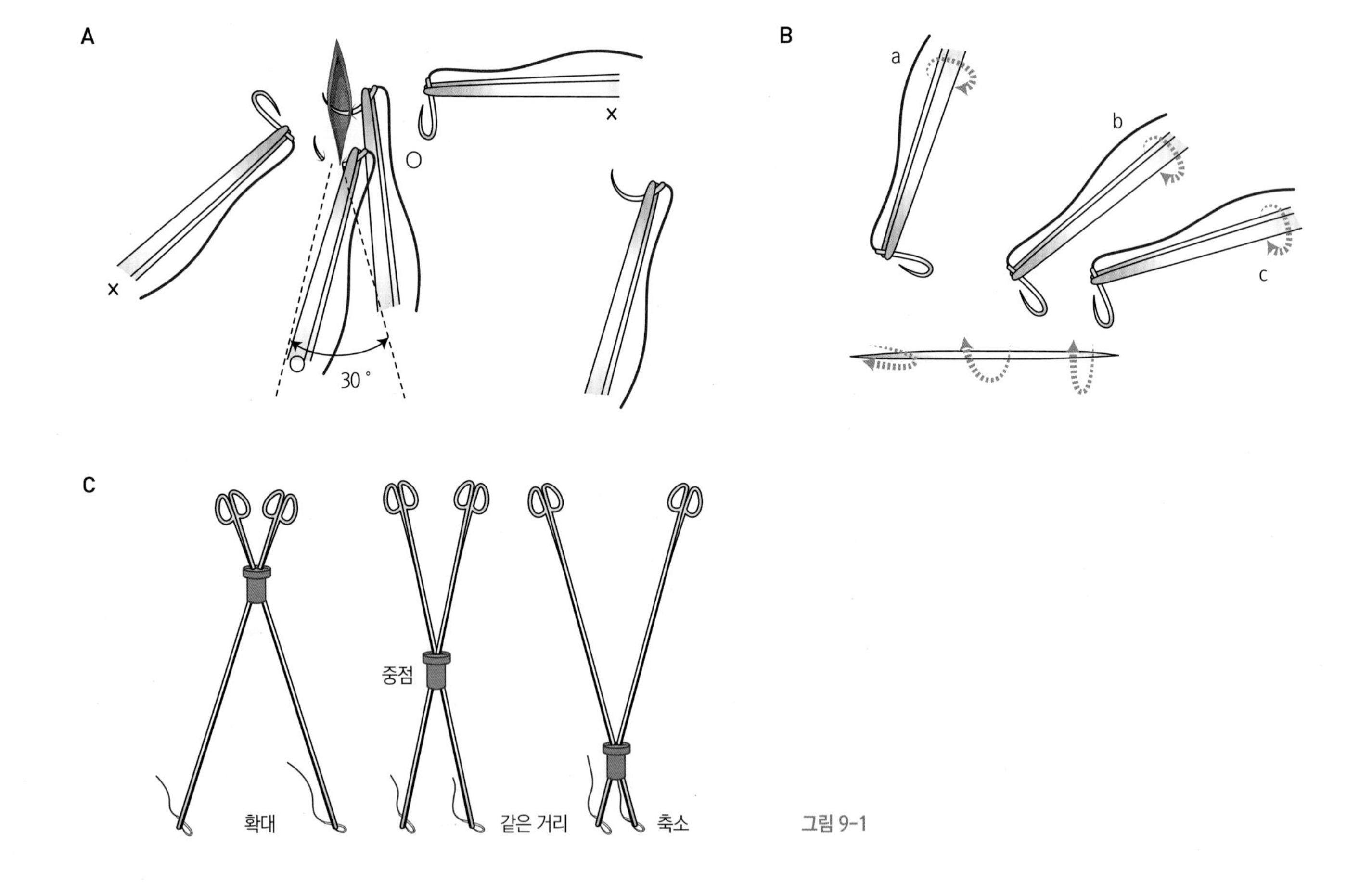

그림 9-1

(2) 봉합사의 삽입, 조작 및 제거 방법

봉합사의 삽입 시에는 10 mm 이상의 투관침을 통해서 삽입하는 것이 용이하다. 바늘을 잡고 삽입하는 것보다 바늘에서 1~2 cm 떨어진 곳을 잡고 삽입해야 쉽게 들어갈 수 있다(그림 9-3A). 봉합사가 삽입되고 나면 반대 손의 복강경 기구로 바늘 끝을 살짝 잡고 삽입 시에 사용한 복강경 기구를 푼 후 바늘을 가능한 직각이 되게 잡는 것이 조직을 봉합하기에 용이하다(그림 9-3B). 최근에는 바늘을 잡게 되면 직각이 되게 하는 기구도 나와 있어 처음 봉합술을 하는 수술자에겐 도움이 된다. 복강경을 이용한 조직 봉합 후 봉합사를 빼는 과정은 삽입 과정처럼 바늘에서 1~2 cm 떨어진 곳을 잡고 10 mm 이상의 투관침을 통해서 빼도록 한다. 이때, 가능한 한 Scope은 실이 나가는 영상을 보여 주도록 한다. 만일의 경우 실을 놓칠 때 실이 떨어진 곳을 확인할 수가 있다.

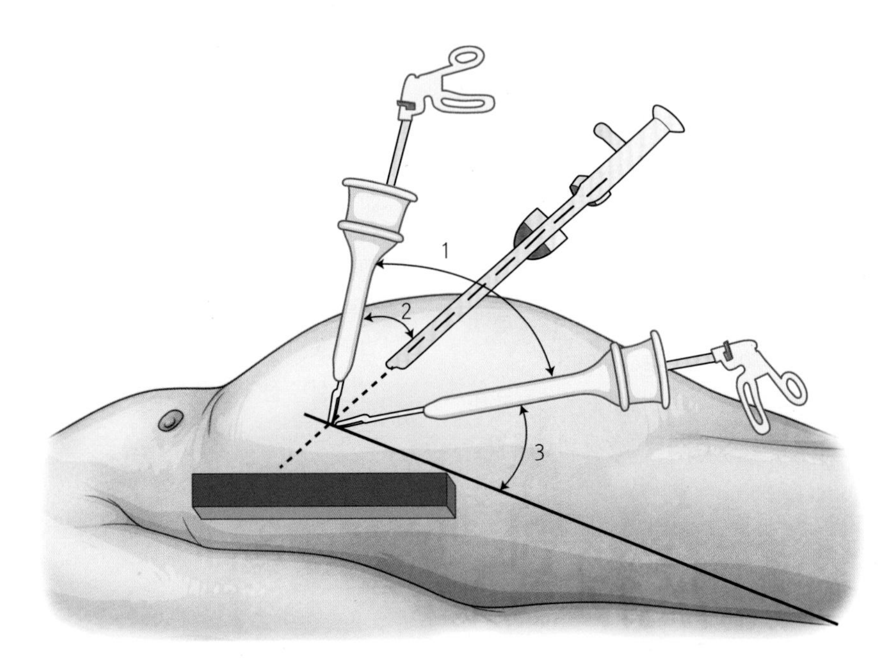

그림 9-2

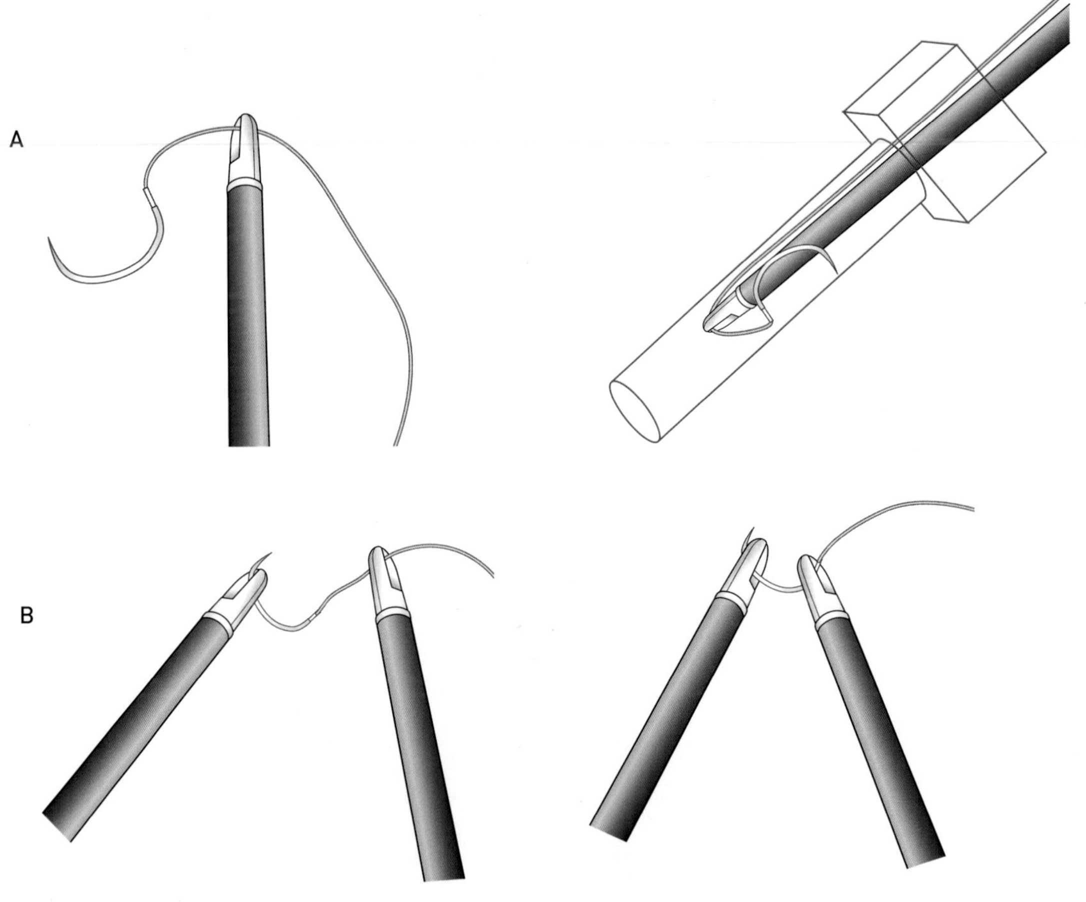

그림 9-3

4) 체내봉합 및 결찰술

(1) 위에서 설명한대로 봉합사를 삽입하고 나면 바늘을 기구와 직각이 되게 잡고 봉합부위에 바늘을 가져간다.

(2) 봉합하고자 하는 조직을 반대 손 기구로 살짝 잡고 조직과 바늘이 가능한 직각이 되도록 한 후 조직에 바늘을 통과시킨다. 이때 바늘을 잡고 있는 기구는 180°로 회전 시키듯이 바늘을 통과시킨다.

(3) 바늘이 통과되고 나면 반대 손 기구로 바늘 끝을 살짝 잡고 빼내든지 바늘을 잡고 있다가 오른손 기구가 바늘을 잡으면 반대 손 기구가 바늘을 놓고 오른손 기구로서 회전하듯이 바늘을 뺀다.

(4) 봉합하고자 하는 조직을 바늘이 모두 통과하면 실의 끝이 4~5 cm 남도록 실을 잡아당긴다.

(5) 왼손 기구로 바늘을 잡고 그림 9-4A처럼 오른손 기구를 주축으로 하여 실을 두 번 감은 후 오른손 기구로 4~5 cm되도록 당겨둔 실을 잡아 감은 봉합사 안으로 빼내도록 한다.

(6) 양손 기구로 실을 다시 잡은 후 그림 9-4B처럼 평행한 방향으로 잡아당긴다. 이때 실의 긴장감은 기구를 통한 수술자의 느낌으로 알 수가 있는데, 여러 번의 경험을 통하면 봉합 강도를 익힐 수 있다.

(7) 위의 (5) 과정을 실을 반대 방향으로 한번 감은 후 이번에는 이전의 과정과 반대 방향으로 실을 잡아당기면 매듭이 단단히 묶어진다.

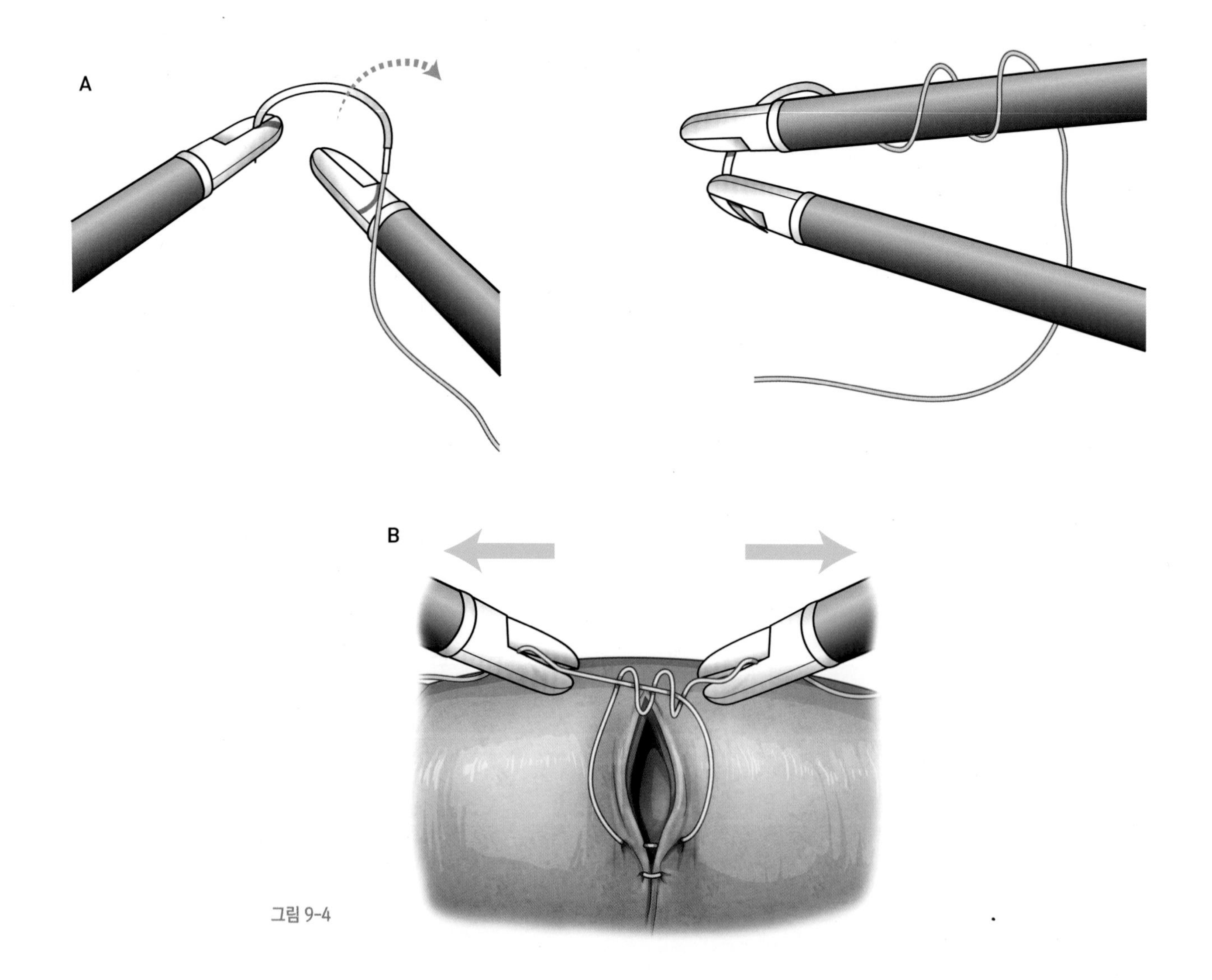

그림 9-4

5) Barbed suture을 이용한 봉합

최근 안면 성형수술에 사용되던 barbed suture가 복강경 수술에 적용되어 널리 사용되고 있는데 보통의 봉합사의 표면에 가시를 처리하여 장문합 시 마지막 단계에서 봉합사의 결찰이 필요 없게 개발된 제품이다(그림 9-5). 각 회사의 제품에 따라 봉합사의 흡수가 90일 180일로 구분되어 있으니 각 수술에 적절히 사용되어야 하며 최근 비흡수사도 개발이 되어 있다. 장 표면에 barbed suture 실이 길게 남는 경우 주위 장이 유착되어 이로 인한 장폐색으로 재수술 보고가 있으니 마지막 봉합을 하고 난 후 역방향으로 한 번 더 봉합하고 장 표면에 실이 남지 않게 자르는 것이 추천되고 있다.

2. Laparoscopic clip

1) Laparoscopic clip의 종류

- 현재 복강경 수술 시에 혈관의 결찰을 위해 가장 많이 사용되고 있는 clip은 Titanium 형태의 clip이다(그림 9-6A, B).

Titanium clip은 가격이 싸고 clip이 잘못되었을 때 빼내기가 쉬운 장점과 다발성으로 장착이 되어 있어 연속적으로 쓸 수 있다. 하지만 Clip을 적용했을 때 엇갈림 증상 등이 나타나서 완벽한 결찰이 안 될 수도 있고 직접적으로 Bovie 등이 접촉되는 경우 결찰된 혈관 자체와 주위 조직이 화상을 입거나 괴사되거나 결찰되었던 clip이 빠질 수도 있다.

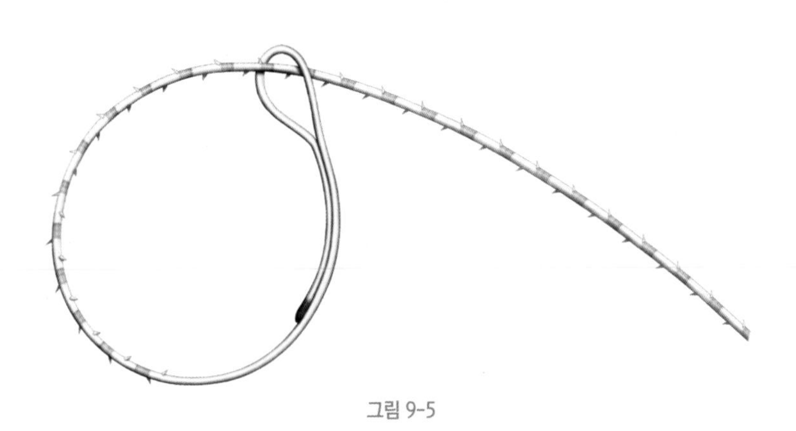

그림 9-5

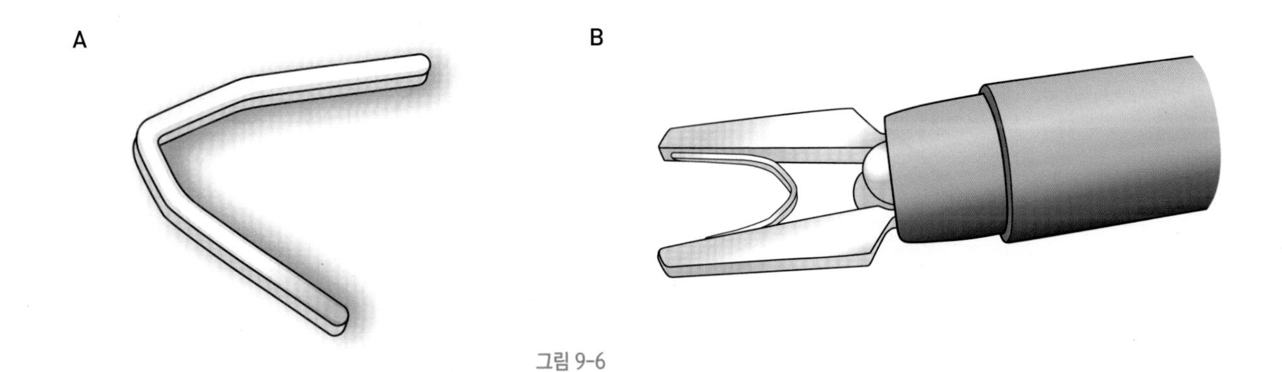

그림 9-6

- 이외에도 최근 자주 사용하는 것이 Hem-O-LOK인데 Clip을 적용하였을 때 단추처럼 잠근 장치가 되어 혈관 고정이 확실히 되며 Titanium clip에서 나오는 엇갈림 증상도 없다. 하지만 가격이 비싸고 다발성으로 장착이 되어 있지 않아 사용 때마다 Clip을 기구에 설치해야 하는 단점이 있다. 또한 제거를 위해서는 Hem-O-LOK 전용 기구를 이용해야 하는 단점이 있다(그림 9-7A, B).
- 최근 dual layered absorblable clip (Lapro-Clip®)이 널리 사용되고 있는데 안쪽 clip은 부드럽고 유연한 제질의 polyglyconate이며 180일에 걸쳐 서서히 흡수되며 바깥쪽 clip은 좀 더 단단한 재질의 polyglycolic acid이며 90일에 흡수된다. 전체적인 모양은 titanium과 유사한 distal end closure 형태이지만 clip이 미끌리거나 빠짐을 최대한 예방하는 notch이 안쪽 clip에 있다. 크기는 12 mm와 8 mm가 있다(그림 9-8).

2) Laparoscopic clip의 사용

- 복강경 clip은 주로 혈관 결찰 시에 많이 사용된다. 또한 종양의 위치는 특정 부위의 장기에 표시를 하기 위한 방법으로 일부 사용된다.
- 혈관 결찰을 하기 위해서는 우선 혈관 주위의 지방 조직이나 림프절의 박리가 되어야 한다.
- 혈관이 노출되면 혈관이 이어지는 조직을 왼손 기구로 잡아서 살짝 들어 올려준다.

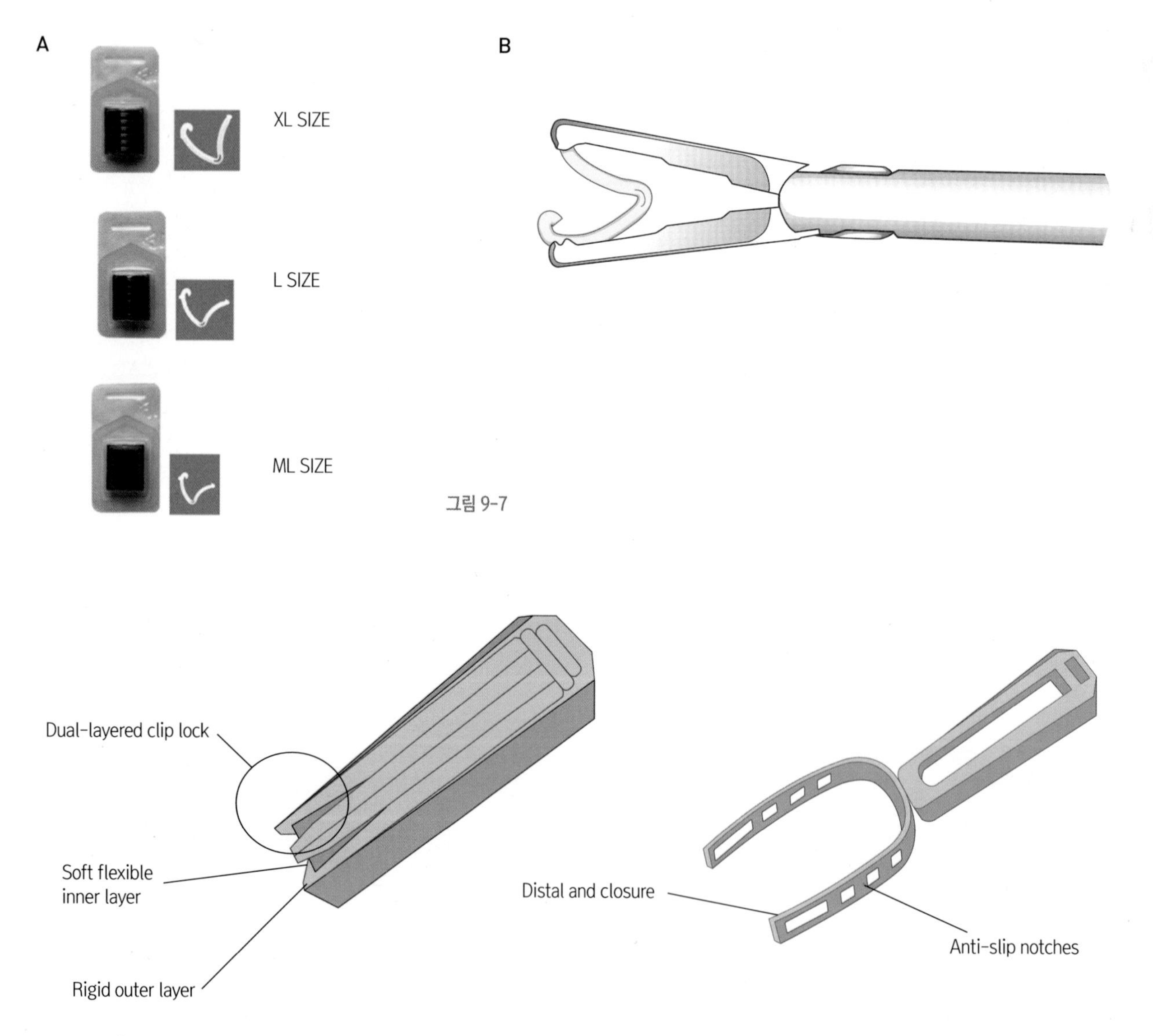

그림 9-7

그림 9-8 Dual layered absorblable clip

이때 너무 많은 힘을 주어서 들게 되면 정맥 같은 경우에는 찢어지게 되어 출혈이 일어날 수 있다(그림 9-9A).

- 조직을 들어 올려 혈관에 세워지게 되면 끝이 가는 복강경 기구를 통해서 혈관 뒤의 조직을 박리하게 된다. 이러한 이유는 혈관을 clip으로 보는 부분만 잡게 되면 뒤쪽에 다른 혈관과 함께 clip이 물려서 출혈을 야기할 수 있기 때문이다(그림 9-9A).
- 끝이 가는 복강경 기구로 혈관 뒤쪽을 완전히 박리한 후 기구가 지나다니는 모습을 보고 이어서 혈관 결찰을 위한 clip을 넣어 혈관을 결찰한다. 이때는 clip 간의 간격이 너무 가까운 경우 혈관 절제 후에 clip이 빠지는 경우가 있으므로, 가능한 혈관을 자를 부위를 남겨두고 위 아래로 혈관을 결찰한다(그림 9-9B).
- 정확한 결찰이 이루어 지면 Dumbbell 형태의 모습이 이루어진다(그림 9-10).

3. Laparoscopic knot push

일반적으로 복강 내에서 봉합 및 결찰을 하는 것이 아니고 복강 내 조직을 바늘로 통과시킨 후 실을 빼내어서 투관침 밖에서 매듭을 만들어 knot pusher(그림 9-11)라는 기구를 이용해 봉합 부위에 매듭이 지어지게 하는 방법이다. 최근에는 이미 매듭이 다 되어 있어서 바늘로 봉합부위를 통과시켜 빼내면서 밖의 실을 잡아 당기면 자동적으로 매듭이 되게끔 하

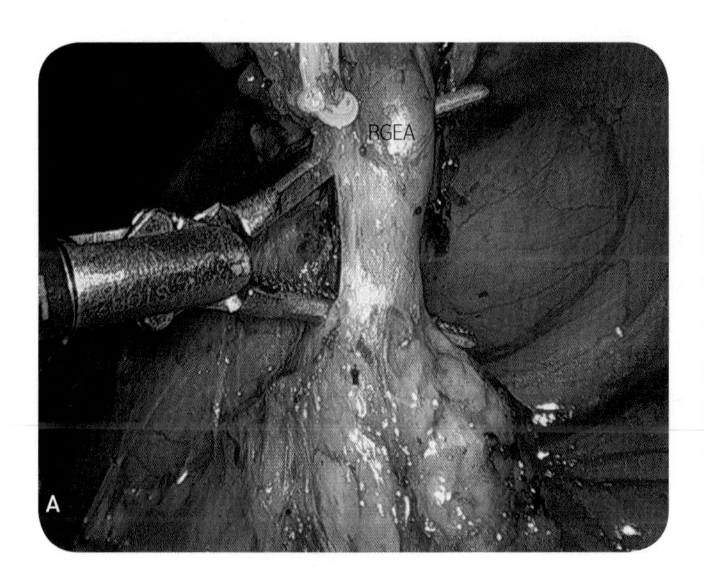

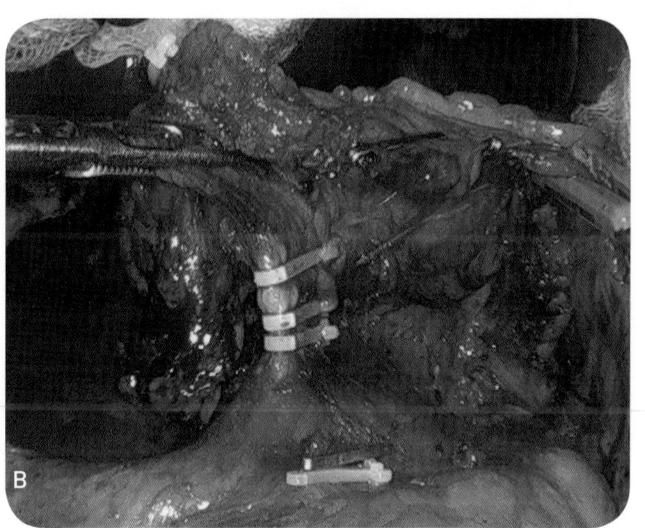

그림 9-9

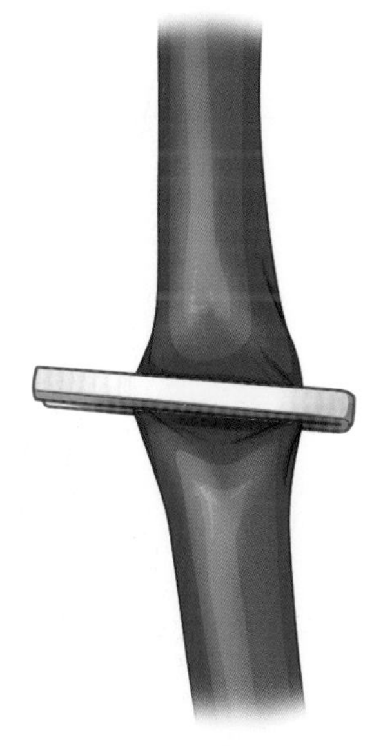

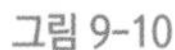

그림 9-10

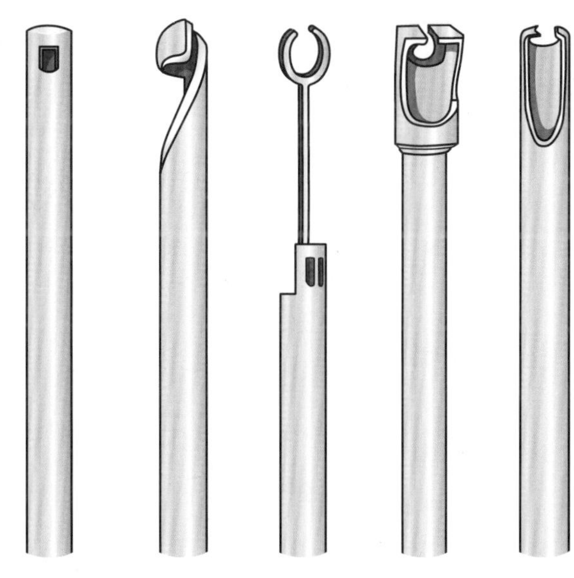

그림 9-11

는 복강경 기구도 개발되어 있다. 체외 결찰 후 Knot pusher를 통한 복강 내 결찰 방법에는 여러 가지가 있지만 여기서 몇 가지만 소개하고자 한다.

1) 일반적인 방법(그림 9-12)

체내 봉합과는 달리 긴 봉합사를 사용하는 것이 유리하다. 체내 봉합과 마찬가지로 조직을 통과시킨 후 한쪽 투관침을 통해 바늘과 실의 끝을 모두 빼내도록 한다. 체외 밖에서 개복수술 때처럼 일반적인 매듭을 만든 후 바늘 쪽 실은 잡고 있고 다른 쪽 실을 knot pusher나 복강경 기구를 이용해서 밀어 넣어 바늘 쪽 실과 복강경이 잡고 있는 실이 180°를 이루면 매듭이 견고하게 한다. 다시 실을 뺀 후 같은 과정을 반복하면 된다. 이 방법은 매듭이 여러 번 만들어 지기 위해 같은 동작을 몇 번 해야 하는 번거로움이 있다.

2) Roeder's knot(그림 9-13)

- 반 매듭을 먼저 시행한다.
- 그림과 같이 한쪽 실을 전체적으로 3번 감아 돌듯이 한다.
- 루프의 한쪽에 두 번째 반 매듭이 되게 한다.
- 이후 실을 당기면 매듭이 지어지고 한쪽 실을 복강경 기구로 잡고 밀어 넣으면 봉합하는 조직에서 고정되게 된다.

3) Meltzer slip knot(그림 9-14)

- 두 개의 매듭이 먼저 이루어진다.
- 그림과 같이 3번의 루프를 만든다.
- 한쪽 실에 그림과 같이 루프를 형성한다.
- 마찬가지로 이후 실을 당기면 매듭이 지어지고 한쪽실을 복강경 기구로 잡고 밀어 넣으면 봉합하는 조직에서 고정되게 된다.

4) Tayside knot(그림 9-15)

- 단일 반 매듭을 우선 시행한다.
- 반 매듭을 시행한 실의 아래 쪽 방향으로 4번의 루프를 만든다.
- 처음 만들어진 반매듭과 4번의 루프를 만든 사이 공간으로 실을 넣어서 매듭을 형성한다.
- 마찬가지로 이후 실을 당기면 매듭이 지어지고 한쪽 실을 복강경 기구로 잡아넣으면 봉합하는 조직에서 고정되게 된다.

이외에도 여러가지 매듭법이 있으며 수술자 본인에 알맞은 매듭짓기법을 숙지하는 것이 수술에 도움이 될 것이다.

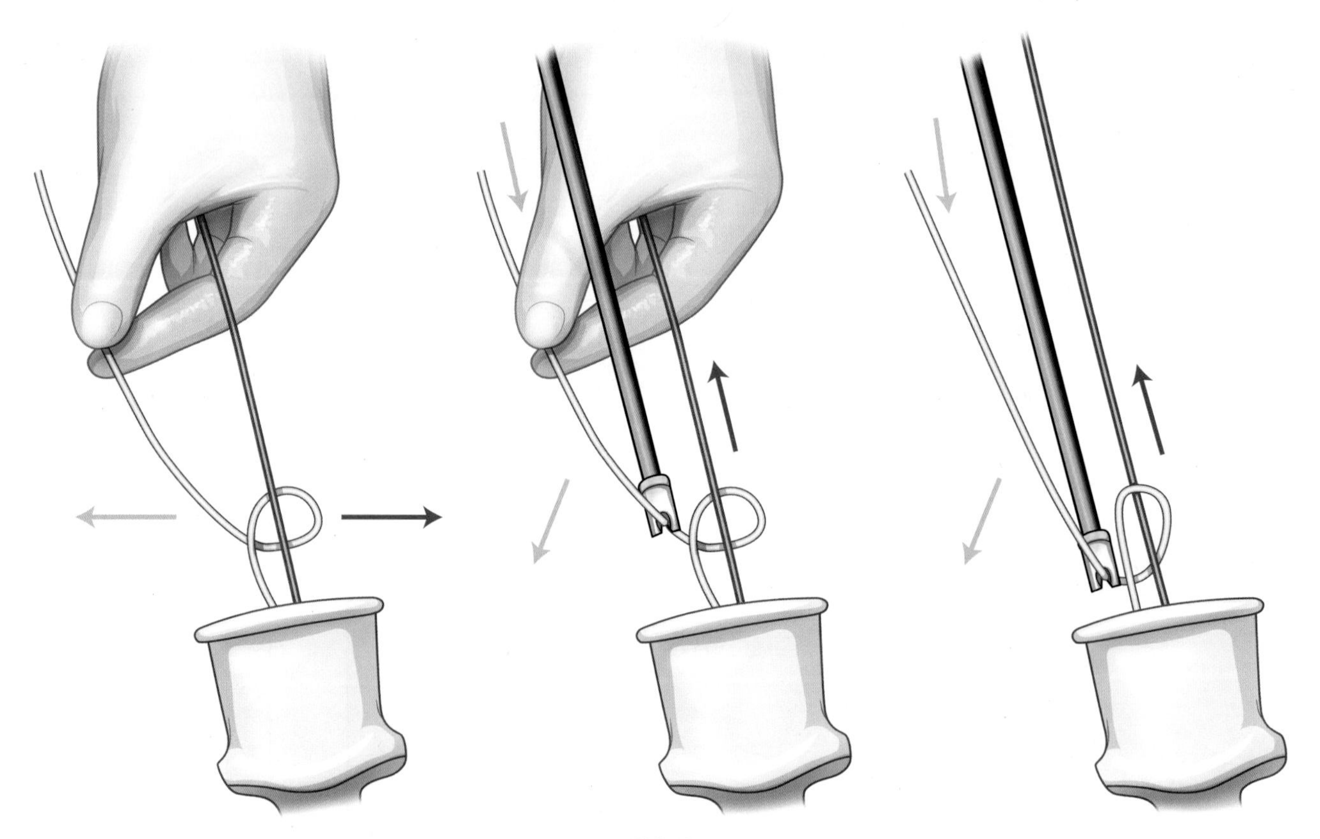

그림 9-12

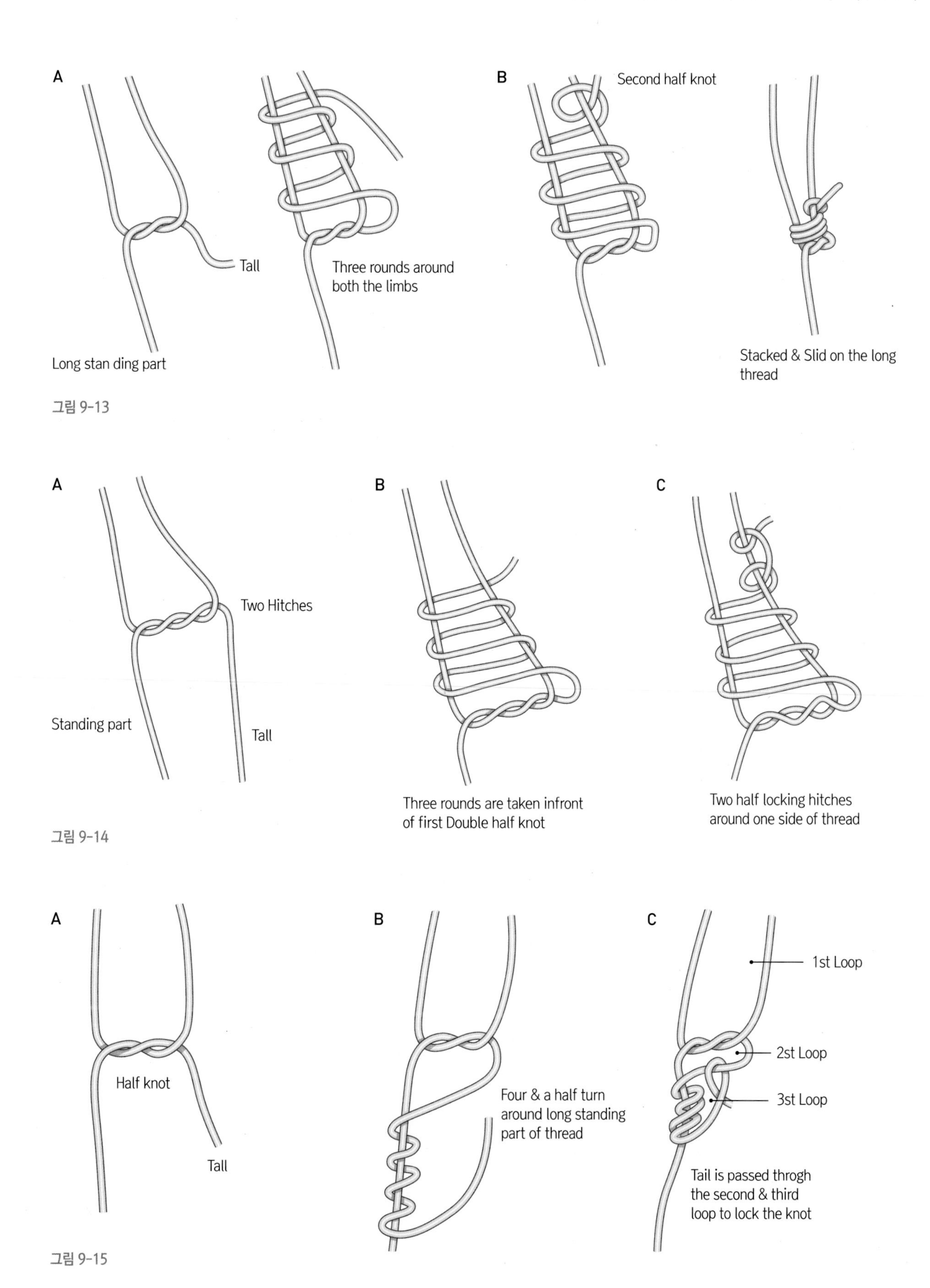

그림 9-13

그림 9-14

그림 9-15

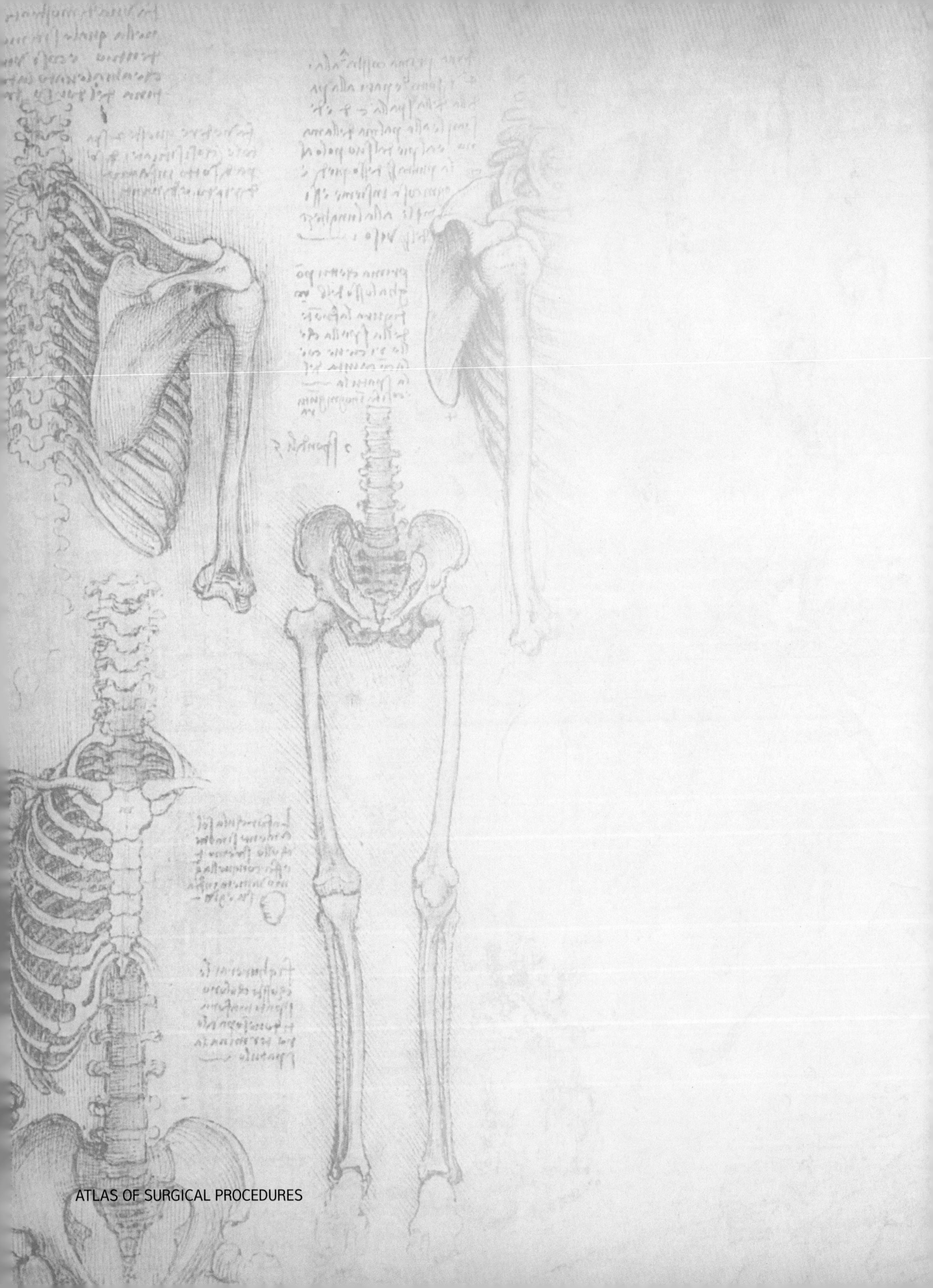

ATLAS OF SURGICAL PROCEDURES

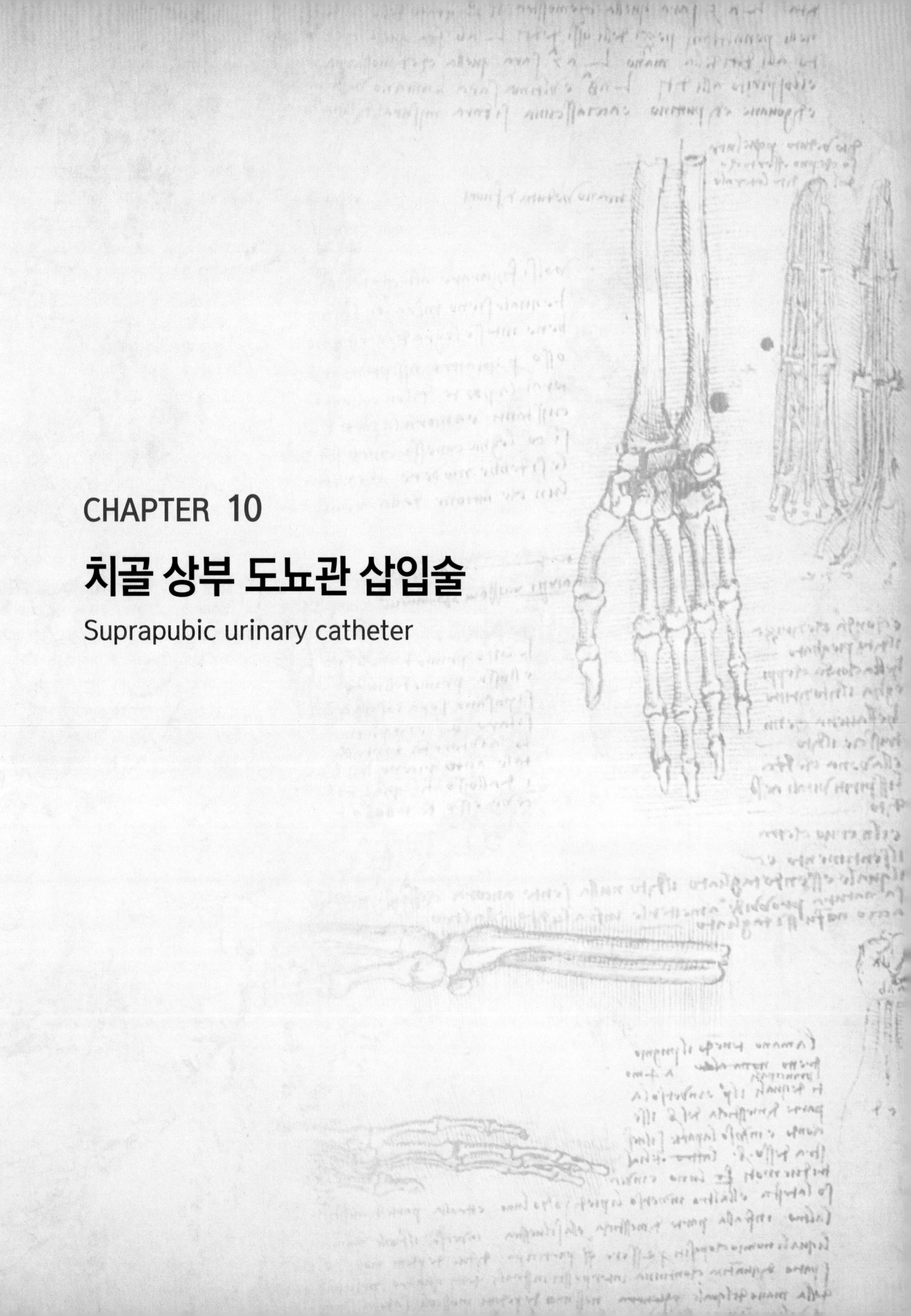

CHAPTER 10

치골 상부 도뇨관 삽입술

Suprapubic urinary catheter

1. 적응증

- 급성 방광 내 요저류에서 요도를 통한 도뇨관 삽입이 불가능한 경우
- 전립선비대증이나 전립선암으로 인한 방광출구폐색 또는 신경인성방광에 의한 방광기능장애가 있는 경우
- 골반 외상에 의한 요도 손상, 방사선 방광염, 방광-결장 또는 방광-질 누공, 요실금

2. 비적응증

- 혈액응고병증, 심한 반흔 조직을 동반한 이전의 복부 또는 골반 수술, 방광암, 병적 비만

3. 수술 전 처치

개방적 방광조루술(open cystostomy)이나 맹목적 치골상부천자법(blind suprapubic puncture)을 시행할 수 있다.

이전 수술 기왕력이 있는 경우 유착으로 인한 어려움이 있을 수 있으므로 개방적 방광조루술을 시행한다. 골반 외상 등에 의하여 적절한 방광 팽창이 불가능한 경우는 소장 손상의 위험이 크므로 개방적 방광조루술을 시행한다.

4. 마취

개방적 방광조루술을 시행하는 경우 척수마취가 권장되나, 진정 하 국소마취로도 시행할 수 있다.

5. 환자 자세

앙와위 자세에서 시행하며 허리 밑에 베개 등을 넣어 골반을 높이면 시야에 도움이 된다.

6. 수술 준비

맹목적 치골상부천자법을 사용하는 경우 일회용 투관침-방광조루술 키트가 필요하다(Cystocath 또는 Malecot kit).

1) 개방적 방광조루술

(그림 10-1) 무균상태의 물로 방광을 가득 채운다. 수술을 시작하기 전 치골결합 상부를 촉진하여 방광의 윤곽을 확인한다. 치골결합 3~5 cm 상부에 수직 또는 횡절개를 가한다. 이전 치골상부절개반흔이 존재하는 경우 이 부위를 이용한다.

(그림 10-2) 피부와 피하조직을 박리하여 복직근의 앞쪽 근막을 노출시킨다. 복직근의 앞쪽 근막에 횡절개를 가한 후 양측 복직근과 추체근을 양측으로 벌리고, 복막 외부의 성긴 결합조직을 박리하여 방광의 앞쪽 벽에 도달한다.

(그림 10-3) 절개할 부위의 양측에 stay suture를 하거나 Allis 겸자로 양측을 들어올린 후 방광 벽에 수직으로 절개창을 만든다. Allis로 방광벽의 전층을 잡아 양측으로 벌리고, 흡인기로 소변을 흡인하면서 Malecot 도뇨관이나 구경이 큰 Foley 도뇨관을 삽입한다.

(그림 10-4) Stay suture를 제거하고, 방광벽의 전층을 뜨도록 주의하면서 절개창을 봉합한다. 방광벽의 전층, 양측으로 벌렸던 근육층, 복직근의 앞쪽 근막, 피하조직과 피부를 각각 층을 맞추어 봉합한다.

2) 맹목적 치골상부천자법

(그림 10-5) 무균상태의 물로 방광을 가득 채운 후, 방광의 윤곽을 확인한다. 치골결합 상부 1~2 cm 위를 국소마취한 후, 18- 또는 20-게이지 척수천자침을 삽입한다. 방향은 다소 환자의 발 쪽으로 향하게 하고, 지속적으로 흡인을 하면서 진행시킨다. 소변이 흡인되면 그 자리에서 삽입을 멈추고, 삽입 깊이를 천자침에 표시한 후 침을 뺀다. 천자침에 표시된 깊이만큼 투관침의 삽입 깊이를 결정한다. 피부에 작은 절개창을 만든 후 이전 척수천자침을 삽입하였던 것과 동일한 각도로 투관침을 삽입하고, 척수천자침에서 소변이 얻어졌던 깊이보다 1~2 cm 가량 더 진행시킨다. 도뇨관을 방광 내에 남긴 채 투관침을 제거한다.

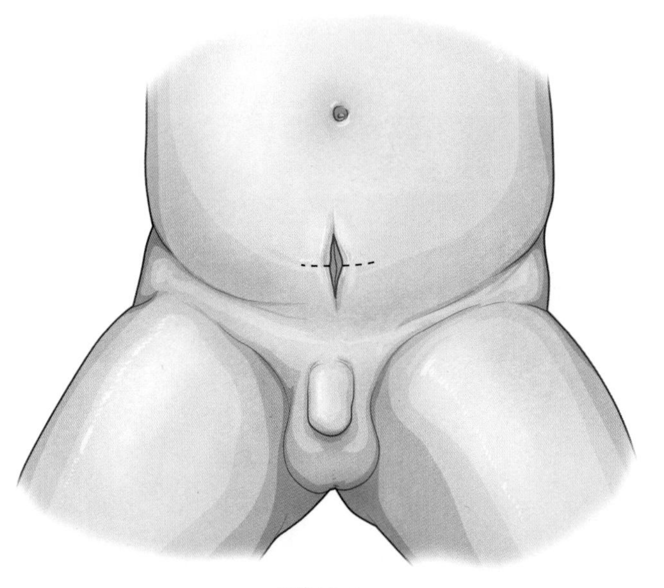

그림 10-1

TIP 1
피부주름에 맞춰 횡절개를 시행하는 것이 향후 반흔이 눈에 띄지 않게 하는데 도움이 된다. 절개창의 크기는 3~5 cm이 적당하며 매우 비만한 환자의 경우도 5 cm 가량이면 충분하다. 단, 이전 치골상부절개의 과거력이 있는 경우 반흔조직형성에 의해 방광벽을 노출시키는 것이 어려울 수 있으므로 더 큰 절개창이 필요할 수 있다.

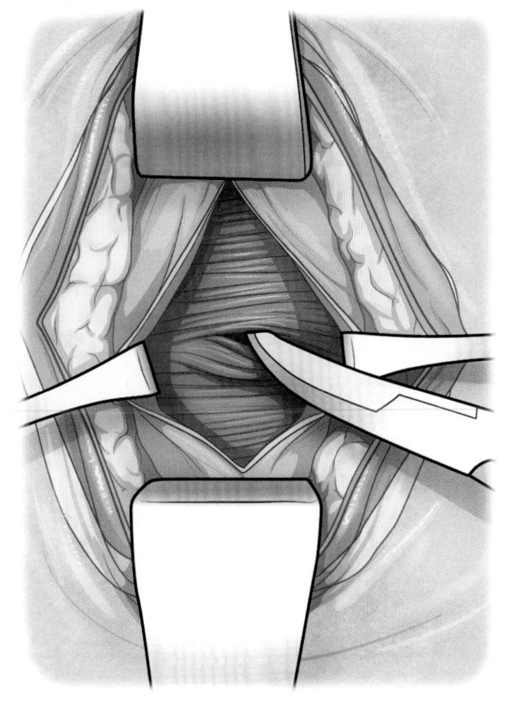

그림 10-2

TIP 2
방광의 앞쪽 벽은 혈관 분포나 조직의 특성에 의해 쉽게 구분할 수 있다. 방광의 외벽은 물고기의 배와 같은 광택을 지닌 회색 조직으로 보일 것이다. 유착 등으로 방광의 조직을 알기가 힘든 경우에는 세침흡인을 하여 소변이 나오는 것을 확인하거나, 요도를 통해 굽은 음향더듬자(sound probe)를 삽입하여 그 끝을 촉진함으로써 방광을 확인할 수 있다.

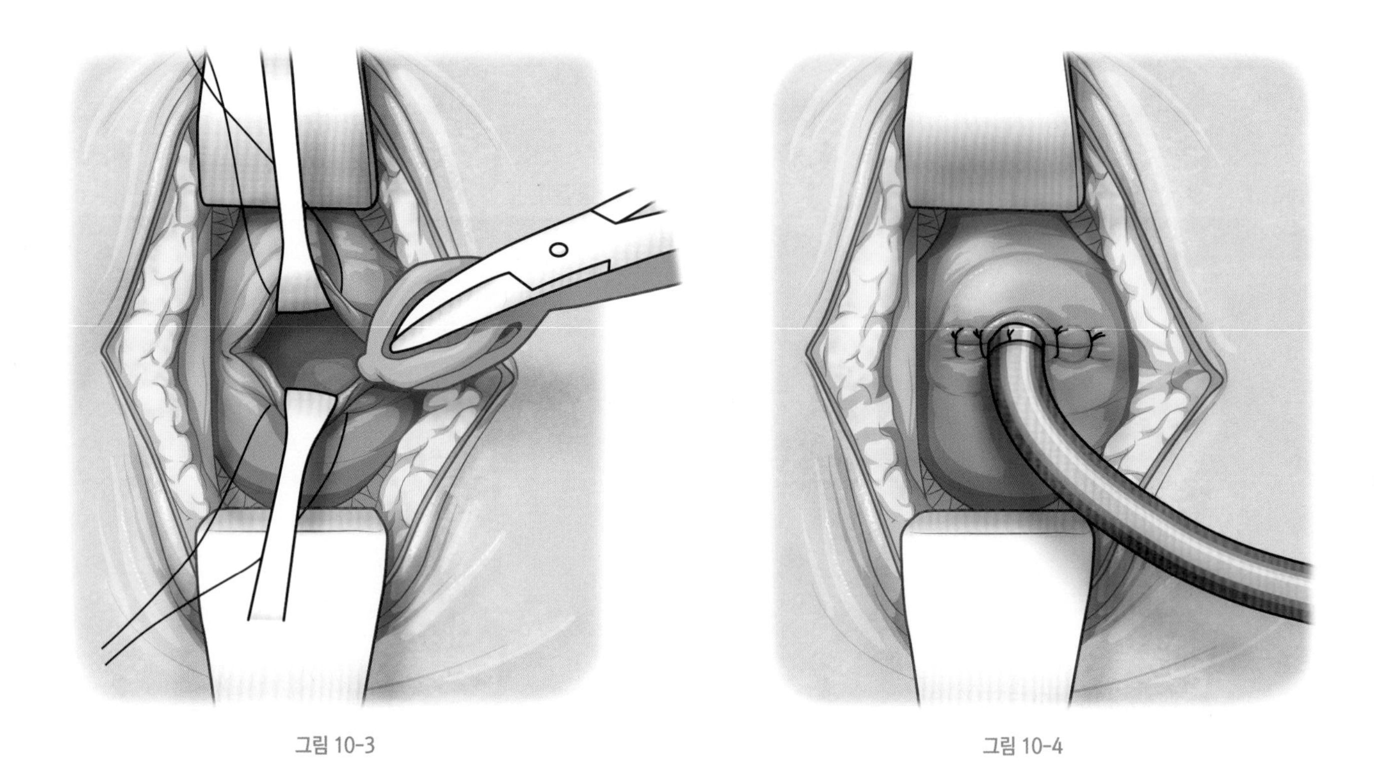

그림 10-3

그림 10-4

TIP 3
적절한 방광 팽창이 불가능하거나 방광의 윤곽을 확인할 수 없는 경우는 소장 손상의 위험이 크므로 개방적 방광 조루술을 시행한다.

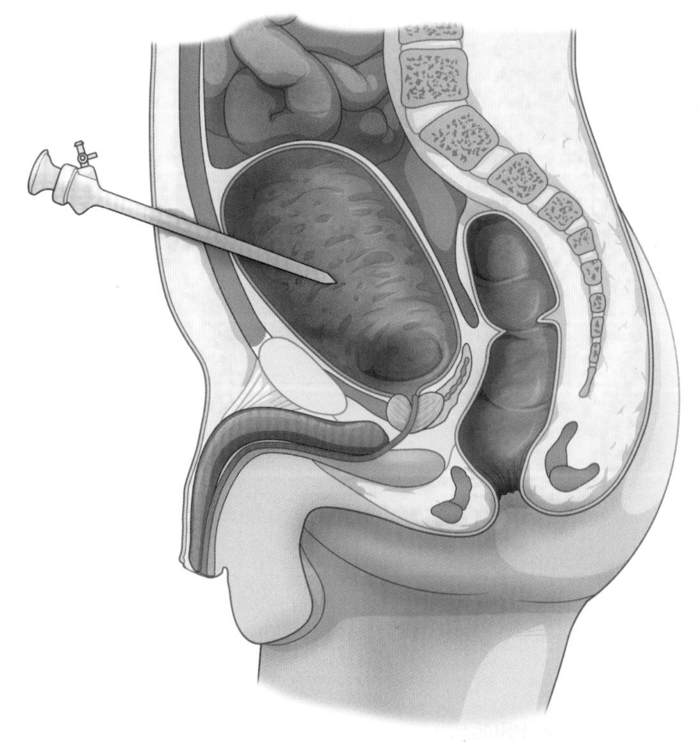

그림 10-5

SECTION 2

위장관
Gastrointestinal

Chapter Outline

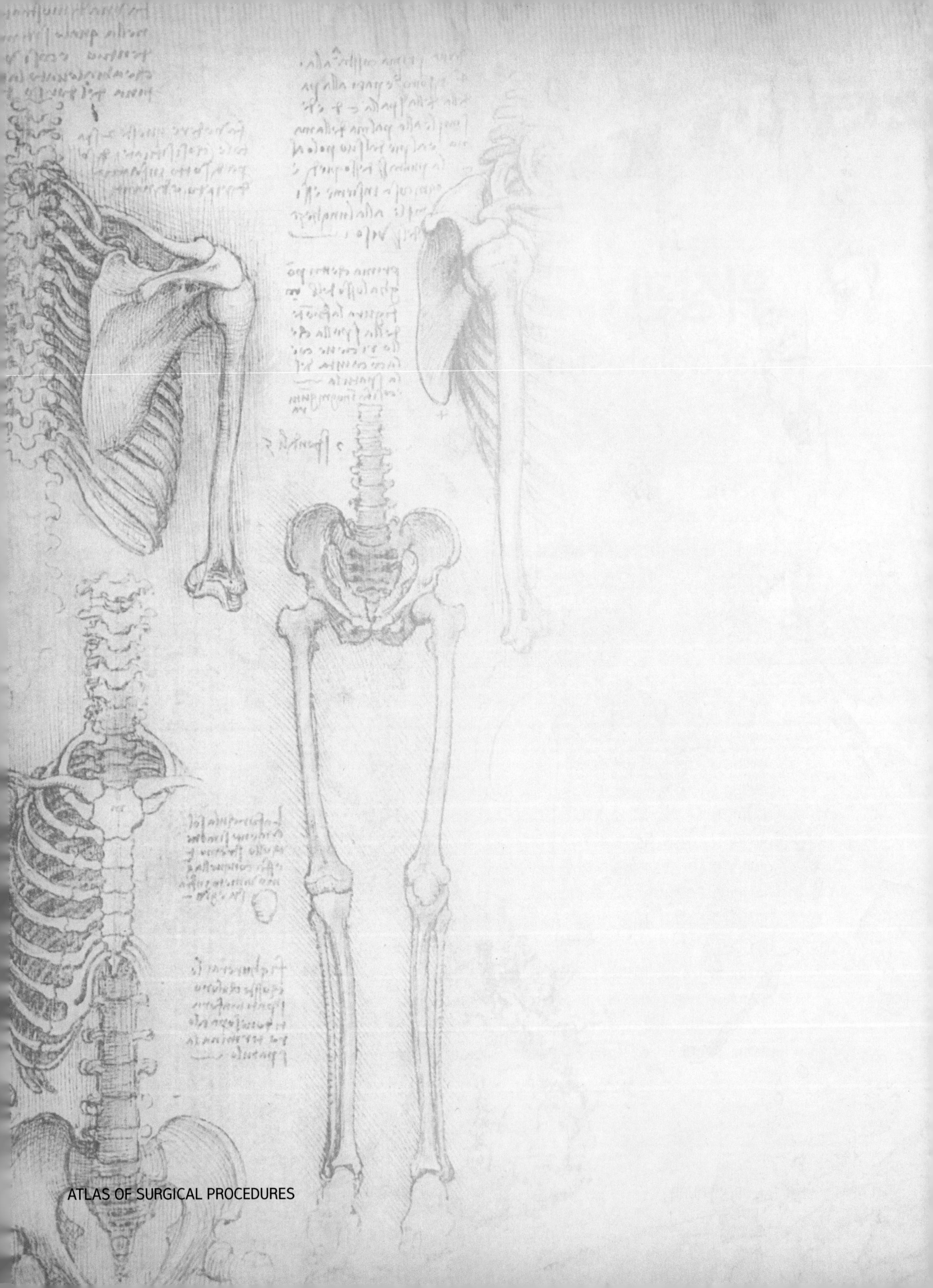

ATLAS OF SURGICAL PROCEDURES

CHAPTER 1

식도 절제술 및 식도-위 문합술

Esophagectomy with esophago-gastrostomy (gastric pull-up)

1. 서론

식도암의 수술법은 암의 위치와 암의 진행 정도, 환자의 상태에 따라 3 phase 식도절제술(McKweon 수술법), 좌측 흉복부 절개(Left thoracoabdominal incision)을 통한 식도절제술, 경열공 식도절제술(transhiatal esophagectomy), 우측 흉복부 절개(Right thoracoabdominal incision)를 통한 식도 절제 및 식도-위 문합술(esophagectomy with esophagogastrostomy, Lewis-Tanner operation) 등이 있는데, 이 중 가장 대표적인 수술인 식도 아전절제술 및 식도-위 문합술에 대해서 기술하고자 한다.

2. 적응증

하부 식도암, 위 분문부 암

3. 수술 전 처치

흡연자는 최소 4주간 금연을 지시하고 환자의 영양상태를 평가하여 저영양 상태일 경우 경장 또는 비위관을 통한 영양공급을 실시한다. 일반적인 혈액학적 검사와 단순 흉부촬영, 심전도 및 폐기능 검사를 시행하고 조직학적 진단이 불명확한 경우 상부 위장관 내시경을 시행하여 조직검사를 다시 실시할 수 있다. 술 전 병기 측정을 위해 흉부, 복부 컴퓨터 단층 촬영을 실시하고 원격 전이 여부를 확인하기 위해 PET-CT를 시행할 수도 있다. 기도나 기관지 침범이 의심되는 경우에는 기관지 내시경을 시행한다. 수술실로 가기 전 비위관을 삽입하며 술 전, 술 후 항생제 투여는 적응증에 근거하여 실시한다.

4. 마취

기도 삽관을 통한 전신 마취

5. 환자 자세

복부 접근(abdominal approach)시에는 앙와위(supine position)에서 작은 샌드백이나 젤리를 이용하여 환자의 우측 면을 30도 정도 올려두고 우측 팔은 외전(abduction)시킨다.
흉부 접근(thoracic approach)시에는 좌측와위(left lateral position)를 취하고 좌측 갈비뼈 아래에 샌드백이나 젤리를 받쳐두고 우측 팔은 좌측으로 넘겨 팔걸이에 고정해둔다.

6. 주의점

- 대동맥으로부터의 출혈
- 기관 및 기관지 손상
- 위대망 혈관의 손상
- 문합부 누출 및 문합 부전

7. 수술 과정

1) 복부접근(Abdominal approach)

(1) 절개 및 노출

(그림 1-1) 상복부 정중 절개 또는 상복부 횡절개를 시행한다. 상복부 정중 절개를 시행할 시에는 흉골(sternum)까지 완전히 절개를 올려두어야 열공(hiatus) 노출이 쉽다. 상복부 횡절개는 우수한 수술 시야를 제공하고 술 후 통증이 덜하다는 장점이 있으나 절개선이 길어질 수 있다는 단점이 있다. 절개 후 켄트(Kent) 또는 톰슨(Thompson) 견인기를 걸고 흉골을 들어올린 후 Deaver retractor나 Weinberg blade로 간좌엽을 올려서 시야를 확보한다.

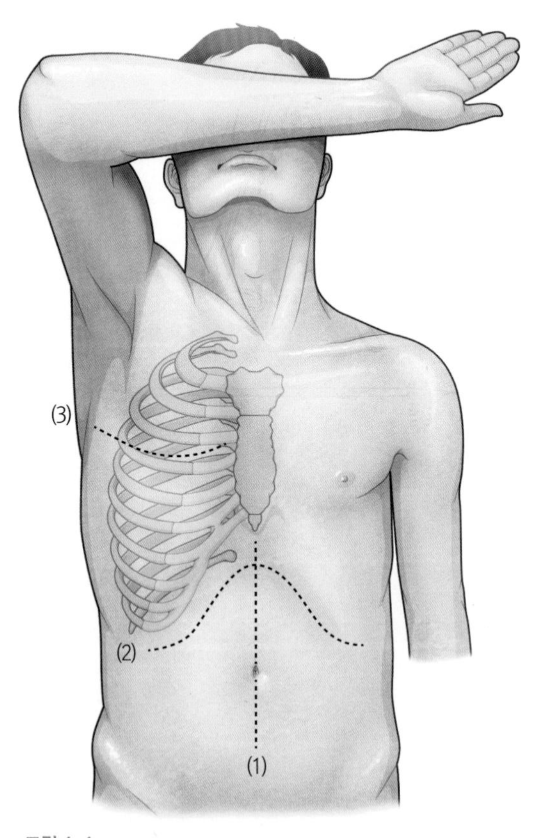

그림 1-1
(1) 정중 절개(upper midline incision)
(2) 양측 늑골하 절개(bilateral subcostal incision)
(3) 우측 제 5 늑간 절개술(right 5th intercostal incision)

(2) 수술 과정

(그림 1-2) 식도 절제 후 위를 흉강 내로 끌어올리기 위해서는 먼저 위를 충분히 가동화해야 한다. 일반적으로 완전 대망 절제는 불필요하며 유문부 근처에서 시작하여 비장을 향해 진행하도록 한다. 대망 절제 시 위에 적절한 혈액 공급을 유지하기 위해 우위대망혈관궁을 보존해야 하는데 이를 위해 혈관궁에서 약 3 cm 정도 떨어져 대망을 박리한다.

(그림 1-3A) 횡경막 열공부를 노출 시키기 위해서 간의 좌측 삼각인대를 박리하여 간 좌엽을 우측으로 견인한 후 복부 식도(abdominal esophagus)와 분문부(cardia)에 부착되어 있는 복막 및 횡경막-식도 인대를 박리하는데 이 때, 촉지되는 주변 미주신경간(vagal trunk)은 결찰, 절리한다.

(그림 1-3B) 가동화된 위를 흉강으로 끌어올리기 용이하도록 횡경막 우측 열공부를 횡으로 절개한 후 손이나 거즈 등으로 밀어 공간을 확보해둔다. 이후 왼손 검지를 박리한 식도와 위 분문부 뒤로 넣어 위-횡경막 인대를 들어올리면서 비장쪽으로 절개해 내려가는데 이 때 확인되는 단위 동맥들은 위에 붙여서 결찰, 절리한다.

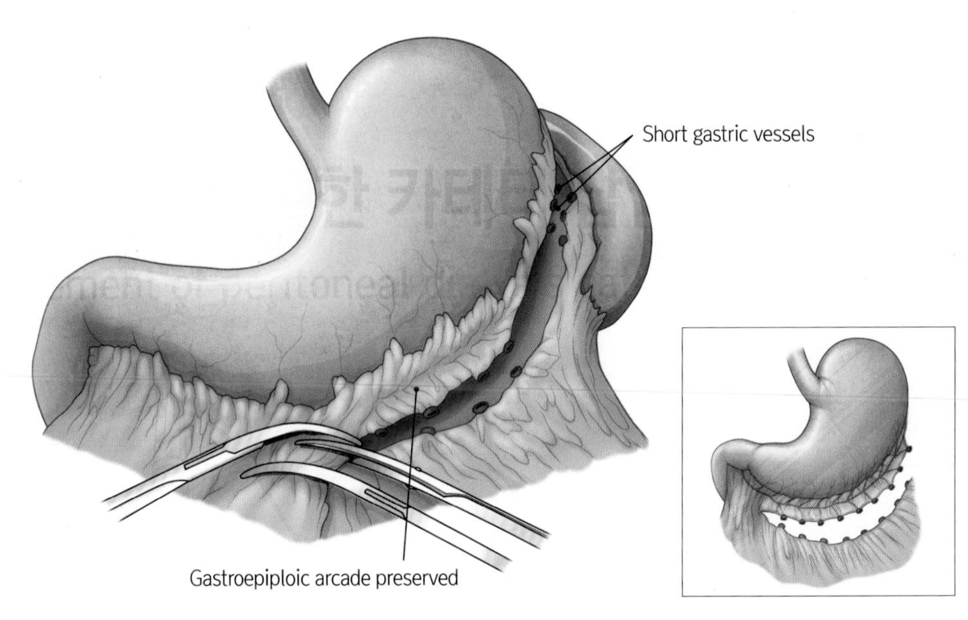

그림 1-2

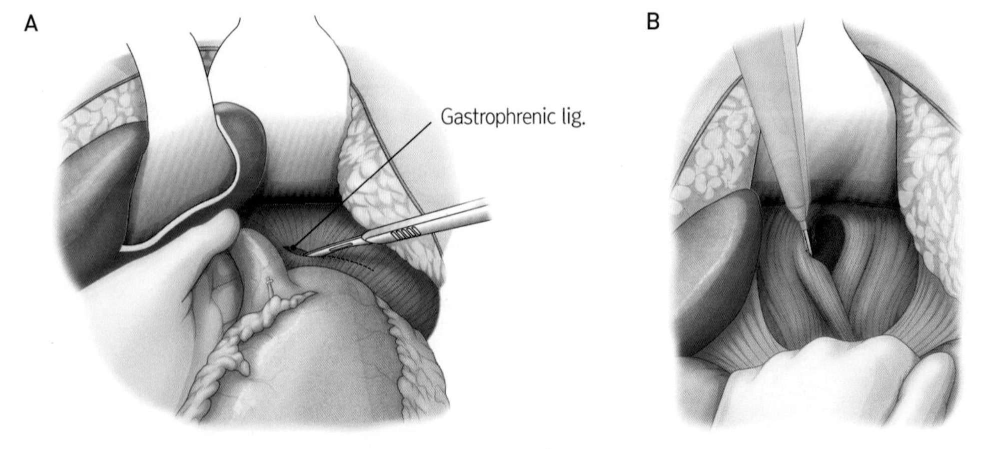

그림 1-3

(그림 1-4) 대망 절제가 끝났으면 위를 들어 올려 소망낭(lesser sac)로 진입한 후 좌위 혈관 pedicle과 그 주변 림프절을 박리한다. 좌위 동맥과 정맥은 Mixter 겸자를 이용하여 각각 결찰, 절리한다.

(그림 1-5) 열공 노출부에서 유문부 방향으로 소만측 위-간 인대를 박리한다. 이 때 부 좌간동맥이 위-간 인대에 포함되어 있는 경우가 있는데, 간문부에서 좌간동맥이 분지하거나 부 좌간동맥의 크기가 작은 경우는 결찰, 절리할 수 있으나 부동맥의 크기가 크거나 간 좌엽에 혈액을 공급하는 유일한 혈관인 경우에는 보존한다.

(그림 1-6A) 유문부까지 박리한 후 필요하다면 Kocher maneuver로 절개를 더욱 확장할 수 있다. Kocher maneuver는 꼭 필요하지는 않으나 위 가동화가 부족하다면 주저하지 말고 적극적으로 시행하도록 한다.

(그림 1-6B) Kocher maneuver는 십이지장 근위부 측면 복막에 절개를 가하고 왼손 검지를 박리된 복막 뒤로 넣고 엄지와 검지의 끝으로 후복막 혈관들과 주변 지방 조직들을 밀면서 박리하면 쉽게 진행할 수 있다. 박리는 십이지장 3rd portion까지 진행하면 충분하다.

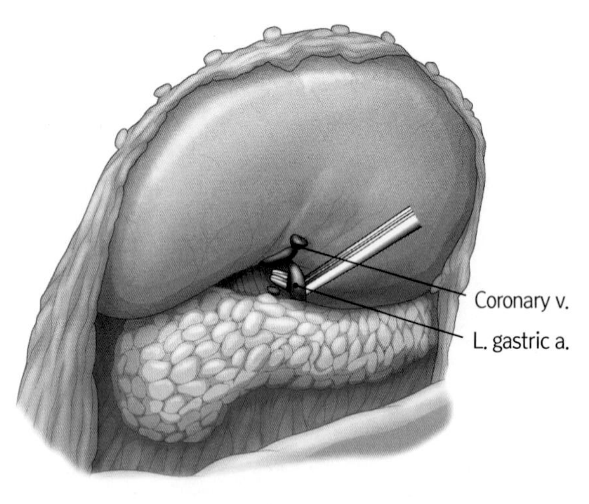

그림 1-4

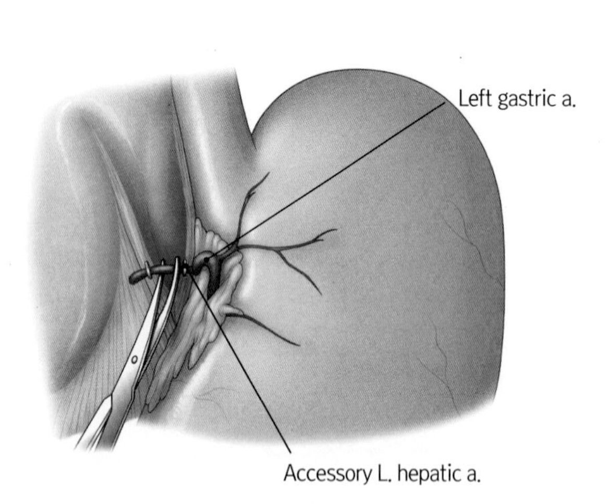

그림 1-5

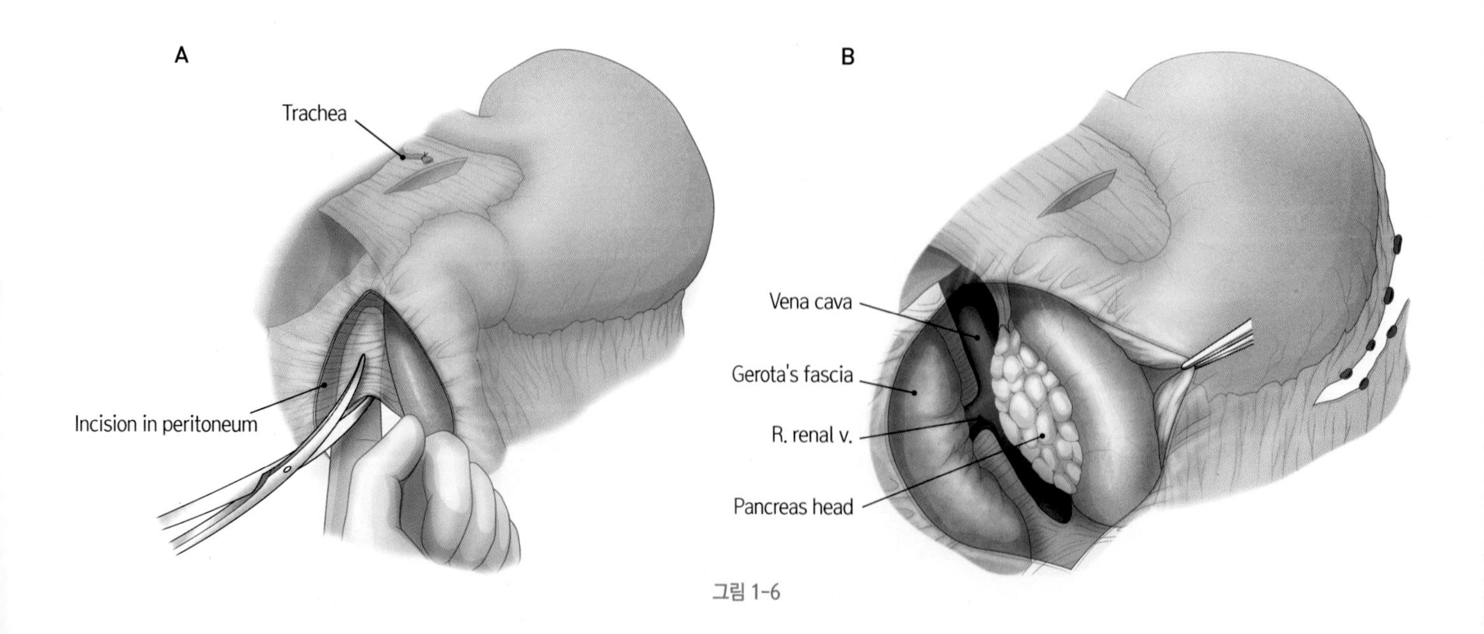

그림 1-6

(그림 1-7) 미주신경 절제로 인한 위배출지연(delayed gastric emptying)을 예방하기 위해 유문성형술(pyloroplasty)이나 유문근절개술(pyloromyotomy)을 시행한다. Kocher maneuver가 끝난 뒤 시행하면 좀 더 좋은 시야를 확보할 수 있을 것이다. 필자는 Heineke-Mikulicz 유문성형술을 주로 시행하며 흡수성 단선사로 두 층을 연속 봉합 한다. 첫 번째 층은 점막-근층(muco-muscular) 봉합, 두 번째 층은 장막-근층(seromuscular) 봉합을 하는데, 내강이 좁아질 것이 우려된다면 일반적인 Gambee 봉합을 시행해도 좋다. 유문성형술 후 엄지와 검지로 촉지하여 내강의 크기가 충분한 지 살펴본다.

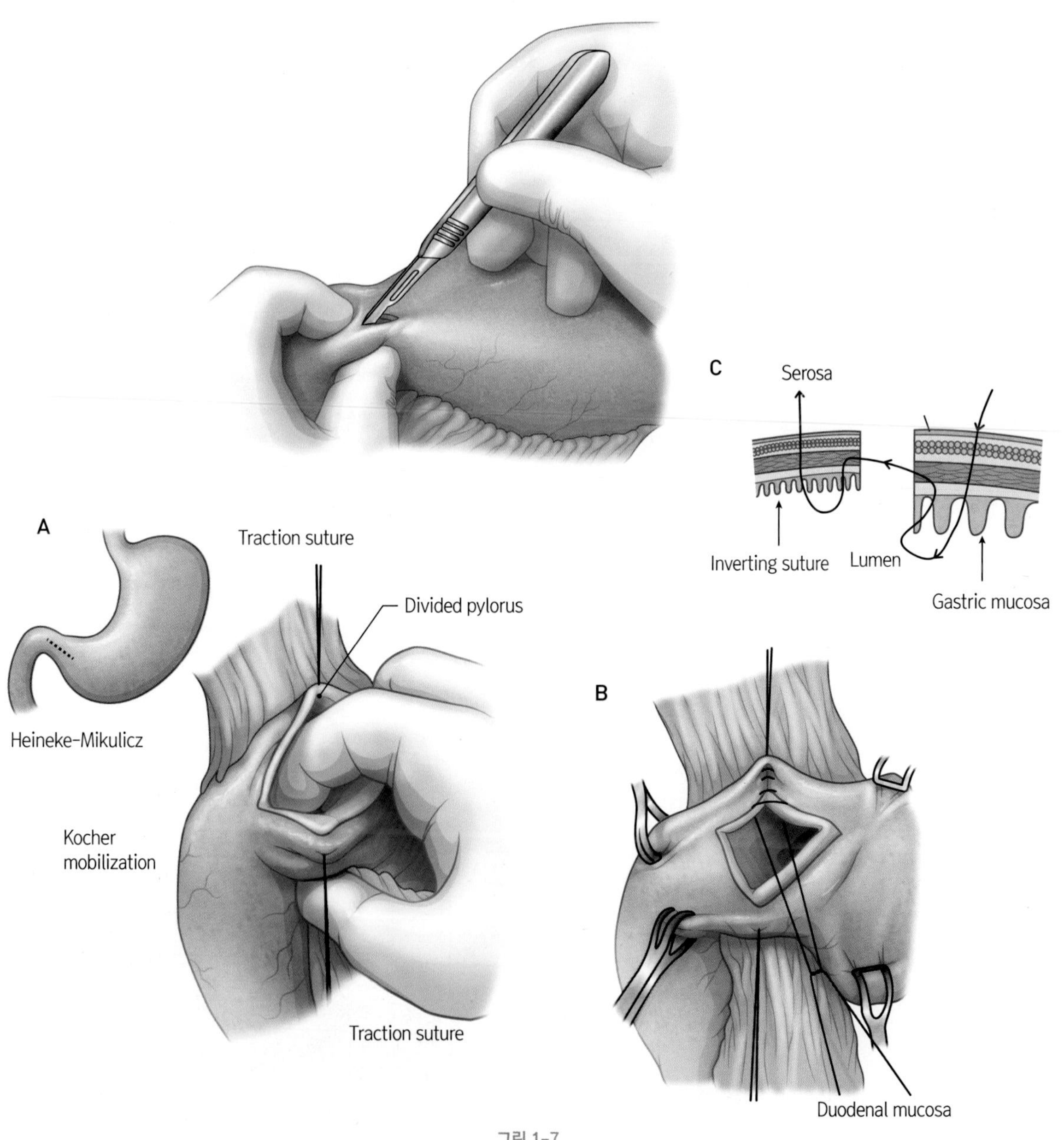

그림 1-7

(그림 1-8A) 위의 가동화가 종료되면 위 튜브를 만드는데 전정부의 crow foot 아래에서 열공부까지 선형 문합기를 이용하여 길이가 가장 길게 나올 수 있는 모양으로 디자인하여 절제한다. 이 때 위를 완전히 절제하지 말고 분문부 왼편은 남겨두는데 이는 이후 식도 절제가 불가능한 경우 위의 완전 폐쇄를 피하기 위함이다.

(그림 1-8B) 술 후 위 정체의 발생이 우려된다면 기저부의 일부를 포함하여 절제하는 것이 좋다.

모든 과정이 끝나면 술 후 영양 공급을 위한 공장 조루술(jejunostomy)을 시행하고 폐쇄흡인 배액관 1개를 간 아래쪽의 Winslow 공을 통과시켜 거치해둔다.

2) 흉부접근(Thoracic approach)

(1) 절개 및 시야확보(Incision & exposure)

(그림 1-9A) 제5번 늑골 사이 공간으로 절개를 넣는다. 앞 톱니근은 보존하고 광배근은 절개선을 따라 절제한다. 6번째 늑골을 절단하면 시야확보가 훨씬 용이하나 저자들에 따라서 paradoxical respiration 등이 발생할 수 있다는 보고가 있다. 그러나 충분한 시야확보를 위해 추가 절단이 필요하다면 주저하지 말고 절단하도록 한다. 이후 Finochietto 견인기를 걸고 시야를 확보하도록 한다.

(그림 1-9B) 늑골 골막을 골막 견인기(periosteal elevator)를 이용해 들어 올리고 늑골 사이 공간을 늑골 하연에서 연다. 그리고 흉막을 박리하여 폐를 가동화하는데, 결핵과 같은 염증성 폐질환을 앓은 경우 유착이 심할 수 있으므로 주의가 필요하다. 허탈된 폐를 견인하여 시야를 확보한다.

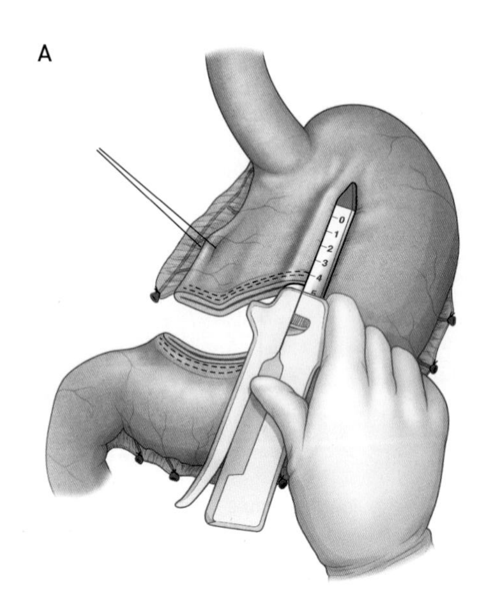

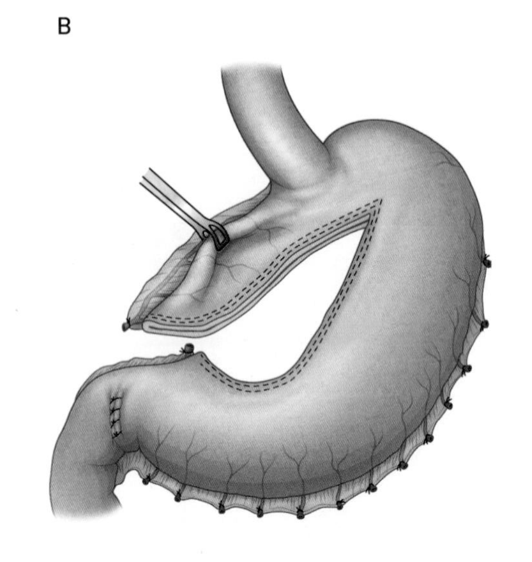

그림 1-8

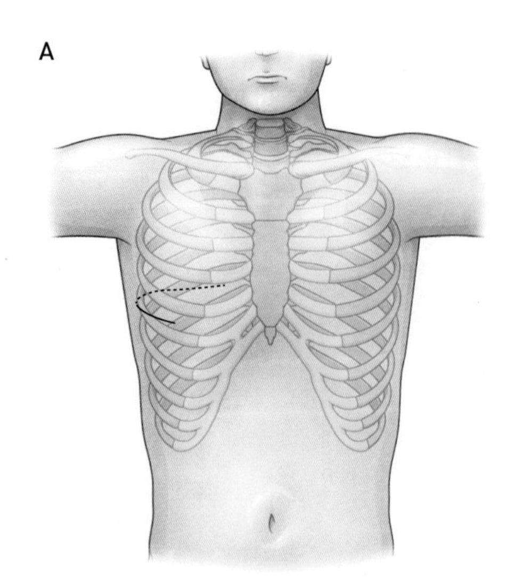

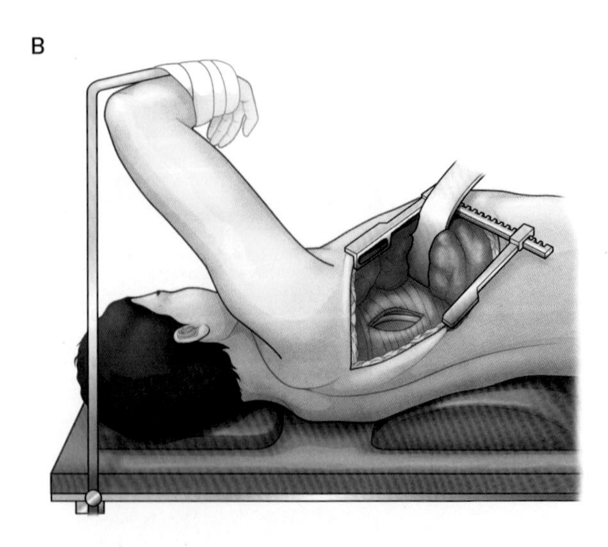

그림 1-9

(2) 수술 과정

(그림 1-10A) 종격 흉막(mediastinal pleura)에 절개를 넣고 식도를 노출시킨다. 식도를 가로질러 주행하는 azygos vein을 확인하고 분리한 후 봉합 결찰하여 절리한다.

(그림 1-10B) Azygos vein 뒤로 우측 기관 동맥(Rt. brochial artery)이 지나는데 절리 시 기도-기관 허혈을 일으킬 수 있으므로 보존한다. 왼손 검지를 식도 후면으로 넣어 후종격으로부터 식도를 견인해 내면서 노출되는 작은 혈관 분지들을 결찰, 절리한다. 병소로부터 떨어진 지점에서 right angle 겸자로 식도를 encircling 하여 U-tape을 걸어둔다. 이 조작으로 상, 하 종격 림프절 박리 시 식도 견인이 훨씬 쉬워진다.

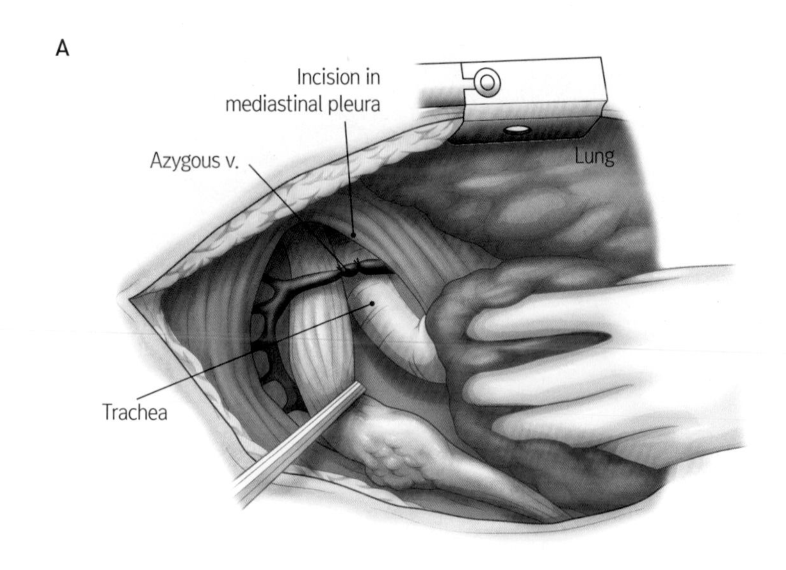

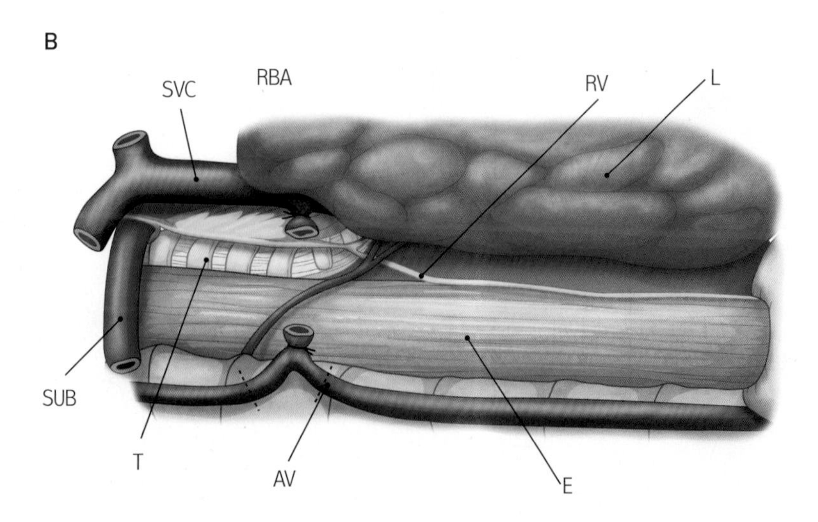

그림 1-10 L: 폐, RV: 우측 미주신경, E: 식도, AV: azygos vein, RBA: 우측 기관동맥, T: 기관(trachea), SUB: 쇄골하 동맥, SVC: superior vena cava.

(그림 1-11) 하부 종격박리는 심장막(pericardium)의 후면을 따라 시행하는데, 우측 기관지와 기관분기부(carina)를 확인하고 주변 림프절을 en-bloc으로 식도에 붙여 박리한다. 기관분기부 앞쪽은 혈관이 풍부하여 출혈을 일으키기 쉬우므로 림프절 박리 시 주의해야 하며 식도를 따라 아래로 주행하는 미주신경도 절리한다.

(그림 1-12A) 이어서 후면부 박리를 시행하는데 azygos vein 전면으로 종격 흉막 절개를 연장하면 식도와 척추 사이 고랑에서 흉관(thoracic duct)를 찾을 수 있다. 이것은 주의 깊게 결찰, 절리되어야 하는데 유미 흉수(chylothorax)의 발생을 대비하여 최대한 아래쪽에서 결찰하는 것이 중요하다. 또한 금속 클립(metal clip)을 결찰부에 끼워 표시해두면 단순 촬영 상 그 위치를 쉽게 확인할 수 있어 유용하다.

(그림 1-12B) 후면부 박리를 왼쪽 기관지가 노출될 때까지 시행하면 대동맥 주변 림프절을 en-bloc으로 시행할 수 있는데 이 과정에서 발견되는 식도 동맥들은 대동맥으로부터 식도로 직접 분지되므로 확실히 결찰, 절리하도록 한다.

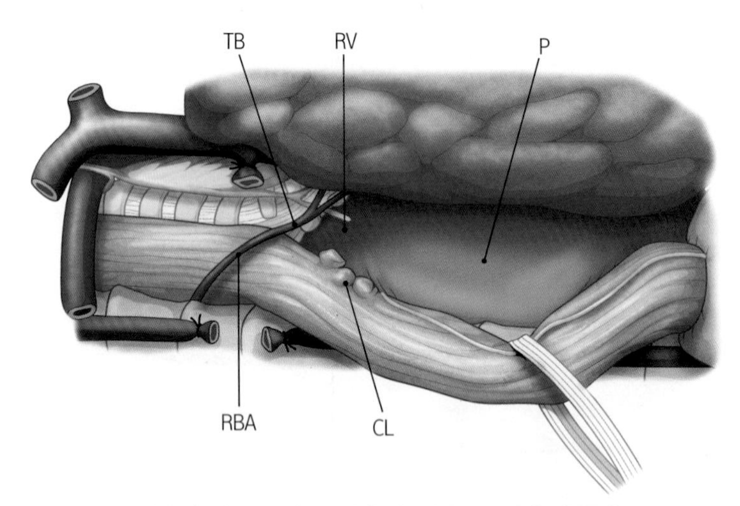

그림 1-11 P: 심장막(pericardium), RV: 우측 미주신경, RBA: 우측 기관동맥, TB: 기관 분지부(tracheal bifurcation), CL: 기관분지부 림프절(carinal lymph node)

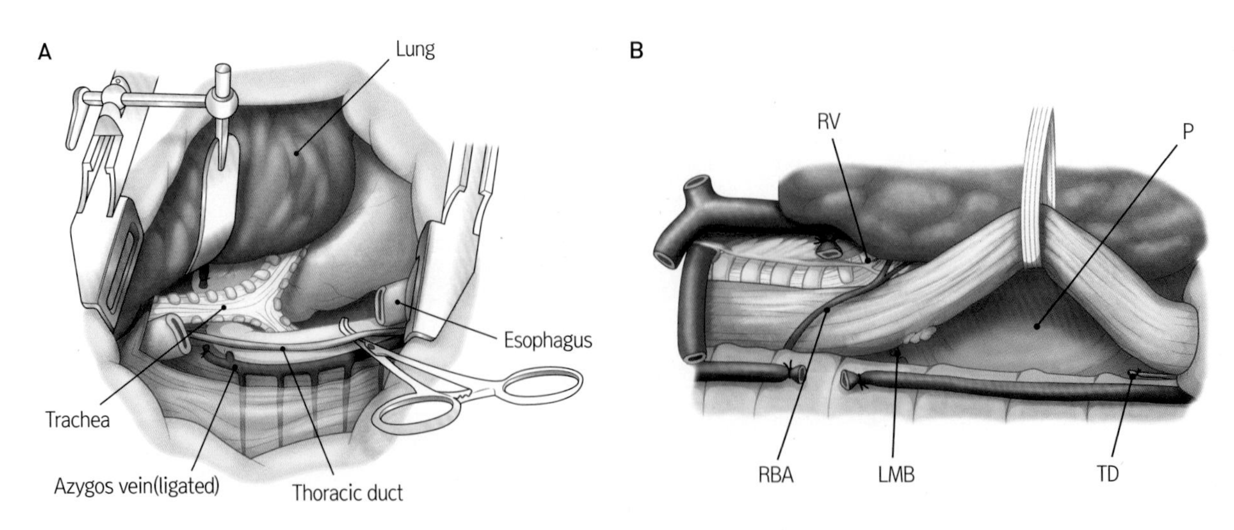

그림 1-12 RV: 우측 미주신경, P: 심장막, RBA: 우측 기관동맥, LMB: 좌측 주 기관지(left main bronchus), TD: 흉관(thoracic duct)

(그림 1-13A, B) 크기가 크거나 주변조직과 침윤이 심한 식도암의 경우 횡경막 열공 근처에서 선형 문합기를 이용해 먼저 식도를 자르고 식도쪽 절단부를 당기면서 박리할 수 있다. 그리고 암이 대동맥을 침윤했을 경우 대동맥 외막과 내막을 박리하는데 외막은 반드시 복구되어야 하고 기관이나 기관지를 침범한 식도암을 박리하다 respiratory tree가 열린 경우 polypropylene (prolene) 5/0로 단속 봉합한다.

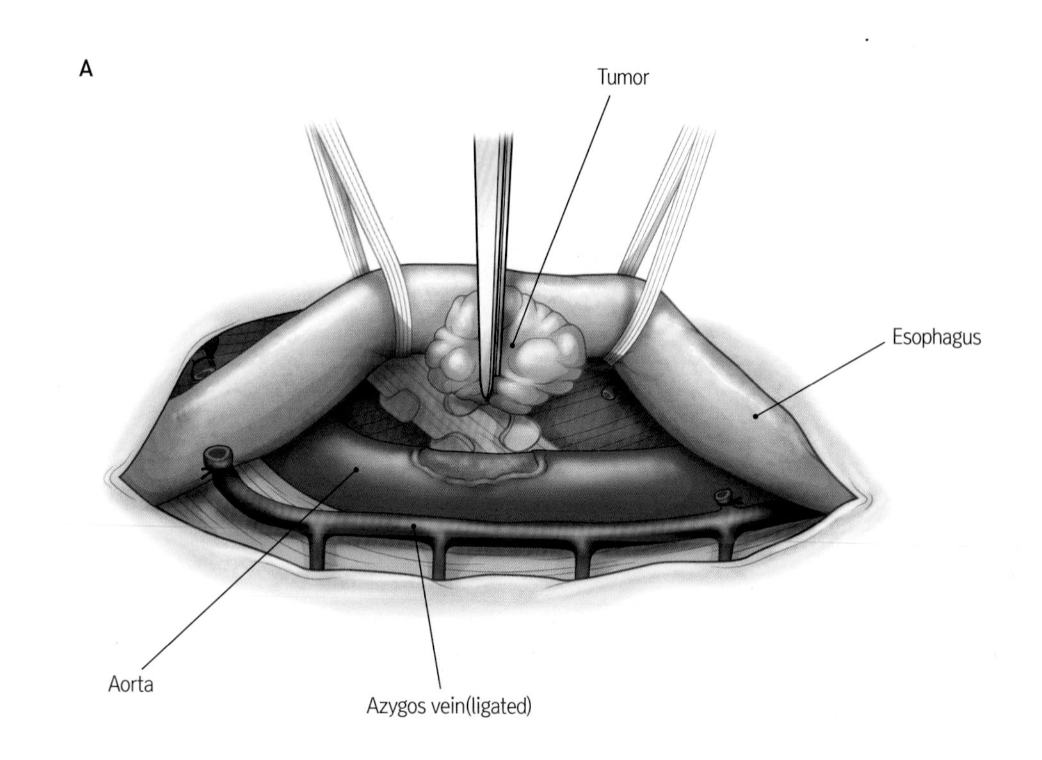

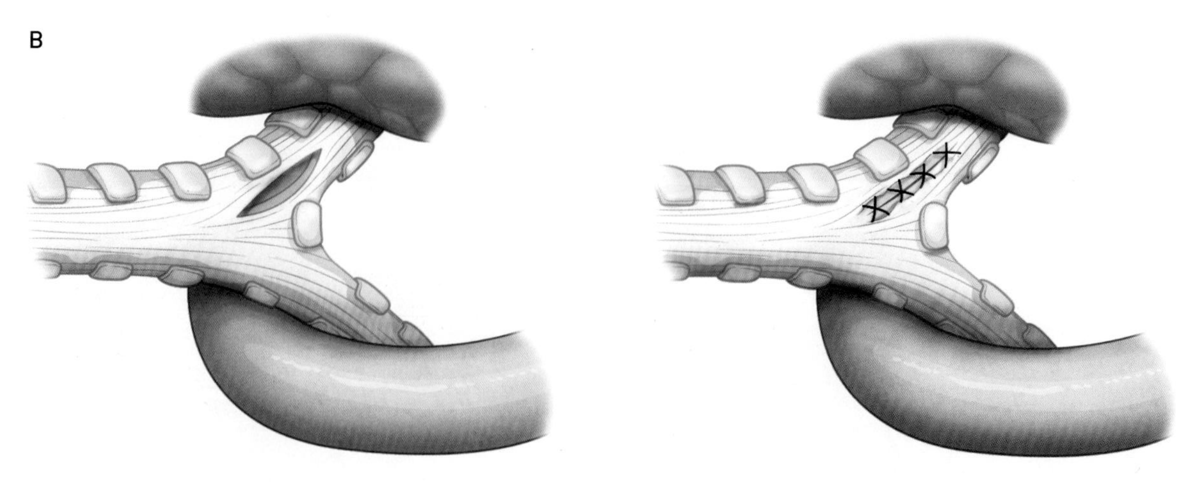

그림 1-13

(3) 식도 위 문합술 (Esophagogastric anastomosis)

(그림 1-14) 식도의 가동화 및 림프절 절제술이 끝이 나면 Satinsky 겸자를 병소의 원위부 10 cm에 물리고 절단하고 식도 내용물의 유출을 방지하기 위해 거즈로 싸서 고정해둔다. 이어 위를 흉강 내로 끌어올리는데 이때 위가 너무 당겨지게 되면 혈류 흐름이 좋지 않아 문합부 누출 등의 합병증이 발생할 수 있으므로 위를 충분히 가동화시켜 두어야 한다. 또한 위를 끌어 올리면서 혈관 pedicle이 꼬이지 않도록 주의해야 한다.

위-식도 문합에는 수기 문합과 기계 문합의 두 종류가 있는데 어느 것이 더 좋다고 말하기는 어렵고 실제로 문합부 누출 빈도 또한 유의한 차이는 없는 것으로 알려져 있다.

(4) 자동문합기를 이용한 봉합 (Stapled anastomosis)

(그림 1-15A) 자동 문합기를 이용한 기계문합을 시행하기 위해 원위부 식도에 anvil을 삽입해야하는데 원위부 식도 4방향에 기준 봉합을 시행한 후 polypropylene (Prolene) 2-0로 Purse-string 봉합을 시행하여 anvil을 삽입한다. 식도의 크기에 맞는 직경의 자동문합기를 선택하는데 보통 25 mm 이하가 적당하다. 위 튜브의 꼭지점 아래에 위 절개를 넣어 자동문합기의 본체를 삽입한 후 anvil을 끼워 문합한다. 이 때 주변 조직이 문합부 사이에 끼이지 않도록 주의해야 한다.

(그림 1-15B) 문합이 완료되었다면 선형 문합기를 이용하여 위 절개를 넣은 부분을 포함시켜 병변을 절제한다. 절제선은 polyglyconate (Maxon) 3-0이나 4-0등으로 단순 연속봉합으로 보강하기도 하나 대개는 필요없다.

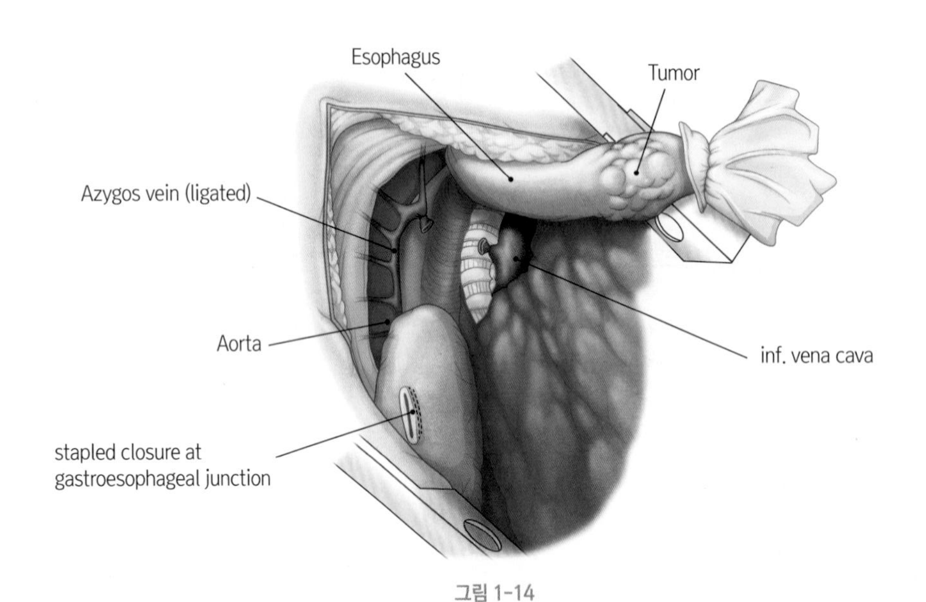

그림 1-14

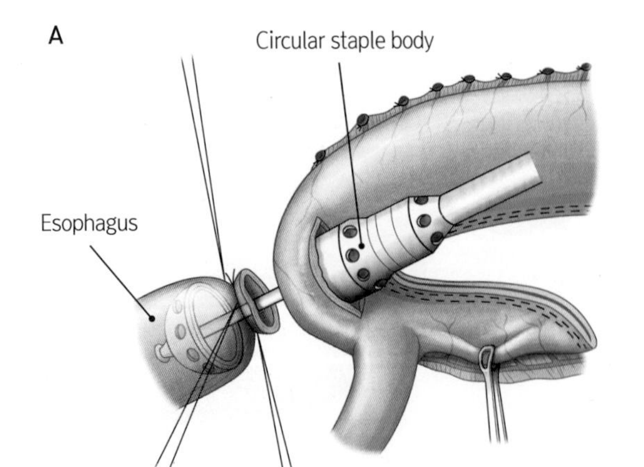

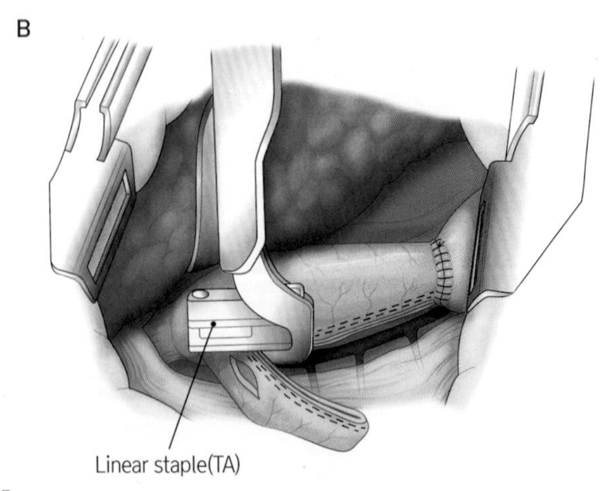

그림 1-15

(5) 수기봉합(Hand-sewn anastomosis)

(그림 1-16A) 식도 내강을 쉽게 확인하기 위해 식도 4방향에 기준 봉합(guide suture)을 시행한다. 위장측 문합부는 위 튜브의 꼭지점에 가까운 기저부 뒤쪽이나 문합기의 봉합선 끝 부분이 적절하다. 위장측 문합부에 식도 직경에 맞는 절개를 넣고 후벽부를 silk 4-0를 이용해 cushing 문합으로 보강한다.

(그림 1-16B) 보강 문합이 끝나면 polyglyconate (Maxon) 4-0와 같은 단선흡수사로 후벽부 먼저 5 mm 간격으로 단층 연속 봉합한다. 한 쪽 가장자리에서 먼저 봉합을 시작하는데 첫 봉합은 식도 외-내-내-외의 2점 봉합, 위 외-내-내-외의 2점 봉합 후 매듭을 만들어 고정한다. 이 매듭은 바깥쪽에 형성되어야 하고 남는 쪽 실은 길게 잘라둔다. 후벽부 봉합을 위해 위 바깥에서 내강으로 바늘을 한 번 진입시킨 후 식도 내-외, 위 외-내의 순서로 연속 봉합한다.

(그림 1-16C) 반대쪽 가장자리까지 진입하였다면 전벽 봉합을 위해 바늘을 위 내강에서 바깥쪽으로 진출 시킨 후 식도 외-내, 위 내-외로 연속 봉합한다.

(그림 1-16D) 봉합 시작점으로 돌아온 후에는 남은 실과 매듭을 짓고 1 cm 길이로 자른 후 금속 클립으로 결찰하여 표시해둔다. 이것은 이후 흉부 방사선 촬영시 문합부의 위치를 쉽게 알 수 있도록 해준다.

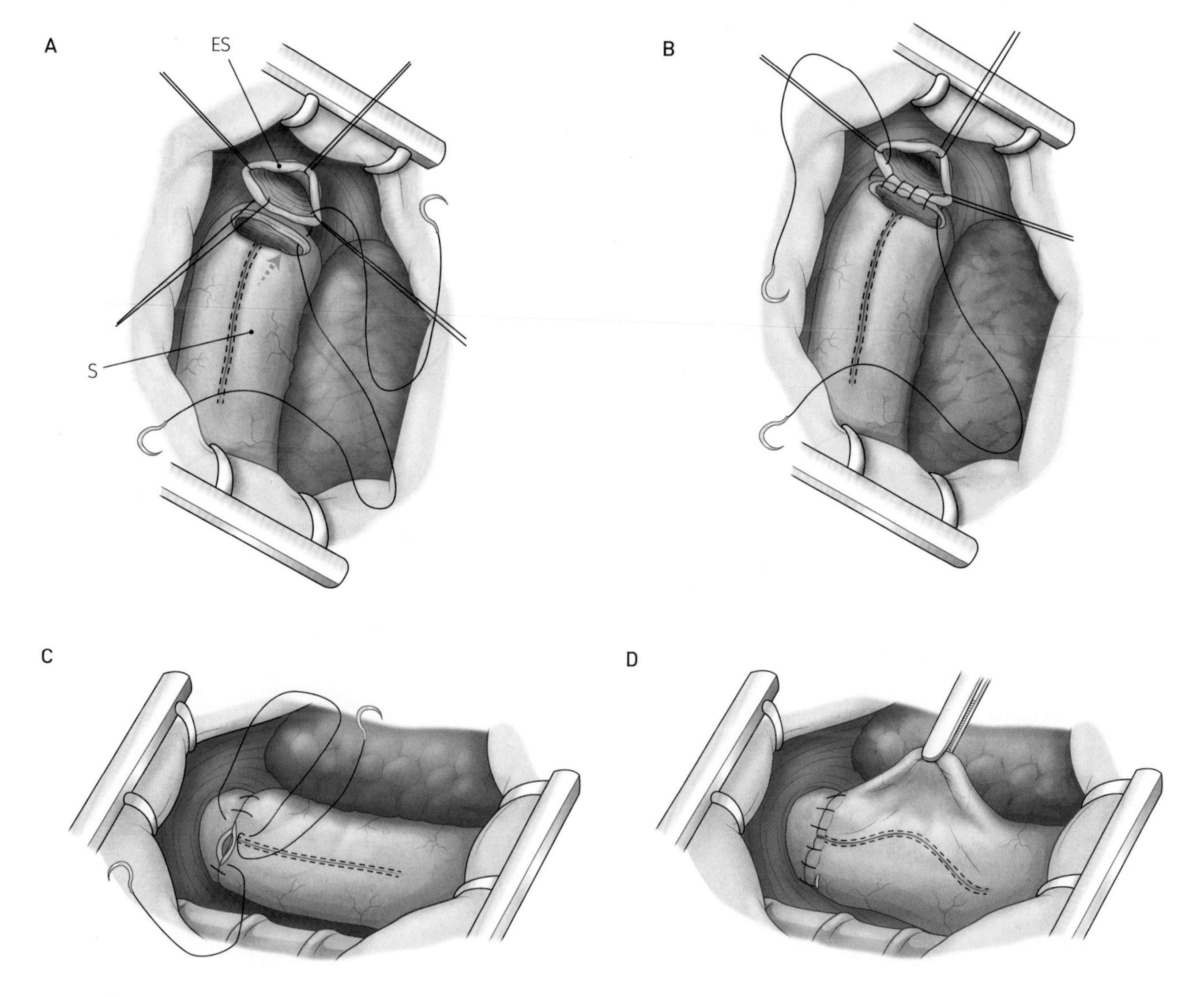

그림 1-16
A. ES: 식도 S: 위, B. 후벽 문합, C. 전벽 문합, D. 화살표: 클립(clip) - 이후 방사선 검사 시 클립이 찍히므로 문합부의 위치를 쉽게 알 수 있음.

(그림 1-17) 그리고 전벽부 또한 silk 4-0를 이용하여 Cushing 봉합으로 보강한다. 문합이 완료되면 문합부를 관찰하고 불완전 문합이 의심된다면 메틸렌 블루를 이용하여 문합부 누출 검사를 시행한다. 한다. 그리고 문합부 긴장을 줄이기 위해 위 기저부를 silk 3-0를 이용해 전척추근막과 종격 흉막에 고정하는데 이 때 위 내강을 관통하지 않도록 주의한다. 이것은 차후 위흉막루의 원인이 될 수 있다.

9번째 늑간 사이에 창상을 낸 후 36Fr의 흉관을 삽입하여 흉막 뒤쪽을 통해 흉강의 꼭지점에 거치한다.

(6) Closure of thoracic incision

(그림 1-18A, B) 늑골 주위를 PDS 1-0로 단속봉합하여 늑골을 approxi-mation 시킨 후 절제한 광배근을 atraumatic polygly-conate (Maxon) 2-0로 연속 봉합한다. 피부는 nylon 3-0로 vertical mattress 봉합하거나 polyglyconate 4-0로 피하봉합 한다.

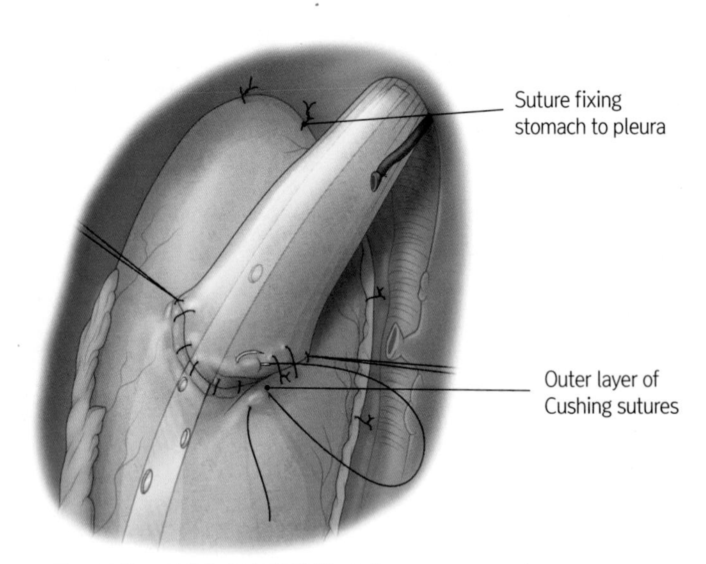

그림 1-17 식도-위 문합 후 보강문합하는 모습

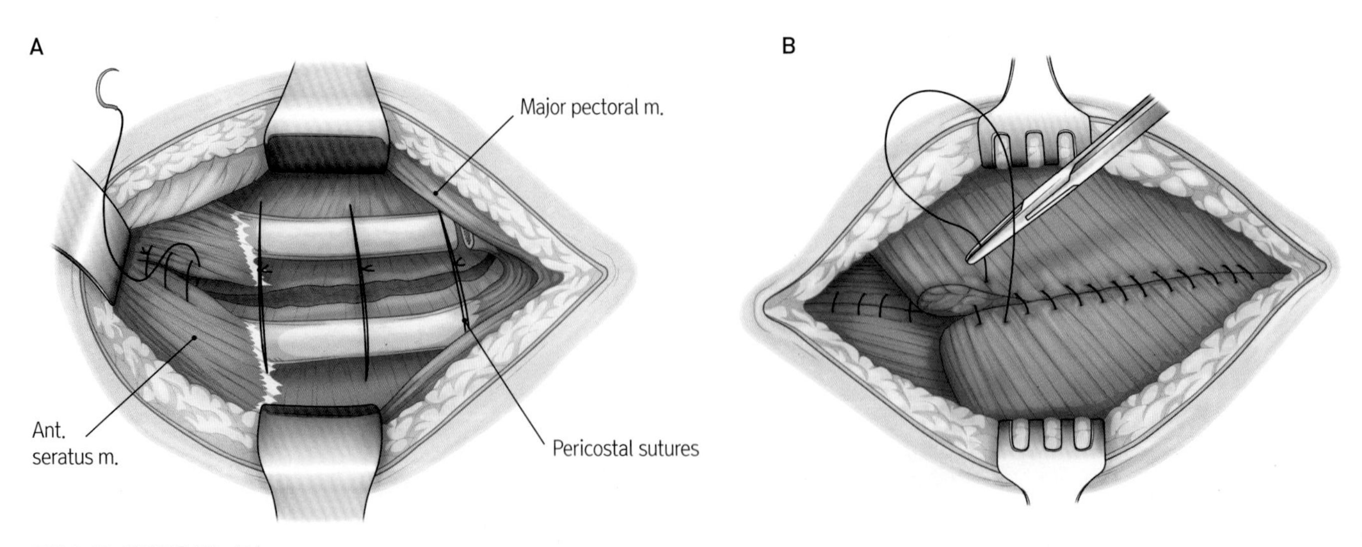

그림 1-18 광배근을 닫는 모습

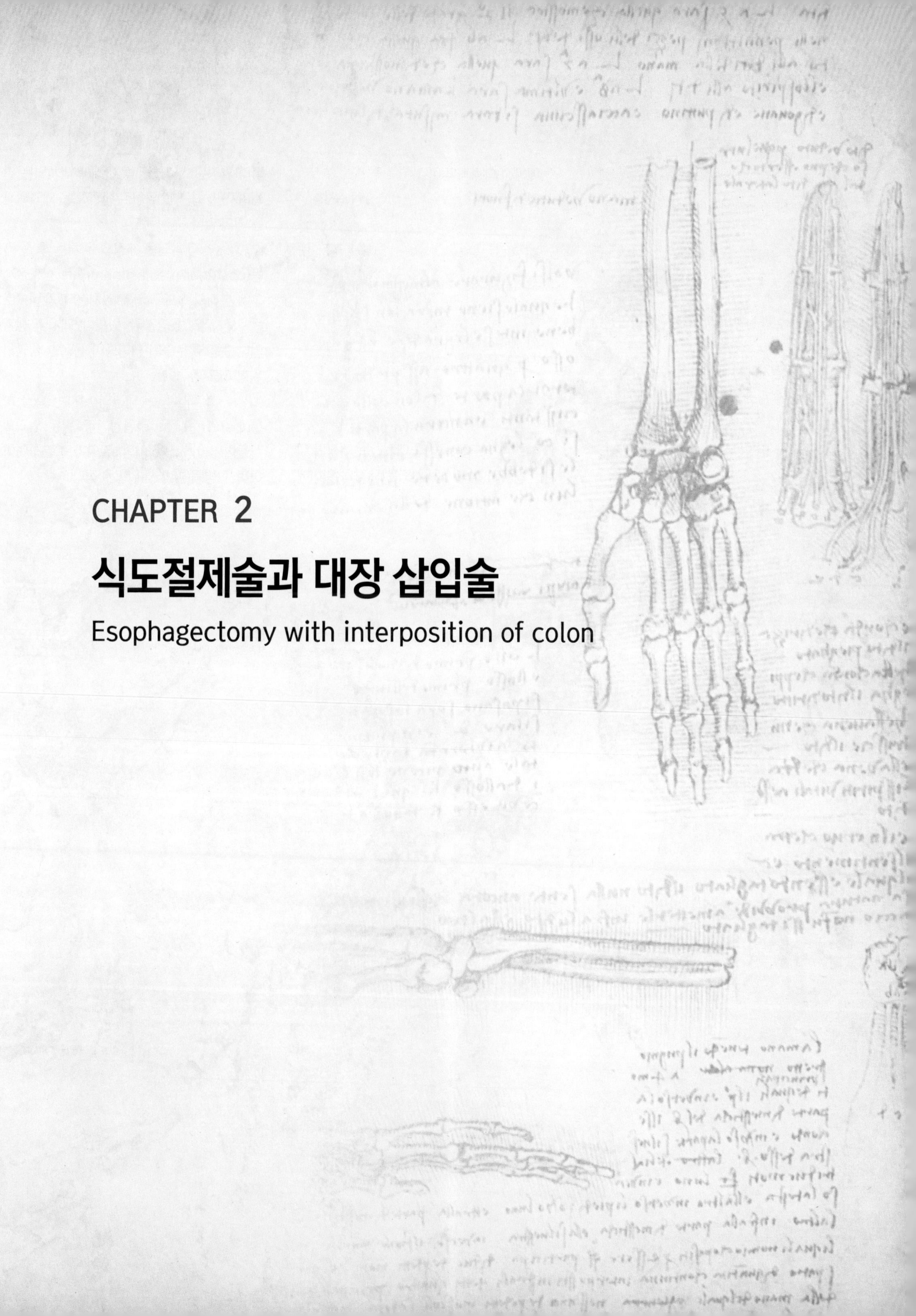

CHAPTER 2

식도절제술과 대장 삽입술

Esophagectomy with interposition of colon

1. 적응증

식도암. 부식성 식도협착(내과적 처치가 불가능할 시)

2. 비적응증

- 심각한 심폐질환이나 혈역동적 불안정한 환자
- 수술 전 검사에서 대장암이 있는 환자
- 수술 전 혈관조영술에서 대장혈관 기형

3. 수술 전 처치

- 대장 청소
- 예방적 항생제 투여
- 영양 지원

4. 마취

- 전신마취 하에 기관지 삽관(double-lumen 사용)
- 자세
- 식도절제술 후에 앙와위 자세

5. 대치대장의 위치

(그림 2-1A) 식도절제술 후 대치하는 대장의 위치는 창자의 상태나 대치되는 대장의 길이에 따라 결정된다. 피하지방 아래에 대치되는 위치이지만, 최근 이 위치로 대치하는 외과의사는 거의 없다.

(그림 2-1B) 대치되는 대장의 위치는 후 종격동(posterior mediastinum)으로 식도절제 후에 본래의 식도 자리에 위치한다. 장점으로는 가장 짧게 올라갈 수 있으나, 괴사가 생기거나 문합부 누출의 합병증이 생기면 생명의 위험이 크다.

(그림 2-1C) 대치되는 대장의 위치는 흉골 하(substernal route)위치이다. 일본 외과의사들이 많이 사용하지만, 길이가 충분하여야 하며, 합병증 발병 시 위험은 적다.

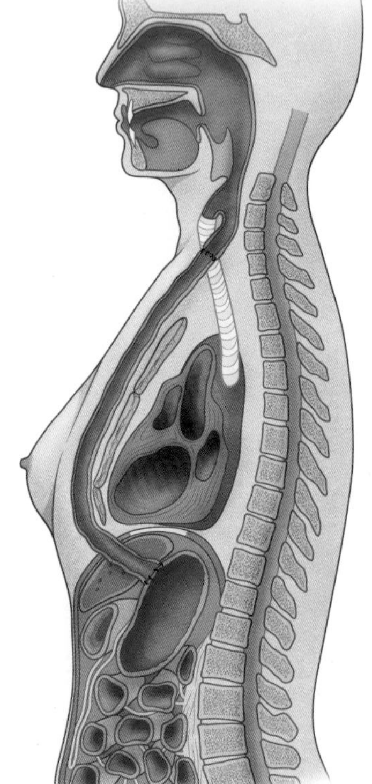

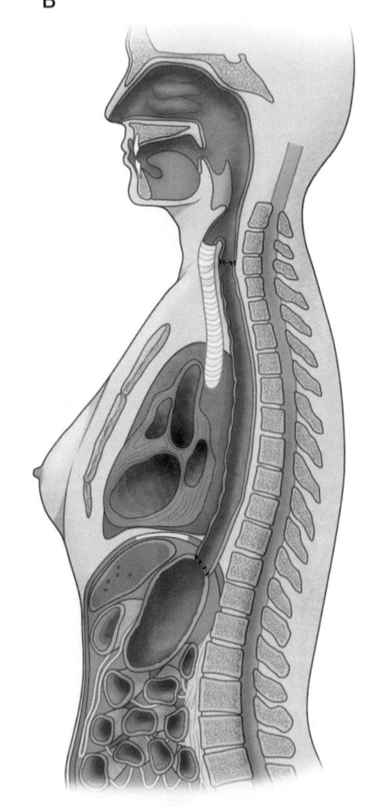

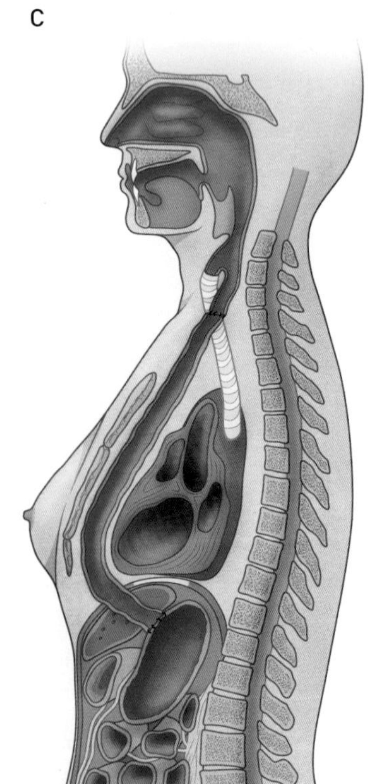

그림 2-1

6. 절개 및 노출

(그림 2-2) 정 복부절개로 배꼽 아래까지 충분히 열고, 식도 열공부위부터 대장전부가 노출되도록 한다.

(그림 2-3) 대장과 대장의 분포혈관을 주의 깊게 관찰하며 대장의 marginal 동맥이 서로 잘 연결되었는지를 살피고 특히 중간대장동맥 결찰 시 우측 대장동맥과 좌측 대장동맥의 연결이 확실한지를 확인하고, 우측대장과 좌측대장을 붙어있는 복막으로부터 박리한다.

(그림 2-4) 횡행결장 및 좌측대장을 대치하는 수술을 하기 위해, 중간 대장 동맥을 동맥겸자(bulldog)로 임시 clamp한 후에 좌측대장동맥으로부터 충분히 혈류가 공급되는지를 확인한다.

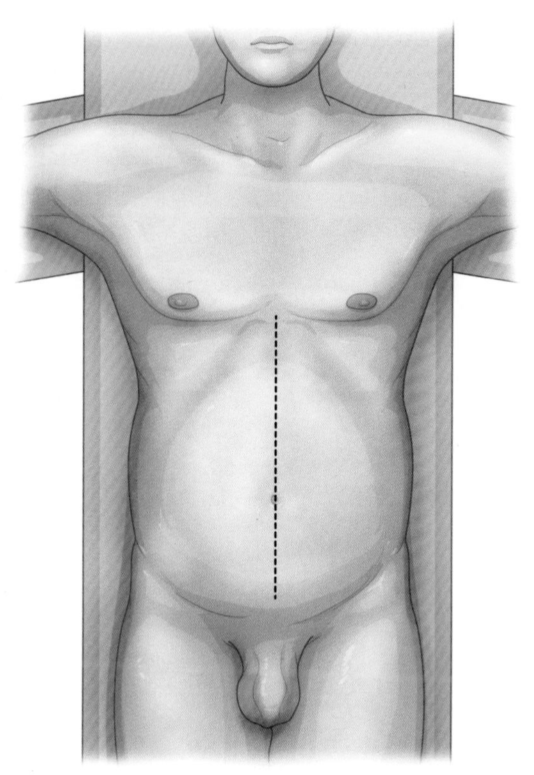

그림 2-2

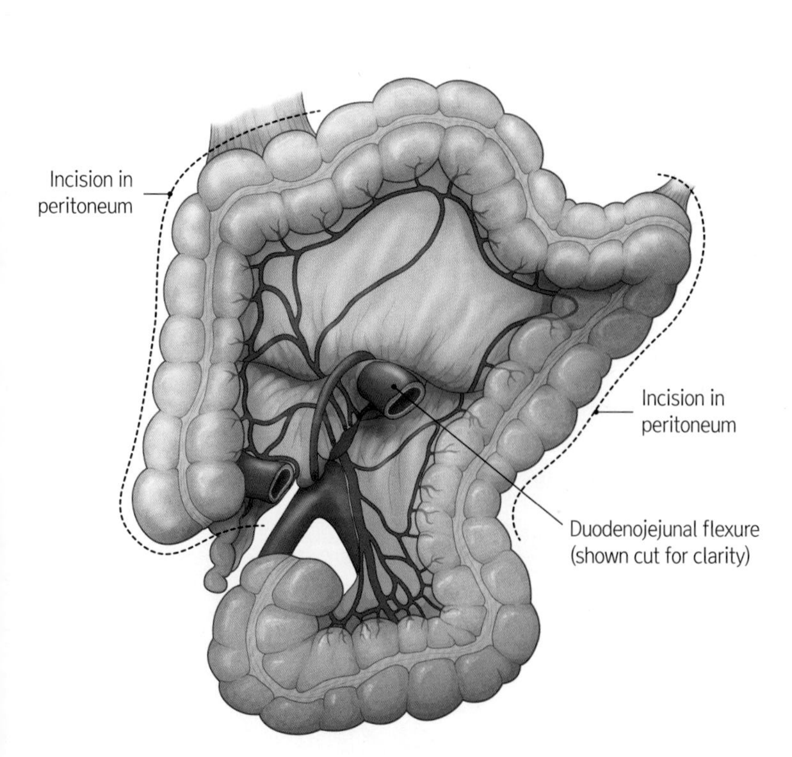

그림 2-3

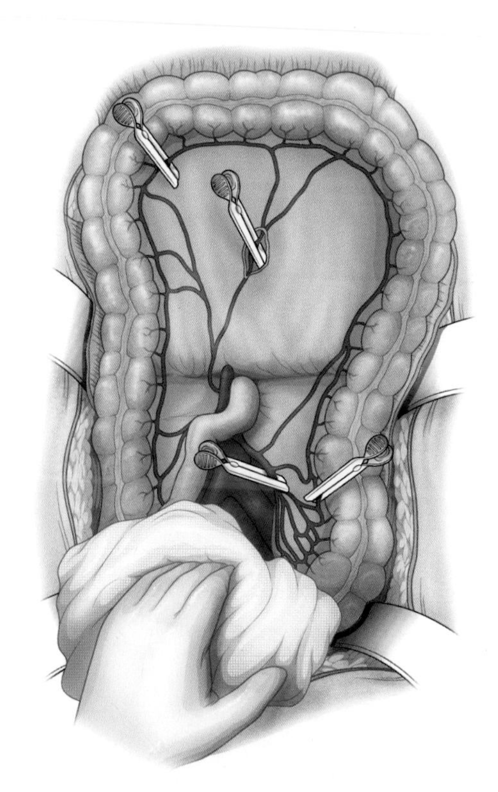

그림 2-4

(그림 2-5) 좌측동맥을 이용하는 대장대치가 가능함이 확인이 되면, 경부식도를 접근하기 위해 목 부위에 절개 및 접근을 한다. 충분한 접근을 위해 manubrium과 첫째 갈비뼈 일부를 자르기도 한다.

(그림 2-6) 경부식도를 좌측으로 접근하기도 하지만, 흉관 손상을 피하기 위해서는 우측 접근도 가능하며, 접근을 종격동 아래쪽까지 진행한다.

(그림 2-7) Sternum과 pericardium 사이에 공간을 마련하고 innominate vein의 손상이 없도록 유의한다. 공간이 준비되면 열려있는 경부 절개부위를 감염 안되도록 젖은 거즈로 덮어 보존하고, 복부로 이동한다.

(그림 2-8) 중간 대장 동맥을 가능한 기시부에서 자르고, 결찰한 후에 충분한 길이의 대장을 고려하며 혈관과 대장을 자른다. 이 경우 linear stapler를 이용하면 편리하다. 자른 대장의 색깔 및 동맥의 맥(pulsation)을 확인하다.

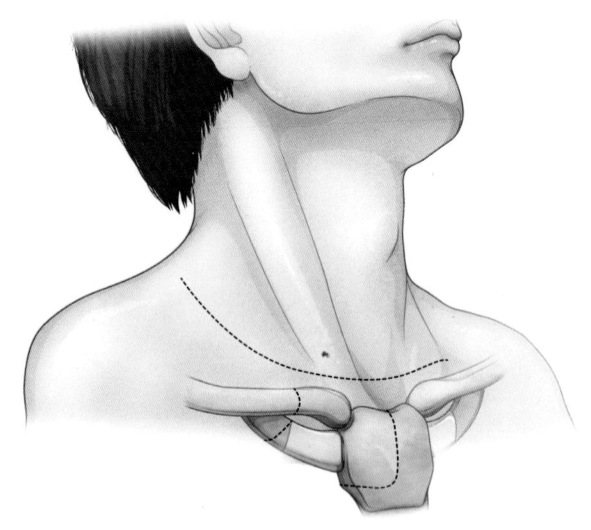

그림 2-5

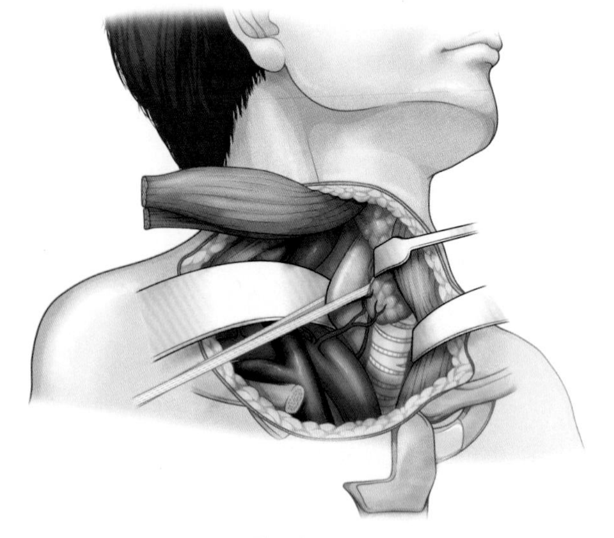

그림 2-6

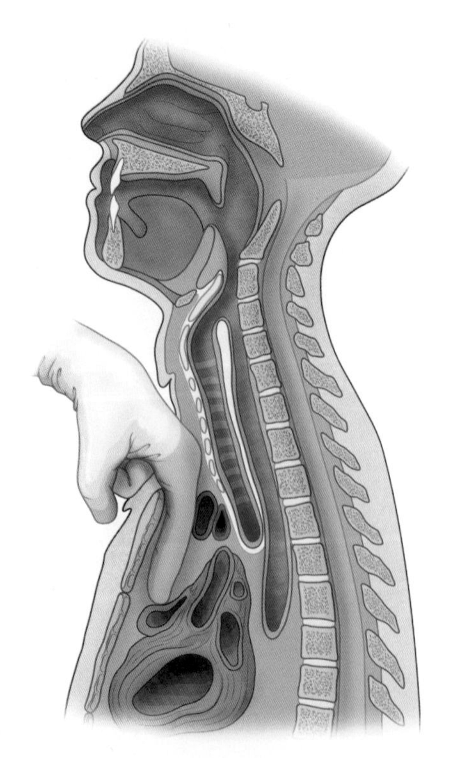

그림 2-7

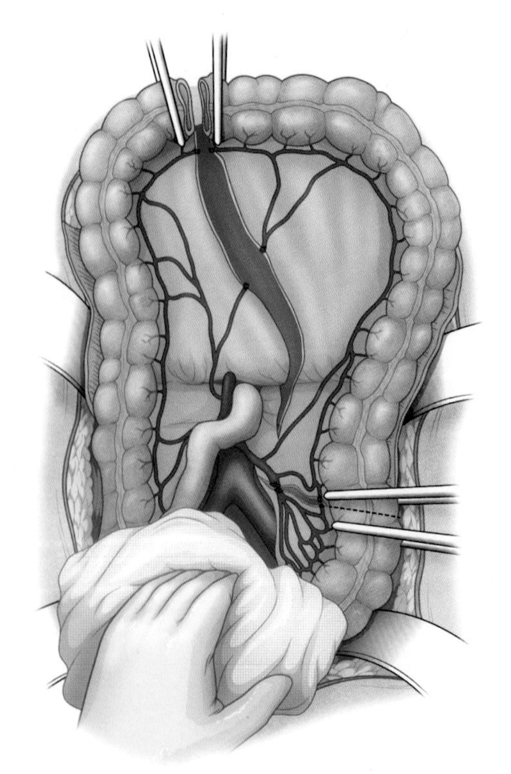

그림 2-8

(그림 2-9) 남은 대장(우측 횡행결장과 하행결장)끼리 단단 문합을 시행하고, 대치되는 대장을 혈관이 꼬이지 않도록 유의하여야 한다.
(그림 2-10) 간의 triangular ligament를 분리하고, 좌측간을 우측으로 제친다.

(그림 2-11) 그림과 같이 횡격막이 노출되며, 흉골(sternum) 바로 아래로부터 공간을 만들도록 한다.

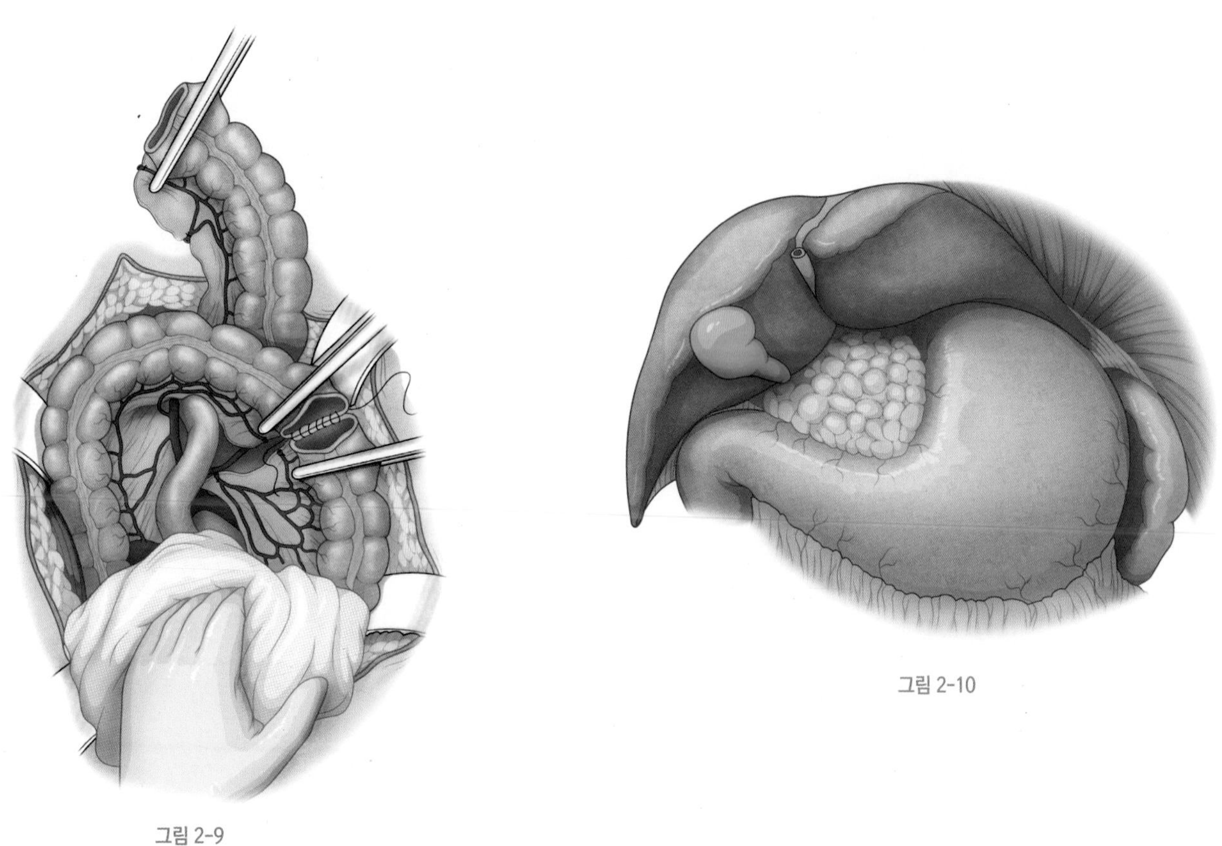

그림 2-10

그림 2-9

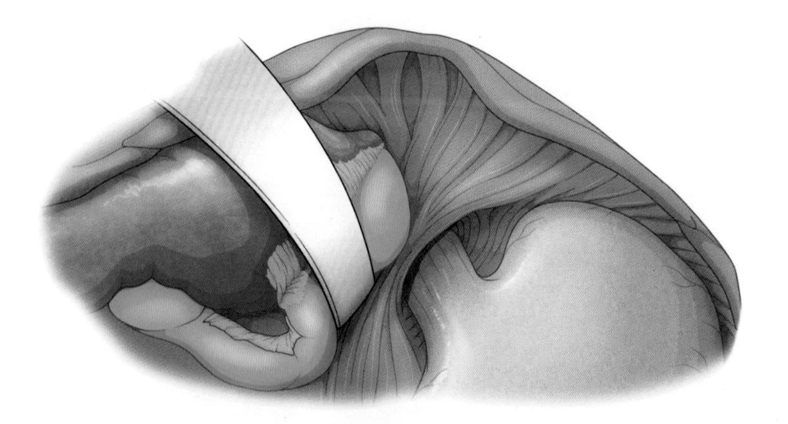

그림 2-11

(그림 2-12) 목 절개부위와 복부 절개부위에서 양 손을 이용하여 흉골(sternum) 위 아래의 충분한 공간을 만든다. 이 부위는 혈관분포가 없으나, 가능하면 sternum에 붙여서 절개(dissection)를 한다.

(그림 2-13) 대치되는 대장을 서서히 주의 깊게 흉골(sternum) 아래 공간으로부터 거상시키는데, 가장 중요한 점은 똑바로 혈관의 꼬임 없이 올라가야 하며, 대장도 꼬임이 없어야 하며, 목 부위로 충분한 대장이 노출이 되어야 한다. ECG clamp를 이용하며, 비닐로 대장을 씌워서 올리면 편리하다.

(그림 2-14) 복부에서 대치된 대장의 아래쪽을 위와 문합 하는데, 위 체부에 이중 문합을 한다. 위의 앞 부분에 문합하기도 하지만 위의 뒷부분에 문합하기도 한다.

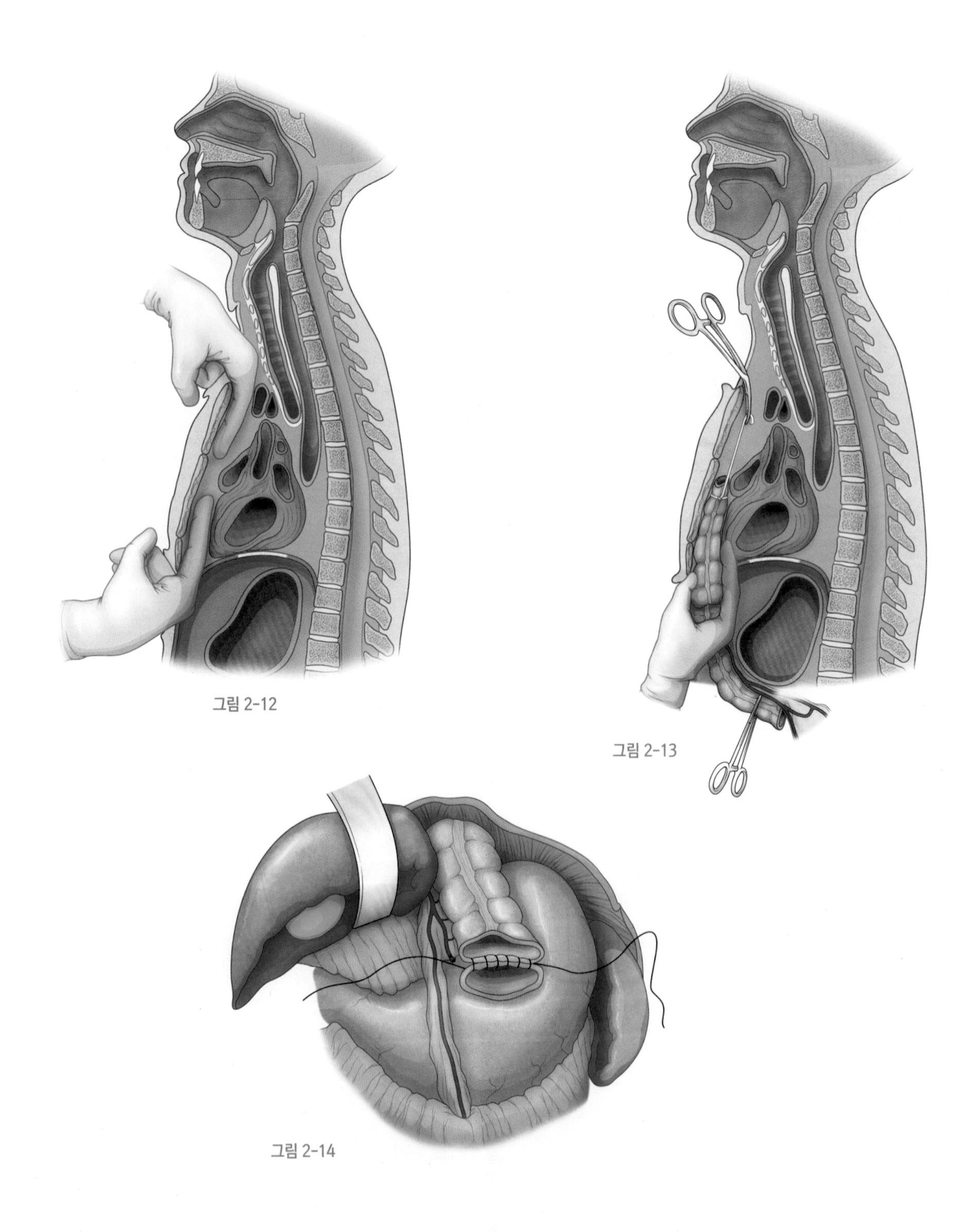

그림 2-12

그림 2-13

그림 2-14

(그림 2-15) 대치된 대장의 윗쪽을 절제된 경부 식도와 단단문합 혹은 단측문합을 한다. 이때 혈액공급이 충분한지를 확인한다.
(그림 2-16) 수술 후 영양지원을 위해 공장 루를 만들고, 배액관을 삽입한 후에 복부를 닫는다.

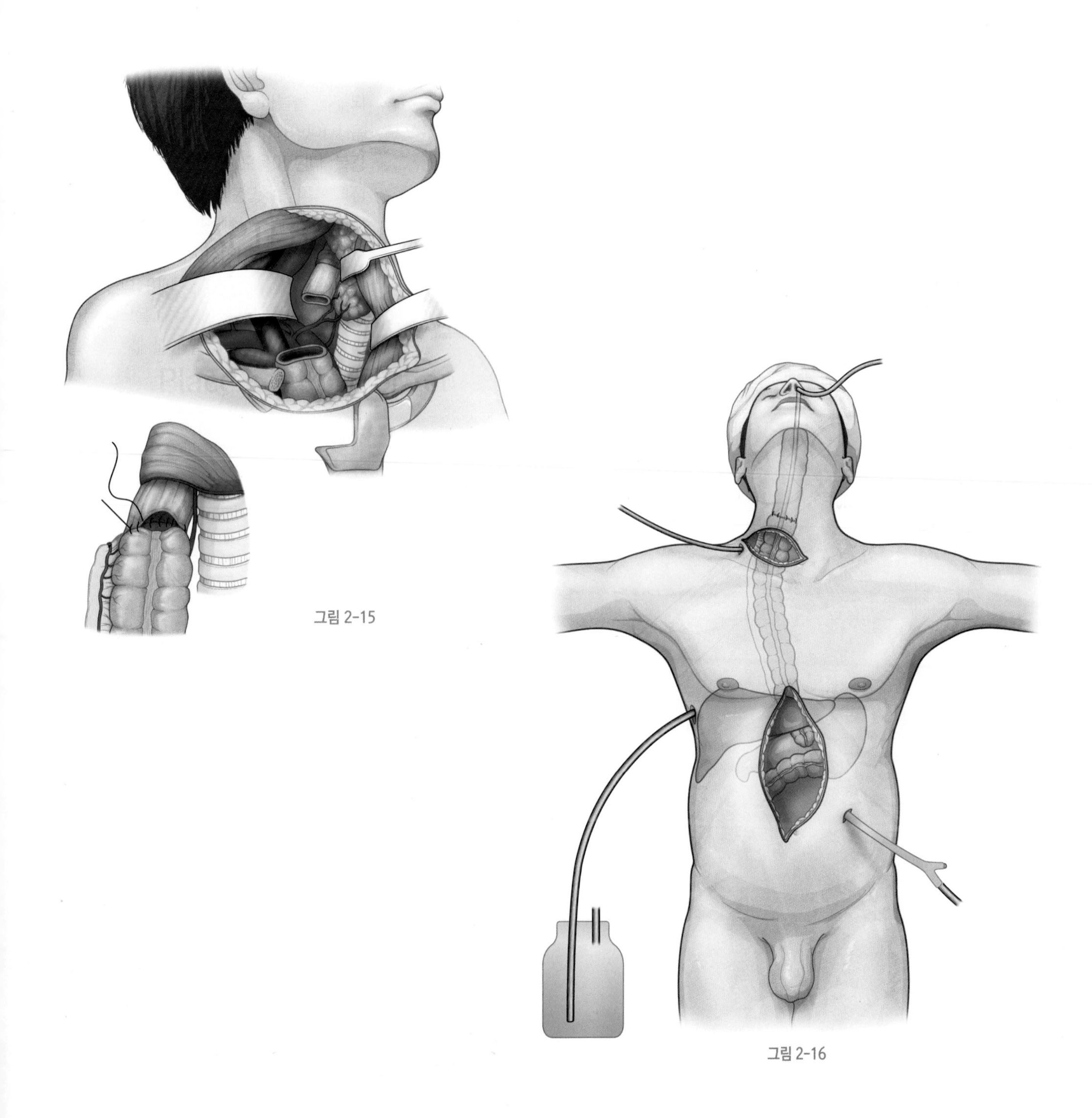

그림 2-15

그림 2-16

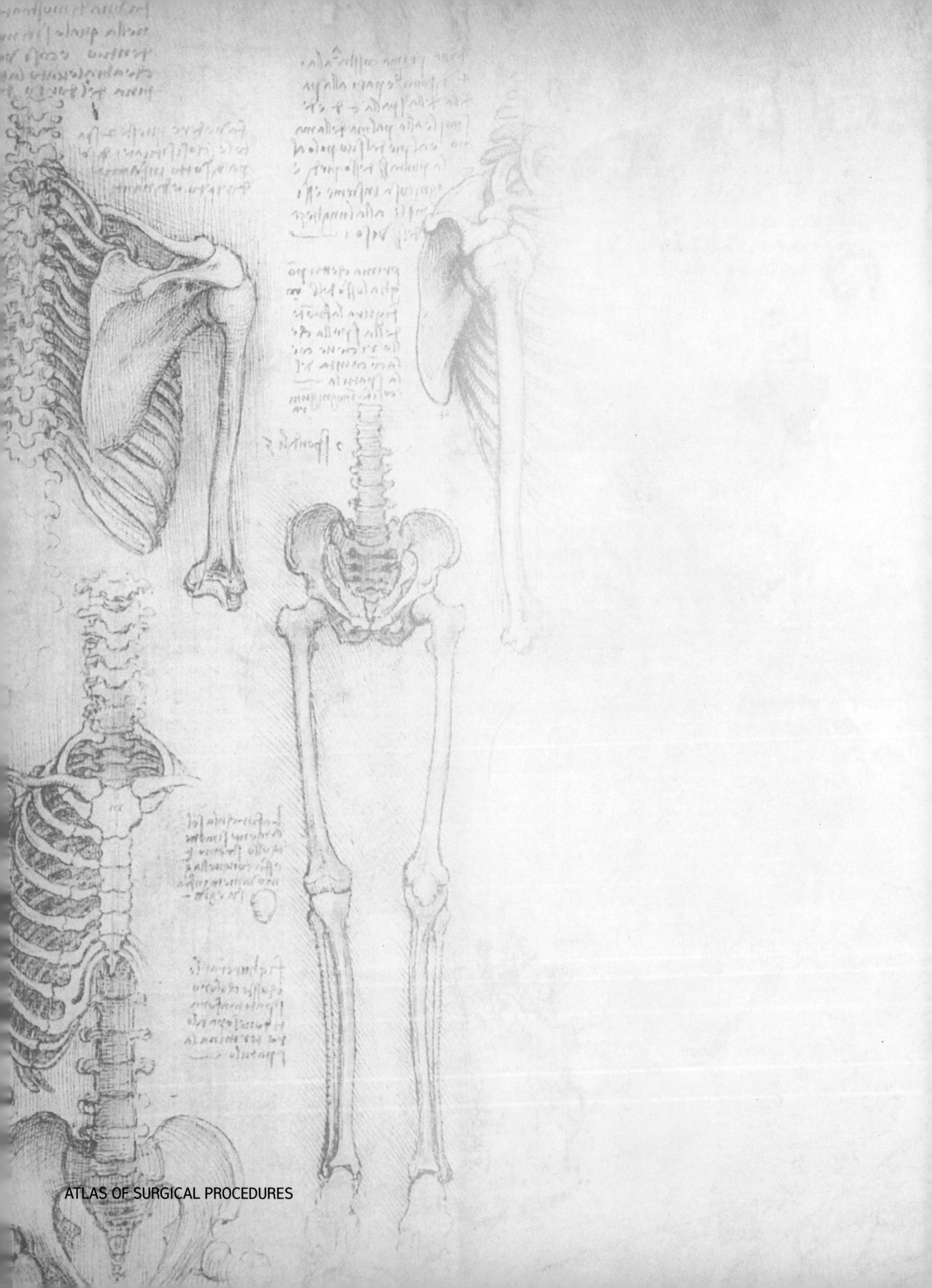

ATLAS OF SURGICAL PROCEDURES

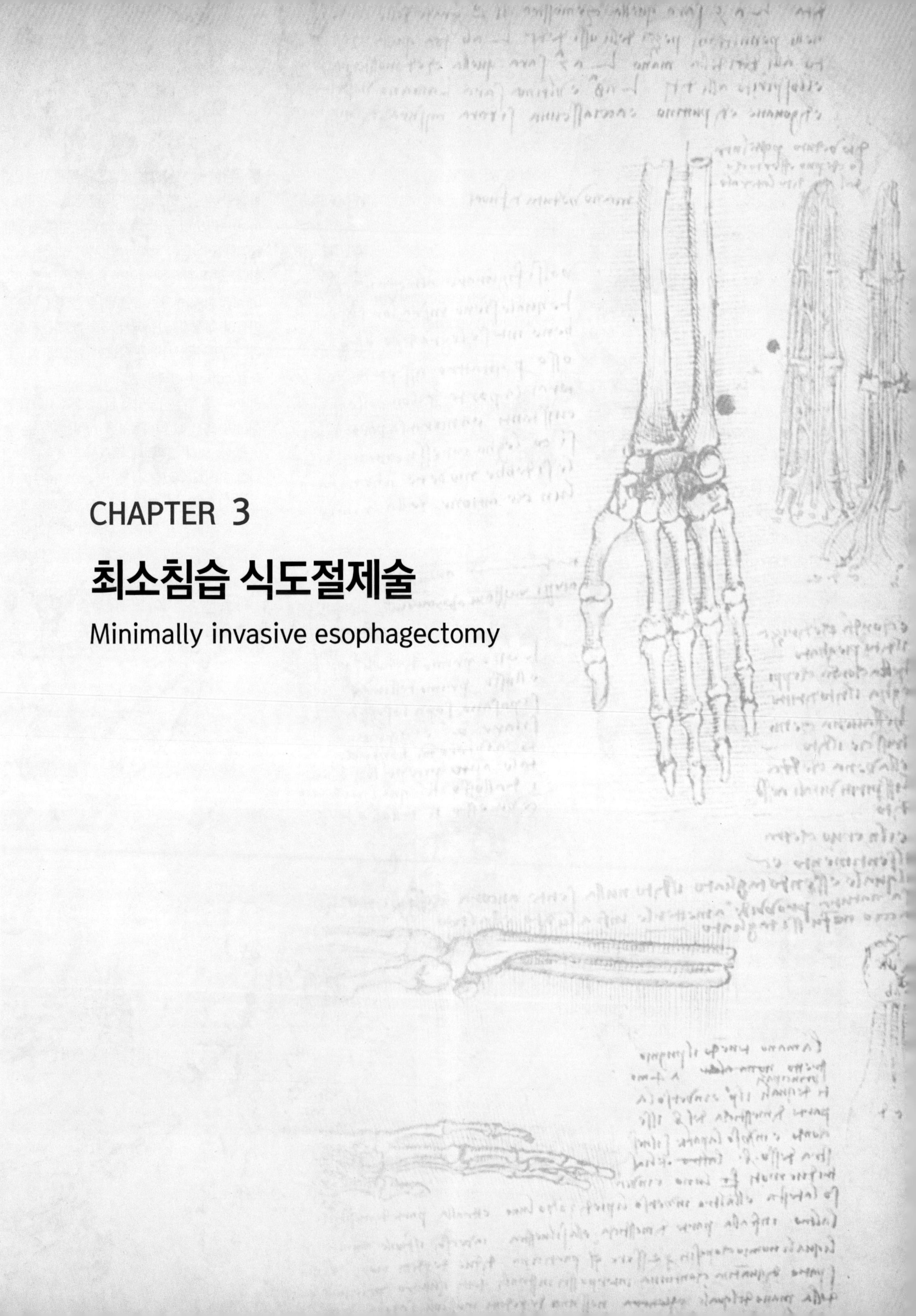

CHAPTER 3

최소침습 식도절제술

Minimally invasive esophagectomy

1. 서론

식도암의 수술은 높은 빈도의 수술합병증 발생률과 수술 사망률을 동반하게 되는데 이들 중 폐합병증이 높은 빈도로 발생하며 수술 후 사망에 이르게 하는 경우가 많다. 그러므로 수술 후 폐합병증을 예방하는 것이 중요한 문제로 대두되는데 최근에 유럽에서 진행된 한 무작위-전향적 연구에서 식도암 수술에 최소침습 수술 기법을 도입하여 폐합병증이 유의하게 줄었다는 보고가 나온 이후로 최소침습 식도절제술의 적용 예가 점차 늘어나고 있다. 여기에서는 3구역 림프절절제술을 동반한 최소침습 광범위식도절제술(Minimally invasive radical esophagectomy with 3-field lymph node dissection) 및 경부 식도-위 관문합술에 대하여 기술하도록 한다.

2. 적응증

경부식도암을 제외한 모든 부위의 식도암

3. 수술 전 처치

Chapter 1 참조

4. 마취

Single lumen endotracheal tube를 이용한 two-lung ventilation

5. 환자 자세

흉부 수술에서는 복와위(prone position)를 통한 우측 흉부접근을 하며 복부 및 경부 수술에서는 앙와위를 통해 수술한다.

6. 수술 과정

1) 흉부 접근(Thoracic approach)

(1) 투관침 삽입과 기흉의 유도

그림 3-1A와 같이 복와위 자세를 취한 뒤 우측 흉부의 3, 5, 7, 9번 늑간에 4개의 투관침을 기본적으로 사용하며 필요에 따라 1~2개의 투관침을 더 사용할 수 있다. 첫 투관침은 9번 늑간의 겨드랑이 후방선(posterior axillary line)보다도 조금 더 후방에 투명한 투관침에 복강경을 삽입한 채 복강경 시야 하에서 삽입한다. 첫 투관침을 삽입한 후 흉강 내를 7-8 mmHg의 압력으로 CO_2를 주입하여 기흉을 만들며 대개 이 압력에서 우측 폐가 완전히는 아니지만 수술 시야를 확보할 수 있을 정도로 허탈(collapse)되게 된다.

만약 우측 폐가 허탈되지 않고 계속 시야를 방해하면 흉강 내 압력을 12 mmHg까지는 높여볼 수 있다. 두 번째 투관침부터는 흉강경 시야 하에서 위치를 선정한 뒤 삽입하도록 하고 가급적이면 식도를 포함한 후종격동의 구조물들을 복강경 기구가 위에서 내려와서 조작할 수 있는 각도가 나오게 위치를 선정하는 것이 좋은데 대개 그런 위치는 겨드랑이 후방선과 중앙선의 사이 정도에서 확보할 수 있다 (그림 3-1B).

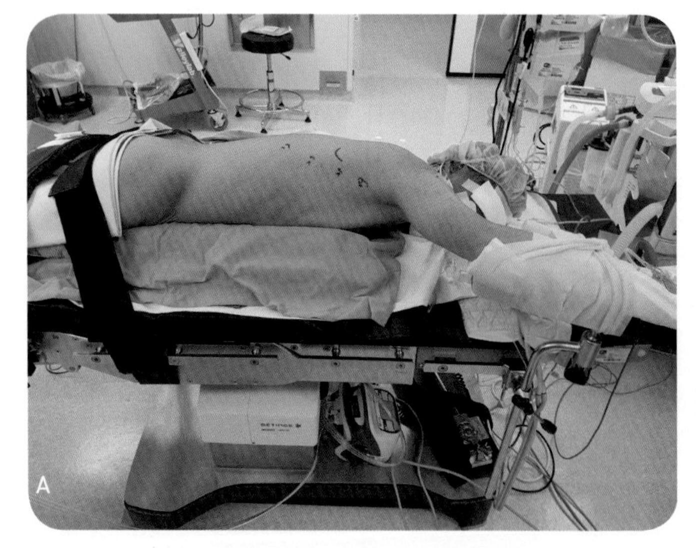
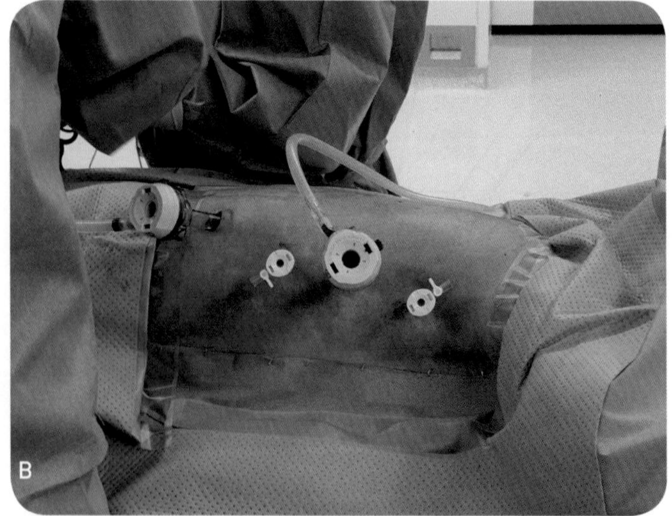

그림 3-1 최소침습 식도절제술 중 흉부 수술에서의 환자의 자세 및 투관침 삽입
A. 복와위 자세에서 우측 3, 5, 7, 9번째 늑간을 이용하여 접근한다.
B. 보통 4개의 투관침을 삽입하며 필요에 따라 1-2개의 투관침을 더 사용할 수 있다. 카메라용 투관침은 9번 늑간에 삽입한 것을 주로 사용한다.

(2) 수술 과정

척추와 식도 사이의 흉막을 절개하여 중 및 하 종격동에 걸쳐서 홑정맥(azygos vein)을 장축을 따라 노출시킨다(그림 3-2A). 그런 다음 식도의 앞쪽으로 우측 폐인대(pulmonary ligament)를 절리하고(그림 3-2B) 우측 폐정맥, 우측 기관지, 심막의 우측면 그리고 우측 횡격막을 노출시킨다. 홑정맥의 상대정맥 유입부 위로 척추 앞쪽에서 상종격동 후부의 흉막을 절개하여 흉강입구(thoracic inlet) 부위까지 올라간다. 홑정맥의 상대정맥 유입부 근처에서 우측 미주신경을 확인한 뒤 미주신경을 따라 상종격동의 앞쪽 흉막을 절개하여 우쇄골하동맥 부위까지 올라간다.

미주신경이 우쇄골하동맥과 만나는 부위를 잘 박리하여 우 후두회귀신경을 확인하고 우 후두회귀신경 주위 림프절을 절제한다(그림 3-2C). 홑정맥의 상대정맥 유입부를 결찰한 뒤 그 원위부를 흉벽 뒤쪽에 봉합하여 홑정맥 앞쪽의 종격동 림프절절제를 위한 시야를 확보한다. 이 과정에서 홑정맥 바로 뒤에 있는 우기관지동맥을 결찰한다. 일부에서는 폐합병증 발생률을 줄이기 위해 이 동맥을 보존하여야 한다고 주장하기도 한다(그림 3-2D).

상흉부식도의 앞면과 기관(trachea) 사이를 분리하고 기관의 좌측면을 확보한다. 상흉부식도를 적절한 위치에서 절제한 뒤 대동맥궁에서 위쪽으로 올라오는 좌 후두회귀신경을 확인하고 이 주위 림프절을 절제한다(그림 3-2E).

흉관은 종양이 식도 근육층을 침범하지 않은 경우에는 보존하나 종양이 근육층을 침범하거나 혹은 그 이상의 침윤도를 보이면 식도와 함께 절제한다. 흉관을 함께 절제할 때에는 흉관을 아래 쪽에서는 하행대동맥 우측에서 복부로 내려가는 부위를 확인하고 바로 그 위에서 결찰하며 위 쪽에서는 상종격동에서 좌 흉막을 통해 나가는 부위를 확인하고 결찰하는 것이 수술 후 흉강 내 유미즙 누출의 합병증을 예방할 수 있는 방법이다. 대동맥궁과 왼쪽 기관지 사이(aortobronchial window)에 있는 림프절을 절제한 후(그림 3-2F) 좌우 기관지 하부 및 기관분지부(carina) 하부에 있는 림프절을 절제한다.

이 과정에서 양쪽 미주신경은 기관지를 지난 시점에서 절제한다. 이 후 하행대동맥을 따라 내려가면서 림프절을 절제하는데 이 때 간혹 대동맥에서 바로 나오는 식도동맥을 만나게 되는데 이 것은 반드시 결찰하여야 한다. 좌기관지 하부 림프절을 절제하면서 아래로 내려가다보면 좌 폐인대를 만나게 되고 이를 절리하고 더 내려가서 좌측 횡격막과 만나게 되면 종격동 림프절절제술은 끝나게 된다.

식도의 절단된 근위부 끝과 원위부 끝을 긴 실로 서로 이어서 이 후 복부 수술 과정에서 이 실을 위관의 끝과 다시 연결하여 나중에 경부로 위관(gastric tube)을 끌어올리는 데 이용한다. 배액관은 적절한 굵기의 흉관(closed thoracotomy drainage)이나 Jackson-Pratt 배액관을 후종격동에 길게 위치시킨다.

2) 복부 및 경부 접근

(1) 환자의 자세 변경 및 투관침 삽입 그리고 경부 피부 절개

환자의 자세를 앙와위로 변경 한 뒤 복부와 경부를 함께 수술 준비한다(그림 3-3A). 복부의 수술 투관침은 위암 수술에 준해서 삽입하고 경부의 피부절개는 쇄골 하부 2 cm되는 부위에 횡으로 절개를 충분히 가하여 위쪽으로 피부 피판(flap)을 형성한 후 수술을 진행한다.

(2) 복부 수술 과정

부분 대망절제술을 시작하여 오른 쪽으로는 필요하면 Kocher maneuver도 시행한다. 왼쪽으로 가면서 좌위대망동맥과 단위 동맥은 가급적이면 기시부에서 결찰하도록 하는데 이는 혹시 있을 지 모르는 우위대망동맥-좌위대망동맥 사이나 혹은 좌위대망동맥-단위동맥 사이의 연결지(collateral vessel)를 보존하기 위함이다. 우위대망동정맥 그리고 우위동정맥은 반드시 잘 보존하도록 한다. 위의 소만곡에서 우위동맥에서 오는 분지들과 좌위동맥에서 오는 분지들이 만나는 지점에서 소망을 박리하고 좌위동맥의 하행지의 전후분지를 이곳에서 결찰한다. 복강동맥을 노출 시키고 복강동맥 주위림프절을 절제하고 종양의 위치에 따라 필요하면 총간동맥 주위림프절이나 비장동맥 근위부 주위림프절을 절제한다.

좌위동맥에서 나오는 굵은 비정형 좌간동맥(aberrant left hepatic artery)이 있을 때에는 보존한다. 양쪽 횡격막 다리(crus)를 모두 노출 시킨 뒤 횡격막 하부와 식도 열공 주변에 있는 림프절을 모두 절제한 후 식도열공을 통해 흉부에서 절제된 식도 및 림프절을 복강 내로 끌어 내린다. 유문성형술은 보통 시행하지 않고 수술 후 위관 지연배출의 문제가 발생할 경우에는 유문에 대한 내시경적 풍선 확장술을 시행한다.

상복부 중앙에 5 cm의 피부절개를 가한 뒤 식도 및 위를 복강 외로 꺼내어 위관형성을 시행한다. 위관을 형성할 때 자동문합기를 이용한 절제는 위각부(gastric angle)부터 시작하여 위저부의 꼭지점을 향하여 진행하며 위관의 넓이는 3 cm 정도로 한다(그림 3-3B). 위쪽으로 마지막 1~2개의 자동문합기 발사를 남겨둔 때에 indocyanine green을 정주하고 복강경의 NIR (noninfrared) fluorescence 기능을 이용하여 위관의 혈액공급을 관찰한다. 혈액공급이 원활한 부분까지를 표시한 후 이를 따라 자동문합기를 발사하여 위관형성을 마무리한다. 위관의 끝에 절단된 식도 근위부에 연결되어 있는 실을 충분한 길이로 연장한 뒤 연결하고 위관을 비틀림 없이 조심하여 복강 내로 다시 집어 넣는다.

(3) 경부 수술 과정

쇄골 하부 2 cm 부분에서 피부 주름을 따라서 피부를 횡으로 절개하고 넓은목근하 피부판을 위로는 갑상선 연골 하방까지 좌우로

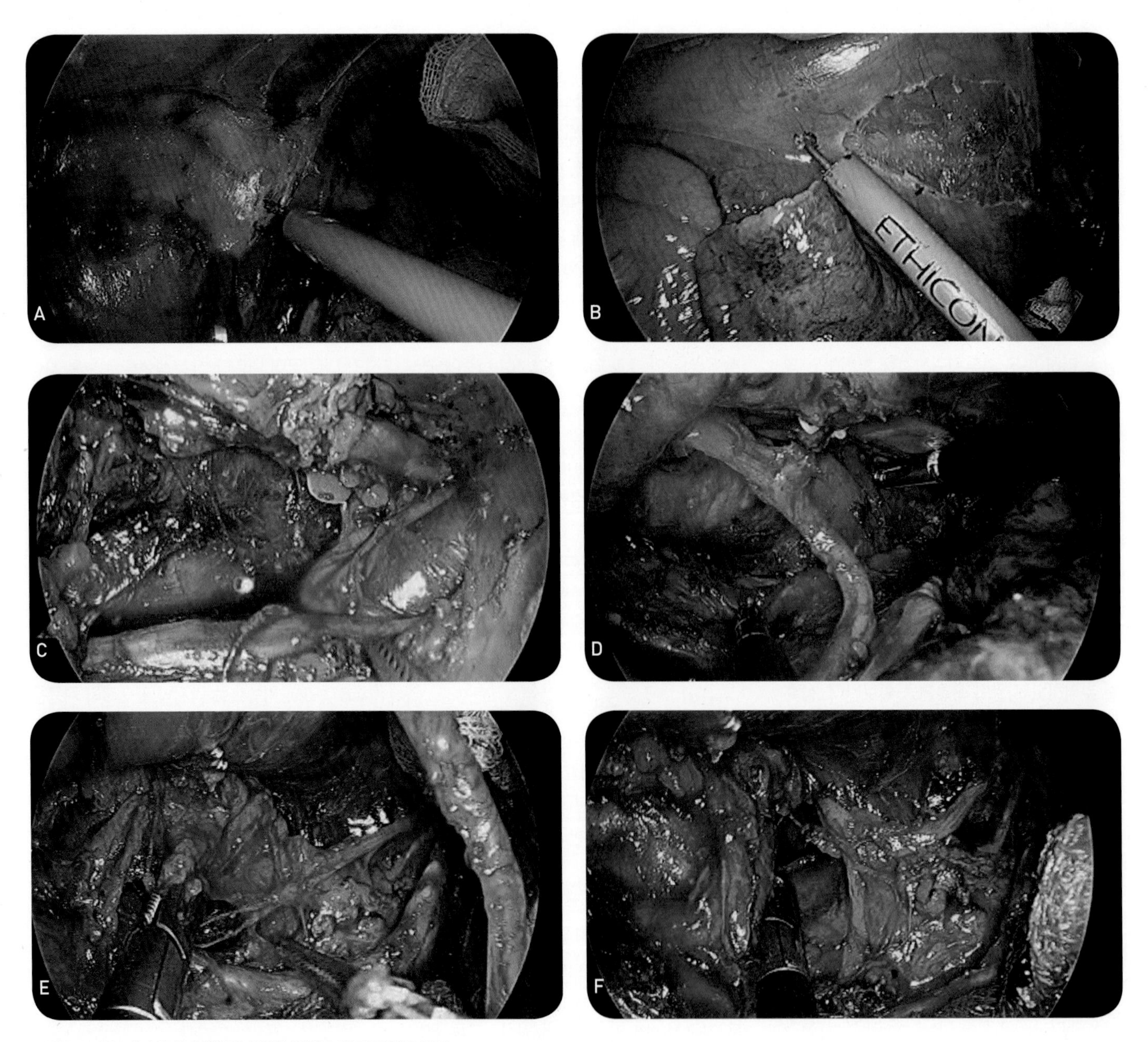

그림 3-2 흉부 수술에서 흉강경을 이용한 종격동 림프절절제술 장면
A. 홑정맥
B. 우측 폐인대를 절리하는 장면
C. 복강경 기구가 가리키고 있는 것이 우 미주신경이고 3시 방향에 우 쇄골하동맥이 있고 12시 방향에 우 후두회귀신경이 우쇄골하동맥을 뒤로 돌아서 올라가는 모습이 관찰된다.
D. 흉강경을 이용한 종격동림프절 절제술이 끝난 뒤 장면인데 정면에 우 기관지동맥이 보존된 모습이 관찰된다.
E. 사진의 천장을 이루는 것이 대동맥궁이고 2시 방향에 대동맥궁을 돌아 올라가는 좌 후두회귀신경이 관찰된다.
F. 대동맥궁과 좌 기관지 사이의 림프절 절제 후 장면

흉쇄유돌근의 외측면이 보일 때까지 형성하고 중앙에서 띠근육의 근막을 열고 띠 근육을 좌우로 견인하여 갑상선 및 기도를 찾는다. 중간 갑상선 정맥을 잡아 결찰한 후 갑상선을 위쪽 방향으로 견인하고 후두회귀신경을 찾아서 보존한 후 식도를 찾아서 기도와 분리한다. 림프절의 절제는 기도와 갑상선 주변은 윤상연골 보다 하방의 경동맥 내측의 기관전 및 좌우측 기관주위 림프절을 찾아서 절제하고 양측 쇄골상부림프절은 흉쇄유돌근을 외측으로 견인하고 내경정맥을 내측으로 견인하면서 견갑설골근 하방과 쇄골하정맥 상방으로 모든 림프절을 절제한다.

(4) 경부식도와 위관의 문합

절제가 끝난 뒤 경부의 남은 식도와 위관의 문합은 기능적단단문합(functional end-to-end)의 방식으로 진행한다. 경부식도의 자동문합기 꺽쇠가 있는 부분을 절제하고 위관의 위쪽 끝을 적절히 절단한 뒤 자동문합기를 삽입할 주위에 stay suture를 2개 걸고 45 mm 선형자동문합기를 삽입한 뒤 발사한다 (그림 3-3C, D). 자동문합기가 들어갔던 구멍은 다시 45 mm 선형자동문합기 2발을 발사하여 막는다. 문합 뒤 왼쪽 경부의 별개의 상처를 통해 문합부 근처에는 개방형 흡인배액관을 거치하고 오른쪽 쇄골상부림프절을 절제한 자리에는 작은 Jackson-Pratt 배액관을 거치한다.

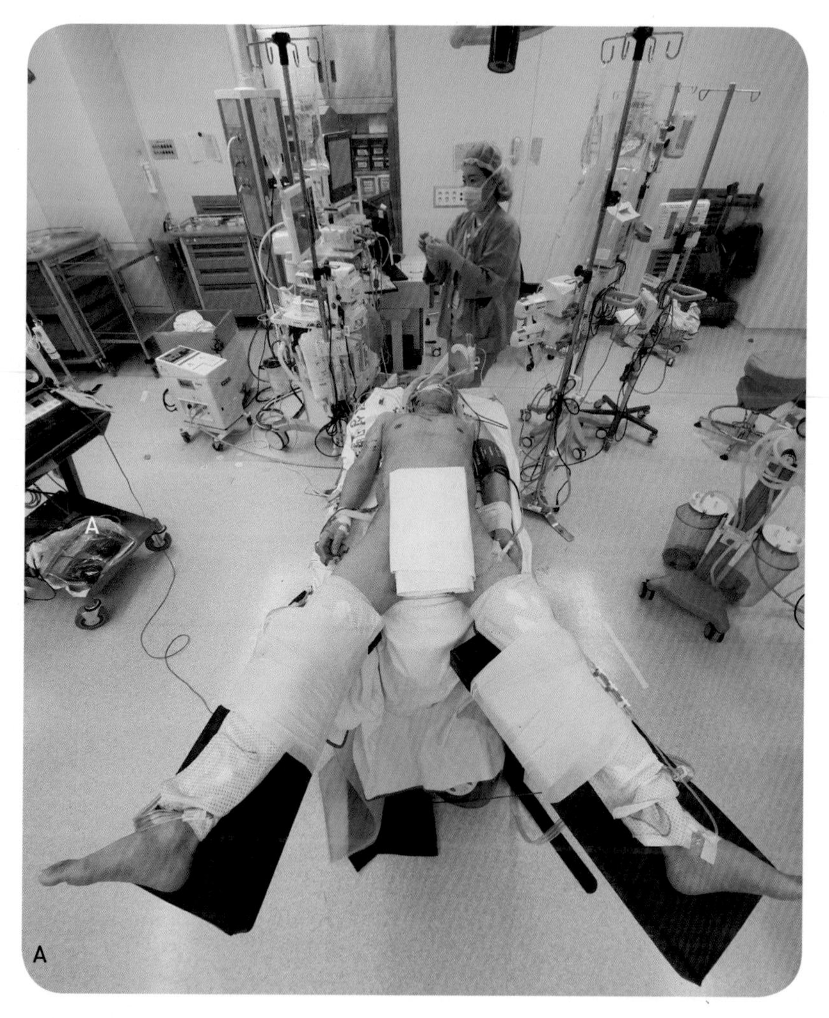
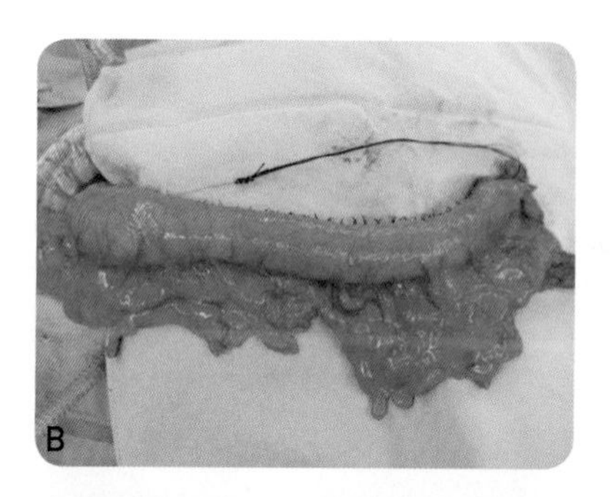
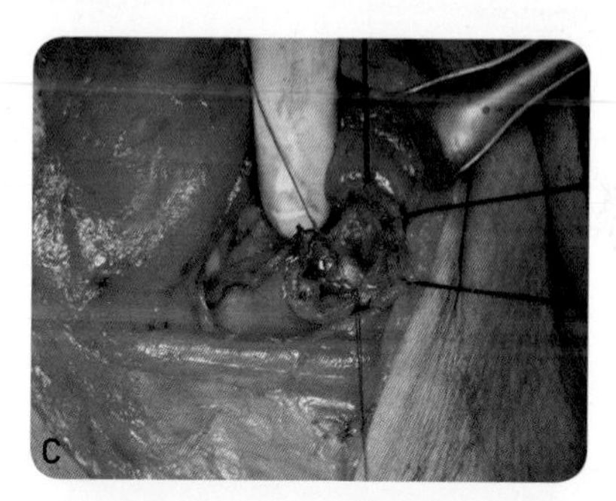
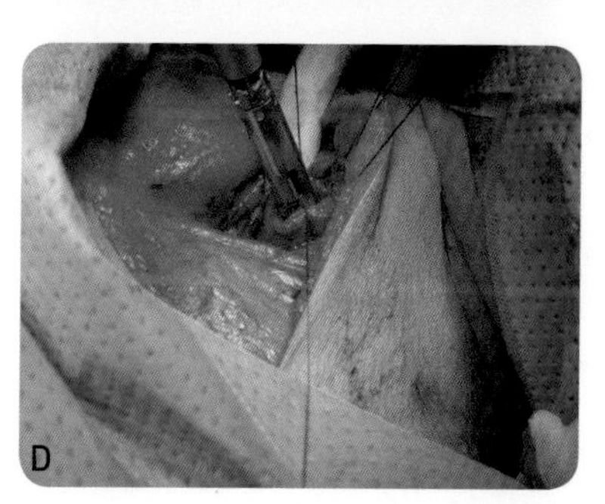

그림 3-3 **복부 및 경부 수술**
A. 앙와위에서 다리를 벌린 자세이며 카메라 조수가 환자의 다리 사이에 위치한다.
B. 위관 형성 장면
C. 기능적단단문합 방법을 이용한 경부식도와 위관 사이의 문합-자동문합기 삽입 전
D. 기능적단단문합 방법을 이용한 경부식도와 위관 사이의 문합-자동문합기 삽입 후

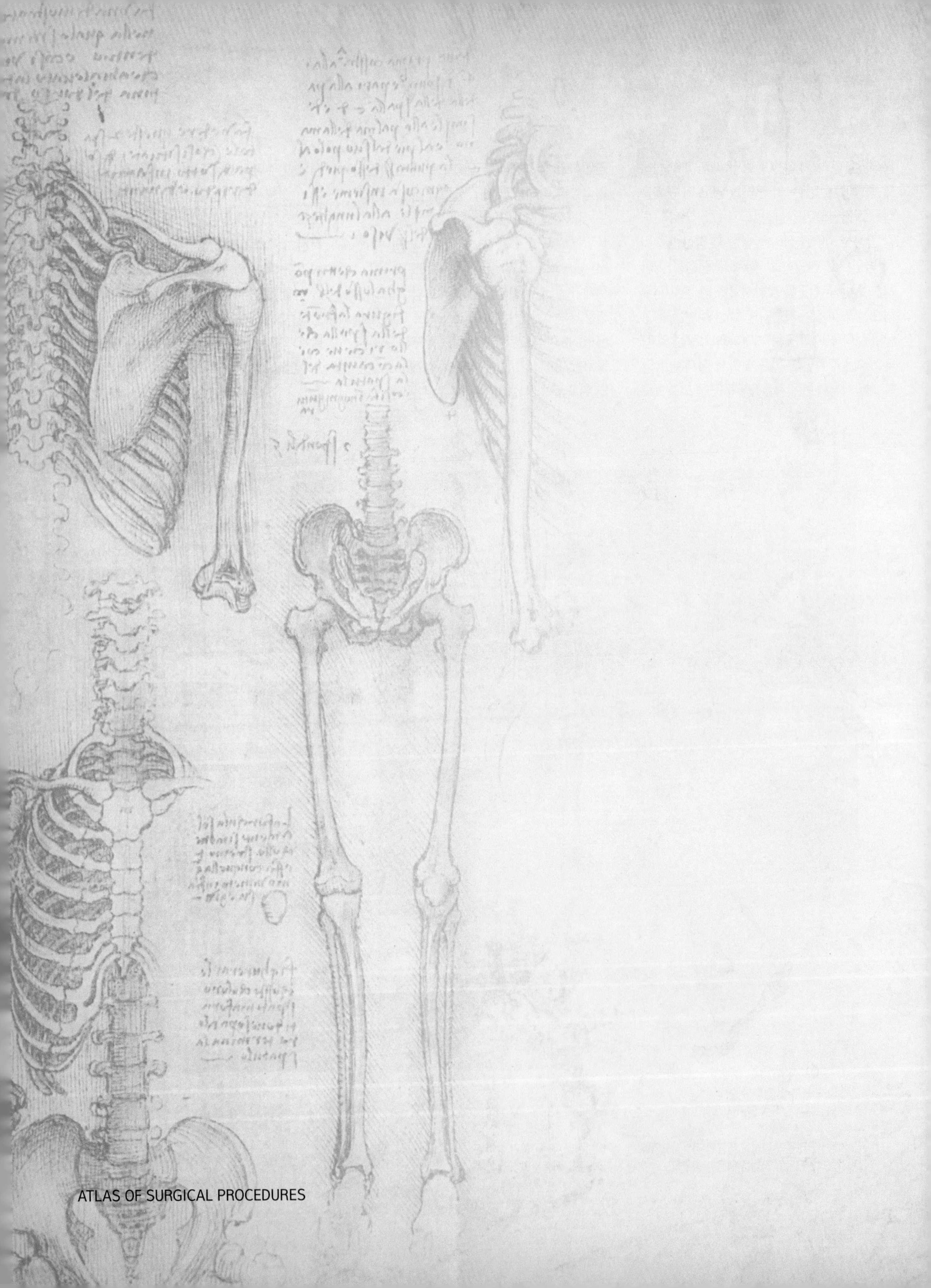

ATLAS OF SURGICAL PROCEDURES

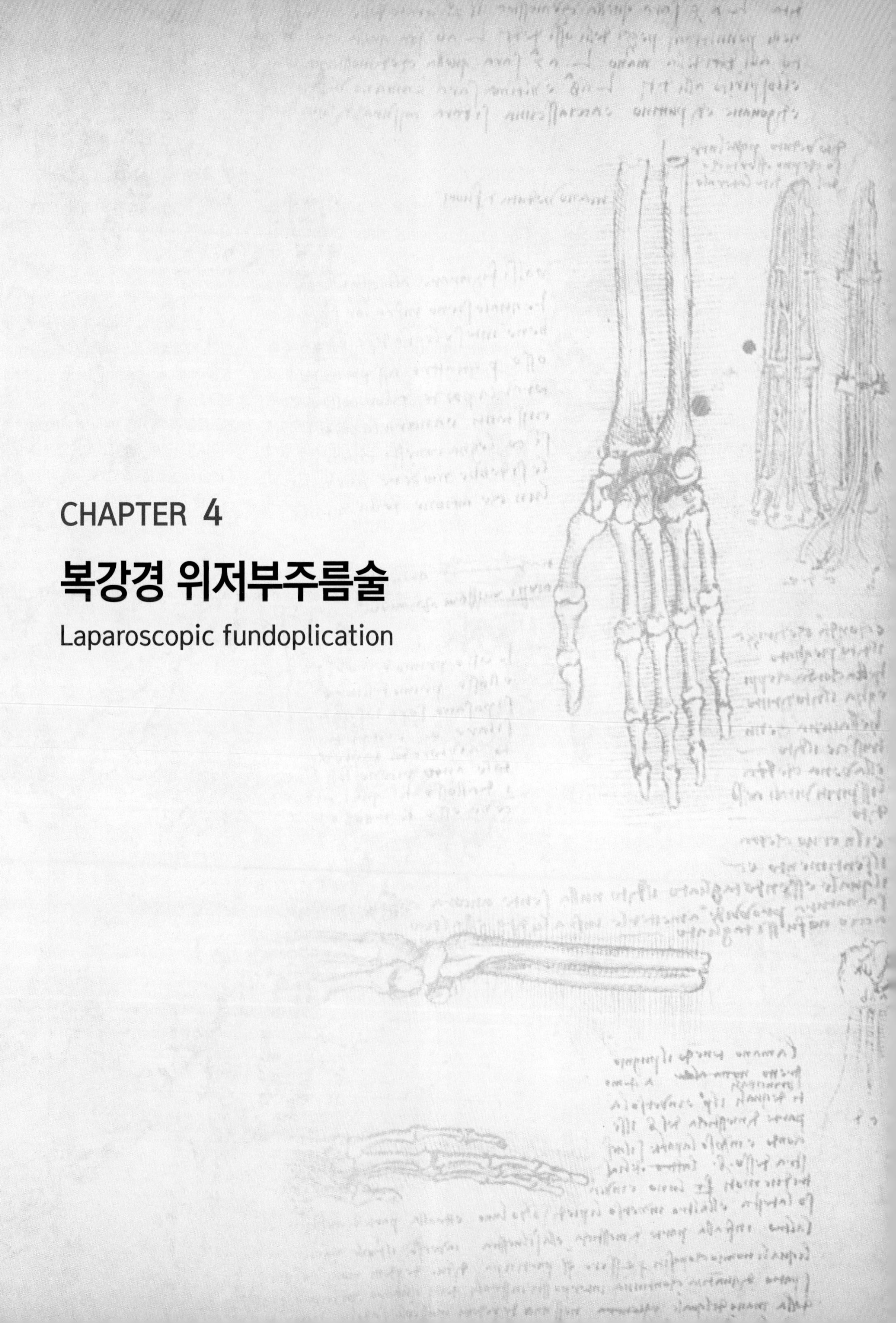

CHAPTER 4

복강경 위저부주름술

Laparoscopic fundoplication

1. 서론

위저부주름술(fundoplication)은 위저부를 이용하여 식도를 말아 위식도 접합부를 포장해주는 수술로 위식도역류를 방지하는 목적을 위해 주로 사용된다. 본문에서는 가장 흔하게 사용되는 Nissen 위저부주름술을 소개한다.

2. 적응증

- 약물치료 실패
- 장기간 약물치료가 필요한 경우 (젊은 나이 등)
- 위식도역류질환의 합병증이 발생한 경우 (바렛 식도, 협착증, 궤양 등)
- 환자가 약물치료에 비해 수술을 선호하는 경우
- 식도 외 증상이 있는 경우 (천식, 쉰 목소리, 기침, 기관지 흡인 등)
- 식도주위 열공탈장(paraesophageal hernia)이 존재하는 경우 (즉, 2형 및 3형 열공탈장)

3. 비적응증

- 전신마취 및 복강경수술에 대한 금기가 있는 경우
- 심각한 심폐질환이나 혈역동학적으로 불안정한 상태로 인해 수술이 어려운 환자
- 문맥압항진증

4. 수술 전 처치

위식도역류질환의 객관적 진단이 이루어져야 한다. 이완불능증(achalasia), 미만식도경련(diffuse esophageal spasm), 식도암 등 다른 질환과의 감별이 중요하다.
내시경, 24시간 보행 식도pH검사, 식도내압검사, 식도조영술 등을 통해 다른 질환을 감별하고 수술로 효과를 볼 수 있는 적합한 환자를 발견한다.

5. 마취

전신마취 하에 수술을 진행한다. 마취 후 52-French bougie를 환자의 입을 통해 삽입하도록 한다.

6. 환자자세

환자자세는 lithotomy position으로 수술대에 잘 고정한다. 수술대는 역트렌델렌버그 자세(reverse Trendelenburg position)로 하여 위식도 이하 내장이 복강 하부로 쏠리게끔 한다. 복강경 모니터는 환자 머리쪽에 위치하고 술자는 환자의 다리 사이에, 카메라를 잡은 scopist는 환자의 좌측 하방, 제1보조의는 환자의 좌측 상방에 위치한다.

7. 수술 준비

0° 혹은 30° 복강경 카메라, 투관침, 비디오 시스템을 준비한다.

8. 절개 및 노출

(그림 4-1)과 같이 5개의 투관침을 위치하도록 한다. 카메라를 넣는 A포트에는 10 mm 투관침을 Hasson technique을 이용하여 삽입한다.
B포트를 통해 삽입한 liver retractor를 이용하여 간좌엽을 들추고 식도열공을 노출시킨다. 술자는 C포트와 D포트를 주로 이용하여 수술을 진행하고 제1보조의가 E포트를 주로 사용한다.

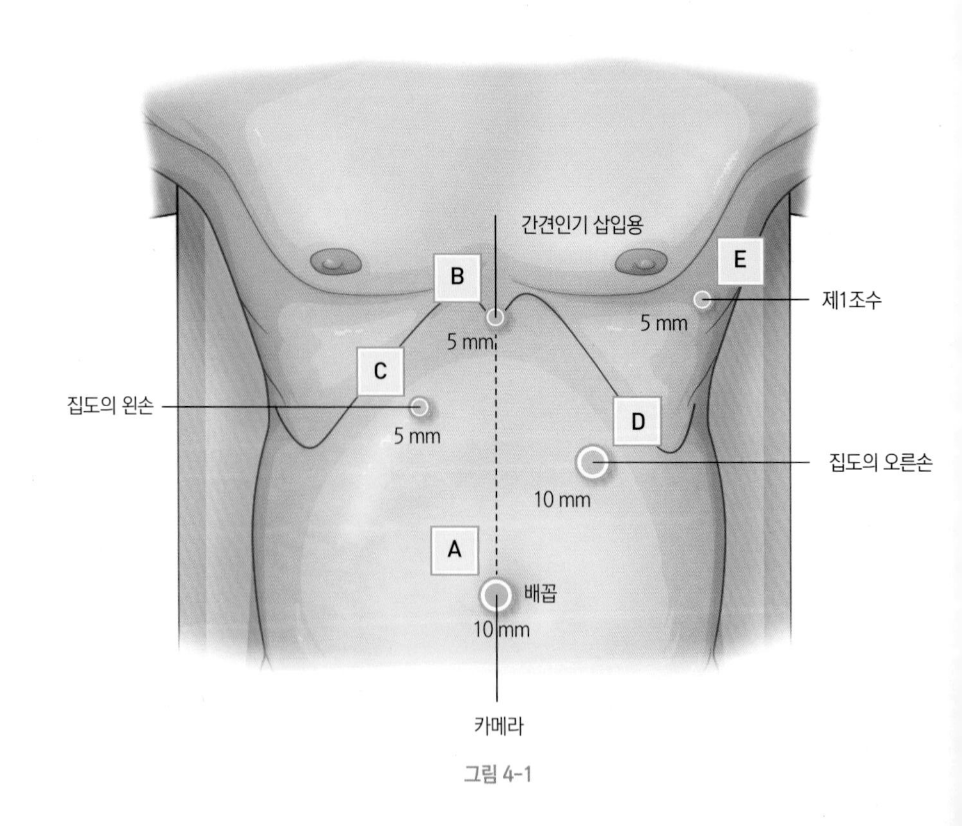

그림 4-1

9. 수술과정

제1보조의는 E포트를 통해 무손상집게(atraumatic grasper)를 삽입하여 위의 대만곡을 잡고 우하부로 당긴다. 소위혈관(short gastric vessels)을 대만곡으로부터 분리한다. 이때 초음파절삭기를 이용하여야 출혈이 적고 수술시간을 단축시킬 수 있다(그림 4-2).

횡격막의 좌각(left crus)에 도착하면 phrenoesophageal ligament를 좌각으로부터 분리하여 좌각을 아래 위로 완전히 노출시킨다. 소망(lesser omentum)을 절개하여 위의 소만(lesser curvature)을 노출하면서 횡격막의 우각(right crus)을 노출하면 좌각을 노출하였던 공간과 만나게 된다(그림 4-3).

이때 미주신경이 손상되지 않도록 매우 주의하여야 하기 때문에 미주신경의 hepatic branch, posterior vagal trunk, anterior vagal trunk를 확인하며 진행한다.

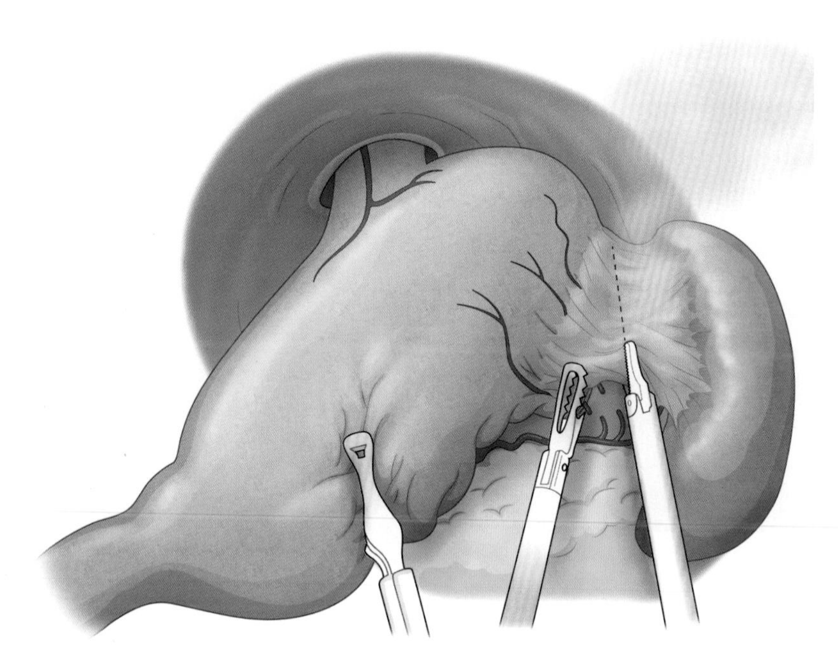

그림 4-2

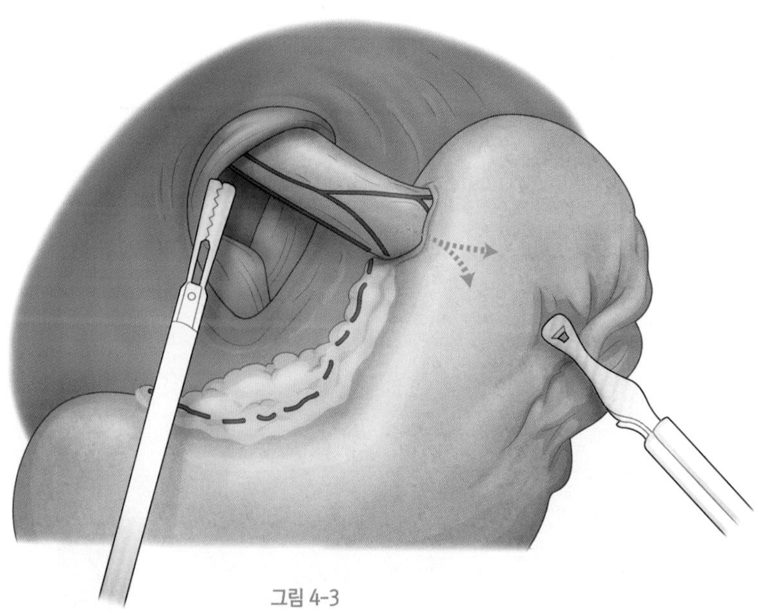

그림 4-3

복강내에서 식도 길이를 확보하기 위해 흉강내의 근위부 식도를 박리한다. 식도가 주변조직으로부터 완전히 분리된 후에는 Penrose drain나 나일론 테이프, 혹은 다른 기구 등을 E포트를 통해 넣어 식도를 감싸 앞쪽(anterior)으로 견인하여 열공의 후방(posterior hiatus)이 노출되도록 한다(그림 4-4).

52-French bougie가 여유 있게 통과할 수 있을 만큼의 식도 열공을 확보한 다음 비흡수성 봉합사를 이용하여 우각과 좌각을 한 바늘에서 두 바늘 정도 봉합하여 붙여 준다(그림 4-5, 6). 너무 좁게 하면 연하곤란이 발생할 수 있으므로 주의한다.

식도를 감싸고 있던 Penrose drain나 나일론 테이프 혹은 기타 수술 기구를 제거한다. 무손상집게(atraumatic forceps)를 사용하여 위저부를 잡고 식도 뒤로 후방을 통하여 식도를 감싸고 위저부 랩(fundic wrap)을 만드는데 이때 구두닦이 수기(shoeshine maneuver)를 이용하여 식도를 여유있게 감쌀 수 있는 적절한 크기의 랩(floppy wrap)을 확보한다(그림 4-7, 8).

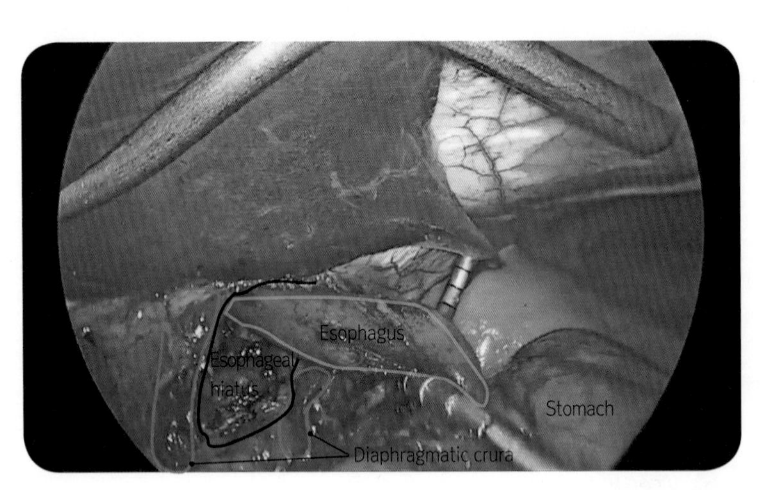

그림 4-4

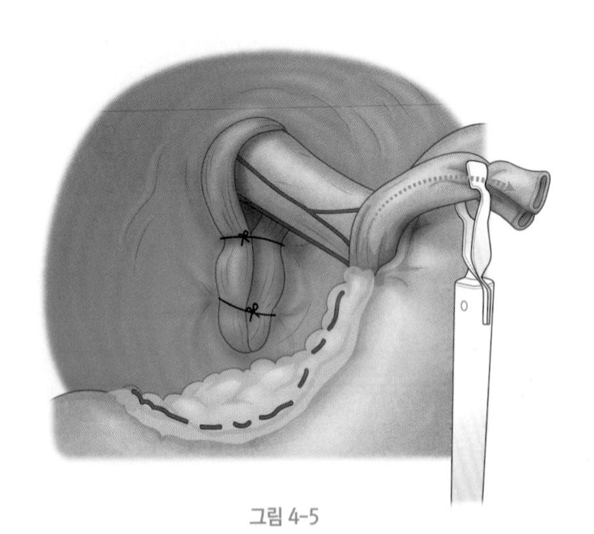

그림 4-5

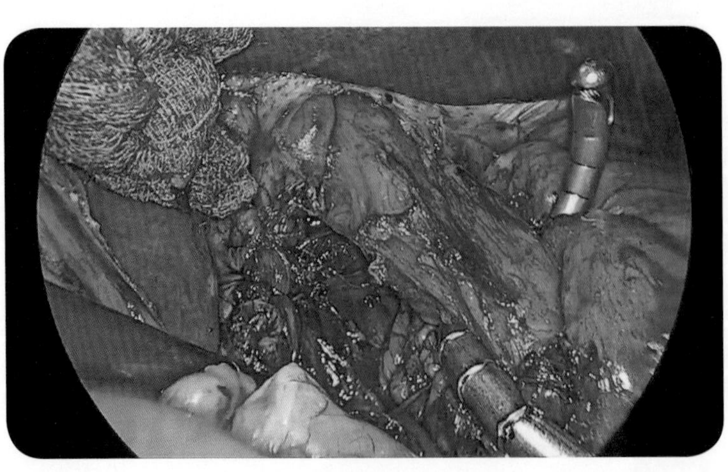

그림 4-6

52-French bougie

그림 4-7

3~4개의 봉합 매듭을 만들어 랩의 수직 길이가 2.5~3.0 cm 정도가 되게 한다(그림 5-9). 랩이 움직이지 않도록 좌우 횡격막에 고정시키거나 랩과 식도에 봉합매듭을 추가로 만들 수 있다(그림 5-10).

10. 폐복

Bougie를 제거하고 적절한 지혈을 마친 뒤 투관침을 제거한다. 10 mm 투관침을 사용한 부위는 비흡수성 봉합사로 근막봉합을 시행하고, 모든 투관침 삽입 부위는 흡수성 봉합사로 피부봉합 한다.

11. 수술 후 관리

특별한 이상이 없는 경우 환자들은 주로 수술 다음 날 퇴원한다. 수술 후 한 달 정도는 5 kg 이상의 무거운 물건을 들지 않도록 하고 한 달 내에 외래로 내원한다.

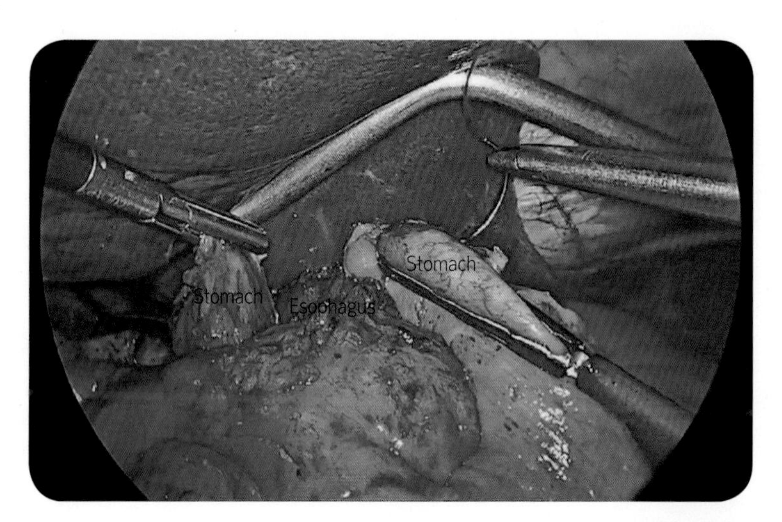

그림 4-8

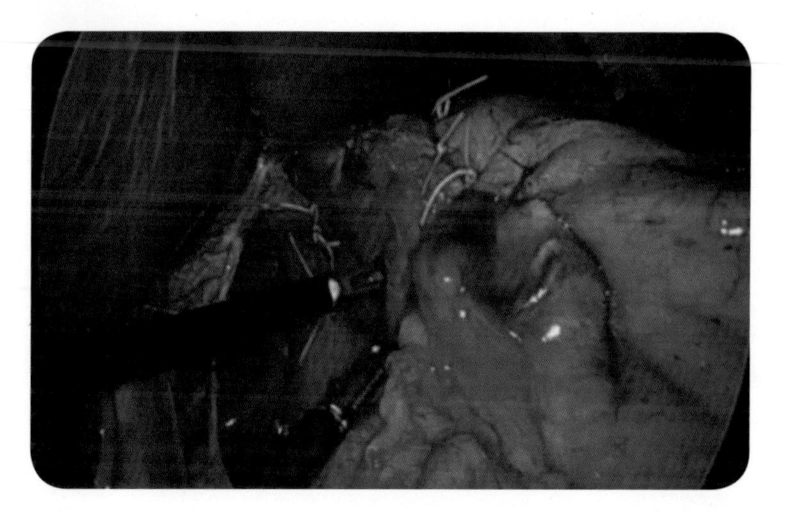

그림 4-9

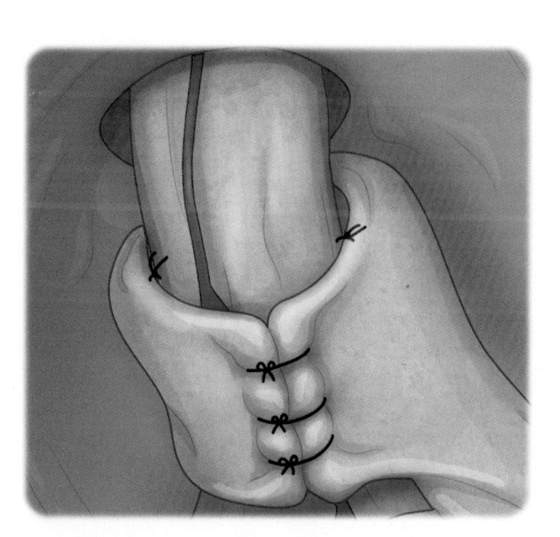

그림 4-10

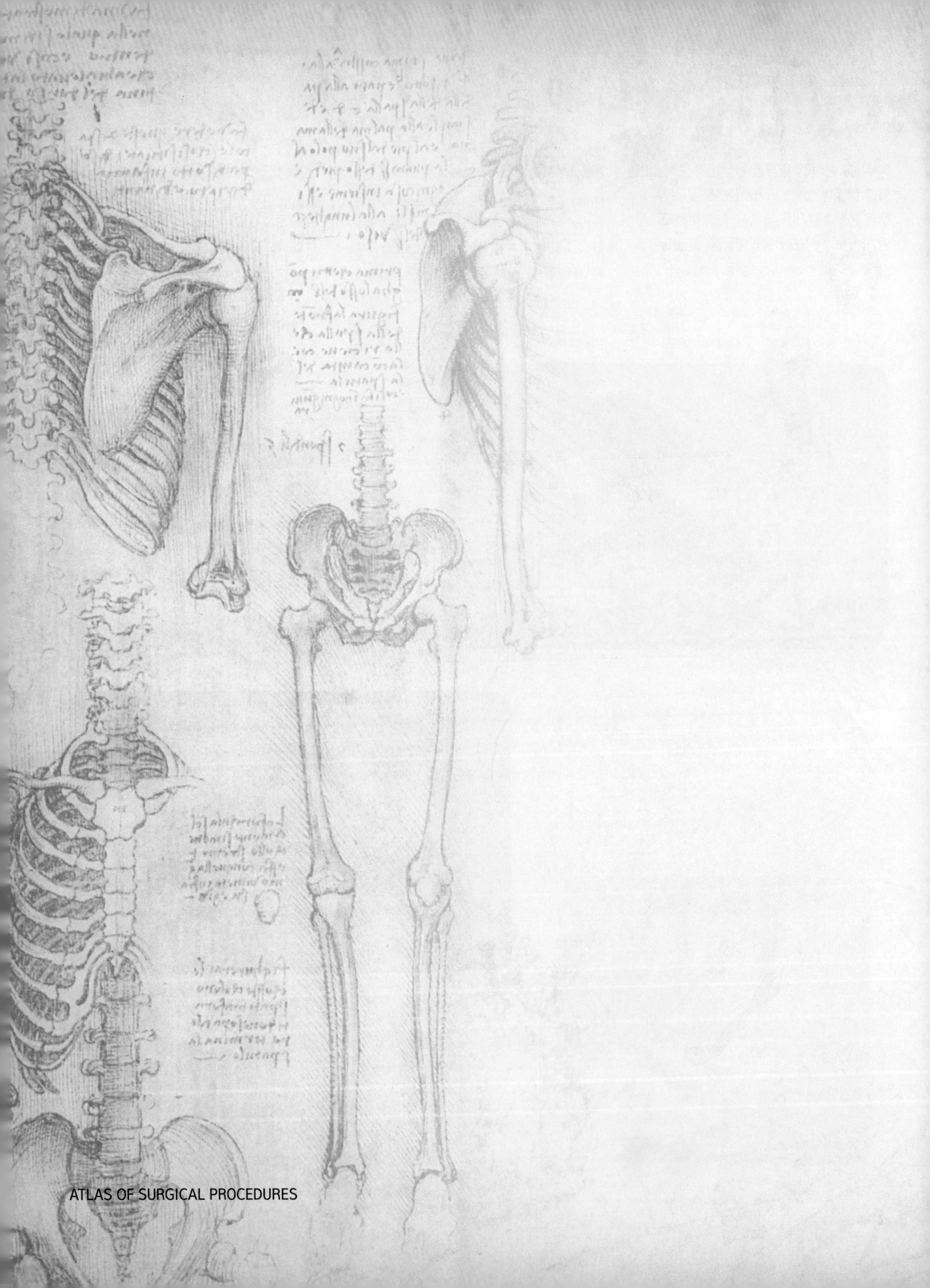

ATLAS OF SURGICAL PROCEDURES

CHAPTER 5

수술적 위조루술 및 경피 내시경하 위조루술

Surgical gastrostomy & percutaneous endoscopic gastrostomy (PEG)

I. 수술적 위조루술(Surgical gastrostomy)

1. 적응증

기본적인 적응증은 수술적 위조루술이나 내시경적 위 조루술이 같다고 할 수 있다. 최근에는 내시경적 위 조루술이 안전하게 많이 시행되고 있으므로 수술적 위 조루술은 두경부 혹은 식도의 악성종양으로 인한 폐색으로 내시경 혹은 방사선적으로 위 내강에 도달할 수 없는 경우 혹은 다른 수술을 진행할 때 같이 시행하는 정도로 국한이 된다. 일반적인 적응증은 의식수준이 떨어지거나 뇌졸중 및 치매 등의 신경학 적인 원인으로 경구 섭취가 어렵거나 흡인성 폐렴의 위험이 높을 때, 지속적인 비위관 흡입을 통한 위장관 감압이 필요할 때, 복부 수술 전 후 경구 영양이 어려운 환자에서 위장관 영양공급이 필요할 때, 식도 협착이나 식도암 등으로 식도 폐색이 있는 환자에서 임시적 또는 영구적 위장관 영양 공급을 위해 시행할 수 있다. 위조루술 유형으로는 임시적 위조루술(Witzel 및 Stamm 술기)과 영구적 위조루술(Janeway 및 그 변형 술기) 등이 있다.

2. 수술 전 처치

이전 탈수가 있다면, 충분한 수액공급으로 탈수 및 전해질 불균형을 교정해주고, 영양부족이 있다면, 거기에 따른 단백질 및 비타민 부족을 교정해 준다. 필요시 수혈이 필요할 수도 있다. 그 외에는 기본적 외과적 술기를 시행함에 있어서 필요한 것 이외의 특별한 준비는 필요하지 않다. 수술 전 항생제 투여는 하는 것을 추천하고 있다.

3. 마취

영구적 위조루술을 시행하는 환자에 있어서, 만성 적 전신 악화 상태로 인해 전신 마취가 불가능한 경우를 제외하고는 대게 큰 수술 후 상처 봉합 정도의 술기를 시행할 정도의 전신 마취가 필요하다.

4. 환자 자세

환자는 앙와위 자세에서 수술대에 잘 고정하고 머리가 발치보다 높게 하여 수축된 위가 늑골 하연 아래로 내려오게 한다.

5. 수술 전 처치

- 피부소독

6. 절개 및 노출

(그림 5-1) 만약 위조루술만 단독으로 시행한다면, 중복직근(midrectus) 왼쪽 상방에 작은 절개를 하고, 근육 박리를 통해 신경 손상을 최소화할 수 있도록 한다. 보통 환자들은 장기간 금식으로 인해 위가 수축되어 있고 올라가 있기 때문에 상방으로 절개를 하는 것이 좋다. 통상적인 임시적 위조루술은 좌측 늑골 하연 및 일차 절개창과 어느 정도 거리를 두고, 전벽이 긴장없이 복벽에 부착할 수 있는 곳에 좌상(stab wound)을 형성하여 시행한다.

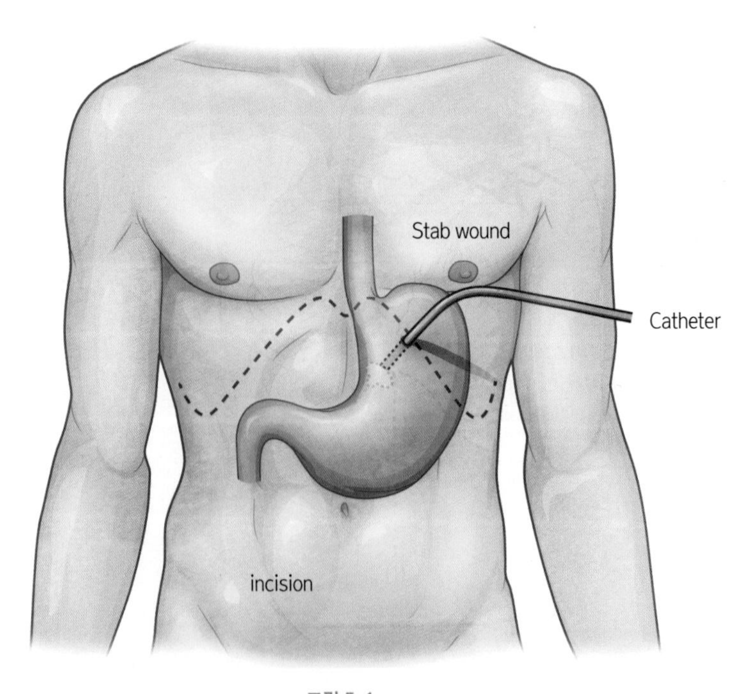

그림 5-1

1) Stamm 위조루술 (Stamm gastrostomy)

이 술기는 임시적 위조루술로써 가장 흔히 사용되어진다.

(그림 5-2) 우선 위 전중벽을 Babcock forceps로 잡고 복벽에 배치(overlying)시켜 정확한 위치를 찾는다.

(그림 5-3) 가위(scissor)나 칼(knife)을 이용하여 동맥출혈을 최소화할 수 있으면서 위의 장축에 직각이 되도록 위를 절개한다. 이후 16~18F 정도, 보통 크기의 버섯형 도관(mushroom catheter)을 이용하여 위 내강으로 10~15 cm 정도 위치시킨다. 이때 폴리형 도관(Foley-type catheter)을 사용하기도 한다. 봉합사를 이용하여 purse-string 봉합을 통해 지혈과 동시에 도관 주위로 위벽을 내번(invert) 시킬 수 있다.

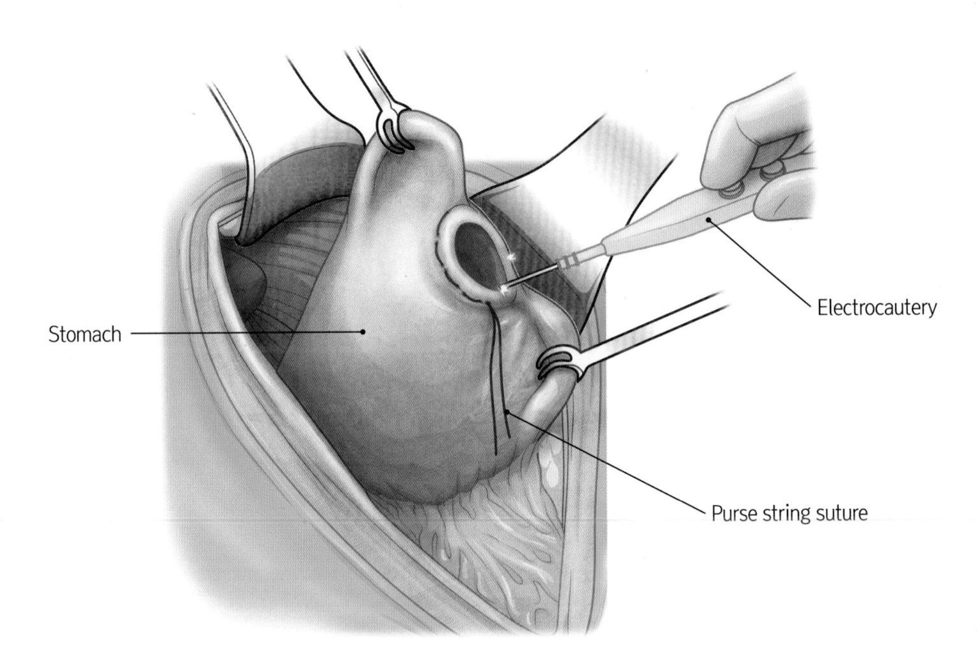

그림 5-2

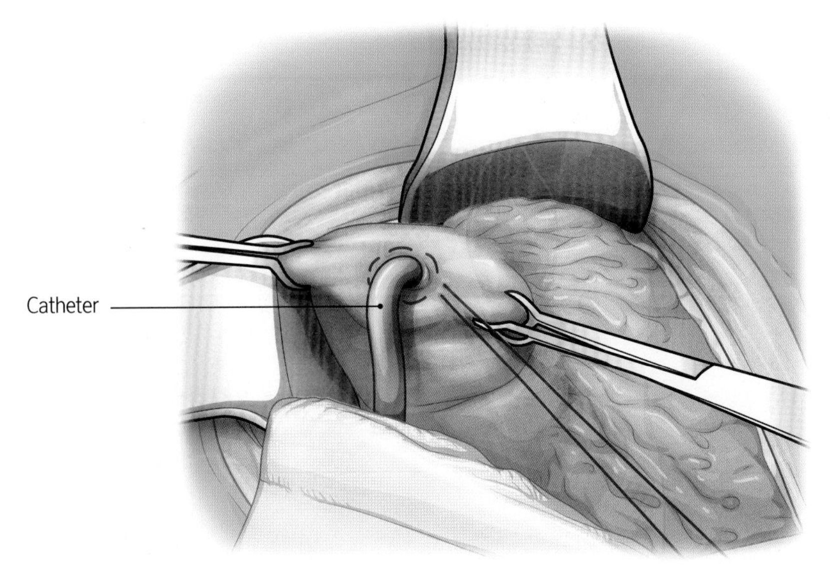

그림 5-3

(그림 5-6) 이러한 내번을 통해서 추후 도관 제거 후에 생기는 위벽의 개구부가 빠르게 폐쇄되는 것이 보다 확실해진다.
(그림 5-4) 좌상의 위치는 전복벽을 통해 나오는 도관의 위치를 고려하면서 일차적 절개창과 어느 정도 거리가 있는 곳에 정한다. 도관의 끝은 충분히 위를 확장시킬 수 있으면서 또한 위내용물을 효과적으로 배출시킬 수 있는 곳에 위치시킨다.
(그림 5-5) 봉합사를 이용하여 도관 주위의 위벽을 복벽에 고정(anchoring)시킨다. 때로는 추가적인 봉합이 필요할 수 있으나, 항상 봉합 후 위벽이 과도하게 긴장되지 않도록 주의한다.

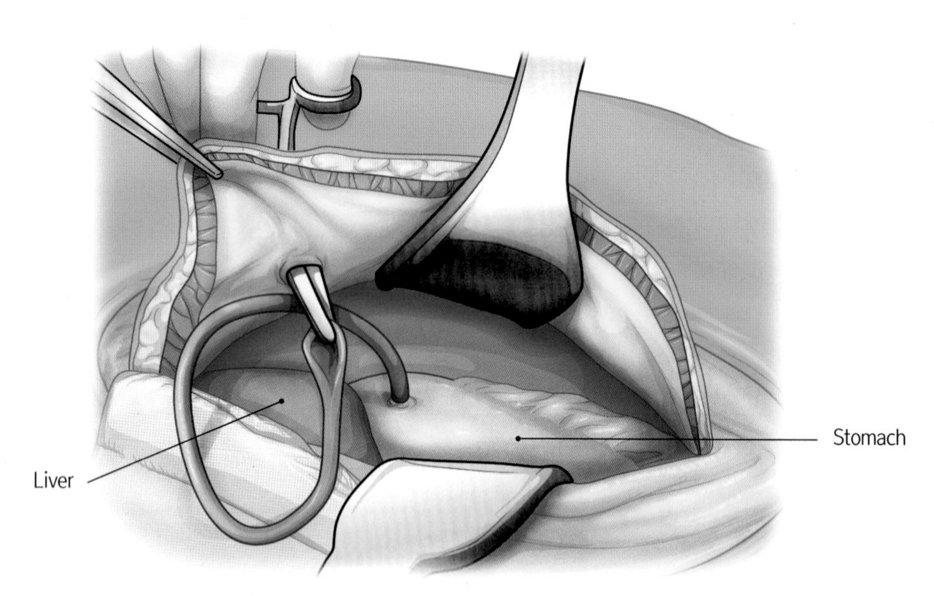

그림 5-4

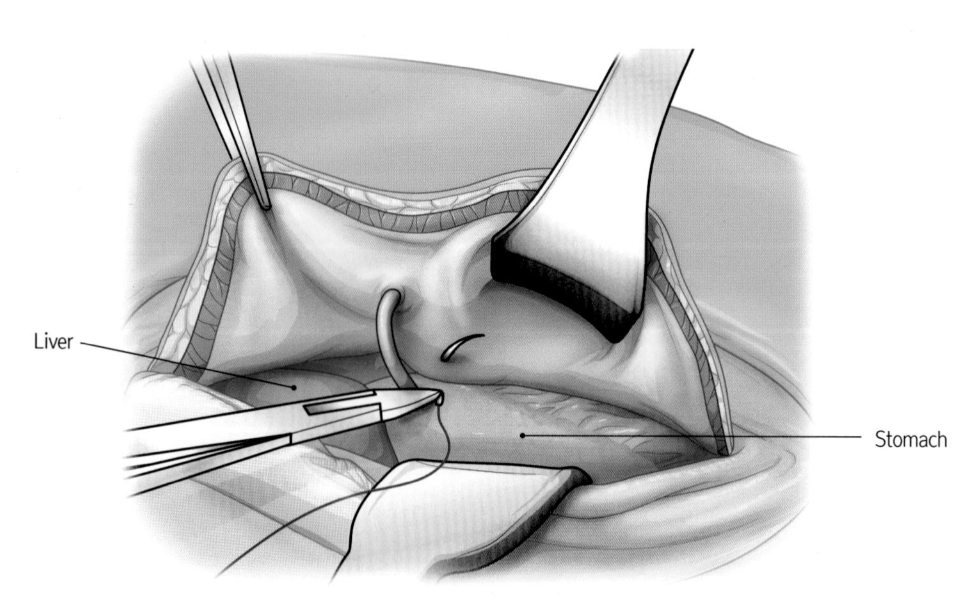

그림 5-5

(그림 5-6) 도관에 대한 위벽의 내번(inversion)과 복막에 위벽이 잘 밀폐된 그림을 보여주고 있다. 이때 도관은 정확히 곧게 위로 향해져야 하며, 복벽 피부에 비흡수성 봉합사로 안전하게 고정되어져야 한다.

2) Janeway 위조루술 (Janeway gastrostomy)

이 술기는 자주 사용되어지는 영구적 위조루술의 한 방법으로써 자극적(irritant) 위 내용물의 역류를 막고 도관의 이탈(inlying)을 방지하는데 효과적이다. 도관을 싸는 점막층을 피부에 고정(anchoring)시킴으로써 점막 개구부에서 시작되는 막힘 현상을 최소화하여 개방성(patency)을 유지시킬 수 있다.

(1) 수술 과정

(그림 5-7) 술자는 절개창을 통해 전복벽과 위와의 관계를 확인하고 Allis forceps으로 사각형 피판(rectangular flap)의 외형을 잡는다. 이 사각형 피판의 기저(base)는 최대한 위의 대만곡에 가깝도록 하여 충분한 혈액공급이 이루어지도록 한다. 피판은 절개 후 수축되기 때문에 피판으로 도관을 둘러싸고 양측을 연결하는 봉합을 시행하였을 때 긴장이 과도하면 혈액공급의 장애가 나타날 수 있다. 이러한 현상을 방지하기 위해 피판의 크기를 넉넉하게 만든다.

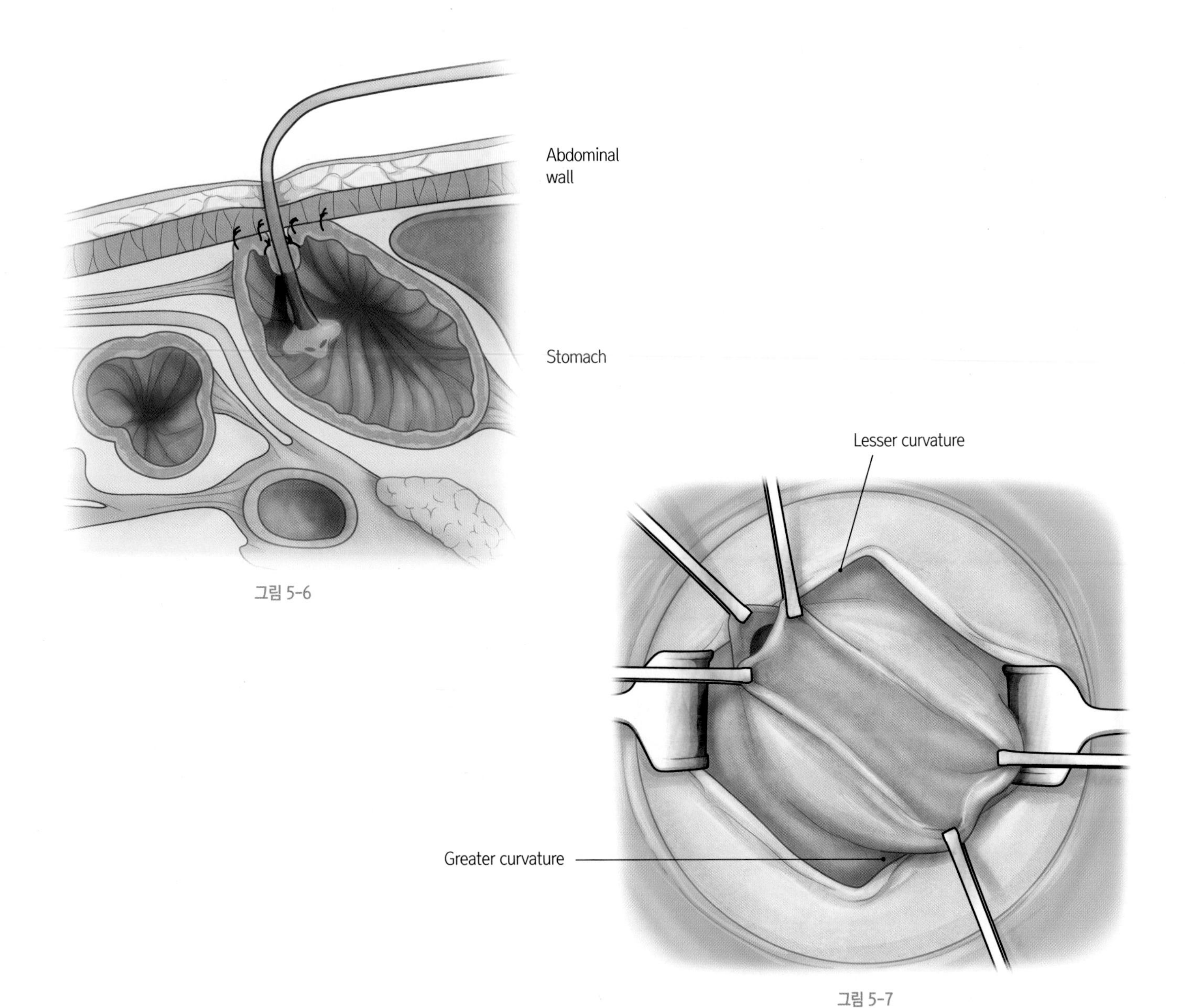

그림 5-6

그림 5-7

(그림 5-8, 9) 우선 소만곡에서 위의 장축과 평행한 방향으로 양 Allis clamps 사이로 절개를 시작하여 대만곡에 방향으로 위를 가로질러 양측(either side)으로 절개를 연장(extending)하여 사각형 피판을 만든다. 이때, 수술 부위의 위와 아래를 길고 곧은 장겸자(long, straight enterostomy clamps)로 잡아서 출혈을 막고 위 내용물에 의한 오염(soiling)을 방지한다. 다음으로 피판을 외번시켜 아래로 당긴 후 도관을 피판의 내부 표면을 따라 위치시킨다. 점막층은 연속봉합(continuous suture) 혹은 단속봉합(interrupted suture)한다.

(그림 5-10, 11) 장막하층 및 장막층을 포함하는 바깥층은 흡수사로 연속봉합 하거나 실크로 단속봉합한다. 도관에 대한 위의 원뿔모양의 입구가 완성되면, 추가적 봉합을 시행하여 위전벽을 복막에 고정한다. 때론 위(장)관

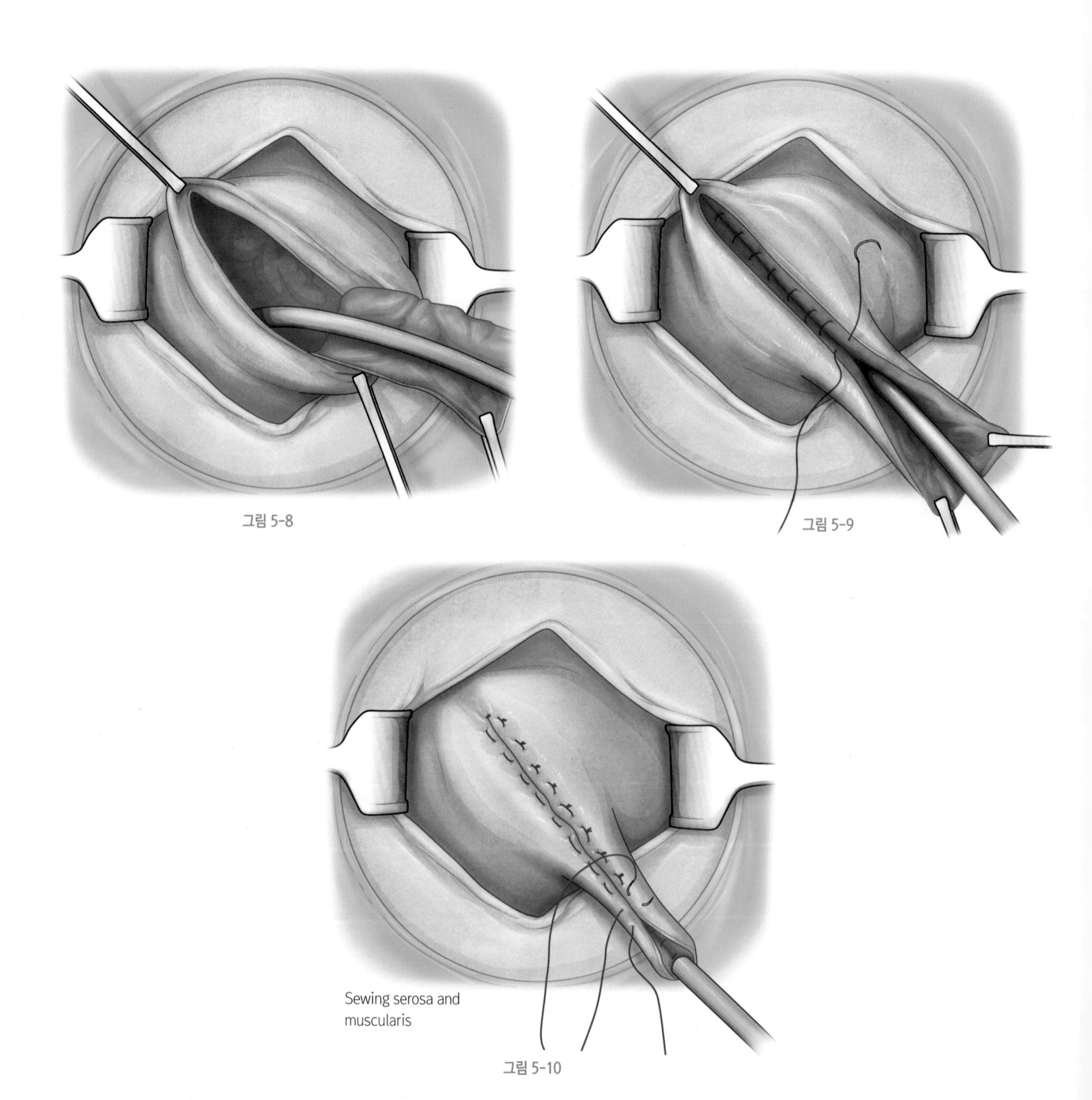

그림 5-8

그림 5-9

그림 5-10

(gastric tube: gastroplasty)을 자동 봉합기를 이용하여 만들 수 있다.

(그림 5-12) 위벽낭을 피부 표면으로 옮긴 후에 도관 주위로 복막을 봉합한다. 때론 도관을 주절개창 왼쪽으로 좌상을 내어 빼내기도 한다. 절개부위는 근막봉합을 시행한 후 피부봉합을 시행하고 도관주위 점막을 피부에 몇 번의 봉합으로 고정(anchor)한다.

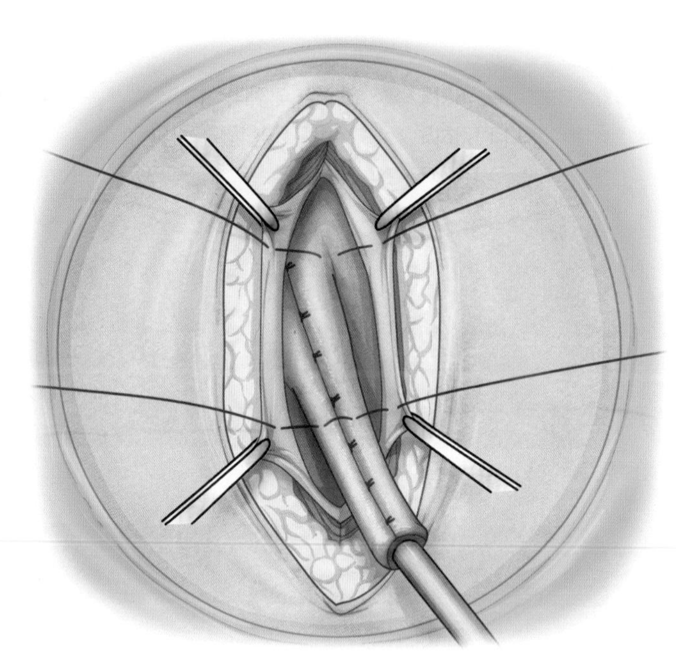

그림 5-11

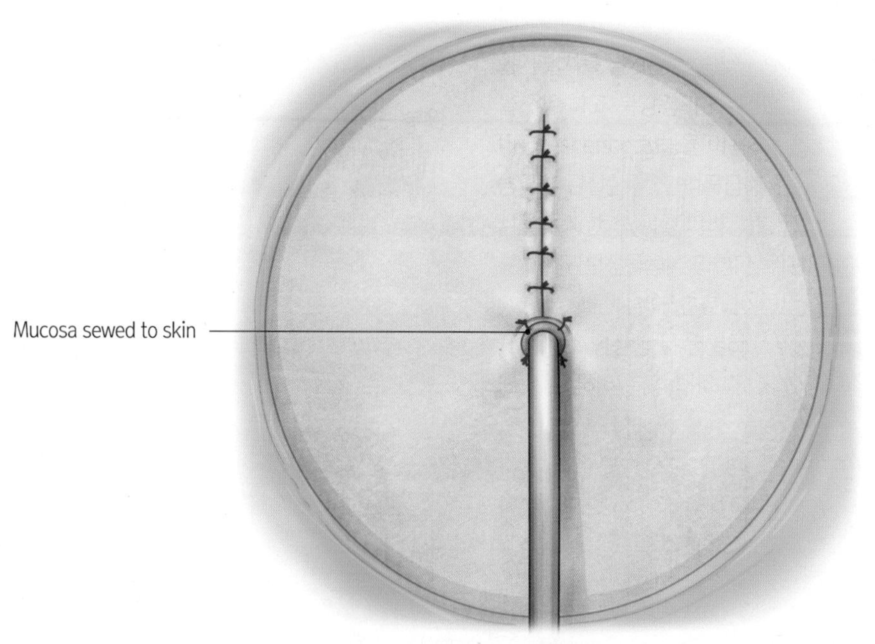

그림 5-12

3) 복강경하 Janeway 위조루술 (Janeway gastrostomy)

최근 복강경 및 복강경용 자동봉합기의 사용이 빈번해 지면서 복강경으로 시행하는 Janeway 술식을 소개한다. 투관침을 3개에서 4개 사용하여야 한다는 단점이 있지만 자동봉합기를 이용함으로써 수술 시간을 단축시킬 수 있다는 장점이 있다.

(그림 5-13) 좌상복부의 위장루 위치에 작은 튜브가 진입할 수 있는 절개창을 만들고 이를 통하여 튜브를 복강내로 넣고 위장의 하부 체부의 전벽에 튜브를 넣을 수 있는 천공을 만들고 이 전공을 통하여 근위 대만부 전벽으로 튜브를 밀어 넣는다. 이후 자동봉합기를 이용하여 튜브를 둘러싼 위 전벽으로 위장 튜브를 만든다.

(그림 5-14, 15) 만들어진 위장 튜브의 말단에 봉합사로 고정을 하고 위장루 창상을 통하여 겸자를 이용하여 복벽을 통과시켜 위치시킨다.

(그림 5-16) 조성된 위장 튜브 전층을 피부에 봉합한다.

(그림 5-17, 18) 위장튜브 내강으로 위장루 튜브를 삽입한 후 고정한다.

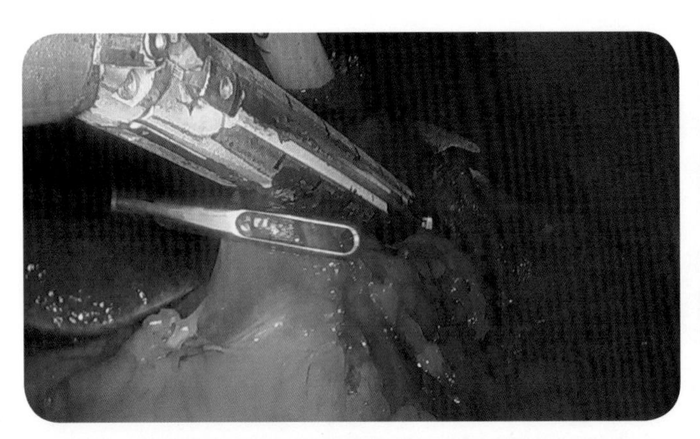

그림 5-13

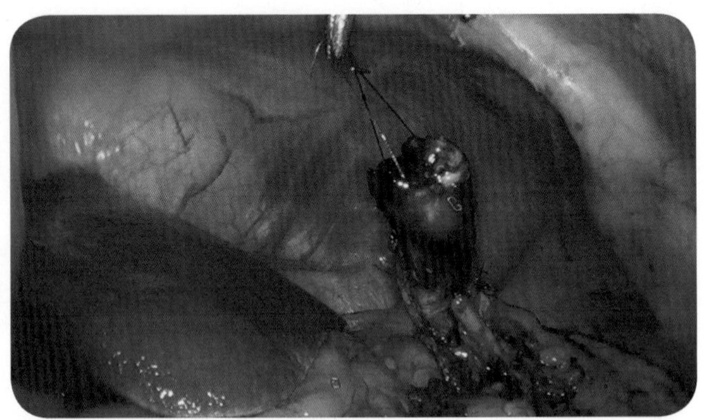

그림 5-14

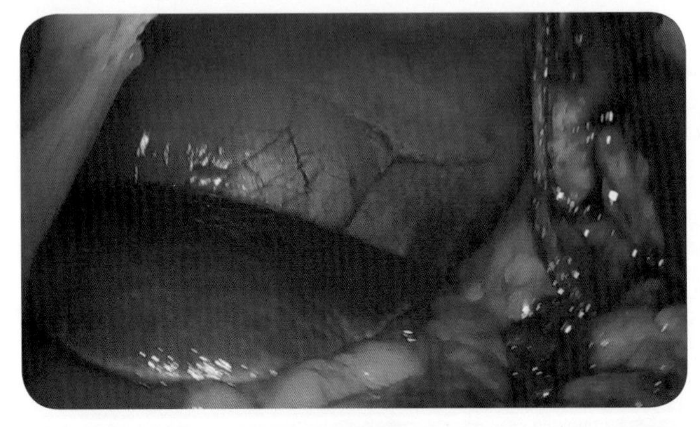

그림 5-15

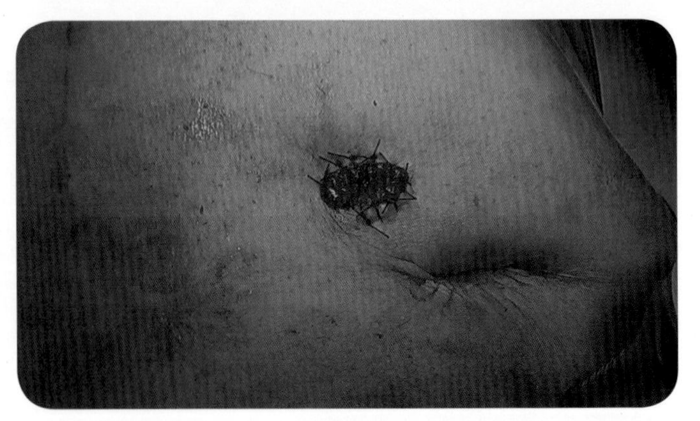

그림 5-16

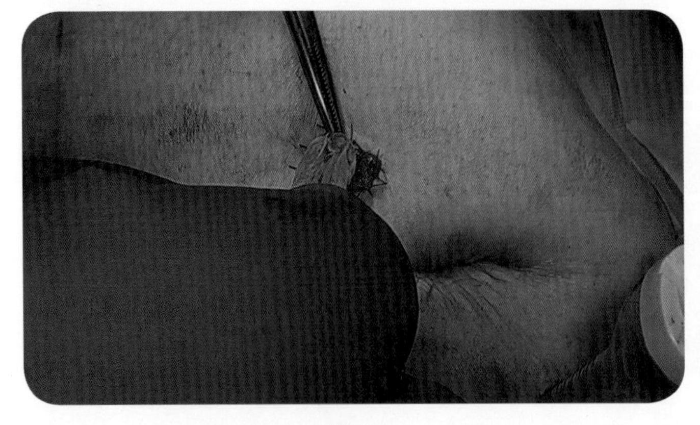

그림 5-17

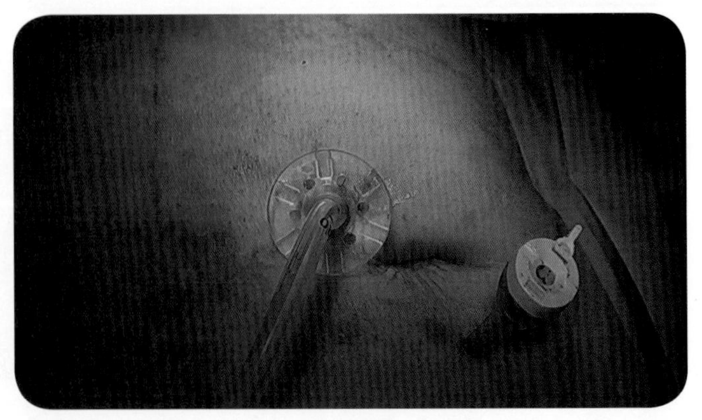

그림 5-18

II. 경피 내시경하 위조루술(Percutaneous endoscopic gastrostomy, PEG)

1. 적응증

전술 한 바와 같이 위조루술 시행이 필요한 환자에서 개복 없이 경장영양이나 위 감압이 필요할 때 시행한다.

이 시술은 내시경적 시술이기에 내시경이 무리없이 통과해야 하며, 위가 충분히 확장된 상태에서 위 내강이 확인되어져야 가능하다. 복수가 있거나, 응고장애, 복강 내 감염은 이 시술의 상대적 금기증이다.

2. 수술 전 처치

일반적인 위조루술 시행정도의 준비를 하고, 어느 정도 금식이 되어있다면, 비위관 삽입을 통한 위감압은 필요하지 않다. 시술 중 도관이 위를 뚫고 나올 때 복강 내를 오염시키는 것을 고려하여 시술 전 예방적 항생제를 투여한다.

3. 마취

내시경 통과에 필요한 비인두 국소마취를 시행하고, 도관이 통과될 복벽에 국소마취를 시행한다. 필요하다면, 정맥 주사를 통한 진정(IV sedation)이 필요할 수 있다.

4. 환자 자세

앙와위 자세에서 머리를 약간 올린다.

5. 수술 준비

가능한 작은 내시경을 사용하고 내시경이 안전하게 위 내강으로 들어간 후에 무균적으로 복벽을 도포(drape)한다.

6. 수술 과정

(그림 5-19) 내시경적 시술 동안 필요시 조직학적 검사를 시행한다. 우선 공기를 통해 위를

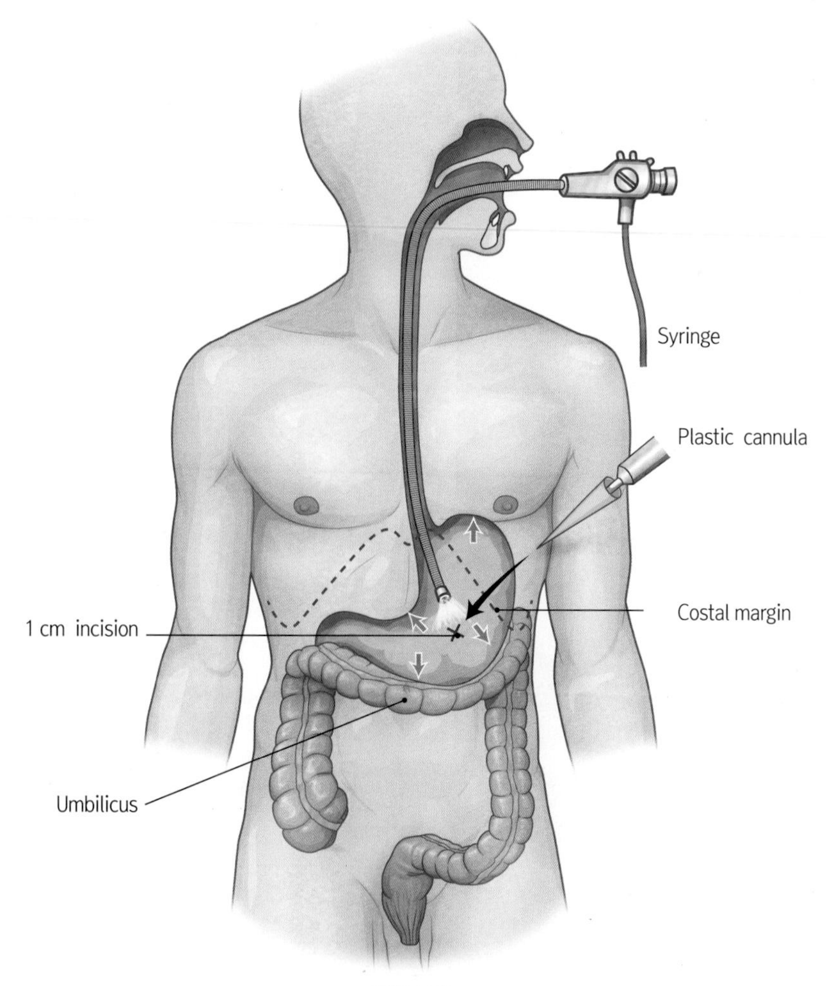

그림 5-19

충분히 팽창시킴으로써 대장을 아래쪽으로 내리고 가능한 넓은 부위의 위전벽을 복벽에 밀착시킬 수 있다. 보통 도관을 통과시킬 지점은 좌측 늑골하연과 배꼽 연결선의 1/2 지점을 선택하는데 내시경 끝(tip)의 투과조명(transillumination)을 이용하여 정확한 위치를 파악할 수 있다.

보통 수술방의 조명을 어둡게 하면 투과조명이 더 선명해진다. 환자가 마른 경우는 내시경 끝이 만져지기도 한다.

(그림 5-20) 국소마취 후에 피부에 1 cm 절개창을 만든다. 내시경 시술자가 위 내강을 보는 가운데 16-gauge 부드러운 점감 삽입관(smoothly tapered cannula)을 절개창을 통해 복벽과 위벽을 관통시켜 위 내강에 위치하게 한다. 이 과정을 최대한 빨리 진행함으로써 위벽이 복벽과 이탈되는 것을 최소화할 수 있다. 삽입관을 통해 길고 굵은 실크 혹은 나일론 봉합사를 내강 쪽으로 넣으면, 내시경 시술자가 올가미(snare)로 봉합사를 단단히 잡고 환자 입으로 꺼낸다.

(그림 5-21, 22) 가늘어지는 끝을 가진, 안쪽 가로대가 있는 dePezzer 도관이나 PEG 도관을 긴 봉합사에 단단히 묶는다. 필요하다면, 이들 도관 끝을 감쌀 수 있는 점감 플라스틱 삽입관을 이용할 수도 있다. 이때 봉합사와 도관과 그 부속장치에 무균의 윤활제를 충분히 발라 주도록 한다. 복벽 쪽에서 긴 봉합사를 부드럽게 당겨 도관과 부속장치가 식도를 통해 내려오 게 한 후 위벽과 복벽을 통해 배 밖

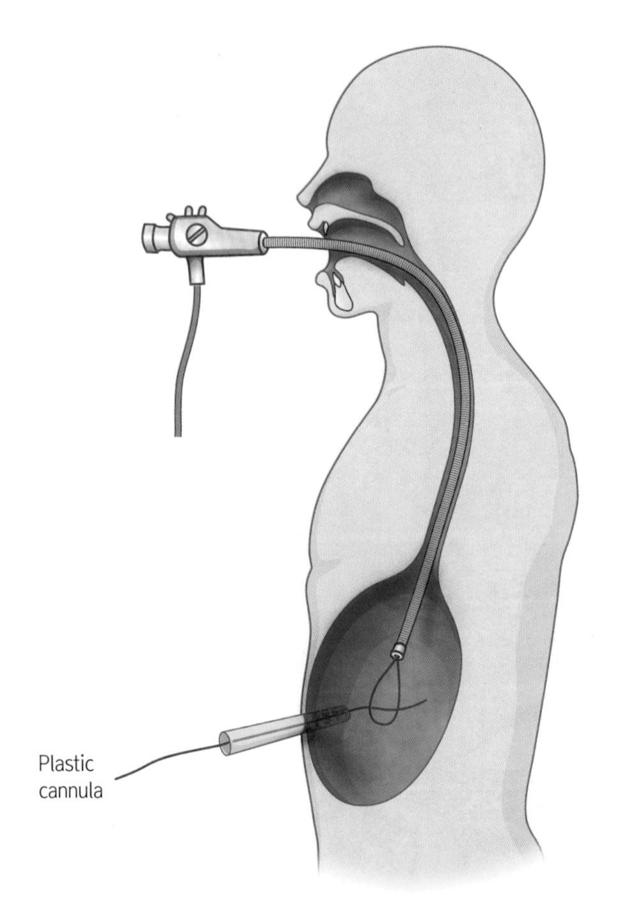

그림 5-20

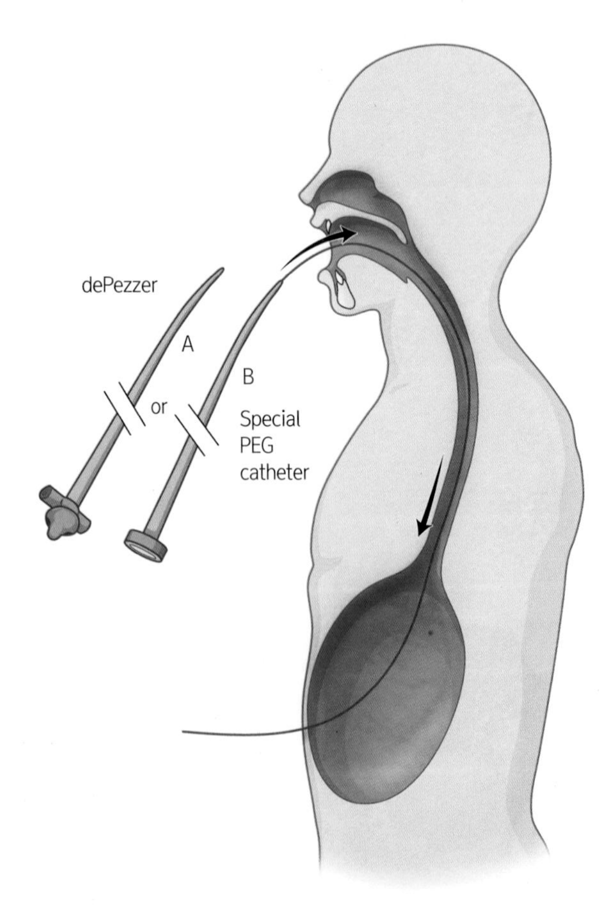

그림 5-21

으로 안전하게 나오도록 한다.

(그림 5-23) 내시경을 다시 삽입하여 안쪽 가로대가 정확한 위치에 놓이는 지 확인한다. 바깥쪽 가로대 혹은 고리를 도관에 장착하고 비흡수성 봉합사로 피부에 봉합함으로써 도관을 안전하게 고정할 수 있다. 작은 절개창은 개방된 상태로 두고 감염되지 않도록 소독한다.

7. 수술 후 관리

(그림 5-24, 25) 시술 후 4주가 지나면 절개창이 단단히 치유되고 위가 전복벽과 결합하게 되면 위조루길(open gastrostomy tract)이 생기게 된다. 이때 기존 도관을 실라스틱 보철물(silastic prosthesis)로 대체하면 된다.

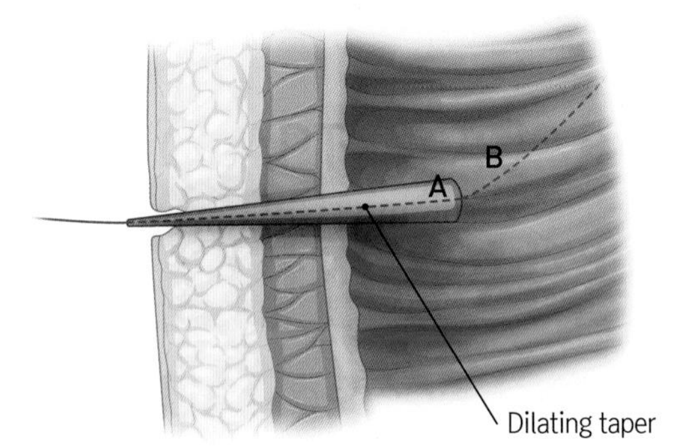

그림 5-22

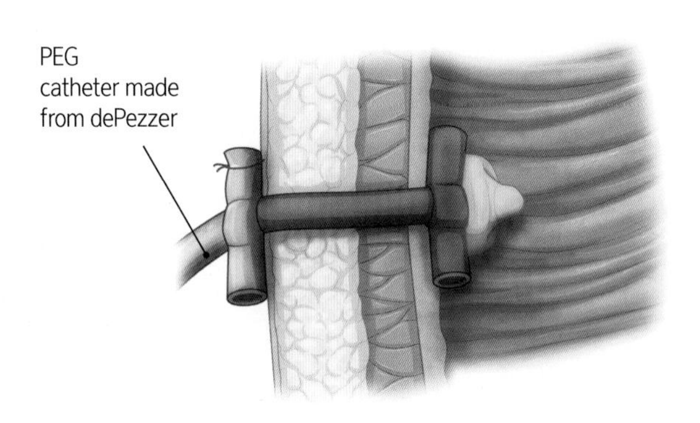

그림 5-23

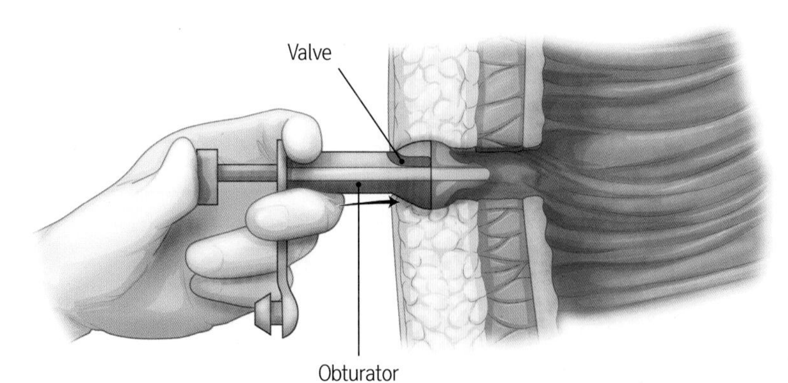

그림 5-24

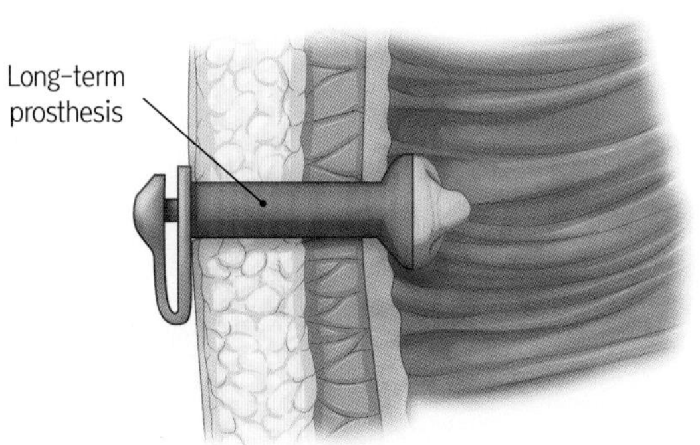

그림 5-25

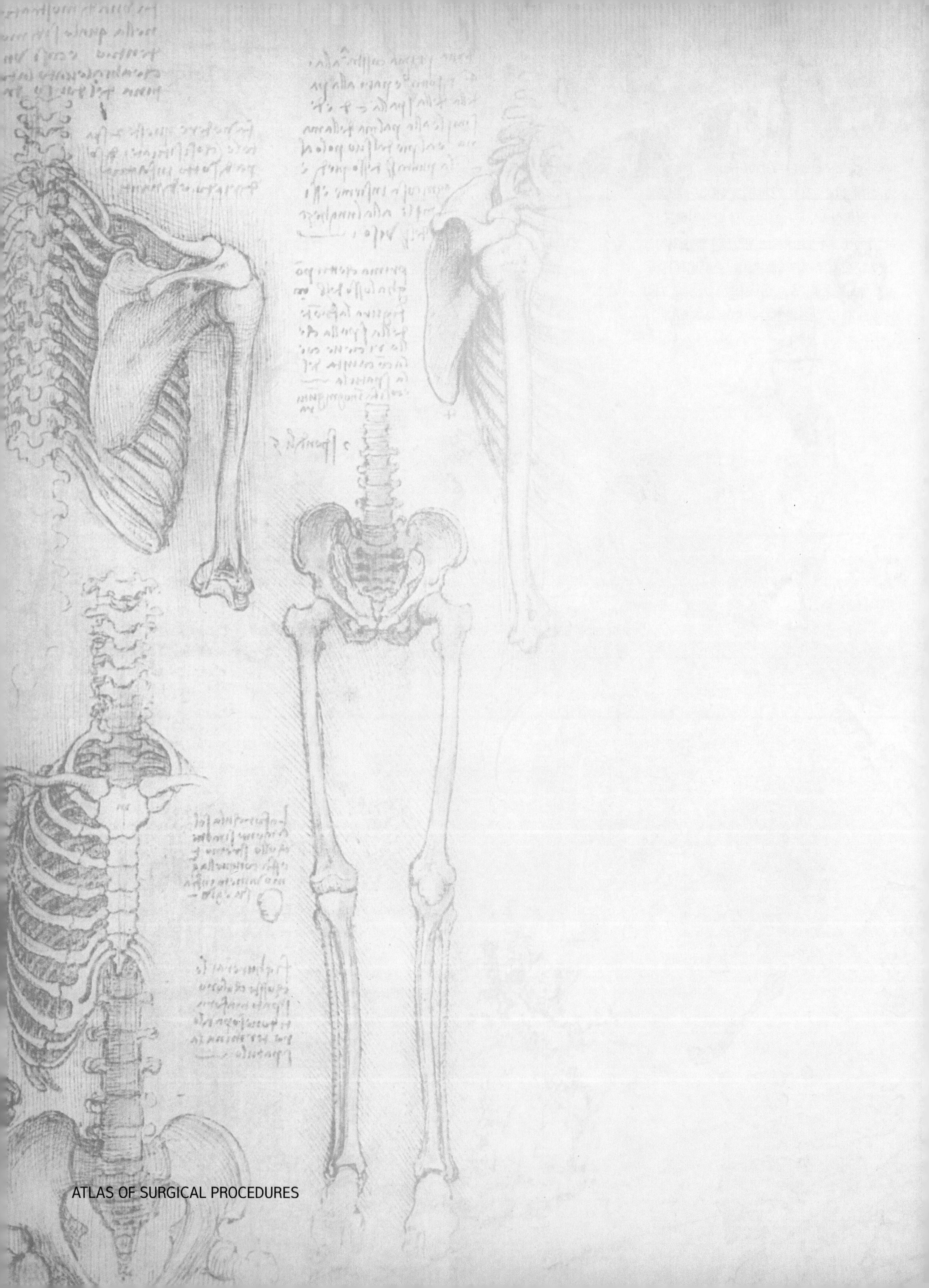

ATLAS OF SURGICAL PROCEDURES

CHAPTER 6

위공장문합술

Gastrojejunostomy

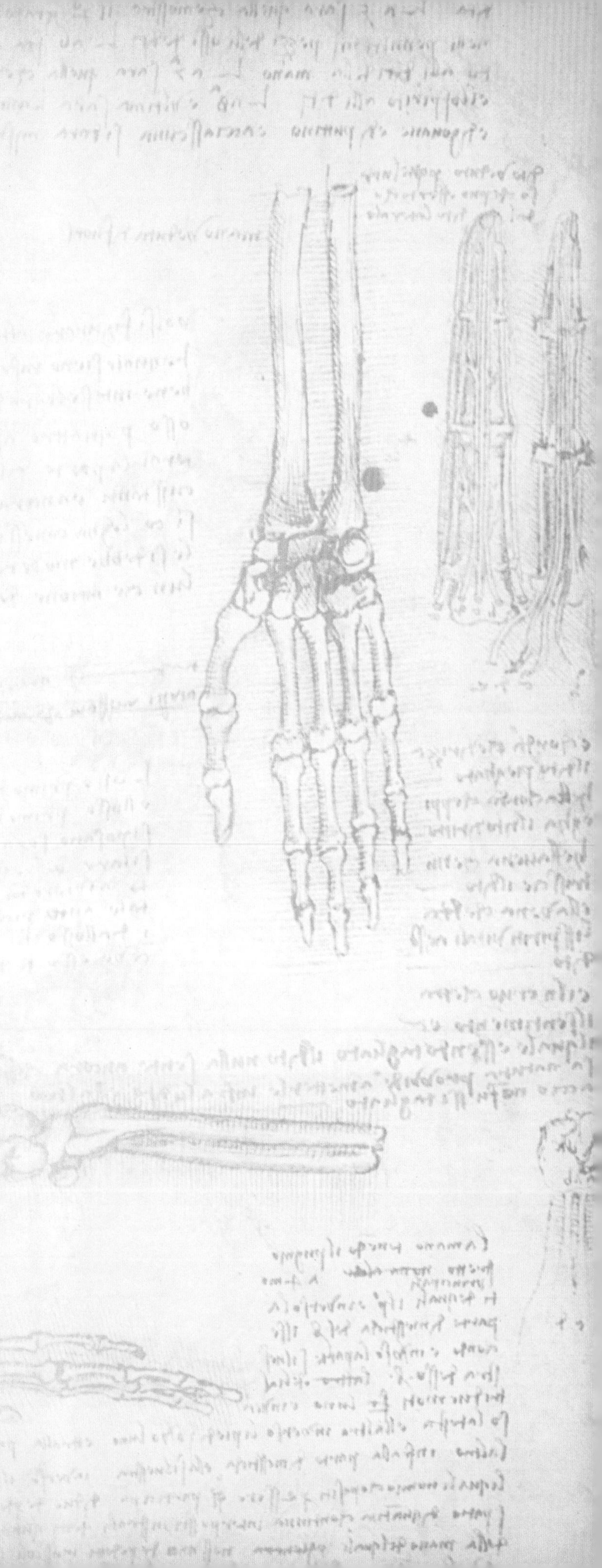

1. 적응증

위아전절제술 후 및 폐쇄증상을 동반한 절제 불가능한 원위부암의 우회술

2. 수술 전 처치

유문부 폐쇄의 심한 정도에 따라 수술 전 비위관 삽입 및 위 내용물 흡입한다.
빈혈, 영양상태에 대한 적절한 평가로 수술 전 교정을 한다.

3. 환자 자세

환자는 앙와위 자세를 취하되 복강경 수술 시에는 환자의 두부를 높인다.

4. 절개 및 노출

개복 수술 시 복부 정중절개를 시행하고 복강경 수술 시 카메라와 기구가 들어갈 수 있도록 수 개의 투관침을 복부에 삽입하여 중앙부 카메라 시야에서 수술자가 환자의 오른쪽에서 문합을 시행한다.

5. 수술 과정

개복문합 및 복강경문합의 경우의 사진이다(그림 6-1~22). 개복문합(Open method)의 경우 실을 이용하여 수기로 봉합하는 방식(Hand-sewn)과 기구를 사용하는 방식(Stapler)으로 나누어서 기술하고, 복강경문합(Laparoscopic method)의 경우 기구를 사용하는 방식(Stapler)을 기술한다.

1) 개복 시 수기문합 (Open, hand-sewn method)

위와 공장사이에서 장막근층을 봉합한다(hand-sewn, interrupted seromuscular)(그림 6-1, 2).
위-공장 문합면에서 위와 공장 각각 0.5 cm 떨어진 부위에 선상(linear) 절개 노출시킨다. 위-공장 문합면에 접한 위, 공장전층을 연속봉합(continuous)한다. 위-공장 문합부위 뒤쪽 면이 완성된다.
(그림 6-3, 4) 위-공장 문합부위 양쪽 끝단에서부터 시작해서 가운데에서 만나도록 전층을 연속봉합(continuous)한다. 위-공장 문합부위 앞쪽 면이 완성 된다.
(그림 6-5) 마지막으로, 위-공장 문합부위 앞쪽 면을 보강 봉합(Lembert)을 시행하여 마무리한다.

2) 개복 시 기구를 이용한 문합 (Open, stapler method)

(그림 6-6) 진행성 위암으로 위공장문합술이 필요한 경우의 사진(모식도)이다.
위의 대만 부위와 공장(Treitz lig. 20 cm 소장 부위)이 위공장문합술에 사용된다.
(그림 6-7) 위공장문합이 이뤄지는 위, 공장 각각의 시작과 끝 지점에 실크를 이용하여 잡아둔다.
(그림 6-8) 위의 대만부 전면과 공장(Treitz lig. 20 cm 소장 부위)에 각각, 문합을 위한 작은 구멍을 만든다(isoperistaltic). 이 경우 횡행결장 앞부분(antecolic)에서 이뤄지는 위공장문합술이다.

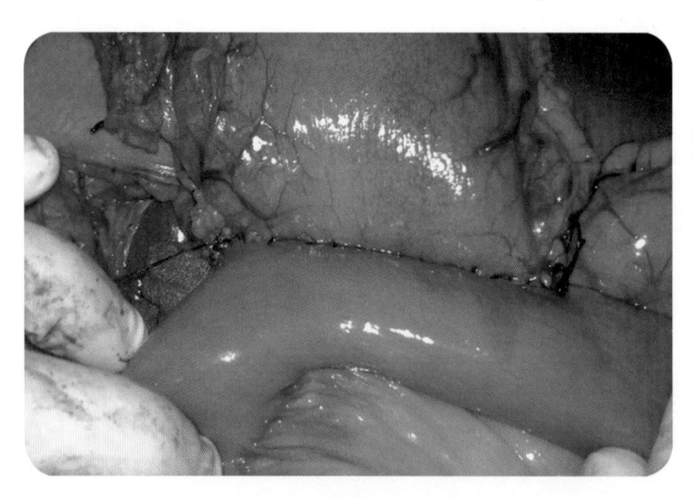

그림 6-1

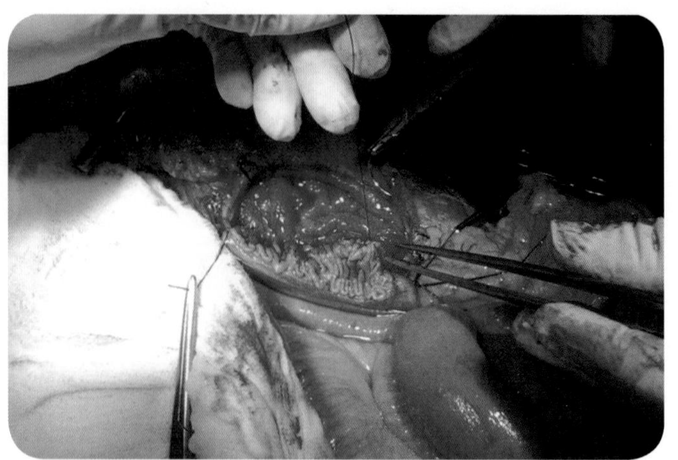
그림 6-2

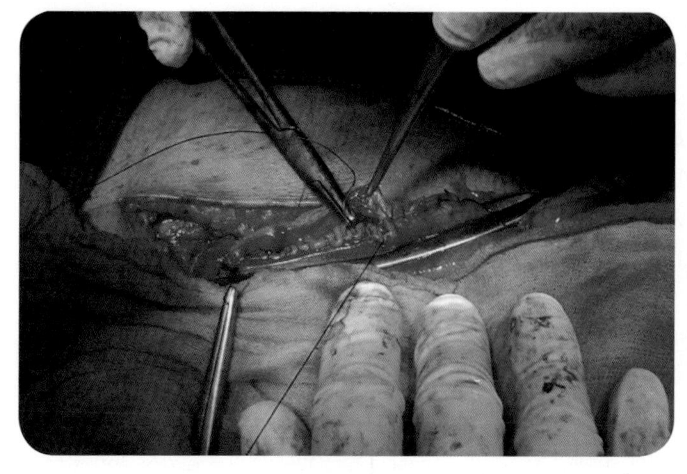
그림 6-3

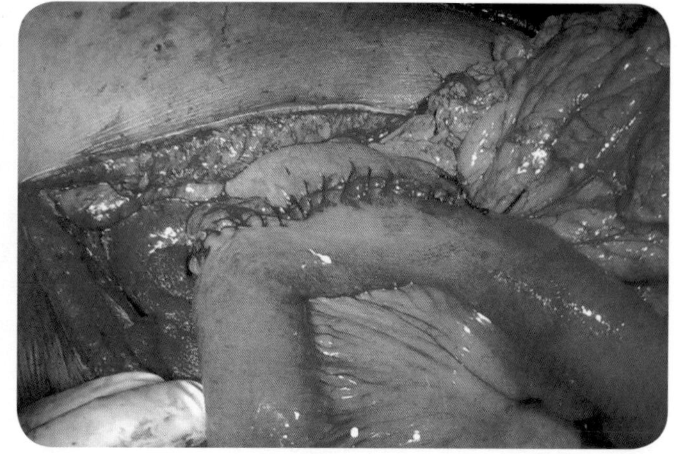
그림 6-4

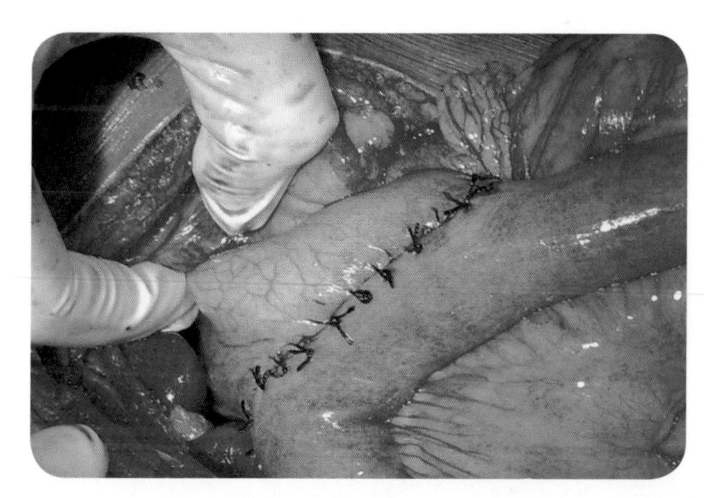
그림 6-5

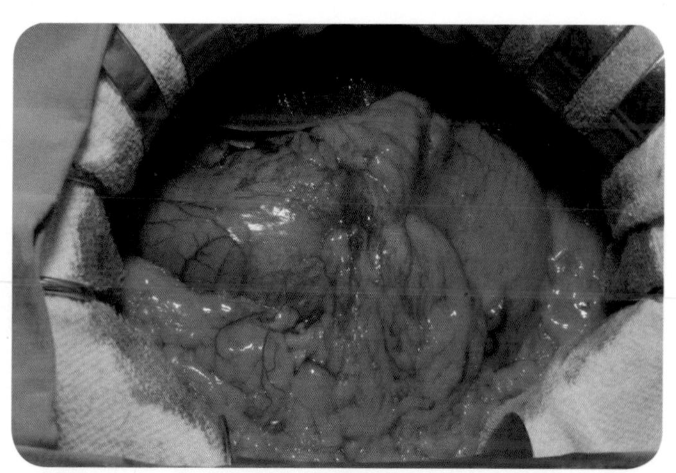
그림 6-6

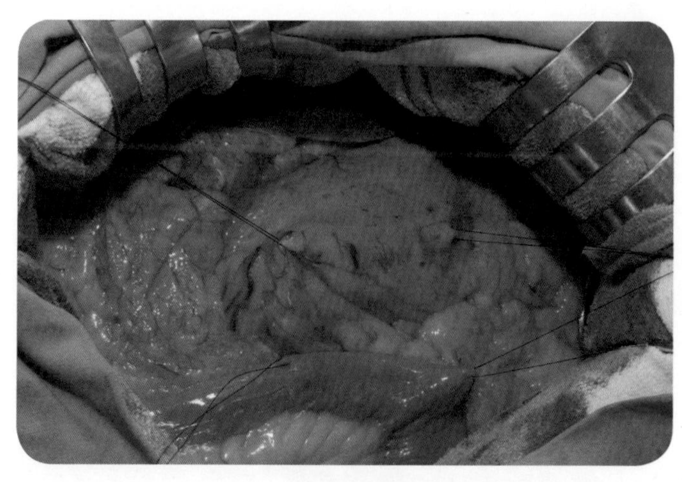
그림 6-7

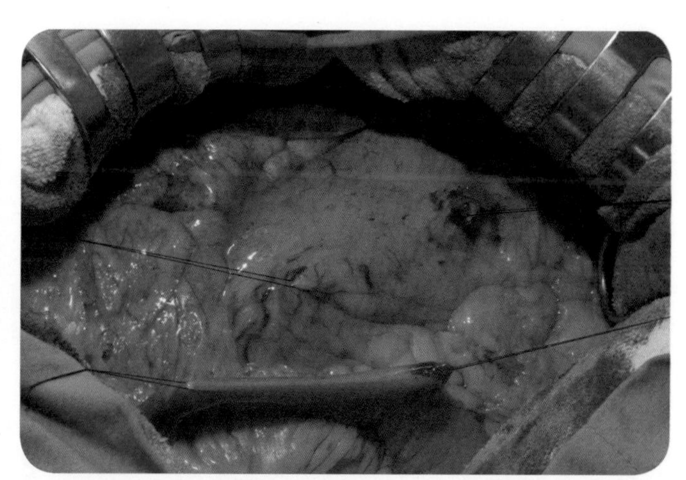
그림 6-8

(그림 6-9) 장 문합기구(GIA55)를 이용하여 위, 공장 각각의 작은 구멍에 집어넣어, 기구가 끝까지 들어가게 위치시킨다.

(그림 6-10) 장 문합기구(GIA55)를 작동시켜, 위공장문합의 내강 연결을 한다. 각각 따로 있던 위, 공장의 작은 구멍은 하나의 큰 구멍으로 된다.

(그림 6-11) 하나의 큰 구멍이 된 부위에, 장 문합기구(GIA55)를 작동방향의 수직 방향으로 몇 군데 단순봉합을 한다. 위공장문합 부위의 원위부에 한 군데 봉합을 시행한다.

(그림 6-12) 큰 구멍 부위에 몇 군데 단순봉합을 한 실크를 들어올려, 장 절단기(TA60)를 이용하여 큰 구멍부위를 봉합한다.

(그림 6-13) 장 절단기(TA60) 사용 후, 큰 구멍이 봉합된 모습이다.

(그림 6-14) 장 절단기(TA60) 사용 부위와 위공장문합원위부 각각에 대하여 보강 봉합(Lembert suture)을 시행한다. 위공장문합술 완성 모습이다. 출혈 부위에 대한 세심한 지혈 후 배액관을 넣지 않고, 복벽 봉합을 시행하여 수술을 마무리 한다.

3) 복강경 기구를 이용한 문합 (Laparoscopic stapler method)

(그림 6-15) 복강경 위 절제 후 남은 위의 후벽 좌측 상부에 전기 소작기를 이용하여 문합을 위한 작은 구멍을 만든 후 박리기구를 이용하여 확인한다.

(그림 6-16) 위공장문합을 위한 공장에도 전기 소작기를 이용하여 구멍을 만든 후, 복강경 문합기가 들어갈 수 있도록 복강경 기구로 넓힌다.

(그림 6-17) 복강경 자동문합기의 두 면 가운데 끝이 두꺼운 카트리지 부위를 소장구멍에 끝까지 밀어 넣고 빠지지 않도록 자동문합기를 닫은 상태에서 위 후면으로 이동시킨다.

(그림 6-18) 문합기를 벌려 위 후면 구멍에 자동문합기 남은 반대쪽 면을 끝까지 밀어 넣은 후 다시 문합기를 닫고 기계를 작동시켜 내강을 연결하는 문합을 시행한다.

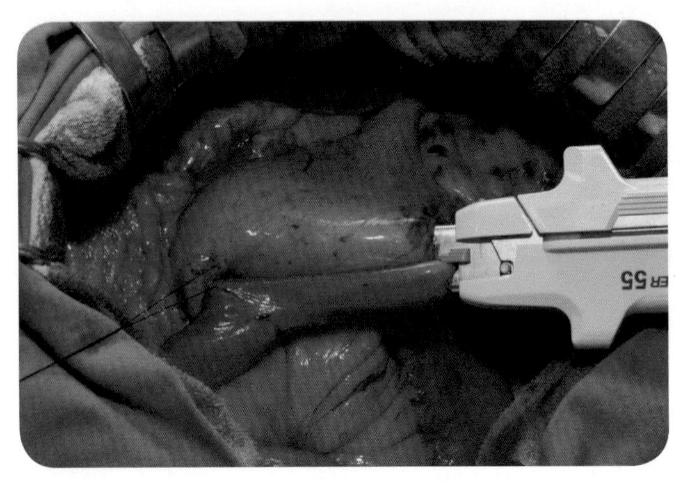

그림 6-9

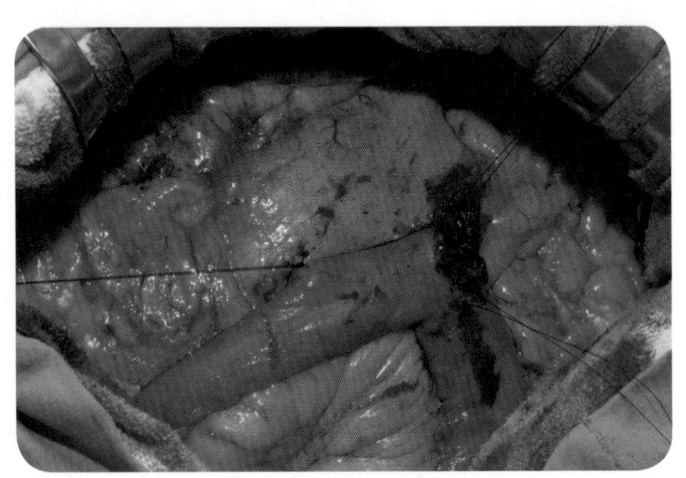
그림 6-10

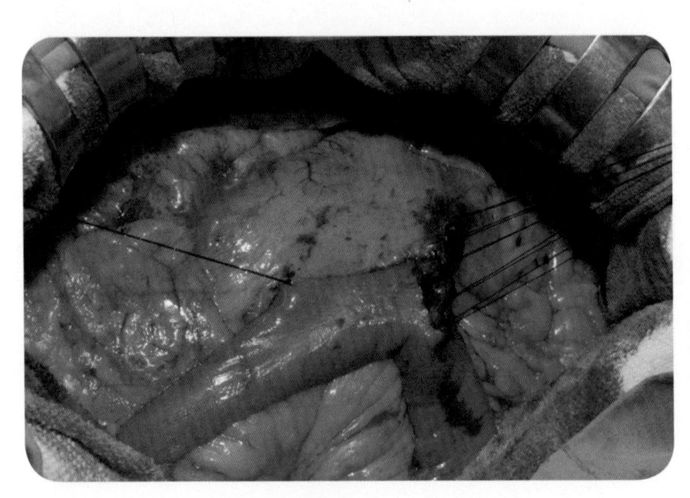
그림 6-11

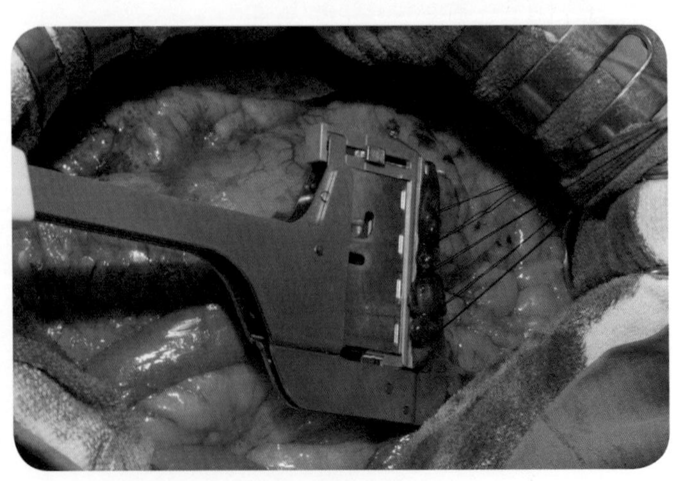
그림 6-12

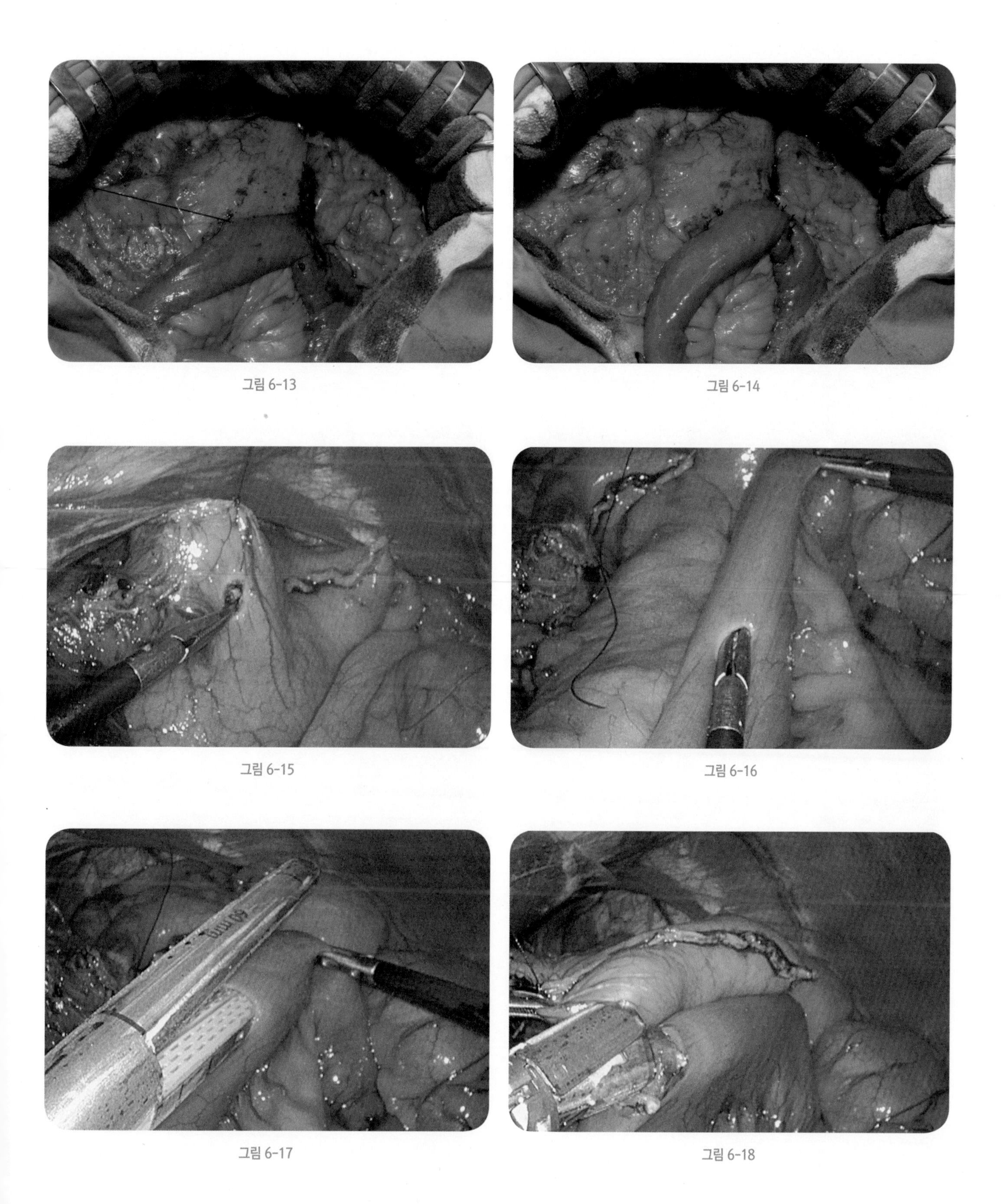

그림 6-13

그림 6-14

그림 6-15

그림 6-16

그림 6-17

그림 6-18

(그림 6-19) 위와 소장의 내강이 연결됨을 확인하고 문합부 안쪽의 출혈, 손상 등을 복강경 시야로 자세히 관찰한다. 필요한 경우 지혈 및 보강 봉합을 시행한다.
(그림 6-20) 하나로 된 위, 공장의 구멍은 미늘 달린 V자 봉합용 실(Barbed V-loc suture)을 이용하여 위쪽 끝부분부터 연속봉합(Continuous suture)으로 내강 안쪽이 좁아지지 않도록 막는다.
(그림 6-21) 내강을 연속봉합으로 아래 끝까지 모두 막은 후, 같은 실로 아래에서부터 역방향으로 장막근층의 보강봉합(Seromuscular Lambert suture)을 연속봉합으로 시행한다.
(그림 6-22) 복강경 자동문합기 위공장문합술 완성모습이다. 위와 공장 사이에 보강봉합을 시행하여 날 문(Efferent loop)이 꺾이거나 접혀서 내강이 좁아지지 않도록 위치시킨다.

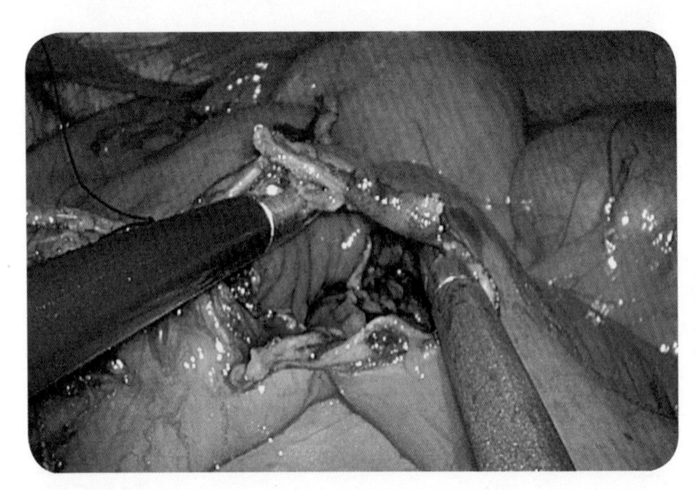
그림 6-19

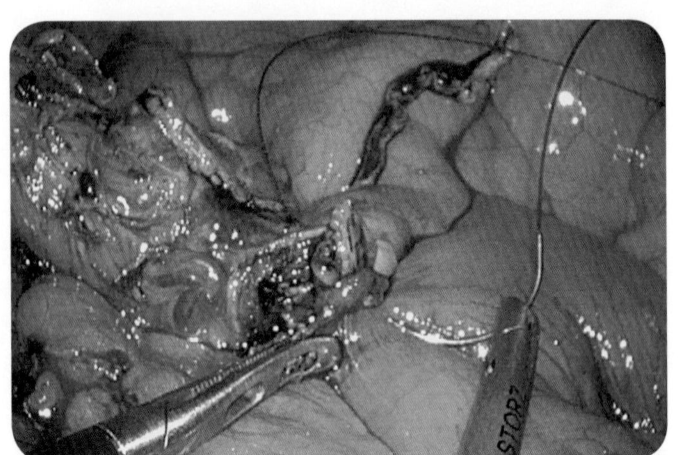

그림 6-20

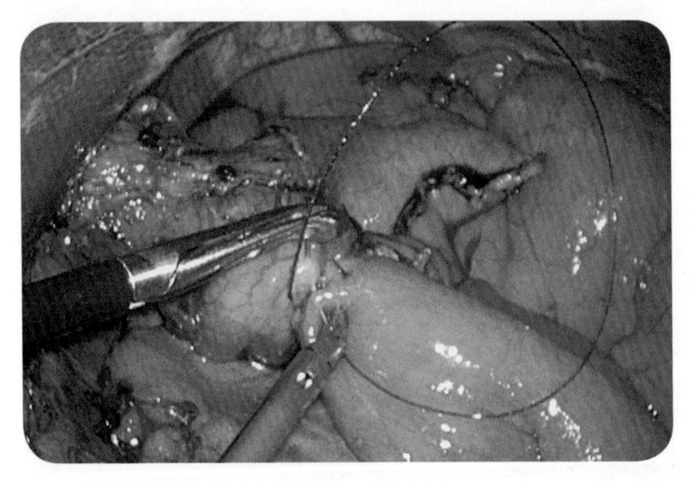
그림 6-21

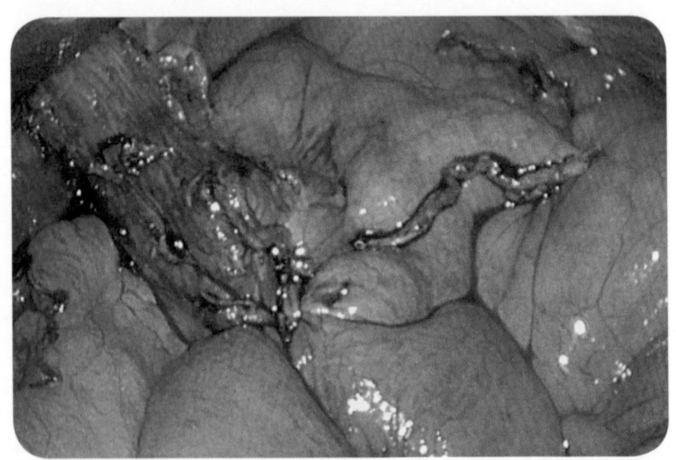
그림 6-22

CHAPTER 7

유문성형술

Pyloroplasty (Heineke-Mikulicz, Finney, Jaboulay)

1. 적응증

유문성형술(pyloroplasty)은 위에서 십이지장으로 통하는 개구부인 유문(pylorus)을 넓게 만들어주어 위출구의 배출작용을 원활하게 하기 위해서 적용되는 수술법이다.
유문성형술은 질환의 치료를 위해 단독으로 시행되거나 다른 위장관 수술에 추가되는 수술로 이용될 수 있다. 모든 적응증은 유문협착을 제외하고는 대부분 미주신경의 절단 및 손상과 관련이 있다.

1) 직접적인 치료 목적으로 이용되는 적응증

(1) 유문협착
(2) 위마비(Gastroparesis)
① 당뇨병성 위마비
② 다발성경화증이 원인이 된 위마비
③ 특발성 위마비

2) 유문성형술이 추가되는 위장관 수술

(1) 소화성 궤양의 수술적 치료로서 시행된 미주신경 절단술
(2) 식도위 절제술 또는 근위부 위절제술 후의 식도위 문합술

유문성형술은 위장관의 연속성에 변화가 없기 때문에 위공장문합술 시에 생길 수 있는 변연궤양의 가능성이 없다는 장점이 있다.
일반적인 유문성형술의 방법은 Heineke-Mikulicz pyloroplasty와 Finney pyloroplasty이며, 그밖에 유문동을 포함하지 않고 위와 십이지장을 연결하는 Jaboulay pyloroplasty가 있다.

2. 비적응증

십이지장의 염증 반응이나 반흔이 심하여 위출구의 변형이 있는 경우는 유문성형술을 피하는 것 좋다. 이러한 경우는 Jaboulay pyloroplasty를 고려할 수 있다.

3. 수술 과정

1) Heineke-Mikulicz pyloroplasty

(그림 7-1) 유문의 위치는 유문정맥의 위치를 보고 확인한다.
Kocher maneuver를 해서 십이지장의 유동성을 확보하고 문합부에 긴장이 가지 않도록 한다.
유문동의 상방과 하방 끝에 견인 봉합을 한다. 이때 유문정맥을 포함시켜 봉합해서 출혈을 예방한다.
유문의 전벽에 위 방향과 십이지장 방향으로 각각 2~3 cm의 종행 절개를 가한다. 유문의 변형이 심한 경우는 십이지장의 중간을 먼저 절개한 후 hemostat을 유문동에 넣어 가이드하면서 절개한다.
(그림 7-2) Traction suture를 당겨서 마름모 모양의 절개창이 보이도록 한다. 궤양에 의한 흉터조직은 제거한다.
(그림 7-3, 4) 1열 또는 2열 봉합 방법으로 횡행 봉합한다.
흡수성 봉합사를 사용하여 비연속 봉합을 한다. 이때 견인봉합을 과다하게 당길 경우 dog ear가 생길 수 있으므로 주의한다.
봉합을 마친 후에는 엄지와 검지 손가락을 이용하여 새로 만들어진 유문을 만져서 넓이를 확인한다.
봉합선에 금속 클립을 집어 놓으면 후에 바륨 위장관 조영술을 할 때 유문성형술의 위치를 확인할 수 있다.

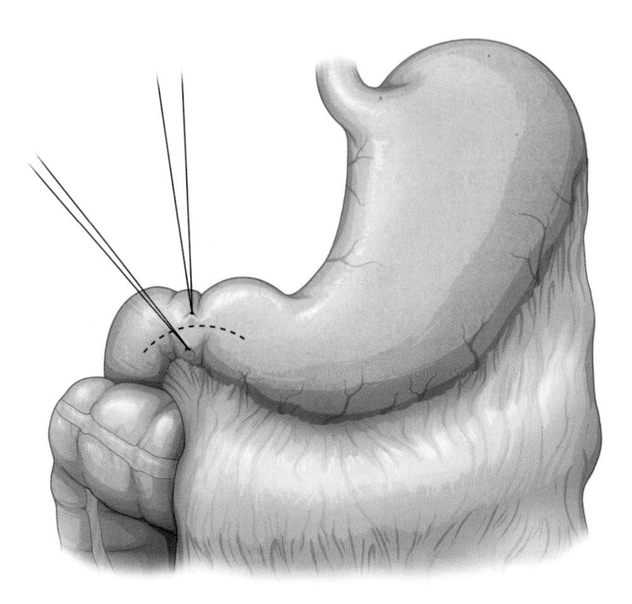
그림 7-1

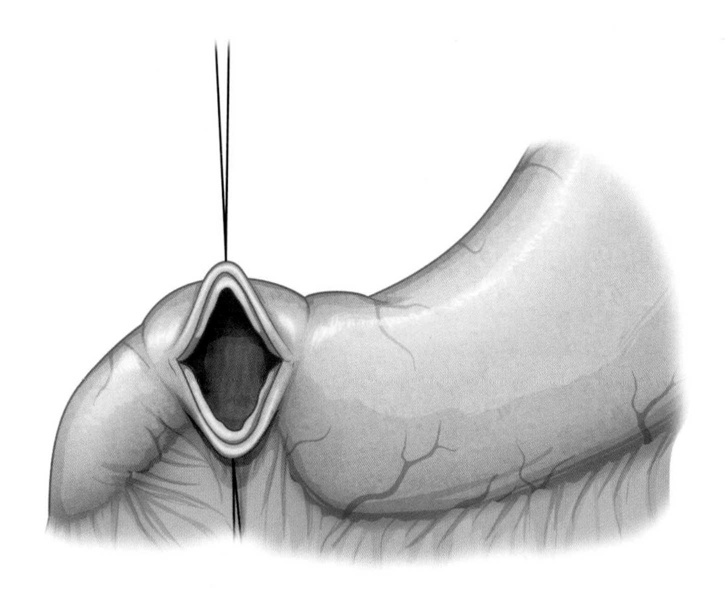
그림 7-2

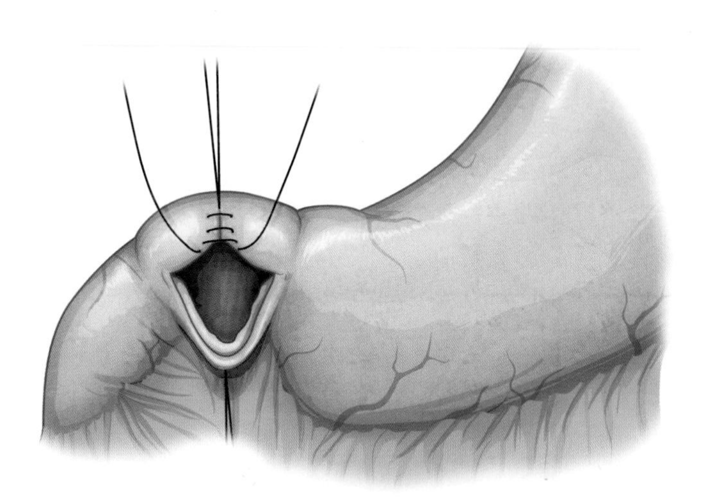
그림 7-3

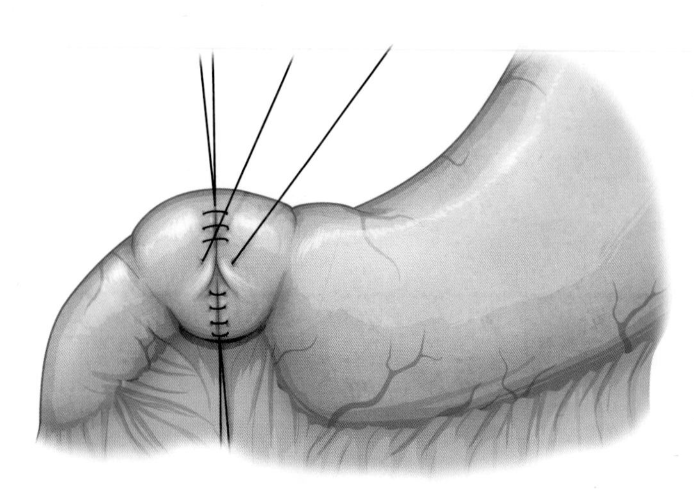
그림 7-4

2) Finney pyloroplasty

(그림 7-5) 유문동을 포함하는 위-십이지장 측측 문합이다. 유문의 위치는 유문정맥의 위치를 보고 확인한다. Kocher maneuver를 충분히 해서 십이지장과 유문동의 유동성을 확보하여 긴장이 가지 않도록 한다.

유문동의 상단에 견인봉합을 한다.

유문동으로부터 5 cm 상방의 위와 5 cm 하방의 십이지장에 견인봉합을 해서 위와 십이지장을 접근시킨다.

유문 상단의 견인봉합의 바로 아래에 위-유문-십이지장을 관통하는 절개를 넣는다. 위와 십이지장의 전벽을 따라 절개를 연장하여 뒤집어진 U자 모양의 절개을 만든다.

(그림 7-6) 십이지장과 위 사이의 연결은 2열로 한다. 위 십이지장 후벽의 seromuscular 봉합을 먼저 silk 3-0 또는 흡수성 봉합사 3-0으로 비연속 봉합한다.

(그림 7-7) 점막층을 포함해서 전층을 흡수성 봉합사로 연속봉합한다.

(그림 7-8) 전벽의 봉합은 점막층 포함해서 전층을 흡수성 봉합사로 비연속 봉합하고 seromuscular 봉합으로 2열 봉합을 완성한다.

3) Jaboulay pyloroplasty

(그림 7-9) 유문동을 포함하지 않는 위-십이지장 측측 문합이다. 십이지장 2, 3부의 충분한 유동성 확보가 필요하다. 유문동 하방에 위와 십이지장을 견인봉합하고 이로부터 5 cm 상방의 위와 5 cm 하방의 십이지장에 견인봉합을 해서 위와 십이지장을 접근시킨다. 위와 십이지장에 각각 5 cm 길이만큼 seromuscular 봉합을 한다. 이때 가능한 한 위와 십이지장의 후벽쪽으로 봉합해야 문합부의 전벽에 긴장이 가지 않도록 할 수 있다.

(그림 7-10) Seromuscular 봉합선의 양 옆으

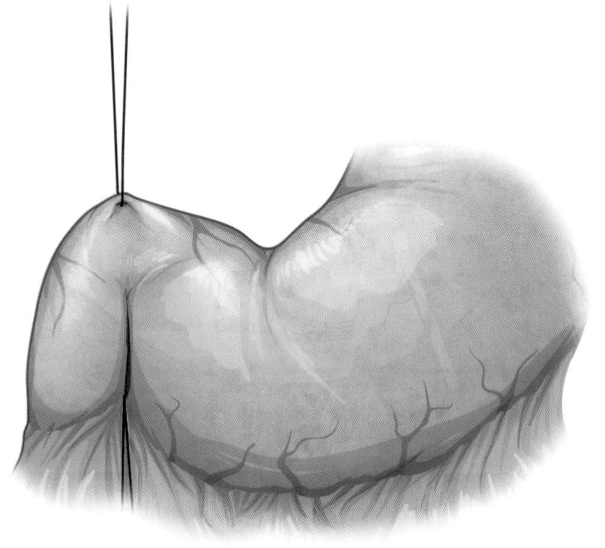
그림 7-5

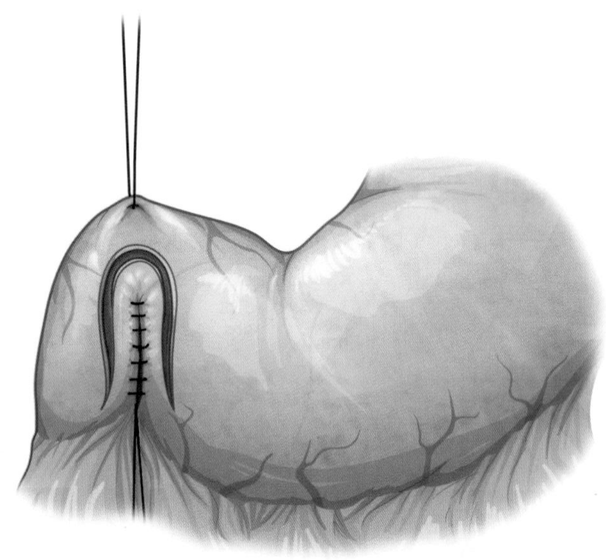
그림 7-6

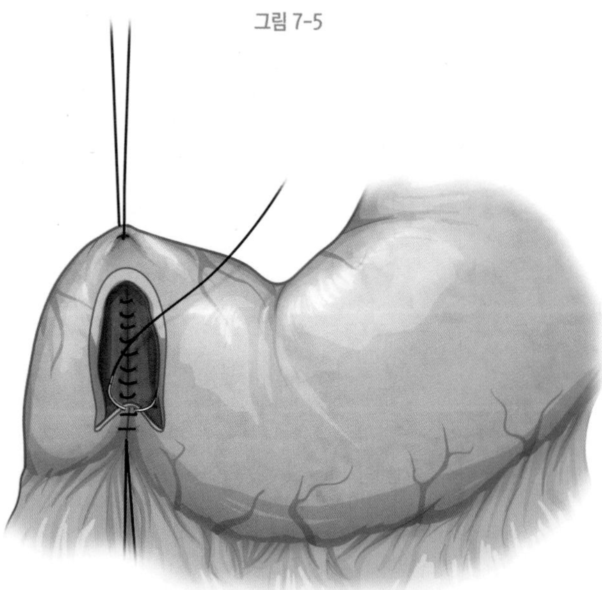
그림 7-7

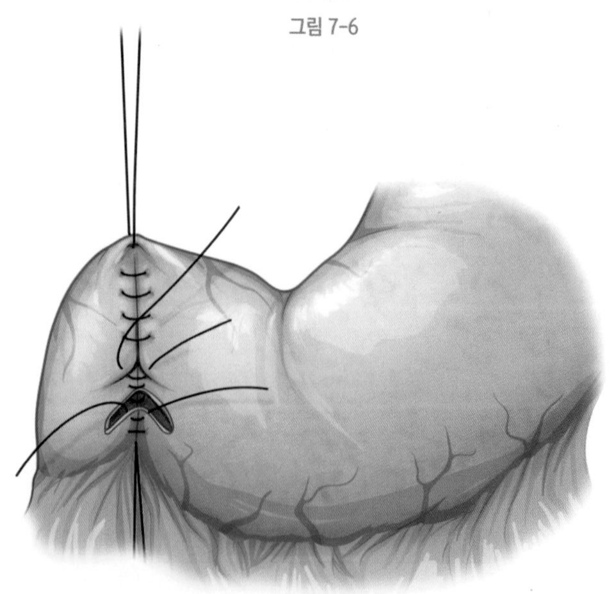
그림 7-8

로 0.5 cm 떨어져서 위와 십이지장을 각각 절개한다. 이때 seromuscular 봉합한 실을 잡아 당기면서 절개하면 절개할 위치를 정확히 보면서 절개할 수 있다.

(그림 7-11) 십이지장과 위 사이의 연결은 2열로 봉합한다. 점막층을 포함해서 전층을 흡수성 봉합사로 연속봉합한다.

(그림 7-12) 전벽의 봉합은 후벽을 봉합한 실을 연속해서 사용하여 점막층 포함해서 전층을 연속 봉합한다(Cornell 봉합법).

(그림 7-13) Seromuscular 봉합을 비연속 봉합으로 하여 2열 봉합을 완성한다.

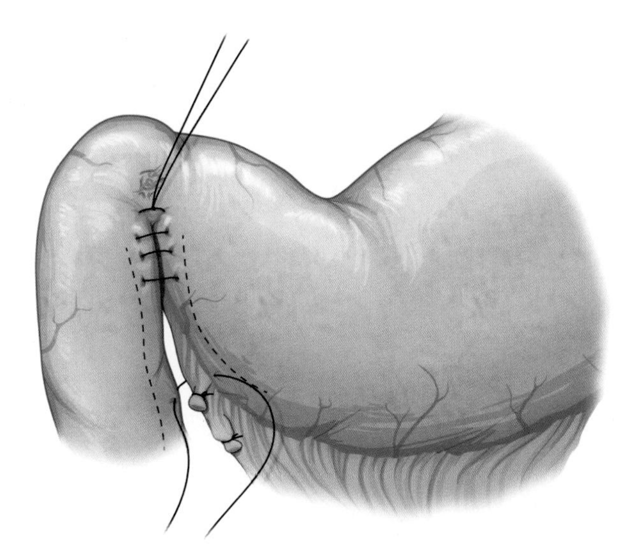

그림 7-9

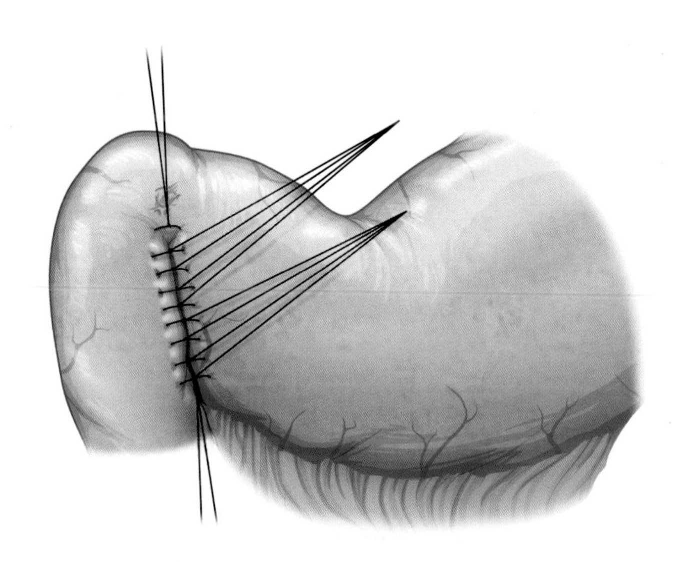

그림 7-10

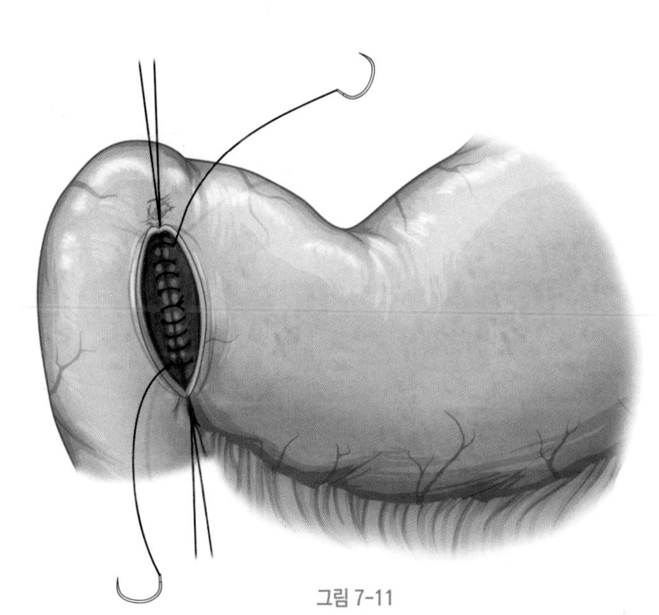

그림 7-11

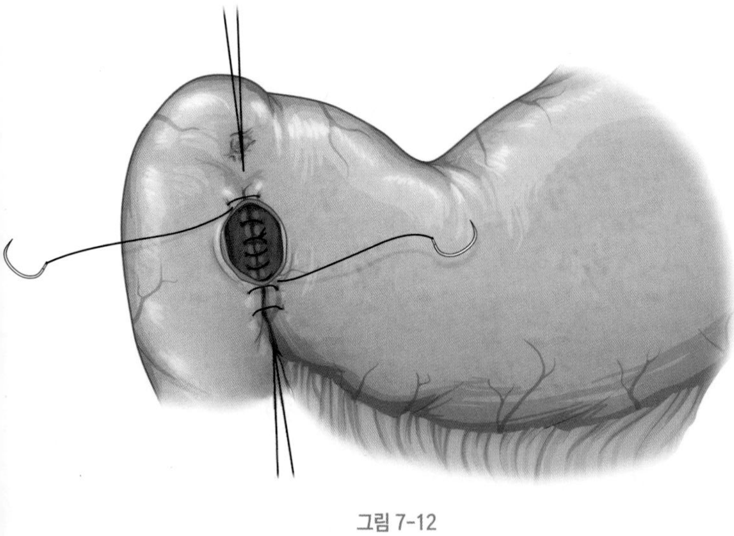

그림 7-12

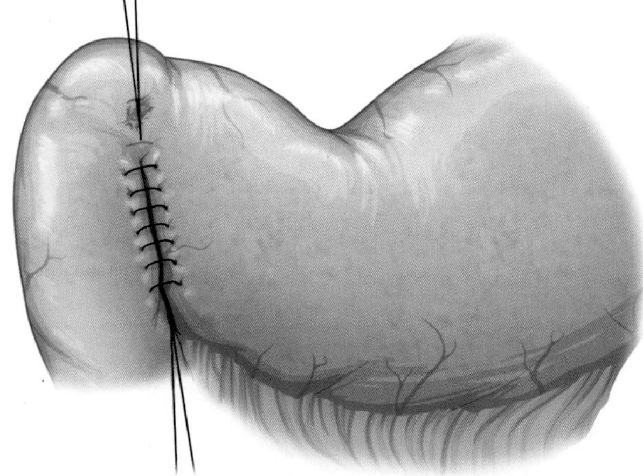

그림 7-13

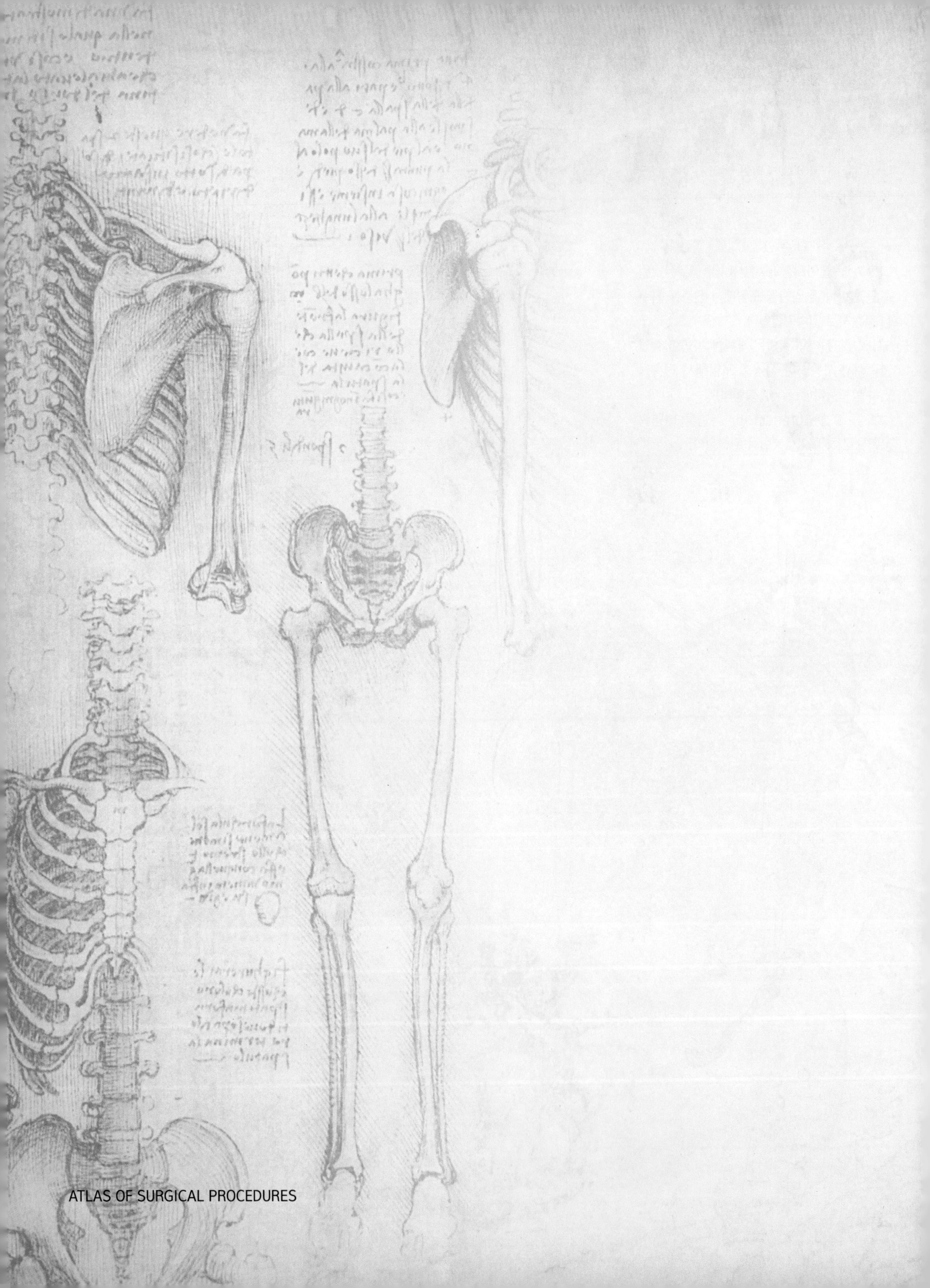
ATLAS OF SURGICAL PROCEDURES

CHAPTER 8

미주신경절단술

Vagotomy (truncal vagotomy and highly selective vagotomy)

I. 체간 미주신경 절단술(Truncal vagatomy)

1. 서론

식도 주변에서 식도의 천공을 유발하지 않도록 주의하여야 하며, 2개 이상의 미주신경을 찾아야 한다. 좌, 우 미주신경 절단은 식도위 경계부 상방, 간분지와 복강분지의 분지부보다 근위부에서 신경줄기를 확인하고 절단을 하여야 한다.

체간 미주신경절단술은 유문의 기능을 상실시켜서 위 배출 저하를 초래하므로 유문성형술(Heineke-Mickulicz법, Finney법), 위-공장 문합술, 또는 위-십이지장 문합술(Jaboulay법) 등의 배액술을 같이 시행하여야 한다.

일반적으로 소화성 궤양의 재발률과 부작용(덤핑증후군, 설사) 발생률이 각각 약 10%에서 발생할 수 있다.

2. 적응증

- 난치성 소화성 궤양
- 타 소화성 궤양의 수술 시 위산감소목적의 보조수술

3. 수술 전 처치

일반적으로 비위관은 삽입하지 않는다.

4. 마취

전신마취 하에 기관지 삽관 후 예상되는 세균에 대한 예방적 항생제를 투여한다.

5. 환자자세

환자는 앙와위 자세에서 수술대에 잘 고정하도록 한다.

6. 절개 및 노출(개복술 기준)

검상돌기(xiphoid process)에서 정중선의 절개를 가한다. 식도 하부의 노출이 필수적이며 때때로 검상돌기(xiphoid process) 절개가 필요할 수도 있다. 간의 좌엽을 환자 머리쪽으로 당겨 시야를 확보하며, 필요 시 삼각인대를 절개하고 간 좌엽을 환자 우측으로 젖혀야 하는 경우도 있다.

7. 수술과정

복측 식도를 싸고 있는 복막을 절개하고 식도틈새(hiatus)의 우측 및 좌측 다리근육(crus)을 확인한다. Peanut dissector 등을 이용하여 식도와 인접한 다리근육(crus) 사이의 고랑(groove)을 확보하고 식도의 앞쪽 2/3을 노출시킨다. 여기서 식도 뒤쪽으로 검지를 넣어 감싸쥔다.

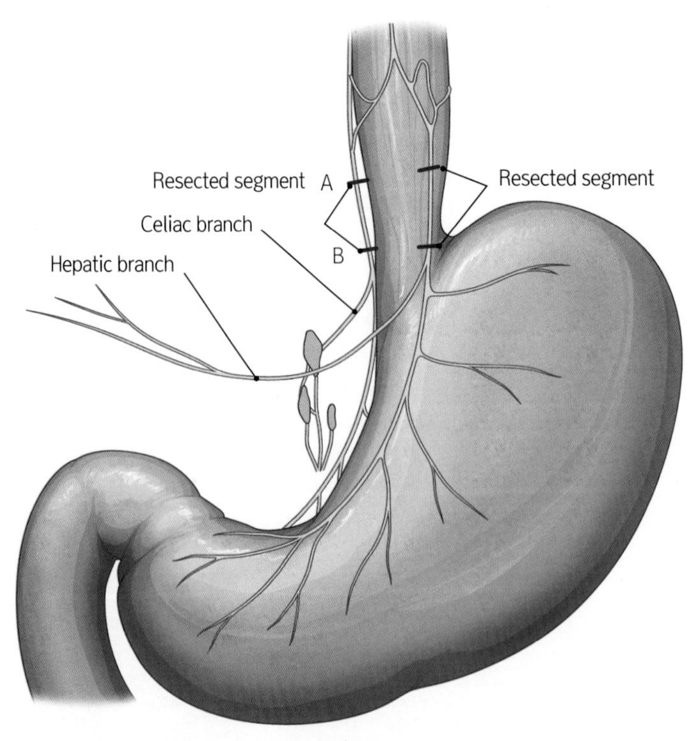

그림 8-1 체간 미주신경 절단술

1) 좌측(전방) 미주신경 절단술

(그림 8-1) 후방미주신경은 한 개의 줄기로 이루어져 있는 반면, 전방 미주신경은 50% 이상에서 두 개 혹은 그 이상의 줄기로 나뉜다. 좌측 미주신경은 대체로 하부 식도에서는 앞쪽 벽을 따라 주행하며 위를 환자의 다리방향으로 당기면 전방 좌측 신경이 식도에 대비되어 두드러져 보인다. 전방 분지 상방에서 약 2 cm 정도의 신경분절을 절제하고 병리과에 분석을 의뢰한다. 잘린 미주신경의 양쪽 끝을 클립을 적용하거나 결찰한다.

2) 우측(후방) 미주신경 절단술

(그림 8-1) 후방 미주신경은 흔히 식도 우측벽에서 후외측으로 2~3 cm 거리에 위치한다. 식도의 가장 아래 부분에서 식도후벽 조직을 검지로 감싸쥐고 식도벽을 긁듯이 환자의 왼쪽에서 오른쪽으로 당기면 팽팽한 줄처럼 느껴지는 후방신경을 확인할 수 있다.

약 2~3 cm의 신경분절을 절제하고 병리검사를 의뢰한다.

3) 다리 근육(Crural musculature)의 봉합

(그림 8-2) 식도틈새로 식도를 따라 손가락이 두 개 이상 들어가면 양쪽 다리근육(crural muscle bundle)을 접합하여 조이게 한다. 이때 식도와 새로 만들어진 식도틈새 사이에 손가락 한 개 정도의 틈을 두도록 한다.

8. 수술 시 주의점

- 식도 손상
- 비장 손상
- 불충분한 미주신경절단술
- 식도틈새파열 및 술후 틈새탈장

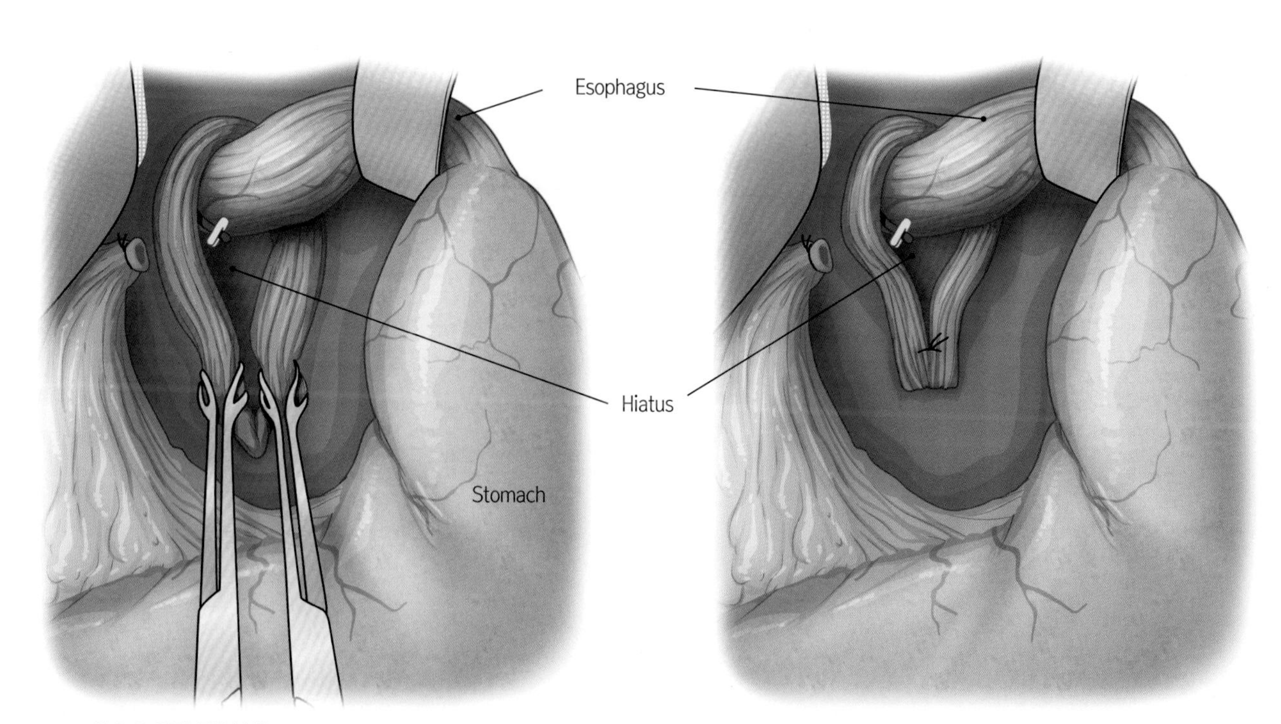

그림 8-2 다리 근육 봉합

II. 고위 선택적 미주신경 절단술(Highly selective vagotomy)

1. 서론

벽세포 미주신경절단술(parietal cell vagotomy), 근위부 미주신경절단술(proximal gastric vagotomy)로도 불리는데 체간 미주신경절단술에 비해 안전하고 부작용이 적다.

위 벽세포가 존재하는 위의 상부 2/3의 미주신경만 선택적으로 절단하며 미주신경의 복강분지와 간분지, 그리고 원위부 위의 Latarjet 분지를 보존하는 술식이다(그림 8-3).

신경은 전정부(antrum)와 유문(pylorus) 부위를 지배하는 Latarjet 분지의 신경은 위의 적절한 배출(emptying)을 일으키며 추가적인 배액술이 필요 없다. 미주신경절단술에 비해 불완전한 신경절단이 이루어질 수 있으므로 재발률이 높다.

2. 적응증

난치성 소화성 궤양

3. 수술과정

1) 우측 및 좌측 미주신경의 분리

우측 및 좌측 미주신경을 앞에 기술된 바와 같이 확인하고 식도면에서 분리시킨다.

2) Crow's foot의 확인

(그림 8-4) 위간그물막(gastrohepatic omentum)의 혈관이 없는 부위를 열고 손가락을 통과시켜 작은복막주머니(lesser sac)로 들어간다. 이로써 위의 소만을 따라 존재하는 신경과 혈관을 당겨 들어 올릴 수 있다. 위벽의 앞부분에 신경을 전달하는, 좌측 미주신경줄기의 최종가지인 전방 Latarjet 신경은 위 소만 옆의 투명한 복막을 통해 확인할 수 있다. 이 신경은 역시 소만을 따라 주행하는 좌위동맥의 최종가지들과 섞여 위치한다. Latarjet 신경은 마지막 부위에서 4~5갈래로 나뉘어 마치 까마귀 발(crow's foot) 모양을 하게 된다. 이는 유문에서 위의 원위부 6~7 cm에 걸쳐 신경분포를 하게 되며 이 부위를 선택적으로 보존해야 한다.

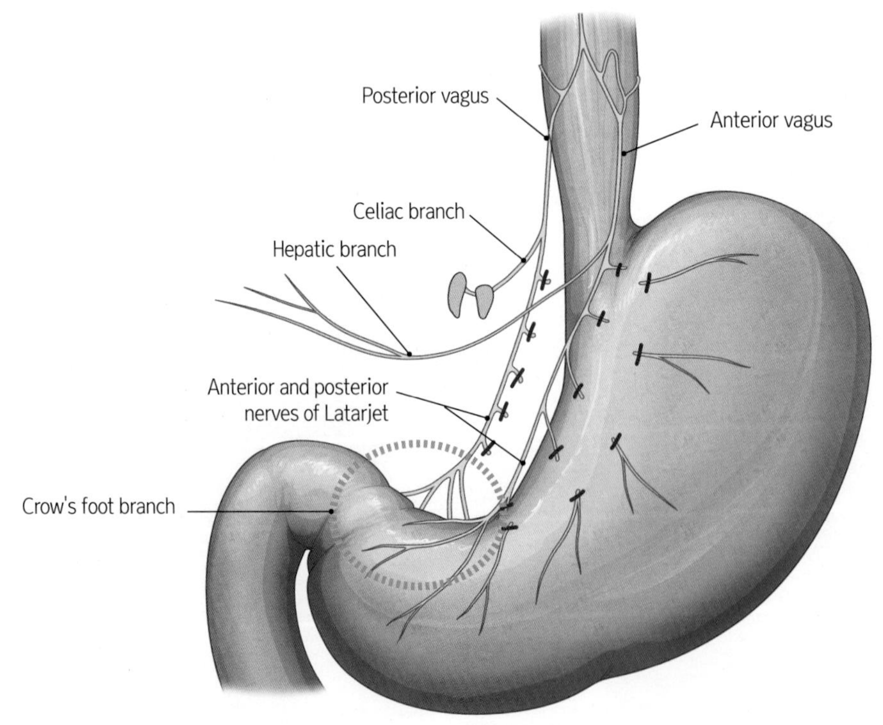

그림 8-3 고위 선택적 미주신경 절단술

3) 전방 Latarjet 신경의 박리

Crow's foot를 확인한 후 그 상방의 신경가지와 혈관들을 결찰해 나간다. Latarjet 신경의 주가지가 손상되지 않도록 위벽에 최대한 밀착하여 결찰한다. 이미 박리해 놓은 좌측 미주신경의 주가지에 도달할 때까지 박리를 진행하며 식도위경계부 6~7 cm 상부까지 좌측 미주신경과 식도가 완전히 분리되도록 한다. 미주신경의 간분지는 보존되어야 한다.

4) 후방 Latarjet 신경의 박리

위간그물막의 뒤쪽 막부위를 잘 확인하며 후방 Latarjet 신경의 최종가지들과 혈관을 결찰해 나간다. 이미 박리해 놓은 우측 미주신경의 주가지에 도달할 때까지 진행해 나가며 식도위 경계부 7 cm 상방까지 식도와 우측 미주신경을 분리하여 위기저부로 가는 신경분지가 남지 않도록 한다. 특히 식도 뒤를 지나 위분문 후벽을 지나가는 criminal nerve of Grassi를 주의해서 확인해야 한다. 위 하부 식도를 견인하면 Latarjet 신경의 앞, 뒤분지의 주행을 보다 쉽게 확인할 수 있다(그림 8-5). 마지막으로 노출된 소만의 앞, 뒤 복막을 서로 봉합하여 재복막화시킨다(그림 8-6).

4. 수술 시 주의점

- 위간그물막의 혈종
- 불완전한 미주신경절단술
- 유문의 신경손상
- 위 소만의 괴사 혹은 천공

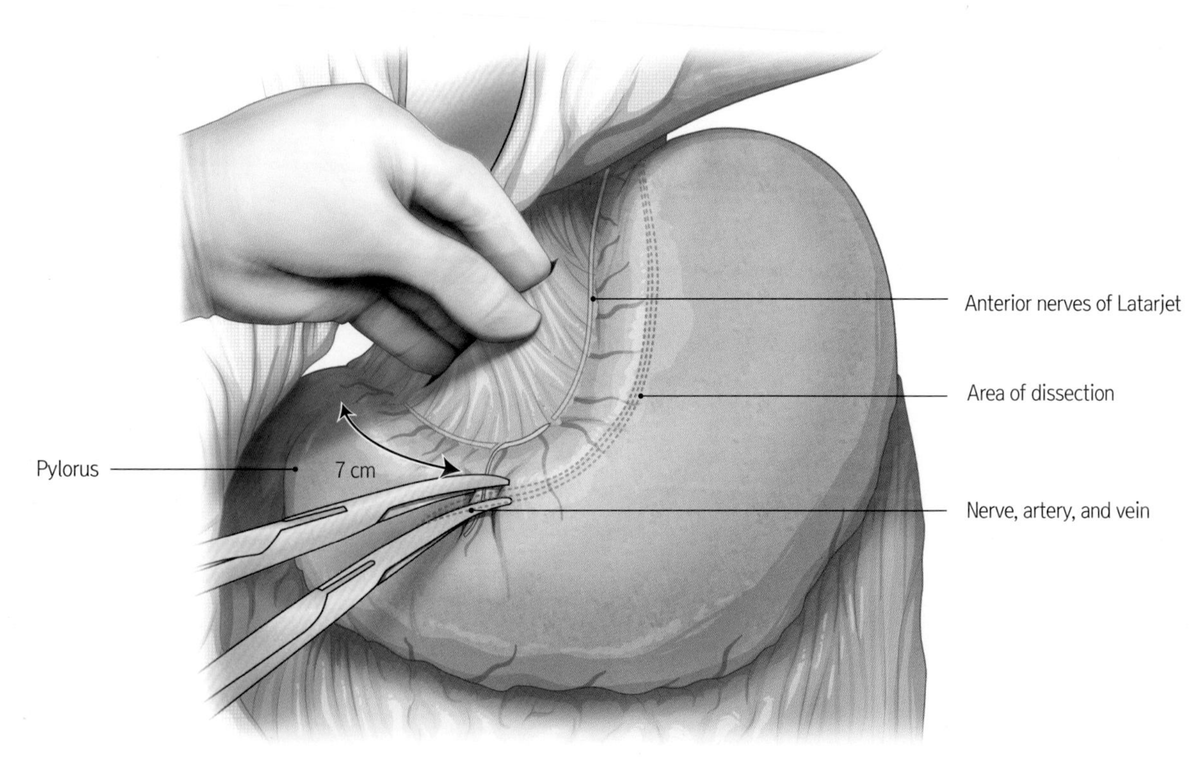

그림 8-4 전정부 Latarjet 분지의 보존

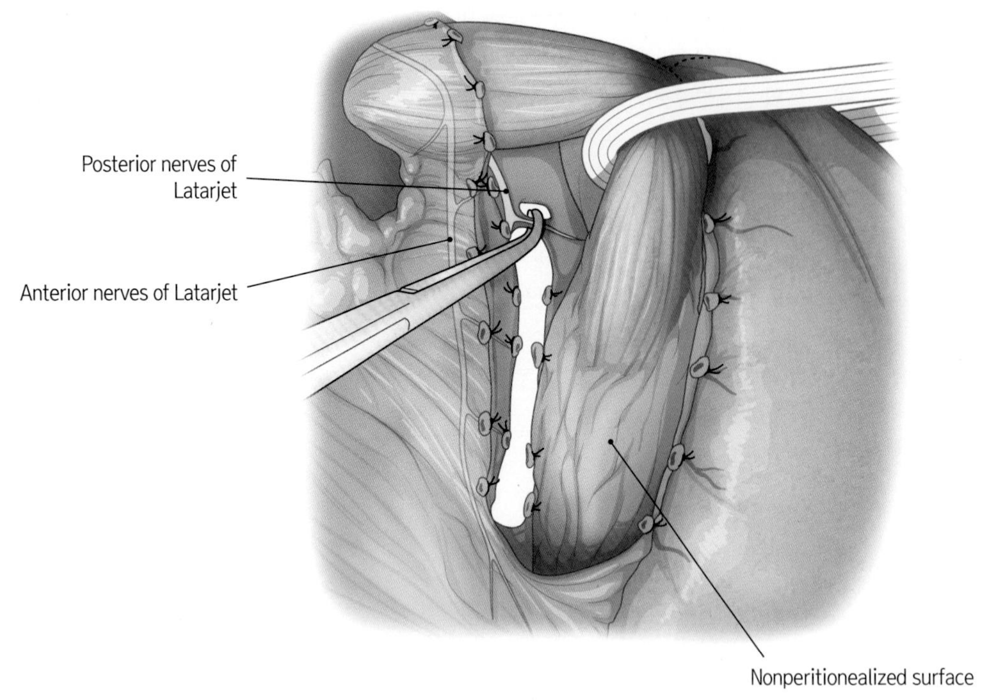

그림 8-5 후위 Latarjet 분지의 보존

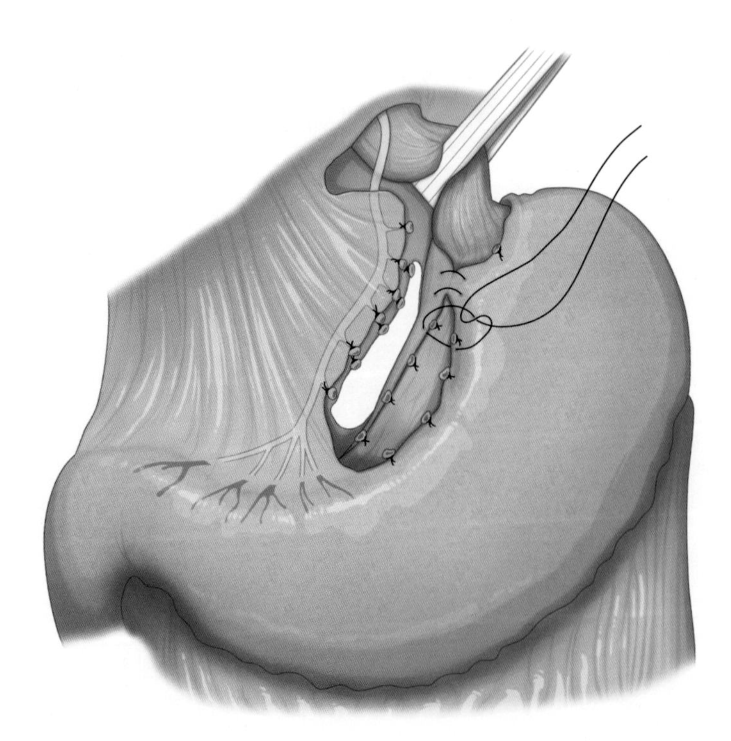

그림 8-6 노출된 소만의 앞,뒤

원위부 위절제술 및 위십이지장문합술

Distal gastrectomy with Billroth I

1. 적응증

위 하부에 위치한 위암이나 난치성 위궤양의 외과적 치료에서 원위부 위절제 후 위-소장의 연속성을 재건하는데 흔히 시행되는 술기 중 하나이다.

2. 수술 전 처치

일반적으로 비위관은 삽입하지 않는다. 횡행결장의 장간막이나 횡행결장에 암의 침윤이 의심되는 경우는 장 청소를 시행한다.

3. 마취

전신마취 하에 수술을 진행하며 기관 삽관 후 예방적 항생제를 투여한다.

4. 환자 자세

환자는 앙와위 자세에서 수술대에 잘 고정하도록 한다.

5. 수술 준비

젖꼭지 부위의 흉곽부터 두덩결합 아랫부분까지 항균소독약으로 복부를 소독한다.

6. 절개 및 노출

검상돌기부터 배꼽으로 약 15 cm 정도 상부 정중절개를 시행한다.

7. 수술 과정

실을 이용하여 수기로 봉합하는 방식과 기구를 사용하는 방식으로 나누어 기술한다.

1) 수기문합(Hand-sewn method)

(그림 9-1) 위주변의 림프절 절제가 끝나면 위의 1/3 정도를 남기면서 병변과의 거리를 확

TIP 1
Payr clamp로 잡는 위의 길이는 문합할 십이지장의 직경과 비슷하게 하여야 위십이지장문합 시 용이하다.

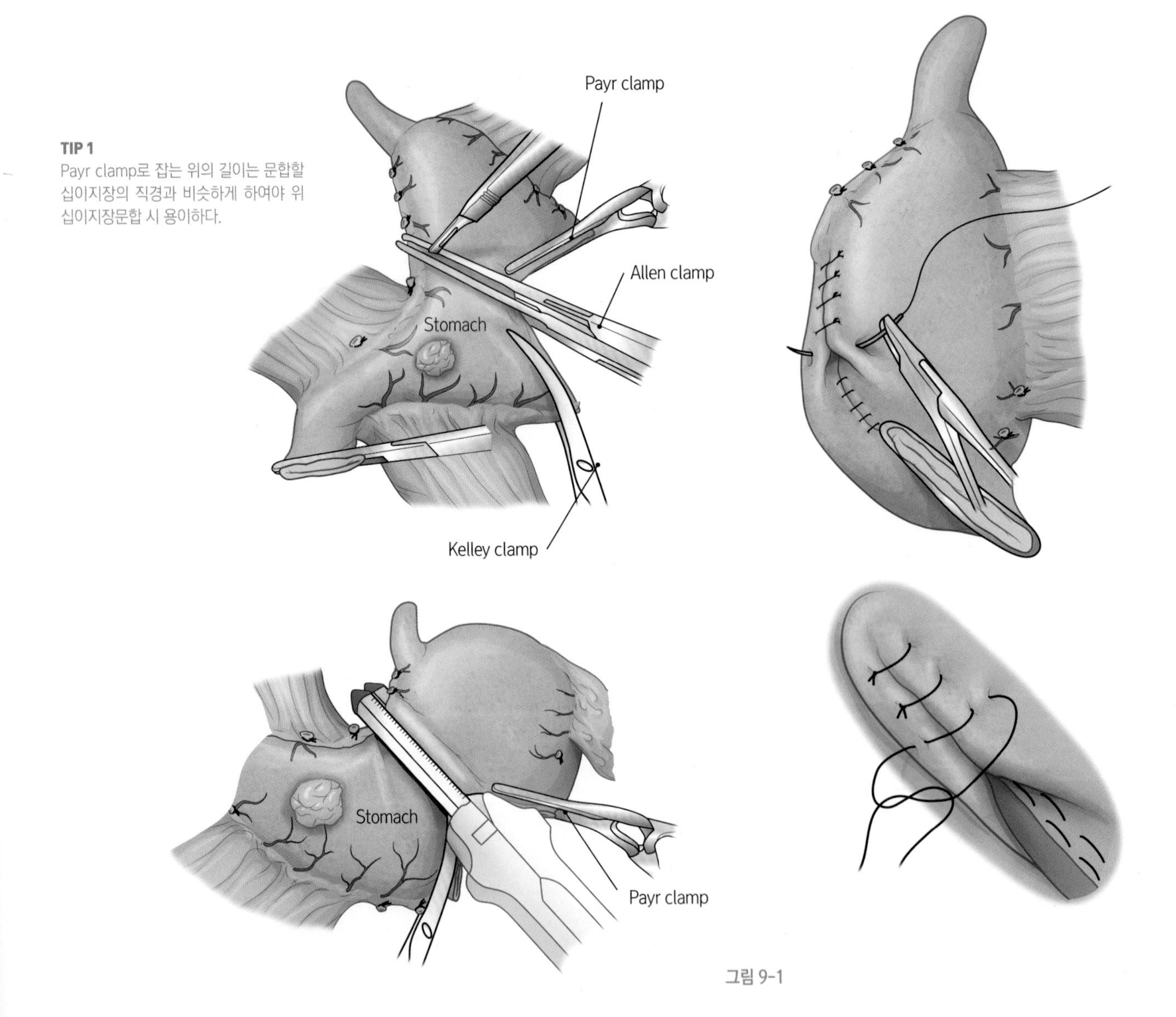

그림 9-1

인하여 위를 절단한다. 위절단선에 대만곡의 직각 방향으로 Payr clamp로 잡고(3~4 cm), 그 원위부를 Kelly clamp로 잡은 후 그 사이를 수술용 칼로 자른다. 이후 소만곡은 선형봉합기를 이용하여 절단 및 봉합한다. 봉합기를 사용하지 않는 경우에는 두 개의 Allen clamp를 이용하여 소만곡까지 절단한 후 Allen clamp를 제거하고 3-0 흡수성 봉합사로 소만곡에서부터 연속잠금봉합을 한다. 그런 다음 3-0 흡수성 또는 비흡수성 봉합사로 장막근층봉합으로 점막을 내번시킨다. (그림 9-2) 봉합할 양쪽 끝 부위를 cushing suture로 봉합하여 고정한다. 문합부 후면의 장막근층을 3-0 비흡수성 또는 흡수성 봉합사를 이용하여 단속봉합(Lembert suture)을 시행한다.

TIP 2
위십이지장문합 시 문합선에 장력이 가해지지 않도록 하기 위하여 충분한 십이지장과 남은 위의 유동성을 확보하여야 한다. 십이지장의 유동성을 확보하기 위하여 Kocher maneuver를 시행할 수 있으며, 남은 위의 유동성을 확보하기 위하여 위 후벽의 조직이나 단위동맥 일부를 결찰 및 절단할 수 있다.

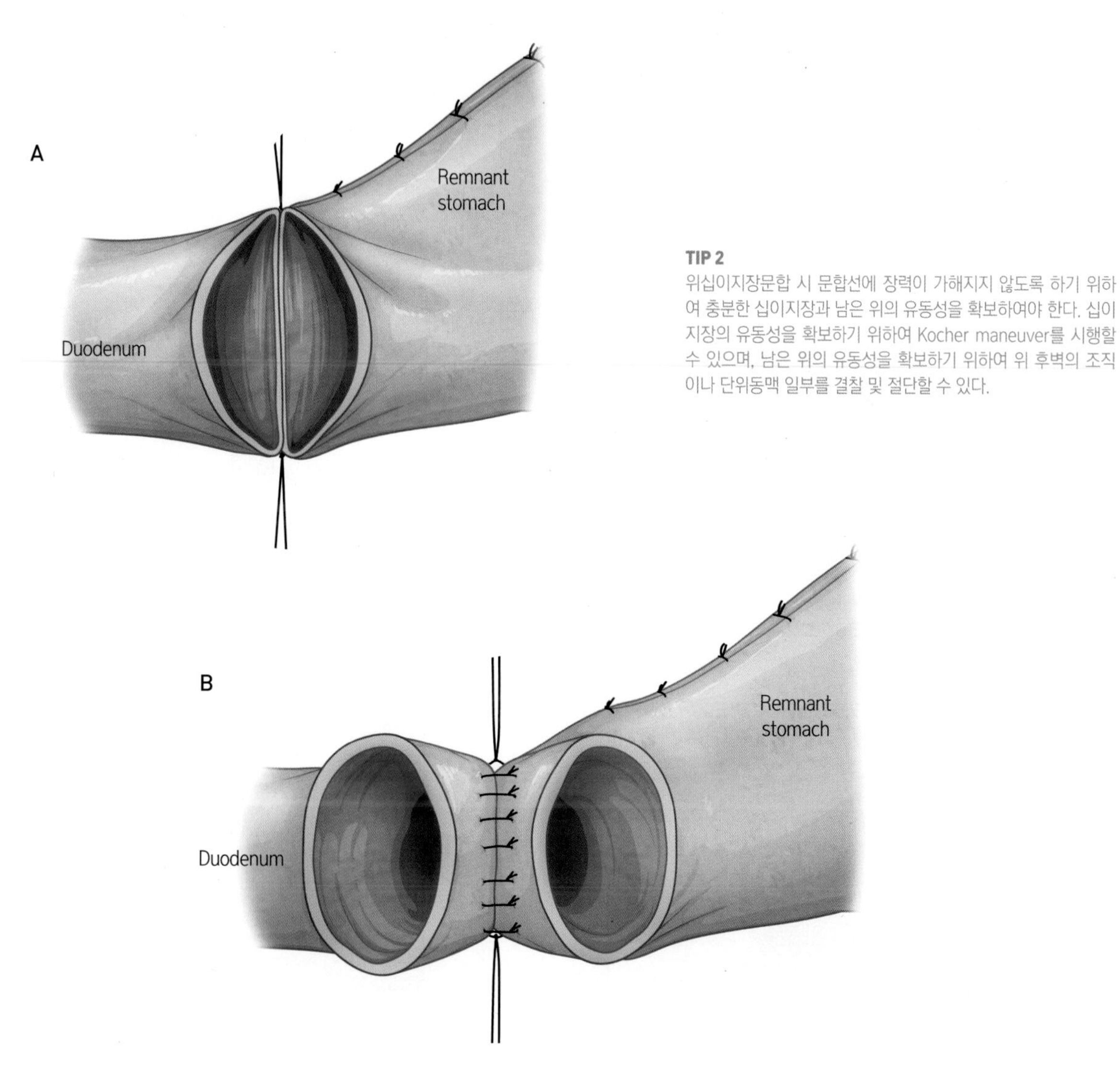

그림 9-2

(그림 9-3) 문합부의 후벽 중간부터 두 개의 3-0 흡수성 봉합사로 전층연속잠금봉합을 한다. 문합의 앞벽은 중간에서 끝나도록 연속 Connell 혹은 Cushing suture로 봉합한다.

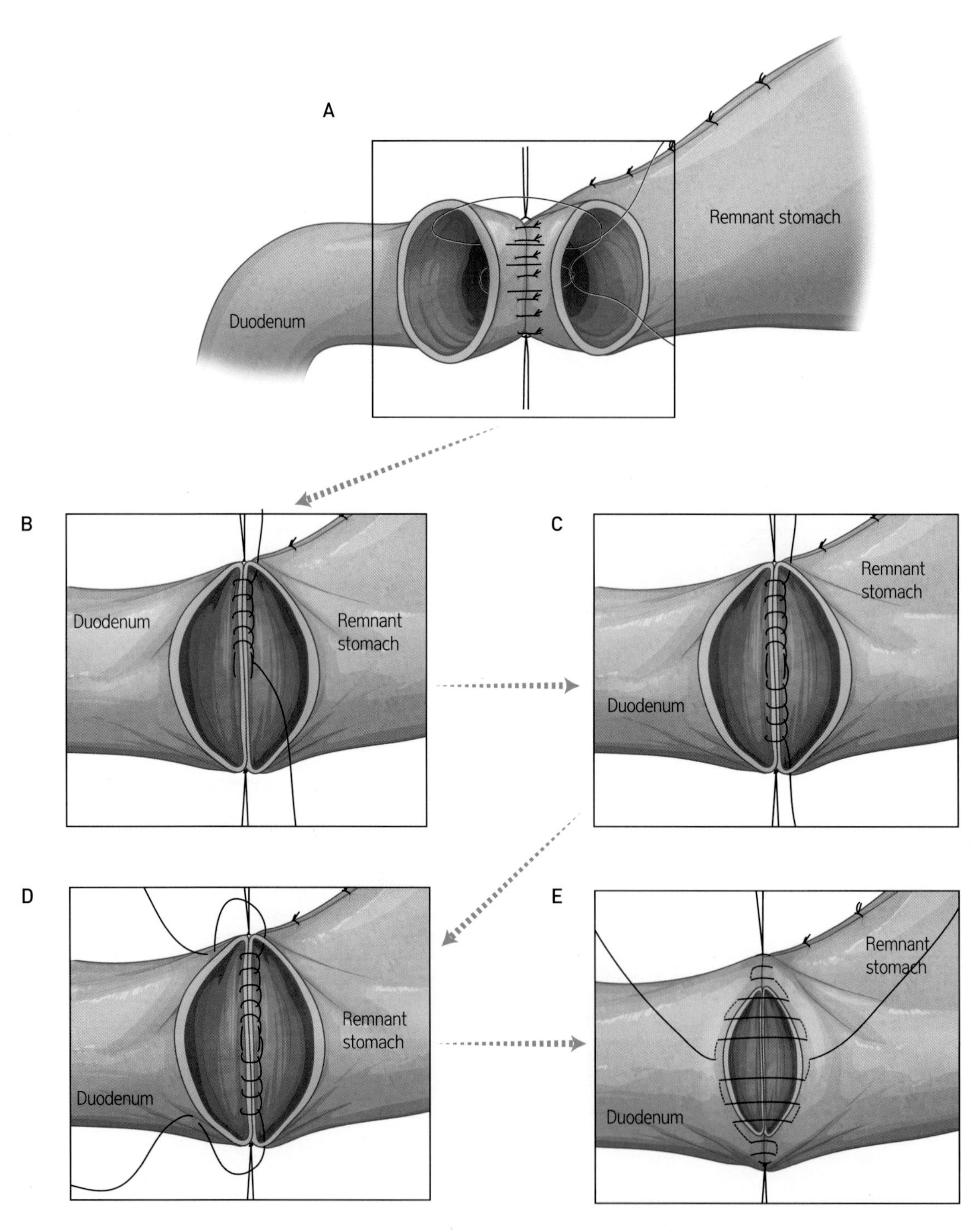

그림 9-3

(그림 9-4) 문합부의 앞벽을 장막근층단속봉합으로 강화한다.
(그림 9-5) 위의 인공 소만곡과 위십이지장문합부의 봉합선이 만나는 'Angle of Sorrow'는 위의 앞면, 뒷면, 십이지장 벽의 순서로 Crown stitch를 시행한다.

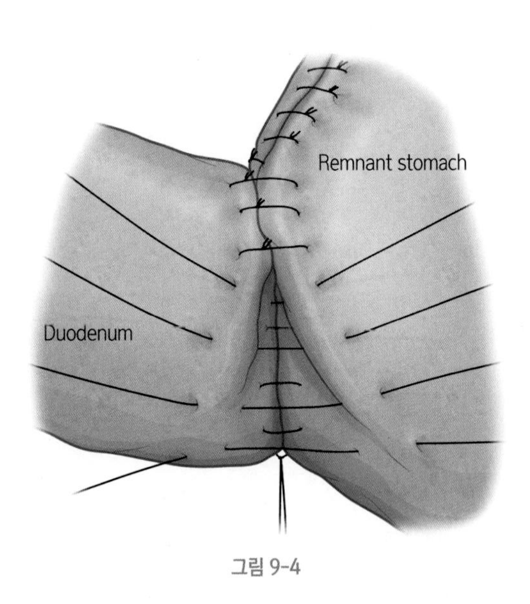

그림 9-4

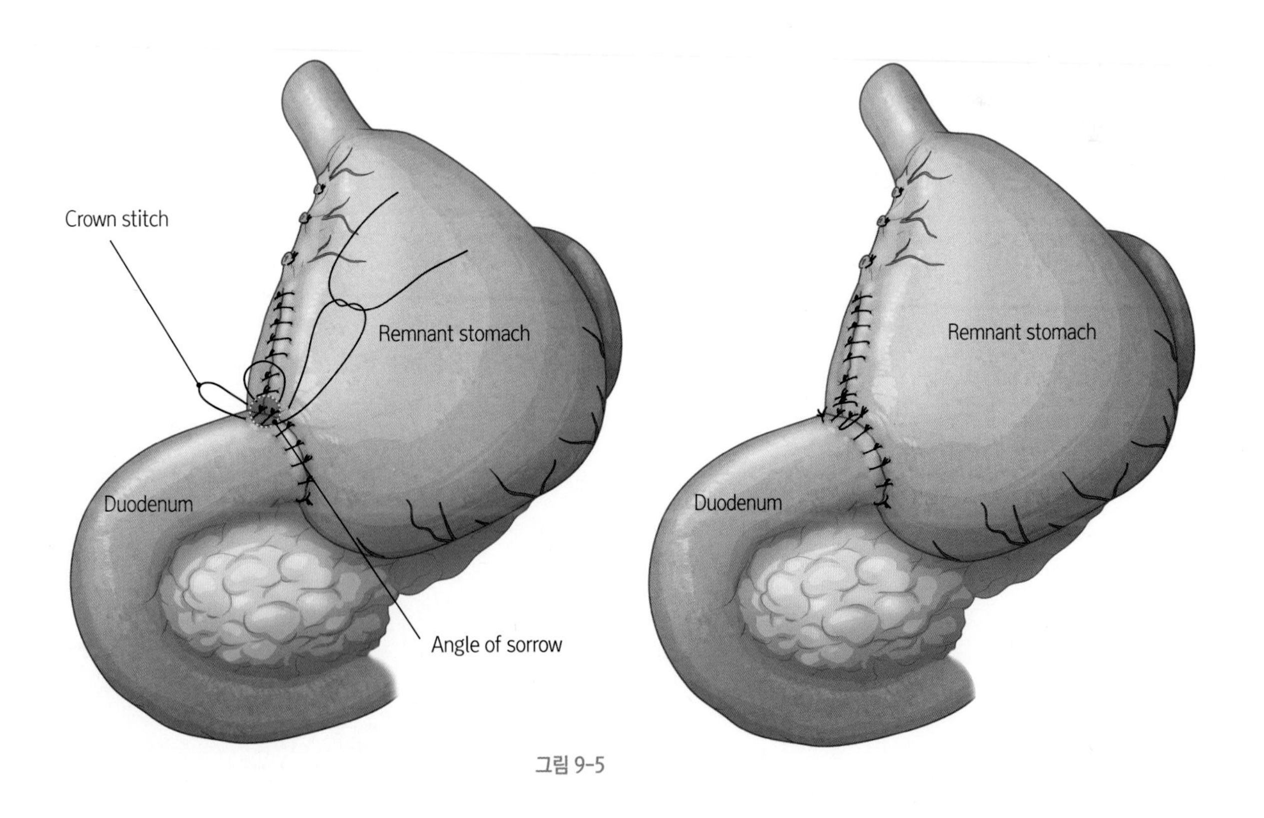

그림 9-5

2) 기계문합(Stapling method)

(1) 위 후벽 – 십이지장 문합

① 문합방법 1

십이지장구와 원위부의 위가 주위 구조물로부터 분리된 것을 확인한 후, Furniss 겸자를 십이지장구에 물고 나일론사 직침을 이용하여 쌈지 봉합(Purse-string suture)을 준비하고, 십이지장을 절단한다. Furniss 겸자를 풀고 직경이 28~31 mm인 원형봉합기의 Anvil을 십이지장에 넣은 다음 봉합사를 조여 묶는다.

(그림 9-6) 병변의 위치를 확인하며 원위부 위를 선형봉합기를 이용하여 절제하고, 남은 위의 전벽에 원형봉합기를 넣기 위한 절개창을 만든다.

(그림 9-7) 위의 전벽에 만들어 놓은 절개창을 통해 원형봉합기 본체를 넣은 후 후벽에 천공을 만들고, 십이지장의 Anvil과 위의 원형봉합기를 결합하여 위-십이지장문합을 시행한다.

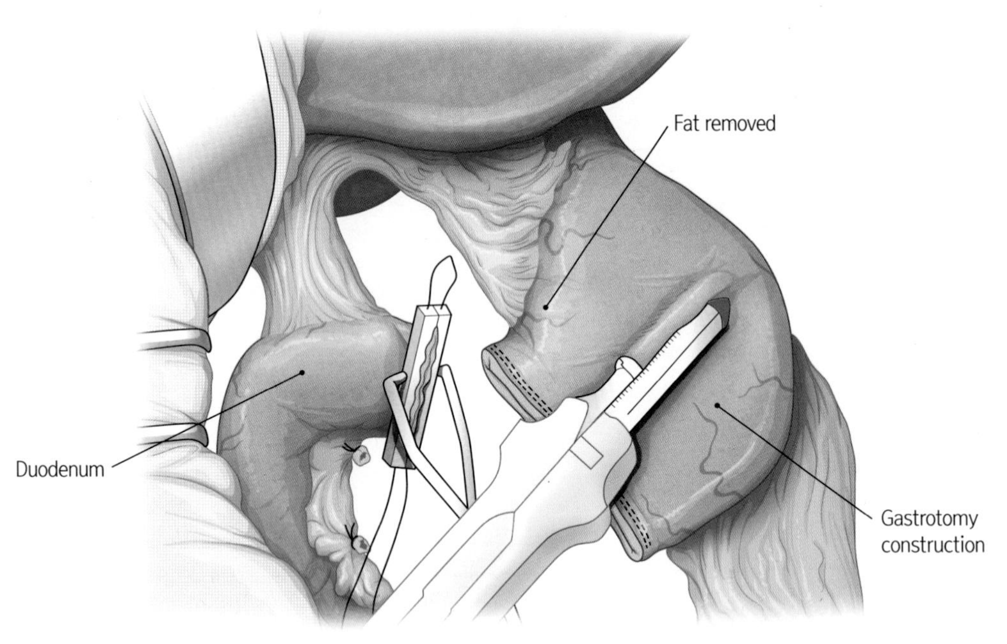

그림 9-6

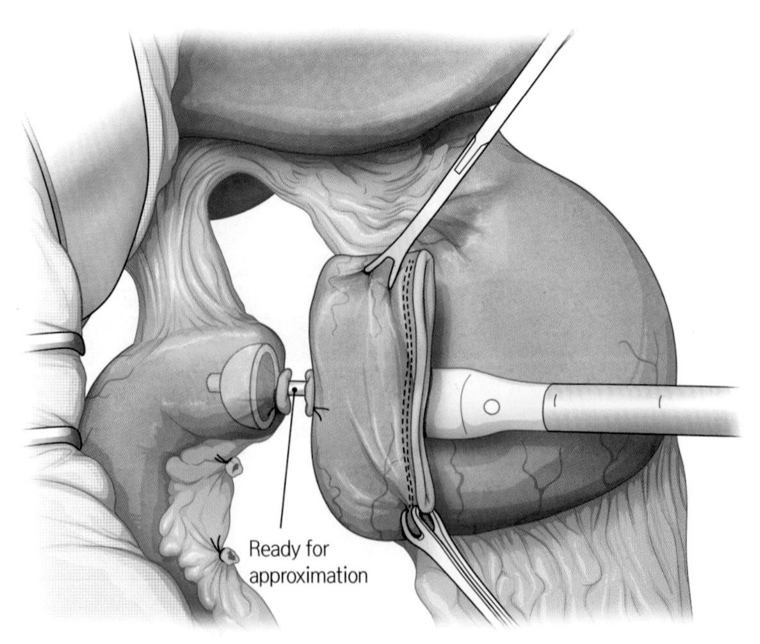

그림 9-7

(그림 9-8) 위의 절개창을 통해서 문합 부위 출혈 유무를 확인한다. 위의 전벽에 남아있는 절개창은 선형봉합기를 이용하여 봉합을 시행한다.

② 문합방법 2

(그림 9-9) 근위부 십이지장의 절개창을 통해 병변의 위치를 확인하고, 절개창을 통해 원형봉합기를 넣는다. 후벽에 천공을 만들고 십이지장의 Anvil과 위의 원형봉합기를 결합하여 위-십이지장 문합을 시행한다.

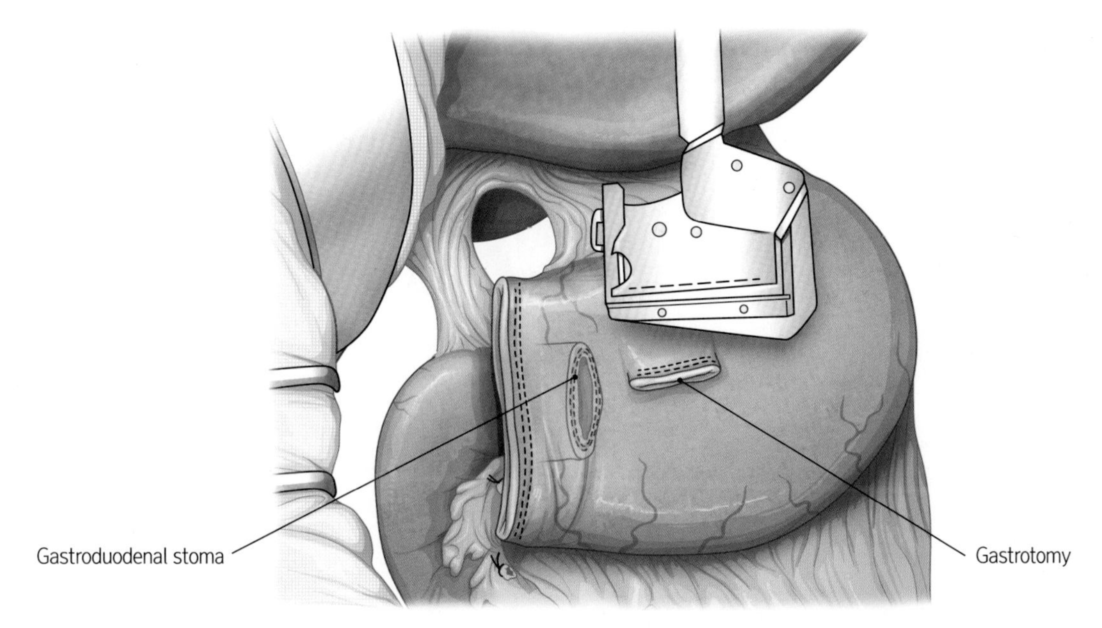

그림 9-8

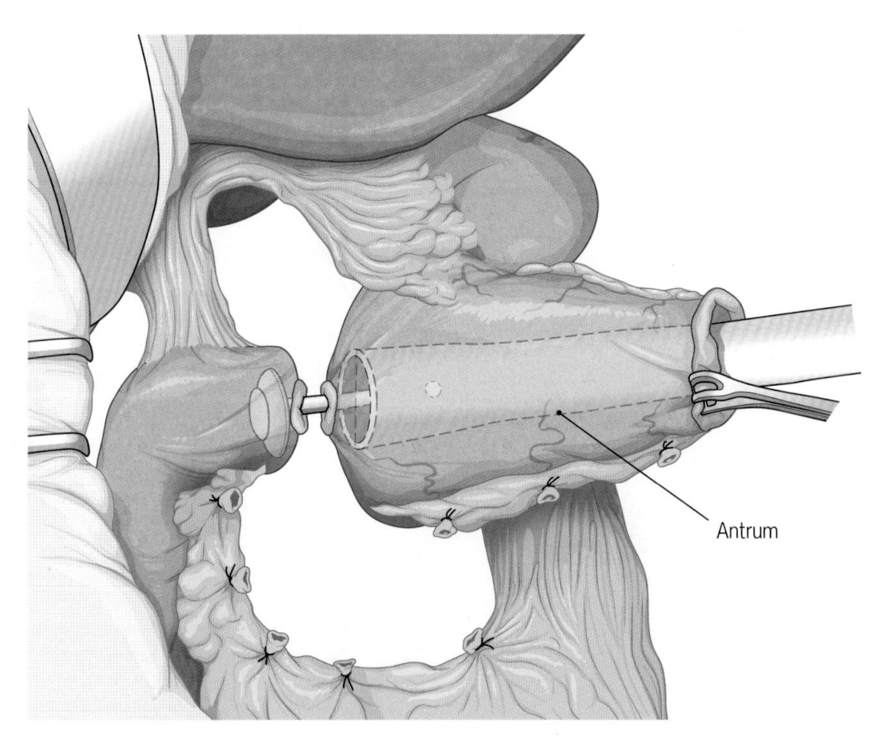

그림 9-9

(그림 9-10) 문합 부위를 피해서 병변이 포함된 원위부 위를 선형봉합기를 이용하여 절제한다.

(2) 위-십이지장 단단문합

(그림 9-11) 위-십이지장 문합을 시행 할 부위를 선형봉합기를 이용하여 절단한 후, 적출 될 위에 절개창을 만들어 원형봉합기를 넣어 회전시킨다.

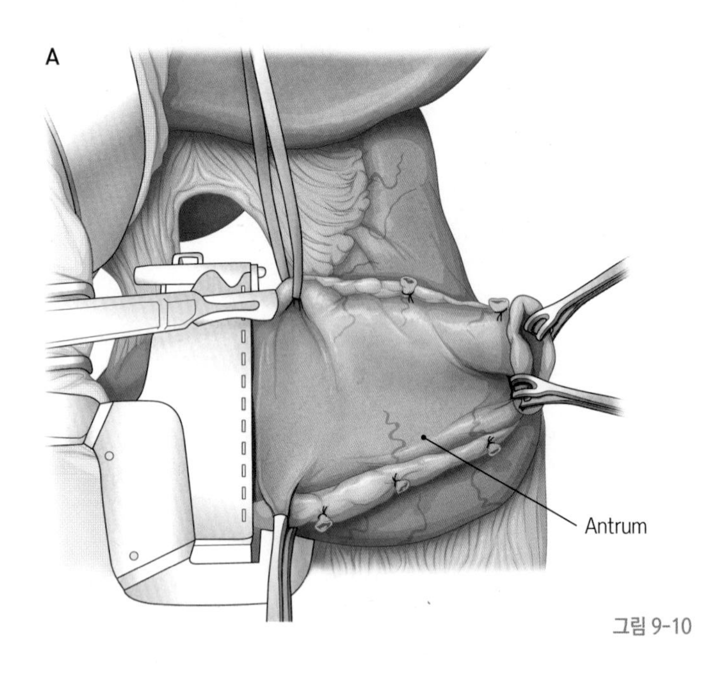

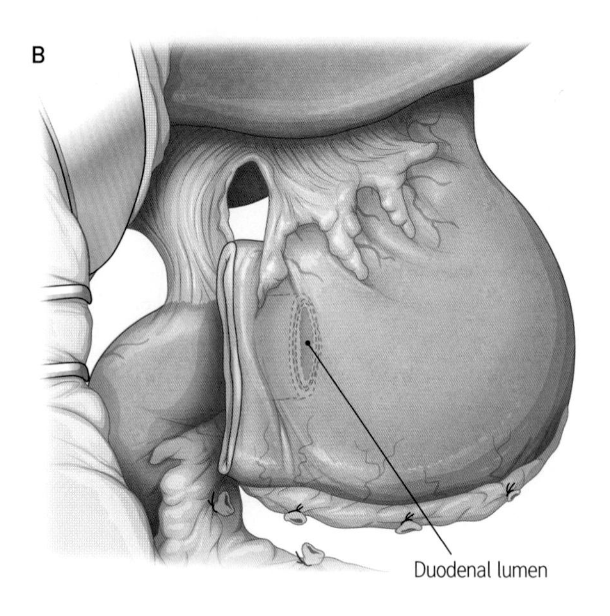

그림 9-10

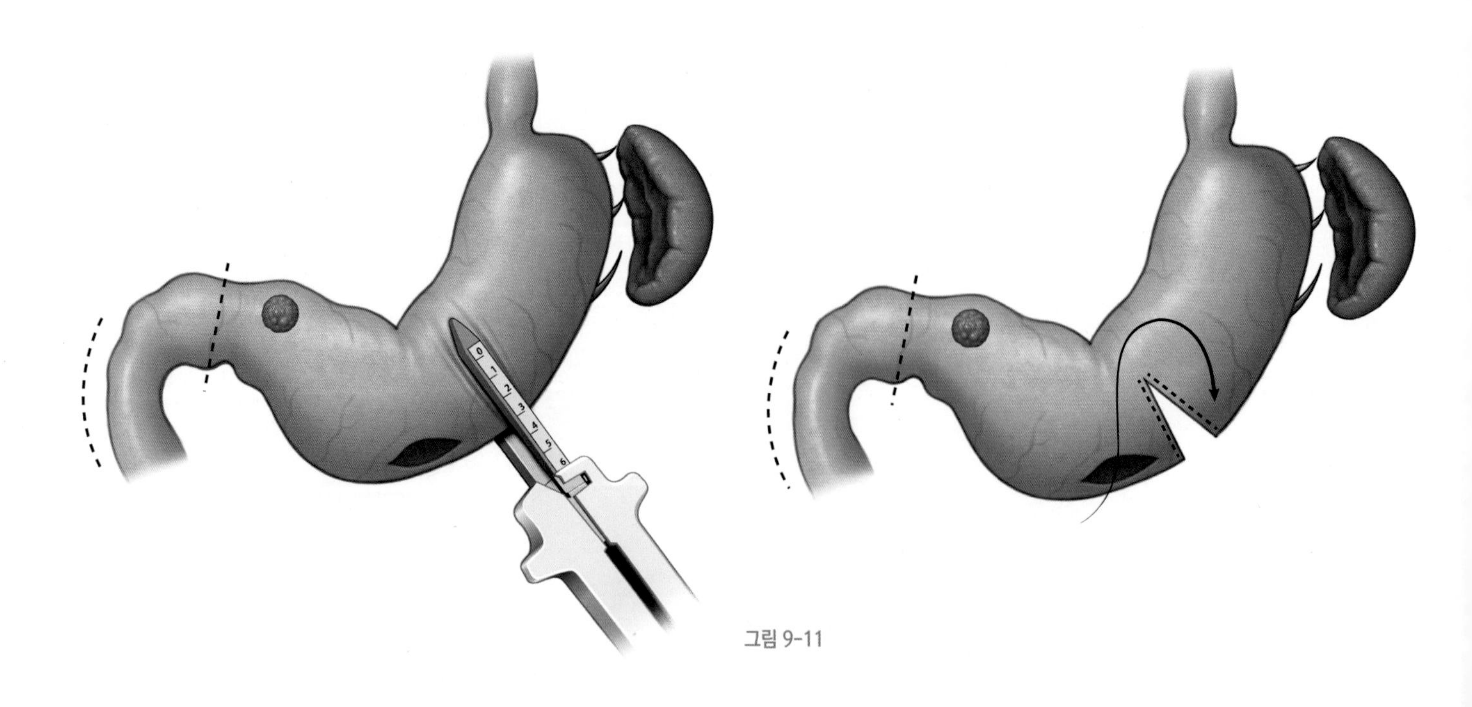

그림 9-11

(그림 9-12) 절단된 대만곡에 천공을 만들고 십이지장의 Anvil과 위의 원형봉합기를 결합하여 위-십이지장 문합을 시행한다.
(그림 9-13) 병변이 포함된 원위부 위를 선형봉합기를 이용하여 절제한다.

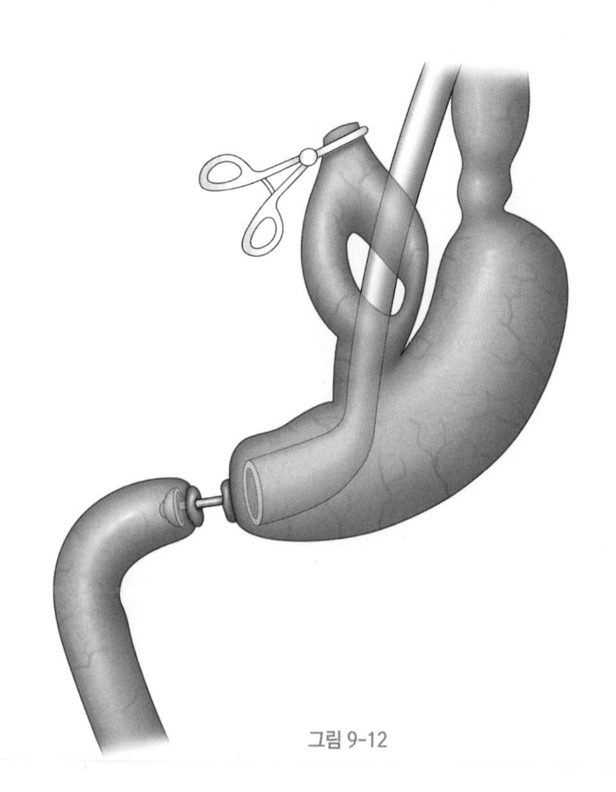

그림 9-12

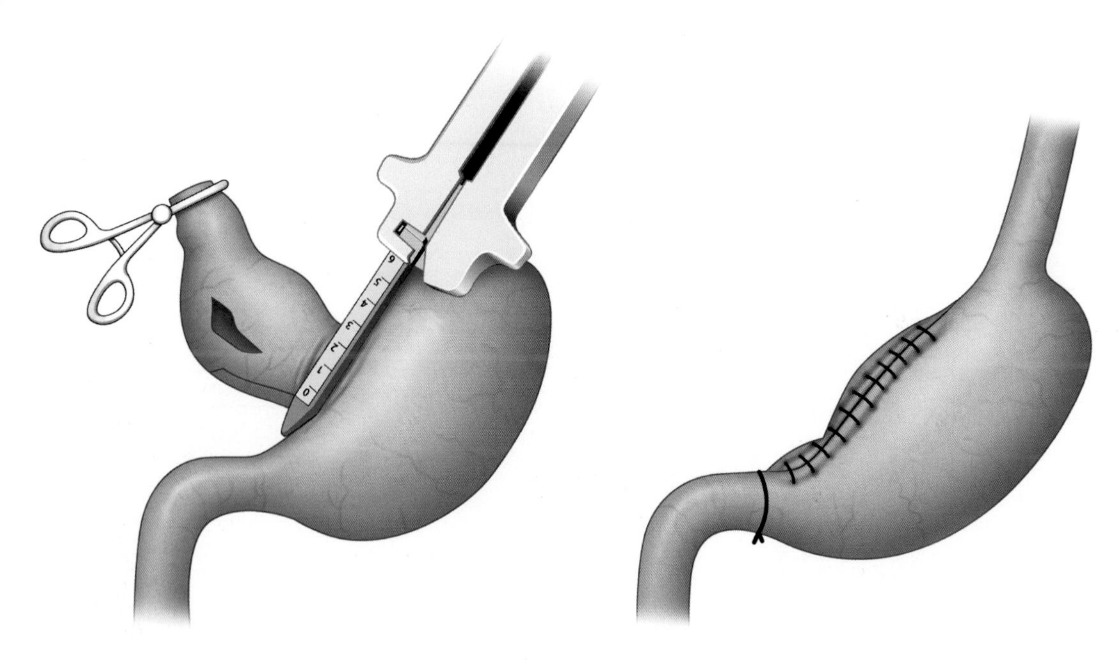

그림 9-13

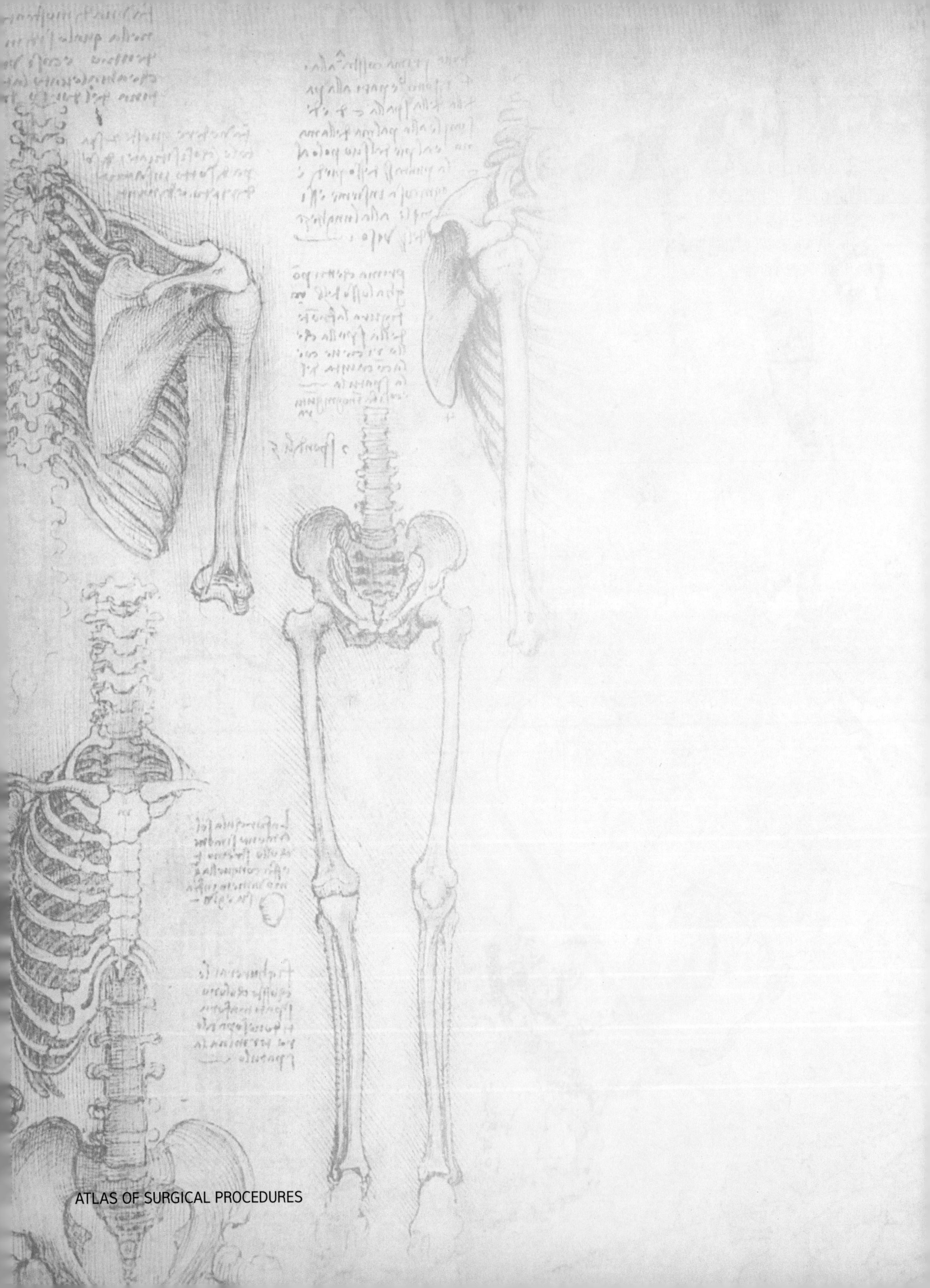

ATLAS OF SURGICAL PROCEDURES

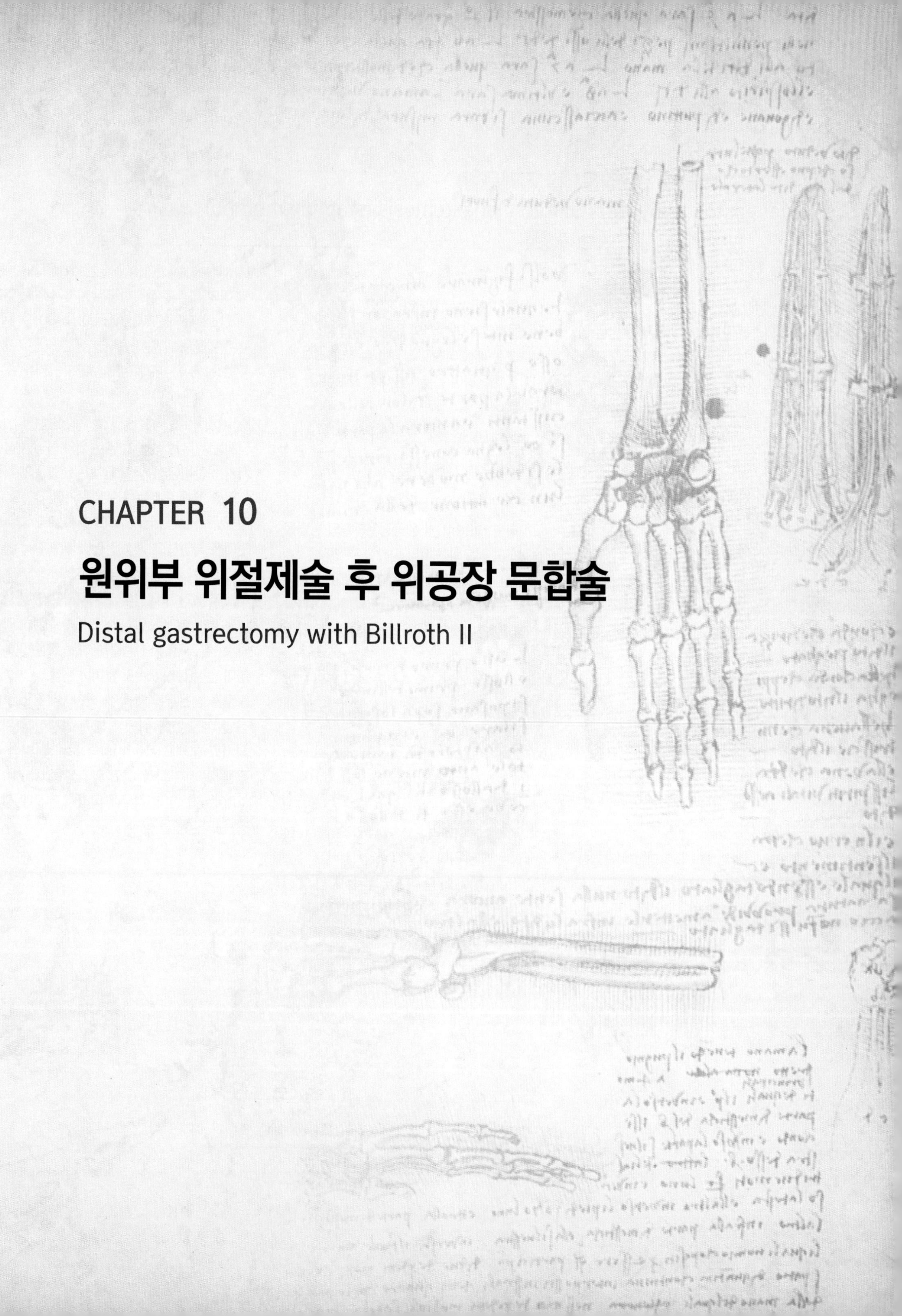

CHAPTER 10

원위부 위절제술 후 위공장 문합술

Distal gastrectomy with Billroth II

I. 원위부 위절제술 후 위공장문합술(기계문합)
Distal gastrectomy with billroth II anastomosis (stapling method)

1. 적응증

Billroth II 위장관 문합술은 위암 또는 소화성 궤양의 외과적 치료에서 위절제 후 남은 위와 장관을 재건하는데 흔히 시행되는 술기 중의 하나이다. 이외에 위배출구 폐쇄증 및 췌장암 수술에도 적응이 된다.

2. 수술 전 처치

일반적으로 비위관은 삽입하지 않는다. 횡행결장의 장간막이나 횡행결장에 암의 침윤이 의심이 되는 경우는 장 청소를 시행한다.

3. 마취

전신마취 하에 기관지 삽관 후 예상되는 세균에 대한 예방적 항생제를 투여한다.

4. 환자 자세

환자는 앙와위 자세에서 수술대에 잘 고정하도록 한다.

5. 수술 준비

젖꼭지 부위의 흉곽부터 두덩결합(치골결합, symphysis pubis) 아랫부분까지 항균소독약으로 복부를 소독한다.

6. 절개 및 노출

검상돌기(xiphoid)부터 배꼽까지의 상복부 정중절개를 하며 환자의 체형에 따라 검상돌기 위로 또는 배꼽 아래로 확장할 수 있다. 복부 견인기를 이용하여 충분히 시야를 확보한다.

7. 수술 과정

1) 선형문합기를 이용한 문합 방법

남은 위와 공장사이를 문합하는데 세 가지를 고려하여 Billroth II 위공장문합술의 방법을 선택하며 집도의에 따라 달라질 수 있다.

- (그림 10-1) 공장을 횡행결장 앞으로 가져와서 문합을 할 것인지 또는 횡행결장 간막을 통해 뒤로 빼어 문합을 할 것인지를 결정해야 한다.
- 공장의 수입각과 수출각을 남은 위의 대만 또는 소만 중 어느 부위에 문합할 것인지 정해야 한다.
- 문합의 위치로 남은 위의 전면 또는 후면에 문합부 구멍을 만들 수 있다.

(그림 10-1A) 가장 간단한 방법은 공장을 횡행결장 앞으로 들어올려 공장의 수입각(afferent loop)은 남은 위의 소만부에 위치시키고, 수출각(efferent loop)은 대만부에 위치시킨 후 공장을 남은 위의 후벽에 문합하는 방법이다.

- (그림 10-2A) 문합부와 남은 위의 절단면 사이의 혈류를 적절하게 유지하기 위해 위절단 스태플 선에서 2 cm 이상 떨어진 곳에 문합을 해야 한다.
- (그림 10-2B) 구멍(stoma)의 크기는 6~8 cm 정도로 만든다.

Billroth II 문합술은 3단계로 진행한다. 첫 단계는 위부분 절제 후 남은 위와 공장을 접근시키는 준비단계, 둘째 단계는 문합술의 시행 그리고 셋째 단계는 자동문합기를 삽입한 구멍(common opening)의 봉합이다. Treitz 인대를 확인하고 공장을 잡아 횡행결장 앞으로 들어올려 수입각이 남은 위의 소만부에 그리고 수출각이 대만부에 위치시킨다. 공장은 남은 위에 쉽게 도달할 수 있도록 충분히 길어야 하나 그러나 너무 길게 하는 것은 피해야 하며 긴장(tension)도 없어야 한다.

공장을 남은 위의 스태플 라인에서 2 cm 이상 떨어진 남은 위의 후벽에 평행하게 위치시키고 클램프(clamps)의 도움을 받아 공장을 위에 가깝게 하고 당김봉합(traction suture)을 한다. 경우에 따라서 전폭에 걸쳐 장-근막 봉합을 할 수 있다.

A

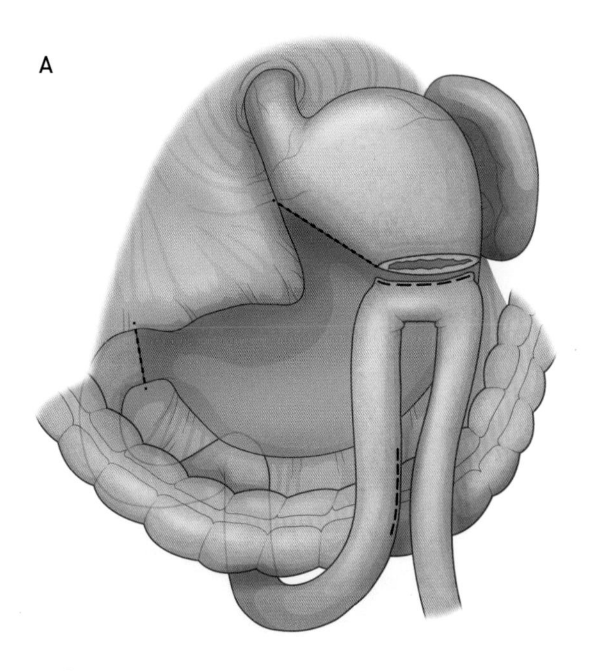

B

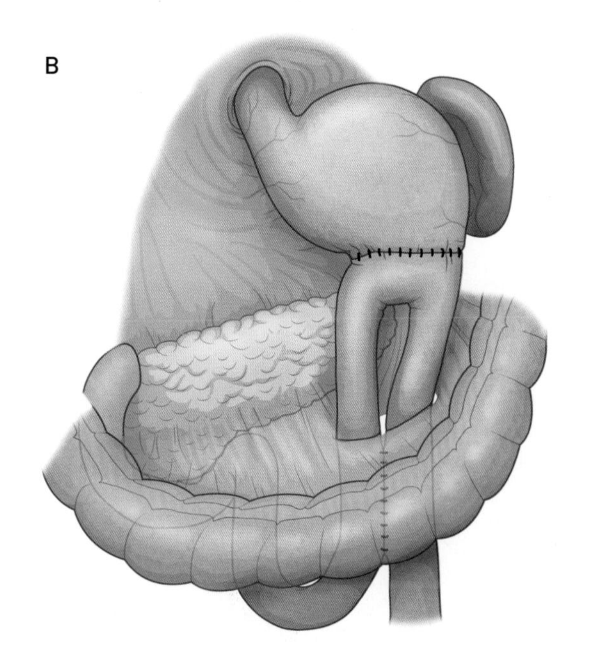

그림 10-1 위공장문합술
A. 전결장, B. 후결장

A

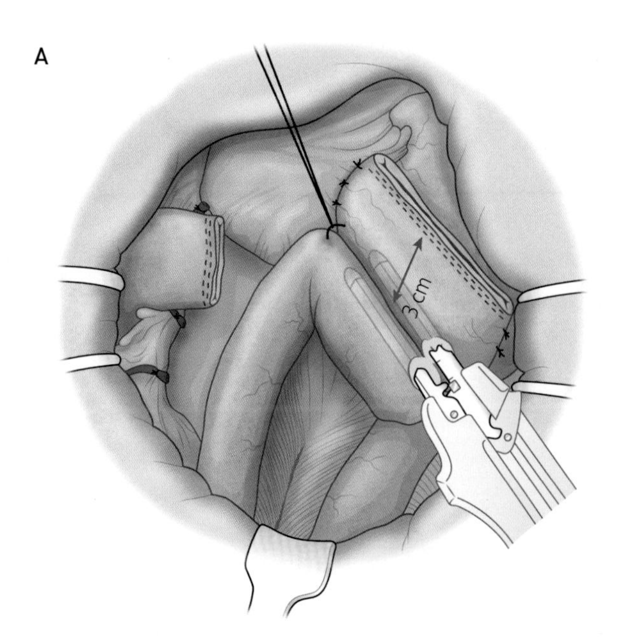

B

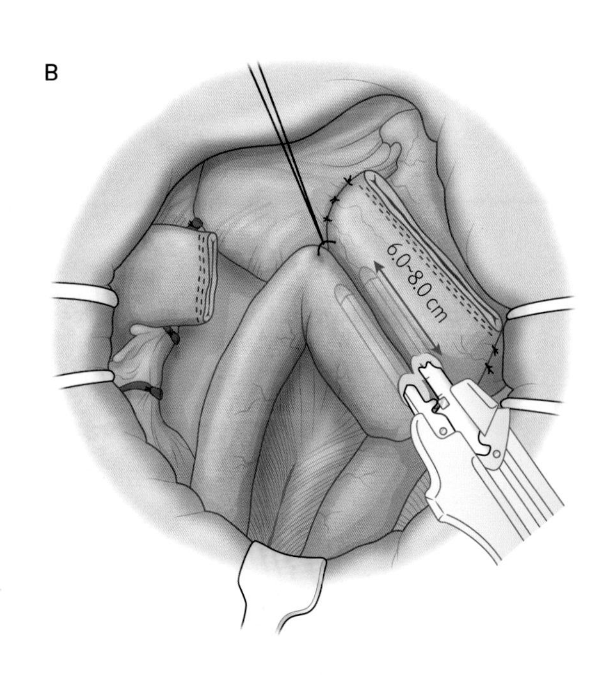

그림 10-2 문합부의 위치 및 크기
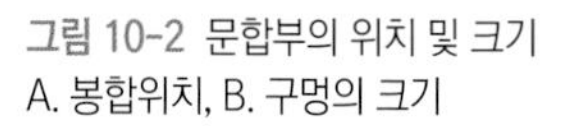
A. 봉합위치, B. 구멍의 크기

(그림 10-3) 대만으로부터 2 cm 이상 떨어진 곳의 위에 작은 칼 또는 지짐기(cautery)로 1 cm 크기의 구멍을 만들고, 대응하는 부위의 공장에도 구멍을 만든다. 자동문합기의 스태플이 들어있는 날(cartridge fork)은 위내로 그리고 반대편 날(anvil fork)은 공장 내로 6~8 cm 길이의 깊이로 넣는다.

(그림 10-4) 두 날이 잘 정렬된 것을 확인하고 두 개의 날을 닫고 공장의 장간막이 두 날 사이에 끼여있는지도 확인한 후 발사한다. 발사를 하면 자동봉합기내 칼날이 두 개의 스태플선 사이를 자르면서 측측문합술(side-to-side anastomosis)이 되며 문합 구멍(stoma)이 생긴다.

자동문합기를 뺄 때 양쪽날을 넣은 구멍이 커

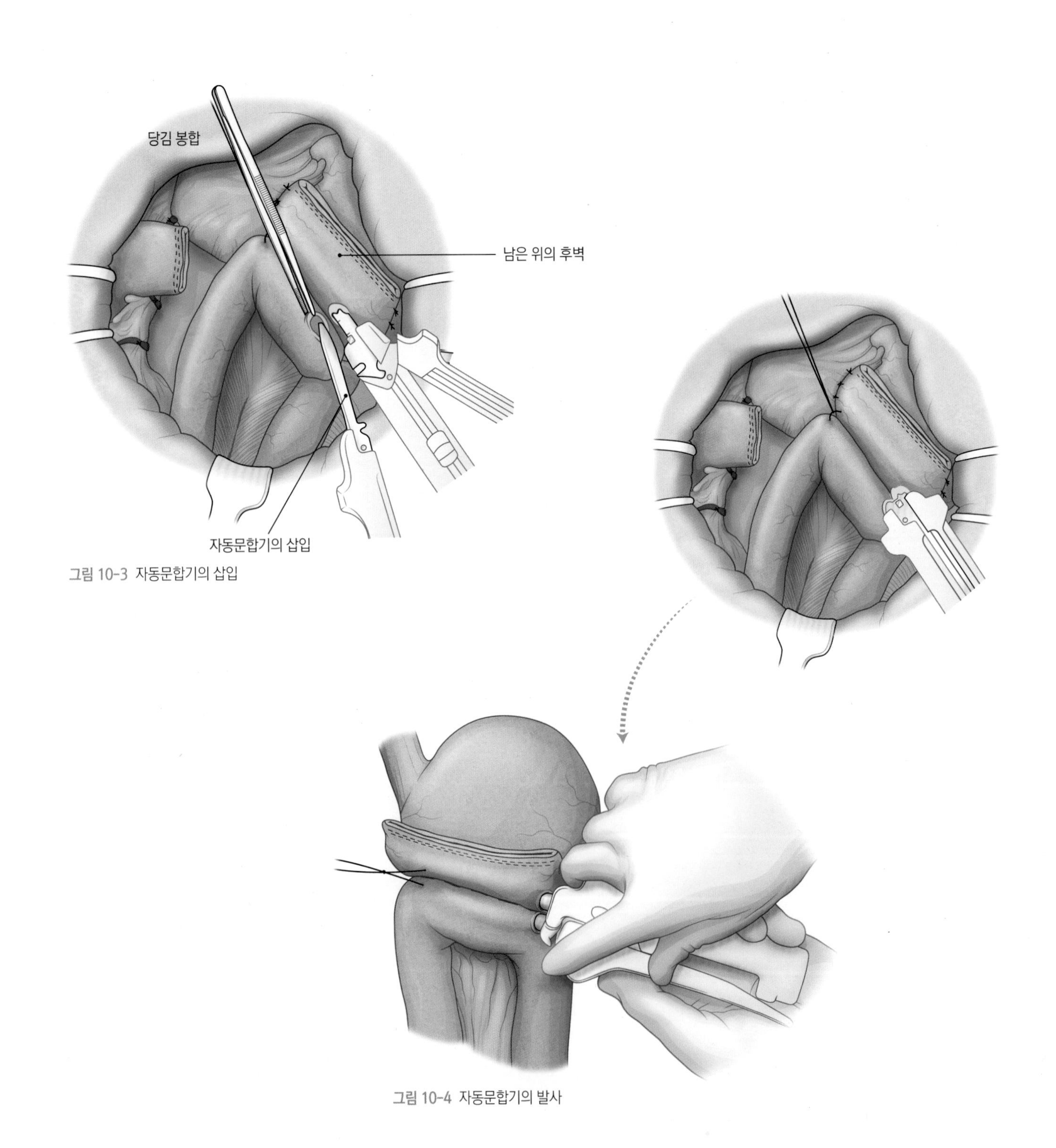

그림 10-3 자동문합기의 삽입

그림 10-4 자동문합기의 발사

지는 것을 피하기 위해, 자동문합기를 중간위치까지만 열고 조직으로부터 양날을 자유롭게 하고 기구를 슬라이드하며 천천히 빼낸다. 문합된 부위의 스태플 선을 관찰하고 출혈이 있으면 봉합하여 지혈한다.

(그림 10-5) 문합기를 넣었던 구멍에 당김봉합 또는 클램프를 하고 구멍의 가장자리를 외번시킨 후 자동문합기로 외번된 조직주위로 넣어서 문합기를 닫고 발사한다. 봉합을 하여 구멍을 닫기도 한다. 지혈 여부를 체크하며 스태플 선을 봉합하여 보강하기도 한다.

위공장문합의 구멍이 잘되었는지는 수지촉지로 확인하며 자동문합기로 만들어진 위공장문합부위는 (그림 10-6)과 같다.

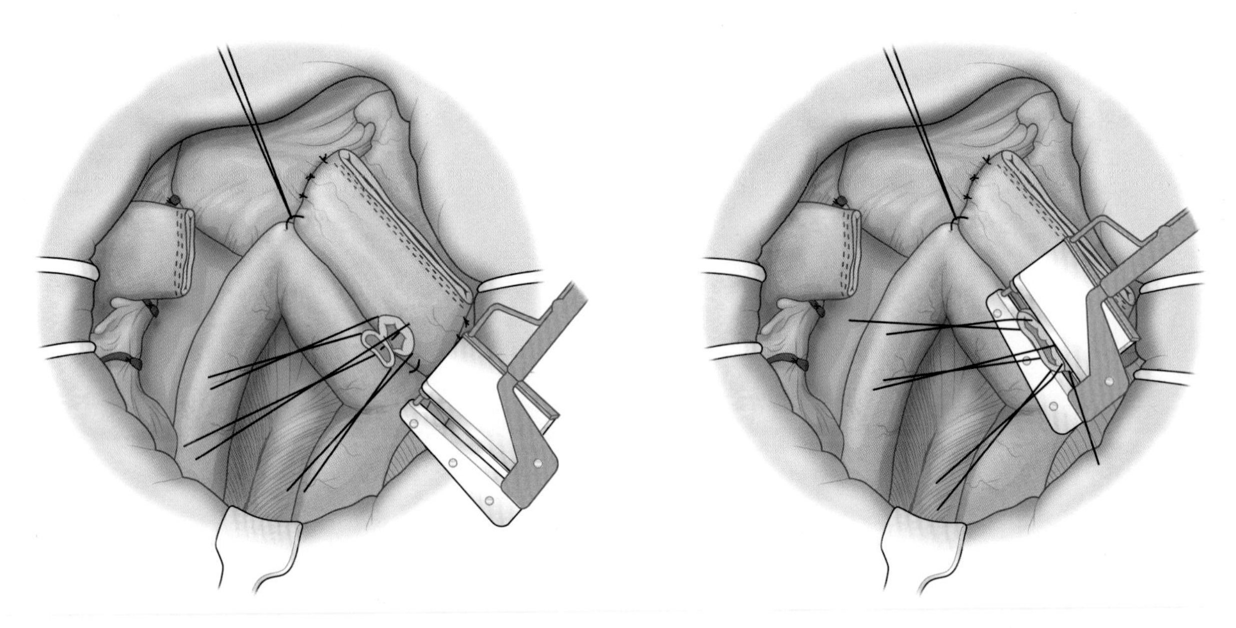

그림 10-5 자동문합기를 넣은 남은 위와 공장의 구멍을 폐쇄한다.

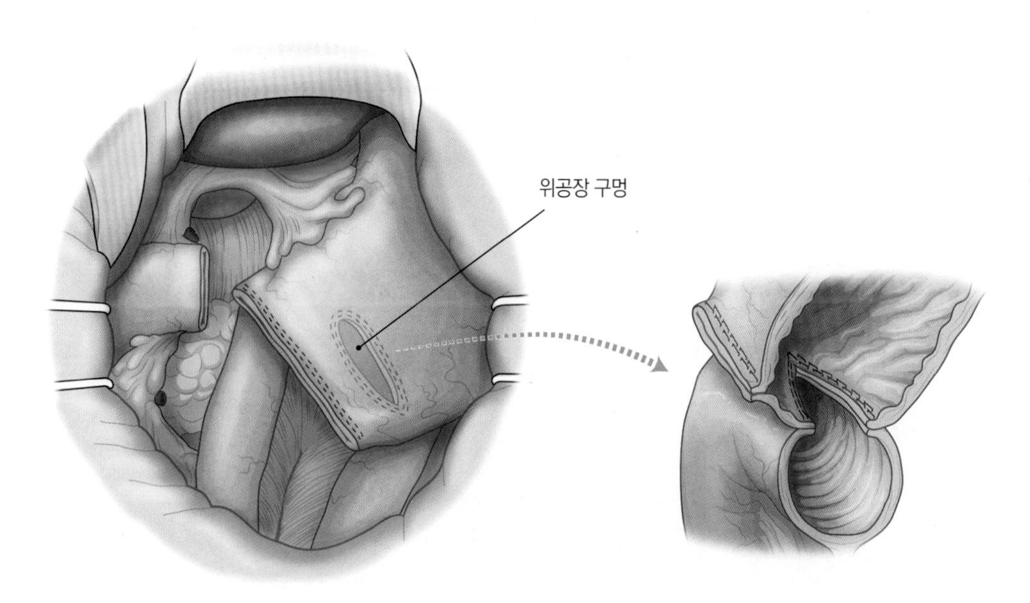

그림 10-6 자동문합기로 만들어진 위공장문합부

2) 원형문합기를 이용한 문합 방법

(그림 10-7A) Kocher 수기로 십이지장을 충분히 유동시킨 후 선형문합기를 이용하여 유문하방 십이지장을 절단하고 장-근막 봉합으로 절단면을 처리한 후, Treitz 인대로부터 하방 20 cm 부위의 공장을 결장간막을 통과시켜 끌어올린 후, purse-string clamp를 사용하여 장간막 반대측면의 공장에 쌈지봉합(purse-string suture)을 시행하며, clamp 직상방의 공장을 절단하고, 절단된 공장내에 anvil을 삽입한 후 결찰한다.

(그림 10-7B) 위 원위부 절제를 위해 예정 절제부위의 소만곡과 대만곡에 견인봉합을 하여 가상선을 설정하고 문합기 본체가 통과할 정도 크기의 작은 절개창을 병변의 반대쪽, 가상선 원위부의 절제될 위에 만들고, 이 절개창을 통해 문합기 본체를 삽입한다. 절제될 위 원위부를 복강 밖, 상방으로 들어올린 후, 원위부 절제를 위해 설정한 가상선 근위부 잔위 후벽에 trocar를 이용해 spindle을 관통시킨 뒤, anvil과 spindle을 밀착시켜(그림 10-7C) 잔위 후벽과 공장의 문합을 시행한다(그림 10-7D). 문합 시행 후 기계문합을 할 때 문합기 본체를 넣었던 절개창을 통해 기계문합 부위의 출혈 유무를 확인하고, 위공장문합부와 2 cm 이상의 간격을 확보한 뒤 선형문합기를 사용하여 병변을 포함한 위 원위부 절제를 시행하고(그림 10-7E), 위 절제연을 단속봉합한 후 수술을 종료한다.

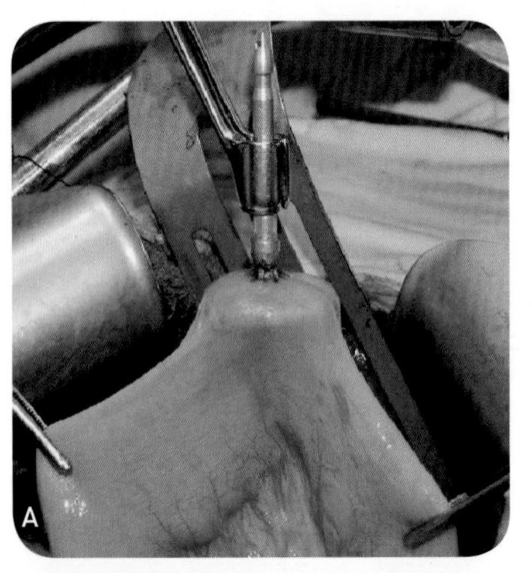

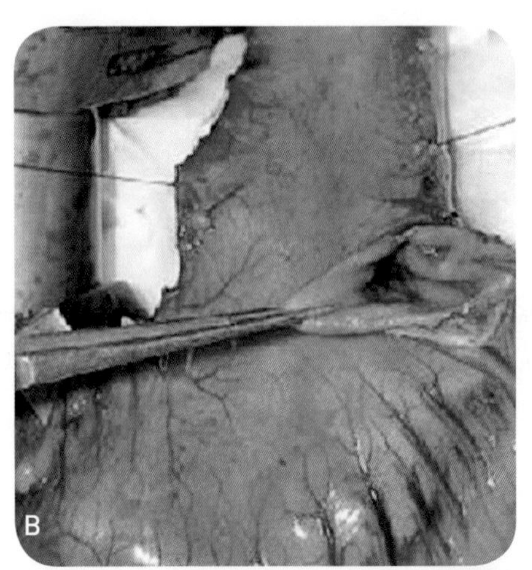

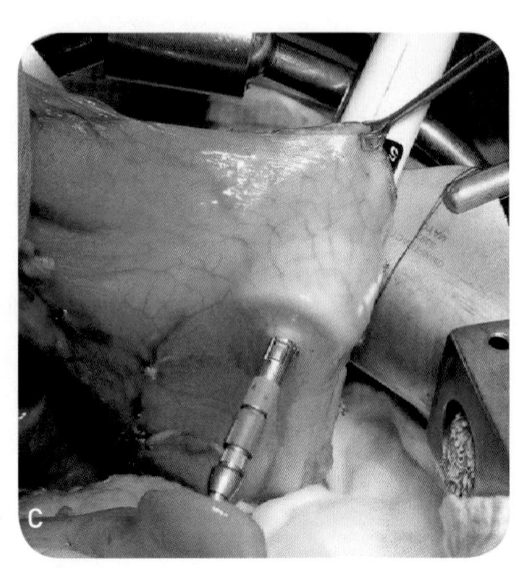

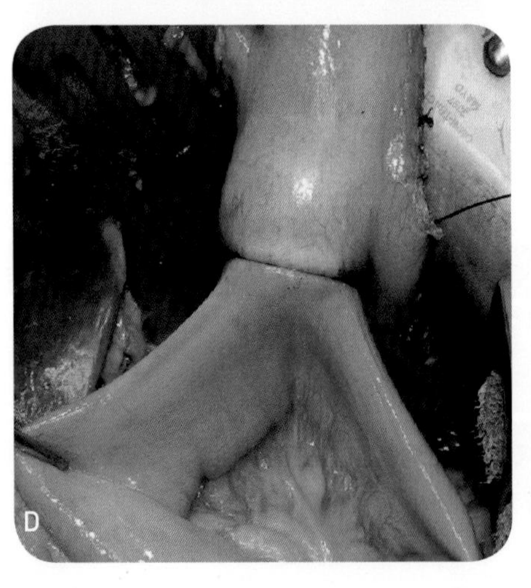

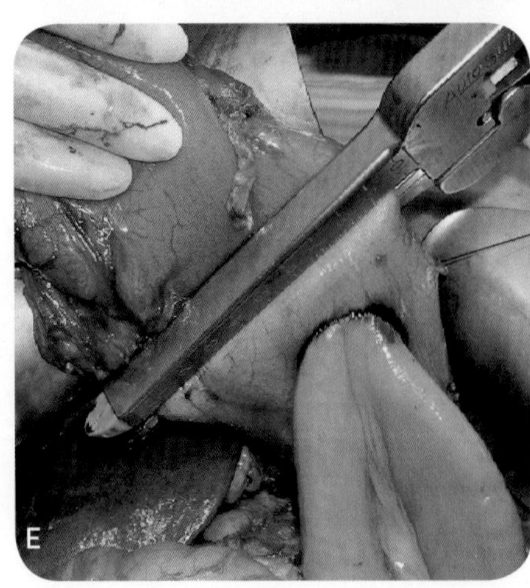

그림 10-7
A. 공장에 anvil을 삽입한다.
B. 절제될 위에 절개창을 만든다.
C. 위의 절개창에 스테플 본체를 삽입하여 anvil과 결합한다.
D. 원형문합기를 이용하여 위공장문합술 시행한다.
E. 선형합기를문 이용하여 위절제를 시행한다.

II. 원위부 위절제술 후 위공장 문합술(수기형) Distal gastrectomy with billroth II (hand-sewn method)

1. 적응증

병소의 위치가 위 체부의 중-상부 이상에 있어 위-십이지장 문합에 당김현상이 있을 경우 위-공장 문합을 시행한다.

2. 수술 전 처치

수술 전일 저녁식사 후 금식상태를 유지한다. 비위관 삽입은 수술 후 문합부의 출혈 등을 속히 알기 위하여 삽관하기도 하고 삽관하지 않은 채 임상적으로 관찰하기도 한다.

3. 마취

전신마취를 한다.

4. 환자 자세

Supine position

5. 절개 및 노출

검상돌기로부터 상복부 정중선을 따라 배꼽 상부를 향하여 약 10 cm 내외(환자의 복부 비만도에 따라 절개창 길이를 결정)를 절개하고 견인기로 절개창을 확대한다.

6. 수술 과정

원위부를 절제 한 위를 알랜겸자로 잡고 트라이츠 인대에서 25~20 cm 정도 떨어진 공장을 굴곡장겸자로 잡는다. 이때 공장의 근위부가 위의 대만부 쪽으로, 공장의 원위부는 위의 소만부 쪽으로 접근되도록 굴곡장겸자의 방향을 잡는다. 근위부 공장과 위 체부 후면측 장막을 비흡수 봉합사인 silk를 이용하여 running suture로 봉합한다.

이후 알랜겸자의 하단부를 메스로 절제한다.

위와 봉합할 공장의 전면부를 전기소작기로 지혈시키면서 개봉한다.

위-공장 문합부의 근위부 공장 장막층으로부터 점막층을 향하여 흡수봉합사(주로 바이크릴)을 통과시킨 후 다시 공장 장막층을 통과하여 위 장막, 위 점막, 위 장막의 순으로 바늘을 통과시킨 뒤 결찰한다. 그 이후 바늘을 위의 장막층에서 점막층으로 통과 시킨 뒤 술자의 왼손으로 위 후벽의 장막층을 위쪽으로 견인하여 봉합 할 부위의 시야를 확보한 상태에서 다시 바늘을 공장 점막, 공장 장막, 위 장막, 위 점막의 순으로 interlocking suture 한다.

위공장 문합부 소만측에 이르러 위 전벽과 공장 전벽에 이르면 바늘을 위 점막쪽으로부터 위 장막쪽으로 통과시킨 뒤 다시 공장 장막, 공장 점막, 위 점막, 위 장막의 순으로 바늘을 통과시키며 두 장기의 전층 봉합을 완성한다.

위 공장 문합부 전벽의 장막층 봉합은 비흡수 봉합사를 running suture하거나 intermittent suture 수행한다. 이때 소만측 봉합부위는 triangular suture를 시행하여 문합부 누출을 예방한다.

알칼리 역류성 위염의 발생을 줄이기 위하여 공장의 수입각과 수출각 사이에 Braun 봉합을 시행한다. 우선 수입각 및 수출각의 중간부위 전벽 가운데 각각 장간막에 가까운 곳에 비흡수봉합사로 봉합을 시작한다. 이때 위공장 문합부로부터 수입각까지의 거리보다 수출각까지의 거리를 좀 더 길게 설정함으로써 위공장 문합부 직하방에서 공장이 접히는 현상을 예방한다.

공장-공장간 문합부 후벽의 길이는 약 3 cm 내외면 충분하다.

봉합할 부위의 양측 공장 전벽을 전기소작기와 metzenbaum 가위로 개봉한다.

봉합부 후벽을 흡수봉합사를 이용하여 continuous interlocking suture 방식으로 봉합한다.

공장-공장 문합부의 전벽 전층 봉합을 마치고 장막층 간의 봉합을 비흡수봉합사를 이용하여 완성한다.

공장-공장 문합부의 문합을 마친 뒤 위-공장 문합부의 접힘현상이 있는 지 여부를 확인한다. 또한 공장-공장 문합부의 너비가 술자의 검지가 들어갈 정도의 길이인지와 봉합층이 제대로 형성되었는지 확인한다.

(그림 10-8) 원위부를 절제 한 위를 알랜겸자로 잡고 트라이츠 인대에서 25~20 cm 정도 떨어진 공장을 굴곡장겸자로 잡는다. 이때 공장의 근위부가 위의 대만부 쪽으로, 공장의 원위부는 위의 소만부 쪽으로 접근되도록 굴곡장겸자의 방향을 잡는다. 근위부 공장과 위체부 후면측 장막을 비흡수 봉합사인 silk로 running suture로 봉합한다.

(그림 10-9) 알랜겸자의 하단부를 메스로 절제한다.

(그림 10-10) 위와 봉합할 공장의 전면부를 전기소작기로 지혈시키면서 개봉한다.

(그림 10-11) 위-공장 문합부의 근위부 공장 장막층으로부터 점막층을 향하여 흡수봉합사(주로 바이크릴)을 통과시킨 후 다시 공장 장막층을 통과하여 위 장막, 위 점막, 위 장막의 순으로 바늘을 통과시킨 뒤 tie 한다. 그 이후 바늘을 위의 장막층에서 점막층으로 통과 시킨 뒤 술자의 왼손으로 위 후벽의 장막층을 위쪽으로 견인하여 봉합 할 부위의 시야를 확보한 상태에서 다시 바늘을 공장 점막, 공장 장막, 위 장막, 위 점막의 순으로 interlocking suture 한다.

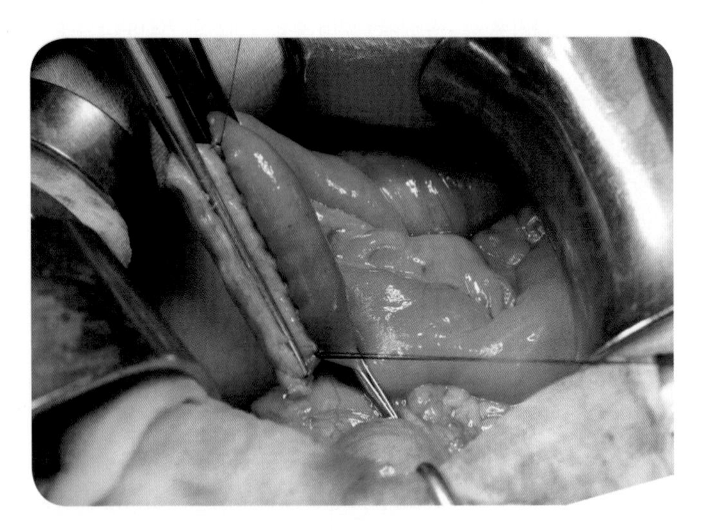

그림 10-8

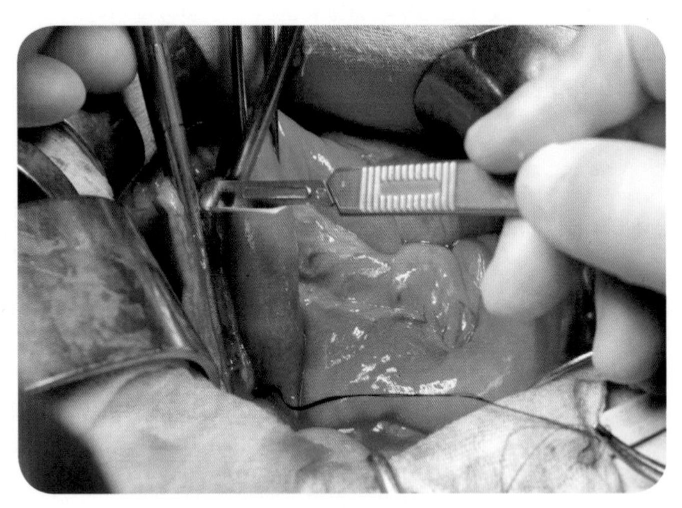

그림 10-9

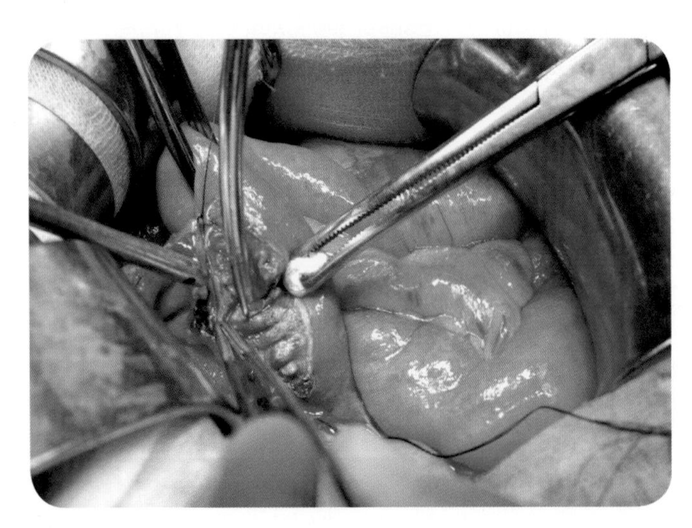

그림 10-10

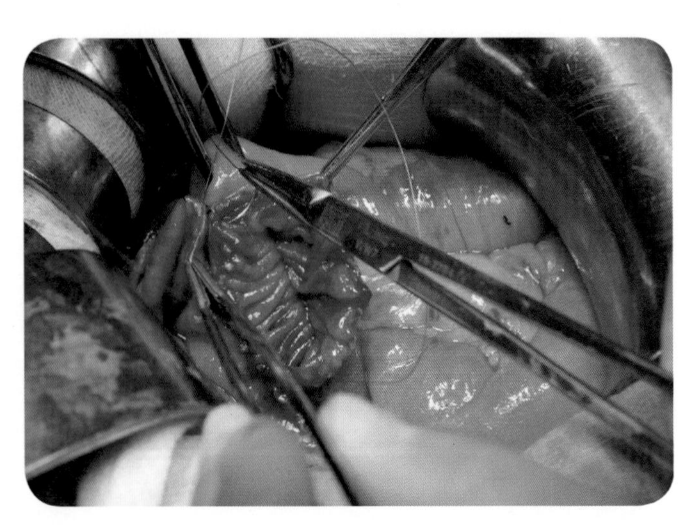

그림 10-11

(그림 10-12) 위공장 문합부 소만측에 이르러 위 전벽과 공장 전벽에 이르면 바늘을 위 점막 쪽으로부터 위 장막쪽으로 통과시킨 뒤 다시 공장 장막, 공장 점막, 위 점막, 위 장막의 순으로 바늘을 통과시키며 두 장기의 전층 봉합을 완성한다.

(그림 10-13) 위 공장 문합부 전벽의 장막층 봉합은 비흡수 봉합사를 running suture하거나 intermittent suture 수행한다. 이때 소만측 봉합부위는 triangular suture를 시행하여 문합부 누출을 예방한다.

(그림 10-14) 알칼리 역류성 위염의 발생을 줄이기 위하여 공장의 수입각과 수출각 사이에 Braun 봉합을 시행한다. 우선 수입각 및 수출각의 중간부위 전벽 가운데 각각 장간막에 가까운 곳에 비흡수봉합사로 봉합을 시작한다. 이때 위공장문합부로부터 수입각까지의 거리보다 수출각까지의 거리를 좀 더 길게 설정함으로써 위공장 문합부 직하방에서 공장이 접히는 현상을 예방한다.

(그림 10-15) 공장-공장간 문합부 후벽의 길이는 약 3 cm 내외면 충분하다.

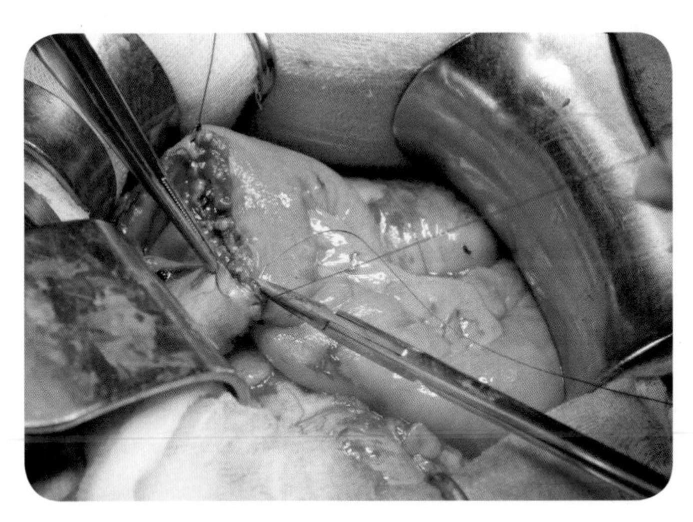
그림 10-12

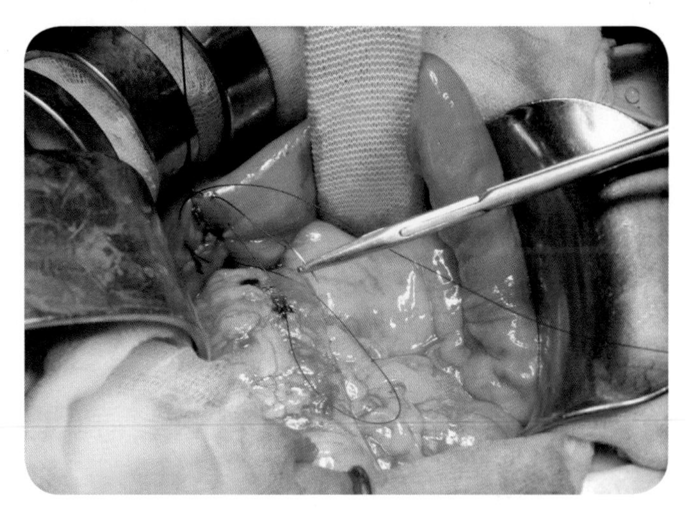
그림 10-13

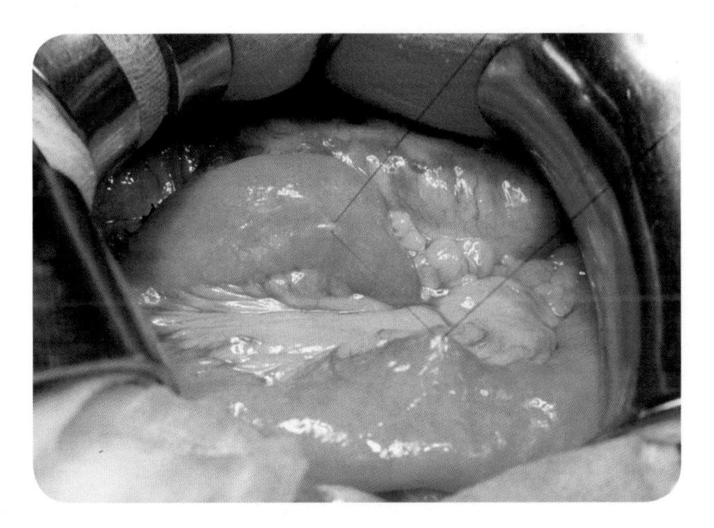
그림 10-14

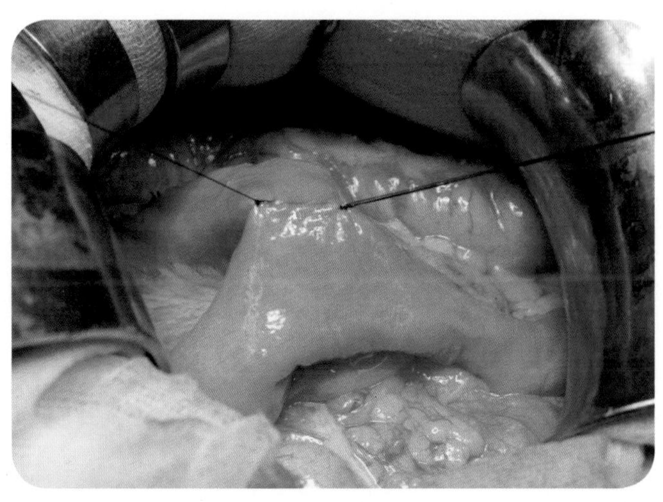
그림 10-15

(그림 10-16) 봉합할 부위의 양측 공장 전벽을 전기소각기와 metzenbaum 가위로 개봉한다.
(그림 10-117) 봉합부 후벽을 흡수봉합사를 이용하여 continuous interlocking suture 방식으로 봉합한다.
(그림 10-18) 공장-공장 문합부의 전벽 전층 봉합을 마치고 장막층 간의 봉합을 비흡수봉합사를 이용하여 완성한다.
(그림 10-19) 공장-공장 문합부의 문합을 마친 뒤 위-공장 문합부의 접힘현상이 있는 지 여부를 확인한다. 또한 공장-공장 문합부의 너비가 술자의 검지가 들어갈 정도의 길이인지와 봉합층이 제대로 형성되었는지 확인한다.

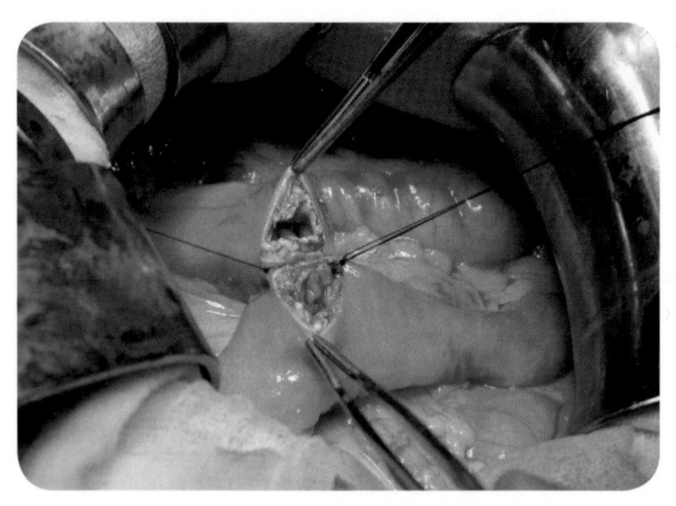
그림 10-16

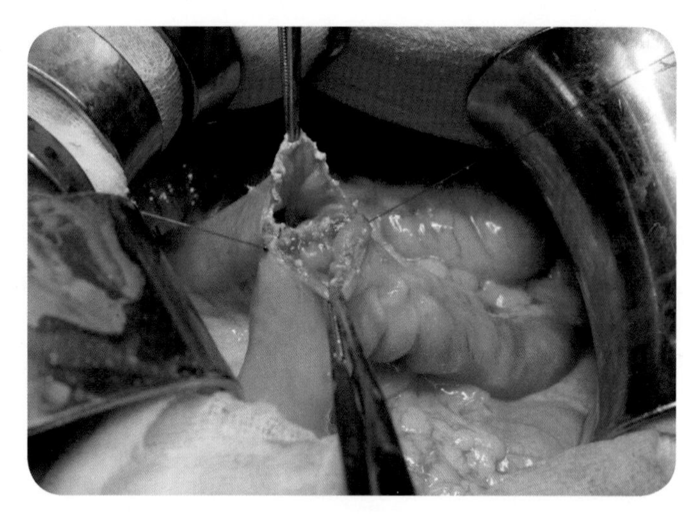
그림 10-17

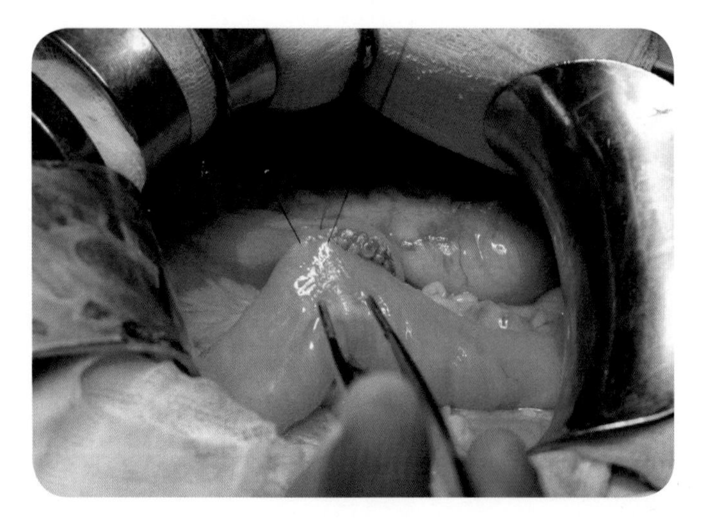
그림 10-18

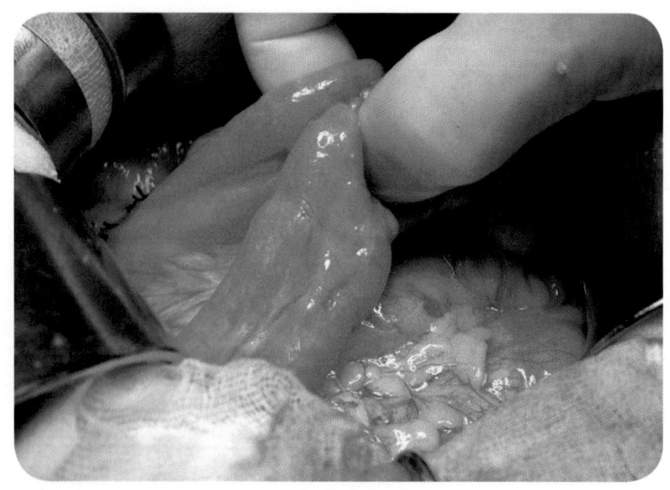
그림 10-19

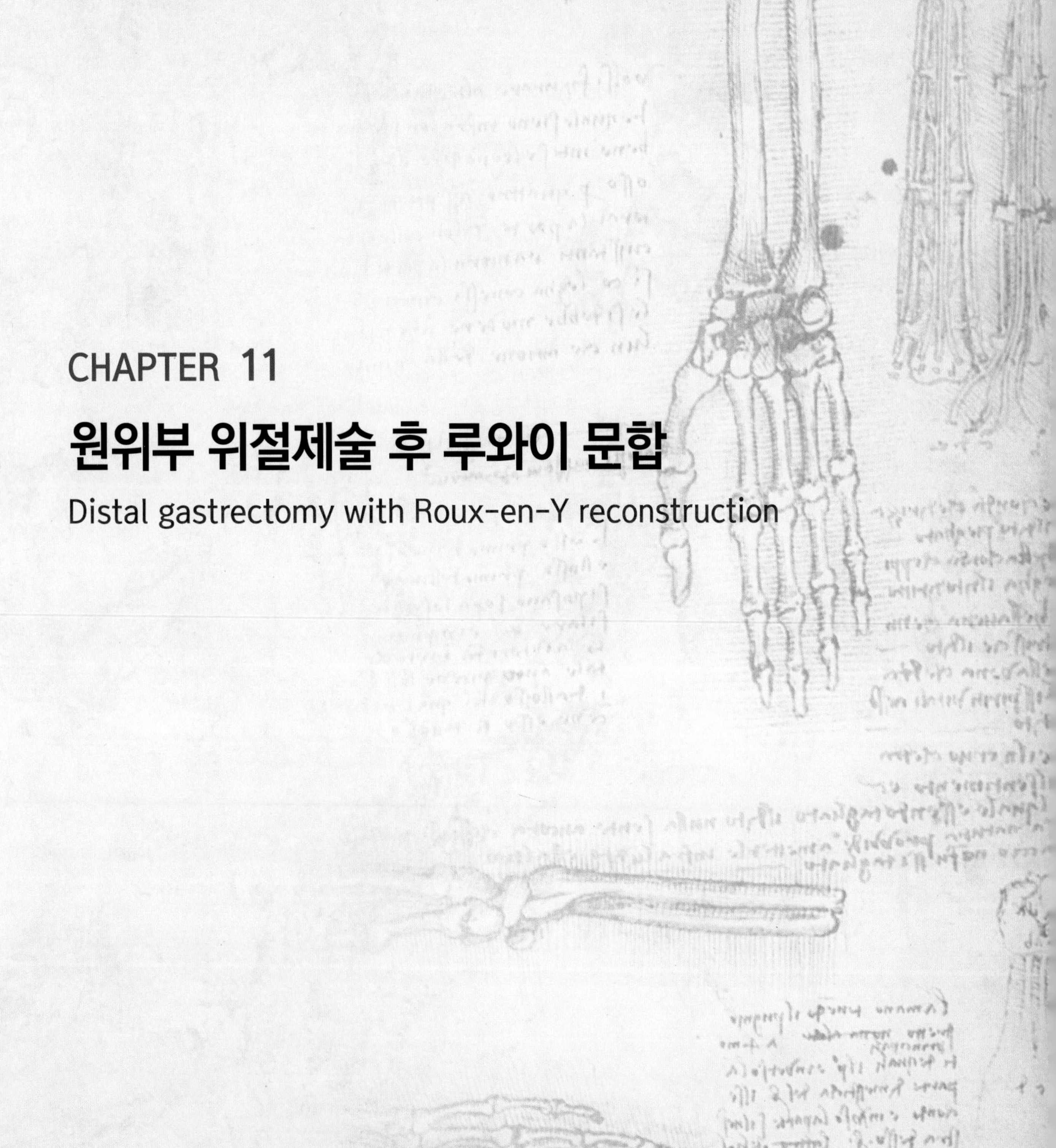

CHAPTER 11

원위부 위절제술 후 루와이 문합

Distal gastrectomy with Roux-en-Y reconstruction

1. 위절제 및 문합준비 (Gastrectomy and preparation)

(그림 11-1) 75% 위 절제술 및 림프절 절제술을 끝내고 절제표본을 내보낸 뒤 절제면 및 복강내 출혈 여부를 확인하고 문합 준비를 한다.

2. 공장의 박리 (Dissection of jejunum)

(그림 11-2) Treitz 인대(ligament of Treitz)를 찾는데 하장간막정맥(inferior mesenteric vein)이 기준이 된다. 이곳에서 15~20 cm 하방의 공장 주변 장간막을 결찰, 절단하여 박리한다. GIA나 TA를 이용하여 공장을 절단한다. 절단한 공장의 원위부를 이용하여 위-공장 문합술을 시행한다. 원위부 공장을 문합하기 전에 단단부를 보강하는 봉합을 하기도 한다. 공장은 결장앞으로 문합하기도 하나 대장간막에 구멍을 내어 결장뒤로 문합하는 것(retrocolic route)을 선호한다.

3. 위-공장 문합술 (Gastrojejunostomy)

(그림 11-3) 약 5 ~ 6 cm의 측-측 문합(side to side anastomosis)을 시행한다. 문합전 공장의 장막을 위 후벽의 장막에 고정한다. 전기소작기를 이용하여 공장의 antimesenteric border를 열고, 후벽-후벽 문합, 전벽-전벽 문합을 연속 봉합(running suture)으로 시행한다. 문합부 전벽의 보강봉합(Lembert suture)을 시행한다.

(GIA를 이용한 문합술)

원위부 공장의 단단부에서 약 10 cm 하방과 잔위의 대만쪽에 각각 약 1 cm의 GIA의 양쪽 jaw를 위한 구멍을 만든다. GIA를 발사하여 측-측 문합한 뒤 개구부를 연속문합하여 닫아준다.

4. 공장-공장 문합술 (Jejunojejunostomy)

(그림 11-4) Treitz 인대 하방 15 cm의 근위부 공장을 위-공장 문합술 하방 약 40 ~ 50 cm 근처의 공장에 단-측 문합(end to side)한다. 이때 GIA와 같은 자동문합기를 사용하기도 한다.

5. 장간막 봉합 (Closure of mesocolon)

공장을 결장 후면으로 올리기 위해 만든 구멍을 봉합하여 탈장을 예방한다. 공장-공장 문합술을 시행한 장간막도 봉합하여 준다.

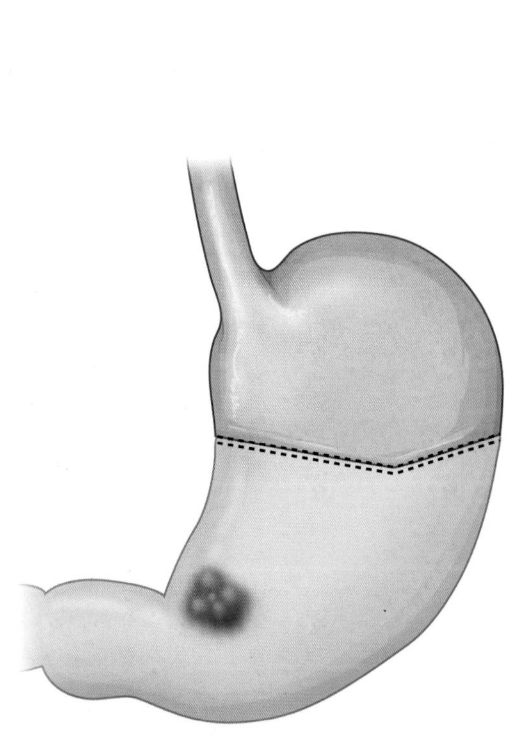

그림 11-1

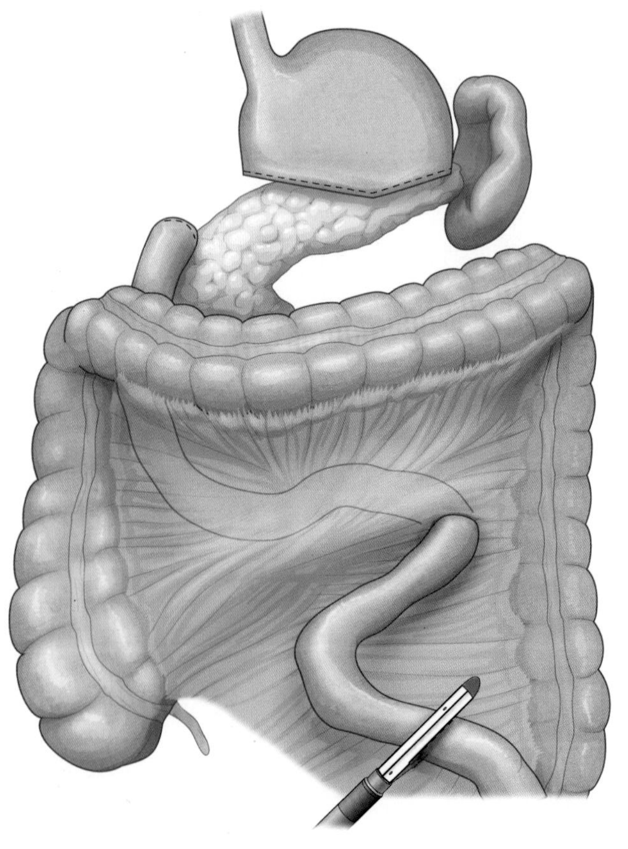

그림 11-2

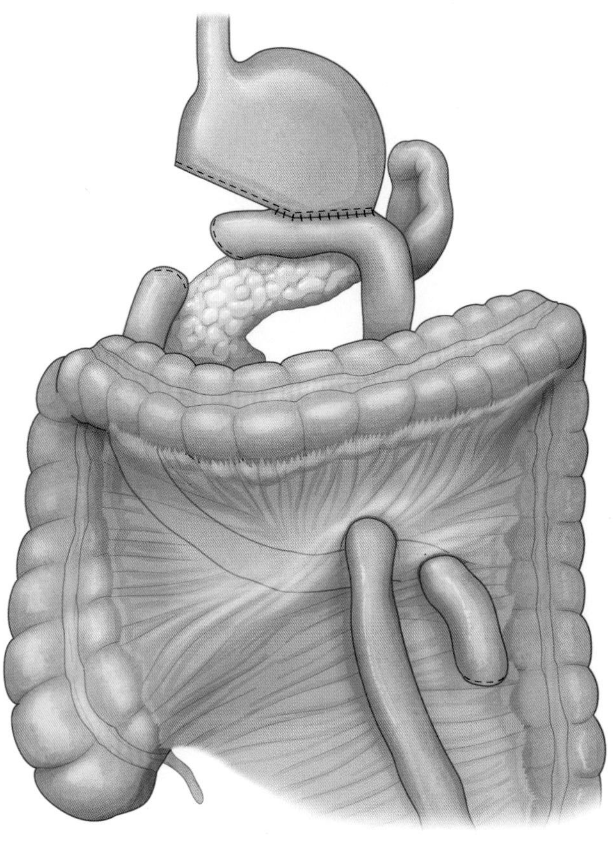

그림 11-3

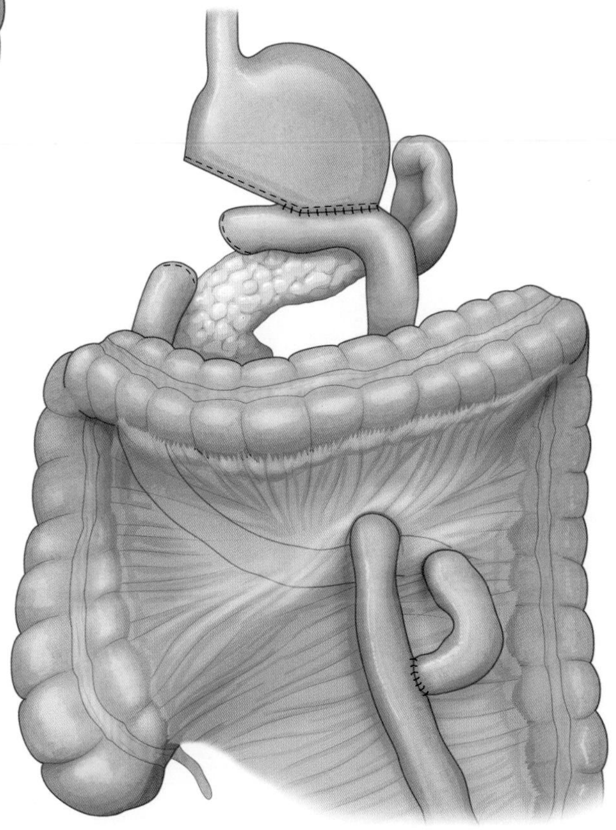

그림 11-4

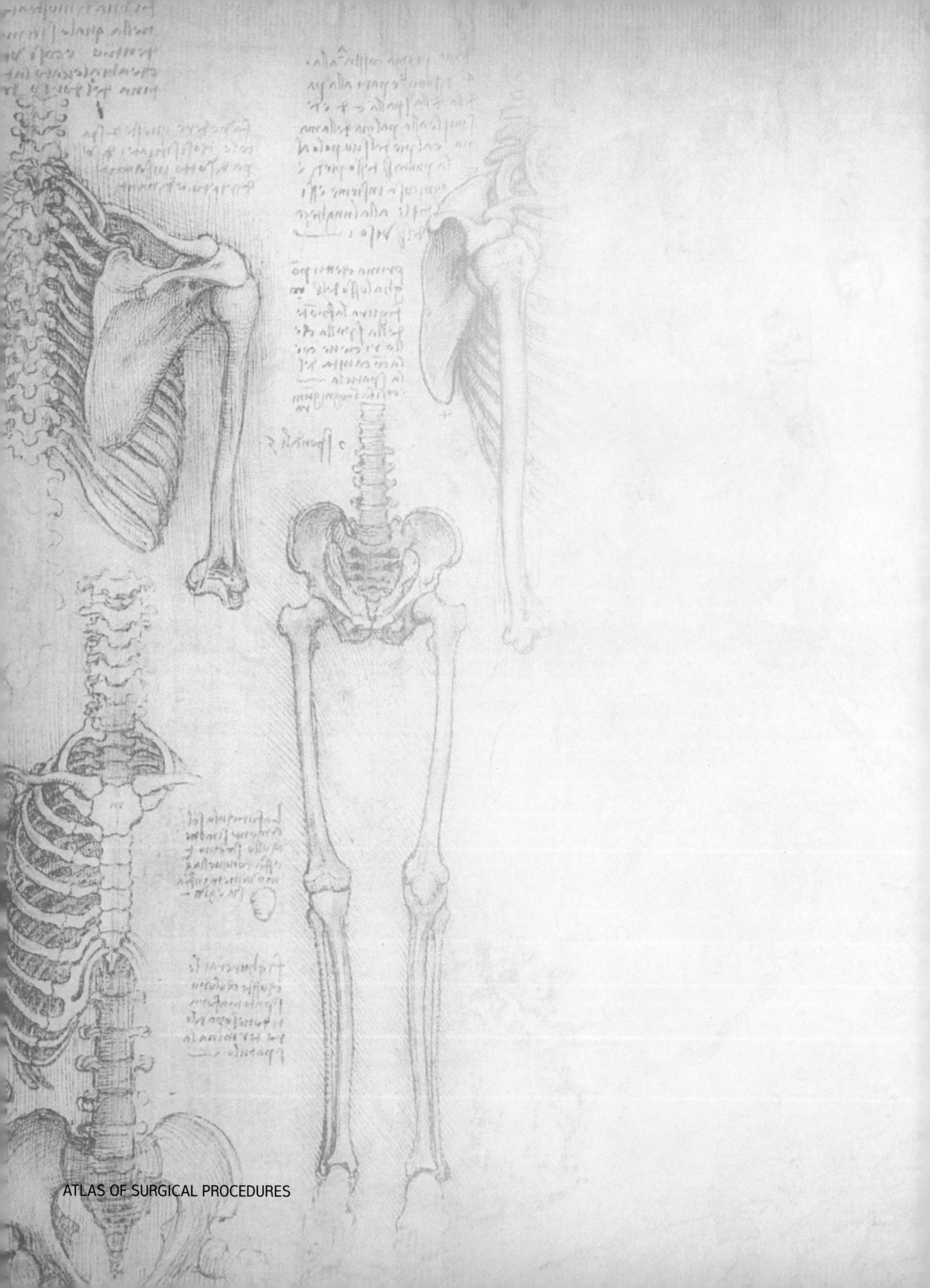

ATLAS OF SURGICAL PROCEDURES

CHAPTER 12

근위부 위절제술

Proximal gastrectomy

1. 적응증

(그림 12-1) 위 상부에 국한된 조기위암이나 크기가 작은 근육층에 국한된 진행성 위암 중 유문상, 하부 림프절 및 No.4d 림프절에 전이가 의심되지 않는 경우에 시행하고, 또한 식도-위 문합술시에는 남는 위가 전체 위의 3/5 이상이 되는 경우에 시행한다.

2. 수술 전 처치

수술부위 감염을 방지하기 위해 수술 전에 예방적 항생제를 투여한다. 피부 절개하기 전 1시간 안에 항생제를 투여하기 시작해 피부 절개 전에 완료한다. 수술이 4~6시간 이상 지속되는 경우나 수술 중 1,500 cc 이상의 실혈한 경우에는 추가로 항생제를 투여 한다. 수술 후 24시간이 지나 투여한 예방적 항생제는 효과가 없는 것으로 알려져 있다. 술전 자정부터 금식이 필요하며 대장의 합병절제가 예상되는 경우에는 장세척은 유용하다.

3. 마취

기관내 삽관에 의한 전신 마취를 실시한다.

4. 환자 자세

술전 검사상 식도 침윤거리가

- 2 cm 미만인 경우: 앙와위
- 2 cm 이상인 경우: 우반측와위로 좌개흉의 체위
- 식도열공을 넘는 경우: 좌반측와위로 우개흉의 체위를 채택한다.

5. 수술 준비

피부 절개창을 만들 부위에는 상처가 없거나 상처가 있다면 균 감염이 전혀 없어야 한다. 제모를 하다 발생한 상처는 수술부위 감염률을 뚜렷하게 증가시키므로 제모를 하지 않는 것이 원칙이나 필요한 경우에는 수술 직전에 수술실에서 제모하는데 되도록 전기 면도기나 제모제를 사용하여 체모를 제거한다.

6. 개복 수술에서의 절개 및 노출

앙와위시에는 상복부 정중절개(검상돌기에서 배꼽부위까지)를 시행하고 Self retractor와 Kent retractor이용하여 수술시야 확보한다. 좌측 개흉시에는 상복부 정중절개 후 제7늑간 개흉을 실시한다.

7. 개복 수술에서의 절제술

(그림 12-2) 복강 내를 관찰하여 복막전이 여부 등을 확인한 후 위비간막의 처리를 쉽게 하기 위해 비장 뒤쪽에 거즈를 넣어, 술 중 견인에 의한 비장손상을 방지하고 위비간막의 장막에 비장에 가까운 절개를 더하여 긴장을 풀어준다. 좌측 대망의 절개를 시행한다. 이때 횡행결장을 아래쪽으로 견인하고 대망을 들어올려 대장과 결장 혈관의 손상을 피하면서 좌측으로 진행한다. 비결장인대 전면의 대망연장부를 절제하고 위비간막의 단위동, 정맥을 처리하면서 식도측으로 진행한다.

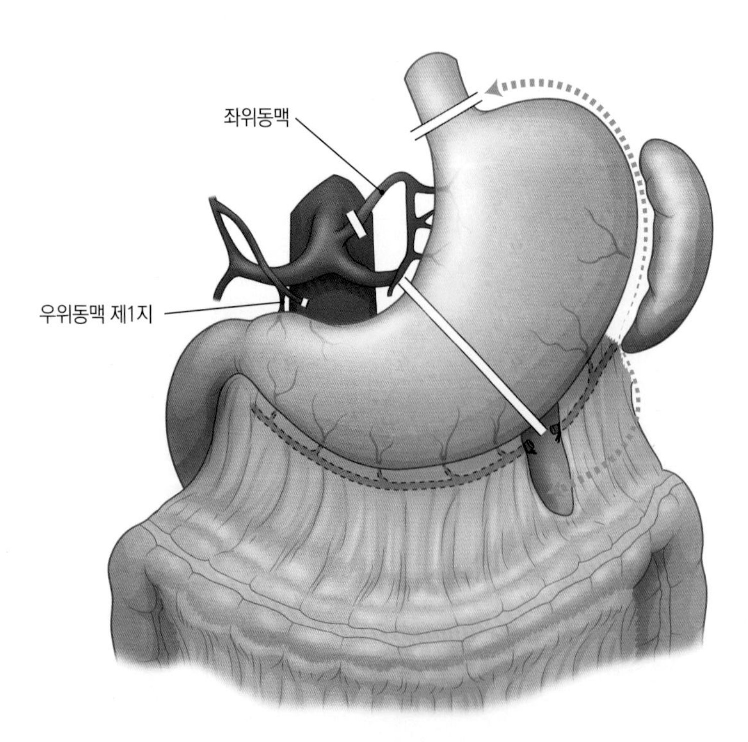

그림 12-1

이어서, 위 절제를 시행하고자 하는 부위의 우위대망 동정맥의 말초측을 절리하면서 No.4d 림프절을 일부 곽청한다.
소망부는 좌간동맥의 존재를 확인한 후 위식도 접합부까지 절개를 시작한다. 이후 우위동정맥의 좌측을 따라 위소만을 향하여 장막을 절개하며 No. 3a 림프절의 하부를 곽청하여 절제할 부위를 노출시킨다.

(그림 12-3) 대망부와 소망부의 절개가 끝나면 위를 거상하고 췌전면에서 췌장을 아래쪽으로 견인하면서 위체간막을 펼친 후 췌상연의 복막을 전기소작기를 이용하여 절개한다. 총간동맥과 비동맥을 확인하고 먼저 총간동맥을 따라 No.8a 림프절의 곽청을 진행하고 계속하여 No.9 우측의 림프절 박리 한다. 이때 복강 신경총을 보존을 원할 경우 주의한다.

췌상연의 후복막절개를 비문부까지 시행하고 비동맥을 따라 No.11 림프절을 곽청하는데 많은 경우 후위동정맥이 존재하기 때문에 근부에서 결찰절리하면서 진행한다.
좌위동정맥 근부를 확인하고 결찰 절리한다.
식도 열공 전면의 장막을 절개하고 식도를 주위에서 예리하게 박리한다.

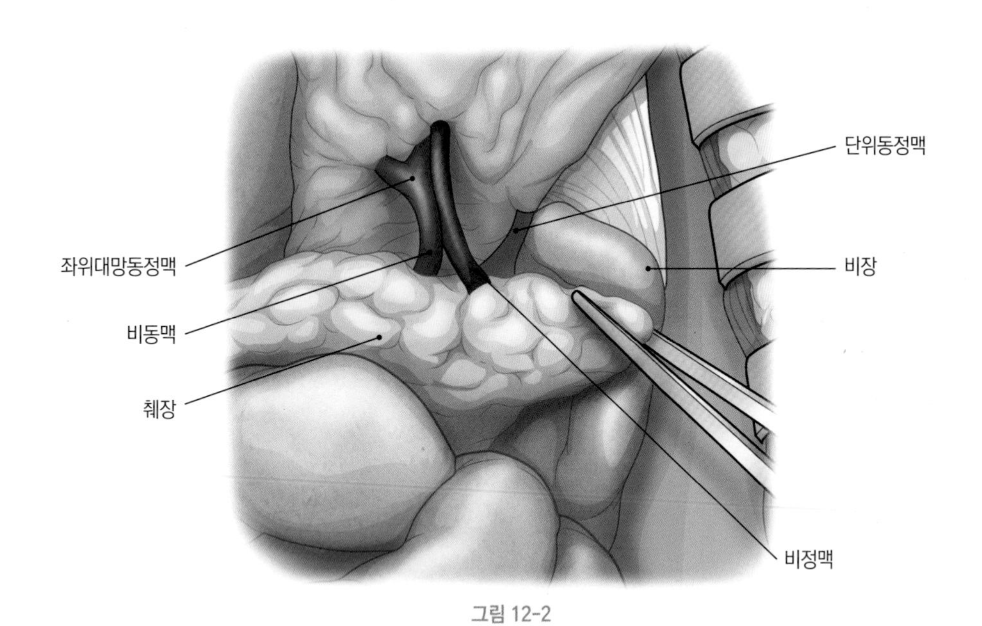

그림 12-2

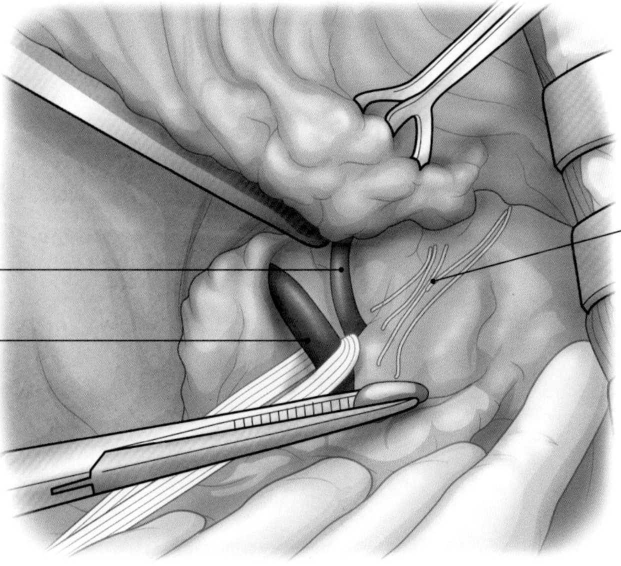

미주신경 복강지
좌위동맥
총간동맥

그림 12-3

(그림 12-4) 복부 식도에 쌈지봉합기 및 식도 겸자를 장착하고 식도를 절제한다.

위는 선형 봉합기를 이용하여 절제한다. 근위부 위절제술은 위의 일부가 남으므로 저장기능이 유지되고, 음식물이 십이지장을 통과하므로 소화를 돕고 각종 소화기 호르몬의 분비가 유지 된다는 이론적 장점이 있다. 그러나 미주신경이 절단되어 유문운동이 저하되면 위 내용물의 배출이 지연될 수 있다. 또한 위 저류를 막기 위하여 식도-위 문합시 유문성형술을 추가로 시행하면 십이지장액의 역류로 인한 역류성 위염 및 식도염, 문합부 협착이 발생할 수 있다.

근위부 위절제술의 재건 방법에는 1) 식도-위 문합술, 2) 공장 간치법(식도-공장-위문합술), 3) Double tract법, 4) 공장 pouch법(식도-공장낭-위문합술) 등이 있다.

식도-위 문합술은 식도와 잔위를 연결하는 방법으로 위전절제술을 시행한 경우에 비하여 환자의 체중감소가 적고 알부민 수치가 높다고 보고되지만, 역류성 식도염과 문합부 협착의 발생 빈도가 높다.

(그림 12-5) 식도측에 anvil를 삽입한 후, 위각 전벽부근에 작은 절제를 하고 원형 문합기를 삽입하여 위대만 절단부와 문합 한다.

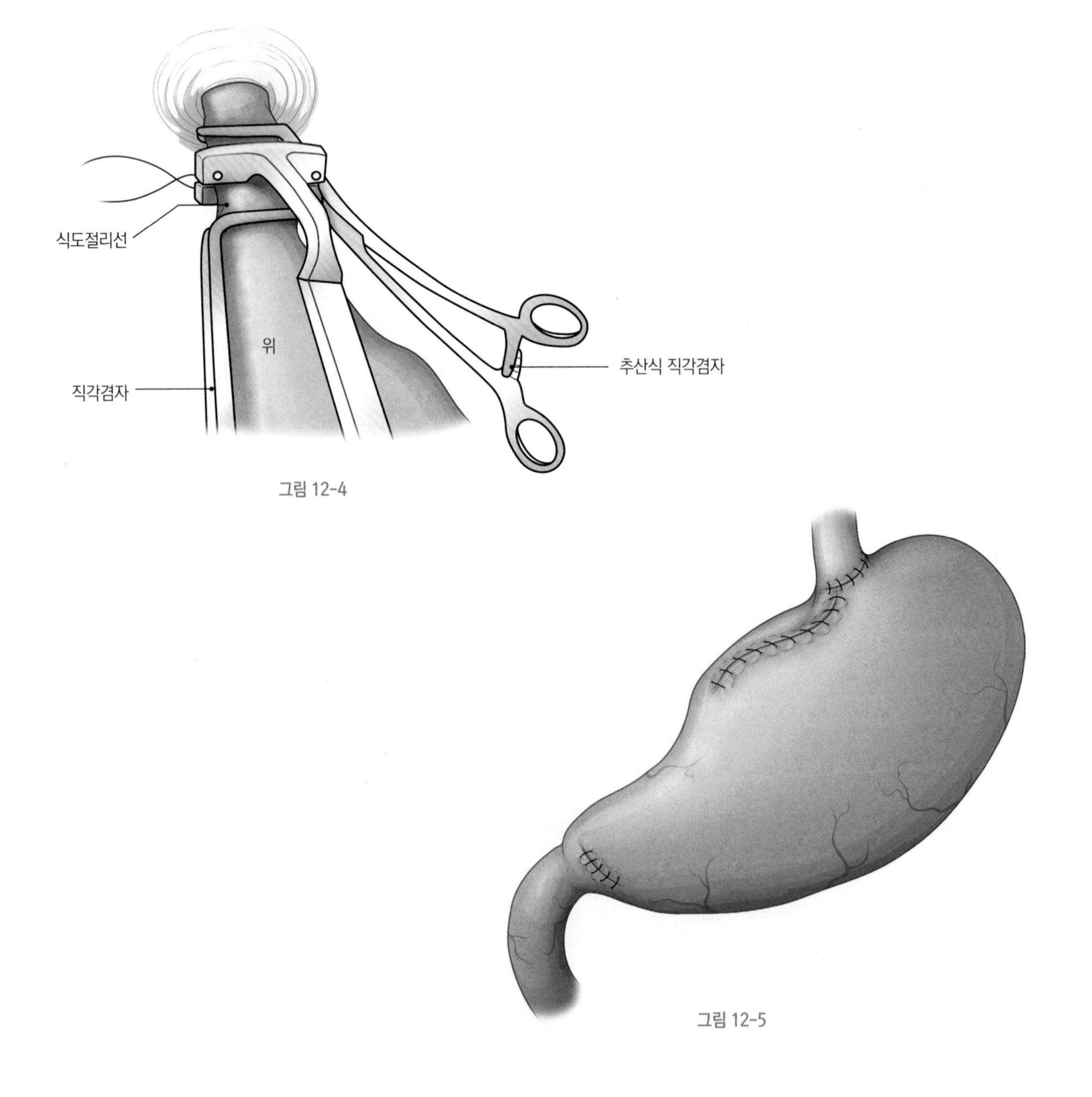

그림 12-4

그림 12-5

(그림 12-6) 미주신경 유문동 분지를 보존한 경우 유문 성형술을 시행하지 않을 수 있으나, 만약 미주신경이 절단된 경우에 Heineke-Mikulicz법이나 Finney법으로 유문 성형술을 시행한다. 최근에는 dilator를 이용하여 pyloric ring을 dilatation시키거나 Finger bougie법을 시행하기도 한다.

(그림 12-7) Dilator를 사용할 경우에는 유문천공이 발생할수 있으므로 잔위를 상방으로 당기면서 유문에 균등하게 힘이 가해지도록 해야 한다.

공장 간치법은 잔위의 저류기능의 보존과 역류성 식도염의 예방이 가능하고 음식물과 소화액의 혼합이 루앙와이식법에 비하여 생리적이며 장기적으로 혈청 칼슘 값의 저하와 빈혈의 발생이 적은 이점이 있다.

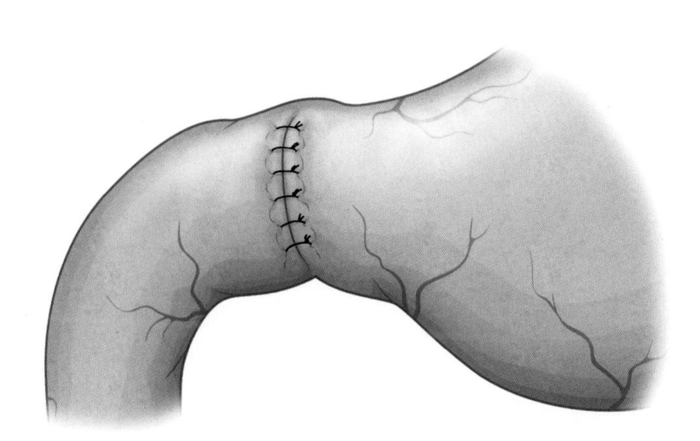

그림 12-6

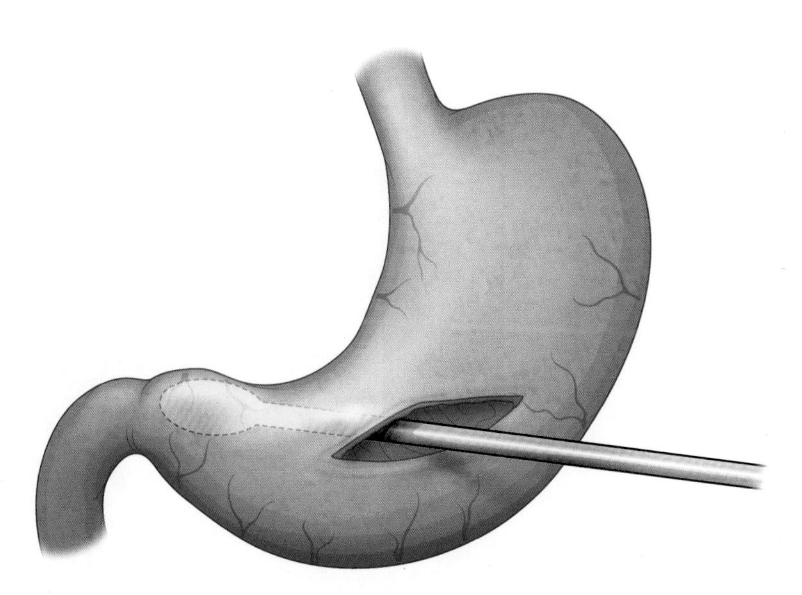

그림 12-7

(그림 12-8) 먼저 Treitz 인대에서 20~30 cm의 공장으로 여유를 가지고 식도 단단까지 거상 가능한 부위를 선택하여 공장 간막의 무혈관 부위를 절개하고 공장을 절단한다. 횡행결장간막을 통해 절단된 공장을 거상하여 단단에 원형 문합기를 삽입하고 식도측에 삽입한 anvil과 연결하여 식도-공장문합을 시행하고 공장단단부는 자동봉합기를 사용하여 봉합한다. 간치공장의 원위부와 잔위의 대만측과 단단문합을 한다. 원위부공장을 Treitz 인대에서 나오는 장관과 문합한다. 이때 장기합병증으로 발생할 수 있는 내헤르니아 방지를 위해서 공장 간막 사이의 결손 및 횡행결장간막 절개부를 봉합하여 폐쇄해둔다.

(그림 12-9) Double tract법은 공장간치법과 유사하나 식도-공장은 단단문합하고 위-공장문합은 측측문합 그리고 treitz쪽 공장은 루앙와이식 공장-공장문합을 시행한다.

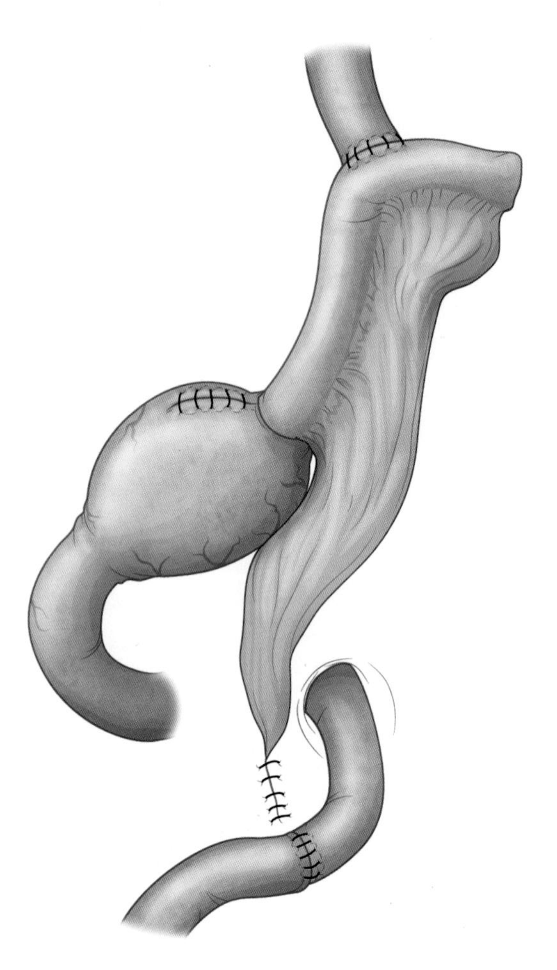
그림 12-8

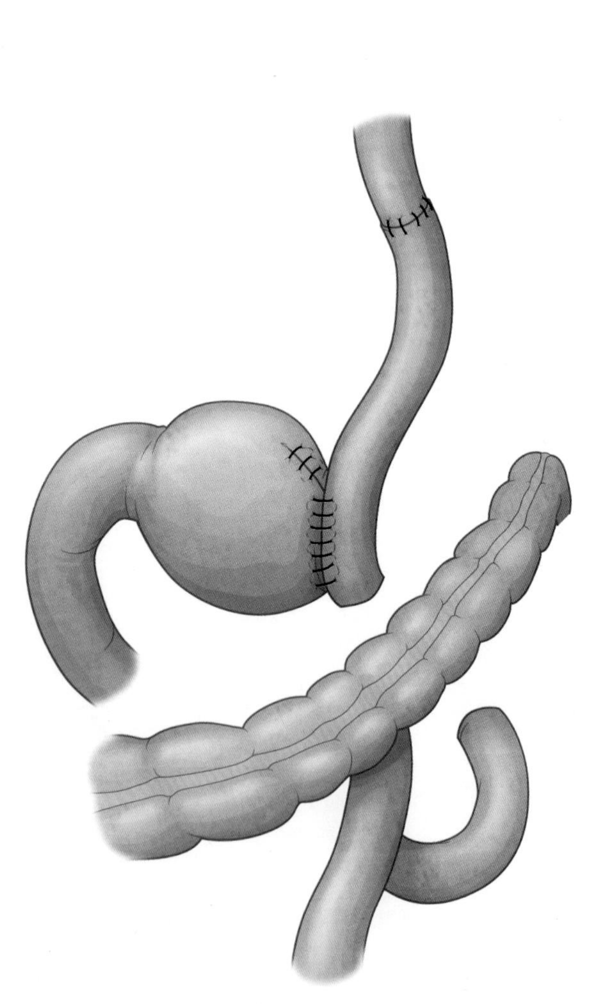
그림 12-9

(그림 12-10) 공장 pouch 간치법은 식도-위 문합의 합병증인 문합부 누출, 문합부 협착, 역류성 식도염을 개선하기 위해 고안된 술식으로 공자 pouch를 간치하는 방법으로 공장 간치술에 비하여 식도저유능에 우수한 방법이다.

(그림 12-11) Treitz 인대 하방에서 간치를 위한 공장을 절제하는데 간치 공장의 길이는 30~40 cm가 적당하다. 횡행결장간막에 절개창을 만든 후 이를 통하여 공장을 역 U자모양으로 뒤집어 선형 봉합기로 장간막 반대측에 측측 공장공장문합을 하여 공장낭을 만든다. 이때 총 pouch의 길이는 10~12 cm 가량되도록 하고, 장관의 끝까지 완전히 절리하지 않고 2~3 cm를 분리벽으로 남도록 하며, pouch 제작 후 출혈 유무를 확인하는 것이 중요하다. 만약 공장 pouch는 전체 길이가 너무 길면 술후 음식물의 정체가 일어나기 쉽기 때문에 주의할 필요가 있다.

식도-공장 pouch 문합은 공장 pouch 끝보다 2~3 cm 원위부의 전벽이나 우측, 단 자동봉합부위나 장간막 부착부를 손상하지 않는 위치에 원형 문합기를 이용해 시행한다.

위와 공장 pouch, 그리고 나머지 공장들도 서로 단단 문합을 시행한다.

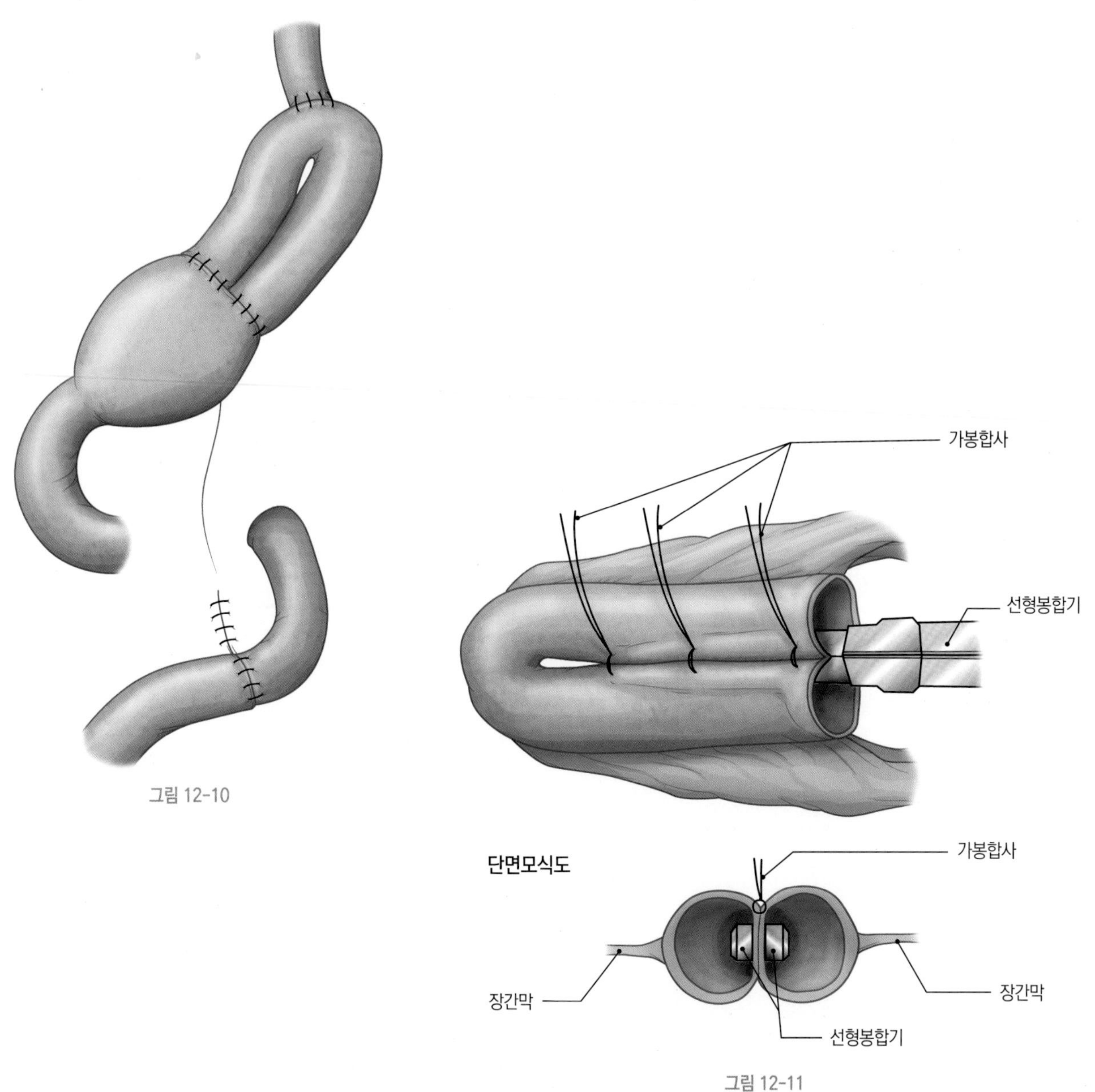

그림 12-10

그림 12-11

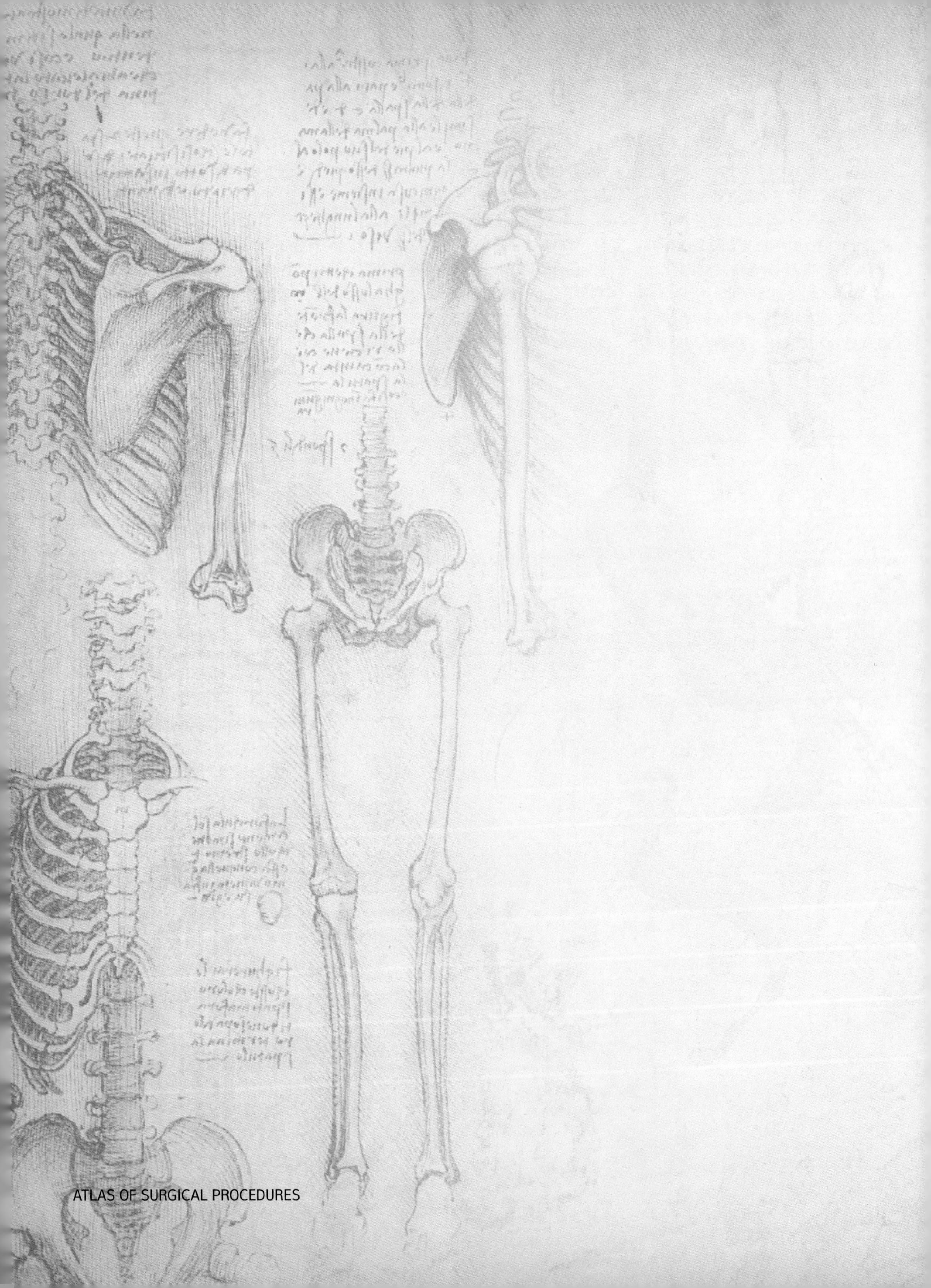

ATLAS OF SURGICAL PROCEDURES

CHAPTER 13

위전절제술

Total gastrectomy

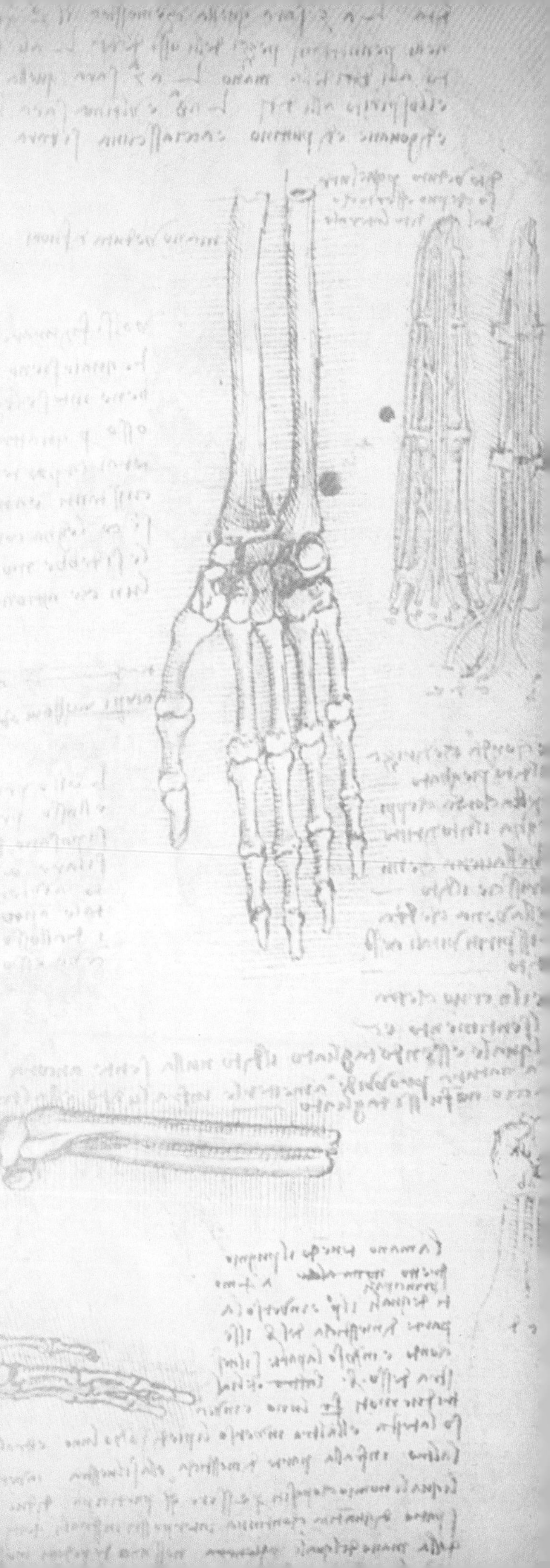

1. 적응증

위상부 혹은 위 전체를 침범한 위암, 위중부에 위치해 있으면서 범위가 넓어 위아전절제술이 어려운 위암, 그 외 유전성 위암이 강력히 의심되는 경우 고려할 수 있다.

2. 수술 전 처치

수술 1일 전 장청소를 시행하며, 진행성 위암으로 대장 합병절제 가능성이 있는 경우 대장청소를 같이 시행한다. 수술 시작 전 1시간 내에 예방적 항생제를 투여한다.

3. 마취

전신마취 하 기관지 삽관을 하고, 마취 후 비위관을 삽입한다.

4. 자세

환자는 앙와위 자세를 유지하여 고정하고, 필요에 따라 자세를 변경하는 것이 수술에 도움이 될 수 있다. 술자는 환자의 우측, 제1, 2보조의는 환자의 좌측에 위치한다.

5. 수술준비

자동견인기(Self retractor), 전기소작기(Bovie), 초음파 절삭기 또는 bipolar energy device

6. 절개 및 노출

진행성 위암에서 복막전이가 의심되는 환자의 경우, 근치적 절제의 가능성을 확인하기 위해 정중 절개로 개복하기 전 진단적 복강경 탐색술(diagnostic laparoscopy)을 시행하기도 한다.

개복을 진행하게 되면, 검상돌기(xiphoid process)에서 배꼽까지 정중 절개를 시행한다. 진단적 복강경 탐색술을 시행하였더라도 복강 전체, 특히 장간막(mesentery) 및 결장간막(mesocolon) 부위 등에 대한 복막 전이 소견을 다시 확인하는 것이 추천된다. 시야가 불충분할 경우 검상 돌기 일부를 절개하거나 배꼽 하부까지 절개를 연장할 수 있다.

복막 전이의 가능성이 있는 진행 위암의 경우, 50~100 cc 정도의 생리식염수를 비장 주변 및 골반부에 주입한 후 채취하여 부유 암세포 존재 여부를 검사하는 복강 세척 검사(peritoneal washing cytology)를 시행한다.

수술 중 견인(traction)에 의한 비장 손상을 방지하고 보다 나은 수술 시야의 확보를 위하여, 비장 뒤쪽에 패드 1~2개를 받쳐 놓고, 필요 시 위비간막(gastrosplenic ligament), 비장대장 인대(splenocolic ligament)의 유착 부분을 절개를 가하여 긴장을 풀어 두는 것이 도움이 될 수 있다. 또한 간의 좌외측엽의 삼각인대를 절개함으로써 식도 접근을 보다 용이하게 할 수 있다.

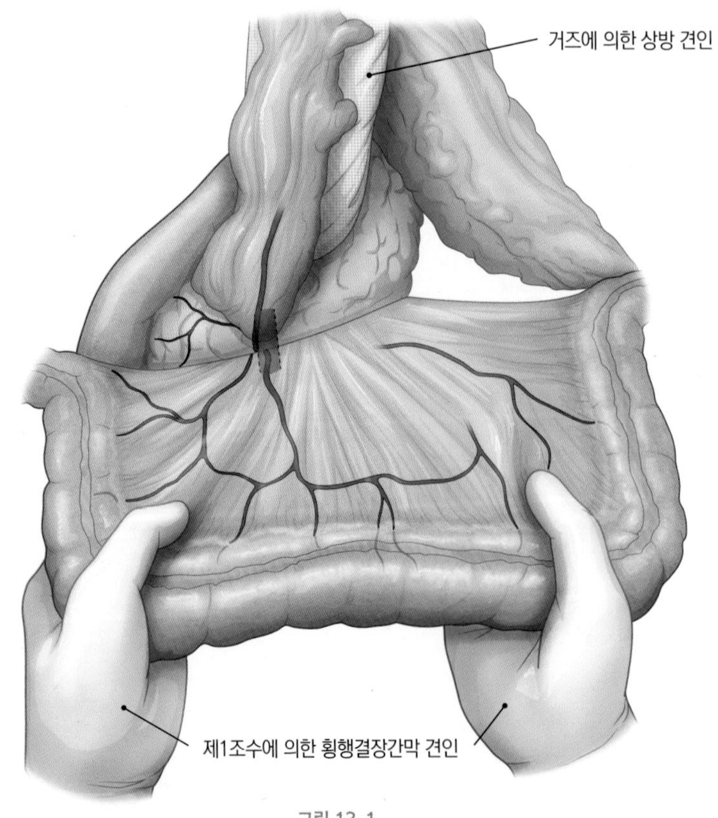

그림 13-1

7. 수술 과정

(그림 13-1) 제1조수가 양손으로 횡행결장간막을 펼쳐서 긴장을 유지한다. 술자는 왼손으로 위의 일부와 대망을 들고 횡행결장의 상연을 따라서 대망 절제를 시작한다. 이때 횡행결장의 손상이나 횡행결장에 붙어있는 직혈관(vasa recta)이 손상이 되지 않도록 주의한다. 위 체부를 거즈로 둘러싸서 들어올림으로써 제1조수에 대한 적절한 역견인(counter traction)을 할 수 있다. 대망 절제는 환자의 좌측을 향해 진행하며, 비장결장인대와 대망이 연결된 부위까지 박리하여 대망 절제를 진행한다. 이 부분은 비장과 횡행결장, 대망 사이의 유착이 심한 경우가 있어 박리 시 인접장기 손상이나 비장의 출혈 등을 유발하기 쉬우므로 조심스럽게 접근한다.

(그림 13-2) 위비간막을 절개하고 췌미부와 비장 사이를 박리하여 좌위대망혈관(left gastroepiploic vessel)을 그 기시부에서 박리, 결찰한다. 좌위대망동맥 처리 도중 간혹 비장 하연으로 들어가는 비장 동맥 말단이 손상되는 경우가 있으므로 주의한다.

(그림 13-3) 좌위대망동맥의 결찰 이후, 위쪽으로 위비간막을 따라서 단위동정맥(short gastric artery)을 박리 결찰하면서 비장 상연과 식도 쪽으로 접근한다. 이때 초음파 절삭기 또는 bipolar energy device를 이용하

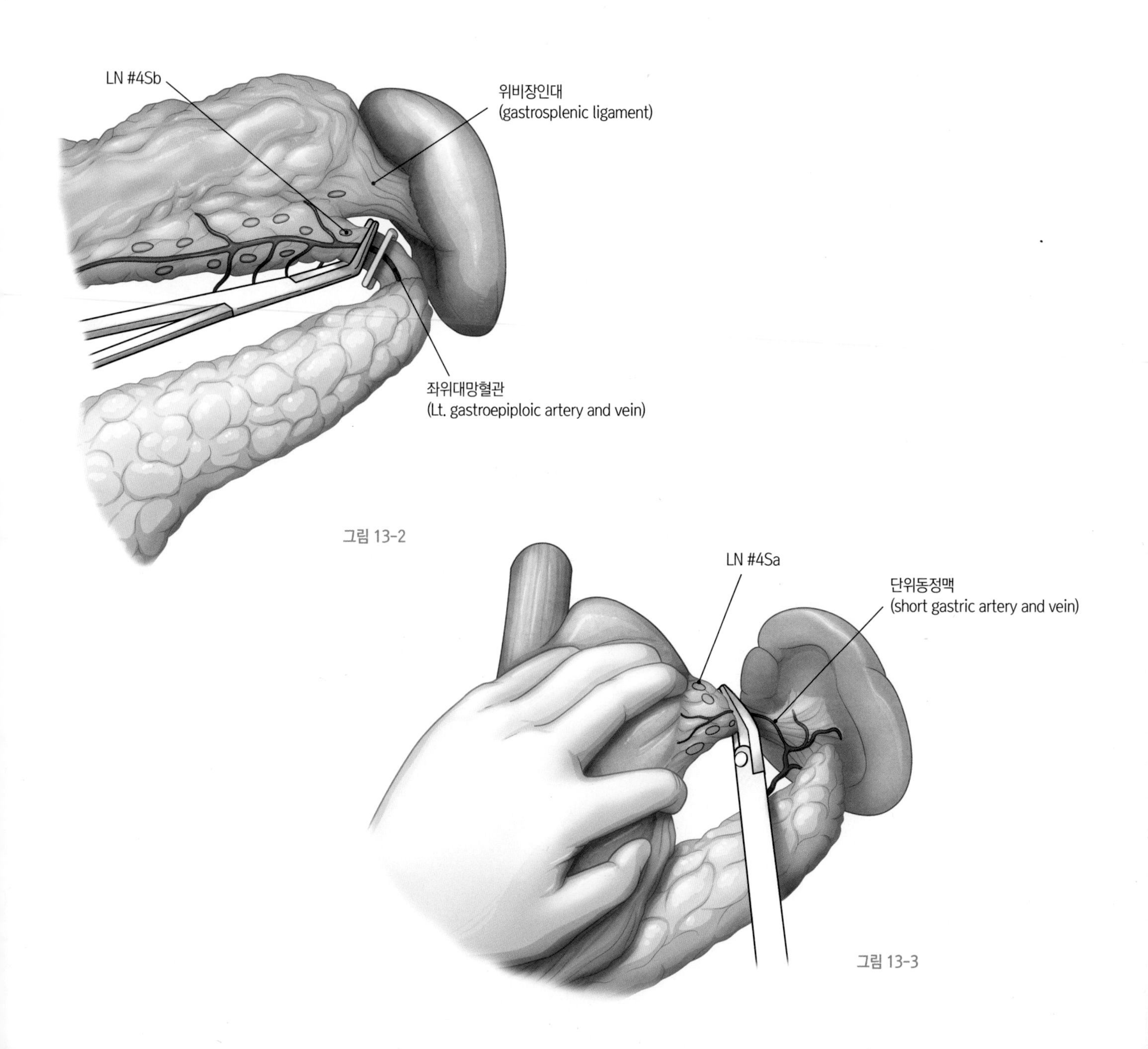

그림 13-2

그림 13-3

여 단위동정맥을 처리할 수도 있다. 비만 환자나 일부 비장 혈관이 돌출이 심한 환자의 경우, 단위동정맥의 처리 도중 비장 혈관의 일부가 손상될 수 있으니 주의를 기울인다. 비장의 상극은 위비간막과 거의 붙어있어 위 분문부 견인에 의해 비장 손상이 일어나기 쉽고, 박리 도중 비장 상극으로 들어가는 비장동맥 말초를 손상시킬 가능성도 높은 부위이므로 조작에 세심한 주의를 기울인다.

(그림 13-4, 5) 남아있는 대망 절제를 시행하면서 중결장 정맥 전면부를 노출시키고, 췌장 하연을 따라 췌두부 및 십이지장 제2부 외측면까지 노출시킨다. 이 후 췌장 두부 외측에서부터 위결장정맥간(gastrocolic trunk)을 향해 대망, 횡행결장간막전엽과 유문하부 연부조직을 박리하면서 제거해 나간다. 위결장정맥간을 노출 후 상방으로 우위대망정맥(right gastroepiploic vein)을 박리하여 췌두부를 향하는 상전췌십이지장 정맥(anterior-superior pancreaticoduodenal vein)의 원위부에서 박리, 결찰을 시행한다.

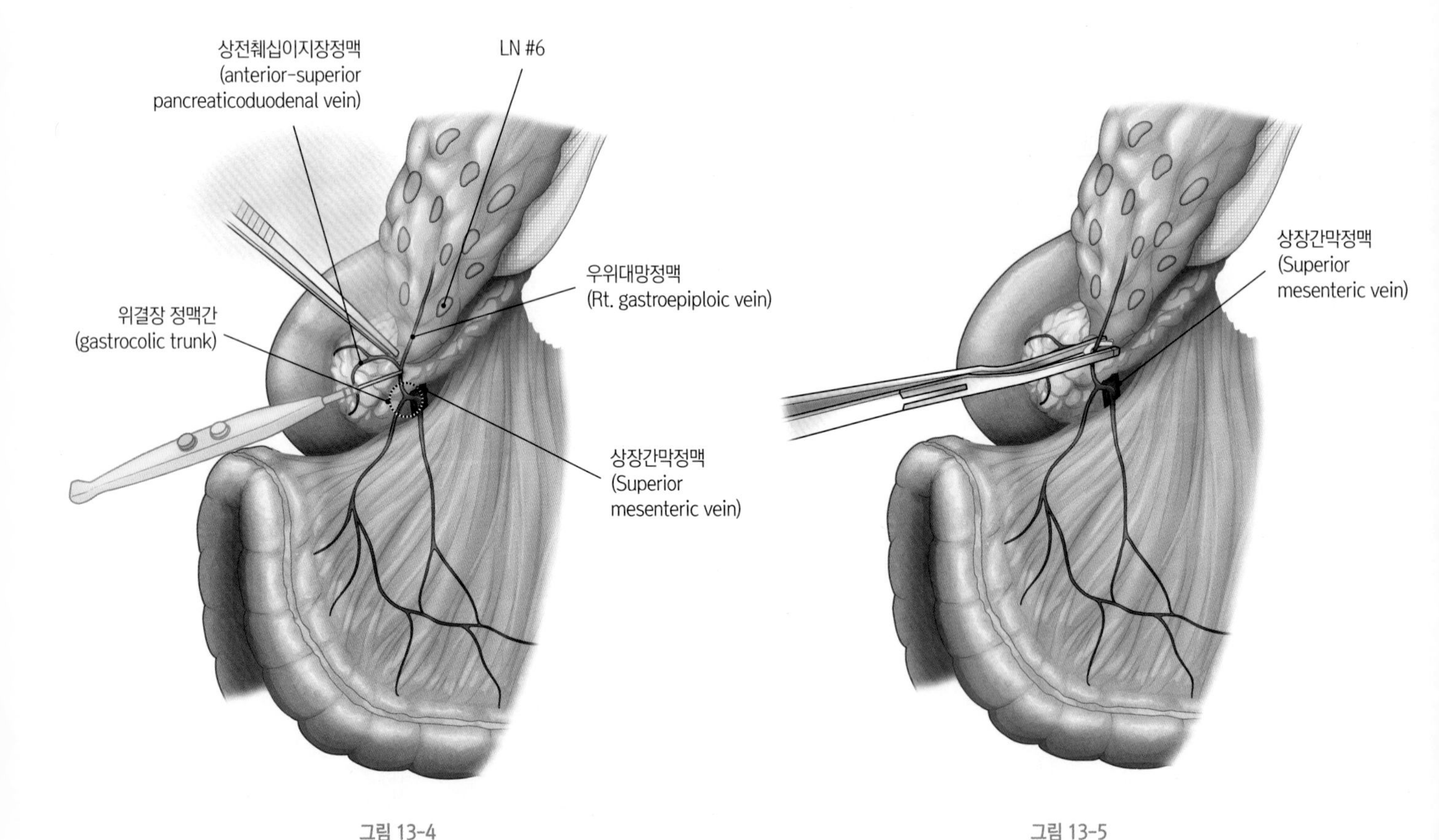

그림 13-4

그림 13-5

(그림 13-6, 7) 췌장 두부 전면의 연부조직을 모두 제거 후, 위십이지장 동맥(gastroduodenal artery)에서 분지하는 우위대망동맥(right gastroepiploic artery)의 기시부를 확인하고 결찰한다). 우위대망동맥의 박리 도중 십이지장 하부 및 유문으로 분지하는 유문하동맥(infrapyloric artery)의 손상으로 인한 출혈이 있을 수 있으니 주의하면서 이들 동맥들을 박리 후 결찰한다(그림 13-7).

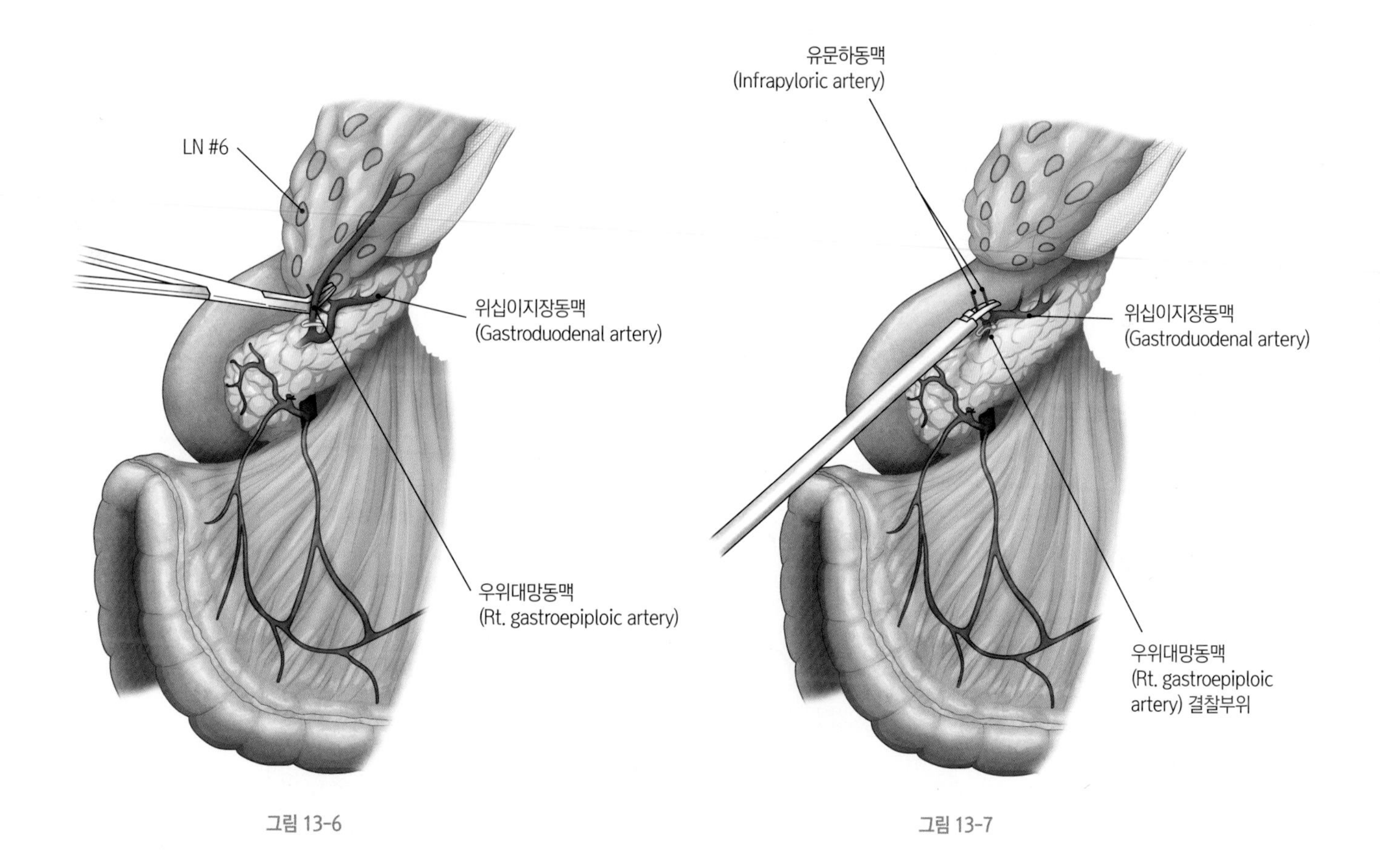

그림 13-6

그림 13-7

(그림 13-8, 9, 10) 제1조수가 십이지장 제1부와 유문부를 아래로 당겨서 간십이지장간막의 긴장을 유지한 채로 그 전면의 복막을 박리한다(그림 13-8). 계속해서 고유간동맥(proper hepatic artery) 및 우위동맥(right gastric artery)의 외측의 림프절과 연부조직을 조심스럽게 박리, 제거한다. 고유간동맥 내측 박리를 위하여 소망을 간십이지장간막 좌측 면부터 절제하여 작은 복막주머니(lesser sac)를 열고, 고유간동맥 내측의 림프절과 연부조직을 박리하여 우위동맥의 내측 근부를 노출시킨다(그림 13-9). 우위동맥을 기시부에서 결찰하고 십이지장상동맥(supraduodenal artery) 1~2개를 결찰하여 십이지장 제1부를 충분히 가동화(mobilization) 시킨 후에, 자동봉합기(linear stapler) 또는 수기(hand sewing)로 유문륜(pyloric ring)보다 원위부에서

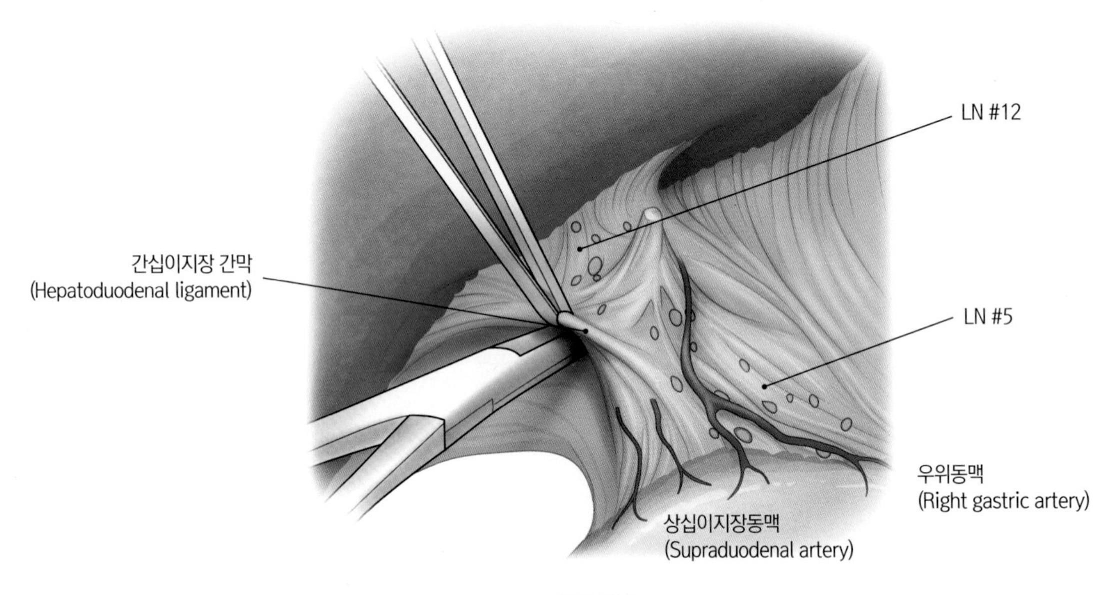

그림 13-8

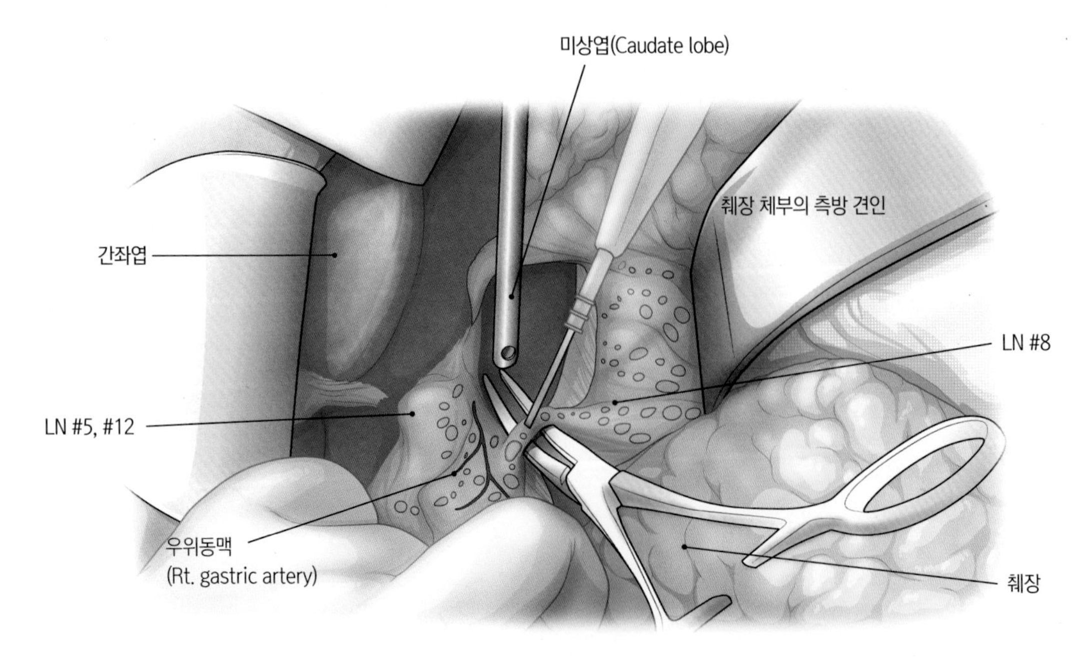

그림 13-9

십이지장을 절단한다(그림 13-10).
십이지장을 자동봉합기로 절단을 한 경우, 십이지장의 봉합 부위의 staple line에는 술자에 따라 수기로 보강 봉합을 시행할 수 있다.(그림 13-11) 적절한 시야확보를 위해 위를 Deaver 견인기를 이용하여 상방으로 들어올리고, 췌장은 제1조수의 왼손으로 펼쳐서 하방으로 견인한다. 이때 췌장을 하방으로 견인하는 제1조수의 역할이 매우 중요하며, 췌장 상연의 혈관과 림프절을 최대한 노출시키는데 주력하여 췌장을 살며시 들어올리는 기분으로 견인한다. 췌장 상연의 간동맥이나 비동맥 등의 혈관과 림프절이 전면으로 노출될 수 있도록 췌장을 굴려서(Rolling) 견인하는 것이 중요하다. 일반적으로는 12번 및 8번 림프절 박리부터 시작하여 11번 림프절 쪽을 향하여 림프절 박리를 시도하지만, 이는 술자나 수술 상황에 따라 순서는 바뀔 수 있다. 즉 보다

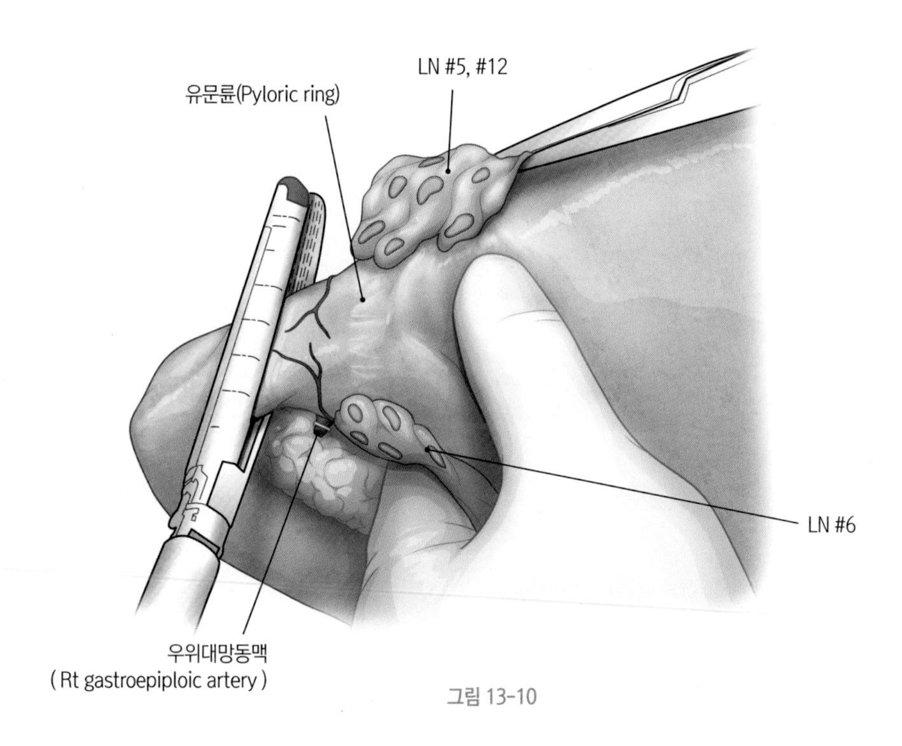

그림 13-10

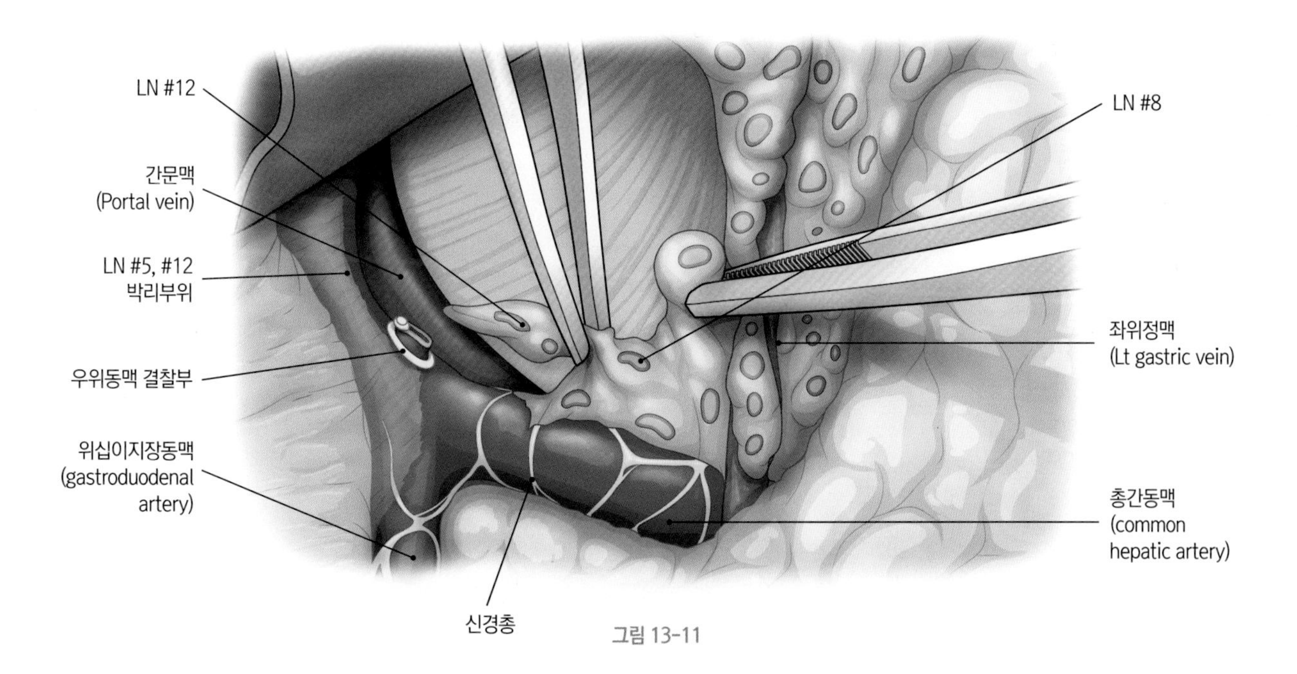

그림 13-11

쉽게 림프절 박리가 가능한 부분부터 먼저 시행하는 것이 유리하다. 간십이지장 인대 내측 및 총간동맥의 주행을 따라서 림프절이 도중에 끊어지거나 터지지 않도록 최대한 주의하면서 림프절 일괄절제(en bloc dissection)를 시행한다. 완전한 림프절 절제를 위하여 후면의 문맥혈관의 내측 및 간동맥 전면을 노출시키는 과정에서 이러한 혈관들이 손상되지 않도록 세심한 주의를 기울이고, 박리도중 췌장 실질로 유입되는 작은 혈관들의 출혈을 항상 염두에 둔다.

이때 흡인기 끝(suction tip)을 이용하여 surgical plane을 찾는 것이 시야확보 및 무손상 박리(atraumatic dissection)에 도움될 수 있다. 간혹 림프절과 연결되는 림프관들이 확장되어 있는 소견을 발견할 수 있는데, 이 때 전기소작기만을 이용하여 단순 절제할 경우 열린 림프관을 통해 암세포가 복강 내로 유리될 가능성도 있고, 술 후 유미성 복수(chyle ascites)이 지속될 수 있으므로 봉합사를 이용한 결찰 또는 초음파 절삭기 등을 이용 후 절제하는 것이 좋다.

(그림 13-12, 13) 8번 림프절 박리와 마찬가지로 비동맥 전면을 따라 11p 림프절 박리를 시

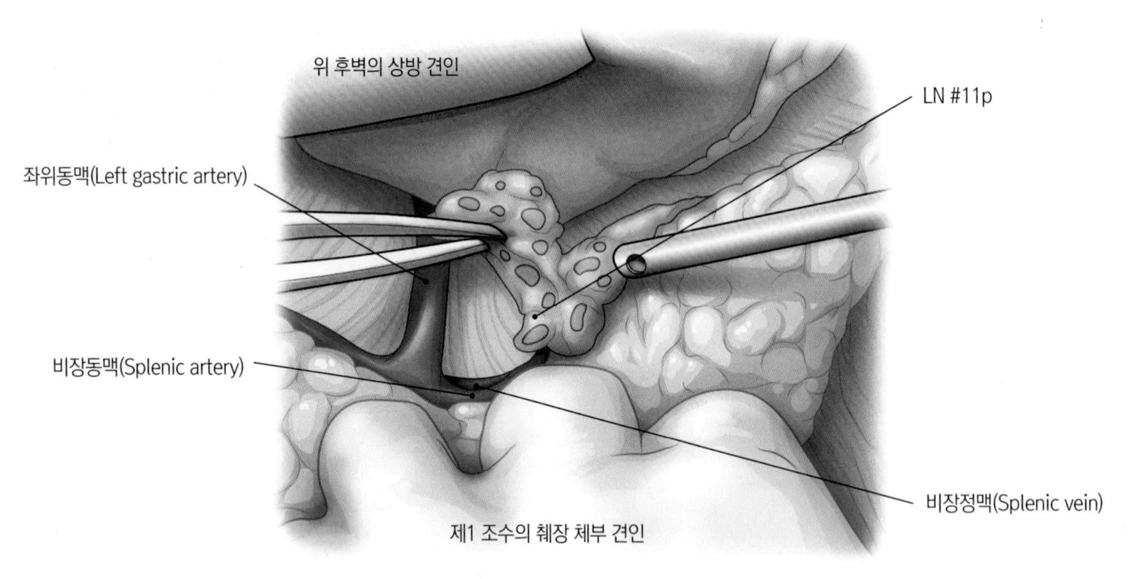

그림 13-12

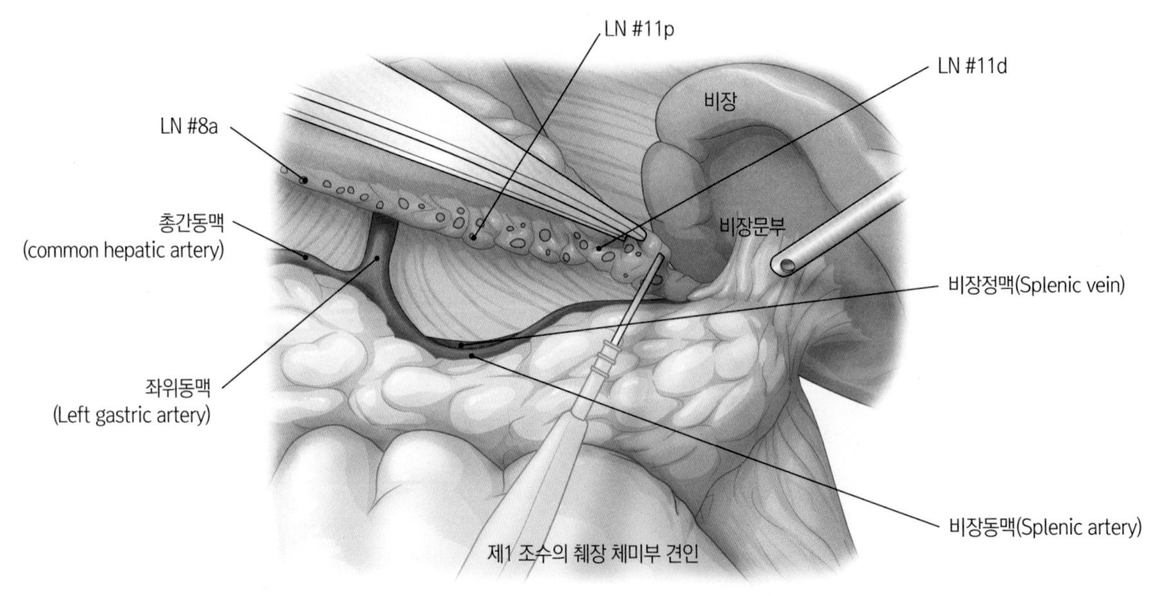

그림 13-13

행한다. 비동맥의 완전한 노출을 위하여 비정맥 전면의 일부까지 노출시키면서 림프절 박리를 시도할 수도 있지만, 비동맥은 총간동맥과 달리 매우 불규칙하게 주행하는 경우가 많아 수술 도중 혈관 손상이 발생하기 매우 쉬우므로 세심한 주의를 요한다. 술전 복부전산화단층촬영(abdomen CT)를 이용하여 혈관 주행을 미리 파악해 놓는 것은 이러한 혈관 손상방지에 도움이 된다. 후위동맥(posterior gastric artery)이 비장동맥의 가운데 부분에서 기시하여 위후벽으로 들어가는 경우가 많이 관찰되므로, 그 근위부에서 결찰한다. 이후 비장동맥 원위부로 림프절 박리를 계속 진행해나가면, 신근막 또는 Gerota's fascia와 가까워지면서 무혈관면(avascular plane)으로 어렵지 않게 접근할 수 있으나 간혹 비장상극으로 들어가는 비장동맥 가지나 좌측 부신의 일부분이 박리 도중 손상 받을 가능성이 있으므로 주의를 요한다.

(그림 13-14) 비장 절제를 하지 않은 상태에서 비문부 림프절의 박리는 기술적으로 까다로우며, 림프절 박리 도중 혈관 손상으로 인한 출혈이나 비장 허혈 또는 췌실질 손상으로 인한 췌미부의 췌장액 누공으로 수술 후 합병증이 자주 동반될 수 있으므로 해부학적 경계를 잘 확인하면서 진행해야 한다. 비문부의 안전한 박리를 위해서는 안전한 수술 시야의 확보가 무엇보다 중요하며 필요에 따라서는 비장 뒤쪽에 추가적인 거즈 혹은 패드를 대거나, 비신인대(lienorenal ligament) 또는 비횡격막인대(lienophrenic ligament)를 절개 후 췌미부를 후복막에서 분리하여 수술창에 가깝게 꺼내놓고 림프절 절제를 진행하는 것이 안전할 수 있다.

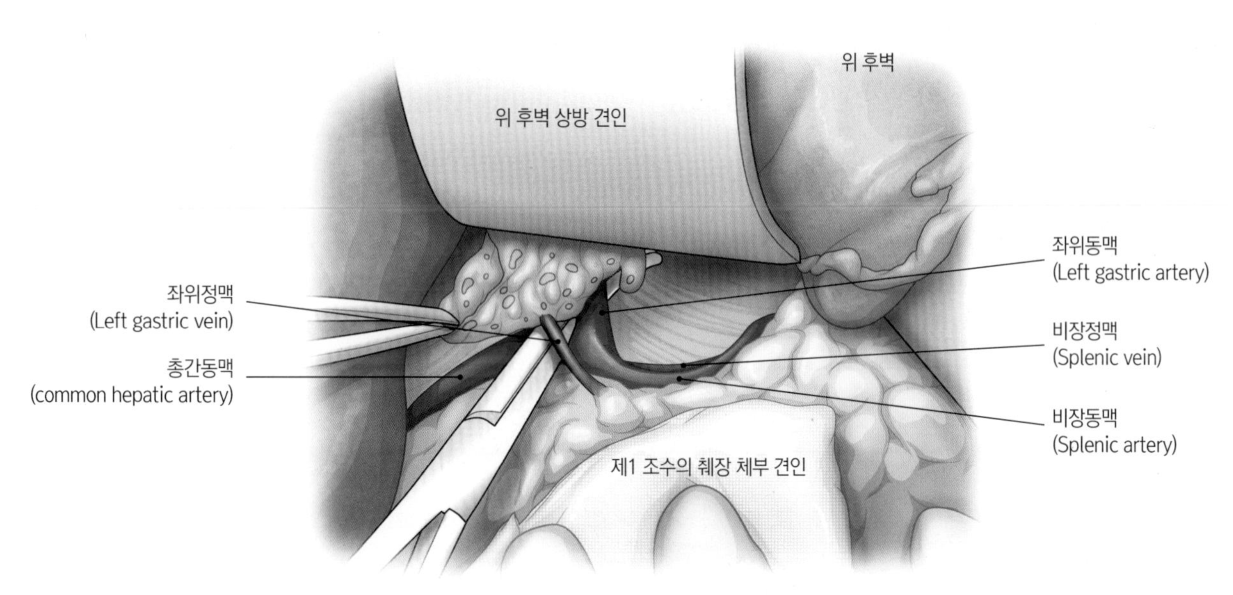

그림 13-14

(그림 13-15) 이후 복강동맥 및 대동맥 복측의 손상을 주의하면서 후복막 전면의 림프절과 연부조직을 안전하게 박리한다. 이때 남아 있는 위와 연결된 혈관은 좌위동맥(left gastric artery)과 좌위정맥(left gastric vein, coronary vein) 밖에 없으므로, 정맥을 먼저 결찰하고 나중에 좌위동맥을 결찰 할 경우 위의 울혈이 발생하여 바람직하지 않겠다. 이 경우 좌위동맥을 근위부에서 먼저 결찰, 절제하여 위로 유입되는 동맥 혈류를 차단 후, 좌위정맥을 결찰하면 남아있는 위의 울혈을 피할 수 있다. 좌위동맥은 봉합사를 이용하거나 클립을 이용하여 이중결찰을 시행한다. 좌위동맥의 처리를 위하여 굳이 봉합 결찰(suture ligation)을 할 필요는 없다.

(그림 13-16) 복강동맥으로부터 횡격막 각(diaphragm crus)을 따라 위식도경계부(gastroesophageal junction)를 향해 올라가면서 식도 구멍(esophageal hiatus) 경계로 식도주위 림프절을 박리한다. 횡격막으로부터 1, 2번 림프절을 충분히 박리해내면서 양쪽 미주 신경도 결찰, 절제한다. 식도 주변을 박리하면서 횡격막하동맥(inferior phrenic artery)을 안전하게 결

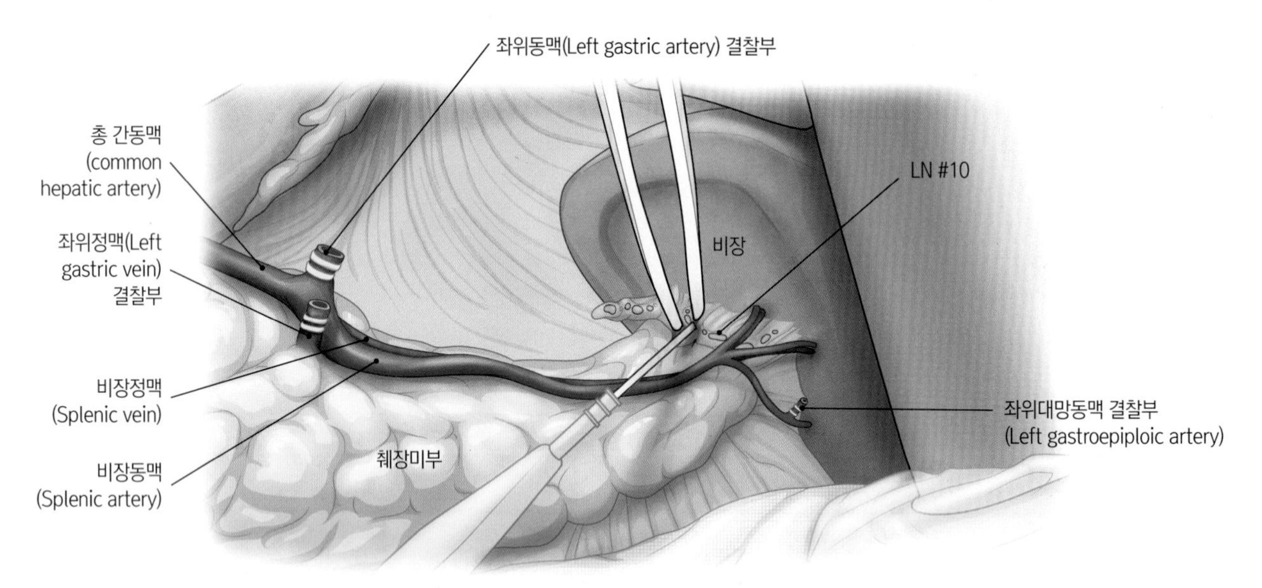

그림 13-15

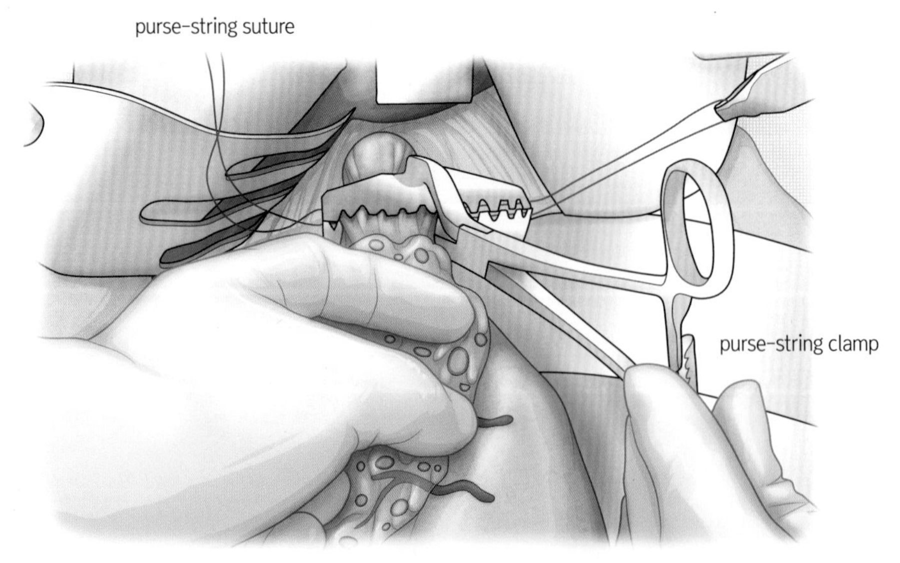

그림 13-16

찰하도록 하며, 위암의 식도 침범이 있는 경우 횡격막하 림프절(infradiaphragmatic lymph node), 식도 구멍 내 식도곁 림프절(paraesophageal lymph node in the diaphragmatic esophageal hiatus) 등의 복부 식도 주위 림프절 절제나 횡격막상 림프절(supradiaphragmatic lymph node)의 절제가 필요할 수 있다. 식도가 충분히 박리되었다면 purse-string clamp를 이용하여 식도절제를 한다. 근위부 또는 위식도 경계부에 가까운 위암인 경우, 수술 중 관찰되는 식도의 근위부 경계까지의 길이가(proximal resection margin) 실제로는 불충분한 경우가 많으므로 가능한 충분히 거리를 확보하고 잘라야 한다. 위암의 경우 잘려진 식도 근위부 절단면은 동결절편병리검사를 시행하여 결과를 확인한다.

(그림 13-17) 절제된 식도의 절단면에서 전 층이 포함될 수 있도록 9시, 5시, 1시 방형으로 Allen 클램프로 잡는다. 필요시 3시와 9시의 봉합사가 들어오고 나오는 부분을 추가 단속봉합(interrupt suture)으로 보강하여, 안전하게 식도 전층에서 purse-sting 봉합이 이루어질 수 있도록 한다. 식도의 절제구를 위의 세 방향으로 균등하게 벌리고 anvil을 삽입한다.

(그림 13-18) Roux-en-Y 재건방법을 위하여 Treitz 인대 하방 20 cm 부근에서 공장 및 장간막을 자른다. 공장 장간막 절개 시 식도-공장 문합술에 이용되는 공장의 혈류 공급이 충분하게 이루어질 수 있는지 충분히 평가 후 절개를 시행한다. 경우에 따라서는 장간막 절개 후 동정맥 분지 간의 혈류 소통이 제대로 되지 않아 동맥 허혈이나 정맥 충혈 등이 발생할 수 있으므로 혈관 주행에 유념하여 장간막 절제를 계획한다.

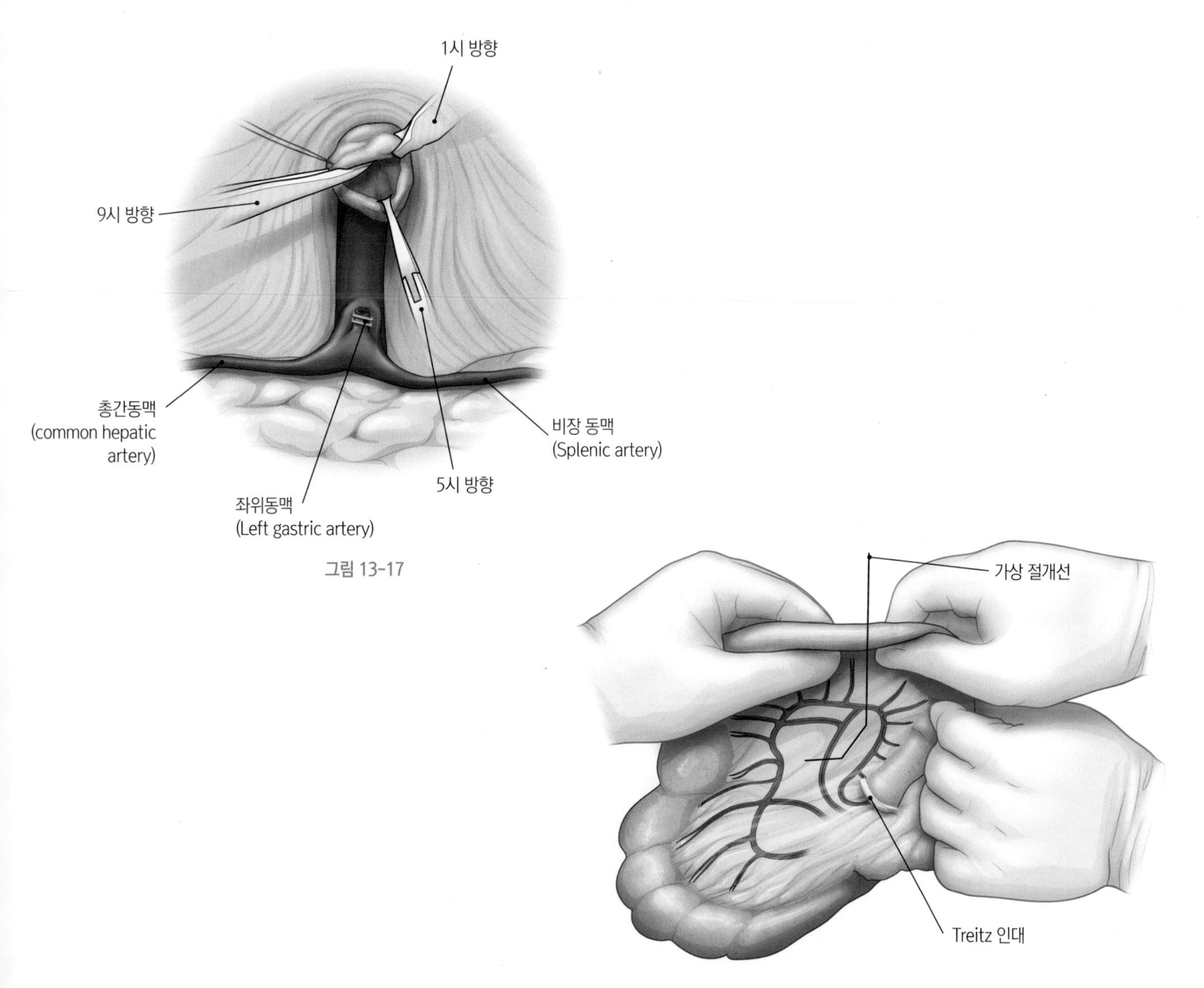

그림 13-17

그림 13-18

(그림 13-19) Treitz 인대 하방 15~20 cm 부근에서 공장을 절단 후, 원위부 공장에 자동봉합기를 삽입하여 미리 준비된 식도측 anvil과 연결하여 식도-공장 단측문합(End to side anastomosis)을 완성한다. 식도-공장 문합은 환자의 임상적 병기, 해부학적 구조로 인한 문합부의 긴장도 등을 고려하여 대장전방(antecolic) 혹은 대장 후방(retrocolic)으로 시행할 수 있다. 이 때 원위부 공장의 직경이 좁은 경우 자동봉합기 삽입 도중 공장 점막이 손상되거나, 식도-공장 문합 도중 공장벽의 일부가 문합 부위 안쪽으로 말려들어가 다시 문합을 시행해야 할 수도 있으니 말려들어가지 않게끔 소장을 바깥쪽으로 당겨주는 것이 중요하다. 식도-공장 단측문합 후 자동봉합기를 삽입하였던 개방된 공장은 선형 문합기를 이용하여 절제 봉합한다.

(그림 13-20) 식도-공장 문합부로부터 40 cm 하방에 공장-공장 문합술을 시행한다. 이후 문합 공장의 수입각(A-loop)과 수출각(E-loop) 사이 공간을 봉합하여 내탈장(internal herniation)을 예방한다.

절제, 문합, 내탈장의 예방 등을 시행한 후 복강을 탐색하여 지혈, 식염수 세척 및 흡인을 시행하며 필요에 따라 지혈제와 유착방지제를 도포한다. 배액관 삽입 여부는 술자의 판단에 따라 달라질 수 있지만, 일반적으로 1~2개의 폐쇄형 배액관(Jackson-Pratt drain) 삽입이 추천된다.

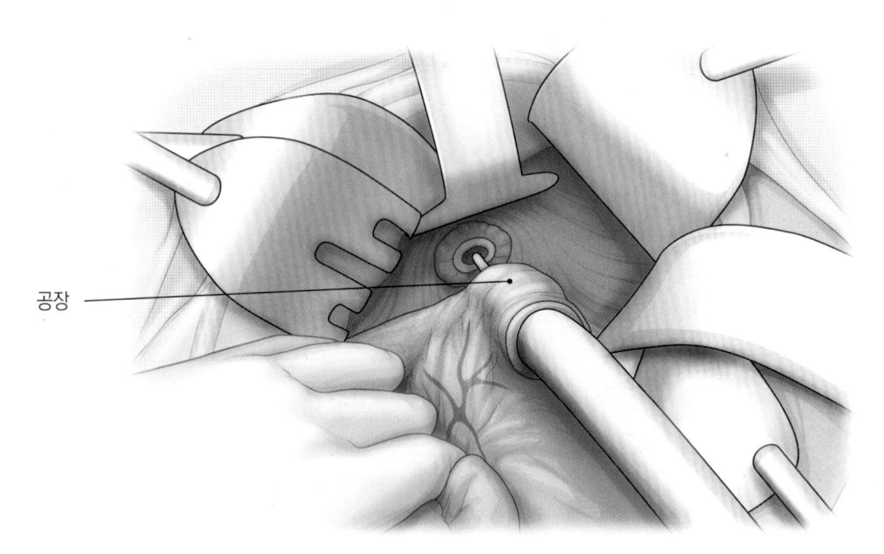

그림 13-19

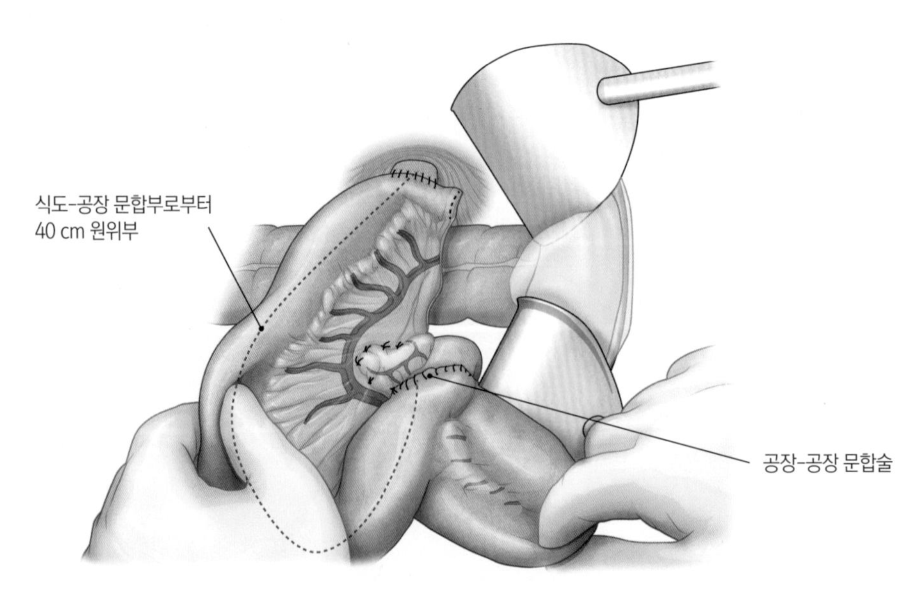

그림 13-20

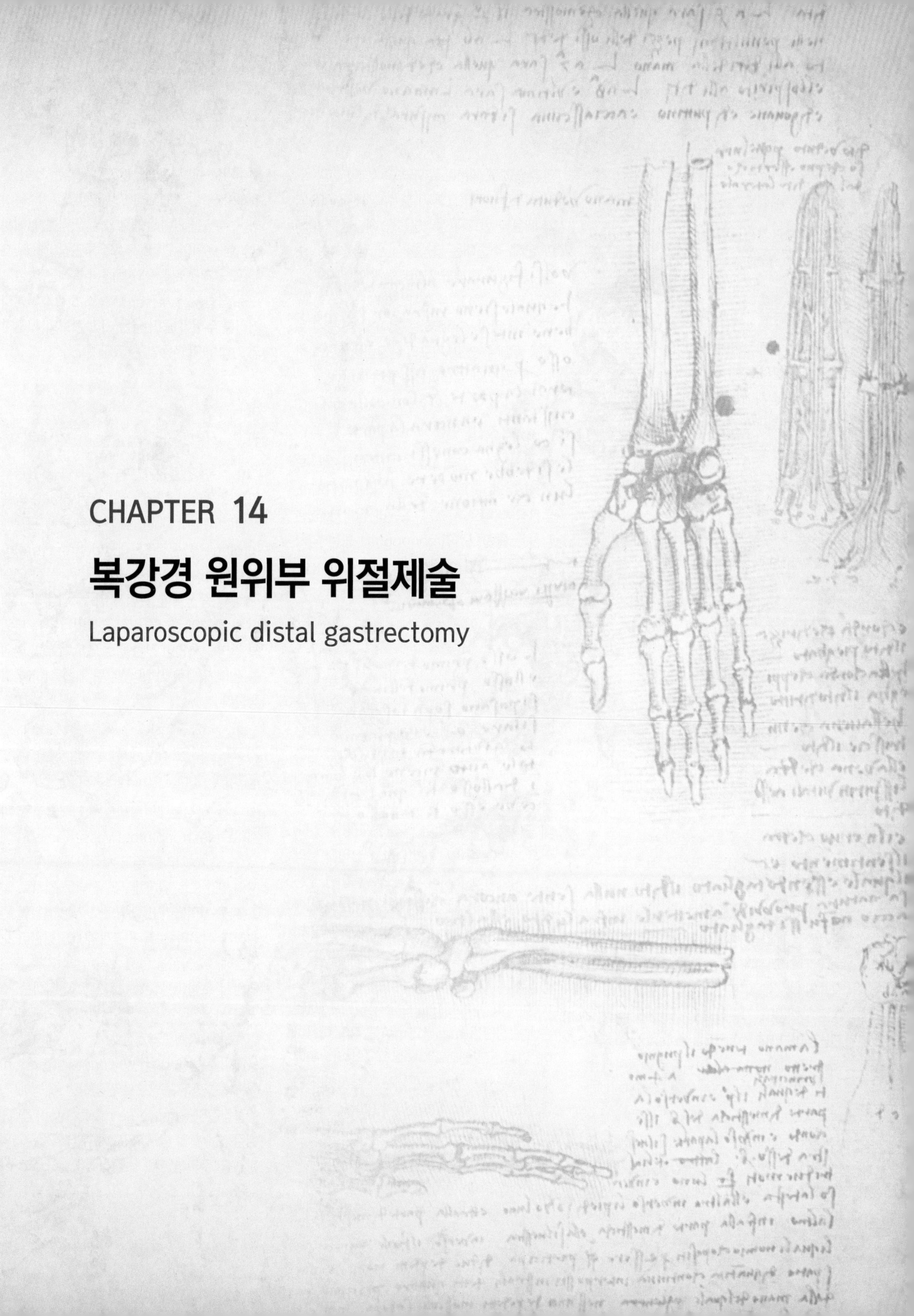

CHAPTER 14

복강경 원위부 위절제술

Laparoscopic distal gastrectomy

1. 적응증

조기위암, 진행성 위암 일부, 소화성 궤양, 일부 위장관기질종양(gastrointestinal stromal tumor)

2. 비적응증

- 심각한 심폐질환이나 혈역동학적으로 불안정한 환자
- 수술 전 검사에서 병기가 높은 진행성위암(far advanced gastric cancer)이 의심되는 경우

3. 수술 전 처치

일반적으로 상부위장관 수술에서 비위관 삽입 및 수술 전 장청소는 필요하지 않다.

4. 마취

전신마취 하에 기관삽관 후 1세대 세팔로스포린계 예방적 항생제를 투여한다.

5. 환자 자세

환자는 일반적으로 앙와위 자세(supine position)를 취하지만 경우에 따라 다리를 벌리거나 결석제거술 자세(lithotomy position)로 수술을 한다. 환자 우측 팔은 팔걸이를 이용하여 90°로 펼치고, 좌측 팔은 소방을 이용해서 몸 쪽으로 접는다. 무릎 고정대를 이용하여 수술대에 잘 고정하도록 한다. 수술자와 카메라 조수는 환자의 우측, 제1조수는 환자의 좌측에 위치 한다. 다리를 벌리는 자세일 때 수술자 또는 카메라조수가 다리 사이로 들어간다. 기본적으로 15° 정도의 역 트렌델렌버그(Reverse Trendelenburg) 자세에서 필요에 따라 우측, 좌측으로 기울여서 수술을 진행한다. 복강경하 수술은 기본적으로 비교적 오랜 수술 시간을 요하기 때문에, 수술 시 환자의 몸에 닿는 모든 부위에 거품패드 또는 젤리패드 등을 사용하여 압박을 받지 않도록 해야 하고, 환자의 상체 밑에는 워밍시스템(warming system) 등을 이용하여 장기간의 수술에도 체온이 유지되도록 해야 한다. 또한 역트렌델렌버그 자세가 수술 내내 지속되기 때문에 반드시 정맥혈전증 예방을 시행해야 한다. 수술대는 가능한 낮게 유지하여, 수술자의 팔과 어깨가 자연스럽게 떨어져 긴장되지 않도록 하고, 수술자, 카메라 조수 및 제1조수가 앉아서 수술하는 것이 수술 중 피로감을 줄일 수 있고, 기구의 흔들림을 최소화하여 안정감 있게 수술하는데 좋다.

6. 수술 준비

10 mm 30° 또는 45° 경성(rigid) 또는 유연성(flexible) 복강경 고화질(HD) 카메라, 투관침, 비디오 시스템, 초음파 절삭기, 혈관 결찰용 클립, 단극(monopolar) 또는 양극(bipolar) 전기소작기, Advanced energy device

7. 절개 및 노출

카메라 삽입을 위해 배꼽 아래에 11번 메스를 이용해, 배꼽 아래쪽 반을 포함하여 배꼽에 붙여서 피부절개를 가하고 모스키토 겸자를 이용하여 지방층을 박리하고 근막을 양쪽으로 잡고, 전기소작기를 이용하여 근막절개를 가한다. 배꼽에 붙여서 절개를 가하기 때문에 근육층의 노출 없이 쉽게 절개할 수 있다. 이후 복벽에 붙여서 켈리겸자를 삽입하면 약간의 저항이 느껴지며, 복막으로 들어가게 된다. 켈리겸자를 약간 벌려 복강 내로 진입했음을 확인 후 11 mm 투관침을 삽입한다. 이때 저항 없이 투관침을 넣는 것이 투관침으로 인한 사고를 예방하는데 중요하다(Hasson's technique)(그림 14-1). 수술자의 왼손, 오른손 투관침은 5 mm, 12 mm를 각각 이용하며, 위치는 그림과 같다. 복직근의 바깥쪽에 모든 투관침이 위치해야 기구가 수직이나 거울상(mirror image)이 되지 않아 수술하기에 용이하다. 왼손의 위치는 복직근 바깥쪽으로 하되 수술자의 선호도에 따라 복직근 바깥쪽 경계(rectus lateral border)에 붙이기도 하고, 전액와선(anterior axillary line)까지 낮추기도 한다. 전액와선까지 낮추는 것이 원위부쪽 박리 및 림프절(5번, 6번) 절제에 용이하며, 수술을 앉아서 진행할 수 있다는 점에서 유리한 측면이 있다. 조수의 투관침(5 mm 2개)도 원칙은 수술자와 똑같이 복직근 바깥쪽으로 삽입한다. 투관침 간 최소 5 cm 이상의 거리를 두어야 좀더 나은 시야 확보와 기구간의 간섭 없이 사용할 수 있다.

8. 수술 과정

1) 간 견인(Liver retraction)

(그림 14-2) 간견인은 위-간인대의 무혈관부위를 초음파절삭기로 열고 열린 부위를 양쪽 직침(straight needle)이 달린 2-0 프롤렌(prolene)을 펜로즈드레인(penrose drain)을 이용하여 끼운 다음 Hemolock 등을 이용해 실의 중간 부분을 먼저 위-간 인대에 고정한 후 양쪽의 직침을 각각 겸상인대 우측 부위와 간의 좌측엽이 견인될 수 있도록 복벽 부위를 찔러 밖으로 끄집어 낸 후 매듭을 하여 고정한다.

2) 좌측 부분 대망절제술 (Left partial omentectomy)

(그림 14-3) 부분대망절제술은 위대망혈관 아케이드(gastroepiploic vessel arcade)에서 2~4 cm 거리를 두고 시작하게 되며, 수술자의 왼손으로 위하체부의 전벽을 겸자로 잡고 위로 들어올리면, 대망으로 가는 혈관을 관찰하기 쉬우며, 보통 2~3개의 대망혈관이 보이는데, 이 혈관을 먼저 초음파절삭기로 절단하면서 소낭(lesser sac)으로 진입하는 것으로 시작한다. 횡행결장은 중력에 의해서 자연스럽게 떨어뜨리거나 보조자가 겸자를 이용하여 가볍게 대항견인(counter traction)할 수도 있다. 소낭으로 진입하면, 하방에 횡행결장간막(transverse mesocolon) 및 횡행결장을 확인 할 수 있으며, 위대망혈관과의 관계를 주의하면서, 비장하극(low pole of spleen)으로 진행해나간다. 이때 소낭이 열

TIP 1
카메라는 고화질 카메라(HD)는 필수이며, 조작이 가능한 카메라 조수가 있다면 유연성(flexible) 카메라가 췌장 위쪽 2군 림프절제술 및 다양한 시야확보 측면에서 유리하다.

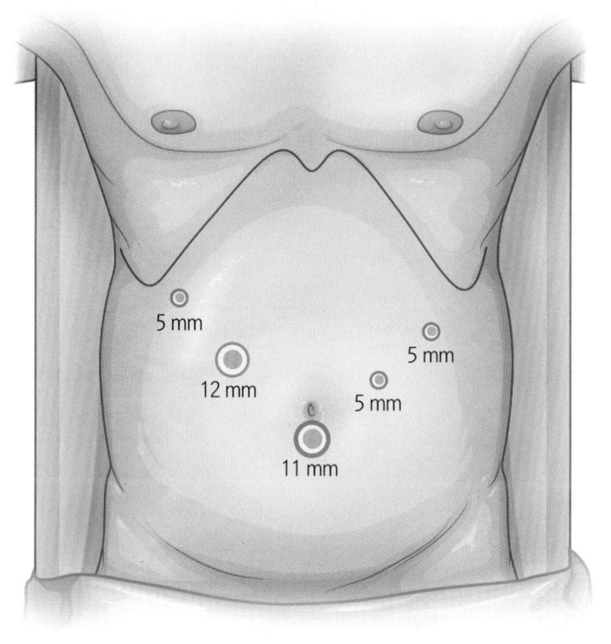

그림 14-1

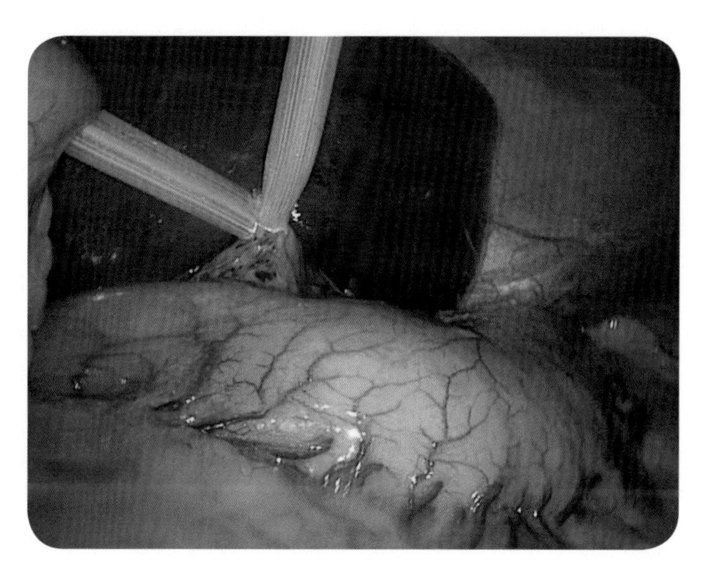

그림 14-2

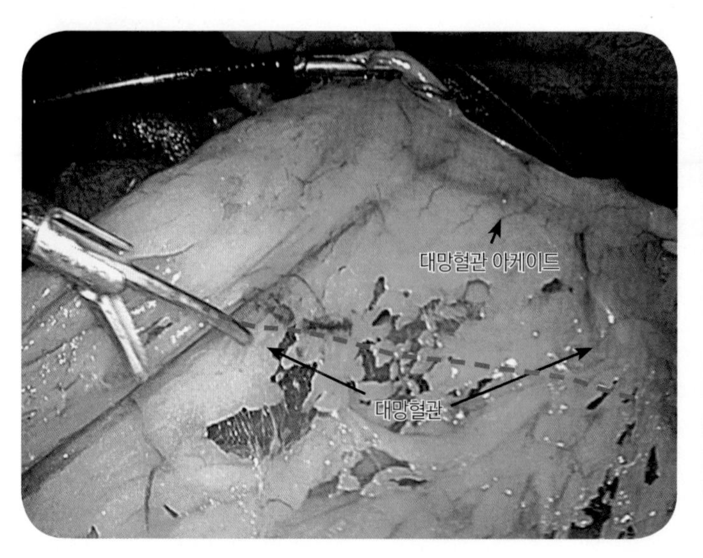

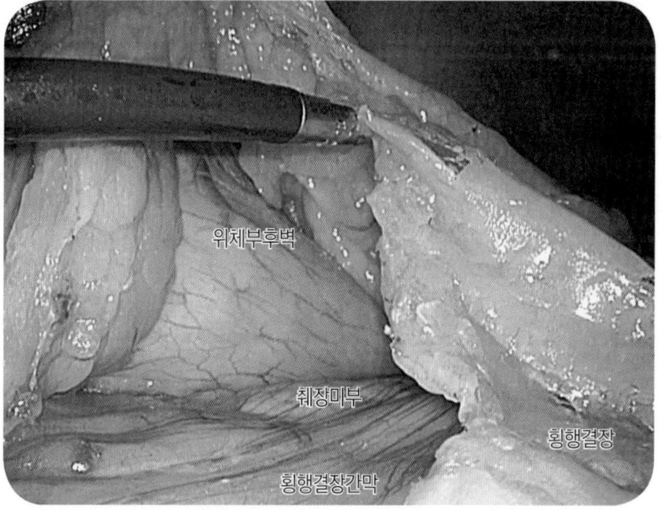

그림 14-3

TIP 2
처음 부분대망절제술을 시작하기 전에 대망이 뒤집혀 있지 않는 것을 확인하는 것이 초보자에게는 중요하며, 대망을 아래로 쓸어 내려서, 앞치마가 제대로 아래로 펼쳐져 있는 것처럼 바른 모양으로 놓고 부분대망절제술을 시작한다.

린 후에는 조수의 오른손으로 위의 후벽을 잡아서 모니터상 11시 방향으로 밀어주면 대망이 펼쳐져 수술진행에 도움이 된다.
비장쪽에 가까워질수록 횡행결장간막이 점점 결장위쪽으로 올라오는데 자세히 관찰하면, 대망과 횡행결장간막이 융합되는 생리적 경계면(physiologic plane)이 보이므로 이곳을 따라 박리하면 횡행결장간막에 손상을 주지 않고 진행할 수 있다.

3) 좌측 위대망혈관 절제 및 4sb 림프절 절제술

(그림 14-4) 부분대망절제술을 비장하극쪽으로 진행하다보면, 비장하극과 원위부췌장이 확인되고, 박리한 대망을 위로 들면, 비장동정맥에서 좌측위대망혈관이 나오는 윤곽(contour)이 확인된다. 비장동정맥에서 좌측위대망혈관이 나오고 이후 대망으로 가는 혈관이 나오는데, 대망으로 가는 혈관의 손상 없이, 그 근위부에서 결찰 하도록 한다. 간혹 비장하극(lower pole of spleen)으로 들어가는 부비장혈관(accessory splenic artery)이 나오는 경우가 종종 있으므로 주의해서 박리하고 결찰 하도록 한다. 이때 조수의 오른손은 위체부후벽을 잡아서, 10~11시 방향으로 견인하고, 왼손으로 좌측위대 망혈관의 원위부를 잡아서, 위쪽 방향(12시~1시)으로 견인하면, 혈관노출 및 4sb 림프절 절제가 용이해진다.

4) 근위부 대망 분리

(그림 14-5) 조수에게 4sb 림프절과 4d 림프절이 포함된 대망을 잡아서 위로 들며 펼치게 한 후, 수술자의 왼쪽 겸자로 대망의 원위부를 잡아서 위로 당기면, 위의 대만곡과 근위부 대망의 경계가 펴지면서, 초음파절삭기로 분리하기가 쉽다. 좌측 위대망혈관결찰 부위까지 포함하여 분리하도록 한다.

5) 우측 부분 대망절제술(Right partial omentectobursectomy), 우측 위대망혈관 결찰 및 6, 14번 림프절 절제술

(그림 14-6) 환자의 자세를 좌측으로 기울인 후에, 조수가 원위부위후벽을 잡고 비장쪽으로 당겨주도록 하고 수술자의 왼쪽 겸자로 좌측 대망을 잡고 펼쳐서, 좌측 부분대망절제술이 시작된 부위에서 오른쪽으로 횡행결장상연의 부분대망절제술을 진행한다. 이때 아래쪽에 있는 횡행결장간막 및 중대장혈관(middle colic vessel)을 확인하며 대망과 횡행결장간막 사이의 생리적 박리면(physiology plane)을 따라 진행한다.

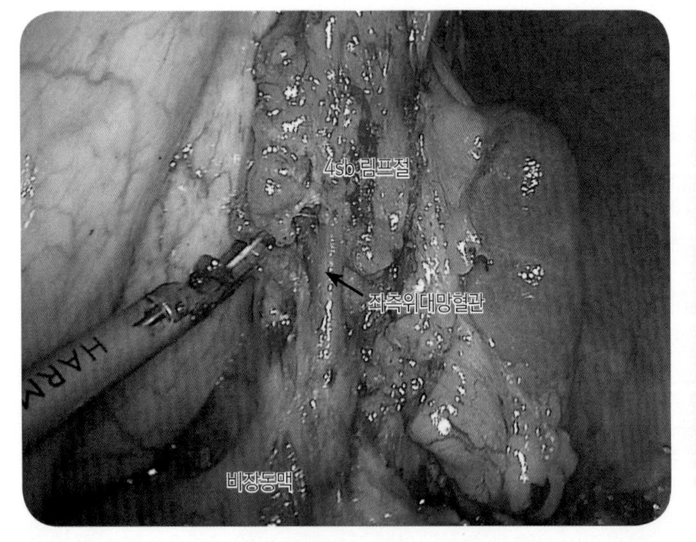

그림 14-4

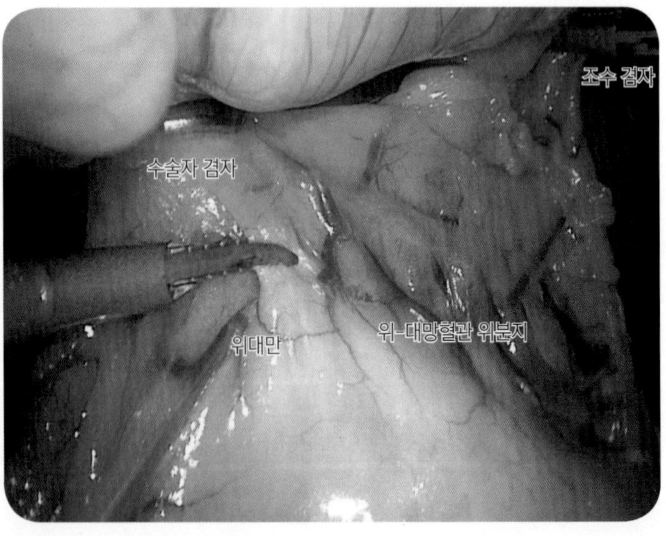

그림 14-5

TIP 3
우측위대망혈관에서 나오는 대망분지혈관은 보통 살리기 힘들므로, 좌측위대망혈관에서 나오는 대망분지혈관은 가능한 살려서, 대망의 괴사 가능성을 줄이도록 한다.

TIP 4
원칙상 대망이 위대만곡에 2층(anterior, posterior layer)으로 붙어있기 때문에 층별로 각각을 분리하여 박리(layer by layer)하는 것이 위대만곡에 남기는 조직없이 깨끗하게 제거할 수 있으며 이때 위-대망혈관의 위분지 혈관 사이에 창(window)을 만들어 초음파 절삭기를 이용하여 위의 우측에서 좌측방향으로 제거하는 것이 용이하다.

대망과 횡행결장간막을 분리해 나가면 췌장두부 전면 우측이 나타나고 미리 십이지장을 확인하하여, 췌장두부의 손상을 방지한다. 우측 위대망혈관의 노출을 위해 유문부하 림프절(infrapyloric lymph node) 주변조직을 조수가 수직방향으로 충분히 들어 주기 위해서는 후복막에 붙어있는 십이지장을 충분히 박리해 주는 것이 좋다. 이때 조수에게 우측위대망혈관과 주변의 림프조직을 함께 잡아 수직으로 들게 하여, 주변의 주요 구조물을 확인 후 아래에서 위쪽방향으로 림프절을 제거한다. 안쪽으로는 위후벽과 췌장 근위체부의 생리적 유착을 분리해서 췌장 근위체부의 하연을 확인하고, 가능하다면 위십이지장동맥을 확인하도록 한다.

바깥쪽으로는 십이지장과 췌장 두부를 확인하고, 횡행결장과 횡행결장간막을 조심스럽게 박리한다. 이때 박리면의 기준은 결장의 회돌이 혈관으로, 이 혈관 위쪽의 생리적 박리면으로 들어가면(bursectomy plane) 쉽게 횡행결장과 횡행결장간막을 아래쪽으로 떨어뜨릴수 있으며, 췌장두부에 전상 췌장십이지장혈관(ASPD)을 확인할 수 있고, 이를 따라 박리하면 부우측대장혈관(right accessory colic vessel)과 위대장혈관(gastrocolic trunk)을 확인할 수 있다.

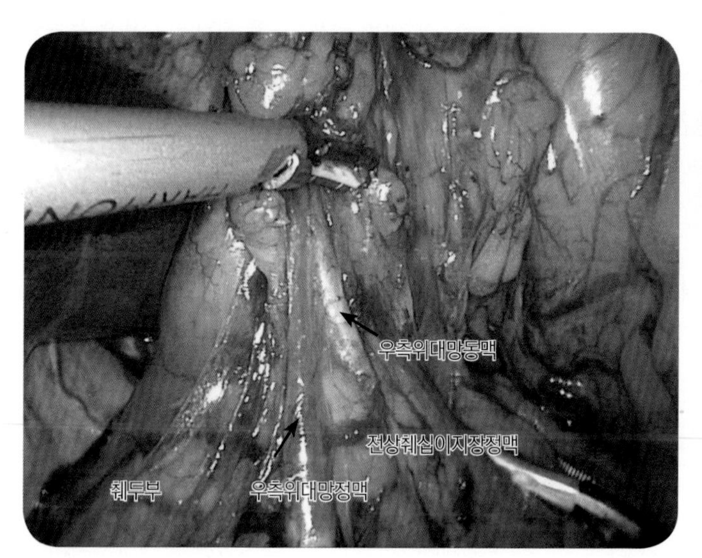

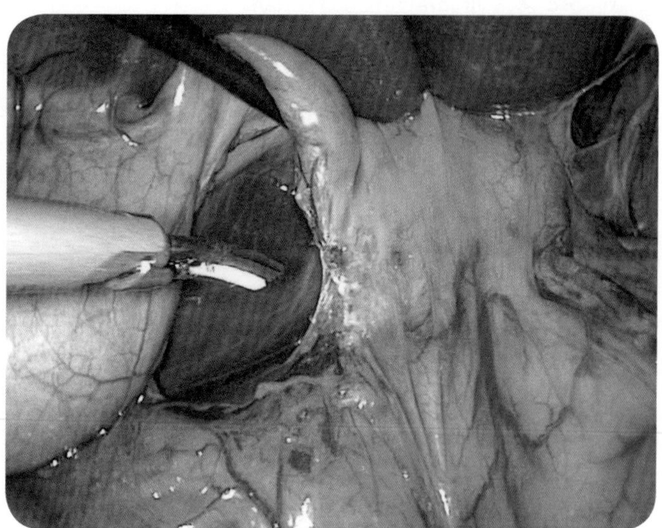

그림 14-6

그림 14-7

TIP 5

■ (그림 14-6) 우측위대망혈관은 수술 모니터상에서 좌측으로 십이지장, 췌두부, 전상췌장십이지장혈관 및 우측으로 췌두부 및 위십이지장동맥을 확인한 후에 결찰하는 것이 안전하다.

■ 우측위대망혈관이 지나가는 췌장홈(groove)이 있고, 조수가 우측혈관을 수직으로 견인할 때 우측으로 튀어나오는 조그만 췌장언덕(small pancreatic mound)이 있는데, 주변 지방조직과 잘 구별하여 손상을 주지 않도록 한다.

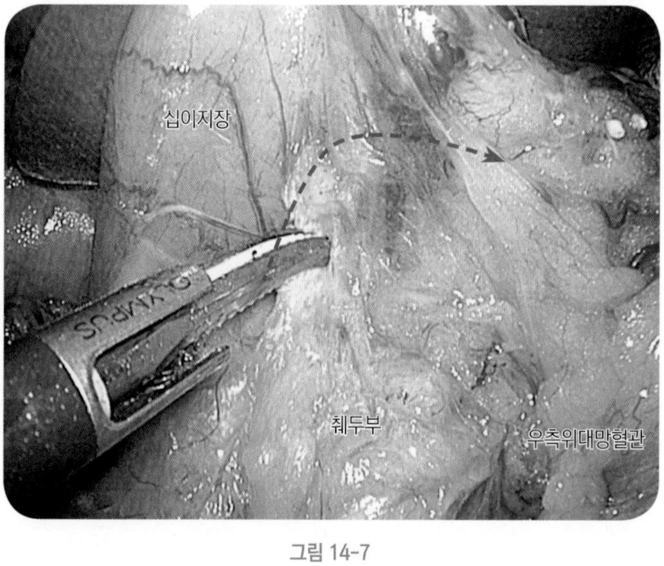

TIP 6

(그림 14-7) 후방접근법(posterior approach for right gastroepiploic vessels) 우측위대망혈관을 결찰하기 전에 미리 우측위대망혈관이 포함된 대망을 십이지장벽쪽에서 먼저 박리하여 분리하여 접근하는 방법으로, 우측위대망혈관을 순차적으로 처리하고 십이지장 쪽으로 접근하는 전방접근법(anterior approach)에 비해서, 혈관이 포함된 대망이 분리되어 있어 출혈이 적고, 출혈이 적기 때문에 보다 정확한 절제 면으로 6번 림프절절제술을 시행할 수 있는 장점이 있으며, 출혈이 있더라도 지혈이 용이하다. 특히, 비만한 환자에게 혈관 주위의 지방조직이 너무 많아, 전방접근시 출혈이 우려될 때 적용할 수 있는 방법이다.

TIP 7

14v 림프구역은 더이상 2군 림프절이 아니기 때문에 일반적으로 절제가 필요없으나, 유문부를 침범하였거나 6번 림프절의 전이가 의심되는 환자에서 선택적으로 시행할 수 있다. 중결장정맥(middle colic vein)을 기준으로 따라가면서 상장간막정맥의 전면부에 있는 14v 림프절을 절제한다. 이곳은 출혈이 나면 지혈하기 어려우므로 박리겸자(dissector)로 조심스럽게 박리하며 접근해야 한다.

중대장혈관(middle colic trunk)을 기준 삼아 전상췌십이지장혈관과 부우측대장혈관의 근위부에서 먼저 나오는 우측위대망정맥을 확인 후 결찰하고, 이후 뒤쪽에서 나오는 우측위대망동맥을 결찰한다. 우측위대망혈관 주위로 작은 가지혈관들이 많으므로 출혈을 유발하지 않게 조심스럽게 박리한다. 이후 그 뒤쪽으로 나오는 하유문혈관(infrapyloric vessels)은 초음파절삭기로 쉽게 지혈이 되지 않으므로, 결찰하는 것이 좋다.

이후 작은 절개창을 이용해서 Billroth I 문합을 하는 경우 우측위대망혈관이 포함된 대망을 십이지장 원위부에서 약 4~6 cm 정도 분리한다. 또한 체내문합을 위해서는 십이지장을 후복막에서 충분히 박리하여(Kocherization) 위십이지장 연결 시 문합부 긴장(anastomosis tension)이 발생하지 않도록 한다(Billroth II의 경우 십이지장을 절제하기에 충분한 정도만 분리함).

6) 우위동맥 결찰 및 5번, 12번 림프절 절제술(Combined approach)

(그림 14-8) 6번 림프절 절제술 이후 우측위대망동맥 결찰부를 따라 박리를 진행하면, 십이지장 후벽과 췌장 사이에 있는 위십이지장동맥을 확인할 수 있으며, 이 혈관을 따라 박리해서 올라가면, 총간동맥 과 고유간동맥을 쉽게 확인할 수 있다. 이때 8a 림프절제술이 일부 같이 이루어진다. 십이지장하부 접근법(Infraduodenal approach)으로 가능한 간동맥과 우위동맥의 우측까지 확인하고 거즈를 십이지장과 췌장, 총간동맥 위에 넣어둔다. 십이지장상부(Supraduodenal approach)로 넘어가서, 조수 우측 겸자로 우위동맥을 잡고 견인하게 하고, 조수 왼손으로 십이지장을 아래쪽으로 견인하면 십이지장으로 들어가는 상십이지장혈관을 아래쪽에 넣어둔 거즈를 확인하면서 총간동맥, 고유간동맥 손상의 부담 없이 처리할 수 있다.

상십이지장혈관을 처리한 후, 열린 공간을 통해 밑에 넣어둔 거즈를 제거하면, 십이지장하부접근법으로 박리해놓은 총간동맥, 고유간동맥, 우위동맥이 확인한 다음 고유간동맥의 좌측연을 따라서 박리하여 올라간다. 위간인대를 간십이지장 인대에서 식도방향으로 초음파절삭기를 이용하여 절단하는데, 이 과정에서 변형좌간동맥(aberrant left hepatic artery) 존재유무를 확인한다. 이후 우위혈관의 기시부를 확인하고 결찰한다. 동시에 5, 12번 림프 절제술이 이루어진다. 12번 림프절의 구역은 아직은 이견이 있으나 고유간동맥의 전면이 노출되고, 안쪽으로 문맥이 노출되어야 한다.

TIP 8

(그림 14-9) 12번 림프절 절제술은 D2 영역으로 진행성 위암에서는 필수적으로 시행해야 한다. 12번 림프절의 고유간동맥과 문맥 사이의 림프절 절제술은 아래에 기술될 좌위동맥 및 정맥을 먼저 결찰하고, 8a, 12a 림프절을 환자의 좌측으로 견인하면서 박리하는 것이 유리하다(UV shape dissection).

■간문맥의 노출은 고유간동맥측면을 따라 박리하여 접근할 수도 있지만, 총간동맥과 췌두부 사이를 박리하여 먼저 노출시킬 수도 있다(Tunnelling).

■완벽한 D2 림프절 절제술이 필요한 경우에는 십이지장을 자르는 것이 유리하다.

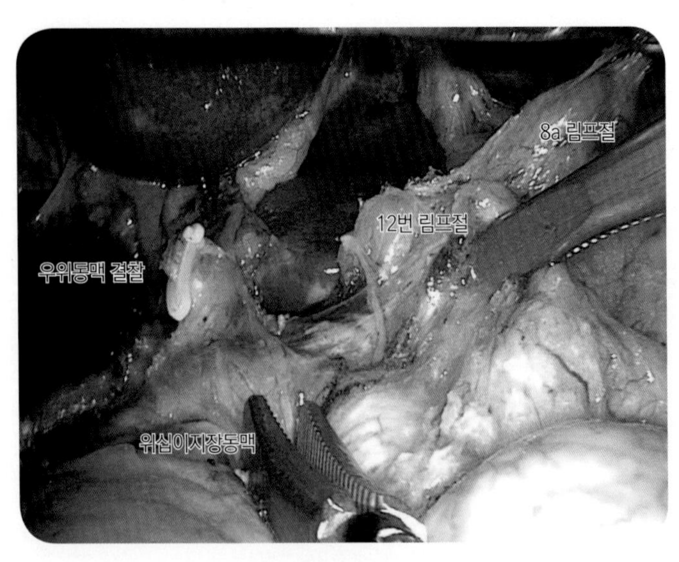

그림 14-8

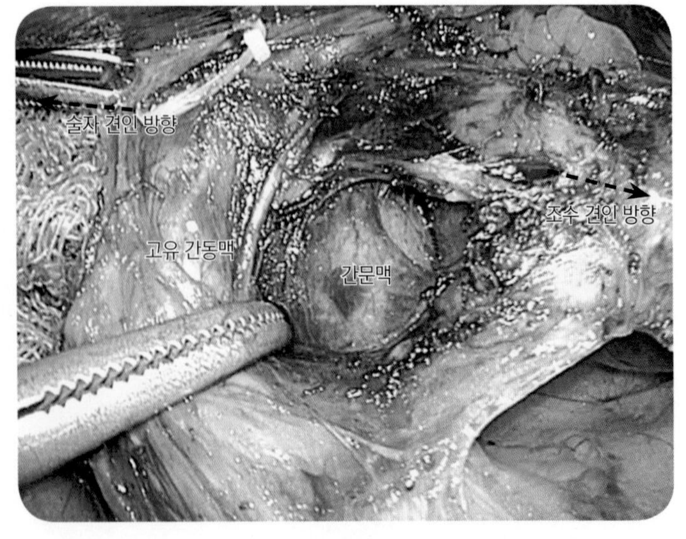

그림 14-9

7) 췌장 상연 림프절 절제술 (7, 8a, 11p, 9)

(그림 14-10) 먼저 이미 노출된 총간동맥을 따라서 췌장상연의 복막(visceral peritoneum)이 가능하다면 원위부췌장까지 박리한다. 이때 조수는 좌위동정맥을 오른손 겸자로 잡고 수직방향 위쪽으로 들어올리고, 왼손으로는 겸자 또는 스폰지스틱(endo-peanut)으로 췌장을 다리 쪽으로 조심스럽게 조금씩 견인하는 것이 췌장상연림프절 노출에 중요하다. 이때 너무 세게 눌러 췌장 실질에 손상을 주는 등의 일이 없도록 주의하도록 한다. 복막이 박리된 후에 총간동맥을 따라서 환자의 왼쪽으로 박리해서 들어가면, 쉽게 좌위정맥을 발견할 수 있으며, 결찰 후 절제한다. 이후 환자 우측의 총 간동맥과 좌측의 비장동맥 기시부가 확인되면, 이를 따라서 쉽게 좌위동맥의 기시부로 접근할 수 있다.

7번 및 9번 림프절제술을 횡격막의 우각근육 및 후복막의 경계를 따라 시행 후 좌위동맥을 기시부에서 이중결찰하고 절제한다. 좌위동정맥이 절제되면, 환자의 우측에 12a, 8a 림프절, 환자의 좌측으로 11p 림프절이 남게 되는데, 각각의 림프절 절제술을 할 때 좌위동정맥의 긴장(tension)이 없어져, 림프절을 견인하기가 용이하고, 12a, 8a의 경우 문맥노출이, 11p의 경우 비장정맥의 노출이 용이하다.

8a 림프절은 총간동맥의 상연을 박리하기 전에 총간동맥의 하연과 췌장 사이의 공간을 박리겸자(dissector)로 조심스럽게 박리하여 총간동맥 아래쪽의 문맥을 확인하고 문맥에 붙어있는 연부조직을 떨어뜨린 후에 총간동맥상연 박리로 넘어가는 것이 8a 림프절 절제

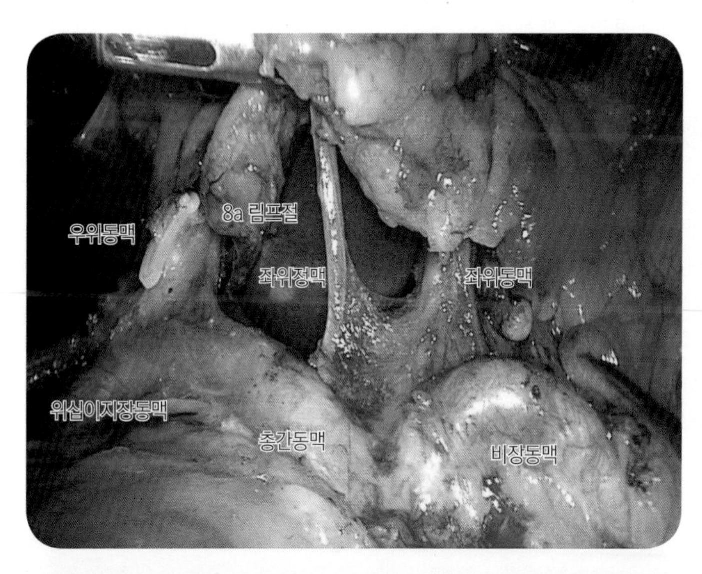

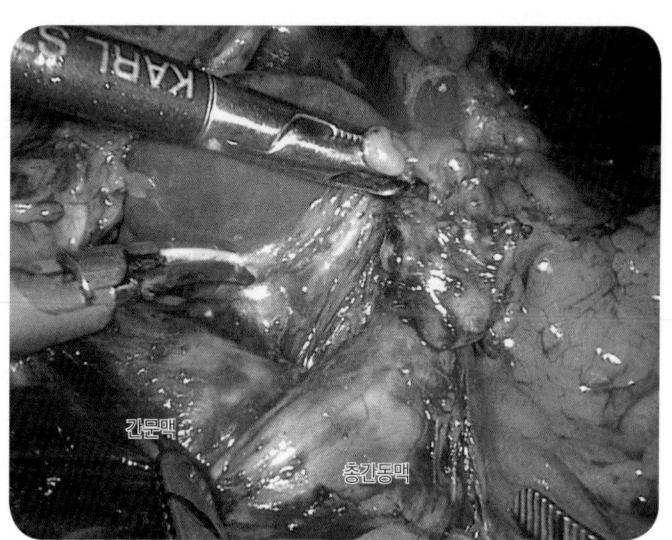

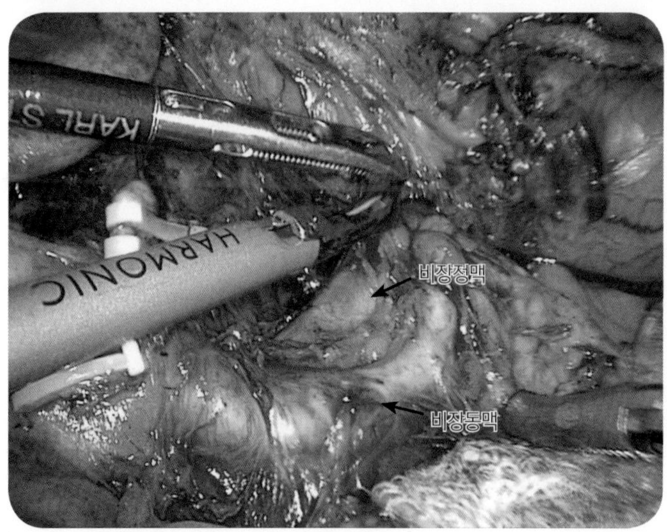

그림 14-10

TIP 9

췌장상연림프절 절제시 주요동맥들과 만나게 되는데, 이들을 먼저 노출시키고 이들을 따라서 림프절 절제술을 하는 것이 안전하다. 혈관이 안보이는 상태에서 박리를 진행하는 것은 매우 위험하다. 특히, 복강경 원위부 위절제술에서 대부분의 사고는 비장동맥과 관련하여 생기므로 11p 림프절 절제술 시 각별히 주의하는 것이 좋다.

TIP 10

이전에는 주요혈관들의 혈관외피(adventitia)에 있는 신경 및 신경총들을 다 박리해서 혈관이 매끈하게 들어나 있는 것을 선호하였으나, 현재는 종양학적인 이득은 없는 것으로 간주되며, 혈관손상 및 가성동맥류 등 혈관 관련 합병증을 증가시키는 것으로 생각되어 추천되지 않는다.

술에 좋다.

12a 림프절 절제술은 고유간동맥의 동맥주위조직을 조심스럽게 잡고 환자의 우측으로 견인하면서, 조수가 8a, 12a 림프절을 환자의 좌측으로 견인하면서, 박리하여 진행한다.

11p 림프절 절제술은 7, 9번 림프절 절제술을 시행하면서 만들어진 후복막공간으로 겸자를 넣어서 11p 림프절을 환자의 우측상방으로 견인하면서, 조수 왼손은 췌장을 아래쪽으로 부드럽게 누르고, 오른손으로 위를 환자의 좌측 상방으로 치워주면서 진행한다.

비장동맥은 지방조직에 쌓여져 있고 굽어져 있어 손상되기 쉽다. 그러므로 비장동맥을 따라서 초음파절삭기로 활성화팁(active blade)이 동맥에서 먼 쪽으로 가도록 하여 주변조직을 조금씩 물고 박리를 진행한다. 11p 림프절은 비장동맥기시부와 비장문(splenic hilum)의 근위 부 1/2에 해당하므로, 후위동맥이 이 사이에서 나온다면 결찰하도록 한다.

8) 복부 식도 및 상부 소만곡, 1, 3번 림프절 절제술

(그림 14-11) 전, 후면을 주변 조직으로부터 박리하고 좌, 우 미주신경을 찾아서 절단하면 식도 및 위가 쉽게 유동화되어 1번 및 3번 림프절을 소만곡에서 분리하는 것이 용이하다. 이때 조수는 소만곡에 붙은 3번 림프절을 포함한 연부조직을 잡고 조수 방향으로 밀면서 복벽쪽으로 잡아당겨 소만곡을 완전히 펼쳐 일자로 만들면서 연부조직들 박리한다.

9. 문합술(Reconstruction)

문합술에 대해서는 이전 장에서 다루어졌기 때문에, 여기서는 문합방법 종류와 체내 문합법에 대해서 소개 정도만 하겠다.

1) 빌로스-Ⅰ 위십이지장 문합술 (Billroth I gastroduodenostomy)

(1) 체외 문합법(Extracorporeal method)

(2) 체내 문합법(Intracorporeal method, delta-shaped anastomosis)

(그림 14-12) 최소침습수술의 발전에 따라, 상복부의 작은절개창을 통한 체외문합술에서 작은절개창을 없애는 체내 문합법의 적용이 점차적으로 늘어나고 있다(Delta-shape anastomosis). 십이지장 절단은 좌측 12 mm 투관침으로 자동봉합기를 삽입하여 절단한다. 통상적인 십이지장 절단방향에 비해서 90° 돌아간 상태로 절단되므로, 위십이지장 문합술 시 십이지장 뒷벽에 문합할 수 있다. 위십이지장 문합은 45 mm 자동봉합기(blue catridge)를 이용하여, 이때 위와 십이지장의 후벽에 문합이 되도록 뒤집어 주는 것이 중요하다. 공통입구(common entry hole)는 60 mm 자동봉합기 2개를 이용해서 사진과 같이 십이지장에 생기는 dog-ear를 없애준다.

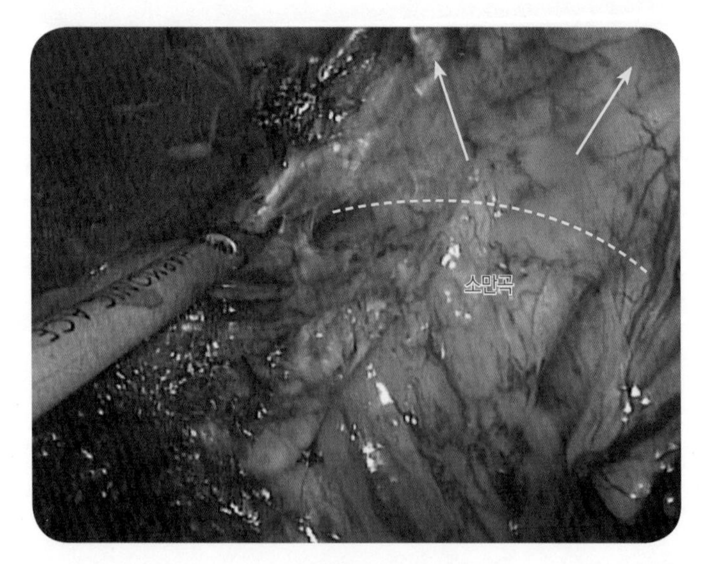

그림 14-11

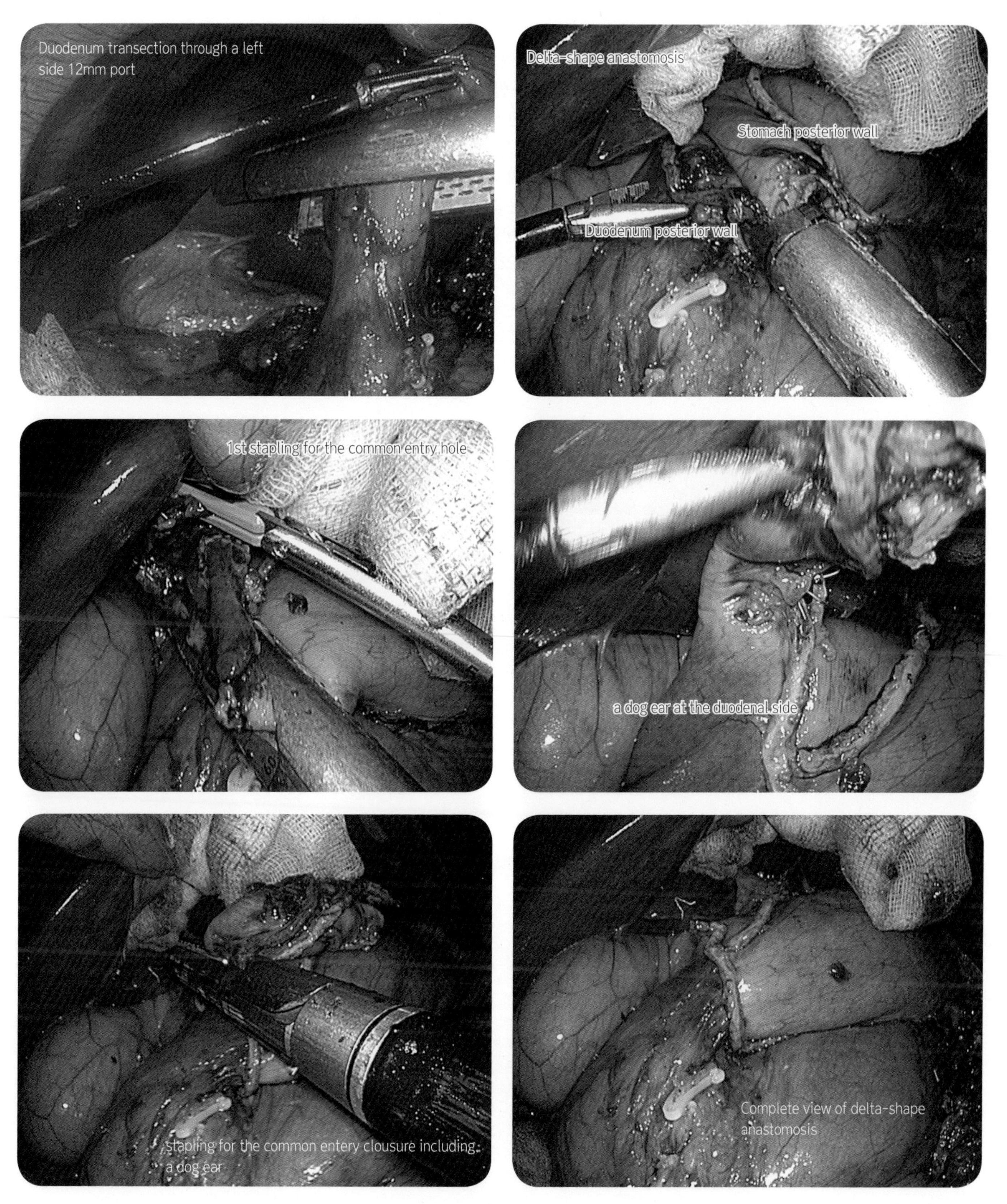
Duodenum transection through a left side 12mm port
Delta-shape anastomosis
Stomach posterior wall
Duodenum posterior wall
1st stapling for the common entry hole
a dog ear at the duodenal side
stapling for the common entery clousure including a dog ear
Complete view of delta-shape anastomosis

그림 14-12

2) 빌로스-Ⅱ 위공장 문합술 (Billroth Ⅱ gastrojejunostomy)

(그림 14-13) 문합부의 긴장없이 간단하게 체내 문합법을 통해 연결할 수 있는 방법으로 트라이츠인대(Treitz ligament)에서 문합부에 긴장이 없는 적당한 길이로(트라이츠인대에서 20 cm 하방) 공장부위와 위를 연결한다. 자동문합기를 이용하여 위와 공장을 연결한 다음 공통입구(common entry hole)는 V-LOC (Covidien Ltd. Norwalk, Conn., USA)으로 연속봉합하여 닫는다.

Roux-en-Y 재건술에 비해 담즙 역류나 잔여 위염이 다소 높게 발생할 수 있으나 삶의 질이나 영양학적 측면에서 다른 문합과 비교하여 차이는 없는 것으로 보고되고 있다. 비록 전향적 연구를 통해 재건술에 따른 잔위암 발생률을 평가한 연구는 없으며 일본의 전국 조사 결과에 따르면 각 문합법 간의 잔위암 발생에는 차이가 없는 것으로 보인다.

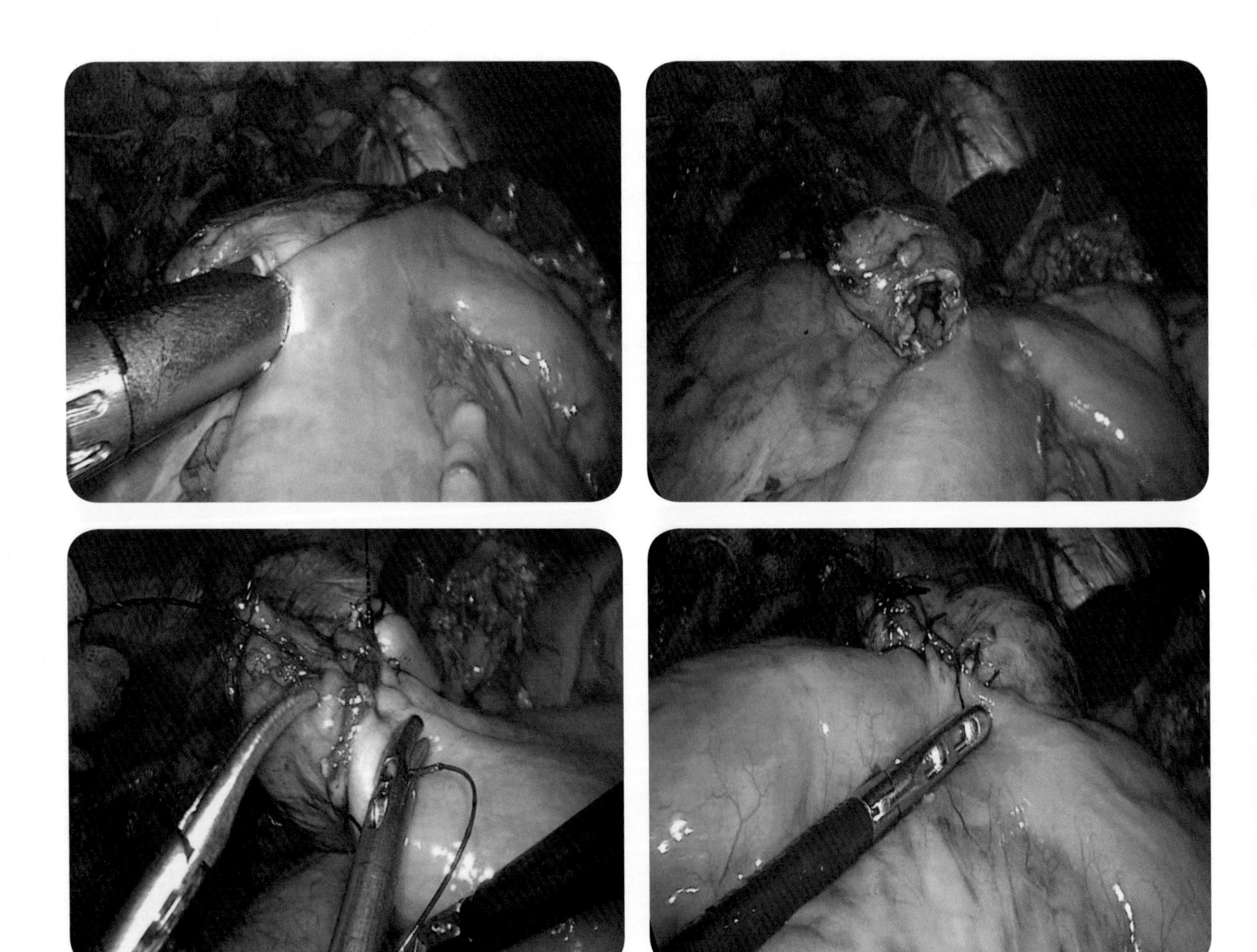

그림 14-13

3) 비절단 루와이 위공장 문합술 (Uncut Roux–en Y gastrojejunostomy)

(1) 체외 문합법(Extracorporeal method)

좌상복부(Left epigastrium)에 작은절개창을 열고 위검체를 절단한 후 위공장 문합술, 공장공장 문합술 및 비절단과정(Uncut procedure)을 시행한다. 이때 비절단과정에 사용하는 자동봉합기는 복강경용 6열 white 자동봉합기가 재개통화(recanalization)를 예방하는데 효과적이다. 각각의 문합 간의 거리는 체내 문합법과 똑같다.

(2) 체내 문합법(Intracorporeal method)

(그림 14-14) 체외 문합과는 달리 역연동방향(antiperistaltic fashion)으로 위의 대만쪽으로 문합하는 것이 혈액공급면에서 유리하다.

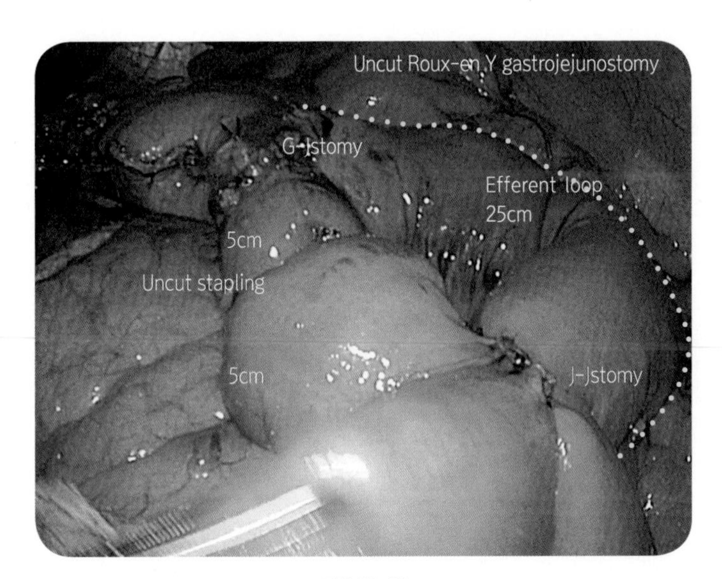

그림 14-14

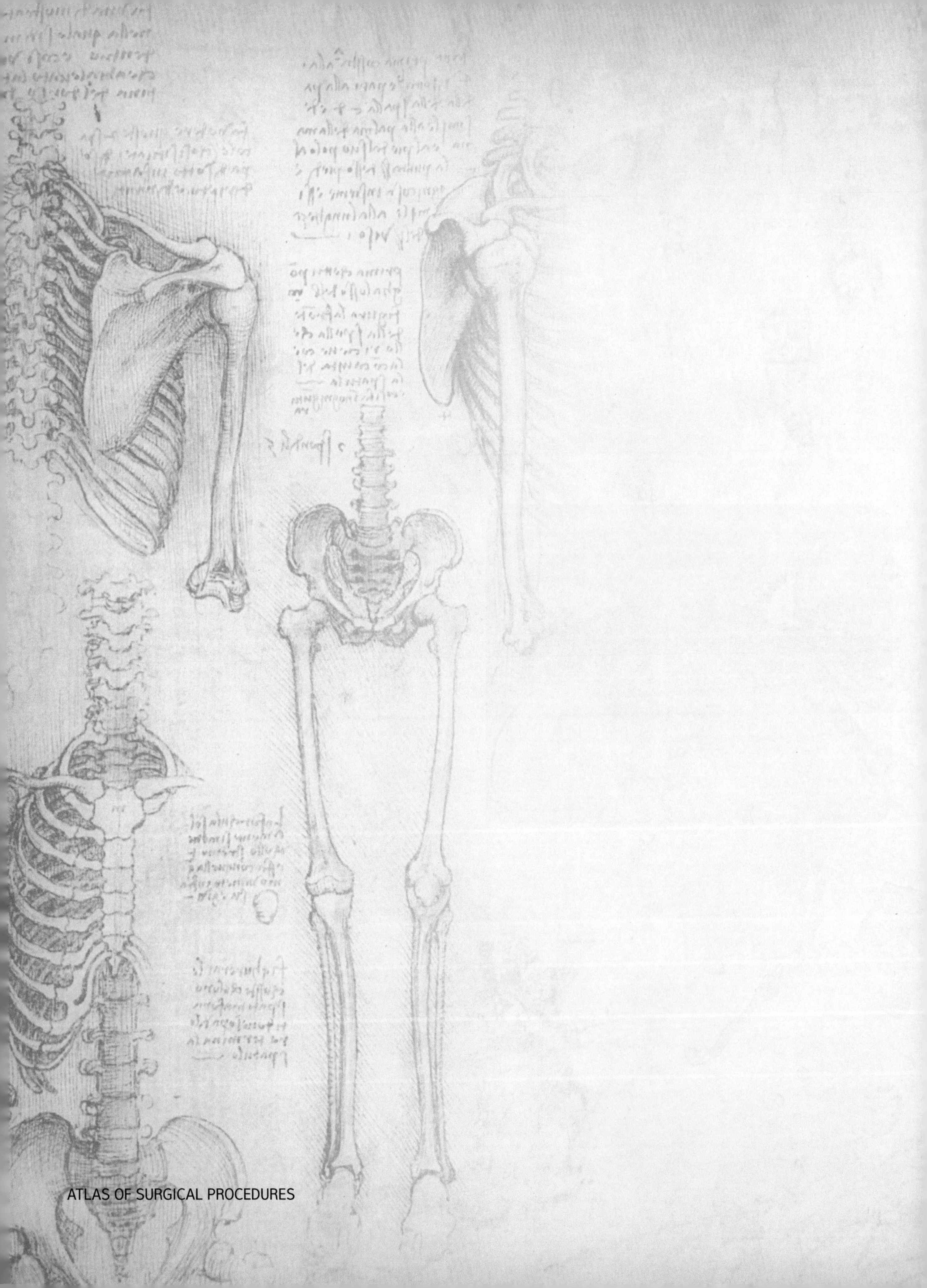
ATLAS OF SURGICAL PROCEDURES

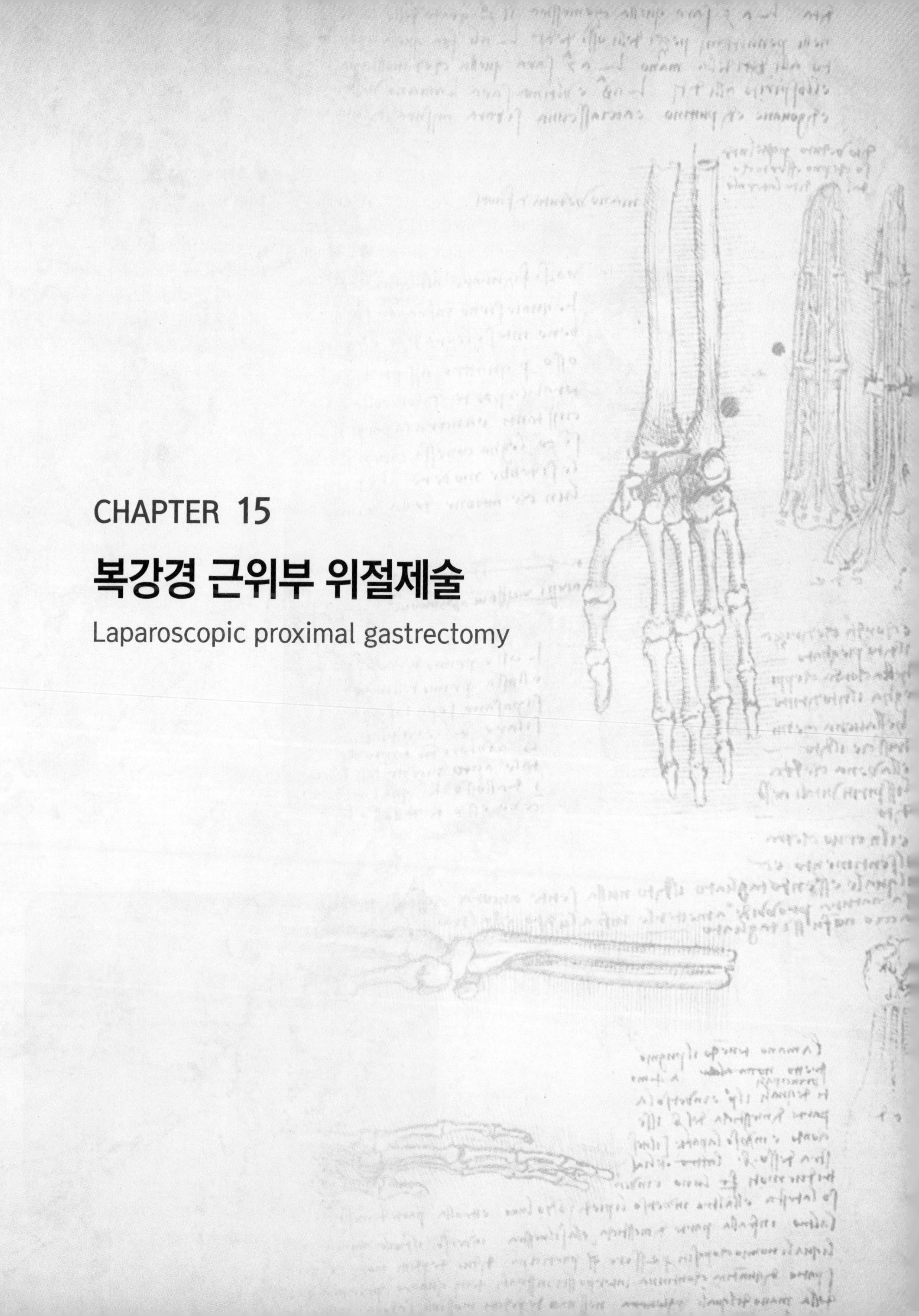

CHAPTER 15

복강경 근위부 위절제술

Laparoscopic proximal gastrectomy

1. 적응증

1) 위 상부에 국한된 조기 위암

2) 위식도접합부암으로서 크기가 4 cm 이하인 Siewert II형 진행 위암

2. 환자 자세

(그림 15-1) 앙와위 자세를 기본으로 하며, 수술 중 두상위를 유지한다. 술자는 환자의 오른쪽에 서며, 조수는 왼쪽에 서고, scopist는 오른쪽에 선다.

배꼽아래 12 mm, 좌늑골궁아래 5 mm, 우늑골궁아래 5 mm, 좌측복부에 12 mm, 우측복부에 12 mm 투관침을 삽입한다. 원위부 위절제술 때 투관침 위치보다 우측복부 투관침을 상내측으로 더 위치시킨다.

절제한 위를 꺼낼 때 좌측 투관침 삽입부위를 따라 약 4~5 cm 절개를 한다.

3. 근위부 위절제술

1) 간 견인

(그림 15-2) 프롤린 1-0 직침으로 상복부 복벽을 관통시킨 후 복강 내에서 갈고리 인대를 걸고 간-위 인대를 절개한 후 간측 인대에 실을 클립으로 고정한 후 다시 직침을 복벽 밖으로 관통시켜 양쪽 실을 잡아당기면 간을 효과적으로 견인할 수 있다.

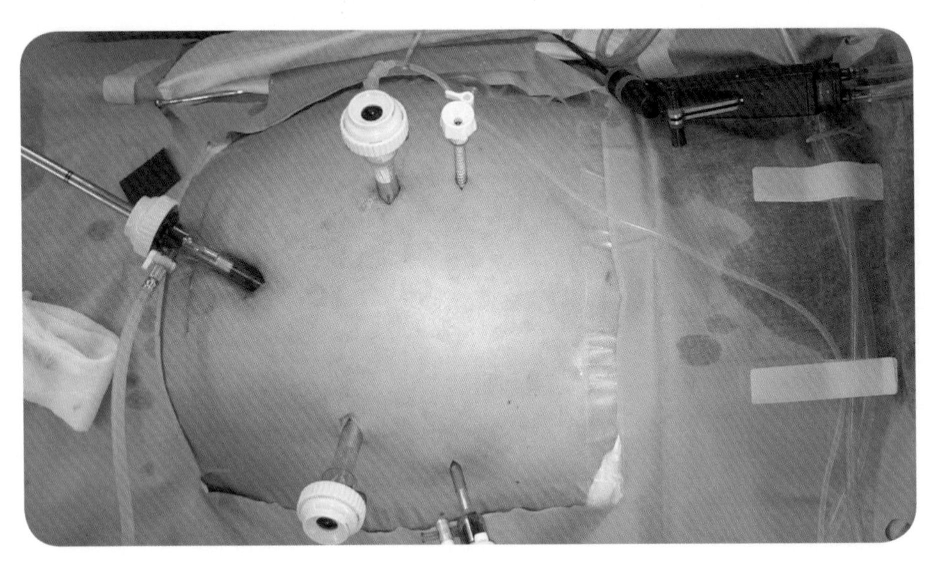

그림 15-1

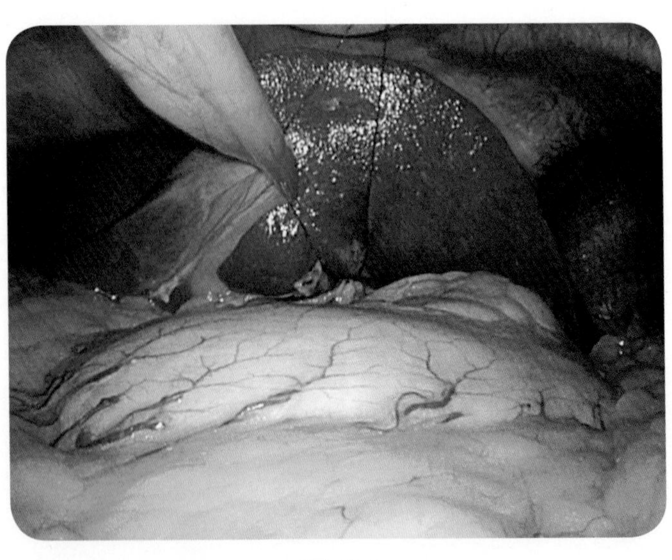

그림 15-2

2) 좌측 위결장간막의 박리 (좌측 4d 림프절 절제)

(그림 15-3) 조수가 오른손으로 위체부의 전벽을 잡고 왼손으로 위결장간막의 아랫부분을 잡아 각각 위아래로 견인하여 수술 시야를 좋게 한다.

술자는 왼손으로 무손상겸자로 위결장간막의 윗부분을 잡고 오른손으로 초음파절삭기나 에너지절삭기를 사용하여 위결장간막을 절개하여 창을 만든 후 비 하극을 향해 박리해 간다.

3) 좌위대망동정맥의 박리 (4sb 림프절 절제)

(그림 15-4) 조수가 오른손으로 위상부 후벽을 잡아 우측 위로 들어올리고 왼손으로 절개된 대망을 잡아 왼쪽위로 들어올려 시야를 전개한다.

술자는 왼손으로 좌위대망동정맥이 이어지는 대망의 윗부분을 잡아 위로 올리고 췌미부에서 나오는 좌위대망동정맥의 기시부를 찾아 초음파절삭기로 혈관 주변을 박리한 후 클립을 사용하여 혈관을 결찰한 후 절단한다.

4) 단위동정맥의 박리 (4sa 림프절 절제)

(그림 15-5) 조수가 오른손으로 좀더 위상부의 후벽을 잡아 우측 위로 들어 올리고 가장 나중 박리된 대망 부분을 왼손으로 잡아 좌상부로 들어 올려 위비간막을 펴준다.

술자가 왼손으로 단위동정맥과 이어지는 대망의 윗부분을 잡아 올리고 박리겸자나 초음

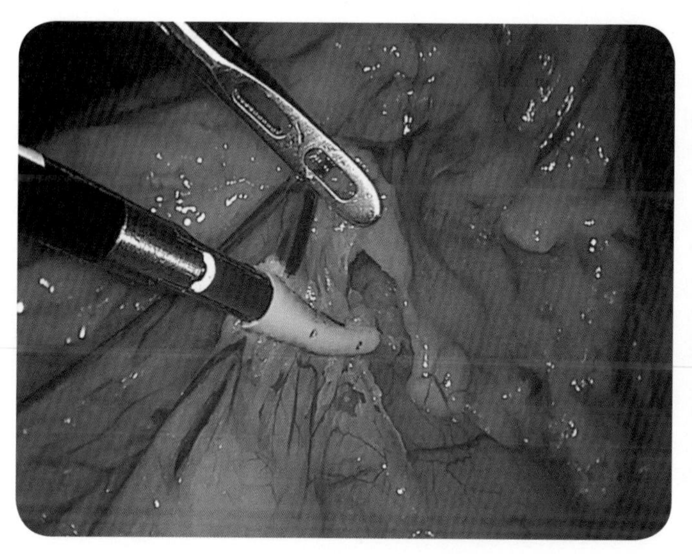
그림 15-3

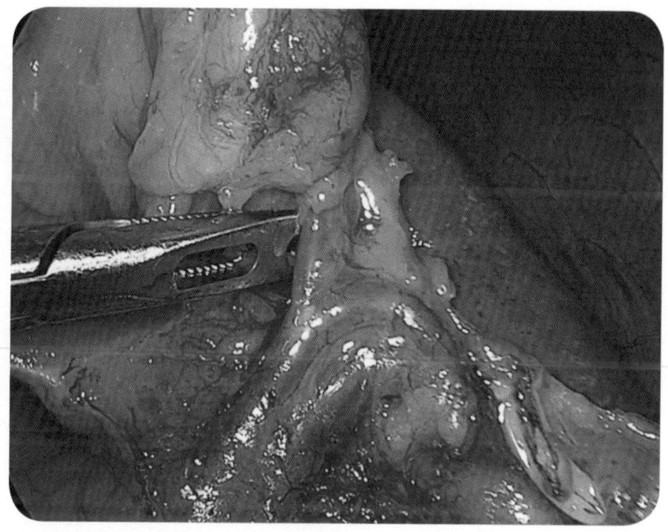
그림 15-4

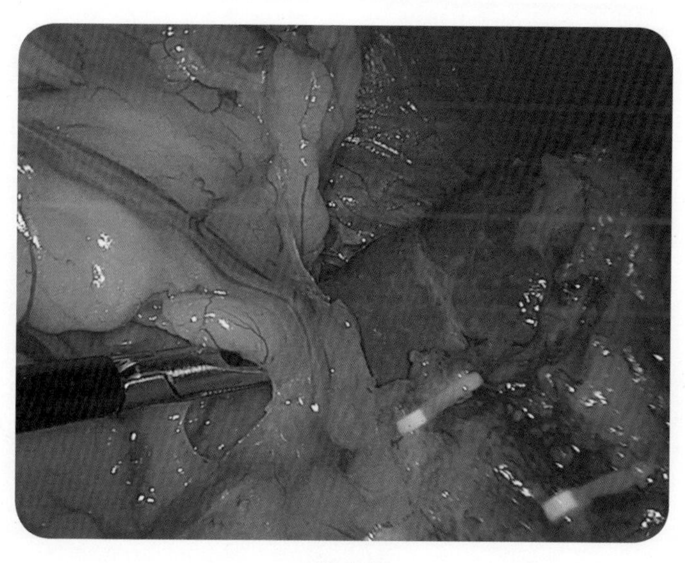
그림 15-5

파절삭기로 박리하여 혈관을 노출시킨 후 혈관을 클립으로 결찰한 후 절단한다. 가능한 한 모든 단위동정맥을 박리하고 절단하여 식도 좌측벽까지 도달하도록 한다. 만일 시야 확보가 잘 안될 경우에는 나중 식도를 절단하고 나서 남은 단위동정맥을 쉽게 박리할 수 있다.

5) 우측 위결장간막의 박리 (우측 4d 림프절 절제)

우측 위결장간막을 어느 정도까지 하느냐는 근위부 위절제술을 시행한 후 문합을 어떻게 하느냐에 따라 달라진다. 만일 식도-위 문합을 시행하는 경우에는 원위부 위절제술을 시행할 때 하는 정도까지 박리해야 하지만, 이중통로문합을 하는 경우에는 일부만 박리를 진행한다. 또한 식도-위 문합을 하는 경우에는 위후벽과 췌장 사이의 유착을 모두 박리를 해 주어야 하지만, 이중통로문합을 하는 경우에는 박리하지 않고 그대로 놔둔다. 만일 박리를 하는 경우에는 나중 잔위를 주변 조직에 고정해 주어야 한다.

6) 위 소만부 조직의 박리 (3a 림프절 절제)

조수가 오른손으로 위 소만부 조직의 윗부분을 잡아 위로 들어 올리고 왼손으로 위체부를 아래쪽으로 펴주어 3번 림프절 주변의 시야를 확보한다. 술자가 왼손으로 위 소만부 조직의 위쪽을 잡고 좌위동맥의 분지에 위치하는 림프절 3a와 우위동맥의 분지에 위치하는 3b의 경계선을 확인 후(그림 15-6) 오른손으로 초음파절삭기를 사용하여 우위동맥의 최단분지와 좌위동맥의 최단분지를 박리하여 절단한 후 위벽을 따라 소만쪽 위절제 예정선이 확보될 때까지 박리를 하면서 3a 림프절을 절제한다(그림 15-7).

7) 위 절단

(그림 15-8) 60 mm 선형 자동봉합기를 환자 왼쪽 아래 투관침을 통하여 삽입하여 대만곡부터 소만곡까지 위를 자른다. 이어서 소만곡에 수직으로 자동봉합기가 위치하도록 하여 절단한다. 만일 원위부 절제연을 정밀하게 결정을 해야할 때는 수술 중 위내시경을 사용하거나, 수술 전 위내시경을 사용하여 클립을 시행한 후 나중 소절개창을 통해 절제된 위를 꺼내어 직접 손으로 만져서 클립을 확인한 후 위를 절단하여도 된다.

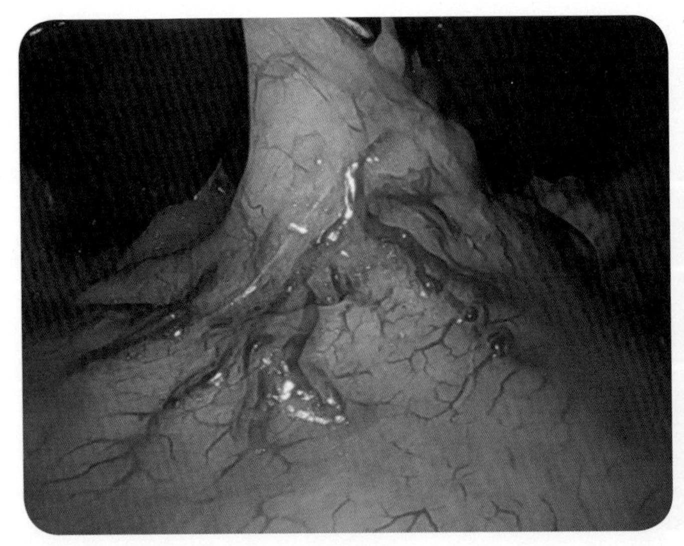

그림 15-6

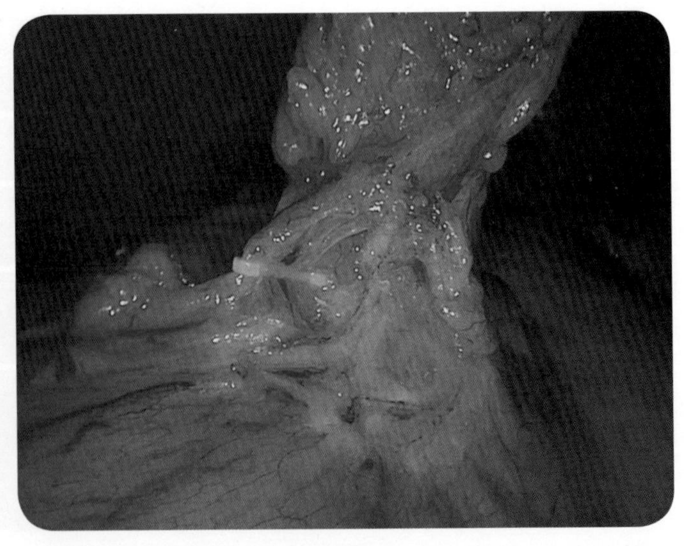

그림 15-7

8) 총간동맥 주위림프절 절제 (8a 림프절 절제)

(그림 15-9) 조수의 오른손은 좌위동맥을 포함한 조직을 잡아 위로 들어올리고, 왼손은 거즈를 잡은 겸자나 그와 비슷한 도구를 사용하여 췌장을 아랫방향으로 견인한다.

술자가 왼손으로 총간동맥 주위 림프절의 피막을 잡아 올리고 오른손으로 초음파절삭기로 췌상연을 따라 총간동맥이 노출되도록 우측과 좌측으로 충분히 피막을 절개한다. 좌위정맥이 총간동맥의 뒤쪽으로 주행하는 경우 클립으로 결찰하고 절단한다.

9) 좌위동맥의 박리 (7번, 9번 림프절 절제)

(그림 15-10) 좌위동맥을 둘러싼 조직을 충분히 박리하여 좌위동맥을 노출시킨 후 남겨지는 부분에 2개의 클립을 끼운 후 절단한다. 이때 좌부간동맥의 주행에 주의한다. 좌위동맥을 절단한 후 뒷편에 있는 9번 림프절을 절제한다.

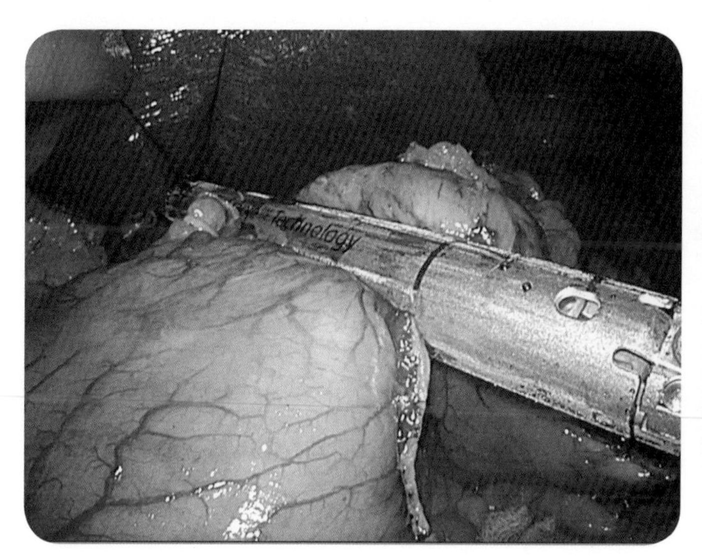

그림 15-8

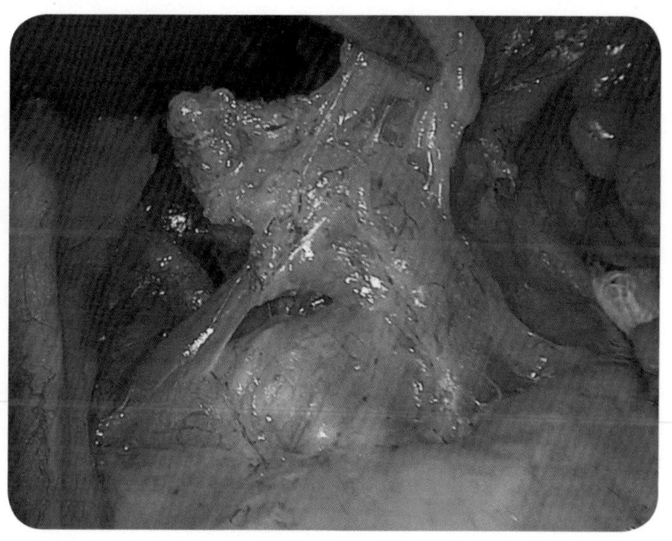

그림 15-9

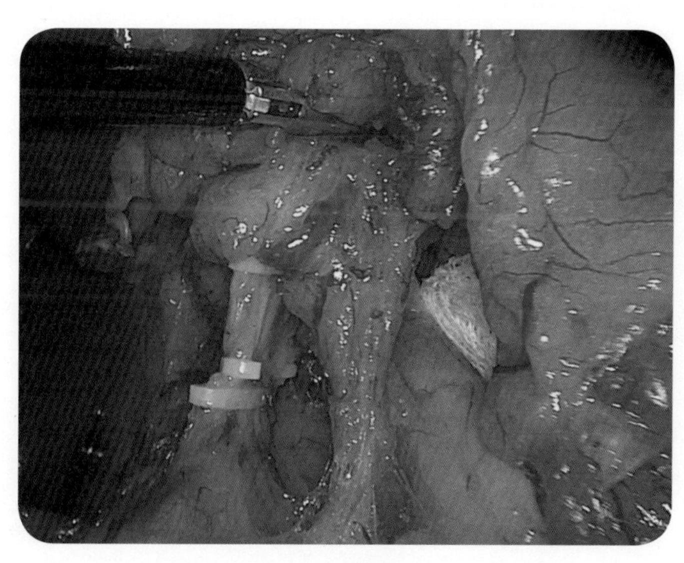

그림 15-10

10) 비장동정맥의 박리 (11p, 11d 림프절 절제)

(그림 15-11) 조수가 오른손으로 좌위동맥주위의 조직을 수직으로 더 견인하고 왼손으로 췌장을 아래쪽으로 당겨 비장동맥의 노출을 용이하게 한 후 술자가 비장동맥 위의 림프절과 비장동맥과 정맥사이의 림프절을 절제한 후 비장동맥의 원위부 림프절 절제를 진행한다.

11) 식도 주위 조직 박리 (1번, 2번 림프절 절제)

(그림 15-12, 13) 우횡격막각 및 좌횡격막각을 노출할 정도로 박리한 후 식도 주위 조직을 충분히 박리하여 식도 절단을 용이하게 한다.

12) 식도의 절단

(그림 15-14) 식도는 문합 방법에 따라 원형봉합기를 사용하기 위한 복강경용 쌈지 봉합기(purse-string clamp)를 사용하거나 또는 선형봉합기를 사용하여 절단한다.

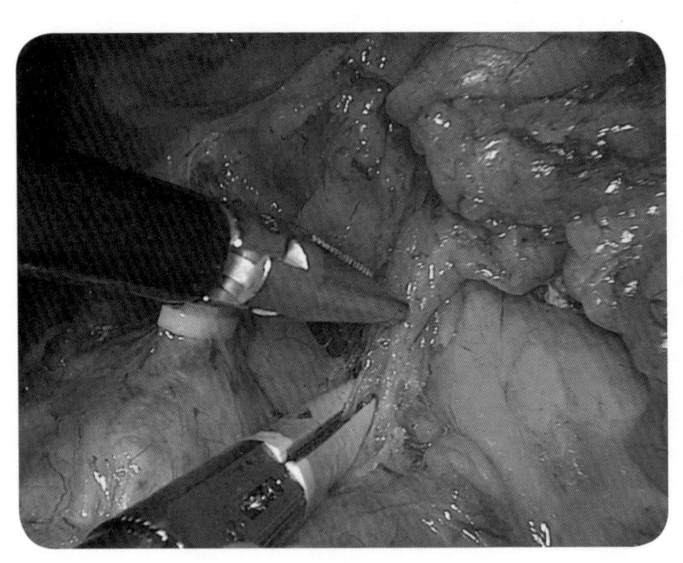

그림 15-11

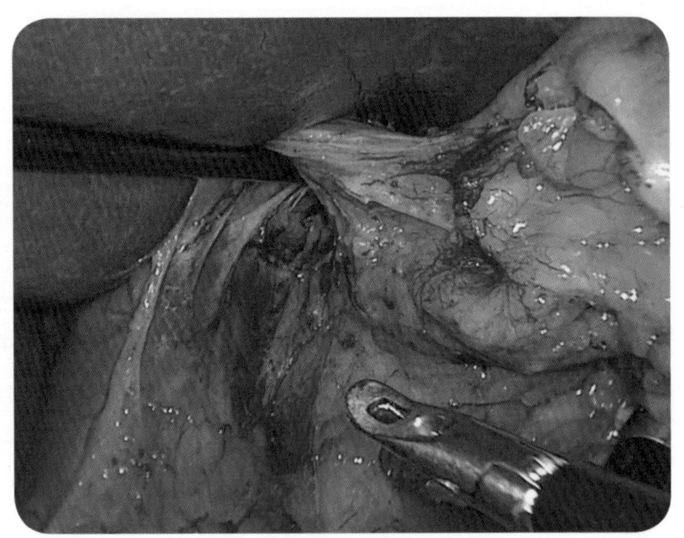

그림 15-12

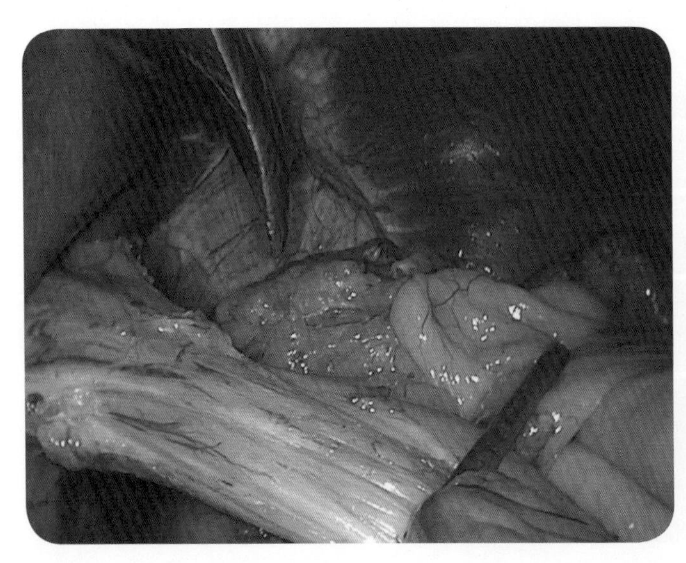

그림 15-13

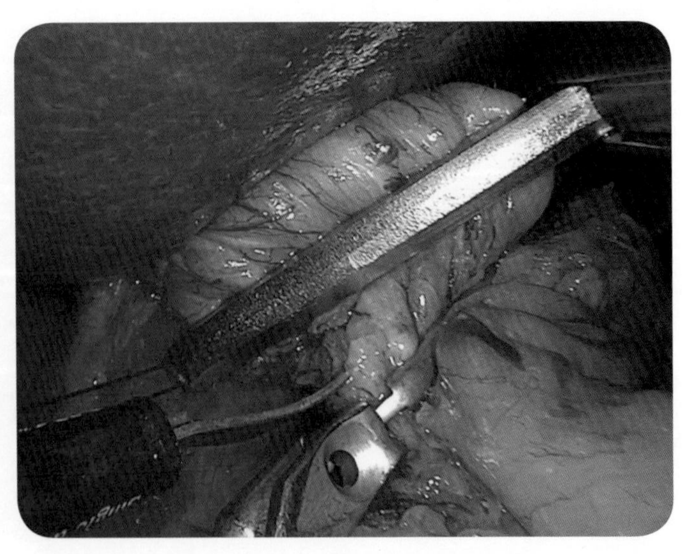

그림 15-14

4. 문합술

근위부 위절제술 후 재건 방법에는 (1) 식도-위 문합술 (2) 이중 통로(double tract) 문합술 (3) 공장 간치 문합술 등이 있다.

1) 식도-위 문합(그림 15-15)

(1) 단단 문합(원형 문합기 사용)

식도측에 anvil을 삽입한 후, 잔위의 전벽에 작은 절개를 하여 원형 문합기를 삽입하여 위 대만 절단부와 문합한다.

미주신경이 절단된 경우에는 유문성형술을 시행하거나 수기로 유문 확장술 내지 finger fracture를 시행할 수도 있다.

(2) 측측 문합(선형 봉합기 사용)

식도 절단부위와 잔위에 구멍을 내고 선형 봉합기로 식도-위 측측 문합을 시행한다.

(3) 추가 술기

식도-위 문합술은 식도와 잔위를 연결하는 가장 간단한 방법이긴 하지만 역류성 식도염과 문합부 협착의 발생 빈도가 높아, 이를 방지하기 위한 여러가지 추가 술기(미주신경 간분지 보존, 식도부분 잔위의 주름성형술, 잔위의 양 극단을 식도 후벽에 고정, 위 튜브 형성, 양쪽 피판법 등)가 연구되고 있으나 그 결과가 일관되지 않다.

2) 이중 통로 문합(그림 15-16)

Treitz 인대에서 15~20 cm 되는 지점의 공장을 선형봉합기로 절단한 후 그로부터 15 cm 하방 부위를 위-공장 문합 부위로 표시하고

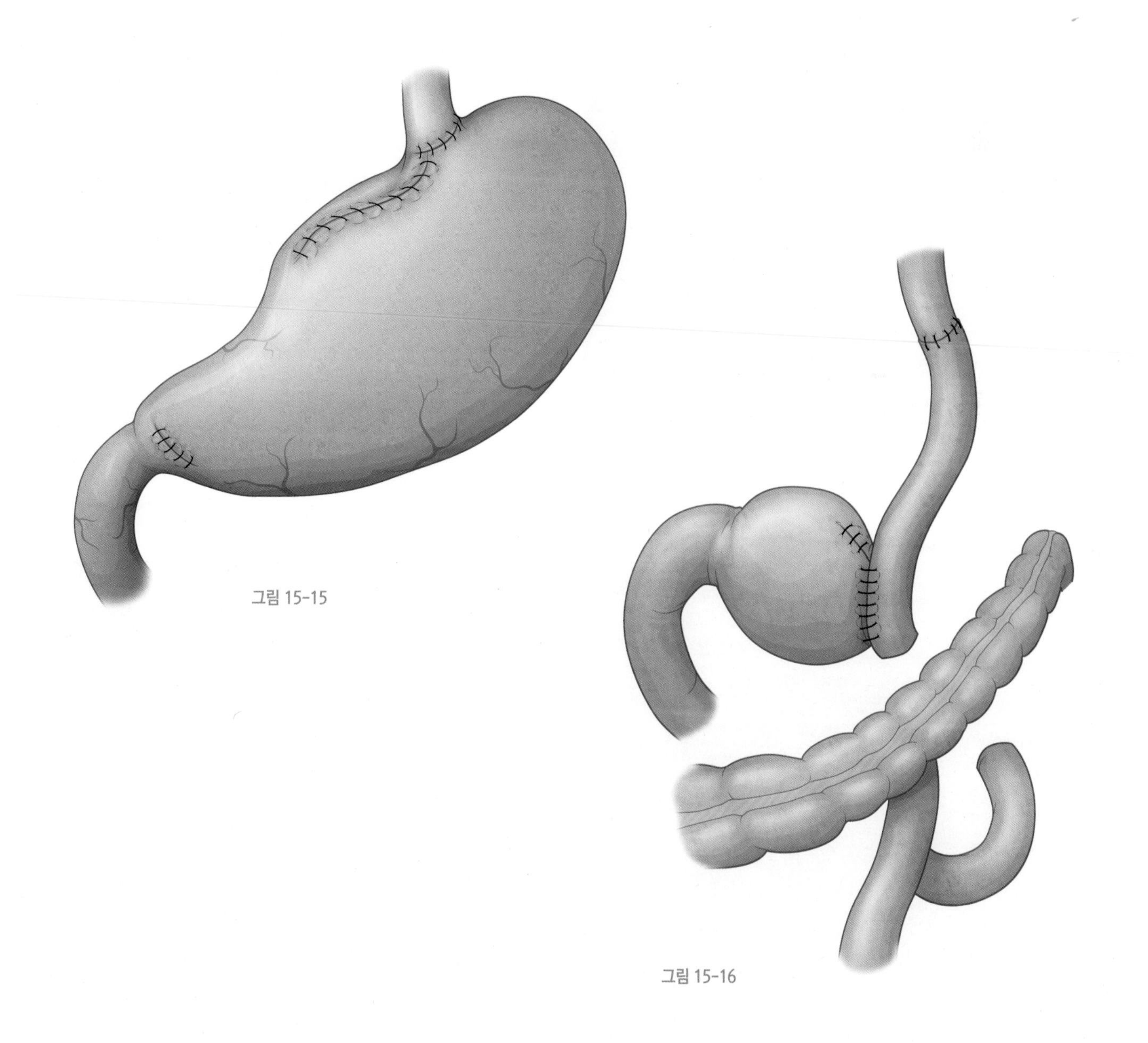

그림 15-15

그림 15-16

이로부터 20 cm 하방에 공장-공장 문합할 부위로 표시한다(그림 15-17). 먼저 공장-공장 문합을 60 mm 선형봉합기로 시행한 후 장간막 결손을 막는다(그림 15-18). 다음은 잔위의 대만곡 절단면에 구멍을 내어 공장과 함께 60 mm 선형봉합기로 측측 문합을 시행한다(그림 15-19). 이 때 잔위의 후벽이나 전벽 또는 대만곡을 따라 위-공장 문합을 시행하여도 된다. 마지막으로 25 mm 원형문합기의 본체를 공장절단부 안으로 넣어 복강경 시야에서 식도-공장 문합을 시행하고 마지막으로 선형봉합기로 본체를 삽입했던 공장부분을 절단하여 봉합한다(그림 15-20). 문합이 끝나면, 식도-공장 문합(그림 15-21)에서 10~15 cm 하방에 위-공장 문합(그림 15-22)이 위치하고, 그로부터 20 cm 정도 하방에 공장-공장 문합(그림 15-23)이 위치하게 된다.

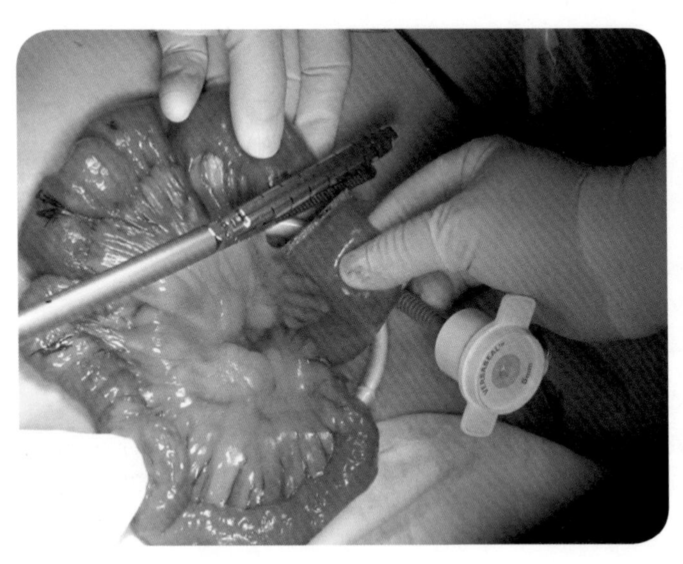

그림 15-17

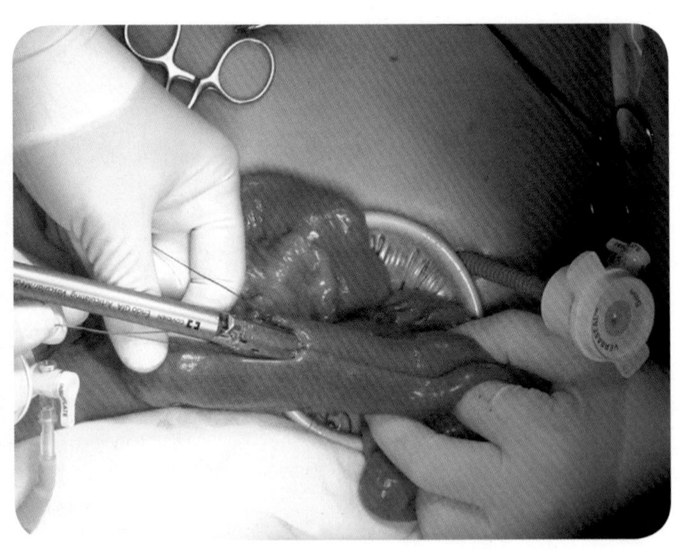

그림 15-18

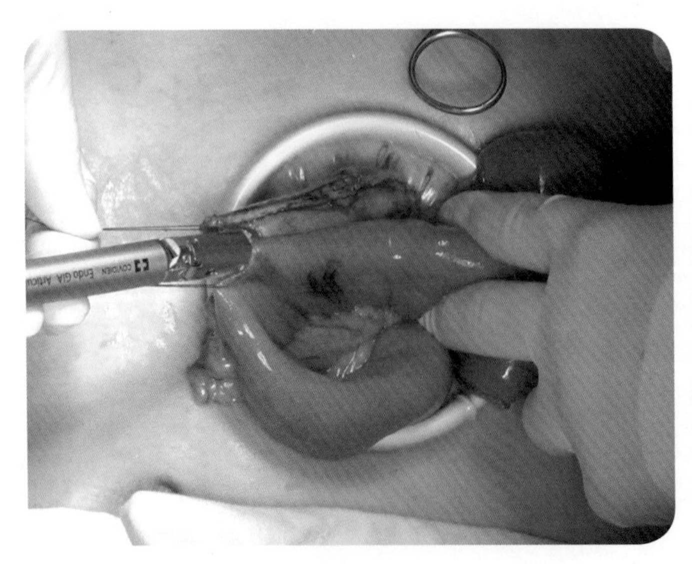

그림 15-19

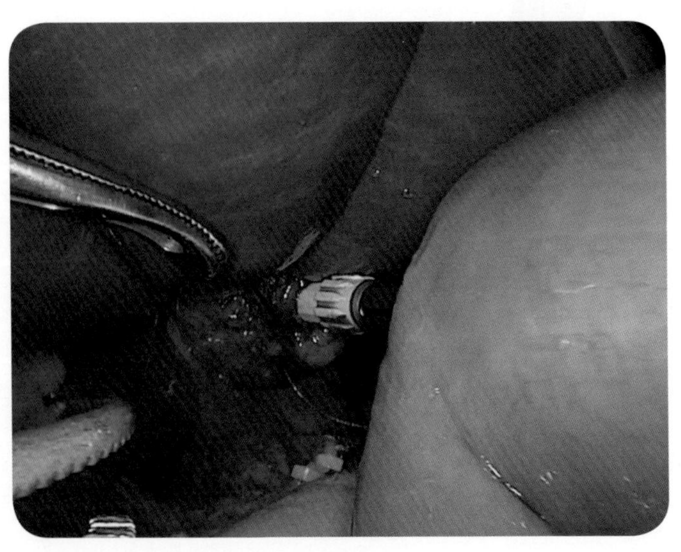

그림 15-20

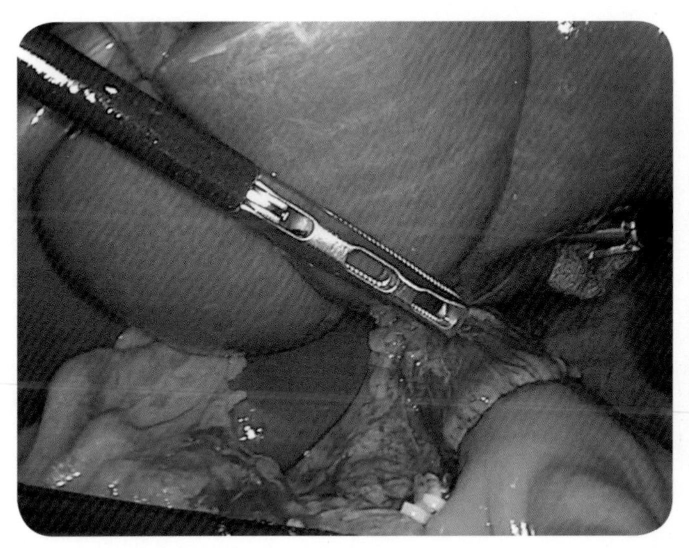

그림 15-21

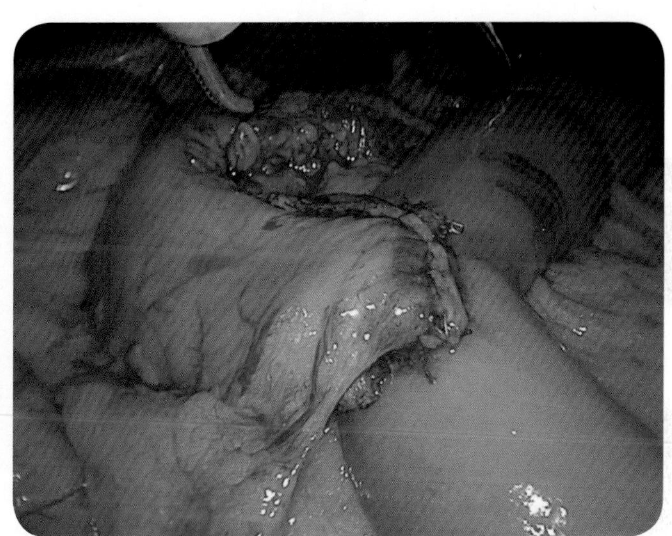

그림 15-22

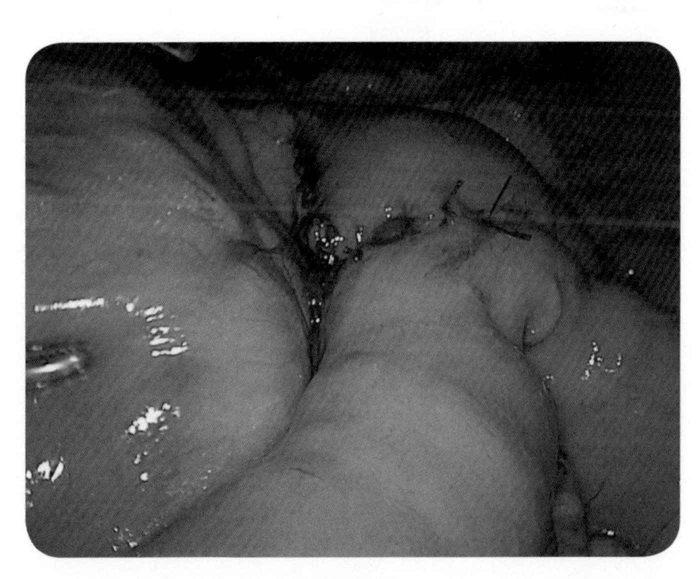

그림 15-23

(3) 공장 간치 문합(그림 15-24)

Treitz 인대에서 20~30 cm의 공장에 식도 단단까지 거상 가능한 부위를 선택하여 공장 간막의 무혈관 부위를 절개하고 공장을 절단한다. 절단된 공장을 거상하여 원형 문합기를 삽입하고 식도측에 삽입한 anvil과 연결하여 식도-공장문합을 시행하고 공장단단부는 자동봉합기를 사용하여 봉합한다. 간치 공장의 원위부와 잔위의 대만측과 단단문합을 한다. 원위부 공장을 Treitz인대에서 나오는 장관과 문합한다. 이때 내탈장 방지를 위해서 장간막 결손부위와 횡행결장간막과의 공간을 막는다. 이와 비슷한 방법으로 식도-공장 pouch 문합을 할 수도 있다(그림 15-25).

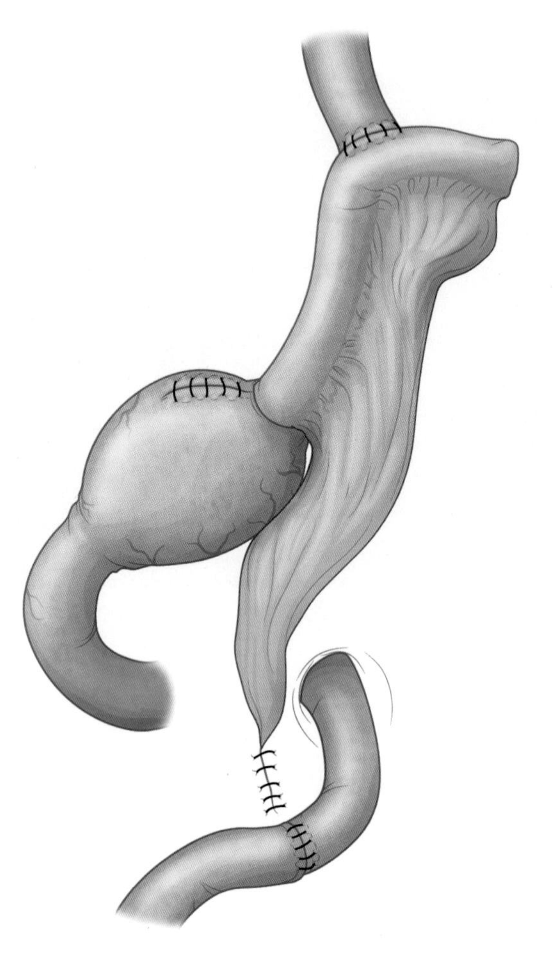

그림 15-24

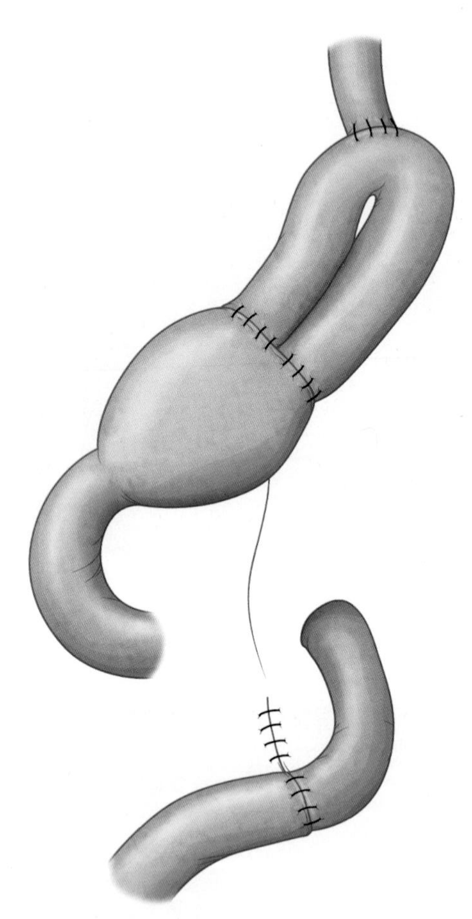

그림 15-25

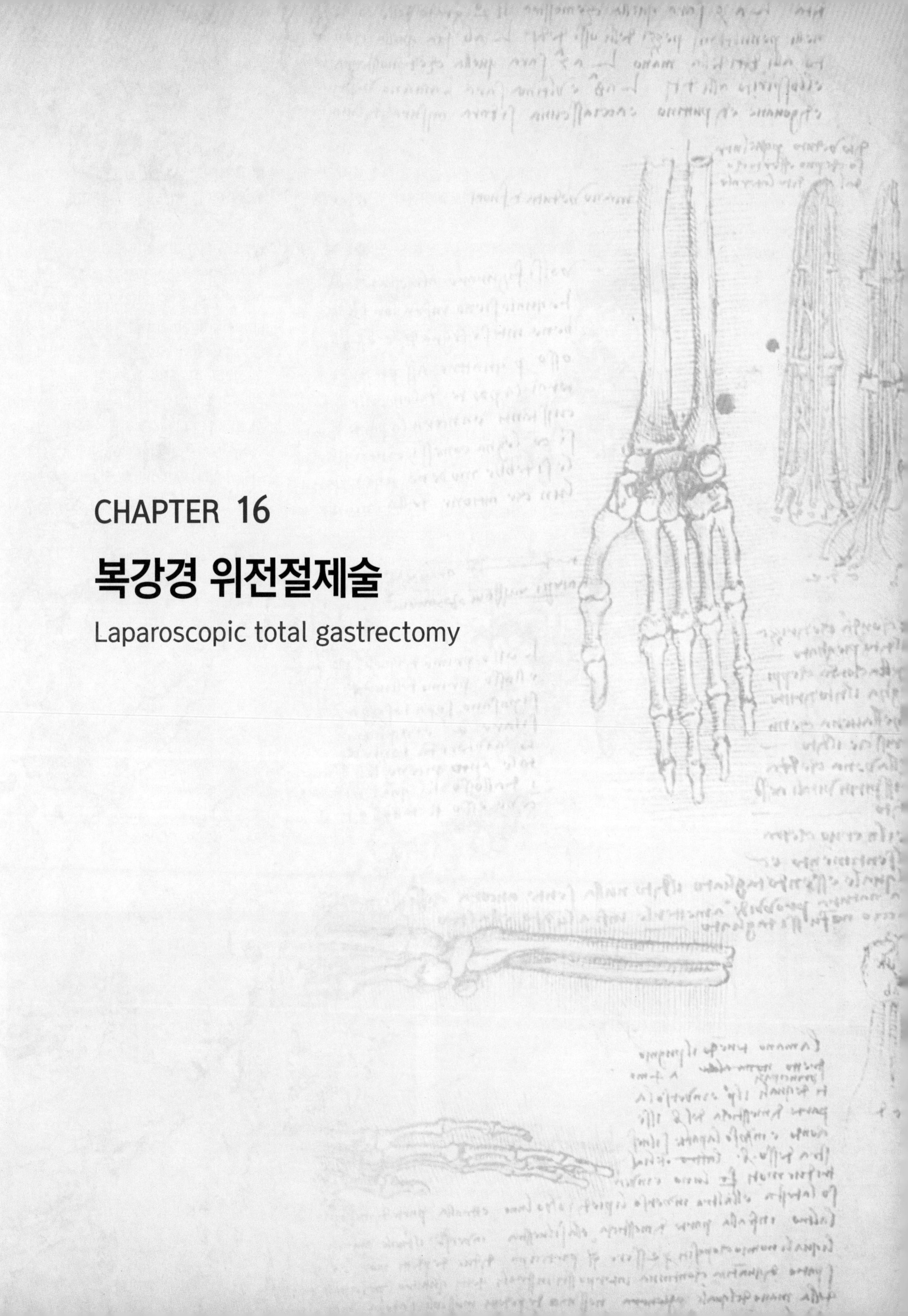

CHAPTER 16

복강경 위전절제술

Laparoscopic total gastrectomy

1. 적응증

주로 위 상부에 위치하여, 내시경 점막 절제술에 적합한 병변을 제외한 조기 위암과 일부 진행성 위암, 난치성 소화성 궤양 등이 적응증이 된다.

2. 비적응증

일반적으로 수술 전 검사에서 장막침윤(cT4a)이 의심되거나 그 이상 진행된 위암은 현재까지는 임상적 근거가 부족하여 복강경 위절제술의 적응이 되지 않는다.

3. 수술 과정

전체 수술 과정은 원칙적으로 개복술의 술기를 따른다. 이전 장에서 기술된 복강경 원위부 위절제술의 수술 과정 이외에 위전절제술에서의 림프절 절제 범위 및 절제 후 재건술에 대해서만 기술하도록 하겠다.

1) 위전절제술의 림프절 절제술

위전절제술의 림프절 절제범위는 D1+의 경우 1군 림프절 범위에 추가로 8a, 9, 11p번 절제가 필요하고, D2의 경우 여기에 10, 11d, 12a번 림프절 절제가 추가 포함된다.

(1) 4sb번과 4sa번 림프절 절제

(그림 16-1) 비장주위 림프절 절제 시 수술대를 환자 우측방향으로 기울이면 중력에 의해 위가 우하방으로 기울어져 비문 주위 수술시야 확보에 도움이 된다. 대만곡의 왼쪽 부분에서 비장의 아래쪽을 향하여 대망절제술(omentectomy)을 시행한다. 비장에 가까워 지면 최대한 횡행결장에 접근하여 진행하며, 비장동맥(splenic artery)에서 나오는 좌위대망동맥(left gastroepiploic artery)을 확인한다. 좌위대망동맥의 근위부에서 결찰한 후 췌장 미부와 비장이 만나는 부분까지 절제하면 4sb번 림프절 절제가 완료된다. 이후 비장의 표면을 따라 위비간막(gastrosplenic ligament)을 박리하고, 단위혈관(short gastric vessels)을 결찰하면서 비장의 상연과 식도구의 좌측방향(2번)까지 절제한다. 이 과정에서 비장의 상극은 수술시야에서 확인이 안 되는 후복막과의 유착이 있을 수 있어 과도한 견인 시 손상이 일어나기 쉬워 주의해야 한다. 또한 비만 환자나 비장동맥 주행변이가 심한 경우 비장동맥에 손상을 줄 수 있으므로 주의를 기울인다. 단위혈관 주위 4sa번 림프절절제가 완료되면 대만곡의 우측 대망절제술을 진행한다.

TIP 1
위체부의 후벽과 췌장 사이에 유착이 있는 경우 충분한 위의 견인이 어려워 시야확보가 어렵다. 충분한 시야 확보를 위해 위와 췌장 사이의 유착을 모두 박리 후 수술을 진행 한다.

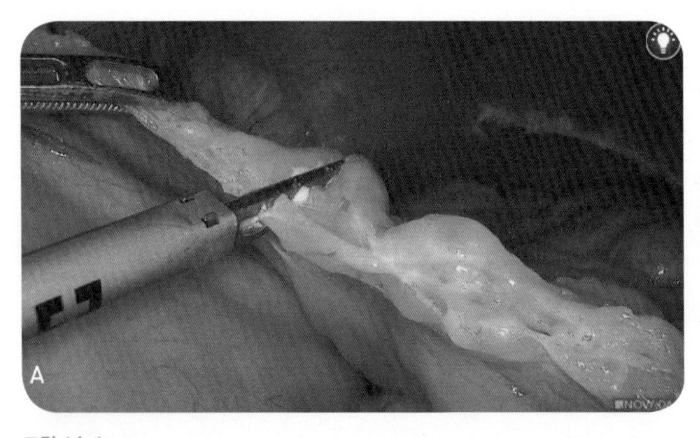

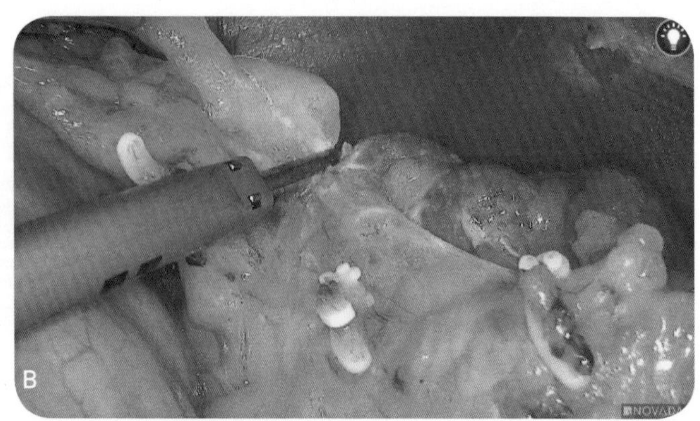

그림 16-1
A. 부분대망절제술 - 비장의 아래쪽을 향하여 위대망혈관에서 4~5 cm 거리를 두고 대망을 절제한다.
B. 단위혈관 주위 림프절(4sa번)절제 - 비장 손상에 주의하면서 위저부를 비장으로부터 분리한다.

(2) 11d번과 10번 림프절절제

(그림 16-2) 4sb번 림프절을 절제 후 위와 비장 사이의 단위동맥을 결찰하여 위저부(fundus)를 비장으로부터 분리시키면 비문(splenic hilum)이 노출된다. 조수가 오른손 겸자로 위체부를 상부로 잡아 당기고 왼손 겸자로 췌장 미부를 아래로 눌러주면 원위부 비장동맥과 비문주위 조직의 시야 확보에 도움이 된다. 원위부 비장동맥 상부의 조직(11d번)을 절제하면서 비문으로 접근하여 비문의 혈관들 사이에 있는 림프절(10번)을 제거한다. 이 과정에서 혈관 손상이나 췌실질 손상으로 인한 췌장액 누공 등의 합병증이 발생할 수 있기 때문에 주의해야 한다.

(3) 2번 림프절절제

복강동맥 주위를 박리하여 좌위동맥을 기시부에서 결찰 후 횡격막 각(diaphragm crus)을 따라 위식도경계부를 향해 접근하면서 상부위와 후복막 사이를 분리한다. 식도 구멍(esophageal hiatus)에서 식도 주변 조직을 박리할 때 좌횡격막하 동맥(left inferior phrenic artery)의 분지를 안전하게 결찰하여 2번 림프절절제를 완료 한다. 복부식도의 전-후면 조직을 박리하고 미주신경을 절단하면 위의 긴장도가 소실되어 복부식도의 견인이 잘 되며, 식도가 충분히 박리되면 식도를 절제할 준비한다.

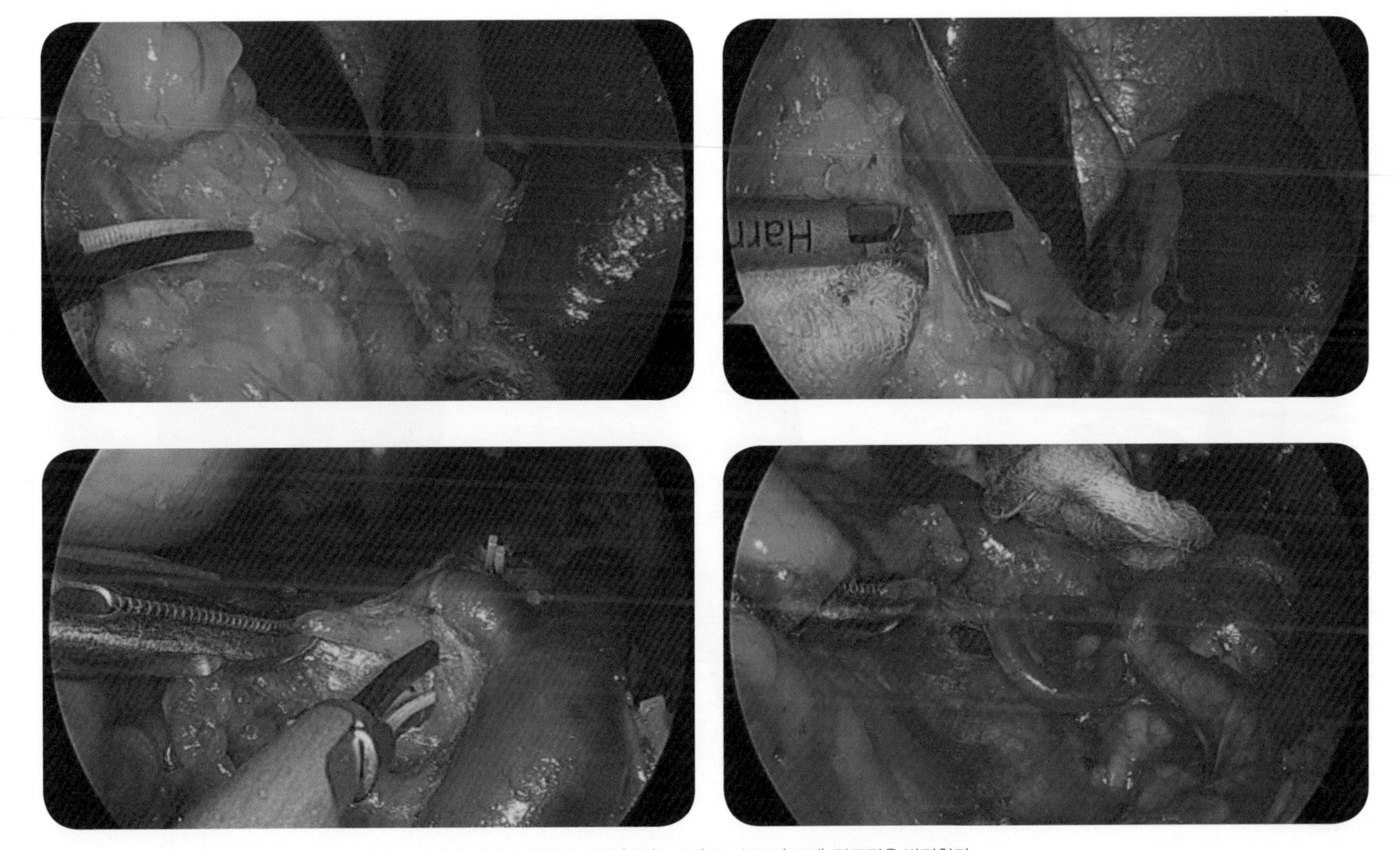

그림 16-2 비장동맥의 주행을 확인하면서 혈관손상에 주의하여 원위부 비장동맥(11d번)과 비문부(10번) 림프절을 박리한다.

2) 재건술(Reconstruction)

(그림 16-3) 최근 복강경 위전절제술 후 시행하는 식도공장문합술은 소절개창을 통해 원형봉합기를 이용 시행하는 체외문합술 보다는 선형봉합기를 이용한 체내문합술의 시행이 점차 늘어나고 있다. 선형봉합기를 이용한 체내 식도공장문합술은 그 술기는 비슷하지만 문합 방향에 따라 다양한 방법이 소개되어 있다.

이중 가장 기본적인 방법인 overlap 문합술은 양호한 단기성적이 보고되어 널리 사용되고 있는 술기이다. 위 주위 림프절절제가 완료된 후 선형봉합기를 이용한 체내 식도공장문합술을 시행하기 위해 하부식도를 절단한다. 이때 선형봉합기의 카트리지(cartridge)를 삽입할 수 있도록 식도 끝에 작은 절개창을 만든다. 문합술 완료 후 문합되는 부위가 식도의 등측(dorsal)에 위치하기 위해서는 식도를 절제하는 과정에서 위를 회전시켜 식도 끝의 작은 절개창이 하부식도의 등측에 생길 수 있도록 한다. 또한 절개창을 통해 식도의 내용물이 복강내로 흘러나올 수 있으므로 거즈를 식도 밑에 넣어두거나 흡인기(suction)를 준비하여 대비한다.

하부 식도를 절단하여 위절제가 완료된 후 식도공장문합술을 시행한다. Treitz 인대 하방의 소장을 횡행결장 앞으로 하부 식도 위치까지 끌어올려 긴장이 없는 적절한 문합 위치를 확인한다. 문합을 시행할 소장의 반장간막부위(antimesenteric side)에 선형문합기의 카트리지 삽입을 위한 작은 절개창을 만든다. 이후 선형문합기의 카트리지를 소장의 절개창에 삽입 후 과도한 견인에 의한 소장 손상이 일어나지 않게 주의하면서 하부 식도 위치까지 이동시킨다. 선형문합기의 앤빌(anvil) 쪽을 식도 끝의 절개창에 삽입하여 식도와 소장 사이에 측측(side-to-side) 문합을 시행한다. 문합이 완료된 후 생긴 공동절개창은 수기봉합 또는 선형문합기로 폐쇄한다.

(그림 16-4) 식도공장문합술을 마친 후 Treitz 인대 하방 20 cm 부근 소장을 선형문합기로 절단하여 Roux-limb과 근위부 소장으로 나눈다. 이후 근위부 소장과 식도공장문합 부위 하방 45~60 cm 위치의 소장에 선형문합기를 이용한 측측문합을 시행한다. 문합술에서 사용하는 모든 선형문합기는 환자의 우하복부 12 mm 투관침을 통해 삽입하여 진행할 수 있다.

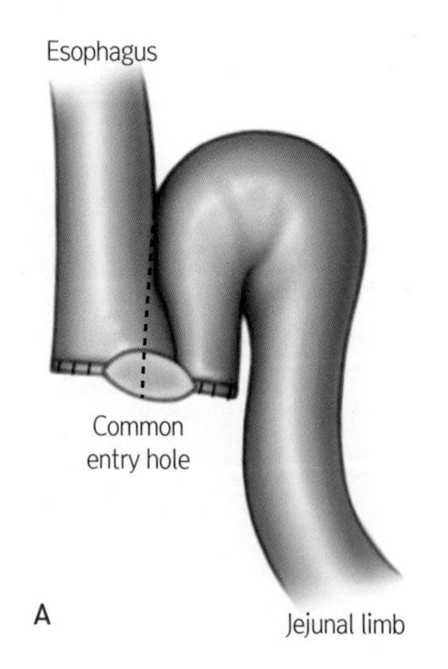

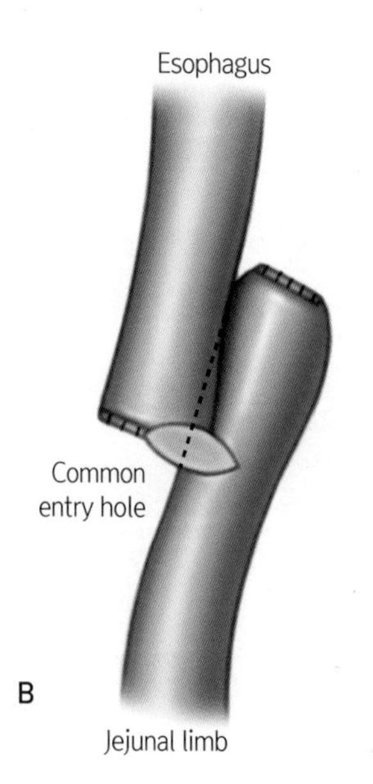

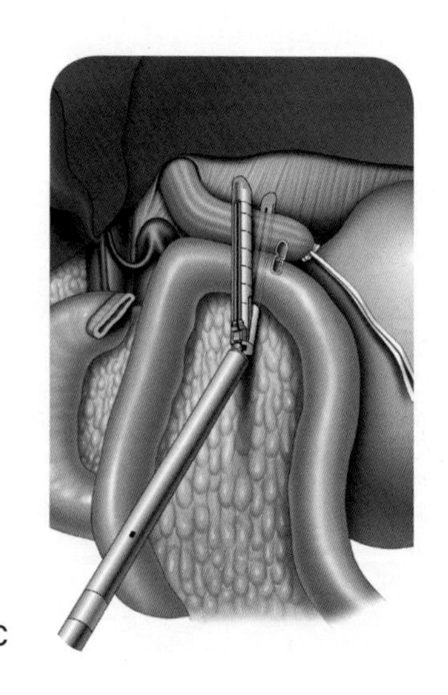

그림 16-3 선형봉합기를 이용한 다양한 식도공장문합술
A. 기능성 식도공장문합술, B. Overlap 문합술, C. 파이(π) 문합술

TIP 2
문합술 시행 시 환자의 자세를 역 Trendelenberg 각도를 낮추어 진행하면 Roux-limb의 길이와 긴장도가 적당한지 확인할 수 있어, 추후 발생 가능한 문합부 합병증 예방에 도움이 된다.

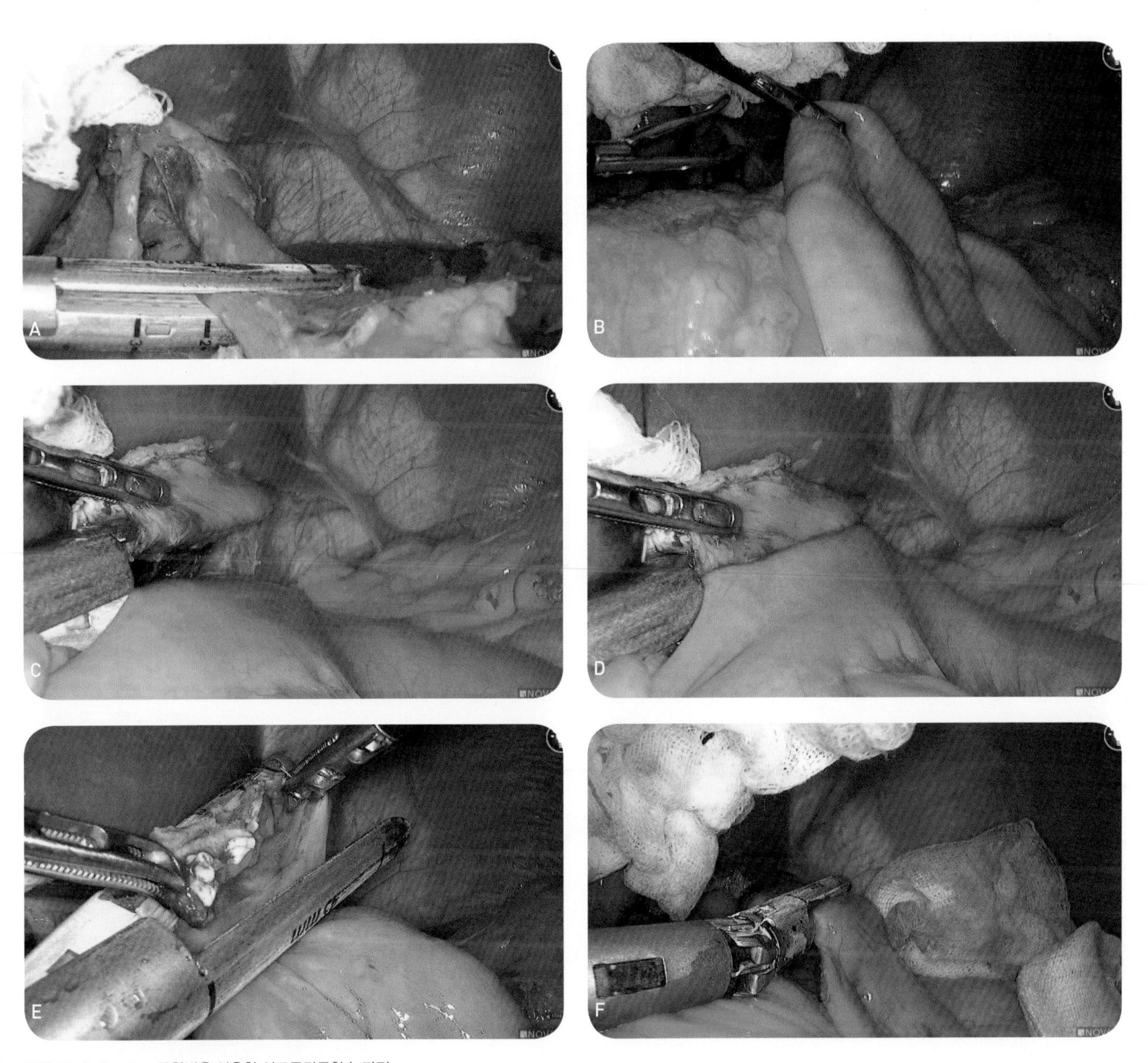

그림 16-4 Overlap 문합법을 이용한 식도공장문합술 과정
A. 선형문합기를 사용하여 식도를 절제한다.
B. 소장을 문합을 시행할 하부 식도 위치까지 끌어올려 긴장이 없는 적절한 문합 위치를 확인한다.
C. 하부식도의 절개창에 선형문합기의 anvil을 삽입한다.
D. 측측문합을 시행하여 식도와 공장을 문합한다.
E. 공동절개창을 폐쇄한다.
F. 선형문합기로 들창자(afferent loop)를 절단하여 Roux-limb과 근위부 소장을 나눈다.

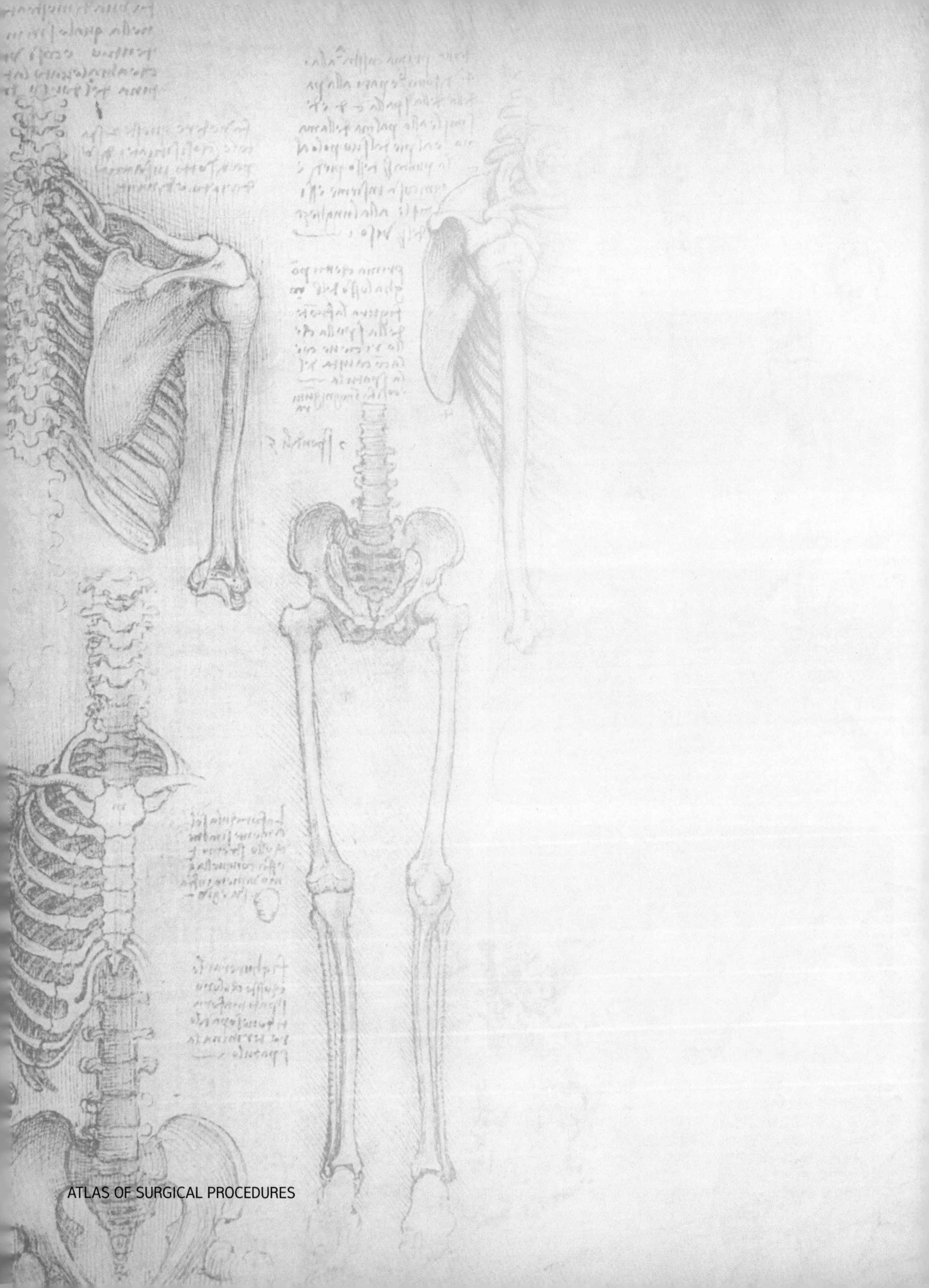
ATLAS OF SURGICAL PROCEDURES

CHAPTER 17

비만수술(복강경 조절형 위밴드수술, 복강경 위소매절제술)

Bariatric surgery (laparoscopic adjustable gastric banding, laparoscopic sleeve gastrectomy)

I. 복강경 조절형위밴드수술(Laparoscopic adjustable gastric banding)

1. 적응증

우리나라 위밴드수술의 적응증은 다음과 같다.

- BMI ≥ 35 kg/m² 이거나, BMI ≥ 30 kg/m² 이면서 합병증을 동반한 경우[고혈압, 저환기증, 수면무호흡증, 관절질환, 비알코올성지방간, 위식도역류증, 제2형 당뇨, 고지혈증, 천식, 심근병증, 관상동맥질환, 다낭성난소증후군, 가뇌종양(pseudotumor cerebri)]

2. 수술 전 처지

- 수술 전 최소 6-8시간 금식
- 장정결은 필요하지 않다.

3. 마취

- 전신마취하에 기관내삽관
- 일반 후두경으로 기관내삽관이 어려운 경우를 대비해 비디오 후두경(video laryngoscope)를 준비해 둔다.
- 예방적 항생제 투여

4. 환자자세

- 앙와위 자세
- 술자와 카메라를 비추는 조수는 환자의 우측에, 제1보조의는 환자의 좌측에 위치 (그림 17-1).

5. 수술준비

- 심부정맥혈전증 예방:
  - 간헐공기다리압박장비
  - 저분자량헤파린 투여
- 체중이 실리는 부위에 패드 장착
- 위밴드(LAP-BAND®, MIDBAND® 등)
- 광학 투관침(Optical trocar)
- 풍선이 있는 비위관(Orogastric calibration tube with balloon)
- 나단슨(Nathanson) 간견인기 또는 유사 간견인기
- 표준 복강경 기구 및 장 기구

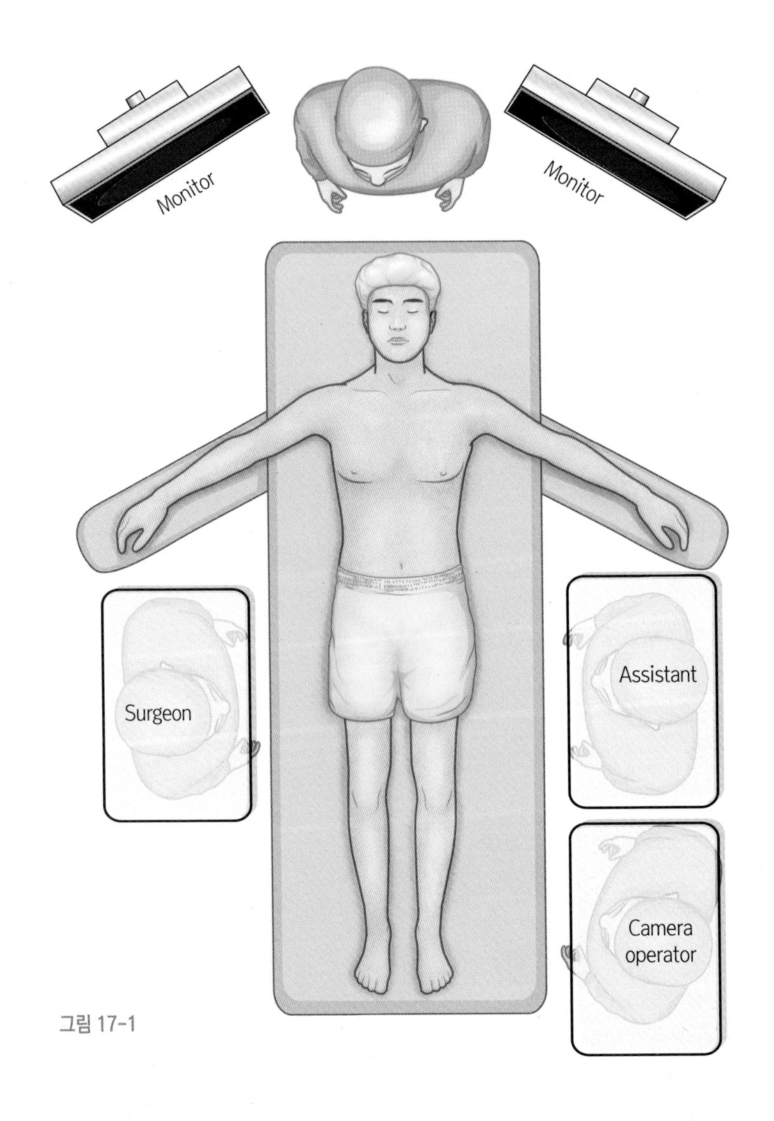

그림 17-1

- 표준 투관침 및 장 투관침
- 골드핑거(Goldfinger™endoscopic dissector) 또는 유사 밴드삽입기구
- 에티본드(Ethibond™) #2-0 또는 유사 봉합사

6. 절개 및 노출

투관침 삽입 위치는 술자마다 조금씩 차이가 있으나 가장 흔히 시행되는 방법은 다음과 같다. 카메라를 위한 투관침은 정중앙 제대상부(검상돌기와 배꼽 거리가 멀지 않은 경우에는 배꼽부의 삽입도 가능함)에 10/11-mm 투관침을 삽입하고, 우상복부에 5-mm 투관침 한 개, 좌상복부에 10/11- mm 또는 15-mm 투관침 1개와 보다 측면으로 5-mm 투관침 한 개를 삽입하고 간 견인을 위해 검상돌기 하부에 5-mm 절개를 하고 나단슨 간견인기를 직접 삽입하거나 투관침을 통해 snake retractor 등의 다른 종류의 간견인기를 삽입한다(그림 17-2).

기복 형성은 베레스침(Veress needle)기법 또는 하손(Hasson)기법을 사용할 수 있고 직시하 투관침 삽입이 용이한 광학 투관침을 이용하여 복강내로 진입할 수도 있다.

7. 수술 과정

간견인기로 간좌외분절을 견인하여 식도위결합부를 노출시키고 환자를 역트렌델렌버그 자세로 위치시켜 대망이 아래로 내려오도록 한다(그림 17-3).

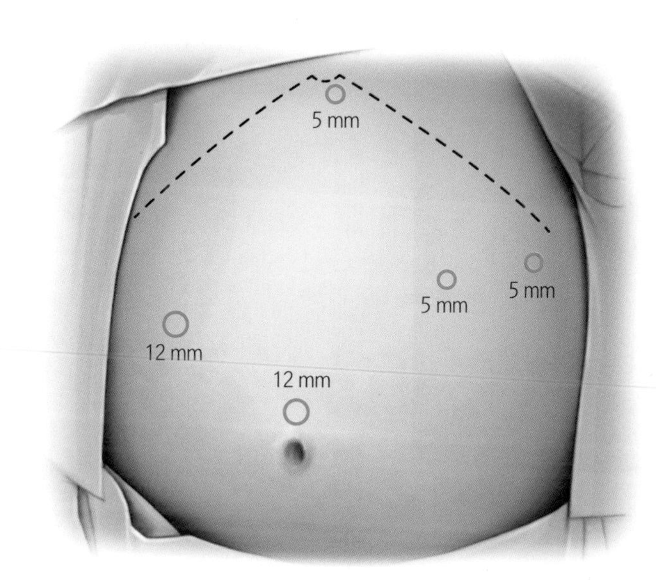

그림 17-2

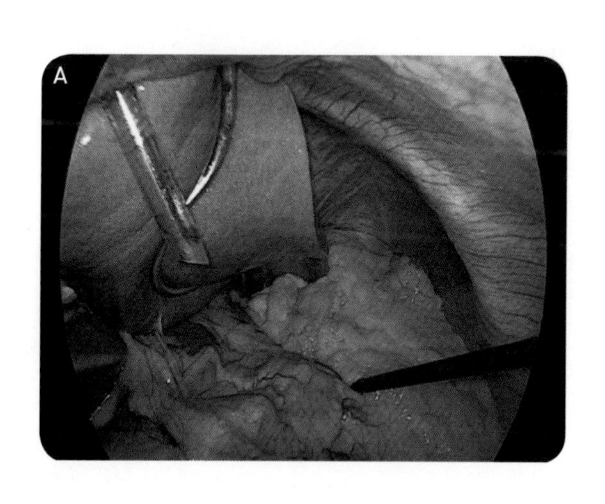

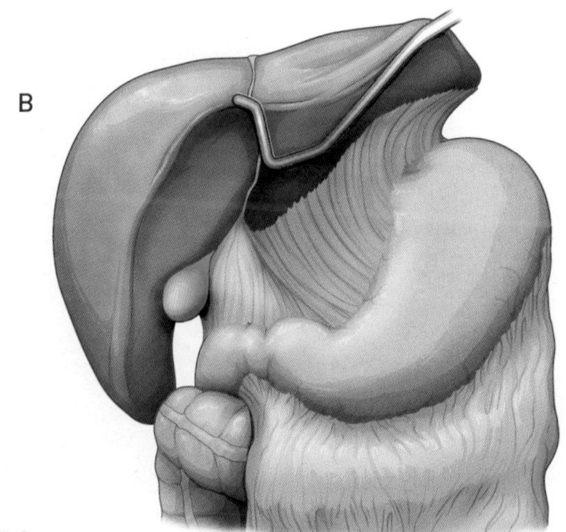

그림 17-3

먼저 히스각(angle of His)에 있는 위횡격막 인대를 최소한으로 박리를 한다.

이어서 위밴드가 지나갈 수 있도록 터널을 확보하기 위해 위간인대의 가장 얇은 무혈관부위인 pars flaccida를 열고 들어가 횡격막우각의 가장 하부에 복막을 최소 절개한다. 골드핑거를 이용하거나 long grasper를 이용하여 식도위결합부 아래로 터널을 확보한다. 기구가 히스각으로 나오게 되면 이 터널은 약 45° 정도의 경사를 가지게 된다(그림 17-4).

적절한 사이즈의 위밴드를 15-mm 투관침을 통해 복강내로 삽입한다. 15-mm 투관침을 사용하지 않았을 경우 10/11-mm 투관침을 뺀 후 위밴드를 직접 삽입할 수도 있다. 위밴드와 연결되어 있는 튜브를 골드핑거나 grasper로 잡고 조심스럽게 후퇴하면 위밴드가 식도위결합부 직하방에 위치하게 된다(그림 17-5).

튜브 끝부분을 위밴드 안에 있는 잠금장치 구멍에 삽입하여 튜브를 당기면 위밴드가 잠기게 된다. 먼저 한 단계만 잠그고 식도위결합부 직하방에서 비위관 풍선을 공기 또는 식염수로 25 cc 불린 뒤 식도위결합부에 걸릴 때까지 서서히 당겨준다. 풍선이 걸리게 되면 풍선

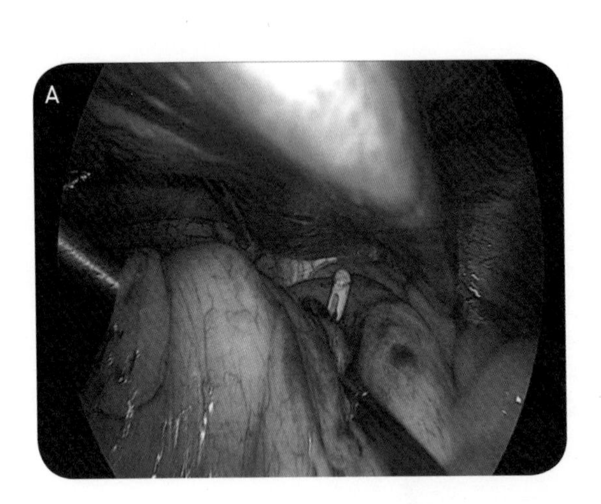

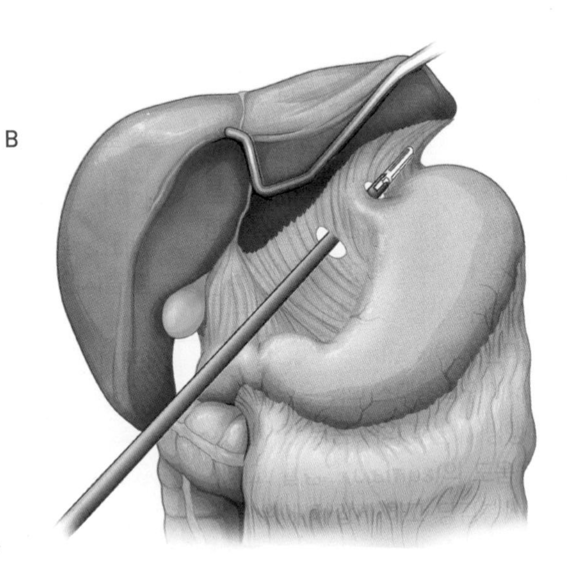

그림 17-4

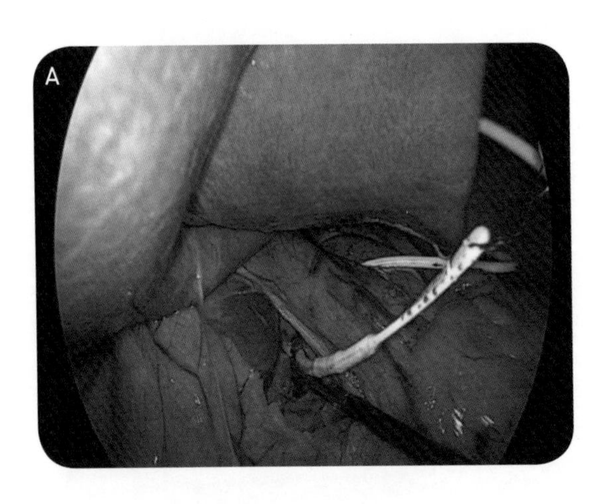

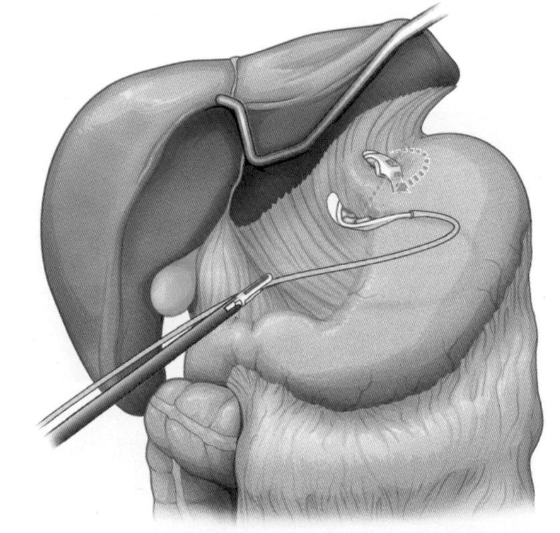

그림 17-5

의 적도선에 위밴드가 위치하도록 해야 한다. 이어서 풍선의 공기 또는 식염수를 모두 제거하고 나서 위밴드 날개를 당겨서 두번째 잠금장치가 잠기면서 고정되도록 한다. 이때 위밴드를 잡고 좌우로 당겼을 때 저항없이 여유있게 움직여야 한다. 또한 내강이 너무 좁아지지 않았는지 보기 위해 공기를 뺀 비위관이 위 원위부로 지나가는지 확인한다(그림 17-6).

다음으로 위밴드의 이탈(band slippage)을 예방하기 위해 비흡수성 봉합사를 이용하여 비연속성 위위봉합(interrupted gastrogastric suture)을 두세 바늘 정도 시행한다. 위위봉합은 무긴장이어야 하고 위밴드의 잠금장치 부위를 덮어서는 안된다(그림 17-7).

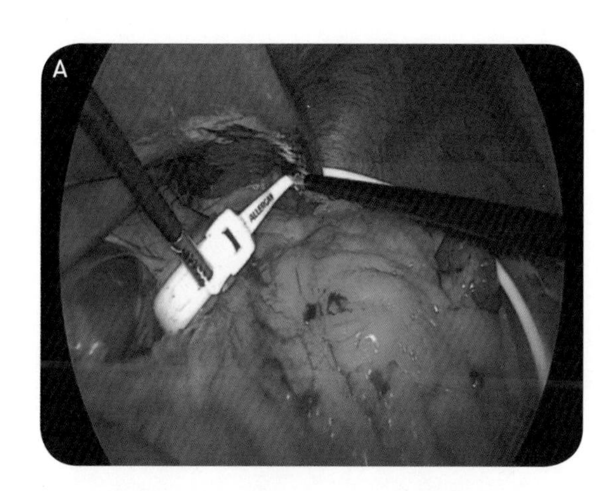

B

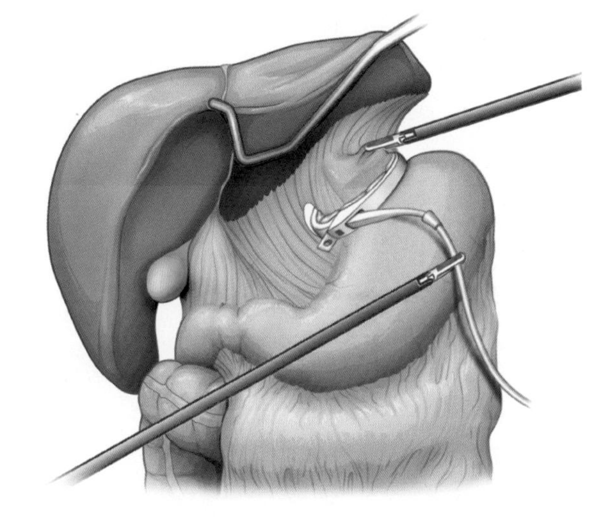

그림 17-6

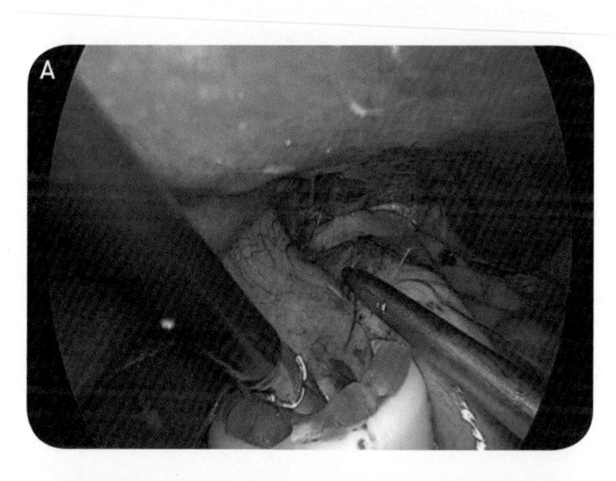

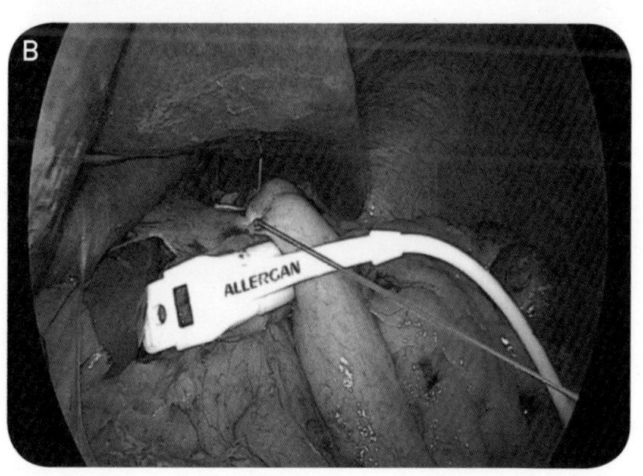

C

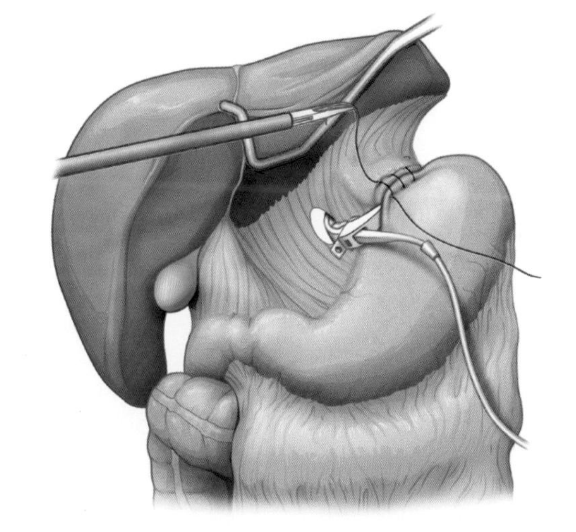

그림 17-7

위밴드에 연결되어 있는 튜브는 피하터널로 투관침부위를 통해 밖으로 빼내서 포트와 연결하고 포트는 비흡수성 봉합사를 이용하여 복벽근막에 고정한다. 포트를 근막에 고정하기 위해서는 약 3~4 cm 정도의 피부절개가 필요하다. 마지막으로 투관침 및 간견인기를 제거한 후 투관침부위와 포트삽입부위를 봉합한다. 일반적으로 배액관은 넣지 않는다 (그림 17-8).

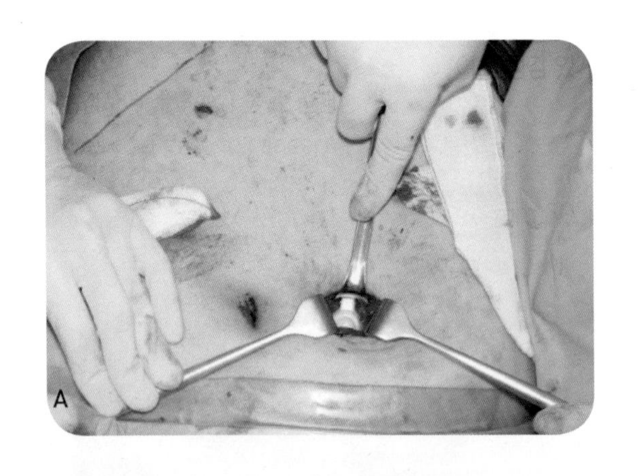

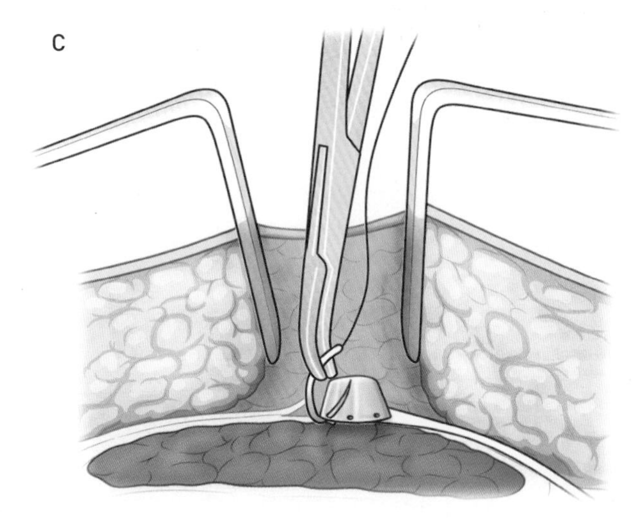

그림 17-8

II. 복강경 위소매절제술(Laparoscopic sleeve gastrectomy)

1. 적응증

우리나라 위소매절제술의 적응증은 다음과 같다.

- BMI ≥ 35 kg/m^2 이거나, BMI ≥ 30 kg/m^2 이면서 합병증을 동반한 경우[고혈압, 저환기증, 수면무호흡증, 관절질환, 비알코올성지방간, 위식도역류증, 제2형 당뇨, 고지혈증, 천식, 심근병증, 관상동맥질환, 다낭성난소증후군, 가뇌종양(pseudotumor cerebri)]
- 기존 내과적 치료 및 생활습관 개선으로도 혈당조절이 되지 않는 체질량지수 27.5 이상이거나 30 미만인 제2형 당뇨환자에게 위소매절제술 및 비절제 루와이형 문합 위우회술을 시행하는 경우

2. 수술 전 처지

- 수술 전 최소 6~8시간 금식
- 장정결은 필요하지 않음

3. 마취

- 전신마취하에 기관내삽관
- 일반 후두경으로 기관내삽관이 어려운 경우를 대비해 비디오 후두경(video laryngoscope)을 준비해 둔다.
- 예방적 항생제 투여

4. 환자 자세

양 다리를 벌린 앙와위 자세. 술자는 다리 사이에 위치하고 카메라를 비추는 조수는 환자의 우측에, 제1보조의는 환자의 좌측에 위치한다. 집도의의 선호도에 따라 술자가 환자의 오른쪽에, 제1조수, 제2조수가 환자의 왼측에 자리잡고 진행할 수도 있다(그림 17-9).

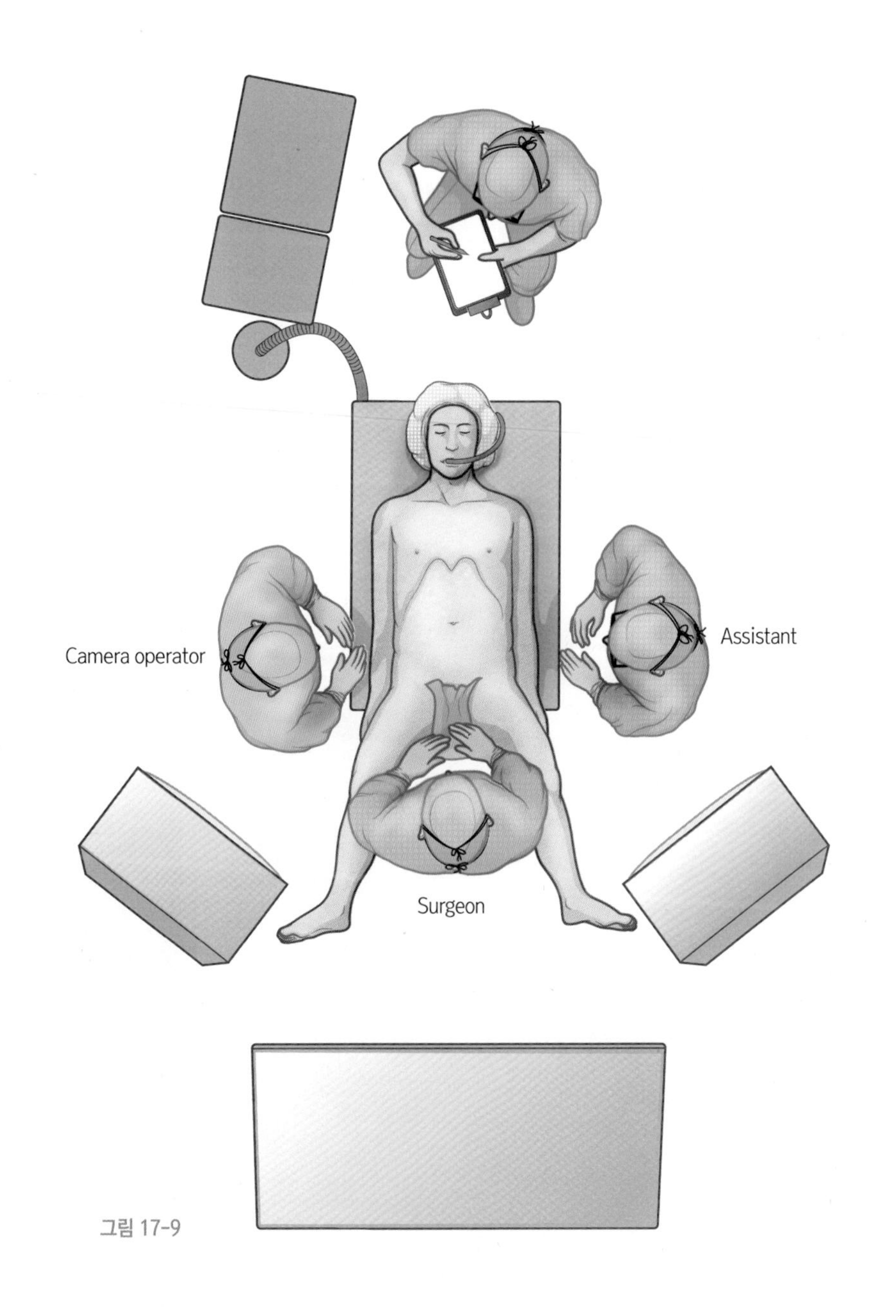

그림 17-9

5. 수술준비

- 심부정맥혈전증 예방:
  - 간헐공기다리압박장비
  - 저분자량헤파린 투여
- 체중이 실리는 부위에 패드 장착
- 34 Fr. 또는 36 Fr. 부지(bougie) 또는 위내시경
- 광학 투관침(Optical trocar)
- 나단슨(Nathanson) 간견인기 또는 유사 간견인기
- 표준 복강경 기구 및 장 기구
- 표준 투관침 및 장 투관침
- 골드핑거(Goldfinger™endoscopic dissector) 또는 유사 터널형성기구 (선택)

6. 절개 및 노출

투관침 삽입 위치는 술자의 선호도에 따라 조금씩 차이가 있으나 흔히 시행되는 방법은 다음과 같다. 카메라를 위한 투관침은 정중앙 제대상부(검상돌기와 배꼽 거리가 멀지 않은 경우에는 배꼽부의 삽입도 가능함)에 10/11-mm 투관침을 삽입하고, 우상복부에 12-mm 투관침 한 개, 좌상복부에 12-mm 투관침 1개와보다 측면으로 5-mm 투관침 한 개를 삽입하고 간 견인을 위해 검상돌기 하부에 5-mm 절개를 하고 나단슨 간견인기를 직접 삽입하거나 투관침을 통해 snake retractor 등의 다른 종류의 간견인기를 삽입한다(그림 17-10). 자동봉합기 사용시 black cartridge를 사용해야 하는 경우 15-mm 투관침 삽입이 필요하다.기복 형성은 베레스침(Veress needle)기법 또는 하손(Hasson)기법을 사용할 수 있고 직시하 투관침 삽입이 용이한 광학 투관침을 이용하여 복강내로 진입할 수도 있다.

7. 수술 술기

간견인기로 간좌외분절을 견인하여 식도위결합부를 노출시키고 환자를 약간 역트렌델렌버그 자세로 위치시켜 대망이 아래로 내려오도록 한다(그림 17-11).

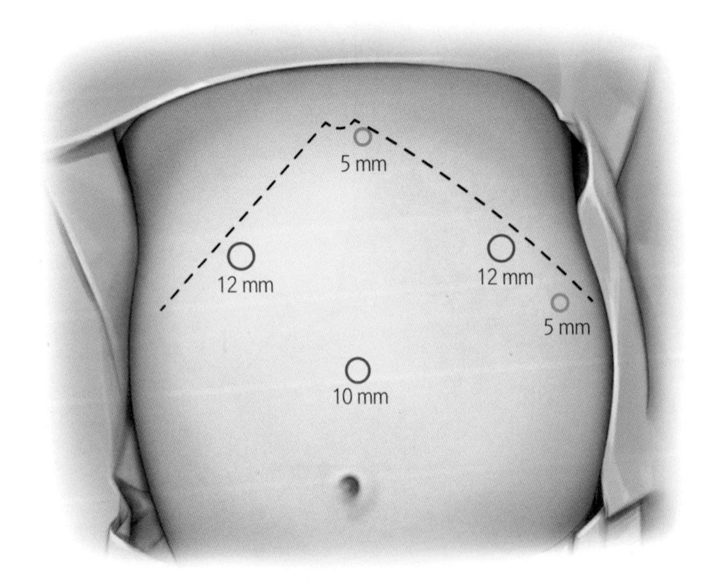

그림 17-10

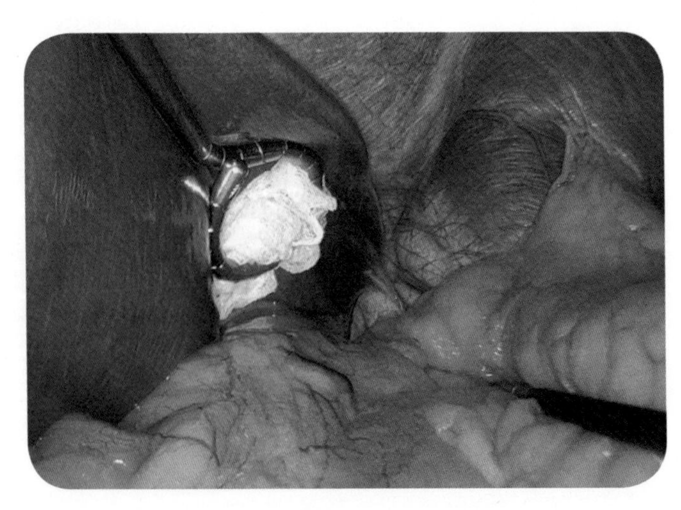

그림 17-11

먼저 위각(gastric angle) 반대편 대만곡에 붙여서 Harmonic Scalpel™ 또는 LigaSure™ 등의 에너지기구를 이용하여 대망을 분리하고 대만을 따라 히스각(angle of His)과 횡격막 좌각까지 올라간다(그림 17-12). 상부로 올라가면서 단위동정맥(short gastric artery and vein)이 나타나는데 이들은 정확하게 결찰하여야 출혈을 예방할 수 있다. 조수는 이때 대망을 외측으로 적절히 견인하여 시야를 확보해야 한다 특히 단위동정맥이 짧은 경우 출혈 및 비장 손상을 야기할 수 있으므로 조심스럽게 지혈하면서 진행한다(그림 17-13).

위를 우상부로 견인하면서 위횡격막인대를 박리하고 히스각(angle of His)을 완전히 노출시켜 위저가 완전히 자유롭게 되고 좌각(left crus)이 관찰될 때까지 박리한다(그림 17-14). 이때 열공탈장 존재 여부도 확인해야 하며 존재할 경우 비흡수성 봉합사로 횡격막 복원(crural repair)를 시행한다.

이이서 대만 하부를 대망으로부터 박리하는데 유문부터 4 cm 근위부까지는 보존하고 진행한다. 이 거리는 복강경 겸자를 벌려서 자처럼 활용할 수 있다(그림 17-15).

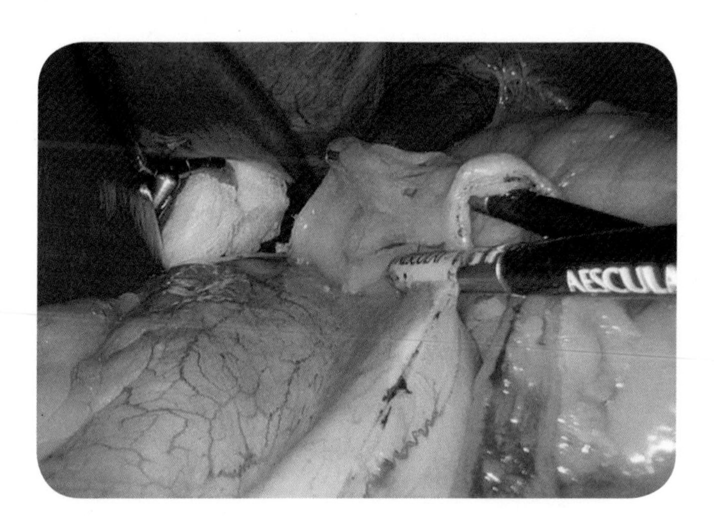

그림 17-12

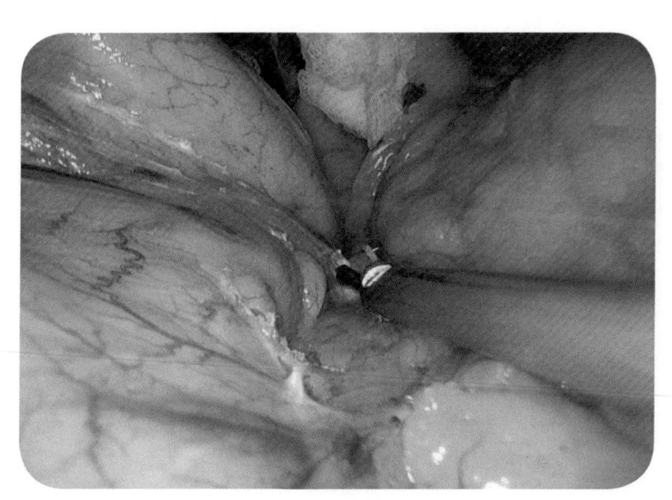

그림 17-13

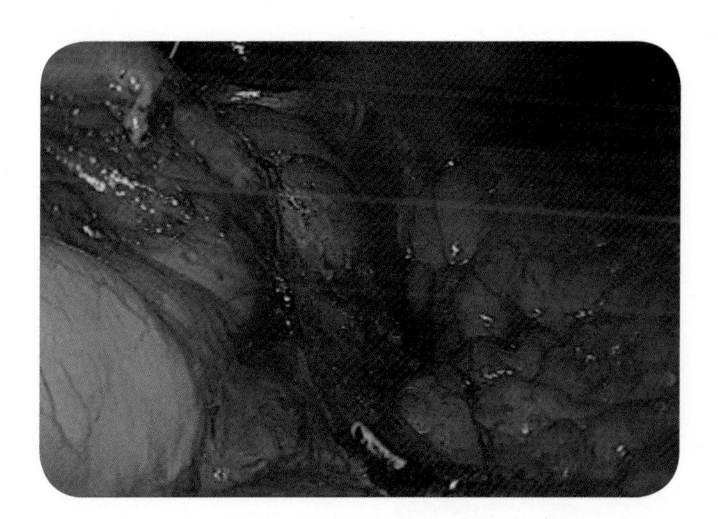

그림 17-14

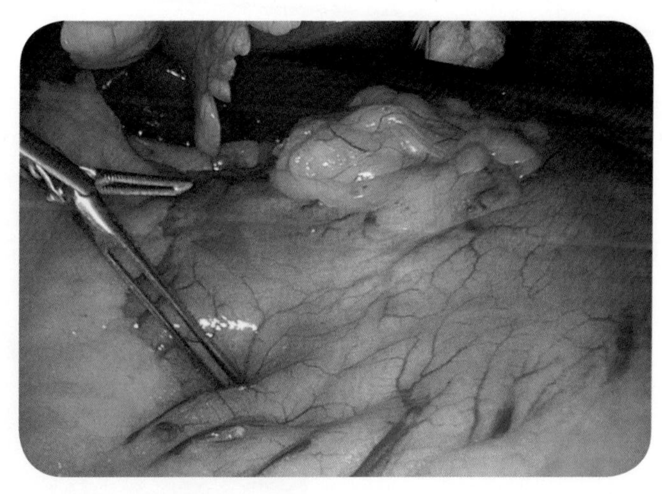

그림 17-15

이렇게 하고 나면 위 전체가 유동성(full mobilization)를 갖추게 된다(그림 17-16).

이어서 34-36 Fr. 부지 또는 위내시경을 삽입하여 소만을 따라 전정부까지 내려보낸다. 카메라 위치를 우상복부로 이동하고 제대 투관침을 통해 green cartridge를 장착한 복강경 자동봉합기를 이용해 전정부에 스테이플을 적용한다. 전정부벽이 매우 두꺼운 경우 15-mm 투관침을 통해 black cartridge를 사용해야 하는 경우도 있다. 이때 위각으로 너무 많이 접근하게 되면 좁아질 수 있으므로 첫 스테이플링은 위각에서 떨어져서 적용한다(그림 17-17).

다음으로 부지 또는 위내시경 유도하에 위 소만부를 튜브 모양으로 남기면서 수직으로 여러 차례 스테이플을 적용한다.

스테이플러는 위저부로 가면서 조직이 더 얇아지므로 blue cartridge를 사용한다. 자주 부지 또는 위내시경을 위아래로 움직여서 지나치게 좁아지거나 너무 넓게 되지 않는지 확인한다(그림 17-18).

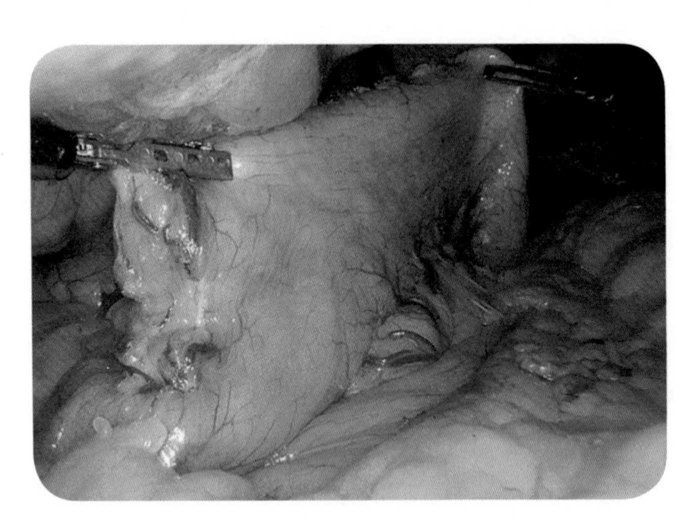

그림 17-16

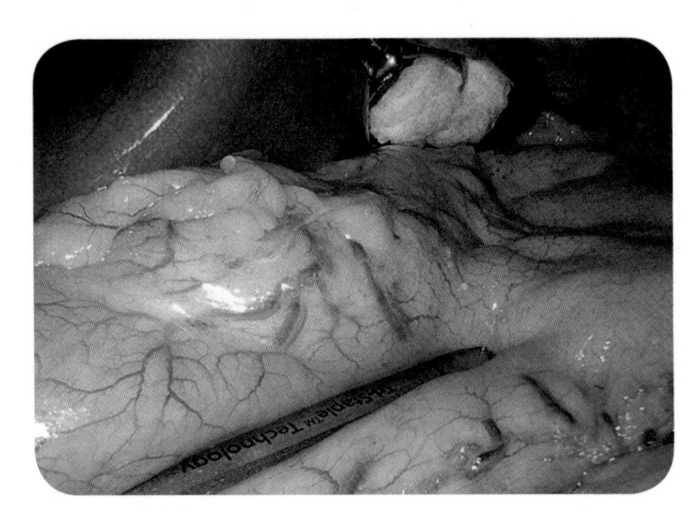

그림 17-17

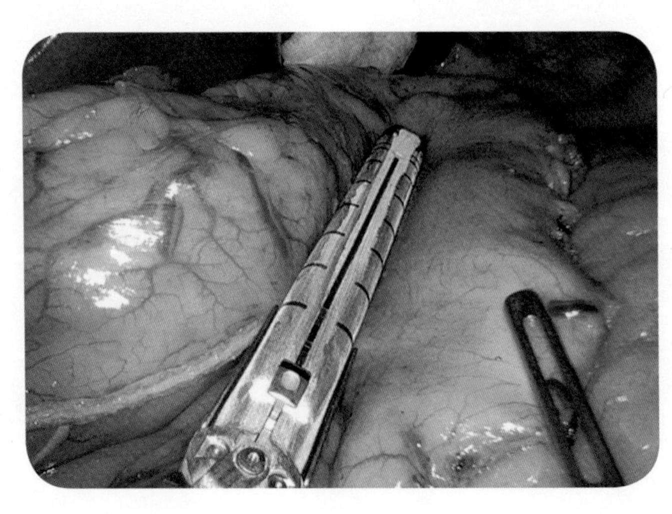

그림 17-18

스테이플러는 위저부로 가면서 조직이 더 얇아지므로 blue cartridge를 사용한다. 자주 부지 또는 위내시경을 위아래로 움직여서 지나치게 좁아지거나 너무 넓게 되지 않는지 확인한다(그림 17-19).

위가 뒤틀리지 않게 스테이플링 과정에서 조수가 대만부 위를 당겨서 평평하게 잘 펴줘야 한다. 특히 위저가 남게 되면 체중감량이 기대에 미치지 못할 수 있으므로 위저가 충분히 절제될 수 있도록 조수는 기구를 이용해 위를 적절히 견인하는 것이 매우 중요하다(그림 17-20).

히스각에 도달했을 때 마지막 스테이플 적용은 식도 손상을 예방하기 위해 식도위결합부에서부터 1.0 cm 떨어져서 시행한다(그림 17-21).

절단이 완료되면 수술표본은 비닐백에 넣어두고 수술 종료 후 투관침 부위를 조금 확장시킨 후 근막을 벌려서 제거한다.

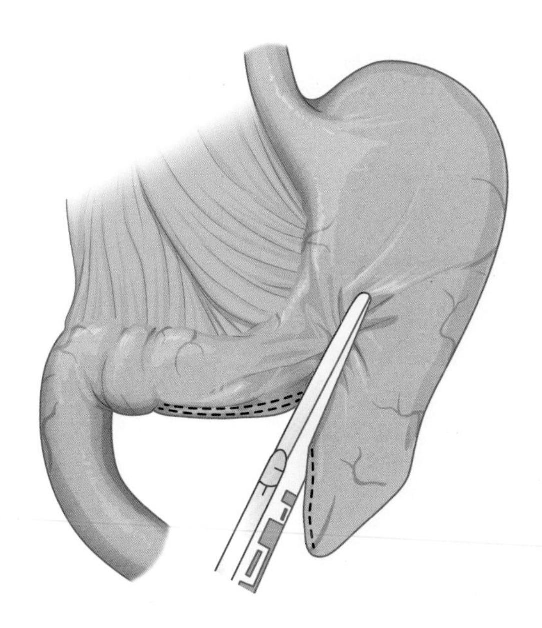

그림 17-19

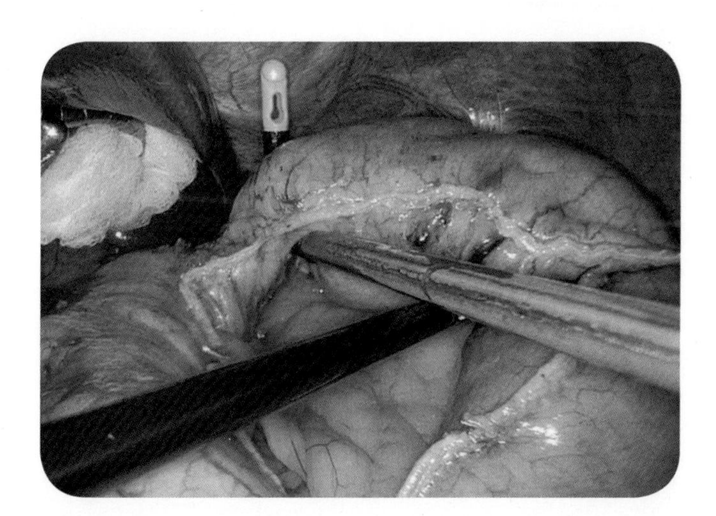

그림 17-20

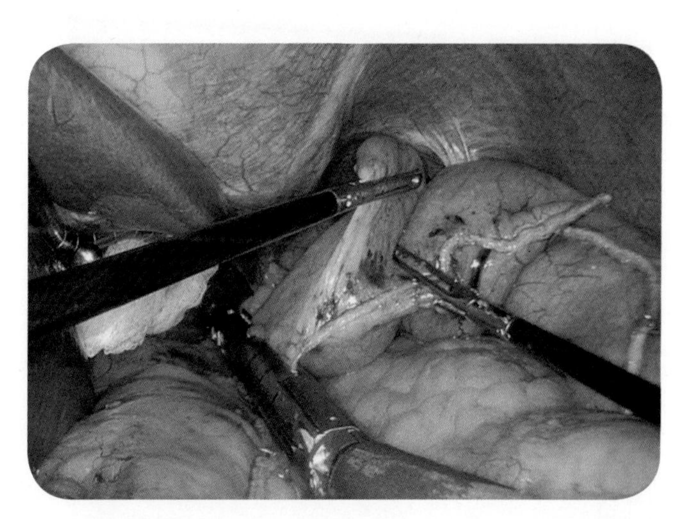

그림 17-21

자동봉합부선의 누출을 예방하기 위해 흡수성 단일 봉합사(PDS™ #2-0, V-Loc™ #2-0 또는 유사 봉합사)로 히스각 부위부터 시작해서 자동봉합선이 끝나는 곳까지 연속 봉합으로 렘베르 봉합(Lembert suture)하여 봉합선을 안으로 집어넣는다(그림 17-22A, B, C).

수술을 마치기 전에 구위관으로 위에 공기를 넣고 복강내에서는 식염수를 넣어 누출이 있는지 확인한다. 누출부위가 발견되면 보강봉합을 한다. 일반적으로 배액관은 넣지 않지만 술자의 선호에 따라 삽입할 수 있다.

마지막으로 간견인기와 투관침을 제거한 후 투관침 부위를 봉합한다. 저자의 선호에 따라 술후 가스트로그라핀 위장관조영술(gastrografin swallowing test)을 시행하여 누출의 여부, 위소매의 용적 및 형태, 위소매 뒤틀림 여부, 조영제의 원활한 십이지장 통과 등을 확인할 수 있다(그림 17-23).

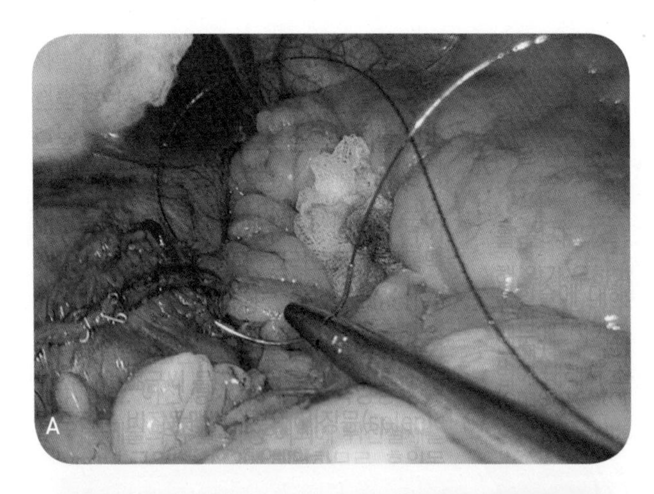
A

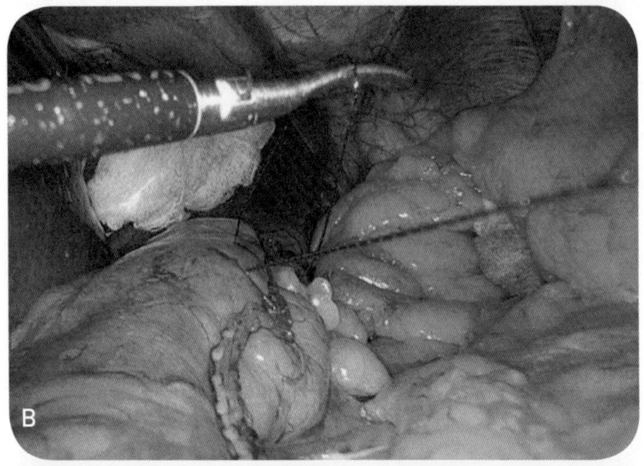
B

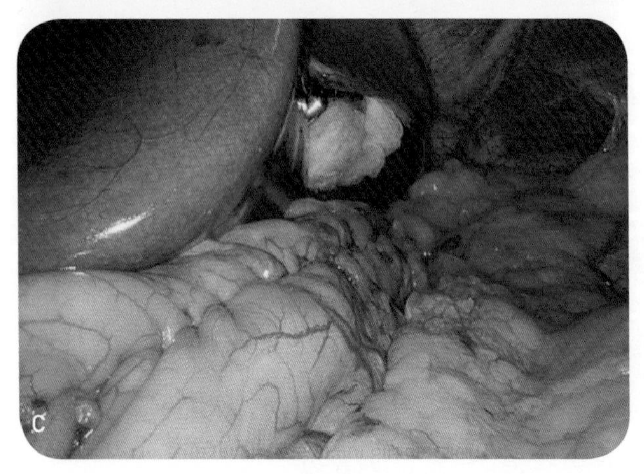
C

그림 17-22

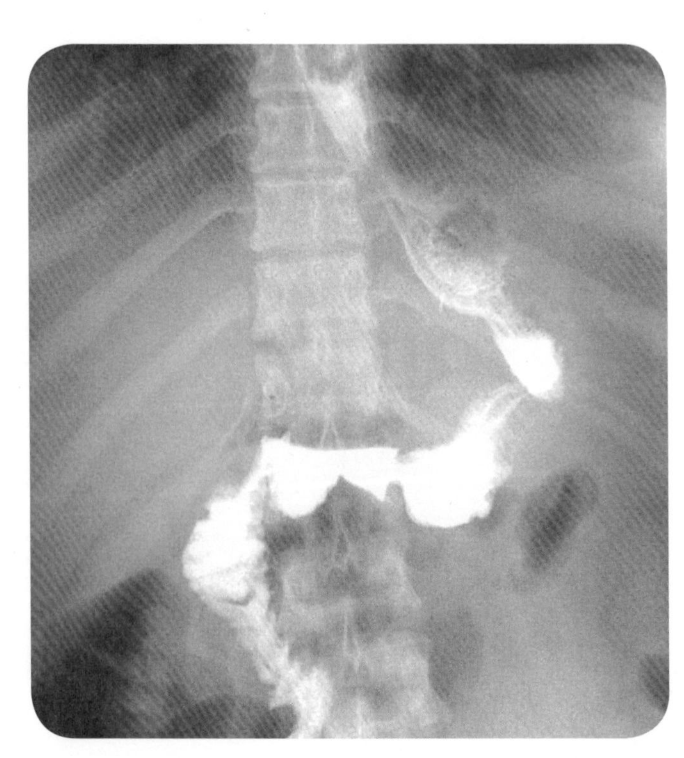
그림 17-23

CHAPTER 18

비만수술(루와이 위우회술)

Bariatric surgery (laparoscopic Roux-en-Y gastric bypass)

1. 서론

도입 초기에 모든 나라에서 그러했듯이, 비만 대사수술은 우리나라에서도 사회적 오해와 편견 속에 여러 가지 우여곡절이 많이 있었다. 하지만, 외과학회는 이를 극복하기 위한 노력을 기울였고, 정부의 공조로 진행된 연구를 통해 수술적 치료의 효용성 및 안전성에 대한 검증과 경제성이 뛰어난 것을 입증하였고, 이어서 2018년에는 제2형 당뇨병의 수술적 치료에 대해 정부의 검토 후 신의료기술로 인정받게 되었다.

이러한 노력의 결과로, 2019년 1월부터는 아래의 적응증에 대해 치료목적으로 행해지는 비만 및 대사수술에 대한 보험급여가 개시되었는데, 적응증 1), 2)에 해당하는 환자에게는 각종 비만수술 방법을. 적응증 3)에 대해서는 위우회술과 위소매절제술을 대사수술로 정의하고 이에 대해 보험급여를 지급하고 있다. 그리고 현재 우리나라에서는 비만대사수술을 시행하는 외과의와 비만대사수술센터에 대한 인증을 하여 안전성을 높이려는 노력을 하고 있다.

과거는 물론 지금까지도 비만수술의 목적을 체중감량에 있다고 많은 사람들이 얘기하는데, 이는 일부만 맞는 말이다. 체중감량의 정도로 수술의 효과를 종합적으로 판단하기에 체중이라는 하나의 잣대로 보면 편하다는 점에서 그렇다. 하지만, 비만대사수술의 진정한 목적은 동반된 질환을 치료하는 것이며, 따라서 효과와 안전성의 평가도 동반질환의 개선 또는 관해의 정도로 이루어져야 한다.

2. 적응증

1) 체질량지수 35 kg/m^2 이상(3단계비만)인 고도비만 환자
2) 체질량지수 30 kg/m^2 이상(2단계비만)이면서 다음의 동반질환을 가진 경우
   - 제2형 당뇨병, 고혈압, 저환기증, 수면무호흡증, 관절질환, 비알콜성지방간, 위식도역류증, 고지혈증, 천식, 심근병증, 관상동맥질환, 다낭성난소증후군, 가뇌종양(pseudotumor cerebri)
3) 기존 내과적 치료 및 생활습관 개선으로도 혈당조절이 되지 않는 27.5 kg/m^2 ≤ BMI 〈 30 kg/m^{2}인 제2형 당뇨병 환자

위의 세 조건 중 하나 이상을 만족하면서 과거 내과적 치료에 실패하였고, 수술적 치료에 대한 동기가 확실한 환자

3. 비적응증

- 신장, 간, 심장 등의 장기부전 환자
- 진행암 환자
- 의사 환자관계 설정이 어려운 환자
- 알코올 등의 중독 환자
- 중증 정신질환자
- 고령
- 쿠싱 증후군, Prader Willi 증후군 등 내분비질환
- 수술적 치료에 대한 동기가 불확실한 환자

4. 수술 전 처치

1) 전문화된 인력 및 시설

고도비만 환자의 수술을 위해서는 전문화된 팀이 반드시 필요하다. 고도비만 환자는 다양한 동반질환을 가지고 있고, 수술 후에 겪게 될 생활, 식이, 대인관계 등의 변화가 매우 크고 극적이므로 이를 관리하고, 교육할 전문 인력이 반드시 필요하다. 그리고 체구가 크고 체중이 많이 나가므로 이들을 유지할 침대, 의자, 변기 등에 대한 준비가 되어있어야 한다.

2) 환자의 교육

수술을 고려하는 단계에 수술방법과 수술 후에 일어나는 일에 대해 환자가 충분히 이해하도록 도울 수 있는 교육프로그램이 있어야 한다. 수술 전에 준비할 것, 수술 방법과 결과 및 장기 합병증에 대한 교육, 다이어트 교육을 하고 이를 환자가 숙지하고 있는지 확인해야 한다.

3) 수술 전 검사

수술 전 일반 검사 외에 정신과 검사, 위내시경, 복강 내 질환 유무 검사를 해야 하고, 수면무호흡증이 있는지에 대해 주의한다. 무호흡증이 심할 때는 CPAP 또는 BiPAP mask에 적응하도록 훈련을 한 후 수술을 하는 것이 중요하다. 수술 후 각종 동반질환의 개선 정도를 알기위해 각 동반질환의 정도에 대한 검사를 한다. 각종 검사와 교육 그리고 CPAP의 적응 기간 등을 고려하면 준비에 1개월 정도의 시간이 필요하다.

4) 수술 전 준비

마취는 유도, 유지 과정이 복잡하고 어려운 경우가 많으므로, 수술 전 마취과 의사의 협진도 필요하다. 수술 일주일 전부터는 저칼로리 식이를 하도록 하여 간의 크기를 줄이도록 하면 좋은 수술시야를 확보하는데 절대 유리하다.

수술 전날, 장 청소가 필요하고, 복강이 좁으므로 장내 가스를 잘 제거하도록 교육하며, 수술동의를 위한 설명에 일반적인 내용과 더불어 장간막이 기형적으로 짧을 경우엔, 타 수술로의 전환 가능성에 대해서도 설명한다.

고도비만 환자에서 루와이 위우회술은 거의 대부분 복강경으로 시행하므로 복강경 수술을 하는 것으로 본 장의 설명을 한다.

5. 마취

반드시 전신마취가 필요하며, 마취 유도 후에 예방적 항생제를 투여한다. 기도 삽관이 어려운 경우가 정상체중 환자에 비해 매우 많으므로, 기관지경 등을 준비하고 기도 삽관을 시작한다. 고도비만 환자는 체중만으로 약의 용량을 정할 수 없으므로 적절한 마취의 유지하기 위해서는 각별한 주의가 필요하다. 마취를 깨울 때는 기존의 항콜린에스테라제, 항콜린제 보다는 selective relaxant binding agent를 사용하는 것이 유리하다.

6. 환자 자세

환자를 앙와위 자세에서 수술을 시작하고, 수술의 중반부부터는 30° 이상의 역 Trendelenburg 자세를 하여야 하므로 수술대에 잘 고정하도록 한다. 팔은 팔 지지대를 이용하는데, 때로는 몸에 붙인 자세로 하기도 한다.

술자는 환자의 우측, 제1보조의는 좌측에 위치하고, 이 수술에서는 수술 기구를 빈번하게 바꾸게 되므로 카메라 scopist는 제1보조의 옆에 위치하는 것이 좋다(그림 18-1A).

7. 수술 준비

0° 및 30° 복강경을 포함한 복강경 수술 시스템과 endostapler를 사용한다. 45° 복강경, 긴 수술기구 등이 간혹 유용하게 사용될 수 있다. 심부정맥 혈전증을 예방하기 위해 공기압력 시스템 스타킹을 하거나, 헤파린 처치를 하고, 위장 감압을 위해 비위관을 삽입한다.

TIP 1

■복부 CT 등으로 피하지방 두께 및 복벽 두께를 확인하고 그 길이를 veress침에 표시하여, 손끝의 감각만으로 너무 깊게 찌르지 않도록 한다. 피하지방 두께 정도를 찌르고 나서, 복벽을 뚫는 저항감이 있는지 주의하여 삽입하고, saline drop test로 확인한다.

■Tip 1의 방법으로도 veress침 삽입이 제대로 안되거나 확실하지 않으면, 환자의 좌상복부에 5 mm 투관침을 넣을 자리를 먼저 결정하고 이 자리를 이용하여 veress침 삽입을 시도한다. 일반적인 방법과 같은 요령으로 하는데, 이 부분은 다른 부위에 비해 피하지방이 얇다는 것과 복벽을 뚫는 저항감이 약간 다르다는 것에 주의한다. 겸상인대가 없고, 복벽지방이 거의 없다는 것에 유의하고, 예상한 깊이에 들어가면 saline drop test로 확인한다.

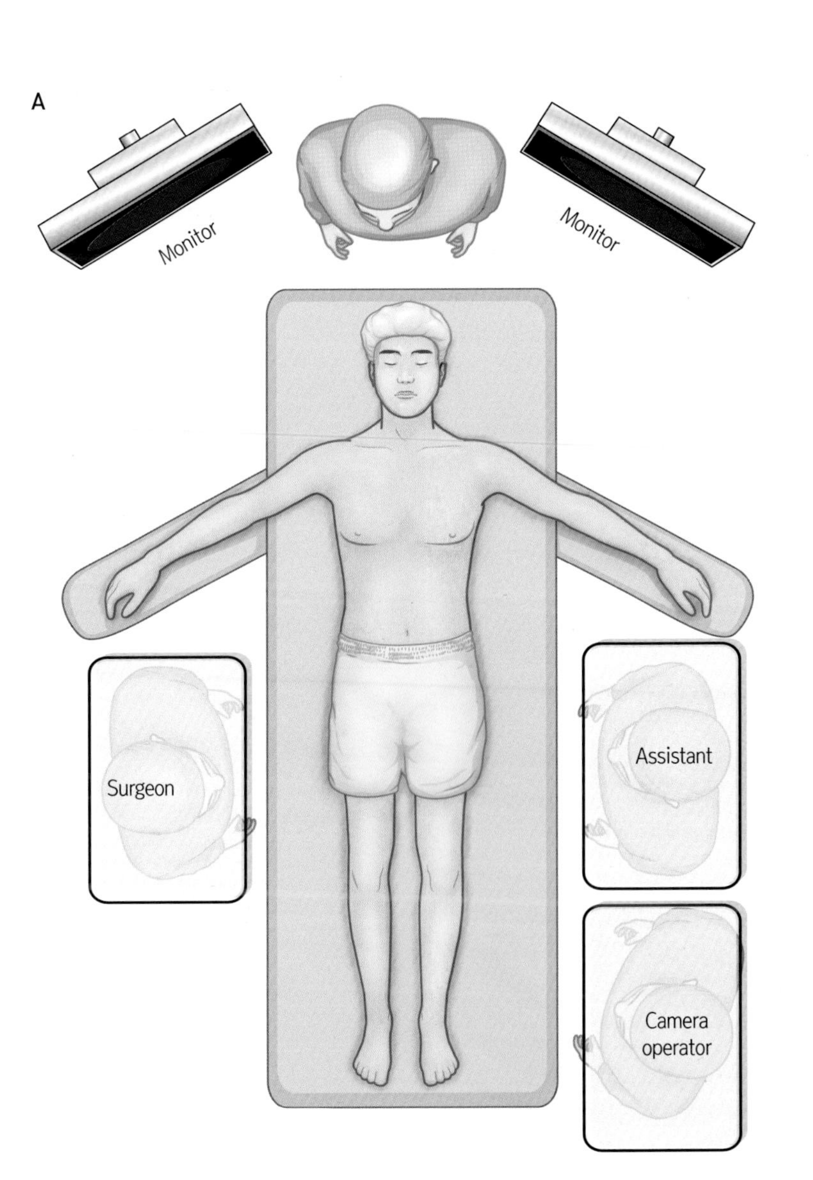

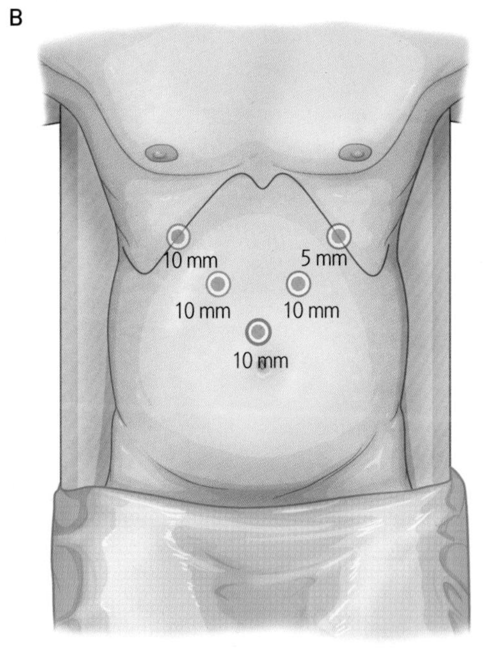

그림 18-1

8. 절개 및 노출

Veress침을 삽입하는 것은 다른 복강경수술의 경우와 원칙적으로 같다. 하지만, 고도비만 환자에서 Veress침을 삽입하는 것이 어려울 때가 많다. 피하지방이 두꺼워 일반 환자에 비해 Veress침을 찌르는 깊이가 깊고, 삽입할 때 느껴지는 감각이 다르며 깊이를 가늠하기가 어렵기 때문이다. 그리고 카메라포트의 위치가 배꼽보다 위에 위치하게 되는데, 고도비만 환자는 겸상인대에 지방이 많고 비대해져 있어 실제로 복벽을 뚫은 후에 상당히 깊이 들어가더라도 CO_2 주입이 제대로 안되는 경우가 많아 세심한 주의가 필요하다. 복강내 공기압은 13~15 mmHg로 약간 높게 유지한다.

9. 수술 과정

앙와위에서 수술을 시작한다. 카메라포트의 위치는 30° 복강경으로 angle of His를 잘 볼 수 있는 거리에 위치하도록 한다. 대개 xiphoid process에서 20 cm정도 떨어지거나, 배꼽으로부터 약 3~5 cm 정도 상방에 위치하게 된다.

나머지 투관침의 위치는 그림 18-1B와 같은데 수술은 좌측 중하복부에서 시작해서 위의 근위부로 옮겨가게 되므로, 이 두 영역에서 수술기구 간 부딪힘에 주의하여 위치시킨다. 투관침을 넣을 때도, 복강이 겉으로 보는 것에 비해 작고 원통형에 가깝다는 것을 고려해서 피부로부터 복강 내에 이르는 최단거리를 뚫을 수 있도록 하여야 일반 길이의 투관침으로 복강내에 도달할 수 있다. Xyphoid process 바로 아래는 간견인기를 설치하게 되는데, 소장문합 후에 설치한다

(그림 18-2) 술자와 보조자가 협조하여 대망과 횡행결장을 상복부로 옮기고, 보조자에게 좌상부 투관침을 통한 겸자로 횡행결장간막을 상부로 밀면서 들어올려, 트라이츠 인대 또는 공장의 시작부를 잘 볼 수 있도록 한다. 제1보조자의 겸자는 끝이 둥글고 부드러운 것을 사용한다. 고도비만환자는 일반 환자에 비해 장기가 무겁고, 지방 속에 수술기구가 묻혀서 끝이 잘 안보이며, 대망이나 소장 등 장기의 손상이 발생하여도 발견하기 어렵다. 술자는 소장을 잡고 추적하여 트라이츠 인대를 확인하고 공장의 시작부를 겸자로 잡는다. 이곳에서부터 30~80 cm 정도의 길이를 원위부로 내려온다.

소장을 절단할 자리를 정하고 나면, 우선 그 부근의 장간막이 충분히 넓은지를 확인한다. 장간막이 좁으면, Roux limb을 위낭 부근으로 끌어올리기가 불가능하다. 따라서 매우 드물지만 기형적으로 장간막이 짧은 경우는 즉시 위소매절제술(sleeve gastrectomy)이나 위밴드술로 전환한다.

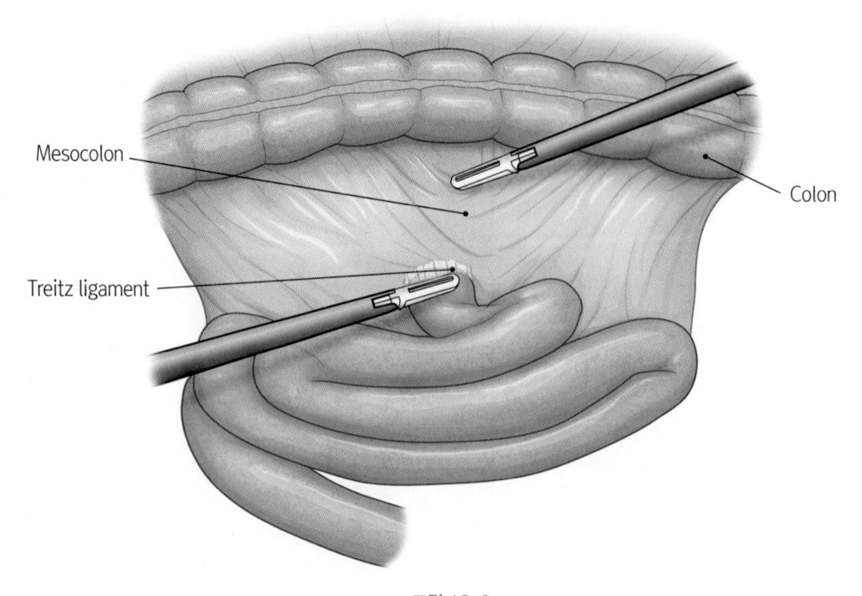

그림 18-2

그림 18-3B와 같이 소장근위부가 위쪽에 오고 장간막이 사진과 같이 보이도록 소장을 위치시킨다. 보조자에게 소장의 분리를 할 부위의 근위부를 잡게 하고, 전기소작기나 초음파소작기를 이용하여 장간막에 1~2 cm 정도 구멍을 낸 후, 이를 통해 endostapler를 넣어서 소장을 절단한다. 그리고 곧바로 보조자가 잡고 있던 측의 절단면에 봉합사를 꿰매거나, 절단면의 출혈부위에 endoclip를 사용하여 근위부 절단부임을 표시해 둔다. 양 절단면의 출혈을 전기소작기로 지혈한다. 초음파소작기와 endoclip을 이용하거나 endostapler를 이용하여, 장간막을 분리하여 루와이 문합을 할 준비를 한다. 장간막 분리면의 출혈에 주의하고, 분리하는 정도는 주요 혈관에 이르지 않는 한 최대한 많이 해 둔다.

TIP 2

■소장의 길이를 잴 때 육안으로 하는 것은 부정확하므로, 겸자에 5 cm 또는 10 cm을 표시하여 길이를 재거나, 5 cm 자를 복강내 넣고 보조자가 이 자를 잡고 있도록 하여 정확히 길이를 재도록 한다.
■겸자로 소장을 잡아 길이를 잴 때, 부드럽게 잡도록 주의하고, 술자의 양손에 잡은 겸자가 x자로 겹치지 않도록 하는 것이 중간에 소장을 놓치지 않으면서 손상이 없이 길이를 잴 수 있는 요령이다.
■소장의 길이를 잴 때는 소장의 장간막에 가까운 쪽을 잡아서 길이를 재도록 하는 것이 좋다. 소장의 장간막에서 먼 쪽은 다루기는 쉬우나 당길 때 쉽게 늘어나서 실제로 잰 길이보다 매우 짧은 경우가 생긴다(그림 18-3A).

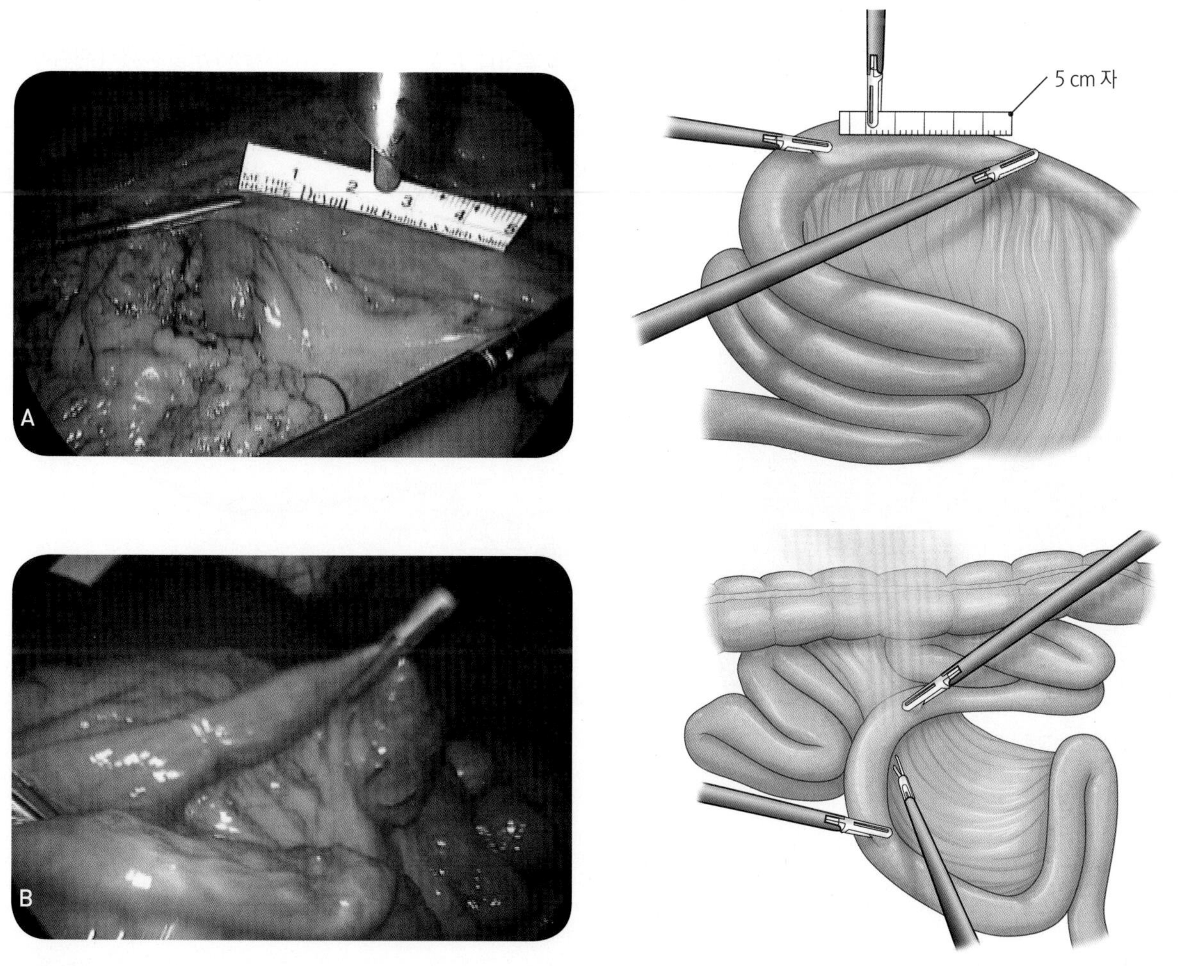

그림 18-3
A. 소장 길이 재기, B. 소장 펴기 및 장간막 넓이 확인

절단부로부터 시작하여 소장의 80~120 cm 정도 원위부로 이동하고, 소장-소장 문합을 시행할 자리를 결정한 후 그 부위의 원위부를 보조자에게 겸자로 잘 잡고 있도록 한다. 이 위치는 Roux limb, Biliopancreatic limb을 합쳐서 트라이츠 인대로부터 150~200 cm가 되도록 하는데, 환자의 비만도, 당뇨병 이환여부 등을 고려하여 결정한다.

(그림 18-4) 전기소작기나 초음파 소작기 등을 이용하여 endostapler를 삽입할 구멍을 만들고 보조자에게 잡고 있도록 한다. 앞서 절단한 소장의 근위부의 말단이라는 것을 표시해둔 endoclip이나, 봉합사로 확인하고, 보조자가 소장을 잡도록 한 후 이곳에도 endostapler를 삽입할 구멍을 만들고 문합을 할 두 소장을 접근시킨다.

환자의 우상방에 위치한 투관침을 통해 endostapler를 넣고, 우선 스테이플러가 들어있는 housing부위를 절단한 소장측에 만든 구멍으로 삽입시킨다. 스테이플러는 식염수에 담가두어서 쉽게 미끄러지도록 준비해 두는 것이 좋다. 스테이플러를 약간 조여서 소장이 빠지지 않도록 하고, 문합할 소장을 가까이 위치시킨 후, 스테이플러를 약간 벌려서 원위부 소장의 구멍에 삽입한다. 두 소장의 구멍이 되도록 어긋나지 않도록 그리고 장간막의 대척측(antimesenteric border)이 문합되도록, 위치를 잘 잡아서 문합한다. 복강경을 가까이 하여, 문합부의 출혈여부를 확인하고 지혈을 철저히 한다.

3-0 흡수성 봉합사를 이용하여 continuous running suture로 스테이플러 삽입을 위한 절개부를 봉합하여 소장-소장 문합을 완성한다. 장간막을 분리했던 경우엔 3-0 비흡수성 봉합사를 이용하여 장간막의 결손부를 막아 준다.

(그림 18-5A) Xiphoid process 바로 아래에 피부절개를 하고 간견인기를 설치한다. 고도 비만환자의 간은 크고 무거운 경우가 많으므로 Nathanson 간견인기 등 단단한 것을 사용하는 것이 좋다. 간견인기를 넣은 후 수술대를 30° 이상 역 Trendelenburg 자세로 바꾸고 식도 하부와 angle of His와 간-위 인대가 잘 보이도록 간견인기 위치를 조절한다.

(그림 18-5B) 보조자가 위체부를 잡고, 누르면서 아래로 당겨서 시야를 확보하고, 전기소작기나 초음파소작기로 간-위인대를 절개한다. 간-위인대의 절개창을 통해 우측 diaphragmatic crus와 위체부에 걸쳐있는 막을 확인하고, 가능하면, 하대정맥과 좌위동맥의 위치도 확인한다.

(그림 18-5C) 우측 diaphragmatic crus와 위후벽 사이를 박리하는데, 위식도 경계부위에서 3~4 cm 하방 그리고, 가능한 좌위동맥에 가까운 곳을 박리하는 것이 좋다. 이 부위에 작은 혈관들이 있으므로 주의하고, 위장의 후벽을 따라 좌측 diaphragmatic crus를 지나 정상 위벽이 보일 때까지 박리하는 것이 유리하나 일단 첫 번째 stapler가 들어갈 정도만 박리하여도 된다.

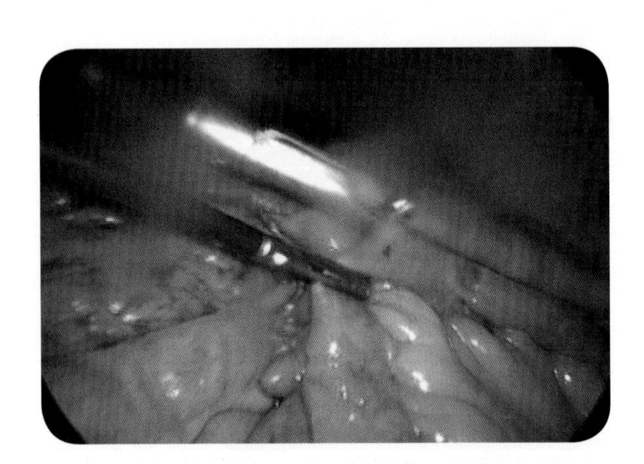

그림 18-4 소장 스테이플러 적용장면

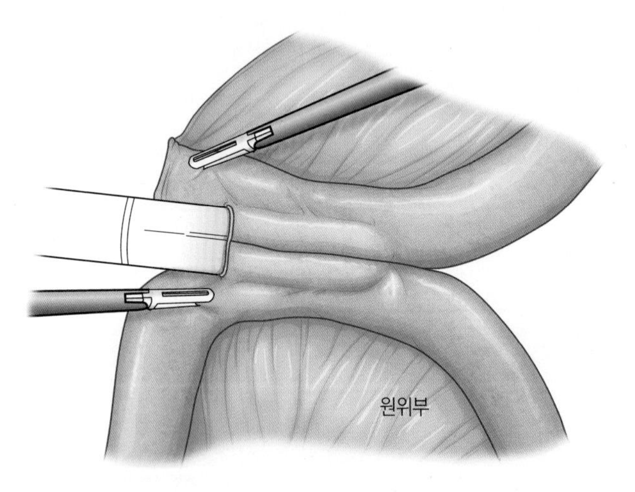

TIP 3

■때로는 장간막 분리를 아예 하지 않기도 한다. 이렇게 하더라도 Roux limb이 짧아 문제가 되는 경우는 드물다. 굳이 문제가 된다면 대개는 환자의 비만도가 높아, 결장후방을 통해 Roux limb을 올려야 하는 경우인데, 이때는 장간막 분리를 해야 한다. 하지만, 이 방법으로 하면 장간막 결손을 막는 수고를 덜 수 있고, 장간막 결손부 사이로 생기는 탈장이 없다.

■체질량지수 45 이상인 환자에서는 대망이 두껍고 커서 Roux limb을 끌어올리기 어렵고, 위-공장 문합부의 장력이 커질 경우가 많은데, 이것이 예상될 때는 Roux limb이 위치할 부위의 대망을 전기소작기나 초음파소작기를 이용하여 갈라놓는 것이 좋다. 하지만 이것이 필요하지 않은 경우도 많다.

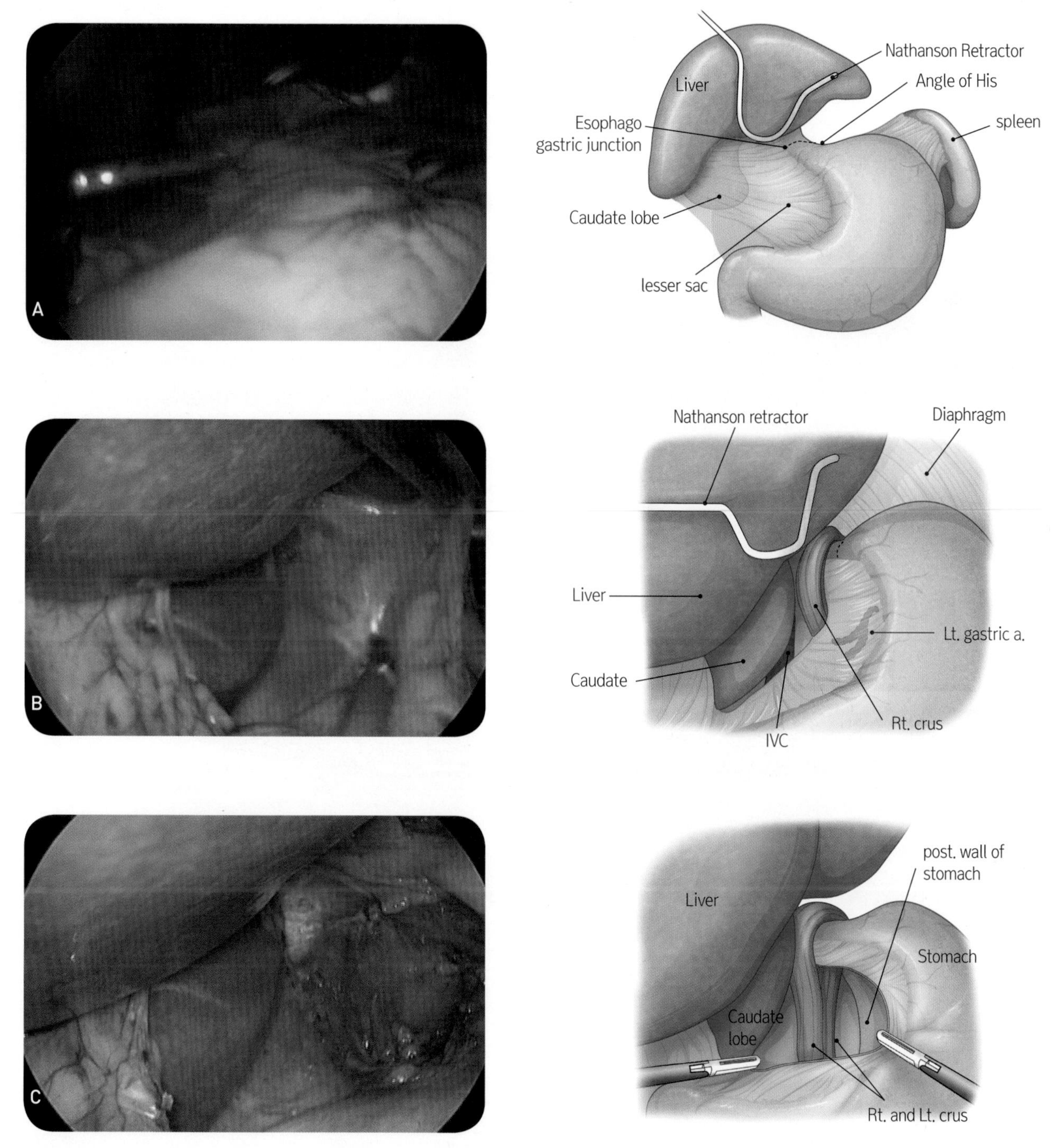

그림 18-5
A. 간견인기 넣은 직후, B. Rt. crus 확인, C. 위후벽절개 후

(그림 18-6) 이렇게 확보한 공간에 거즈를 넣어 두고 위치를 바꾸어, 위의 전벽을 내려다보면서 환자의 좌상부에 위치한 투관침을 통해 넣은 초음파소작기로 위소만과 위소만의 소망 사이를 박리하여 미리 넣어둔 거즈를 확인한다. 박리하는 위치는 위소만의 첫 번째와 두 번째 혈관 사이로 한다.

(그림 18-7) 비위관의 끝을 식도내로 이동시킨 후, 우상부 또는 우하부의 투관침을 통해 60 mm endostapler를 넣고, 거즈를 제거한 후 위소만으로 부터 박리한 공간을 통해 endostapler를 진입한 후 수평에 가깝게 위치시키고 스테이플링을 한다.

(그림 18-8) 스테이플링을 한 부위를 포함하여 위망의 신경혈관다발 부근을 철저히 지혈한다. 우하부의 투관침을 통해 endostapler를 넣고 첫 번째 스테이플링에 90° 가까이, 위저의 최상부 방향으로 스테이플링을 한다. 다음으로 위 후벽을 따라 angle of His까지 박리하고, 위의 전면에서 angle of His 부위을 박리하여 서로 통하도록 한 후 우하부, 또는 좌하부의 투관침을 통해 endostapler을 넣고, 이전의 스테이플링의 마지막 부위에서 angle of His를 향해 스테이플링을 하는데, 위가 완전하게 스테이플러로 분리되는 것을 확인하여 위낭을 완성한다. 위낭측과 잔류위측의 스테이플링 부위와 박리한 위후방부의 지혈을

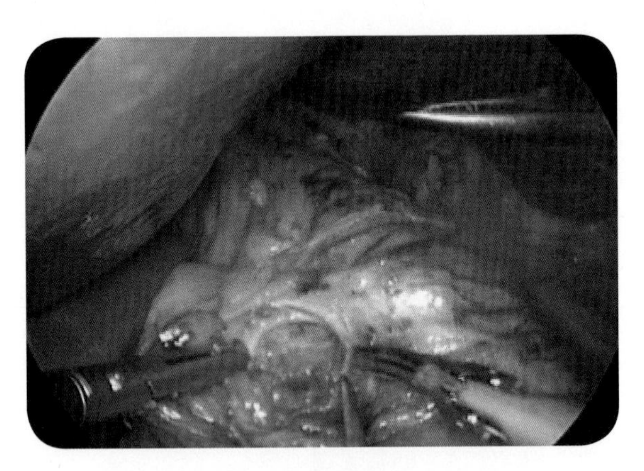

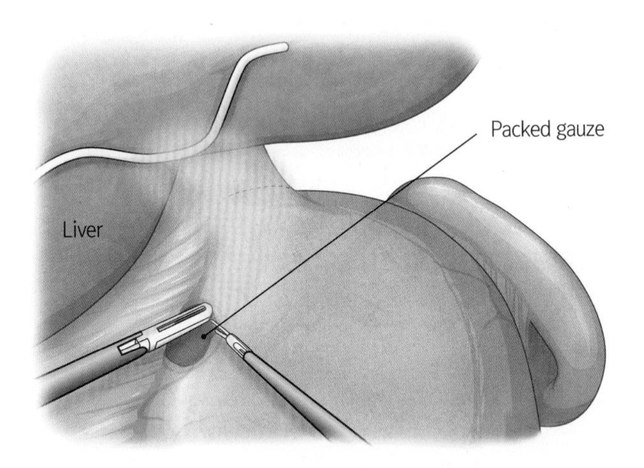

그림 18-6 위전면 및 위소만, 신경혈관 다발 박리

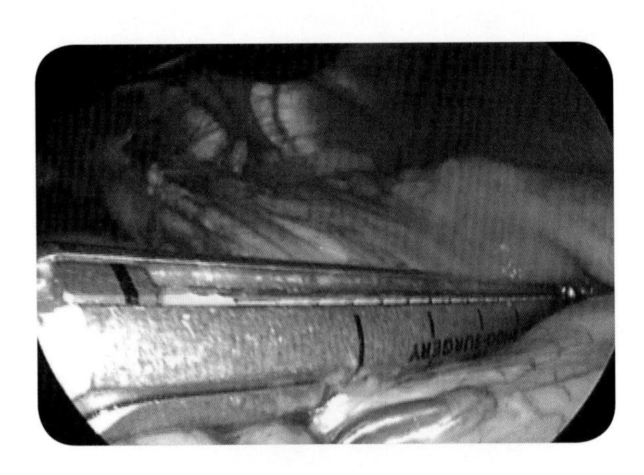

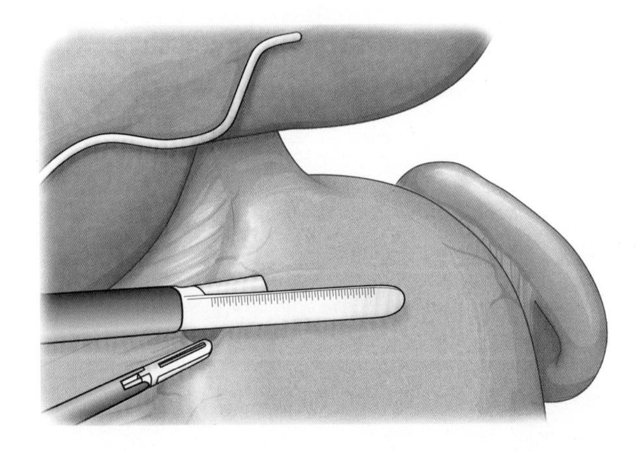

그림 18-7 첫 스테이플링

TIP 4

■위 후방을 박리하고, 위체부의 신경혈관 다발을 포함하여 소만부를 스테이플링을 하기도 한다. 이럴 경우 좌위동맥의 상행동맥과 정맥을 자르게 되는데 출혈의 가능성이 있으므로 주의한다. 반면에 이 방법은 위소만과 소망사이를 분리하는 수고를 덜 수 있고, 실제로 위소만과 소망을 분리하는 과정에 출혈이 발생할 가능성도 상당히 높아 이 방법을 고려해 볼만 하다.

■스테이플을 위치시킬 때 우선 스테이플링을 할 자리에 위치를 잡고, 스테이플을 약간 돌려서 위의 전벽이 조금 더 많이 남도록 만드는 것이 나중에 위-공장 문합을 할 때 유리하다. 이렇게 하면 위의 전벽이 조금 부풀게 되고, 위낭을 만든 스테이플과 위공장문합을 만드는 스테이플 사이의 거리도 확보할 수 있다.

철저히 하고, 위-공장 문합을 준비한다.

(그림 18-9) 절단한 소장의 말단을 찾아서 위-공장문합을 할 곳으로 이동시키고, 문합을 할 부위를 결정한 후 3-0 비흡수성 봉합사로 위낭과 소장을 고정시킬 수도 있지만, 제1 보조자와 협력으로 고정없이 스테이플링을 할 수도 있다. 위낭과 소장에 전기소작기나 초음파 소작기로 스테이플러가 들어갈 구멍을 낸다. 60 mm endostapler을 우상부 또는 우하부 투관침을 통해 넣고, 스테이플러에 표시된 눈금자로 약 30 mm 이하가 스테이플링 되도록 위치시키고 스테이플링을 한다. 이때도 공장-공장 문합을 할 때와 마찬가지로 위와 소장이 어긋나지 않도록 조절하는 것이 좋다. 문합부의 출혈 여부를 철저히 확인하고 지혈한다. 잠시 식도로 이동시켰던 비위관을 다시 넣어 문합부를 약 3~5 cm 지나도록 위치시킨다. 3-0 흡수성 봉합사를 이용하여 위낭과 소장에 만들었던 구멍을 continuous running suture로 봉합하여 위-공장 문합을 완성한다. 위-공장 문합을 circular stapler를 이용하거나, 문합부 전체를 hand-sewing하기도 한다.

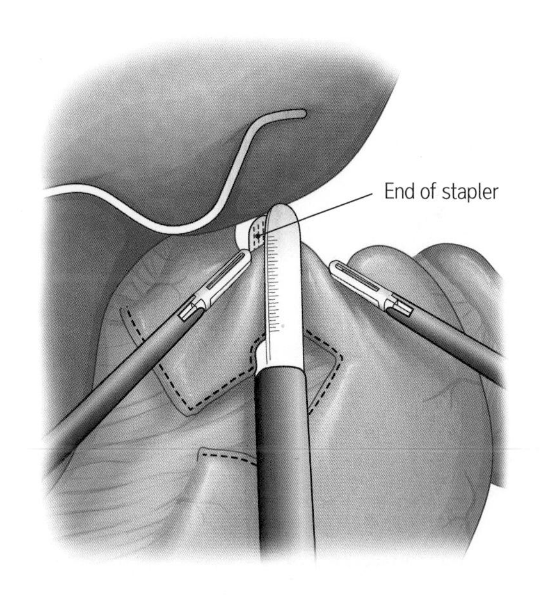

그림 18-8 마지막 위낭 스테이플링

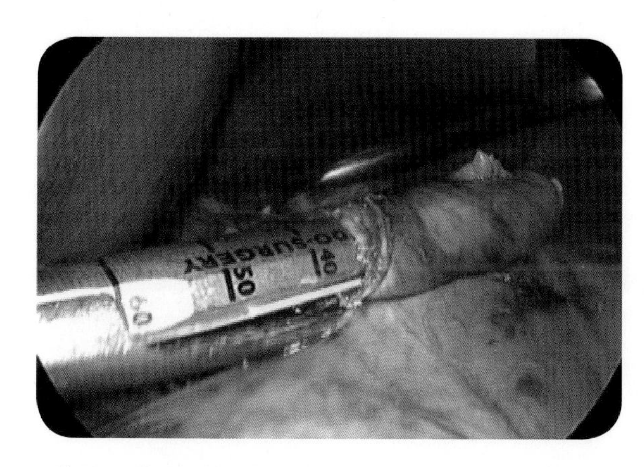

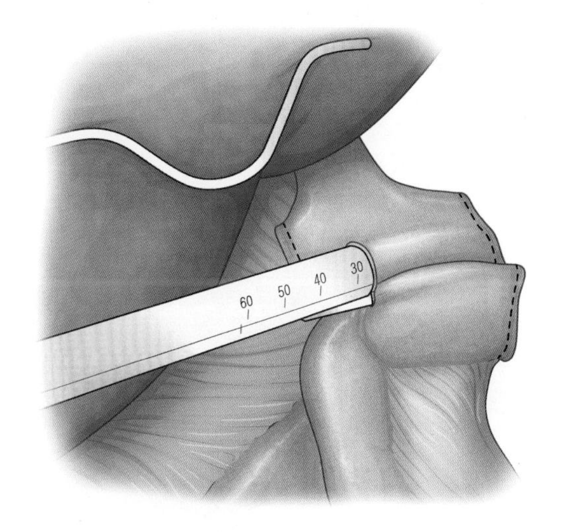

그림 18-9 위공장문합 스테이플링

TIP 5
앞서 위의 전벽이 많이 남도록 위낭을 만들고 나면, 위낭의 전벽이 약간 부풀어있게 되는데, 문합은 되도록 위낭의 말단부에서 떨어져서 만드는 것이 좋다. 너무 가까우면 위낭의 말단과 문합부 사이의 혈액 순환의 문제가 발생한다.

(그림 18-10) 장겸자로 비위관의 말단이 위치한 곳의 바로 아래에서 소장부위를 막고, 비위관을 통해 methylene blue 등의 염색제나 saline, 또는 문합부 주변에 saline을 넣은 후 비위관을 통해 공기를 넣거나, 내시경을 이용하여 문합부 누출 여부를 검사한다. 이 검사에서 누출이 확인되면 3-0 봉합사로 막아준다. 문합부 주위를 saline으로 세척하고, 출혈 여부를 다시 확인한다. 완성한 수술의 각 부위를 점검한다.

먼저 간견인기를 제거하고, 우상부 또는 우하부의 5 mm 투관침 부위를 통해 패쇄형 흡입 배액관을 비장 근처에 거치시킨다.

10. 폐복

투관침 부위의 출혈여부를 확인하면서 제거하고, 10 mm 이상의 투관침 부위는 Carter-Thompson device 등을 이용하여 처리한다. 피하지방이 깊으므로 saline irrigation을 철저히 하여 감염을 예방하고, 4-0 비흡수성 봉합사를 피부 봉합을 하여 수술을 마친다.

11. 수술 후 관리

수술 후 비위관은 위-공장 문합부 출혈에 대한 확인 후 제거한다. 활력징후를 잘 관찰하고, 도뇨관은 24시간 유지하면서 소변량을 잘 관찰한 후 제거한다. 수면무호흡증으로 CPAP 또는 BiPAP 마스크를 하던 환자는 이를 적용한다. 수술장에서 착용하였던 공기압력시스템 스타킹을 유지하고, 헤파린 처치를 한 경우엔 이틀 정도 유지한다. 필요하면, 수술 다음날 수용성 조영제를 이용한 상부위장관 검사로 문합부 누출을 확인할 수도 있다. 수술 이틀째에 소량을 물을 섭취하도록 하고 이상 소견이 없으면 식이를 진행한다.

수술 후 가장 주의를 기울여 보아야 할 징후는 빈맥이다. 수술과 관련된 합병증은 많은 환자에서 혈액검사, X-ray, 이학적 검사에서 뚜렷한 이상이 없고, 단지 빈맥만 나타나는 경우가 많으므로 빈맥이 있으면, 최대한 주의를 기울여야 하고, 빈맥이 지속되면 되도록 이면 빠른 시간 안에 복부 CT 등의 검사와 처치가 필요하다.

수술 후 3일 이후에는 특별한 이상이 없으면 퇴원이 가능하며, 여러 상태를 고려하여 퇴원을 결정한다. 가능하면 퇴원 전에 앞으로 해야 할 식이방법, 운동방법 등에 대한 교육을 마치고 퇴원을 하는 것도 좋은 방법이다.

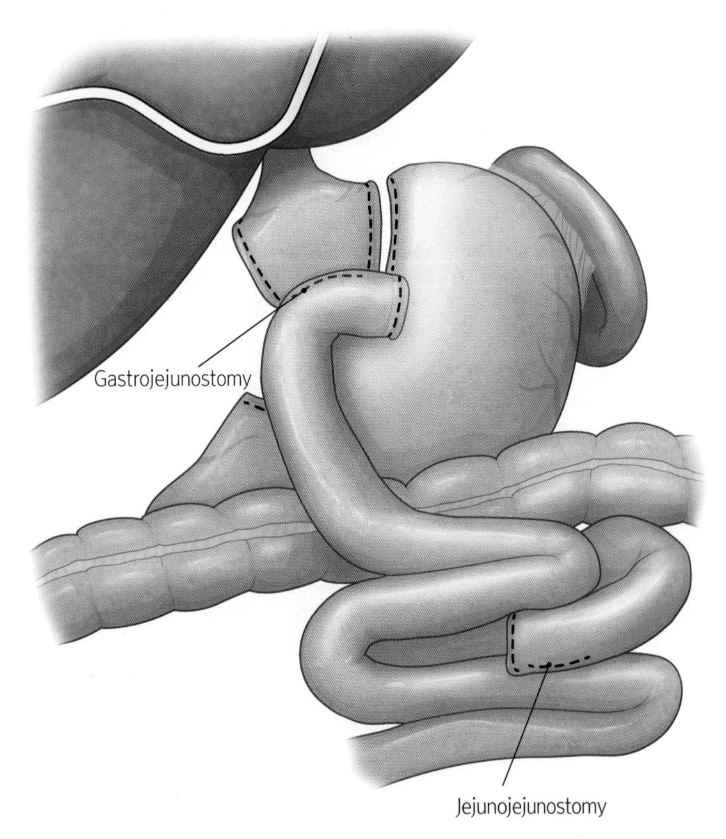

그림 18-10 완성된 루와이 위우회술

TIP 6
문합부는 수평으로 만들게 되는데, 위낭의 입장에서는 두 번째 스테이플링을 한 부위가 가장 아래쪽, 그리고 수평에 가깝게 위치하게 되므로 이 두 번째 스테이플링을 한 부위를 기준으로 삼아 위-공장 문합의 자리를 정하는 것이 좋다.

SECTION 3

탈장
Hernia

Chapter Outline

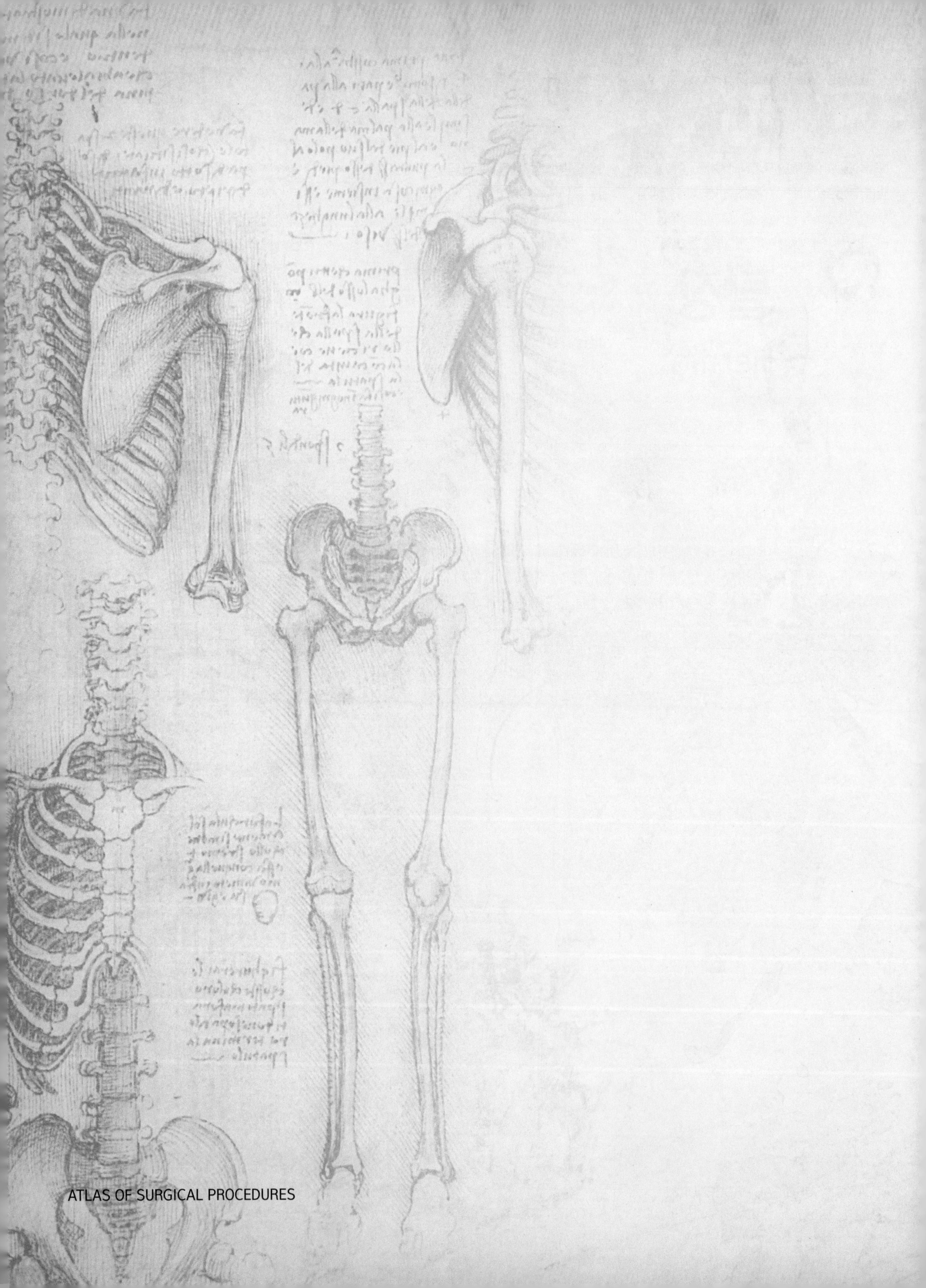

ATLAS OF SURGICAL PROCEDURES

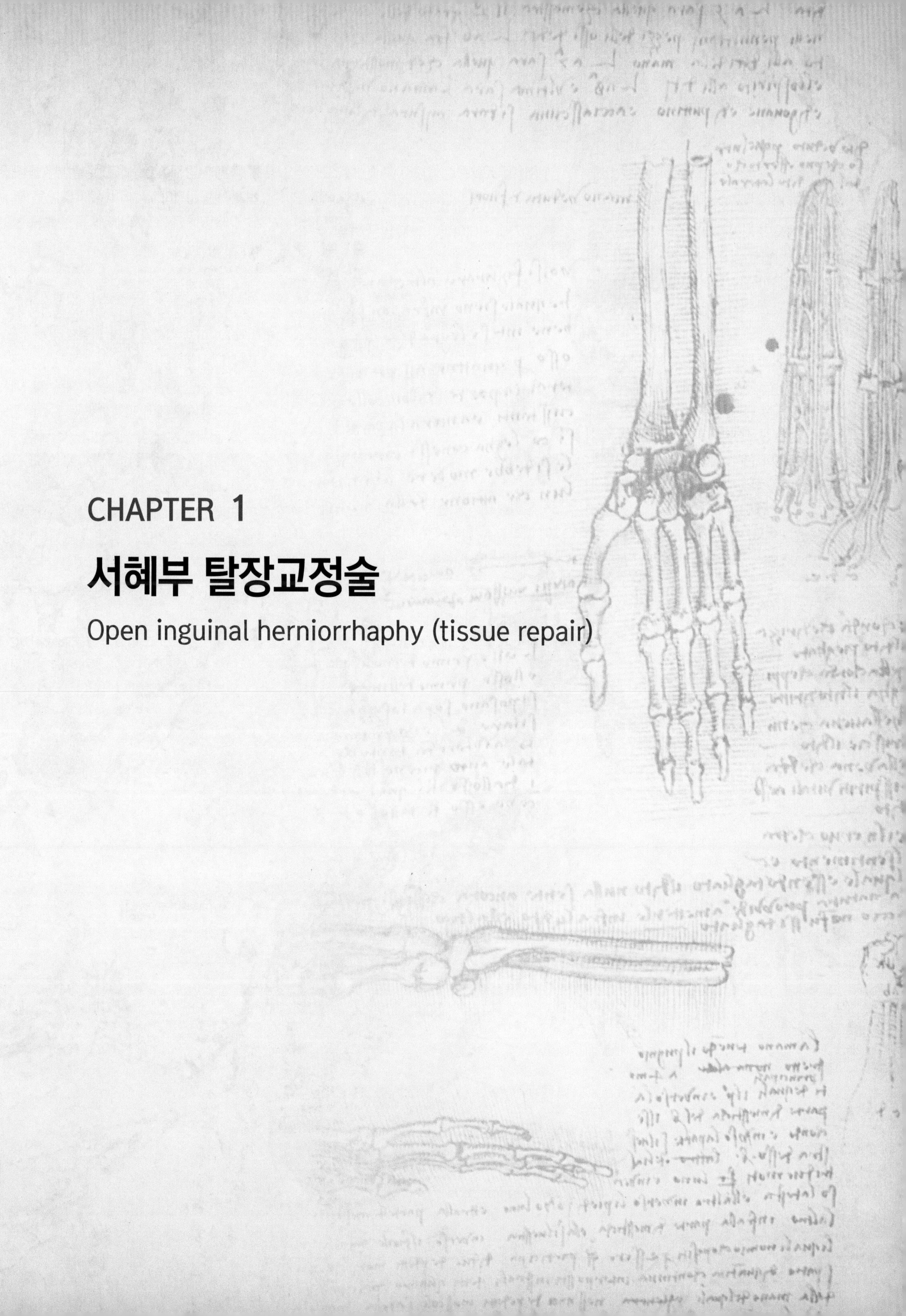

CHAPTER 1

서혜부 탈장교정술

Open inguinal herniorrhaphy (tissue repair)

1. 서론

전통적인 탈장 교정술은 탈장낭을 결찰 및 제거하고 환자의 자가조직을 이용하여 후벽을 보강하는 방법으로, 최근에는 인공막이나 복강경을 이용한 탈장교정술이 보편화되면서 많이 시행되고 있지는 않다. 하지만, 환자의 전신상태로 인해 복강경을 위한 전신마취를 시행할 수 없는 때도 있고, 응급상황에서 인공막을 사용하는 것이 인공막 감염 등의 수술 후 합병증의 발생 위험이 증가하는 경우가 있어, 전통적인 탈장교정술에 대한 기본적인 술식을 익혀두어야 한다. 최근의 연구에서 인공막을 사용하는 경우, 수술 후 통증과 재발이 적다고 알려져 있지만, 자가조직을 이용한 탈장교정술도 경험이 충분한 외과의에 의해 시행된다면 재발률은 2% 이내로 알려져 있다.

2. 적응증

- 직접 혹은 간접 서혜부 탈장
- 대퇴 탈장(McVay repair)
- 감염의 위험성이 있어 인공막을 사용할 수 없는 경우(감돈 및 교액, 기존 인공막의 감염, 면역력이 저하된 중증 질환 등)

3. 비적응증

- 일반적인 수술 및 마취의 부적응증
- 환자의 기대여명이 높지 않은 경우

4. 수술 전 처치

- 수술 직전에 충분히 소변을 본다.
- 서혜부와 음낭 부위를 제모한다.
- 수술부위(좌/우)를 표지한다.
- 항생제는 이견이 있으나, 예방적으로 사용할 수 있다.

5. 마취

척추 마취가 가장 흔히 시행되나, 환자의 상태에 따라 MAC마취, 전신마취, 경막외 마취, 또는 국소마취를 시행할 수 있다.

6. 환자 자세

앙와위로 누운 자세가 일반적이다.

7. 수술 준비

복부 및 서혜부, 음낭 부위 아래까지 소독을 시행한 후 방포를 이용하여 수술 부위를 깨끗하게 노출 시킨다.

8. 절개 및 노출

- 피부절개는 일반적으로 치골 결절에서 1~2 cm 상방 및 1~2 cm 외측에서 시작하여 피부 주름을 따라 외측으로 4~5 cm 정도 시행한다(그림 1-1).
- 또는 치골 결절의 외측 외서혜륜 부위에서부터 서혜인대에 평행하게 4~5 cm 정도의 절개를 시행할 수도 있다.
- 피하지방을 절개하면서 외복사근의 근막이 나타날 때까지 전기소작을 시행한다.
- 이때 superficial epigastric vessel이 양쪽으로 잘리면서 출혈이 있을 수 있으나, 대부분 전기소작으로 지혈할 수 있지만, 지연 출혈이 염려된다면 결찰을 시행한다
- 피하지방에서는 하얗고 얇은 Scarpa's fascia가 있어 이 층을 절개하고 들어가면 외복사근의 근막이 나타난다.

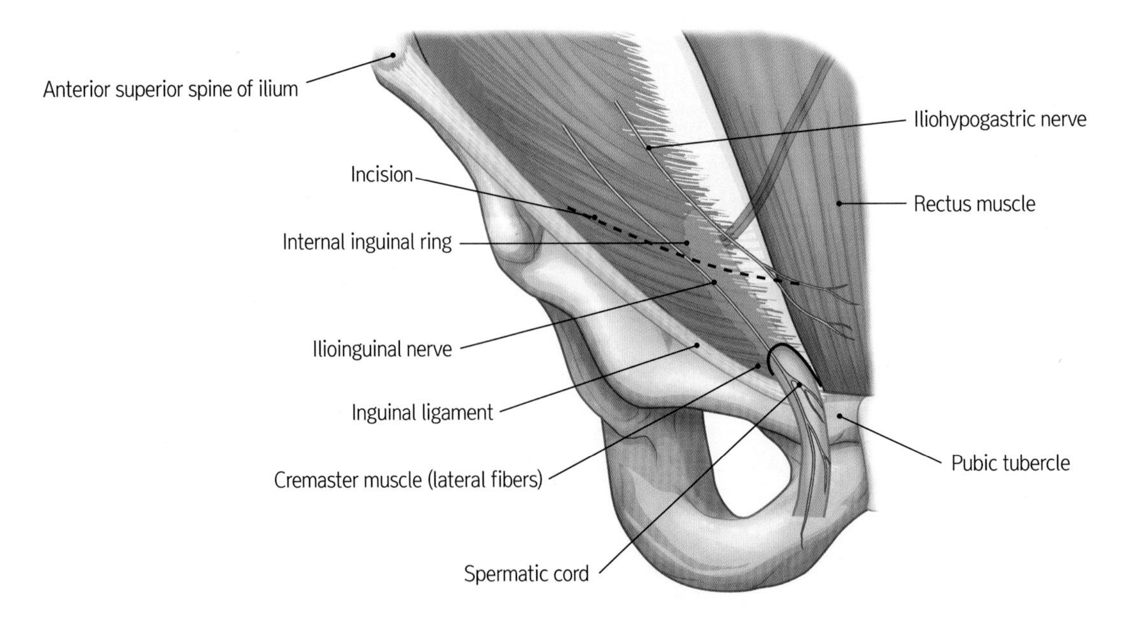

그림 1-1

9. 수술 과정

- 외복사근의 근막을 열고 내복사근을 노출시킨다.
- 외복사근의 근막 절개는 피부절개와 동일한 선상으로 시행한다. 이는 정삭보다 약 1~2 cm 정도 상부이다.
- 이때, 내복사근 및 정삭의 앞에 위치하는 nerve의 손상을 최소화하기 위해, 우선 조심스럽게 1 cm 정도의 작은 절개를 시행하고, 가위를 이용하여 그 아래쪽으로 내복사근이 외복사근의 근막에서부터 떨어지게 한 후 절개선을 내외측으로 연장한다(그림 1-2).
- 외복사근의 근막 절개를 정삭의 위치에서 시행하지 않고 그보다 상부에서 시행하는 이유는 tissue를 이용한 posterior repair시 inguinal ligament가 뒤쪽에서 끌어당겨지면서 절개된 외복사근의 근막이 아래쪽으로 당겨질 수 있어 봉합이 어려워질 수 있으므로 충분한 조직을 남겨두기 위함이다.
- 절개된 외복사근의 아래쪽 근막의 안쪽을 따라서 내복사근을 손가락이나 peanut 모양의 거즈와 켈리로 조심스럽게 분리한 후 inguinal ligament까지 내려가면서 정삭을 찾는다.
- 정삭은 앞쪽의 외복사근 근막과 아래쪽의 inguinal ligament, 뒤쪽의 transversalis fascia, 위쪽의 internal oblique muscle로 둘러싸여 있으며, 이 순서대로 모두 분리하여 Nylon tape이나 nelaton catheter로 걸어두고, lateral 방향으로 당긴다(그림 1-3).

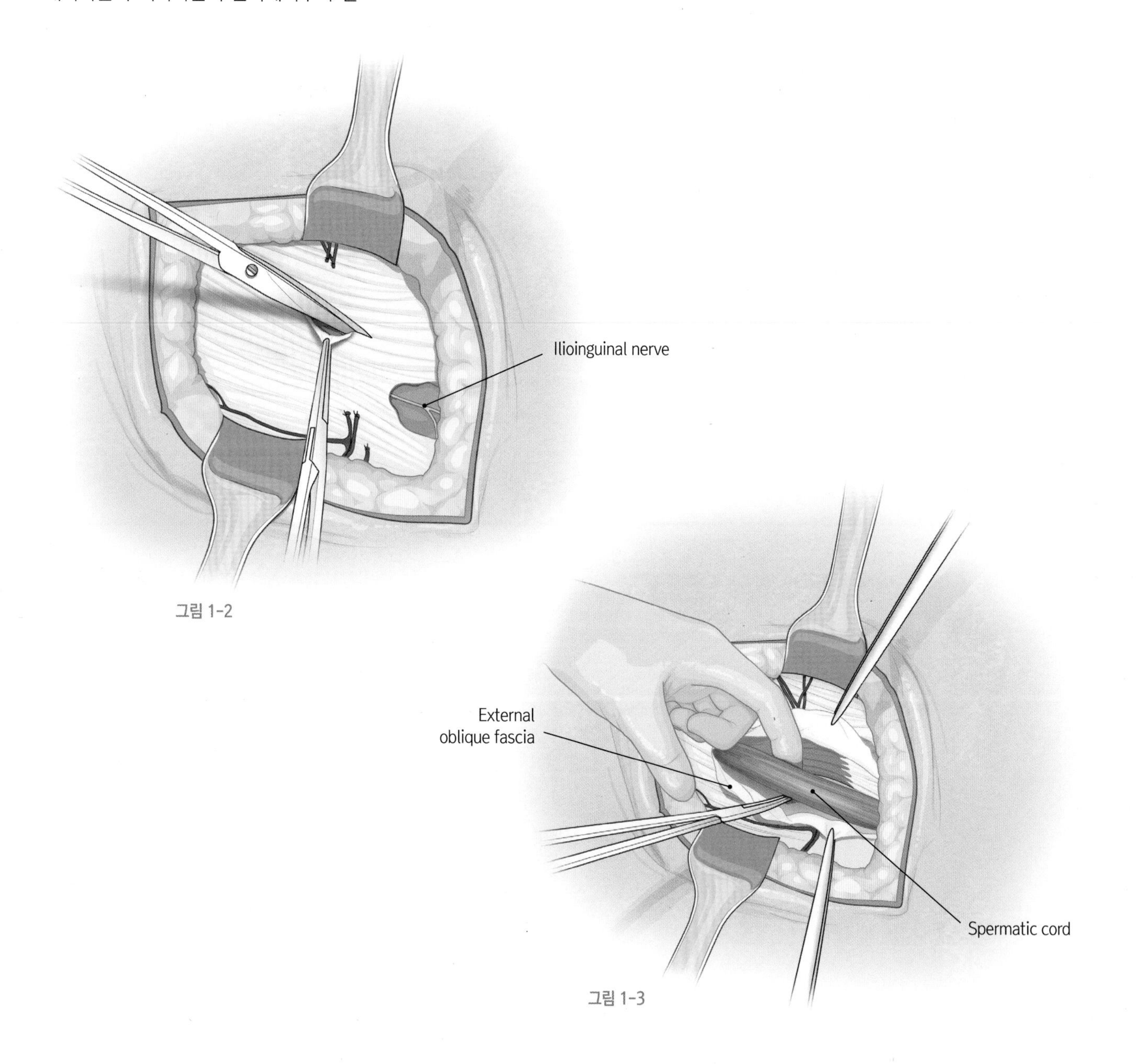

그림 1-2

그림 1-3

- 정삭이 치골결절과 붙는 부위 아래쪽에는 고환으로 가는 곁가지 혈액순환이 있을 수 있어, 조심해야 한다.
- 외측으로 내서혜륜까지 정삭을 잘 분리한 후, retractor를 이용하여 내서혜륜을 내측 상방으로 당기면 inferior epigastric vessel을 확인할 수 있다(그림 1-4).
- 탈장낭을 결찰하기 위해 우선 inferior epigastric vessel의 외측상부에 있는 정삭의 내서혜륜에서 간접탈장낭을 찾는다.
- 정삭 내측상부의 cremaster muscle 사이를 mosquito와 같은 겸자로 조심스럽게 벌리면서 내서혜륜의 간접탈장낭을 찾아보고, 내서혜륜 안쪽으로 peritoneum level까지 내려가서도 탈장낭이 없다면, inferior epigastric vessel의 내측으로 transversalis fascia에서 돌출되어있는 직접탈장낭을 찾는다(그림 1-5).

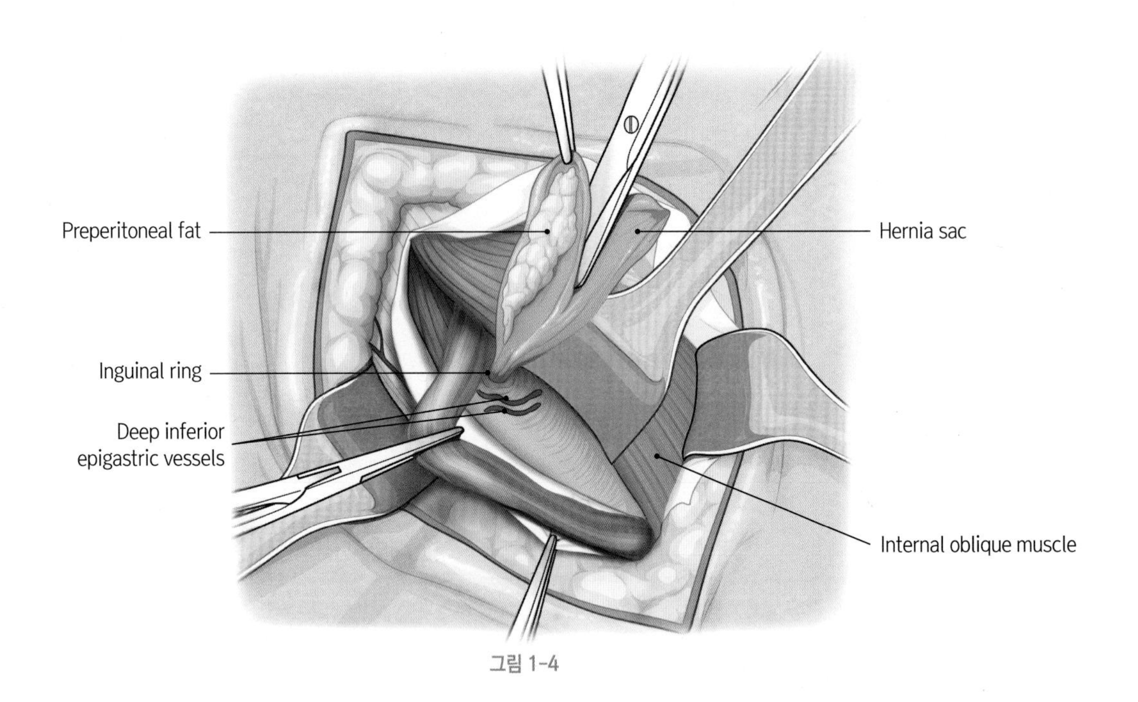

그림 1-4

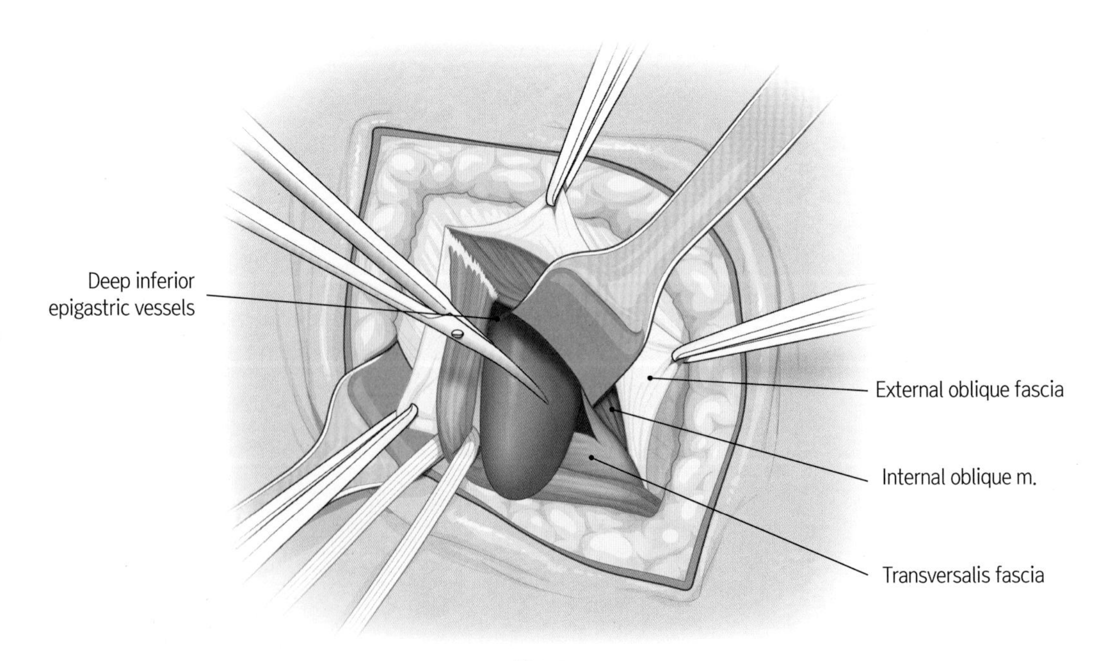

그림 1-5

- 탈장낭을 발견하기 힘들다면 환자의 복부를 눌러보거나 기침을 시켜보면 쉽게 찾을 수 있다.
- 간접탈장낭은 정삭의 원위부로 내려가면서 거즈로 밀어내거나, 전기소작 등을 이용하여 vas deference와 testicular vessel등의 구조물들로부터 조심스럽게 분리한다. 만약, 탈장낭이 고환까지 내려가는 경우, distal 부위는 모두 제거하지 않아도 되며 중간에서 크게 열어둔다(그림 1-6).
- 다시 정삭의 근위부 방향으로 내서혜륜의 입구까지 정삭의 구조물들과 분리를 시행하고, sac의 high-ligation을 시행한다.
- 간접탈장낭을 원위부에서 열고, mosquito로 잡은 후에 탈장낭 안쪽에 omentum이나 장관이 나와 있는 경우, 복강 안쪽으로 밀어 넣어준다. 이러한 조직이 간혹 탈장낭 안쪽벽에 adhesion되어 있는 경우가 있어, 이를 조심스럽게 분리해서 넣어야 할 수도 있다(그림 1-7).
- 내서혜륜의 입구에서 sac을 결찰하고, 그 원위부는 잘라낸다(그림 1-8).

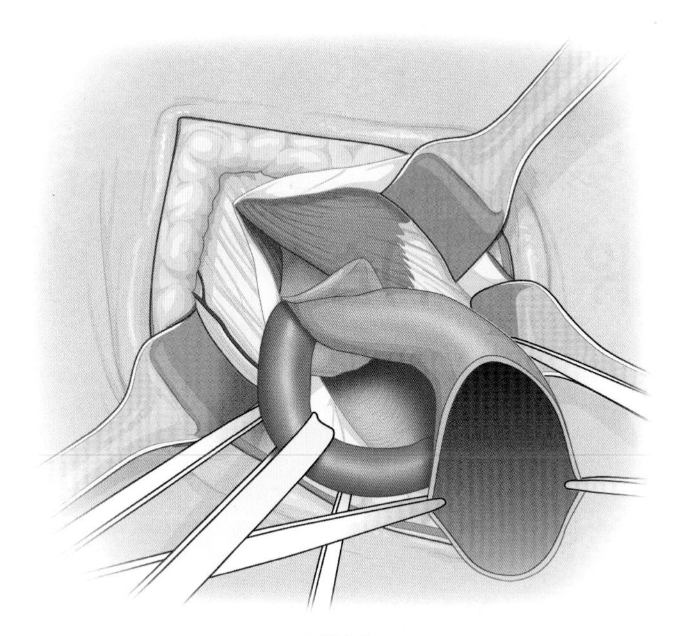
그림 1-6

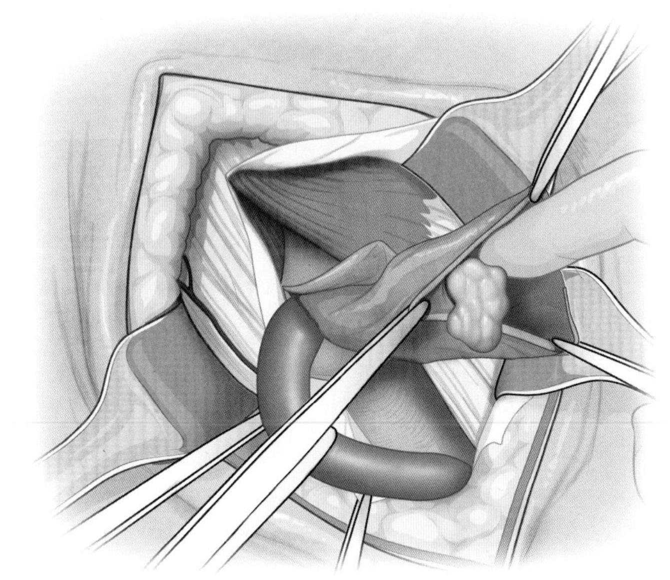
그림 1-7

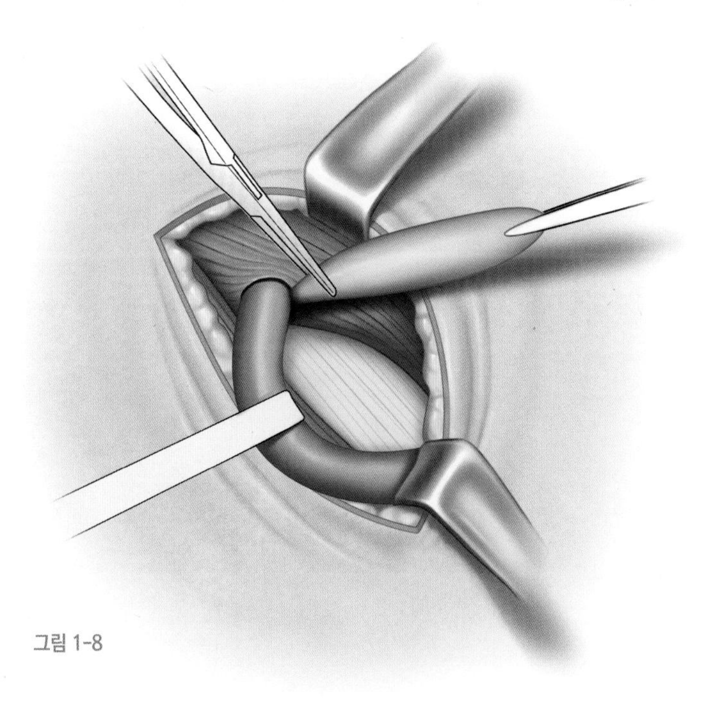
그림 1-8

- 직접탈장의 경우, transversalis fascia를 열고, preperitoneal fat를 제거하면서 sac을 찾아서 튀어나온 탈장낭 부분을 잘라내면서 peritoneum을 open하고(그림 1-9), continuous suture를 시행하여 다시 peritoneum을 막는다(그림 1-10).
- 이때, 내측에서 bladder 조직이 붙어 있을 수 있어 조심스럽게 박리한다.

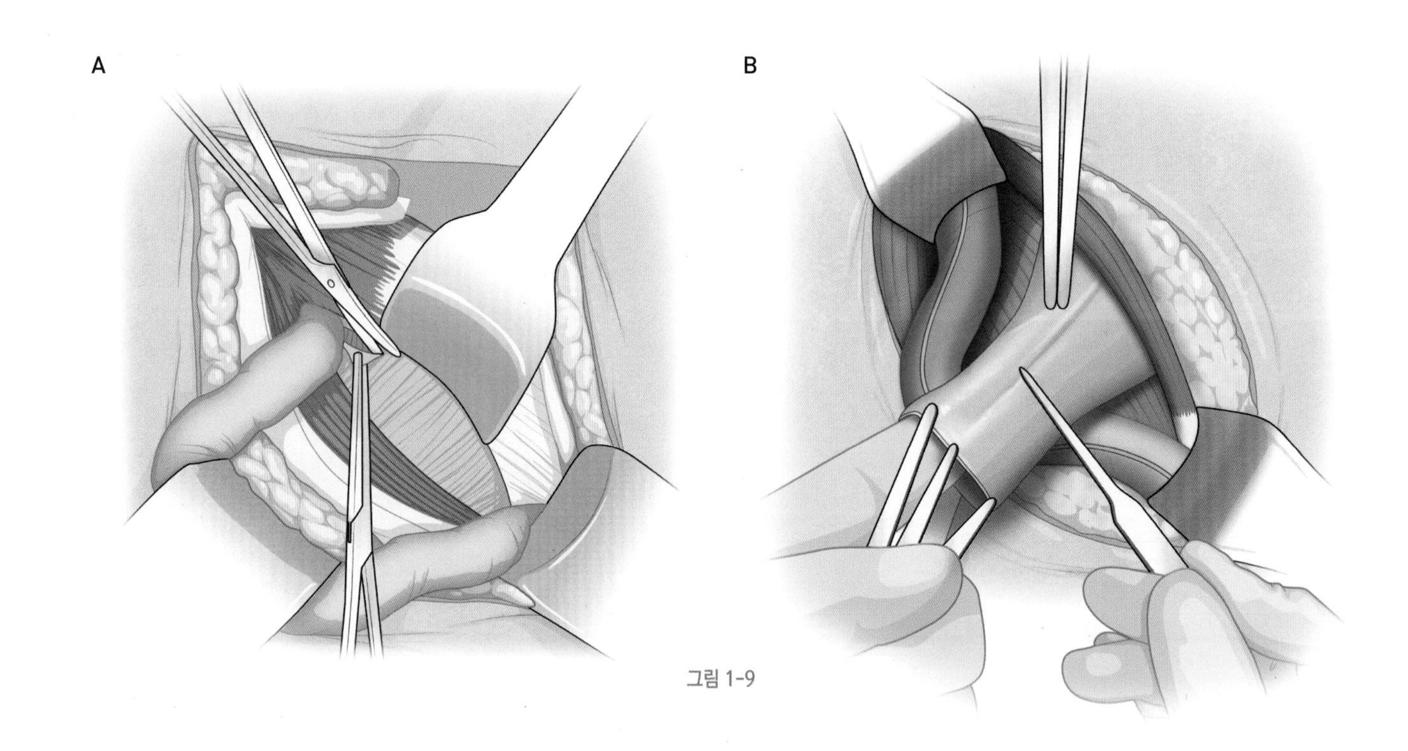

그림 1-9

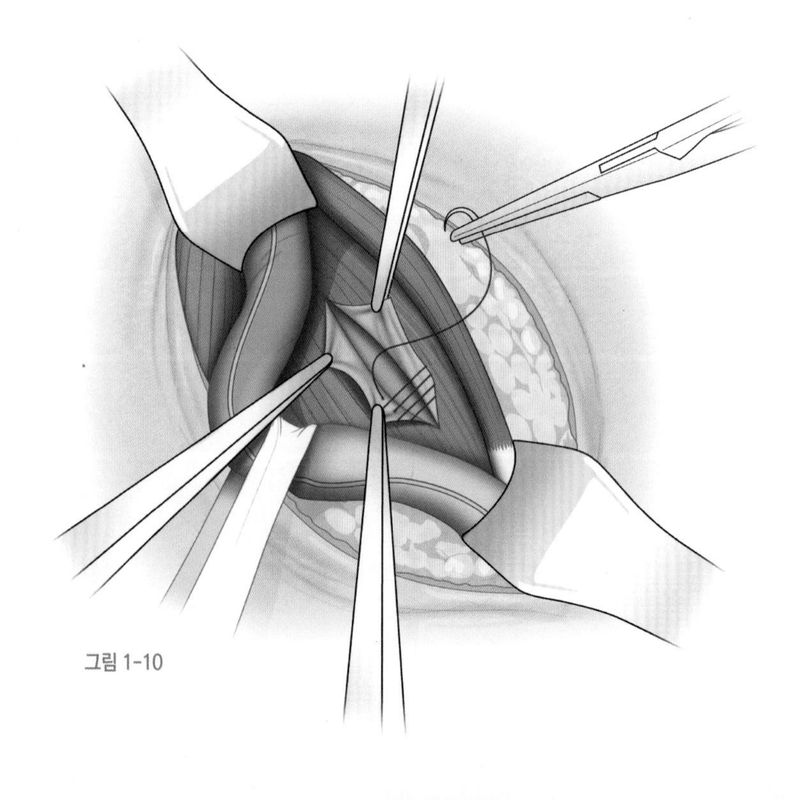
그림 1-10

1) Posterior repair

(1) Bassini repair

- internal oblique muscle, transversus abdominis muslce과 fascia를 inguinal ligament에 당겨서 봉합한다.
- 이때, transversalis fascia를 열어서 preperitoneum을 밑으로 떨어뜨리고 공간을 확보하여 peritoneum 안쪽의 구조물이 손상되지 않도록 안전하게 봉합하는 것이 원칙이나(그림 1-11), 이를 열지 않고 조심스럽게 internal oblique muscle과 transversalis abdominis muscle의 aponeurosis에서 부터 봉합할 수도 있다(그림 1-12).
- 비흡수성 봉합사(예: 5-0 black silk)를 이용하여 inguinal ligament의 가장 내측에 conjoined tendon이 pubic tubercle의 안쪽 면과 붙는 부위의 periosteum 위에 첫 번째 봉합을 시행한다.

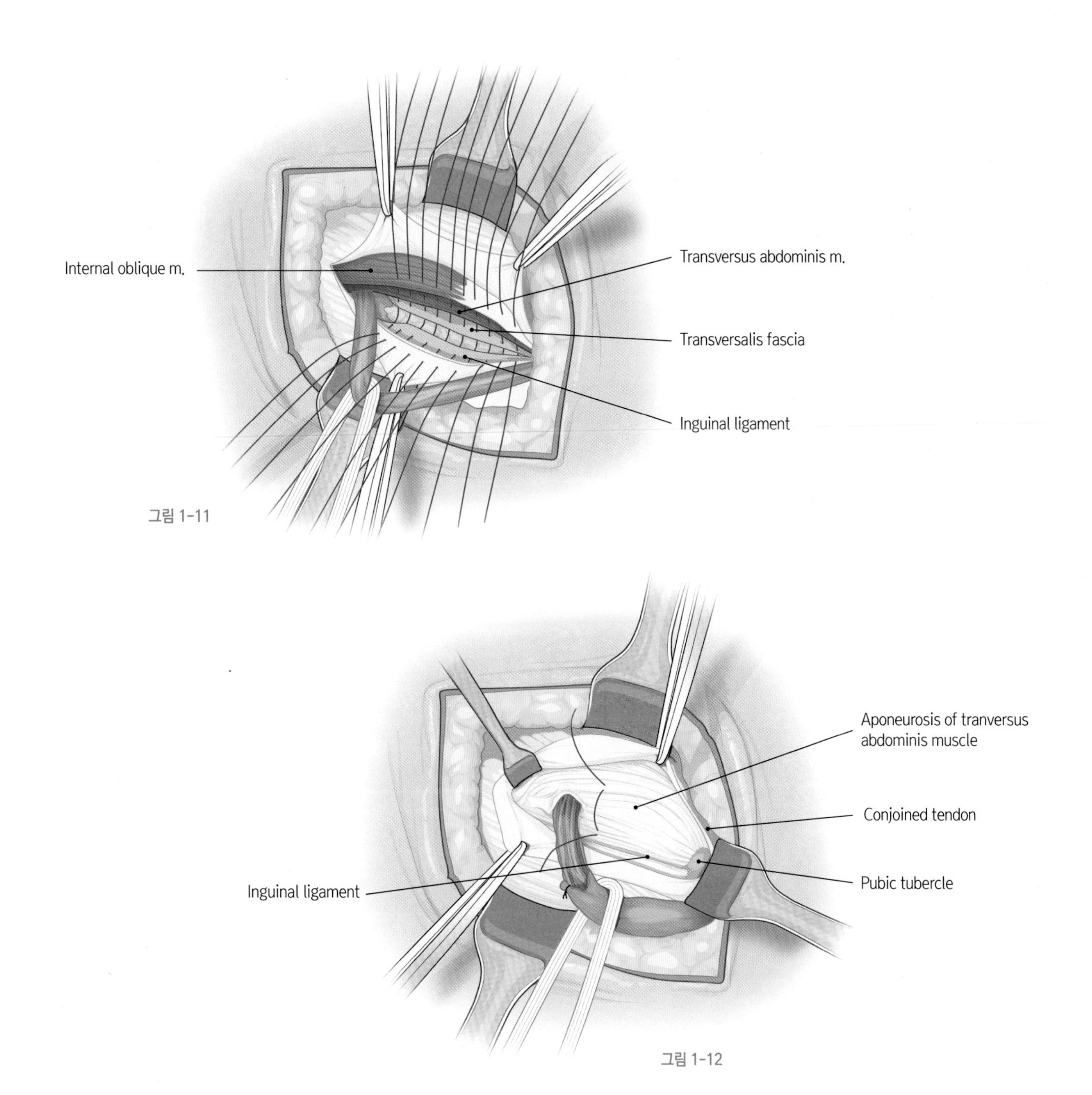

그림 1-11

그림 1-12

- 이후 lateral 부위로 1 cm 정도 간격으로 inguinal ligament를 따라서 단속봉합을 시행하고, 내서혜륜까지 봉합을 시행한다. 이때 새로 만들어지는 내서혜륜은 손가락 검지 끝이 빡빡하게 들어갈 정도면 충분하다(그림 1-13).
- 고환을 당겨서 정삭을 펴주고 돌아가지 않았는지 확인 후 external oblique fascia를 재봉합한다.

2) Shouldice repair

- internal oblique muscle, transversus abdominis muscle과 fascia를 multi-layer continuous suture를 이용하여 inguinal ligament에 당겨서 봉합한다.
- Bassini repair와 마찬가지로 transversalis fascia를 열고, 약해진 변연은 절제한다.
- 치골결절에서 시작하여 lateral 방향으로 비흡수성 봉합사(예: 2-0 polypropylene)를 이용하여 위쪽에서는 transversalis abdominis fascia의 안쪽면과 아래쪽 fascia를 봉합한 후 내서혜륜까지 연속봉합한다(그림 1-14).

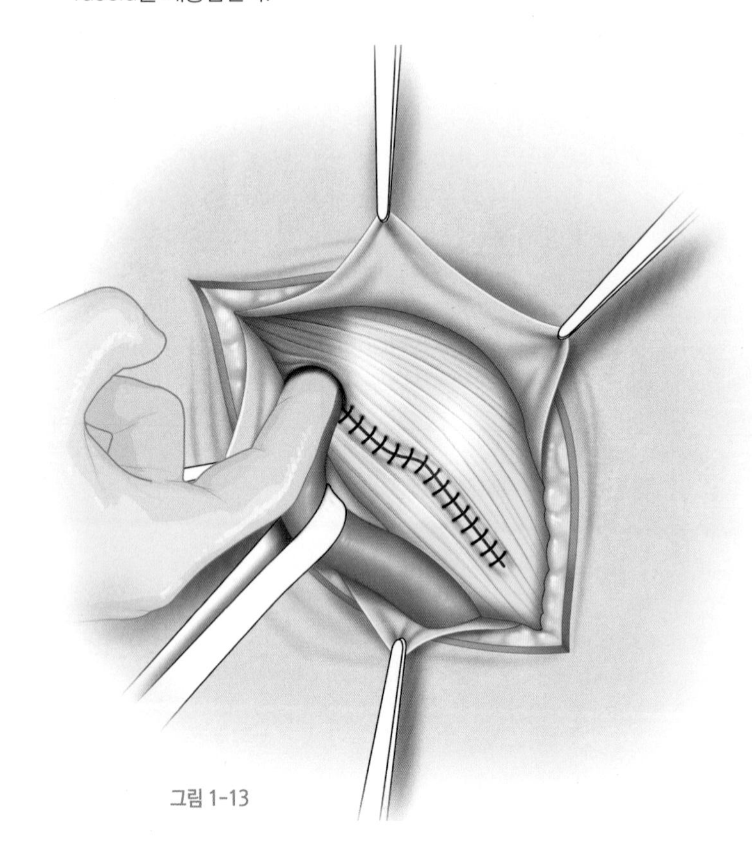

그림 1-13

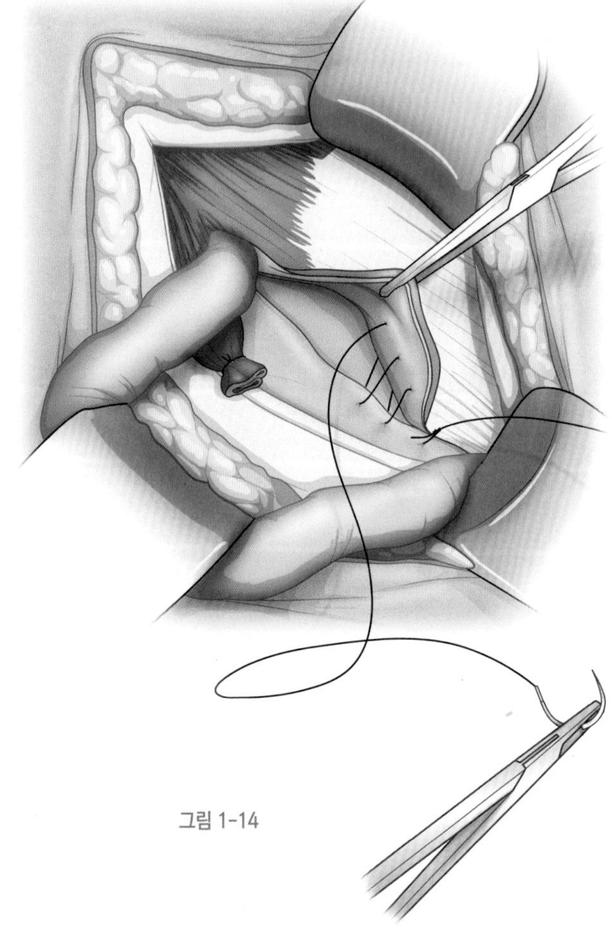

그림 1-14

- 내서혜륜의 내측에서 방향을 바꾸어 medial 방향으로 위쪽의 남은 transversalis abdominis fascia와 inguinal ligament를 봉합한다(그림 1-15).
- 다시 치골결절에서 lateral 방향으로 internal oblique muscle과 transversalis abdominis muscle을 inguinal ligament의 위쪽에 연속봉합하고, 내서혜륜에서 다시 medial 방향으로 한번 더 연속봉합한다(그림 1-16).
- 새로 만들어지는 내서혜륜이 너무 빡빡하지 않게 손가락 검지나 Kelly 겸자가 들어갈 수 있어야 하며, 이후 고환을 당겨서 정삭을 직선으로 편 후 external oblique fascia를 재봉합한다.

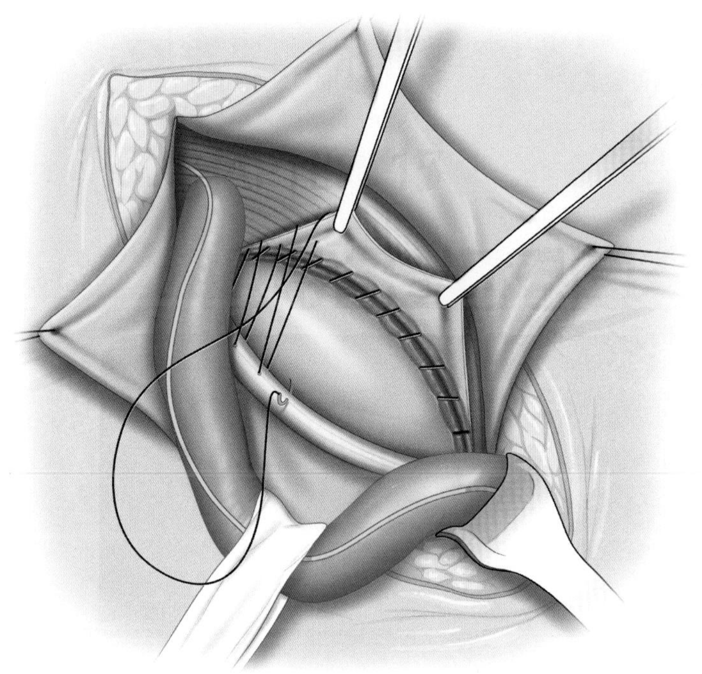

그림 1-15

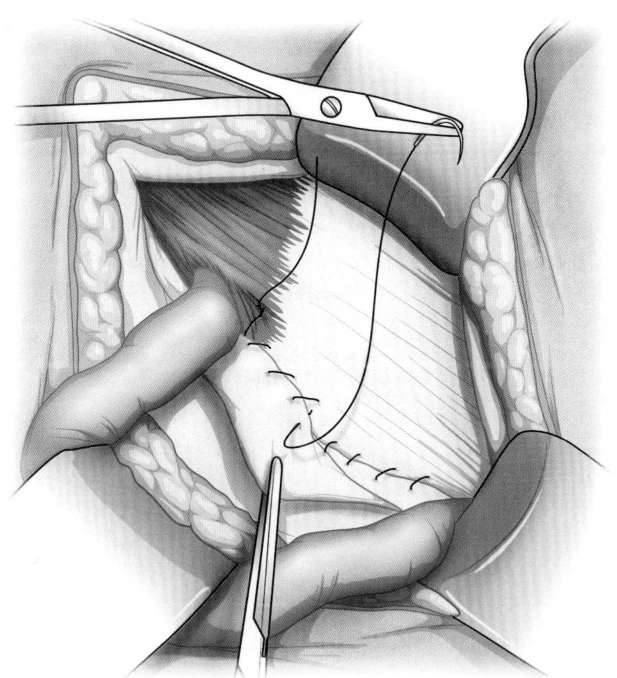

그림 1-16

3) McVay repair

- internal oblique muscle, transversalis abdominis muscle과 fascia를 Cooper's ligament에 당겨서 봉합한다
- Bassini repair와 마찬가지로 transversalis fascia를 열고, 단속봉합을 시행한다
- 단속봉합을 시행하기 전에 tension을 줄이기 위해 치골결절 상부 2~3 cm위의 전방 복직근막의 내측에 약 5~6 cm 정도의 이완절개(relaxing incision)를 만든다. Cooper's ligament는 pubic tubercle에서 시작하여 pubic ramus를 따라서 형성되어 있어 posterior repair시 위쪽 구조물이 많이 당기게 되어 수술 후 통증이나 재발의 방지를 위해 이완절개가 필요하다(그림 1-17).
- 비흡수성 봉합사(예: 5-0 black silk)를 이용하여 Cooper's ligament의 가장 내측에 conjoined tendon이 pubic tubercle의 안쪽 면과 붙는 부위의 periosteum 위에 첫 번째 봉합을 시행한다.
- 이후 lateral 부위로 1 cm 정도 간격으로 pubic ramus를 따라서 Cooper's ligament에 단속봉합을 시행하고, 내서혜륜 부위에서 대퇴정맥의 내측 sheath와 inguinal ligament를 같이 봉합한다(그림 1-18).
- 새로운 내서혜륜은 약간 외측으로 이동되며, 손가락 검지나 Kelly가 들어갈 정도로 만든다
- 고환을 당겨서 정삭을 편 후 external oblique fascia를 재봉합한다(그림 1-19).

4) Desarda repair

- 외복사근의 근막 절개를 외서혜륜 바로 위에서부터 내서혜륜까지 정삭 위에서 시행한다
- 탈장낭을 찾아 high ligation 후 남은 부분을 제거한다
- 내측 상부에 위치한 외복사근의 aponeurosis (medial leaf)를 정삭의 뒤쪽으로 inguinal ligament에 봉합한다. 치골결절부터 내서혜륜까지 단속봉합을 시행한다(그림 1-20).
- 내측 첫 번째와 두 번째 봉합은 전방 복직근막과 외복사근막이 fusion되어 있는 곳에서 시행될 수도 있다
- 당겨진 내측 외복사근 근막으로 간접탈장 부위를 충분히 덮을 수 있는 넓이로 남긴 후 내측에 다시 절개를 가한다. 내측으로는 치골결절의 1~2 cm 상부에서 외측으로는 내서혜륜의 상부까지 절개한다.
- 새로 만들어진 strip의 상부와 internal oblique muscle, 혹은 conjoined muscle과 단속봉합을 시행한다(그림 1-21).
- 고환을 당겨서 정삭을 펼친다
- external oblique muscle의 fascia는 정삭의 뒤로 위치하여 다시 재봉합하지 않는다.

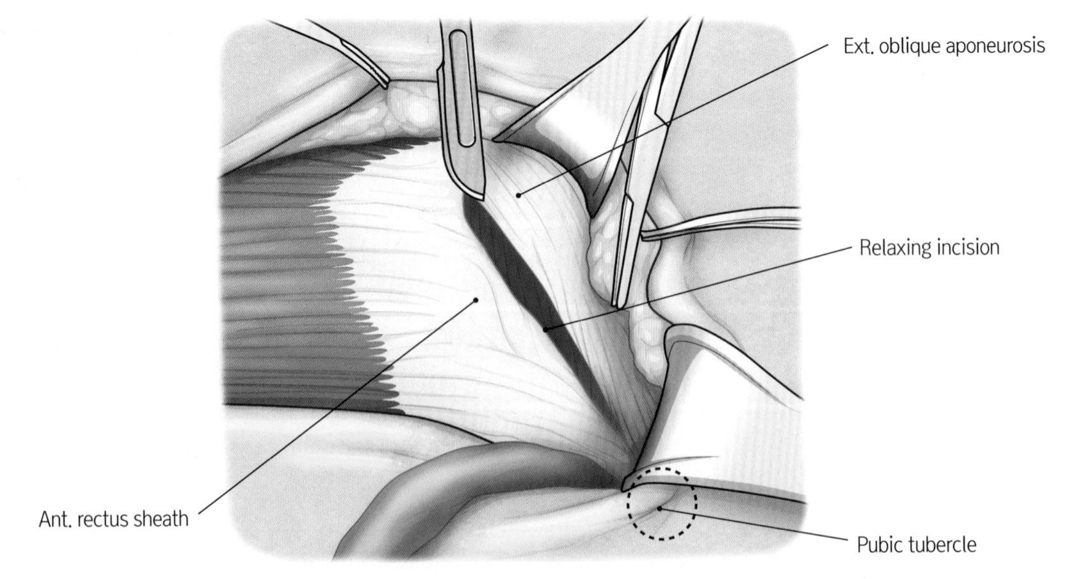

그림 1-17

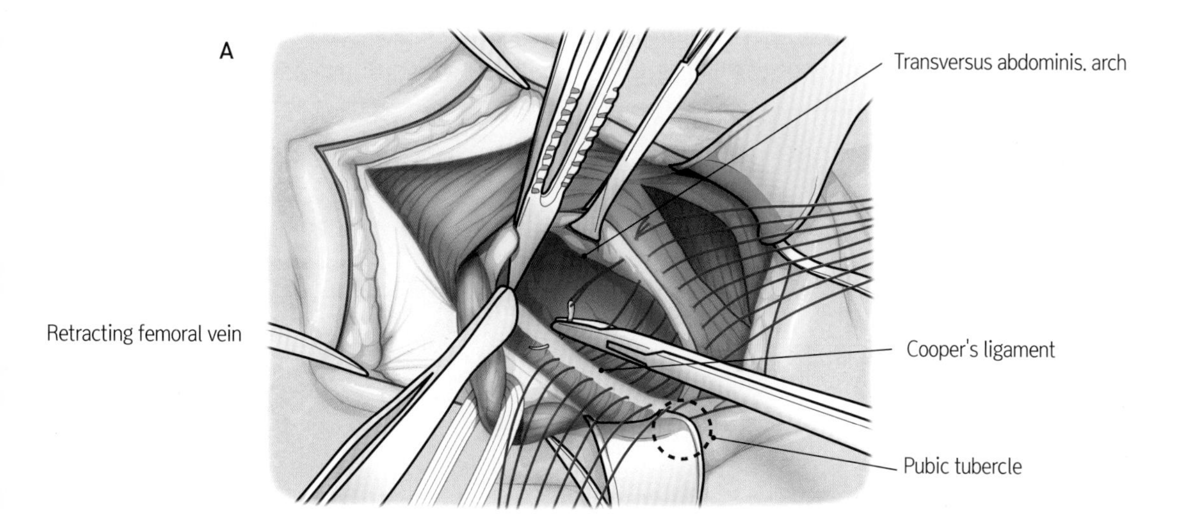
A
Transversus abdominis. arch
Retracting femoral vein
Cooper's ligament
Pubic tubercle

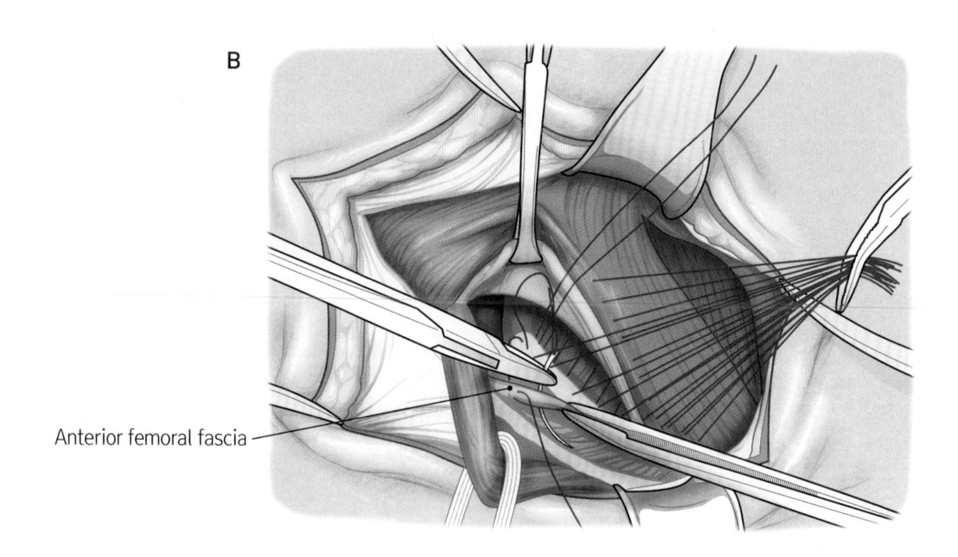
B
Anterior femoral fascia

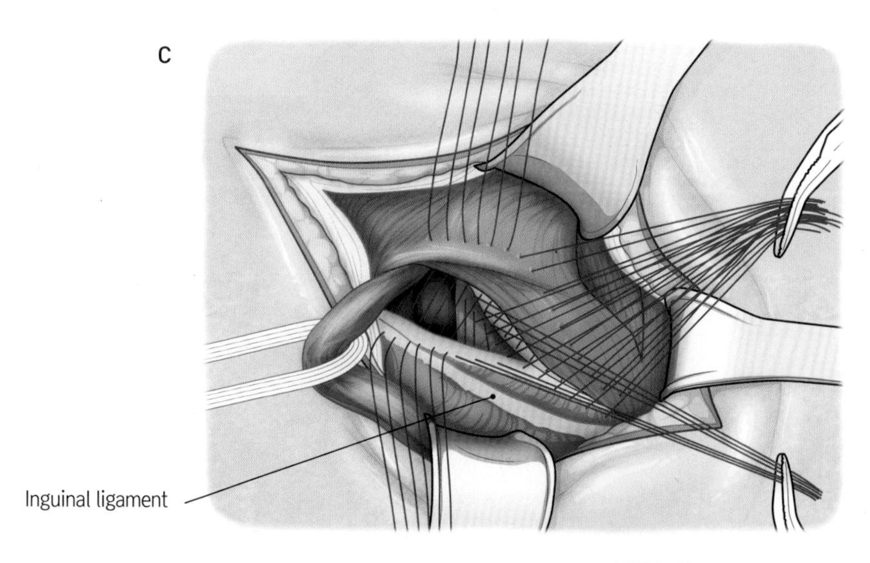
C
Inguinal ligament

그림 1-18

10. 폐복

- 피부는 단순봉합을 할 수도 있고, 피하지방층을 봉합한 후 stapler나 피부접착제를 이용하여 붙일 수 있다.

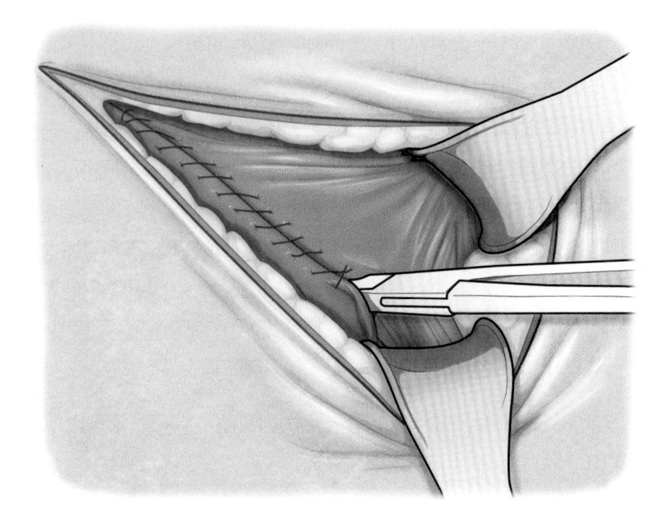

그림 1-19

11. 수술 후 관리

- 마취에서 회복할 때 까지 환자를 안정시킨 후에는 특별히 환자의 자세나 거동 및 식이에 제한을 둘 필요는 없다.
- 절개 부위에 통증이 있는 경우, 진통제를 투여한다.
- 환자에 따라 변을 볼 때 힘을 잘 주지 못하는 경우가 있고, 이러한 경우 변 완화제가 도움이 될 수 있다.
- 일반적으로 샤워나 목욕은 2일 전후에 재개 가능하며, 가벼운 산책이나 일상적인 업무는 1주 이내, 무거운 물건을 들거나 격한 운동은 2~3주 이내에 시행할 수 있다.
- 수술 후 합병증으로 출혈, 감염, 고환 허혈 등이 발생 할 수 있으며, 보통의 경우 보존적 치료로 호전된다

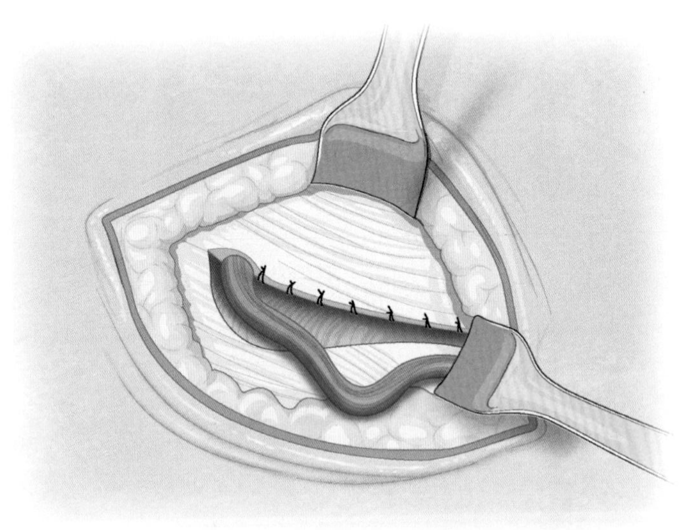

그림 1-20

12. 기타 고려사항

- 감돈으로 수술을 시행하는 경우, 마취 중에 감돈된 장관이 reduction될 수 있으며, 탈장낭을 통해 장관의 교액 여부를 판단해야 할 수 있다.
- 장관이 교액된 경우 서혜부 절개창으로 장관을 절제하고 문합할 수 있으며, 만약 여의치 않은 경우 복강경이나 개복술을 통한 장관절제가 필요할 수 있다.

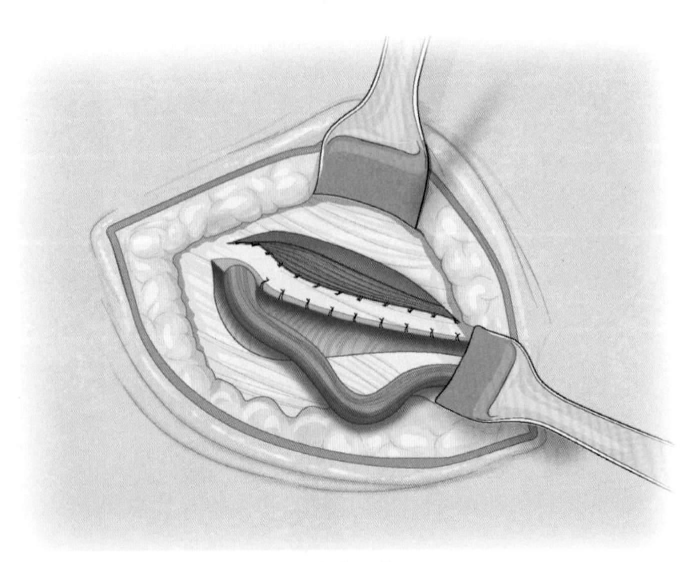

그림 1-21

서혜부 탈장교정술(인공막 교정술)

Open inguinal herniorrhaphy (mesh repair)

1. 서론

다양한 인공막의 개발과 재질의 개선으로 인공막을 사용하는 탈장 교정술은 현재 성인 탈장 수술에서 표준술식으로 인정받고 있다. 인공막을 사용하는 탈장 교정술은 무긴장(Tension-free)의 개념을 도입함으로써 과거 전통적인 자가조직을 이용한 탈장교정술의 많은 단점을 보완하여 그 자리를 대신하기에 이르렀다. 특히 인공막을 이용한 개방술식의 경우 술식을 습득하기가 용이하며 수술 후 통증 및 재발률에 있어서 많은 장점을 보이고 있다. 그러나 인공막으로 인한 이물감 및 만성 통증은 여전히 해결해야 할 문제점으로 남아 있다.

2. 적응증

인공막의 종류에 따라 그 적응을 달리할 수 있으나 모든 탈장에 다 적용할 수 있다.

- 남성 및 여성 탈장 모두에 적용이 가능하다.
- 직접 및 간접 탈장 모두에 술식의 변형 없이 적용 가능하다.
- 재발성 탈장
- Plug mesh의 경우 간접탈장에 더 유리하다.
- Bilayer technique (PHS, Duatene, Kugel 등)은 대퇴탈장을 포함한 모든 탈장에 용이하며 결손부위가 큰 경우 유리하며 특히 술 전 진단이 정확하지 않은 경우(대퇴탈장 등)에도 안전한 사용이 가능하다.
- Lichtenstein의 경우 대퇴탈장의 경우를 제외한 직간접 탈장, 특히 후복막수술의 기왕력이 있는 경우 및 복강경 탈장 수술 후 재발한 경우 더욱 유리하다.

3. 비적응증 및 금기증

- 피부 감염 및 상처 감염이 동반된 경우
- 장관 손상이 동반되어 수술 후 감염이 예상되는 감돈탈장의 경우
- 수술 고위험군 중 무증상 탈장
- 환자가 인공막을 거부하는 경우

4. 수술 전 처치

- 과거력에 대한 조사(하복부 수술, 골반강 내 및 후복막 수술 등)
- 수술 직전 충분한 배뇨
- 하복부 및 서혜부 제모;면도기 보다는 이발기(clippcr)사용 권장
- 수술 위치 표지
- 예방적 항생제; 유의한 통계학적 이점은 없으나 비용이 저렴하고 안전함으로 인공막 사용 술식일 경우 그람 양성균에 효과적인 항생제 사용가능

5. 마취

- 모든 종류(국소마취, 척추마취, 경막외마취 및 전신마취)의 마취가 가능함
- 항혈소판제 및 항응고제를 사용한 경우 전신마취를 권하며 환자의 협조가 용이한 경우 국소마취 및 진정으로도 충분하다.

6. 환자 자세

앙와위 자세가 일반적이다.

7. 절개 및 노출

외복사근 근막 절개까지의 수술 과정은 모든 개방술식이 동일함으로 Tissue repair내용 참고바람.

- 피부절개는 횡절개 및 사선절개를 다 이용할 수 있다. 수술 후 미용적인 측면을 고려할 때는 피부주름(lines of Langer)을 이용한 횡절개가 추천된다. 그러나 서혜관을 따라 절개하는 사선절개는 수술부위를 가장 작은 절개로 노출시킬 수 있다는 이론적인 배경을 가진다(그림 2-1).

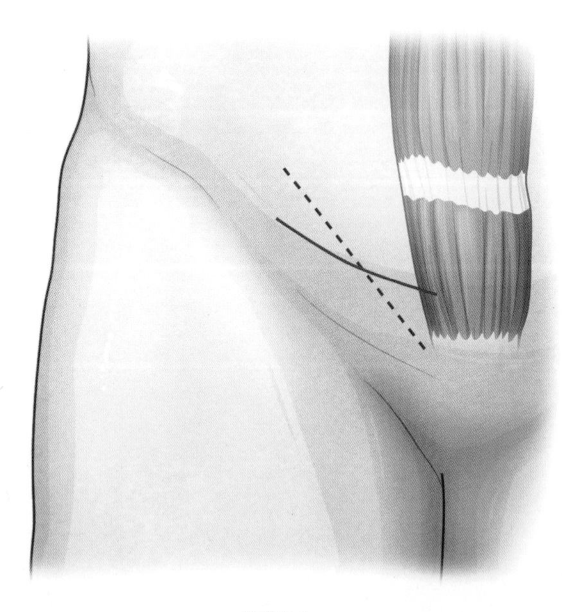

그림 2-1

8. 수술 과정

- 외복사근건막의 절개는 근막 고유의 섬유의 결을 따라 절개하며 이때 장골하복신경(Iliohypogastric nerve)이 외복사근건막을 관통하는 경우가 흔하므로 신경 손상에 주의하여야 한다(그림 2-2).
- 외복사근건막의 절개 위치는 서혜인대(Inguinal ligament)로부터 2-3 cm 상방으로 위치한다. 이러한 위치설정 이유는 인공막의 온레이메쉬가 말리지 않고 위치할 수 있도록 도움을 준다(그림 2-3).
- 외복사근건막 절개 후 내복사근을 노출시켜 내복사근의 하방의 경계를 확인한다. 절개된 양쪽 외복사근건막의 중간부분을 켈리로 들어올려 술자의 검지를 사용하여 외복사근막과 내복사근층을 박리한다. 내복사근을 박리할 때 술자의 손가락을 이용하는 것이 신경을 덮고 있는 근육의 natural bed를 보존하기에 더 용이하다. 손가락을 이용한 무딘박리(blunt dissection)는 온레이메쉬가 충분히 위치할 수 있도록 충분한 공간을 확보해준다. 대게 하방으로는 서혜인대로 생각되는 외복사근건막의 말리는 부분까지를 상부는 장골하복신경이 충분이 확인될 수 있는 내복사근 위치까지를 의미한다.

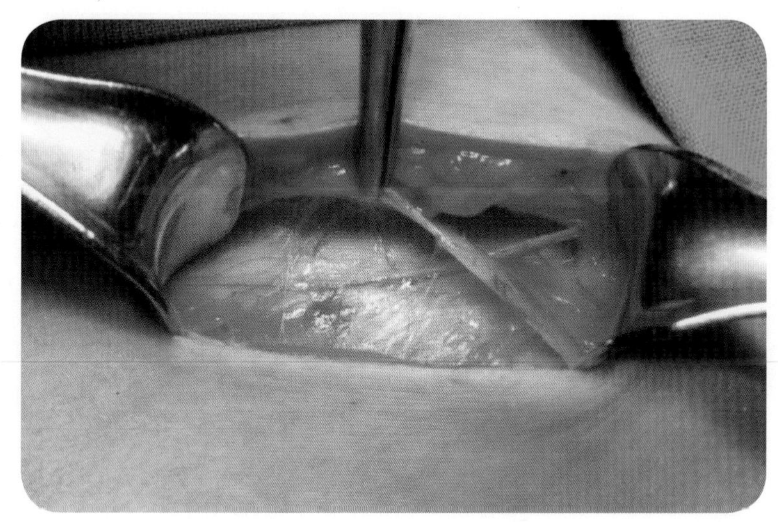

그림 2-2

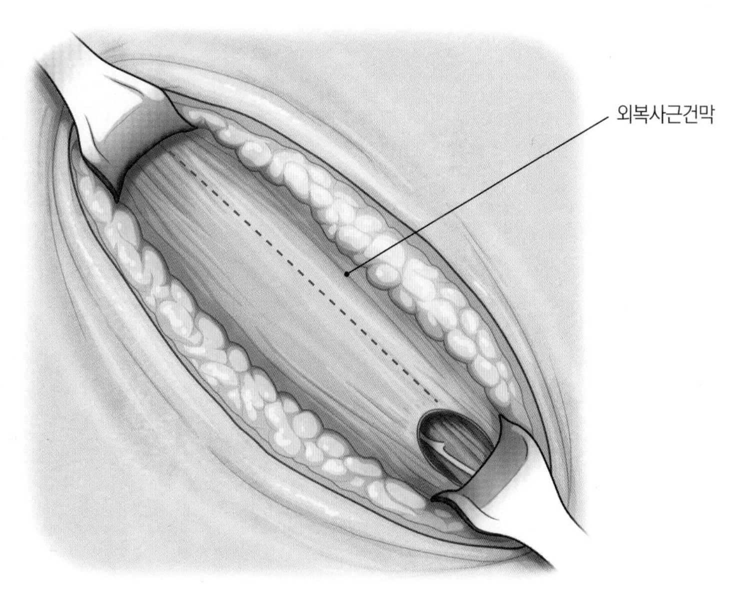

그림 2-3

- 내복사근의 하방경계를 따라 치골결절쪽의 병합건(conjoined tendon)의 위치를 확인한 후 내복사근의 하방에 위치한 고환거근(cremaster muscle)을 포함한 서혜관을 확인한다. 이때 정삭은 노출되지 않으며 고환거근 상부를 주행하는 장골서혜신경(Ilioinguinal nerve)를 확인할 수 있다(그림 2-4).
- 고환거근을 서혜관의 주행방향을 따라 섬유방향으로 켈리겸자를 이용해 충분한 깊이로 열어 정삭을 확인 후 정삭을 견인해준다. 견인한 정삭은 펜로즈드레인이나 umbilical tape을 이용해 견인을 유지해준다.정삭은 내정삭근막(internal spermatic fascia)로 쌓여 있으므로 켈리에 의해 쉽게 손상되지 않으므로 고환거근은 충분한 깊이까지 절개해도 무방하다(그림 2-5, 6, 7)
- 간접탈장의 경우 정삭내에 위치한 탈장낭을 확인할 수 있으며 직접탈장의 경우 정삭내 탈장낭은 존재하지 않는다. 내정삭근막(Internal spermatic fascia)내에 정관과 고환혈관이 존재하며 그 외에 보여지는 탈장낭이 존재하는 경우 간접탈장으로

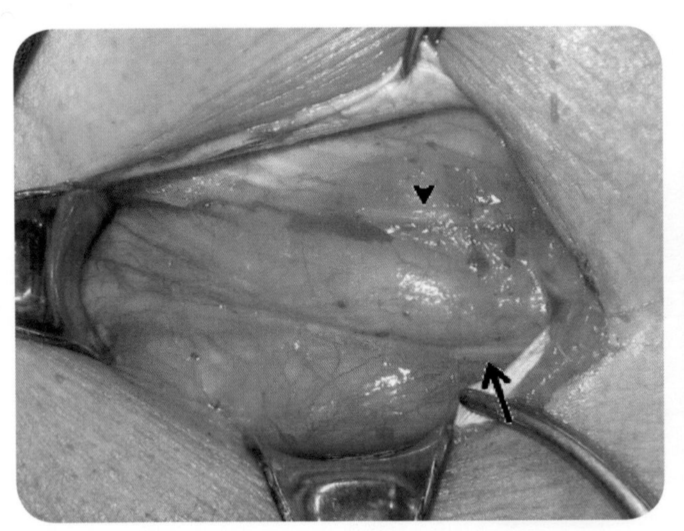
그림 2-4 Iliohypogastric nerve(짧은 화살표), Ilioinguinal nerve(긴 화살표)

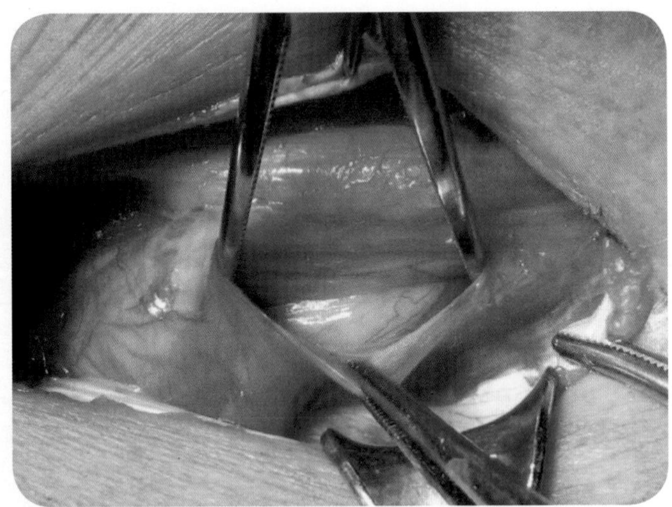
그림 2-5 Cremaster muscle splitting

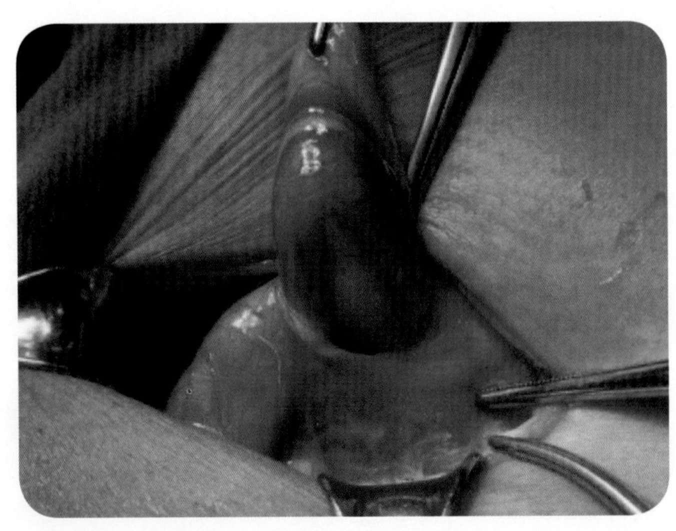
그림 2-6 Cord extraction

진단 후 탈장낭만을 켈리로 집어올려 술자의 검지위에 위치시킨 후 smooth forcep으로 internal spermatic fascia를 벗겨낸다.

- 탈장낭의 원위부를 우선 확인하여 탈장낭의 개방여부를 우선 관찰한 후 탈장낭을 정관과 혈관으로부터 박리한다 이때 peanut 모양의 거즈를 사용해도 되지만 대부분의 경우 smooth forcep과 needle bovie tip을 사용한 전기소작기를 이용해 탈장낭을 쉽게 박리할 수 있다(그림 2-8).
- 탈장낭이 개방되지 않았을 경우 고위결찰은 필요치 않으나 탈장낭이 개방되었을 경우 탈장낭의 목부위까지 충분한 박리 후 고위결찰을 시행한다.
- 때로 고환탈장이거나 탈장낭의 유착이 심한 경우 탈장낭을 분리하여 원위부는 개구부를 넓게 해 남기고 근위부만 고위결찰할 수도 있다.
- 내서혜륜까지 박리가 도달하면 내정삭근막은 복횡근막(transversalis fascia)으로 이행하면서 정삭이 통과하는 내서혜륜을 확인할 수 있고 이 부위는 탈장의 병력이 오래된 경우 섬유화가 진행되어 매우 단단해져 전기소작을 이용한 박리가 필요할 수도 있다(그림 2-9).

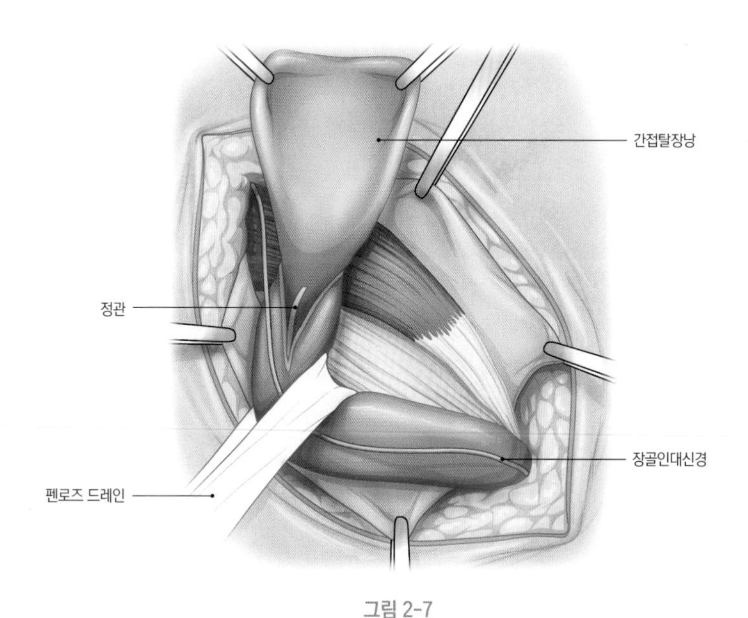

그림 2-7

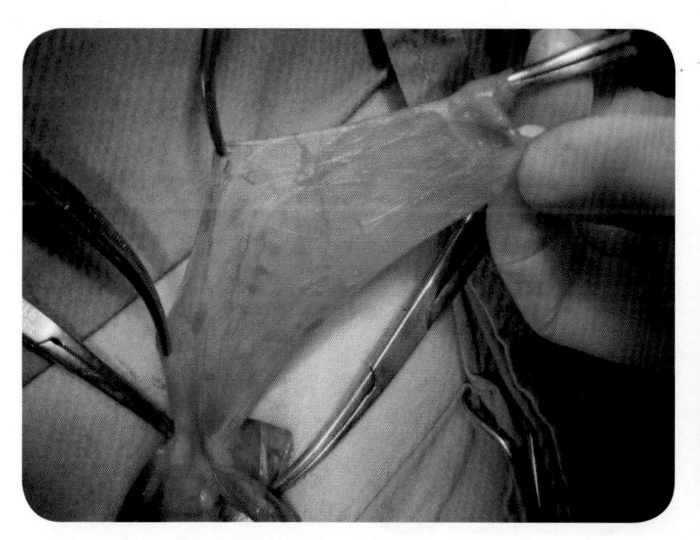

그림 2-8 Sac dissection from spermatic cord

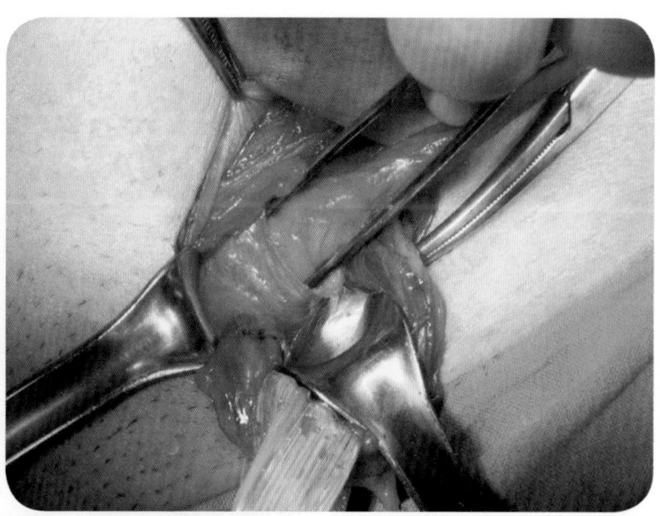

그림 2-9 내서혜륜확인 후 하복벽혈관을 포함한 복횡근막 및 전복막공간 확보

- 전복막지방을 포함한 복막조직의 탈장낭을 목부위까지 박리 후 내서혜륜을 통해 탈장낭을 뒤집어 넣거나 복막위에 접히도록 붙여 위치시킨다.
- 직접탈장의 경우 내서혜륜의 내측에서 술자의 검지를 이용하여 우선 복횡근막(transversalis fascia)의 결손을 확인 후 늘어난 직접탈장낭을 켈리로 견인하여 확인한다(그림 2-10).

1) Lichtenstein technique

- 이 술식의 가장 기본은 정삭이 지날 수 있는 구멍이 있거나 구멍을 만들 수 있는 인공막을 사용하는 술식이다. 재질은 주로 폴리프로필렌(polypropylene)이나 폴리에스터(polyester)로 이루어진 편평(flat)메쉬를 사용하는데 최근 progrip과 같은 Lichtenstein술식에 특화된 제품들도 사용할 수 있다.
- 메쉬의 크기와 모양이 중요한데 메쉬의 크기는 수술 후 수축률 20%가량을 감안하여 최소한 10×15 cm 이상이어야 하고 족적(foot print)모양을 띠어 엄지발가락 모양 부분이 치골 결절에 고정되어 전체 서혜관을 덮는 형태가 되어야 한다.
- 메쉬의 고정은 치골결절에 메쉬를 고정하는 것으로부터 시작한다. 메쉬의 수축력을 감안하여 메쉬의 가장자리 안쪽 2 cm되는 부분에 봉합사를 이용하여 치골결절에 고정한 후 메쉬의 하방부분을 서혜인대에 봉합사를 이용하여 고정시켜준다. 이 때 사용하는 봉합사는 비흡수성 또는 흡수성 봉합사를 선택하여 사용할 수 있는데 치골결절부위의 봉합이 탈락할 경우 직접탈장의 재발이 발생할 수 있으므로 비흡수성 봉합사를 선호하는 술자들도 있으나 수술 후 24시간 내에 조직과 인공막의 염증성 상호작용(tissue-mesh inflammatory reaction)이 활발히 일어나므로 고정 후의 긴장이 심하지 않다면 흡수성 봉합사도 추천될만하다.
- 서혜인대의 고정은 치골 결절로부터 내서혜륜 하방까지 진행하되 서혜인대 후방으로 장골동정맥이 주행하므로 인대봉합은 인대 자체 두께보다 깊지 않게 포를 뜨듯이 봉합해야 한다.
- 정삭이 통과할 구멍이 미리 제작된 메쉬가 아니라면 메쉬를 외측으로부터 내서혜륜 위치까지 잘라 정삭이 통과할수 있도록 메쉬를 양분한 후 양쪽 slit으로 정삭을 감싸는 형태를 만든 다음 정삭이 졸리지 않을 정도로 포개어 메쉬끼리 봉합한다.
- 메쉬의 상방부분을 내복사근에 봉합함으로 메쉬의 고정을 완성할 수 있는데 이때 장골하복신경(Iliohypogastric nerve)이 함께 봉합되지 않도록 주행방향을 확인한 후 순수 근육부위에 봉합될 수 있도록 한다. 봉합의 과도한 긴장은 필요하지 않으며 근층내 신경분지가 의심될 경우 Air knot형태의 봉합도 무방하다(그림 2-11).
- 메쉬의 외측이 환자 체형에 비해 과도하게 클 경우 내서혜륜으로부터 4~5 cm가 덮이도록 한 후 재단하여 잘라주어도 된다.
- 메쉬가 말리지 않았는지를 확인한 후 외복사근 건막을 흡수봉합사로 연속 봉합하고 스카르파근막도 단속봉합 후 진피 피부층을 단순매몰봉합 후 수술을 종료한다.

2) Plug and patch technique

- Plug술식은 과거 편평메쉬를 깔대기 모양으로 재단하여 처음 시도되었으나(plug-stein procedure) 현재는 Perfix plug나 3-DP와 같은 제품들이 나와 수술하기에 가장 쉬운 수술 방법으로 여겨진다(그림 2-12).

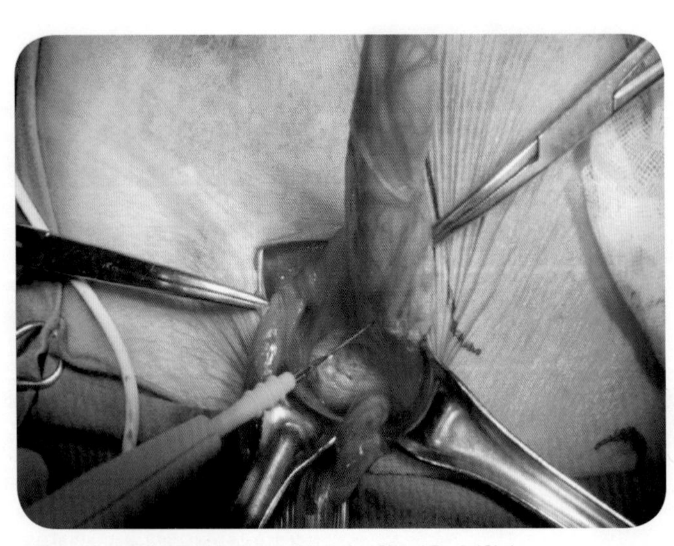

그림 2-10 직접탈장의 경우 켈리로 견인하여 복횡근막을 절개한다.

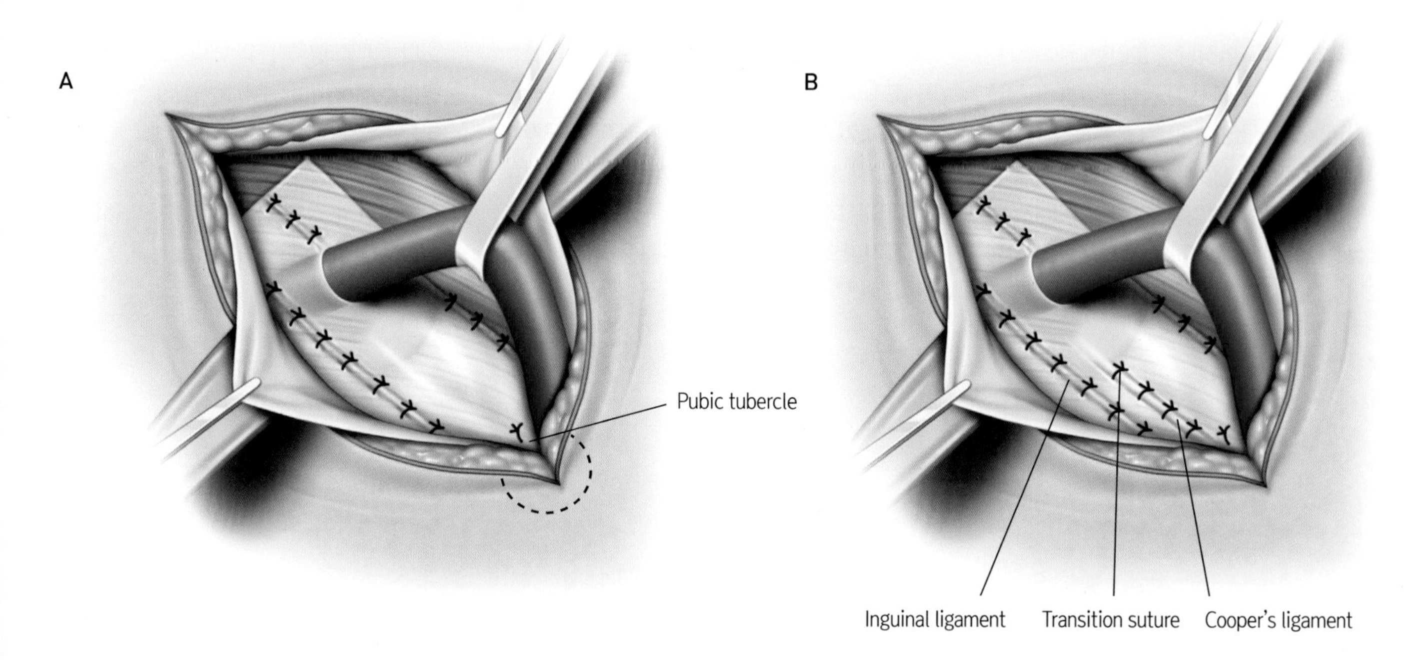

그림 2-11
A. 간접 혹은 작은 직접 탈장의 경우 치골결절에 메쉬 고정을 시작으로 하방은 서혜인대에 봉합하고 상방은 내복사근과 conjoined tendon에 단속봉합으로 고정
B. 직접탈장이 큰 경우 Cooper' s ligament를 고정하여 transition suture를 이용하여 femoral ring을 막는다.

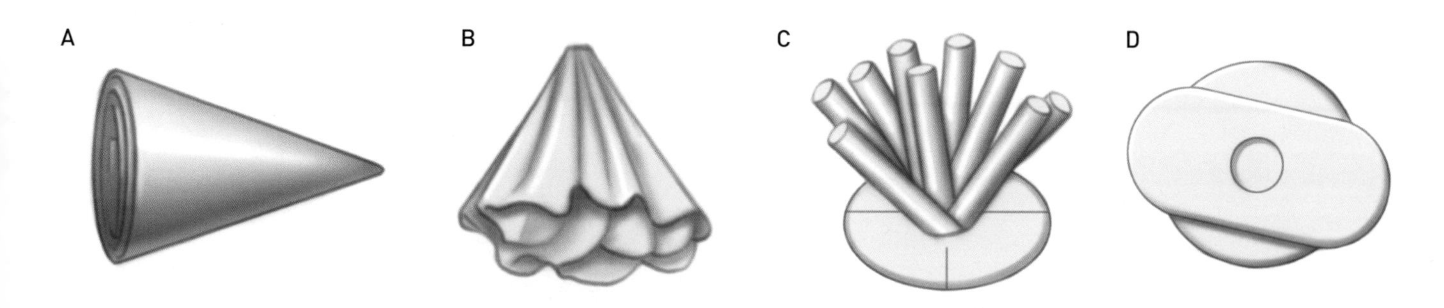

그림 2-12 여러형태의 플러그
A. Handmade Cone
B. Perfix plug
C. Gore Bio/A plug
D. PHS를 재단하여 사용할 수도 있다

- 정삭과 탈장낭의 분리과정까지는 모든 개방식 탈장술식이 동일하며 내서혜륜까지 내정삭근막과 탈장낭을 분리한다.
- 내서혜륜 부위에서 내정삭근막(internal spermatic fascia)은 복횡근막(transversalis fascia)으로 이행되며 이때 탈장낭은 전복막지방층(preperi-toneal fat layer)이 완전히 노출되어 탈장낭의 목부분(neck portion)이 완전히 자유로울때까지 충분히 박리한다.
- 박리된 탈장낭은 복막전공간으로 밀어넣고 내서혜륜을 통해 거즈를 밀어넣어 복막전공간을 확보하여 플러그가 들어갈 공간을 확보한 후 플러그를 복막전공간으로 밀어넣는다(그림 2-13).
- 플러그의 상단의 외측 부분을 내서혜륜의 경계부위의 복횡근막에 흡수성봉합사 2-0 또는 3-0를 이용하여 4-6군데 고정한다. 이때 내서혜륜의 내측으로 하복벽혈관(inferior epigastric vessel)이 주행하므로 혈관을 조심하여 봉합하도록 한다(그림 2-14, 15).
- 직접탈장의 경우 약화된 복횡근막(attenuated transversalis fascia)을 확인

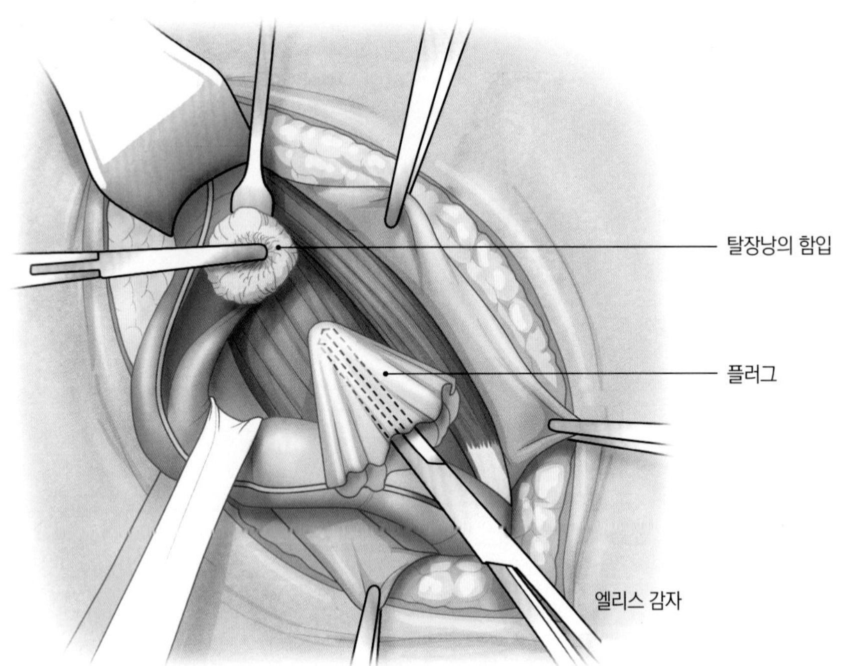

그림 2-13

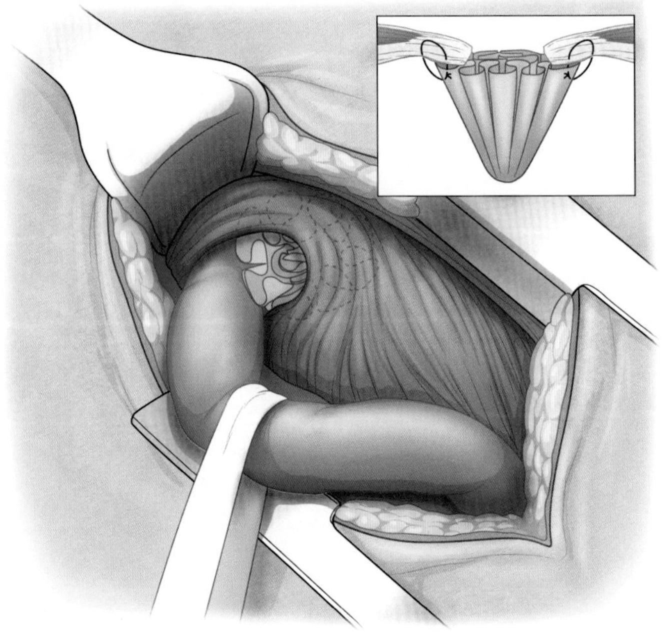
그림 2-14

하여 복횡근막을 전기소작기를 이용해 환상형으로 열어준다. 이때 복횡근막만을 얇게 절개하여 복막손상이 일어나지 않도록 주의한다(그림 2-16).

- 플러그를 이용한 술식은 큰 결손을 동반한 직접탈장의 경우 가급적 피하고 다른 술식으로의 변화를 권한다. 이는 약화된 복횡근막의 가장자리가 플러그를 충분히 지지하지 못하여 수술 후 플러그가 다시 밀려 올라오는 수가 있으며 플러그 자체로 결손을 다 막지 못하는 경우도 있기 때문이다.
- 플러그가 안전히 고정된 것을 확인한 후 온레이 메쉬를 Lichtenstein술식을 참조하여 서혜관 후벽을 덮은 후 양쪽 slit과 치골결절부위의 최소한의 봉합으로 고정한 후 외복사근건막, 스카르파근막, 피부 봉합순으로 수술을 종료한다(그림 2-17).

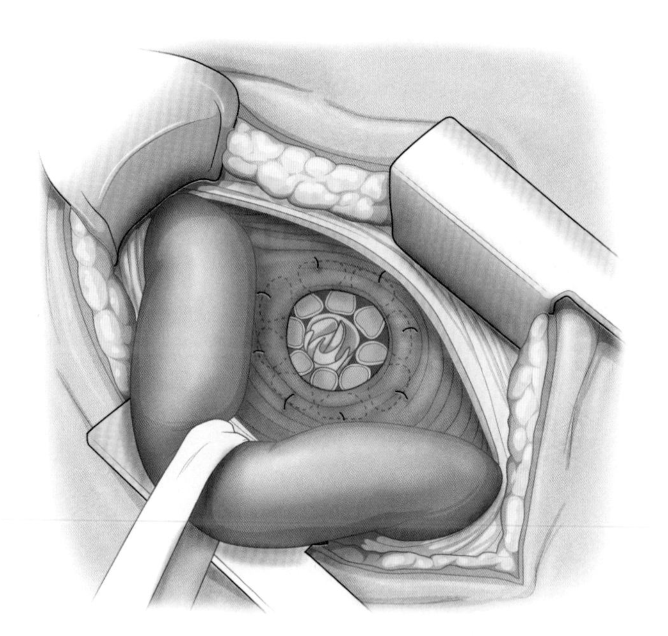

그림 2-15

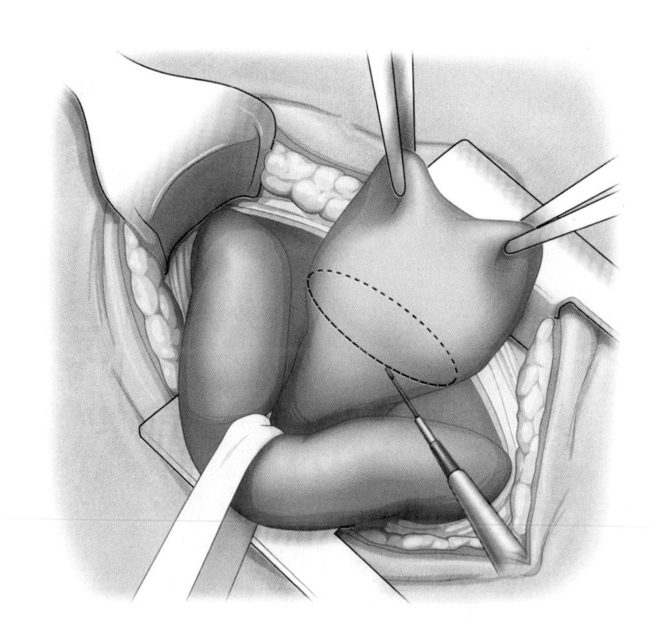

그림 2-16

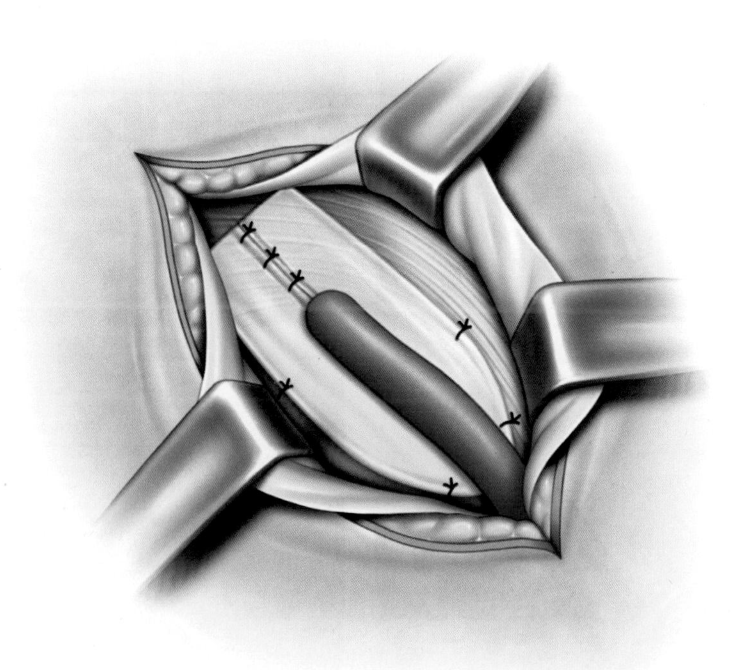

그림 2-17 온레이 메쉬의고정

3) Bilayer (PHS, UHS, Kugel, Duatene) technique

- 이 술식은 복막전공간 및 서혜관 후벽과 결손부위를 동시에 보강하여 수술 후 재발률이 가장 낮은 수술 방법이며 TEP, Lichtenstein, Plug술식의 장점이 모두 적용된 술식이다. 그러나 전복막공간확보에 어려움을 겪기도 하고 과도한 용량의 메쉬가 사용된다는 점이 단점이 될 수 있다.
- 간접 탈장에서 내서혜륜까지 탈장낭의 박리과정까지 직접탈장에서 복횡근막을 절개하여 전복막지방층을 확인하는 단계까지는 플러그술식과 동일하다.
- 내서혜륜부위에서 탈장낭을 완전히 박리한 후 전복막지방층을 확인하면 내서혜륜의 내측에서 내정삭근막이 이어지는 복횡근막의 층을 전복막지방층 및 복막층과 쉽게 분리하여 복횡근막만을 들어올릴 수 있다. 이때 하복벽혈관을 미리 확인하여 혈관을 포함한 두 겹의 복횡근막이 들어올려질 수 있도록 한다. 이때 복횡근막을 Army-navy retractor를 사용해 들어올린 채로 전복막공간박리를 시작하는 것이 좋다(그림 2-18).
- 내서혜륜을 통하거나 직접탈장의 결손부위를 통해 4×4거즈 3장 정도를 조심스럽게 밀어 넣어 무딘박리를 통해 전복막지방층을 포함한 복막조직이 탈장낭과 함께 복벽에서 자연스럽게 떨어질 수 있도록 한다. 이 과정은 전복막공간을 확보하는 이 술식에서 가장 중요한 단계이다. 이후 술자의 검지를 이용하여 언더레이메쉬가 충분히 펴질 수 있는 전복막공간을 확인한 후 골반골부위에서의 출혈을 확인한다(그림 2-19).

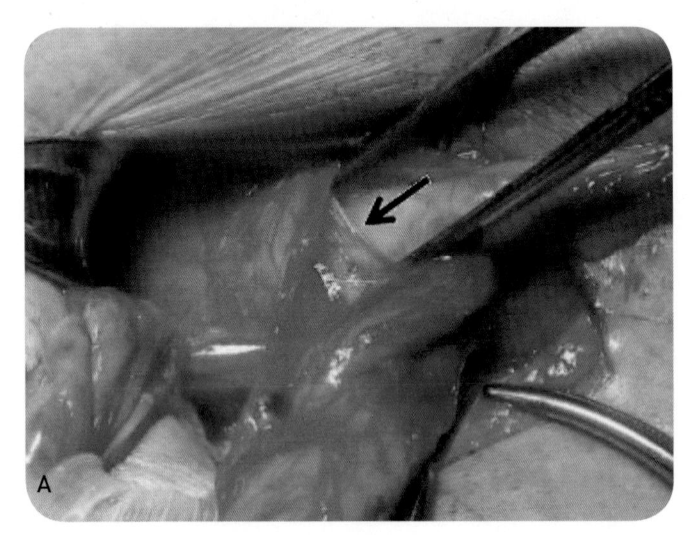
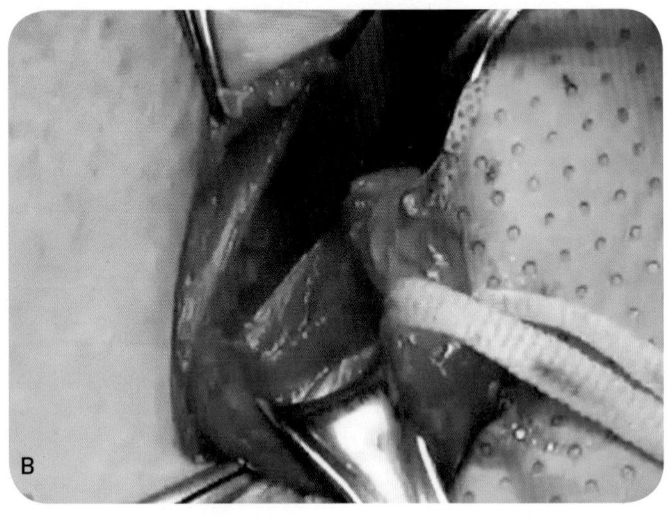

그림 2-18
A. Transversalis fascia를 Preperitoneal fat layer와 분리하여 Smooth forcep으로Transversalis fascia를 확인한다.
B. Smooth forcep사이로 Army-navy retractor를 넣어 Transversalis fascia를 들어올린 후 전복막공간박리를 시작한다.

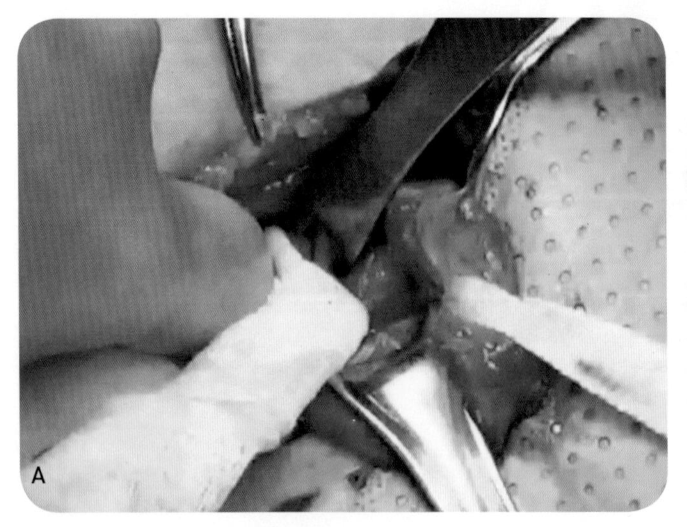
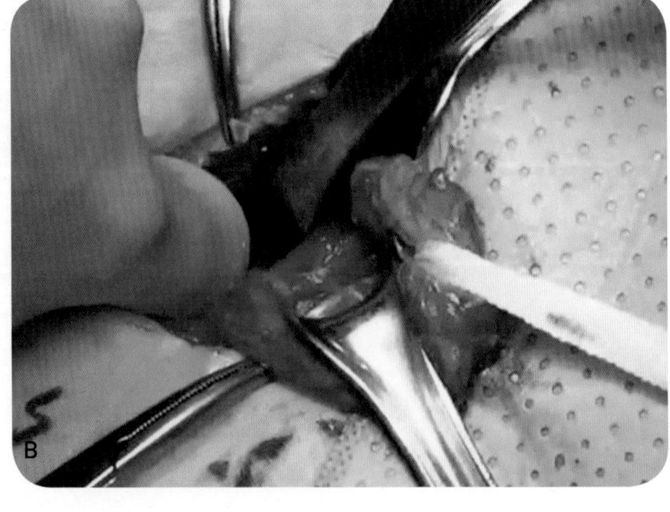

그림 2-19 손을 이용한 복막전층의 박리

- 전복막공간으로 넣었던 거즈를 제거한 후 메쉬의 온레이의 길다란 부분을 길게 삼등분으로 접은 다음 ring forcep으로 접은부분을 잡아서(PHS, UHS, Duatene은 동일한 방법) 내서혜륜이나 직접탈장의 이미 개방된 결손부위를 통해 밀어 넣는다(그림 2-20).
- 언더레이가 전복막공간에서 완전히 펴졌는지를 술자의 검지를 이용해 확인한다. 언더레이의 내측은 치골결절을 완전히 지나칠 수 있을 정도의 위치까지 펼쳐졌는지를 확인하고 하방으로는 대퇴공을 완전히 지나 장치골근막띠(iliopubic tract) 하방까지 펼쳐진 것을 확인한다(그림 2-21). 만약 언더레이메쉬가 완전히 펼쳐지지 않았다면 수술 후 재발이나 감염의 중요한 원인이 될 수 있다.

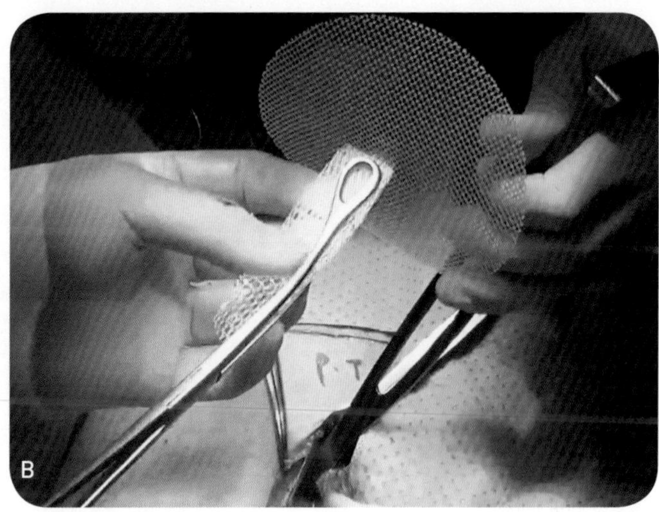

그림 2-20 온레이메쉬 길이 방향으로 삼등분해서 접은 다음 ring forcep으로 잡아 삽입한다(Duatene을 사용한 경우).

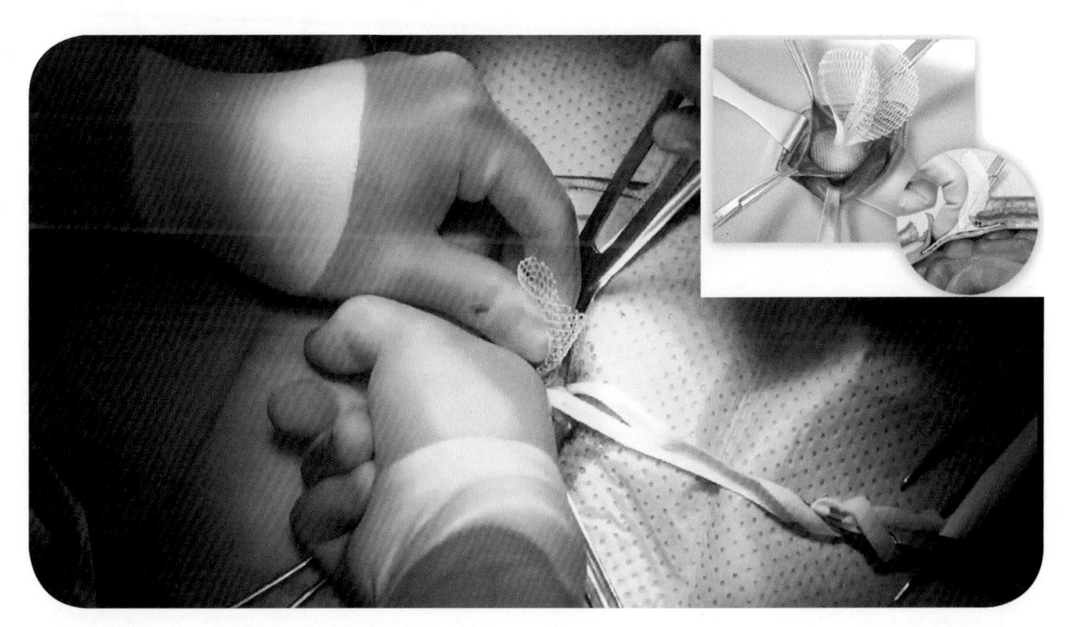

그림 2-21 술자의 검지를 이용해 Underlay를 완전히 펼쳐 MPO(Myopectineal orifice)가 완전히 덮혀지는지를 확인한다.

- 커넥터 측방으로 온레이 메쉬를 가위로 잘라 slit을 형성한 다음 정삭을 감아 양쪽 slit만을 봉합사로 고정한다. 이후 온레이 메쉬를 Lichtenstein술식과 동일하게 위치시킨다. 온레이메쉬의 추가 봉합은 필요하지 않으나 직접탈장의 경우 치골결절부위의 추가봉합을 권장한다(그림 2-22).
- 큰 결손을 가진 직접탈장의 경우 양측의 절개된 복횡근막과 언더레이의 봉합이 메쉬의 탈출을 막을 수 있으므로 1~2군데의 봉합을 권한다(그림 2-23).
- 외복사근건막, 스카르파근막, 피부봉합순으로 수술을 종료한다.

그림 2-22 온레이 봉합; slit accomodation을 위한 봉합으로 충분하나 경우에 따라서 봉합을 추가할 수 있다.

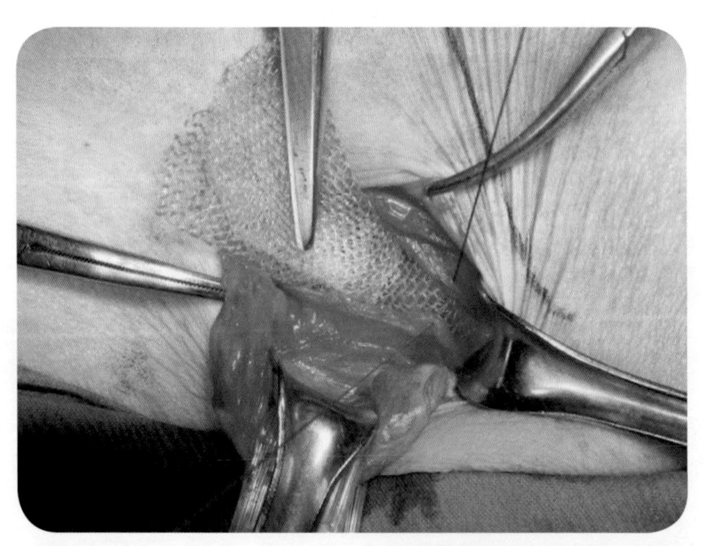

그림 2-23 직접탈장의 경우 양측 절개된 복횡근막과 언더레이를 봉합하여 메쉬의 탈출을 막아준다.

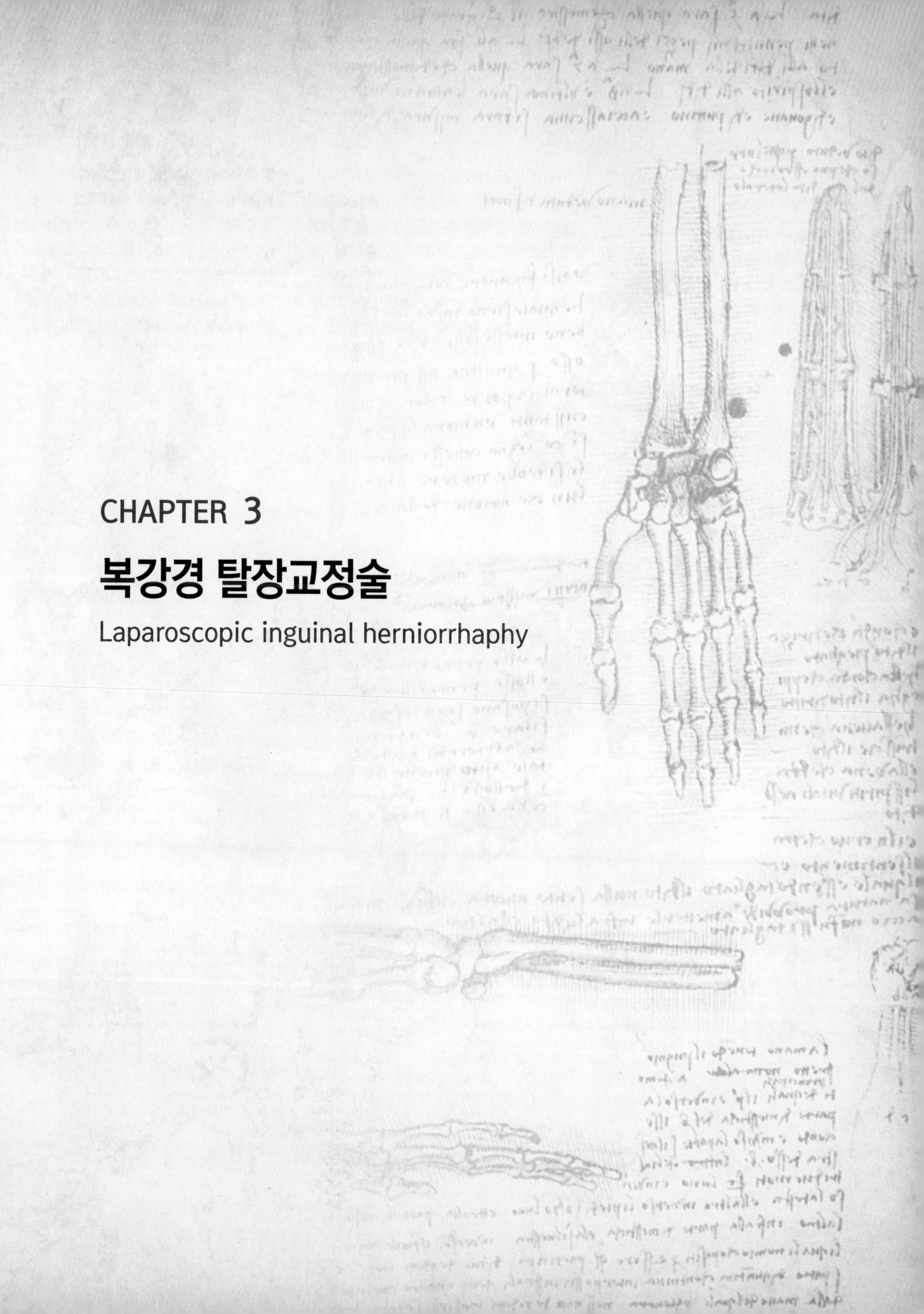

CHAPTER 3

복강경 탈장교정술

Laparoscopic inguinal herniorrhaphy

1. 복강경 시야에서 바라본 서혜부 해부학

(그림 3-1) 서혜부 탈장을 이해하고 성공적으로 수술적 치료를 시행하기 위해서는 복잡한 하복부 및 서혜부의 구조를 알고 그 관계를 아는 것이 필수적이다. 최소 침습술의 일환으로 탈장 수술에도 복강경술식이 도입되면서 낮은 재발률과 더불어 회복과 일상생활로의 복귀가 빠르다는 장점으로 인해 많은 외과의들이 복강경 탈장교정술을 시행하고 있다. 그러나 하복부 및 서혜부의 구조에 대해 정확히 이해하고 있지 않다면 복강경 탈장교정술은 시행조차도 어려울 뿐만 아니라 신경, 혈관손상 등 매우 중대한 영향을 미칠 수 있으므로 술자가 해부학적 구조를 완벽히 이해하고 파악하는 것이 매우 중요하다. 따라서 이번 장에서는 서혜부 탈장과 대퇴부 탈장에 대하여 복강경 탈장교정술을 시행하는 경우 볼 수 있는 서혜부의 복강경적 해부학에 대해 설명하고자 한다. 복강경을 통해 서혜부를 볼 때에는 뼈와 인대가 이루는 공간적 구조를 이해하는 것이 선행되어야 한다. 서혜부의 탈장교정술을 시행하는 경우 가장 중요한 해부학적 기준점은 치골결절(pubic tubercle)과 앞위장골극(anterior superior iliac spine)이다.

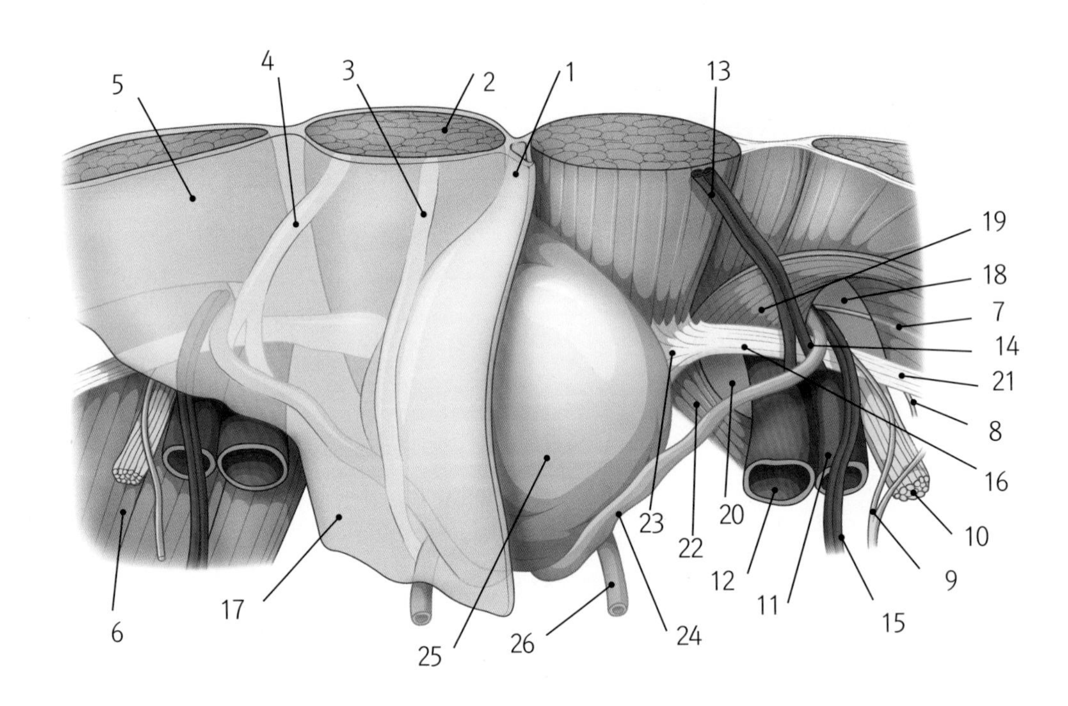

그림 3-1 1. 정중배꼽인대(Median umbilical ligament) 2. 복직근(Rectus muscle) 3. 내측배꼽인대(Medial umbilical ligament) 4. 외측배꼽인대(Lateral umbilical ligament) 5. 외측복벽근(Lateral abdominal wall muscle) 6. 장요근(Iliopsoas muscle) 7. 장골서혜신경(Ilioinguial nerve) 8. 외측대퇴피부신경(Lateral femoral cutaneous) 9. 음부대퇴신경(Genitofemoral nerve) 10. 대퇴신경(Femoral nerve) 11. 외장골동맥(External iliac artery) 12. 외장골정맥(External iliac vein) 13. 하복벽혈관(Inferior epigastric a. & v.) 14. 정삭(Spermatic cord) 15. 정삭혈관(Spermatic a. & v.) 16. 사관지역(Corona mortis area) 17. 복막(Peritoneum) 18. 간접 탈장 구역(Indirect area) 19. 직접 탈장 구역(Direct area) 20. 대퇴 탈장 구역(Femoral area) 21. 장치골도(Iliopubic tract) 22. 쿠퍼 인대(Cooper' s ligament) 23. 치골결절(Pubic tubercle) 24. 정관(Vas deferens) 25. 방광(Bladder) 26. 요관(Ureter) 27. 병합힘줄(Conjoined tendon)

(그림 3-2) 경복강 전복막 접근법(trans-abdominal preperitoneal repair)과 같이 복강내 경로로 접근하는 경우에는 이러한 골 구조 외에도 벽측 복막(parietal peritoneum)이 덮고 있는 다섯 개의 인대 구조를 아는 것이 서혜부 탈장의 종류를 확인하는 데 중요하다. 이러한 인대에는 방광과 배꼽을 연결하는 하나의 정중배꼽인대(median umbilical ligament)와 없어진 배꼽동맥(obliterated umbilical artery)의 잔여물인 두 개의 내측배꼽인대(medial umbilical ligament) 그리고 하복벽혈관(inferior epigastric vessels)을 덮고 있는 복막이 이루는 두 개의 외측배꼽인대(lateral umbilical ligament)가 있다.

직접 서혜부 탈장(Direct inguinal hernia)은 하복벽혈관(Inferior epigastric vessels), 장치골도(iliopubic tract), 치골결절로 경계지어지는 내측 공간에서 생기고 간접 서혜부 탈장(indirect inguinal hernia)은 하복벽혈관의 외측에서 장치골도 위쪽의 내서혜륜(internal ring)을 통과해서 생긴다. 대퇴부 탈장(Femoral hernia)은 장치골도 아래쪽에서 볼 수 있고 대퇴관(femoral canal)을 통과하는 대퇴혈관(femoral vessels)의 내측에 있다.

복강경의 탈장 교정술을 시행하는 경우 또 하나의 중요한 구조는 인공막을 위치해야 하는 복막 전층으로 이는 복막과 복횡근막(transversalis fascia)사이의 공간을 말한다. 렛지우스 공간(space of Retzius)은 두덩뼈(pubis)와 방광 사이의 공간이며 이것이 가쪽으로 확장된 외측 서혜와 lateral inguinal fossa가 보그로스 공간(space of Bogros)이다. 이 공간을 확실히 박리하는 것이 인공막을 바르게 위치시키기 위해서 꼭 필요하며, 인공막이 접히거나 뒤틀리는 것을 방지하여 재발을 최소화할 수 있다.

하복부 복벽은 피부, 스카르파 근막(Scarpa fascia), 무명 근막(innominate fascia), 다리사이 섬유조직(intercrual fibers), 외복사근막(external oblique muscle), 내복사근(internal oblique muscle), 복횡근(transverse abdominis muscle), 복막(peritoneum)으로 이루어져 있고 이 각각의 확실히 구별되는 층은 하나의 단위처럼 가능해 하복부의 해부학적 구멍(anatomic hole)을 통한 탈장을 방지하게 된다. 해부학적 구멍이라고 하는 것은 Fruchaud가 설명한 근치골구멍(myopectineal orifice)을 일컫는 것인데 서혜부 탈장의 잠재적 병소가 되는 해부학적 공간이다.

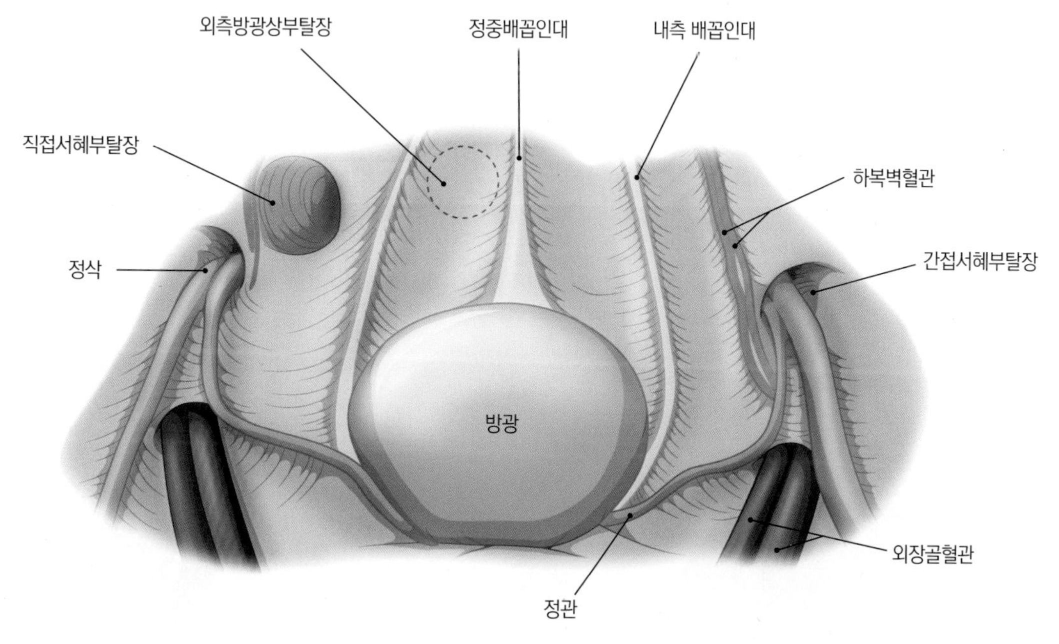

그림 3-2

(그림 3-3)에서 보는 것처럼 근치골구멍은 서혜인대(inguinal ligament)에 의해 위, 아래로 나뉘는 사각형 모양의 구조로 위쪽으로는 정삭구조(spermatic cord structure)가 지나게 되고 아래쪽으로는 대퇴혈관이 통과하게 된다. 이것의 경계는 내복사근, 복직근, 장골의 앞면, 장요근, 장골치골궁이다. 한편 이 근치골구멍을 세분하면 그림과 같이 내측, 외측 그리고 대퇴부 삼각형으로 나눌 수 있고 이 세 개의 삼각형이 각각 직접서혜부탈장, 간접서혜부 탈장, 대퇴탈장이 발생하는 잠재적인 공간이 된다. 복강경 탈장교정술의 장점 중 매우 중요한 것이 이 근치골구멍 전체를 확인하고 인공막으로 덮을 수 있어 잠재적인 탈장 재발의 가능성을 최소화할 수 있다는 것이므로 이를 확실히 이해하고 탈장교정술을 시행하여야 좋은 결과를 얻을 수 있다.

또 하나의 중요한 해부학적 개념은 장골치골도(iliopubic tract)이다. 이것은 앞위장골극 근처에서 시작해 내측으로 치골결절에 결합하는 건막(aponeurotic band)이고, 이것이 내측으로 확장되면 쿠퍼씨 인대(Cooper's ligament)를 만들게 된다. 또한 장치골도의 아랫면은 서혜부인대와 연결된다. 이 가상의 구조가 중요한 이유는 복강경 탈장 교정술 시 조직의 박리나 인공막의 고정이 쿠퍼씨 인대 부위를 제외하고는 장치골도 아래쪽에서 이루어져서는 절대로 안 되기 때문이다. 장치골도의 중앙부 아래에서 박리를 무리하게 하거나 인공막을 고정하게 되면 대퇴혈관이나 대퇴신경에 손상을 줄수 있고 바깥쪽을 무리하게 박리하면 허리신경가지(lumbar nerve branch)에 손상을 줄 수 있다.

(그림 3-4) 복강경으로 탈장을 수술할 경우 수술 후 해결되지 않는 만성적인 통증이나 수술 중 매우 심각한 출혈을 일으킬 수 있는 위험한 곳이 있다. 이곳은 전복막층을 형성하기 위해 박리를 시행하거나 인공막을 고정하는 경우 반드시 피해야 하는 지역으로 첫 번째는

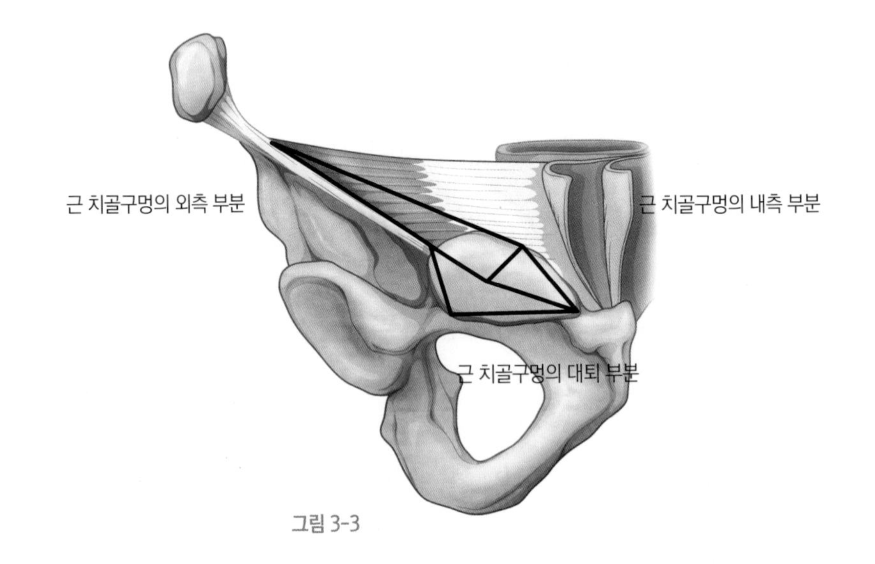

그림 3-3

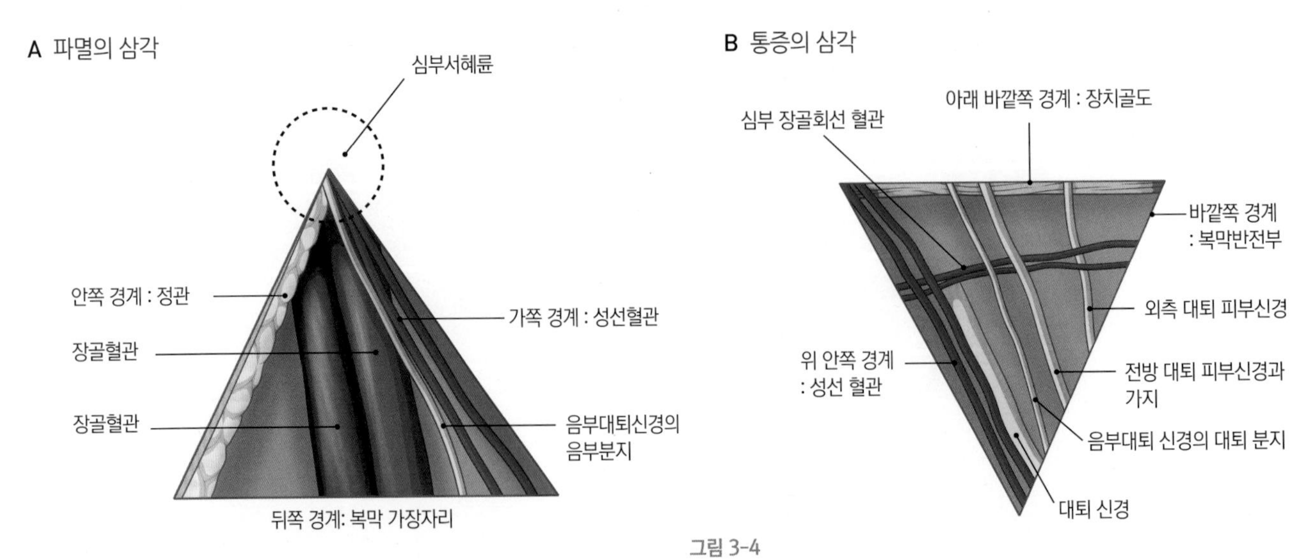

그림 3-4

내측으로 정삭, 위쪽으로 장골치골도, 외측으로 장골능에 의해 만들어지는 곳으로 통증의 삼각지역(triangle of pain)으로 알려져 있다. 이곳으로 대퇴신경, 외측대퇴피부신경(lateral femoral cutanerous nerve), 전방대퇴피부신경(anterior femoral cutaneous nerve), 음부대퇴신경의 대퇴분지(genitofemoral nerve의 femoral branch)가 지나가므로 이 신경들이 손상을 받는다면 만성 신경통증을 일으키게 된다. 두 번째는 내측으로 정관, 외측으로 성선혈관, 뒤쪽으로 복막의 경계선이 이루는 곳으로 파멸의 삼각지역(triangle of doom)으로 불리며 이곳으로 외장골정맥(external iliac vein), 심부장골회선정맥(deep circumflex iliac vein), 대퇴동맥(femoral artery)이 지나므로 이곳에 손상을 주는 경우 매우 심각한 출혈을 일으키게 된다.

(그림 3-5) 또한 복강경 탈장 수술시 출혈과 관련하여 주의해야 하는 구조로 사관(corona mortis)이 있는데 이는 인구의 약 30%에서 관찰되며 이소성 폐쇄공혈관(aberrant obturator vessel)의 분지이거나 하복벽혈관의 분지가 폐쇄혈관계로 유합되거나 또는 외장골 혈관의 분지가 치골결절을 가로지르며 형성하는 일종의 변이로 동맥, 정맥 모두 사관을 형성할 수 있다. 따라서 박리 시 치골을 무리해서 긁어내리거나 쿠퍼씨 인대주변을 심하게 박리할 때, 그리고 태커로 인공막을 고정할 때 이 구조에 손상을 주면 매우 심한 출혈을 유발할 수 있으므로 매우 주의해야 한다.

2. 적응증과 비적응증

서혜부 부위에서 발생할 수 있는 모든 서혜부 탈장과 대퇴부 탈장이 복강경 탈장 교정술의 적응이 되나 복강내 감염등으로 인공막의 감염이 우려되는 경우나 전신마취가 요구되는 복강경 수술에서 동반 질환등으로 전신마취가 불가능한 경우에는 무리하여 복강경 탈장교정술을 시행해서는 안된다. 또한 재발성의 경우 이전에 시행한 탈장교정술을 고려하여 적합한 수술 방법을 선택하는 것이 중요하고 교액성 탈장이나 음낭 탈장의 경우도 숙련자를 제외하고는 복강경 탈장교정술을 권하지 않는다.

3. 수술 전 처치

전신마취를 받을 수 있도록 준비한다. Aspirin, plavix 등 항혈소판제제를 포함한 항응고 약물은 출혈경향을 일으켜 수술 후 출혈의 위험을 높이므로 수술 전 충분히 끊도록 한다.
수술 전 예방적 항생제는 탈장수술에서 수술 후 감염을 예방하는데 효과가 있으므로 피부절개를 가하기 30분에서 한 시간 이내에 정맥루트를 통해 투여하도록 한다.

4. 마취

기관삽관 및 전신마취가 필요하다

5. 수술방법

복경경 탈장교정술에는 완전복막외 접근법(Totally Extraperitoneal Herniorrhaphy, TEP)과 복강경유 복막외 접근법(Transabdominal preperitoneal Herniorrhaphy, TAPP) 두 가지가 있다.

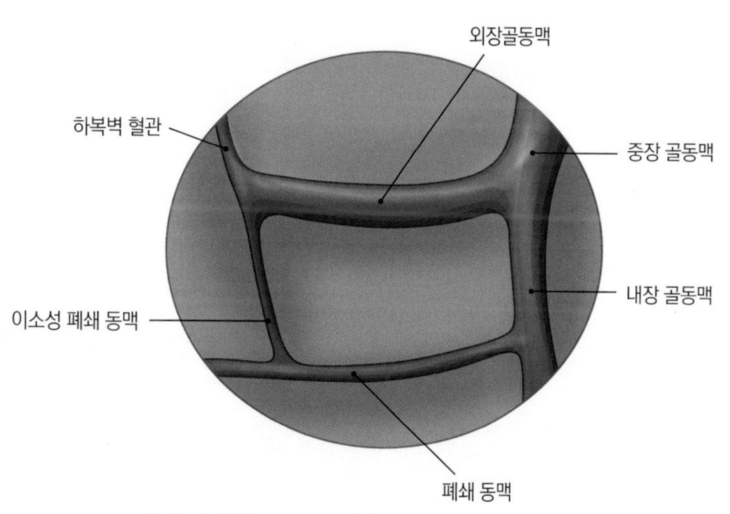

그림 3-5 사관(corona mortis)

I. 완전복막외 접근 탈장교정술(Laparoscopic totally extraperitoneal herniorrhaphy)

1. 환자 자세

(그림 3-6) 환자는 앙와위 자세에서 수술대에 잘 고정하도록 하며, 술자와 복강경을 잡는 조수는 탈장 병소의 반대쪽에 위치한다. 공간확보를 위해 병소 반대쪽 팔은 환자의 몸통에 붙여 수술대에 고정하는 것이 좋다.

첫 번째 투관침을 삽입한 이후에는 이산화탄소를 12~14 mmHg의 압력으로 주입하고 복강내 장기가 복막전공간을 압박하지 않도록 약간 머리를 낮추는 트렌델렌버그 자세(Trendelenburg position)로 바꾼다.

2. 수술준비

- 복강경 카메라, 투관침, 복강경 비디오 시스템, 인공막

필요하다면 수술부위의 체모는 수술직전에 피부에 상처가 나지 않도록 주의하여 클리퍼를 이용해 제거한다. 일반적으로 복강경 탈장 수술의 경험이 많은 외과의라면 도뇨관 삽입은 필수적인 것은 아니다.

인공막은 경량의 큰구멍(light weight -large pore)의 특성을 가진 인공막을 선택하여 사용하기를 권장한다. 인공막은 주로 polypropylene (marlex or prolene), Dacron (mersilene), polyester (parietex) 등으로 만든 합성 인공막을 사용한다. 합성 인공막은 인체 조직에 섬유성증식을 일으켜 주변조직에 더 잘 유착되는 특성이 있다. 이에 복막과 닿는 면에 유착과 관련된 합병증을 최소화하기 위해 유착방지제를 덧입힌 이중인공막(dual mesh)이 개발되어 복강내로 접근해 복막전층 탈장교정술 시행 시 복막을 완전히 덮을 수 없거나 완전복막전층 탈장교정술 시 복막이 많이 찢어진 경우에 유용하게 사용할 수 있다.

또한 인공막을 고정하는 경우 helical coil, key ring shaped, anchor 등 다양한 고정기구가 있으며 대부분 5 mm로 사용가능하다.

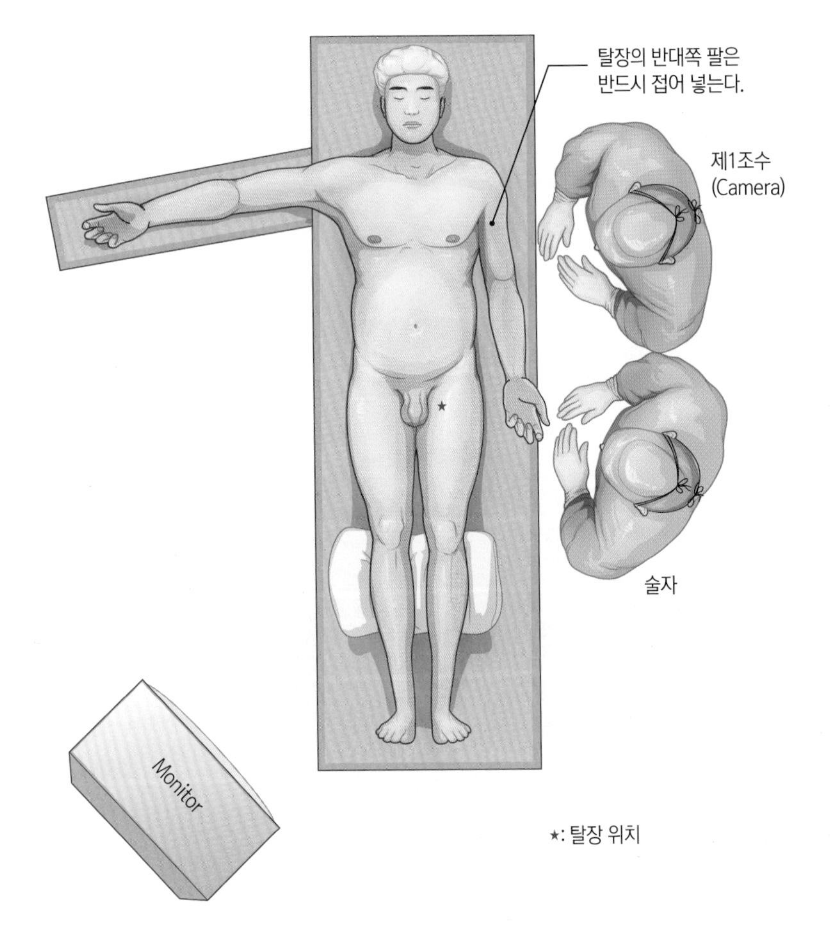

그림 3-6 우측 탈장 수술시 수술방 배치

3. 절개 및 노출

(그림 3-7) 설명의 편의를 위해 우측 서혜부 탈장을 예로 들어 설명하면 수술은 카메라 삽입을 위한 투관침 삽입으로 시작된다. 우측 서혜부 탈장에서의 각 투관침의 위치는 다음 그림과 같다.

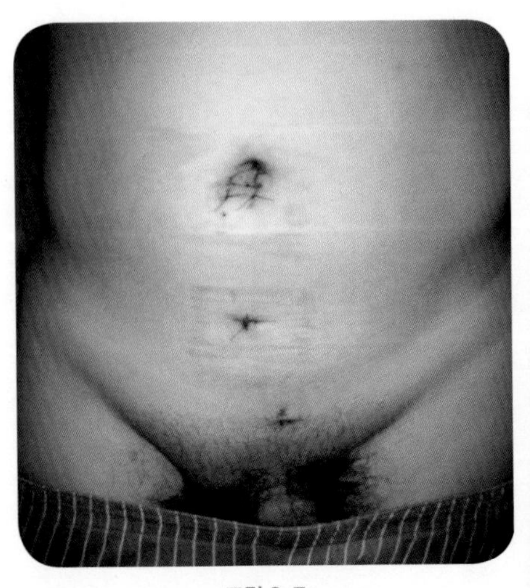
그림 3-7

(그림 3-8) 피하지방층을 가르고 앞복직근막을 확인하여 이를 절개한 후 탈장 병소와 동측의 복직근을 확인한다. 특수제작된 견인기나 겸자를 사용하여 복직근을 상외측으로 걸어 당긴 후, 뒤복직근막을 확인한다.

견인기로 근섬유를 들어 올린 후 복강경용 박리기구나 손가락을 이용하여 후복직근막과 복직근 사이 조직의 박리를 시행한다. 이 과정은 이산화탄소를 주입한 후 전복막층의 공간을 만들기 전 준비단계로 직접 육안을 확인하며 시행하는 과정이 아니므로 이때 박리를 과하게 하면 출혈을 일으켜 시야를 방해 할 수 있다. 복강경이 여러 번 통과하거나 인공막을 통과시킬 때 투관침이 같이 이동하거나 빠질 수 있으므로 처음부터 피부에 투관침을 고정하거나 풍선투관침(balloon trocar)을 사용하는 것이 수술을 용이하게 진행하는데 도움이 된다.

(그림 3-9, 10, 11) 전복막 공간을 만드는 데는 scope을 이용하여 만드는 방법과 이 과정을 용이하게 시행하기 위해 특별히 고안된 기구인 풍선투관침(three-component dissecting balloon)을 사용하는 방법이 있다. 풍선투관침을 사용하는 경우 복강경을 통

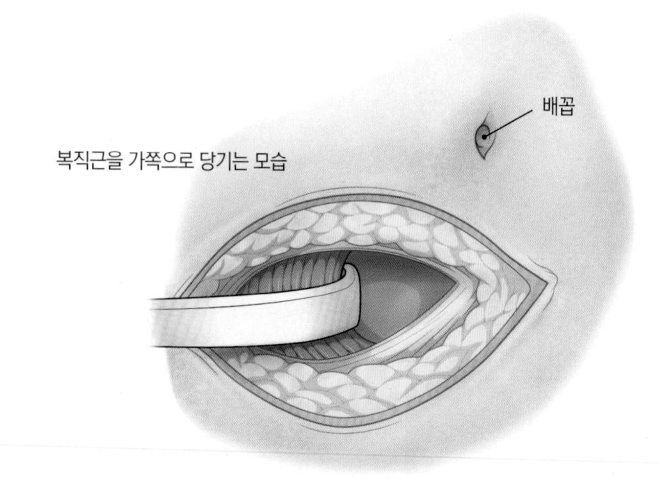

그림 3-8

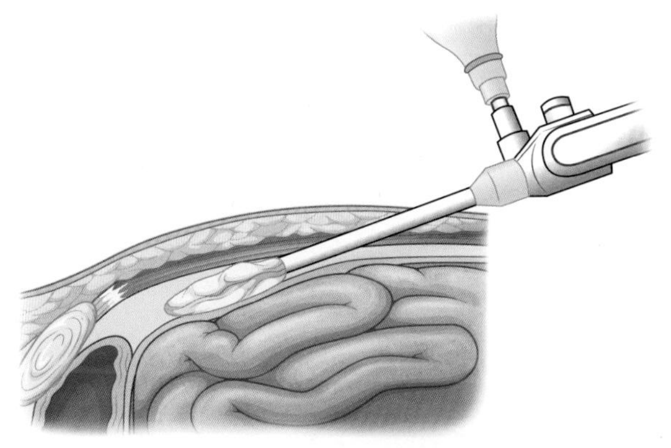

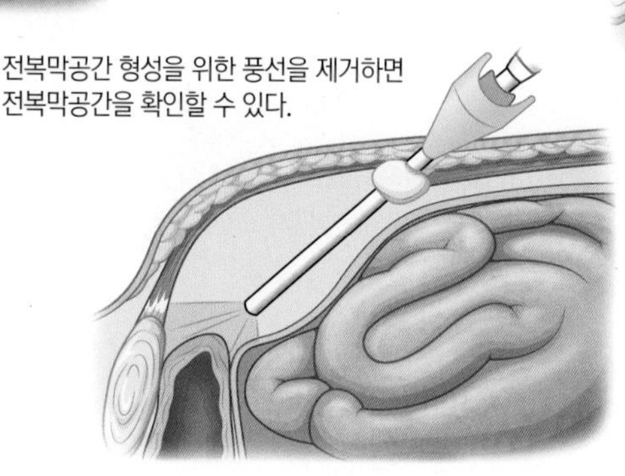

그림 3-9

해 박리과정을 보면서 전복막공간을 만들 수 있는 장점이 있지만 풍선확장을 급하게 시행하는 경우나 이전 수술 등의 이유로 복벽층간의 유착이 있는 경우 불필요한 출혈을 일으킬 수 있으므로 주의가 필요하다. 복강경에 익숙하고 복강경 탈장수술에 경험이 많은 외과의라면 풍선투관침 없이도 복강경만으로 비디오를 통해 시야를 확인하면서 전복막공간의 성긴 결합조직을 박리하여 공간을 충분히 만들어 낼 수 있다. 하지만 이 역시 혈관 해부학에 대한 이해 없이 마구잡이로 시행한다면 치골위를 지나는 혈관분지나 사관, 하복벽혈관 혹은 그 분지의 손상을 일으켜 출혈을 일으킬 수 있어 조심스럽게 시행해야 한다.

(그림 3-12) 전복막공간이 만들어지면 5 mm 투관침 두개를 삽입한다. 첫 번째 5 mm 투관침은 탈장 병소 반대쪽 엉치뼈의 위쪽 가지를 촉지해 확인하고 직상방에 피부절개를 가한 후 삽입한다. 현재 투관침을 통해 가스가 주입되어 전복막층이 부풀어 있는 상태이므로 치골 직상방으로 삽입하여도 실제로는 치골에서 손가락 두 개 정도 위쪽으로 상방으로 삽입되는 것을 직접 관찰할 수 있다. 복벽 혈관의 손상을 방지하기 위해 5 mm 투관침은 반드시 눈으로 확인하면서 삽입하는 것이 좋다. 두 번째 5 mm 투관침은 복강경이 들어가는 투관침과 첫 번째 5 mm 투관침 사이 중앙 부근의 정중선이나 탈장병소와 동측으로 약간 치우쳐 삽입하도록 한다.

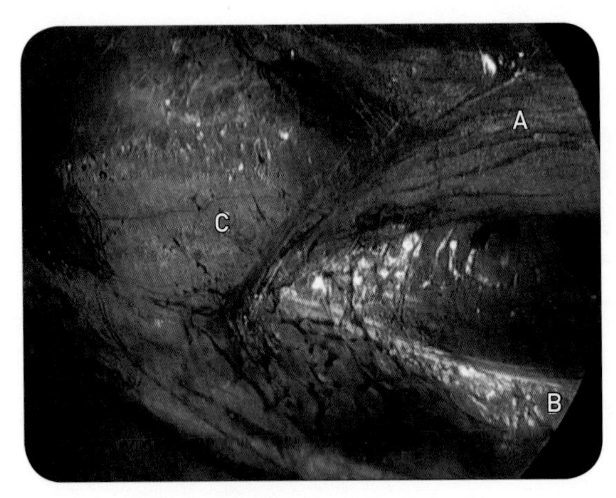

그림 3-10 전복막 공간을 형성하기 전 모습
A. 복직근의 아랫면, B. 후복직근조, C. 거미줄 모양의 그물망 조직

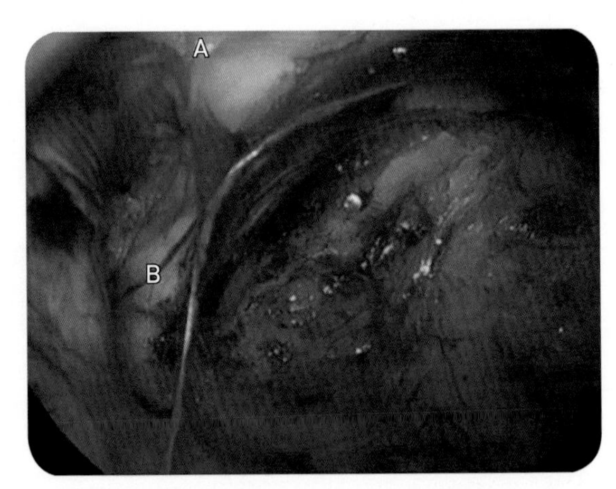

그림 3-11 복강경을 이용하여 전복막 공간을 만든 후의 모습
A. 복직근의 아치면, B. 좌측 치골 가지

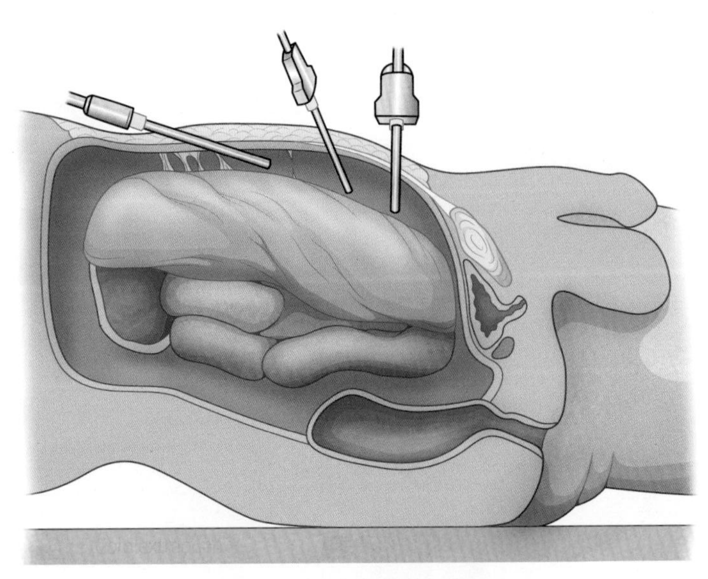

그림 3-12

1) 내측 박리(Medial dissection)

(그림 3-13) 전복막공간을 형성하고 모든 투관침 삽입이 끝나면 본격적으로 탈장을 확인하고 인공막을 위치시키기 위해 공간을 확보하는 전복막 박리를 시작한다. 이 과정은 치골 뒤쪽에서 방광을 아래 복강쪽으로 내리면서 렛지우스 공간을 넓히는 내측박리부터 시작하며 이 때에 폐쇄정맥과 외장골정맥이 보일 때까지 시행한다. 이 과정에서 직접서혜부 탈장의 가성탈장낭과 대퇴부 결손, 때에 따라서는 폐쇄공 결손부까지 확인할 수 있다. 직접서혜부 탈장의 경우 늘어진 가로근막이 복벽에서 복강쪽으로 내려오는 주머니처럼 보여 가성탈장낭(pseudosac)이라고 하는데 이것이 클 경우 그냥 두면 인공막과 가성탈장낭 사이에 장액종(seroma)이 고이거나 이로 인해 재발로 오해할 수 있어 복강쪽으로 당겨 치골에 태커로 고정하기도 한다. 이렇게 가성탈장낭을 치골에 고정해주는 경우 사관이나 다른 혈관 구조물에 손상을 입히지 않도록 매우 유의하여야 한다.

2) 외측박리(Lateral dissection)

내측박리 과정이 충분히 이루어지면 다음으로는 외장골혈관에서 기시하는 하복벽혈관을 확인한다. 이 혈관의 바깥쪽으로 내서혜륜을 통해 서혜관으로 들어가는 정삭을 확인하고 더 바깥쪽으로 전상장골극까지 전복막층을 박리하는 것, 즉 보그로스 공간(space of Bogros)을 넓히는 것이 외측박리이다. 하복벽혈관을 확인하면 직하방의 정삭 구조를 확인할 수 있고, 다양한 기구를 이용하여 하복벽혈관은 복벽방향, 즉 위쪽으로, 정삭은 복강쪽 방향, 즉 아래쪽으로 내리게 되면 정삭이 박리됨과 동시에 외측박리를 시행할 수 있다. 정삭은 뒤쪽의 외장골혈관과 성긴 결합조직으로 붙어 있으므로 다음 과정을 시행하기 전에 정삭을 완전히 분리해 내는 것이 좋고 장골혈관이나 하복벽혈관에 손상을 주지 않도록 주의해야 한다.

3) 정삭구조의 완전한 박리(parietalization of cord)와 탈장낭의 완전환원(peritonealization of hernia sac)

(그림 3-14, 15) 다음 과정은 탈장낭을 환원하고 인공막을 적절히 위치시키기 위한 공간을 만드는 과정으로 매우 중요한 과정이다. 외측박리 후의 정삭구조에는 간접탈장낭이 포

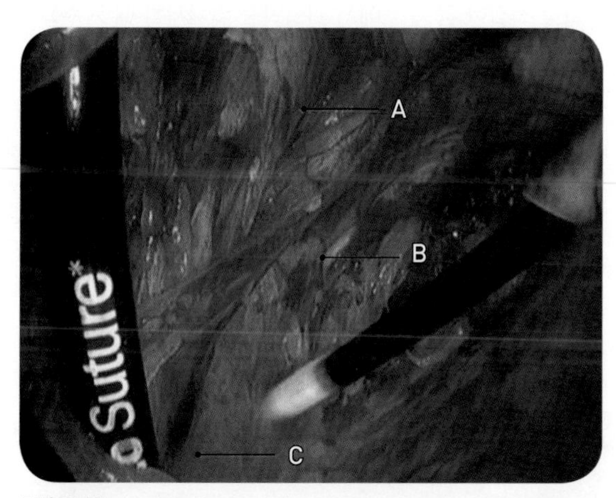

그림 3-13
A. 직접 탈장에서 보이는 배가로근의 가성막
B. 좌측치골가지
C. 왼쪽 손으로 겸자를 이용해 복막전 지방을 분리

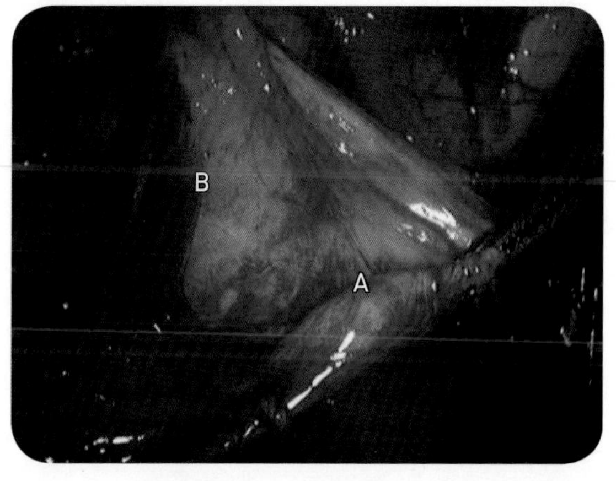

그림 3-14 정삭구조물로부터 탈장낭의 분리
A. 탈장낭, B. 정삭구조물

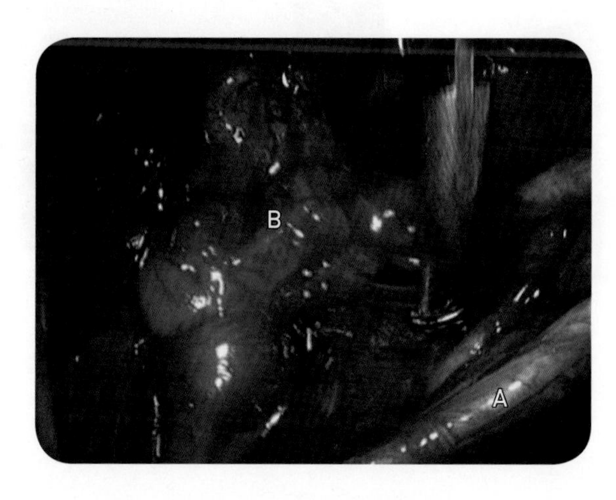

그림 3-15 분리된 탈장낭의 박리
A. 탈장낭, B. 정삭구조물

함되어 있는 상태로 여기서 탈장낭을 분리하여 복강쪽으로 완전히 환원시키는 과정이 penitonealization이고 나머지 정삭의 구조물, 즉 정관과 고환혈관은 골반벽쪽으로 자유롭게 유리시켜 주는 것이 parietalization이다. 정관은 정삭에서 내측에 있으며 탈장낭은 상외측에 있다. 이 과정을 시작할 때 무손상성 겸자로 정삭을 전체적으로 잡고 복강방향으로 충분히 당겨주는 것이 좋은데 이때 탈장낭과 정관을 확인하기 위한 정삭의 길이도 확보할 수 있지만 서혜관 내에 위치하는 정삭의 지방종도 확인할 수 있어 함께 정복해주면 수술 후에 지방종 때문에 발생하는 가성재발을 줄일 수 있다.

정삭은 얇은 전복막초(superficial preperitoneal fascia)라고도 불리는 얇은 근섬유성 결합조직에 의해 지지되므로 완전한 parietalization을 시행하기 위해서는 이를 박리해 주어야 한다. 이 과정이 불완전하면 탈장낭의 환원 후에도 정관과 고환혈관이 복벽에 가까이 붙지 않고 뜨게 되는 것을 볼수 있는데 이것은 후에 인공막의 뒤틀림이나 접힘을 일으켜 수술 후 재발의 주요한 원인이 된다. 또한 탈장낭은 정삭의 중간부분에서 끝이 확인되는 경우 완전히 환원할 수 있지만 탈장낭이 매우 큰 음낭탈장과 같은 경우에는 중간에 잘라서 분리하여도 무방하다. 이때 원위부 탈장낭까지 제거할 필요는 없고 가스가 복강 내로 들어가 시야에 방해를 주는 것을 막기 위해 근위부 탈장낭을 실이나 클립을 이용해 막아주기도 하지만 필수적인 것은 아니다(그림 3-16).

4) 인공막 삽입 및 고정

(그림 3-17) 복강경 탈장 수술에서 결국 가장 중요한 것은 적절한 크기의 인공막을 적절한 위치에 놓는 것이며 이는 재발과 같은 수술결과의 척도와 직접적인 관계가 있다. 인공막은 시간이 지남에 따라 수축하는 경향이 있어 근치골구멍을 적어도 2 cm 정도의 여유를 가지고 전체적으로 덮을 수 있어야 하며 접히거나 뒤틀리는 일은 반드시 없어야 한다. 대개 동양인의 경우 15 × 10 cm 크기면 적당하다. 이를 위해서는 환자의 골반크기, 탈장의 종류, 근치골구멍의 전반적인 상태 등을 고려해 개인차를 두어 적당한 크기로 재단해야 하며 접히거나 뒤틀리는 것을 방지하기 위해서는 제대로 된 전복막층 공간을 만들어야 하므로 앞의 내측 및 외측박리, parietalization과 peritonealization 과정이 모두 중요하다.

(그림 3-18) 인공막은 10 mm 투관침을 통해 전복막 공간으로 집어넣는 데 집어넣기 전에 인공막에 십자표시를 해두면 협소한 공간안에서 인공막을 위치시킬 때 기준점이 되어 용

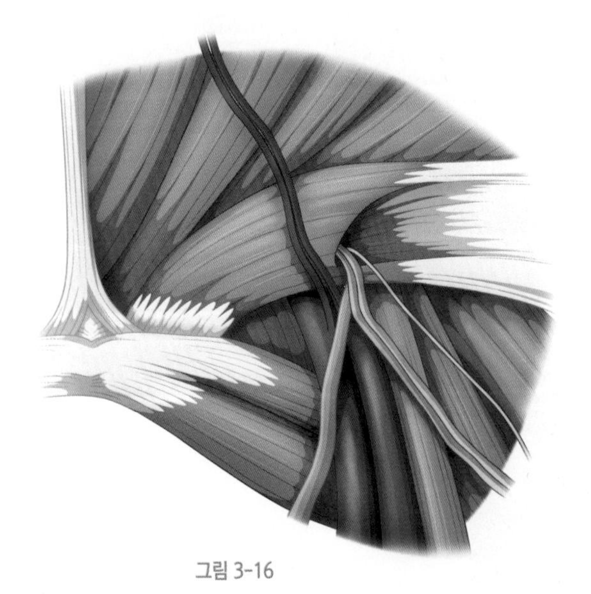

그림 3-16

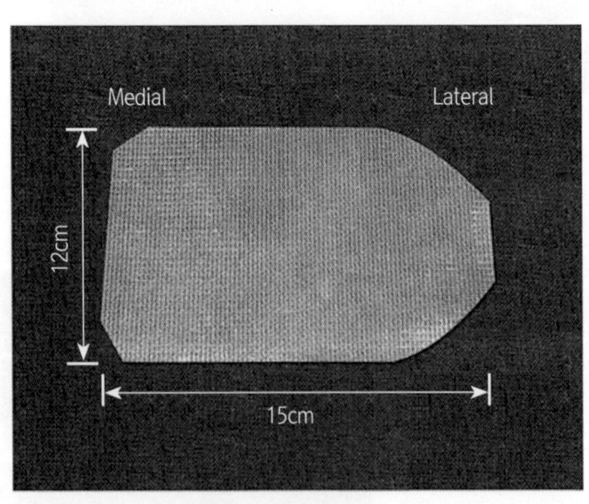

그림 3-17 우측 서혜부탈장시 인조그물의 크기(인조그물의 외측 가장자리를 해부학적 구조에 맞게 자른 모습)

이하게 시행할 수 있다.

(그림 3-18) 특히 인공막은 서혜부의 모든 잠재적 탈장 병소를 덮을 수 있어야 하므로 내측으로는 치골 결절부터 외측으로는 전상장골극까지 넓게 퍼져야한다. 인공막을 고정하는 경우에는 신경과 혈관의 주행을 고려해 치골결절이나 쿠퍼씨 인대에 고정기구를 이용하여 고정하며 이때 술자가 왼손으로 외부에서 저항을 가해주면 좀 더 용이하게 고정을 시행할 수 있다.

5) 수술의 종료

(그림 3-19) 인공막을 고정하는 과정까지 끝이 나면 인공막이 렛지우스 공간과 보그로스 공간에 접힘 없이 끼어질 수 있도록 한다. 이때 정관 및 고환혈관과 인공막 사이에는 탈장낭이나 정삭지방종 등이 끼지 않도록 이들을 인공막 위쪽으로 올려놓는다는 느낌으로 둔다. 이후에 복강경 시야는 유지하면서 가스를 빼면 전복막 공간이 좁아지면서 복막과 복벽 사이에 인공막 위치나 모양을 확인하면서 수술을 종료할 수 있다.

6) 수술 후 관리

식이는 환자가 마취에서 완전히 회복되면 시작할 수 있고 스스로 소변을 볼 수 있고 합병증이 없다면 수술 당일에도 퇴원할 수 있다. 통증 정도에 따라서 일상생활이나 업무복귀에 걸리는 시간에는 개인차가 있지만 대부분 일주일 안에 업무 복귀가 가능하다.

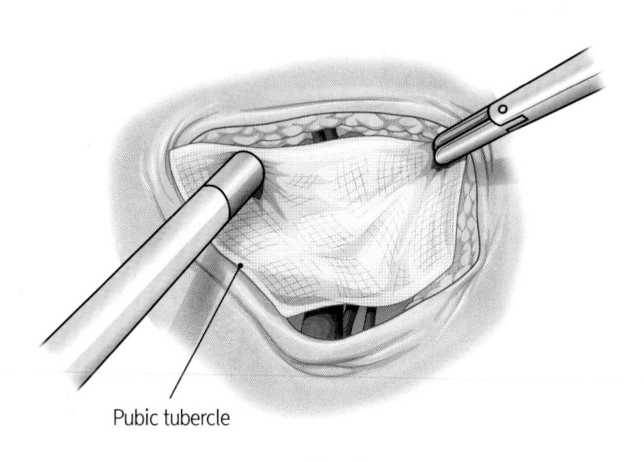
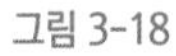

그림 3-18

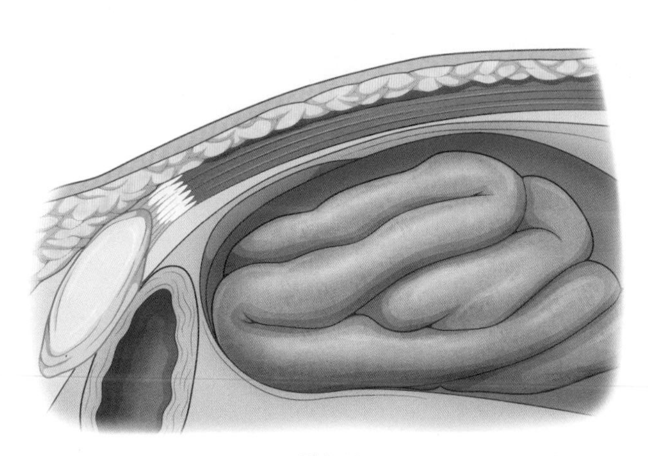

그림 3-19

II. 복강경유 복막외 접근법(Transabdominal preperitoneal herniorrhaphy)

수술 전 준비, 마취, 환자의 자세, 술자 및 모니터의 위치 등은 앞서 기술한 완전복막전공간 탈장교정술과 동일하다.

(그림 3-20) 좌측 서혜부 탈장에서 복강을 경유한 복막전공간 탈장교정술을 시행할 경우의 셋팅이다. 술자와 1조수는 병변의 반대쪽에 서고 필요하면 2조수가 그 맞은 편에 선다. 모니터는 수술대의 발치에 둔다.

1. 절개 및 노출

(그림 3-21) 앞서 설명한 방법으로 복강 내로 진입한다. 선호도에 따라 베레스 바늘을 이용하여 기복형성 후 투관침을 삽입하는 외과의도 있지만 복벽의 층을 눈으로 확인하며 시행하는 Hasson technique이 좀 더 안전하다. 복강경 삽입을 위한 투관침을 거치한 후에는 환자를 트렌델렌버그 자세로 취하고 10 mm 30° 복강경을 진입한다. 시야를 보면서 배꼽 레벨의 좌,우 복부 중앙이나 조금 아래 레벨에서 두 개의 5 mm 투관침을 삽입한다.

(그림 3-22, 23) 탈장의 종류를 확인하고 추가로 발견된 탈장은 없는지 반대쪽 탈장은 없는지 등을 관찰한다. 이 술식은 복막판을 형성하는 것으로 수술이 시작된다. 복막판은 전기소작기나 복강경용 가위를 이용하여 내서혜륜의

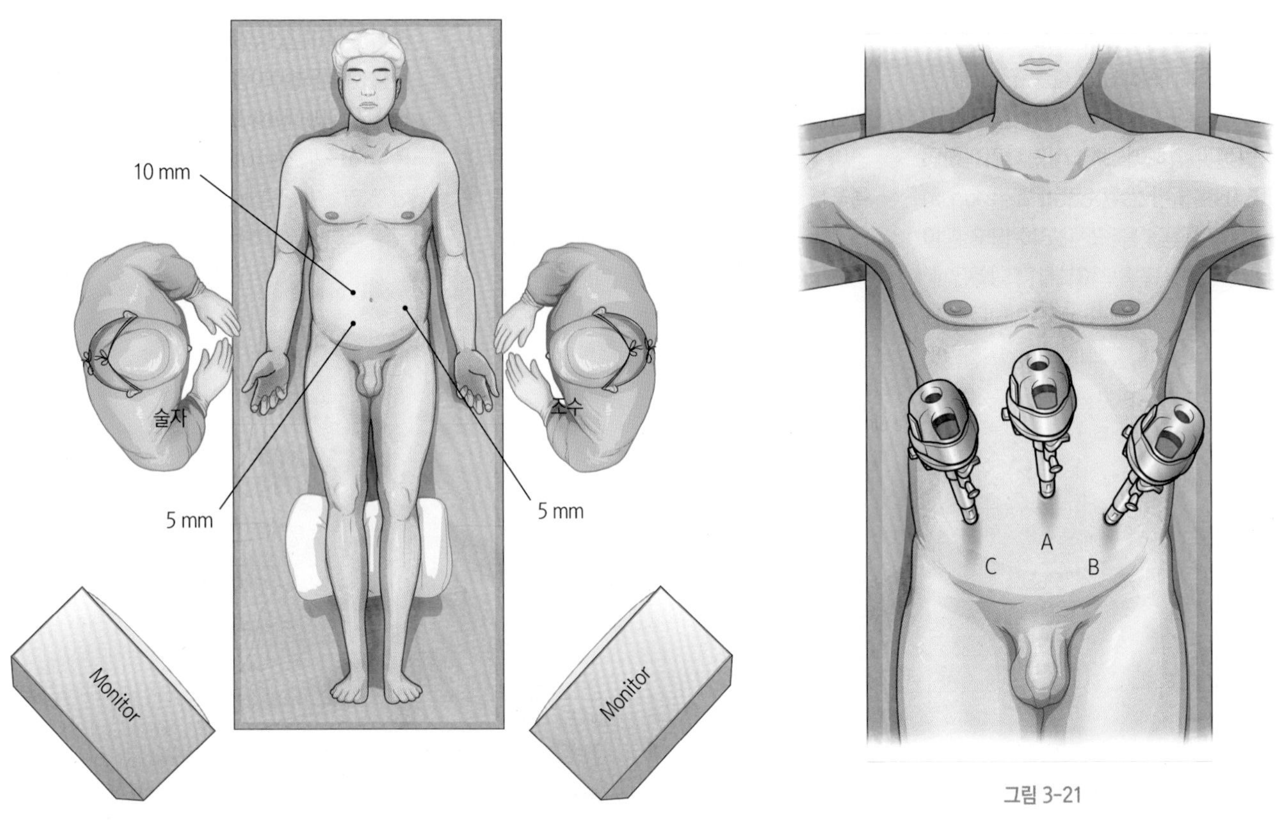

그림 3-20 좌측 서혜부 탈장의 경우 수술장 배치

그림 3-21

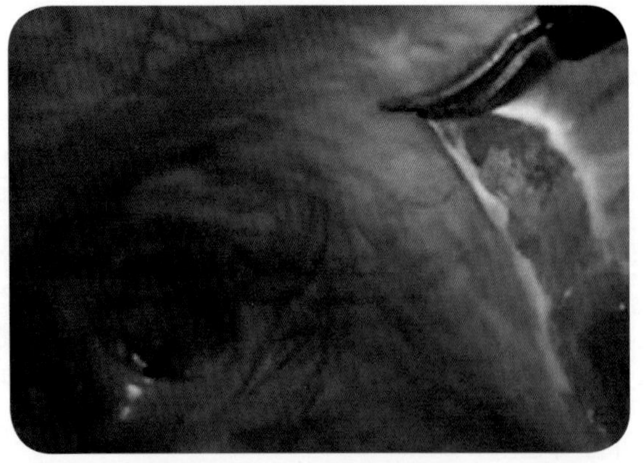

그림 3-22 탈장부위 상방으로 복막절개를 시행함
넓은 깊은 샅굴구멍과 중앙쪽으로 밀린 하복벽동정맥

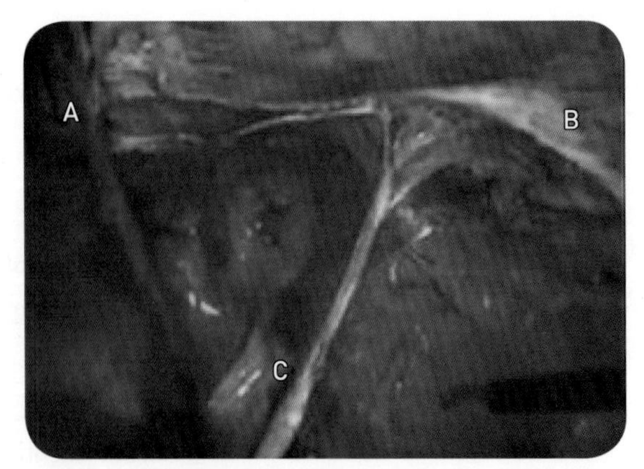

그림 3-23 복막절개가 종료된 모습
A. 내측 배꼽인대, B. 절개된 복막의 윗부분, C. 절개된 복막의 아랫부분

2~3 cm 머리쪽에서 시작해 외측으로 전상장골극까지 절개한다.

(그림 3-24) 복막판을 만들어 내서혜륜 및 근치골공을 확인하고 난 이후에는 완전복막전공간 술식의 과정과 동일하다. 복강경 수술기구로 복막과 가로근막 사이의 성긴 결합조직을 박리한다. 이때 중요한 기준점이 되는 구조물은 치골결절, 쿠퍼씨 인대, 하복벽혈관, 정관, 보그로스 공간 등이다.

(그림 3-25, 26, 27) 박리하는 동안 손상을 줄 경우 서혜부, 음낭, 내측 허벅지에 만성통증을 일으키는 통증삼각과, 큰 혈관들을 포함하는 파멸삼각 부위를 염두를 두고 박리를 진행한다. 사관은 약 30%의 인구에서 볼 수 있는 혈관 구조로 쿠퍼씨 인대의 가쪽에서 볼 수 있으며 매우 심각한 출혈을 일으킬 수 있으므로 쿠퍼씨 인대 부근을 박리하거나 후에 인공막을 고정할 때 주의하여야 한다.

간접탈장의 경우 완전복막전공간술식에서와 마찬가지로 정식을 분리한 후 탈장낭을 조심스럽게 잡아당겨 정삭으로부터 분리해 복막전공간으로 환원하도록 하며 역시 완전히 환원이 힘들거나 음낭까지 커진 탈장낭은 중간에 분리하여도 무방하다.

장치골도를 확인하고 아래쪽으로도 복막판을 만들며 박리하는데 음부대퇴신경의 음부가지나 외측대퇴피부신경의 가지에 손상을 주지 않도록 주의한다.

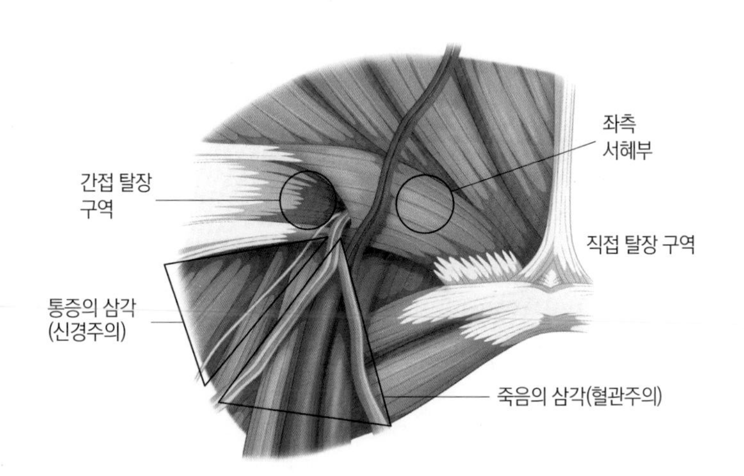

그림 3-24

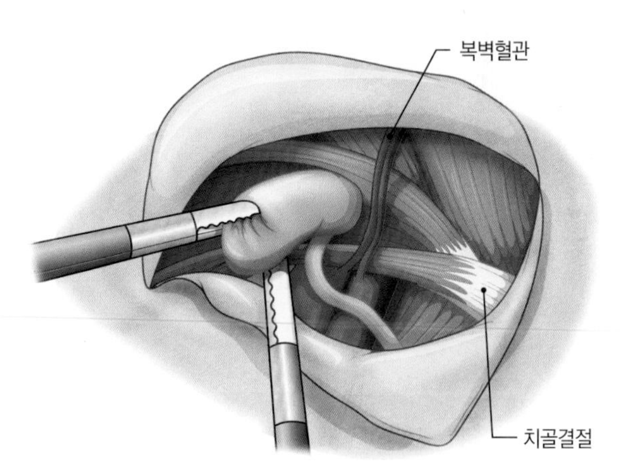

그림 3-25 좌측 간접 서혜부 탈장의 환원

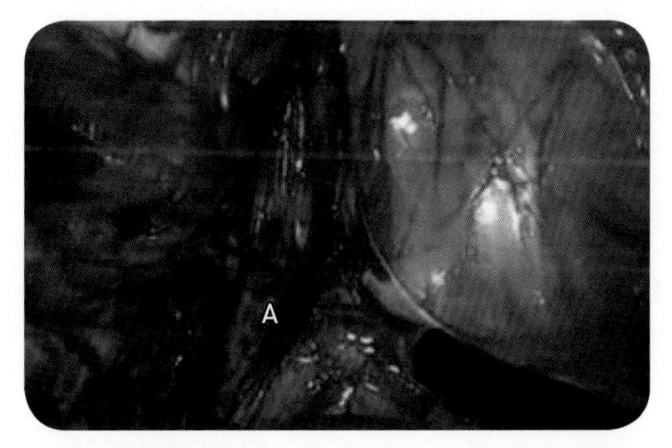

그림 3-26 살굴(inguinal canal)로 주행하고 있는 탈장주머니를 박리하는 모습 A. 탈장주머니

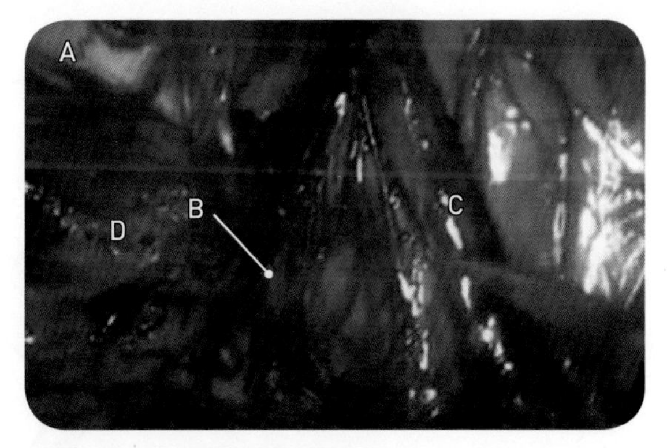

그림 3-27 내측과 외측박리를 마친 모습
A. 우측 치골가지(right pubic ramus), B. 정관, C. 고환동정맥, D. 폐쇄구멍(obturator foramen) 주변

전복막공간 형성이 끝나면 인공막으로 모든 잠재적 탈장 병소를 덮을 수 있도록 병변측 전상장골극부터 반대쪽 치골결절까지 넓게 공간을 확보한다. 양측탈장의 경우 요막관(urachus)를 자르지 않고 추가 절개를 통해 양쪽 모두 렛지우스 공간과 보그로스 공간을 박리하여 양쪽으로 통하는 큰 공간을 만들도록 한다.

(그림 3-28, 29) 인공막을 환자의 탈장, 골반크기, 형성한 전복막층의 공간 등을 고려하여 재단한 후 10 mm 투관침을 통해 복강내로 삽입한다. 인공막을 복막판 바깥쪽 전복막공간에 모든 탈장발생병소 즉, 근치골구멍을 모두 덮을 수 있도록 위치하고 tacking device나 suture 등으로 고정한다. 이때에도 통증삼각, 파멸의 삼각, 사관 등을 유념하도록 한다. 인공막의 위쪽을 고정한 후에 너무 과도하게 큰 인공막의 아래쪽 면은 인공막이 접히는 것을 방지하기 위해 잘라내어도 좋다.

(그림 3-30, 31) 인공막의 고정단계까지 끝나면 복막판 봉합과정이 필요하다. 인공막은 복막으로 완전히 덮혀야 하고 스테플러, 봉합사 등을 이용해 봉합한다.

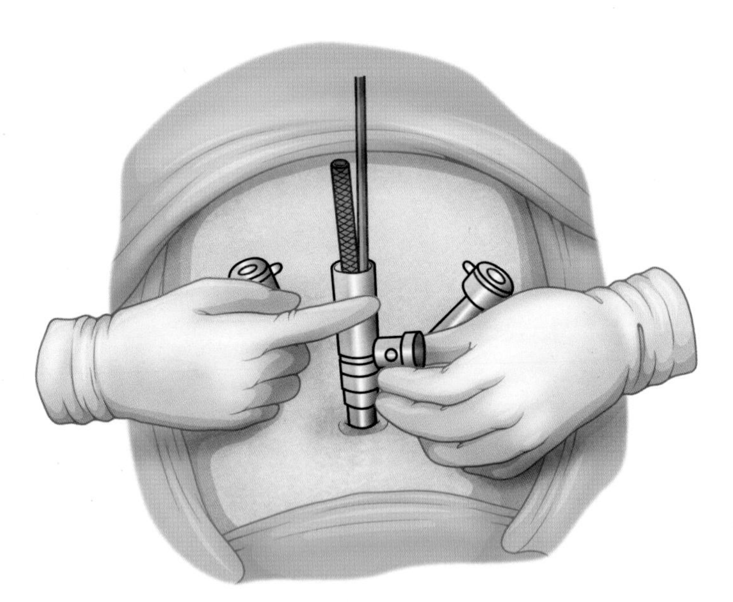

10 mm 투관침을 통한 인공막의 삽입

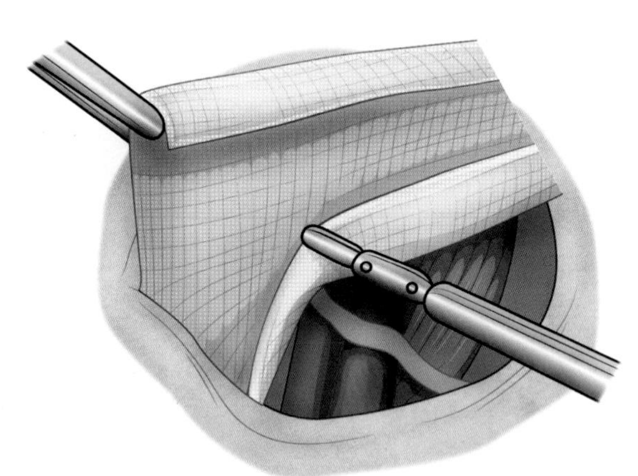

전복막 공간에서 인공막을 펼치는 모습

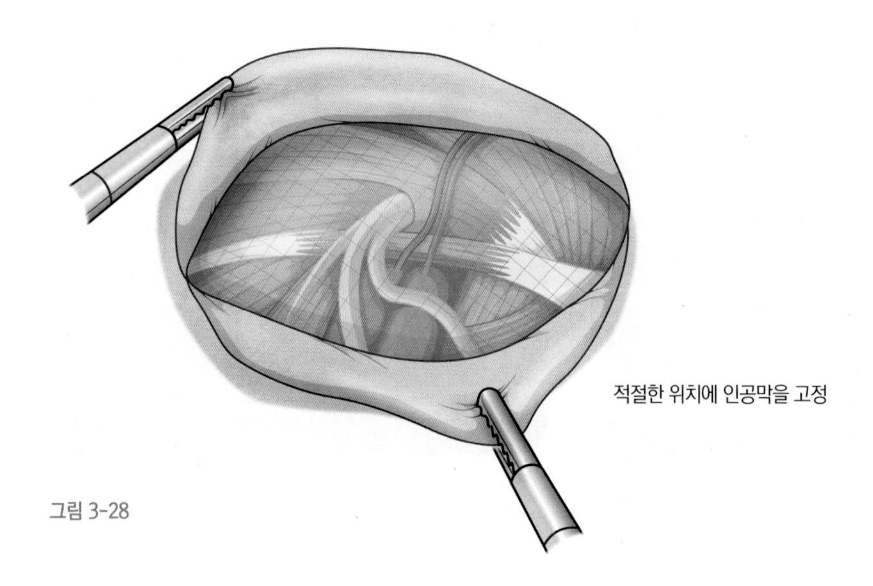

적절한 위치에 인공막을 고정

그림 3-28

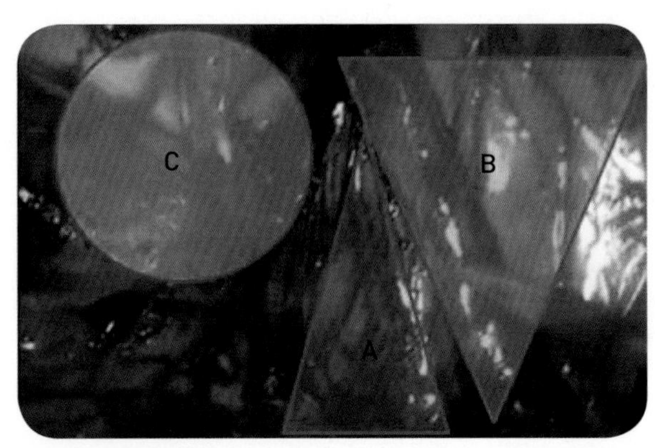

그림 3-29 삼각지대
A. 파멸의 삼각(Triangle of doom)
B. 통증의 삼각(Triangle of pain)
C. 죽음의 원(Circle of death)

2. 수술의 종료

복강경의 투관침 삽입부 복벽의 출혈이 없는지 확인하면서 투관침을 제거하고 기복을 제거한 후 10 mm 투관침삽입부의 복벽은 봉합해 준다.

3. 수술 후 관리

수술 후 장마비가 심하지 않다면 전신마취에서 천천히 깬 후 식이를 재개할 수 있고 합병증이 없고 일상생활이 가능하다면 퇴원할 수 있다.

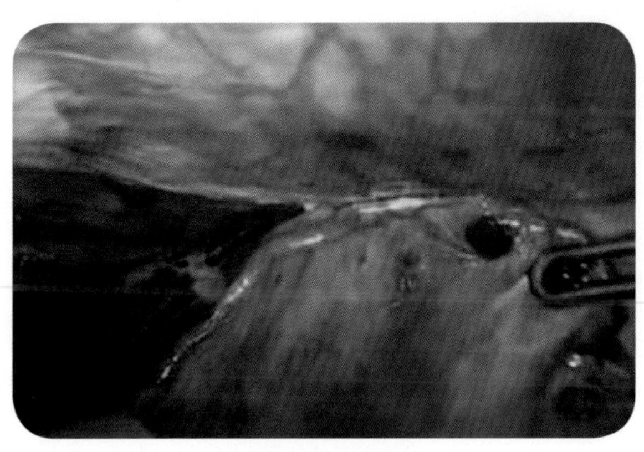

그림 3-30 Vicryl 연속봉합을 이용한 복막폐쇄

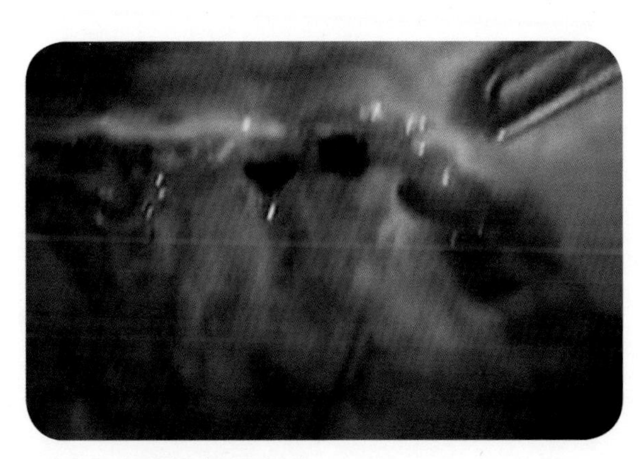

그림 3-31 복막폐쇄가 종료된 모습

표 3-1 복강경 탈장교정술의 적응증

적응증
- 음낭까지 탈장되는 경우를 포함한 간접 서혜부 탈장
- 직접서혜부 탈장
- 대퇴부 탈장
- 재발성 서혜부 탈장

비적응증
- 복강내 감염
- 비가역적 혈액응고장애
- 환자가 심각한 심폐질환을 동반하거나 혈역학적으로 불안정하여 전신마취가 불가능한 경우

상대적 비적응증
- 교액성 탈장
- 대장 등 복강내 장기를 포함하는 큰 활주탈장
- 도수정복이 불가능한 오래된 음낭탈장
- 다량의 복수
- 이전에 전립선,자궁 등의 수술을 받은 기왕력이 있는 경우

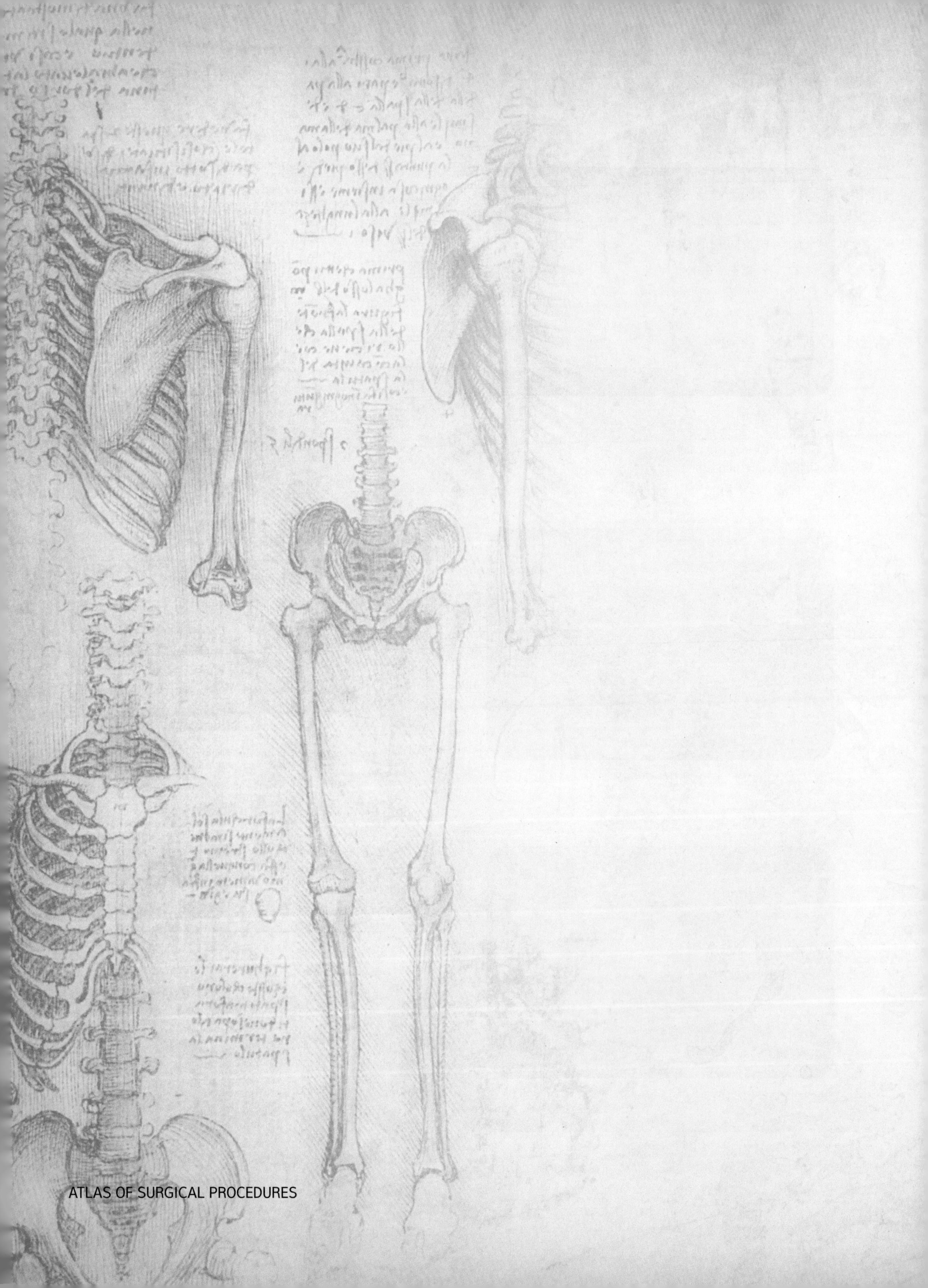

ATLAS OF SURGICAL PROCEDURES

SECTION 4

대장, 항문

Colon, Rectum, and Anus

Chapter Outline

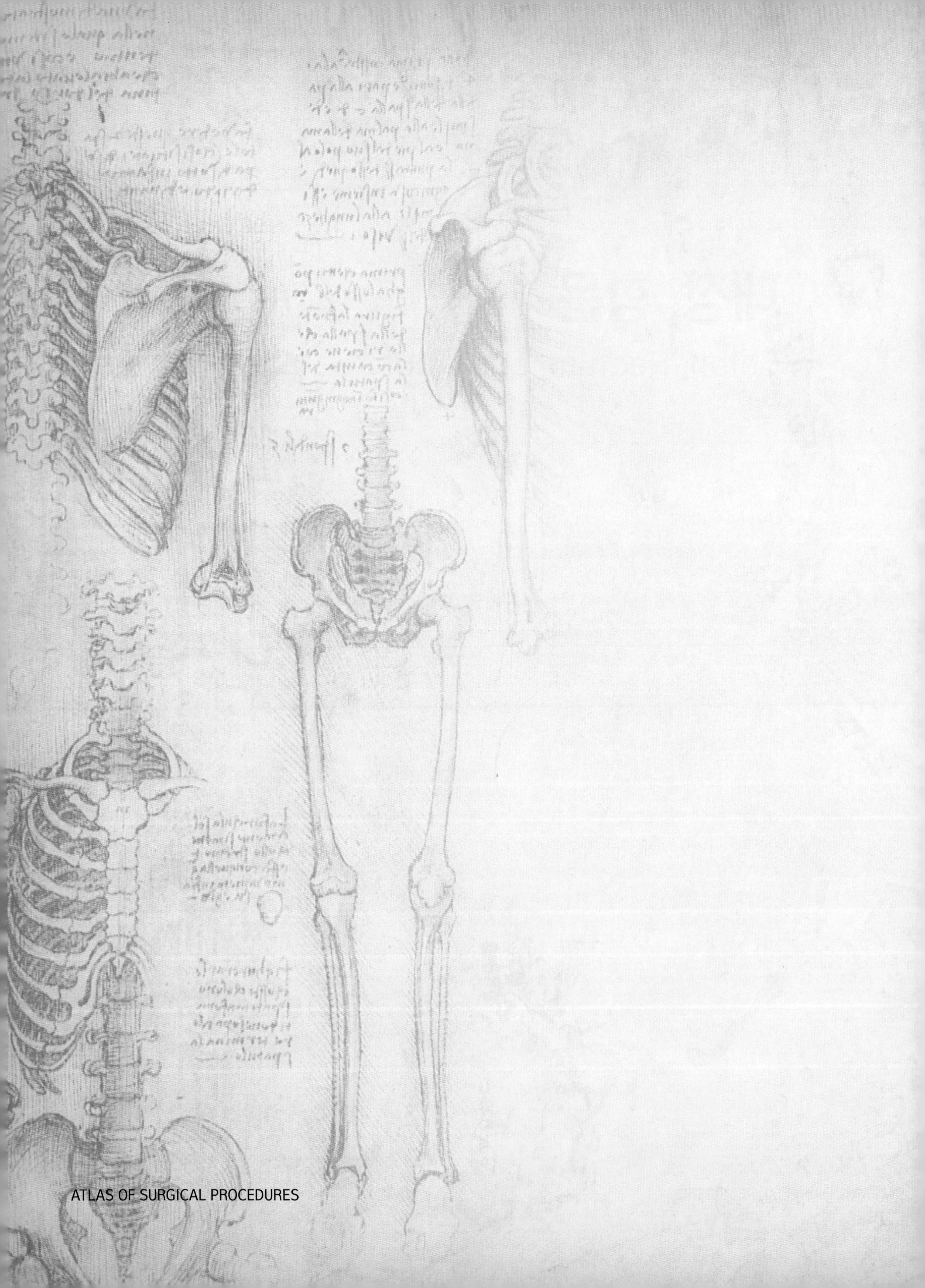

ATLAS OF SURGICAL PROCEDURES

CHAPTER 1

치핵절제술

Hemorrhoidecotmy

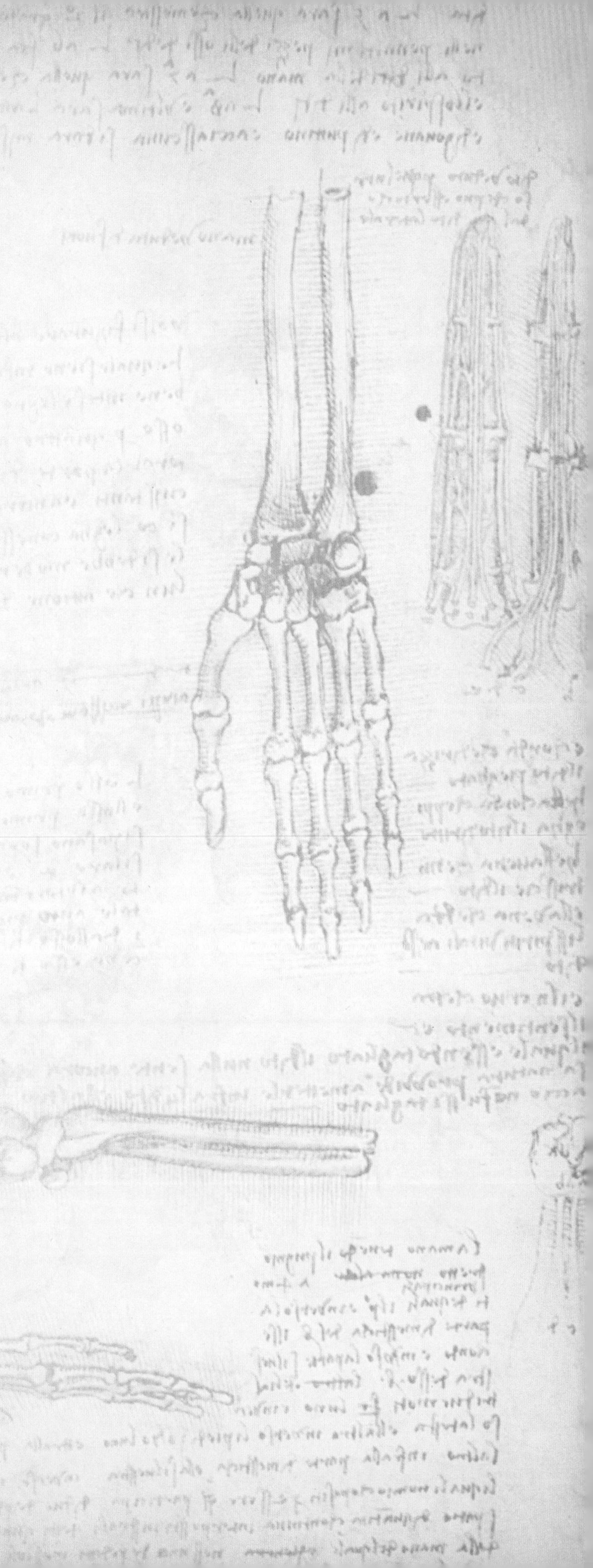

I. 고무결찰술(Rubber band ligation)

1. 적응증

출혈이나 탈출 등의 가벼운 증상이 있는 1° 내지 2° 내치핵에서 사용할 수 있으며 외래에서 특별한 마취 없이 시행할 수 있다. 내치핵과 외치핵의 해부도는 그림 1-1과 같다. 일반적으로 한 번에 한 개의 내치핵에 시술하고 3 내지 4주 후 다른 내치핵에 시술하나 술자에 따라 한 번에 여러 개의 치핵에 시술하는 경우도 있다.

2. 수술 준비

가벼운 관장이 필요하나 특별한 마취는 필요 없다. 항응고제를 복용하고 있는 경우 수술 1주 전부터 수술 후 2주 동안 끊을 것을 권유한다. 항문경과 McGivney 치핵결찰기, 고무밴드가 필요하다.

3. 환자 자세

무릎 꿇고 엎드린 자세 또는 좌측와위

4. 수술 과정

(그림 1-2) 고무밴드 2개를 결찰기에 장착시켜 둔다. 항문경을 삽입하여 내치핵의 위치와 상태를 확인하여 가장 큰 내치핵을 선택한다. 결찰기를 통하여 Allis 겸자를 삽입하여 내치핵의 직상부 점막을 잡아당겨 통증의 유무를 확인한다. 통증이 미미한 경우 결찰기의 밴드를 발사하여 조직을 결찰시킨다. 이때 주의하여야 할 점은 치상선보다 최소 1.5 cm 상방의 부분을 결찰하도록 하여야 한다. 환자에 따라 통증이 심한 부위의 위치가 차이가 있을 수 있으므로 견인 시 심한 통증이 있는 경우 조금 더 근위부 쪽으로 이동하며 수 cm 상방에도 통증이 심한 경우 시술을 포기하고 다른 방법으로 전환하여야 한다. 결찰 후 배변을 하고 싶은 불편감은 정상적으로 있을 수 있다. 결찰을 한 직후 심한 통증이 있는 경우에는 밴드를 제거 하여야 한다.

5. 수술 후 관리

시술 후 당일은 가급적 배변을 자제시키고 몇 일간 과도한 운동은 자제시킨다. 수술 후 4 내지 10일 사이에 괴사된 조직이 떨어지면서 소량의 출혈은 있을 수 있으나 대량의 출혈이 나오는 경우는 주의해야 한다.

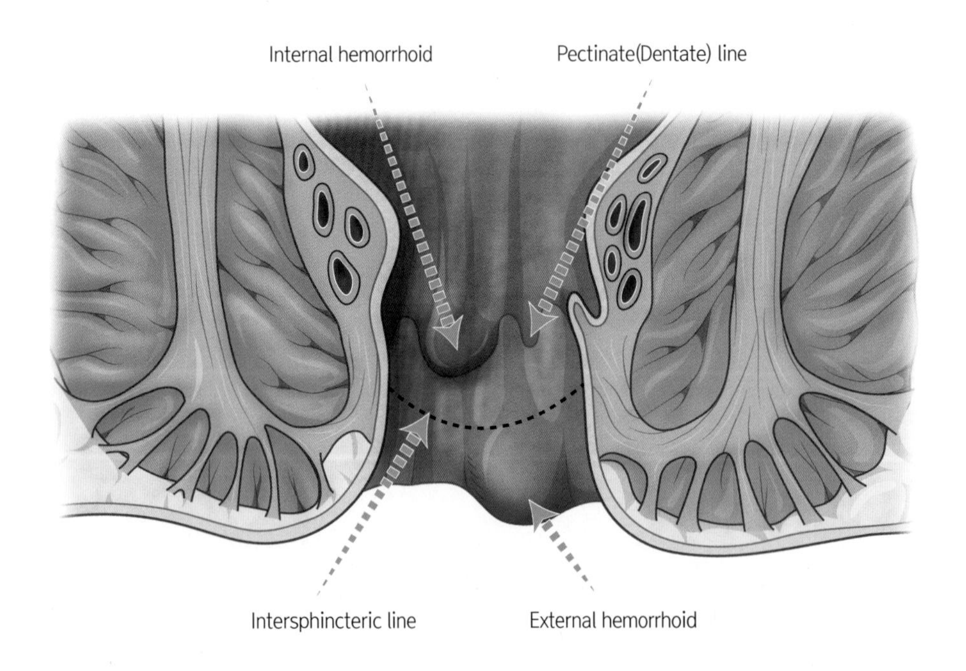

그림 1-1 치상선 상부의 내치핵과 하방의 외치핵

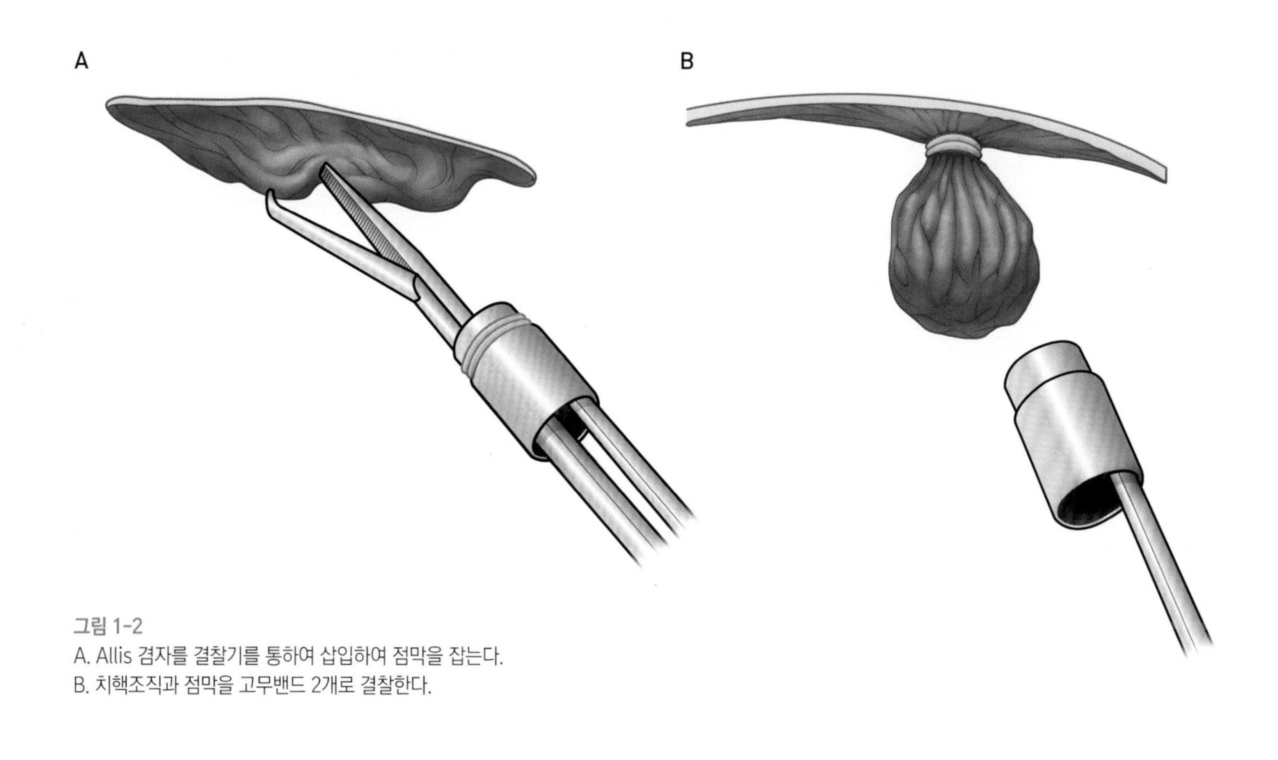

그림 1-2
A. Allis 겸자를 결찰기를 통하여 삽입하여 점막을 잡는다.
B. 치핵조직과 점막을 고무밴드 2개로 결찰한다.

II. 치핵절제술(Hemorrhoidectomy)

1. 적응증

3° 나 4°의 내치핵이나 비수술적 치료로 치유가 되지 않는 외치핵에서 치핵절제술이 고려된다. 그리고 치루, 치열, 궤양 등이 동반된 경우 수술이 고려된다. 그러나 심하지 않은 항문출혈이나 항문소양증이 동반되지 않은 피부꼬리를 호소하는 모든 치핵환자에서 수술적 처치가 고려되지는 않는다.

2. 수술 전 처치

수술 당일 아침에 관장을 실시한다. 술자에 따라 2 내지 3일 장을 비울 목적으로 수술 전날 저녁에 장청결제를 복용시키는 경우도 있다. 마취는 국소마취, 부분마취, 전신마취의 어느 방법이나 사용할 수 있는 데 환자의 상태나 요구에 맞추어 실시할 수 있다. 예방적 항생제의 사용은 필요치 않다. 항응고제를 복용하고 있는 경우 수술 1주 전부터 수술 후 2주 동안 끊을 것을 권유한다. 빈혈이 있는 경우 빈혈의 원인에 대한 규명이 필요하다. 드문 경우 혈액질환에 의한 빈혈이 있을 수 있다. 수술 시작 전에 배뇨를 시켜서 방광을 비우며 수액공급은 가급적 줄여 수술 후 소변이 저류되는 것을 예방한다. 술자에 따라 당일 퇴원을 시키는 경우도 있으나 수술 후 하루 입원시키는 경우도 있다. 항문 출혈이 계속된 경우 술 전 대장내시경 검사를 실시하여 대장질환 여부를 확인할 필요가 있다.

3. 환자 자세

잭나이프 복와위 또는 돌제거술 자세 또는 좌측와위

4. 수술 과정

(그림 1-3) 적절한 마취하에 환자의 자세를 잡은 후 항문경을 이용하여 항문을 부드럽게 확장시켜서 치핵의 위치와 돌출 유무 등을 확인한다. 이때 마른 거즈를 항문관에 삽입 후 천천히 제거하면 치핵의 돌출 여부를 잘 확인할 수 있다. 지혈 목적이나 수술 후 통증을 경감시킬 목적으로 1:200,000 에피네프린이 포함된 0.5% 리도케인을 절제조직 주위의 항문관에 주사한다. 이 경우 충분한 지혈효과가 나

타나고 부풀어 오른 조직이 정상화될 때까지 수분간 기다린다.

제거 순서는 일반적으로 아래에 위치한 제일 큰 치핵조직부터 제거한다. 돌출된 치핵조직의 끝을 겸자로 잡고 치핵조직의 근위부에 동맥이 위치한 부위의 직장점막을 흡수봉합사를 이용하여 결찰한다. 치핵조직은 나이프, 홍체가위, 레이저, Harmonic scalpel, Ligasure 등을 이용하여 제거한다. 몇몇 연구보고에서 Ligasure 등이 술 후 통증경감에 약간의 이득은 있으나 빠른 직장 복귀 등의 큰 이득은 없는 것으로 보고된다.

치핵 조직의 제거 시 내괄약근이 제거되지 않게 주의하여야 하고 근위부 직장점막은 가급적 좁게 절제한다. 홍체 가위를 이용하여 절제된 치핵조직 옆에 남아있는 치핵조직을 제거한다. 치핵조직을 제거 후 상처봉합 방법에 여러가지 방법이 있다. 대표적으로 개방형과 폐쇄형이 있으며 추가하여 변형 폐쇄형 또는 변형 개방형이 있다.

(그림 1-4) 개방형은 조직을 절제한 후 근위부 줄기 부위를 흡수봉합사로 다시 한번 결찰만 하고 상처 부위는 그대로 둔다.

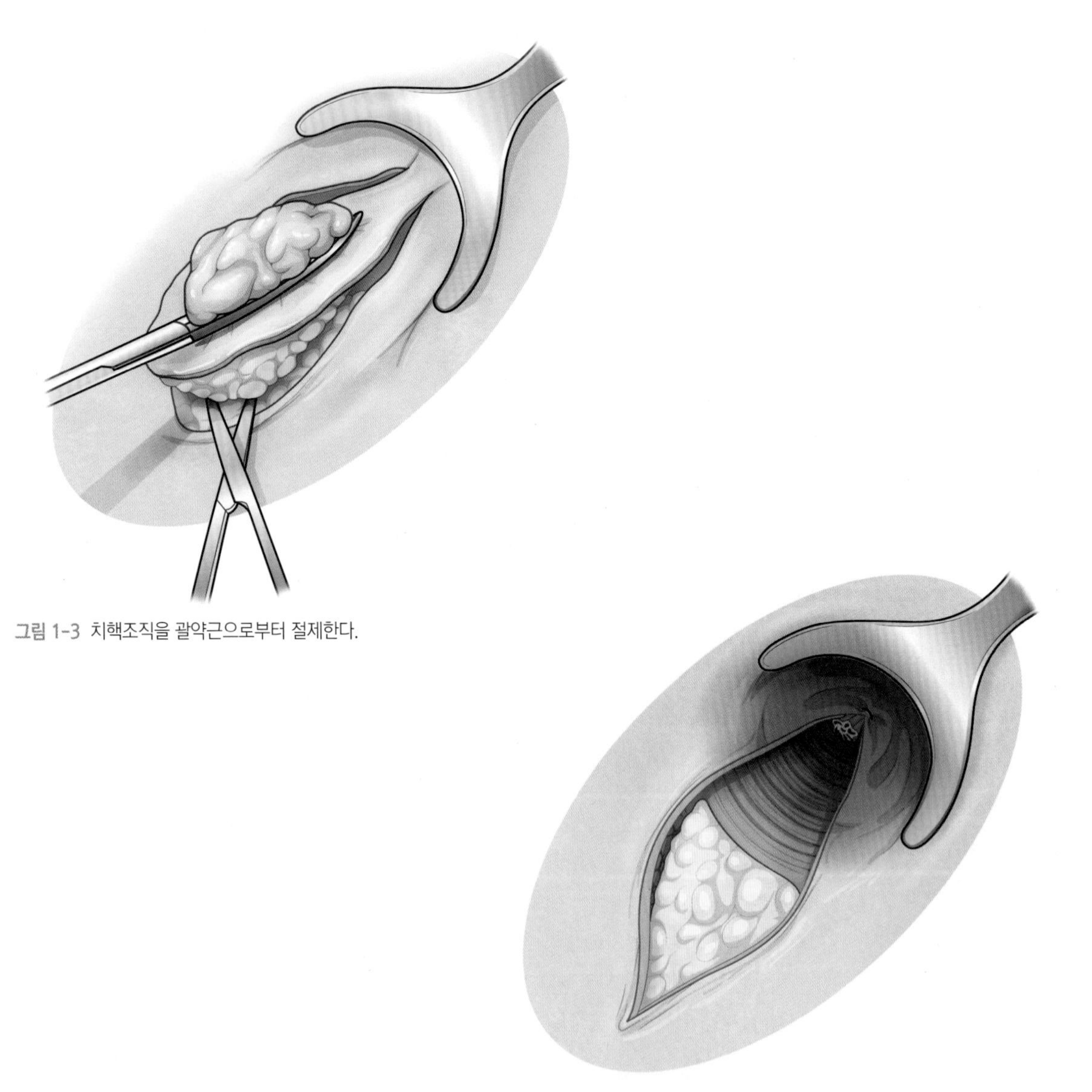

그림 1-3 치핵조직을 괄약근으로부터 절제한다.

그림 1-4 치핵조직을 절제 후 근위부 줄기 부위는 결찰하고 상처는 개방한 채 둔다.

(그림 1-5) 이때 술전에 치열이 동반된 경우 측방내괄약근절개를 고려한다.

(그림 1-6) 폐쇄형은 조직을 절제한 후 근위부 줄기를 결찰한 흡수 봉합사를 이용하여 연속적으로 상처를 봉합한다.

(그림 1-7) 변형 폐쇄형은 줄기를 결찰 후 치상선까지 봉합하고 치상선 하방의 부위는 개방시킨 채로 둔다. 추가의 다른 치핵조직의 절제 시 절제연과 절제연 사이에 충분한 정상 항문상피 조직이 존재하여야 수술 후 협착을 막을 수 있다.

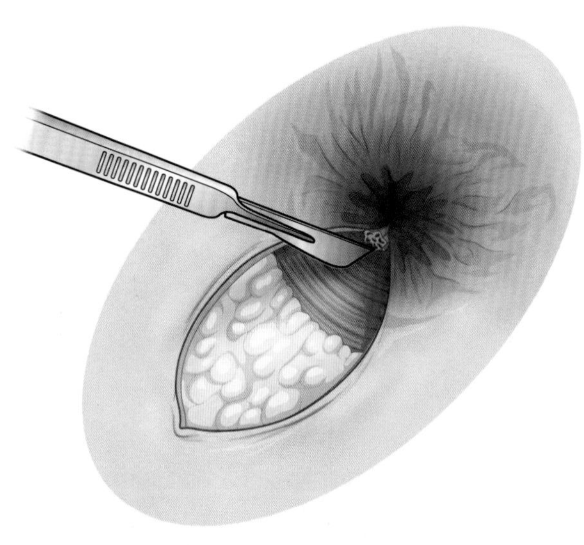

그림 1-5 치열이 동반 된 환자에서 치핵조직을 절제 후 필요한 경우 노출된 측면부의 내괄약근을 치상선까지 절개한다.

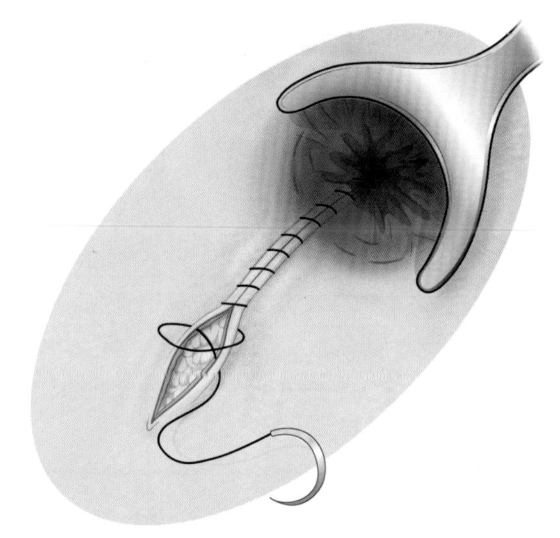

그림 1-6 치핵조직을 절제 후 상처를 흡수성 봉합사를 이용하여 연속적으로 봉합한다.

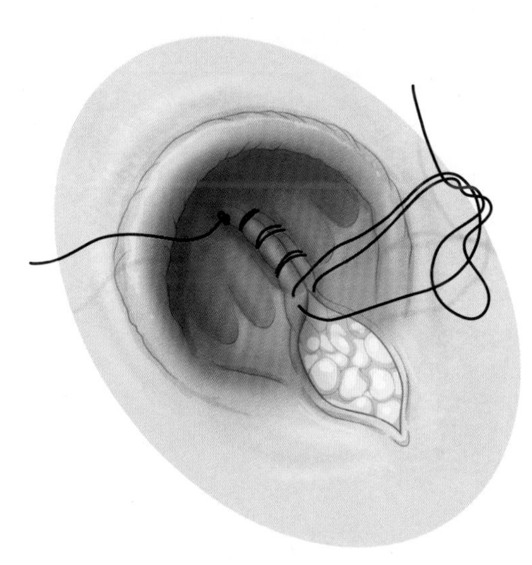

그림 1-7 치핵조직을 절제 후 상처를 흡수성 봉합사를 이용하여 항문연까지 항문상피조직을 봉합하고 피부부위는 개방시킨 채로 둔다.

1) Stapled hemorrhoidopexy

(그림 1-8) 4°의 환상 치핵에 적응이 된다. Circular anal dilator (CAD 33)를 항문관에 삽입 후 피부에 고정시킨다. 그 후 purse string suture anoscope을 삽입 후 2-0 monofilament 봉합사를 이용하여 치상선 3~4 cm 상방의 점막과 점막하층을 purse string suture 한다. 이때 좁은 간격으로 시행한다.

봉합기의 머리부분이 완전히 열린 상태로 항문관으로 삽입 후 봉합사를 결찰한다. 그 후 봉합사를 봉합기의 구멍을 통하여 꺼낸 후 당겨서 긴장을 유지하면서 봉합기를 닫는다. 이때 봉합기의 표시가 4 cm 정도 될 때까지 삽입이 이루어지도록 한다. 여자 환자인 경우 질의 후벽을 만져서 질후벽이 결찰되지 않았는지 확인한다. 확인 후 봉합기를 발사하고 머리부분을 연 후에 봉합기를 제거한다. 항문경을 넣어 출혈이 되는 부위를 확인하고 출혈이 있는 경우 흡수성 봉합사로 결찰한다.

최근에는 수술 후 협착 등의 합병증을 줄이기 위해 두 개 또는 세 개의 창문이 있는 항문경을 사용하여 stapling 후에도 2~3개의 절제되지 않은 정상 점막을 남겨두는 TST (tissue specific treatment) 수술법을 사용하기도 한다.

5. 수술 후 관리

항문관 내에 거즈 등을 넣는 것은 심한 통증을 유발 할 수 있으므로 가벼운 드레싱을 시행한다. 수술 당일 저녁에 드레싱을 제거하고 하루 4회 정도 온수좌욕을 권장한다. 치핵크림을 발라 줄 수 있다. 이 경우 가급적 연고는 피한다. 수술 후 특별한 경우 아니면 식사를 제한할 필요는 없으나 첫 번째 소변을 볼 때까지 수액 공급을 제한하여 소변의 저류를 예방한다. 경구 진통제를 하루 4회 처방하며 분변완화제를 같이 처방한다. 경구용 항생제를 처방하는 경우도 있으나 확립된 증거는 없다.

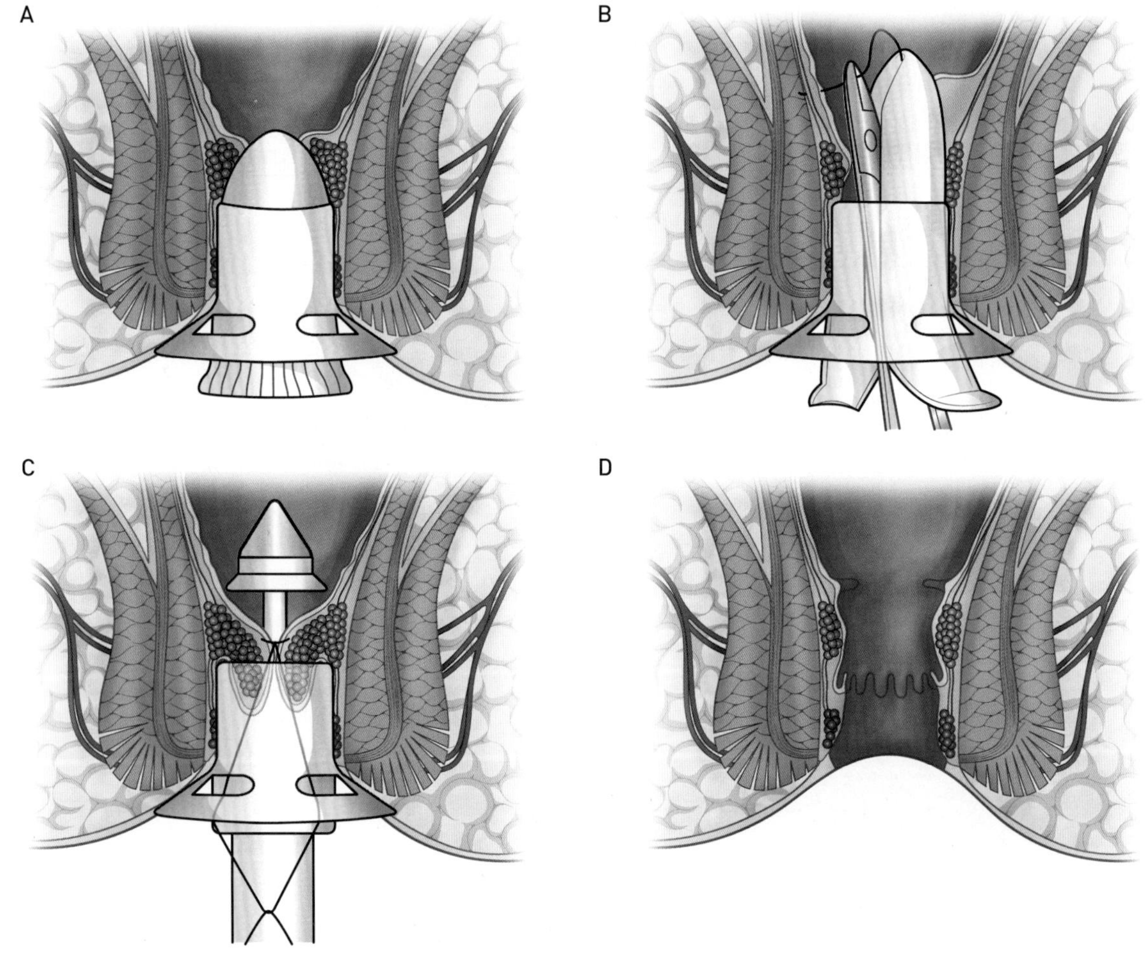

그림 1-8
A. CAD 33을 항문을 통해 삽입하고 고정한다.
B. 2-0 monofilament 봉합사를 이용하여 치상선 3 내지 4 cm 상방의 점막을 환상으로 점막과 점막하층만 12땀 정도 바느질 한다.
C. 봉합사를 결찰 후 봉합기를 닫는다. 이때 4 cm 정도 봉합기가 항문관 안으로 들어가게 한다.
D. 봉합기를 발사 후 제거한다. 이때 출혈이 있는 경우 흡수성 봉합사로 결찰한다.

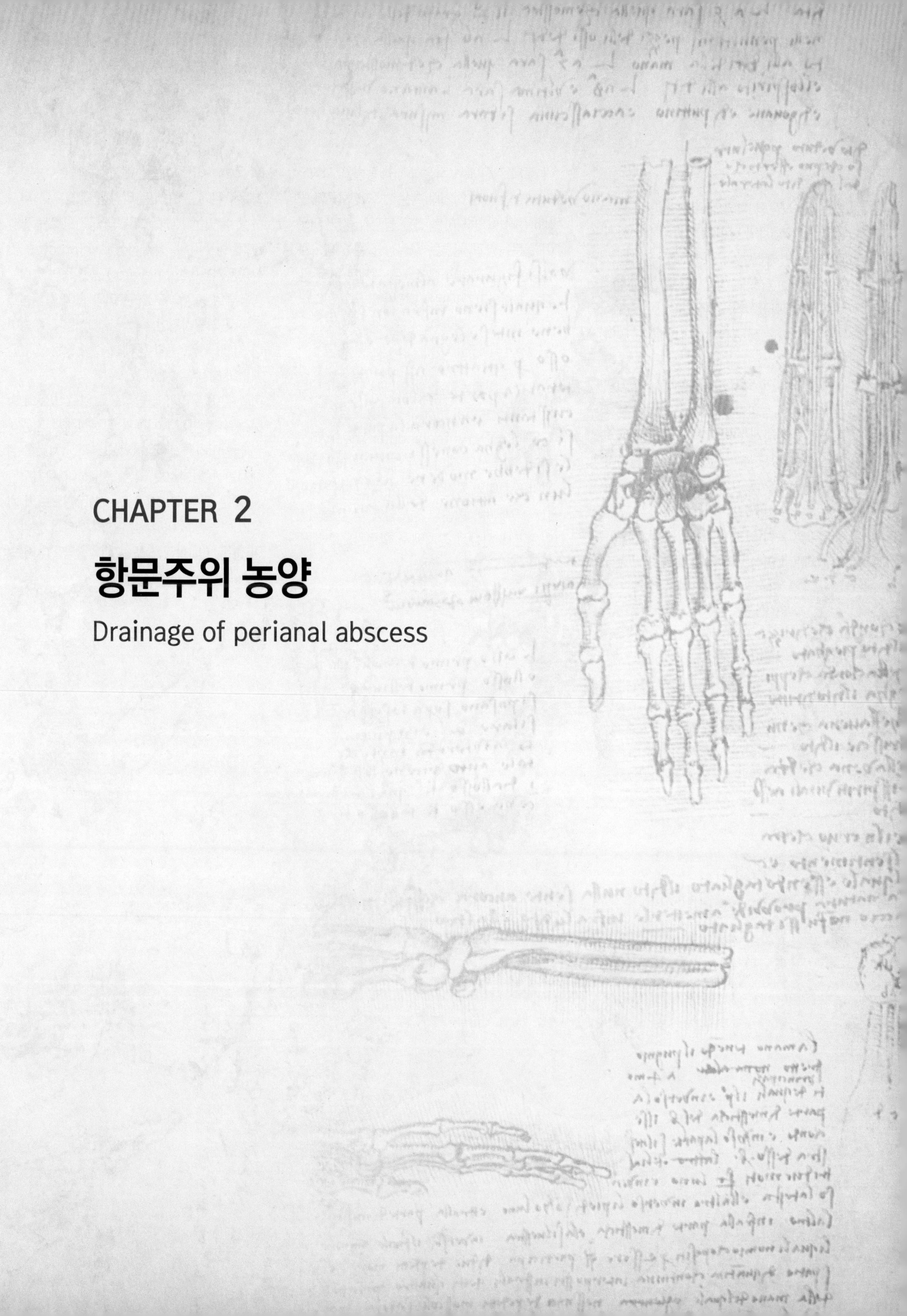

CHAPTER 2

항문주위 농양

Drainage of perianal abscess

1. 서론

항문 및 직장의 감염의 주된 원인은 항문선(anal glands)의 막힘의 결과로 발생하게 된다. 이로 인해 고름이 피하조직, 괄약근 평면 또는 다양한 유형의 항문 직장 농양이 형성되며 더불어 좌골직장 및 주위공간으로 확장될 뿐만 아니라 전신 감염으로 진행될 수 있다.

항문선의 감염은 대부분이 그 개구가 분변 등에 의해 막히게 되어 발생하는데, 급성기의 경우 항문주위 농양을 형성하고, 만성화 된 경우 치루를 유발하게 된다. 따라서 항문주위 농양의 30~70%가 수반되는 누공과 관련되어 있고 30~40%의 환자가 항문 주위 농양 치료를 받은 후 누공이 발생한다는 보고가 많다.

항문주위 농양(이하 항문농양)의 치료는 즉각적인 배농술이라는 것이 잘 알려져 있다. 그러나 실제 임상에서 적절하게 배농술을 시행하여 재발이 없게 하거나 혹은 추후에 치루가 발생하는 것을 방지하는 것은 쉽지가 않다. 더욱이 항문농양과 치루는 사실상 같은 원인으로 발생한 같은 맥락의 질환으로, 실제로 이 두 질환을 감별하기가 때로는 어려운 경우가 있다.

2. 항문농양의 병태생리

(그림 2-1) 항문농양은 잘 알려져 있듯이 대부분이 항문선(anal gland)의 화농으로부터 시작된다(이를 cryptoglandular theory라고 한다). 항문선은 대다수가 내괄약근이나 내외괄약근 사이의 공간에 위치하며, 그 수는 대략 10~15개이며 항문의 정후방에 더 집중되어 있으면서 치상선 근처에서 항문관으로 배액된다. (그림 2-2) 이들 항문선에서 시작되는 농양은 항문주위에 분포하는 다양한 공간으로 퍼져 나갈 수 있는데, 항문 주위의 공간으로는 괄약근간, 항문주위, 좌골직장(ischiorectal) 및 상항문거근(supralevator) 공간 등이 있다.

항문주위 농양의 90%는 이와 같이 항문선으로부터 기원하지만, 나머지 10%는 크론병이나 결핵, 외상, 종양 등에서 같이 항문선과 관계없이 발생할 수 있다.

이와 같이 우리가 일반적으로 알고 있듯이 항문주위 농양이나 치루가 항문선에서 기원하는 질환이라면, 두 질환의 근본적인 치료를 위해서는 원인병소가 되는 항문선이 제거되든지 혹은 외부에 노출(lay open)됨으로써 치유가 가능한 것이다. 항문선의 해부를 생각하면 항문선(내괄약근 또는 내외괄약근 사이의

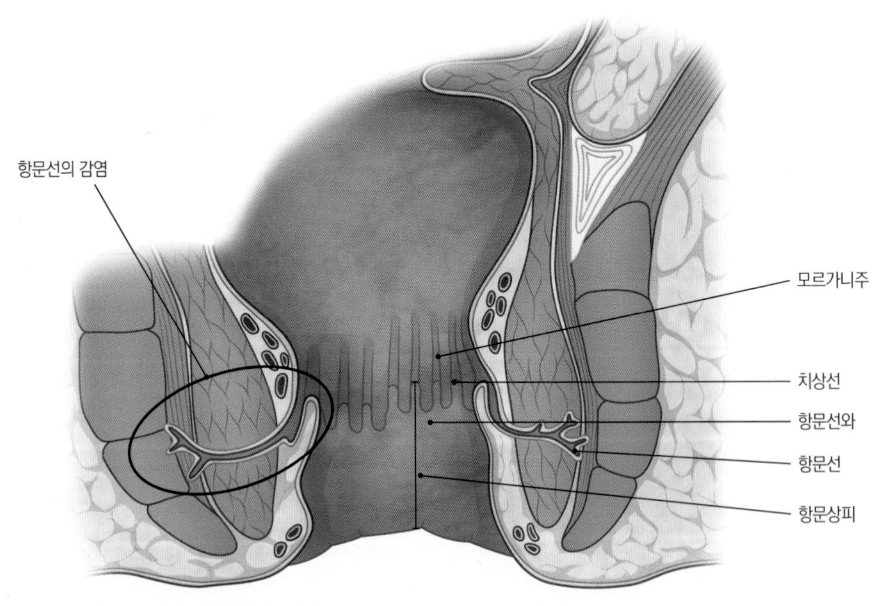

그림 2-1 항문주위농양의 원인이 되는 항문선의 감염

공간에 위치)과 항문선이 항문관 내로 배액되는 치상선부위의 개구까지 모두 제거되거나 노출되어야만 한다. 대부분 치루에서는 내공 및 외공이 확실하게 존재한다. 이 경우에는 내외공을 포함한 치루관이 모두 절개되거나 제거되어야만 근본적인 치료가 이루어지지만 농양의 경우 실제로 화농되는 범위가 항문관 안쪽으로가 아니라 항문주위 공간으로 번지는 경우가 많아 해부학적 고려 사항에 따라 농양의 위치에 따른 절개방식이 변경될 수 있다.

3. 항문농양의 진단

대다수의 경우 병력과 진찰소견만으로 진단이 가능하다. 항문농양의 가장 흔한 증상은 통증 및 부종(swelling)이다. 경미한 출혈이나 분비물로 발현될 수도 있으며, 심한 경우 고열이 동반될 수 있다. 진찰 소견상 통증을 동반한 부종이 촉지되며 국소적 발열, 파동(fluctuation) 등이 있을 수 있다. 농양의 부위에 따라 차이가 있는데, 항문연 근처에 국한된 염증은 주로 항문주위 농양이고, 괄약근 범위를 벗어나 항문 주위의 엉덩이를 침범하고 있는 경우는 직장 주위 농양을 의미한다. 통증이 있으면서 항문관 내의 압통을 호소하는 경우는 괄약근간형 농양인 경우가 많고, 진찰소견상 특이한 것이 없이 골반통증이나 배뇨곤란 등을 호소하는 경우는 상항문거근형 농양인 경우가 많다.

상항문거근형 농양의 경우 직장수지 검사상 항문내 깊은 곳에서 종괴나 파동 등이 촉지될 수 있다. 항문이나 직장 부위의 심한 통증으로 직장수지 검사가 불가능한 경우는 마취 하에 진찰을 하는 것이 바람직하다. 대다수의 경우 이와 같은 이학적 소견만으로 진단이 가능하지만, 필요한 경우 경항문초음파 검사 혹은 복부전산화단층촬영(CT)이 도움이 될 수 있다. 다만 CT는 골반내 큰 농양을 찾는데 도움이 되나 누공이나 작은 농양을 찾는데는 부정확한 검사이다. 이로 인해 필요시에는 자기공명 촬영술이 도움이 될 수 있다.

4. 항문농양의 치료

치료는 단도직입적인 배농술이다. 화농이 될 때까지 기다리는 것은 경험이 없는 전공의들이 주로 저지르는 실수로서 실제로 염증을 더

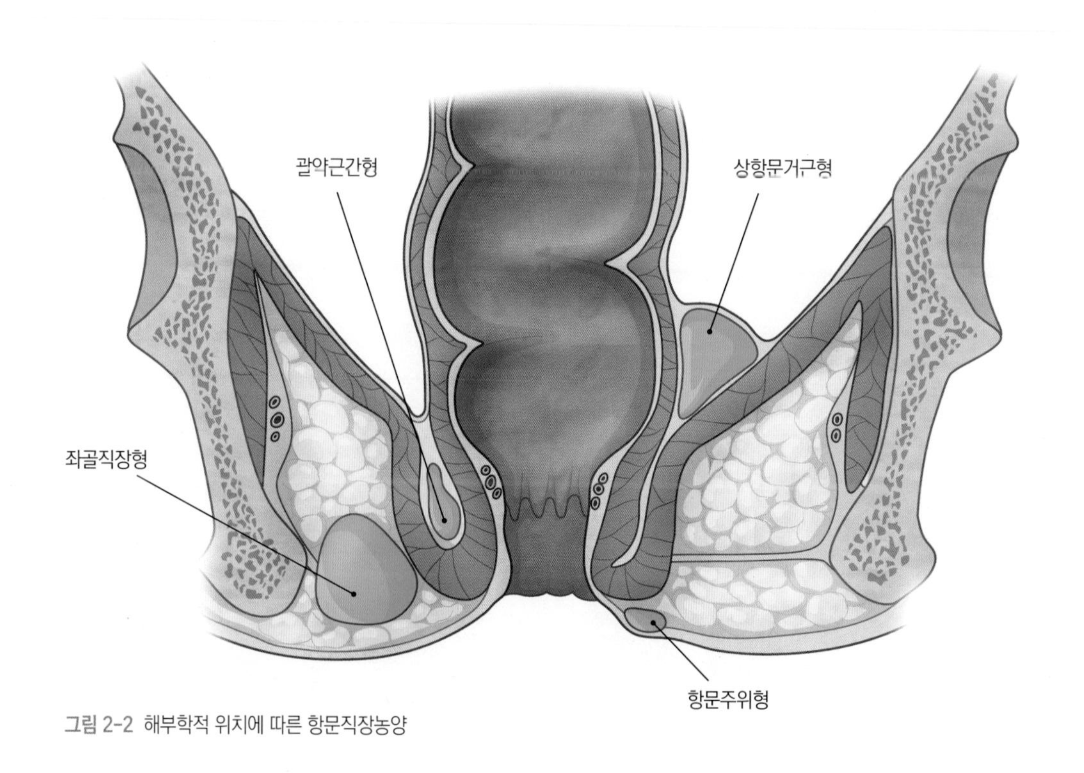

그림 2-2 해부학적 위치에 따른 항문직장농양

파급시키는 부작용만 초래한다. 이는 항문주위의 공간이 주로 칸막이가 없는 지방조직으로 이루어져 있어서 저항없이 염증이 파급되기 용이하기 때문이다. 일반적으로 적절한 배농술 후 항생제 치료는 필요 없으나 광범위한 항문 주위 염증, 전신 감염의 징후, 당뇨병, 판막 심장질환, 면역억제 등이 동반된 환자에는 경험적 항생제를 쓰는 것이 환자의 치료에 도움이 될 수 있다(그림 2-3).

농양의 범위가 심하지 않은 경우는 국소마취하에 배농술이 가능하지만, 범위가 넓거나 부종이 심한 경우에는 척추나 전신마취하에 시행하는 것이 바람직하다. 배농술은 국소마취제와 epinephrine을 혼합한 용액을 주입한 다음 십자형으로 절개를 한다(그림 2-4, 5).

이때 유의할 것은 절개를 가급적 항문 가까이 함으로써 추후 발생할 수 있는 치루의 길이를 최소화한다는 점과, 배농술 시행 시 농양 내의 모든 격막(septations, loculations)을 제거함으로써 완전한 배농을 시행하여야 한다는 것이다. 절개창이 확실히 열려 있도록 십자 절개창의 구석들을 절제함으로써 구멍을 확실히 내준다. 배농술 후에는 하루에 2~3회, 그리고 배변 후에 반드시 온수 좌욕을 하도록 환자에게 지시한다. 또한 상처부위에 대한 패킹은 항문 직장 농양의 절개 및 배액 후에 일반적으로 수행하지만 이에 대한 이점의 근거는 확립된 바 없으나 일부 연구에서 수술 후 통증이 적어진다는 보고가 있었다.

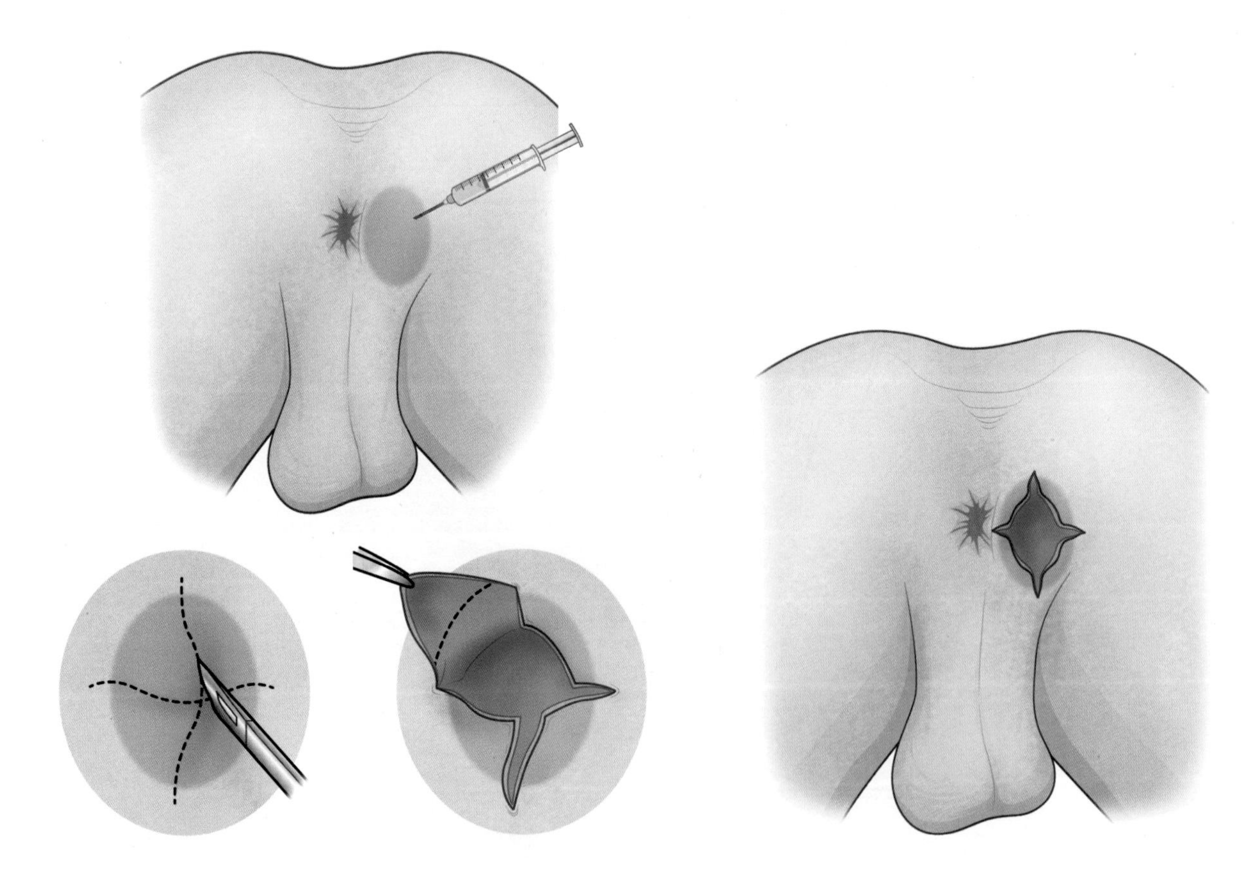

그림 2-3 항문주위농양 배농술. 국소마취제 주입 후 십자형 절개를 가한 후 피부 절제를 통해 배농을 시행한다.

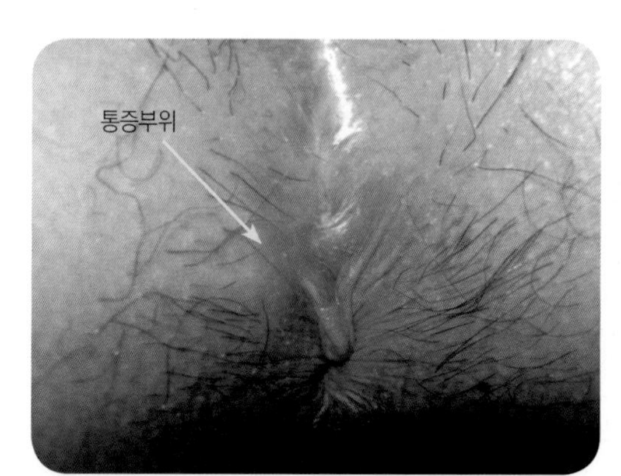

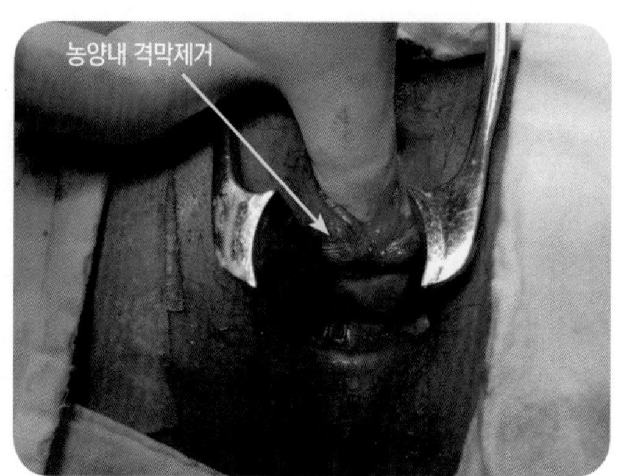

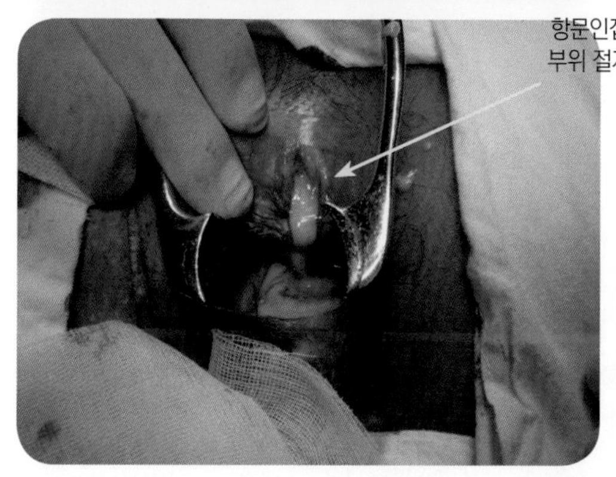

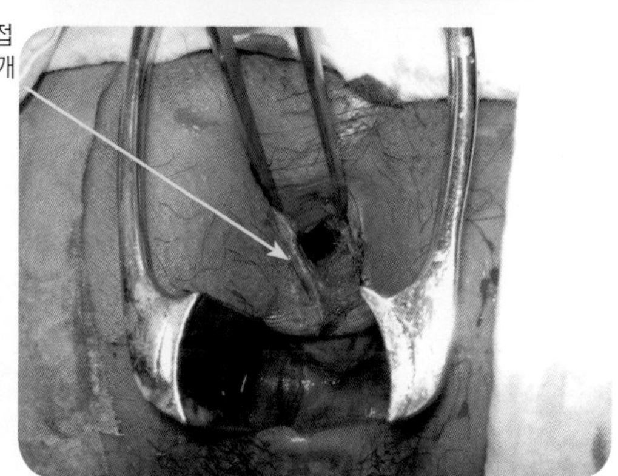

그림 2-4 항문주위농양 배농술의 실제

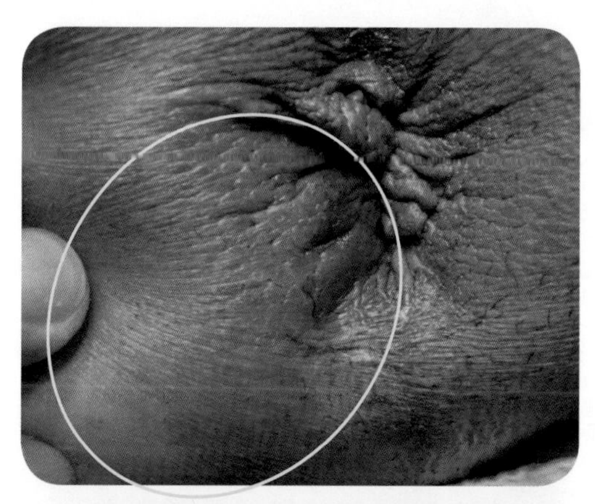

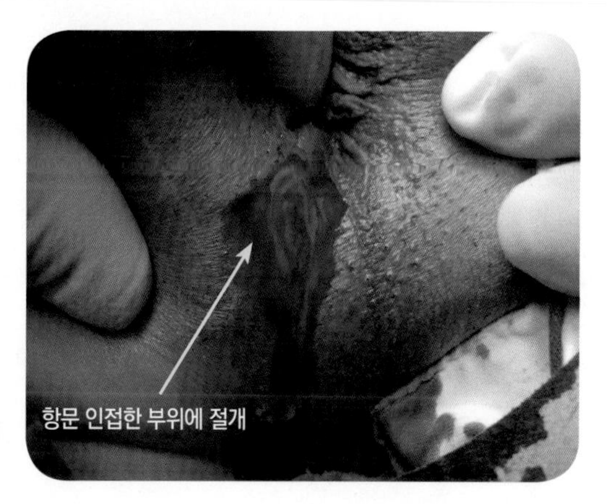

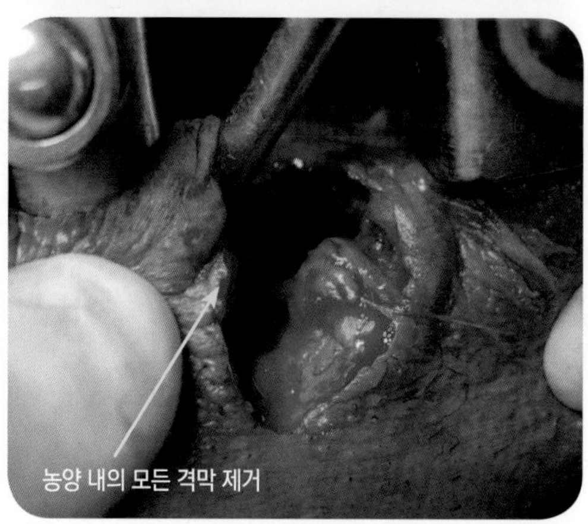

그림 2-5 항문주위농양 배농술의 실제

(그림 2-6) 좌골직장형 농양 중 드물기는 하지만 농양이 괄약근을 뚫고 항문후방심강(deep postanal space of courtney)을 침윤하는 농양의 경우가 있는데, 이 경우에 환자는 심한 통증을 호소하지만 파동은 촉지되지 않거나, 일측성 혹은 양측성으로 좌골직장형 농양이나 치루를 동반하게 된다. 통증과 압통을 호소하지만 파동이 없는 환자에서는 마취 하에 항문후방심강에서 주사기로 흡입을 시도함으로써 이 부위의 농양을 확인할 수 있다.

농양이 확인되면 앞에서 언급한 방식대로 배농술을 시행하면 되지만 부위가 깊기 때문에 피상적인 농양과는 달리 장기간 배액관을 유지해야 하는 경우가 많다. 후방심강에서 기원하는 염증은 양측 좌골항문강으로 퍼져서 마제형농양을 형성하는 경우가 있는데, 이 경우 치료의 핵심은 후부 항문 공간을 적절히 배출하는 것이다. 후방부위에 1차 절개를 하고, 항문과 미골 사이의 중간부위 양측에 추가 절개를 넣어 배농해 주는 핸리술식(Hanley procedure)을 시행하여야 한다.

(그림 2-7) 괄약근간형 농양은 마취하에 내외괄약근 사이의 홈을 통해 절개함으로써 배농이 가능하고, 내괄약근을 치상선 부위까지 절개함으로써 배농이 잘 되도록 한다.

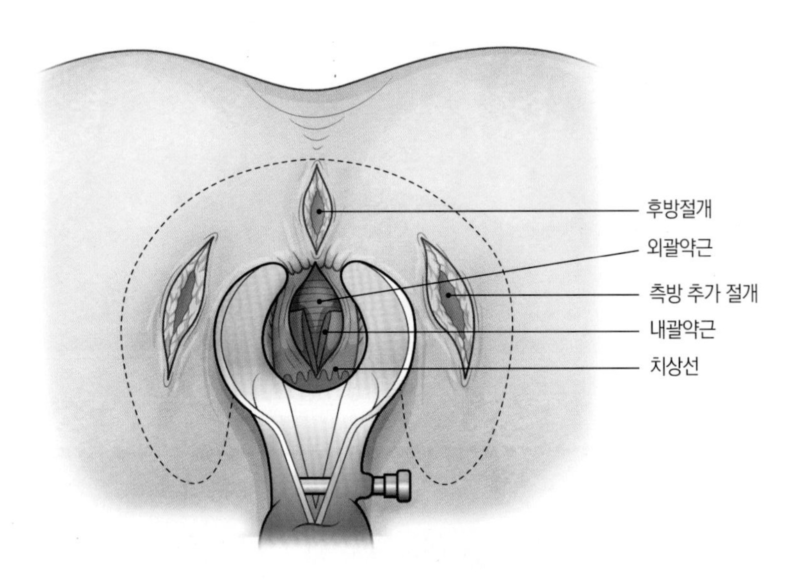

그림 2-6 좌골항문형 마제형 농양 시 시행하는 핸리술식

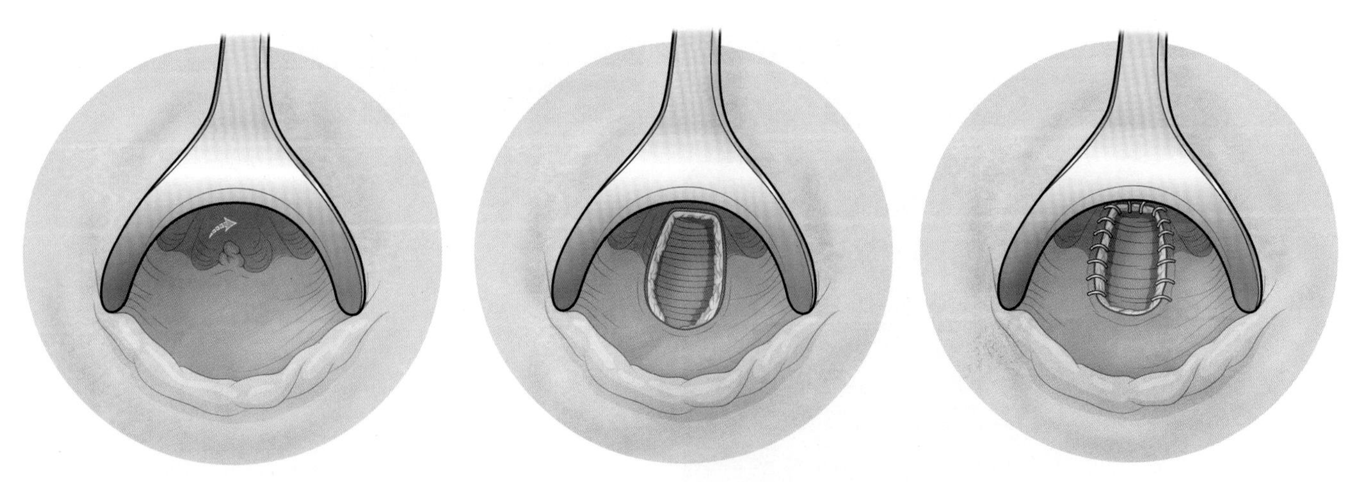

그림 2-7 괄약근간형 농양의 수술방법. 항문 안쪽에서 내괄약근을 절개한다.

(그림 2-8) 상항문거근(supralevator) 농양의 경우 괄약근간형 농양이 상부로 진행된 것이라면 직장을 통한 배농술을 시행하여야 하고, 좌골직장형 농양이 항문거근을 뚫고 상부로 진행된 것이라면 좌골직장 농양이 위치한 항문 주위 피부를 통해 배농하여야 한다. 배농경로가 잘못되는 경우 괄약근외형 치루를 만들게 된다.

이 모든 술식을 시행하는 데 있어 누공을 발견하면 seton을 거치할 수 있다. 동반된 누공절제술을 시행하면 재발의 위험은 감소하나 변실금의 위험은 증가할 수 있으므로 부수적인 누공절제술은 각별히 주의해서 시행해야 한다.

5. 항문농양 치료의 합병증

항문농양 배농 후 생길 수 있는 합병증은 두 가지인데, 하나는 농양이 재발하는 것, 그리고 나머지 하나는 변실금이 유발되는 것이다.

항문직장농양에 대한 배농술 후 재발하거나 지속적으로 농이 나오는 경우는 보고자에 따라 다르나 16~48%로 보고되고 있다. 항문농양에 대한 배농술 후 치루가 발생하지 않고 치유가 되는 경우는 항문선관이 화농 및 치유과정에서 막혀서 항문관 내부에서부터 들어오는 감염원을 차단하기 때문일 것으로 생각된다. 배농술 후 항문선의 지속적인 감염이 있는 경우에는 치루가 발생한 것으로 간주되며, 이러한 경우 재수술을 시행하는 것이 바람직하다.

배농술을 시행함에 있어서 가장 중요한 것은 괄약근에 손상을 주어서는 안 된다는 것이다. 이를 위해서 절개창은 괄약근에 가까운 것이 바람직하지만, 괄약근을 절개해서는 안 된다. 변실금의 예방을 위해서는 우선 배농술을 신속히 하여 염증이 파급됨으로써 발생할 수 있는 괄약근 손상을 줄이고, 상항문거근(supralevator) 농양의 경우 농양의 주행방향을 정확히 파악함으로써 괄약근외형 치루를 만드는 일이 없어야 하겠다. 수술 후 좌욕으로 청결을 유지하여 더 이상의 감염을 줄임으로써 적절한 창상치유가 이루어지도록 하는 것도 변실금 예방에 매우 중요하다.

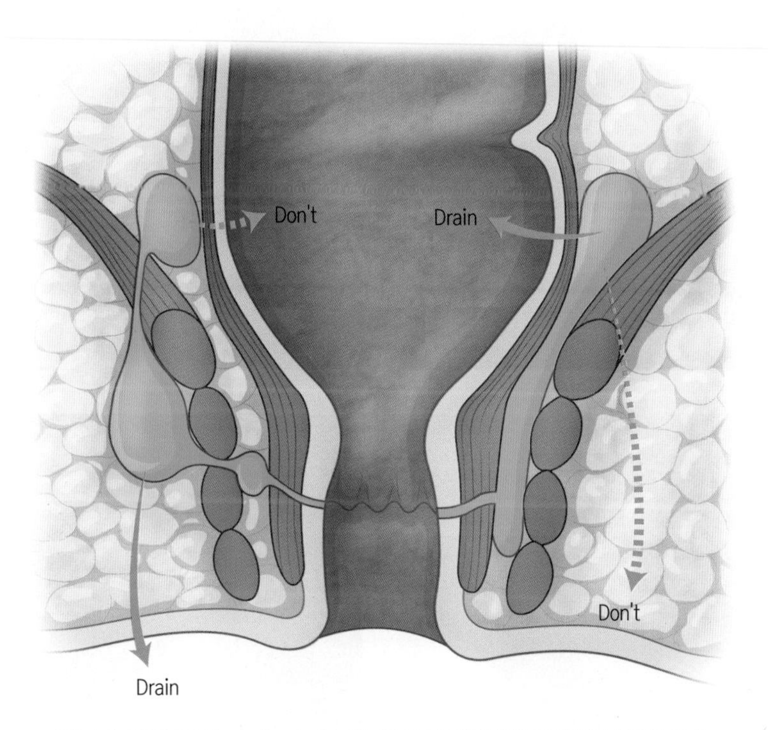

그림 2-8 상항문거근(supralevator) 농양. 좌골항문농양에 의해 2차적으로 발생한 경우, 항문주위로 배농하고, 괄약근간 농양에 의해 2차적으로 발생한 경우, 직장내로 배농하여야 한다.

6. 항문농양 치료 시 1차 치루절개술

항문농양 배농술을 시행할 때 내공을 동반한 경우의 빈도는 결국 수술을 시행하는 외과의사가 얼마나 열심히 내공을 찾으려고 노력하느냐에 따라서, 그리고 농양의 종류에 따라 다르다(일부 보고에서는 80% 이상에서 내공을 발견할 수 있다고 한다).

(그림 2-9, 10) 급성 항문농양 환자에서 1차적으로 치루절개술을 시행하느냐 여부에는 계속 논란이 있다. 1차 치루절개술의 장점으로는 화농의 경로 파악이 용이하다는 점과 치유 기간을 단축시킨다는 점, 그리고 재발률을 낮춘다는 점 등이 있으나, 단점으로는 염증이 심한 상태에서 거짓 경로(false tract)를 인위적으로 만들 수 있다는 점과 간단한 시술을 복잡하게 만들 수 있다는 점, 그리고 어차피 치루로 발전하지 않고 낳을 수 있을지 모르는 농양에 대해 과잉치료를 하지 않는가 하는 점 등이다. 일반적으로 항문농양에 대한 배농술 후 환자의 1/3~1/2에서만 치루가 발생하든지 혹은 농양이 재발한다는 사실을 고려하면 항문농양 환자의 1/2~2/3에서는 내공을 찾으려는 노력이 불필요하다는 결론으로 귀결된다. 더욱이 항문농양 배농술 후에 발생하는 치루 자체가 양성질환이고 대다수에서 비교적 용이하게 완치가 될 수 있다는 점을 고려한다면, 쓸데없이 내공을 찾으려고 노력하는 것은 과잉진료가 아닐까 싶다. 그러나 드물기는 하지만 배농술 시 내공이 확연하고 명백하게 존재하고, 괄약근 손상의 범위가 절개술을 시행하여도 크지 않다면, 1차 치루절개술을 시행하여도 무방할 것이다.

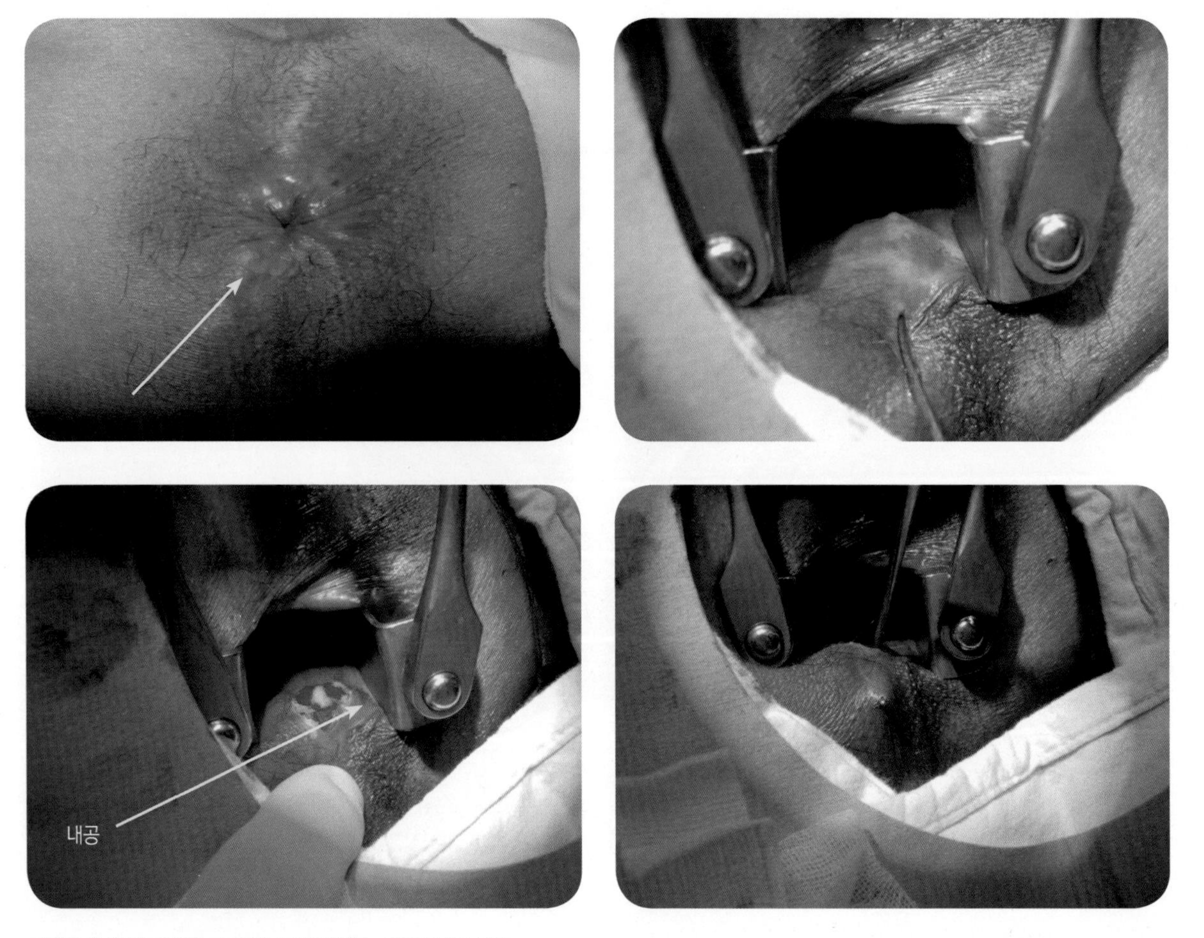

그림 2-9 항문농양 배농술시 일차 치루절개술. 치루의 경로 파악

7. 요약

항문농양 및 치루의 치료원칙은 명백하다. 즉, 농양의 경우 발견 즉시 적절히 배농을 해주어야 한다는 것이다. 동반된 치루에 대해 누공절재술과 농양 배액술을 수행할 지에 대해서는 논란이 많다. 다만 항문농양 배농 시 내공이 발견되더라도 치루절개술을 시행한 군과 시행하지 않은 군 사이에 통계적으로 유의한 재발률의 차이를 보이지 않는다는 점, 그리고 급성기에 잘못 치루절개술을 시행하는 경우 괄약근 손상에 의한 변실금의 빈도가 높아질 수 있다는 점 등을 고려하면 배농술 시 1차 치루절개술의 시행여부의 결정은 매우 신중하여야 한다. 그러나 표재성 농양(괄약근간형, 저위 괄약근관통형)에서와 같이 괄약근의 손상 범위가 크지 않은 경우에는 비교적 안전하게 1차 치루절개술을 시행할 수 있다. 위에 언급된 부위보다 더 깊게 농양이 파급된 경우는 배액술 후 염증과 부종이 가라앉은 후 2차 수술을 시행하는 것이 좋다. 더불어 가장 중요한 점은 항문기능의 보존이 가장 중요하기 때문에 과잉치료로서 손해보는 일이 없도록 해야 한다는 것이다.

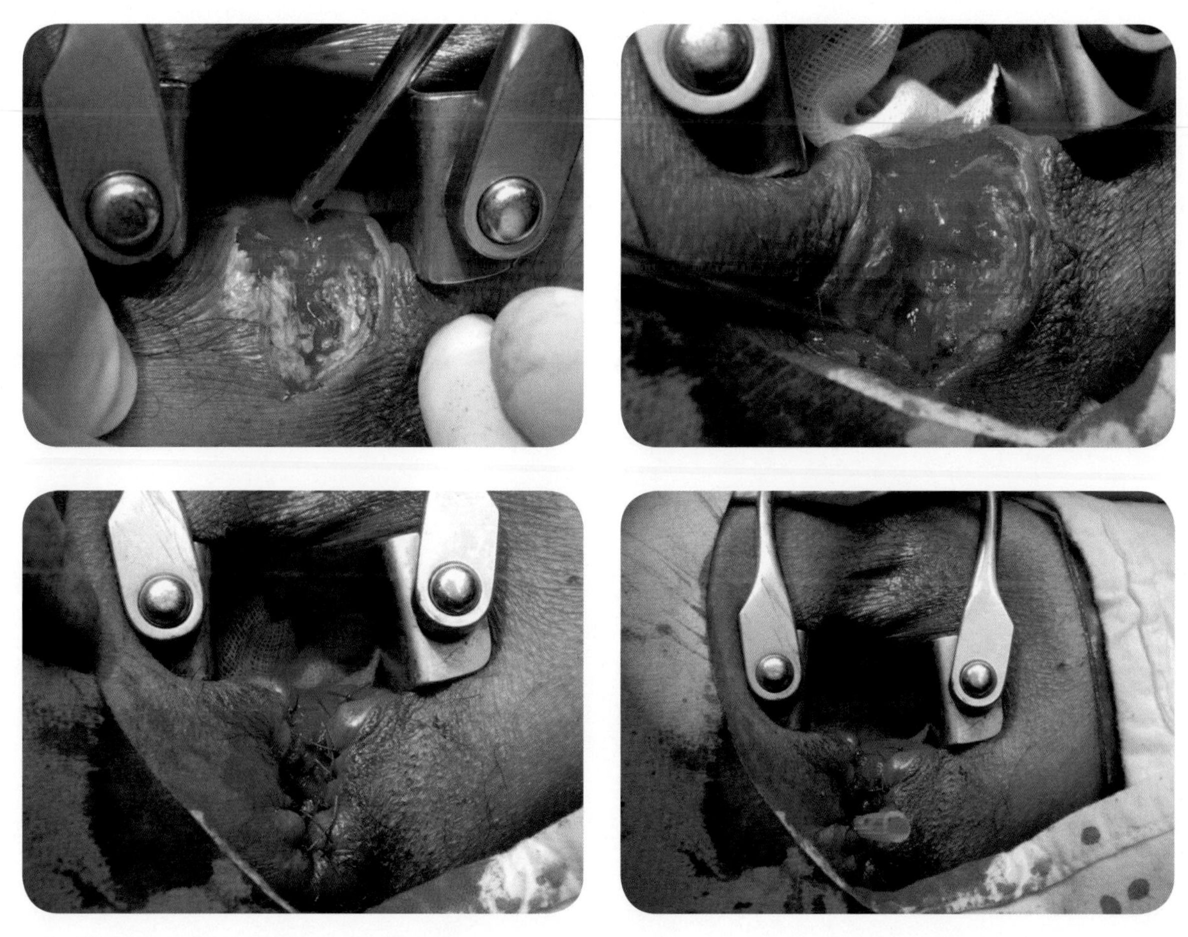

그림 2-10 항문농양 배농술시 일차 치루절개술. 치루절개술 및 배농술

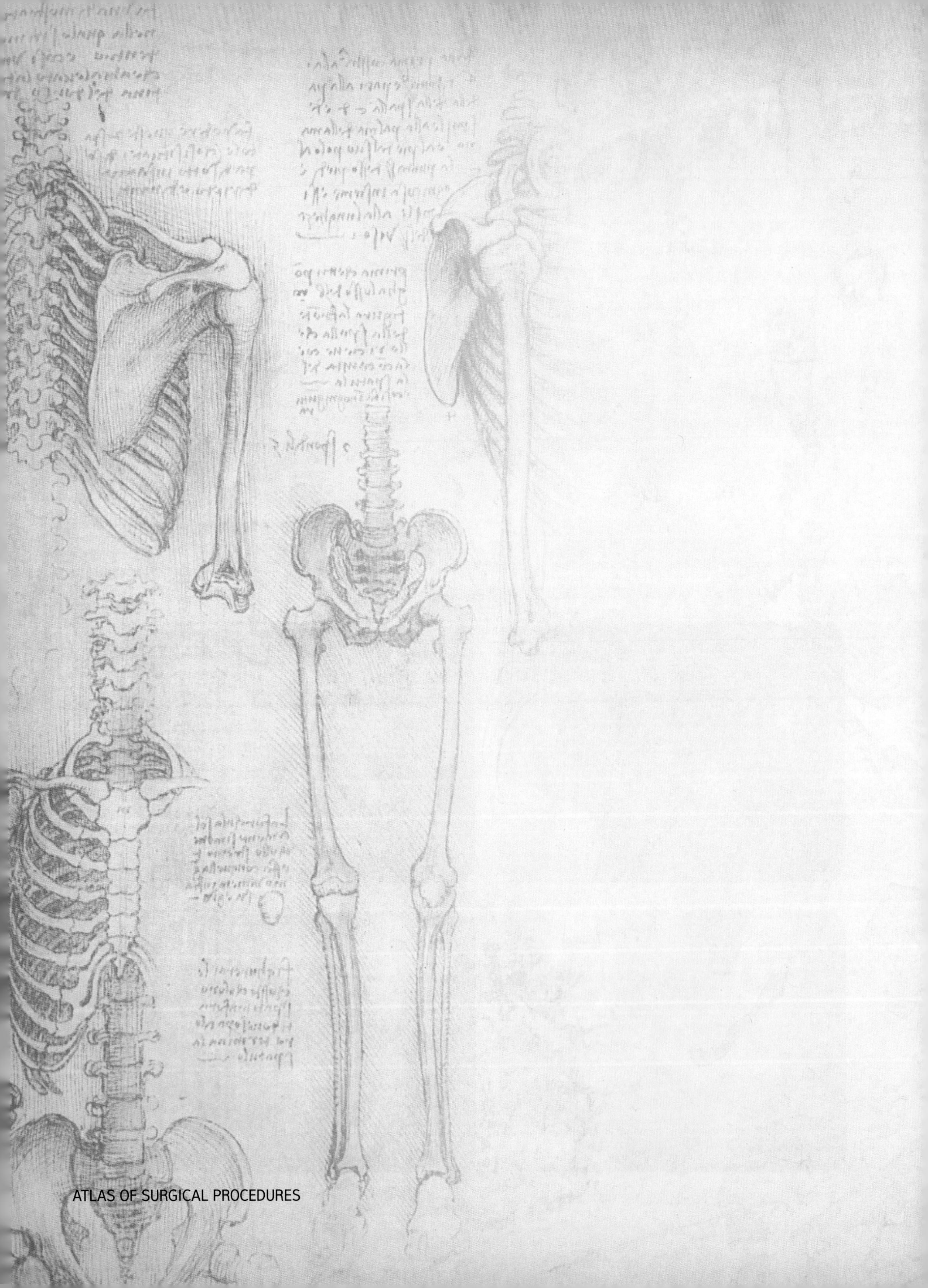

ATLAS OF SURGICAL PROCEDURES

CHAPTER 3

치루의 치료 (치루절개술, 시톤, 전진피부판, 괄약근간 누관결찰술)

Treatment of fistula in ano (fistulotomy, seton, advancement flap, ligation of fistula tract)

1. 적응증

치루는 항문관과 직장 또는 항문주위 피부 사이에 발생한 비정상적인 육아조직으로 된 섬유성관으로 연결된 질환이다. 치루에 대한 수술은 괄약근간 치루, 괄약근통과형 치루, 좌골직장와 및 상괄약근형 치루에서 재발을 방지하는데 목적이 있고, 변자제력을 유지하기 위하여 괄약근 손상을 최소화 하는 것이 중요하다. 치루 치료의 원칙은 대부분의 경우 괄약근간면에 있는 1차 병소를 제거하여 재발을 방지하고 괄약근기능을 최대한 보존하면서 창상의 빠른 치유를 도모하도록 하는 것이다.

2. 수술 전 처치

괄약근 손상에 따른 변자제력의 소실 가능성이 있음을 환자와 보호자에게 설명한다. 매우 짧은 누관을 갖는 괄약근간 치루 환자는 낮 수술을 시행하지만, 괄약근 보존술식을 적용하는 복잡치루 환자는 입원치료를 하는 것이 원칙이다. 수술 전 외공의 위치를 확인하고, 시진, 직장수지검사, 필요시 항문초음파 검사 등을 통해 치루의 방향, 내공의 위치를 확인해 두는 것이 도움이 된다. 복잡한 고위 치루의 경우 전산화 단층촬영이나 자기공명영상 검사가 도움이 될 수 있다. 장결핵이나 염증성 장질환을 의심할 만한 증상의 병력이 있는 환자에서는 대장조영검사나 대장내시경, 필요시에는 소장조영검사 등을 추가로 시행해 확인할 필요가 있다.

수술 전 괄약근 기능의 저하가 의심되는 경우 및 수술 후 변실금의 가능성이 있는 경우에는 항문직장압을 측정할 것을 권유한다.

수술 전 장청소에 대한 의견은 보고서마다 결과가 서로 일치하지 않고 꼭 필수적인 것은 아니지만 저위 치루의 경우 가벼운 관장을 시행한다. 그러나 고위형 복잡 치루 및 전진피판 시술이 계획되었을 때는 장 청소를 위해 수술 전날에 콜리트 산을 먹이고 수술 전에는 항생제를 투여한다.

3. 마취

안장마취, 미추마취. 국소마취 등을 사용하며 드물게 전신마취를 하기도 한다. 각각의 마취 방법에는 장단점이 있지만 대체로 척추마취의 하나인 안장마취가 가장 안전하고 통증이 없어서 많이 사용한다. 미추마취는 일종의 경막외 마취이다. 꼬리뼈 부위에 주사를 놓는 것으로 경막을 천자하지 않기 때문에 마취 후 두통이 오는 문제는 없다. 단점으로는 척추마취보다 발현시간이 늦고 미추의 해부구조에 변형이 많아서 마취 실패율도 다른 마취보다 상대적으로 더 크다. 마취제가 혈관에 흡수되는 경우에는 발작과 같은 부작용이 올 수도 있다. 국소마취는 매우 짧은 누관을 갖는 괄약근간 치루 환자에게 사용하거나 다른 형태의 치루에서 환자의 전신상태가 나쁠 경우에 선별하여 사용한다.

4. 환자 자세

엎드려서 잭-나이프 모양의 자세로 둔부에 반창고를 붙여서 벌린 다음, 수술대에 환자를 고정하고 회음부를 소독포로 덮는다. 술자는 가운데에 서거나 앉으며 제1 보조자는 환자의 오른쪽에 위치한다.

5. 수술 준비

각종 모양의 탐색자와 전기메스를 준비한다. 시톤 시술을 위한 재료는 나일론이나 실크로 된 두꺼운 비흡수 봉합사, 펜로즈 배출관, 때로는 혈관 고리(loop)를 이용한 탄성밴드를 외과의사의 재량에 따라 준비한다.

6. 절개 및 노출

(그림 3-1) 치루 내공, 외공, 누관의 경로, 이차로 확장된 누관, 다른 직장질환의 동반 여부 등을 확인하기 위하여 항문과 회음부를 노출시킨다. 항문 피부선 근처에 있는 외공은 대체로 괄약근간형 치루를 의미하고 조금 먼 곳의 외공은 괄약근통과형 치루임을 시사해준다. 치루 외공 즉, 이차구와 연결된 누관을 지긋이

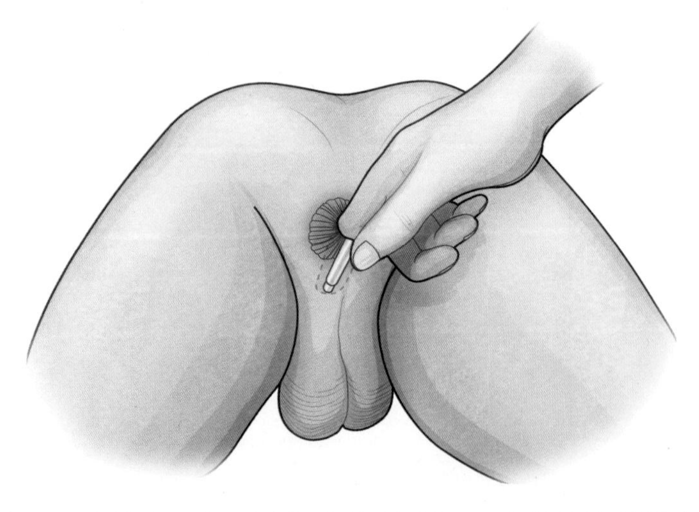

그림 3-1 누관의 촉진 : 누관으로 추정되는 경로를 두 손가락으로 만지면" 딱딱한 노끈"처럼 만져진다.

TIP 1

원발소의 확인이 수지검사로 불확실할 때는 외공에서 굽은 탐색자를 삽입하고 선단부가 만져지는 감각을 참고하면 편리하다. 때로는, 내공을 찾기 위해 외공에 작은 도관을 통해 메틸렌 블루, 인디고카민 같은 색소나 과산화수소 같은 물질을 사용하기도 한다. 누관이 지나갈 것으로 추정되는 경로를 만져보면"경화된 노끈"처럼 만져질 때가 있는데, 이것은 치루관이 깊지 않고 표재성의 얕은 누관임을 의미한다. 다발성 외공은 대체로 서로 연결되어 있음을 염두에 둔다.

TIP 2

여러가지 방법을 사용해도 계속해서 내공이 확인되지 않을 때는 괄약근간 누관과 연결되어 막혀있는 이차적인 고위 맹루관 (high blind tract)의 가능성을 의심해야 한다. 두 손가락 압박법을 사용하였을 때 항문올림근을 지나는 위치에서 경화된 부분이 만져질 때는 위쪽으로 확장된 고위 이차성 누관을 의미하므로 수술을 위한 노출에 참조한다.

당겨보면 염증으로 끈이 묶여서 보조개 모양으로 치상선 주변에서 움푹 들어가는 곳이 치루 내공이다. 두 손가락으로 압박하였을 때는 항문 움(crypt) 주변에서 국소적인 경화로 만져지거나 분비물이 나온다. 그러나 5~20%의 경우 어떤 방법으로도 내공을 찾지 못할 수 있는데 이는 항문선와에 있는 내공이 가는 탐침도 통과하지 못할 정도로 작거나 막혀버린 경우라 할 수 있다. 간혹 탐색자를 누관에 넣어 안내 유도하면서 인위적으로 거짓 내공을 만드는 경우가 있으므로 유의하여야 한다.

7. 수술 과정

1) 치루절개술(Fistulotomy)

치료의 "최적 표준"은 원발소를 찾아내어 처리하고 내공, 이차 누관, 외공을 포함한 모든 치루관을 절개 노출시키며 적합한 배액창을 만들어 주는 것이다. 외괄약근 1/3 이내를 침범하는 저위 괄약근간 치루 환자의 대부분은 이것 만으로도 치료가 충분하다.

(그림 3-2) 내공은 누관을 견인하였을 때 항문움에서 함몰되는 곳에서 찾아내고 원발소의 처리는 항문관 내에서 주변의 점막면부터 박리한다. 내공을 동그랗게 에워싸듯이 점막편을 만들면서 내괄약근으로부터 박리하면 이를 관통하는 가는 누관이 보인다. 누관 둘레에 원기둥 꼴로 절개하면서 괄약근간에 경화로 촉진되는 원발소까지 수술창을 접근시킨다. 점막편을 박리하고 견인할 때는 지나치게 당겨서 끊어지지 않도록 주의한다. 원발소에 도달하면 단단한 농양벽의 직상부에 가로 절개를 약간만 시행한다. 농양벽 중에서도 특별히 딱딱한 부분만을 절제하고 나머지 불량 육아조직은 칼이나 큐렛으로 긁어서 충분히 제거하고 개방한다.

연결된 누관이 완전히 상피화되었다면 피부측 외공 쪽에서 누관의 전벽을 열고 그 일부를 절제한다. 누관의 후벽은 절제하지 않고 벽의 내면에 평편한 반흔조직이 나타날 때까지 예리한 큐렛으로 육아를 소파하거나 전기 소작하고 노출시킨다. 육아 조직이 붙어 있는 누관이 그대로 남아 있으면 창상은 치유되지 않는다. 좌우 혹은 상방으로 이차 누관이 발견되면 절개를 확장한다.

(그림 3-3) 누관절개술 대신 누관절제술을 시행하는 경우도 있는데 이는 누관의 전 조직을 절제하고 개방하는 방법으로 치루의 치료에 있어 만족할 만한 방법이지만 누관절개술에 비해 수술 후 조직 결손이 크기 때문에 창상이 커져 치유기간이 오래 걸리며 괄약근이 손상범위가 커져서 변실금에 대한 우려가 커질 수 있다는 단점이 있다.

(그림 3-4) 후방 치상선 근처에 내공이 있을 때는 단 한 개의 누관 절개로 노출시키지만, 말발굽형 치루는 그 경로가 꽤 길지만 후방 정중선에 절개 노출한다. 말발굽형 치루는 염증이 원주형으로 파급된 것으로 괄약근간형 또는 괄약근관통형, 괄약근상형에서 볼 수 있다. 괄약근관통형은 대부분 후방중앙에서 괄약근을 통과하여 항문 후방심강에 도달하고 다시 좌우 좌골항문와로 뻗어가 U자형의 누관을 형성하고 있다. 대개 한 개 또는 서로 연결되는 여러 개의 외공을 가지며 드물게 전방정중선에서 U자형을 이룰 때도 있다. 괄약근관통형의 마제형치료에서 절개노출법은 내공과 누관을 찾아 모두 절개하면 상처가 커서 치유되는 데 몇 달이 걸리고 후에 항문변형이나 기능장애가 남을 수 있다. 이 경우 핸리(1965) 술식을 이용하는데, 이는 좀 더 보존적인 방법으로 항문직장 농양 때와 같이 후방중앙선생에서 하부 외괄약근과 내괄약근을 절개하여 내공과 항문 후방심강의 1차 병소를 처리하고 외공은 넓혀 소파하고 배액선법을 이용하면서 항문기능 장애를 줄이는 것이다.

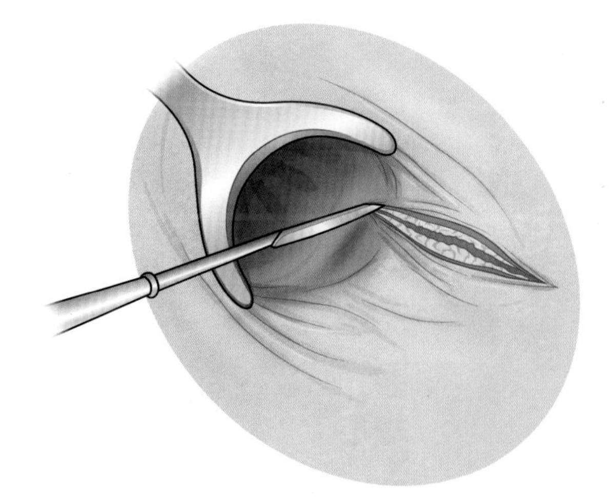

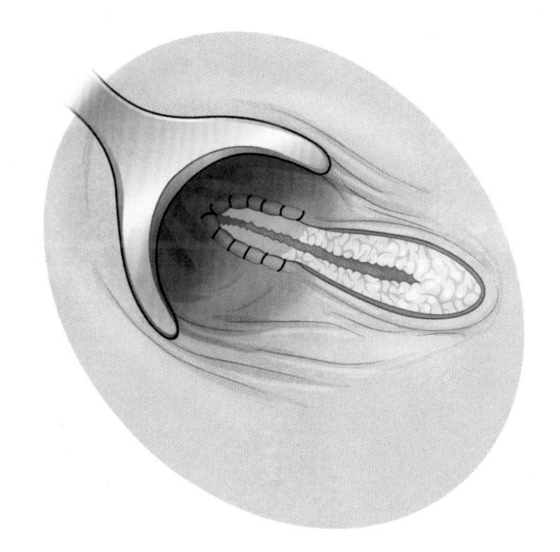

그림 3-2 절개 노출: 내공과 외공 사이의 모든 누관을 절개 노출한다.

A

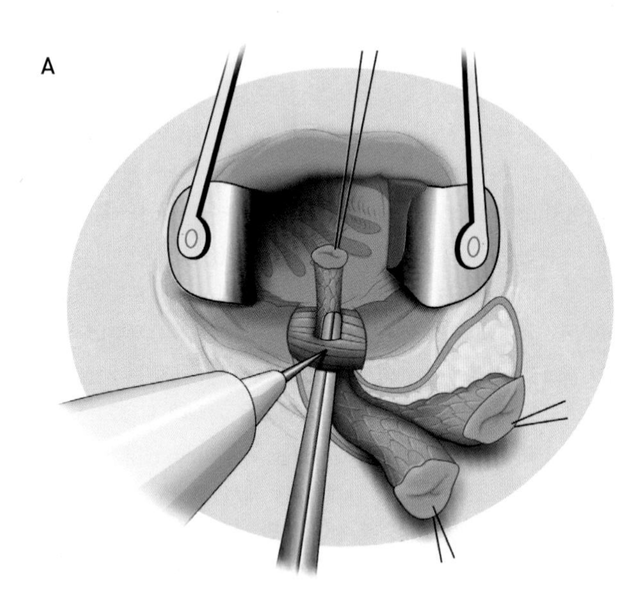

B

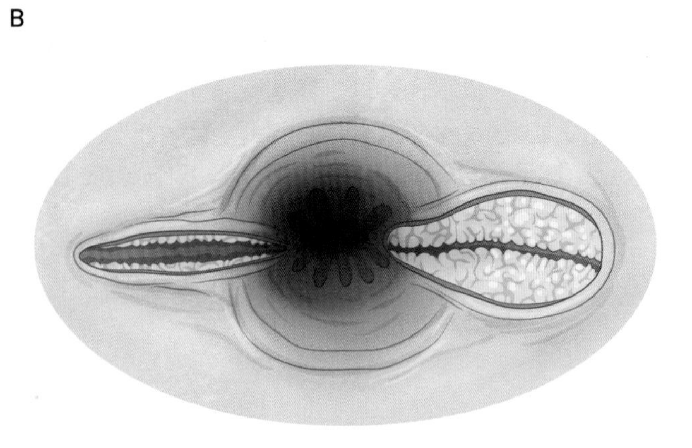

TIP 3
드물게는, 괄약근간 치루에서 상방으로 더 올라간 누관이 직장벽을 뚫고 이차 누공을 만드는 경우가 있다. 괄약근 외형의 내공과 구별이 어려울 때가 있으므로 절개할 때는 이를 염두에 두고 주의해야 한다.

그림 3-3
A. 치루절제술
B. 치루절개술(좌), 치루절제술(우)

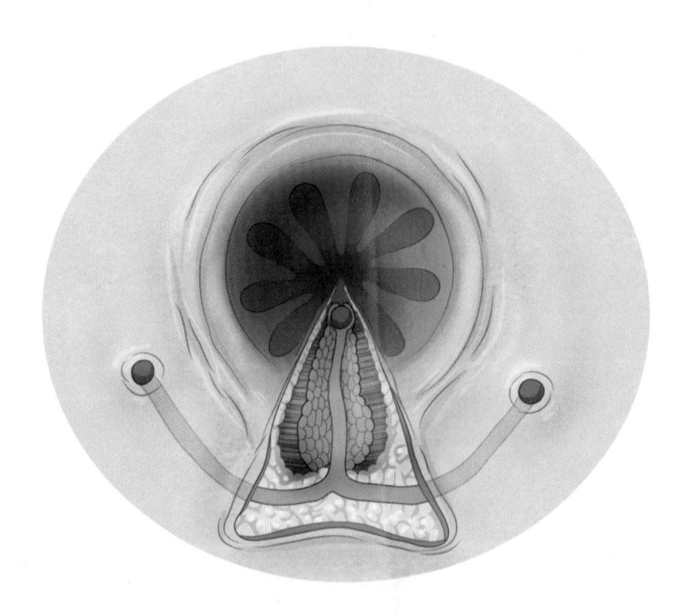

그림 3-4 마제형 치루의 절개 노출법

(그림 3-5) 절개 노출 후에는 수술을 그냥 끝내지 않고 창연처리를 한다. 창연을 깔끔하게 처리하면 수술창이 축소되어 치유 일수를 상당히 단축시켜줄 뿐만 아니라 점막하 혹은 피하 출혈을 예방하는 효과와 함께 너무 빠른 상피화로 인해 치루가 재발하는 것을 방지해 주는 효과가 있다. 원발소 주변의 점막 및 피부와 절개된 치루의 육아조직을 흡수 봉합사로 봉합해 주는 소위 'marsupialization'이 도움이 될 수 있다.

2) 시톤(Seton)

Seton은 라틴어로 "seta"에서 유래되었고, 한자어로는 "강모"를 뜻한다. 배액선법은 누관이 유의한 양의 외괄약근을 포함할 때, 여성에서 회음체 근처의 괄약근관통형 치루, 염증성 장질환 환자의 다발성 동시성 치루, 변실금의 과거력이 있을 때는 괄약근 보존술의 하나로 시톤을 사용한다. 이차 누관이 없는 단순성 저위 치루는 첫번의 수술에서 확실하게 치유가 되지만, 그렇지 않을때는 일차 누관은 근본 수술을 해주고 이차 누관은 시톤을 설치해 주는 2단 접근법을 사용한다. 시톤을 사용하는 목적은 첫째, 동여 맨 괄약근에 섬유성 유착을 만들어서 다음 단계 수술인 누관절개술을 하여도 괄약근이 많이 벌어지지 않게 절단하는 목적, 둘째, 괄약근의 양을 알기 위한 표식자, 셋째, 배액관의 역할 등 세 가지이다.

(그림 3-6) Loose 시톤은 표지자 혹은 느슨한 자체로 동여매 준다. 혈관 고리를 재료로 사용할 때는 두 끝을 비흡수 봉합사로 꿰매거나 매듭을 만들어 배액관으로 사용한다. 다발성 복잡치루를 갖는 크론병 환자, 변자제력이 충분하지 않은 고령의 환자에서 농양 형성 재발을 방지하고 변자제력의 손실없이 증세를 호전시킨다. 본격적인 술식을 사용하기 앞서 감염부를 배농하고 특히, 다발성 이차 누관이 있을 때 최적의 괄약근 보존 술식이다. 때로는 외괄약근을 분리하지 않고 근치 목적으로 사용하기도 한다. 혈관 고리 같은 탄력 시톤을 누관을 통해 당겨서 외괄약근 주변에 느슨하게 설치해 놓고 2~3개월 가량 죄지 않고 놓아두면 염증은 없어지고 창상이 치유되면 시톤을 제거한다.

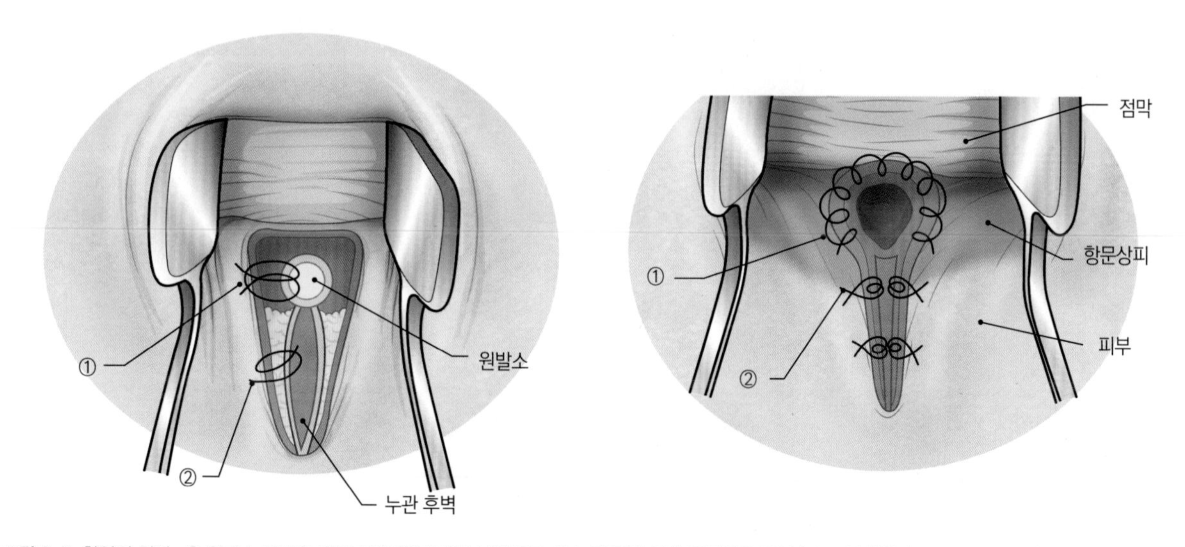

그림 3-5 창연의 처리 : ① 원발소 주변은 감치듯이 당겨서 연속봉합하고, ② 누관 전벽 양측 끝자락은 불연속으로 봉합한다.

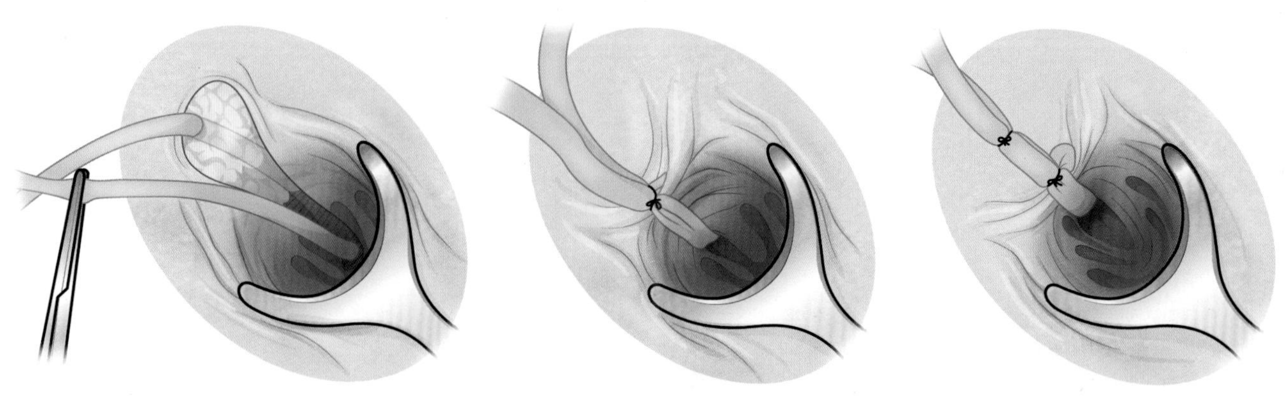

그림 3-6 펜로스 배액관을 이용한 loose 시톤

(그림 3-7) 절단 시톤은 복잡치루 치료를 위한 주요한 대안 중의 하나다. 시톤 주변에서 일어나는 섬유화로 인하여 괄약근 끝이 압력 괴사로 인해 천천히 분리되는 것은 얼음 덩어리를 철사 줄을 당겨서 녹여 분리하는 것과 같은 원리이다. 두꺼운 비흡수 봉합사나 펜로즈 배액관, 고무줄 등이 사용되는데, 괄약근이 분리될 때까지 매 2주마다 외래에서 조여주기를 반복하면 원주형태로 잘라지면서 치루관이 보다 표면으로 차츰 차츰 이동하고 결국에는 잘라진다. 기간은 보통 6~8주 걸리지만 괄약근 기능 손실의 우려가 적을 때는 1~2주 만에 모두 자를 때도 있다. 변자제력의 손실 여부는 괄약근이 분리되는 속도와 비례한다.

(그림 3-8) 단계적 누관절개술(Staged fistulotomy)은 누관이 너무 많은 괄약근을 지나가서 단 한번에 안전하게 절개할 수 없을 때 시행한다. 단계적 분리를 위한 절단 시톤의 역할을 이용하면 기능도 보존되고 재발이 적어 치유를 도모한다. 시톤이 들어있는 누관 주위로 섬유화를 만들어서 서로 갈라질 근육들이 너무 멀리 떨어지는 틈새를 줄여주는 원리를 이용한다. 실크나 나일론 같은 비흡수성 봉합사로 느슨히 묶어두고 다음 단계로 6~8주 후에 배액선에 포함된 근육을 절개한다. 이러한 다단계적 접근법은 괄약근상형 치루에서 변실금을 피하기 위한 보존적인 방법으로 이용한다. 치골직장근과 상단 절반에 해당하는 외괄약근에 시톤을 설치하고 몇 달이 지나면 남아있는 괄약근들도 벌어지지 않고 분리되어 있다.

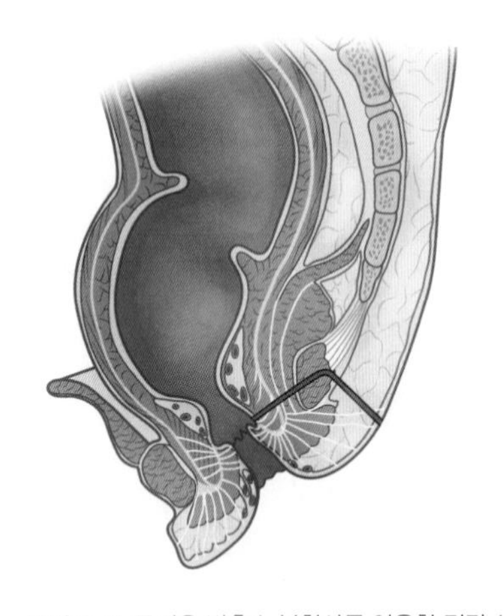
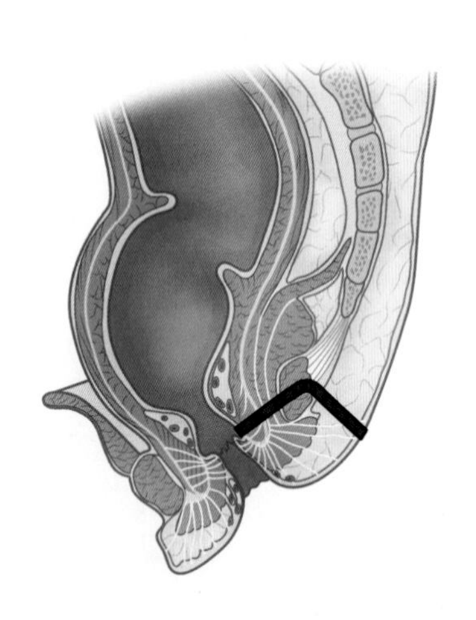
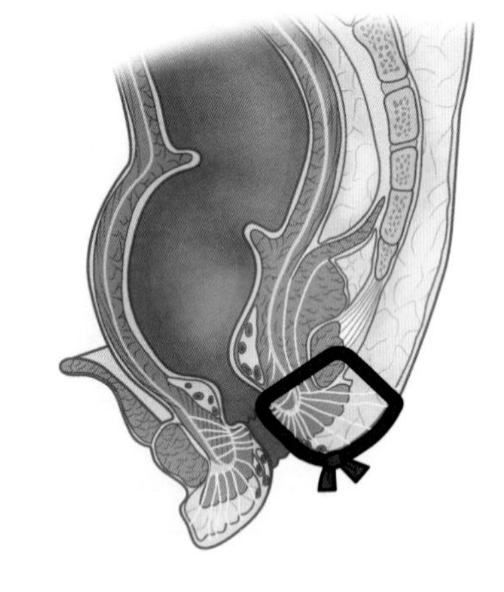

그림 3-7 두꺼운 비흡수 봉합사를 이용한 절단 시톤

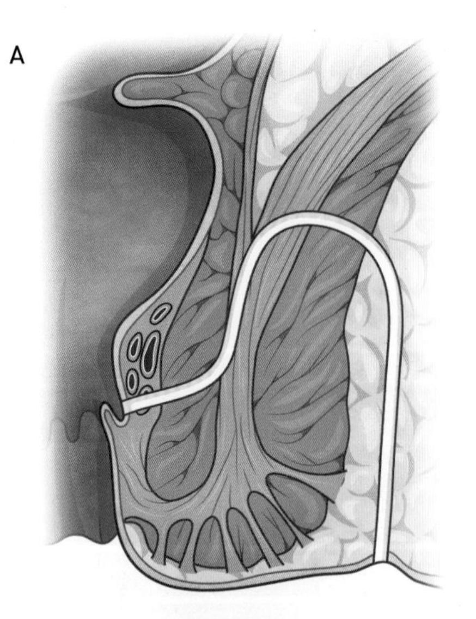

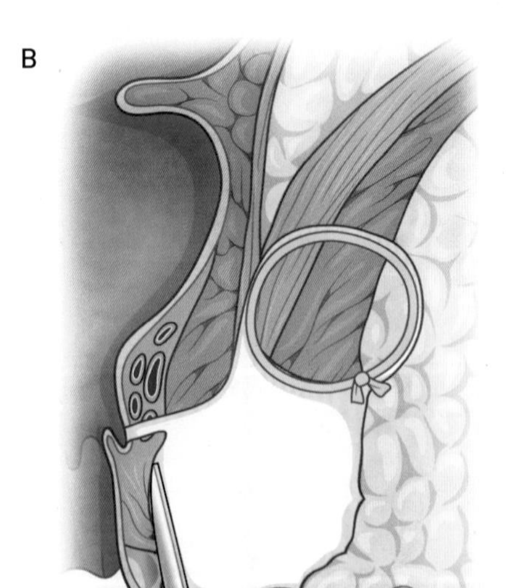

그림 3-8 단계적 누관절개술
A. 누관은 항문 거근 상방을 지나 좌골 직장와의 피부를 통해 개구한다,
B. 내괄약근과 외괄약근은 절개된 상태이며 상부의 누관은 기능보호를 위해 시톤을 설치한다.

TIP 4
가끔은 시톤 내에 항문 피부의 브리지를 남길 때도 있다. 시톤을 단계적으로 조이면서 괄약근 절단용으로 사용하면 환자가 통증을 호소하는 경우가 많다 이 때 환자의 불편함이 가장 적게하는 요령은 시톤 내에 항문 피부가 적게 들어 있도록 해주는 것이다. 여러 재료들 중에서도 혈관 고리가 비교적 통증이 적은 편이다.

3) 전진피판(Advancement flap)

항문관 안에서 원발 병소를 들어내고 봉합한 후에 직장 점막이나 항문 피부로 전진피판을 만들어 내공 부위를 한번 더 막아주는 방법이다. 내공의 근육 결손만을 직접 봉합하여 폐쇄하는 방법은 치유의 실패율이 높기 때문에 피판으로 이중 폐쇄하여 누관의 상피화를 더 확실하게 차단하여 치유를 도모하는 것이 목적이다. 2차 누관이 존재할 때 두 번째 단계의 술식으로 적합하며 생리학적 기능도 우수하고 완치율도 비교적 높다. 특히, 여성에서 치골직장근의 지지를 받지 못하는 전방치루 때 적합하다. 그러나 수술의 기왕력이 있는 환자에서 점막에 섬유화가 있을 때, 방사선치료 병력이 있는 환자, 염증성 장질환 환자에게는 성공률이 떨어지기 때문에 전진피판술을 사용하지 않는 것이 좋다.

(그림 3-9) 항문 겸자를 걸어놓고 치루관의 주행을 파악한 후 누관을 주위 조직과 함께 파내거나 소파하는 것은 다른 술기와 같다. 외공은 가급적 넓게 열어서 창상의 바닥 즉, 안쪽부터 치유가 되도록 만든다. 내공은 동그랗게 들어내고 내괄약근과의 틈새는 2/0 바이크릴을 사용하여 근층에서 폐쇄한다.

TIP 5
누관 처리 후 외공 쪽 항문 피부가 너무 일찍 닫혀버리면 창상의 바닥 쪽에 공간이 생기므로 원뿔모양으로 회음부에서 넓게 만드는 것이 좋은 요령이다.

TIP 6
내괄약근의 절개부에서 근층을 바늘로 뜰 때는 근육이 끊어지지 않도록 근육 다발의 방향을 고려해서 합성 흡수사로 꿰맨다.

A

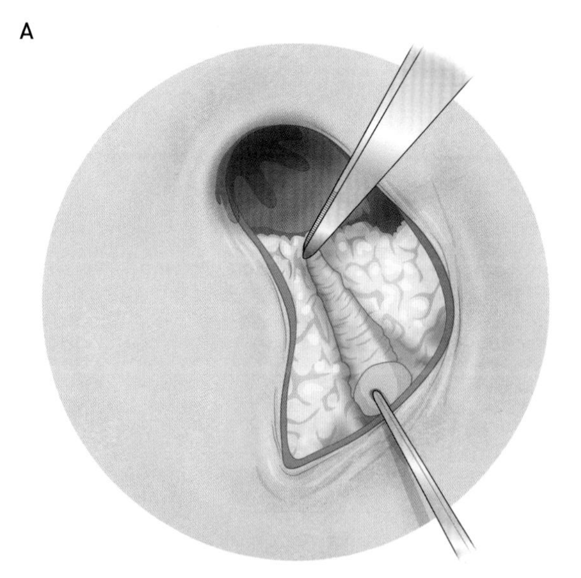

B

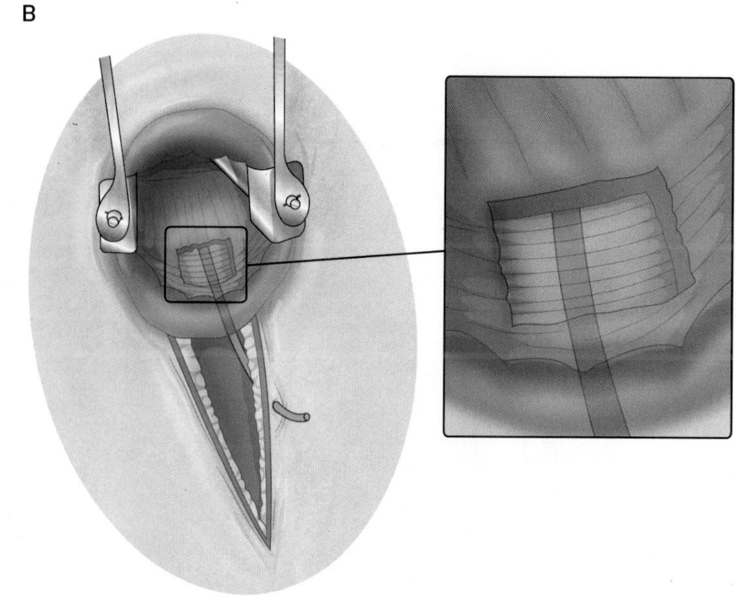

그림 3-9 치루 외공의 처리
A. 원뿔모양으로 회음부에서 넓게 만들어 주위 조직과 함께 파낸다.
B. 내괄약근과의 틈새는 2/0 바이크릴을 사용하여 근층에서 폐쇄한다.

(그림 3-10) 내공을 덮어도 장력이 긴장되지 않을 정도로 내공으로부터 몇 cm 상단에서 1 cm 정도 넓이로 직장피판에 측면 절개한다. 전진피판은 점막, 점막하, 윤상근육 중에서 다양한 두께로 점막만 쓰거나 혹은 전층을 모두 사용하는데, 직사각형이나 마름모꼴로 만든다. 피판의 기저를 두 배 정도 더 넓게 만들며 피판 끝의 내공은 꺼풀을 절제하듯 잘라준다. 내공의 위치보다 1 cm 정도 더 아래로 덮어준다. 피판을 봉합할 때는 측면을 먼저 꿰매고 선단은 나중에 꿰맨다. 지혈은 완벽하게 해주어 혈종을 예방한다.

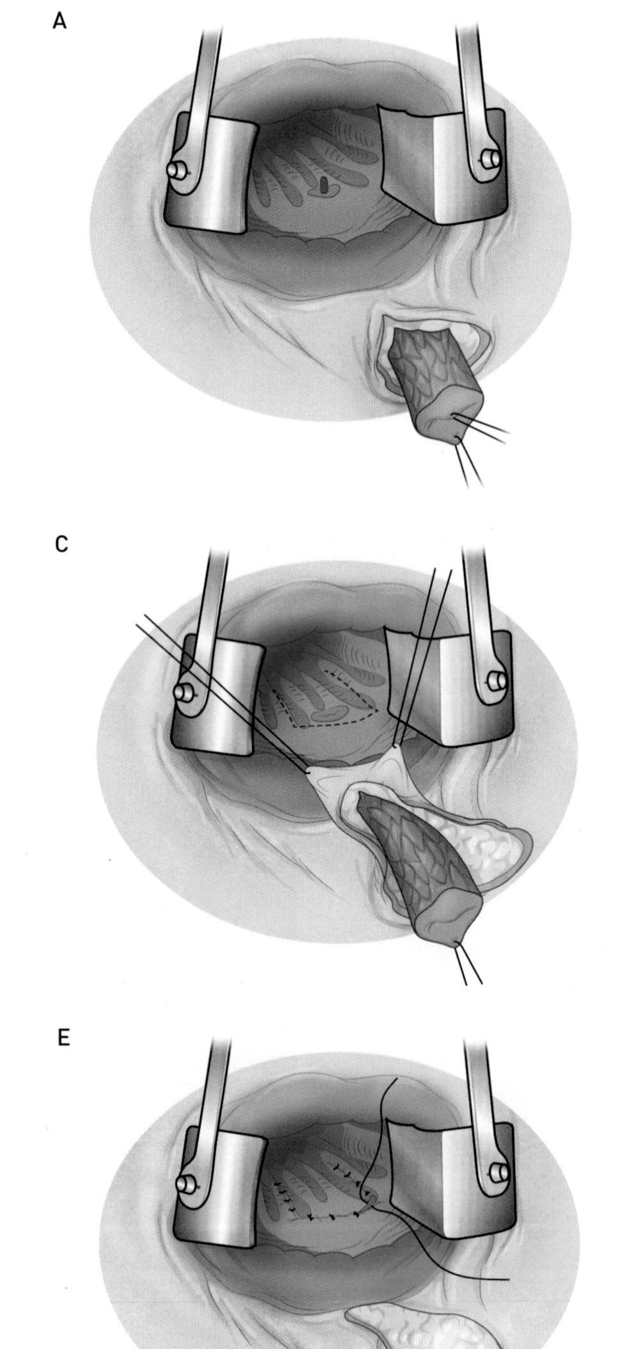

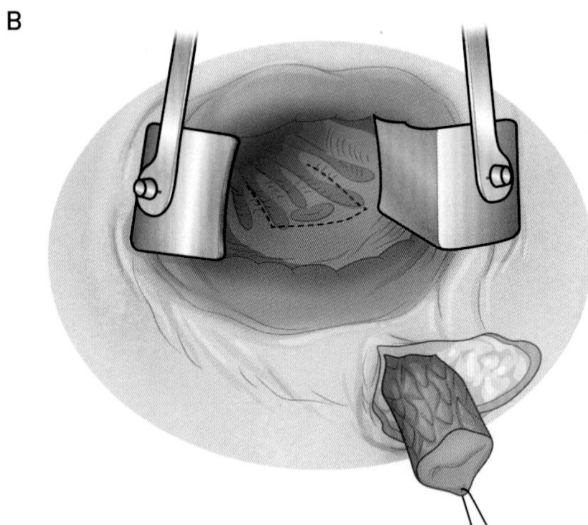

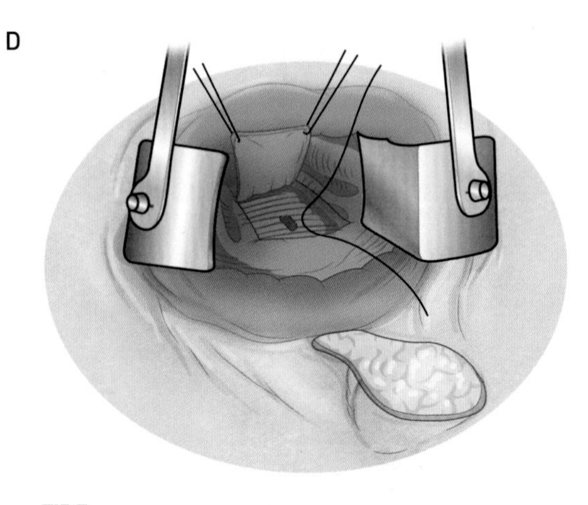

TIP 7
피판은 핑크색으로 건강하게 보여야 하고 긴장이 없어서 항문 쪽으로 잘 밀려 내려와야 한다. 피판은 너무 크지 않게 1cm 정도 넓이가 좋고 충분한 혈류 공급을 위해 급한 경사의 모서리를 만들지 않는다.

TIP 8
가로 매트리스 봉합과 단순 불연속 봉합을 적절히 섞어서 꿰매면 허혈이 없고 나중에 염증이 되어 피판이 떨어져 나가는 일도 방지할 수 있다. 내공의 근육봉합선과 그 위를 덮고 있는 점막봉합선이 중복되지 않게 서로 다른 높이에 위치하도록 하는 것이 중요하다.

그림 3-10 점막 전진피판
A. 치루관의 주행을 파악한 후 누관을 주위 조직과 함께 파낸다.
B. 점막판을 만든다.
C. 치루관을 제거한다.
D. 내괄약근의 결손부를 폐쇄하고 내공부위의 점막은 잘라낸다.
E. 박리한 직장점막을 항문관의 점막과 봉합한다.

4) 괄약근간 누관결찰술(The ligation of the intersphincteric fistula tract, LIFT)

(그림 3-11) 괄약근간 누관결찰술은 로자나사클 등(2007)에 의해 처음 소개된 술식으로 내개구의 위치를 확인한 후 괄약근간 구에 횡으로 피부절개창을 가하고 괄약근간면을 통하여 괄약근 손상에 주의하며 박리해 들어가 누관에 접근하는 방식이다. 괄약근간면의 누관을 확인한 후 겸자를 이용하여 내괄약근에 최대한 근접하여 흡수봉합사로 누관을 결찰하고 나머지 괄약근간면의 누관은 절제한다. 외공을 통해 식염수를 주입하여 누관이 적절히 절개되었는지 확인한 후에 외공의 염증성 병변은 소파하거나 도려내는 방법이다.

8. 수술 후 처리

수술 직후에는 마른 거즈 드레싱을 해준다. 절개 노출법을 시행하였을 때는 술 후 다음날부터 정상 식사를 하면서 온수 좌욕을 실시한다. 가급적 일찍 먹이고, 통증 호소가 적으면 일찍 퇴원시켜서 통원 치료를 권장한다. 항생제 투여는 감염증이 심한 복잡치루인 경우에만 투여한다. 외래에서는 술후 5~7일째부터 규칙적으로 수지 직장검사를 하여 상처치유 상태를 살펴본다. 항문 안쪽에서부터 바깥쪽으로 육아조직이 차 올라오는 지 관찰하고 너무 많은 육아 조직이 보이면 소파를 시행한다. 수술 직후는 수술창과 괄약근 절개로 인하여 항문 기능의 장애가 일시적으로 올 수 있지만, 항문 직고리가 보존되어 있는 한 상처가 치유되면서 기능을 거의 회 복하게 된다. 상처치유 기간은 치루의 복잡성에 따라 다르지만, 간단한 경우 4~5주, 복잡한 경우는 몇 달이 걸릴 수도 있다.

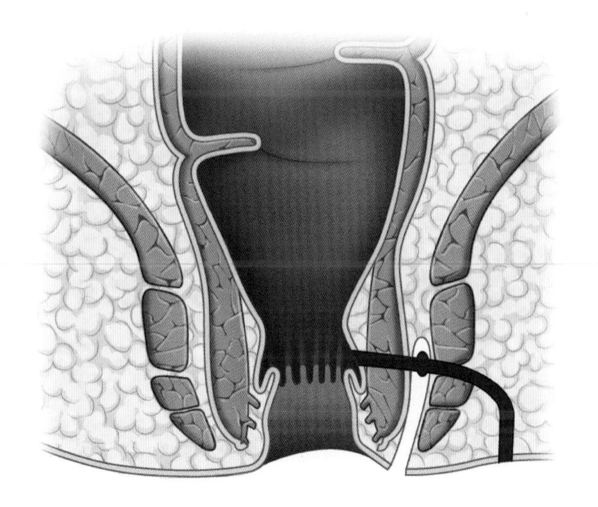

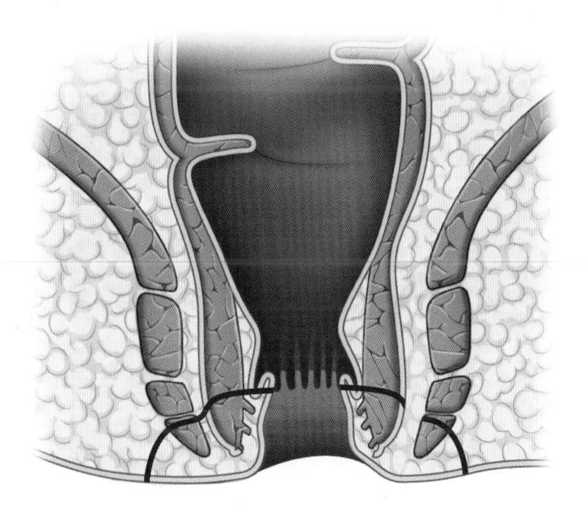

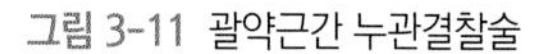

그림 3-11 괄약근간 누관결찰술

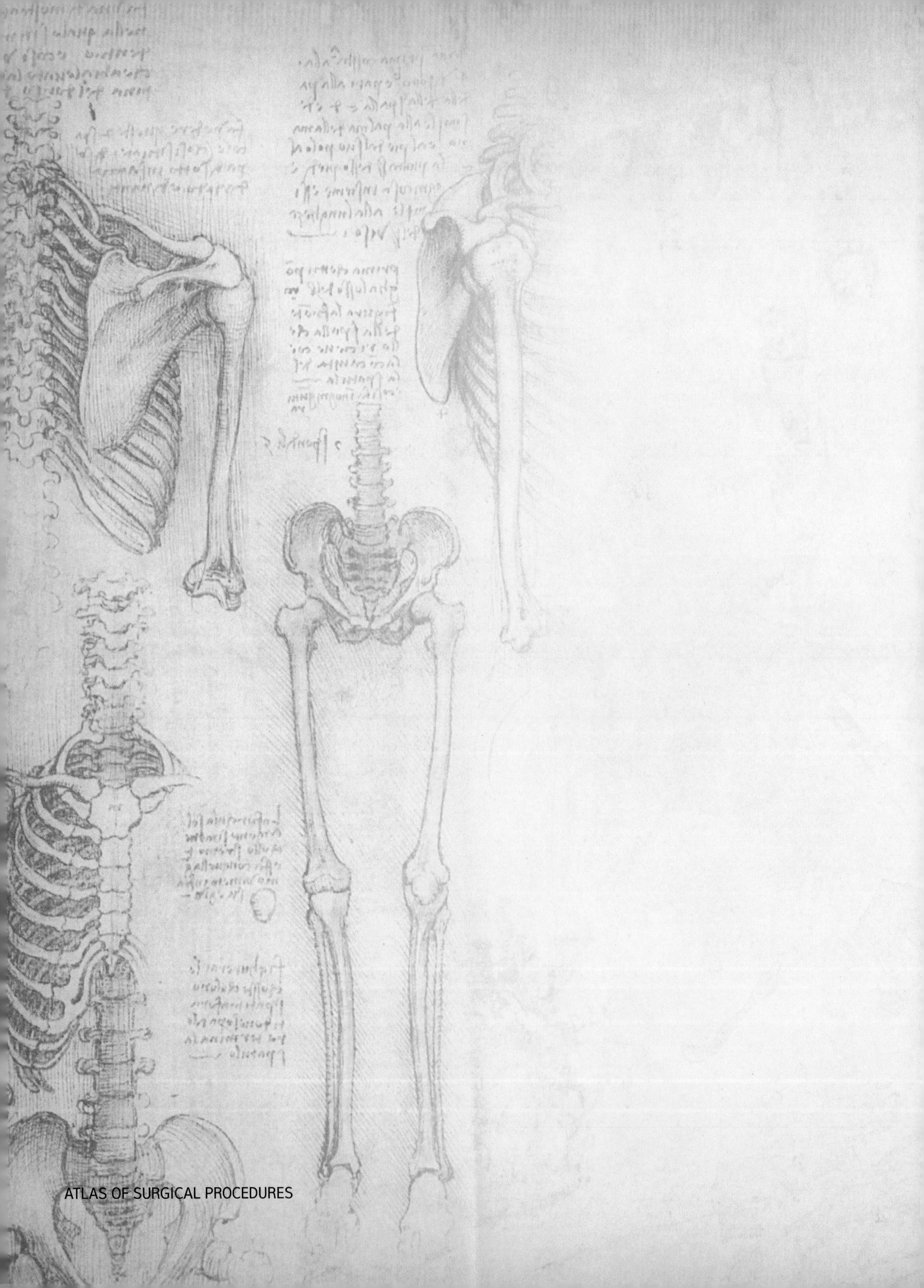

ATLAS OF SURGICAL PROCEDURES

CHAPTER 4

치열의 수술 (측방내괄약근절개술, 전진피판항문성형술)

Surgery for anal fissure (lateral Internal sphincterotomy, advancement flap anoplasty)

1. 서론

(그림 4-1) 내괄약근은 직장 윤상근이 하방으로 연속되는 형태인데 치상선 하방 1~1.5 cm에 위치하는 괄약근간홈(inter-sphincteric groove)까지 내려와 있다. 외괄약근의 하단보다 약간 상방에서 끝난다. 외괄약근은 분홍색이나 내괄약근은 희고 윤택이 난다. 만성치열의 수술적 치료에는 내괄약근을 측방에서 절단하는 측방내괄약근절개술과 피판을 이용한 전진피판항문성형술이 있다. 측방내괄약근절개술은 다시 항문피부연에 피부절개를 하는 개방술식과 하지 않는 폐쇄술식으로 구분되며 치료 효과나 변실금 위험도는 비슷하다.

개방술식에서 Parks는 피부절개를 환상형으로, Ray 등은 방사형으로 가하였다. 폐쇄술식은 피부절개를 별도로 하지 않고 칼끝을 그대로 집어넣는다. Notaras는 칼날을 점막하층에서 외괄약근 쪽으로 돌려 내괄약근을 절단하였으나 Hoffmann과 Goligher는 내괄약근을 괄약근간면에서 항문관쪽으로 내괄약근을 절단하였다. 괄약근 절개의 길이는 변실금 위험도와 직접 관련이 있기 때문에 절개 범위는 환자의 상황에 맞추어 재단하면 좋다.

전통적인 내괄약근절개술은 치상선 수준까지 내괄약근을 확실히 절단하여 재발을 적게 하였지만(그림 4-1A) 맞춤형 내괄약근절개술(tailored sphincterotomy)은 변실금 위험을 줄이기 위해 내괄약근을 치열의 상단 수준까지만 절단한다(그림 4-1B). 전진피판항문성형술은 측방내괄약근절개술과 달리 내괄약근을 절단하지 않고 치열 부위만을 절제(fissurectomy)한 후 절제된 결손부를 주변 항문피부의 피판을 이용하여 덮어주는 내괄약근보존술식이다. 따라서 내괄약근을 절단하는 측방내괄약근절개술에 비해 변실금의 빈도가 낮으며 항문 내압이 정상이거나 낮은 환자에게 유용하다.

2. 적응증

기본적으로 약물요법 등의 보존치료에 반응하지 않는 만성치열에 시행할 수 있다. 단, 부적절한 수술이나 부식제 주입으로 인해 고도의 항문협착이 초래되어 치열이 반복해서 발생하는 재발성 치열이거나 다발성 치열로 인해 항문 상피가 반흔화되어 협착이 발생한 경우, 또는 항문압이 정상이거나 낮은 치열에는 전진피판항문성형술을 시행하여야 한다.

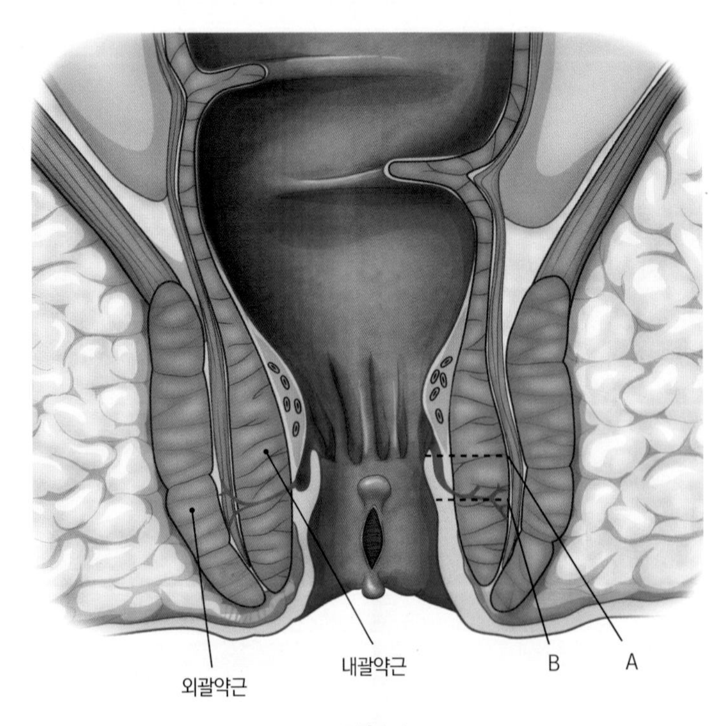

그림 4-1

3. 비적응증

항문압이 낮아 변실금 위험이 있는 경우에 측방내괄약근절개술은 시행하지 말아야 한다. 특히 노인, 이전의 치루수술, 분만손상, 출산 후 발생한 치열 등에는 필요하면 항문내압검사 및 경항문초음파 검사를 미리 시행한다. 설사, 과민성장증후군 환자는 주의해서 선별해야 한다.

4. 수술 전 처치

측방내괄약근절개술 시 수술 전 장 처치는 하지 않으며 필요하면 하제 좌약을 넣어 직장을 비운다. 반면에 전진피판항문성형술을 시행할 경우에는 수술 1일 전에 관장액으로 직장을 세척하고 수술 직전 항생제를 투여하는 것이 좋다.

5. 마취

항문 부위를 충분히 이완시킬 수 있다면 어떤 마취든지 무방하다. 전신마취보다는 척수마취나 미추경막외마취(caudal block)를 선호한다. 마취효과가 충분하지 않으면 국소마취를 추가한다. 측방내괄약근절개술의 경우 통증이 심하지 않은 환자는 외래에서 국소마취 하에 실시할 수도 있다. 국소마취에는 1:200,000 에피네프린을 섞은 리도카인 혹은 부피바카인 용액을 사용한다.

6. 환자 자세

잭나이프복와위를 선호하나 필요하면 쇄석위나 좌측방위(Sims 체위)를 취한다.

7. 수술 준비

개항기(anal retractor) 또는 퍼거슨 리트렉터(Hill Ferguson rectal retractor), 끝이 좁은 칼(11번, 15번 또는 안과용 Beaver 메스)

8. 수술 과정

1) 개방형 측방내괄약근절개술(Open lateral internal sphincterotomy)

(그림 4-2) 개항기로 항문관을 충분히 벌려서 내괄약근이 긴장되도록 한다. 출혈을 줄이기 위해 절개 예정 부위에 1:200,000 희석 에피네프린 생리식염수를 주입한다.

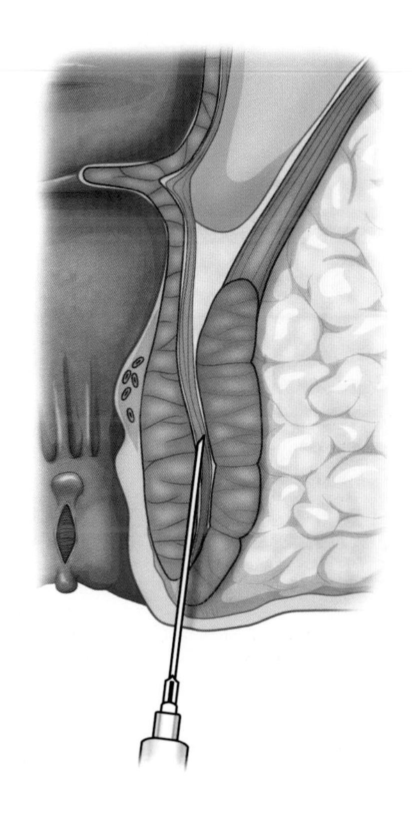
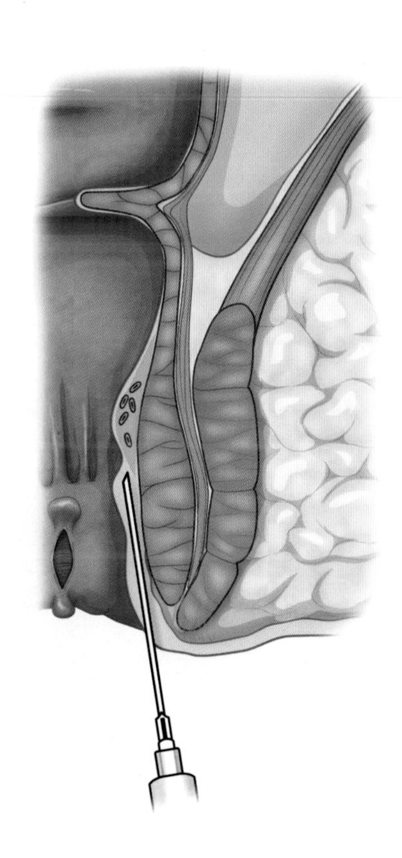

그림 4-2

(그림 4-3) Ray 술식은 측방향(3시 혹은 9시)에서 항문피부연에 방사형으로 피부절개를 가하는데 치상선을 넘지 않도록 한다. 굽은 모스퀴토겸자를 사용하여 희고 윤택이 나는 내괄약근을 외괄약근으로부터 박리하여 노출시킨 후 치상선 수준까지 절단한다. 항문피부 절개창은 3-0 흡수사로 봉합하고 항문연 바깥쪽은 배액을 위해 열어두어 혈종이나 농양을 방지한다. 하지만 개방창을 그대로 두어도 무방하다.

(그림 4-4) Parks 술식은 항문피부연에 인접하여 환상으로 피부절개를 하는데 항문관 속에 절개창을 만들지 않는다는 장점이 있다. 내괄약근 절단을 정확하고 확실히 행할 수 있어서 폐쇄술식에 불안감을 느끼는 경우에 사용하면 좋다.

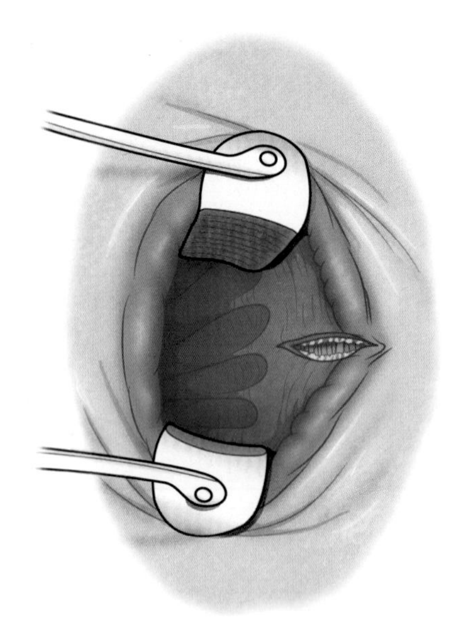
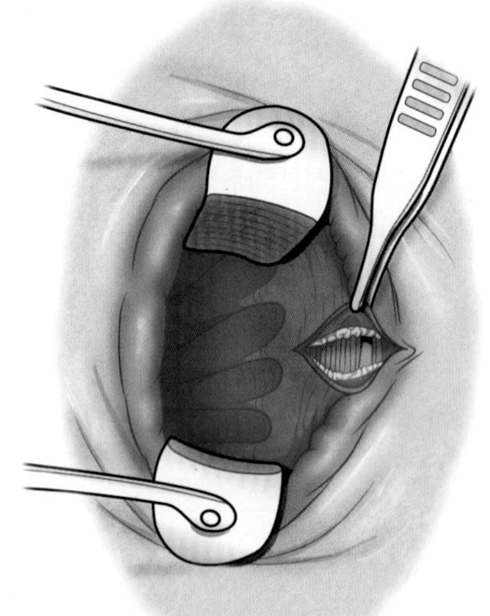
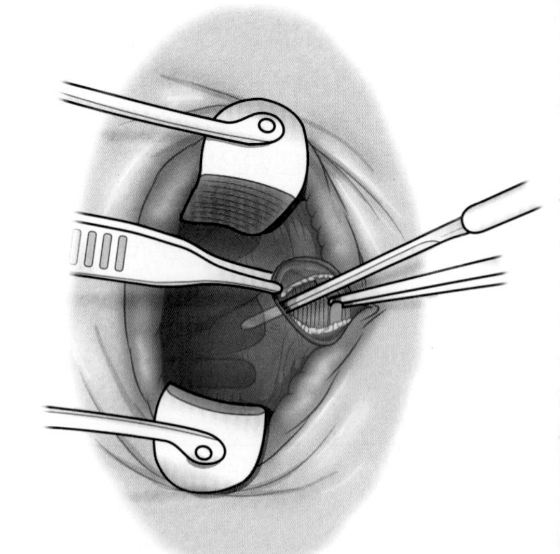

그림 4-3

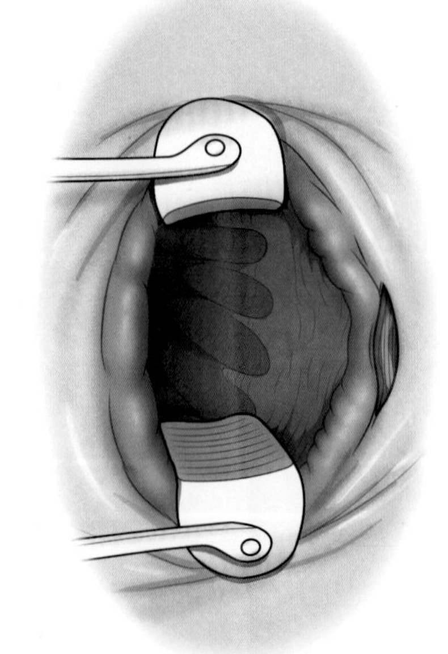

그림 4-4

2) 폐쇄형 측방내괄약근절개술(Closed lateral internal sphincterotomy)

(그림 4-5) 개항기로 항문관을 충분히 벌리면 항문피부연에서 단단한 끈처럼 만져지는 내괄약근의 하단을 확인할 수 있는데 여기가 괄약근간홈(intersphincteric groove)이다.

(그림 4-2) 측방(3시 혹은 9시)에 출혈 감소, 항문피부(anoderm) 손상 방지, 특히 내외괄약근의 간극을 벌려 정확히 절단하기 위해 1:200,000 희석 에피네프린 생리 식염수를 주입한다.

(그림 4-6) 끝이 좁은 칼을 점막하층을 따라 치상선 수준까지 찔러 넣는다. 이때 미끄러지듯이 들어가야 항문상피의 손상을 피할 수 있다. 칼날을 돌려 바깥쪽을 향하게 하여 내괄약근을 절단한다(Notaras 술식). 내괄약근에 수직으로 갖다 대어 쑤셔 자르듯이 절단하면 균등한 깊이로 절단할 수 있다.

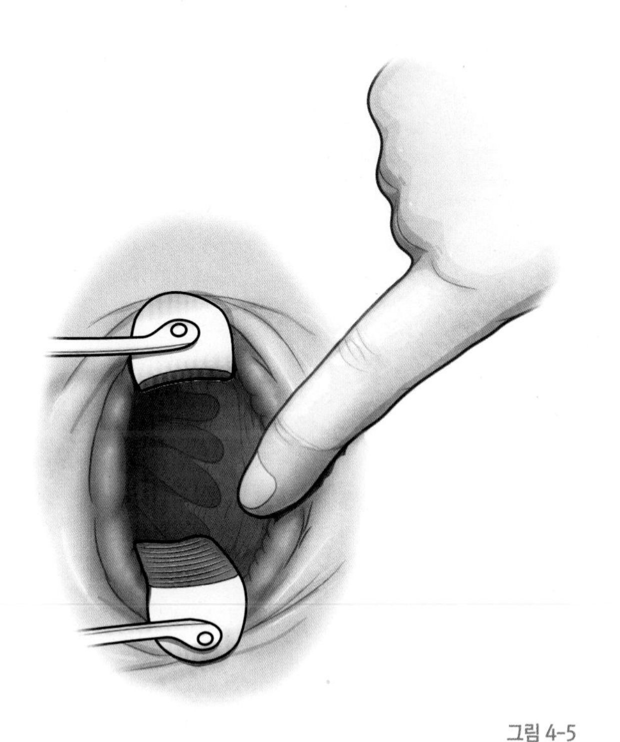

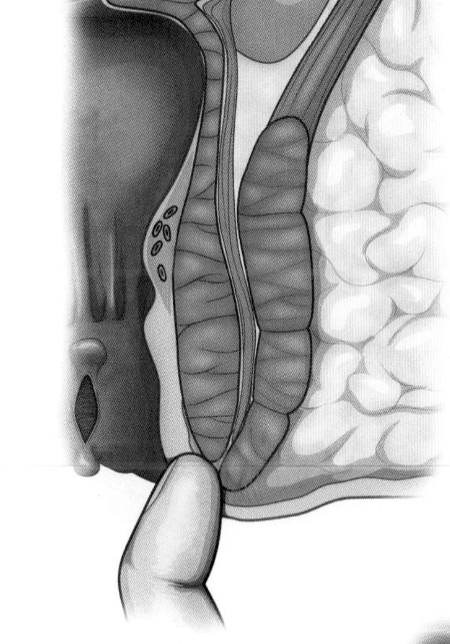

그림 4-5

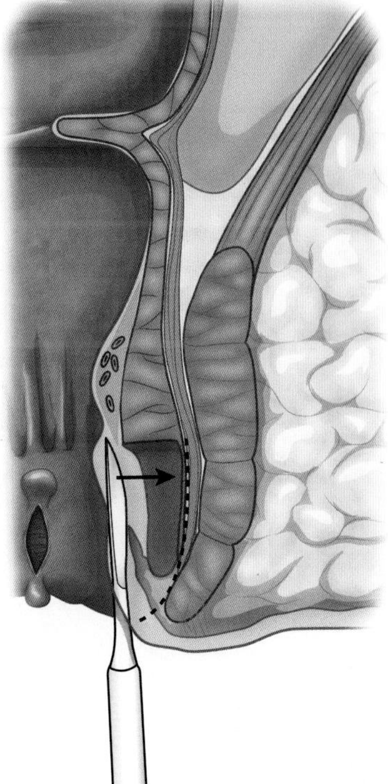

그림 4-6

(그림 4-7) 칼을 빼고 나서 집게손가락으로 절단부위를 여러 차례 압박하여 잘리지 않은 잔여 근섬유를 완전히 절단하고 지혈도 한다. 이때 절단부위에 V자 홈이 파인 것을 느낄 수 있다. 피부창상은 그대로 열어두어 배액이 되게 한다.

(그림 4-8) Hoffmann 등의 술식은 내괄약근을 괄약근간면에서 항문관쪽을 향하여 절단한다. 칼날을 괄약근간홈에 찔러 넣어 치상선 수준까지 도달하면 칼날을 항문 관강을 향하게 회전시킨 후 치상선에서 항문피부연까지 내괄약근을 절단해 나가면서 칼을 당겨 빼낸다. 내괄약근절개술을 정확히 시행한 경우에는 손가락 2개가 삽입 가능하다. 항문압이 감소하고 내괄약근 경련도 소실된다.

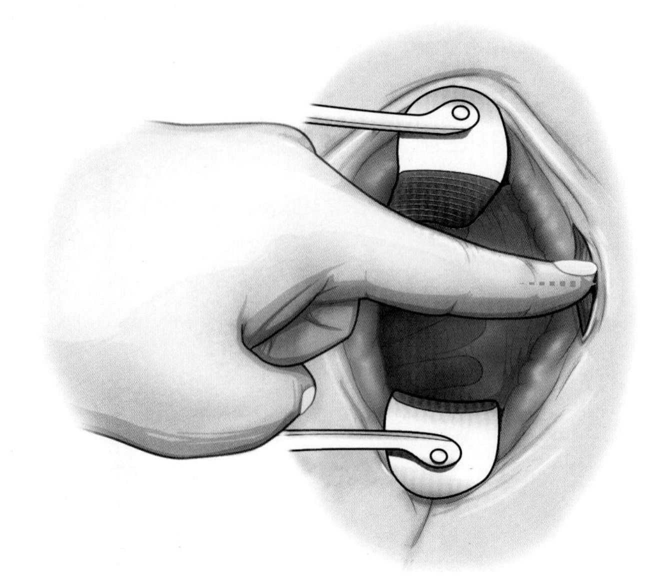

그림 4-7

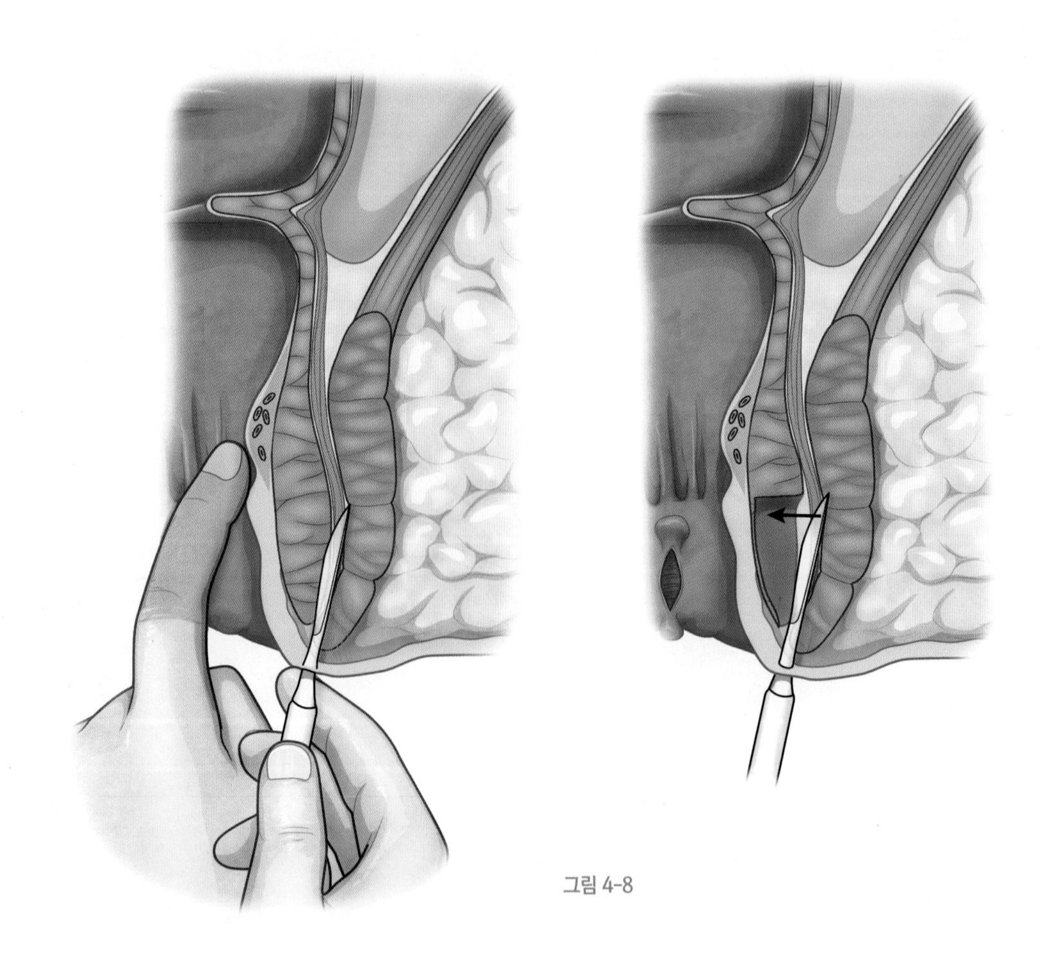

그림 4-8

3) 전진피판항문성형술 (Advancement flap anoplasty)

(그림 4-9) 퍼거슨 리트렉터로 항문관을 벌리고 치열로 인해 반흔화된 항문상피 부위에 1:200,000 희석 에피네프린을 섞은 리도카인을 주입한다. 15번 메스로 반흔 항문상피(치열) 부위를 정상 조직이 나올 때까지 절제하고 절제된 치열의 바닥을 내괄약근이 노출될 때까지 조심스럽게 긁어낸다. 이때 절제면은 치상선을 넘지 않도록 하고 괄약근 손상을 방지하기 위해 전기소작기(electrocautery)는 가급적 사용하지 않는다.

(그림 4-10) 절제된 항문상피 결손부를 장력 없이 덮을 수 있을 정도로 결손부 주변의 항문주위피부에 피하지방층과 혈관줄기(vascular pedicle)가 포함된 피판을 Y자나 마름모 혹은 집 모양(house-shaped)으로 만든다. 이때 피판의 길이는 보통 결손부의 1.5배 정도로 하는 것이 좋다.

(그림 4-11) 충분히 박리된 피판을 항문관 쪽으로 전진 이동시켜 결손부에 덮어주고 흡수봉합사로 단속봉합(interrupted suture)한다.

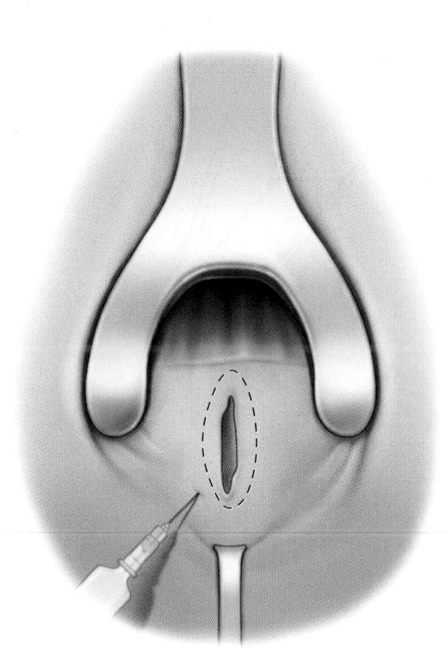

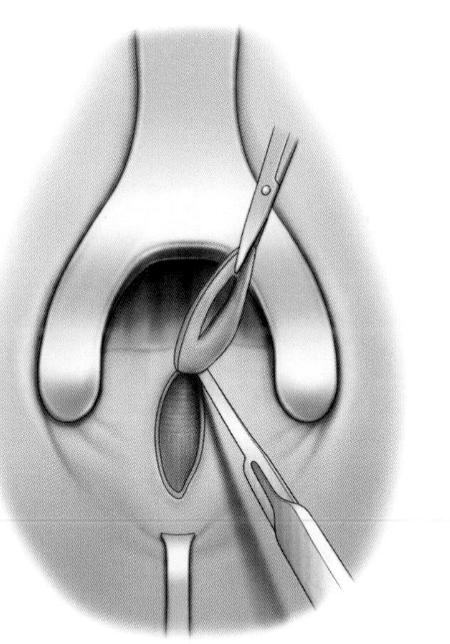

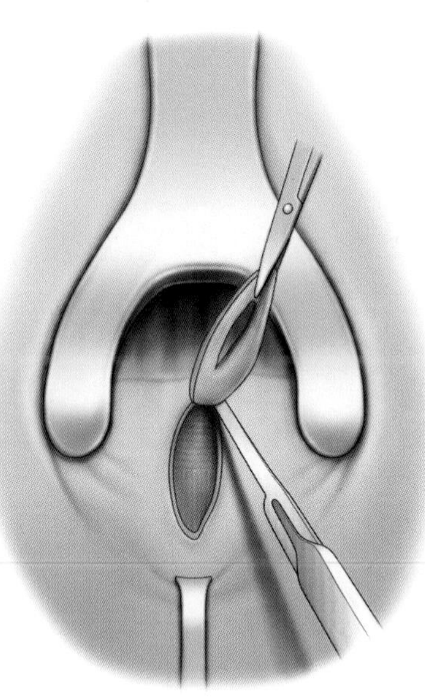

그림 4-9

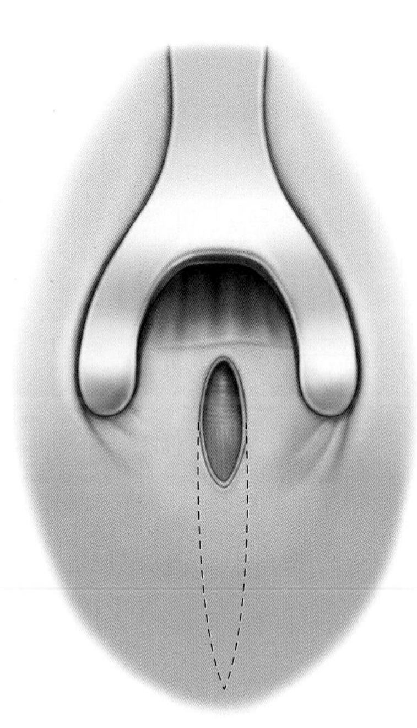

그림 4-10

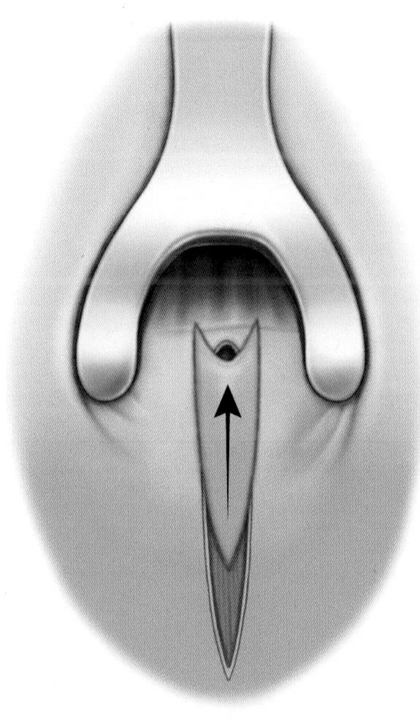

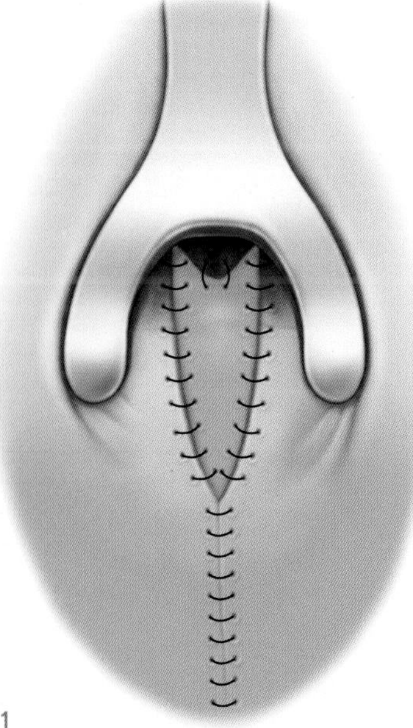

그림 4-11

9. 주의

(그림 4-12) 치열 부위에 비대유두나 피부꼬리가 있으면 함께 절제한다. 전진피판항문성형술이 아닌 측방내괄약근절개술을 시행할 경우에 치열은 그대로 둔다. 항문성형술 없이 치열 부위 반흔조직을 절제하면 창상이 깊어지고, 내괄약근이 손상되어 치유가 지연되며 심한 반흔이 생겨 항문이 잘 닫히지 않게 되므로 하지 말아야 한다.

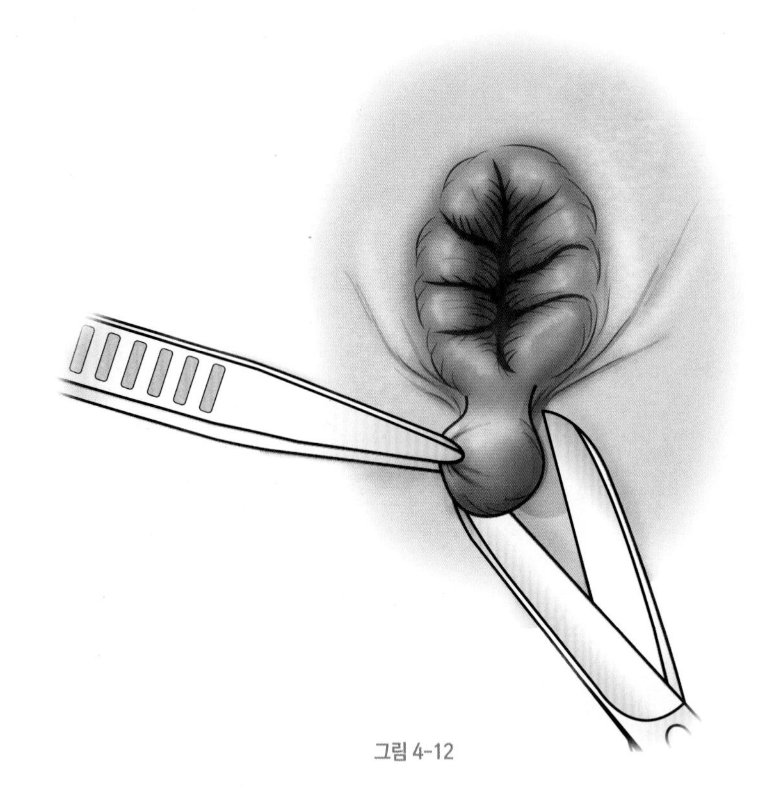

그림 4-12

10. 수술 후 관리

수술 당일부터 정상식이가 가능하며 다음 날부터는 온수 좌욕을 한다. 변완화제, 필요하면 진통제도 사용한다.

CHAPTER 5

직장탈출, 회음접근 수술법, 복부접근 수술법

Rectal prolapse, Perineal procedures, abdominal procedures

I. 델로르메(Delorme) 수술

1. 적응증

비교적 제한된 탈출증(약 5 cm 이내의 탈출)이나 직장의 전층이 부분적으로 탈출되는 경우, 마취에 대한 고위험도군의 고령환자

2. 수술 전 처치

다른 이상을 감별하기 위해서 전대장 내시경이나 에스결장내시경검사를 실시하고 수술전 장정결을 시행하여 청결한 장 상태를 유지한다. 탈출된 장은 환원시켜 놓는다. 술 전에 예방적 항생제를 투여한다.

3. 마취

전신마취, 척추마취, 국소마취로 시행될 수 있다.

4. 환자 자세

엎드린 자세의 잭나이프(Jack Knife) 자세가 선호되지만, 쇄석위도 가능하다.

5. 수술 준비

술 전에 배뇨관을 삽입하고 직장을 생리식염수와 포타딘 거즈로 직장을 깨끗이 세척한다. 회음부를 무균적 소독하고, 소독포를 덮는다.

6. 수술 과정

(그림 5-1) 탈출된 장을 Babcock을 이용하여 견인시킨 다음 치상선에서부터 점막하층에 1:200,000 에피네프린을 섞은 생리식염수 또는 0.5% 리도카인으로 주사하여, 출혈을 막고 박리를 쉽게 한다. 치상선 상방 1 cm에 메스나 Bovie를 이용하여 점막하층까지 원형 절개를 실시한 다음, 장의 근육층에서 탈출된 장의 점막과 점막하층을 박리한다. 이때, 에피네프린 용액을 점막하층에 주입하면 출혈을 최소화하고 박리를 용이하게 진행할 수 있다 (그림 5-2). 박리는 약간의 긴장이 느껴질 때까지 진행한다.

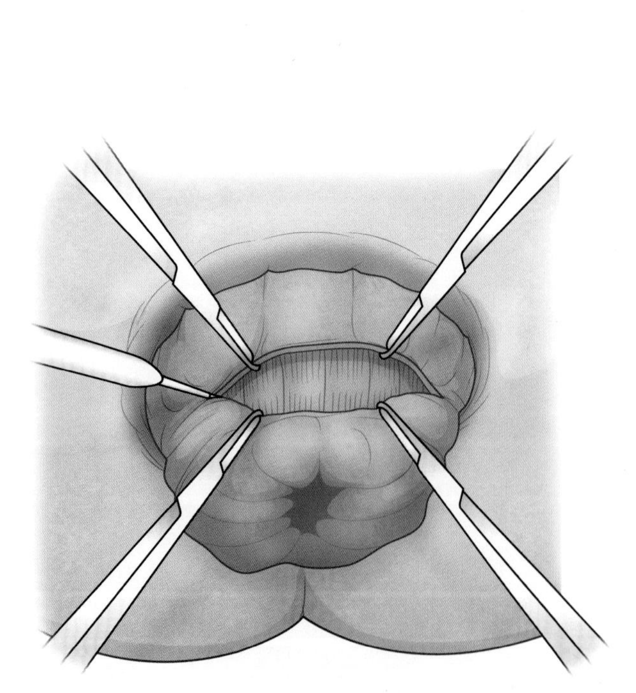

그림 5-1

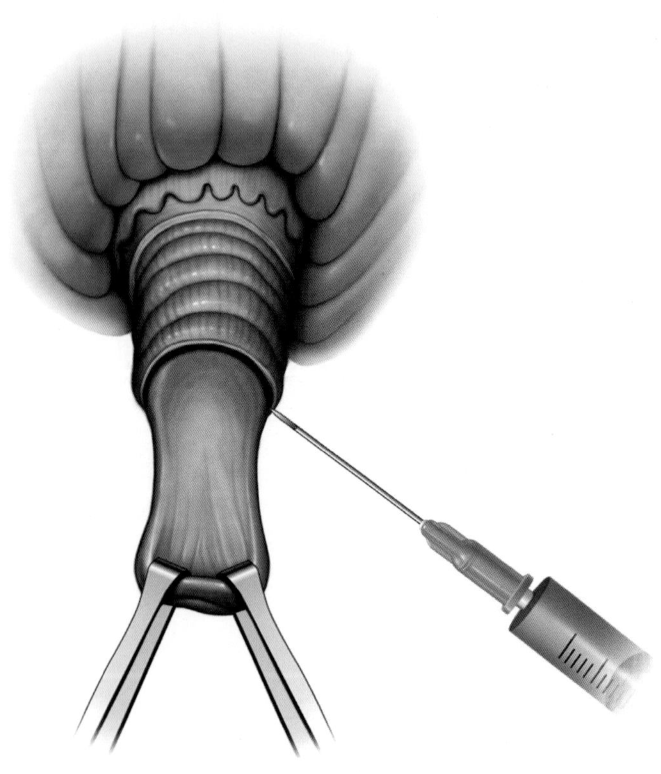

그림 5-2

(그림 5-3) 완전한 지혈을 확인한 후, 점막의 절제연, 근육층, 치상선 근위부의 점막절제연을 주름봉합을 시행한다. 12시, 3시, 6시, 9시 의 네 방향에서 먼저 주름봉합을 시행한 후 각각의 사이에 2바늘 정도의 종축 주름봉합을 시행하여 문합을 완성하게 된다. 이때 2-0 흡수성 봉합사를 이용하는 것이 좋다.

(그림 5-4) 완성된 문합부의 모습이다. 완성된 문합부는 치상선 약 1 cm 상방에 위치하게 된다.

7. 수술 후 관리

항생제 치료가 3일 정도 시행되고, 미음부터 시작하여 식이를 증량해 나간다. 수술부위가 긴장을 보이지 않는다면 직장수지 검사는 가급적 시행 하지 않는다. 직장주위농양이 발생한다면 즉시 절개 및 배농을 시행해야 한다.

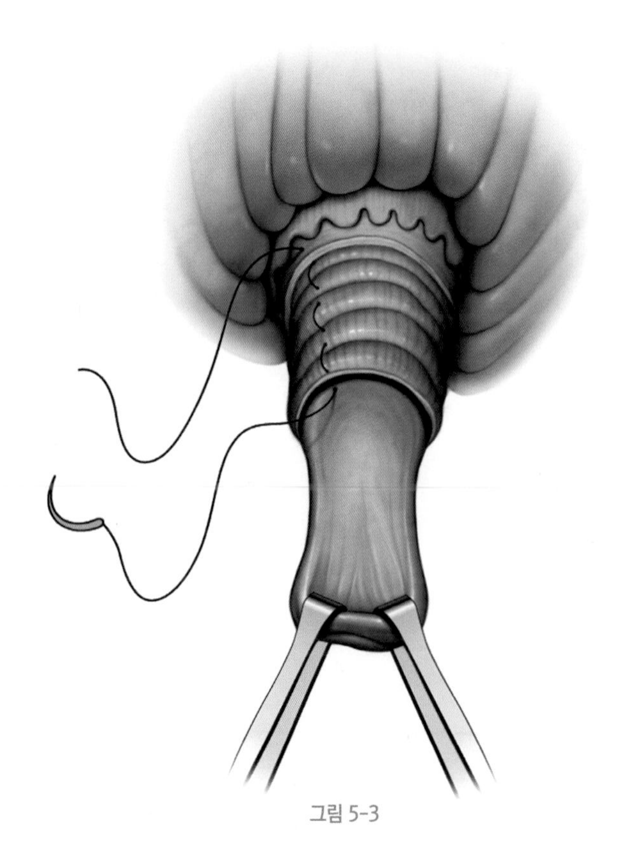

그림 5-3

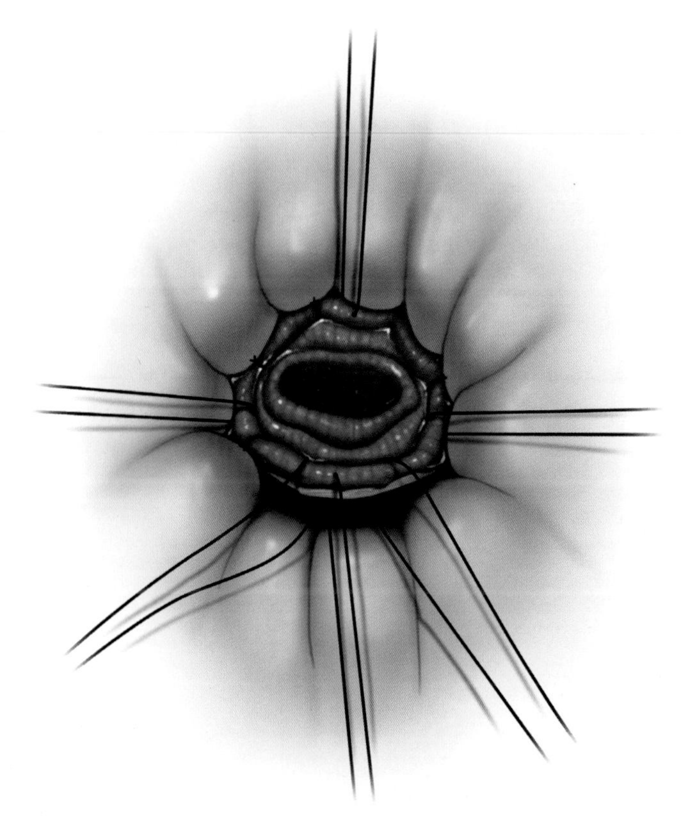

그림 5-4

II. 경회음 직장에스결장절제술(Perineal rectosigmoidectomy, altemeir procedure)

1. 적응증

직장벽 전층의 직장탈출 환자로서 나이가 많거나, 신경이상, 정신이상, 동맥경화증 등과 같이 복부 접근 술식에 위험성이 큰 만성 질환자나, 복부 접근술시 자율신경 손상으로 발기부전을 초래할 수 있는 젊은 환자.

2. 수술 전 처치

탈출증을 일으킬 수 있는 선행 인자들, 즉 암, 용종등의 유무를 확인하기 위하여 대장내시경 혹은 바륨 관장 및 에스결장내시경검사의 시행이 반드시 필요하다. 일반적으로, 수술 전 전대장 장정결을 시행한다. 조직의 부종과 궤양 등의 병적인 상태를 최소화하기 위해 가능하면 탈출된 장을 복원킨다. 수술 직전에 항생제를 투여할 수 있도록 준비해 둔다.

3. 마취

전신 혹은 척수마취가 이루어진다.

4. 환자 자세

환자의 자세는 양쪽 다리를 벌린 쇄석위 자세나 엎드린 자세로 시행할 수 있으며, 술자의 선호도에 따라 결정하게 된다. 수술대는 두부가 아래로 기울어진 Trendelenburg 위치로 기울여 정맥혈의 울혈을 막고, 해부학적 박리를 쉽게 한다.

5. 수술 준비

환자의 탈출된 장을 복원시키고, 생리식염수로 직장을 깨끗이 세척한다. 회음부의 피부는 무균적 소독을 시행한 후, 소독된 포를 덮는다. 도뇨관을 방광에 거치한다.

6. 수술 과정

(그림 5-5, 6) Babcock이나 Allis 겸자를 이용하여 탈출된 장의 정도를 확인하기 위하여 견인시켜 본다. 이때 탈출된 장, 더글라스와(pouch of Douglas), 항문괄약근의 해부학적 관계를 알 수 있다. 항문연의 네 방향에 tagging suture를 하여 수술 중 landmark

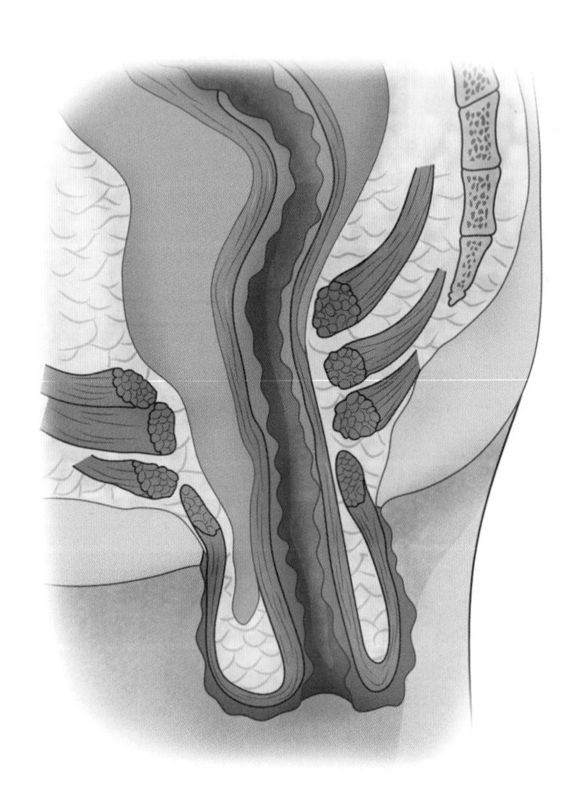

그림 5-5

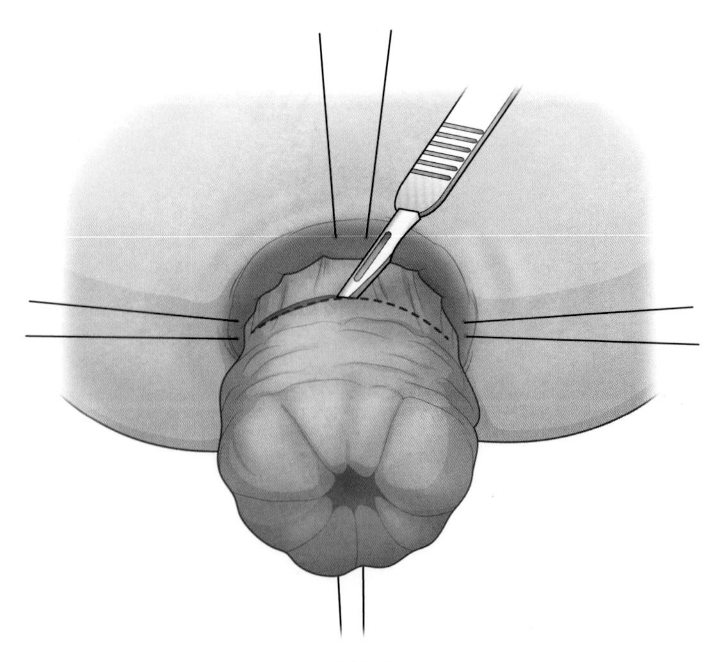

그림 5-6

가 되도록 한다. 치상선을 확인한 후, 칼이나 bovie를 이용하여 치상선 상부 1-2cm 부위 직에 환상절개를 넣는다. 이때 출혈이 심하므로 지혈을 꼼꼼하게 해야 하며, 예방적으로 에피네프린이 포함된 용액을 직장벽에 주입한 후 절개를 가할 수도 있다.

(그림 5-7) 탈출된 장의 일부분의 점막과 근육층을 완전히 절개한 후, 절개된 장을 아래쪽으로 견인하면서 박리를 해나가는데 이때 전방부에 더글라스와가 충분히 노출될 때까지 장간막을 결찰 및 분리하면서 박리한다.

(그림 5-8) 절제된 직장을 충분히 견인한 후, 더글라스와를 정중선에서부터 상방으로 열어서 복막을 노출시킨다. 복막에 유착된 소장이나 자궁부속기를 박리하여 가능한 한 깊게 더글라스와를 노출시키고 직장-에스결장을 최대한으로 수술창에서 유리한다.

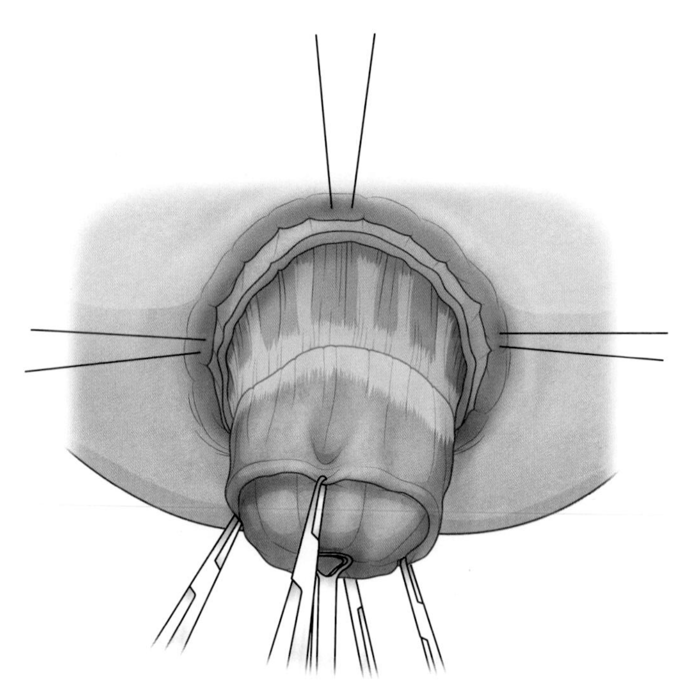

그림 5-7

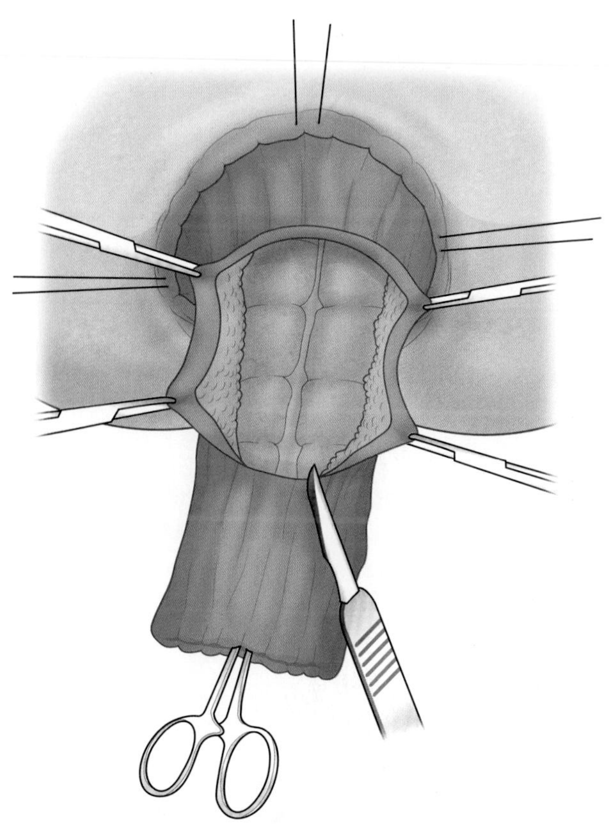

그림 5-8

(그림 5-9) 복막을 외측으로 확장하여 연 다음, 박리한 장을 재발하지 않을 정도의 길이를 결정하여 절단할 부분의 장간막과 혈관을 중간 길이의 겸자와 집도의의 검지를 이용하여 장이 손상받지 않도록 박리 절단 후, 흡수성 봉합사를 이용하여 이중결찰을 시행한다. 박리는 더이상의 직장 및 구불결장부위의 늘어짐(redundancy)가 없을 정도까지 진행하게 되며, 이는 어느정도 술자의 경험에 의한 판단이 요구되기도 한다.

(그림 5-10) 방향이 맞게 장을 정렬한 다음, 장을 전방과 후방의 정중선을 절개하고, 처음에 절단한 치상선 상방에 남긴 장과 봉합을 시작한다. 장의 1/4씩 절제하면서 봉합하는데 너무 긴장이 가면 봉합선이 파열될 수 있고 너무 느슨하면 재발할 수 있으므로 주의를 요한다.

(그림 5-11, 12) 회음부 문합 부위에 원형 자동봉합기가 이용될 수 있다. 탈출된 장의 절제 후

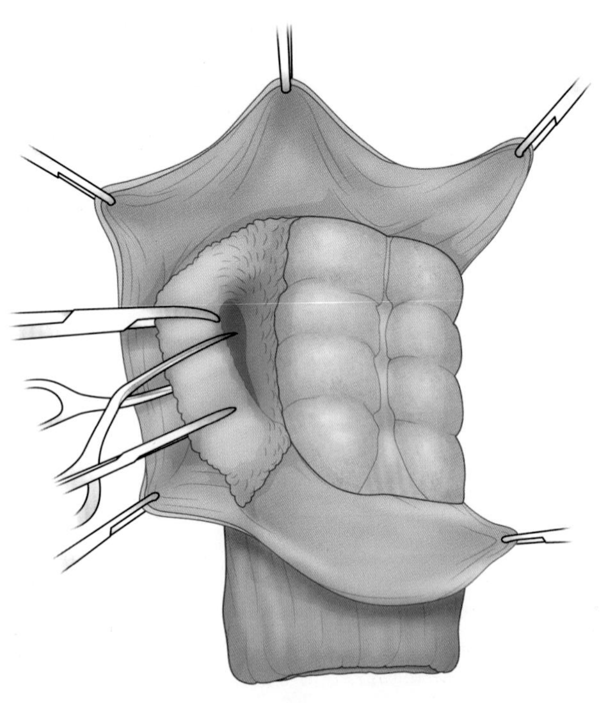

그림 5-9

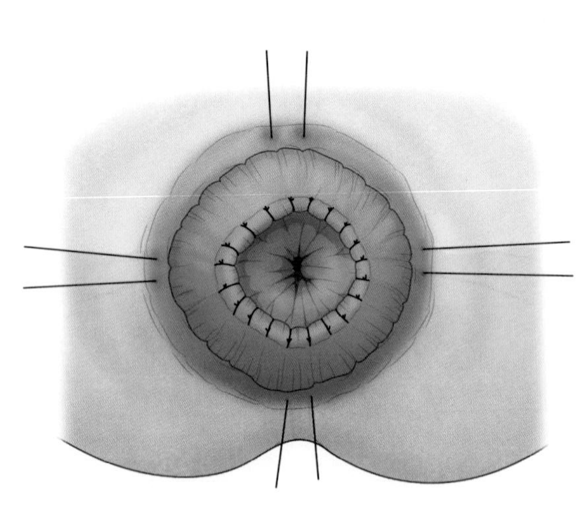

그림 5-10

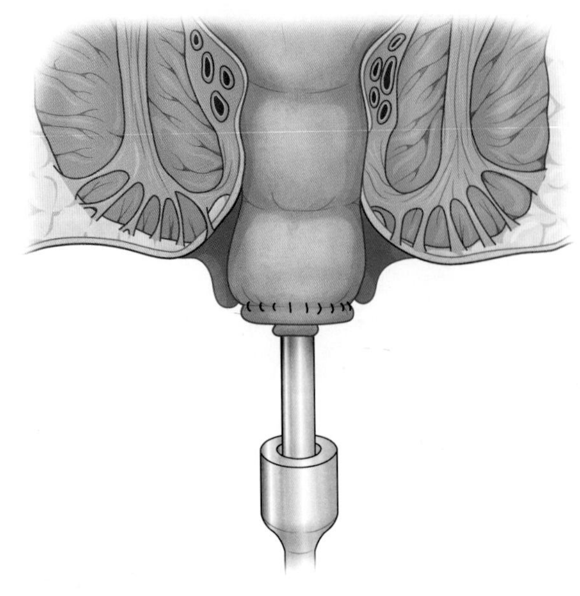

그림 5-11

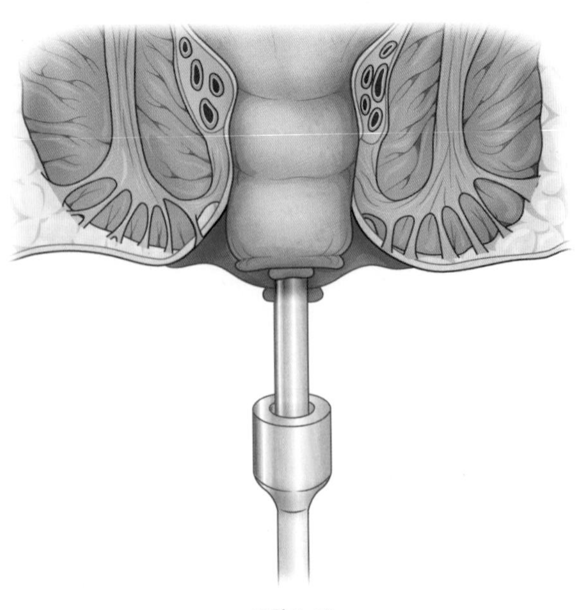

그림 5-12

에 근위부와 원위부의 장에 쌈지봉합 purse-string suture 후에 원형 자동봉합기를 이용하여 발사한다.
(그림 5-13) 문합이 완성된 후의 모습이다(원형 자동봉합기 이용).

7. 수술 후 관리

수술 부위가 긴장을 보이지 않는다면 직장수지 검사는 가급적 시행 하지 않는다. 직장주위 농양이 발생한다면 즉시 절개 및 배농을 시행해야 한다.

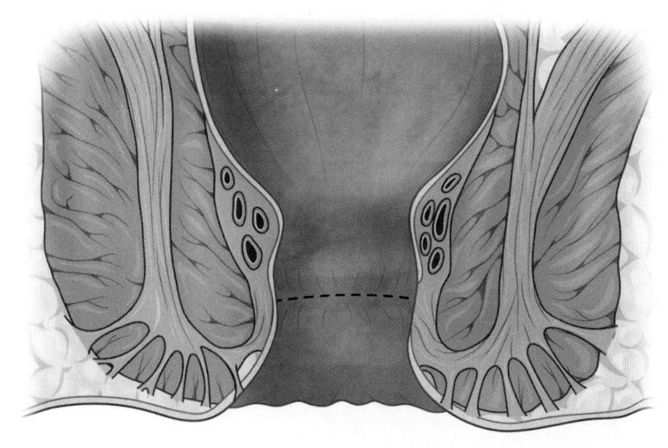
그림 5-13

III. 복부 고정술 및 에스결장 절제술(Resection rectopexy)

1. 적응증

직장벽 전층의 직장탈출증

2. 수술전 처치

결장의 절제 및 문합이 동반되는 수술로, 결장 절제술과 동일한 전처치를 시행한다.

3. 마취

전신 마취

4. 환자자세

양와위 자세에서 수술을 진행하게 되며, 자동문합기를 이용한 결장-직장 문합을 위해 쇄석위 자세가 필요할 수 있다.

5. 수술 준비

배뇨관을 삽입한다.

6. 수술 과정

(그림 5-14) 직장과 에스결장, 하행결장을 가동화 시킨 후, 전방부로는 더글라스와를 열고 하방부로 최대한 박리를 진행하고, 후방부로 골반저부위(pelvic floor)까지 직장을 완전히 가동화 시킨다. 이때, 외측인대(lateral stalk)은 보존하여야 한다. 외측인대의 손상은 변비 증상의 발생 및 악화와 연관이 있으므로 주의하여야 한다.

(그림 5-15) 근위부는 하행결장-에스결장 이행부에서 결장을 절제하고 원위부는 상부 직장에서 직장을 절제한 후 하행결장과 직장을 문합한다.
(그림 5-16) 이후 천골곶(sacral promontory) 바로 아래 부위에서 가동화 시킨 직장을 1-0 polypropylene을 이용하여 전천골막(presacral fascia)에 봉합하여 고정한다.

7. 수술 후 관리

전방절제술을 시행한 경우와 유사하게 식이를 진행하며, 배변 시 화장실에 오래 앉아 있는 등의 생활습관을 교정한다.

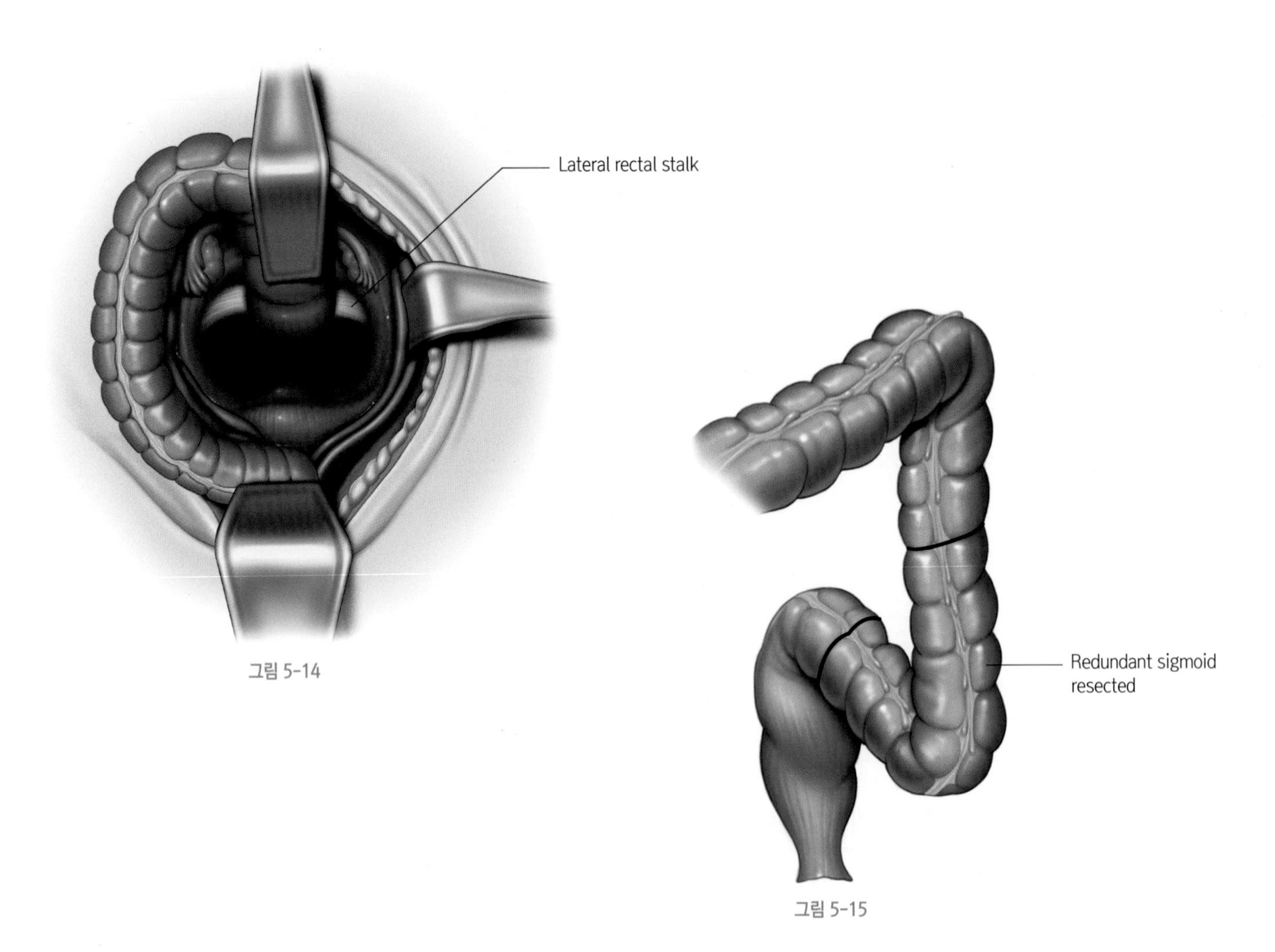

그림 5-14

그림 5-15

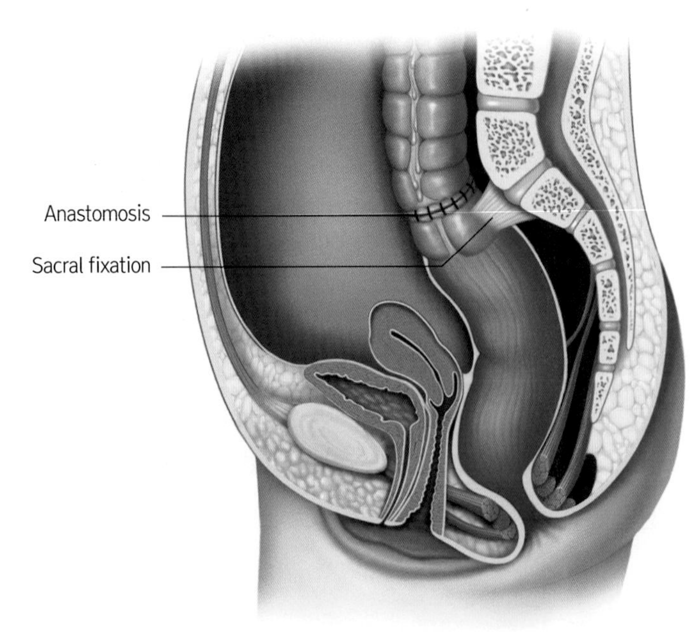

그림 5-16

IV. 복강경 복부 고정술(Laparoscopic rectopexy)

1. 적응증

직장벽 전층의 직장탈출증

2. 수술 전 처치

결장절제술과 동일한 전 처치를 시행한다.

3. 마취

전신마취

4. 환자자세

앙와위 혹은 변형 쇄석위(modified lithotomy position) 자세에서 트렌델렌버그 자세(Trendelenburg position)를 취하여 수술을 시행하게 된다.

5. 수술 준비

배뇨관을 삽입한다.

6. 절개 및 노출

다른 대장항문 수술 시 흔히 사용되는 포트위치에 설치하면 된다. 복강경 카메라 포트는 배꼽주변에 삽입하고 우상하복부 그리고 좌상하복부에 삽입하여 기본적으로 총 5개의 포트를 사용할 수 있고 술자에 따라 보조포트는 줄여서 사용하기도 한다.

7. 수술 과정

(그림 5-17) 에스결장과 직장을 가동화 시킨 후, 전방부로는 더글라스와를 열고 하방부로 최대한 박리를 진행한다. 후방부는 골반저부위(pelvic floor)까지 직장을 완전히 가동화 시킨다. 이때 외측인대를 이루고 있는 중간직장혈관 및 골반신경총은 반드시 보존하여야 한다. 직장 전벽(anterior rectal wall) 을 주변장기와 분리 할 때도 10시와 2시 방향에 성기능 및 배뇨기능에 관련하는 혈관신경총이 존재 하기 때문에 손상을 최소화 해야 한다.

(그림 5-18) 직장이 완전히 가동화 되면 늘어져 있는 직장을 최대한 위로 끌어올리고 1-0 polypropylene을 이용하여 상부직장 부위의 복막 및 전직장간막의 일부를 천골곶(sacral promontory)에 봉합 해준다.

(그림 5-19) 봉합할 때 직장간막과 천골곶의 골막을 단단하게 연결할 수 있게 봉합하는 것이 중요하다.

8. 수술 후 관리

절제술과 달리 식이 진행은 수술 후 환자가 안정되면 바로 진행할 수 있다. 오랜 기간 동안 직장탈출이 있던 환자는 항문 괄약근 기능의 저하가 동반되어 있을 수 있기 때문에 변실금이 동반되어 있을 수 있고 바이오 피드백 등 추가적인 관리가 필요할 수 있다.

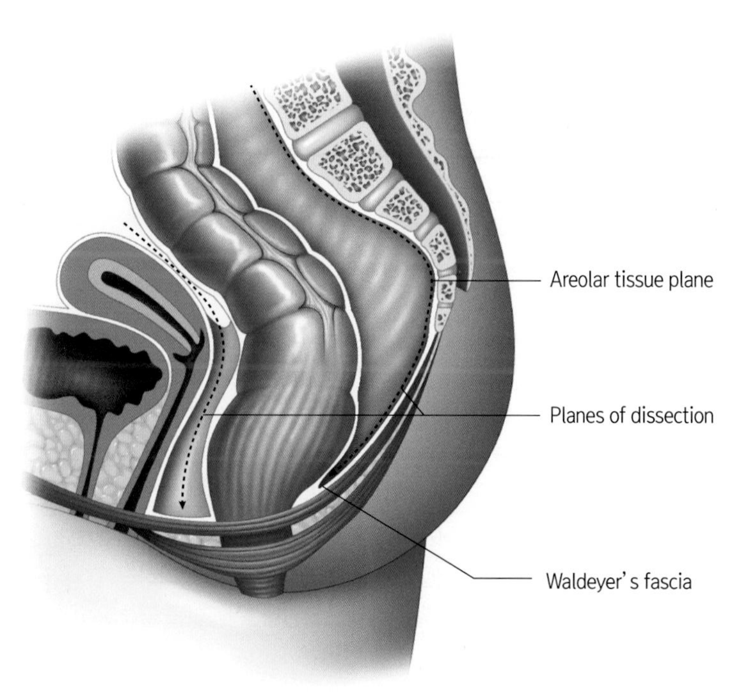

그림 5-17

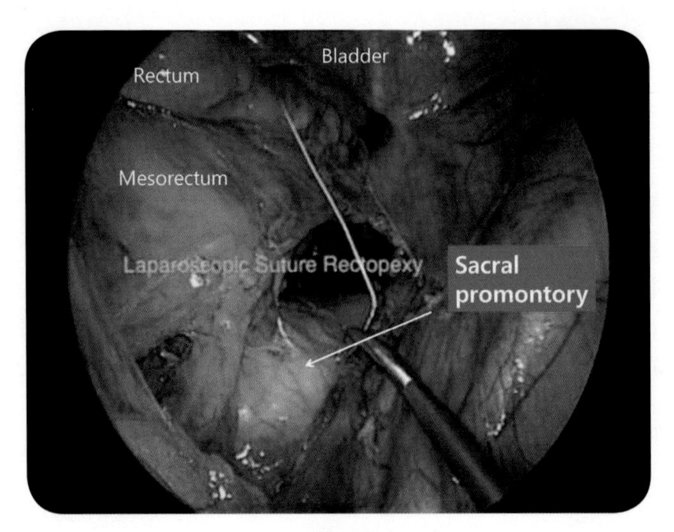

그림 5-18

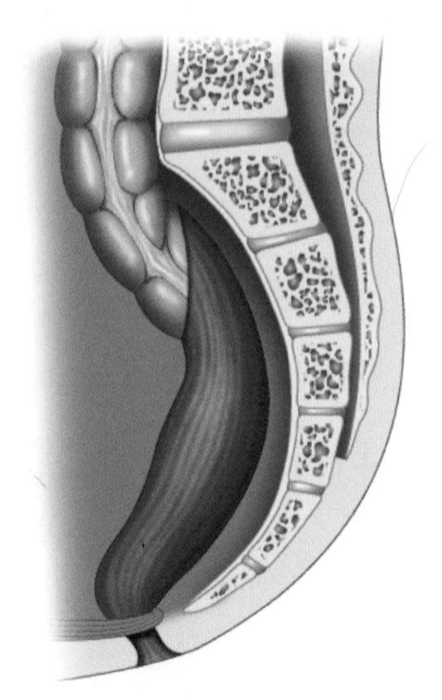

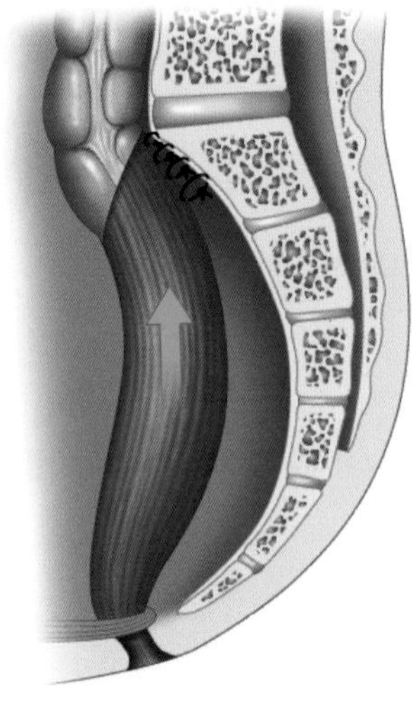

그림 5-19

V. 복강경 복부 고정술(Laparoscopic ventral rectopexy)

1. 적응증

직장벽 전층의 직장탈출증이 있는 환자이고 복강내 염증이나 다른 감염의 가능성이 없는 환자에서 시행할 수 있다.

2. 수술 전 처치

결장절제술과 동일한 전 처치를 시행한다.

3. 마취

전신마취

4. 환자자세

앙와위 혹은 변형 쇄석위(modified lithotomy position) 자세에서 트렌델렌버그 자세를(Trendelenburg position) 취하여 수술을 시행하게 된다.

5. 수술 준비

배뇨관을 삽입한다.

6. 절개 및 노출

다른 대장항문 수술 시 흔히 사용되는 포트위치에 설치하면 된다. 복강경 카메라 포트는 배꼽주변에 삽입하고 우상하복부 그리고 좌상하복부에 삽입하여 기본적으로 총 5개의 포트를 사용할 수 있고 술자에 따라 보조포트는 줄여서 사용하기도 한다.

7. 수술 과정

(그림 5-20) 수술 과정은 직장의 전면부를 가동화 시키는 것으로 시작한다. 이때 직장의 우측 복막만을 절개하고 더글라스 와를 개방하여 인공막이 들어갈 공간을 확보하게 된다.

(그림 5-21) 더글라스 와 하부의 직장을 박리하여 골반저 근육층까지 도달한다. 인공막을 골반저 근육과 직장의 전면부(anterior wall of rectum) 에 고정하고 인공막의 반대쪽 끝을 천골곶(sacral promontory)에 고정한다.

(그림 5-22) 인공막이 복강내 노출되지 않게 복막을 봉합해준다. 이때 직장의 고정을 위해 복막 봉합을 시행하면서 인공막을 함께 봉합할 수도 있다.

8. 수술 후 관리

절제술과 달리 식이 진행은 수술 후 환자가 안정되면 바로 진행할 수 있다. 늘어지고 긴 대장으로 인해 배출장애에 의한 심한 변비가 발생할 수 있고 오랜기간 동안 직장탈출이 있던 환자는 항문 괄약근 기능의 저하로 변실금이 있을 수 있다. 이러한 증상이 수술 후 지속되는 경우 바이오 피드백 등 추가적인 관리가 필요할 수 있다. 또 인공막에 이물반응으로 인해 직장 및 질의 짓무름, 골반내 농양, 천공 등이 발생할 수 있어 주의하여야 한다.

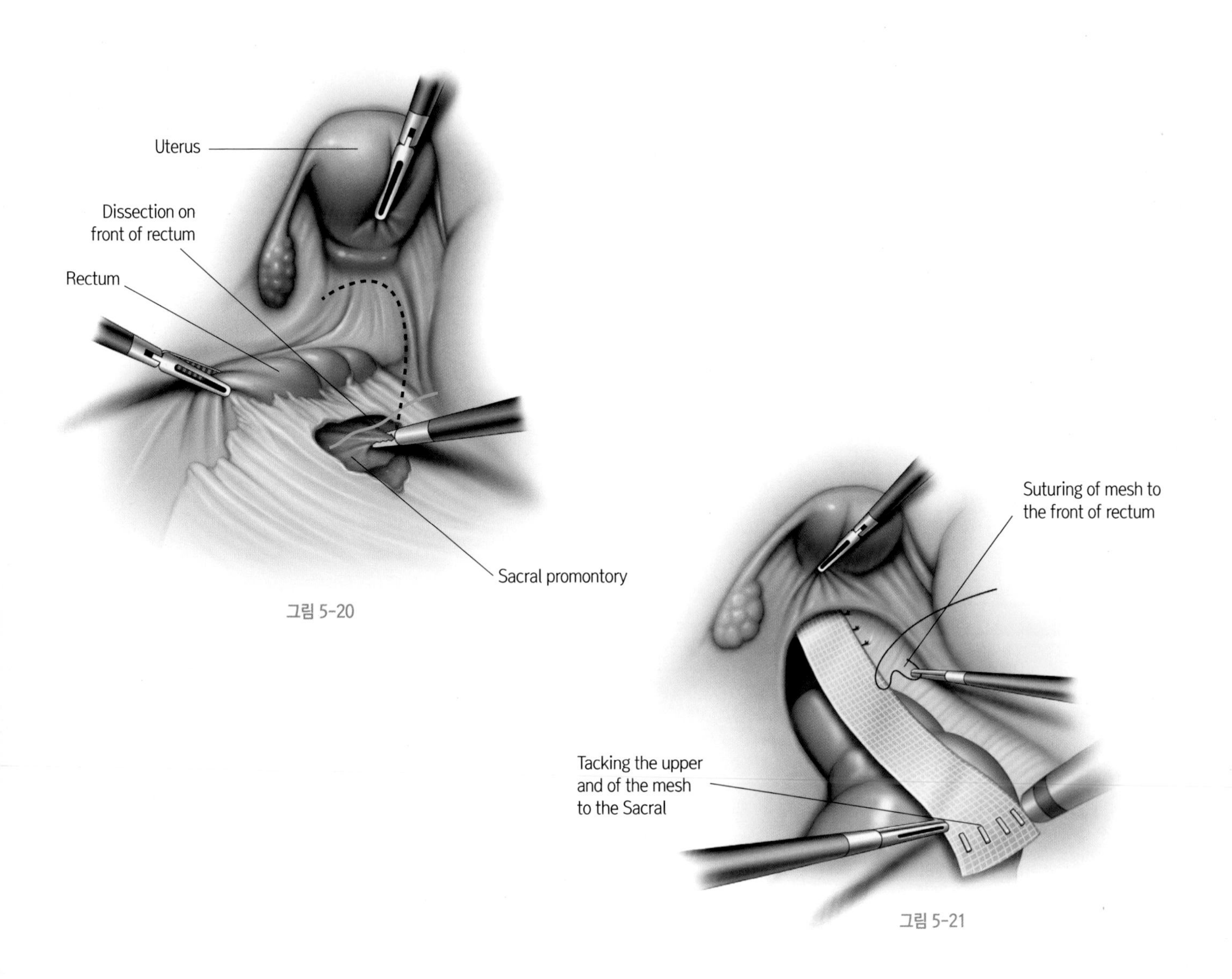

그림 5-20

그림 5-21

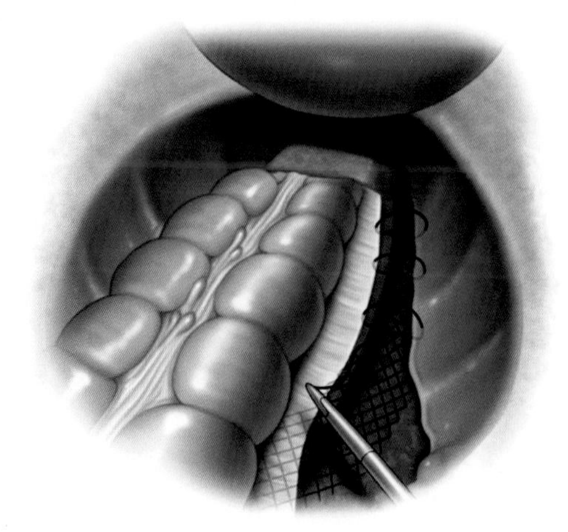

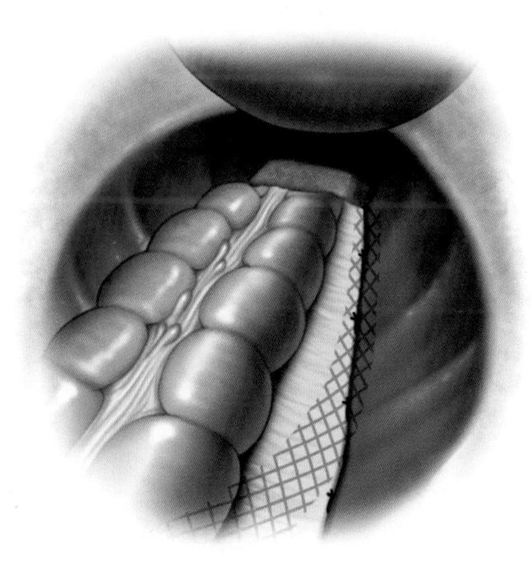

그림 5-22

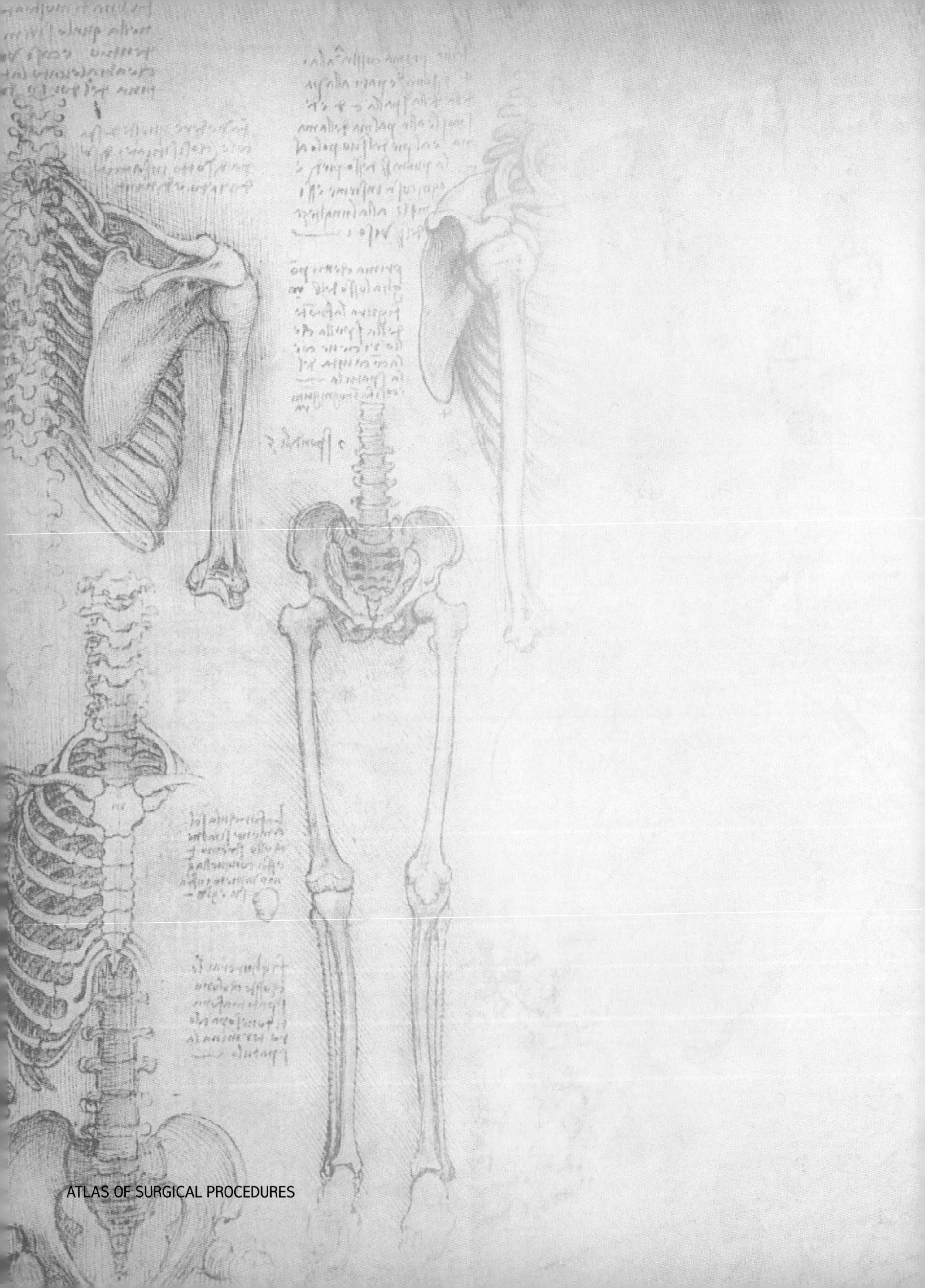

ATLAS OF SURGICAL PROCEDURES

CHAPTER 6

복강경 충수절제술

Laparoscopic appendectomy

1. 서론

급성 충수염의 진단은 병력 청취, 신체 검사, 혈액검사(백혈구 증가) 및 발열 등으로 진단할 수 있으며, 컴퓨터단층촬영과 같은 영상의학적 검사의 도움을 받으면 진단율이 90% 이상이다. 진단이 애매한 경우에는 시간 경과를 두고 검사를 함으로써 진단의 정확도는 향상시킬 수 있으나, 천공의 위험성은 증가한다.

복강경 충수절제술은 모든 환자에게 적응이 되며, 특히 비만한 환자의 경우에는 개복수술을 할 경우 절개창이 커지며 이로 인한 창상감염의 위험성이 증가하므로 복강경 충수절제술이 매우 유용하다. 또한 가임기 여성인 경우에도 난관이나 난소의 병변이 급성 충수염으로 오진되는 경우에도 도움이 된다. 복강경을 통해서 충수돌기 주변뿐 아니라 복강 전체를 관찰할 수 있으므로 여성에서 진단을 위한 좋은 방법이다. 임신 초기의 충수절제술에서 복강경수술은 개복수술과 마찬가지로 안전하게 시행할 수 있지만, 마취와 수술로 인한 태아 위험도는 반드시 고려하여야 한다. 임신 후기 또는 3기의 경우와 같이 복강경수술을 위한 충분한 복강내 공간을 확보하기 어려운 경우에는 안전한 수술을 할 수 있는지 고려하여야 한다. 복강경 충수절제술은 절개창의 통증이 적고, 일상생활이나 직장으로 복귀가 빠른 장점과 더불어 미용적으로 우수한 결과를 보인다.

2. 수술 전 처치

급성 충수염 환자들은 대개 젊은 환자들이 많기 때문에 일반적인 마취 및 수술 준비만으로 충분하다. 수분 공급을 위한 정맥로를 확보하고 수술 전 항생제를 주사한다. 소아 환자나 노령 환자의 경우, 전해질 불균형 교정이 필요한 경우도 있다. 고열이 있는 경우, 해열제와 체외 얼음마사지를 하여 전신마취의 위험성을 감소하여야 한다.

3. 마취

기관지 삽관과 전신마취가 필요하다. 마취유도 후 필요하다면 경구위 삽관(orogastric intubation)을 하며, 수술이 끝나기 전에 제거한다. 만약 지속적인 위장관 감압이 필요하다고 판단되면 비위관(nasogastric tube)으로 삽관한다.

4. 환자 자세

환자는 바로 누운 자세(앙와위)를 취한다. 환자의 우측 팔은 옆으로 벌려서 마취의사가 혈압측정이나 약물투여를 할 수 있도록 하며, 왼팔은 맥박산소 측정기(pulse oximeter)를 붙인 후 환자의 몸에 고정시킨다. 이러한 자세는 수술 중 카메라 조수와 수술자의 행동을 자유롭게 한다. 광원 케이블과 가스 주입관은 환자의 머리 방향에 위치시키며, 모니터는 수술자의 반대편에 위치시킨다. 전기소작기와 흡입-관류관은 소독 간호사가 위치한 환자의 발 방향에 위치시킨다.

5. 수술 준비

도뇨관을 삽입이 필요하며, 일반적인 복부수술 준비와 같이 한다.

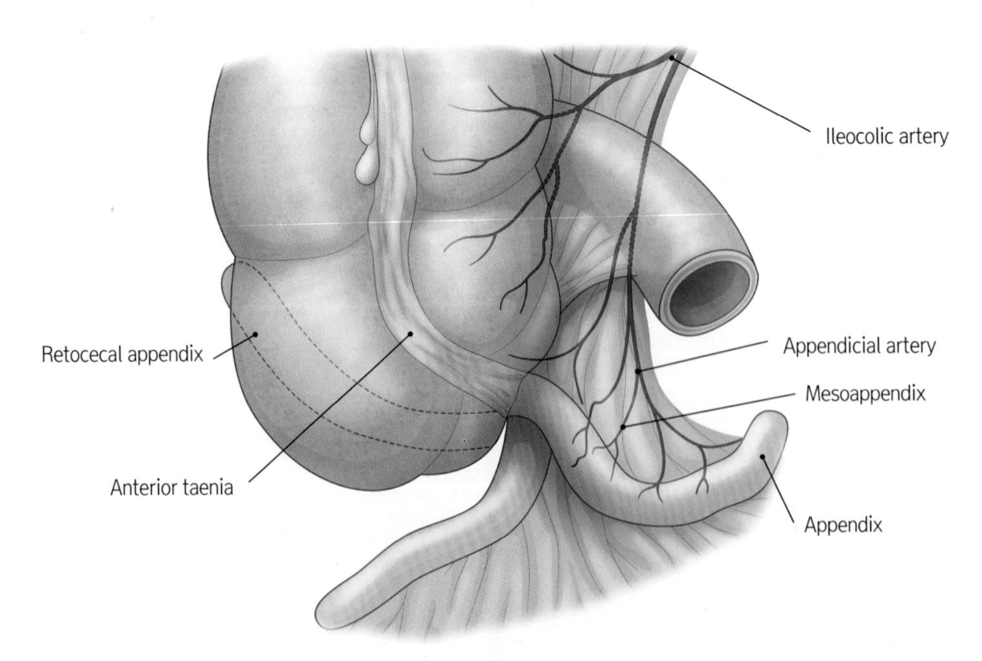

그림 6-1

6. 수술 과정

투관침의 삽입은 배꼽, 좌하복부 및 정중 하복부에 한다. 수술자의 선호도에 따라, 투관침 삽입부의 상처를 숨기기 위해 투관침 삽입 부위에 차이는 있으나, 복강경수술을 위한 삼각지지 기법(triangulation)을 사용할 수 있도록 양손의 간격을 충분히 할 수 있는 곳에 투관침을 삽입한다. 카메라 삽입을 위한 투관침을 가장 먼저 삽입한다. 기복을 만드는 방법은 베레스 바늘(Veress needle)을 삽입하여 기복을 만든 후 카메라 투관침을 사용하기도 하며, 개복방법인 하산방법(Hasson technique)을 이용하기도 한다. 배꼽 주위의 절개창은 반월형 또는 배꼽 속으로 직선으로 가하며, 배꼽의 위쪽 또는 아랫쪽에 모두 절개창을 만들 수 있다. 하산 투관침을 삽입한 후 고정하고, CO_2 가스를 주입한다. 복강경 가스 주입기의 주입 속도와 복압을 최대로(≤12 mmHg)하여 가스를 주입하여 기복을 만든다.

복강경 카메라는 0도 또는 30도를 사용할 수 있으며, 흰색보정, 초점확인 및 안개현상 방지 등 일반적인 카메라 세정을 한 후 배꼽에 위치한 투관침을 통해 복강에 삽입하고 전체 복강을 관찰하며 이상 소견을 기록한다. 복강경 카메라의 유도에 따라 좌하복부에 복직근 외측으로 혈관들을 피하여 추가 투관침을 삽입한다. 투관침 삽입의 위치를 확인하기 위해 카메라의 광원을 복부에 투시하여 외복사근의 혈관이 손상되지 않도록 한다.

세번째 투관침은 정중 백선을 따라 치골 직상부에 방광을 손상시키지 않는 장소에 삽입한다. 방광손상을 예방하기 위해 도뇨관을 미리 삽입한다. 카메라를 포함한 세 군데의 투관침이 모두 복강내 충돌이 일어나지 않을 만큼 충분한 공간을 두고 위치하는 것이 안전한 수술을 위해 필수적이다.

수술대를 Trendelenberg 자세로 하고, 환자의 오른쪽 수술대를 높여서, 중력을 이용해서 소장을 우하복부에서 멀어지도록 위치시킨다. 충수에 염증이 없는 경우에는 난관염, 염증성 장질환 또는 메켈게실염(Meckel's diverticulitis)과 같은 복강 내 다른 염증의 원인이 있는 지를 찾아 보아야 한다. 급성 충수염이 진단되면, 충수돌기와 장간막을 잘 볼 수 있도록 충수돌기 박리를 시작한다.

(그림 6-1) 충수돌기의 위치는 매우 다양하며 후복막에 위치하는 경우도 있으며, 맹장의 뒤에 위치하기도 한다. 충수돌기의 확인을 위해 복막을 절개하거나, 맹장의 외측 Toldt's 선을 따라 박리를 위해 추가적인 투관침의 삽입이 필요한 경우도 있다. 충수돌기와 맹장 기저부가 충분히 확인 되지 않아 안전한 수술이 보장되지 않을 경우에는 개복수술로 전환하여야 한다.

(그림 6-2) 충수돌기 절제를 위해 장간막을 겸자로 잡은 후 장간막 박리를 한다. 염증이 있는 충수돌기를 복강경 겸자로 잡을 경우 천공의 가능성이 있으므로 충수돌기를 직접 복강경 기구로 잡지 않도록 주의한다. 장간막에 공간을 만든 후 복강경용 클립을 사용하여 혈관을 결찰하고, 복강경 가위로 절제한다.

(그림 6-3, 4) 충수돌기 장간막을 맹장 기저부로부터 완전 분리한 후, 복강경 수술용 endo-loop를 이용하여 충수돌기를 맹장 기저부에서 결찰한다. 결찰된 충수돌기 외측으로 endo-loop를 한 개 더 삽입하여 원위부 충수돌기 결찰을 한다. 복강경용 가위로 충수돌기를 절제한다.

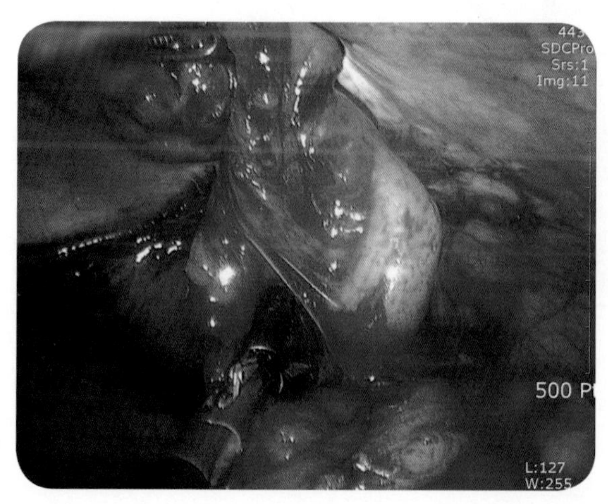

그림 6-2

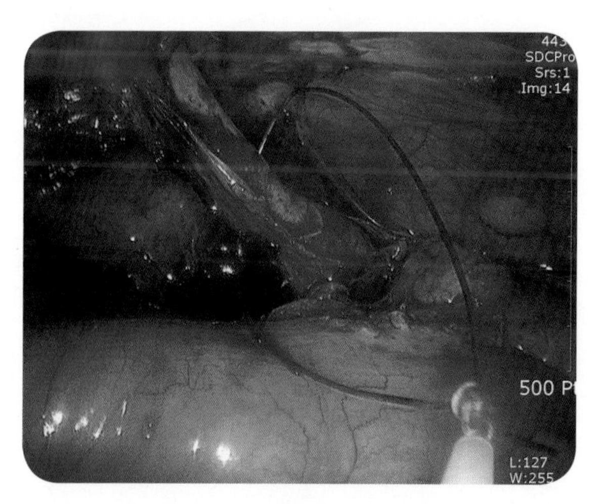

그림 6-3

(그림 17-5, 6) 염증이 심하지 않은 충수돌기는 10 mm 배꼽 투관침으로 제거가 가능한 경우도 있지만, 플라스틱 주머니에 넣어서 배 밖으로 꺼내는 것이 배꼽 절개창의 창상감염을 예방하는 방법이다. 카메라 투관침을 통해 플라스틱 주머니를 복강내로 삽입하고, 다시 비디오 카메라를 삽입하여 플라스틱 주머니에 절제된 충수돌기를 담는다. 주머니의 입구를 봉한 후 카메라 투관침과 함께 플라스틱 주머니를 체외로 빼낸다.

염증성 삼출물과 피를 세척한 후 복강경 카메라로 관찰하면서 좌하복부와 정중선의 투관침을 제거한다.

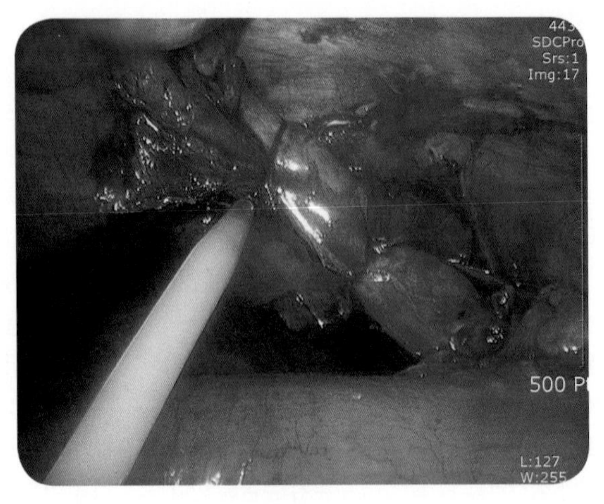

그림 6-4

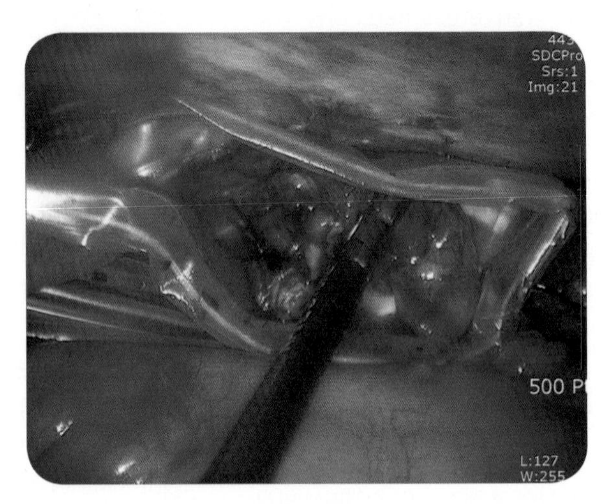

그림 6-5

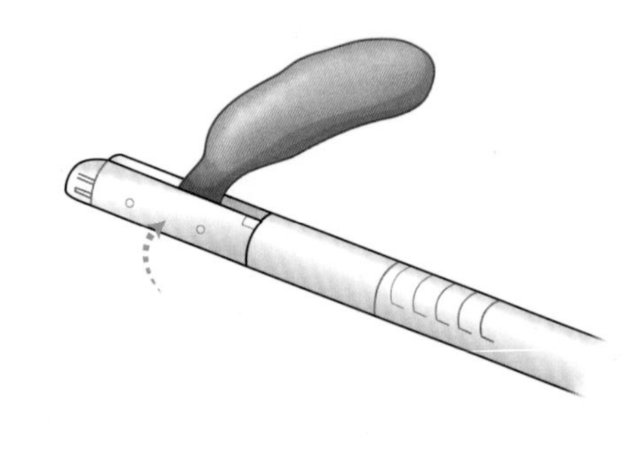

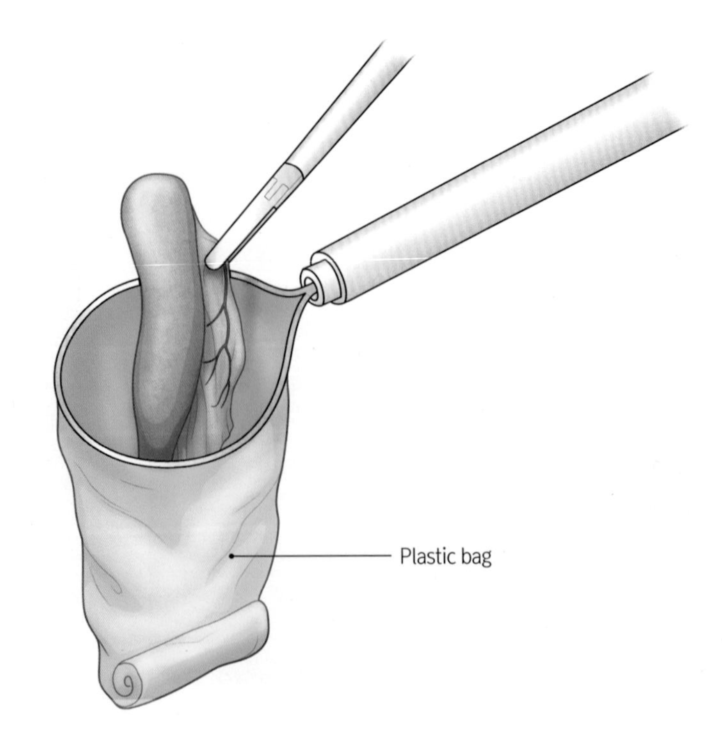

그림 6-6

7. 폐복

복강내의 가스를 충분히 제거한 후 카메라 투관침을 제거한다. 배꼽의 10 mm 투관침 자리는 근막을 봉합하여야 한다. 복강내 장기 손상에 유의하면서 2-0 지연 흡수성 봉합사를 이용하여 근막을 봉합한다. 필요에 따라 피하지방층에 추가적인 봉합을 한다. 피부 봉합을 하고, 상처소독을 한다.

8. 수술 후 관리

경구위 삽관(orogastric intubation)을 하였다면 마취가 깨기 전에 제거한다. 도뇨관은 가능하면 조기에 제거한다. 투관침 삽입 부위에 장시간 지속형 국소 마취제를 투여한 경우라면, 진통제 사용량을 줄일 수 있다. 항생제의 사용은 염증의 정도에 따라 수술 당일 또는 며칠 더 사용한다. 수술 후 일시적인 오심이 있을 수 있으며, 환자가 음식을 먹을 수 있을 때까지 정맥 주사를 주입한다.

9. 변형 수술 방법

(그림 6-7) 복강경 충수절제술을 위한 투관침의 삽입은 수술자의 경험에 따라 매우 다양하며, 투관침의 크기 역시 다양하다. 환자의 상태와 수술자의 경험에 따라 적절한 방법을 선택할 수 있다. 충수돌기의 장간막을 처리하기 위해 초음파절삭기(ultrasonic shear)를 사용하거나, bipolar 혈관 결찰기 또는 혈관용 GIA stapler를 사용할 수도 있다. 충수돌기 기저부 절제를 위해 endo-GIA stapler를 사용할 수도 있다.

10. 단일포트 복강경 충수절제술

단일포트 복강경 충수절제술은 복강경 충수 절제수술의 방법은 동일하지만, 배꼽에 2~2.5 cm 크기의 절개를 가한 후 단일포트 복강경 수술용 상처 개창기를 삽입하고 이 개창기를 통해 카메라와 두 개의 복강경 수술용 기구를 삽입하여 진행한다.
복강경 카메라와 수술용 기구가 모두 일직선상에 위치하므로 일반 복강경 수술에서 사용하는 삼각지지 기법(trianugulation)을 충분히 활용하기 어렵지만 수술 후 상처를 배꼽 속으로 완전히 숨길 수 있으므로 젊은 여자 환자나 소아에서 적용할 수 있다.

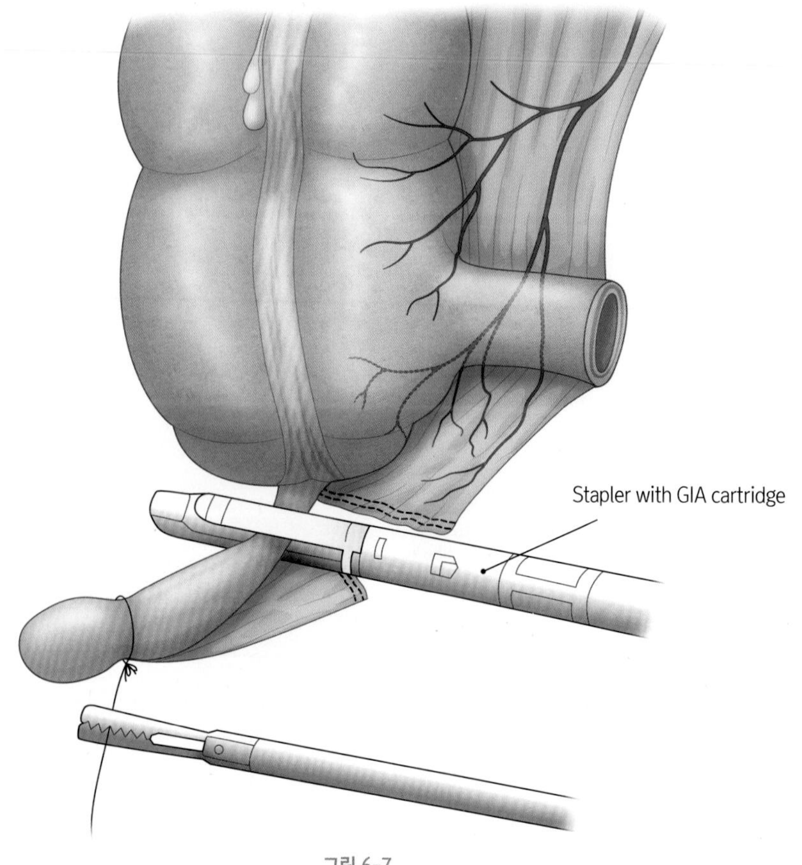

그림 6-7

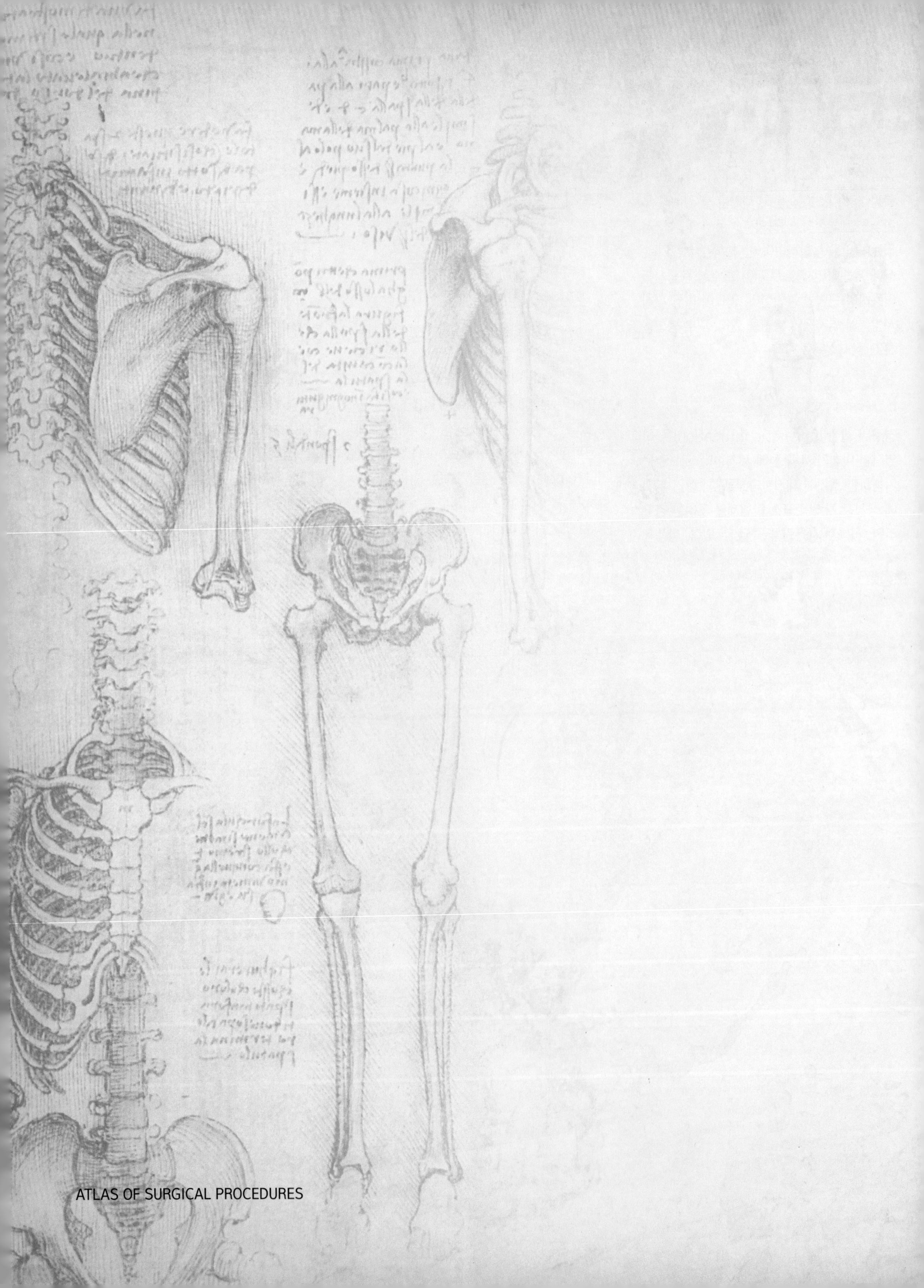

ATLAS OF SURGICAL PROCEDURES

CHAPTER 7

대장문합술

Colon and Rectal Anastomosis

1. 서론

1) 대장의 문합 수술의 중요 원칙

대장의 안전한 장문합을 위해서는 정교한 기본 봉합술 이외에 가장 중요한 두가지는 양호한 혈류공급과 양측 문합부에서 서로의 긴장이 없어야 한다. 그리고 환자의 활력징후, 영양상태, 그리고 분변의 오염은 문합부의 안전에 간접적으로 영향을 줄 수 있다.

(1) 혈류 공급

적정한 혈류의 공급이 가장 중요하며, 장말단부가 선홍색이고 정맥출혈이 검지 않아야 한다. 문합부 봉합을 촘촘하거나, 세게 될 경우 혈류 공급 저하의 영향으로 괴사가 올 수 있다.

(2) 결장의 박리와 노출(긴장도)

문합 예정인 양측 장의 말단부를 적절한 노출과 문합을 위한 대장(소장)의 박리가 충분하여 문합부하여 혈류 공급에 긴장이 없어야 하고, 문합이 어려울 경우 다른 대체방법(문합 수술/장루 수술 등) 등을 선택하는 것을 추천한다.

2. 수술방법

1) 용수문합법(Manual suture)

장문합은 내번문합 및 외번문합이 가능하나 보편적으로 외번문합보다는 내번문합을 권장하고 추천한다. 단속 봉합은 연속 봉합에 비해 매듭마다 긴장도가 다르고, 괴사조직이 더 많을 수 있으며 문합부의 밀봉효과도 떨어질 수 있지만, 연속봉합은 문합부위가 늘어나지 못해 좁아질 가능성이 있을 수 있다. 외과의사의 선호도에 따라 진행된다. 봉합사의 선택이 문합부의 치유에 영향을 줄 수 있다. 과거 봉합사는 이층문합인 경우에는 내층은 흡수성 봉합사를, 외층은 비흡수성 봉합사를 이용하였으나, 최근에는 흡수성 봉합사를 선호하며 외과의사의 선호도에 따라 단층문합 또는 이층문합이 이루어진다.

단층문합과 이층문합의 안전성 및 우수성에 대한 논란이 있어 왔다. 이론적으로 이층문합인 경우에는 허혈의 위험성이 있어 조직 괴사가 생길 수 있고, 또한 상대적으로 장의 내경이 좁아질 수 있다. 단층 혹은 이층문합 그리고 적절한 봉합사에 대해 논란이 많아왔지만, 복강경, 로봇수술 등 최소침습수술의 발달과 자동문합기 스테플러 문합술이 보편화되면서, 현재 단층문합법과 자동문합기를 이용한 문합술이 보편적으로 선호되고 있다.

(1) 단단문합술(End-to-end anastomosis)

① 이층 문합법(double layer)

(그림 7-1) 장의 절단된 말단부를 압궤감자로 잡는다. 압궤감자로부터 약 10 cm 떨어진 부위를 가벼운 폐쇄 장감자로 잡는데, 이때 장간막의 혈류를 폐쇄시키지 않도록 주의한다. 문합 예정인 내층을 흡수봉합사(바이크릴 등)로 전층을 봉합해 나간다. 봉합은 장간막 반대편에서 시작하고 매듭은 장막 측에 위치하도록 한다. 후방층은 전층을 포함한 중첩 연속봉합으로, 장간막 마지막 도달하면 코넬방법를 이용하여 전방층의 내번봉합을 실시한다. 일부 외과의사는 장감자의 사용을 제한하기도 한다.

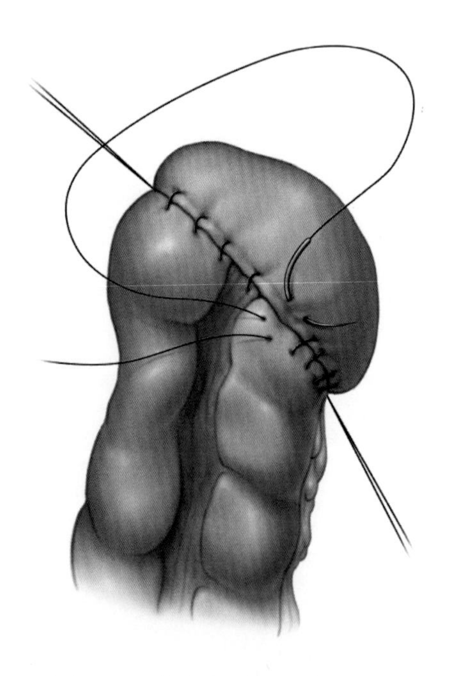

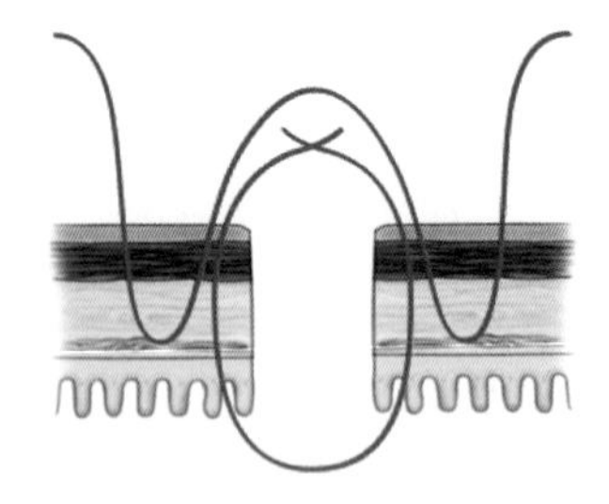

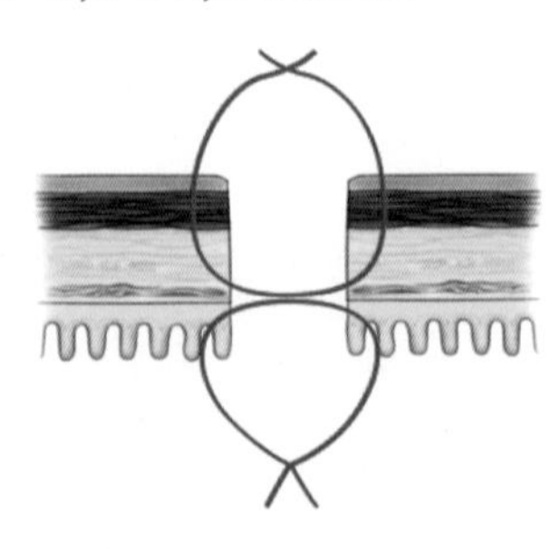

그림 7-1 이층 문합법(double layer)

② 단층 문합법(single-layer)

(그림 7-2) 봉합사로 단속봉합을 적용한다. 문합은 후방층에 전층봉합으로 시작되면, 장벽의 모든 층을 관통하는 직각봉합을 한다. 외번을 방지하기 위해 각각의 봉합들은 비교적 작고 촘촘하게 한다. 필요에 따라 외측과 내측의 봉합을 번갈아 하는 것도 편리하다. 결손이 있으면 추가 봉합으로 보강한다. 봉합사로는 최근에는 일반적으로 흡수성 봉합사(multifilament 바이크릴 등/monofilament 맥손 등)를 사용한다.

③ 단층 점막외문합법

점막하 말단동맥의 감돈을 막기 위해 점막을 제외한 곳에서는 직각 단속문합기법을 이용하는 경우가 있다. 이 경우에 내번이 용이하다.

④ 연속 봉합을 이용한 단층문합법

(그림 7-3) 양측 장을 장감자로 잡고 문합할 부위를 1~2 cm 정도 노출시킨다. 실 양쪽 끝에 바늘이 각각 달린 흡수봉합사(4-0, 3-0)로 문합을 시작한다. 장간막측에서 첫 매듭을 장막 밖에서 만들어, 대략 5 mm 깊이로 연속봉합을 5 mm의 깊이는 장막, 근층, 점막하층을 포함하고 점막층의 일부도 약간 포함하는 정도의 두께이다. 봉합과 봉합과의 간격도 역시 5 mm로 하여 연속봉합을 계속하여 장간막 반대측 중앙에서 봉합하여 단층문합한다.

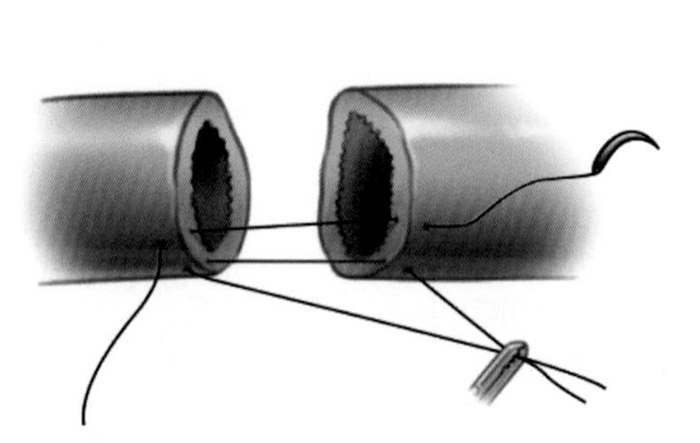

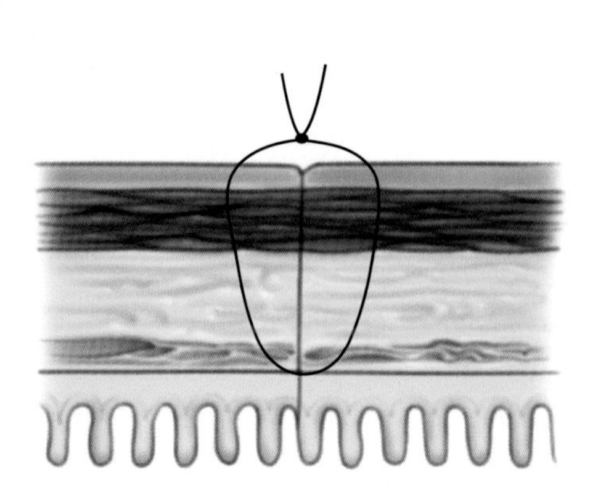

그림 7-2 단층 문합법(single-layer)

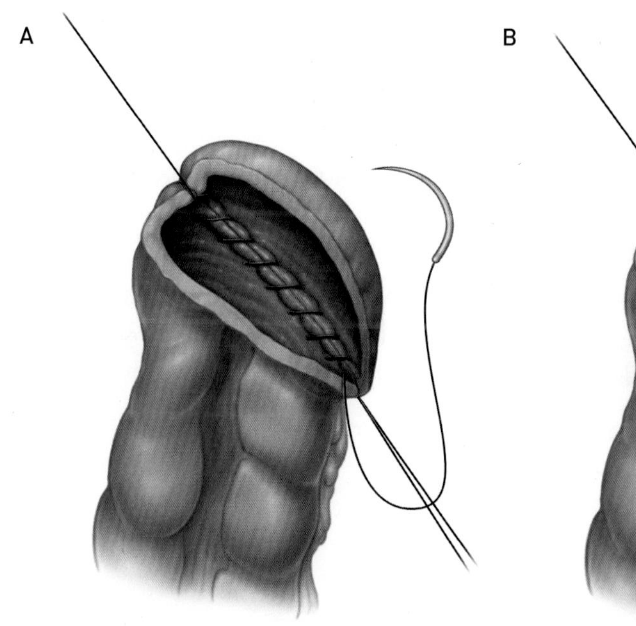

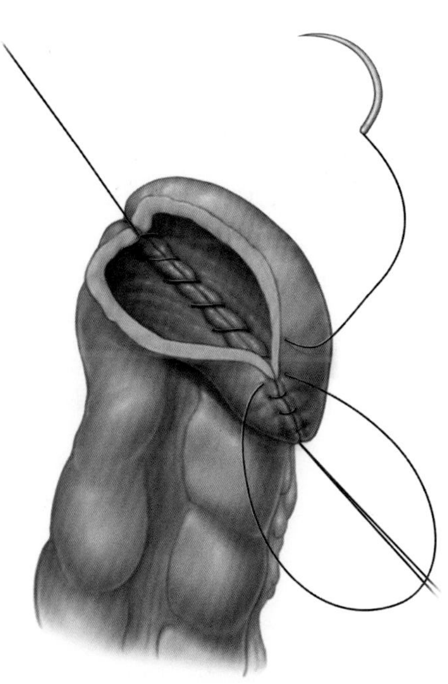

그림 7-3 연속 봉합을 이용한 단층문합법

(2) 단-측 문합술 (End-to-side anastomosis)

우반결장절제술 후의 회장-결장문합술, 회장-직장문합술, 회장-에스장문합술 등에 이용된다. 결장의 끝부분은 용수봉합이나 스테플러 봉합으로 폐쇄한다. 압괘감자로 결장 끝을 잡고 장간막 반대편에서 흡수봉합사(바이크릴 등)으로 모든 층을 포함하여 봉합한 뒤 결찰한다. 장간막측으로 압괘감자 직하부위를 통과하는 연속 수평선 봉합을 하고, 끝에서 결찰하고 잉여조직을 절제한 후 압괘감자를 제거한다. 장간막측에서 결찰하고 연속 중첩 봉합을 하면서 장간막 반대측으로 되돌아간다. 외층봉합은 단속 장막근층 렘버트봉합을 흡수봉합사(또는 비흡수성 봉합사)로 한다. 형성된 결장의 절단부에서 2~3 cm 거리를 두고 결장뉴를 따라 종축으로 절개를 넣어 문합 예정인 회장과 맞도록 한다. 회장의 말단부를 단층(혹은 이층)으로 결장과 단-측 문합술을 시행한다.

(3) 측-측 문합술 (Side-to-side anastomosis)

흔히 회장결장 혹은 회장직장문합술시에 이용되는데 단-단문합술보다 좀 더 많은 길이의 회장-대장(결장/ 직장)을 사용하게 된다.

(4) 복강내 문합술 (Intracorporeal anastomosis)

과거 수술은 복강외의 문합술 또는 복강외에서 자동문합기 조작 후 복강내 문합술이 병행되었으나 최근에는 수술 술기의 발전과 자동문합기의 발달로 복강내 문합술이 가능하다. 대부분은 우반결장절제술, 좌반결장절제술, 또는 결장결장 절제술에서 복강내 측측문합술이 이루어진다

2) 용수문합과 자동문합기(스테플링)의 비교

자동문합기 스테플링의 장점은 수술시간이 절약된다는 것이다. 또한 하부직장의 경우에는 용수문합술이 기술적으로 매우 어렵고 스테플링 후에 문합부협착이 발생해도 손쉽게 수지확장이 가능하기 때문에 스테플링 문합수술을 선호한다. 스테플링 후의 문합부협착이 흔한 지연 합병증으로 보고되고 있다. 협착의 원인으로는 문합부의 혈류공급 차단, 스테플링으로 인한 문합부의 압고 손상, 염증반응의 증가, 콜라겐의 과잉침착, 장점막의 문합실패, 문합부의 괴사 등의 원인으로 알려지고 있다.

3) 자동문합기(스테플링) 기법

자동문합기의 스테플링은 나날이 발전하고 있다. 결장직장수술에 3가지 형태의 이용되는데, 선형 스테플러(TA 또는 RL), 선형 절단 스테플러(GIA 또는 PLC), 원형 문합 스테플러(EEA 또는 ILS 변형) 등이 있으며, 복강내 문합이 가능한 자동화 문합기(스테플링)는 여러 회사에서 개발된 다양한 종류의 Endo GIA가 있으며 로봇 수술에도 사용한 자동봉합기가 사용된다.

(1) 선형 스테플러(TA)

TA기구나 RL모형은 장관의 말단부를 폐쇄하고 밀봉하기 위한 기구이다. 장을 2열의 스테플로 밀폐하는데 절단하지는 않는다. 스테플러를 발사하면 혈관이 완전히 차단되지 않고 어느정도 혈루를 허용하므로 괴사가 방지된다. 따라서 스테플러 사이로 출혈이 생길 수 있다. 출혈이 있을 경우에는 봉합이나 전기소작을 한다 전기소작 할 때는 과전압이 흐를 수 있으므로 매우 주의해야한다.

일반 개복수술에서 선형 스테플은 장을 횡으로 절단 스텀프를 만들 경우, 즉 하트만수술이나 저위전방절제술에서 원형 스테플러 기구와 함께 이용된다. 여러 회사의 다양한 제품이 개발되어 있다. 외과의사의 개인 선호도에 따라 선택되어진다.

(2) 선형 절단 스테플러

선형절단스테플러은 제조회사에 따라서 위장관문합스테플(gastrointestinal anastomosis, GIA) 혹은 인접 선형절단스테플러(TLC)로 명명된다.

스테플러가 과거 4열에서 6열로 증가 배열되어 있으며 가운데 칼날이 있어 양측에 2~3열씩 배분할 수 있으므로 장이나 기관 등을 이분할 경우에 사용된다. 50, 70, 90 mm의 여러가지 크기가 있다. 장에 적용하면 내용물의 누출없이 장을 자를 수 있다. 선형스테플과 함께 사용되면 구경이 큰 문합을 만들 수도 있고, 회장 혹은 결장 저장낭을 만드는 데 이용된다. 복강경 수술 등 최소침습수술에서는 여러 회사에서 개발된 다양한 종류의 Endo GIA로 절단한다. 외과의사의 개인 선호도에 따라 선택되어진다.

(3) 단-단 원형 문합 스테플러 (Circular stapler)

단-단 원형문합스테플러은 직장암과 궤양성 대장염의 경우에 대장절제술을 획기적으로 개선하여 괄약근보존술식을 보다 용이하게 하였다. 이러한 기구의 사용으로 초저위전방절제술 등의 어려운 수술들이 가능해졌다.

4) 자동봉합문합기를 이용한 다양한 문합법

(1) 단단문합술 (End-to-end anastomosis)

단-단문합 스테플(EEA 또는 CEEA CDH), 장강내 스테플러, 머리분리형 원형스테플러 등으로 상용화되어 있으며 두 부분으로 구성되어 있다. 스테플러을 포함한 카트리지 혹은 어깨부분과 머리부분으로 되어 있고, 돌리게 되어 있는 바퀴 혹은 손잡이부분이 있어서, 시계방향으로 돌리면 머리와 카트리지부분이 근접하게 된다. 장을 문합할 때는 양측에 쌈지봉합을 한 뒤에 근위부장의 구경에 스테플을 머리부분을 넣고 항문을 통해 근위부로 카트리지부분을 통과시켜 쌈지봉합을 각각 결찰한다. 그 다음에 시계방향으로 손잡이를 돌리고 양측이 적당히 맞물려 있는지를 확인하고 발사한다. 발사하면 둥근 칼이 내번된 장의 끝을 자르게 된다. 발사 후에 기구를 풀어서 양측 조직이 끊김이 없는 원형의 '도넛' 모형이 되었는지 확인한다.

저위전방절제술에서는 단-단 원형스테플과 선형스테플 (또는 선형절단스테플러) 의 2가지 스테플 방법을 이용하기도 한다. 직장의 하단부를 선형스테플러(또는 선형절단스테플러)로 밀봉 처리하고 단-단 원형스테플러를 항문을 통해 잔여 직장으로 밀어 넣은 후에, 이미 쌈지봉합된 근위부 머리와 카트리지부분을 연결시키고 손잡이를 돌려 각각을 근접시킨 후에 발사한다. 원형스테플러의 크기는 25, 29, 31, 33 mm의 여러 종류가 유용하다. 그러나 장조직이 염증이 심하거나 부종 등으로 두꺼워져 있을 경우에는 장조직이 절단 혹은 파열되므로 문합부가 위험할 수 있다. 회장 직장 문합술에도 같은 방법으로 사용된다

(2) 단-측 문합

(3) 측-측문합

장간막의 반대편(Antimesenteric)의 일부분을 절제하고, 자동문합기(GIA, TLC)를 장내에 각각 삽입하여, 기구를 결합시키고, 장끝을 균등하게 정렬하고, 압축 후 발사하여, 측-측문합(side-to-side)을 완성한다. 문합부의 안전을 확인한 후 문합을 위한 자동문합기의 삽입자리를 다시 자동문합기(TA / GIA, TLC)를 이용하여 봉합하면, 원형모양의 장 문합을 만들게 된다(삽입자리는 선호도에 따라 복강경내 용수 문합을 하기도 한다).

기능적으로는 단-단문합(functionally end-to-end anastomosis)이며, 측-측 문합을 위한 첫 자동문합기의 삽입부를 V 모양으로 봉합하는 방법도 있다. 한편, 대장 박리후, 문합술을 먼저(Anastomosis first)한 후에 장절제는 다음에 하는 순서의 변경 방법도 있다

5) 용수문합술 및 자동봉합문합기를 이용한 다양한 문합 모식도

(1) 회장 절제술 후 충수 절제술 및 회장맹장문합술(Resection of terminal ileum, appendectomy, and ileocecocostomy)(그림 7-4)

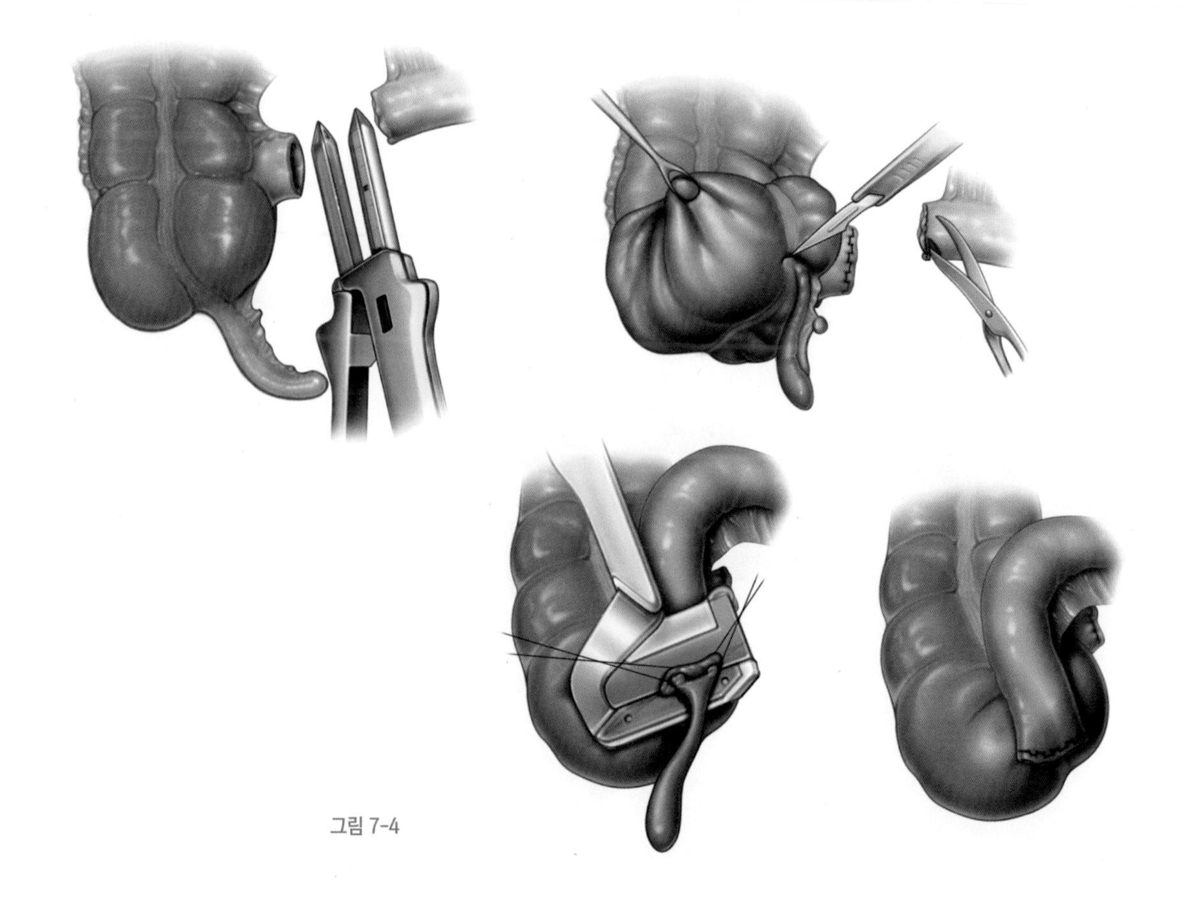

그림 7-4

(2) 회장-횡행결장 우회문합술 (Ileo-transverse colon bypass operation) 측측 문합술(자동문합기, 선형 또는 원형)(그림 7-5)

(3) 회장-결장 문합술 (Ileocolonic anastomosis)

① 복강외 문합술 (extracorporeal anastomosis)

- 단측문합술(end-to-side)(그림 7-6)
- 측측문합술(side-to-side)(그림 7-7)
- 단단문합술(end-to-end)(그림 7-8)

② 복강내 측측문합술(intracorporeal side-to-side anastomosis)(그림 7-9)

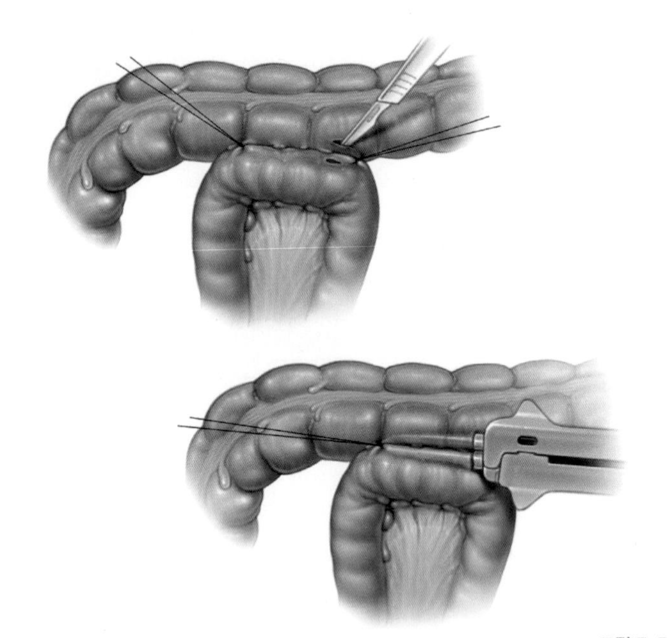

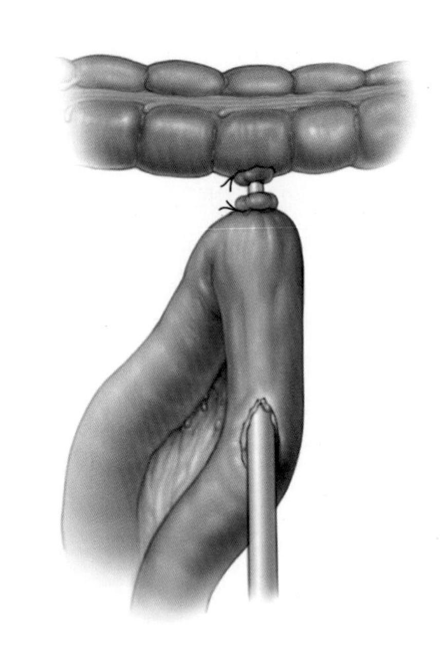

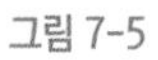

그림 7-5

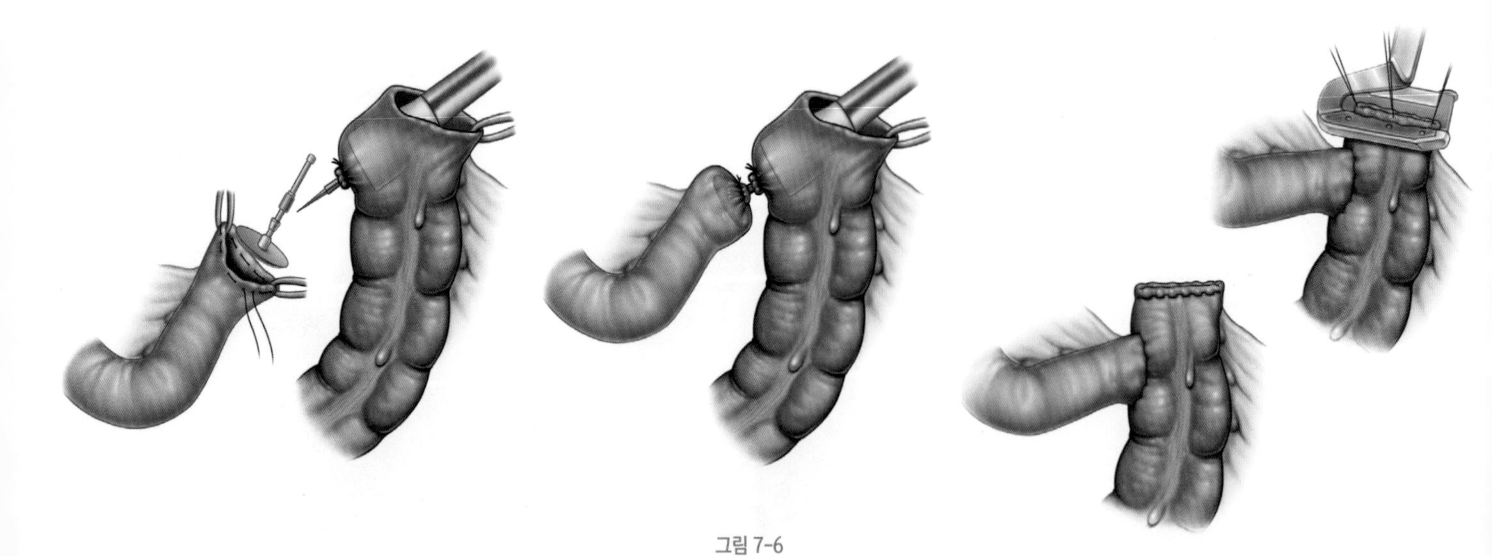

그림 7-6

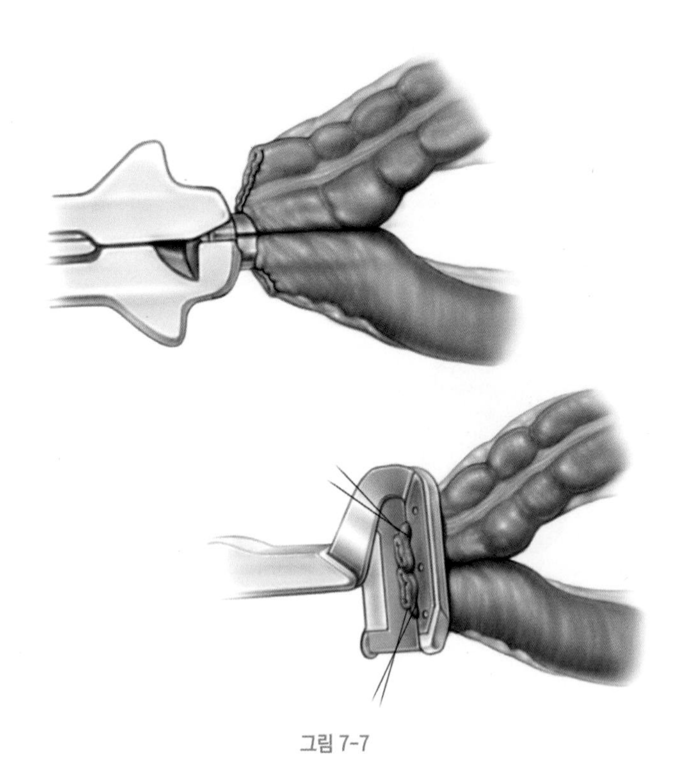

그림 7-7

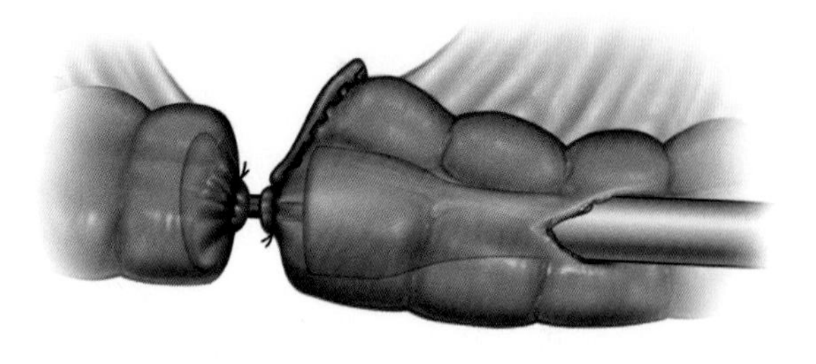

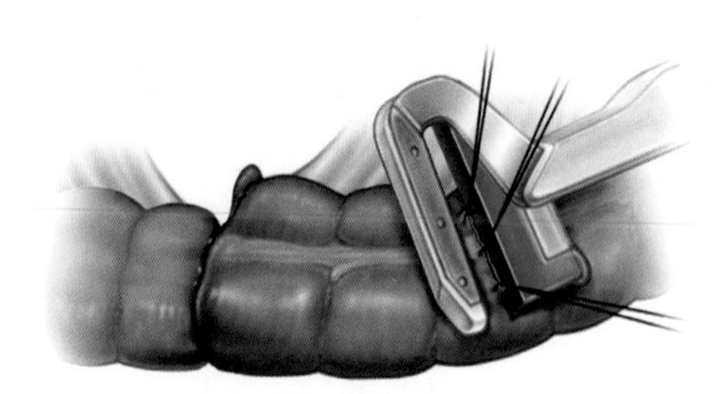

그림 7-8

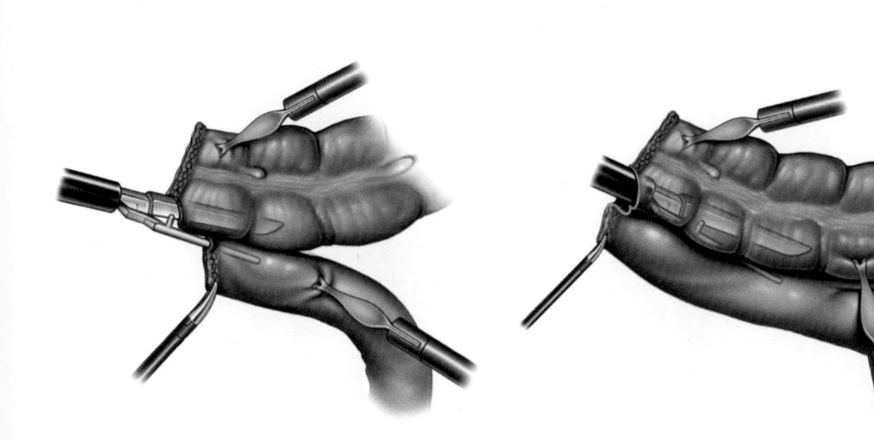

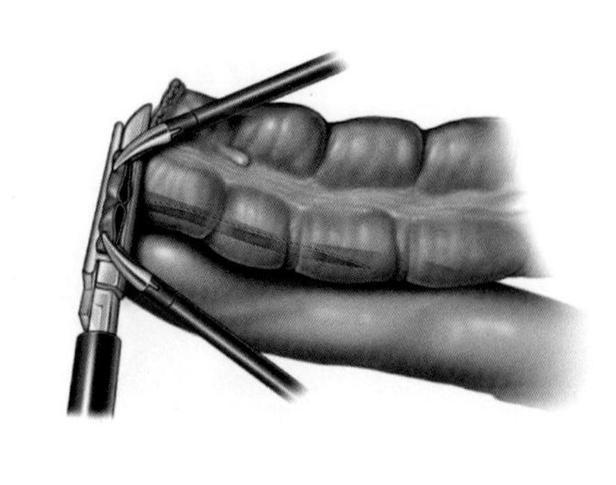

그림 7-9

(4) 결장–결장문합술(그림 7-10)

(5) 결장–직장 문합술
(저위 전방절제술/전방 절제술)

① 저위 전방절제술(low anterior resection) : 일반적인 방법

근위부를 쌈지 봉합하여 원형자동문합기의 anvil을 넣은 후, 원형자동문합기를 항문을 통해 원부부 직장말단부에 위치한 후 중앙부위에서 틈을 내어 근위부와 원위부의 결직장 문합술을 완성한다. 문합부의 누출을 방지하고자 외과의사에 따라서는 그 위치가 다를 수 있으며, 직장말단부의 중앙이 아닌 한쪽 측면 또는 제일 약해 보이는 직장부분을 선호하기도 한다(그림 7-11, 12).

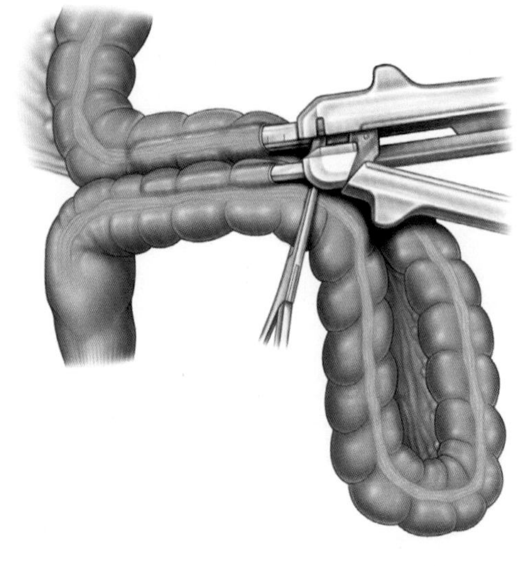
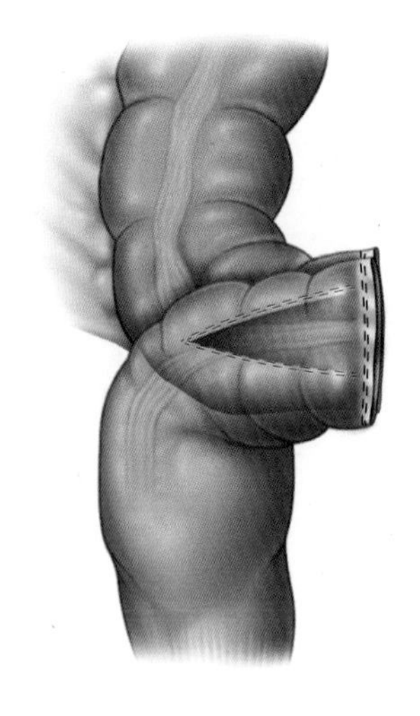

그림 7-10

② 대체 방법 1 : 저위전방절제술(그림 7-13)

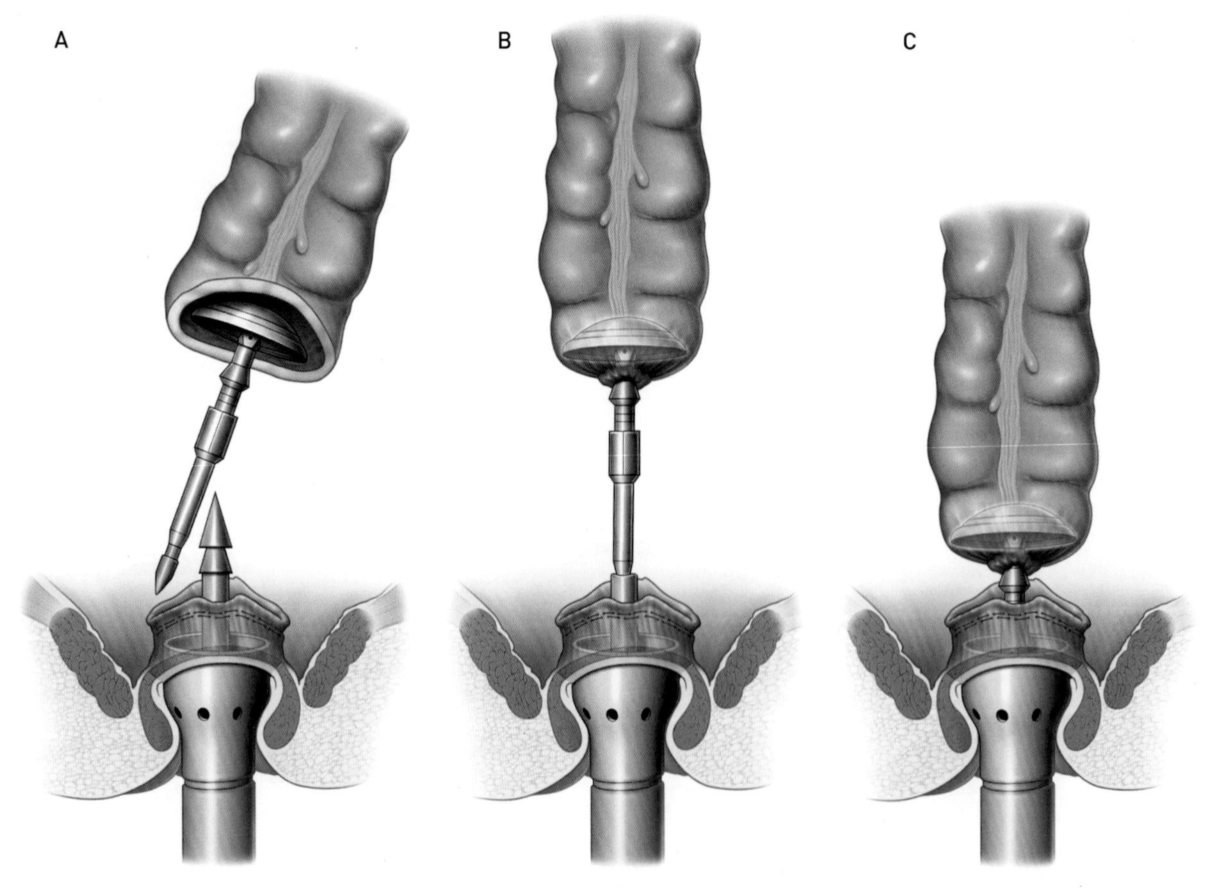

그림 7-11

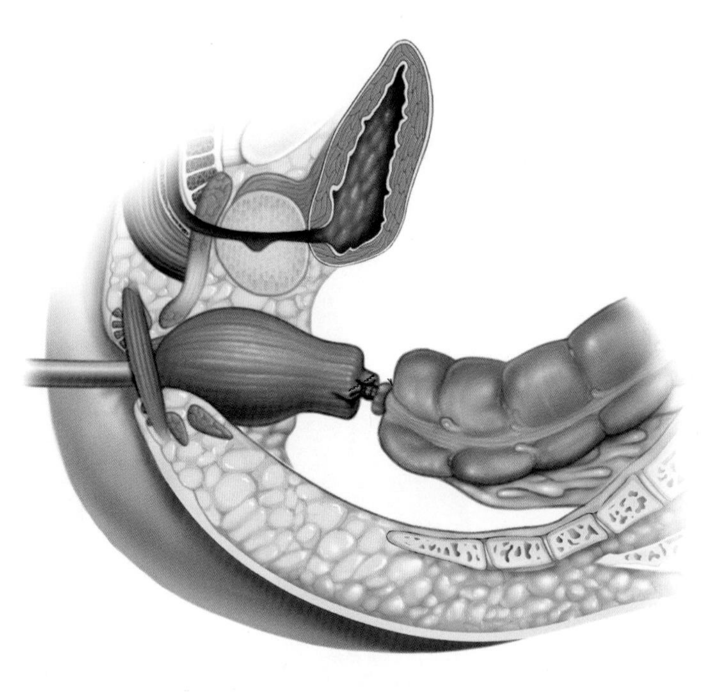

그림 7-12

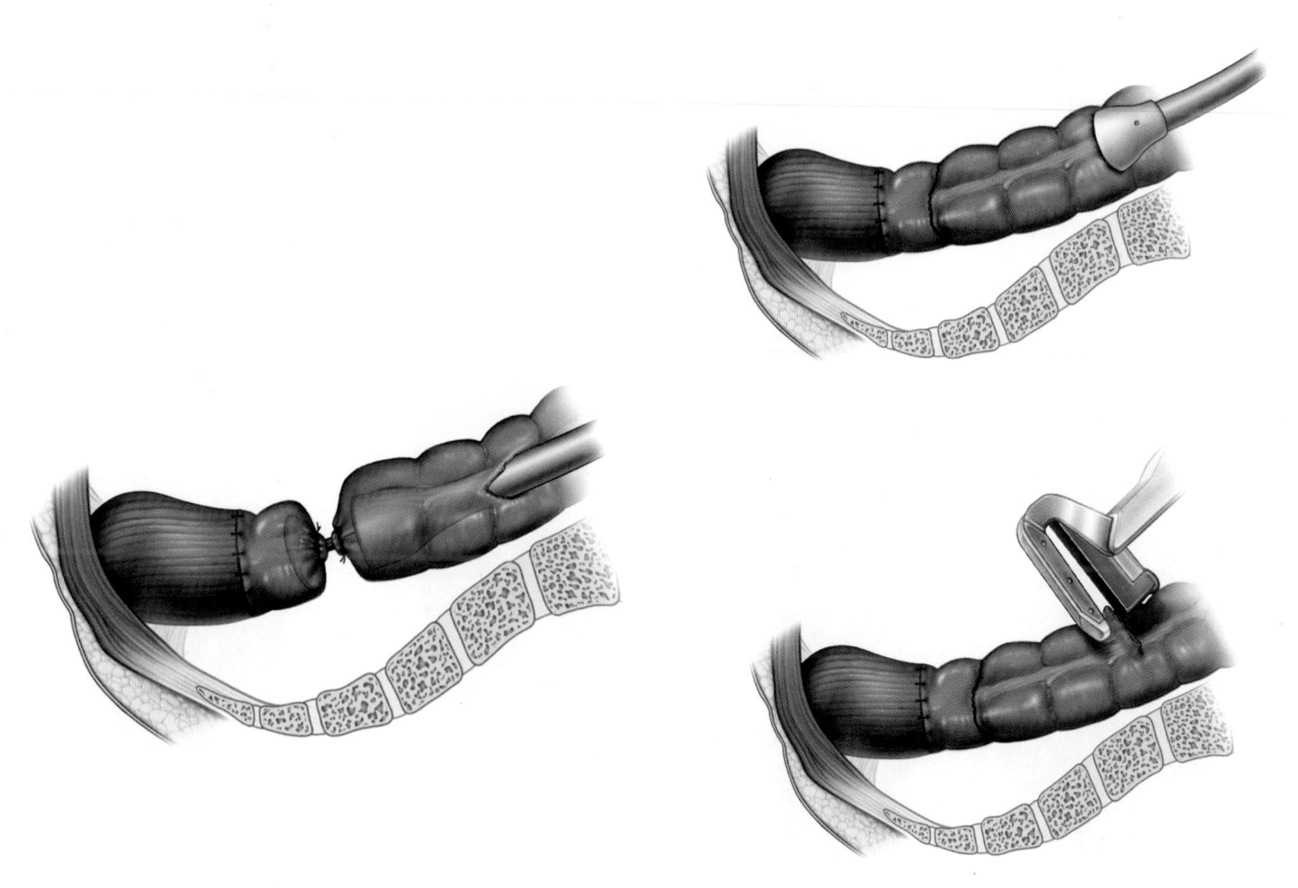

그림 7-13

③ 대체방법 2 : 저위전방절제술(restorative anastomosis)

(a) 측측 결장문합술(colonic J pouch) : 자동문합기

(b) 측단 문합술

(c) 단단문합술 후 결장성형술(coloplasty)

(d-g) 측측 결장문합(colonic J pouch) : 용수문합술(그림 7-14, 15)

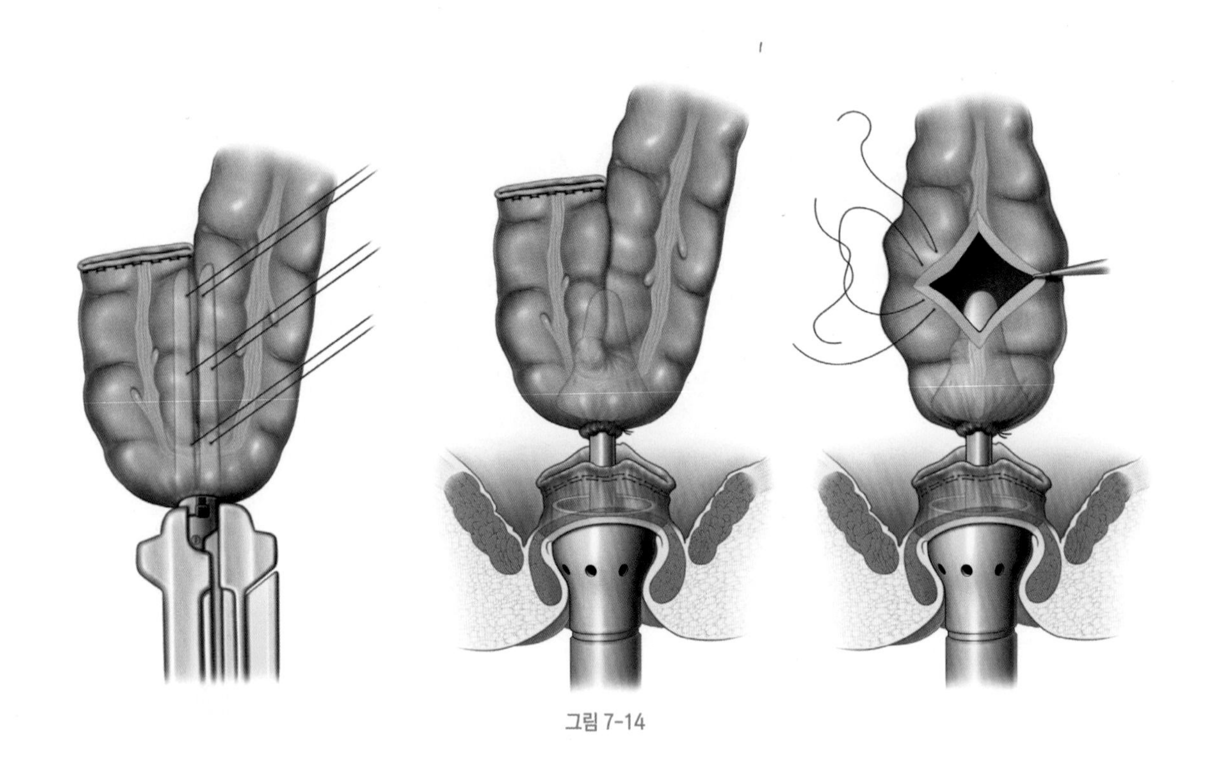

그림 7-14

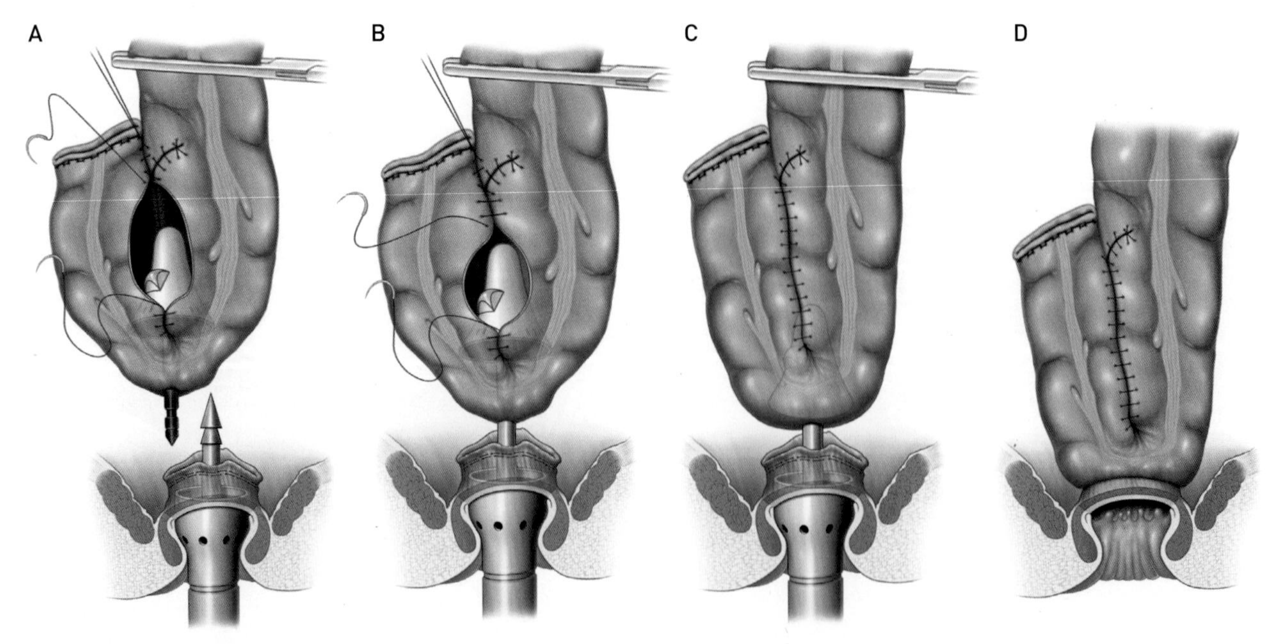

그림 7-15

④ 대체방법 3 : 저위전방절제술(coloshield intracolonic Low anterior resection)

근위부 결장을 뒤집어서 내강내에 직장관(rectal tube)을 삽입하고, 결장상부 7~10 cm 상부에 Dacron cuff를 흡수봉합사를 이용하여 봉합한후 저위전방절제술(문합술)을 한다. 문합술 후에 직장관을 항문쪽으로 출구백을 내어 놓는다(그림 7-16).

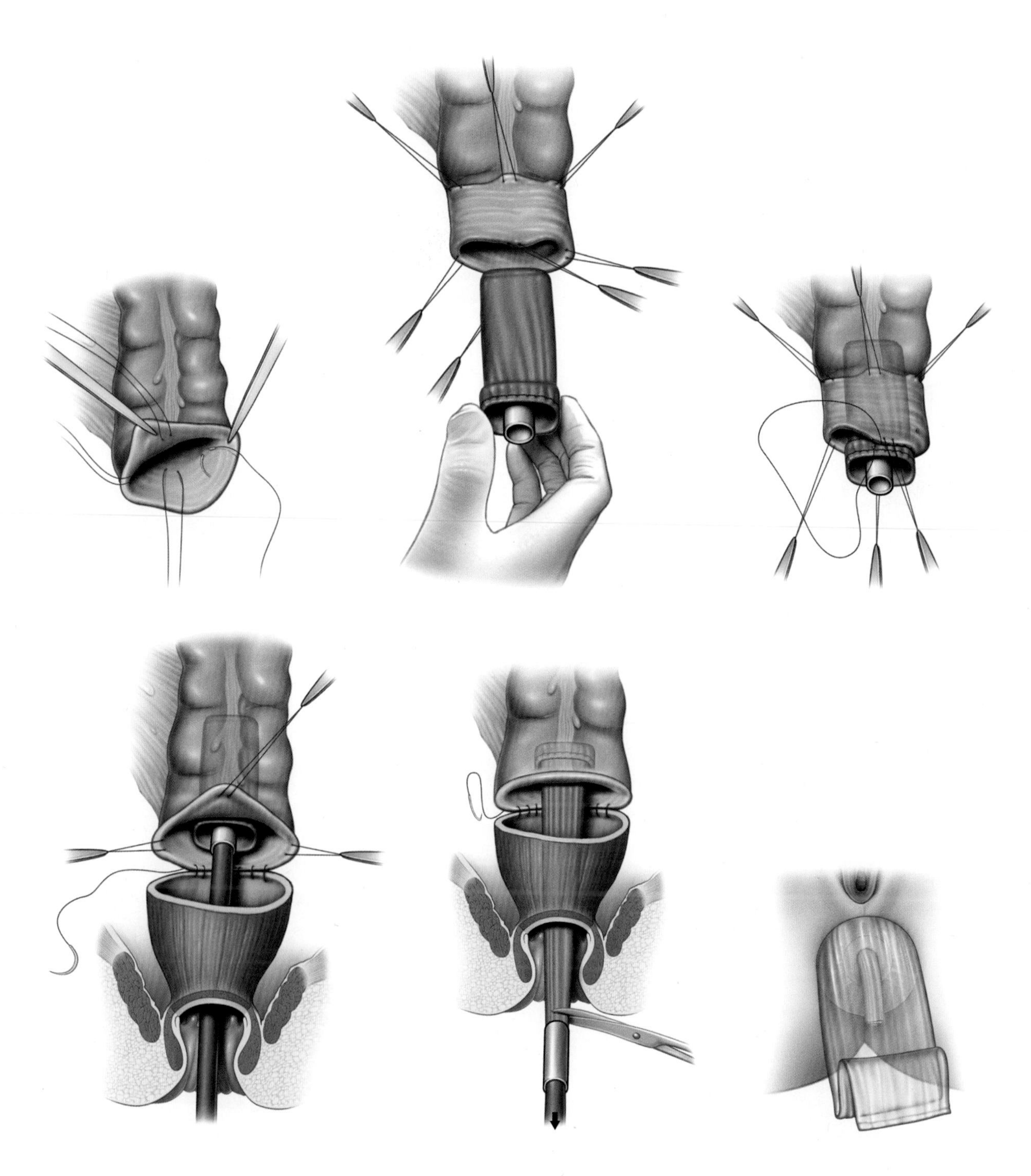

그림 7-16

⑤ 대체방법 3 (소아외과아틀라스 참조)

(그림 7-17)

(6) 대장아전절제술

(a) 회장절제 후 직결장 문합술(단단문합술) : 자동문합기 대체 가능

(b) 회장절제 후 직결장 문합술(측단문합술) : 자동문합기 대체 가능, 수술 후 기간이 경과함에 따라 회장의 말단부가 첫 수술 당시보다 더 길어지는 단점이 있을 수 있다 (그림 7-18).

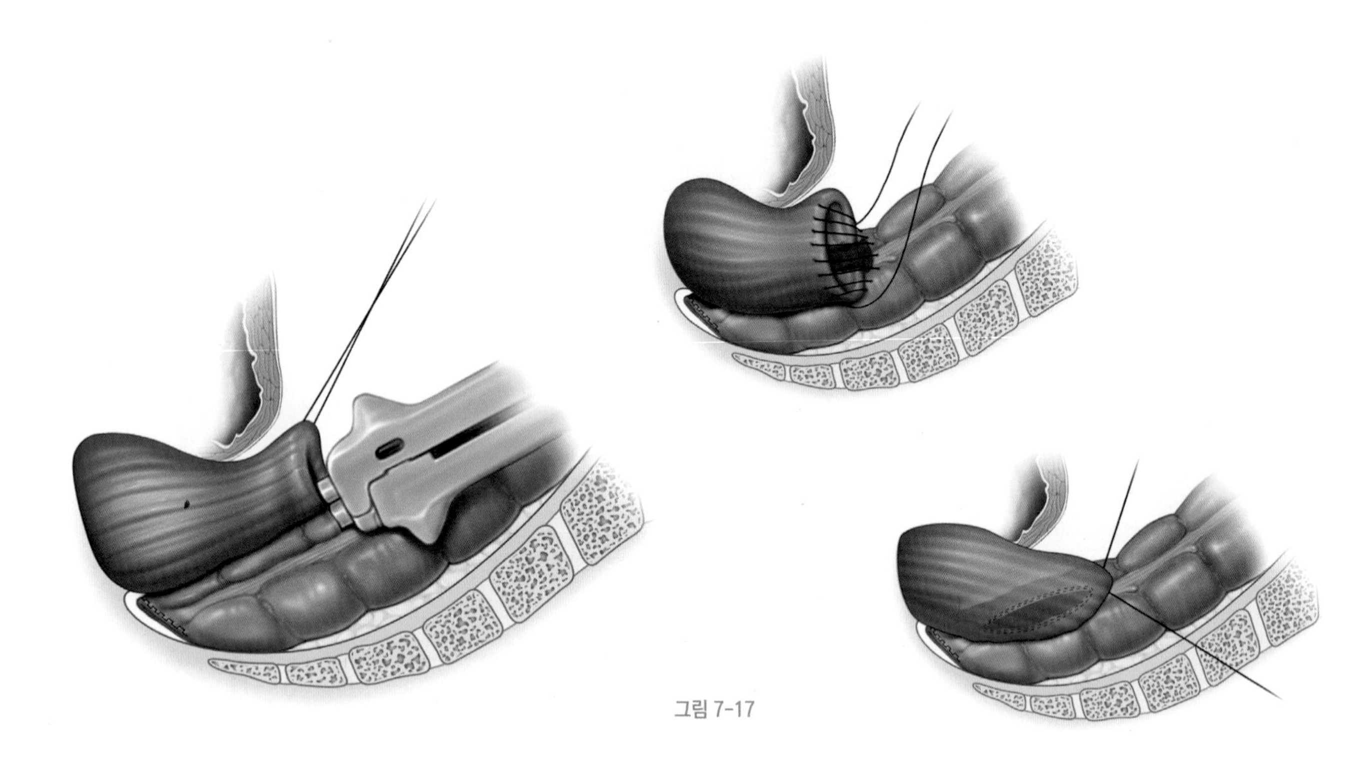

그림 7-17

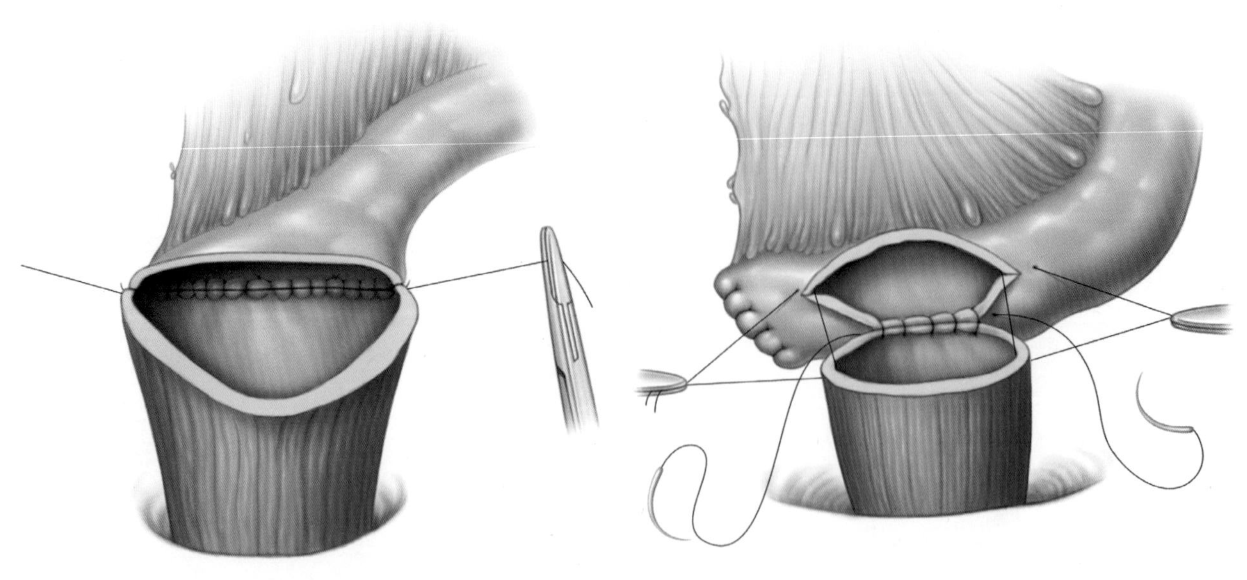

그림 7-18

(7) 맹장보존 대장 아전절제술(변형 수술)
 (a) 충수제거 후 맹장에서 결장 절제
 (b) 장간막절제술
 (c) 맹장 직장 문합술: 자동문합기 대체 가능 (그림 7-19)

(8) 회장-직장(항문)문합술(그림 7-20)

(9) 우회술(Bypass procedures)(그림 7-21)
 (a) 회장횡행결장우회술(ileotransverse colostomy)
 (b) 결장결장우회문합술(colocolostomy)
 (c) 회장에스결장문합술(ileosigmoidostomy)

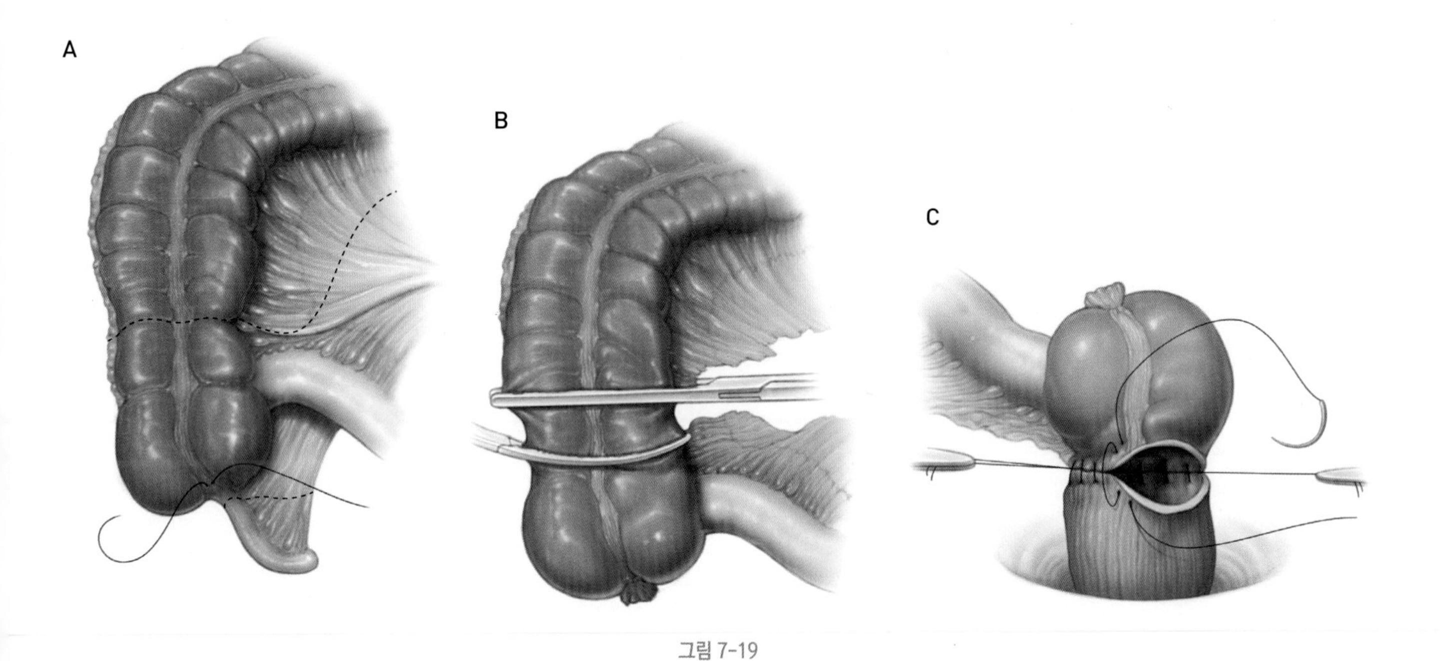

그림 7-19

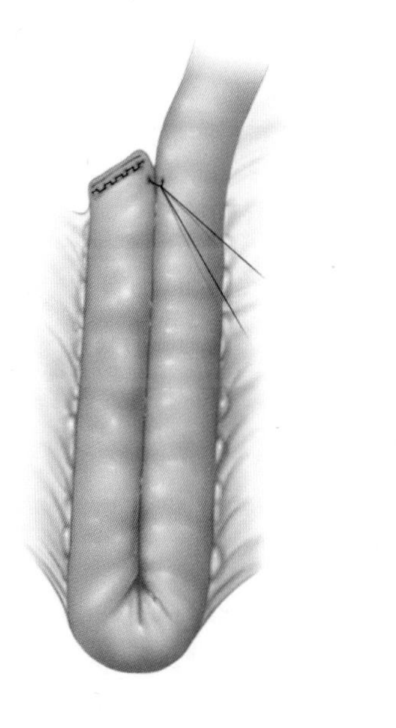

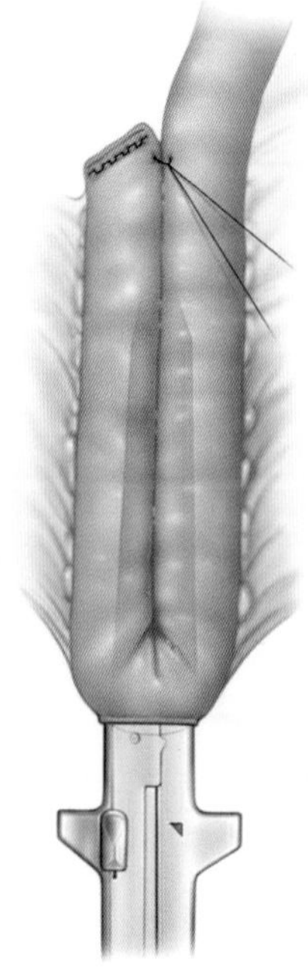

그림 7-20

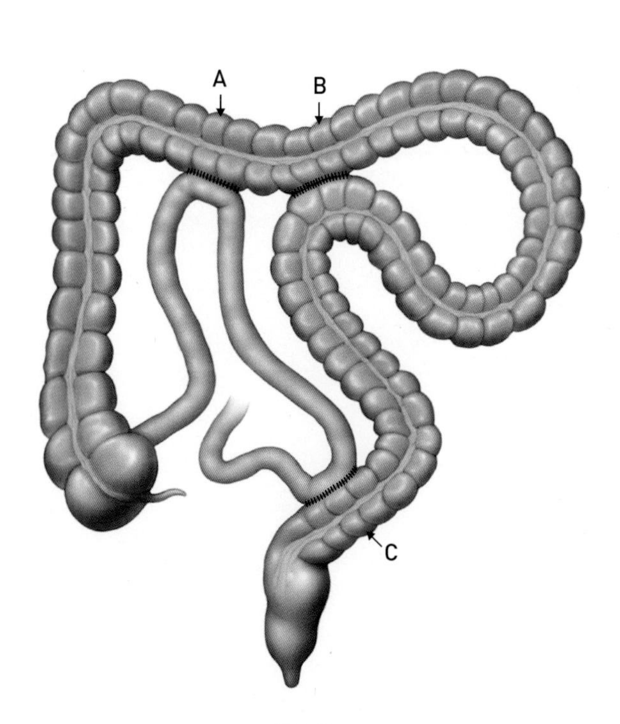

그림 7-21

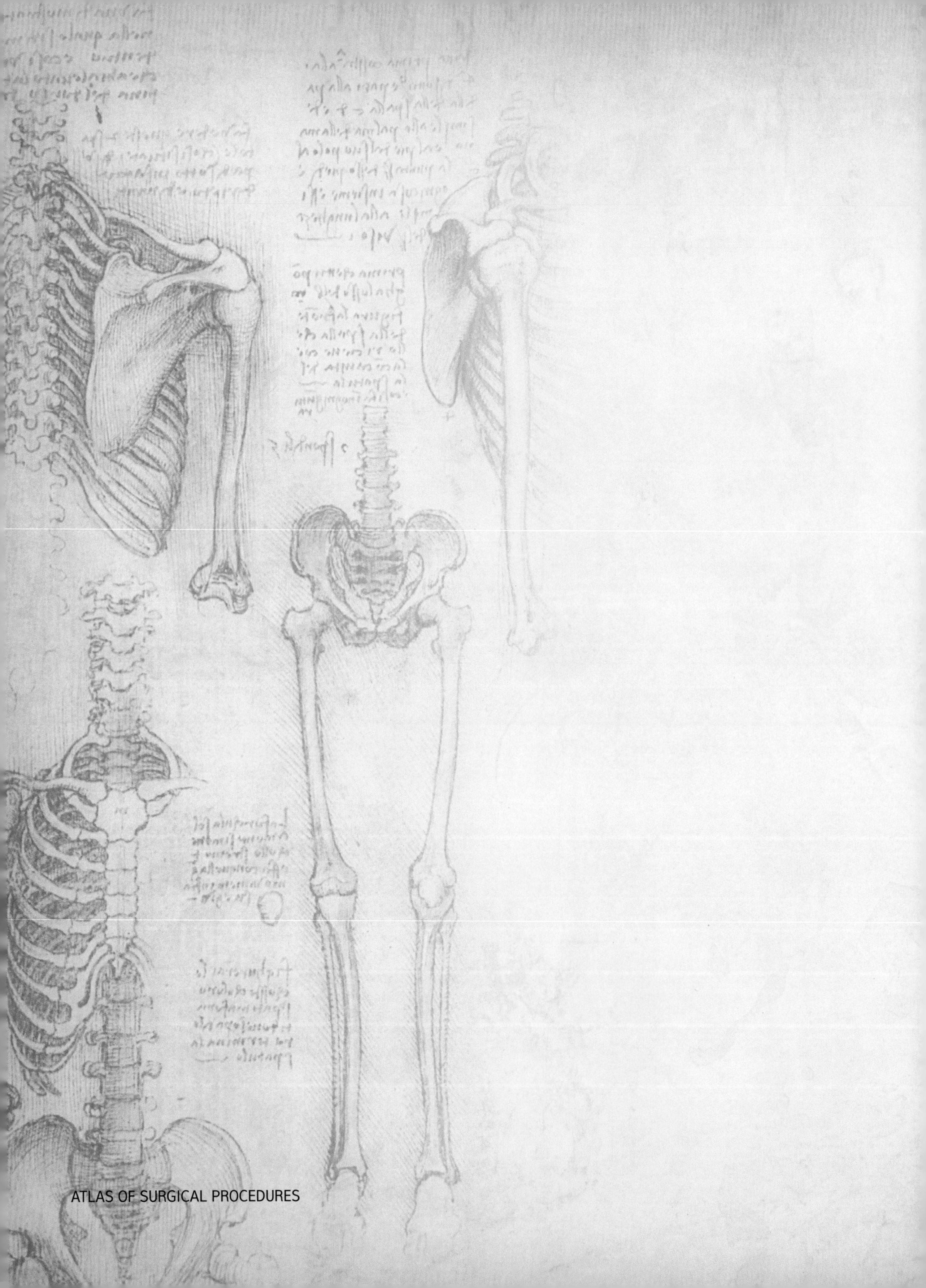

ATLAS OF SURGICAL PROCEDURES

CHAPTER 8

장루술

Stoma (loop ileostomy, transverse loop colostomy, sigmoid loop colostomy)

I. 고리형 회장루(Loop ileostomy)

1. 적응증

고리형 회장루는 독성 거대결장에서 대변을 우회하기 위한 목적으로 처음 소개되었으며, 현재는 저위전방절제술, 전결장직장절제술, 염증성 장질환의 수술 등 대장 절제술 후 문합부 실패가 발생할 위험이 있다고 생각될 때 대변이 문합부 결손을 통해 복강내로 누출되는 것을 예방하기 위해 흔히 시행된다. 근위부 결장 폐색의 감압을 위해서도 시행될 수 있다. 고리형 회장루는 고리형 결장루에 비해 장루 조성과 폐쇄가 용이하나, 소장액이 배출되는 장루이기 때문에 배출량 과다 증후군 또는 장루 주변의 접촉성 피부염 등이 결장루보다 흔하다.

2. 수술 전 처치

(그림 8-1) 장루의 필요성과 향후 치료 계획에 관해 환자와 보호자가 충분히 이해할 수 있도록 하며, 장루전문 치료사와 함께 수술 전에 미리 장루의 위치를 결정하도록 한다. 회장루는 복직근의 외측 부위에 위치하는 것이 좋고, 일반적으로 배꼽, 치골, 전상장골돌기를 연결한 삼각형의 내부에 위치하게 되지만, 배꼽 높이 아래쪽뿐 아니라 위쪽에도 시행 가능하다. 장루판과 주머니를 부착할 공간에 대해서도 고려하여, 허리띠 착용 부위나 장골 돌기에 너무 가까운 곳은 피한다. 환자의 체형과 다양한 자세, 일상 생활 및 사회 활동, 의복 착용, 성생활 등을 모두 고려하여, 최대한 스스로 관리하기 좋은 곳을 선택한다.

3. 마취

전신마취

4. 환자 자세

- 앙와위
- 단독 회장루 조성술이라고 하더라도 복강내 상황에 따라 정중선 개복이 필요할 수 있으므로 복부 전반을 노출시키고 소독한다.

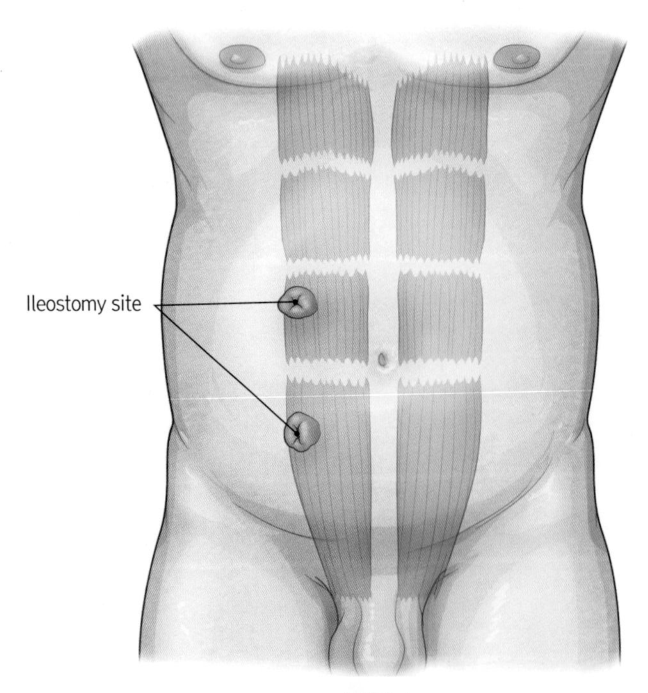

그림 8-1

5. 절개 및 노출

(그림 8-2) 회장루를 만들 위치에 가로 절개 또는 타원형 절개를 시행한다. 복강경이나 로봇 술기에 동반되는 경우 일반적으로 술자의 우측 손이 사용한 트로카의 절개창을 연장하게 된다. 그러므로 회장루 조성술이 예상되는 환자에서는 수술 시작부터 이를 고려하여 트로카를 회장루를 조성하기에 적합한 부위에 삽입하는 것이 좋다. 피하지방층을 박리하고 근막을 절개한 후 복직근을 박리한다. 이때 inferior epigastric vessel의 손상을 주의한다. 근육의 완전한 박리 후에 견인기로 적절하게 견인하고, 후복직근막과 복막을 절개한다. 다른 개복 술기를 동반하지 않은 단독 회장루 조성술이라면 복막을 견인하여 복강내를 확인하고 말단 회장을 확보한다.

6. 수술 과정

(그림 8-3) 회맹판으로부터 근위부로 약 20 cm 떨어진 회장을 선택한 후 장간막의 무혈관 부위에 구멍을 내고 고무관 등을 끼워 놓는다. 근위부에 실로 표시를 해두면 다음 과정에서 근위부와 원위부를 구분하는 것이 용이할 수 있다. 복강경의 경우 잠기는 겸자를 사용하여 선택한 부위의 장간막을 잡아 놓는다.

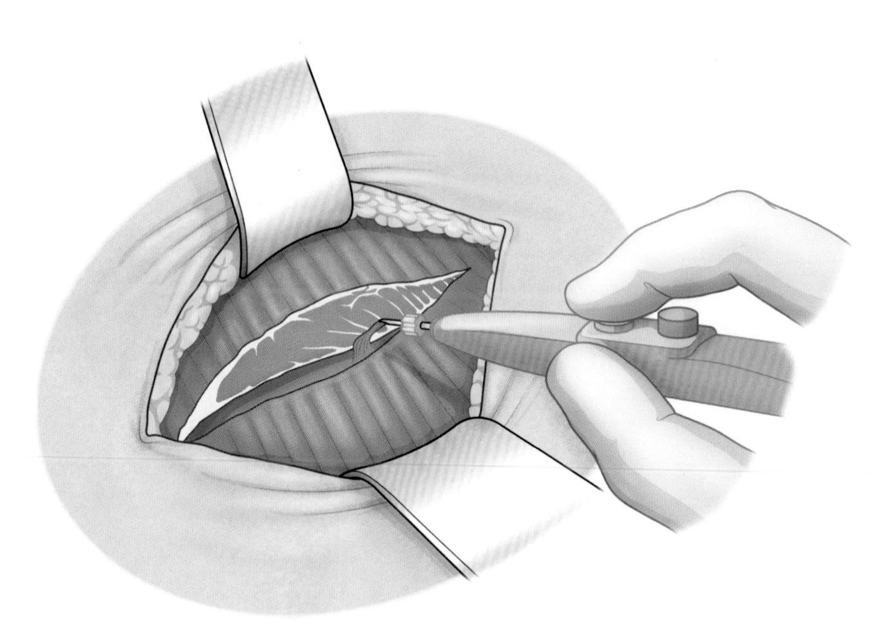

그림 8-2

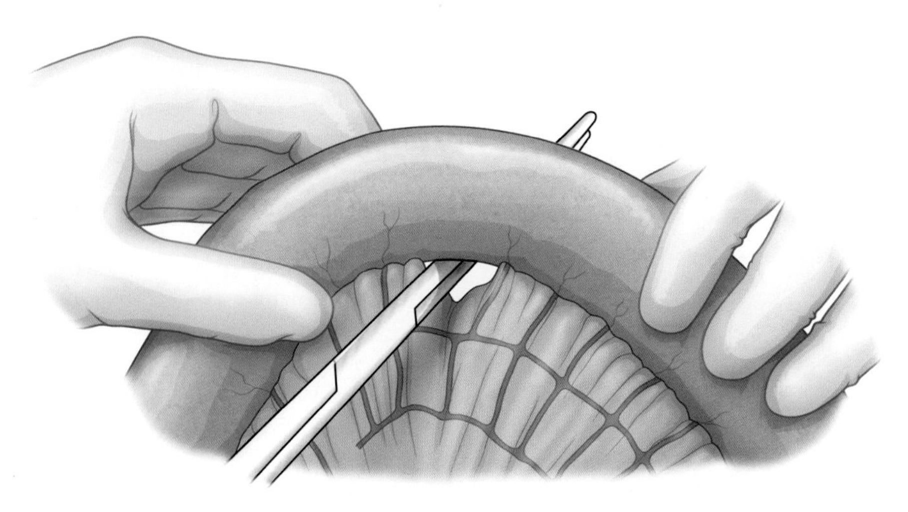

그림 8-3

(그림 8-4) 회장루를 위한 절개창으로 회장이나 장간막이 손상되지 않도록 주의하며 회장을 복강 밖으로 꺼낸다. 장루의 높이가 낮으면 장루 함몰이 발생할 수 있으므로 이를 예방하기 위해 회장을 충분히 꺼내도록 한다. 그림 8-3에서 만들어 놓은 장간막 구멍을 통해 장루 막대 또는 고무관을 위치시킨다. 근막이나 피부의 절개창이 너무 좁지 않은지 확인하고, 필요하면 추가 절개를 시행하여 회장루 통과가 원활히 유지되고 장간막 혈관이 압박되지 않도록 한다. 근위 개구부가 하방을 향하도록 회장을 위치시키되 이 과정에서 회장이 너무 꼬이지 않도록 한다.

(그림 8-5) 회장을 절개할 때에는 원위부에 가까운 부분에서 절개하여 근위부의 높이가 높아져야 소장 내용물로부터 피부를 보호하기가 좋고, 근위부가 원위부보다 커지므로 양측을 구분하는 데에도 도움이 된다.

(그림 8-6) 회장의 절개면과 주변의 피부를 봉합한다. 장벽에 손상을 주지 않도록 주의하며 장의 점막을 반드시 포함한 전층과 피부를 흡수사로 간헐적 봉합한다.

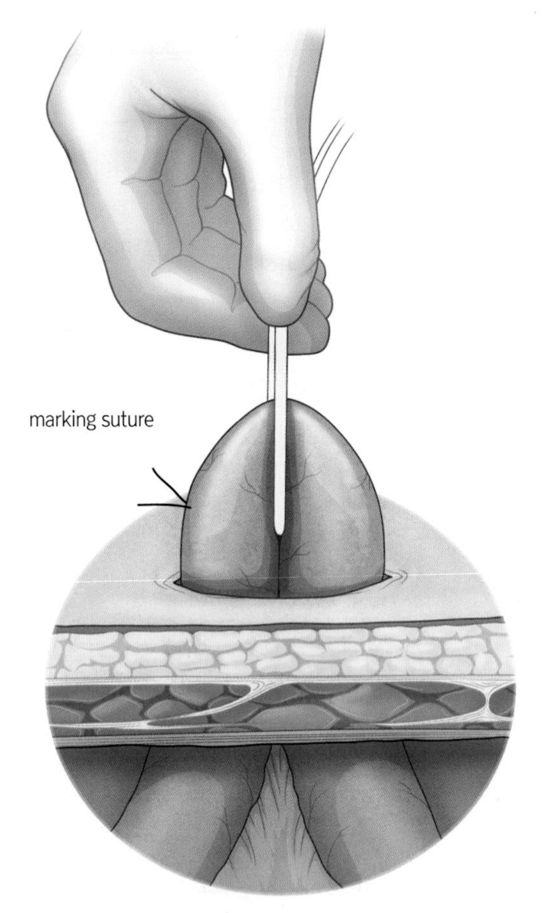

그림 8-4

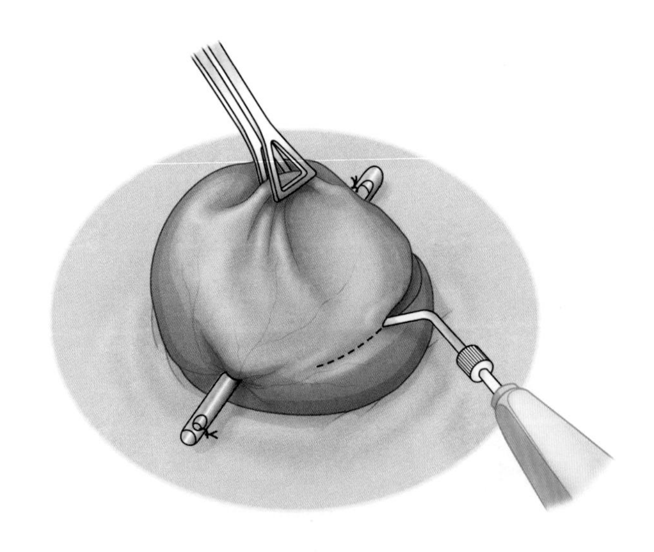
그림 8-5

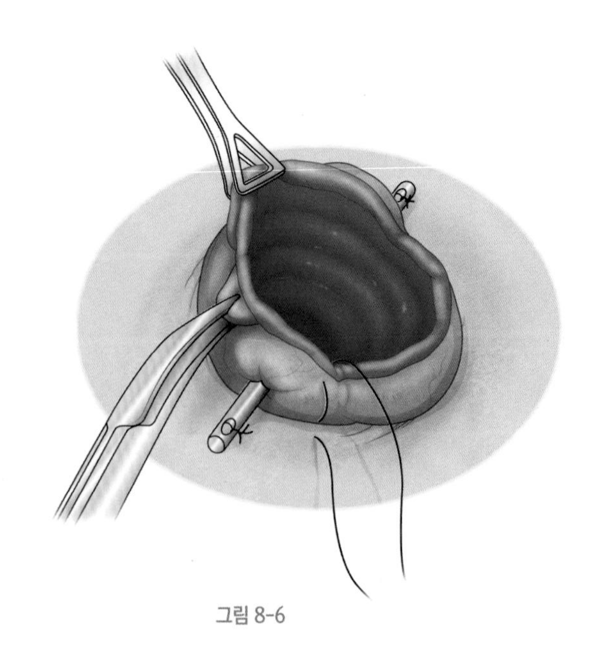
그림 8-6

(그림 8-7) 봉합을 완료한 후 장루의 근위부는 피부보다 높게 하방에, 원위부는 피부 정도 높이에서 상방에 위치하는 것이 가장 바람직하다. 인공항문 주머니를 부착하고, 장루 막대는 약 1주일 후 제거한다.

7. 복원술

장루 주변에 타원형 절개를 시행한 후, 전기소작기로 피부를 절개하고 피부를 앨리스 포셉 2-4개로 잡고 들어올려 장과 복벽 사이를 박리한다. 견인기로 복벽을 적절히 견인해야 박리면과 근막을 확인하고 박리하기 쉽다. 장루 주변의 소장과 복막 사이에 유착이 있는 경우 소장을 충분히 꺼내기 위해 유착을 박리한다. 장루와 주변 소장이 완전히 복벽과 주변 복막에서 분리되면 소장을 충분히 꺼낸다. 장루 주변에 붙은 피부를 절제하고 장루 주변 장간막 사이의 유착을 박리한 후, 개구부의 장벽에 피부와 섬유화 부분이 없도록 깨끗이 정리한다. 흡수성 봉합사를 이용하여 장 주행 방향의 수직 방향으로 전층을 간헐적 봉합한 후 장벽층을 강화 봉합한다. 장루의 섬유화가 심하거나, 유착이 심해 박리 시 장벽이 유의하게 손상된 경우, 개구부의 일차적 봉합시 소장 내강의 심한 좁아짐이 예상되는 경우 등에는 장루 주변을 부분 절제한 후 단단문합을 시행할 수 있다. 자동봉합기를 이용한 측측문합, 즉 기능적 단단문합을 시행할 수도 있다.

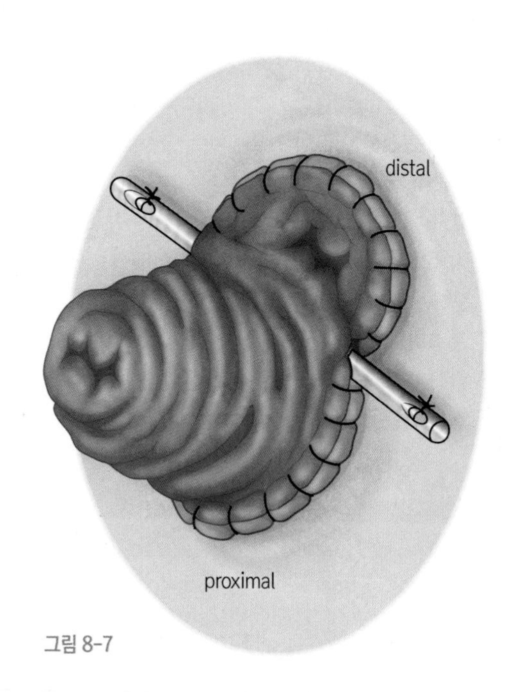

그림 8-7

I. 고리형 횡행결장루(Transverse loop colostomy)

1. 적응증

주로 좌측 결장 폐색에서 대변 우회와 감압을 위해 사용된다. 결장의 심한 팽창으로 허혈이나 천공이 우려되는 경우에는, 회장루는 결장 감압에 효과가 떨어지므로 결장루 조성술이 필요하다. 그러나 회장루보다 복부 상방에 조성되며 크기가 커서 관리가 어려워, 문합부 누출이 우려되는 대장절제술에서 대변 우회가 목적인 경우에는 결장루보다는 회장루가 선호된다.

2. 수술 전 처치

결장이 팽창된 응급상황에서 시행하는 경우가 많고, 결장 팽창으로 인해 근막 절개가 커짐으로써 추후 장루 주위 탈장 또는 장루탈출 등의 합병증 발생률이 비교적 높다. 그러나 이런 경우 향후 장루 유지의 편의성보다는 수술 시 환자의 전신상태가 우선인 경우가 많다. 폐색으로 인한 탈수 상태의 교정을 위해 수액을 충분히 공급하고 세균 전위를 예방하기 위한 항생제를 투여한다.

3. 마취

- 전신마취
- 장폐색이 심한 경우 기관 삽관 시 위내용물의 역류에 의한 흡인성 폐렴에 유의한다.

4. 환자 자세

앙와위

5. 절개 및 노출

(그림 8-8) 결장루를 만들 위치에 가로 절개 또는 원형 절개를 시행한다. 폐색을 유발한 병변, 횡행결장의 길이, 유동성, 간 및 비장만곡부 주변 결장 모양, 결장 팽창 정도에 따라 적합한 절개창 위치가 달라질 수 있으므로, 단순복부 사진이나 컴퓨터 단층촬영 소견을 참조하여 결정한다. 추후 장루 주위 탈장을 예방하기 위해 복직근을 관통하는 것이 좋고, 늑골연에 가까우면 장루판을 붙이기 어려우므로 가능한 편평한 곳을 선택한다. 절개창은 팽창된 결장이 나올 수 있도록 충분하게 하여야 하나, 추후 결장은 정상 크기로 수축하므로 너무 과다하게 절개하지 않도록 한다. 피하지방층을 박리하고 근막을 절개한 후 복직근을 박리한다. 장관이 팽창된 상태에서 시행하는 경우에는 후복직근막과 복막 절개 시 복막 바로 아래 있는 소장 또는 결장벽이 손상되지 않도록 주의한다.

6. 수술 과정

(그림 8-9) 복강 내에서 횡행결장을 찾아 절개창 밖으로 끌어낸다. 장관의 팽창으로 횡행결장을 찾기 어려운 경우가 종종 있으며, 이때는 대망을 먼저 찾아 주변을 확인하면 대망에 부착된 횡행결장을 찾을 수 있다. 횡행결장을 대망으로부터 박리하면 횡행결장의 가동성이 증가하여 절개창 밖으로 끌어내기가 더 용이해진다. 횡행결장의 팽창이 심하면 큰 바늘침을 꽂아 흡인관을 연결하여 공기 및 액체 내용물을 감압함으로써 조작을 좀더 용이하게 할 수 있다. 대망을 견인하거나 분리하는 과정에서 대망 혈관 손상이 발생할 수 있으므로 반드시 출혈 유무를 확인하고 필요시 지혈한다.

(그림 8-10, 11) 횡행결장을 충분히 꺼낸 후 장간막 무혈관 부위에 구멍을 뚫어 장루 막대 또는 고무관을 위치시킨다. 장루 막대나 고무관은 결장루가 복강 내로 빠져들어가지 않도록 하는 역할을 한다.

(그림 8-12, 13) 팽창된 결장을 꺼내기 위해 큰 절개창이 필요했으나 조성된 장루에 비해 과도하게 큰 경우, 과다한 복막 및 근막 결손은 봉합한다.

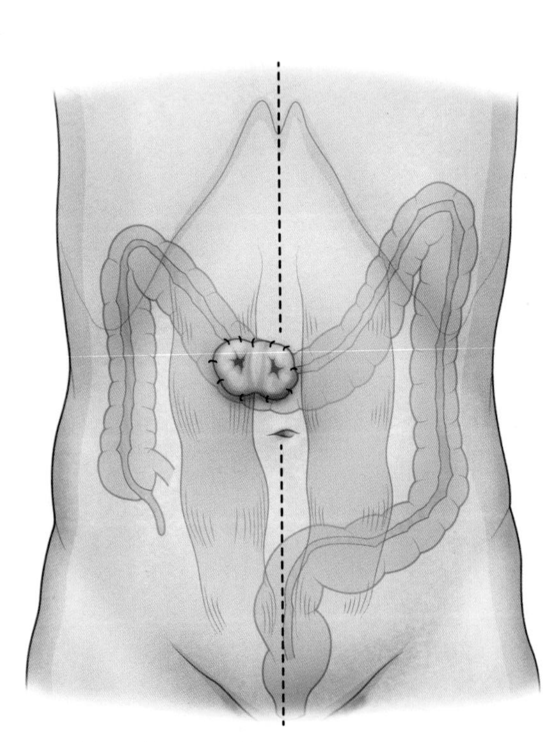
그림 8-8 횡행결장루의 위치

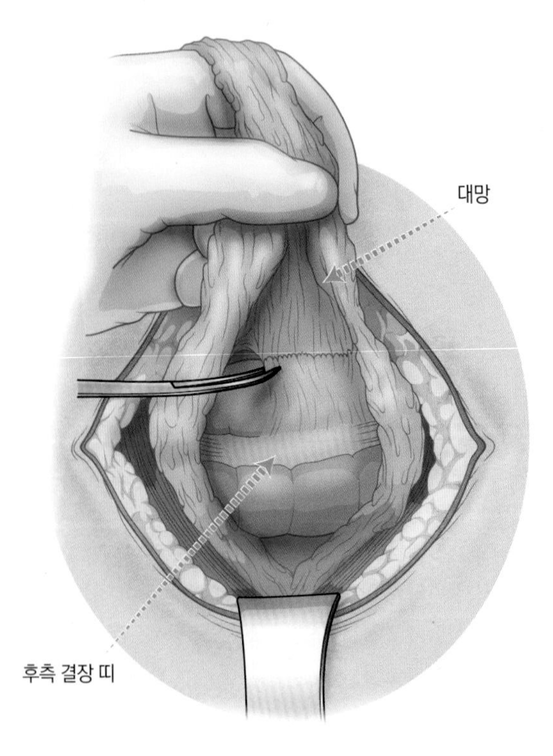

그림 8-9

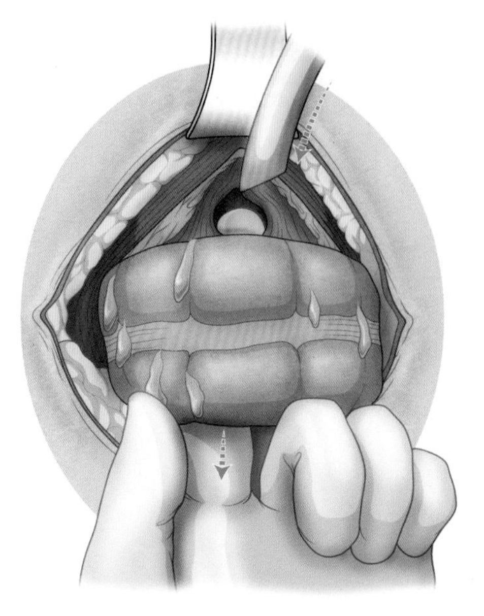
그림 8-10

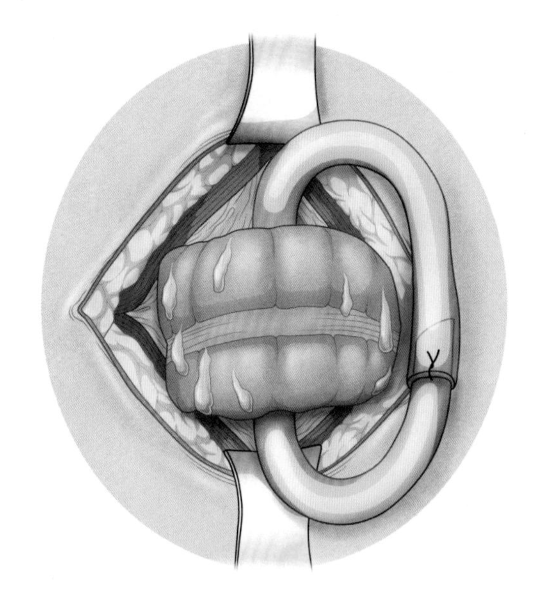
그림 8-11

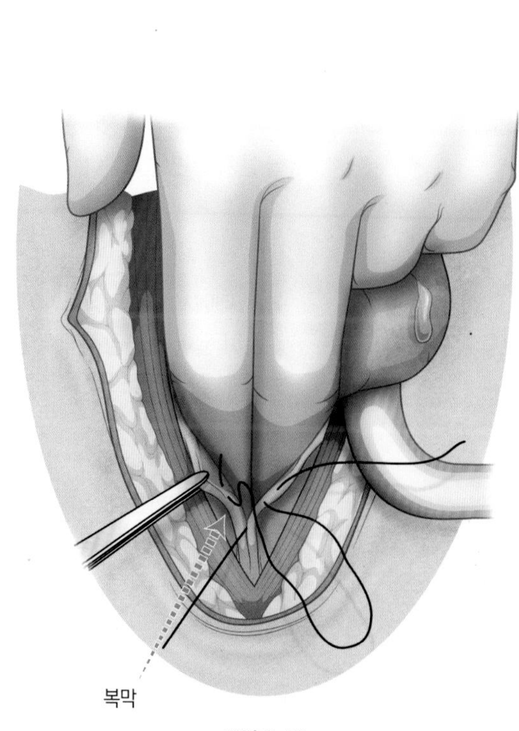

그림 8-12

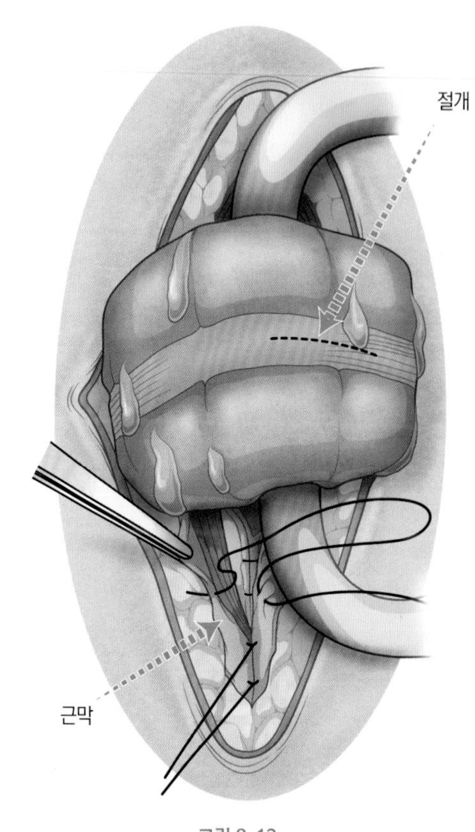

그림 8-13

(그림 8-14) 근위부가 커질 수 있도록 원위부에 가까운 부위에서 결장을 절개하고 결장 절개면과 주변의 피부를 봉합한다. 장벽에 손상을 주지 않도록 주의하며 장의 점막을 반드시 포함한 전층과 피부를 흡수사로 간헐적 봉합한다. 결장 절개는 창상부위 감염이 우려되거나, 신속히 수술을 종료해야 하는 경우 등 상황에 따라 지연해서 시행하는 경우도 있지만, 결장의 팽창으로 인해 환자 상태가 악화 중인 경우 바로 절개하여 속히 감압될 수 있도록 한다. 피부 절개가 과다한 경우 봉합한다.

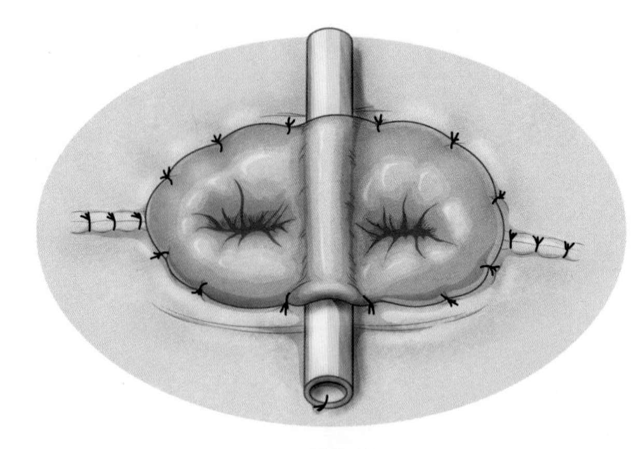

그림 8-14

III. 고리형 구불결장루(Sigmoid loop colostomy)

1. 적응증

주로 직장이나 구불결장직장이행부의 폐색에서 대변 우회와 감압을 위해 사용되거나, 심한 욕창, 퍼니에르 괴사, 직장질루 등 회음부의 창상을 보호하기 위한 대변 우회 목적으로도 사용된다. 복부 하방에 위치하여 관리가 편하고, 장 내용물이 정상 대변에 가장 가까우므로 생리적이다. 그러나 중간 구불 결장까지 고정을 유발하는 진행된 구불 결장암이나 하행구불결장이행부에 가까운 근위부 구불 결장암의 경우 활용 가능한 구불 결장의 길이가 짧고 가동성이 떨어져 충분히 꺼내기가 어려우므로 횡행결장루가 용이하다.

2. 수술 전 처치

직장암 또는 구불결장직장이행부위 암에서 폐색이 발생한 경우 스텐트 삽입 불가능 또는 실패로 응급으로 시행하거나, 근치적 절제가 불가능한 암에서 지속적인 폐색증상이 호전되지 않아서 예정수술로 시행한다. 향후 복원이 어렵다고 생각되는 경우 장루전문 간호사와 함께 수술 전에 미리 최적의 장루 위치를 결정하도록 한다.

3. 마취

전신마취

4. 환자 자세

앙와위

5. 절개 및 노출

결장루를 만들 위치에 가로 절개 또는 타원형 절개를 시행한다. 폐색을 유발한 병변, 구불결장 길이, 유동성, 결장 팽창 정도에 따라 적합한 절개창 위치가 달라질 수 있으므로, 단순 복부 사진이나 컴퓨터 단층촬영 소견을 참조하여 결정한다. 복직근을 관통하는 것이 좋고, 배꼽의 위와 아래에 모두 시행할 수 있다. 허리띠 착용 부위나 장루판을 붙이기 어려운 장골 돌기 주변은 피한다.

6. 수술 과정

복강 내에서 구불결장을 찾아 절개창 밖으로 충분히 끌어내고 장간막 무혈관 부위에 구멍을 뚫어 장루 막대 또는 고무관을 위치시킨다. 근위부가 커질 수 있도록 원위부에 가까운 부위에서 결장을 절개하고 결장 절개면과 주변의 피부를 봉합한다. 장벽에 손상을 주지 않도록 주의하며 장의 점막을 반드시 포함한 전층과 피부를 흡수사로 단속 봉합한다.

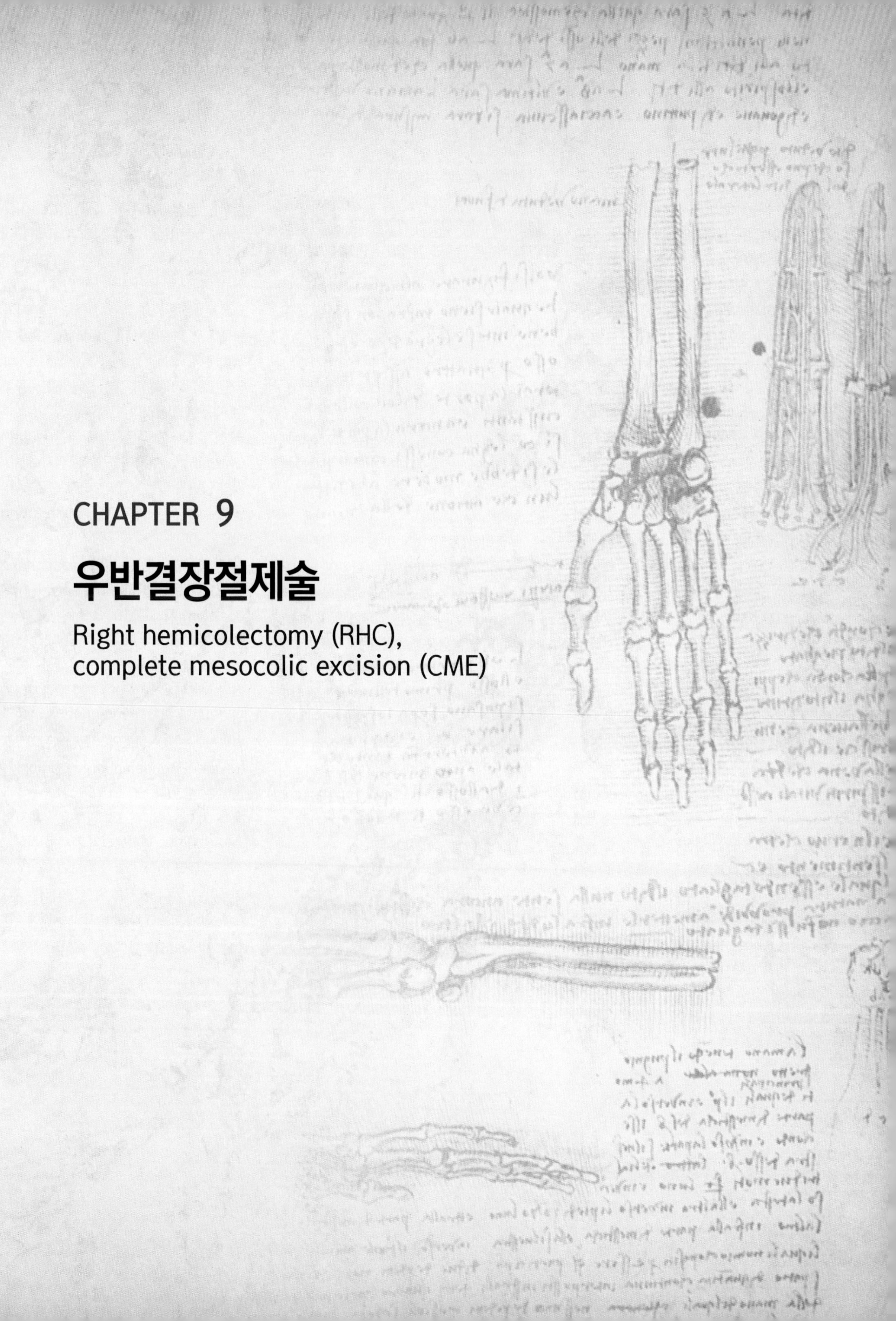

CHAPTER 9

우반결장절제술

Right hemicolectomy (RHC), complete mesocolic excision (CME)

1. 서론

고형암의 수술에 있어서 기본 원칙은 원발암을 포함한 적절한 절제연의 획득 및 국소 림프절의 앙 블록 절제(en-bloc resection)이다. 대장암 수술은 발생학적으로 유래된 fascia를 보존하면서 박리를 진행하여야 하고 이를 통해서 fascia 내에 있는 암조직들이 수술 중 퍼져 나가거나 수술 뒤 잔존암이 남을 가능성을 최소화하는 것이 중요하며 완전 결장간막 절제술(complete mesocolic excision, CME) 개념은 이러한 점을 잘 담고 있다. 완전 결장간막 절제술 의 기본 원칙은 결장간막과 후복막사이의 발생학적 공간을 따라 박리를 진행함과 동시에 분포하는 혈관들을 기시부에서 결찰하여 완전한 국소림프절 절제술을 시행하는 것을 골자로 한다. 결장암 및 암을 싸고 있는 주변 연부조직, 국소림프절을 온전히 근막을 보존한 상태로 절제하는 완전 결장간막 절제술을 통하여 국소 재발은 6.8%에서 3.6%까지 감소하였고 생존율도 향상됨이 여러 연구를 통하여 증명되었다.

복강경 결장암 수술 시 두 가지 중요한 요소는 발생학적 공간을 따라 박리를 진행하여 근막조직의 손상이 없는 박리를 하는 것과 공급혈관의 기시부 결찰(Central vascular ligation, CVL)을 통해 완전한 림프절제술을 하는 것이다. 완전 결장간막 절제술을 복강경을 이용하여 시행한는 것은 최소침습수술의 장점에 더하여, 수술 부위를 확대된 이미지로 선명하게 시각화 해주어 수술의 질을 향상시킬 수 있고, 녹화 시스템을 이용하여 스스로 술기를 다시 점검할 수 있는 장점들을 통해 좀 더 빠르게 술기에 익숙하게 해 줄 수 있다.

이번 장에서는 완전 결장간막 절제술과 공급혈관의 기시부 결찰의 개념을 기반으로 한 복강경 우측결장술의 기술적 측면에 대해 알아볼 것이다.

2. 수술 전 처치

- 예방적 항생제는 피부절개 전 1시간 이내 투약하여 수술 후 24시간 동안 지속하는 것으로 한다.
- 우측결장절제술을 시행 받는 환자들에게 장세척의 필요성에 대한 논란이 있지만 복강경 수술 시 편의성을 위해 시행하기도 한다.
- 용종이나 초기 대장암 환자에서는 복강경 시야에서 병변의 위치 확인이 어려울 수 있으므로 수술 전 대장내시경적 문신술(tattooing)이 필요한 경우가 있다. 특히, 병변이 횡행결장에 위치한 경우 적절한 원위부 절제연을 확보하기 위해서는 정확한 위치파악이 중요한데, 원위부 결장을 절제하기 전에 종양을 촉지하기 어렵기 때문에 더욱 각별한 주의를 요한다. 수술 중 대장내시경을 통한 병변의 위치확인도 가능하지만 이는 마취 및 수술시간의 연장을 초래하고 대장내강으로 주입된 가스가 수술시야를 방해할 수 있다.

3. 마취

기관 삽관 후 전신마취 하에 수술한다.

4. 환자 자세

환자는 변형쇄석위 자세(modified lithotomy position) 혹은 앙와위 자세(supine position)에서 양측팔 혹은 좌측팔을 몸통에 붙여 장비나 인력배치에 방해가 되지 않도록 한다. 환자의 자세 변환시에 환자가 수술대에서 미끄러지지 않도록 테이프를 이용하여 환자의 몸통을 수술대에 고정하거나 몰딩백(Bean bag)과 같은 성형이 가능한 특수한 제품을 이용하여 고정할 수도 있다. 환자의 상체 밑에는 체온유지를 위한 워밍시스템(warming system)을 깔고, 환자의 자세에 따라 압박을 받을 수 있는 어떤 신체부위든지 면패드 혹은 젤리패드를 이용하여 감싸 보호하도록 한다.

하부 접근법(inferior approach)의 경우 10~15° 트렌델렌버그(Trendelenberg position) 자세로 10° 좌측 경사를 유지하여 후복막 박리부터 시작하고 내측 접근법(medial to lateral approach) 시에는 앙와위 자세에서 10° 좌측 경사를 유지하여 혈관박리부터 시작한다. 대망박리 및 간만곡부 박리시에는 10° 정도의 역트렌델렌버그 자세(reverse Trendelenberg position)가 도움이 될 수 있다. 술자와 카메라조수는 환자의 좌측, 제1조수와 스크럽 간호사는 환자의 우측에 위치한다. 변형쇄석위 자세를 취한 경우 수술 부위에 따라 술자가 환자의 다리 사이로 이동할 수 있다. 술자를 위한 모니터는 환자의 우측 어깨 부위에 두어 술자의 정면에 위치하게 한다(그림 9-1).

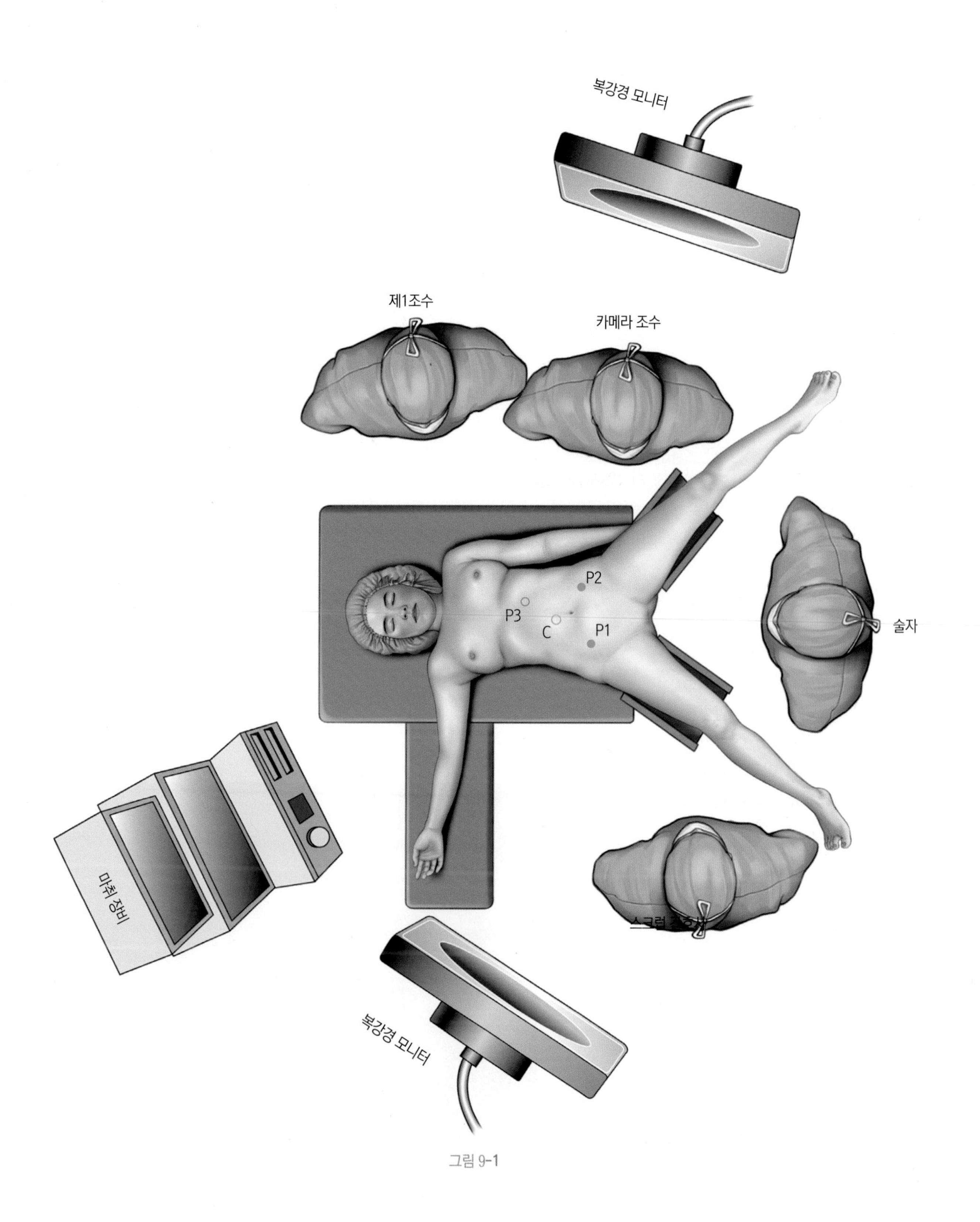

그림 9-1

5. 절개 및 포트설치방법

복강경 카메라 포트는 배꼽의 상부 혹은 하부에 수평 혹은 수직으로 절개창을 만들 수 있다. 배꼽의 절개창을 이용하여 절제조직을 배출하고 체외문합을 계획한 경우는 배꼽의 상부에 수직 절개창을 만드는 것이 횡행결장의 과도한 박리를 줄이는 데에 유리하다.

포트설치방법은 술자가 수술 시 선호하는 위치, 제1조수의 양손 사용 여부, 및 자동봉합기의 삽입 필요 여부에 따라 다양하다.

필자는 수술 시 환자 다리 사이에 위치하고, 자동봉합기를 복강내에서 사용하지 않기에 좌하복부의 포트를 주작업 포트(active working port)로 사용하여 상장간막혈관에서 분지되는 주요혈관 주변의 림프절들을 박리하며, 좌상복부 그리고 우하복부에 모두 5 mm 트로카(trocar)를 삽입한다. 제1조수가 양손을 사용할 경우는 우상복부에 5 mm 트로카를 추가할 수 있다. 간만곡부를 박리할 때는 환자의 좌측에 서서 좌상복부의 5 mm 포트를 주 작업 포트로 사용하게 된다.

흔히 사용되는 포트설치방법은 좌하복부에 10 mm 또는 12 mm 트로카(trocar)를 삽입하고 우하복부 및 좌상복부에 5 mm 트로카를 삽입하는 방법이다. 제1조수가 양손을 사용할 경우는 우상복부에 5 mm 트로카를 추가할 수 있다. 자동봉합기를 이용하여 혈관 기시부를 결찰하는 경우, 좌하복부의 트로카를 통해 자동봉합기를 넣어 사용하게 된다. 간만곡부를 박리할 때는 환자의 좌측에 서서 좌상복부의 5 mm포트를 주작업 포트로 사용하게 된다. 다른 포트설치 방법은 좌하복부에 10 mm 또는 12 mm 트로카를 삽입하고 치골 상방 정중앙선 및 우하복부에 5 mm 트로카를 삽입하는 방법이다.

제1조수가 양손을 사용할 경우에는 우상복부에 5 mm 트로카를 추가할 수 있다. 환자를 앙와위 자세로 하고 수술할 경우 술자가 환자의 좌측 허벅지 옆에 서서 상기한 포트설치법을 이용하여 수술할 수 있다. 수술 전 과정에서 좌하복부의 포트가 주 작업 포트가 된다. 환자의 복부크기가 큰 경우 간만곡부박리 시 기구가 짧아 충분히 도달되지 않을 수 있다. 이를 방지하게 위해 좌하복부의 포트를 너무 아래로 삽입하지 않도록 한다. 배꼽을 가로지르는 가로선의 2 cm 하방 정도가 적당하다.

6. CME and CVL

결장절제술에 있어서, 하부 접근법(inferior approach)은 기시부에서 혈관을 결찰하기 전에 결장을 먼저 박리하여 유동성(mobilization)을 확보 하는 것이다. 내측 접근법(medial-to-lateral approach)은 기시부에서 혈관을 먼저 결찰한 후, 결장의 유동성을 확보하는 것이다. 하지만 하부 접근법, 내측 접근법 외에도 술기를 시작하는 부위에 따라 여러 가지 접근법이 존재하며 각각의 접근법에 있어서 수술 후 결과 및 종양학적인 측면에서는 차이가 없는 것으로 알려져 있다.

1) 발생학적 공간을 따른 박리

술자에 따라 선호하는 접근 방식에 있어서 차이는 있지만, 여기에서는 외측 접근법(lateral-to-medial approach)에 대해 기술하고자 한다. 먼저 맹장(cecum)과 회장 말단부(terminal ileum)를 유동화(mobilization) 시키는 것이다. 이는 결장간막(colonic mesentery) 과 후복막 사이의 발생학적 공간을 박리하여 노출시킴으로써 상행 결장을 유동화(mobilization) 할 수 있다. 이때 제1조수가 좌상복부 포트를 이용하여, 충수돌기(appendix) 또는 맹장(cecum)을 좌상부로 견인하고, 술자가 왼손으로 역견인(counter-traction)을 함으로써 완전한 박리면을 확보할 수 있다(그림 9-2).

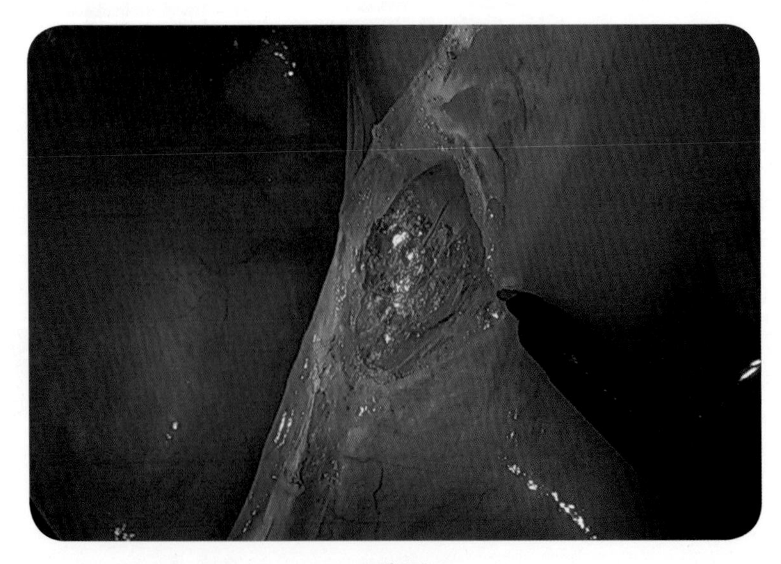

그림 9-2

복막(parietal peritoneum) 절개를 시행 후, 요관(ureter) 및 생식혈관(godonal vessel)을 보존하며 박리면을 따라 상부로 올라가면 십이지장(duodenum)을 확인할 수 있다(그림 9-3).

십이지장의 앞부분으로 결장간막이 얇은 막을 형성하고 있으므로, 이 부분을 손상시키지 않도록 주의한다. 십이지장 3구역까지 노출을 시킨 후, 다음 단계인 회결장동정맥의 결찰로 넘어가도록 한다. 회결장동정맥의 결찰을 한 후 상행결장의 완전한 유동성을 확보할 수 있으므로, 무리해서 간만곡부까지 진행하지 않도록 한다. 외측접근법의 장점은 혈관 결찰 전 대장간막을 분리함으로써 혈관의 해부학적 위치를 좀더 쉽게 확인할 수 있다는 점이다.

2) 혈관의 기시부 결찰 및 림프절제술

(1) 회결장동정맥의 결찰 및 장간막 박리

회결장동정맥의 기시부 결찰을 위한 첫번째 단계는 상장간정맥(superior mesenteric vein, SMV)을 확인하는 것이다. 상행결장 및 회장 말단부를 해부학적 위치(anatomical position) 에 놓은 후 상장간정맥의 주행을 확인할 수 있다(그림 9-4).

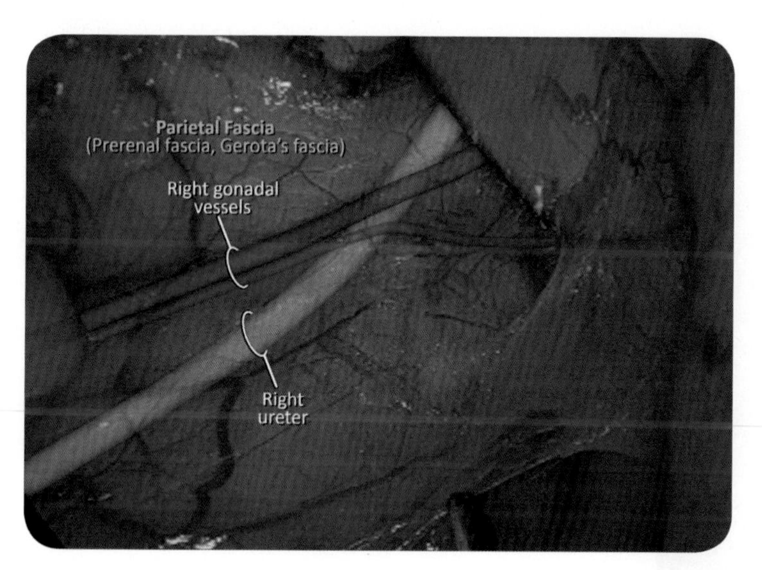

그림 9-3

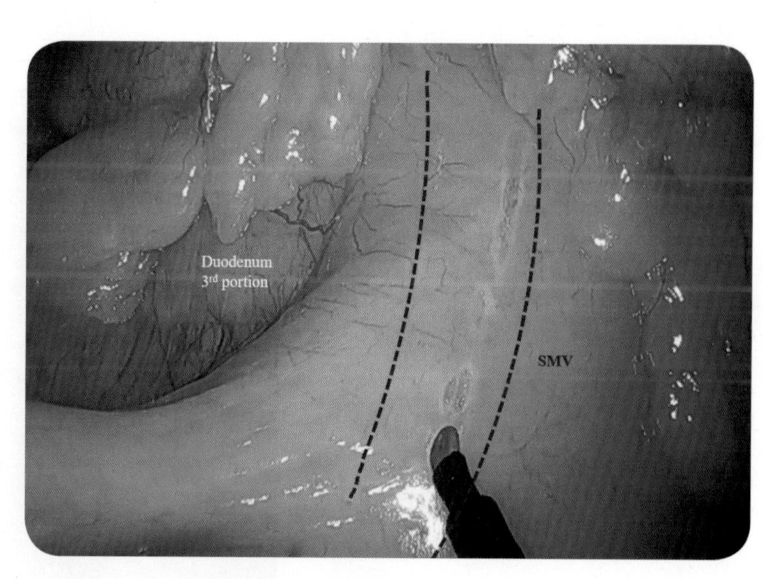

그림 9-4

마른 환자의 경우 상장간막정맥의 주행을 쉽게 확인할 수 있지만, 비만한 환자의 경우 확인이 어려울 수 있다. 주행의 확인이 어려운 경우, 가상의 선(주로 falciform ligament [낫인대]) 을 따라 장간막에 절개를 가한 후 layer-by-layer 박리를 통해 상장간정맥을 확인할 수 있다. 제1조수가 상행결장간막을 우측 아랫방향으로 견인을 해줌으로써 보조할 수 있다. 회결장동정맥에 도달하면, 장간막의 배쪽, 등쪽 및 우측을 분리하고 상장간정맥과 상장간동맥 사이의 지방조직을 제거한다(그림 9-5).

회결장동정맥의 결찰은 상장간정맥의 우측을 기준으로 하여 기시부에서 하는 것을 원칙으로 한다. 회결장혈관을 기시부에서 결찰하고 나면, 십이지장의 3구역이 관찰되고 후복막과 상행결장간막 사이 공간이 확보된다(그림 9-6).

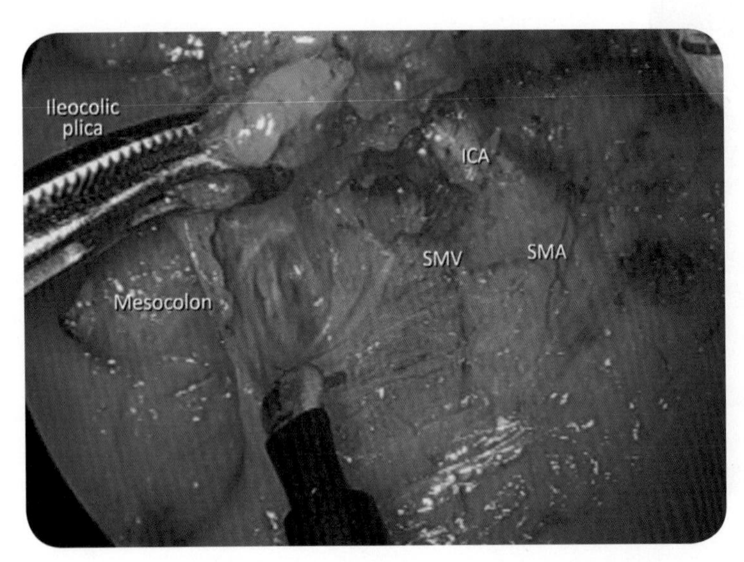

그림 9-5

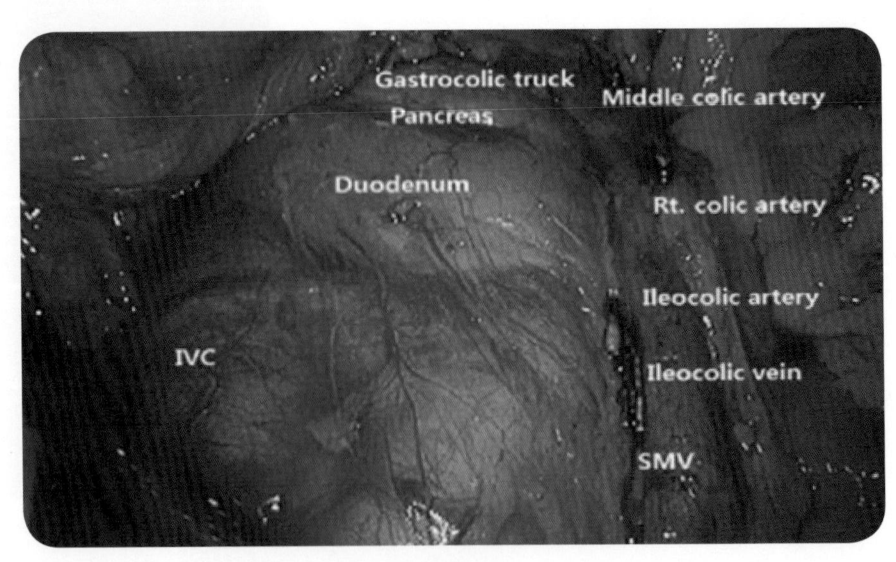

그림 9-6

(2) 위결장정맥간(Gastrocolic trunk)과 중결장동맥(Middle colic artery)의 박리

회결장동정맥의 결찰 후 상장간정맥의 주행을 따라 위쪽으로 박리를 진행하여 상장간동맥에서 나오는 중결장동맥을 확인할 수 있다(그림 9-7).

제1조수가 횡행결장을 위쪽으로 견인해줌으로써 쉽게 진행할 수 있다. 일반적으로 중결장동맥의 우측 분지를 결찰하면 되지만, 종양의 위치에 따라 중결장동맥의 기시부에서 결찰을 하기도 한다. 중결장동맥과 정맥을 결찰한 후 내측에서 외측으로 박리를 하면 위결장정맥간을 확인할 수 있다(그림 9-8).

위결장정맥간 주변의 정맥은 변이가 있는 경우가 종종 있고, 출혈이 빈번이 생길 수 있는 곳 이여서 박리에 특별한 주의가 요한다. 다른 정맥을 보존하면서, 상행결장으로 가는 분지만을 결찰하도록 한다. 혈관의 결찰을 함으로써 상행결장 및 횡행결장의 장간막과 후복막 구조물 사이의 박리면이 조금 더 확보되고, 박리를 진행함으로써 간만곡부까지 더 진행할 수 있다.

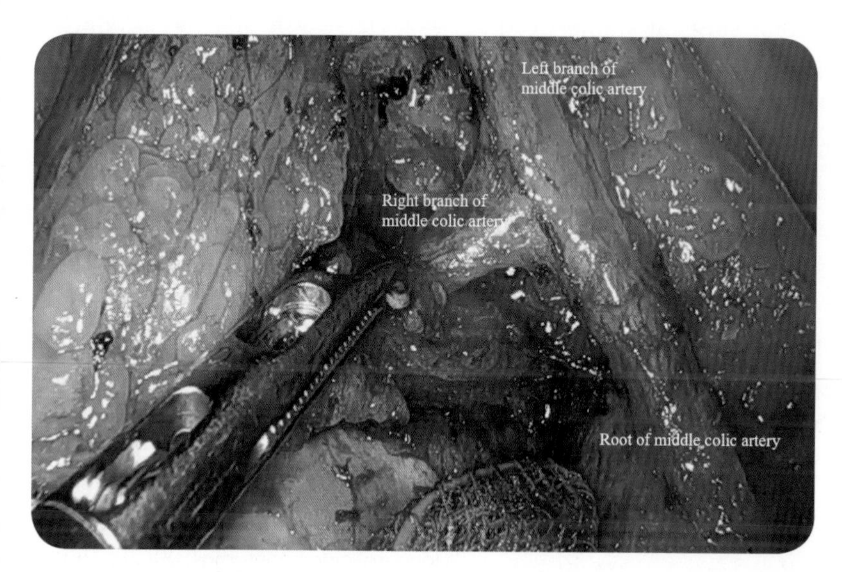

그림 9-7

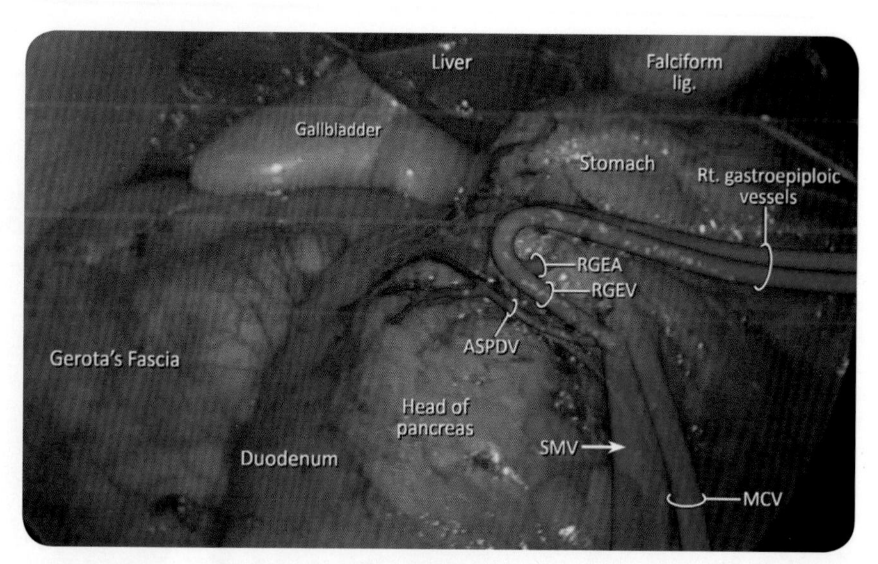

그림 9-8

3) 대망의 분리(Omental division) 및 간만곡부의 분리(Division of hepatic flexure colon)

주요혈관의 결찰이 끝났으면, 횡행결장 위로 걷어 올렸던 대망을 아래로 쓸어내리면서 펼친다. 이때, 10° 정도의 역트렌델렌버그 자세를 취하면 시야확보에 도움이 된다. 먼저 대망의 분리를 위해 횡행결장의 중간 정도의 위치에서 위대망혈관 아케이드(gastroepiploic vessel arcade)로부터 2~3 cm 떨어진 부위의 대망을 제1조수가 겸자로 잡아 전복벽(anterior abdominal wall)을 향해 견인한다. 술자는 왼손의 겸자로 원위부 대망을 잡고 반대방향으로 견인하고 오른손의 초음파 절삭기 등 에너지 기구(energy-generating device)를 이용하여 대망혈관을 응고시키면서 대망을 분리해나간다(그림 9-9). 간만곡부와 간결장인대(hepatocolic ligament)를 분리하면 이미 진행한 결장옆고량의 박리면(dissection plane)과 만나게 된다.

7. 절제조직의 배출 및 문합

모든 복강경 박리를 완료한 후, 절제조직은 배꼽 주변 카메라 포트 상처의 연장을 이용하여 추출한다. 문합은 체외문합(extracorporeal anastomosis)과 복강내문합(intracorporeal anastomosis)으로 나누어 볼 수 있다. 환자가 비만하고 횡행결장간막이 두껍고 짧아 체외문합이 어렵다고 판단되는 경우, 복강경 시야에서 수기 봉합에 경험이 많은 술자라면 복강내문합을 시행할 수 있다.

1) 단측문합(End to–side anastomosis)

단측문합은 서로 다른 직경의 내강을 갖는 두 장을 이을 때 유용하기 때문에 우측결장절제술 후 말단 회장과 횡행결장을 문합하는데 많이 사용하는 문합법 중 하나이다. 원형 자동봉합기(circular surgical stapler)를 사용하여 시행하는 단측문합은 앤빌(anvil)을 원위 말단 회장에 삽입한 후 주머니 끈 봉합(purse-string suture)로 고정된다.

원형자동봉합기는 결장의 개방 된 끝에 삽입하여 트로카(trocar)를 결장막 반대 방향(antimesenteri wall) 으로 위치하게 한다. 앤빌을 원형자동봉합기의 샤프트에 결합하고 스테이플러를 닫은 후 발사를 한다. 원형자동봉합기를 결장에서 제거한 후 결장의 열린 끝을 자동봉합기(endolinear cutting stapler)로 닫으면 문합이 완료된다(그림 9-10).

2) 측측문합(Side to–side anastomosis)

종양의 크기가 크거나 환자가 비만하고 복벽이 두꺼운 경우 루프형태로 절제조직의 배출하는 것이 어렵거나 절개창이 커지는 일이 발생할 수 있다. 이런 경우 복강내에서 회장의 혈관 아케이드를 초음파절삭기 및 클립을 이용하여 결찰하고 복강경용 일자형 자동봉합기(endolinear cutting stapler)로 회장을 분리한 뒤에 회장의 말단을 잡고 원통형으로 절제조직을 배출하는 방법을 선택할 수도 있다. 횡행결장간막 및 횡행결장 분리 후 근위부 회장말단을 횡행결장과 약 8 cm 정도 겹치게 한다. 전기소작기를 이용하여 회장과 횡행결장에 각각 2~3 mm 구멍을 내고 일자형 자동봉합기의 양쪽 겸자를 삽입하여 측측문합을 시행한다. 자동봉합기 삽입부위는 수기로 봉합하는데, 대개 4~5개의 봉합으로 충분하다.

3) 단단문합(Functional end–to end anastomosis)

결장의 박리가 완료된 후 절제조직을 루프 형태로 하여 문합하는 방법이다. 문합은 2개의 일자형 자동봉합기(linear cutting stapler)를 이용한 기능적 단단문합(functional end-to end anastomosis) 혹은 수기로 단측문합(end-to-side anastomosis)이 가능하다.

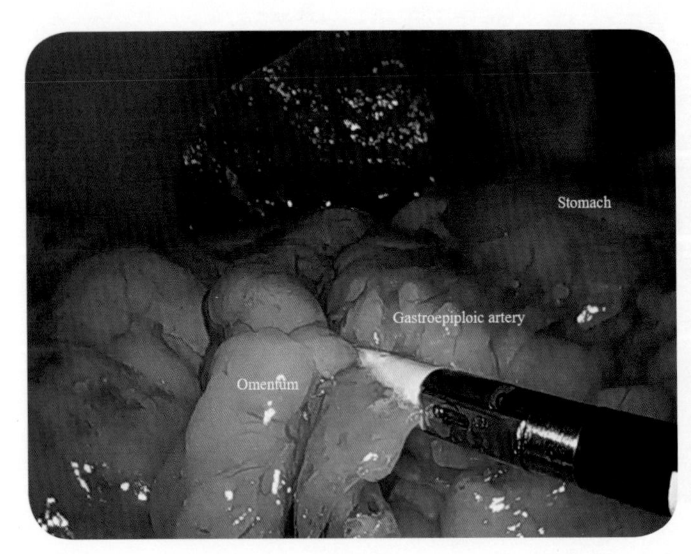

그림 9-9

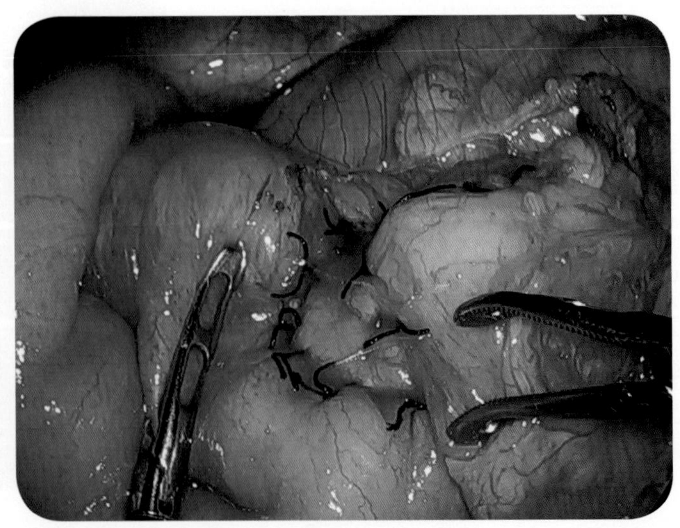

그림 9-10

CHAPTER 10

좌반결장절제술

Left hemicolectomy

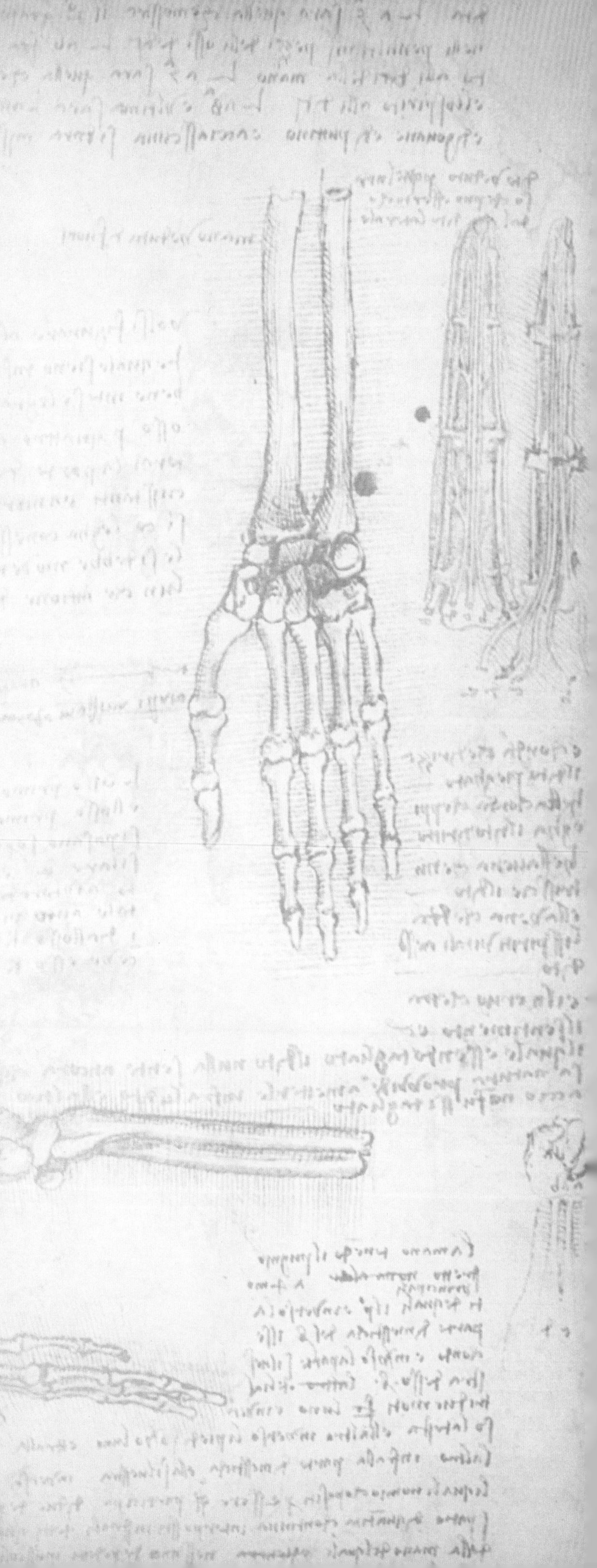

1. 서론

하행결장은 비장만곡부위부터 구불결장까지 약 25~30 cm 정도의 길이를 가지고 있다. 따라서 좌반결장절제술은 비장만곡부부터 구불결장 사이에 악성종양이 있는 경우 시행하는 근치적 수술방법이다. 하지만 하행결장암의 발생 빈도가 적어 좌반결장절제술은 다른 결장 수술에 비해 드물게 시행된다. 일반적으로 좌반결장절제술는 중결장동맥(middle colic artery)의 좌측 분지와 하장간막동맥에서 분지되는 좌결장동맥을 결찰하여 하행결장을 제거하는 것을 의미한다. 정맥의 결찰에 있어서는 하장간막정맥 결찰하는 술식과 하장간막정맥을 보존하는 술식, 두 가지가 병용되고 있다. 또한 좌반결장절제술을 시행하기 위해서는 술자는 반드시 비장만곡부 박리를 시행해야 하기 때문에 비장만곡부 박리에 대한 술기 습득이 되어있어야 한다.

2. 적응증

종양의 위치가 비장만곡부 하방에서 구불결장 사이에 있는 경우 좌반결장절제술을 시행한다.

3. 수술 전 처치

수술 전 대장의 기계적 세척은 아직 논란의 여지가 있기는 하지만 복강경 수술의 경우 소장이나 대장이 팽창되어 있는 경우 수술에 어려움을 줄 수 있기 때문에 가능하다면 수술 전 기계적 장세척을 하는 것을 권유한다.

4. 환자 자세

환자의 자세는 알렌 견인기를 사용하여 다리를 벌린 상태로 트렌델렌버그 및 우측 기울임 포지션으로 수술을 준비한다. 수술자와 카메라 보조자는 환자의 우측에 위치하고 수술보조자는 환자의 좌측에 위치한다.

5. 수술 과정

1) 포트 위치 설정(Port placement)

배꼽 혹은 배꼽 직하방에 1 cm 가량 피부 절개창을 만든 후 피하지방을 근막까지 박리한다. 근막을 확인한 후 근막을 절개하고 복막까지 개방한 뒤 카메라용 투관침을 삽입한다. 투관침을 통해 복강내를 확인하고 추가 투관침을 삽입한다. 추가 투과침은 우상복부에 5 mm, 우하복부에 12 mm, 좌상복부 및 좌하복부에 5 mm 투관침을 삽입한다(그림 10-1).

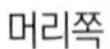

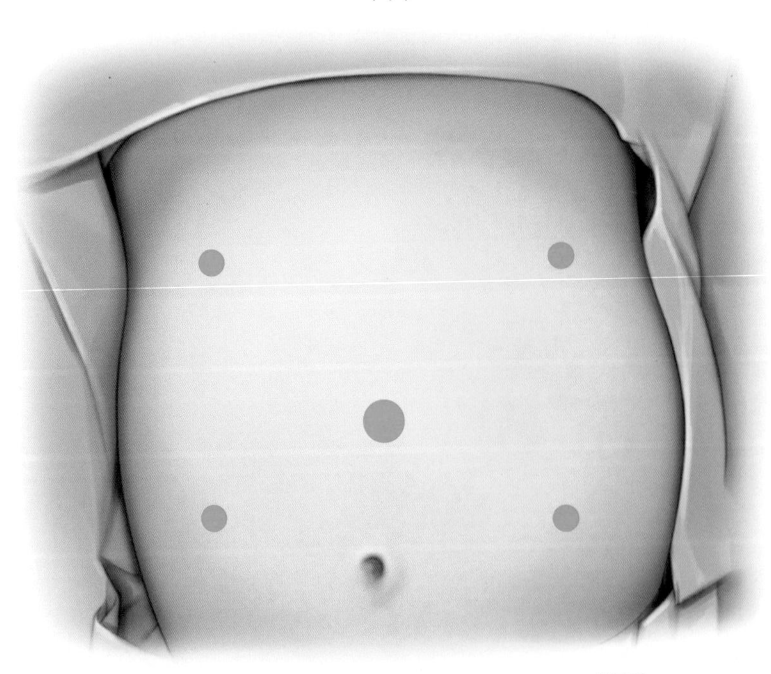

그림 10-1

2) 혈관 노출 및 결찰

환자의 자세를 트렌델렌버그 및 우측 기울임 자세로 한 뒤 수술을 시작한다. 소장을 환자의 천골우측으로 충분히 이동시켜 수술 시야를 확보한다. 만곡부(sacral promontory) 부근에서 복막 절개를 가해(그림 10-2) 무혈관 수술 절개면(avascular surgical plan)을 찾아 하장관막동맥을 찾아 하장간막동맥 근위부 근처까지 박리한다(그림 10-3). 수술보조자가 각각 하장간막정맥과 하장간막동맥을 견인하고 술자는 하장간막정맥을 토트근막(Toldt's fascia)으로부터 박리한다(그림 10-4). 토트근막을 보존하며 하장간막동맥 쪽으로 박리를 진행하면 하장간막동맥에서 분지되는 좌결장동맥, 구불결장동맥, 상직장동맥 등을 확인할 수 있다(그림 10-5). 상직장동맥을 제외한 나머지 좌결장동맥 및 구불결장동맥을 결찰한다(그림 10-6). 종양의 위치 혹은 진행 정도에 따라서 구불결장동맥의 보존 여부를 결정할 수 있다.

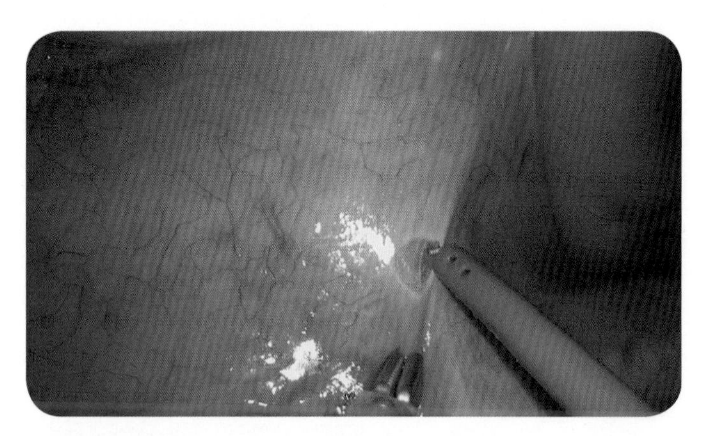

그림 10-2

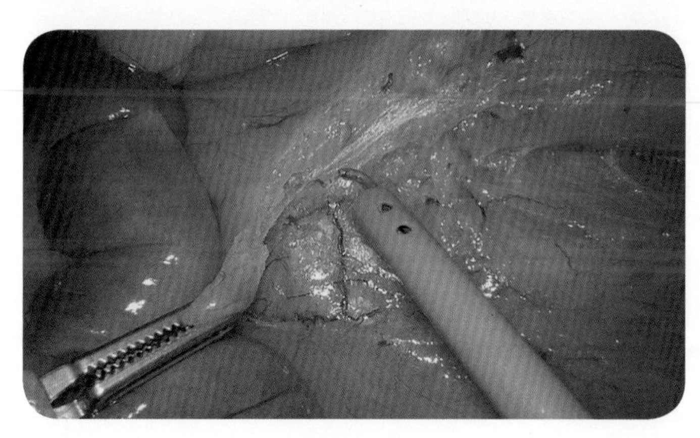

그림 10-3

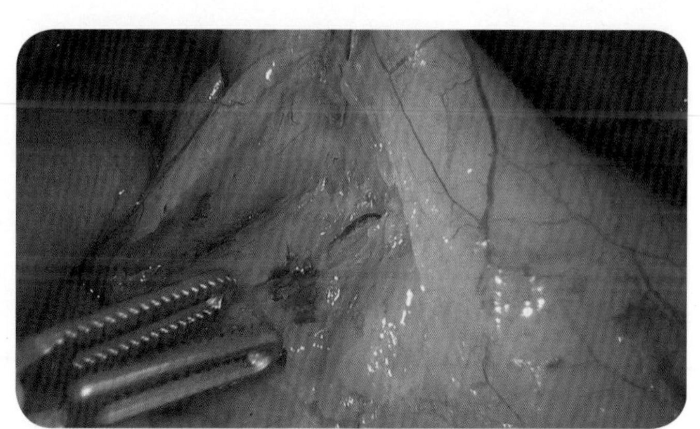

그림 10-4

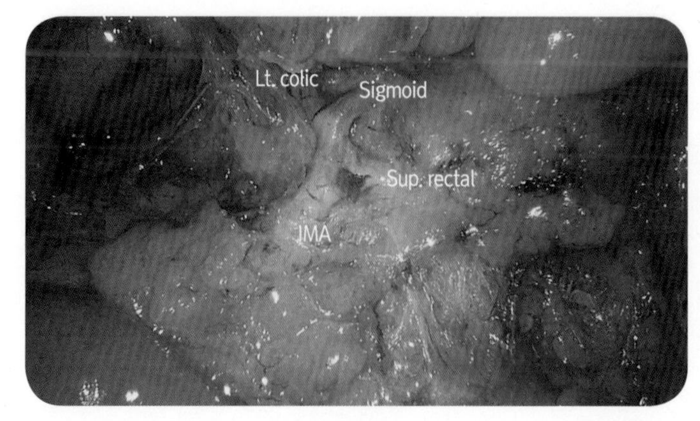

그림 10-5

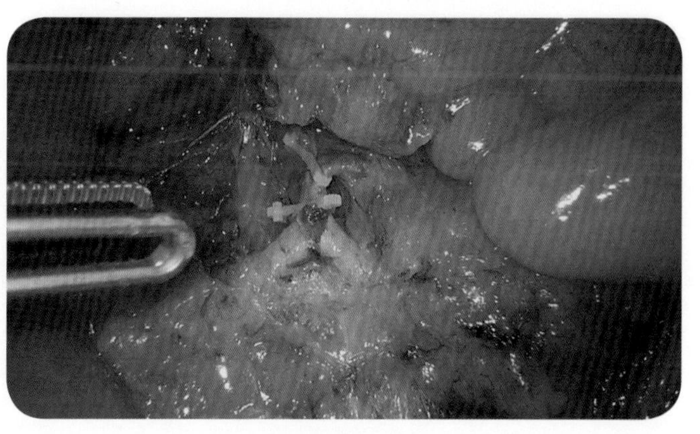

그림 10-6

3) 결장간막 박리 및 비장만곡부 박리

좌결장동맥 및 구불결장동맥을 결찰을 마친 뒤, 결장간막(mesocolon)을 후복막으로부터 박리한다(그림 10-7). 이때 좌측 뇨관 및 난소정맥 혹은 정관정맥의 손상에 유의한다. 결 장간막의 박리는 머리쪽으로는 췌장의 하연을 관찰할 때까지 지속하고(그림 10-8) 다리쪽으로는 장골과 대요근 부위까지 박리한다. 췌장의 하연을 횡행결장의 결장간막과 분리하여 소낭(lesser sac)으로 진입한다(그림 10-9). 이후 췌장하연과 횡행결장의 결장간막을 충분히 박리한 뒤 하장간막정맥을 결찰하고(그림 10-10) 하행결장과 복막을 박리한다(그림 10-11). 이후 위결장인대(gastrocolic ligament)를 박리하여 비장만곡부 박리를 완성한다(그림 10-12).

4) 조직 제거 및 체외문합술

카메라를 제거하고 카메라 투관침의 창상을 3~4 cm 정도로 확장한 뒤 창상보호대를 거치하고 하행결장을 꺼내 복막외문합을 시행한다(그림 10-13). 복막외 문합의 방법은 술자에 따라 수기봉합, end-to-side 문합, side-to-side 문합을 시행할 수 있다.

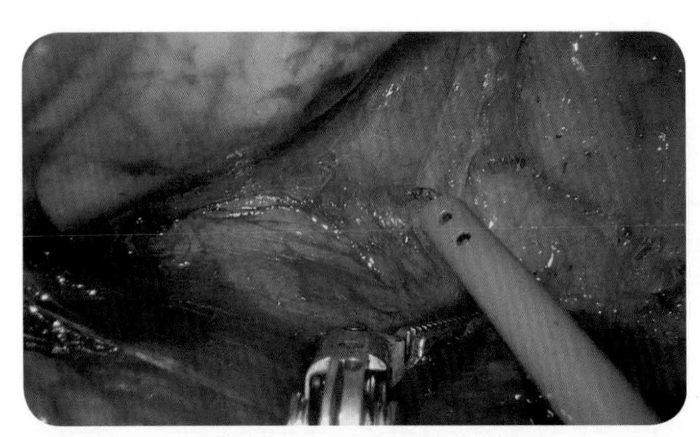

그림 10-7

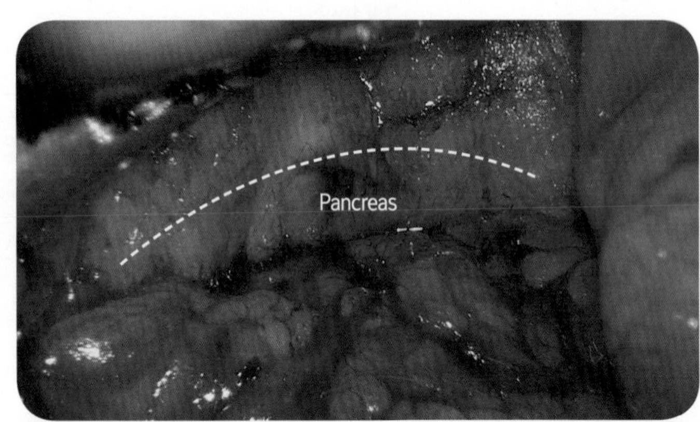

그림 10-8

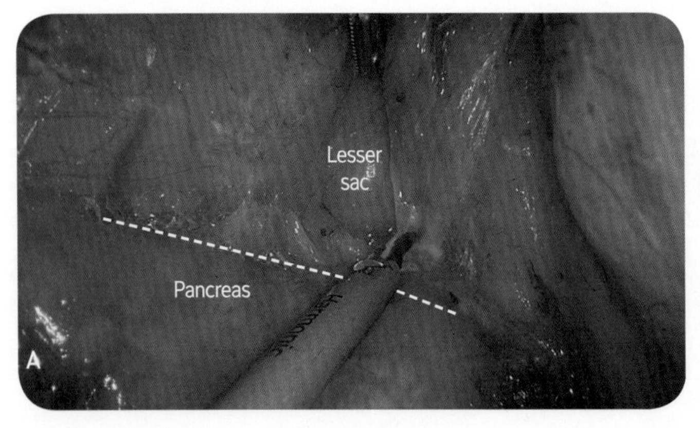

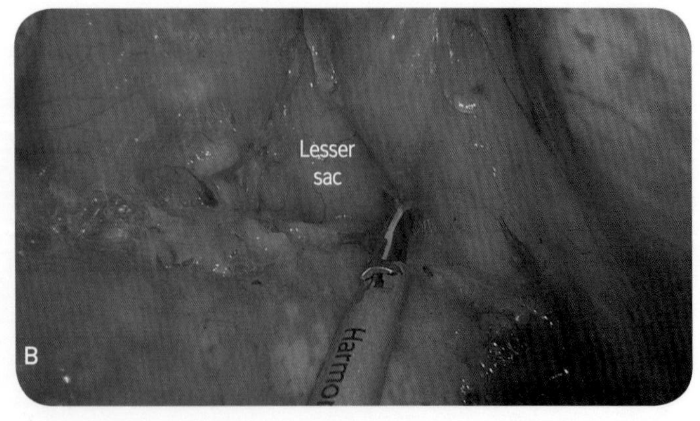

그림 10-9

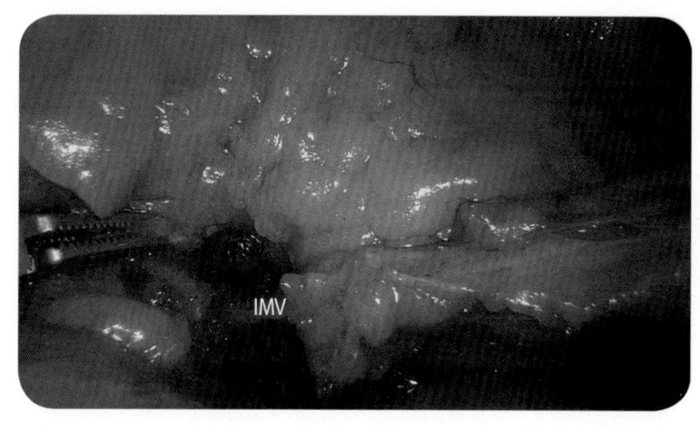

그림 10-10

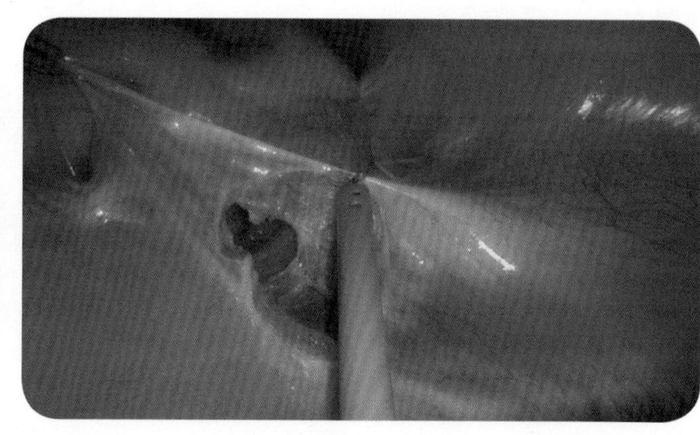

그림 10-11

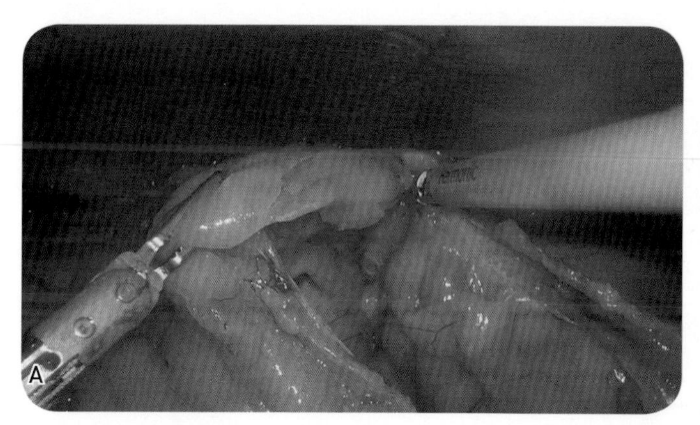

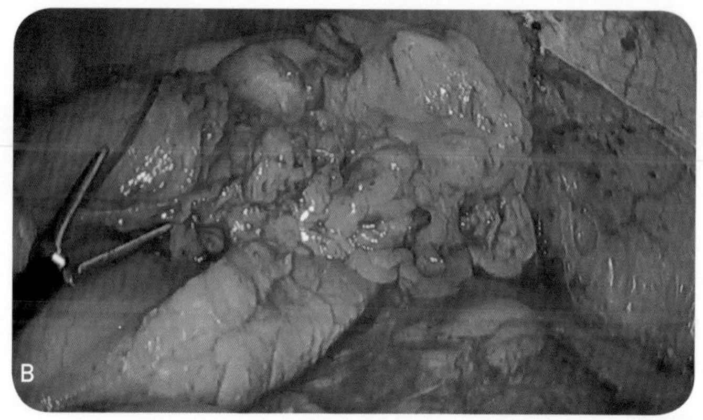

그림 10-12

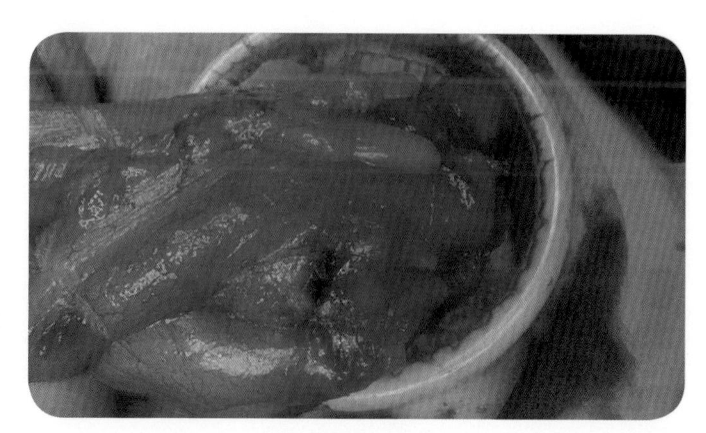

그림 10-13

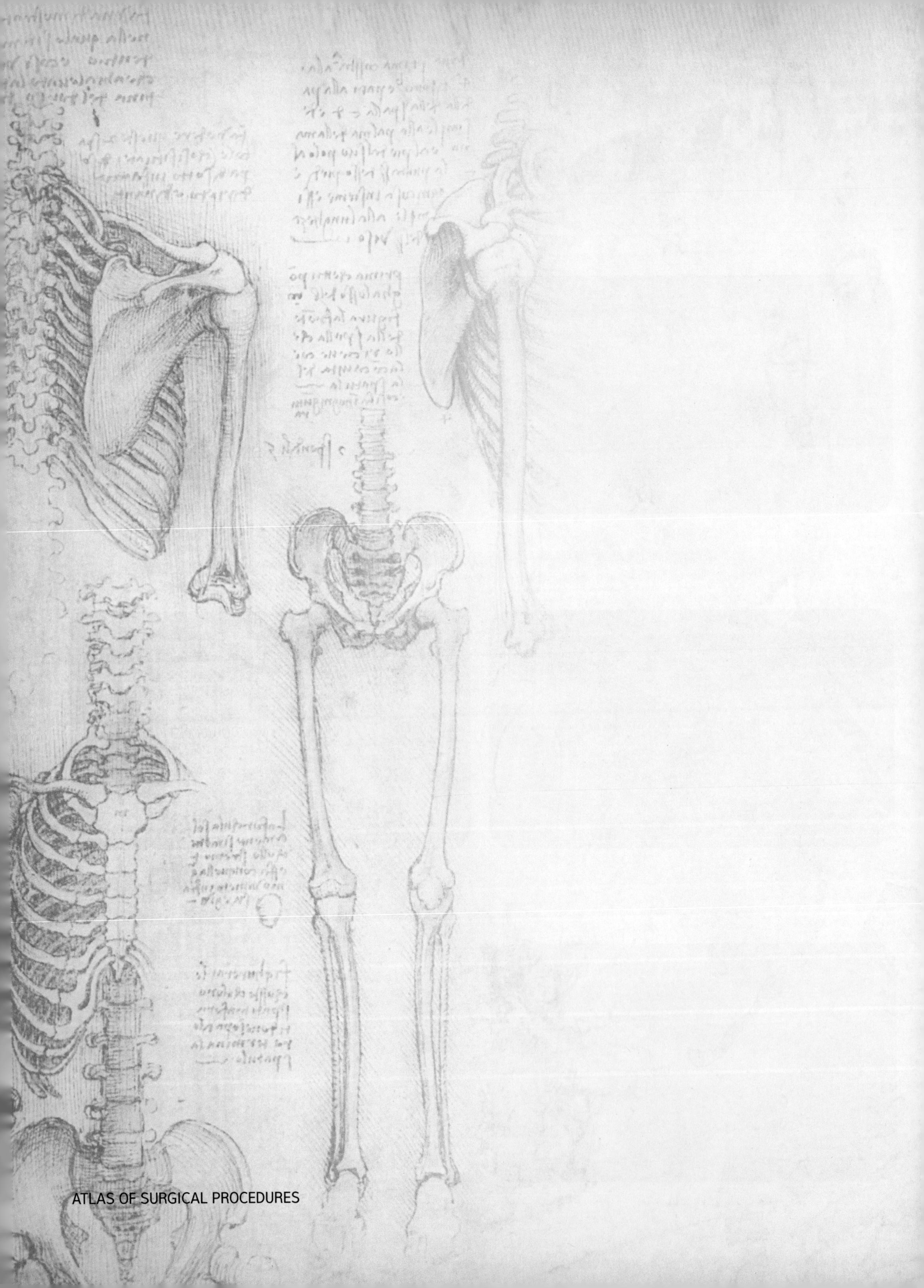

ATLAS OF SURGICAL PROCEDURES

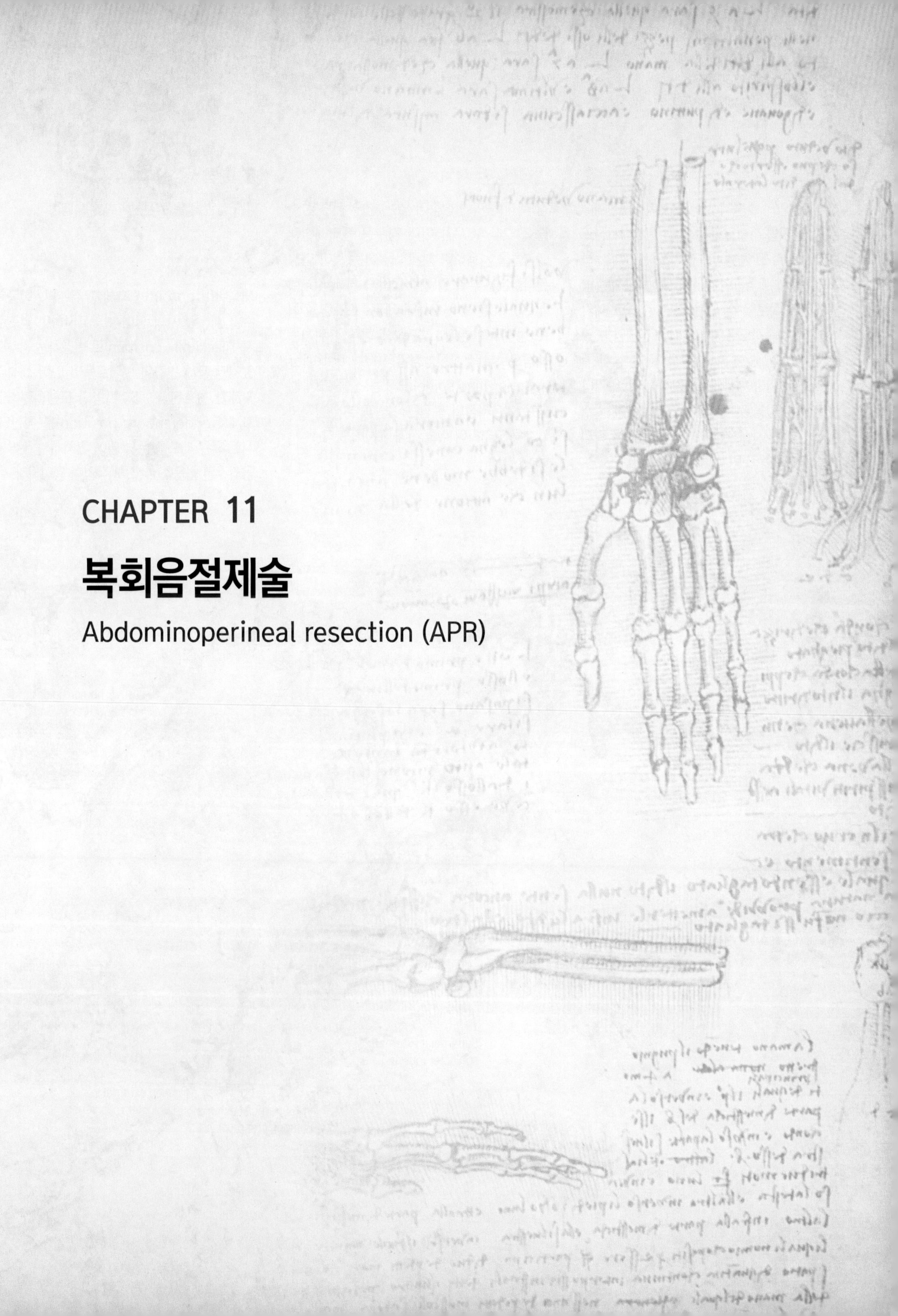

CHAPTER 11

복회음절제술

Abdominoperineal resection (APR)

1. 적응증

하부직장암의 수술시 시행되는 복회음절제술은 수술 기법의 발달과 수술 전 항암방사선요법의 발달로 그 시행빈도가 감소하고 있다. 하지만, 항문외괄약근의 침윤, 1 cm 이상의 종양 절제연을 확보할 수 없는 경우, 수술로 제거한 암이 지속적으로 재발되거나 잔여암이 있는 경우, 혹은 수술 후 항문 괄약근의 심한 기능 저하로 인하여 삶의 질이 유지되지 않거나 보존할 수 없을 것으로 판단되는 경우에는 수술 전 항암방사선요법을 선행 후 복회음절제술을 적용하는 것이 바람직하다(그림 11-1A, B).

2. 수술 전 처치

장 폐쇄 등의 합병증이 없는 경우 대부분 수술 전 24~48시간 이내 경구용 폴리에칠렌 글리콜을 사용하여 장세척을 하는 것이 권장된다. 수술 부위 감염을 줄이기 위해 피부절개 30~60분 전에 2세대 세팔로스포린을 최초 정맥투여 한다. 영구적 결장루의 위치는 배꼽으로부터 좌전상장골룽(left anterior superior iliac spine)을 잇는 선을 그어 배꼽쪽 1/3지점의 복직근상방 피부에 환자의 체형을 고려하여 수술 전에 표시해 둔다.

3. 마취

기도삽관을 통한 전신마취를 시행한다.

4. 환자 자세

쇄석위(lithotomy) 자세를 취한다. 회음측 수술 시 수술자의 편이성을 고려하여 엎드린 자세(jackknife position)로 변경하는 경우도 있지만 자세 변경의 번거로움이 있어 쇄석위 자세가 선호된다. 15° 가량의 트렌델렌버그 자세(Trendelenburg position)를 취한다. 시트 혹은 패드를 둔부 밑에 거치시켜 둔부를 올려주면 회음측 수술 시 작업이 용이하다.

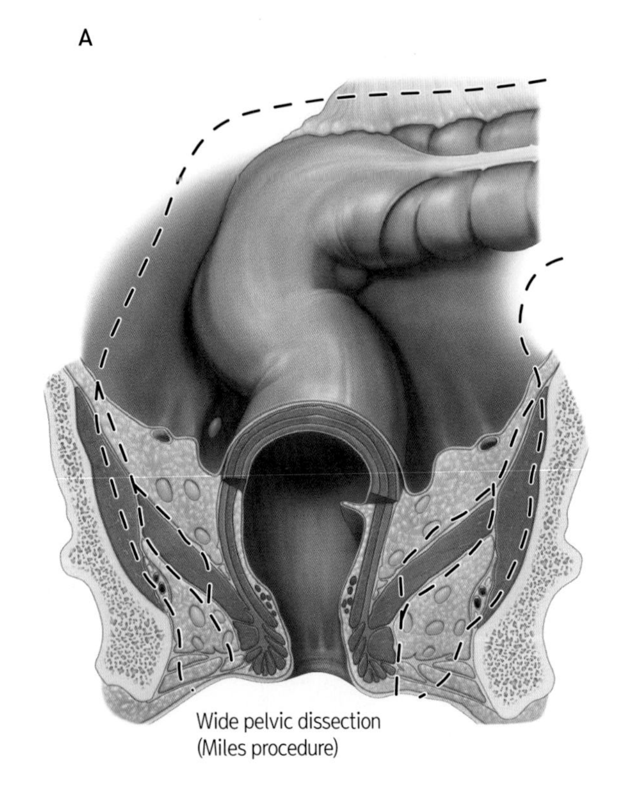

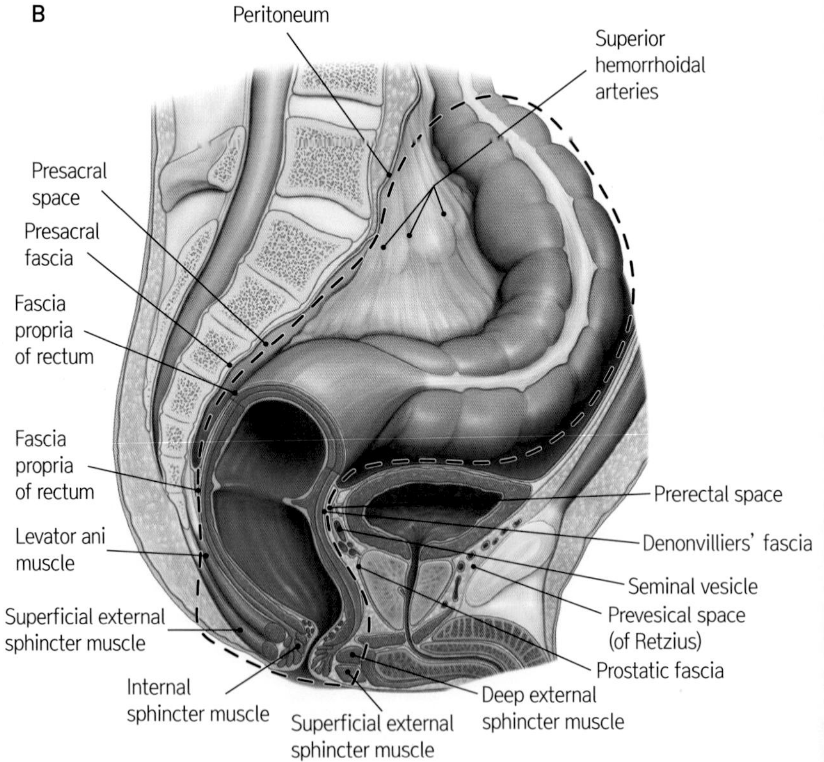

그림 11-1
A. Extent of resection for rectal cancer
B. Saggital view of extent of mesorectal excision

5. 수술 준비

도뇨관을 삽입하고 복부, 회음부, 항문, 서혜부, 그리고 대퇴부 1/3을 포함하여 포비돈 용액으로 닦는다.

6. 절개 및 노출

1) 개복

배꼽 3~5 cm 위의 정중선에서 치골결합 1~2 cm 상방의 정중선까지 연장하여 정중절개를 한다. 복강 내 장기를 확인 후 소장은 수술 시야에 들어오지 않게 상복부 혹은 우상복부 쪽으로 위치시켜 수술 시야를 확보하고 자가견인기로 고정한다.

2) 복강경

배꼽 1 cm 상방에 11 mm camera port를 삽입하여 위치시키고 기복을 형성한다. 이후 우측쇄골정중선 상의 우하복부, 우상복부에 5 mm 투관침을 위치시켜 수술자가 조작하며. 좌측쇄골정중선 상의 좌하복부에 5 mm 투관침을 추가로 위치시켜 복측 수술 시 제1조수가 조작하도록 한다. 상황에 따라 좌측쇄골정중선 상의 좌상복부에 5 mm 투관침을 추가로 위치시켜 제1조수가 조작하도록 한다.

7. 수술 과정

복회음절제술은 크게 복측 수술과 회음측 수술 2단계로 진행되며, 일반적으로 복측 수술을 먼저 시행 후 회음측 수술을 진행한다.

1) 복측 수술

기본적으로 전직장간막절제(total meso-rectal excision, TME) 종양학적인 원칙을 지키며 저위전방절제술과 유사한 원칙을 지킨다. 먼저 조수가 에스결장을 복측으로 당기면 대동맥에서 분지하여 내려오는 하장간막동맥(inferior mesenteric artery, IMA)의 주행을 확인할 수 있다. 천골곶(sacral promontory)과 대동맥 분기점(iliac bifurcation) 등의 해부학적인 지표를 확인 후 천골곶에서부터 두측으로 박리를 시작한다. 내장복막인 직장간막 및 에스결장간막과 전천골근막 사이의 무혈관 공간을 따라서 박리하여 대동맥의 하장간막동맥 기시부까지 진행한다. 이때 하얀색 섬유끈처럼 관찰되는 하복신경총(hypogastric nerve)이 박리면 아래에 보존되고 있는지 확인하면서 박리한다. 하장간막동맥의 기시부를 확인하고 대동맥으로부터 2 cm 가량 상방에서 하장간막동맥을 결찰한다.

조수가 직장 및 에스결장을 충분히 견인하고 있는 상태에서 박리를 진행하며 발생학적으로 내장복막과 벽쪽복막이 만나 생성된 무혈 박리층인 톨트선(Toldt's fascia)을 따라서 장간막과 후복막을 섬세히 분리시킨다. 좌측 요관과 생식선혈관이 박리면 아래에 보존되고 있는지 확인하면서 내측박리를 진행하고, 두측으로는 췌장의 아래면까지 박리를 진행하여 하장간막정맥(inferior mesenteric vein, IMV)을 확인 후 결찰한다. 췌장의 복측면을 따라 췌미부로 박리를 이어나가 내측 박리를 마무리 한 후 외측 박리를 시작한다. 결장을 중앙으로 견인하면서 좌측 톨트선을 따라 박리하여 직장 및 좌측결장을 벽측복막과 분리시키고 결장간막과 제로타근막(Gerota's fascia)을 분리시킨다. 이 과정 중에 앞서 시행한 내측 박리면과 만나게 되고 후방으로는 췌미부 전방까지 박리가 도달한다 (그림 11-2).

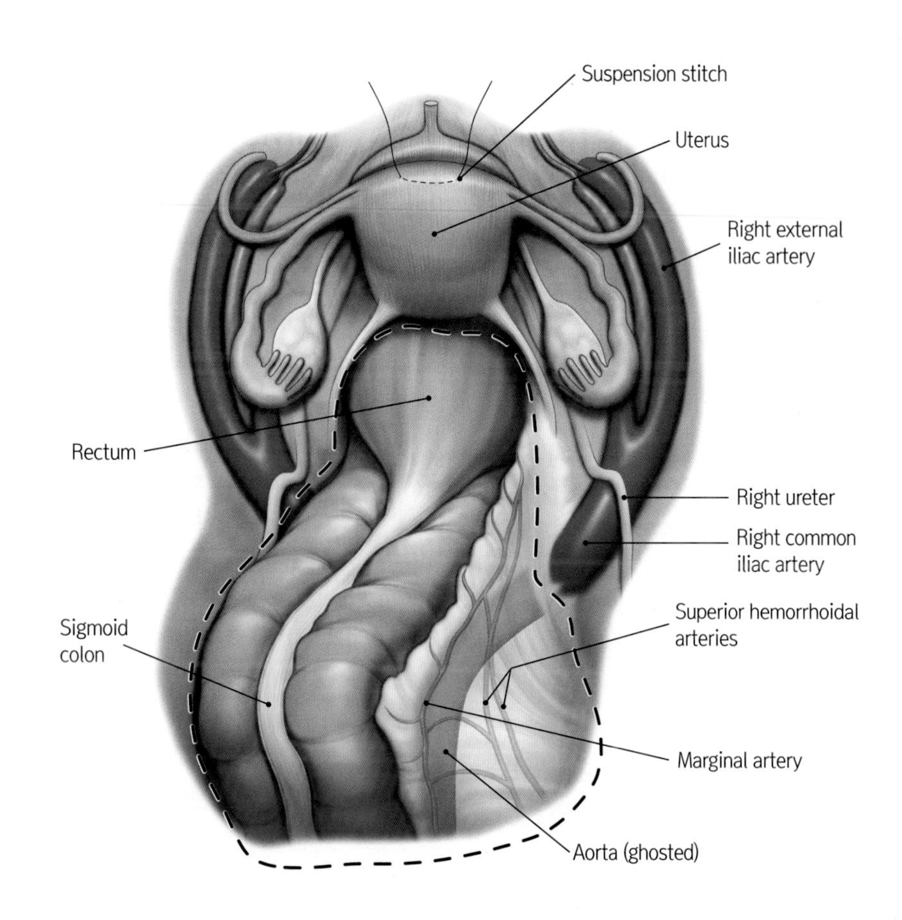

그림 11-2 Peritoneal incision and extent of resection for Low Anterior Resection, Abdominoperineal excision by laparoscope

이후 비결장간막을 절제하고 횡행결장 원위부와 대망을 분리시킴으로써 좌측결장의 가동성을 충분히 확보할 수 있다. 결장의 가동화가 마무리되면 직장 후방 박리를 시작한다.

2) 전직장간막 절제술(TME)

(1) 직장의 후방박리

직장은 직장간막이라는 지방조직으로 둘러싸여 주위지방층이 발달되어 있는데 이 속에 상직장 동맥, 정맥과 림프절, 림프관 등이 지나가며 대부분은 직장간막에 포함되어 있다. 주로 직장의 후방에 가장 잘 발달되어 있고 측방과 전방에서는 발달이 약하다. 해부학적으로 직장간막이 항문거근에서 약 2 cm 상방에서 거의 없게 되어 원통형의 직장근육층 남게 된다. 이러한 구조는 직장고유근막(visceral pelvic fascia)에 둘러 쌓여 있다. 골반혈관과 골반의 벽을 덮는 막을 골반측벽골반(parietal pelvic fascia)이라 한다.

① 직장고유근막(Visceral Pelvic Fascia)

골반근막은 벽측근막(parietal pelvic fascia)과 내장근막(visceral endopelvic fascia)으로 나눌 수 있는데 내장근막은 직장과 직장 간막을 주로 싸고 있는 근막으로 직장고유근막으로(rectal proper fascia) 불리기도 한다.

아래로는 내괄약근에서 끝나고 측방으로는 내장골동맥에서 끝나 벽측골반근막으로 이행된다. 위로는 천추갑각근처에서 S자결장간막으로 이행된다. 직장간막의 후방과 측방의 벽은 한장의 얇은 근막층인 직장고유근막으로 둘러싸여 있다. 이 고유근막의 두께는 개인에 따라 얇은 경우도 있어 찢어지기 쉽다.

직장고유근막은 좌우내장골동맥사이에 직장간막을 쳐주는 그물침대라고 표현하기도 한다(Hammock). 이것은 부주의하면 손상받기 쉬우며 상부직장이 복막에 둘러싸인 곳을 제외하면 잘 관찰된다.

② 골반측벽골반(Parietal Pelvic Fascia)

측벽골반 근막은 골반의 뒤쪽 parietal fasica, pyriformis, coccygeal, 그리고 levator ani muscles 등의 측벽골반근육과 천골, 미골의 골막을 얇게 둘러싸고 있다. 뒤쪽은 천골과 전천골동정맥 사이의 공간이다. 내장골, 요됴 하복신경총을 보호한다. 혈관, 림파선뿐 아니라 신경의 분지가 근막을 따라 측방에서 내측으로 주행한다.

③ 천골전 근막(Presacral fascia)

후복막의 혈관 및 세뇨관을 감싸는 벽측 골반 근막의 연장인데 천추위에서 두꺼워진 근막이다. 측방으로 가면서 얇아져서 piriformis과 coccygeus muscle을 덮는다. 뒤쪽으로는 직장 고유근막과 합해져서 직장 측방인대, rectovescial septum, uterosacral ligament, cardinal ligament와도 합쳐진다고 한다. 아래쪽으로는 항문직장 경계 부위에서는 anococcygral ligament 일부가 되기도 한다. 이 근막 뒤로 presacral artery and vein, superior hyperior hypogastric nerve, hypogastric nerve 등이 지나가므로 이 근막을 다치면 presacral vein 등이 다칠 수 있어 심각한 출혈이 생길 수 있다. 특히 rectosacral fascia level 하방에서 이 근막과 혈관 손상 시 심각한 출혈이 생길 수 있는데 따라서 직장을 박리 시 직장 고유 근막과 presacral fascia 사이로 하는 것이 안전하고 쉬운 방법이다.

복막반전을 절개한 후 직장을 박리하는데 후직장강(retrorectal space)으로 접근할 때 정확한 박리면으로 들어가면 무혈의 박리가 가능하다. 하복신경의 손상을 피하면서 천골전 근막(presacral fascia) 사이 느슨한 간극 조직(loose areolar tissue)로 박리 시 제4천골 위치에서 직장천골근막(rectosacral fascia)를 만나게 된다.

④ 후직장막(Retrorectal Fascia)과 후천추인대(Rectosacral Ligament)

제4 천추 부위에서 벽측과 내장골반 근막이 섬유막에 의해 강하게 서로 연결되었는데 이 근막을 rectosacral fascia로 일컫는다. 대개 제4 천추에서 시작되어 항문직장 경계 3~5 cm 상방에서 직장 고유 근막과 합쳐진다. 예리하게 절단 하지 않으면 쉽게 잘리지 않는 경우도 있고 사람에 따라 얇은 막으로 되어 있어 쉽게 절단 될 때도 있다. 개인에 따라 다양한 두께를 가지나 대게는 두꺼운 경우나 골반강 아래 시야가 좋지 않은 상태에서는 손으로 비절개박리(blunt dissection)하다가 천골전 근막(presacral fascia)의 찢김 손상(avulsion injury)이 생기면 천골전 정맥총 손상(presacral venous plexus injury)이 생기고 이로 인한 대량 출혈이 발생하게 되어 때로는 지혈이 곤란하게 된다. 또한, 후직장강의 박리면은 주직장간막을 싸는 직장고유근막과 하하복신경(inferior hypogastric nerve) 사이를 말하며 따라서 아울러 골반신경총 손상을 받기 쉽다. 직장을 후복막의 고정된 부분을 정확히 박리하여 직장을 가동화하면 종양은 원래 위치보다 항문에서 약 5-6 cm 이상 상부에 위치하게 된다. 저위 전방 절제나 복회음절제술 시 매우 중요한 개념이다. 이 근막의 정확히 절단하지 못했을 때 직장 박리 시 첫째 직장의 천공, presacral venous plexus 손상으로 인한 과다 출혈 등의 위험이 있고 둘째 직장의 골반강내 충분한 가동이 안된다(그림 11-3).

(2) 직장의 측방박리

직장간막은 직장의 측-후방에 발달되어 있으며 직장간막을 싸는 직장 고유 근막과 골반신경총과 붙어 있기 때문에 박리하는데 주의하지 않으면 골반 신경총이 손상받기 쉽다. 이 맞닿은 부분의 단단한 구조는 측방인대(lateral ligament)로 명명되기도 하나 실제 존재하는 것은 아니다. 그러므로 적당한 직장벽의 견인과 단계적인 정확한 박리가 필요하다. 이때 내장골동맥에서 나오는 중직장동맥이 이근처로 주행하는데 대게는 실제 존재하더라도 큰 혈관이 아니기 때문에 혈관을 결찰 할 필요는 없다. 간혹 드물지만 비교적 큰 중직장 동맥이 있는 환자가 있는데 이 경우에 박리 시에 혈관 손상이 발생하여 대량 결찰(mass ligation)하거나 직장의 견인으로 골반 신경총 손상을 초래하게 된다. 또한, 이러한 구조를 박리 시 골반총과 S2, 3, 4, 천골에서 올라오는 천골 부교감 신경손상도 초래되기 쉽다(그림 11-3A, B).

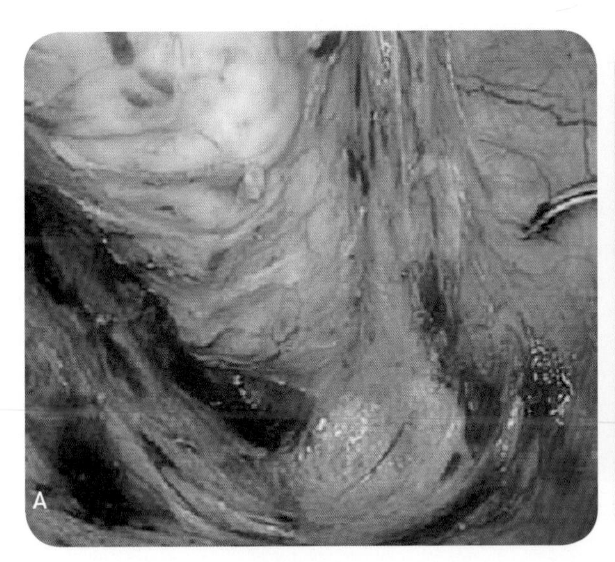

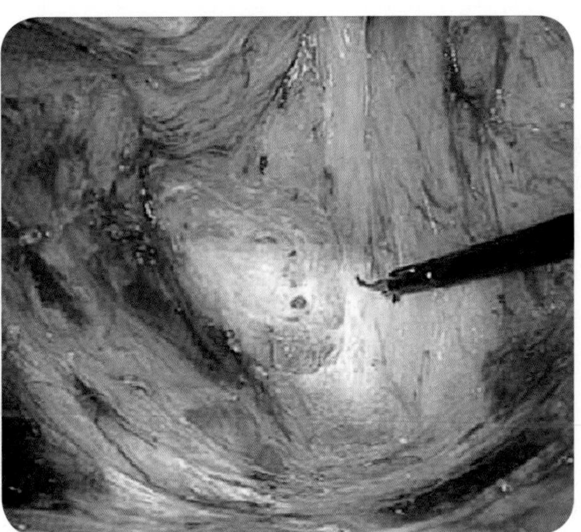

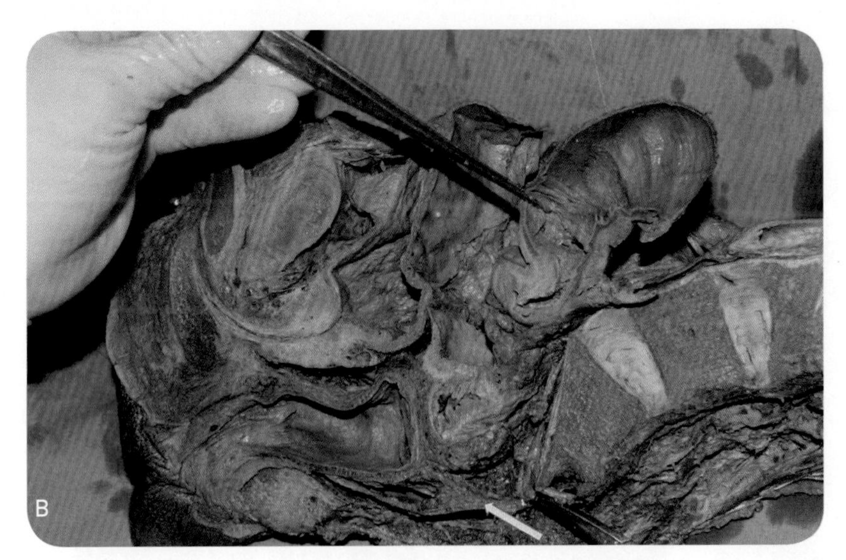

그림 11-3 A, B Posterior rectal dissection; the rectosacral fascia was noted at the level of S4 or S5 spine-Variable thickness 3~4 cm strong fibrous structure craniocaudal direction (arrow)

(3) 직장의 전방 박리

Denonvilliers가 기술한 근막으로 직장과 정낭 및 전립선등과 사이에 위치한 recto-vesical septum을 일컫는 것인데 수술 시 전 직장간막(anterior mesorectum) 전방에서 반짝거리는 근막을 발견할 수 있다. 조직학적으로 dense collagen, smooth muscle fibers and coarse elastic fibers 등으로 이루어져 있다. 정낭과는 대개 쉽게 박리가 되나 직장 간막의 지방층이 붙어 있고 남자에서는 posterior prostatic capsule과 perineal body와 합쳐진다. 이 근막은 젊은 연령에서 보다 발달되어 두껍고 나이가 들수록 뚜렷하지 않게 된다고 한다 (그림 11-4A, B).

여자인 경우에는 직장과 질 사이 rectovaginal septum이 보다 뚜렷하지는 않다고 한다. 전방에 위치한 직장암일 경우는 이 근막의 앞쪽으로 박리를 권장하고 있으나 성 기능 신경을 다칠 확률이 높고 보다 박리가 어렵고 출혈이 많다. 직장의 전방으로는 이 막을 절개하면서 직장을 정낭과 박리한다. 이때 성기능과 배뇨기능의 보존을 위해서는 Denonvillier씨 근막 수준에서 측방으로 정낭의 10시와 2시 방향으로 너무 지나치게 박리하면 성기로 가는 신경혈관다발(neurovascular bundle) 손상을 초래할 수 있다. 골반 신경총에서 전방으로 주행하는 신경혈관다발의 손상을 피하기 위하여 직장의 앞쪽에서 Denonvillier씨 근막 절개 시 U 형의 절개를 하는 것이 중요하다고 한다. 더 하방으로 내려가면 전립선과 만나게 되는데 이 이하로 내려갈 시 출혈과 신경 손상을 초래 할 수 있다. 여성인 경우는 질벽을 직장과 충분히 박리하지 않으면 직장 문합 시 질을 손상시킬 수 있으므로 주의하여 박리해야 한다.

(4) 직장간막의 절제 범위

직장간막을 싸는 직장 고유 근막을 따라 박리하면 골반강으로 내려가도 원추형이 아니라 원통형으로 박리가 진행되어야 한다. 골반강으로 깊이 내려가도 직장간막을 싸는 직장고유 근막을 찢지 않는 것이 중요하다. 그러나 개인에 따라 이 근막이 두께가 차이가 많다. 절제 후 전직장간막이 잘 이루어진 병변은 고유근막이 찢어지지 않고 온존하게 보존된 상태이어서 반짝이는 표면을 가진 깨끗한 측방 절제연을 갖는다. 해부학적으로도 직장간막이 항문거근에서 약 2~3 cm 상방에서 거의 없게 되고 직장 벽만 남게 된다. 즉 직장천골근막(rectosacral fascia)이 붙는 자리에서 직장간막은 없어진다. 따라서 중부 및 하부 직장암인 경우는 결국 직장간막 대부분을 제거하게 된다.

상부직장을 복측, 두측으로 견인하면서 전직장간막절제의 원칙을 지키며 직장고유근막을 전천골근막(presacral fascia) 및 벽측골반복막(parietal pelvic peritoneum)으로부터 박리한다.

박리를 미측으로 진행해 나가면 직장천골근막(rectosacral fascia, Waldeyer's fascia)이라고 불리는 치밀한 조직이 관찰되는데 이를 전기소작기(bovie)를 이용하여 절개하여 골반 기저부로 진입한다.

이때 손가락으로 강하게 힘을 주어 박리하려 한다면 전천골정맥총이 손상을 입어 대량 출

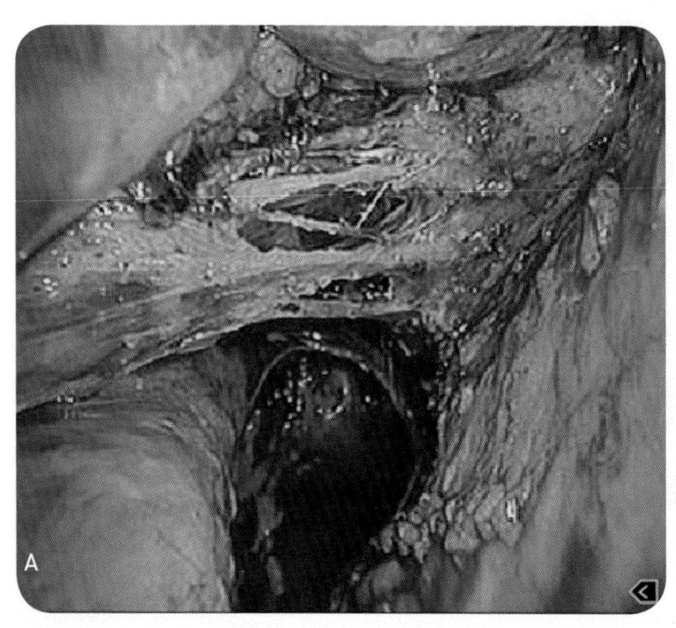

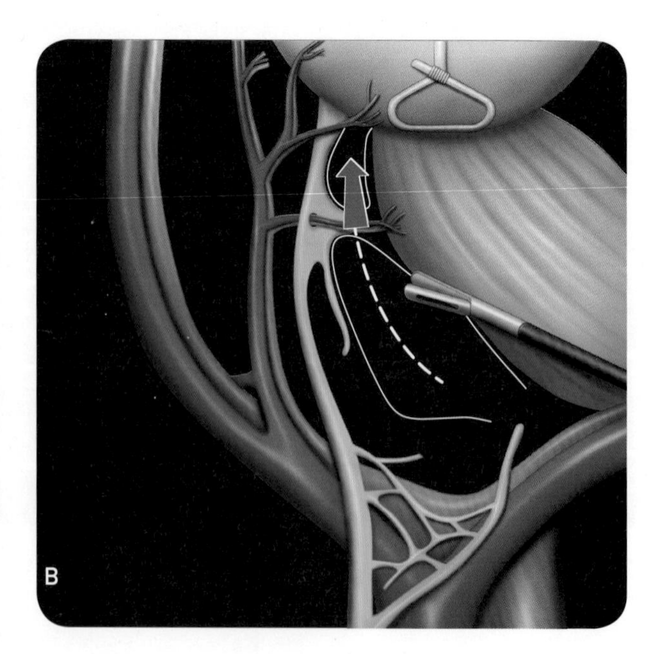

그림 11-4 A, B. Lateral rectal dissection

혈이 발생할 수 있으니 주의한다. 후방이 어느 정도 박리되었으면 측방의 박리도 같이 진행하는데, 이때 하하복신경총 및 골반신경총을 손상시키지 않도록 확인하며 진행한다.
이후 직장 전방 박리를 실시하는데 복막 반전(peritoneal reflexion)의 가장 깊은 곳에 절개선을 넣어 박리를 시작하며 보통의 경우 드농빌리에근막(Denonvillier's fascia)의 하층으로 진입하여 박리한다. 전방 박리 시 남성에서는 2시와 10시 방향의 정낭(seminal vesicle)을 확인해야하며 정낭 및 전립선에 과도하게 붙여서 박리 시 신경혈관다발(neurovascular bundle)에 손상을 줄 수 있어 주의한다. 여성의 경우에는 질 후벽으로부터 직장을 박리하며 직장질중격이 얇기 때문에 질 후벽이 손상되지 않게 주의한다(그림 11-5).

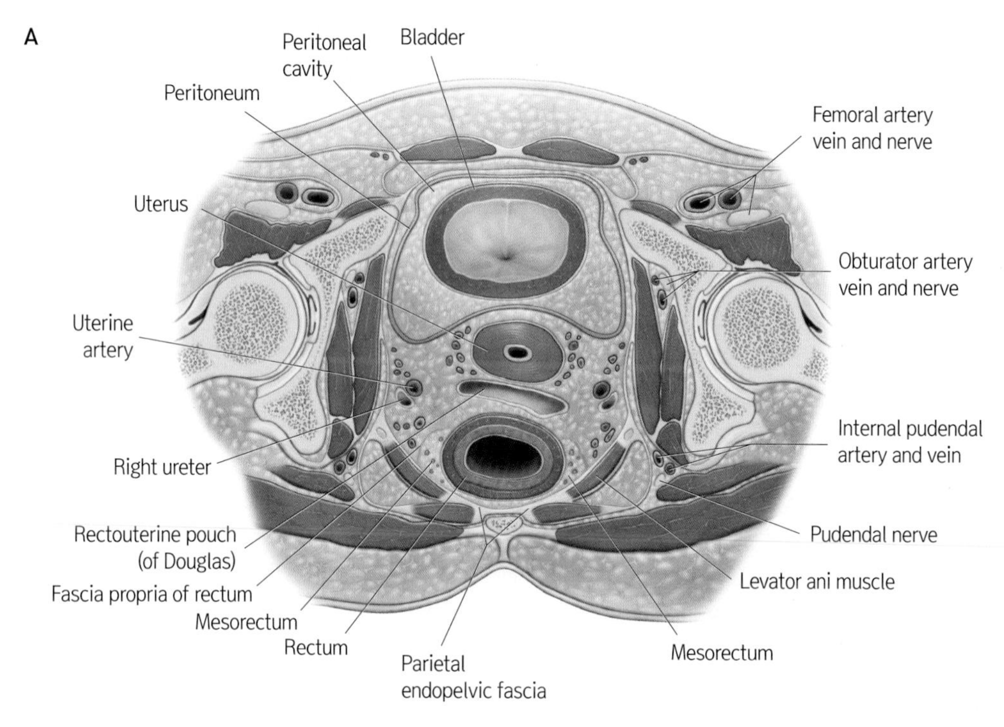

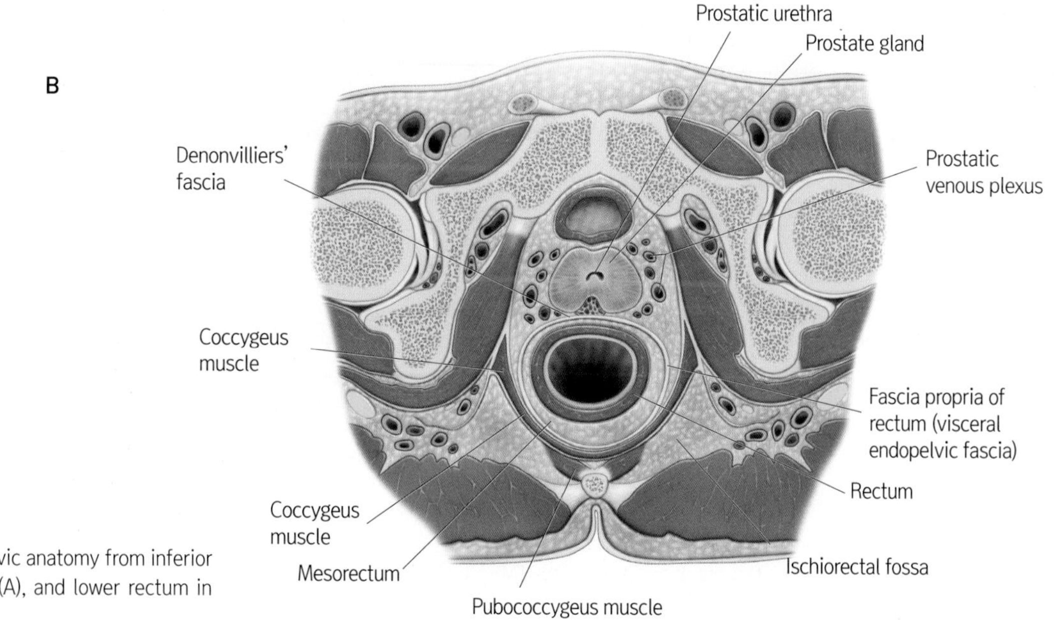

그림 11-5 Cross-sectional views of pelvic anatomy from inferior aspect upper rectum in female pelvis(A), and lower rectum in male(B)

이렇게 전직장간막박리가 마무리되면 골반저 근육(pelvic floor muscles)을 확인할 수 있다. 복강내에서의 직장 박리 종료 후에는 충분한 안전거리를 확보하여 근위부 장관을 절제하고 결장루를 조성하며 후복막을 복원한다.

3) 결장루

수술 전에 표시해 둔 위치에 직경 2~3 cm의 원형 피부절개를 시행 후 피하조직을 박리하여 복직근 전초를 노출시킨다. 전기소작기를 이용하여 십자 절개를 시행하고 복직근 섬유를 견인기로 제껴서 복직근 후초를 노출, 절개한다. 손가락 2개가 들어갈 정도의 크기가 적절하다. 근위부 결장을 결장간막이 꼬이지 않게 피부 바깥으로 꺼낸 후 복직근 전초와 장막근층을 고정한다. 이때 피부 바깥으로 나와 있는 결장의 길이가 5 cm 가량 되도록 충분히 길게 꺼내는 것이 좋다(그림 11-6).

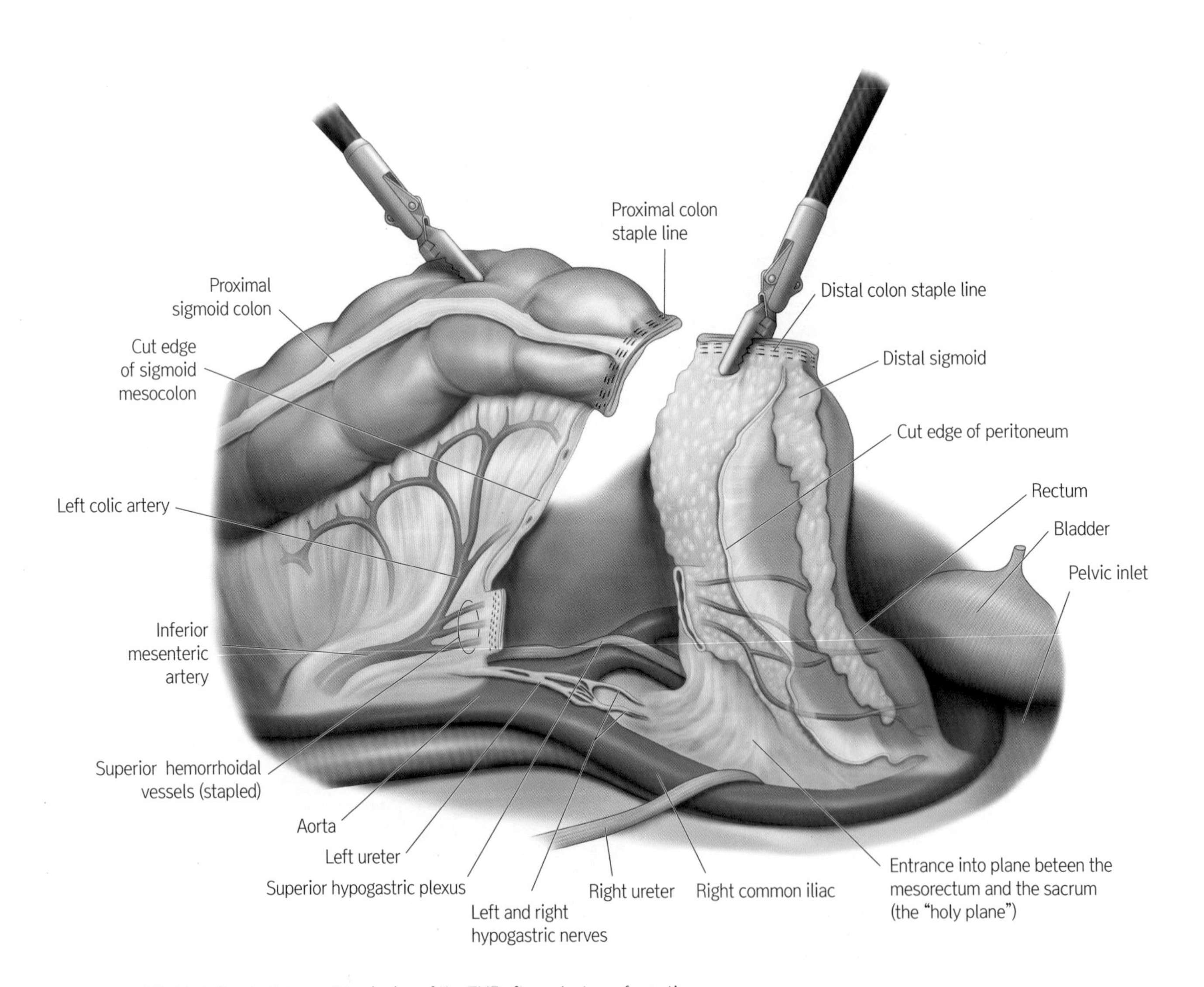

그림 11-6 Surgical plane at beginning of the TME after colostomy formation

4) 회음측 수술

하부 직장으로 갈수록 직장간막은 얇아지고, 괄약근 위치까지 내려가게 되면 사라지게 된다. 따라서 이 위치보다 하부에서는 충분한 거리의 외측절제연을 확보하기가 어려워 종양세포가 노출되거나 수술적 조작 중 천공이 발생하는 경우도 있다(그림 11-7A, B).

전통적인 방식의 복회음절제술은 충분한 외측절제연을 확보하지 못하는 경우가 많고 그로 인하여 높은 국소재발율, 불량한 생존율을 보이는 것으로 알려져 있다. 이를 보완하기 위하여 항문거근을 포함한 광범위복회음절제술(Extralevator abdominoperineal resection, ELAPE)이 고안되었다(그림 11-8).

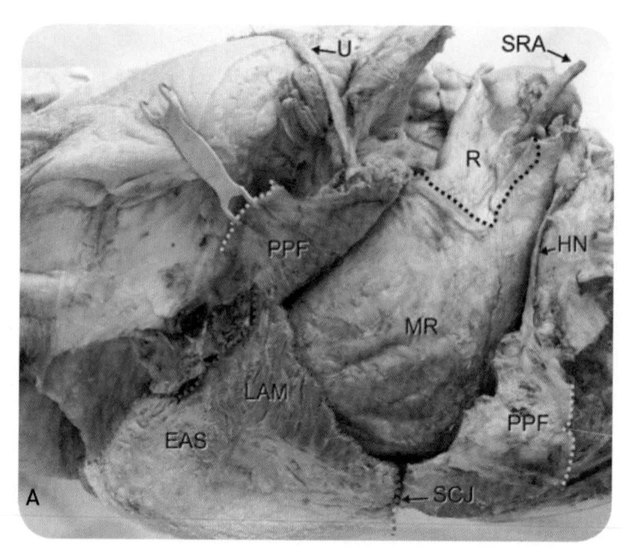

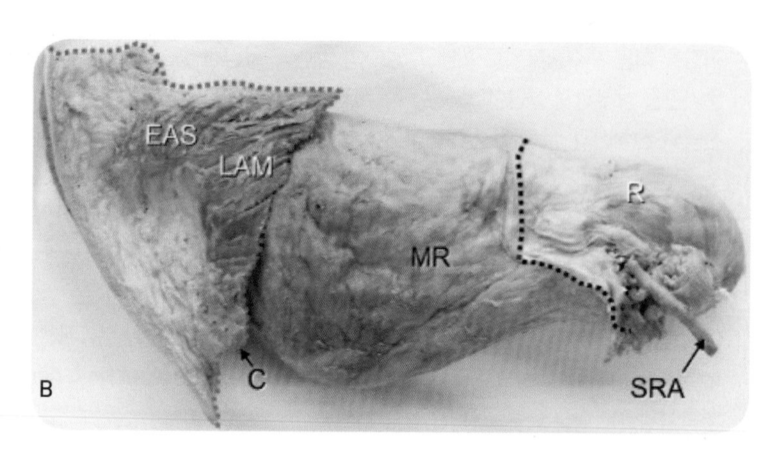

그림 11-7

A. Male pelvis with left hemipelvis removed parasagittally. After ELAPE the surgical specimen was returned into the pelvic cavity to demonstrate its relationship to surrounding structures. PPF parietal pelvic fascia; MR mesorectal fascia; EAS external anal sphincter; LAM levator ani muscle; C coccyx; R rectum; SRA superior rectal artery; SCJ sacrococcygeal junction (divided); HN hypogastric nerve; U ureter.

B. Surgical specimen of ELAPE Reference by Stelzner S, Holm T et al, Dis Colon Rectum 2011; 54: 949,955

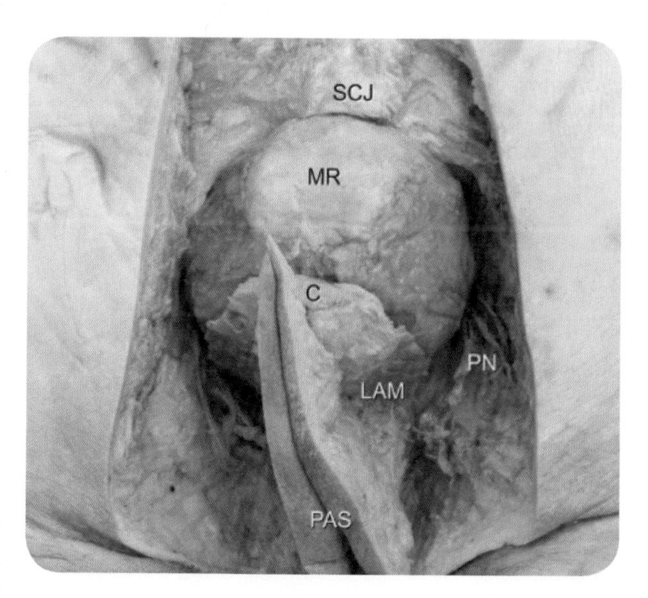

그림 11-8 Male perineal and ischioanal regions after posterolateral release of the surgical specimen (prone jackknife position).sacrococcygeal junction (SCJ), the levator ani muscle (LAM) ,mesorectum (MR) PN pudendal nerve (inpart reflected); C coccyx. Reference by Stelzner S, Holm T et al, Dis Colon Rectum 2011; 54: 952

항문을 쌈지봉합으로 폐쇄한 후 외항문괄약근 외측으로 미골하연부터 회음체까지의 범위를 포함하여 방추형의 피부절개를 한다. 외항문괄약근 외측 방향으로 좌골직장와의 피하지방을 일괄절제하여 박리해 올라가면 항문거근이 노출된다. 항문거근의 외측 표면을 충분하게 노출 시키도록 박리하는 것이 중요하다. 박리가 완료되면 미골 첨부 위에 있는 항문미골인대(anococcygeal ligament, anococcygeal body)를 절개하고 항문거근을 절개하여 골반강 내로 진입한다. 항문거근을 양측으로 3시와 9시 방향까지 절단한 후에 직장을 회음측 수술부위로 꺼내고, 양측의 항문거근을 상부까지 절단한다.

전방의 전립선과 질 후벽과의 잔여 부착부위를 절제하고 골반저근육의 분리를 완료함으로써 직장항문을 완전히 절제하게 된다.

이렇게 함으로써 수술 후 절제된 표본이 원뿔모양(conical shape; 항문거근의 부착 부위에서 함몰된 불충분한 절제)이 아닌 원통모양(cylindrical shape)으로 유지되며 충분한 외측절제연을 확보할 수 있게 된다.

절제가 마무리되면 따뜻한 생리식염수로 골반강을 충분하게 세척 한 후에 천골 전면으로부터 회음부를 관통하여 배액관을 삽입, 거치한다. 사강을 가능한 작게 하기 위해 피하의 깊은 층부터 순차적으로 연부조직 봉합을 시행 후 피부를 봉합한다.

5) 골반 자율 신경 보존술

골반의 체신경은 천골과 회음신경총으로 구성되며 이들은 상, 하복신경총인 자율신경계와 연결되어있다. 이들은 직장을 가동하여 박리할 때 신경손상을 잘입는다. 골반의 자율신경계는 요추와 천골신경총의 교감신경과 부교감신경으로 나눌 수 있다. 자율신경은 해부학적 연구를 통해 superior hypogastric plexus (SHP) hypogastric nerve, pelvic splancnic nerve and inferior hypogastric plexus (IHP)로 나눌 수 있다.

(1) 상하복신경인 (Superior hypogastric plexus)

교감신경은 대동맥 앞 또는 측방에서 신경총을 형성하면서 내려와 하장간막 동맥기시부 주위에서 신경총을 형성하면서 상하복신경은 제1천골과 대동맥분지수준에서 좌측 총장골동맥과 교차하면서 골반으로 내려간다. 좌우 가지로 나누어지면서 직장고유근막에 매우 인접하여 골반강으로 내려간다(그림 11-9).

제2, 3, 4 천골 신경에서 나오는 부교감 신경(pelvic splanchnic nerve 혹은 plexus)는 5~6 cm정도 길이로 정낭의 측단까지 위치하고 있다. 정낭의 하연을 따라 전립선의 측방을 따라 이 신경총이 지나는데 복회음부 절제술 후 회음부 쪽에서 잘 볼 수가 있다.

(2) 상하복신경 (Superior hypogastric nerves)

제2, 3 요추 신경에서 나오는 양측 lumbar splanchnic nerves가 주성분인데 대동맥위 신경총을 형성하면서 내려와 하장간막 동맥기시부 주위에서 서로 1~2 cm에 위치하고 뇨관의 내측에 있으며 주행신경총을 형성하면서 내려온다. 대개 대동맥분지 level에서 좌우 가지로 나누어지면서 이 신경은 다시 제5 요추와 제1 천추 level에서 좌우로 나누어져 hypogastric nerve가 된다. 상복신경의 위치가 벽측골반근막에 looseareolar tissue에 의해 붙어 있는데 대동맥 위에서 잘 볼 수 있고 천추갑각근처에서 벽측골반근막의 뒤쪽으로 주행된다. 하장간막 동맥 기시부 박리시나 대동맥 주위 림프절절제 시 상하복신경의 손상을 초래할 수 있다. 이 부위를 다치면 역행성사정(retrograde ejaculation)이 발생한다.

(3) 하하복신경 (Inferior hypogastric plexus)

골반강으로 내려와서 천골강에서 올라오는 부교감 신경과 만나서 골반 신경총을 형성하는 것이 보이고 이 곳에서 전방으로 성기로 가는 신경혈관다발(neurovascular bundle)을 관찰하게 된다. 보다 확대해서 관찰하면 조롱박근(piriformis muscle)을 가로질러 벽측 골반근막을 뚫고 나와 제2, 3, 4 천골 신경에서 나오는 부교감신경이 하하복신경과 만나 직장 측벽에서 골반 신경총을 형성 한다. 교감신경인 상하복신경이 대동맥 앞으로 내려와 골반강으로 내려오면서 하하복신경이 된다(그림 11-10A, B).

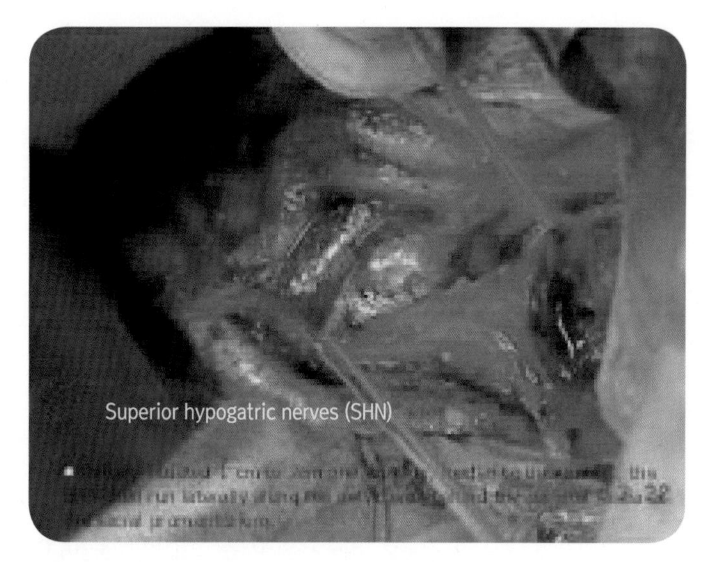

그림 11-9 Inferior hypogastric plexus sacral parasympathetic nerve from S2, 3, 4.

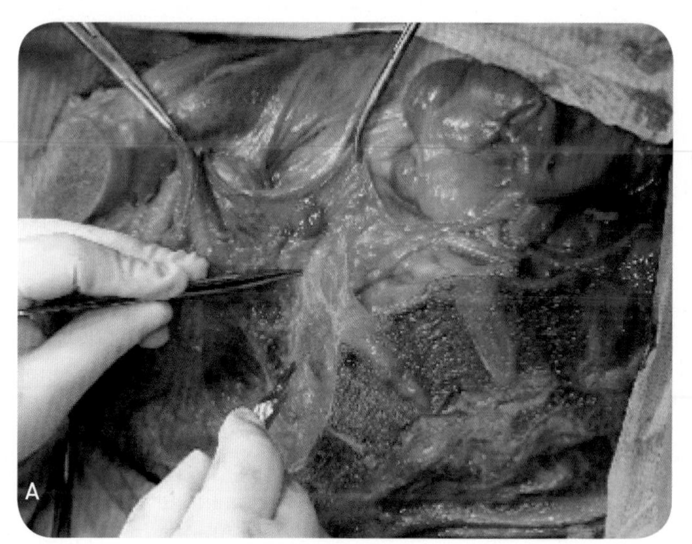

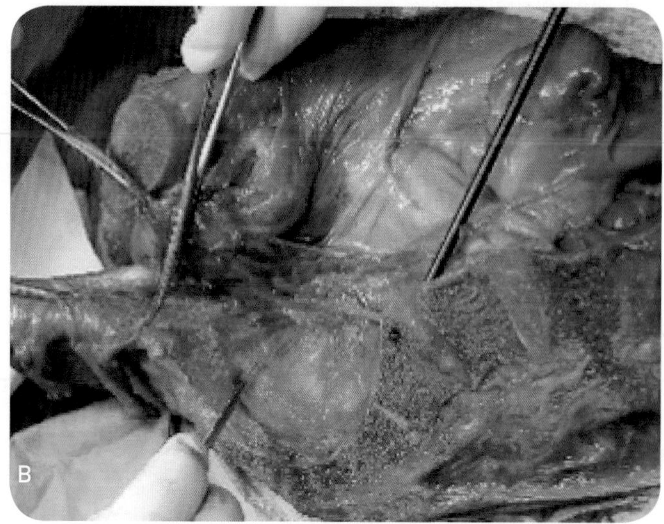

그림 11-10

(4) 골반 자율 신경 보존술

대동맥주위의 상하복신경, 두 곳의 하복신경(교감신경성신경) 그리고 골반 부교감신경(nervi erigentes)의 보존은 TME시행 중 하나의 술식에 해당된다. 상하복신경은 제1천골과 대동맥분지에서 좌측 총장골동맥과 교차하면서 골반으로 내려간다. 좌우 가지로 나누어지면서 직장고유근막에 매우 인접하여 골반강으로 내려간다. 골반 측벽에서 제2, 3, 4 천골강에서 나오는 부교감 천골신경을 만나서 골반신경총을 형성한다. 골반신경총과 직장의 측면과 붙어 있게 되며 골반신경총에서 성기 쪽으로 가는 작고 많은 신경혈관 다발은 정낭의 10시와 2시 방향으로 지나게 된다. 수술 소견 상 상하복신경은 골반강으로 내려가면서 골반벽을 타고 좌우로 나누어져 내려간다. 골반 측벽에서 천골강에서 나오는 부교감신경과 만나서 골반 신경총과 만난다 직장 측벽과 골반총이 박리된 상태를 나타내고 있다. 반절단골반(hemisectioned pelvis)에서는 T 형태로 신경을 잘 볼 수 있다. 상하복신경 손상을 피하려면 하장간막 동맥을 여유를 남기고 결찰해야 한다. 또 신경의 기능을 보존하려면 신경 주변 조직을 너무 박리하지 말아야 한다. 그 이유는 신경 주위에 혈관 등이 다치면 신경이 손상받게 되고 따라서 기능을 못하는 것으로 알려져 있다. 골반총 손상은 직장을 가동화 할 때 가장 조심해야 될 곳이 직장 측방과 골반총이 붙어 있는 부분인데 이 부분을 박리 시 적절한 직장의 견인과 함께 직장간막을 싸는 근막과 골반총의 분리를 해야 한다. 특히 제 3천골 신경이 다치지 않도록 과도한 직장의 견인이나 거친 박리는 피해야 한다. 이 부분에서 가장 많은 골반 신경총 손상이나 성기능 관련 신경 손상이 많다. 신경손상의 위험한 곳은 첫째, 하장간막동맥 기시부(교감신경성 하복신경), 직장 후방박리(교감신경성 하복신경), 측방박리(교감신경성과 부교감신경성의 혼합신경) 그리고 전방박리(cavernous nerves) 네 곳이다(그림 11-11A, B).

8. 병행 술기 및 기타 고려사항

1) 창상 재건 및 합병증

항문거근외연절제를 포함한 광범위복회음절제술은 회음부에 큰 결손공간을 만들기 때문에 전통적인 방식의 복회음절제술에 비하여 회음부 창상감염, 회음부 탈장, 배뇨장애, 성기능장애, 그리고 만성 회음부 통증과 같은 합병증의 위험이 증가하게 된다. 이를 보완하기 위하여 대둔근 피판(gluteus maximus flap)을 이용하여 골반저 재건술을 시행하기도 한다. 따라서 광범위복회음절제술은 외측 절제연을 확보할 수 없거나 수술 중 천공의 위험이 있는 초저위 직장암의 치료에 선택적으로 이용하는 것이 중요하다.

2) 항문괄약근/항문거근 절제: 육안적 평가(Quality of resection of the levator/sphincters) 질적 평가 분류 Grade

병리조직의 육안소견상 전직장간막(TME) 시행 후 하방의 항문관 주변의 항문거근 및 항문괄약근 절제 부위의 절제연의 qaulity는 복회음 절제술의 표본에서 별도로 평가 한다.

3) 항문 거근 절제군(Levator plane)

절제면은 직장간막 및 항문관과 함께 제거된 항문 거근의 측방 외부에 있어야 한다. 즉 괄약근의 측방 절제연은 여분의 보호층을 형성하는 cylindrically shape을 형성한다. 괄약근이나 항문 거근의 절제면의 큰 결손 없어야 한다(그림 11-12A).

4) 괄약근 절제군(Sphincteric plane)

절제면에 부착된 항문 거근이 없거나 아주 작은 원형의 근육만 있고 측 방절제면에 항문 괄약근만 관찰된다. 절제된 괄약근 근육 자체는 좌우 대칭으로 절제면은 결손없이 매끄러워야 한다. 절제표본은 전통적인 허리를(Waist) 초래하는 치골직장근의 수준에서 깔대기 모양(Corning down)의 형태를 보여준다(그림 11-12B).

5) 괄약근내/ 점막하 절제군(Intrasphincteric/submucosal plane)

수술적 절제면이 부주의하게 괄약근 내로 들어가 있거나 심지어 점막하 깊숙이 들어가는 경우로 어느 시점에서든 절제면의 천공이 여기에 속하게 된다. 괄약근내로 크고 작은 여러 결손과 전방 천공과 매우 불규칙적인 측방 절제면을 나타내는 괄약근내/점막하 절제면-항문 거근이 포함되지 않은 전형적인 허리를 모양을 보여준다(그림 11-12C).

9. 결론

직장암의 근치적 수술의 목적은 가능한 국소 재발을 줄이고 생존율을 향상시키는 종양학적 관점이 우선이며 아울러 가능한 항문괄약근의 보존과 배뇨기능과 성기능의 보존의 기능적인 측면을 충족하여야 한다. 그러나 종양학적인 안전과 최적을 치료를 위하여 TME와 CRM의 확보를 위하여 때로는 복회음절제술이 필요하다. 이를 위하여 정확한 해부학적 박리를 시행하여야 한다. 이러한 술식을 위해서는 보다 정확한 직장 및 항문, 골반의 해부학적 지식을 습득하고 훈련과 교육을 통하여 환자에게 적용하여야 할 것이다.

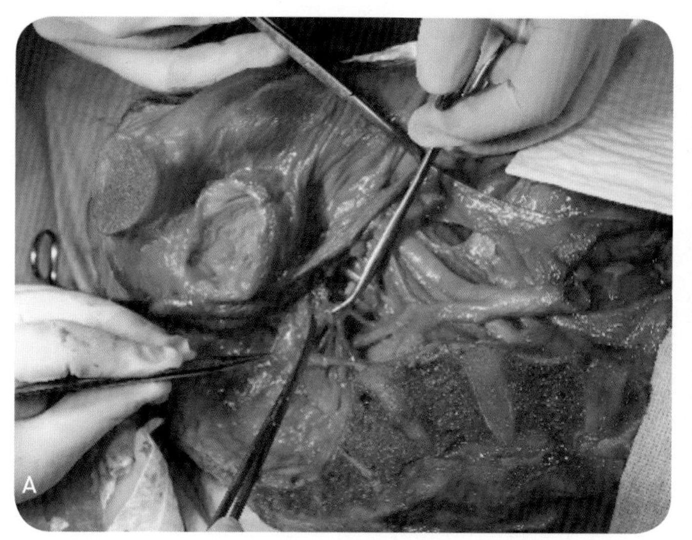

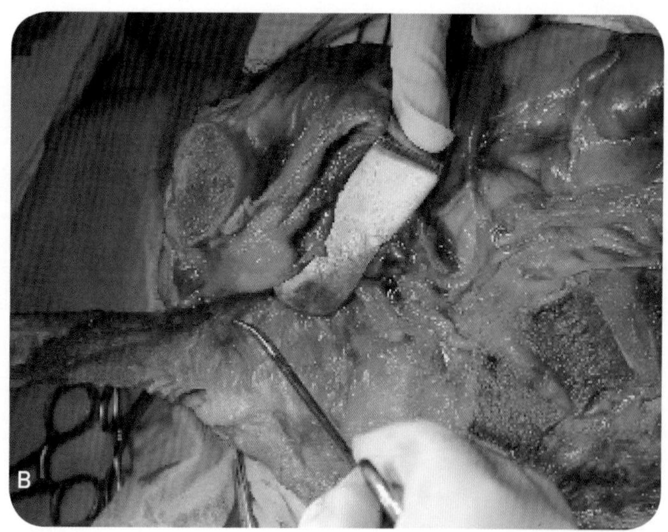

그림 11-11

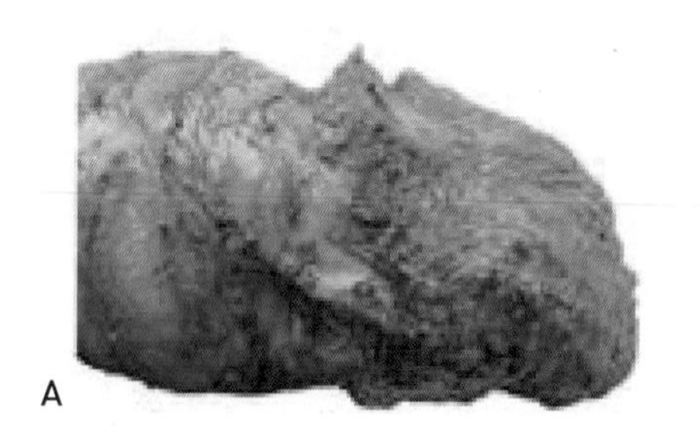

그림 11-12 A, B, C Gross inspection of the surgical specimen after APE
A. 직장잔간막에 부착 된 항문 거근을 보여주는 levator 절제면
B. 절제면에는 항문괄약근의 일부가 남아 있고 항문 거근이 포함되어있지 않고 허리를 모양을 보여준다.
C. 괄약근내 여러 결손과 전방 천공과 매우 불규칙적인 측방 절제면을 나타내는 괄약근 내/점막하 절제면-항문 거근이 포함되지 않은 전형적인 허리를 모양을 보여준다.

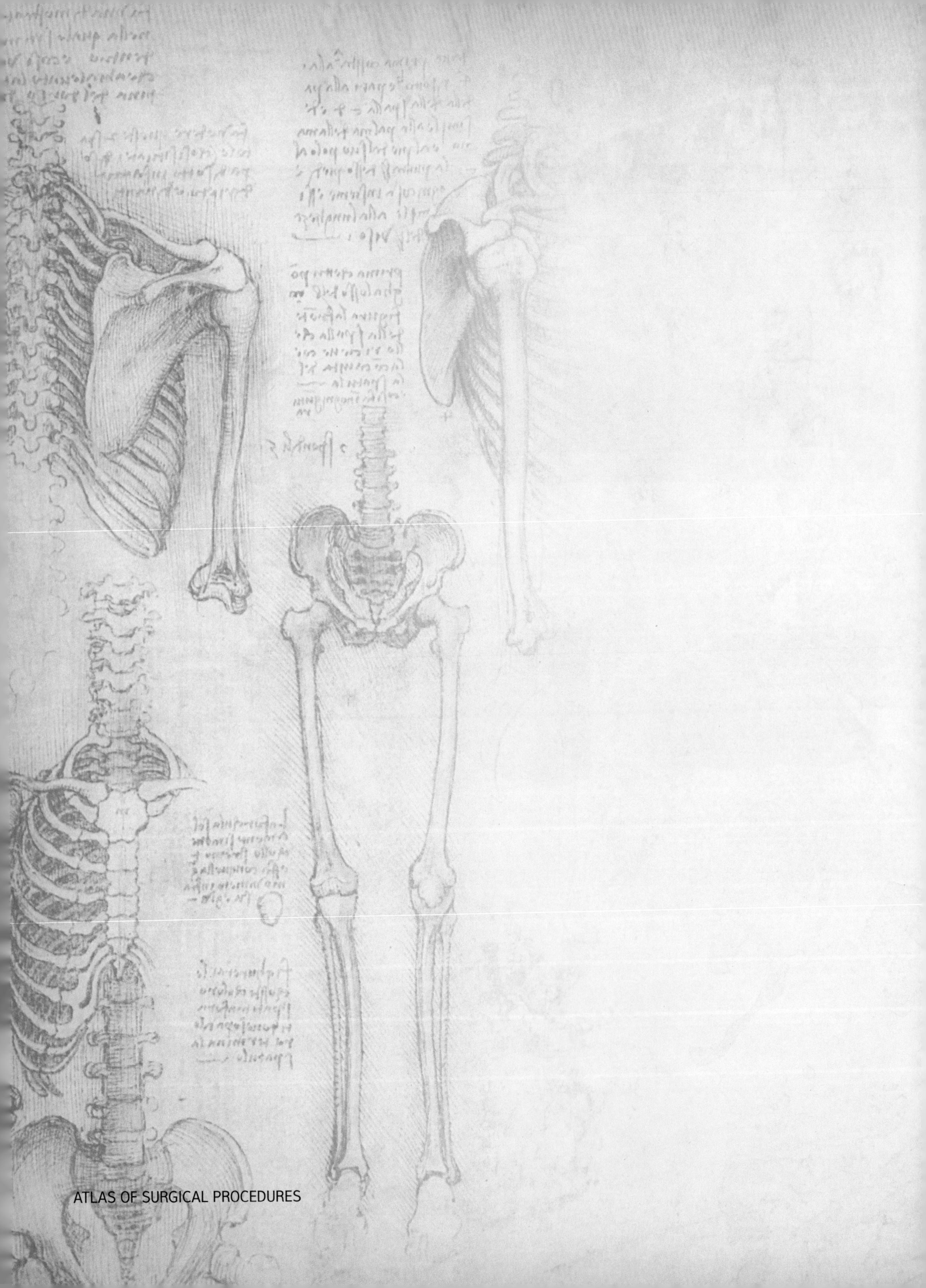

ATLAS OF SURGICAL PROCEDURES

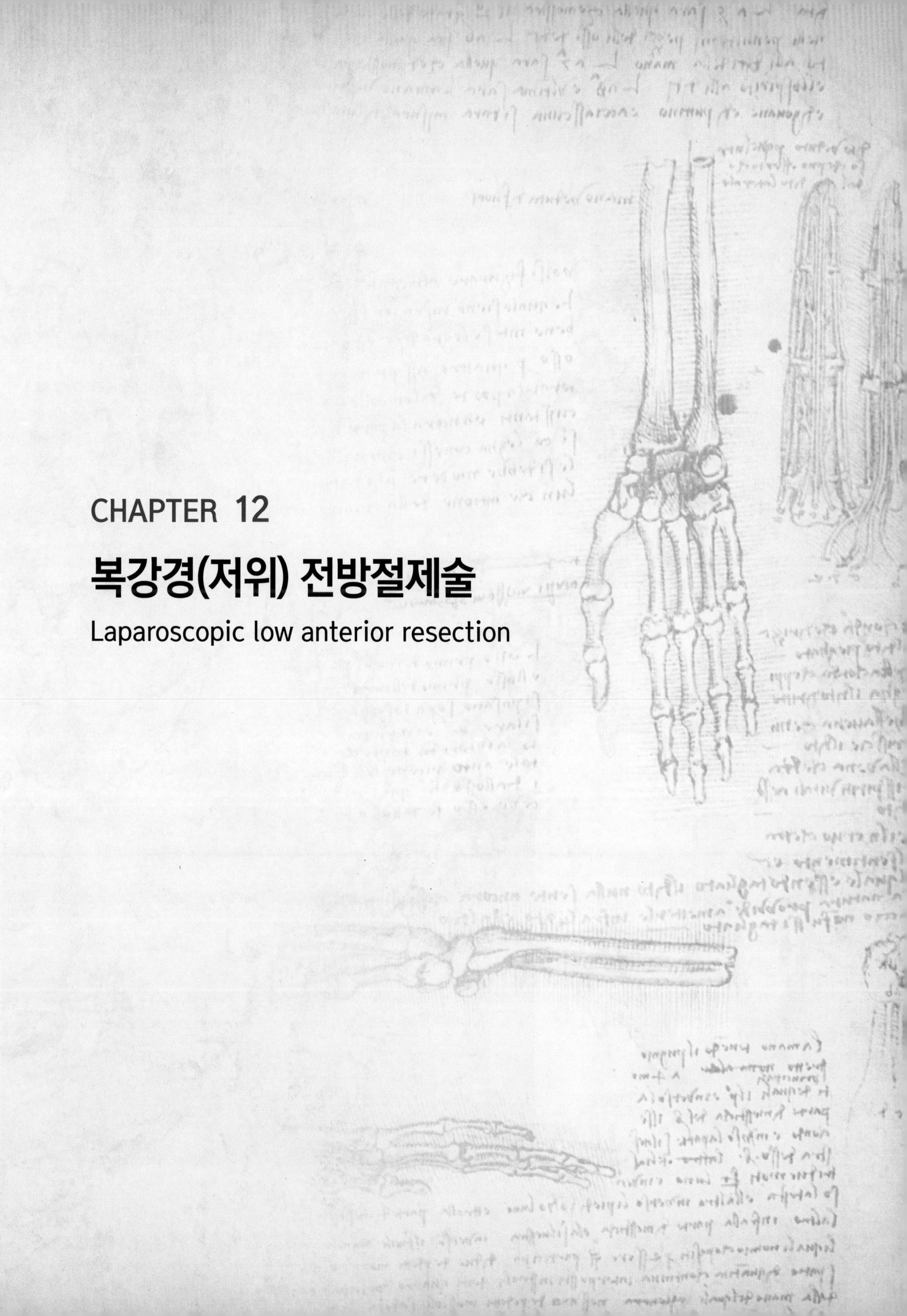

CHAPTER 12

복강경(저위) 전방절제술

Laparoscopic low anterior resection

1. 서론

전방절제술은 직장암의 외과적 치료에 표준 술식으로 여겨지며 Heald가 주창한 이래 전직장간막 절제술(Total Mesorectal Excision, TME)이 대표적이다. 이는 두 가지 측면에서 종양학적 중요성을 가지고 있다. 첫째는 대부분이 후복막에 고정된 직장을 고유직장간막(visceral endopelvic fascia)을 보존한 채로 종양이 있는 직장을 절제함으로써 하나의 "주머니" 형태로 측방절제연을 유지하며 직장간막내 종양세포나 림프절 등을 온전히 들어낸다는 것과 둘째, 종양 하부 림프흐름을 고려하여 전 직장간막을 절제하는 새로운 원위부 안전 절제연을 제시한 점이다. 이러한 개념은 결국 해부학적 구조를 면밀히 생각하여 안전한 절제연을 확보하는 것 외에도 무혈박리를 통하여 깨끗한 수술 시야를 확보하고 주변 골반내 자율신경을 보존하는 기능적 우수성도 가져다주는 방법으로 직장암뿐만 아니라 양성 질환에서도 널리 사용되는 수술 방법으로 그 술기, 특히 복강경 수술법에 대하여 기술하고자 한다.

2. 적응증

악성 종양뿐 아니라 불필요한 출혈을 피하면서 주변 장기나 신경의 손상을 줄이기 위하여 직장 절제가 필요한 거의 모든 양성 질환에서도 권장된다.

3. 수술실 내 준비 사항

복강경 수술은 여러 시스템과 기구를 사용하여 수술실내 환경이 자칫 복잡해질 수 있으므로 수술 시작 전 모든 시스템과 기구의 점검, 그리고 에너지 기구들로부터 나오는 선 및 세척, 흡입관들이 적절히 정리되어져야 한다. 모든 선들은 환자의 좌우 어깨를 통하여 수술 테이블로 들어오게 하여 환자의 양 어깨 하방의 공간에는 자유롭게 의료진이 이동할 수 있도록 하는 것이 중요하다(그림 12-1, 2).

그림 12-1

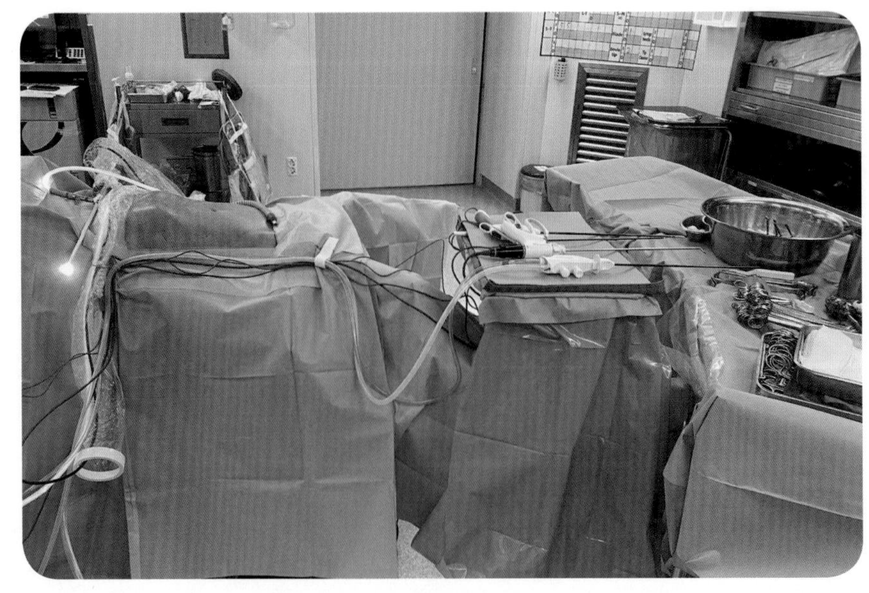

그림 12-2

4. 기복 및 환자의 자세

배꼽 직하방에 카메라 투관침을 위한 1 cm 정도 절개를 하고 배꼽을 타월크립 등으로 들어 올린 상태에서 베레스 침(Verres needle)을 꽂아 10~12 mmHg 압력으로 기복을 만든다. 환자의 자세는 다리를 벌린 상태로 머리 방향으로 15도, 우측으로 10도 정도 기울여진 변형 쇄석위가 일반적 체위이다. 카메라를 넣어 확인 후 수술 시야와 기관지 내압에 따라 추가적으로 기울기를 조절 할 수 있다(그림 12-3).

5. 투관침의 위치

배꼽 하방 카메라 투관침을 중심으로 우측 상하복부에 정삼각형 꼭지점에 해당하는 부위에 술자를 위한 투관침을 넣고 반대편 좌측 복부에 대칭으로 두 개의 조수를 위한 투관침을 꽂는 것이 보편적이나 저자들은 좌측에는 통상 한 개의 5 mm 투관침 만을 이용한다. 이 자리를 통하여 수술 후 필요한 경우 배액관을 삽입한다(그림 12-4).

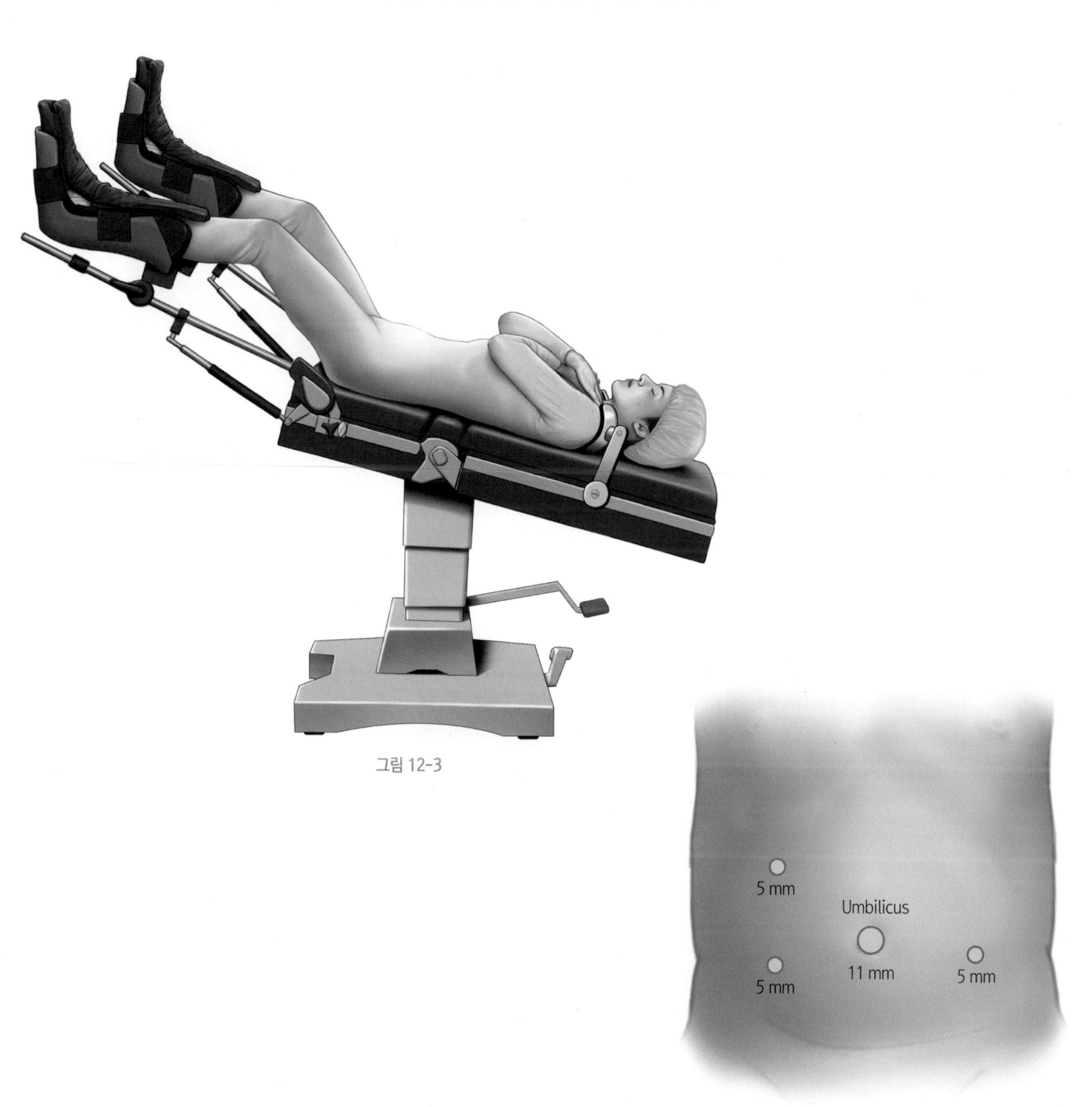

그림 12-3

그림 12-4

저자들이 고안한 변형된 방법으로는 절제된 직장을 우하복부 절개를 통하여 빼내거나 회장루가 필요하다고 판단되는 경우에는 처음부터 우하복부에 4~5 cm 길이의 절개창을 내고 단일공복강경용 포트를 유치하고 기복을 한 후 나머지 투관침을 넣기도 한다. 이 장치는 5~12 mm 기구를 같이 사용할 수 있게 하여 조직 박리 때는 기구의 안정적인 움직임을 위해 5 mm 관을 사용하고 선형스테플러와 같은 기구는 12 mm 관을 하나의 포트를 통하여 이용할 수 있는 장점이 있고 직장절제술 후에는 같은 절개창을 통하여 검체를 제거하고 필요에 따라 회장루를 조성 할 수도 있어 유용한 방법이다(그림 12-5).

6. 해부의 발생학적 이해

결장과 직장은 하나의 내강을 가지는 튜브형태의 관으로 발생기에 대동맥으로부터 기시하는 하장간동맥에 의해 영양의 대부분을, 하부 직장은 양측 내장골동맥에서 영양을 공급받는다. 림프관의 주행은 주로 이 동맥들을 따라 역으로 흐르고 정맥 또한 하장간정맥이 비정맥으로 유입되는 것을 제외하면 동맥과 동행한다. 이들은 장간막 지방조직의 완충 속에 질서 있게 유지되고 장간막과 결, 직장은 얇은 장막에 둘러싸여 자라다가 하행 결장은 좌측 후복막에 유착되고 직장은 천골 전면과 붙어 고정된다. 그러므로 대장 수술은 발생 과정에 유착된 장막 사이를 박리하여 발생 당시의 형태로 되돌린 후 절제하는 것이 그 기본이다.

7. 근막과 자율신경의 해부

앞서 기술한 장막은 결, 직장 뿐 아니라 다른 장기들의 발생에도 동반되므로 복잡한 융합 과정을 거쳐 다양한 이름의 "막"으로 발전하게 된다. 이들 근막(fascia)의 구조를 잘 이해하는 것은 수월한 수술과 출혈의 감소, 생리기능의 유지 및 종양학적 안전성을 확보하는데 도움이 되므로 그림에 나온 근막은 꼭 참고하여 이해하는 것을 권한다(그림 12-6).

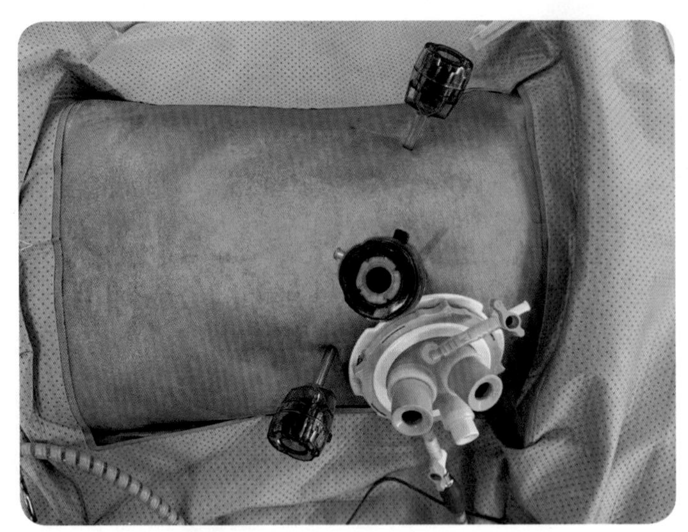

그림 12-5

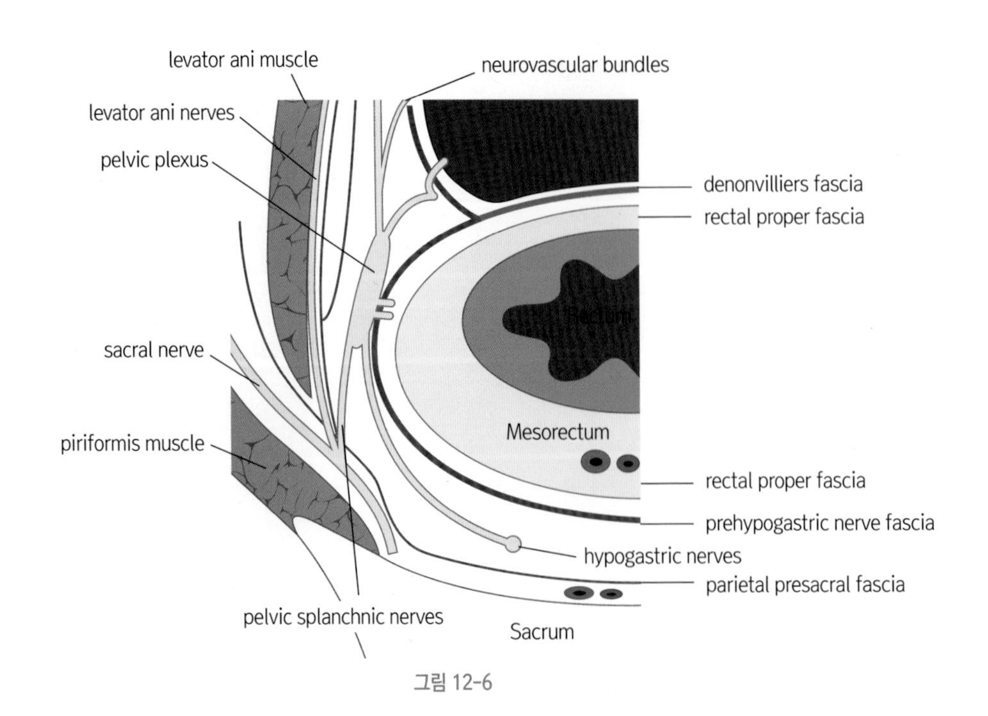

그림 12-6

자율신경 또한 척추에서 나와 대동맥 전면에서 서로 얽혀 전대동맥신경총(preaortic nerve plexus)을 이루고 상하복신경총(superior hypogastric nerve plexus)으로 이어지고 이는 양측으로 갈라져 좌우 하복신경(hypogastric nerve)이 되어 교감신경을 담당한다. 한편으로 대동맥 양측 교감신경절은 아래로 이어져 내려와 천골부에서는 일부 천골신경 섬유(부교감신경)와 연결되어 골반내장신경(pelvic sphranchnic nerves)을 이루어 하복신경과 합쳐져 양측 골반벽에 교감, 부교감 혼합 신경인 골반신경총(pelvic plexus)을 형성 후 각 골반내 장기에 분포된다. 이 부분은 혼동되기 쉬운데, S2-4 천골신경은 일반적인 직장 수술에서는 볼 수 없는 깊은 곳에 위치하며 요골신경과 합쳐져 대퇴신경이 되어 다리로 내려간다. 우리가 흔히 보는 측방 골반 신경은 그 일부 신경섬유와 연결된 골반내장신경인 것이다(그림 12-7).

8. 내-외측(medial to lateral) 혹은 외-내측(lateral to medial) 박리

복강경 대장수술이 개발되고 흔히 내-외측 박리과정이 주목을 받게 되었는데, 이는 기시부 혈관과 림프절의 조기 절단이 소위 "no touch technique"의 종양학적 이점을 준다고 여겨지지만 이것을 뒷받침하는 근거는 확실치 않다. 오히려 막대 형태의 기구를 이용하는 복강경 수술의 특성에 기인한다는 것이 더 합리적인 설명일 것이다. 즉 술자가 환자의 우측에 서서 투관침을 통하여 한정된 자유도를 가진 기구를 이용하는 대장의 박리는 술자 방향에서 시작하여 외측으로 진행하는 것이 더 쉽고 자연스럽기 때문이다.

이는 마치 제본된 책 의 책장을 넘기는 것을 대장의 경우로 빗대어 생각하면 융합된 장막 사이 무혈공간으로 들어가기에 오히려 외측에서 박리하는 것이 더 쉬울 수 있으나 굳이 책의 제본된 부분에 해당하는 하장간동맥 기시부에서 시작하는 술식을 고안하게된 것은 복강경의 특성을 고려한 한 예라 하겠다. 그러므로 좌측 결장 뿐 아니라 상부 직장도 술자쪽 즉, 우측으로부터 좌측으로 진행하는 것이 더 합리적인 방법이다.

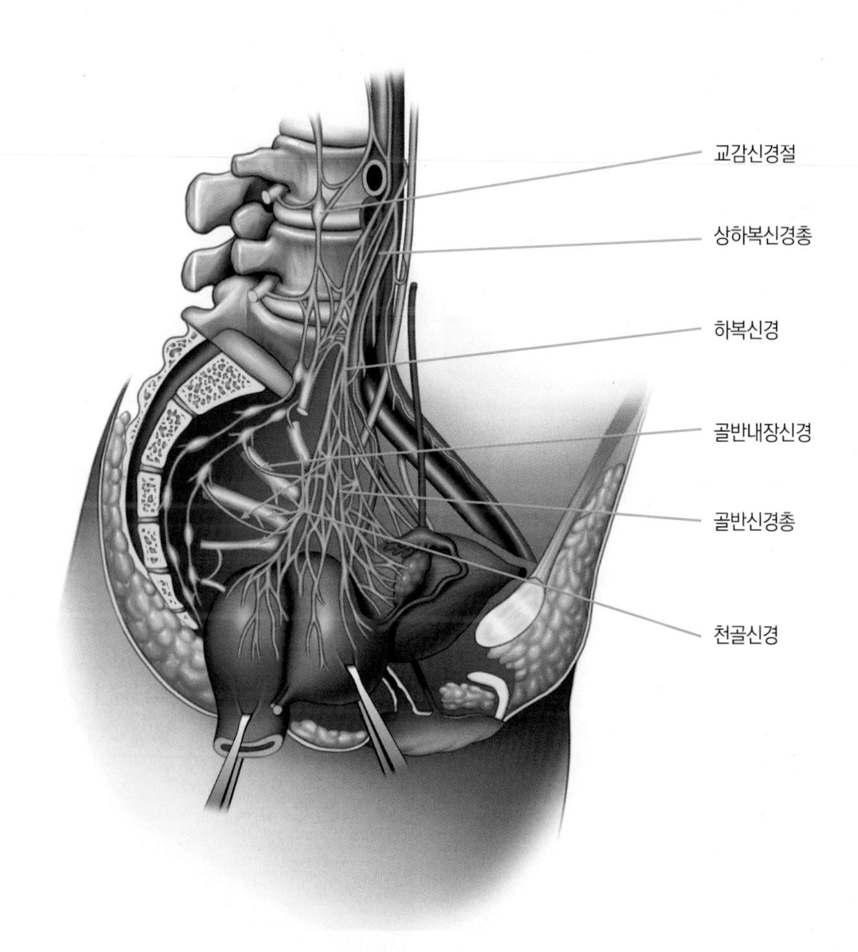

그림 12-7

9. 복강경 대장 유리에 기본적인 조직 견인

한정된 수와 자유도를 가진 기구를 이용해야 함으로 적절한 조직의 견인은 수술 시야 확보에 필수적이다.

① 가장 큰 견인은 적절한 기복과 체위이다. 대부분 이 단계에서 소장과 대망 등을 수술 시야에서 제외시킬 수 있다(그림 12-8).

② 해부학적 견인 즉, 하행 결장의 외측 복막과 같이 발생 과정에서 자연적으로 유착된 해부 구조를 이용하는 것으로, 그 부분을 장기를 박리할 때는 마지막 단계에서 절단하는 것이 자연적 견인을 끝까지 유지할 수 있게 한다.

③ 조수의 역할이 실질적 주요 견인이다. 조수의 기구는 가능하면 술자가 박리하고자 하는 조직면을 언제나 약간 긴장되게 당겨주어야 한다.

④ 술자의 왼손(non-dominant)은 세밀한 박리면의 조절에 사용한다.

⑤ 그 외 필요에 따라 견인 기구를 사용한다.

10. 단계별 수술 방법

1) 하장간동맥의 절단

좌측 결장 및 직장 박리의 시작점으로는 무혈 공간이 가장 잘 발달된 천골돌출부(sacral promontory)나 하장간정맥 하부일 것이다. 우선 조수가 하장간동맥을 포함하는 장간막을 잡아 들어 올리고 술자의 왼손에 쥔 기구로 세밀하게 견인을 조절하여 오른손의 단극소작기구(momopolar cautery)를 이용하여 천골돌출부 주위 장막을 절개하여 조심스럽

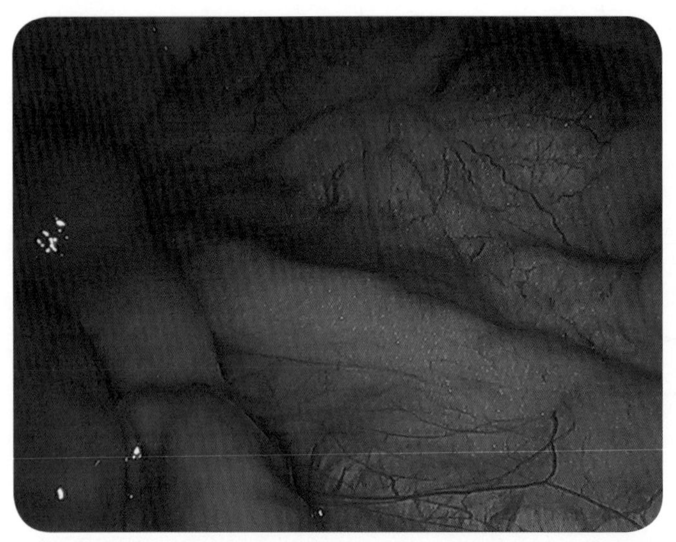

그림 12-8

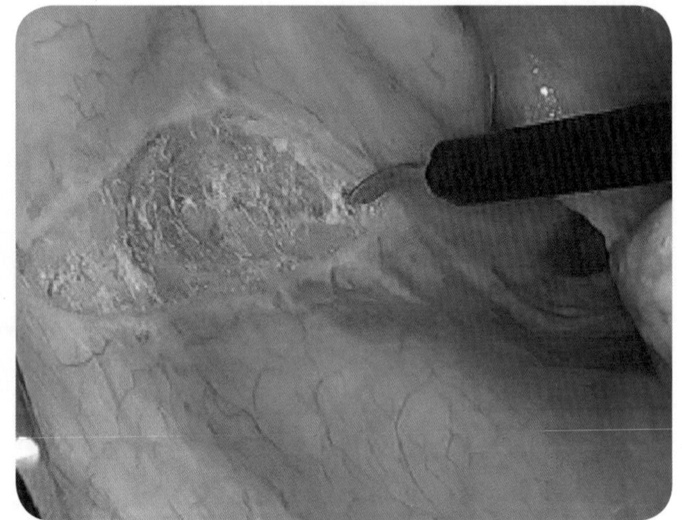

그림 12-9

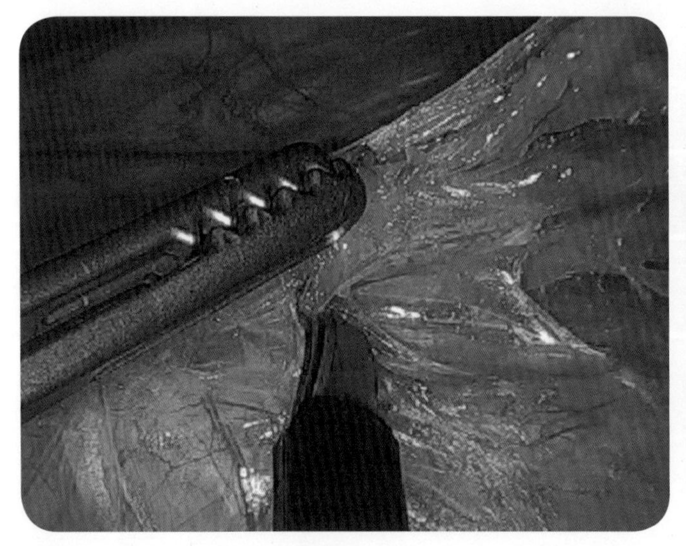

그림 12-10

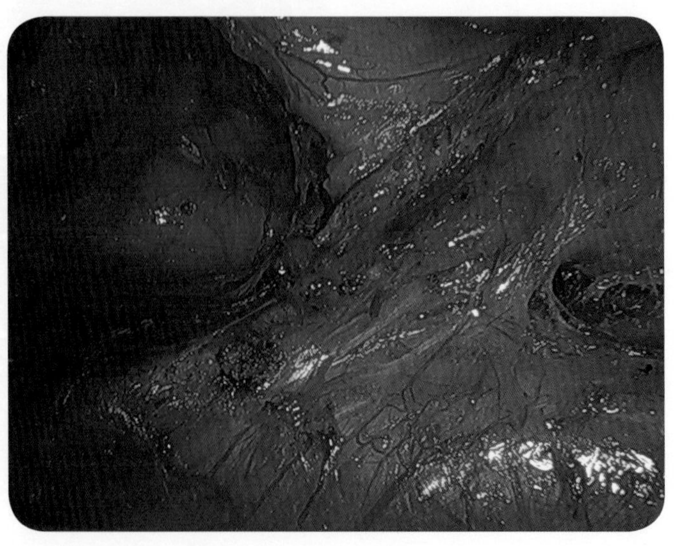

그림 12-11

게 무혈박리면을 찾고 이를 상부로 확장하여 하장간동맥 기시부를 찾는다(그림 12-9, 10).
다음은 조수가 하장간정맥을 들어 올려 같은 방법으로 아래로 박리하여 하장간동맥 기시부까지 박리면을 연결시킨다(그림 12-11).
이때 자율신경의 확보는 동맥의 우측은 쉽게 보이나 좌측은 동맥에 가려져 보이지 않을 수 있으므로 다치지 않게 조심한다. 동맥의 우측 전면으로 올라가는 신경 분지를 자르면 좀 더 쉽게 동맥의 기시부를 확인 할 수 있고 금속 클립이나 헤모록(hem-o-lok)으로 양측을 결찰하고 자르면 동맥의 좌측 전대동맥신경총을 확실하게 볼 수 있다(그림 12-12, 13).
이후는 비교적 쉽게 토드씨 무혈박리면(Toldt's fascia)을 따라 요관과 생식혈관을 후복막쪽으로 누르며, 결장간막은 위쪽으로 들어 올릴 수 있다. 하장간정맥은 비정맥 유입부 직하에서 자른다(그림 12-14, 15).

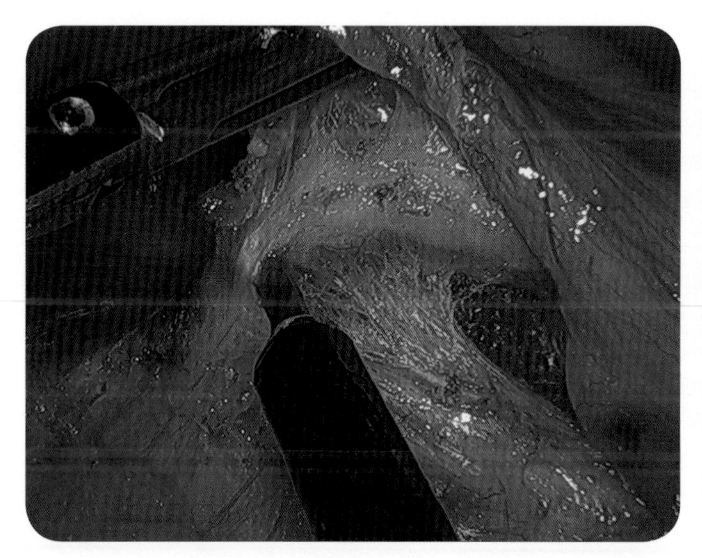

그림 12-12

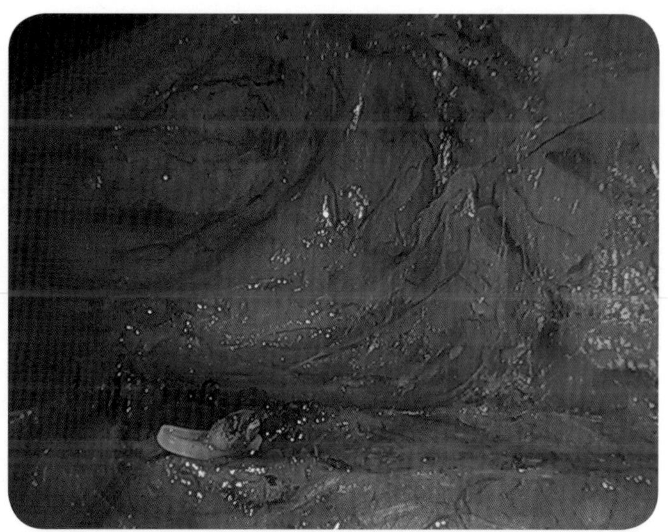

그림 12-13

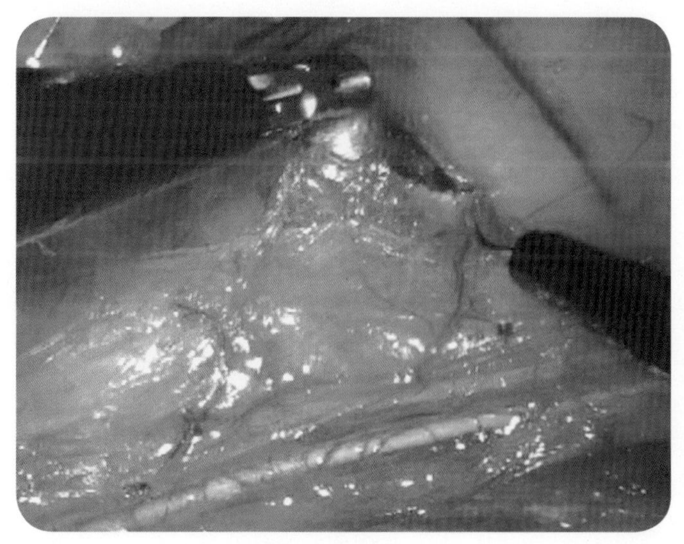

그림 12-14

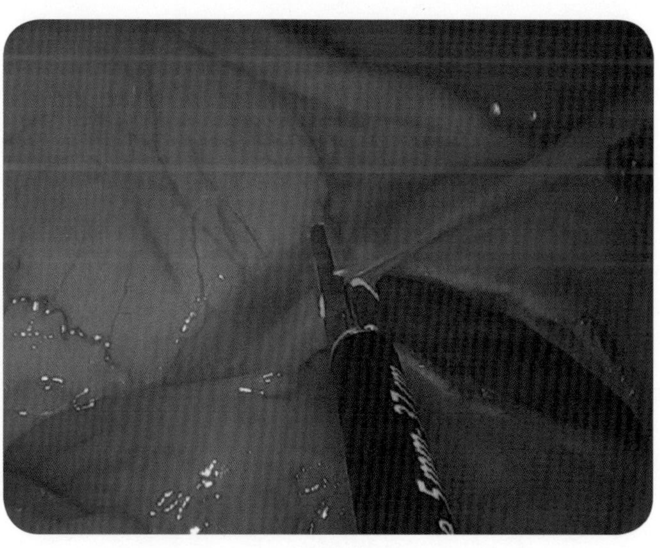

그림 12-15

내-외측 박리는 위로는 췌장을 볼때까지, 외측으로는 하행 결장벽, 아래로는 요관이 좌측 장골동맥을 지나는 것이 보이면 충분하다(그림 12-16).

2) 하행결장의 유리

에스결장을 우측으로 젖힌 후, 조수는 생식혈관을 살짝 들어 올리고 술자의 왼손으로 에스결장막을 잡아 반대로 당기듯 들고 결장옆 장막골(paracolic gutter)에 절개를 가하면 이미 요관까지 박리한 상태이므로 요관 손상의 위험 없이 외측 장막을 절개할 수 있다(그림 12-17).

일단 이 부분에 절개창이 형성되면 조수는 하행결장의 중간부를 잡고 내측으로 밀면 남아 있는 결장의 외측 장막이 직선으로 당겨지면서 쉽게 결장을 유리할 수 있다. 다음은 조수가 비장만곡부 결장을 잡고 다시 내측으로 밀고 술자의 왼손은 절개된 장막을 잡고 내측으로 당기면 비장이 보이고 이곳까지는 박리가 용이하게 진행된다(그림 12-18, 19).

3) 비장만곡부 결장의 유리

여러 가지 방법이 있으나 우선 내-외측 결장박리 시 췌장이 쉽게 보이면 췌장전면 근막을 절개하여 아래쪽에서 작은 복막주머니(lesser sac)으로 진입하는 것이 가장 쉬운 방법이다(그림 12-20).

이것이 용이하지 않으면 결장 외측 박리를 연결하여 대망(greater omentum)과 결장을 분리하여 작은 복막주머니로 들어가는 것이다. 이때 유용한 방법으로는 조수가 결장과 가까이 붙은 대망을 잡고 술자 쪽으로 당겨주고

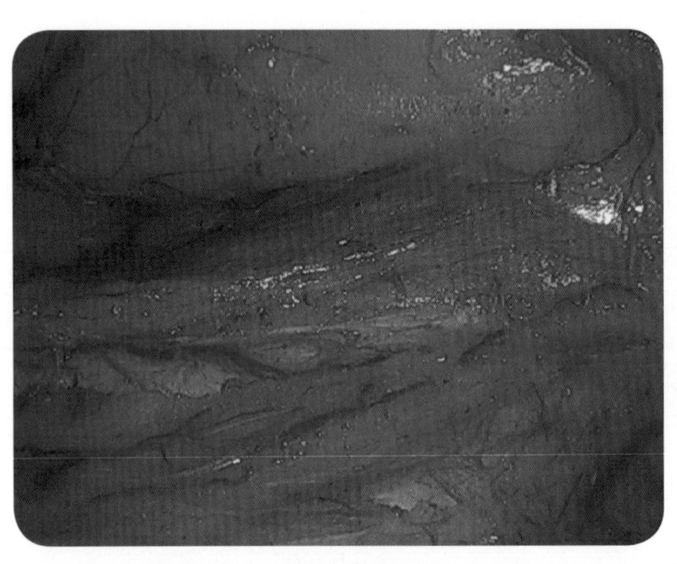

그림 12-16

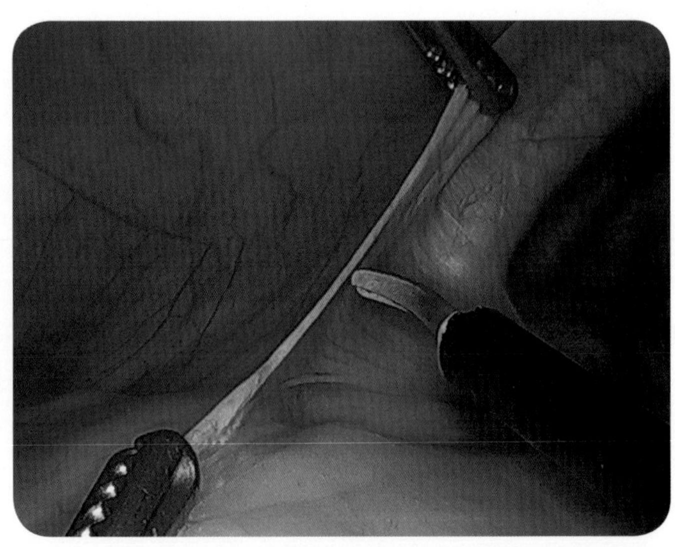

그림 12-17

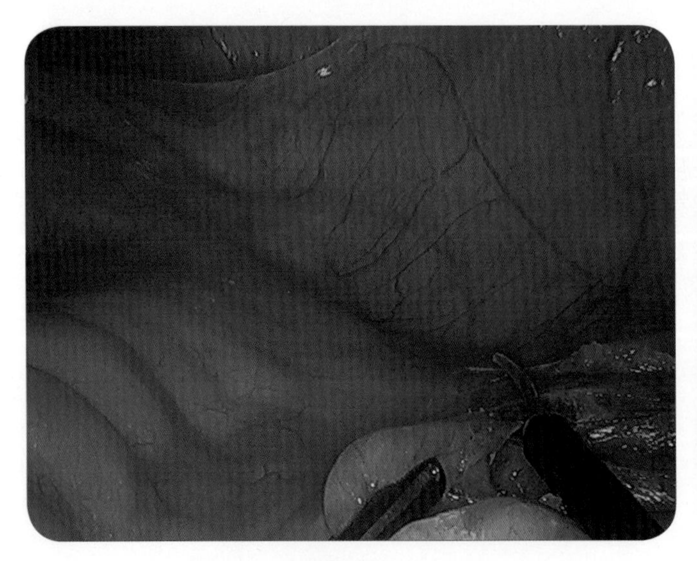

그림 12-18

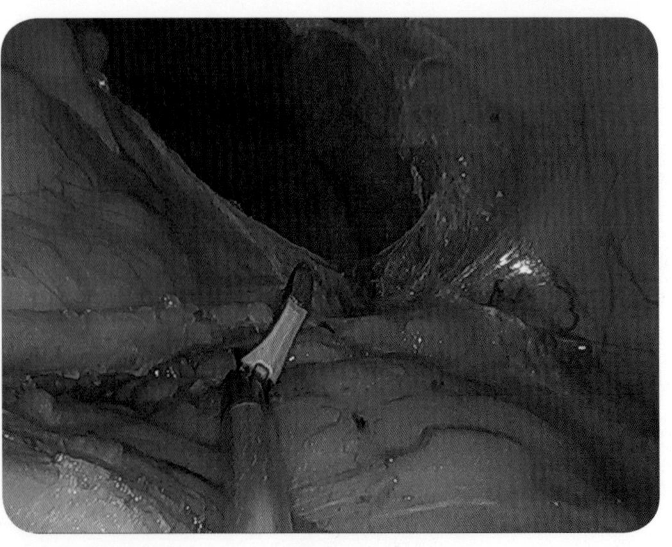

그림 12-19

술자는 왼손으로 결장을 당겨 벌리면 쉽게 비장만곡부를 유리할 수 있다(그림 12-21).
충분한 박리를 위해 가장 중요한 점은 결장의 외측이 아니라 위 혹은 췌장과 붙어있는 근막을 완전히 분리해 주는 것이다. 이 단계의 대부분은 단극전기소작기 보다는 초음파 절삭기를 사용하는 것이 유용하다.

4) 직장의 박리

좌측 결장이 완전히 유리되었으면 조수는 우측 상부 직장간막의 절제연을 잡아 상부,배꼽쪽으로 들어주면 상하복신경총이 보이고 그 앞쪽 무혈면을 따라 직장의 우측-후방을 따라 장막을 연결하여 박리한다. 이때 술자의 왼손은 우하복신경을 조심히 아래로 누르며 다치지 않게 박리를 진행한다(그림 12-22).
이 부분에서 유의할 점은 직장 뒤쪽 무혈면은 사실 두 곳으로 직장간막고유근막(mesorectal fascia proper 혹은 visceral endopelvic fascia)과 전하복신경근막(prehypogastric never fascia) 사이가 그 첫 번째이고, 이것과 더 뒤쪽의 벽측골반근막(parietal endopelvic fascia) 사이, 모두 두 군데가 있다는 것이다. Heald가 말하는 “intra-fascial TME” 혹은 “yellow side (직장간막) of the white (무혈성 흰색의 성근 근막 조직)”는 직장간막에 가장 가까운 첫 번째 박리면을 따르는 것이 자율신경 보존과 전직장간막 절제술을 동시에 할 수 있는 중요한 부분이라는 점을 강조하고자 한다. 이면을 잘 이해하고 박리를 진행하면 천골, 천골 정맥이 직접 노출되지 않고 얇은 또 다른 막 즉 전하복신경막에 덮힌 골반측후벽을 확인 할 수 있다(그림 12-23).

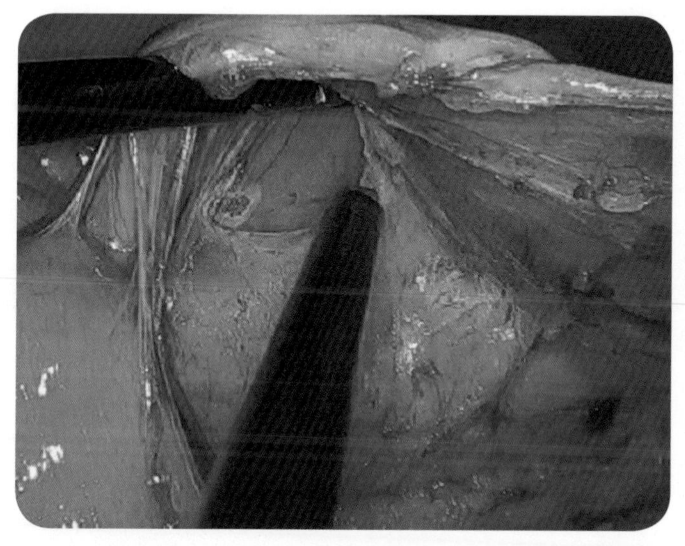

그림 12-20

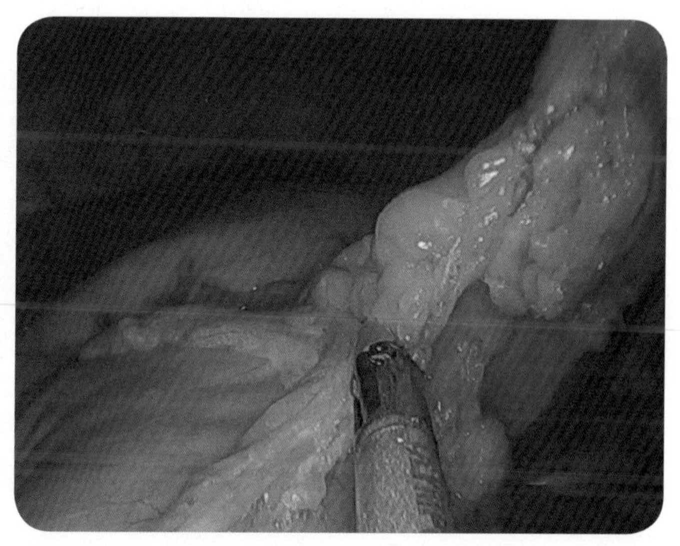

그림 12-21

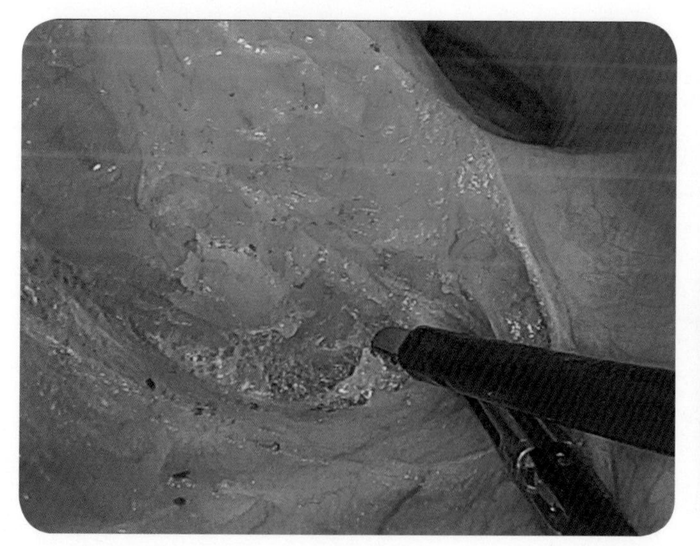

그림 12-22

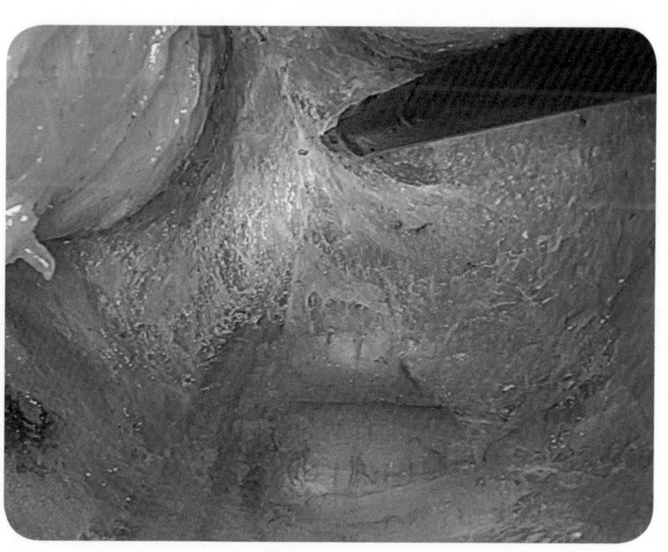

그림 12-23

이러한 방법으로 복막만곡부까지 우,후측 직장이 박리되면, 조수는 에스결장간막 좌측 절제연을 잡아 술자 쪽으로 밀면, 직장간막의 남은 좌측 장막끈이 보이며, 같은 방법으로 좌하복신경과 골반신경총을 보존한 채 박리를 이어간다(그림 12-24).

좌우 상부 직장이 유리되면 남자의 경우 치골상부 복벽을 통해 직침을 찔러 넣어 골반 전면 복막을 양측으로 견인해 들면 다른 기구 없이도 대부분의 중하부 직장 박리에 직장 앞쪽 시야를 확보할 수 있다(그림 12-25).

여자의 경우, 수술 시작 시점에 미리 자궁과 좌측 난소를 들어 올려준다(그림 12-26).

점점 박리가 진행될수록 조수는 좌우측 장간막 절제연을 더 아래로 교대로 당겨주면서 박리면에 긴장을 유지하는 것이 매우 중요하다.

직장의 후벽은 비교적 쉽게 골반거근까지 박리되지만 측벽과 전벽은 주의를 요한다. 우선 측벽 직장간막은 골반혈관, 신경총이 비뇨생식기관으로 연결되고, 중직장동맥과 같은 내장골혈관의 분지 그리고 림프관이 직장과 골반 사이를 연결하는 매우 중요한 부분으로 세심히 박리면을 지키지 않으면 잦은 출혈과 신경의 손상이 빈발하므로 주의하여야한다(그림 12-27, 28).

앞쪽으로는 두 겹의 장막이 굴절되면서 겹쳐 융합된 부분으로 데농빌리에 근막

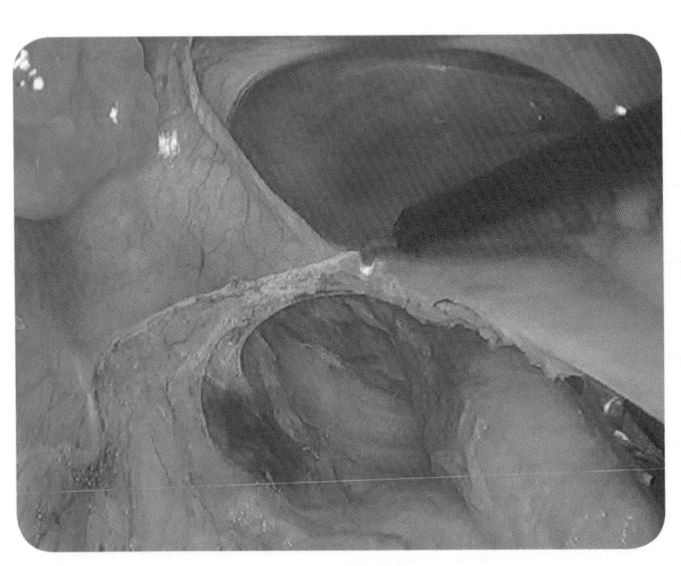
그림 12-24

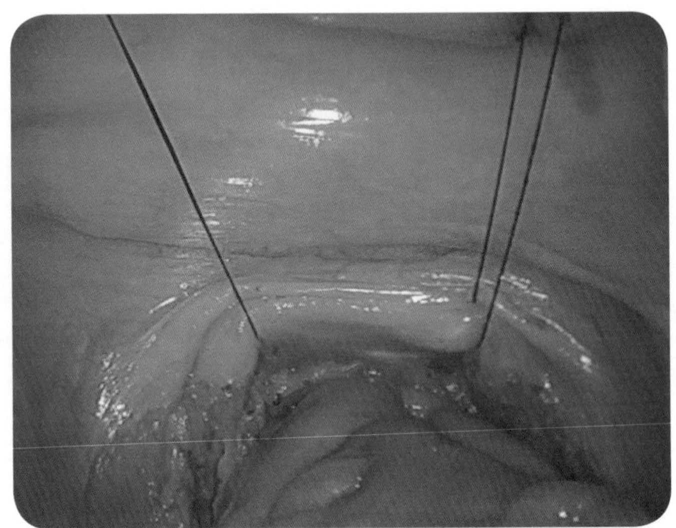
그림 12-25

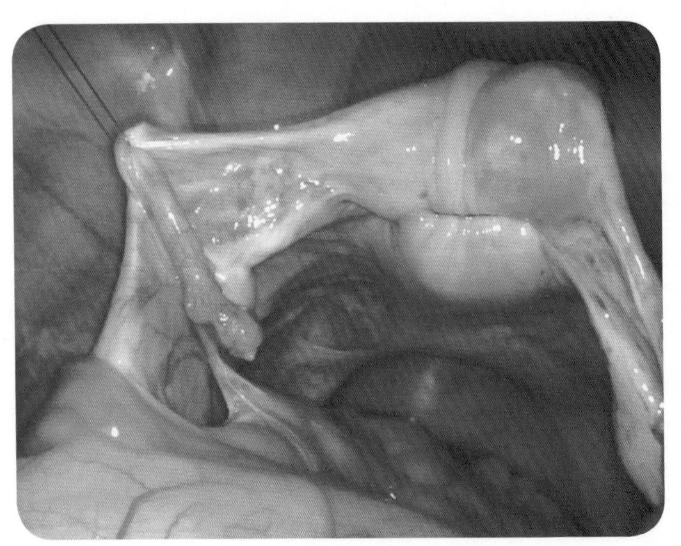
그림 12-26

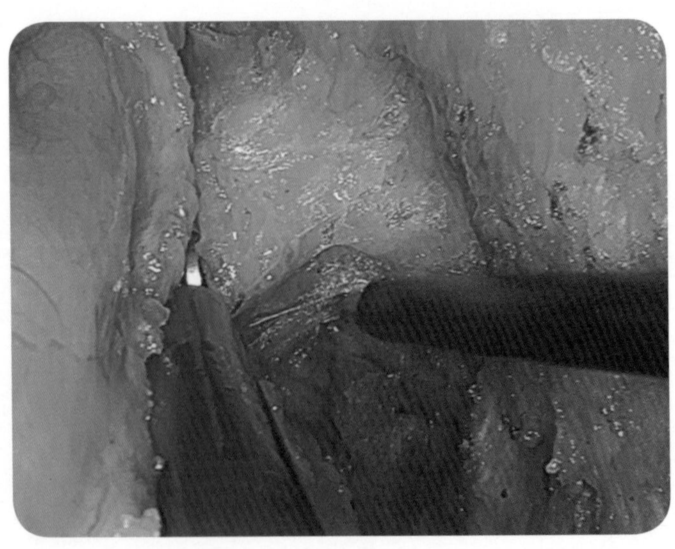
그림 12-27

(Denonvilliers' fascia)이라 하는데, 서로 단단히 붙어있어 다른 부위와 달리 이 사이로 박리하는 것은 거의 불가능하다. 그러므로 신경혈관총을 보존하기 위해서는 이 근막 하부로 직장 전벽을 박리하는 것이 유리하나, 종양이 앞쪽에 있는 경우 측방절제연의 안전한 확보를 위해 전립선과 이 근막 사이를 조심히 박리하는 것을 고려하여야겠다(그림 12-29, 30, 31).

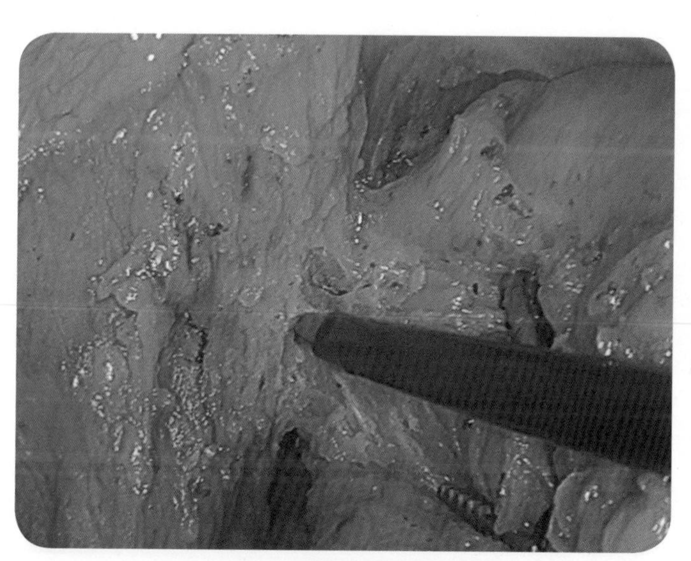

그림 12-28

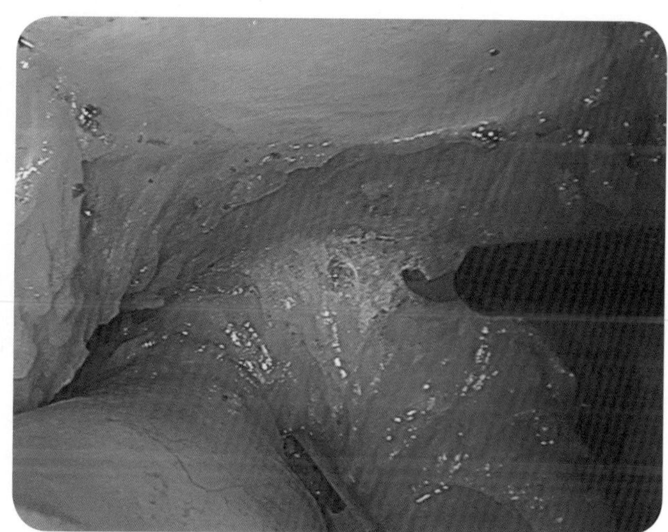

그림 12-29

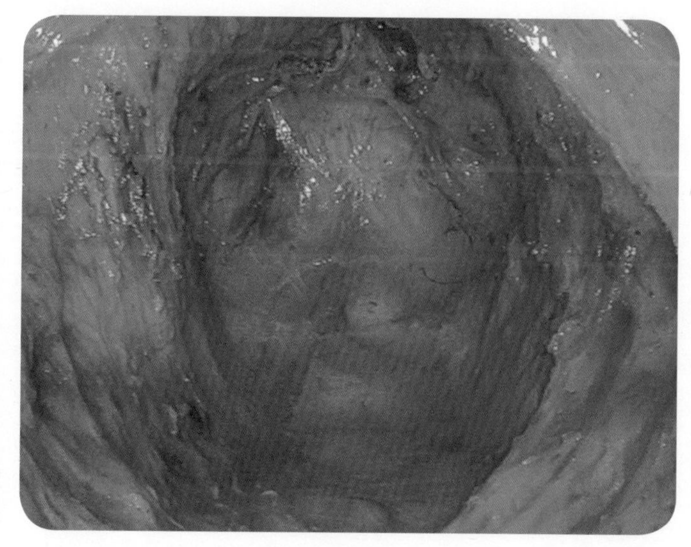

그림 12-30

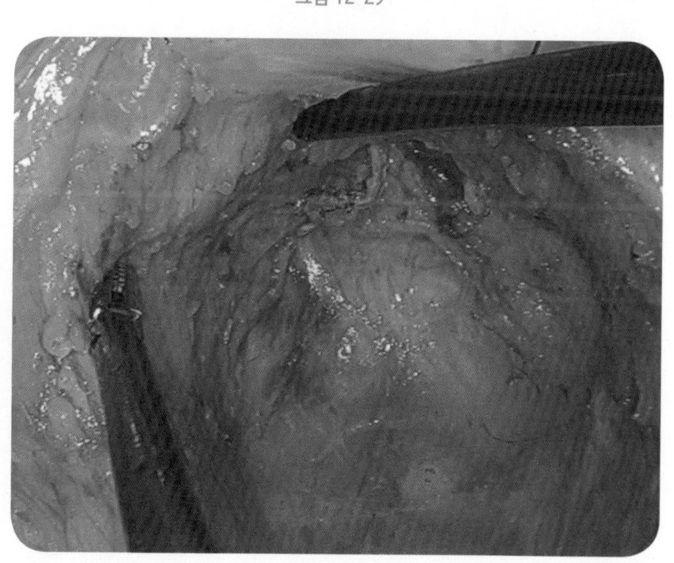

그림 12-31

5) 직장의 절단과 결장-직장 문합

최근 자동문합기의 발전으로 좀 더 쉽게 하부 직장까지 절단, 문합이 가능해졌지만 큰 틀에서보자면 수십년 전에 Griffin과 Knight에 의해 개발된 이중문합술은 바뀐 것 이 없다. 직장이 종양 하방으로 충분히 박리되면 복강경용 직장겸자로 종양하부 직장을 막고 항문을 통하여 베타딘 용액 등으로 직장끝단을 세척하고 선형봉합기를 우하복부 투관침을 통하여 넣어 직장겸자 아래 직장을 절단 봉합한다(그림 12-32, 33).

이때 대부분 60 mm 길이의 스테이플러 하나로 충분하나 간혹 추가 카트리지가 필요한 경우는 처음부터 여유 있게 직장의 2/3정도만을 잘라 다음 카트릿지의 교차점이 직장 절단부의 중심이 되게 하는 것이, 이어서 원형 봉합기를 사용하여 문합할 때 이 부분이 절제되어 나오도록 하는 것이 좋다. 일단 직장이 절단되면 에스결장간막의 혈관을 한두 개 더 복강내에서 미리 절단해 두는 것이 검체를 제거할 때 충분한 결장의 길이를 확보할 수 있다. 근위부 결장을 체외로 꺼내 절단하고 원형 문합기의 엔빌을 넣고 일반적인 방법으로 결장-직장 문합을 시행한다. 문합부의 안전성은 공기누출 검사나 대장내시경 혹은 색소 누출 검사를 통하여 확인한다. 예방적 회장루의 조성은 필요한 경우 우하복부에 투관창을 확대하거나 서두에 기술한 미리 만들어 놓은 절개창을 이용한다. 배액관은 좌하복부 투관침 부위로 골반강내에 유치한다.

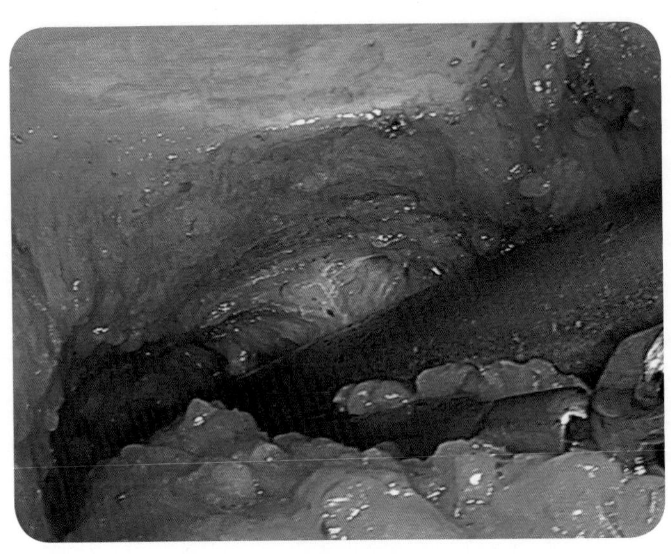

그림 12-32

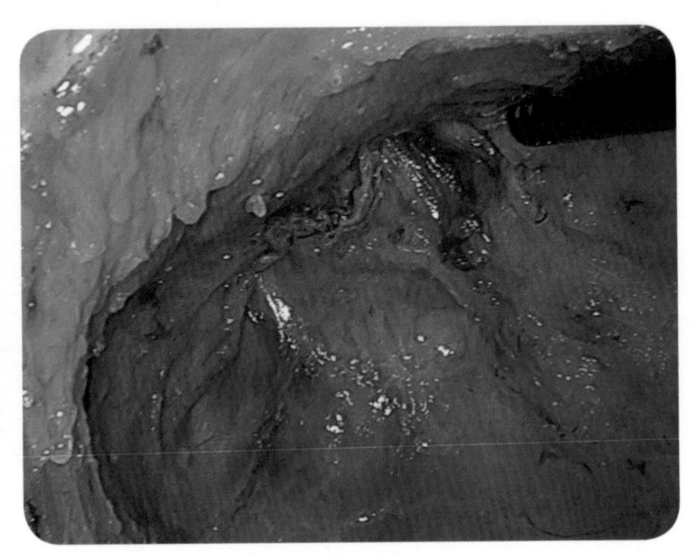

그림 12-33

CHAPTER 13

복강경 전결직장절제술 및 회장낭조성술

Laparoscopic total proctocolectomy with ileal-pouch anal anastomosis

1. 적응증

주로 결장과 직장에 질환이 국한되는 만성궤양성대장염(chronic ulcerative colitis)과 가족성용종증(familial adenomatosis polyposis)에서 시행된다. 본 술식에 대한 개복 수술과 복강경 수술의 수술 방법 및 순서에서 큰 차이가 없으므로 최근 사용 빈도가 증가하고 있는 복강경 접근을 위주로 기술하고자 한다.

2. 수술 전 처치

- 수술 전일 경구 항생제 복용 및 기계적 장청소(mechanical bowel preparation)를 시행하던지 장정결을 하지 않는 경우 수술 전 관장으로 대체할 수 있고, 비위관은 일반적으로 삽입하지 않는다.
- 우회 회장루(diverting ileostomy)가 필요하므로 수술 전 좌 또는 우하복부에 회장루(ileostomy) 부위 표시를 한다.

3. 마취

전신마취가 필요하다.
스테로이드 복용 중이거나 최근 6개월 이내 복용력이 있는 경우 수술 전후 스테로이드 보조 투여를 시행한다.

4. 환자 자세

항문 접근이 가능하도록 쇄석위(lithotomy) 자세를 취한다. 환자의 양측으로 술자가 이동해야 하므로 환자의 양팔은 몸에 붙인 자세로 하는 것이 좋다. 박리하는 방향으로 침대를 기울이면 수술 시야에서 소장에 의한 간섭을 줄일 수 있다(right-side down or left-side down). 대망 박리 시에는 reverse Trendelenburg 자세(head up)를 취하고, 회맹부나 직장 박리 시에는 Trendelenburg 자세 (head down)로 변경하면서 수술 시야를 확보한다.

5. 수술 준비

복강경 수술의 경우 30도 복강경을 포함한 복강경 수술 시스템과 endostapler, 술자 선호에 따른 energy device (e.g. Ligasure, Harmonic scalpel, etc)가 사용된다.

6. 수술 과정

1) 결장 및 직장의 절제

(그림 13-1) 카메라포트는 배꼽 아래 12 mm, 나머지 4개의 투관침은 사진과 같이 위치한다.

(그림 13-2) 여성인 경우 직침을 이용하여 자궁을 전 복벽에 고정하면 직장 접근이 용이하다. 술자의 위치를 가능한 적게 이동하도록 우측 결장에서 좌측결장과 직장으로 수술을 진행하는 것이 좋다.

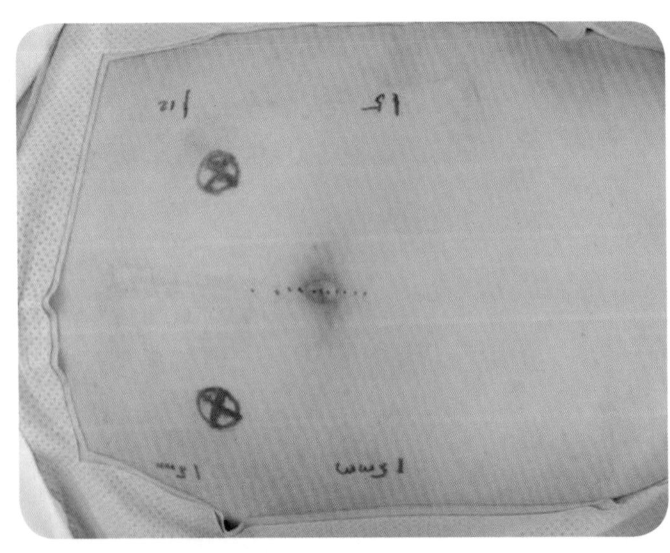
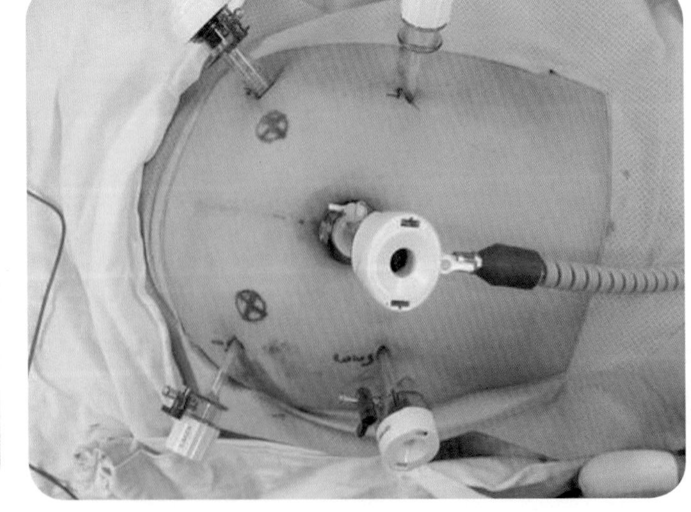

그림 13-1 복강경 투관침, 카메라포트, 장루 위치

(그림 13-3) 술자는 환자의 좌측에서 회맹장부위를 외측 복벽 및 후복막으로부터 박리에서 시작한다.
(그림 13-4) 간만곡부까지 상행결장을 후복막으로부터 외측에서 내측으로 박리한다. 박리 중 우측 생식선혈관(gonadal vessel), 우측 요관(ureter), 그리고 십이지장이 손상되지 않도록 주의한다.
(그림 13-5) 상행결장이 간만곡까지 박리되고 십이지장이 노출되면 횡행결장 중간 정도에서 대망(omentum)을 분리한다.

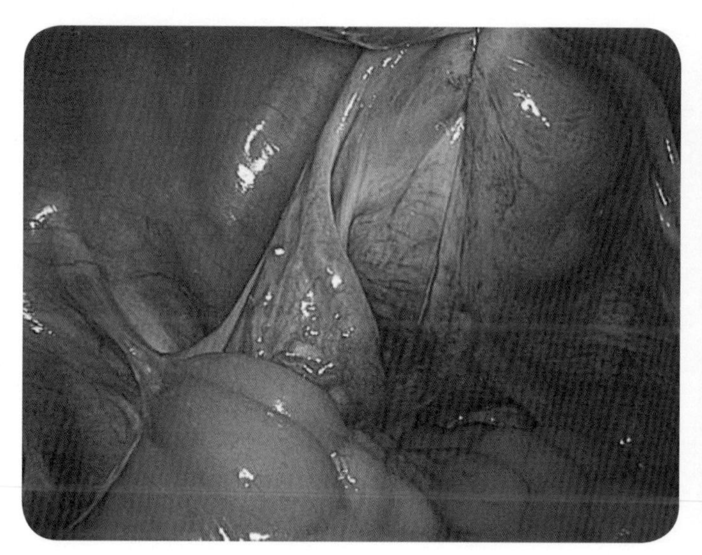

그림 13-2 직침을 이용한 자궁의 복벽 고정

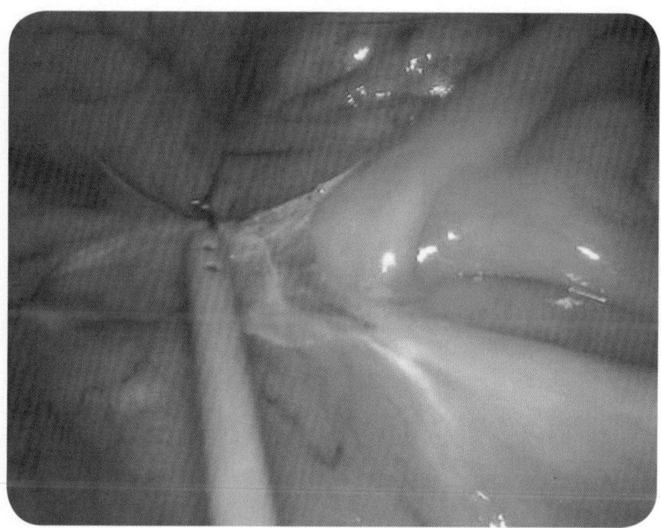

그림 13-3 결장옆고랑 (paracolic gutter)을 따라 박리

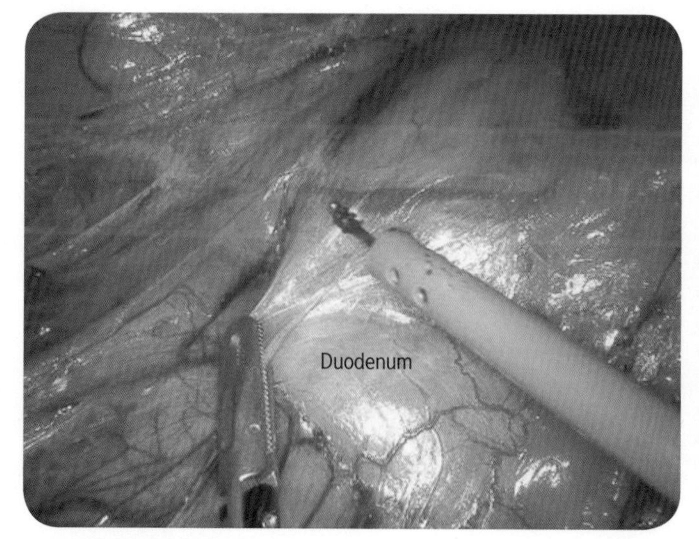

그림 13-4 상행결장 박리

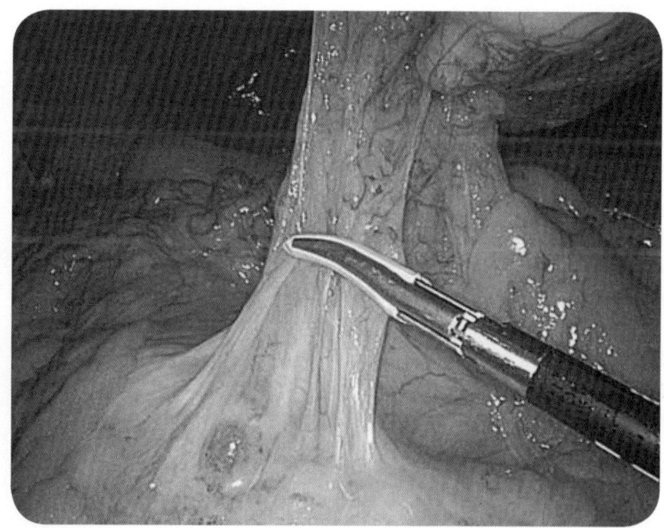

그림 13-5 대망 박리

(그림 13-6) 간만곡부 방향으로 결장에 붙여서 박리한다. 이때 energy device를 사용하면 출혈과 박리시간을 줄일 수 있다.
(그림 13-7, 8) 우측결장을 후복막과 완전히 박리한 뒤 끝나면 내측에서 외측 방향으로 결장간막(mesocolon)을 절개하고, 우측결장 동정맥(right colic artery and vein), 중간결장 동정맥(mid colic artery and vein)순으로 결찰한다.

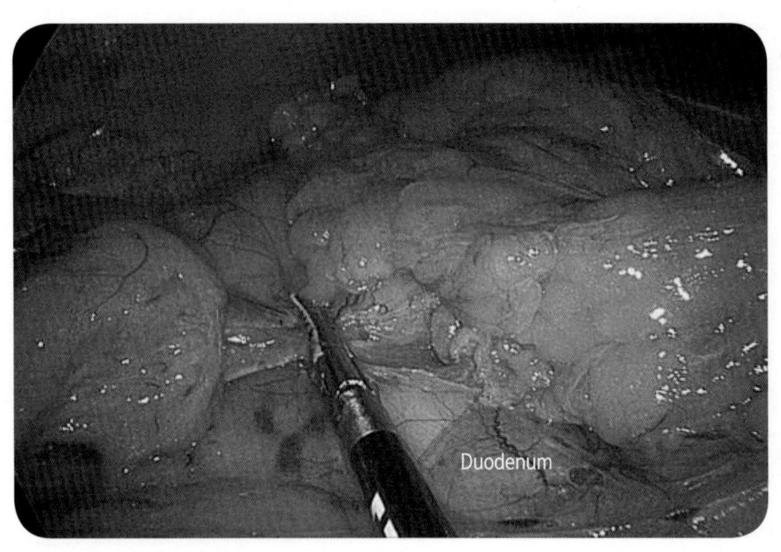

그림 13-6 간만곡부 대망박리

TIP 1
결장에 진행성 암종이 있는 경우를 제외하고는 주요 혈관 기시부에서 결찰이 필요치 않다. 회장낭조성술 시 원활한 혈행을 고려하여 회맹장 동맥과 정맥(ileocolic artery and vein)은 보존하도록 한다.

TIP 2
회장낭의 항문까지 길이 확보를 위해 회맹부 박리 시 소장간막(small bowel mesentery)의 기시부는 십이지장과 췌장두부까지 충분히 박리한다.

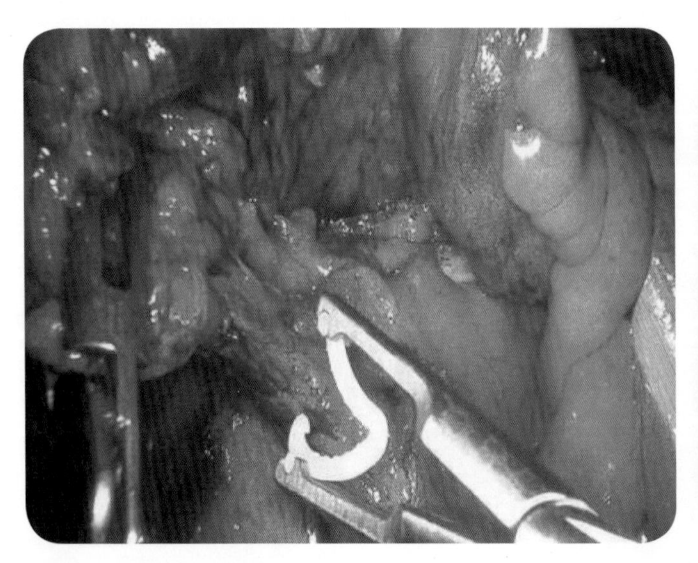

그림 13-7 우측결장 동정맥 (right colic artery and vein) 결찰

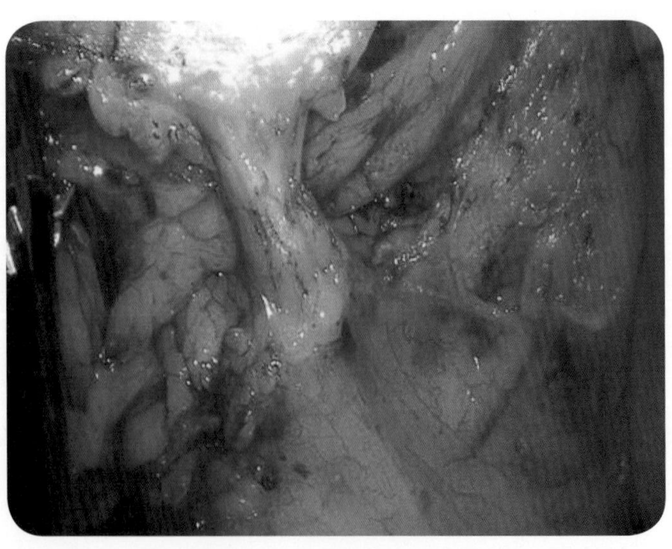

그림 13-8 중간결장 동정맥(mid colic artery and vein)

(그림 13-9) 술자는 환자의 우측으로 이동하여 좌측결장의 박리를 시작한다. 먼저 대망을 횡행결장에 붙여 박리하여 비장만곡부까지 진행한다.

(그림 13-10) 중간결장 동정맥(mid colic artery and vein) 결찰 후 절개된 횡행결장간막을 췌장 위쪽에서 비만곡부 방향으로 절개하고 보이는 혈관을 결찰한다.

(그림 13-11) 좌측 결장옆고랑(paracolic gutter)을 따라 하행결장의 외측을 박리한다.

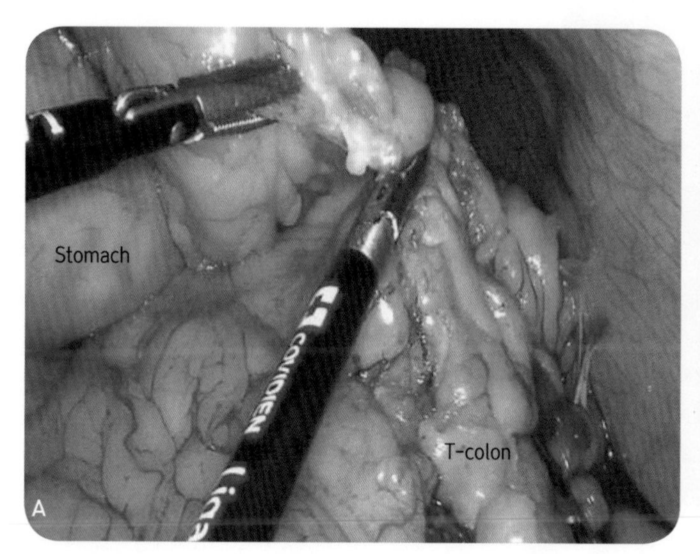

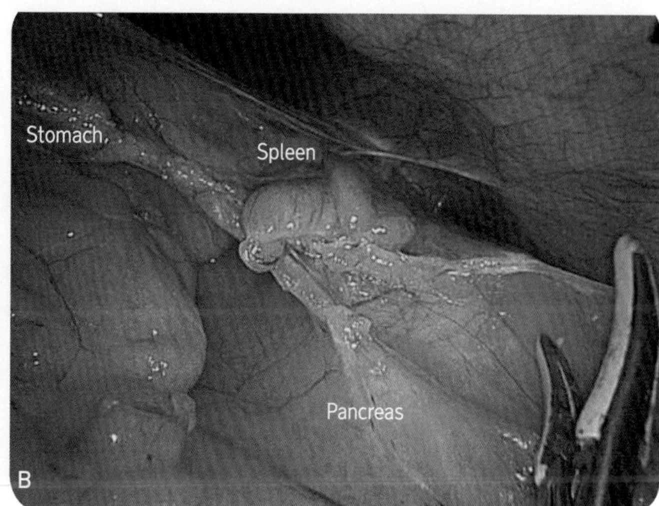

그림 13-9 A. 원위 횡행결장의 대망 박리, B. 비장결장인대(splenocolic ligament)의 절개

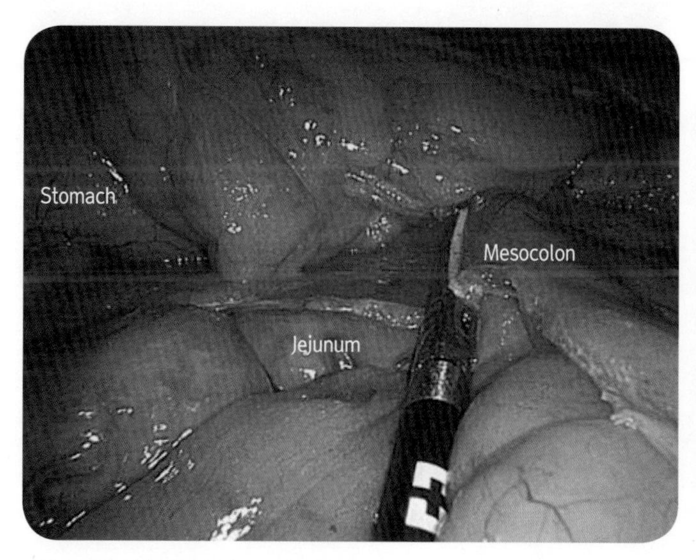

그림 13-10 좌측 결장간막(mesocolon) 절개

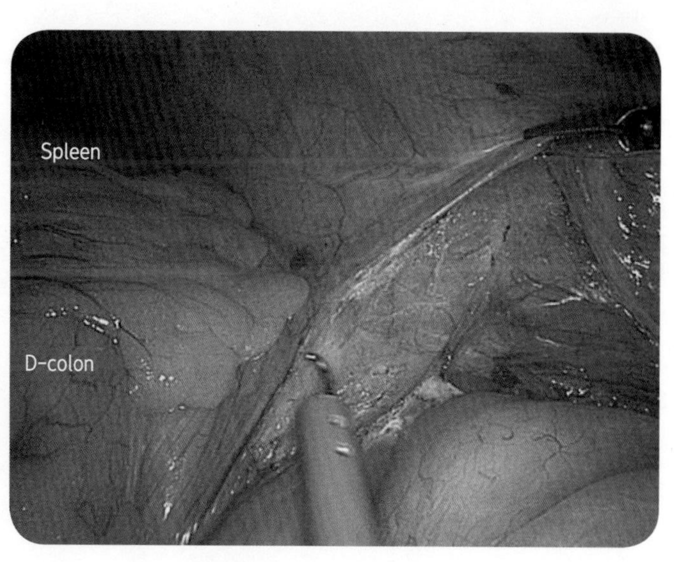

그림 13-11 좌측 결장옆고랑(paracolic gutter) 박리

(그림 13-12) 비만곡부 결장을 아래로 견인하며 후복막에서 박리한다.

(그림 13-13) 하장간막정맥(inferior mesenteric vein) 근처에서 위쪽으로 하행결장간막(descending mesocolon)을 절개하면서 만나는 혈관들을 결찰한다. 이때 좌측 생식선 혈관(gonadal vessel)과 좌측 요관(ureter)의 손상을 주의한다.

(그림 13-14) 췌장 상방의 결장 간막(mesocolon)을 절개하여 원위 횡행결장 및 하행결장을 후복막에서 완전히 박리한다.

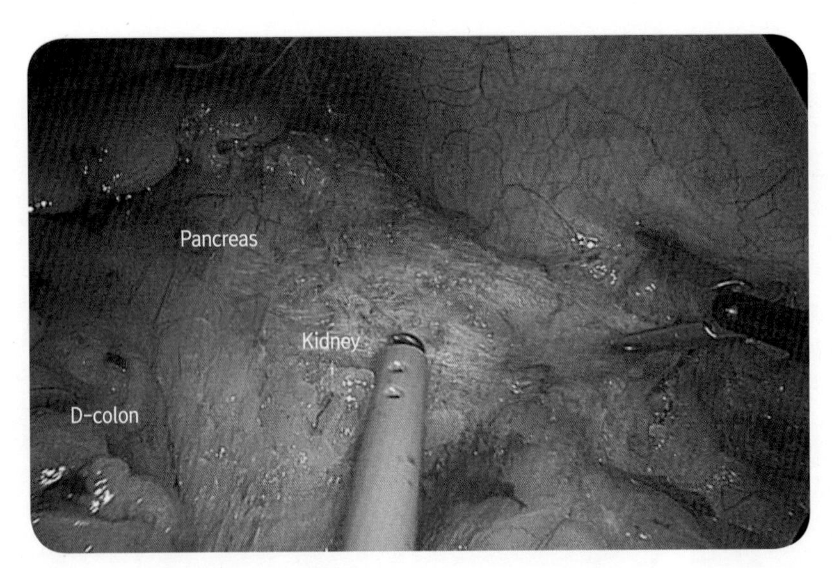

그림 13-12 비만곡부 결장의 박리

TIP 3
하장간막정맥(inferior mesenteric vein)을 반드시 췌장 근처 기시부에서 결찰할 필요는 없다.

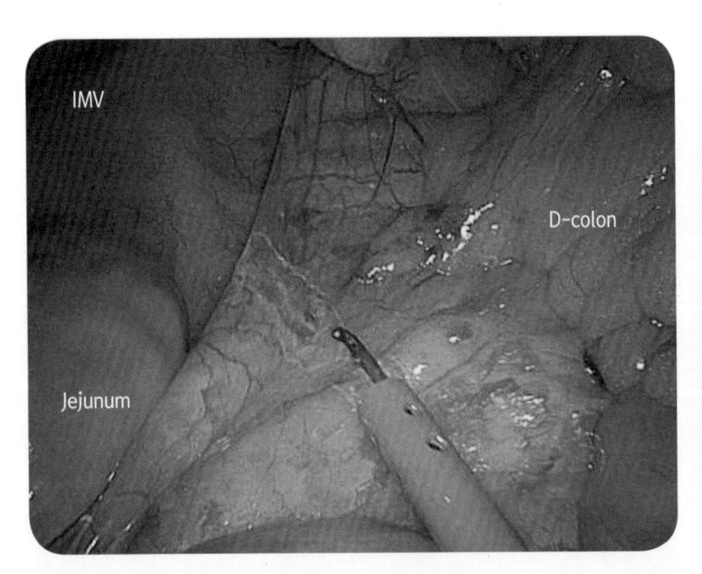

그림 13-13 하행결장간막 (descending mesocolon) 절개

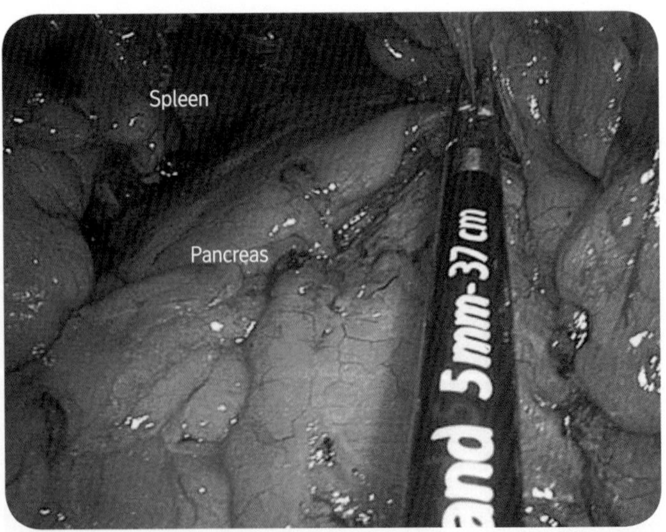

그림 13-14 원위 횡행결장 및 하행결장의 박리

(그림 13-15) 하장간막동맥(inferior mesenteric artery)은 대동맥 주위의 교감신경손상을 줄이기 위해 저위 결찰(low ligation)을 시행하고 에스결장을 박리한다.

(그림 13-16) 직장의 박리는 양측 요관의 경계 안쪽으로 더글라스와(pouch of Douglas)에 이르기까지 절개한다. 박리는 초저위전방절제술(ultralow anterior resection)과 같이 항문관(anorectal ring) 근처 골반기저부(pelvic floor)까지 최대한 시행한다.

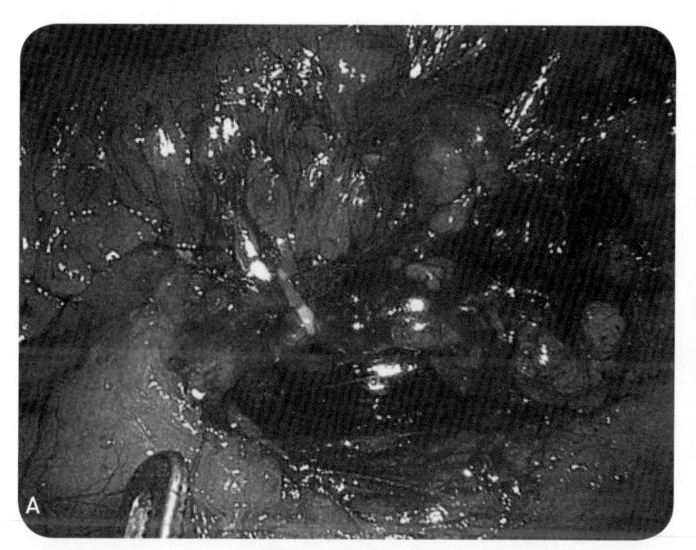

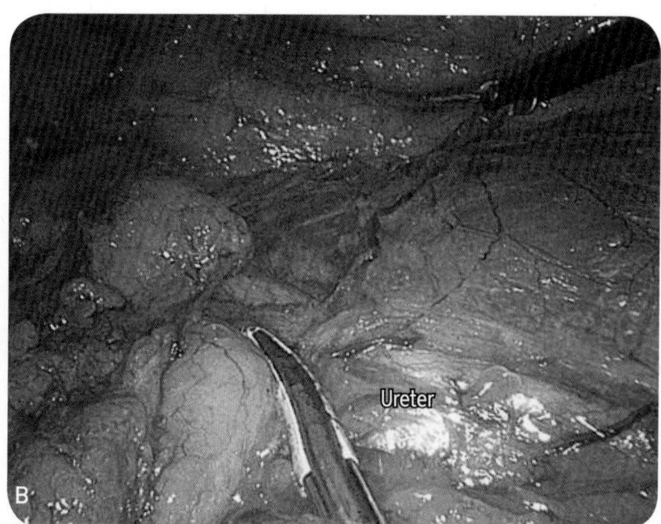

그림 13-15 A. 하장간막동맥 (inferior mesenteric artery) 결찰-low ligation, B. 에스결장의 외측 박리

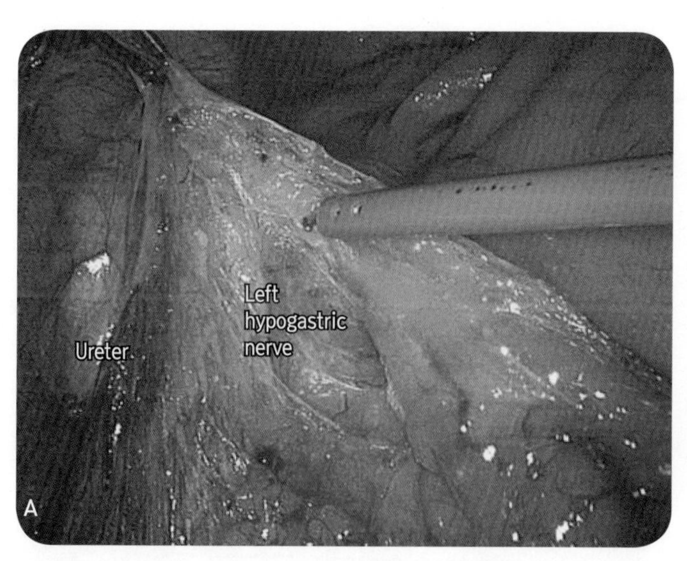

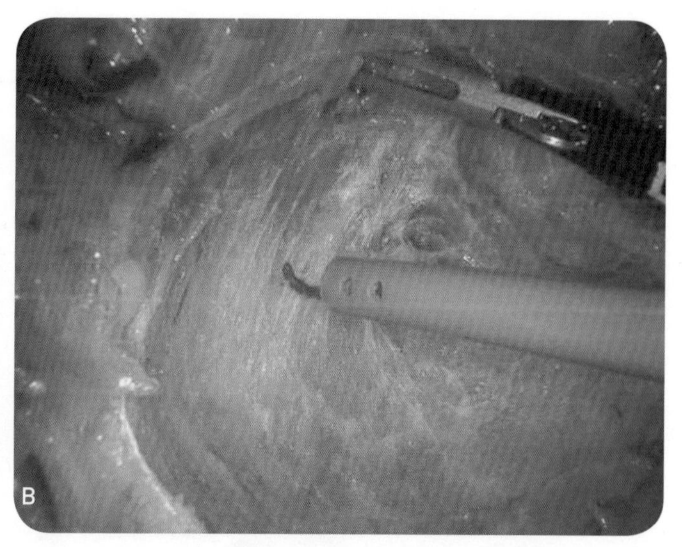

그림 13-16 직장박리

TIP 4

일반적인 전직장간막절제술(total mesorectal excision)에 따라 직장을 박리 시 출혈이 적고 익숙한 절제를 할 수 있으나 자율신경손상에 유의할 필요가 있다. 신경손상을 우려해 직장고유근막을 따라 내측으로 절제 시 절제면(dissection plane)을 찾기 어렵고 출혈이 잦아 수술 시야 확보가 어려울 수 있다. 따라서 직장암수술이 경험이 어느정도 있는 경우 전직장간막절제술 절제면을 따라 박리하는 것을 추천한다.

(그림 13-17) 항문거근(levator muscle)과 만나는 부위까지 최대한 박리하여 치상선(dentate line)의 1~1.5 cm 상방에서 Linear endostapler로 직장을 절단한다.

2) 결장 회수 및 회장낭 조성술

(그림 13-18) 복강경 수술의 경우 절제한 결장은 주로 복부 절개창을 통해 꺼낸다. 배꼽 위 아래로 4~5 cm 절개창을 만들거나 장루 부위를 이용하여 wound retractor를 거치하고 직장부터 박리한 결장을 꺼낼 수 있다.

TIP 5
직장 절단 전에 직장수지검사를 통해 정확한 위치의 확인하는 것이 도움이 된다. 일반적으로 항문입구에서 손가락 한 마디 정도 들어가는 위치에서 Linear endostapler를 위치시키면 치상선 부근에서 자동문합이 이루어진다. 일반적으로 45 mm Linear endostapler가 2개 사용된다.

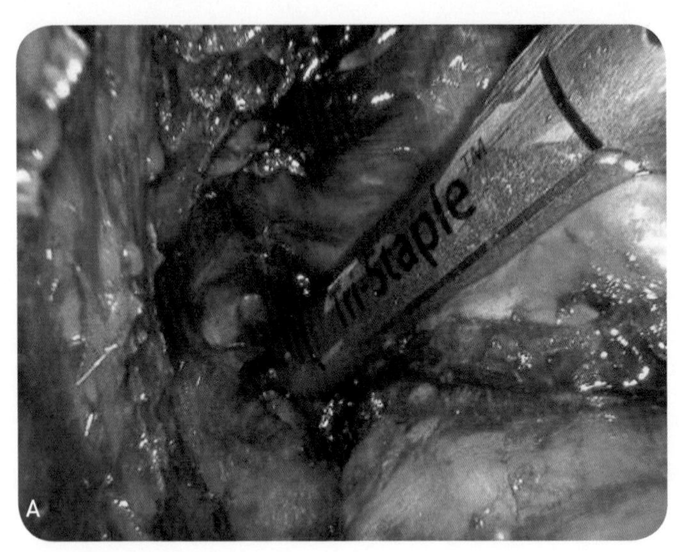

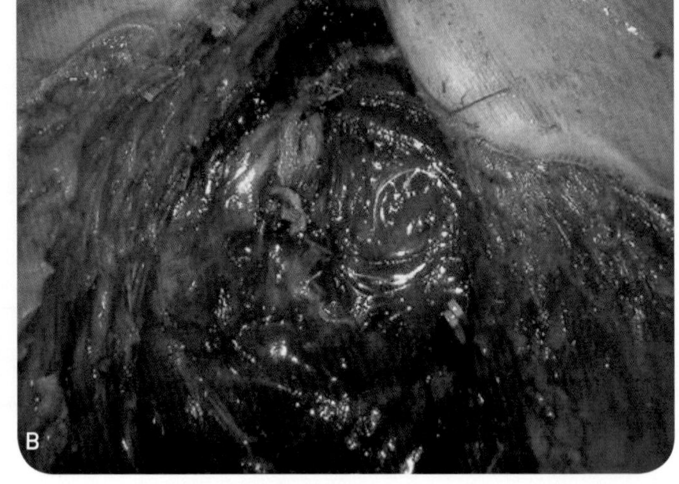

그림 13-17 직장 절단

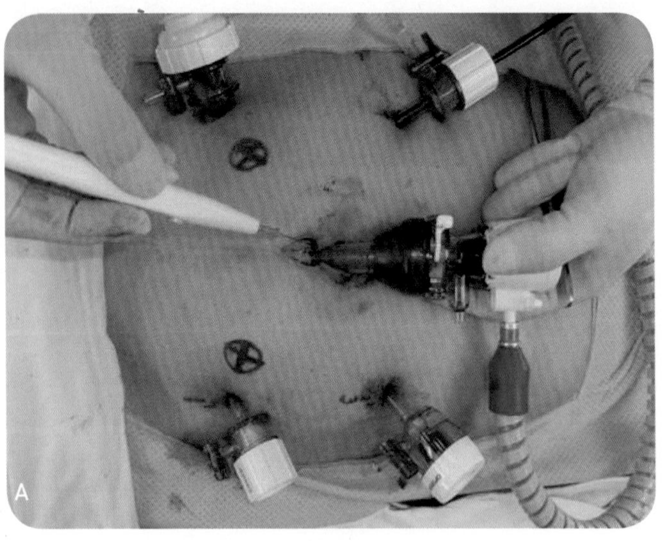

그림 13-18 배꼽부위 절개창을 이용한 결장회수

TIP 6
소장간막이 짧거나 비만한 남자의 경우 배꼽 부위 절개창을 통한 회장낭 형성이 용이하고, 날씬한 환자나 대장의 염증이 심하지 않은 경우 장루를 통한 결장 회수 및 회장낭 형성은 절개창을 줄이는 장점이 있다.

(그림 13-19) 꺼낸 말단회장부는 ileocolic vessel을 보존하면서 linear stapler를 이용하여 회맹판부근에서 절단한다. 소장간막의 방향을 확인 후 말단회장부의 15 cm 상방에 suture로 표시한다.

(그림 13-20, 21) suture 부위가 치골보다 아래로 내려가는지 확인하고 짧으면 혈관을 결찰하여 길이를 연장한다.

TIP 7
회장낭의 끝이 치골(pubic bone)에서 2-3 cm 정도 내려오면 긴장없이 자동봉합기 문합이 가능하다. 항문에 수기문합을 하려면 치골 5 cm 하방까지 닿아야 한다. 일반적으로 회장낭-항문 자동문합을 시행하는 경우 혈관결찰 등의 추가적인 술식이 필요하지 않는 경우가 많으나, 점막절제술 후 수기문합을 시행하는 경우 항문쪽으로 2~3 cm정도 더 내려가야 하므로 혈관결찰이 필요한 경우가 많이 발생한다.

TIP 8
혈관 결찰 전에 bulldog clamp를 이용하여 2분 이상 관찰하고 소장 허혈이 없음을 확인한 후 결찰하도록 한다.

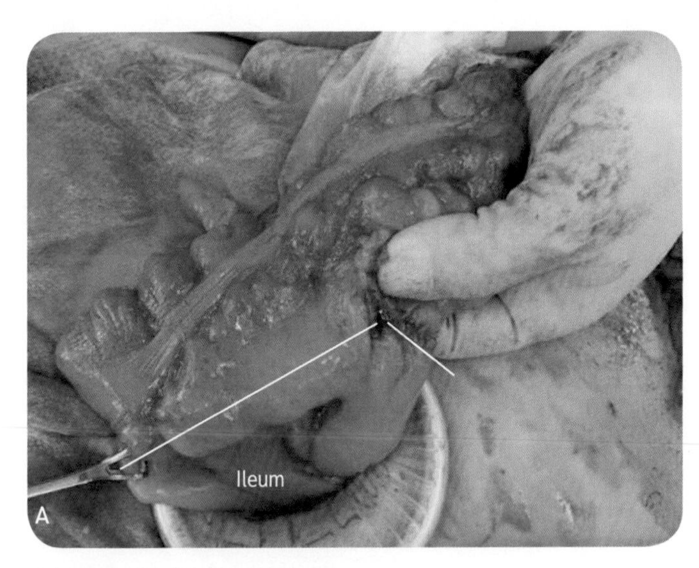

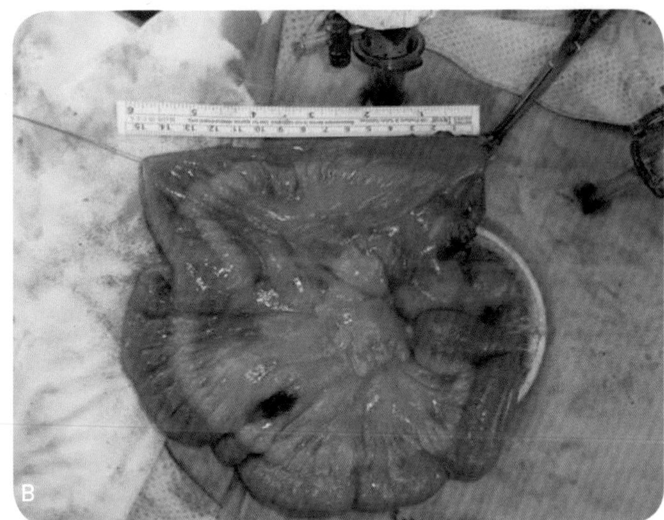

그림 13-19 결장 회수 및 회장 길이 측정

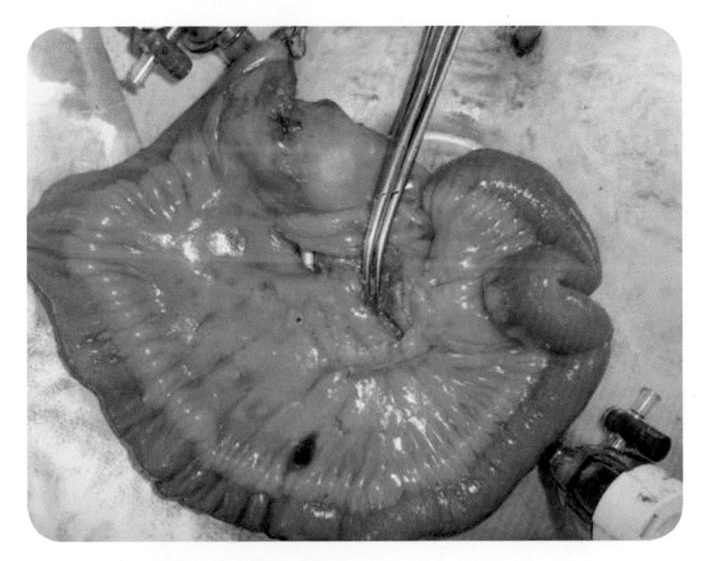

그림 13-20 회장 길이 연장 - 혈관 결찰

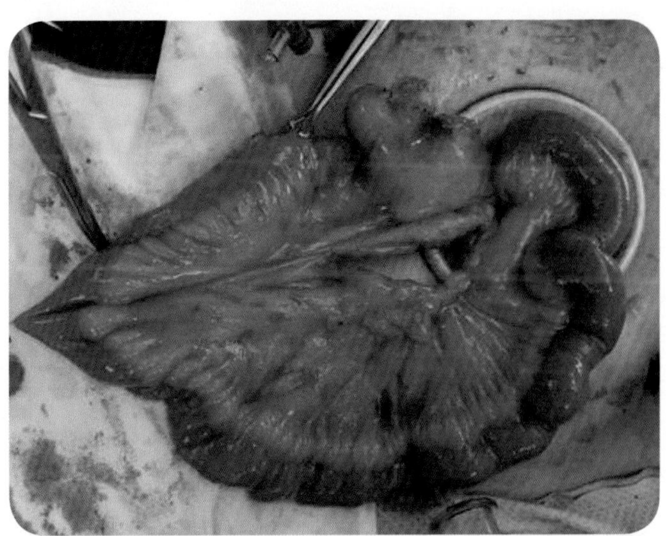

그림 13-21 회장낭 길이 확인 (Kelly 겸자 끝이 치골)

(그림 13-22) 15 cm suture로 표시한 부위는 auto-purse-string을 이용하여 입구를 만들고 소장이 antimesenteric 방향으로 위치시킨 뒤 60 mm linear stapler를 3번 이용하여 J 형태의 회장낭을 만든다. staple 주위의 출혈 여부를 확인한 28~29F anvil을 넣고 묶는다.

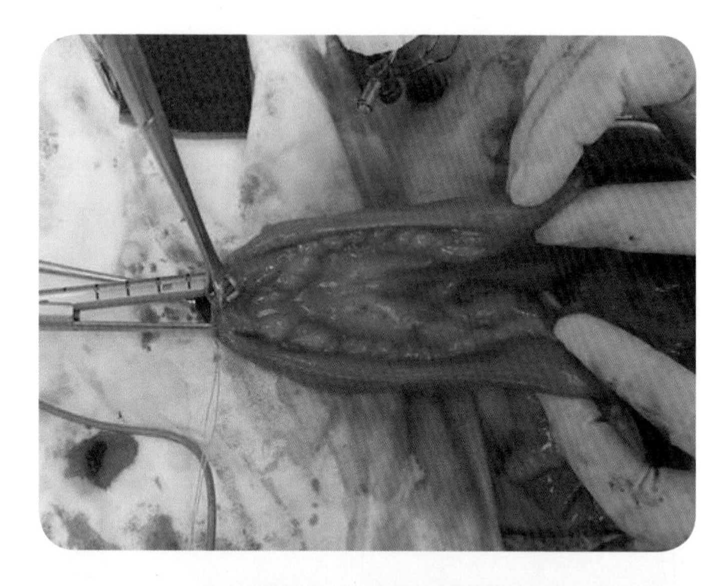

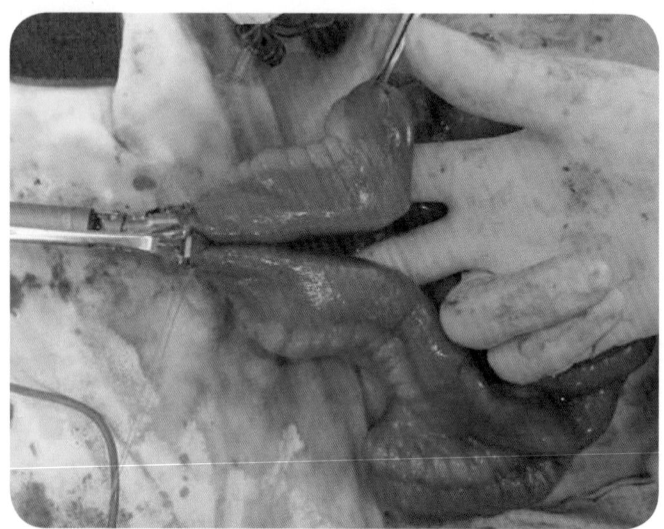

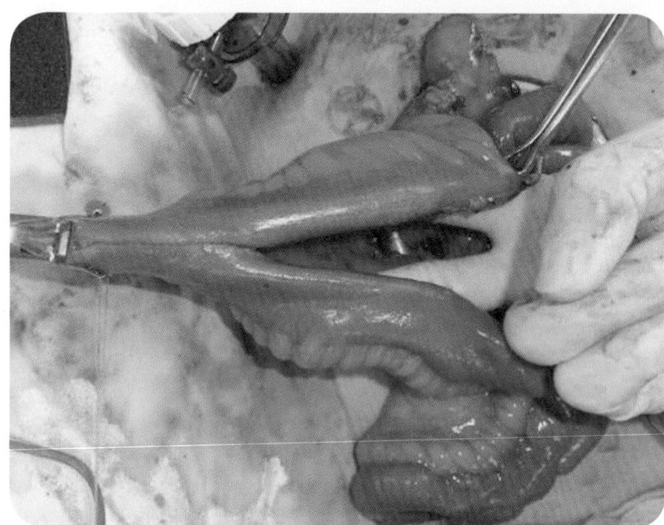

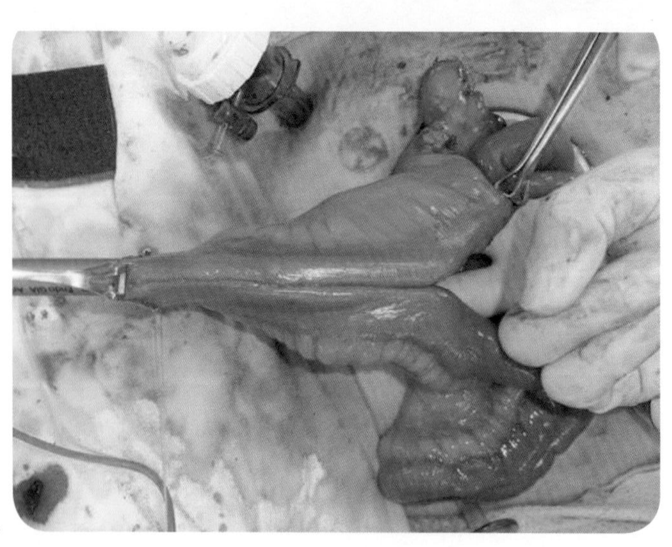

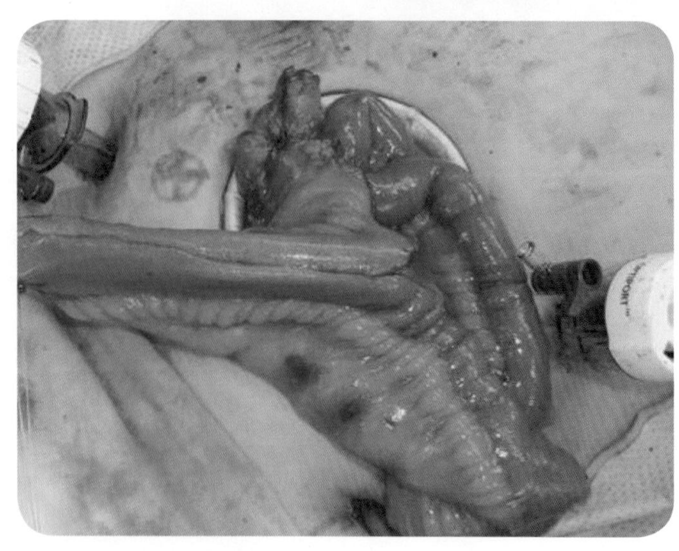

그림 13-22 회장낭 조성술 1st, 2nd, and 3rd stapling (using endoGIA60)

(그림 13-23) J형 회장낭의 맹관 끝 (blind end)는 가능한 짧게 만들고, stapling한 양측 소장 tip은 내측으로 밀어 넣어 봉합해주는 것이 누공 예방에 도움이 된다.
(그림 13-24) 회장낭을 완성 후 복강 내로 넣고 기복 상태를 만든다.

TIP 9
60 mm EndoGIA (Signia)의 경우 문합 후의 실제 길이는 4 cm 정도이다. 12 cm 이상의 회장낭을 계획하고 있다면 stapling 3회가 필요하다. 100 mm GIA의 경우 7~8 cm 정도이므로 2회 문합이 필요하다.

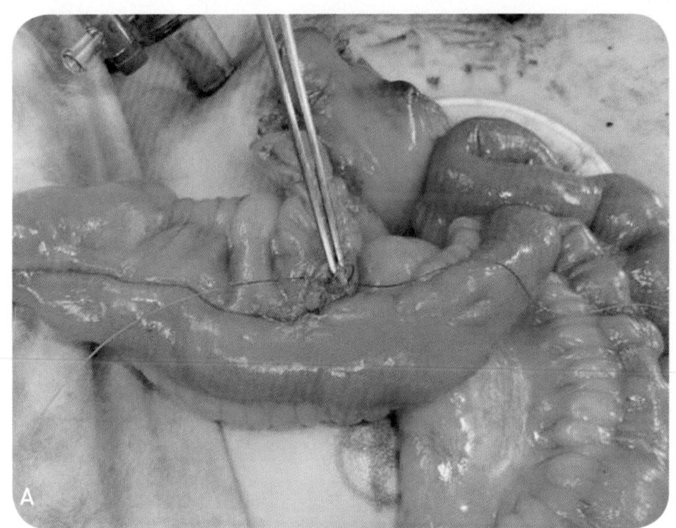

그림 13-23 회장낭 조성술 - stapling 절단 팁 처리 (inversion of tip)

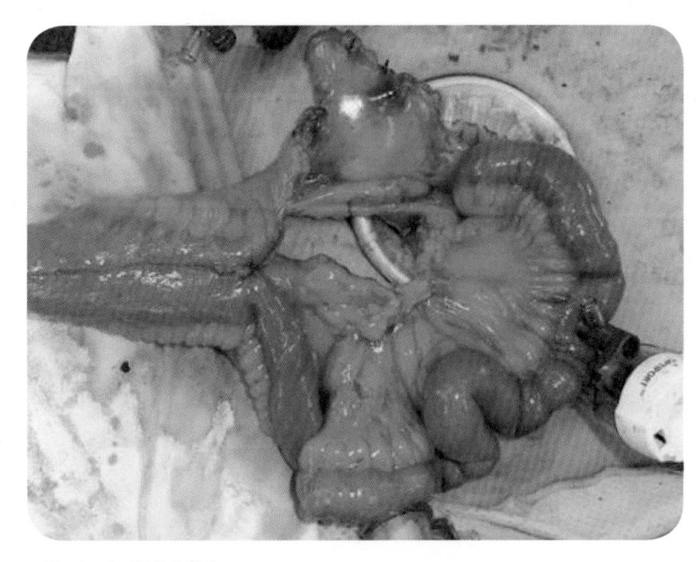

그림 13-24 회장낭 완성

(그림 13-25) 소장간막 및 회장낭의 방향을 확인하여 골반에 위치시키고, 원형문합기를 항문에 넣어 회장낭과 자동문합 시행한다.

(그림 13-26) 회장낭과 소장간막 상태(출혈, 방향, 긴장도)를 확인하고, 필요한 경우 배액관을 골반 내에 거치한다. 회장낭 상방 30~40 cm 소장을 좌측 또는 우측 복근 사이 장루 위치로 꺼내어 피부와 고정한다. 장루로 결장을 꺼낸 경우 손가락 2개가 통과할 정도의 크기로 근막을 봉합하여 줄이도록 한다.

3) 점막절제술 및 수기문합

직장암 또는 이형성증이 동반된 궤양성대장염 환자이거나 가족성용종증 환자에서 직장 내 용종이 많은 경우에는 점막절제술을 시행한다.

점막절제술은 직장절제 후 남은 점막을 제거할 수도 있고, 직장절제없이 점막절제술 후 항문괄약근 및 항문거근과 박리하여 결장을 항문쪽으로 꺼낼 수도 있다. 이때 회장말단부는 복강 내에서 절제가 선행되어야 한다.

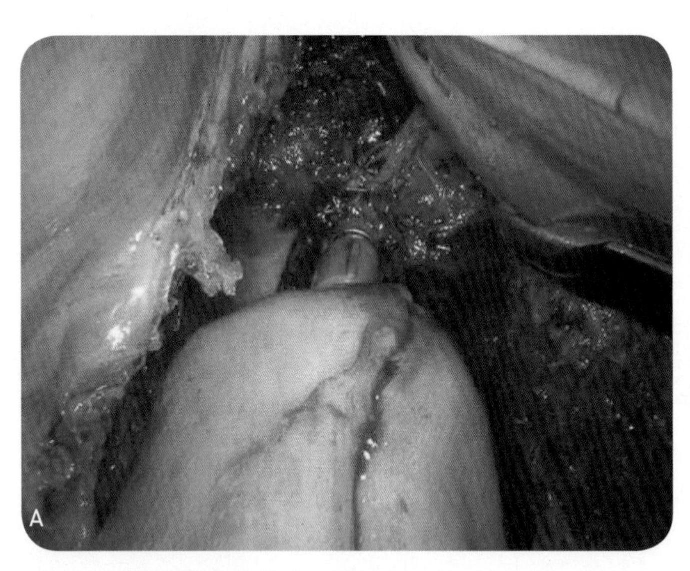

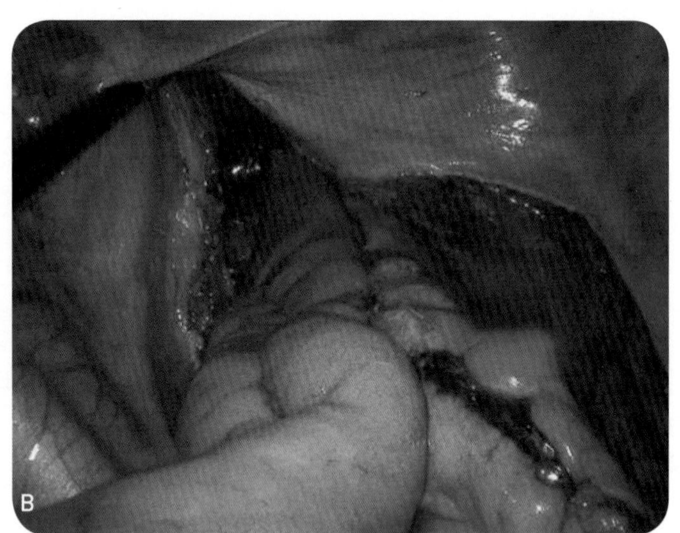

그림 13-25 회장낭 항문 문합 (ileal pouch anal anastomosis - stapled)

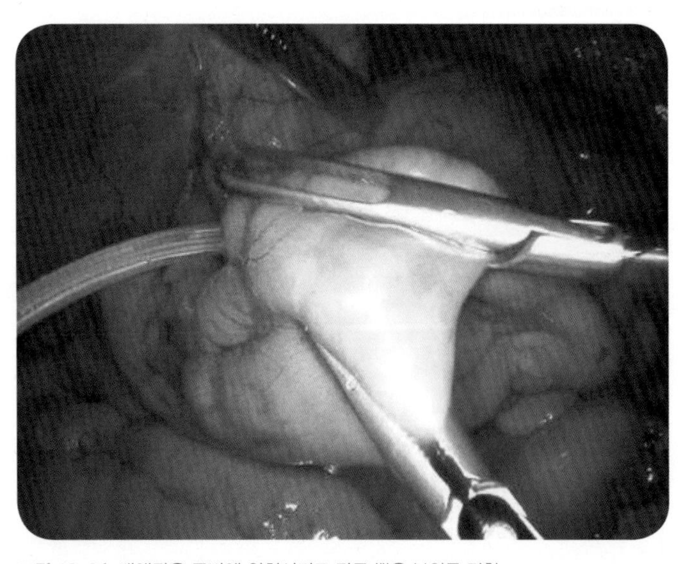

그림 13-26 배액관을 골반에 위치시키고 장루 뽑을 부위를 정함

TIP 10
문합부가 항문과 가깝고, 직장에 염증이 있거나 여러가지 면역억제제를 사용하는 경우가 많기 때문에 우회 회장루를 만드는 것이 안전하다.

(그림 13-27, 28) 점막절제술은 Lonestar retractor로 내괄약근을 걸어 항문을 벌리고, 치상선에서 상방으로 직장점막을 제거하면 된다.

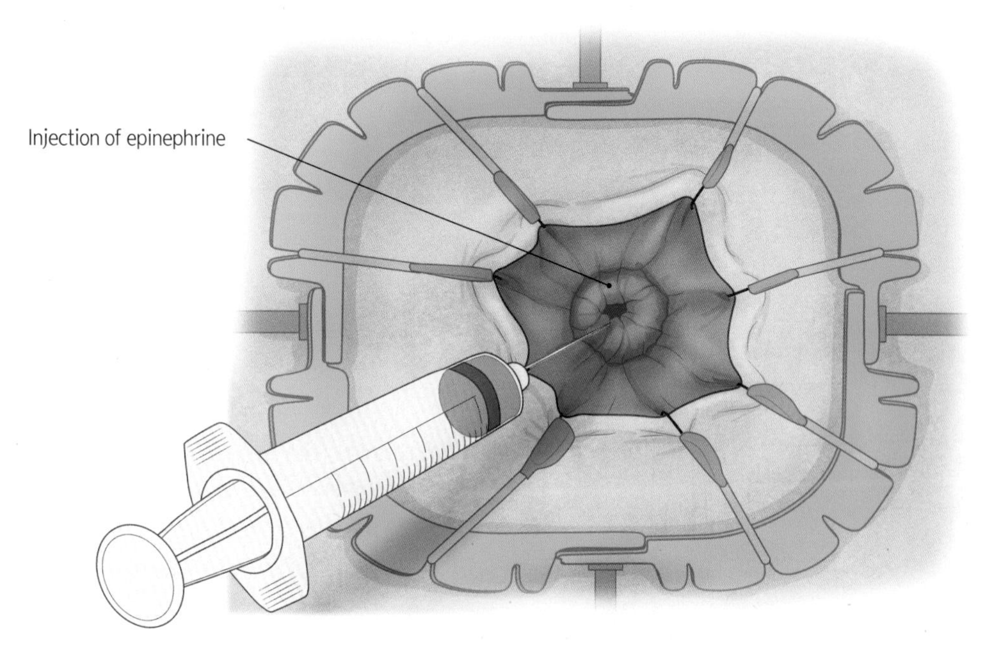

그림 13-27 항문견인기를 이용한 수기 봉합의 준비

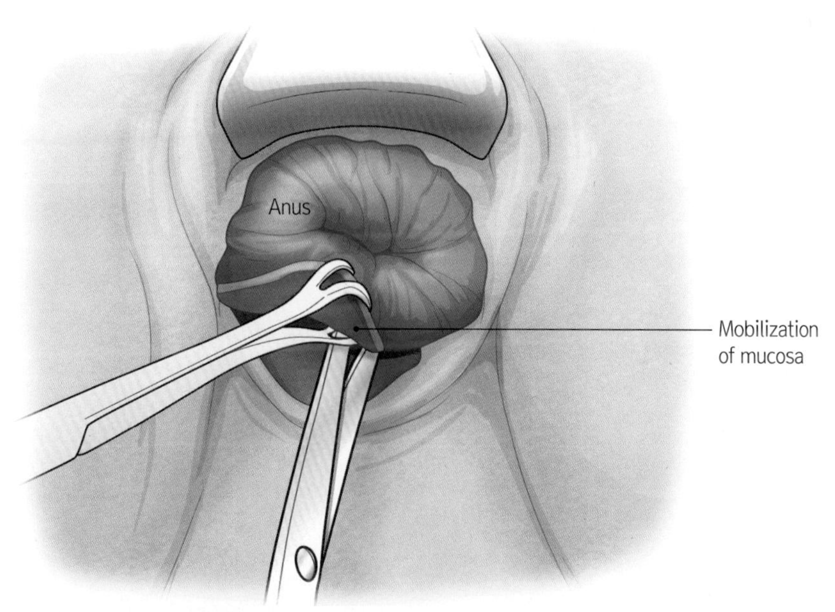

그림 13-28 직장점막절제 (mucosectomy)

(그림 13-29) 골반 내로 내려놓은 J pouch를 항문쪽으로 당겨서 12-3-6-9시 4방향으로 3-0 흡수성 봉합사를 이용하여 항문괄약근과 회장낭 끝을 봉합하고 4방향 사이를 5 mm 간격으로 봉합하면 된다.

7. 폐복

(그림 13-30) 투관침 부위의 출혈여부를 확인하여 제거하고, 10 mm 이상의 투관침 부위 근막은 2-0 흡수성 봉합사로 봉합한다. 4-0 비흡수성 봉합사로 피부 봉합을 하여 수술을 마친다.

8. 수술 후 관리

수술 후 장루 배출량 등을 고려하여 물부터 식이를 진행하고 다른 합병증 소견이 없으면 수술 후 4~5일 째 퇴원을 고려한다. 고령에서는 탈수증상로 인한 신장손상이 흔히 생기므로 수분섭취에 대한 교육을 충분히 한다. 회장루 복원은 수술 후 1~2개월 경 조영제를 이용한 영상검사로 확인 후 진행한다.

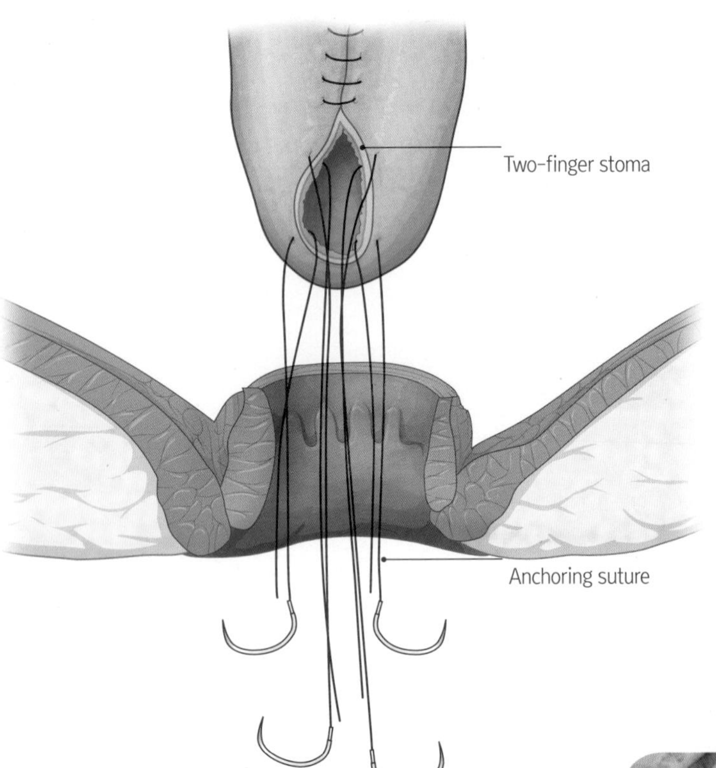

그림 13-29 회장낭과 항문의 고정봉합

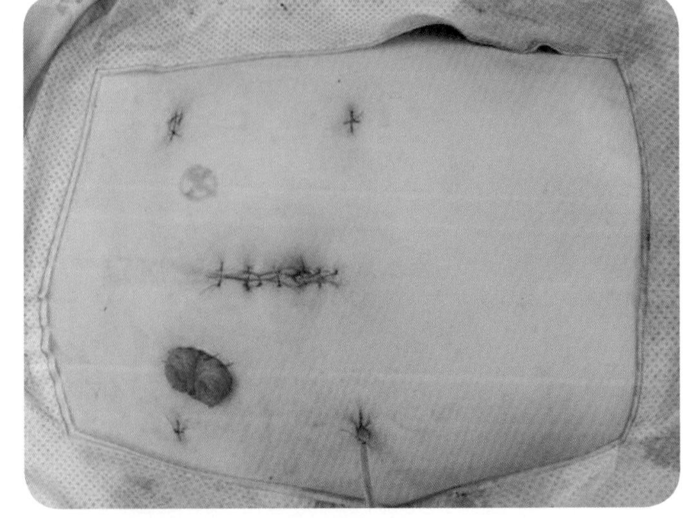

그림 13-30 폐복 및 장루

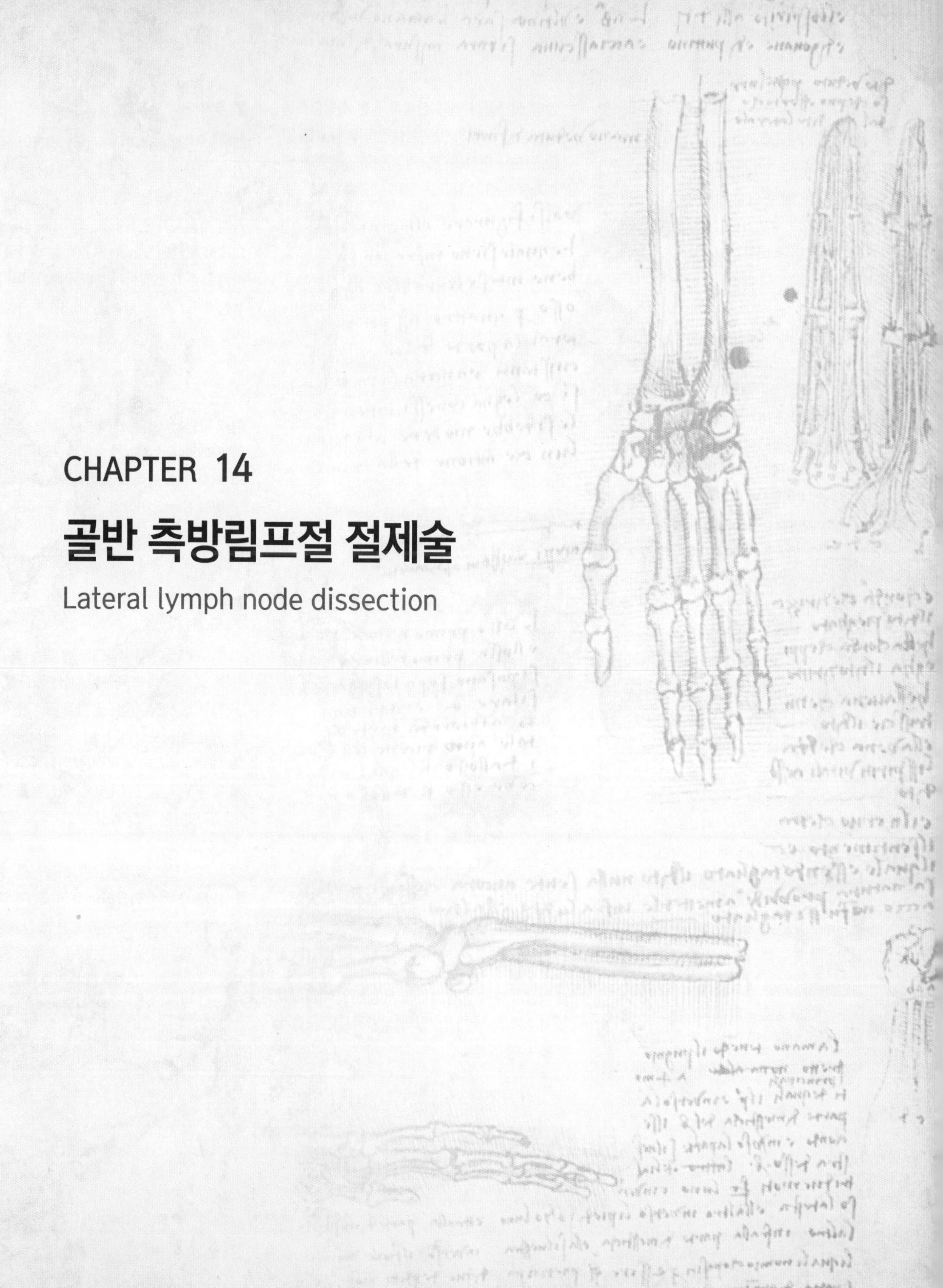

CHAPTER 14

골반 측방림프절 절제술

Lateral lymph node dissection

1. 서론

직장암에서 골반 측방향으로의 림프배출 및 림프절 전이는 1900년대 초에 밝혀졌으나, 직장암 치료에 있어 골반 측방림프절 절제술은 주로 일본의 외과의사들에 의해 발전되어 왔으며, 골반 측방림프절 절제술을 시행함에 대해서는 여전히 논란이 있다.

서양에서는 직장암에 대하여 항암방사선치료 및 전직장간막 절제술을 표준적인 치료로 권고하고 있다. 그 이유로는 첫째, 항암방사선치료 및 전직장간막 절제술만으로도 직장암 수술 후 낮은 국소재발률을 보인다는 것이다. 둘째, 골반 측방림프절 전이를 국소전이가 아닌 전신적인 전이로 간주한다는 것이다.

지금까지 연구에서 진행된 직장암에서 수술시 골반 측방림프절 절제를 시행한 경우 국소재발을 줄인다 할지라도 전체 생존율을 향상시키지 못한다는 것이다. 이와 더불어 셋째, 골반 측방림프절 절제수술 중 과도한 출혈과 함께 수술 후 높은 합병증, 그 중 자율신경 손상으로 인한 성기능 장애와 배뇨기능이상을 발생시켜 비뇨생식계 합병증의 위험을 높인다는 것이다. 하지만, 전이가 있는 골반 측방림프절에 대해서는 항암방사선치료 및 전직장간막 절제술만으로는 제거가 되지 않으므로 수술의 정당성이 주장되고 있다.

일본에서는 항암방사선치료의 단계적인 도입으로 복막반사 하방에 위치하는 T3 이상의 직장암에 대해서 항암방사선치료를 대체하여 예방적인 골반 측방림프절 절제술을 시행하고 있으며 약 7%의 림프절 전이율을 보고하고 있다.

골반 측방림프절 치료에 대하여 서양과 일본이 정반대의 치료법을 제시하는 가운데, 최근 골반 MRI에서 전이가 의심되는 골반 측방림프절에 대하여 항암방사선치료 후에 전직장간막 절제술과 함께 선택적 골반 측방림프절 절제술을 도입하자는 치료전략이 동의를 얻고 있으나 여전히 수술의 시행과 적응증에 대해서는 논란이 있다.

2. 수술 전 처치

직장암 수술과 동일하게 전처치를 시행한다. 수술 전 24~48시간 이내 경구용 폴리에칠렌 글리콜을 음용하여 장세척을 하는 것이 권장된다. 수술 전 항생제 투여는 피부절개 1시간 전에 2세대 세팔로스포린을 최초 정맥투여한다.

3. 마취

기도삽관을 통한 전신마취를 시행한다.

4. 환자 자세

쇄석위(Lithotomy) 자세를 취한 후 15°가량의 트렌델렌버그 자세(Trendelenburg position)를 취한다. 복강경 및 로봇수술의 경우에는 이에 더하여 우측 경사진 자세를 취할 수 있다.

5. 수술 준비

도뇨관을 삽입하고 복부, 회음부, 항문, 서혜부, 그리고 대퇴부 1/3을 포함하여 포비돈 용액으로 닦는다.

6. 절개 및 노출

1) 개복

직장암 수술과 동일하게 시행한다. 배꼽위에서 시작하여 치골결합의 상방까지 정중절개를 시행한다.

2) 복강경

배꼽 주변에 카메라 포트를 삽입하여 위치시킨 후 기복을 형성한다. 우측 쇄골정중선 상의 우하복부, 우상복부에 5 mm 투관침을 위치시켜 수술자가 조작하고, 좌측쇄골정중선 상의 좌하복부에 5 mm 투관침을 추가로 위치시켜 조수가 조작하게 한다. 상황에 따라서는 좌상복부 또는 치골결합 상방에 투관침을 추가할 수 있다.

3) 로봇

현재 다빈치 Xi를 사용하는 시에는 배꼽 주변에 카메라 포트를 삽입, 우측 쇄골정중선 상의 우하복부, 좌측 쇄골정중선상의 좌상복부 및 이와 8 cm 이상의 거리를 둔, 다른 세 개의 투관침과 일직선으로 정렬이 되도록 삽입한다.

7. 수술 과정

(그림 14-1) 골반 측방림프절 절제는 내장골 림프절, 중직장 동맥 림프절, 패쇄 림프절, 총장골 림프절, 외장골 림프절, 그리고 대동맥분지부 림프절을 포함한다. 이 중 외장골 림프절 및 대동맥분지부 림프절은 영상학적 검사에서 이 부위의 림프절 전이가 의심될 때 절제하고 있다. 또한 골반 측방림프절의 일괄절제를 권장하고 있다.

(그림 14-2) 내측으로는 요관, 하복신경, 골반신경, 외측으로는 외장골 동정맥, 요근, 패쇄근이 경계면이 된다. 근위부로는 총장골동맥의 분기부, 원위부 상부로는 방광과 패쇄구멍, 후방으로는 요천골신경총과 원위부 후방으로는 Alcock's 관과 항문거상근을 포함한 골반 바닥근들이 경계가 된다.

직장암에 대하여 전장간막절제술 및 원위부

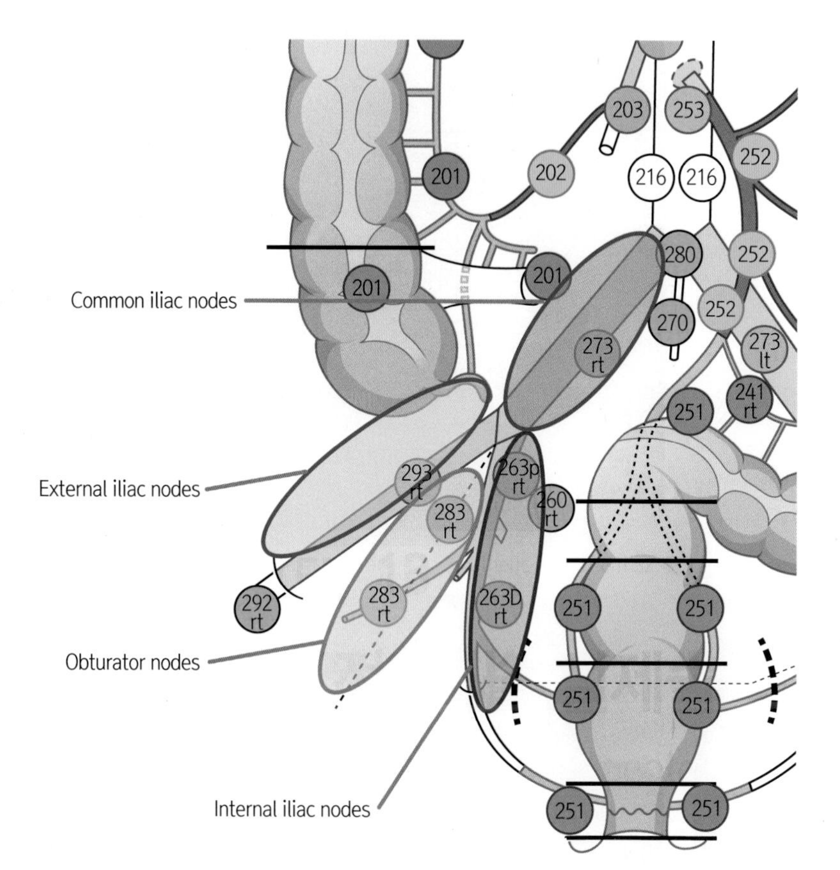

그림 14-1

직장의 절단을 종료한 후에 골반 측방벽으로 이동 수술을 시작한다.

1) 골반 측방벽의 내측면 박리

(그림 14-3) 요관, 하복부 신경, 골반 신경으로 크게 구성되어 있다. 먼저 총장골동맥 주변에서 요관을 찾은 다음 내측으로 견인하면서 골반벽으로부터의 박리를 하며, 장골회선동맥의 분지부위까지 진행한다. 이때 요관을 포함하여, 골반 측방벽에 위치하고 있는 하복부 신경과 골반 신경을 골반벽으로부터 일괄 박리하게 되면, 이들 해부학적 구조물을 포함하는 얇은 평평한판이 분리되게 되고 이를 내측 경계면으로 지정할 수 있다. 일본에서는 요관-하복부 신경선(ureterohypogastric nerve fascia)이라고 명명한다. 내측면의 박리 시에는 요관과 골반신경에 손상이 되지 않도록 세심한 주의를 요한다.

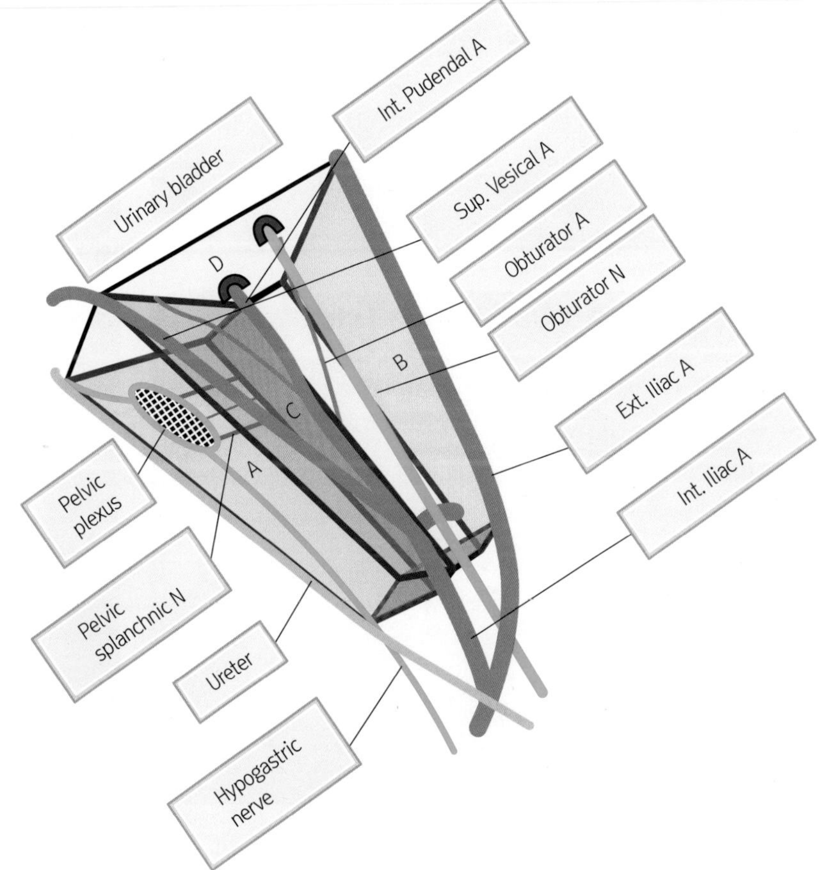

그림 14-2

2) 골반 측방벽의 외측면 박리

(그림 14-4) 외장골 동맥과 정맥, 요근, 내패쇄근이 외측면의 경계를 이루고 있다. 먼저 외장골 동맥의 내측에서부터 림프조직들을 박리하게 되는데 이때, 외장골동맥의 외측부위의 림프절 절제술은 일반적으로 전이가 의심이 되는 림프절에 한해서 시행하는 것을 권장한다. 외장골 동맥의 하부 또는 후방의 외장골 정맥을 노출시키며 내측의 림프조직을 박리하고 하부 골반으로 진행한다. 요근, 내패쇄근의 근막을 차례로 노출시킨다. 이때, 여러 개의 작은 혈관들이 위치하고 있으므로 출혈에 주의하며 박리를 진행한다.

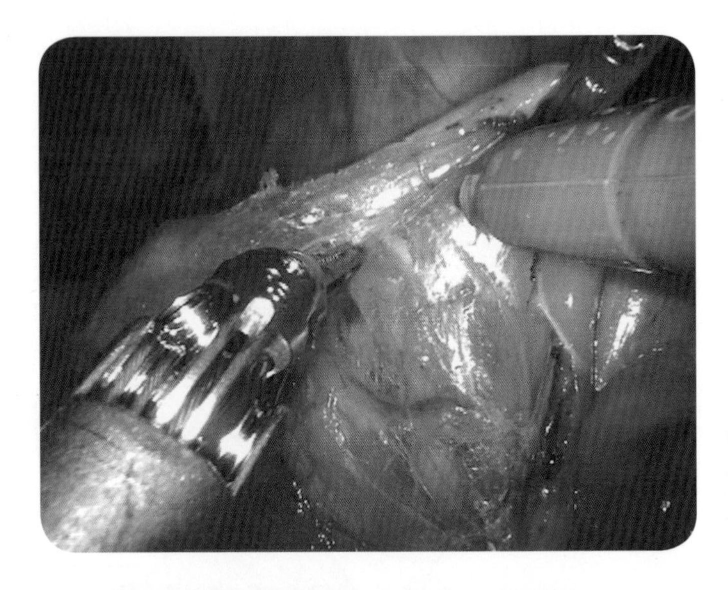

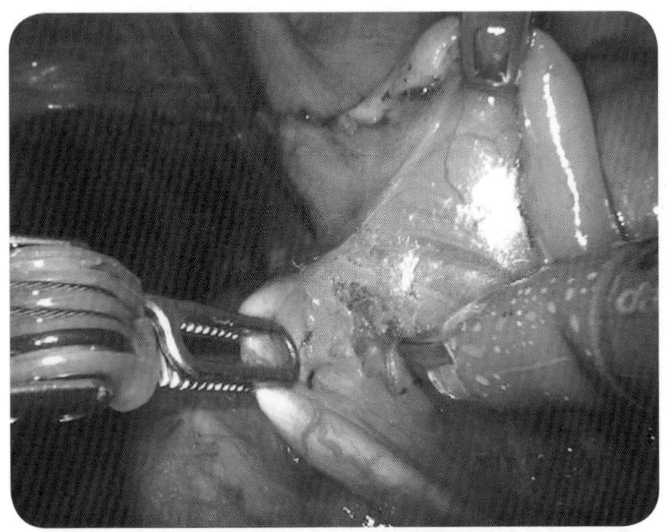

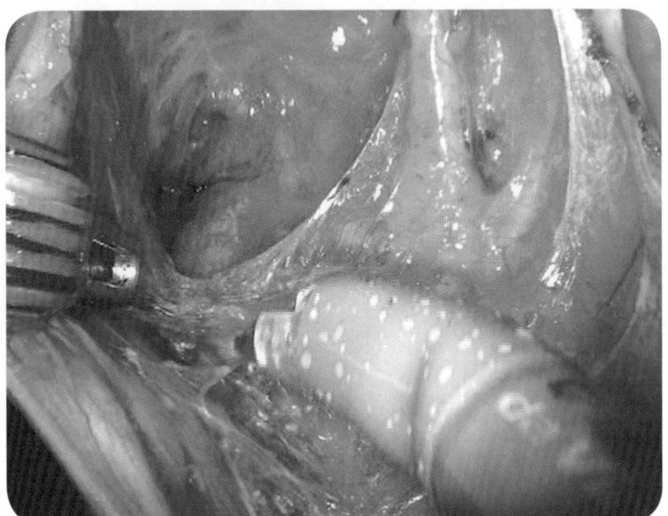

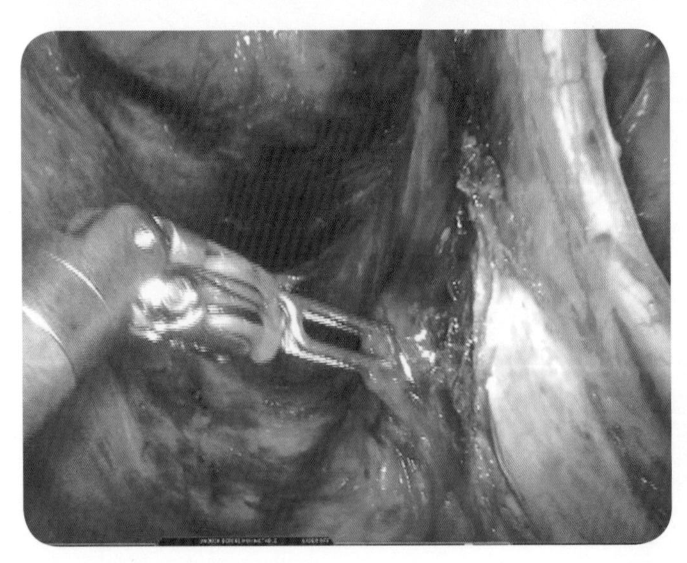

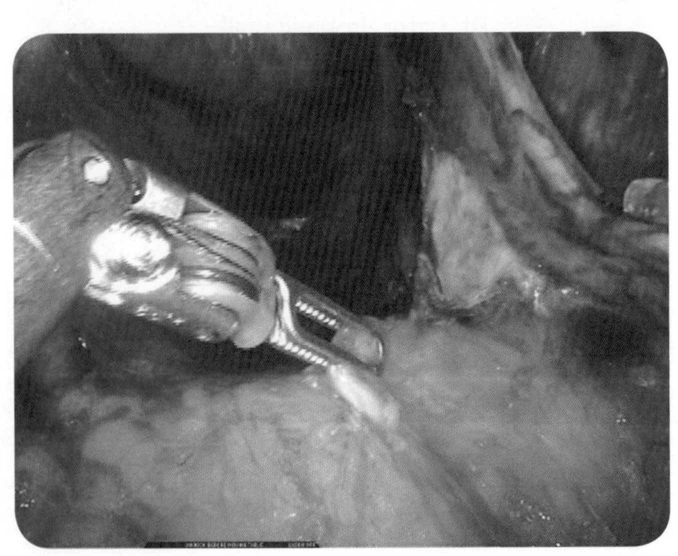

그림 14-3

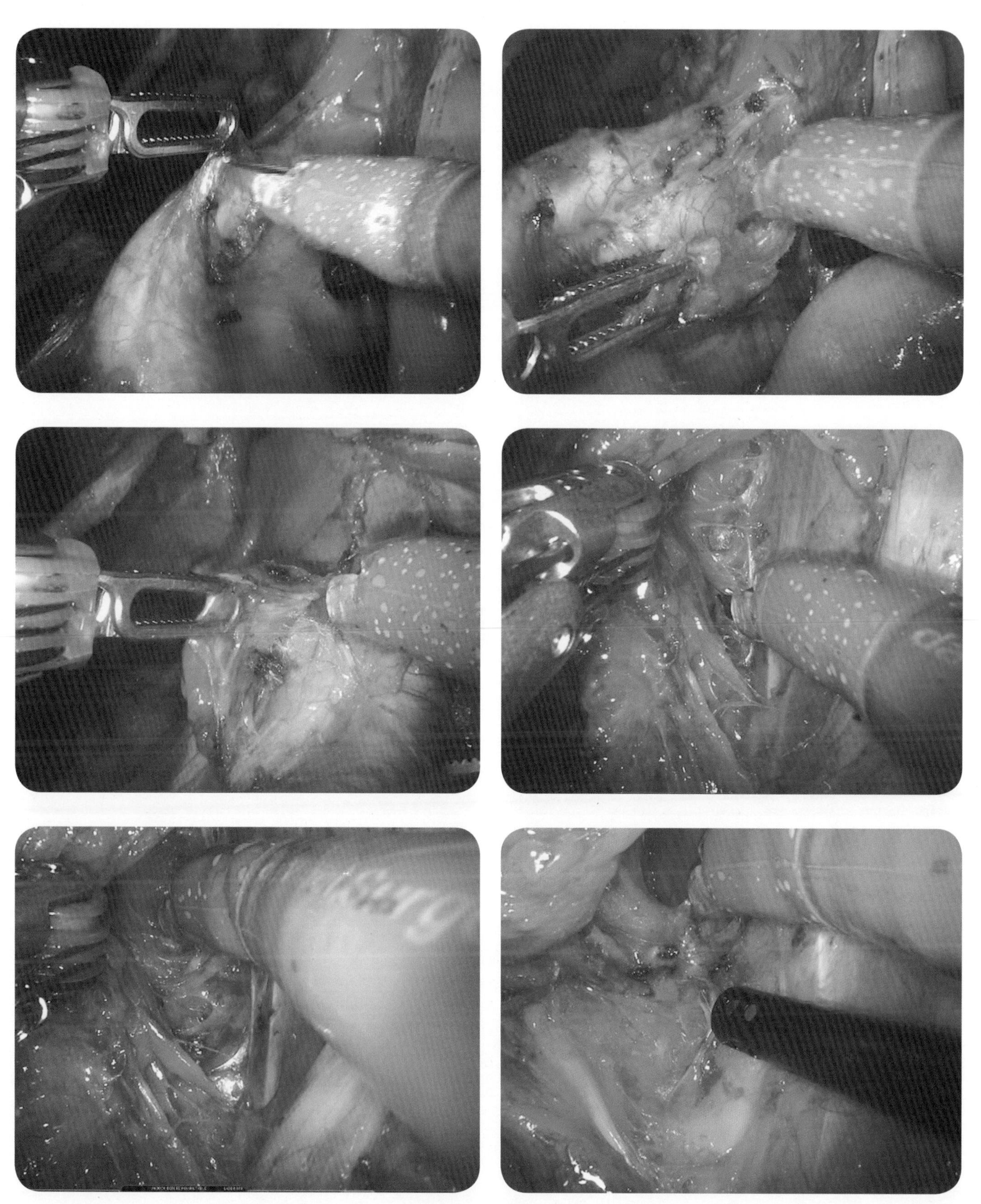

그림 14-4

3) 내장골동맥의 박리

(그림 14-5) 총장골동맥의 분지 부위에서부터 내장골동맥을 노출, 여러 가지 동맥들로부터 림프조직을 박리한다. 내장골동맥은 골반 측방벽의 중심부에 위치하며, 해부학적으로 가지동맥들의 변이가 많은 것으로 알려져 있다. 내장골 동맥에서 후방으로 상볼기동맥을 분지하고 원위부에 있는 전방 가지동맥들은 일반적으로 배꼽 동맥, 상방광동맥, 패쇄동맥, 하방광동맥, 중직장동맥, 내음부 동맥 순서로 분지하고 있다. 이 동맥들을 순서대로 노출 시키면서 림프조직을 박리하게 되고 내장골동맥의 가지동맥을 하나의 경계면으로 하

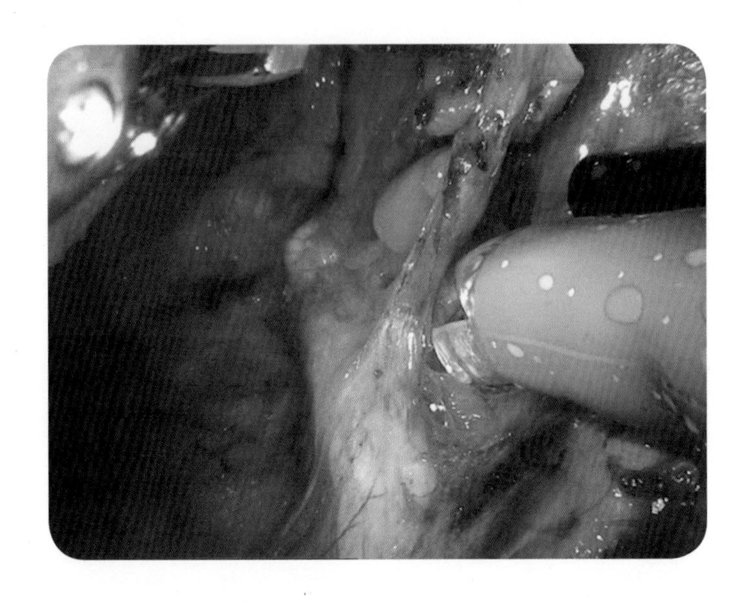

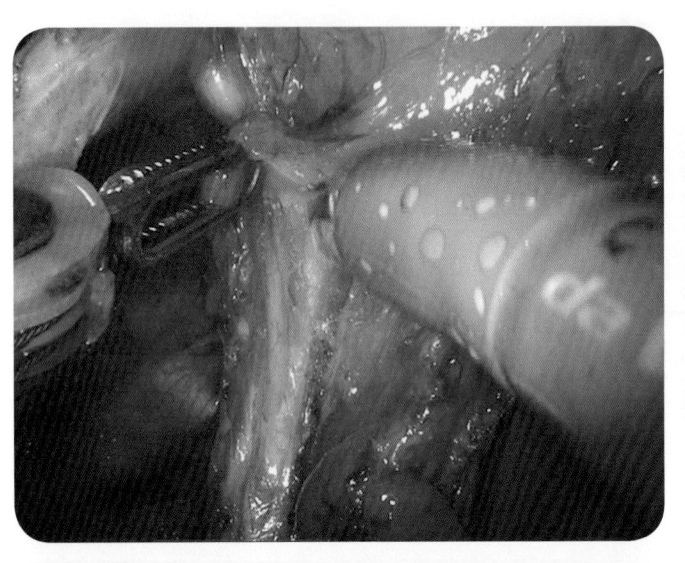

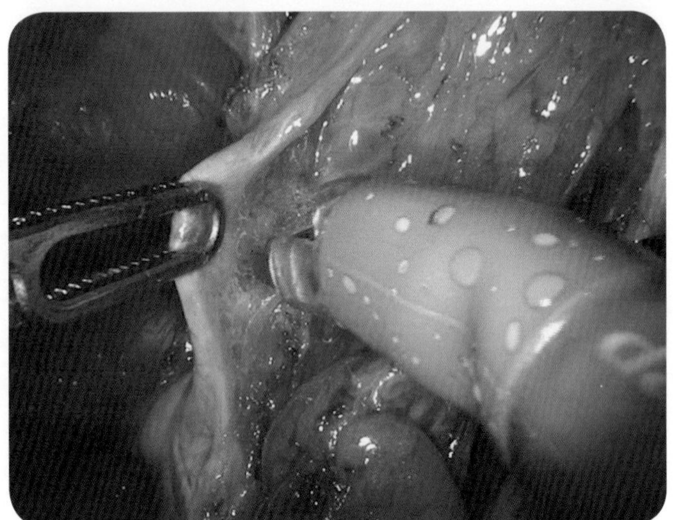

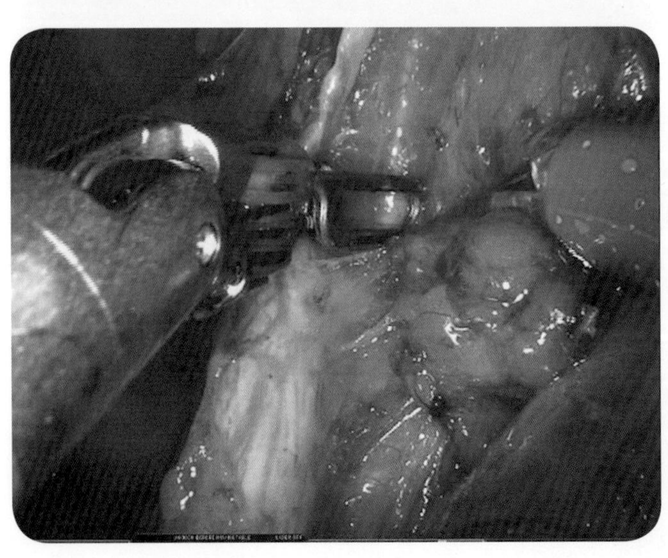

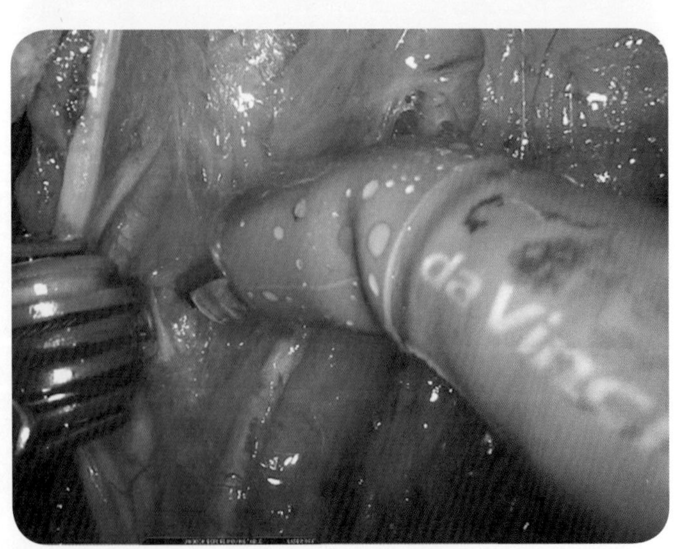

그림 14-5

여, 중앙면으로 한다. 이 중 양측 골반 측방절제술 시에는 방광기능을 위하여 일측 상방광동맥을 보존하는 것을 권장하고 있다. 일본의 외과의사들은 내장골동맥의 가지동맥을 포함하는 중앙면을 방광-하복부선(vesico-hypogastric fascia)으로 명명하였고, 이면의 외측은 패쇄림프절군, 내측은 내장골림프절군으로 나눌 수 있다.

4) 실제적인 림프조직의 박리

(그림 14-6) 총장골동맥 분기 부위에서부터 시작하여 외장골동맥과 내장골동맥의 사이에 위치한, 즉 이미 박리한 골반 외측면과 중앙면

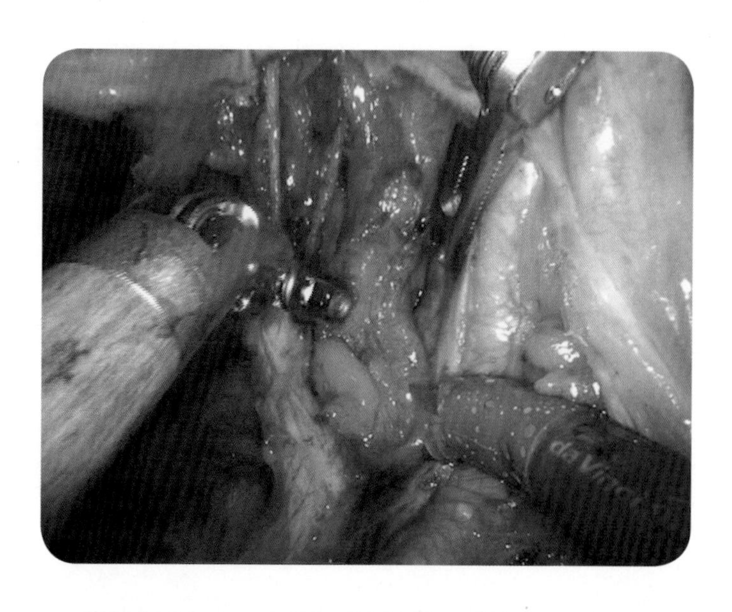

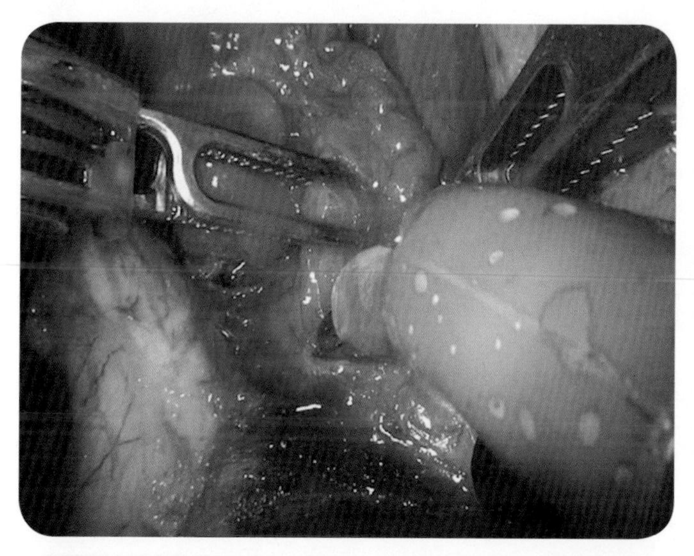

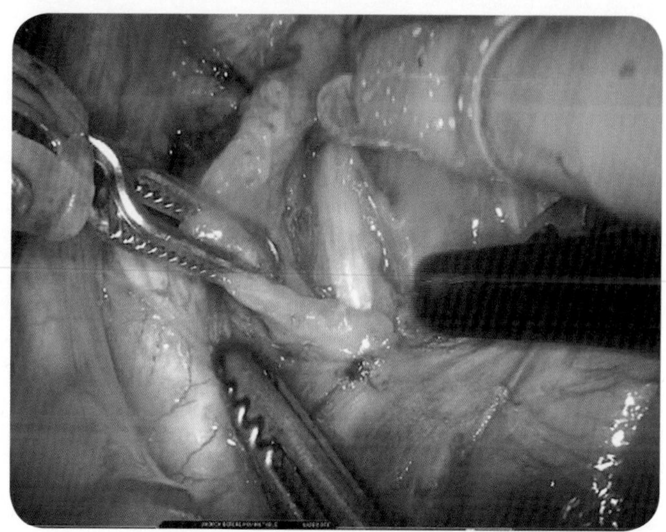

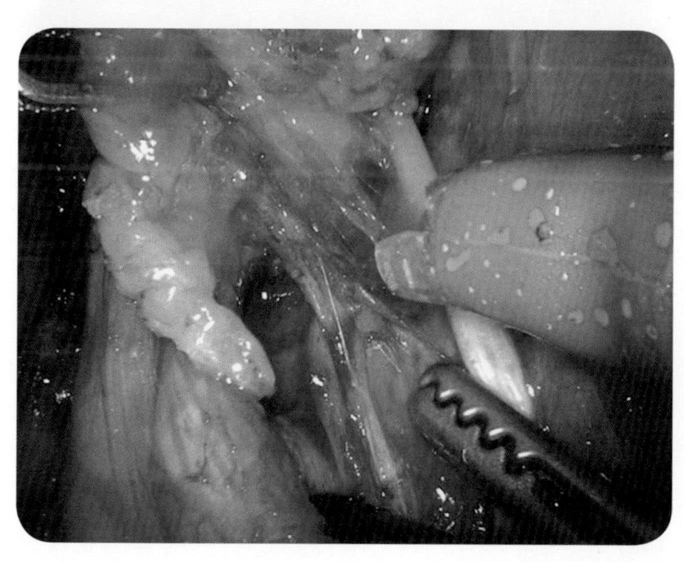

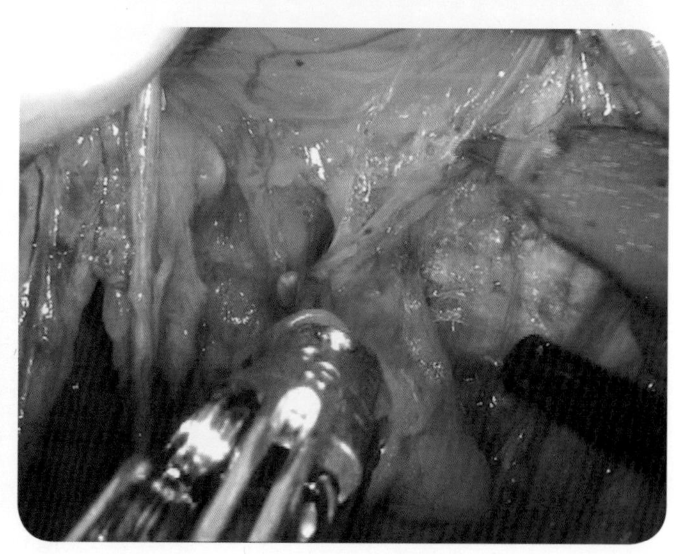

그림 14-6

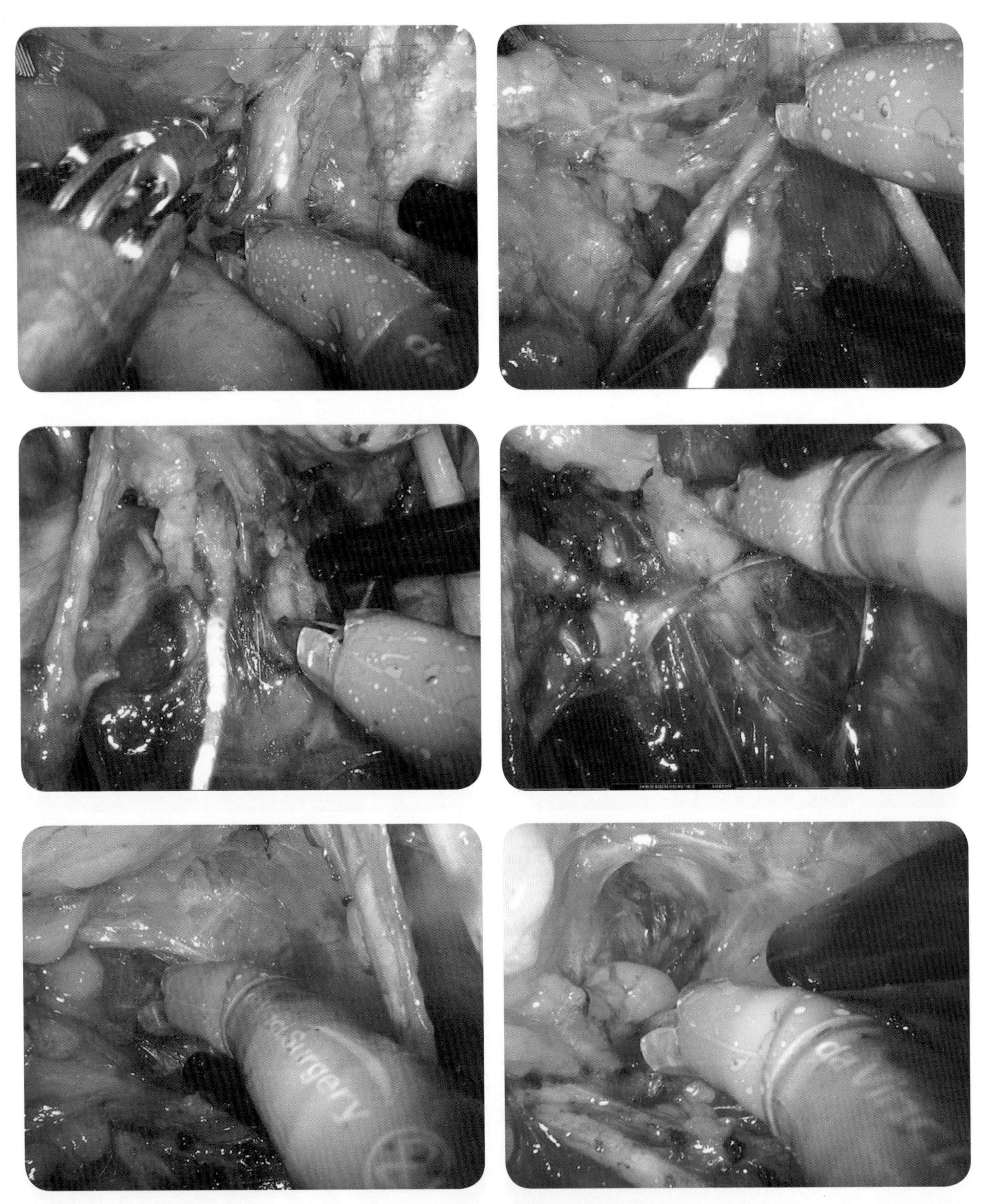

그림 14-6 (계속)

(방광-하복부선) 사이에 위치한 패쇄림프절군의 림프절 박리를 아래쪽으로 진행한다. 상볼기동맥의 기시부를 확인할 수 있으며, 이 주변에 패쇄신경이 지나고 있으므로 손상이 되지 않도록 세심한 주의를 요한다. 패쇄림프절군의 바닥면은 요천골(lumbosacral) 신경이 지나고 있으므로 세심하게 주의하며 림프절 박리를 진행한다. 림프조직 박리를 골반 하부로 진행하면서 패쇄신경을 노출 이로부터 림프조직을 박리하고, 패쇄동맥 및 정맥을 노출시킨다. 원위부 상부 경계면인 방광의 전방부를 노출시키며, 이때 방광손상에 유의한다. 패쇄신경과 혈관들이 골반의 외부로 통과하는 패쇄구멍까지 박리를 진행한다. 패쇄동맥과 정맥은 경우에 따라서는 수술 시야확보를 위하여 절제할 수 있다. 원위부 후방에서는 패쇄림프절군과 내장골림프절군의 확실한 구별이 없으며, 이 부위를 내장골림프절군으로 분류하는 주장이 동의를 얻고 있다.

(그림 14-7) 다음 내장골림프절군의 림프조직 박리를 시작한다. 이는 내장골동맥과 요관, 복부 및 골반 신경 사이, 즉 중앙면(방광-하복부선)과 내측면 사이에 위치한 림프절군으로 일반적으로 해부학적 위치에 따라 근위부와 원위부로 분류하며, 원위부 내장골림프절군에서 가장 많은 빈도의 전이가 있는 것으로 보고되었다. 이는 직장암으로부터 측방향으로의 림프배출이 해부학적으로 가장 먼저 도달하는 곳으로, 직장암의 골반 측방 감시림프절이 위치하는 곳이라고 할 수 있겠다. 해부학적으로는 내방광동맥과 내음부동맥, 중직장동맥 주변부위라고 할 수 있고, 내음부동맥이 골반 외부로 배출되는 Alcock's 관 주변까지 림프조직을 완벽히 박리하는 것을 권장한다. 이때, 전이가 의심되는 림프절이 이 부위에 위치한다면, 내방광동맥과 중직장동맥 등을 일괄절

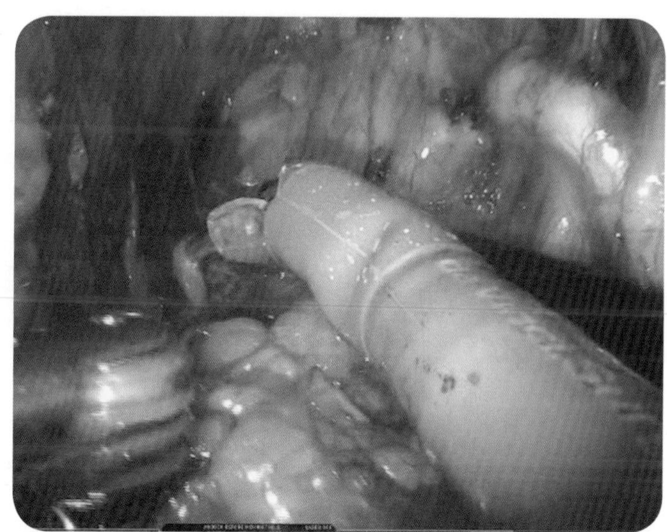

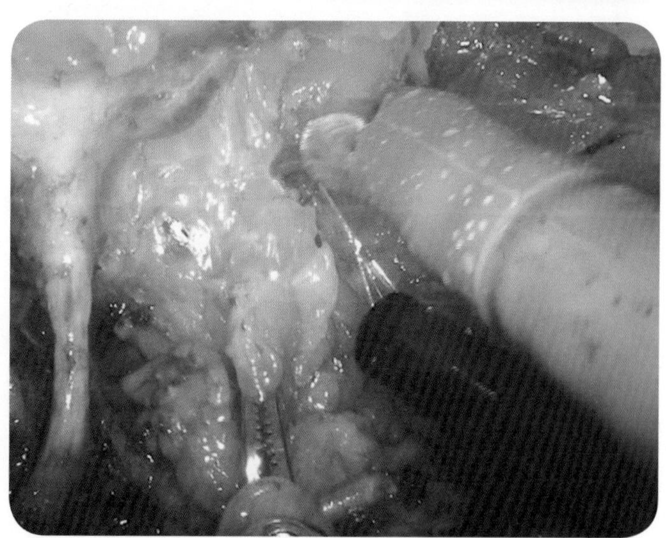

그림 14-7

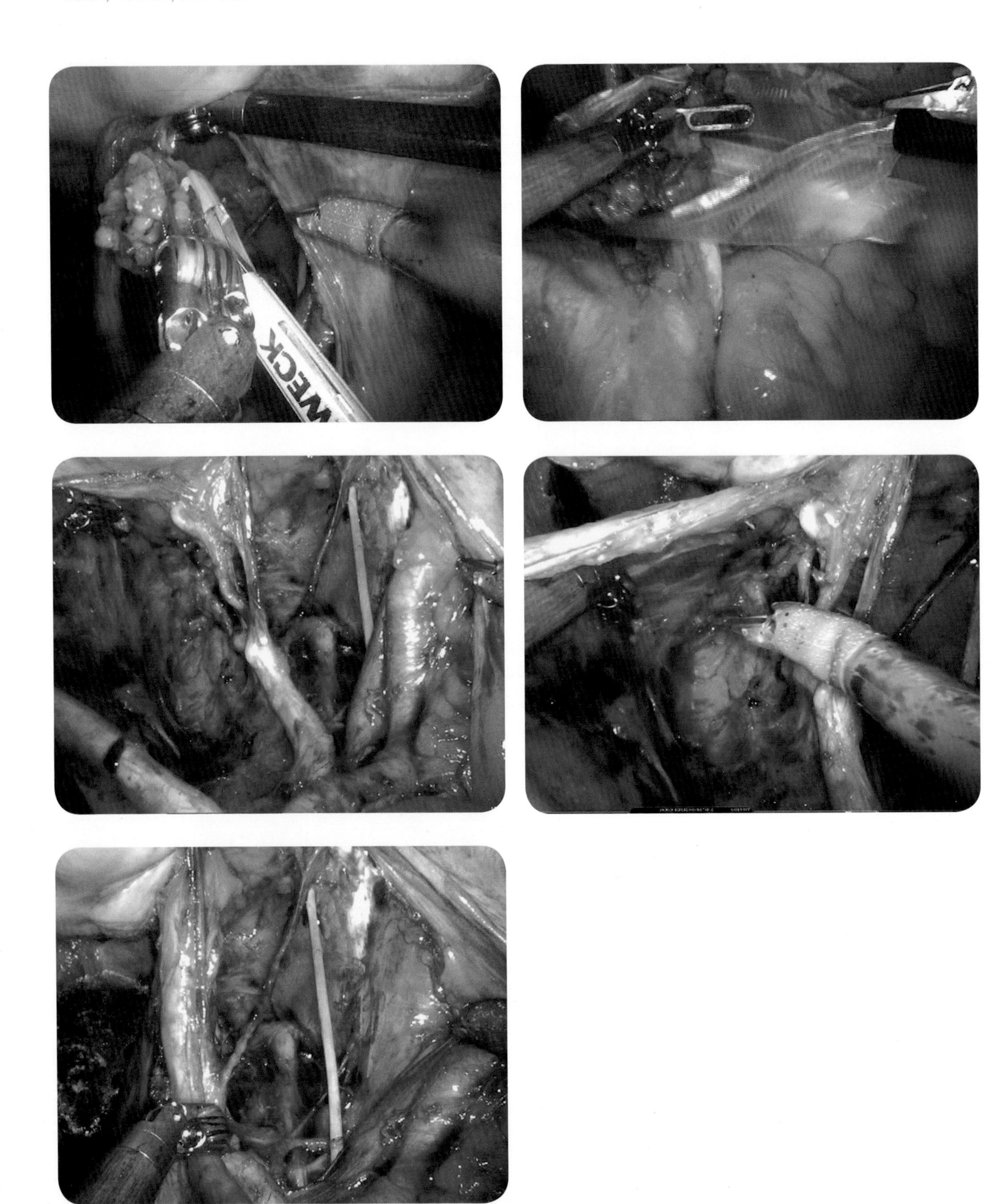

그림 14-7 (계속)

제하는 것을 권장한다. 총장골동맥에서 내장골동맥의 분지부위부터 시작하여 골반 하부로 진행, 원위부 후방의 경계인 Alcock's 관과 골반근을 노출시킬 때까지 박리를 진행하고, 일괄절제한 림프절을 복강내에서 추출한다. 이때 전이가 의심되는 림프절에 대해서는 표식을 남길 수 있다.

5) 병리학적 검사

골반 측방림프절 절제술을 완료한 후에는 크게 내장골림프절군과 패쇄림프절군으로 분리하여 병리검사를 하는 것을 권장한다.

8. 병행 술기 및 기타 고려사항

1) 수술 후 합병증

문합부 누출과 배뇨생식계 합병증이 가장 많은 빈도로 발생할 수 있다. 특히, 중직장 동맥과 하둔 동맥에 접근해 있는 하부 하복신경총 및 골반 신경총의 손상에 의한 성기능 및 배뇨기능저하의 위험이 높다. 최근 종결된 일본의 다기관 무작위 비교 연구에서는(JCOG0212) 직장암 치료에서 전직장간막 절제술에 골반 측방림프절을 추가하여 시행하였을 때 배뇨생식계 합병증이 높긴 하나 통계적으로 유의한 수준은 아닌 것으로 보고하였다.

2) 복강경 및 로봇 골반 측방림프절 절제

직장암의 수술적 치료에 있어 복강경 수술이 보편화 되면서 골반 측방림프절 절제술에도 복강경의 사용이 증가하고 있다. 비교적 적은 수의 환자를 포함하는 후향적인 연구에서 실행 가능성과 함께 술기의 안전성을 보고하였으나, 아직 장기 종양학적 안전성에 대해서는 근거가 부족한 상태이다.
로봇 수술이 직장암에 도입되면서 로봇이 가지고 있는 좁은 공간에서 삼차원적 확대 영상하에서 관절 운동이 가능한 기구를 이용하여, 세심한 박리가 가능하다는 장점을 바탕으로 적용되고 있다. 한국, 일본 등 아시아 국가에서 그 결과를 보고하고 있으며, 로봇의 적용으로 최근 서양에서도 환자의 증례들이 보고되고 있다. 또한, 소수의 후향적 비교 연구에서 로봇을 이용한 골반 측방림프절 절제술이 복강경을 이용한 집단보다, 출혈량이 적고, 배뇨기능 저하가 낮다고 보고하였으나, 여전히 그 근거는 부족한 실정이다.

9. 결론

골반 측방림프절 전이가 의심되는 직장암 치료에 대해서는 여전히 논란이 있다. 생존률 향상의 기여하지 못하고, 전신적인 전이라고 생각되는 것과 함께 또 하나의 중요한 이유는 수술 술기의 어려움과 수술 중, 후 합병증의 증가로 기인한 것이다. 또한, 수술의 빈도가 낮으므로 술기의 발전을 이루는데 어려움이 있다. 따라서 골반 측방림프절 절제술 시작 전, 충분한 해부학적 지식을 익히고, 표준화된 수술법을 바탕으로 이 수술의 전문가들 주도하에 단계적이고 체계적인 교육과 훈련을 통하여 수술 술기를 발전시킬 수 있도록 노력하여야 한다.

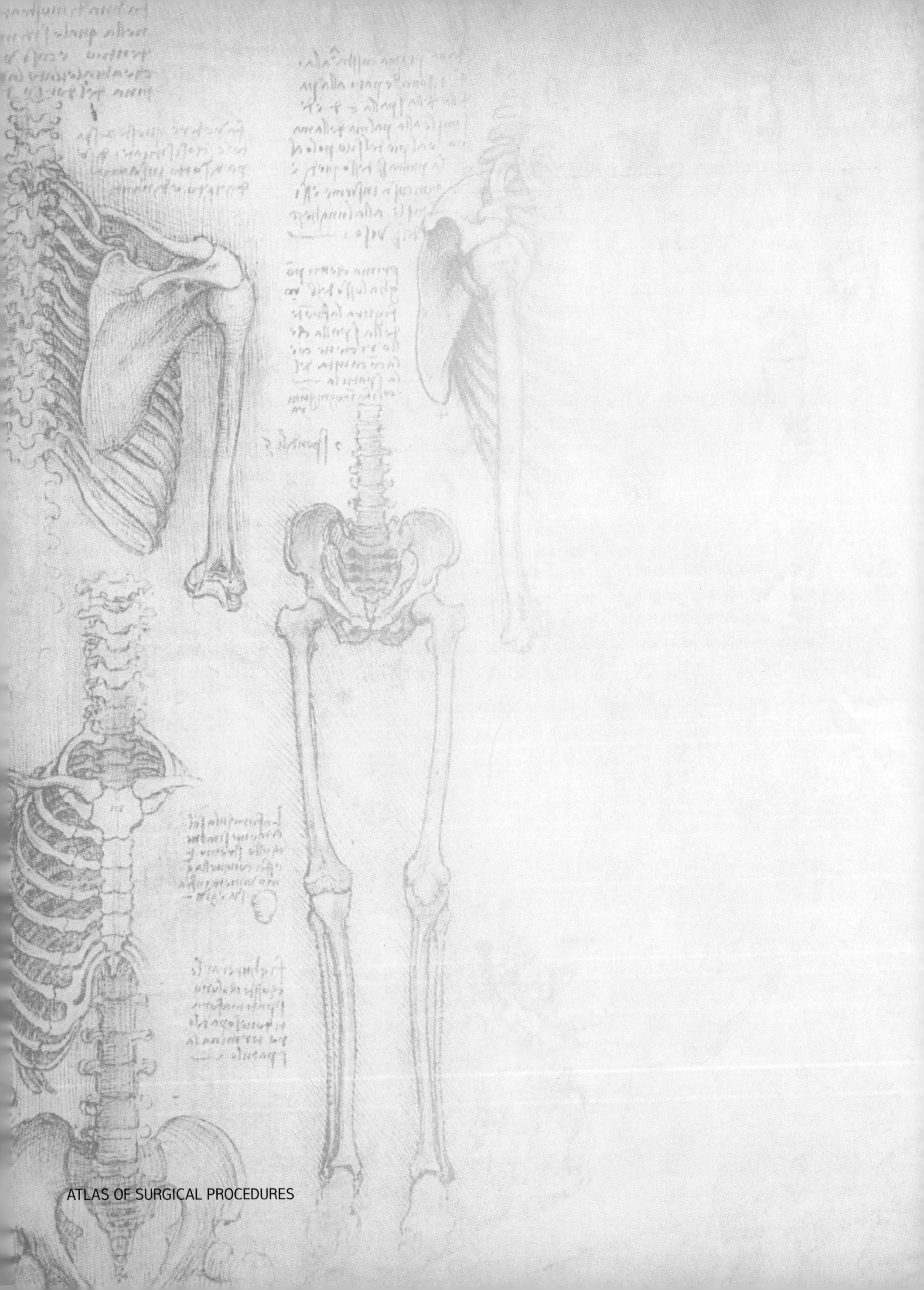

ATLAS OF SURGICAL PROCEDURES

SECTION 5

간담췌, 비장

Liver, Biliary Tract and Pancreas

Chapter Outline

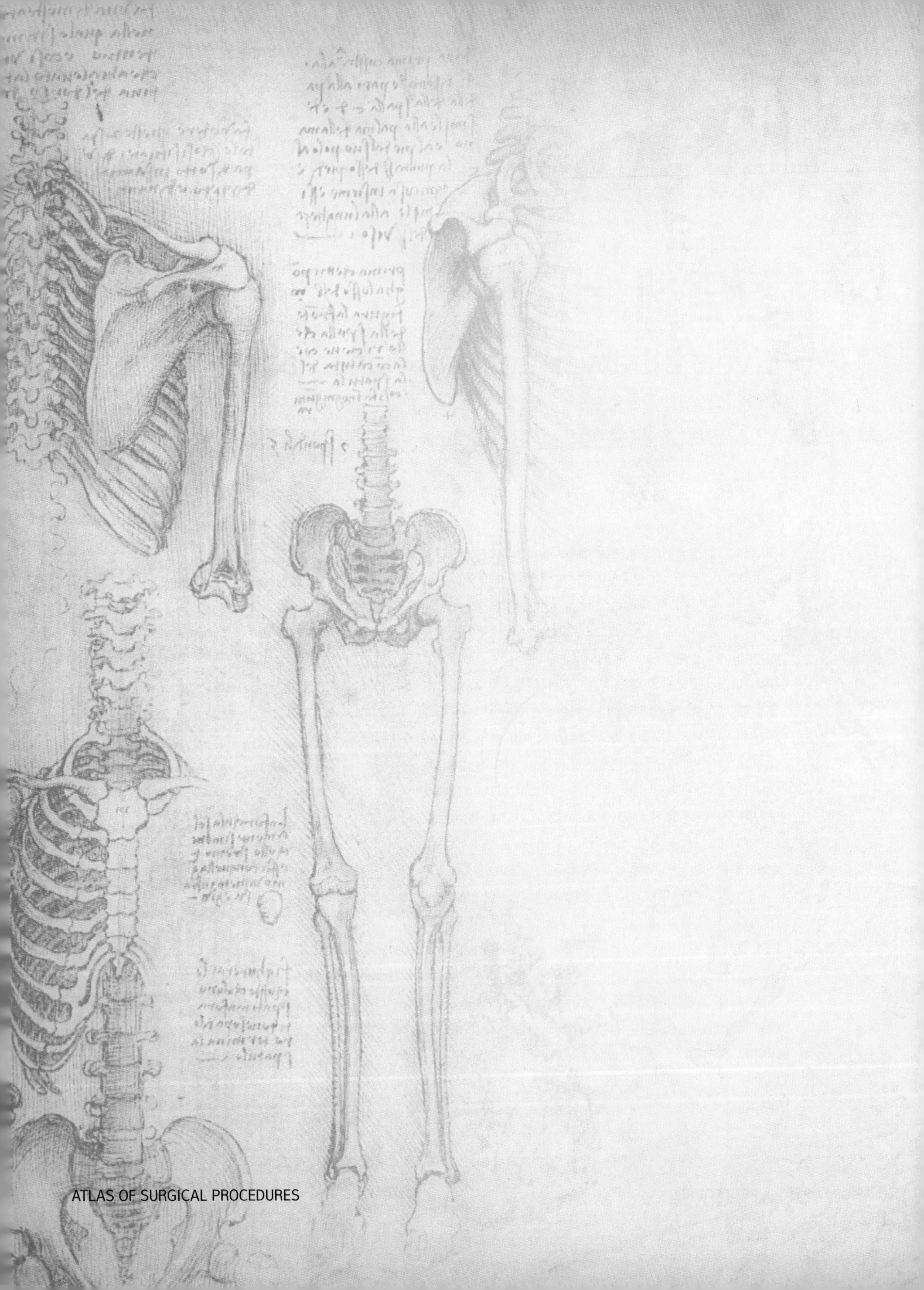

ATLAS OF SURGICAL PROCEDURES

CHAPTER 1

술중 간초음파

Intraoperative ultrasonography of the liver

1. 서론

수술 중 간초음파는 간 수술 시 간 질환을 평가 하고 치료하는데 필요한 검사이다. 수술 중 초음파를 잘 활용하기 위해서 기본적으로 간의 해부학적 구조와 초음파 검사하는 법을 알아야한다. 수술 중 간초음파는 수술 시 간에 초음파 탐촉자를 직접 대고 검사함으로써 수술 중 만져지지 않는 병변이나 수술 전 발견되지 않는 병변들을 찾아낼 수 있다.

2. 적응증

간의 해부학적 구조물인 간문맥, 간정맥, 간동맥과 담관, 담낭들의 구조를 알기 위해 수술 중 간초음파를 시행하며 수술 중 조직을 생검하거나, 알코올, 고주파, 마이크로파 등으로 소작술을하는데 수술 중 초음파가 필요하다. 최근에는 복강경간수술이 증가하여 복강경초음파의 역할이 높아지고 있고 간이식 시에도 수술 중 초음파가 필요하다. 컴퓨터단층촬영이나 핵자기공명영상에서도 발견되지 않는 병변이 수술 중 초음파로 20% 더 발견되고 수술 중 외과적 치료 계획이 수정되는 경우가 30~50%나 된다.

3. 수술 중 간초음파 기구

수술 중 초음파는 일반 초음파 기구와 같이 초음파 본체, 초음파 탐촉자, 스캐너모니터, 기록장치로 구성되어 있다. 초음파는 B모드, 색도플러, 파워도플러초음파가 포함된다. 색도플러초음파나 파워도플러초음파는 흑백인 B 모드초음파에서 잘 안 보이는 가는 혈관이나, 담관, 간낭들을 감별할 수 있고 종괴의 혈관침범이나 간 수술 후 장기의 혈류를 관찰할 수 있다. 수술 중 탐촉자는 복부초음파에서 사용되는 3.5 MHz보다 높은 6~10 MHz를 사용한다. 이 탐촉자로 대개 6~10 cm 깊이의 간을 검사할 수 있고 1 mm의 결석이나 3~5 mm 크기의 종괴도 찾아낼 수 있다. 탐촉자는 다양한 형태가 있으나 수술 중 간초음파는 주로 T 모양이나 I 모양으로 선형, 곡선형 형태를 사용한다(그림 1-1). 탐촉자는 수술 시 화학물질로 소독하거나 소독된 일회성 긴 비닐주머니를 탐촉자에 덮어서 사용한다.

4. 수술 중 간초음파 하는 방법

수술 중 간초음파는 복부초음파 하는 방법과 같이 sliding, rotating, rocking, tilting 방법을 사용하여 시행한다. 탐촉자를 간에 직접 대고 각 구역을 자세히 검사하고 간문맥이나 간정맥 방향을 따라서 검사한다. 간의 표면이 거칠거나 병변이 간 표면에서 5~10 mm 가까이 위치한 경우 및 간의 첨부(dome)에 위치한 경우에는 탐촉자로 직접대고 보아도 안 보이는 경우가 있다. 이럴 때에는 생리적 식염수를 부어서 탐촉자를 식염수 속에서 위치시켜 관찰하거나 물주머니를 만들어 그 위에 탐촉자를 올려 놓고 간을 관찰한다(stand-off 방법, 그림 1-2). 수술 중 간초음파는 수술 전에는 병변을 발견하고 수술범위를 결정하기 위해 사용하며 수술 중에는 간 절제하는 방향을 확인하거나 안전한 변연부를 확보하기 위해 사용한다(그림 1-3). 또한 초음파 가이드 하에 침 생검하는 경우에 사용하며 간 수술 후에는 간 종괴가 잘 절제되었는지, 남은 간의 혈관이나 담관이 잘 보존되었는지 확인하기 위해 사용한다. 간 수술 시 종괴의 위치를 확인하

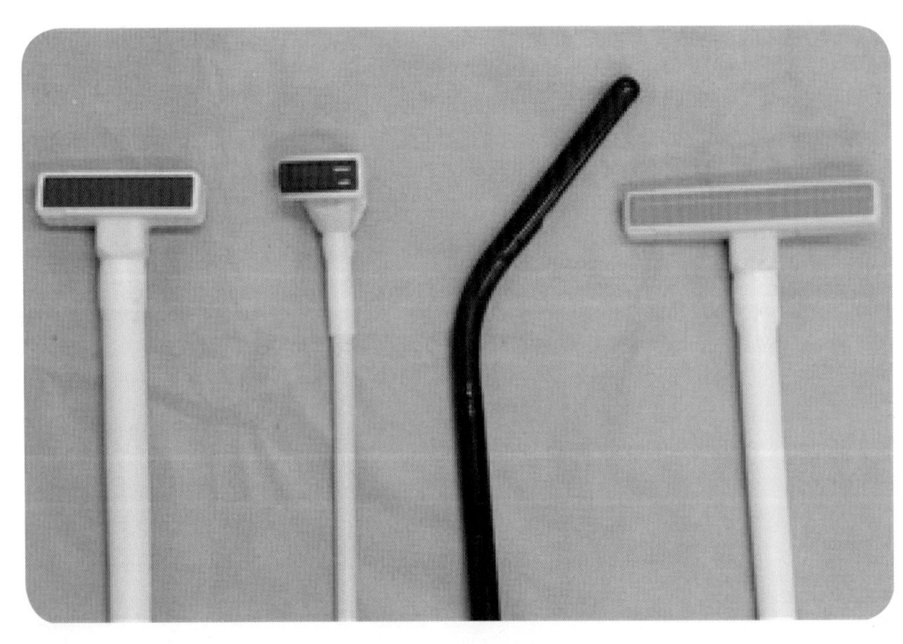

그림 1-1 여러 종류의 수술 중 간초음파 탐촉자(Hitachi-Aloka 제공)

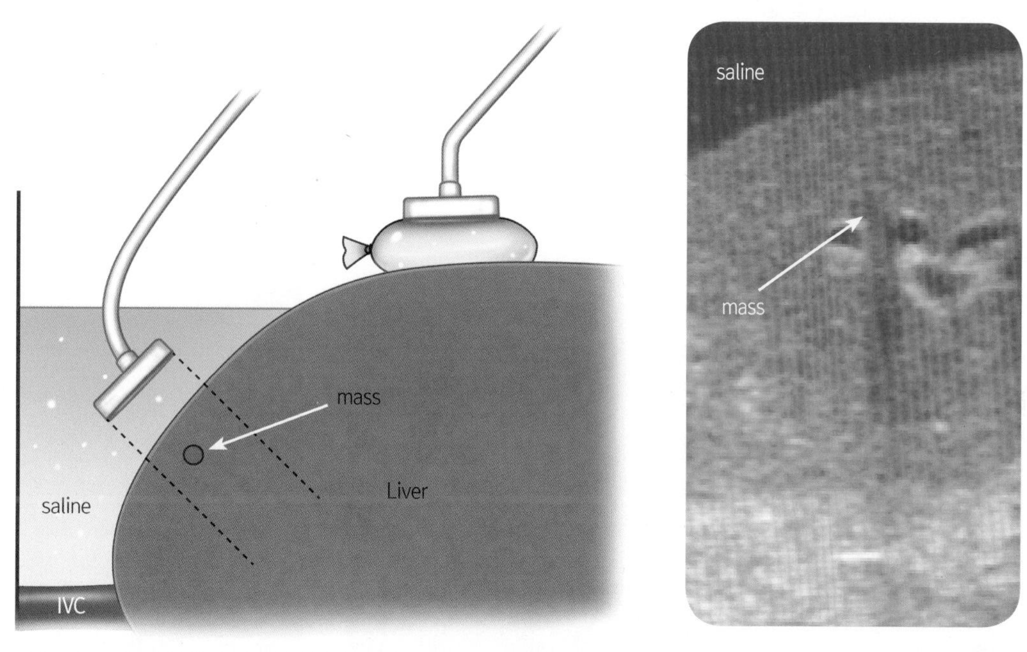

그림 1-2 간경변이 있거나 간 표면에 병변이 있는 경우 생리적 식염수를 부은 후 시행하는 Stand-off technique

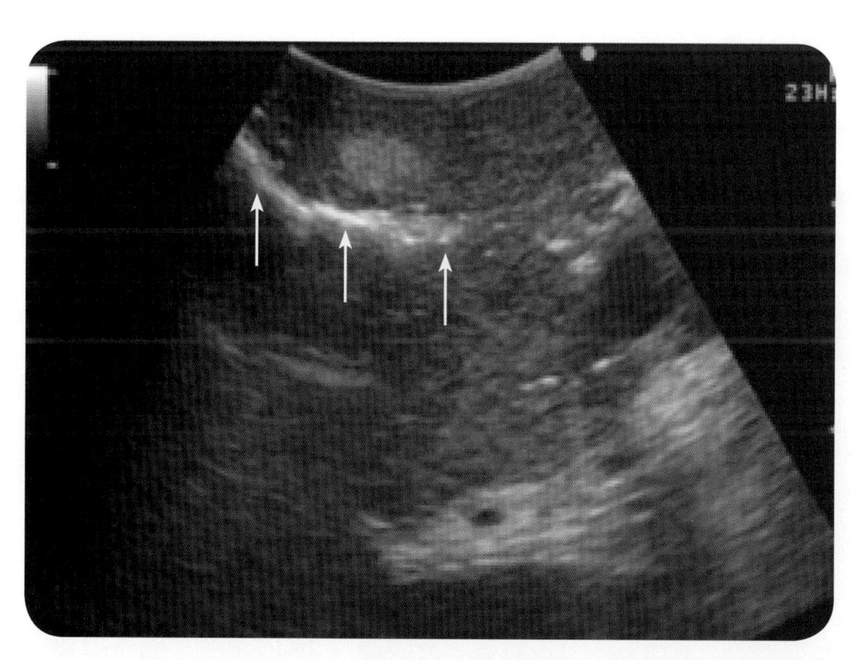

그림 1-3 간 절제시 안전한 변연부가 절제되는지 수술중 초음파로 확인한다(화살표).

기 위해 간의 표면에 소작기로 위치를 표시하면 초음파로 병변의 위치를 정확히 알 수 있다 (그림 1-4). 최근에는 수술 중 초음파로 간의 혈관의 방향을 간 표면에 지도처럼 그려 놓기도 한다. 그러므로 수술 중 간초음파는 수술 중 언제나 시행할 수 있게 소독된 상태로 준비되어 있어야 한다.

5. 정상 간의 수술 중 간초음파

정상 간의 초음파는 복부초음파와 같이 간문맥과 간정맥을 기준으로 시행한다. 수술 중 간초음파의 해부학적 구조는 간문맥을 따라 우간문맥의 분지를 따라 우전간문맥, 우후간문맥으로 나뉘며 그 사이에 우간정맥이 보인다 (그림 1-5). 좌측 간은 좌간문맥이 2분절, 3분절, 4분절로 나가며 그 사이에 좌간정맥이 보인다 간문부는 좌우 간문맥이 나뉘는 것이 보이며 중간간정맥과 간내 담관도 보인다.

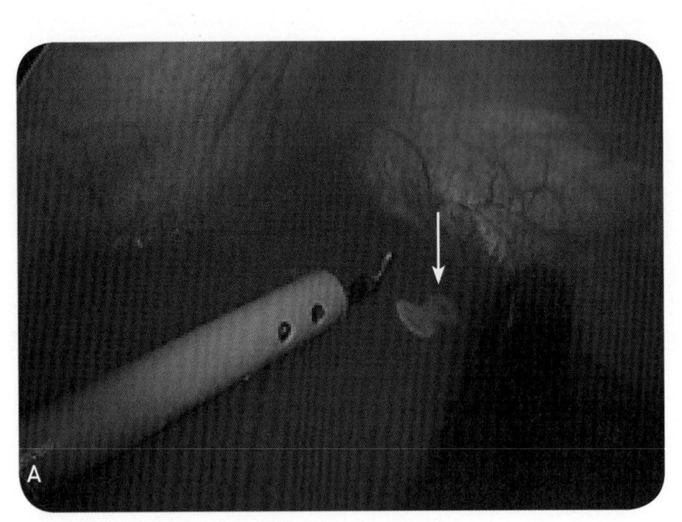

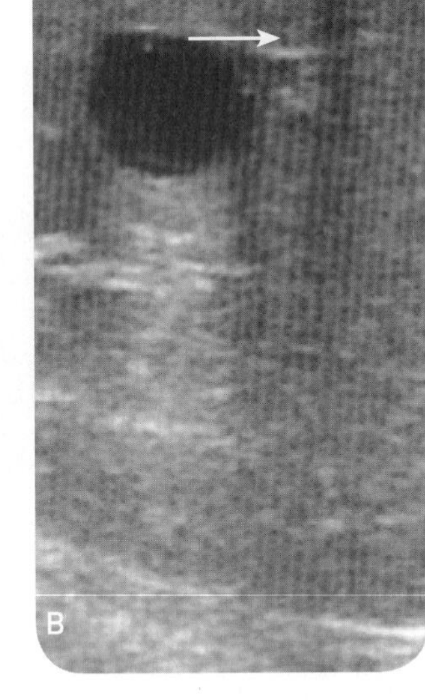

그림 1-4
A. 술중간초음파 시 간 표면에 소작기로 표시함(화살표)
B. 소작기 표시 부분 밑의 간에 생기는 음향 음영(화살표)

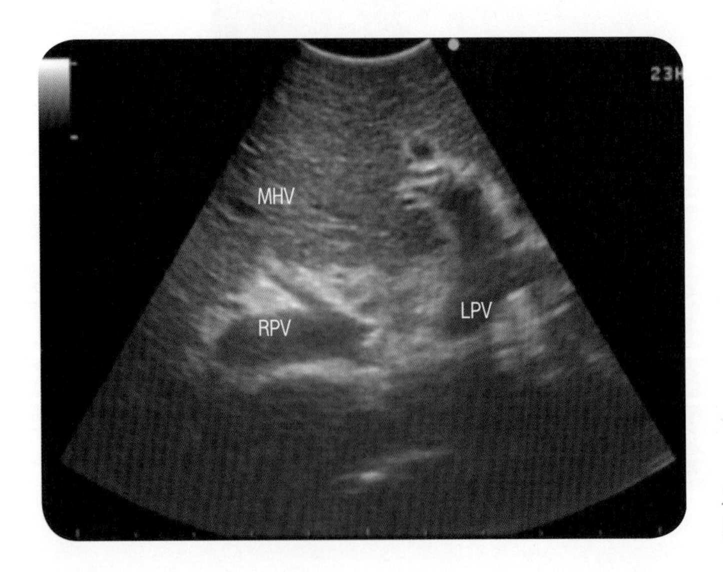

그림 1-5 간문부의 수술 중 간초음파 소견
(RPV : 우간문맥, LPV : 좌간문맥 MHV : 중간간정맥)

6. 비정상 간의 수술 중 초음파

간낭은 흔히 보는 양성 종괴로서 저에코로 보이고, 간혈관종은 고에코의 병변으로 보인다, 간세포암은 여러 형태로 보이나 크기가 커지면 모자이크패턴의 종괴로 보인다(그림 1-6). 전이성 간암은 저에코, 고에코 다양한 소견으로 보이나 종괴 주위에 달무리소견이 흔히 보인다(그림 1-7).

7. 복강경 간초음파

최근 복강경간수술이 증가함에 따라 수술 중 찾기 힘든 병변을 찾아내고, 치료하는데 복강경초음파가 중요하게 되었다. 간을 수술하는 외과의사들은 이 복강경초음파 술기를 익혀 수술 시 유용하게 사용하여야 한다. 복강경초음파의 탐촉자는 10 mm 굵기의, 40~50 cm 길이로 말단 부위에 7~10 MHz의 탐촉자가 붙어 있다(그림 1-8). 이 탐촉자는 상하로 움직이는 타입과 상하, 좌우로 네 방향으로 움직이는 타입이 있다. 10 mm 굵기의 복강경초음파는 복강경 포트를 통해서 삽입되는데 주로 배꼽부위 10 mm 포트를 통해 삽입하나 필요시 좌상복부나 우상복부에 10 mm 포트를 추가로 삽입하여 간의 상부를 자세히 검사할 수 있다(그림 1-9). 복강경초음파 스캔하는 방법은 간 표면을 따라 자세히 검사하며 간문맥을 따라서 간을 검사하고 간정맥, 간동맥 및 간내담도을 관찰한다.

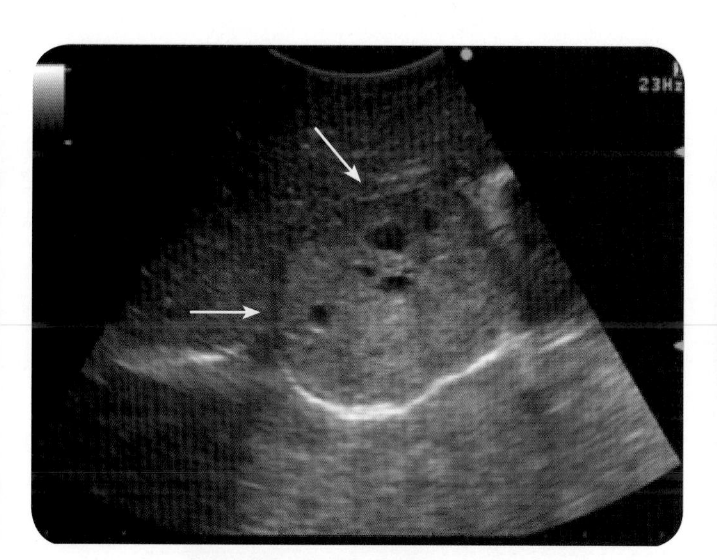

그림 1-6 모자이크 패턴을 보이는 간세포암(화살표)

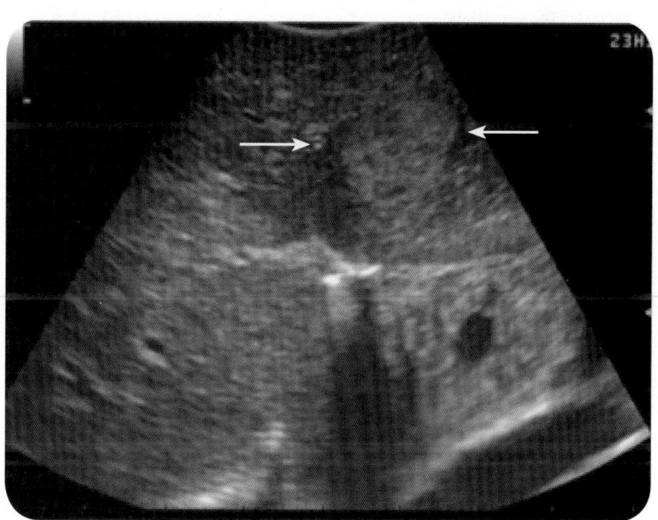

그림 1-7 달무리 소견을 보이는 전이암(화살표)

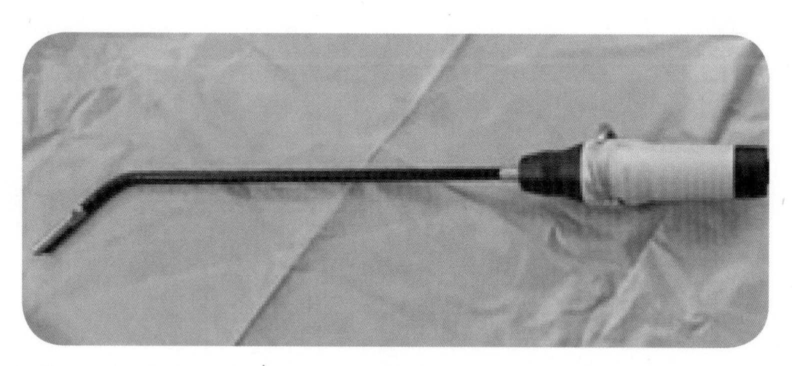

그림 1-8 복강경초음파 탐촉자(BK Medical 제공)

8. 초음파 가이드 시술

수술 중 종괴가 발견되면 초음파 가이드 하에 세침이나 중심 침으로 생검을 시행할 수 있다(그림 1-10). 아울러 치료가 필요한 경우에는 초음파 가이드 하에 고주파치료도 수술 중 직접 시행할 수 있다(그림 1-11).

9. 간 이식 시 수술 중 초음파

간 이식수술 중에는 수술 중 초음파로 공여자 및 수여자의 간의 혈관과 간내 담도등의 해부학적 구조를 파악하고 간이식 후에는 이식간이나 잔류간의 간동맥, 간문맥, 간정맥들의 협착, 혈전 및 혈류등을 관찰한다.

10. 결론

수술 중 간초음파는 간을 수술하는 외과의사에게 반드시 필요한 술기이다. 향후 교육을 통하여 술기를 숙지하고 수술 중 활용할 수 있는 방법에 대해 더 많은 연구가 이루어져야 되겠다.

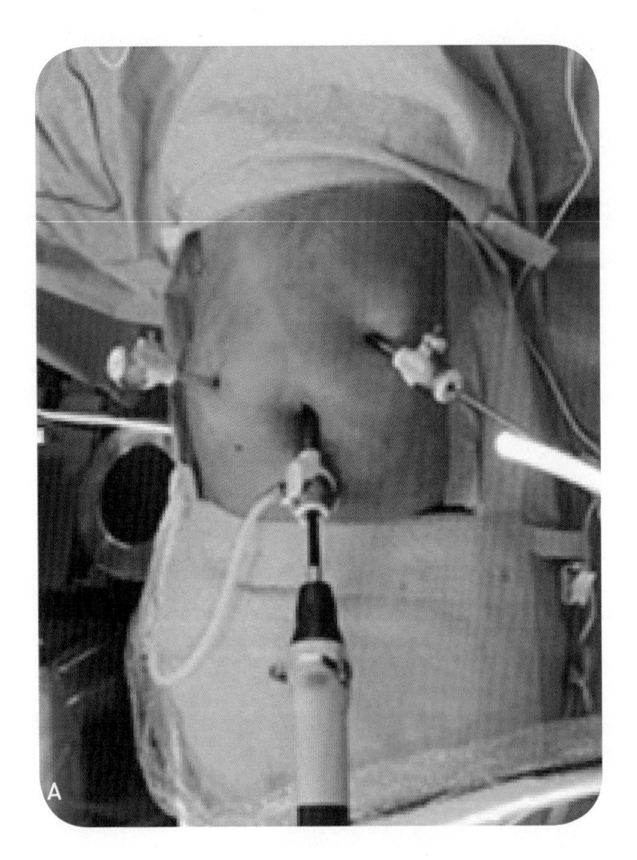

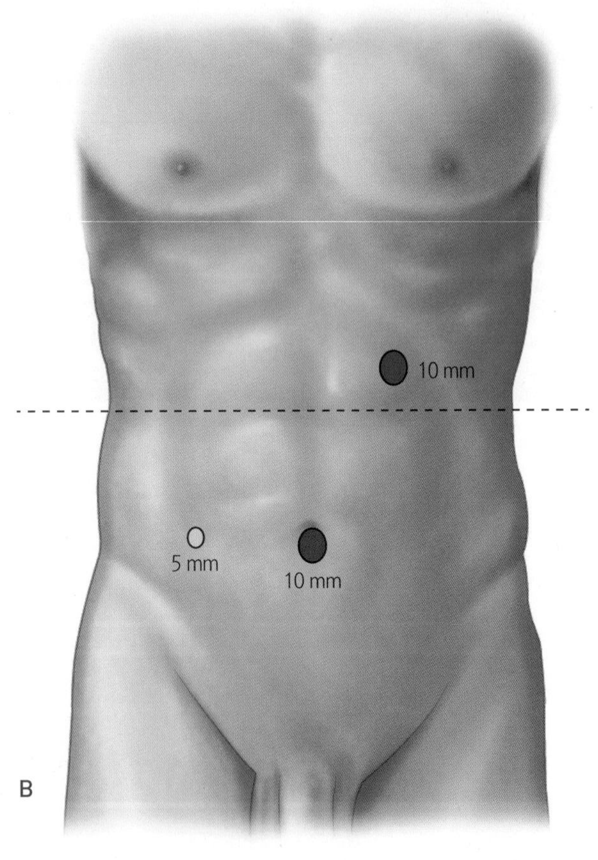

그림 1-9
A. 5 mm 복강경을 좌상복부 포트로 넣고 배꼽부위에 10 mm 굵기의 복강경초음파를 삽입한다.
B. 간의 상부 관찰 시 좌상복부에 10 mm 포트를 뚫고 복강경초음파 탐촉자를 삽입한다.

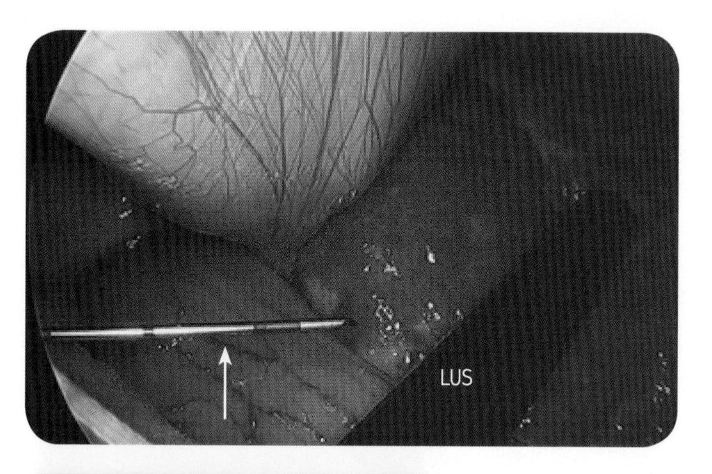

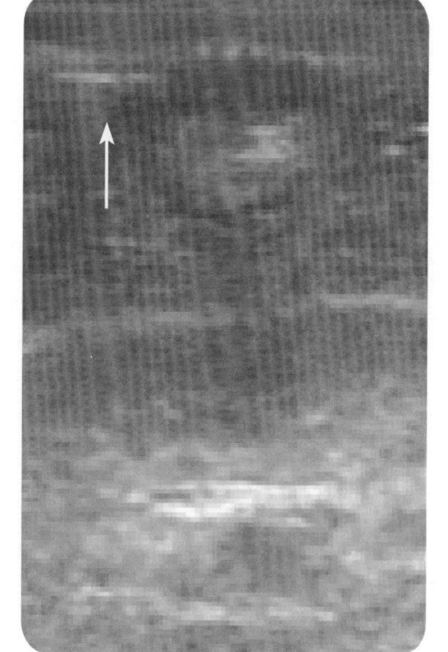

그림 1-10 복강경초음파 가이드 하에 중심 침(화살표) 생검
(LUS : 복강경초음파)

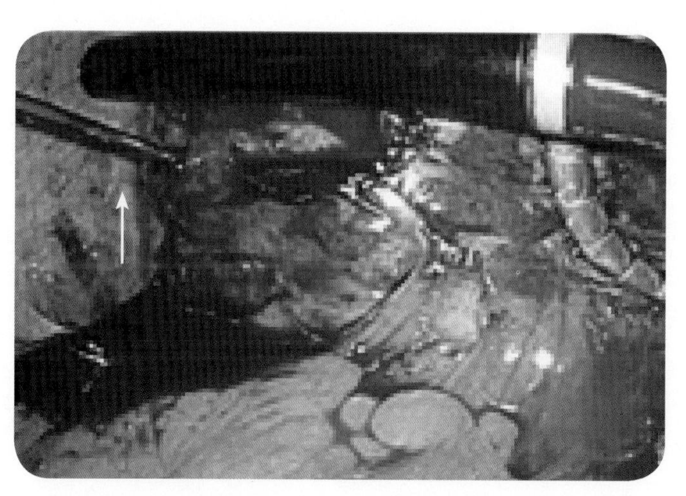

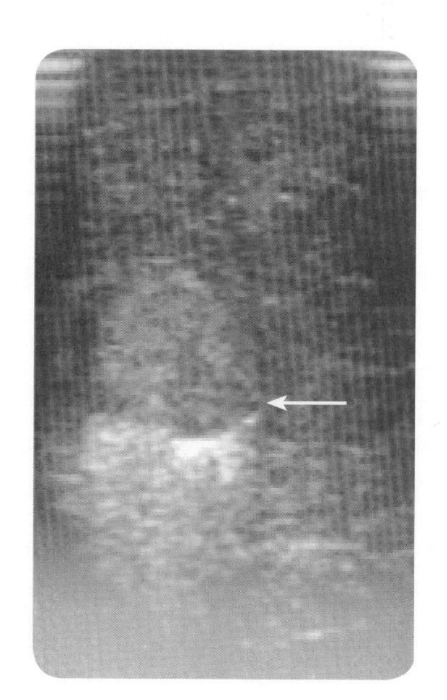

그림 1-11 복강경초음파 가이드 하에 고주파치료(화살표)

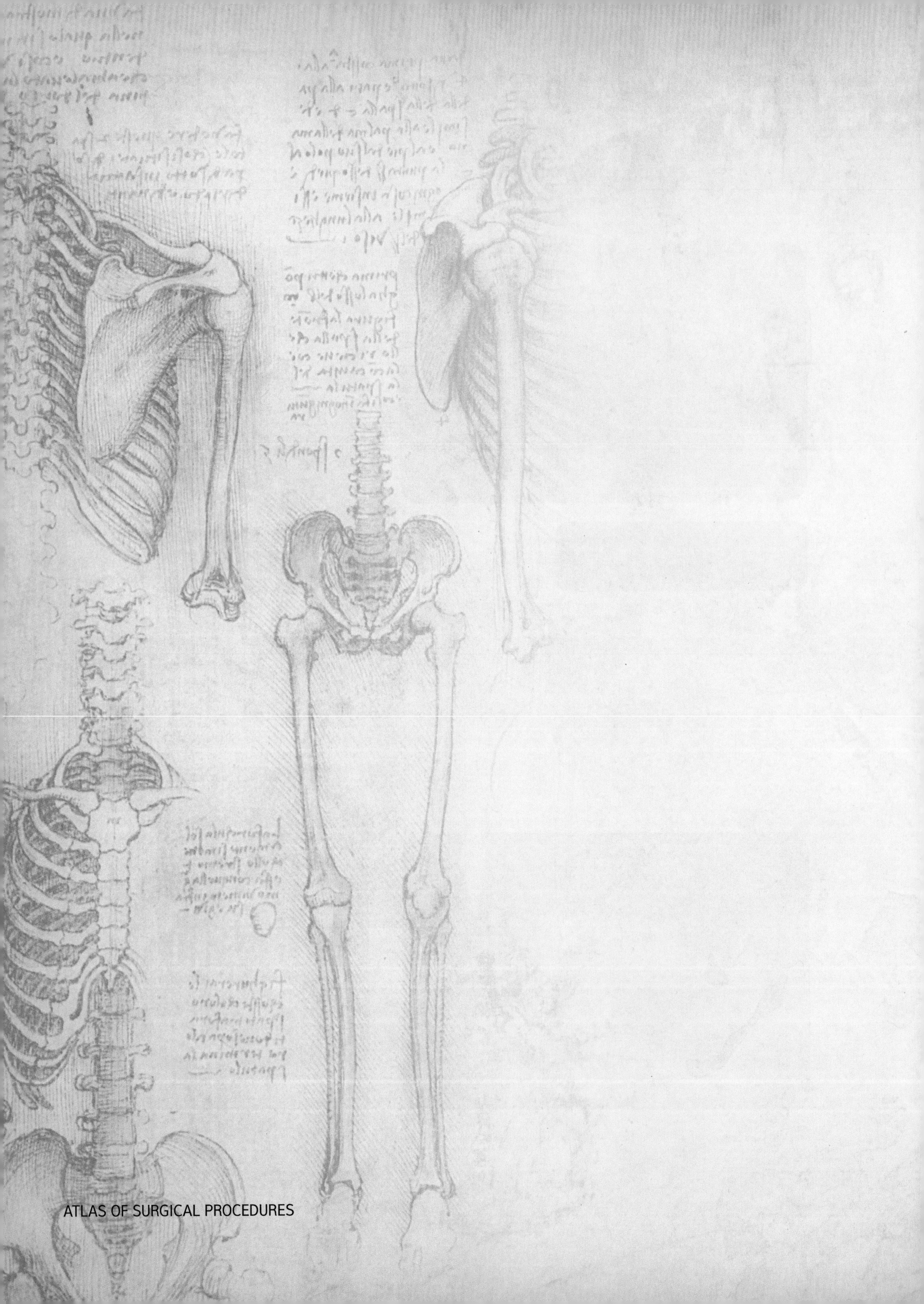

ATLAS OF SURGICAL PROCEDURES

CHAPTER 2

간 유동화, 간 문부 차단술 및 맥관처리 방법 (일괄처리 및 개별처리)

Liver mobilization, Pringle maneuver and ligation of portal pedicles (extrafascial and intrafascial approach)

I. 간 유동화(Liver mobilization)

1. 서론

간은 주변의 인대로 일부가 주변장기와 고정되어 있다. 때문에 효과적인 간 절제를 위해서 간 유동화는 반드시 필요한 과정이며, 수술 방법에 따라 인대를 효과적으로 처리하는 방법이 매우 중요하다. 개복 및 복강경 수술의 경우 간을 절제하기 위한 절단면을 술자가 편한 방향으로 놓아야 수술이 쉽게 이루어질 수 있으므로, 간을 충분히 유동화 시켜 원하는 방향으로 움직이도록 하여야 한다. 이를 시행하지 않고 무리하게 간을 움직이면, 인대와 결합이 강한 경우, 간 실질이 찢어져 대량출혈이 조장될 수 있다. 또한 간 절단면의 방향이 기구의 방향과 잘 맞지 않아, 잘못된 방향으로 간 절제가 이루어지면 수술 시 난이도와 피로도가 증가할 수 있다.

특히 복강경 간절제술의 난이도는 종양의 위치에 따라 달라지므로, 충분한 유동화를 통해 종양의 위치를 정확히 파악하여 노출시키는 것이 중요하다.

2. 적응증

일반 간 절제의 적응증과 다르지 않다. 우간 절제술, 좌간 절제술 시 해부학적 간 절제가 필요한 경우이다. 간의 유동화를 통해 종양의 정확한 위치를 파악하여 적절한 절단방향을 결정하는데 중요하다.

3. 비적응증

전방접근(anterior approach) 간 절제술에 이용될 경우, 간을 유동화하기 전에 간문부 처리와 간 실질 절개를 하게 되는데, 유동화 시에 발생할 수 있는 출혈, 남는 간에 대한 압박, 종양 파열, 그로 인한 종양의 국소 재발 및 전신 파급 등을 줄일 수 있는 장점이 있어, 종양이 크거나 횡격막과 후복막에 유착이나 침입이 있을 경우엔 간의 유동화를 먼저 시행하지 않는 것이 좋다.

4. 수술 전 처치

일반 간 절제의 수술 전 처치와 다르지 않다.

5. 마취

전신마취로 일반 간 절제의 마취에 준한다.

6. 환자 자세

똑바로 누운 자세의 해부학적 체위가 기본적이며, 복강경 수술 시 lithotomy 자세도 가능하다.

7. 수술 준비

8. 절개 및 노출

보통 역L 모양의 절개로 개복하지만, 필요에 따라 좌상복나 흉부로 절개를 확장할 수 있다. 인접 장기의 침범이나 유착이 없고 종양이 5 cm 이하로 작은 경우 배꼽 위 상복부 중앙절개로 충분한 경우가 대부분이다. 복강경 수술의 경우 5개의 port를 주로 사용한다 (그림 2-1).

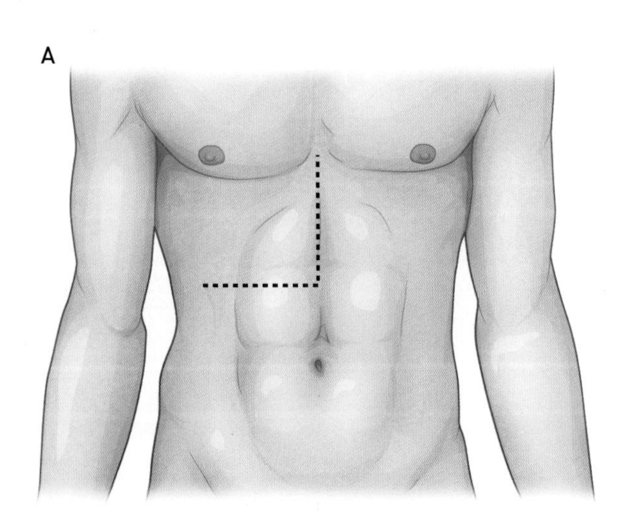

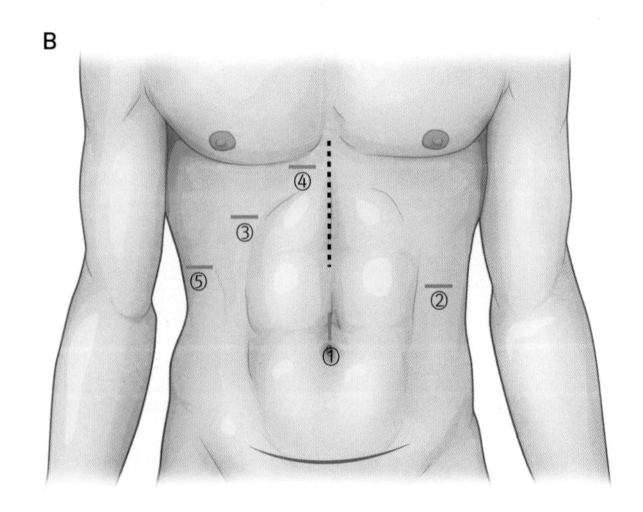

그림 2-1 A. 역 L모양 절개, B. 복강경 5 port 절개

9. 수술과정

1) 우간 유동화 방법(개복수술)

우간 유동화는 대부분의 간 절제에서 꼭 필요한 과정이다. 종양의 위치에 따라 유동화의 필요성이 달라진다. 특히, 우후구역에 종양이 위치할 경우 충분한 유동화를 통해 종양을 노출시켜야 안전한 간 절제가 가능하다.

먼저 간과 복벽을 연결하고 있는 겸상인대(falciform ligament)를 절제한다. 상부로 갈수록 간 실질에 붙여서 절제하면, 삼각형 모양으로 간 실질과 관상인대(coronary ligament)가 텐트처럼 벌어지게 된다. 우간 유동화 시에는 우간정맥의 위치를 확인하여 노출시키고, 현수기법(hanging maneuver)을 사용할 예정이라면, 우간정맥과 중간정맥 사이를 위쪽에서 박리해 놓으면 이후 술식이 용이하다.

우간정맥이 노출되면, 그 오른쪽으로 간을 손으로 내리면서 횡격막과 분리를 시작한다. 이때 제1조수가 오른손으로 forcep을 이용하여 횡격막을 위쪽으로 당겨주면 쉽게 박리가 된다.

간의 오른쪽 윗부분의 박리가 끝났으면, 간을 위쪽으로 올려 간문부를 노출시키고 대정맥부터 제로타근막을 분리한다. 이때도 제1조수가 간을 충분히 올려 조직을 팽팽하게 벌려주면 박리가 용이하다.

아래쪽 박리가 끝났으면. 6번 구역에 붙어있는 삼각인대(triangular ligament)를 forcep을 이용하여 왼손으로 잡고 제1조수가 간을 대정맥을 중심으로 돌려주면서 당기면서 박리를 시작한다(그림 2-2). 위, 아래쪽 박리를 충분히 했으므로, 간이 돌아감에 따라 대정맥까지 노출시키면서 간을 횡격막으로부터 분리한다. 아래쪽에서 박리를 시작하면 간의 우후구역인 bare area가 노출되고 이때부터는 손으로 밀기만 해도 자연스럽게 조직의 박리가 이루어질 수 있다. 다만 간경변이 심한 환자들은 주변에 작은 미세혈관이 발달되어 있고, 조직과 결합이 이루어져있어 박리가 쉽지 않을 수 있으므로, 간의 상태에 따라 전기소작기등을 이용하여 주변조직과 분리하는 것이 출혈을 막는데 도움이 된다. 특히 간이식 수술 중에는 횡격막과 간이 융합되어 있어 조직의 층을 분간하기 어려울 수 있다. 이 경우 자칫 잘못된 층으로 박리를 하게 되면 오히려 출혈이 더 조장될 수 있으므로, 유의하여야 한다.

대정맥까지 도달하였으면, 대정맥인대를 결찰해야 우간을 대정맥으로부터 완전히 분리할 수가 있다. 환자의 상태에 따라 다르지만, 대정맥인대 주변을 충분히 박리하여야 결찰 후에도 대정맥이 좁아지는 것을 막을 수 있다. Right angle forcep과 같이 끝이 뭉뚝한 기구를 쓰면 안전하게 대정맥인대만 분리할 수 있다. 크기에 따라 tie로 처리하거나, 안쪽에 정맥의 분지를 포함하고 있는 경우 혈관겸자를 이용하여 아래쪽을 잡고, Prolene으로 suture하기도 한다. 큰 분지를 포함하고 있는 경우 tie로 무리하게 처리하면, 대정맥이 좁아질 수 있고, 풀릴 경우 대량 출혈이 생길 수 있으므로 이에 유의하여야 한다.

오른쪽 부신이 간에 단단히 붙어있는 경우, 간의 위, 아래쪽 박리를 시행한 후 부신 주변의 조직을 Right angle forcep과 같이 끝이

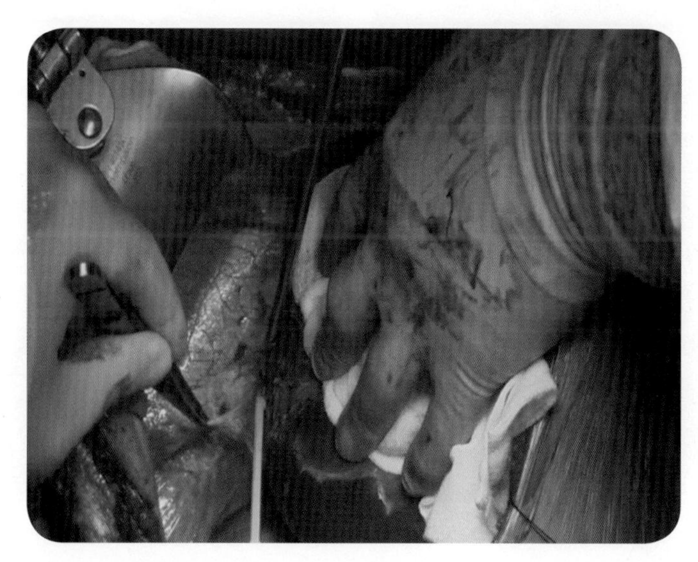

그림 2-2 우간유동화

뭉뚝한 기구를 이용하여 박리를 시행한다. 간혹 대정맥과 부신 간이 한꺼번에 붙어있는 경우가 있으므로, 대정맥의 주행을 아래쪽에서 파악한 후 대정맥과 확실히 떨어뜨린 이후에 박리를 시행한다. 박리를 하여 뒤쪽이 터널링되면 남아있는 조직에 따라 tie를 하여 양쪽에 있을 수 있는 부신 정맥의 분지를 결찰하여 출혈을 예방한다. 부신까지 떨어뜨리고 나면, 대정맥의 측면을 완전히 확인할 수 있다(그림 2-3).

2) 우간 유동화 방법(복강경 수술)

복강경을 이용한 우간 유동화도 개복과 크게 다르지 않다. 다만 시야의 제약이 있고, 제1조수의 역할이 개복과 다소 다를 수 있다. 30° 복강경을 사용할 때와 flexible scope을 사용할 시 시야가 다르지만, 최근에는 대부분 flexible scope을 이용하므로 이에 맞추어 기술하였다.

개복과 마찬가지로, 우간정맥을 노출시킨 후 그 오른쪽 방향으로 박리를 시작한다. 매우 위쪽을 보여주어야 하므로, 복강경은 ㄱ자로 최대한 꺾어 간의 위쪽 뒷면을 볼 수 있도록 한다. 주로 에너지기반의 도구인 썬더비트(thunderbea)나, 하모닉(harmonic scalpel) 등을 이용하고, 개복에서처럼 제1조수의 도움 없이 왼손으로 간을 누르면서 박리를 할 수 있다. 오른쪽 삼각인대까지 위에서 박리를 하고 아래쪽 박리를 시작한다(그림 2-4).

제1조수가 오른손으로 담낭을 12시방향으로 올려주고 간문부를 노출 시킨다. 이때 복강경은 아래쪽에서 일자로 들어오거나, 앞쪽에 제로타근막이 시야를 가린다면 살짝 꺾어 박리할 부분을 보여주거나 제1조수의 왼손으로 기구를 이용하여 내려주도록 한다. 대정맥 근처에서부터 에너지기반 장비를 이용하여 절제를 시작한다. 적절한 층에 에너지기반 도구를 적용하면, 버블이 생기면서 자연스럽게 층이 벌여져 박리가 용이하다. 개복에 비해 복강경이 간의 아래쪽을 박리할 때 시야가 더 좋기 때문에, 가능한 박리할 수 있는 만큼 박리한다. 이때 우하정맥이 있는 경우에는에너지장치에 의해 손상될 수 있으므로 주의하여야 하며, 오른쪽 부신은 시야가 충분히 확보되지 않은 상태에서는 출혈의 위험이 있으므로 무리해서 박리하지 않도록 한다. 오른손으로 grasper를 이용하여 간을 돌리면서 받치고, 카메라를 최대한 꺾어 간의 오른쪽 뒷면을 보여주고, 왼손으로 에너지 기구를 사용하면 쉽게 대정맥까지 박리가 가능하다. 오른쪽 부신이 간에 단단히 붙어있는 경우, 제1조수의 grasper를 이용하여 간을 최대한 떠받치고, 부신 주변을 박리하면 비교적 적은 조직만 남게 되어 에너지기반도구로 쉽게 떨어뜨릴 수 있다(그림 2-5).

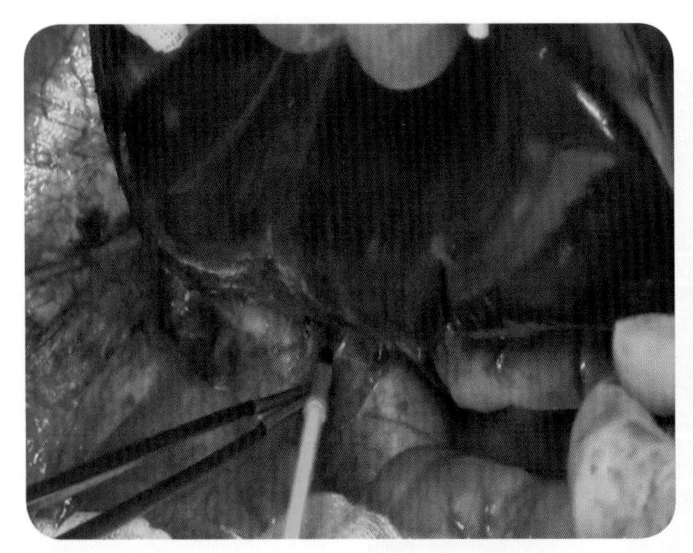
그림 2-3 우간유동화-부신과 대정맥 박리

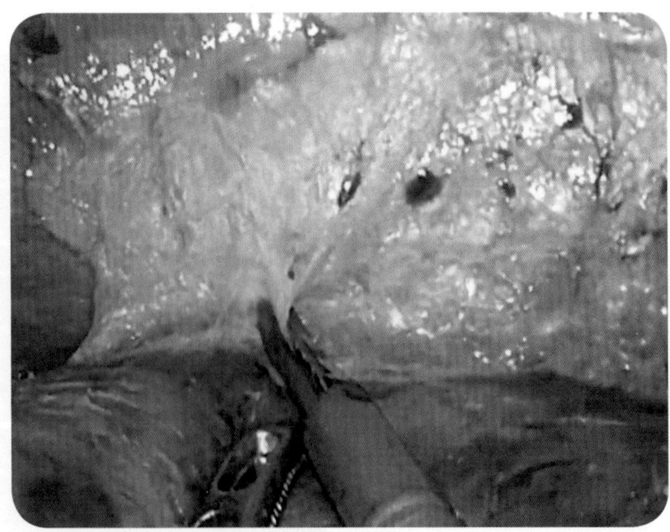
그림 2-4 복강경 우간유동화

3) 좌간 유동화 방법(개복수술)

좌간 유동화는 좌간 절제술, 좌 외측구역 절제술 시 주로 이용되는 방법이다. 좌외측구역절제술을 제외한 좌측간 절제술의 경우 우측 유동화도 어느 정도는 시행해야 간이 충분히 좌우로 움직일 수 있어서, CUSA를 쓰거나 절제면을 술자의 손에 맞게 맞추는 것이 용이하다. 중간 정맥과 좌간정맥은 우간정맥에 비해 조금 더 앞쪽에 위치하고 있으므로, 겸상인대를 따라 절제 시 이에 대한 손상을 주지 않기 위해 무리한 절제는 하지 않는 것이 좋다. 안전하게 좌측 관상인대(coronary ligament)를 절제하기 위해 위와 간 사이에 거즈를 뭉쳐 넣어 간을 받쳐준다. 좌측 간을 왼손으로 당기면서 제1조수가 오른손으로 forcep을 이용하여 관상인대 등 당겨준다. 이때 아래쪽에 넣었던 거즈가 보이면 그 위로 절제를 하면 아래에 있는 위나 다른 장기의 손상 없이 안전하게 관상인대를 박리할 수 있다. 끝에 있는 삼각인대의 경우 남는 쪽은 tie를 하는 것이 출혈을 막는데 도움이 된다.

위쪽 박리가 끝났으면, Winslow공을 열고 간문부를 따로 분리한 후 caudate lobe와 좌측간을 분리한다. 이때 좌위동맥에서 나오는 좌간동맥이 있을 수 있으니, 반드시 영상을 통해 확인하고 직접 만져서 맥이 뛰는 것을 확인한 후 결찰이 필요하면 결찰 후 절제하여야 한다.

좌측 정맥근처까지 박리를 하면, caudate lobe에서 띠처럼 diaphragm 쪽으로 뻗은 ligamentum venosum을 만날 수 있다. 우간 유동화 시 대정맥인대를 절제해야 대정맥에서 우간이 분리되는 것과 마찬가지로, 좌간 유동화 시에는 이 구조물을 절제해야, 대정맥으로부터 좌측간을 완전히 분리하여 좌간정맥을 노출시킬 수 있다. 주로 양쪽 끝을 tie를 이용하여 처리를 한다.

좌간 유동화를 끝내면, 좌측 현수기법을 사용하기 좋게 대정맥과 좌, 중간정맥의 기시부가 노출되게 된다.

4) 좌간 유동화 방법(복강경 수술)

개복과 마찬가지로, 왼손으로 간을 누르며, 오른손으로 좌측 관상인대를 따라 가서 삼각인대를 처리한다. 간의 아래쪽은 왼손 grasper를 이용하여 간의 외측엽을 뒤집어 받치고, 오른손으로 에너지장치를 이용하여, Winslow공으로부터 박리해 나간다. 간문부를 goldfinger와 tape을 이용하여 미리 걸어두면 수술 중 필요 시 문맥차단술을 할 때 용이하다. 수술에 따라 좌위동맥에서 나오는 좌간동맥의 여부를 반드시 확인하여 절제할지 여부를 결정하여야 한다. 좌간정맥 아래쪽의 ligamentum venosum을 박리하여 클립 또는 헤모락으로 결찰하면, 대정맥으로부터 간의 좌엽을 떨어뜨릴 수 있다.

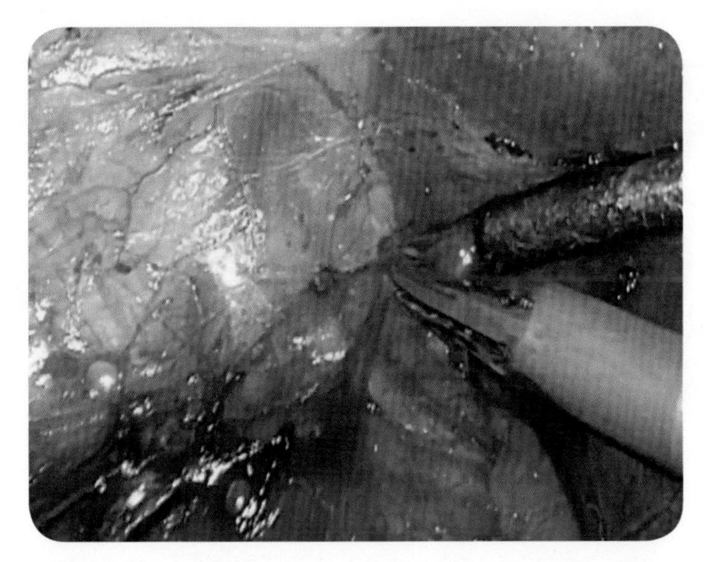

그림 2-5 복강경 우간유동화-오른손으로 간을 받치고 왼손으로 에너지기반장치를 이용하여 대정맥이 보일 때까지 박리한다.

II. 간 문부 차단술

1. 서론

간문부 차단술(pringle maneuver)은 간으로 들어가는 혈류를 차단하여, 수술 중 출혈을 막아, 수술필드를 확보하여, 안전하게 수술을 진행할 수 있게 하는 술식이다.

간 절제 수술 중에 출혈원을 2개로 나눌 수 있다. 그 한 개는 간동맥과 문맥으로 구성되는 유입혈관계(inflow system)이고, 다른 하나는 간정맥으로부터 역류되는 유출혈관계(outflow system)이다. 간 절제 시에 출혈량을 경감시키기 위해서 이 두 가지의 출혈원을 제어하는 것이 필요하다. 간문부 차단술은 유입혈관계의 혈행을 제어하는 것으로서 15분 이내의 혈행 차단과 5분간의 재관류를 반복하면서 간 절제를 시행하게 된다. Total vascular exclusion은 간종양이 간정맥이나 하대정맥에 침윤된 경우에 정맥을 절개하여 합병절제를 시행할 때에 유용하다.

술 중 출혈을 최소화하기 위하여 유출혈류(간정맥)를 제어하는 것이 유용할 수 있는데 마취관리 중에 중심정맥압을 낮추는 시도들이 보고되고 있으나, 최근에는 간 하부 하대정맥을 차단하여 중심정맥압을 낮추어 유출혈류를 제어하는 것이 추천되고 있다.

2. 유입혈관계의 제어

1) 간문부 차단술

(그림 2-6A, B) 유입혈류의 제어방법으로 가장 널리 보급된 방법이 간문부 차단술이다. 이 방법은 간의 유입혈 류의 유입로인 간-십이지장 간막에서 간동맥, 문맥 및 담도를 일괄적으로 차단하여 유입혈류를 제어하는 방법이다. 차단시간은 10~15분 차단하고 5분간 재관류 시키는 방법을 반복한다.

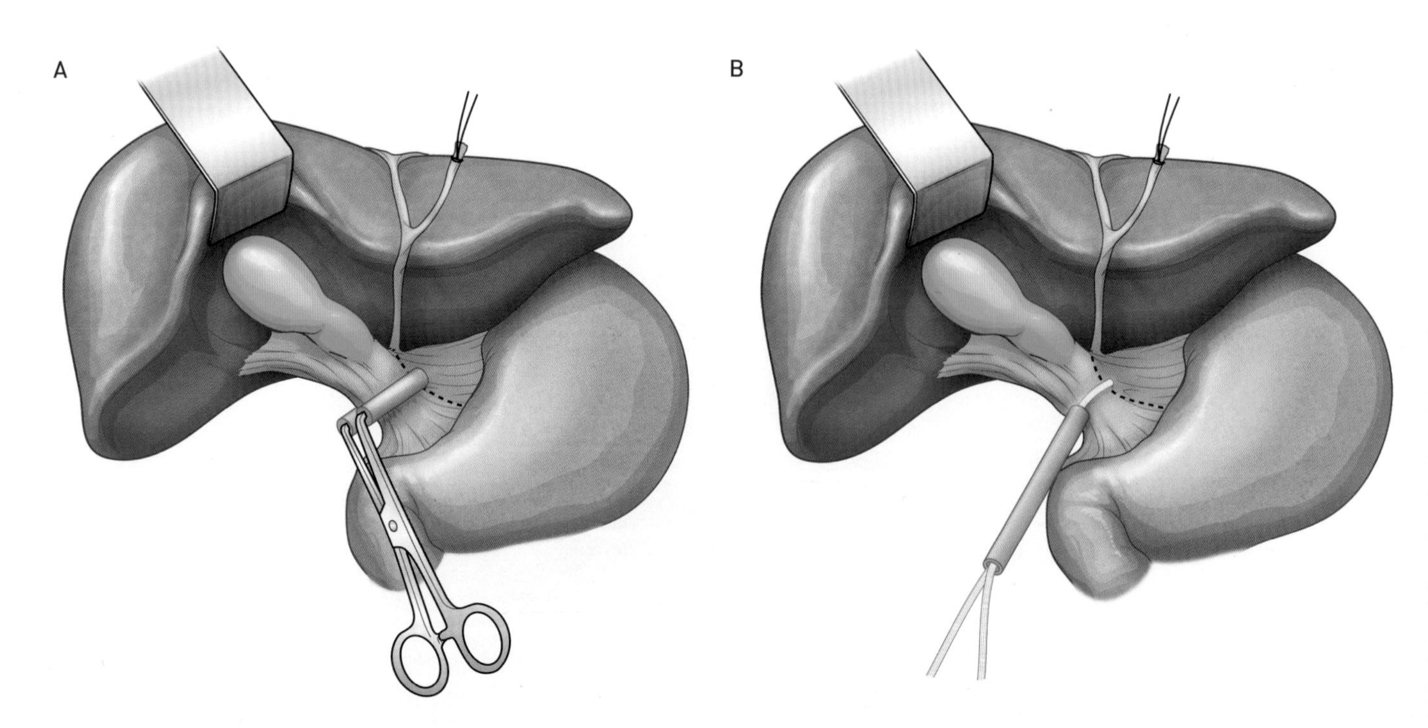

그림 2-6 간문부 차단술
A. 혈관겸자 이용 방법, B. nelaton을 이용한 tourniquet 방법

2) 기타 유입혈류의 제어

(그림 2-7) 간문부 차단술의 단점은 문맥의 혈류를 차단함으로 내장혈관 내에 울혈이 일어나는 것이므로 이를 회피하는 방법으로 Makuuchi 등이 제안한 절제 예정영역의 동맥과 문맥을 차단하는 hemihepatic vascular occlusion과 Takasaki등이 제안한 선택적 Glisson지 차단술 등을 들 수 있다. 후자는 Glisson지를 좌엽지, 전구역지 및 후구역지의 3개의 주 분지로 나누는데 각각을 nelaton관을 걸어 간 절제 시에 절단 면을 포함하는 두 개의 Glisson분지를 차단하여 출혈량을 최소화하는 방법이다.

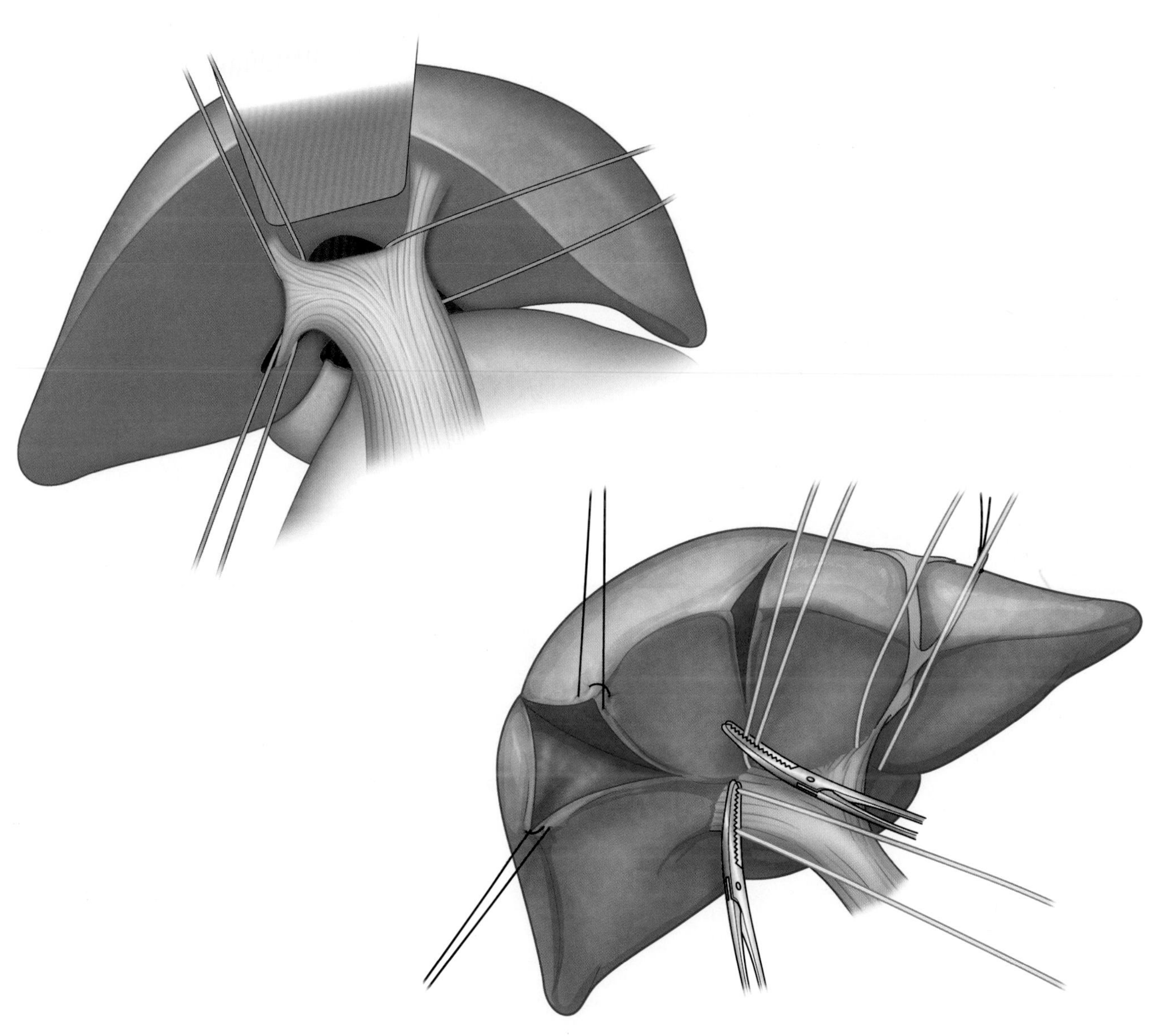

그림 2-7 선택적 Glisson지 차단법

3) 유출혈관계의 제어

(그림 2-8) 간정맥으로부터 역류되는 출혈을 제어하는 방법으로 total vascular exclusion (TVE)가 있다. TVE는 간문부의 유입혈류 를 차단할 뿐만 아니라 간 상부와 하부의 하대정맥을 차단하는 방법이다. TVE는 유입혈류와 유출혈류로부터의 출혈을 제어하는데 유효하지만 간문부 차단술에 비하여 수술시간과 저혈시간이 너무 길어지고 심박출량의 저하를 수액을 대량으로 공급하여 극복하므로 폐합병증의 증가를 초래할 수 있으며 부신정맥과 하 횡격막정맥 등을 통해 유입되는 혈류가 간정맥압을 올려 오히려 출혈을 조장할 수 있다는 소위 paradox

bleeding이 나타날 수 있다. 따라서, 통상의 간 절제 시에는 행하지 않는 것이 좋다. TVE가 적응이 되는 경우는 종양이 간정맥이나 하대정맥을 침윤하여 종양전을 형성한 경우에 정맥을 절개하여 종양전을 제거하는 합병절제의 경우로 국한하는 것이 좋다.

4) 마취관리를 통한 중심정맥압의 저하 방법

(그림 2-9) 간문부 혈류 차단을 시행한 후에 간정맥으로부터 역류되는 유출혈관계로부터의 출혈은 중심정맥압과 상관관계가 있다. 술 중에 중심정맥압을 저하시키는 마취가 간절제술 시에 출혈량을 경감시키는데 유효하고, 특히, 중심정맥압을 5 cmH_2O 이하로 관리하는 것이 출혈량을 감소시키는데 유효하다는 보고들이 있다.

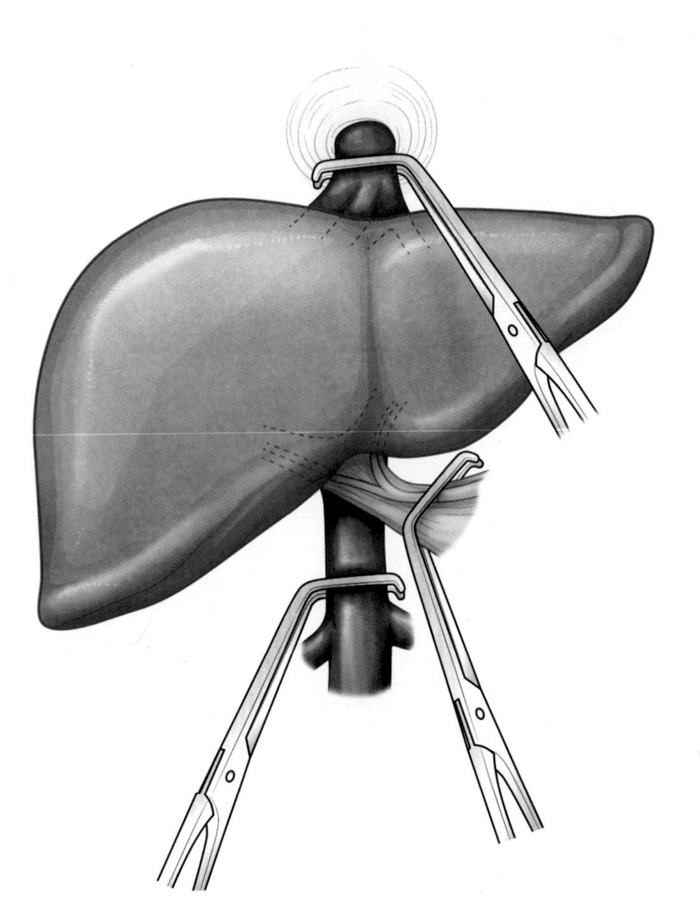

그림 2-8 total vascular exclusion

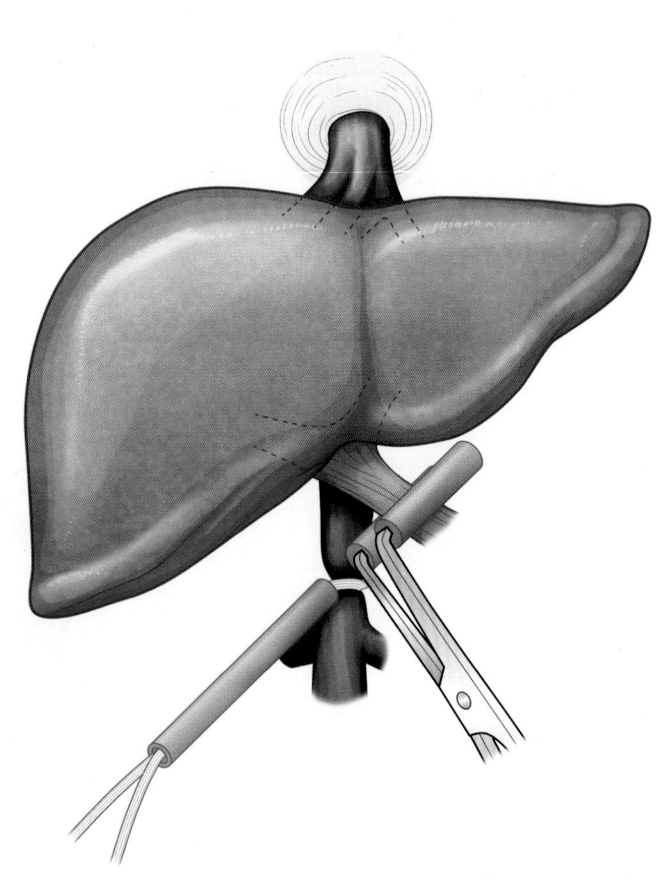

그림 2-9 간하부 하대정맥차단을 동반한 간문부 차단술

III. 맥관처리법

1. 서론

간동맥, 문맥, 담도를 포함하는 글리손지는 대부분 간문부에서 크게 우 및 좌 글리손지로 갈라지고, 다시 우 글리손지가 우전 및 우후 글리손지로 갈라진다(그림 2-10).

따라서, 간은 우전, 우후, 좌의 세 글리손지 영역에 따라 3부분으로 나누어질 수 있다. 간정맥의 경우, 크게 우, 중간, 좌 간정맥이 하대정맥으로 합류하는데 그 영역에 따라서도 간은 3부분으로 나누어질 수 있다. 물론, 변이로 인해, 우전 및 우후 글리손지 혹은 그 분지들이 불규칙하게 갈라지는 경우도 있고, 중간 또는 우하 간정맥이 크게 또는 여러 개로 발달한 경우도 있다. 그러므로, 간문부의 글리손지나 간상부하대정맥 주위의 세 간정맥의 박리는, 수술 전 CT나 MRI에 의한 글리손지와 간정맥의 해부학적 분지형태를 염두에 두고 시행하여야 한다.

간문부나 간정맥 근부 처리는 절제할 간구역의 글리손지와 간정맥 근부를 박리하고 절단하는 것을 말하는데, 박리와 절단을 동시에 할 수도 있고, 박리만 하고 간 실질 절개 후 절단을 할 수도 있다. 후자의 경우, 절제할 간이 완전히 남은 간에서 분리되어, 글리손지나 간정맥 분기점에서 약간 떨어져 절단할 수 있는 공간을 확보할 수 있어, 남은 간으로의 유입 및 유출되는 글리손지내 문맥, 동맥, 담도나 간정맥 및 하대정맥이 협착되는 것을 방지할 수 있는 장점이 있다. 또 하나의 방법으로는, 박리하여 tape을 걸어둔 글리손지 내에서 동맥, 문맥, 담도를 박리하여 처리하는 것으로 생체공여자나 간문부담도암 수술에서 이용될 수 있다. 절제할 간의 글리손지에 걸어 둔 tape을 조여 혈류를 일시적으로 차단하여 우후구역, 우전구역, 좌간 사이의 해당되는 경계를 전기소작기로 간 표면에 표시하여 둔다. 우삼구역 절제면이나 중앙이구역 또는 좌내구역 절제의 좌측 절제면은 해부학적 구조물인 겸상인대, 간원인대와 좌글리손지의 우측을 연하여 간절개선을 전기소작기로 간 표면에 표시하여 둔다.

1) 일괄처리

앞서 설명하였듯 간의 글리손지를 우후구역, 우전구역 그리고 좌간으로 분리하여 tape을 이용하여 구분할 수 있다. 일괄처리법은 각 글리손지내에 있는 동맥, 문맥, 담도를 구분하여 결찰하지 않고, 한번에 stapler 등을 이용하여 결찰하는 방법이다. 글리손지 내부를 박리할 필요가 없어 수술이 빠르고, 처리가 용이한 장점이 있다. 다만 담도의 변이가 복잡한 경우나, 글리손처리 후 안전하게 처리가 되지 않을 경우 담즙 누출 등의 문제가 발생하거나, 합류부가 좁아져 담도 협착 등의 문제가 발생하기도 한다.

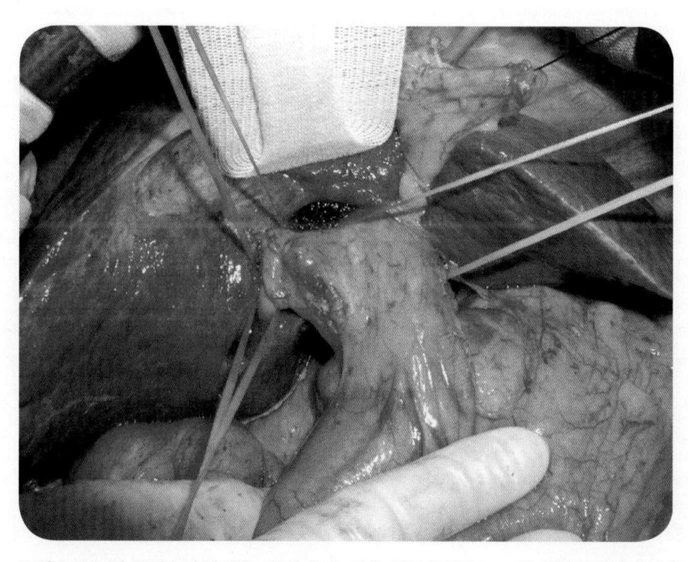

그림 2-10 간 글리손지의 구조-우전, 우후, 좌측 글리손지가 tape에 의해 분리되어 있다.

(1) 우간절제 시 일괄처리법

앞서 설명하였듯이 글리손지는 우전구역, 우후구역, 좌간으로 tape을 이용하여 걸어놓을 수 있다. 우간 절제 시에는 우전구역과 우후구역을 따로 분리할 필요 없이 우간글리손지에 tape을 걸어 놓고 토니켓을 이용하여 inflow를 차단한다(그림2-11). 절제할 부위의 색이 변하면 전기소작기로 절제할 선을 간 표면에 표시하고 수술을 진행한다. Inflow가 차단된 상태이므로, 출혈이 있다면 간정맥에서 기원하는 것이므로, 중간정맥을 따라 박리를 하면서 소작기나, 클립으로 지혈을 해나간다.

간의 대부분을 절제하였으면, 토니켓을 풀고 글리손지를 당겨서 유입부가 노출이 잘되도록 간을 벌린 후 자동문합기(stapler)를 이용하여 글리손지를 한번에 절제한다. 간이 잘 벌어지지 않는 경우, 글리손지을 먼저 처리한 후 간 실질의 위쪽을 절제하면 조금 더 쉽게 간 절제를 시행할 수 있다(그림2-12).

(2) 좌간 절제술 시 일괄처리법

좌간절제술 시 좌측간 유동화를 마치고, arantius duct를 결찰하면, caudate lobe와 좌측 간 사이로 tape을 이용하여 좌측 글리손지를 걸 수 있다. 토니켓을 이용하여 좌측 inflow를 차단하여, 절제선을 표시한 후 간 실질 절제를 시행한다. 간문부 쪽의 간 절제를 시행하면 좌측 글리손지를 조금 더 쉽게 노출시킬 수 있다. 자동문합기(stapler)를 이용하여, inflow를 절제한 후 위 쪽 간 실질 절제를 시행하는 것이 조금 더 용이하다. 좌간절제술 시 총담도가 좁아지는 것을 막기 위해 가능한 글리손지를 간 실질 내까지 충분히 노출시켜 처리하는 것이 좋고, 우후담도가 좌측담도에 합류하는 경우가 있으므로, 이 경우 가능한 멀리서 처리하거나, 개별처리법을 쓰는 것이 담도 손상을 막는데 유리하다.

2) 개별처리

개별처리법은 글리손지를 한번에 처리하는 방법이 아니라 각 혈관과 담도를 각각 분리하여 결찰하여 처리하는 방법이다. 우간절제술의 경우 우간동맥, 우측문맥, 우측담도를 각각 결찰 하고, 절단면을 표시하고 간 절제를 시행하고, 담도의 상태에 따라 담도결찰은 간 실질 절제 이후 시행하기도 한다. 개별처리는 각 혈관을 직접 확인하여 결찰하기 때문에, 절단면이 정확하기 그려지고, 담도나 혈관의 변이가 있는 경우 각각의 해부학적 구조를 확인하여 절제하기 때문에, 남겨야 할 담도의 손상이나, 발생할 수 있는 실수를 줄일 수 있다.

다만 간경화정도가 심하거나, 담도의 염증으로 간문부의 조직이 딱딱하게 변해있거나, 작은 혈관들이 발달되어 있는 경우에 박리 중 출혈로 술식의 적용이 어려워질 수도 있다. 또

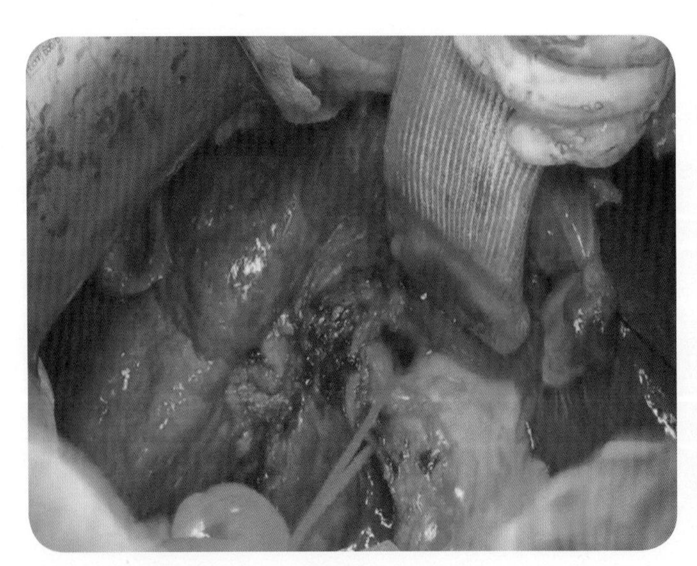

그림 2-11 오른쪽 글리손지의 박리 및 결찰

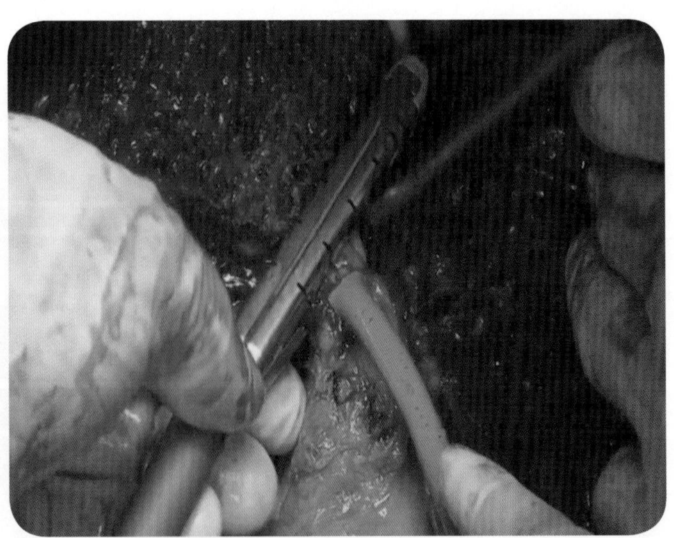

그림 2-12 자동문합기(stapler)를 이용한 오른쪽 글리손지의 처리

한 간문부에서 분지하는 각 혈관을 직접 조작하는 과정에서 남겨야 할 동맥이나 담도의 손상이 생기거나, 과도한 조직박리로 인해 담도혈관의 손상으로 담도협착등의 문제가 발생한 우려가 있다. 개별처리법은 그래서 염증이 비교적 적은 Child A등급의 간경화의 정도가 경한 환자나 간 공여자에서 주로 사용되며, 이 방법을 사용하였을 때 이식편의 혈관과 문맥의 구조를 확실하게 파악할 수 있어서 문합 시에도 유리하다.

(1) 우간절제술 시 개별처리법 (공여자 수술기준)

개별처리 법 시행 시 담낭절제술을 먼저 시행한다. 남아있는 담낭관을 제1조수가 들어서 당겨주면, 담도 뒤편의 문맥을 확인할 수 있다. 문맥 주변의 조직들을 박리하여 좌간문맥과 갈라지는 Y자 모양을 확인한 후 뒤편으로 Right angle forcep을 이용하여, vascular sling 등을 이용하여 우측문맥을 분리한다. 우측동맥은 담도의 바로 아래쪽으로 붙어서 진행하므로, 문맥을 아래로 내리고, 담도를 담낭관을 이용하여 위쪽으로 든 이후 담도 아래의 주변조직을 박리하여 우간동맥을 분리해 낸다. 불독겸자를 이용하여, 우간동맥과 우측문맥의 혈류를 차단하면, 좌우 간 실질의 색이 변하여, 절제면을 확인할 수 있게 된다. 전기소작기를 이용하여 표시를 하고, 이 경우 인도시아닌 그린 약품을 정맥 주입하여 ICG 카메라로 확인하면 조금 더 정확한 절단면을 확인할 수도 있다(그림 2-13).

(2) 좌간절제술 시 개별처리법

좌간 동맥이 좌위동맥에서 기원하는 변이가 없는지 절제 전에 꼭 확인이 필요하다. 변이가 없다면, 문부에서 좌간동맥의 주행방향을 손으로 만져 맥을 확인하여 위치를 파악한다. 주로 umbilical portion으로 가는 글리손지를 따라 확인하면 좌간동맥의 위치를 파악하기 용이하다. 4번 segment로 가는 중간동맥이 우간동맥에서 기시하는 경우가 있으므로, 우측 동맥의 기시부위에서 따라가서 따로 결찰해야 정확한 개별처리가 가능하다. 동맥 뒤쪽으로 좌간문맥이 위치하는데 umbilical portion으로 따라 동맥주변의 간문부 조직을 박리를 해 나아가면 주문맥과 좌간문맥의 기시부위를 확인할 수 있다. 좌 간문맥을 결찰하고, 간실질의 색이 변하는 것을 확인한 후 간실질 절제를 시행한다. 담도는 간 실질 절제를 마치고 양쪽으로 잘려진 간을 벌리고, 박리하면 조금 더 쉽게 Y자로 갈라지는 좌측담도를 확인하여 절제할 수 있다.

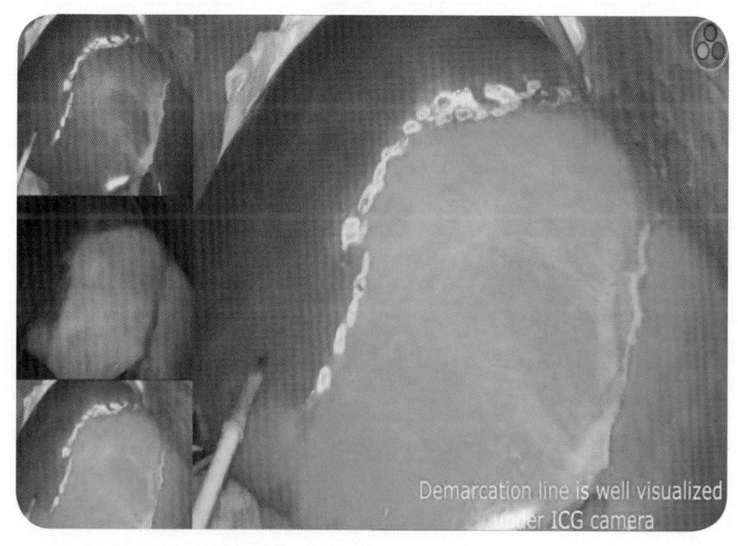

그림 2-13 인도시아닌 그린 카메라를 이용한 좌우 간절제선 확인

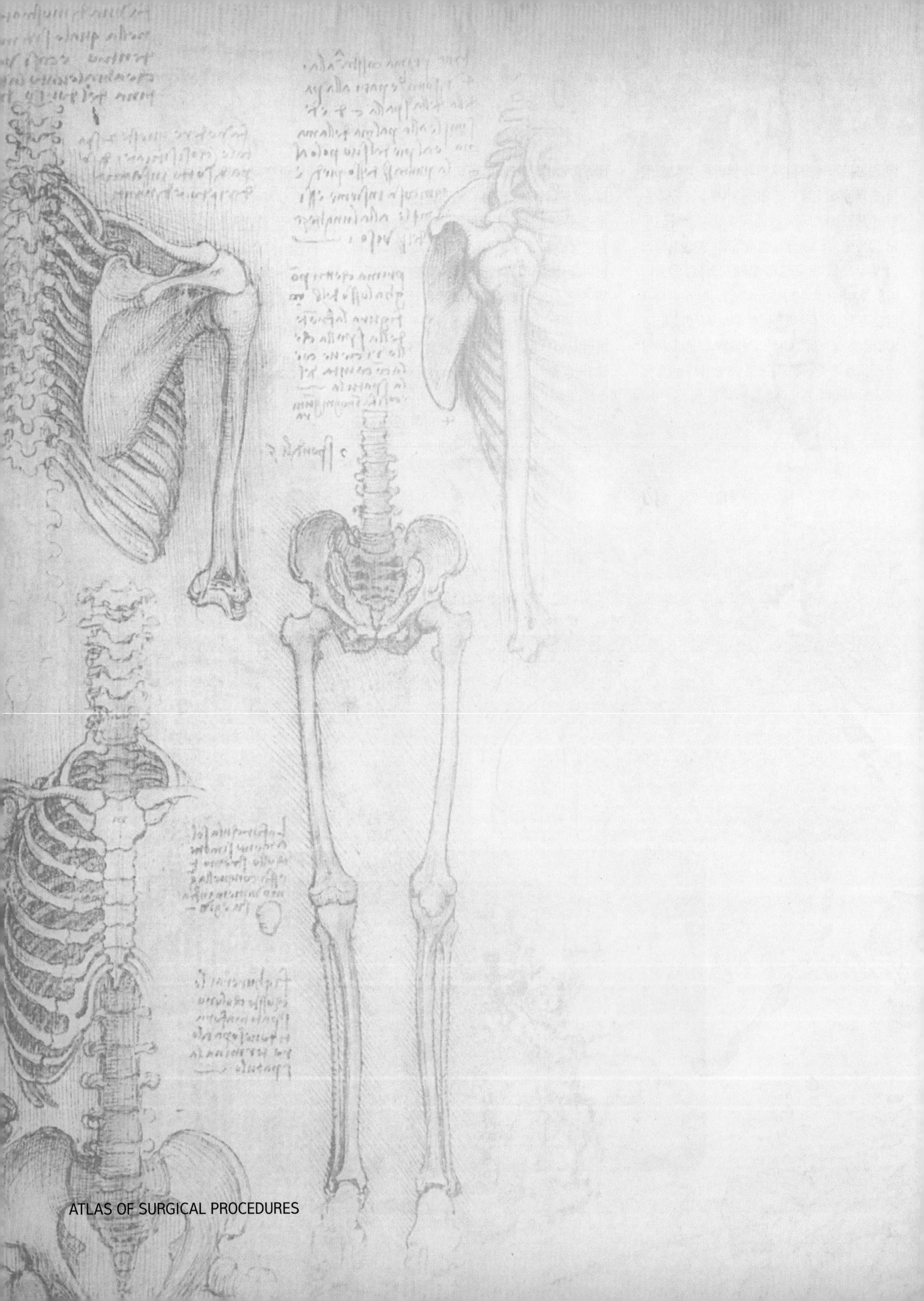

ATLAS OF SURGICAL PROCEDURES

CHAPTER 3

현수기법

Hanging maneuver

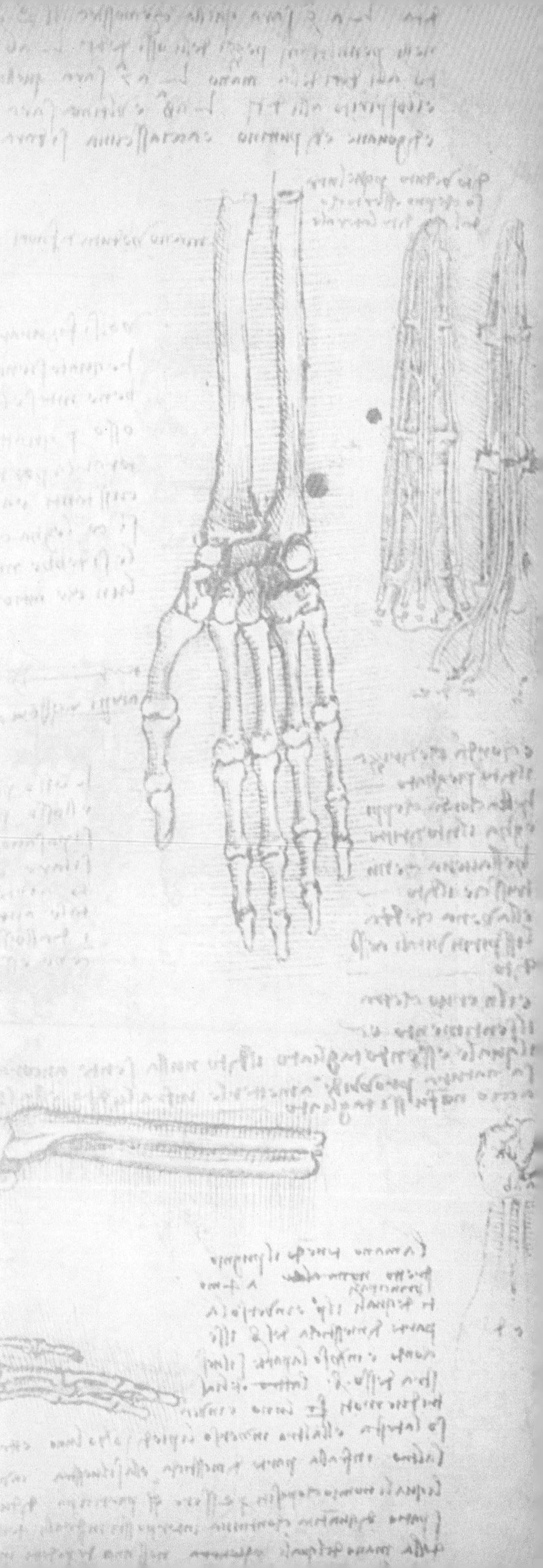

1. 서론

현수기법(hanging maneuver)은 Belghiti 등에 의해 우간절제에 처음 이용된 술기로, 절개할 부분인 절제면 만을 tape을 이용해 압박하면서 위로 들어 올려, 수술시야 확보, 지혈 용이, 출혈 감소, 절제면 최소 등의 장점을 가진다. 이러한 현수기법은 간으로 유입되는 주 글리손지(Glissonian pedicle)와 간에서 유출되는 주 간정맥에 의한 간의 독특한 외과적 해부학적 구조를 고려하여 다양한 부분 간 절제에 효과적으로 이용될 수 있다.

간동맥, 문맥, 담도를 포함하는 글리손지는 대부분 간문부에서 크게 우 및 좌 글리손지로 갈라지고, 다시 우 글리손지가 우전 및 우후 글리손지로 갈라진다(그림 3-1). 따라서, 간은 우전, 우후, 좌의 세 글리손지 영역에 따라 3부분으로 나누어질 수 있다. 간정맥의 경우, 크게 우, 중간, 좌 간정맥이 하대정맥으로 합류하는데(그림 3-2), 그 영역에 따라서도 간은 3부분으로 나누어질 수 있다. 물론, 변이로 인해, 우전 및 우후 글리손지 혹은 그 분지들이 불규칙하게 갈라지는 경우도 있고, 중간 또는 우하 간정맥이 크게 또는 여러 개로 발달한 경우도 있다. 그러므로, 간문부의 글리손지나 간상부하대정맥 주위의 세 간정맥의 박리는, 수술 전 CT나 MRI에 의한 글리손지와 간정맥의 해부학적 분지형태를 염두에 두고 시행하여야 한다.

2. 적응증

일반 간절제의 적응증과 다르지 않다. 해부학적 간절제가 필요한 경우이다. 특히 전방접근(anterior approach) 간절제술에 이용될 경우, 간을 유동화하기 전에 간문부 처리와 간실질 절개를 하게 되는데, 유동화시에 발생할 수 있는 출혈, 남는 간에 대한 압박, 종양 파열, 그로 인한 종양의 국소 재발 및 전신 파급 등을 줄일 수 있는 장점이 있어, 종양이 크거나 횡격막과 후복막에 유착이나 침입이 있을 경우 유용하다.

3. 비적응증

현수기법을 위해 tape을 위치시켜야 하는 세 글리손지, 세 간정맥, 정맥인대, 또는 하대정맥 전면 등 에 종양이 인접 또는 침범이 있는 경우나 심한 유착이 있는 경우, 종양파열이나 출혈의 위험이 있어 시도해서는 안 된다.

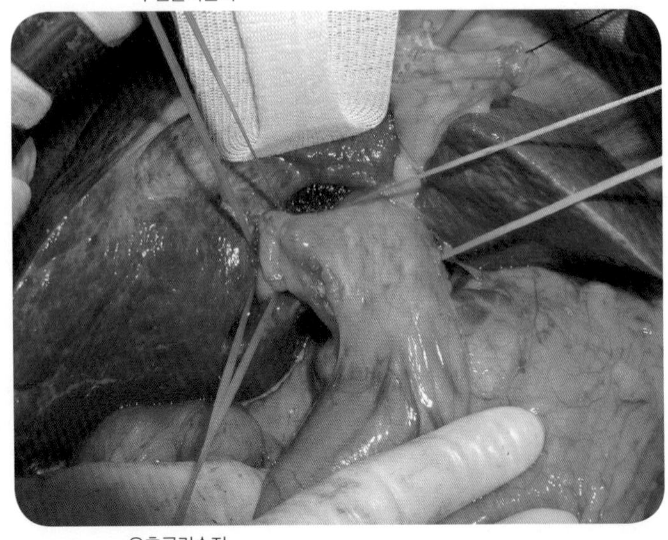

그림 3-1 간문부의 세 글리손지
우전, 우후, 좌의 글리손지가 각각 박리되어 tape이 걸려있다.

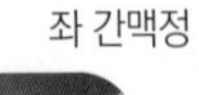

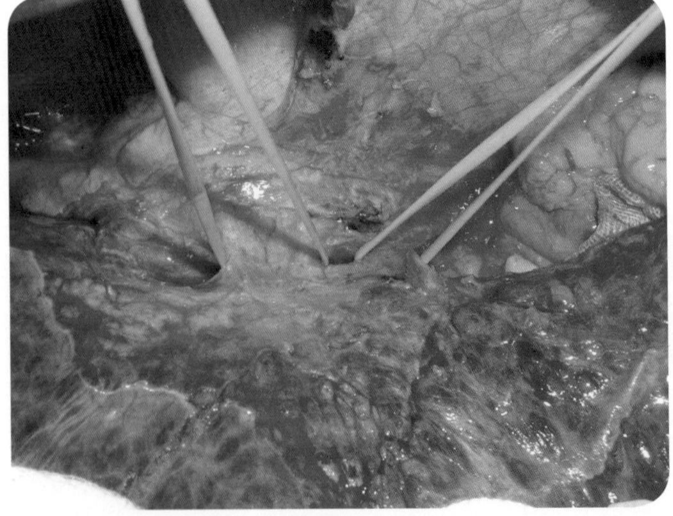

그림 3-2 간상부 하대정맥부위의 세 간정맥
우, 중간, 좌 간정맥이 하대정맥으로 합류하는데, 중간정맥과 좌간정맥이 각각 박리되어 tape이 걸려있다.

4. 수술전 처치

일반 간절제의 수술 전 처치와 다르지 않다.

5. 마취

전신마취로 일반 간절제의 마취에 준한다.

6. 환자 자세

똑바로 누운 자세의 해부학적 체위가 기본적이며, 하부 대장의 수술이 동시에 이루어지는 경우, 결석제거술(lithotomy) 자세도 가능하다.

7. 수술 준비

8. 절개 및 노출

보통 역 L 또는 J자 모양의 절개로 개복하지만, 필요에 따라 좌상복나 흉부로 절개를 확장할 수 있다. 인접 장기의 침범이나 유착이 없고 종양이 5 cm 이하로 작은 경우 배꼽위 상복부 중앙절개로 충분한 경우가 대부분이다.

9. 수술과정

1) 현수기법을 위한 tape 위치

저자의 경우 3-5 mm 외경의 Nelaton관을 이용해 현수기법을 이용하고 있다. Tape의 상단을 미리 박리된 우, 중간, 좌의 세 간정맥 사이에 두고, 그 하단을 박리된 우후, 우전, 좌 세 글리손지 사이에 두는데, 다음과 같이 크게 두 가지 방법이 있다.

(1) 하대정맥 전중앙을 따라 위치

간하부 하대정맥의 전면과 미상엽 후면 사이를 박리하여, 우하 간정맥이 있는 경우 그 왼쪽으로, 하대정맥의 전중앙을 따라 긴 Kelly 겸자를 전진시켜 우, 중간, 좌의 세 간정맥 사이의 공간으로 나오게 하여 tape의 한 끝을 잡고 후진시켜 미상엽 하부로 나오게 하여 하대정맥 전중앙을 따라 tape을 위치시킬 수 있다. 주로 전방접근 간절제 시 이용하는 방법이다. 간문부 뒤의 미상엽 실질을 미리 절개하면, 하대정맥의 전면 박리구간을 줄일 수 있다.

또 하나의 방법으로, 우간절제의 경우 우간을 유동화 시켜 하대정맥에서 박리한 후(그림 3-3), 또는 미상엽을 포함한 좌간절제의 경우 좌간을 유동화 시키고 미상엽을 하대정맥의 좌측에서 박리한 다음, 하대정맥 전중앙을 따라 tape을 위치시킬 수 있다.

(2) 정맥인대를 따라 위치

좌 간동맥이 있는 경우 조심하면서, 소망(lesser omentum)을 절개한 후, 간의 좌외측구역을 앞과 위로 밀거나 유동화시켜, 정맥인대를 간상부 하대정맥과 좌간정맥 합류부에서 절개 분리한다. 중간 및 좌 간정맥 공통간 후면을 박리하여 중간 간정맥 우측이나 좌측으로 tape을 통과시켜 정맥인대를 따라 위치시킬 수 있다(그림 3-4).

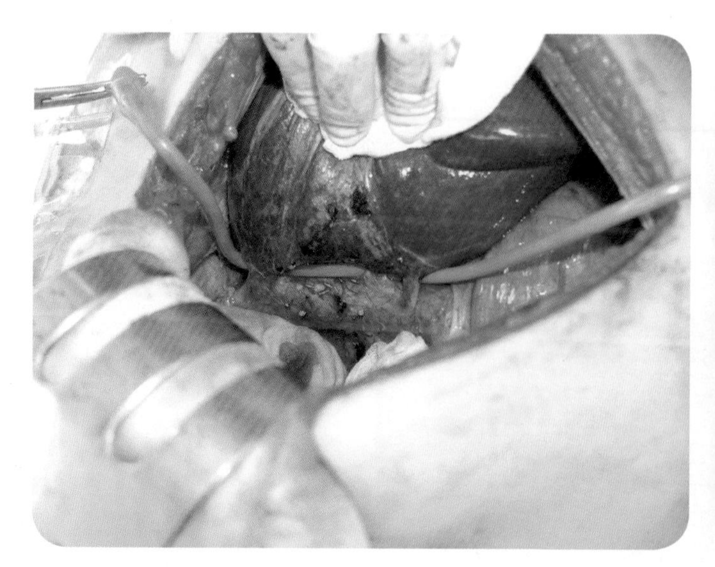

그림 3-3 하대정맥의 전중앙을 따라서 tape을 위치
공여자 우간 절제술시 우간을 유동화 시켜 하대정맥에서 박리한 후, 우 간정맥과 중간 간정맥 사이로, 또한 두 개의 우하 간정맥이 있어 그 좌측에 tape (여기서는 Nelaton관)을 위치시킨다.

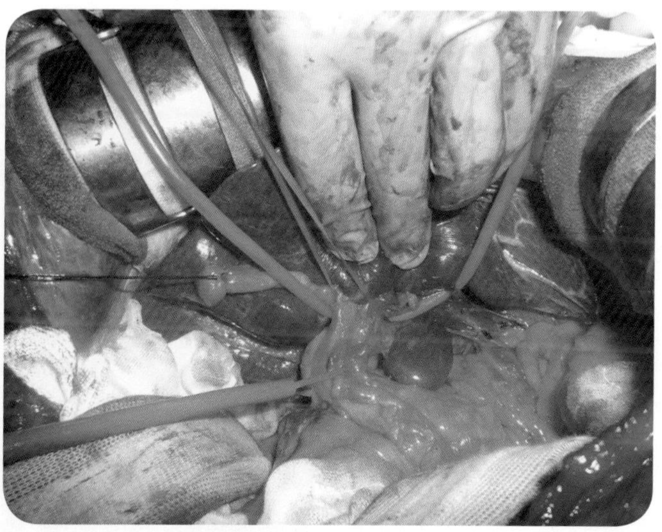

그림 3-4 정맥인대를 따라 tape을 위치
정맥인대를 간상부 하대정맥과 좌 간정맥 합류부에서 절개 분리한 후, 중간 및 좌 간정맥 공통간 후면을 박리하여 중간 간정맥 좌측으로 tape을 통과시켜 그 상단을 중간 간정맥과 좌 간정맥 사이에 두고 그 하단을 우 글리손지와 좌 글리손지 사이에 두면서 정맥인대를 따라 위치시킨다.

2) 현수기법

Tape의 양단을 절제할 간의 절제면에 맞추어 수술자나 제1조수가 들어올리면서 간실질을 절개해 나간다. 보통 간의 전하에서 후상으로 진행하는데, tape을 목표로 완전히 노출될 때까지 작은 글리손지나 간정맥 분지를 결찰하면서 나아간다. 생체공여자 우간절제처럼 우전구역의 중간정맥분지를 보존해야 하는 경우는, 그 분지까지의 간의 전하부위의 실질을 절개하고 그 분지를 박리한 후 tape을 그 분지후상으로 재위치 시킨 후 지속한다. 주간정맥이 절제면에 있는 경우, 그 주간정맥을 보존하기 위해 절개 방향을 선회하여 정맥후면에 이르러 tape을 향해 원래의 절제면을 유지하면 된다. 한 절제면은 절제면 양쪽으로 상보적인 두 형태의 간 절제를 가능하게 한다.

3) 수술 방법

해부학적 주간절제는 간의 유동화, 간문부 처리, 간실질 절개, 간정맥 근부 처리 등의 크게 4가지 단계를 거친다. 전방접근 간절제의 경우처럼 간의 유동화를 제일 나중에 할 수도 있고, 공여자 간절제의 경우처럼 간문부와 간정맥 근부처리를 마지막에 할 수도 있다.

간문부나 간정맥 근부 처리는 절제할 간구역의 글리손지와 간정맥 근부를 박리하고 절단하는 것을 말하는데, 박리와 절단을 동시에 할 수도 있고, 박리만 하고 간실질 절개 후 절단을 할 수도 있다. 후자의 경우, 절제할 간이 완전히 남은 간에서 분리되어, 글리손지나 간정맥 분기점에서 약간 떨어져 절단할 수 있는 공간을 확보할 수 있어, 남은 간으로의 유입 및 유출되는 글리손지내 문맥, 동맥, 담도나 간정맥 및 하대정맥이 협착되는 것을 방지할 수 있는 장점이 있다. 또 하나의 방법으로는, 박리하여 tape을 걸어둔 글리손지 내에서 동맥, 문맥, 담도를 박리하여 처리하는 것으로 생체공여자나 간문부담도암 수술에서 이용될 수 있다.

절제할 간의 글리손지에 걸어 둔 tape을 조여 혈류를 일시적으로 차단하여 우후구역, 우전구역, 좌간 사이의 해당되는 경계를 전기소작기로 간 표면에 표시하여 둔다. 우삼구역 절제면이나 중앙이구역 또는 좌내구역 절제의 좌측 절제면은 해부학적 구조물인 겸상인대, 간원인대와 좌글리손지의 우측을 연하여 간절개선을 전기소작기로 간 표면에 표시하여 둔다.

이때 tape이 하대정맥 전중앙을 따라 위치한 경우, 미리 하대정맥 앞에 있는 미상엽을 tape의 하단을 들어 그 앞을 따라 간문부 글리손지까지 절개한 후, tape의 하단을 이미 박리되어 있는 세 글리손지 사이로 다시 위치시키면, tape양단을 들어 전체적으로 둥글게 절제면을 둘러쌀 수 있어 현수기법을 간실질 절개 시작부터 이용할 수 있다(그림 3-5).

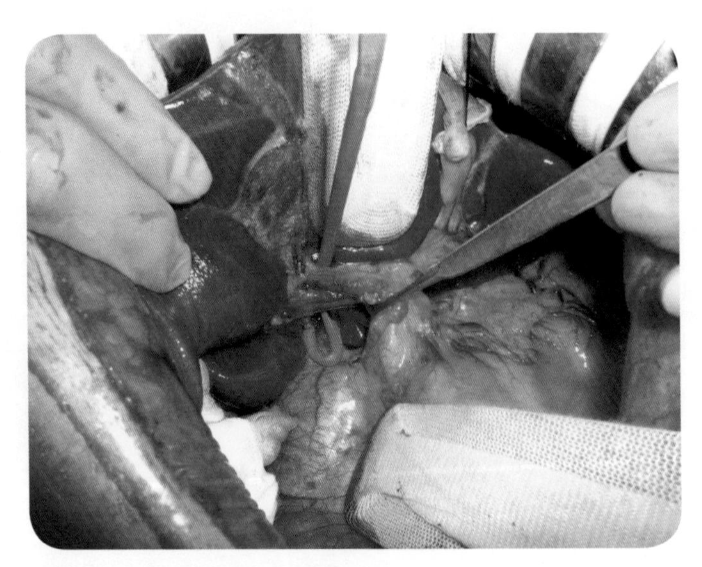

그림 3-5 효과적인 현수기법을 위한 간문부 tape 재위치
하대정맥 전중앙에 있는 tape의 하단을 들어, 미상엽을 간문부 글리손지까지 절개한 후, tape의 하단을 이미 박리되어 있는 우 글리손지와 좌 글리손지 사이로 다시 위치시킨다. tape양단을 절제면에 맞추어 들면 우간절제나 미상엽포함 좌간절제가 가능하다.

4) Tape의 위치에 따른 간절제

(1) 간후면 하대정맥의 전중앙을 따라서 tape을 위치

① 하나의 tape 이용

- Tape의 상단을 우 간정맥 우측에 두고 그 하단을 우전, 우후 글리손지 사이에 두면, 우간정맥을 포함하지 않는 우후구역절제가 가능하다.
- Tape의 상단을 우, 중간 간정맥 사이에 두고 그 하단을 우전, 우후 글리손지 사이에 두면, 우 간정맥을 포함하는 우후구역절제나 미상엽을 포함하는 좌삼구역절제가 가능하다(그림 3-6A).
- Tape의 상단을 우, 중간 간정맥 사이에 두고 그 하단을 우, 좌 글리손지 사이에 두면, 중간 간정맥을 포함하지 않는 우간절제나 미상엽과 중간 간정맥을 포함하는 좌간절제가 가능하다(그림 3-6B).
- Tape의 상단을 중간, 좌 간정맥 사이에 두고 그 하단을 우전, 좌 글리손지 사이에 두면, 중간 간정맥을 포함하는 우간절제나 미상엽을 포함하는 좌간절제가 가능하다(그림 3-6C).
- Tape의 상단을 중간, 좌 간정맥 사이에 두고 그 하단을 우전, 좌 글리손지 사이에 두면서 양단을 좌 글리손지의 우측을 연해 들면, 우삼구역절제가 가능하다(그림 3-6D).

② 두 tape 이용

- 한 tape의 상단을 우, 중간 간정맥 사이에 두고 그 하단을 우전, 우후 글리손지 사이에 두면서, 또 다른 하나의 tape의 상단을 중간, 좌 간정맥 사이에 두고 그 하단을 우, 좌 글리손지 사이에 두면, 좌측의 tape을 드는 방향에 따라 중앙이구역절제와 중간 간정맥을 포함하는 우전구역절제가 가능하다. 물론, 우측의 tape의 양단을 우전, 우후구역의 경계를 따라 들고 간실질 절개를 하는 것은 같다.
  - 중앙이구역절제(그림 3-6A, D)
    좌측의 tape을 겸상인대 방향으로 좌 글리손지의 제대부에 붙여서 견인하며 좌측 간실질 절개를 시행하는데, 제대부 우측에 연하여 노출되는 좌내 글리손지를 순차적으로 결찰 절단하면서 두측으로 진행한다. 양측 간실질 절개후 우전 글리손지를 결찰 후 절단한다. 마지막으로 남은 중간 간정맥을 결찰 후 절단한다.
  - 중간 간정맥을 포함하는 우전구역절제(그림 3-6A, C) 좌측의 tape을 우전구역과 좌간의 경계를 따라 들고 간실질 절개를 한다.
- 두 tape의 상단을 중간, 좌 간정맥 사이에 두고 그 하단을 우전, 좌 글리손지 사

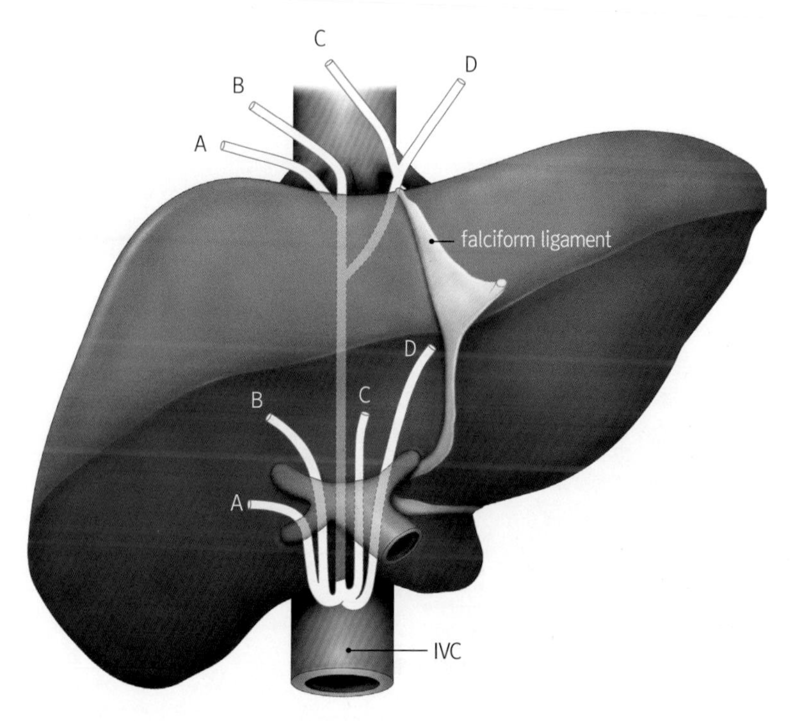

그림 3-6 간후면 하대정맥의 전중앙을 따라서 tape을 위치
Tape 상단을 우, 중간, 좌 간정맥 사이에 두고 그 하단을 우전, 우후, 좌 글리손지 사이에 두면서 하대정맥의 전중앙을 따라 위치시킨다.
IVC : inferior vena cava (하대정맥).

이에 두면서, 우측의 tape을 우간과 좌간의 경계방향으로 들고, 좌측의 tape을 좌 글리손지의 우측을 연해 들면, 중간 간정맥을 포함하지 않는 좌내구역절제가 가능하다(그림 3-6C, D).

- 한 tape의 상단을 우, 중간 간정맥 사이에 두고 또 다른 하나의 tape의 상단을 중간, 좌 간정맥 사이에 두면서, 양측 tape의 하단을 우전, 좌 글리손지 사이에 두면, 중간 간정맥을 포함하는 좌내구역절제가 가능하다(그림 3-6B, D).
- 한 tape의 하단을 우전, 우후 글리손지 사이에 두고 또 다른 하나의 tape의 하단을 우전, 좌 글리손지 사이에 두면서, 양측 tape의 상단을 우, 중간 간정맥 사이에 두면, 중간 간정맥을 포함하지 않는 우전구역절제가 가능하다(그림 3-6A, B).

(2) 정맥인대를 따라서 tape을 위치

한 tape의 상단과 하단을 정맥인대를 따라서 각각 세 간정맥과 세 글리손지의 사이로 위치시켜 양단을 견인하면, 미상엽을 포함한 우간절제(중간 간정맥의 포함 유무)와 우삼구역절제, 그리고 미상엽을 포함하지 않는 좌간절제(중간 간정맥의 포함 유무) 및 좌삼구역절제가 가능하다.

좌간절제의 경우 tape의 하단이 우간절제의 경우처럼 우, 좌 글리손지 사이에 있으면서 tape이 걸려있는 정맥인대를 향해 곧바로 간실질 절개를 진행하면, 미상엽으로 유입되는 글리손지를 만나게 되는데, 주의하지 않으면 손상될 수 있다(그림 3-7A). 이를 방지하기 위한 방법으로는 좌 글리손지 수직부분 기시부 우측에서 정맥인대후면을 향해 'ㄱ'자 겸자(right angle forcep/clamp)를 통과시켜 tape의 하단을 잡고 후진시켜 나오게 하여 tape의 양단을 들면 되는데(그림 3-7B, C), 미상엽 글리손지를 우회해 tape이 위치되어 있으므로 tape을 목표로 그대로 간실질 절개를 진행할 수 있다.

① Tape의 상단을 우, 중간 간정맥 사이에 두고 그 하단을 우, 좌 글리손지 사이에 두면, 미상엽을 포함하는 우간절제나 중간 간정맥을 포함하는 좌간절제가 가능하다(그림 3-8A).

② Tape의 상단을 중간, 좌 간정맥 사이에 두고 그 하단을 우, 좌 글리손지 사이에 두면, 미상엽과 중간 간정맥을 포함하는 우간절제나 중간 간정맥을 포함하지 않는 좌간절제가 가능하다. Tape의 위치를 그대로 한 체, 양단을 좌 글리손지의 우측을 연해 들면 미상엽을 포함하는 우삼구역절제와 생체공여자 좌외구역절제가 가능하다(그림 3-8B).

③ Tape의 상단을 우, 중간 간정맥 사이에 두고 그 하단을 우전, 우후 글리손지 사이에 두면, 미상엽을 포함하는 우후구역절제나 미상엽을 포함하지 않는 좌삼구역절제가 가능하다(그림 3-8C).

④ Tape의 상단을 중간, 좌 간정맥 사이에 두고 그 하단을 좌 글리손지의 좌측에 두면, 좌외구역절제가 가능하다.

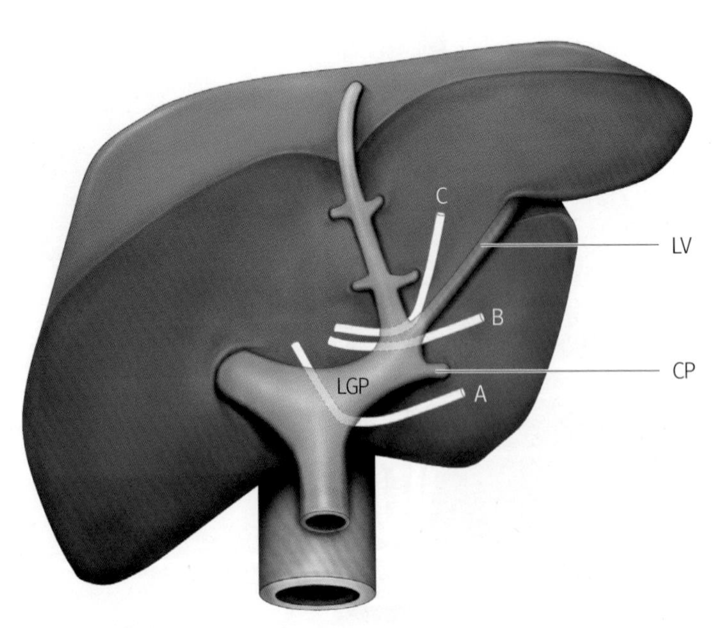

그림 3-7 좌 글리손지 박리
A. 우간절제의 경우처럼 간문부에서의 좌 글리손지 박리.
B. 미상엽 글리손지 원위부에서 정맥인대를 포함하는 좌글라손지 박리.
C. 미상엽 글리손지 원위부에서 정맥인대를 포함하지 않는 좌글리손지 박리.
LV, ligamentum venosum; LGP, left Glisson's pedicle; CP, caudate Glisson's pedicle.

(3) 간 후면 하대정맥의 전중앙과 정맥인대를 따라서 tape을 위치(그림 3-9)

Tape의 상단을 간 후면 하대정맥의 전중앙을 통해 우, 중간 간정맥의 사이로 나가게 한 후, 중간, 좌 간정맥 뒤로 통과시켜 정맥인대를 따라 간문부 글리손지 뒤에서 그 하단과 만나게 하면, 미상엽 단독 절제가 가능하다.

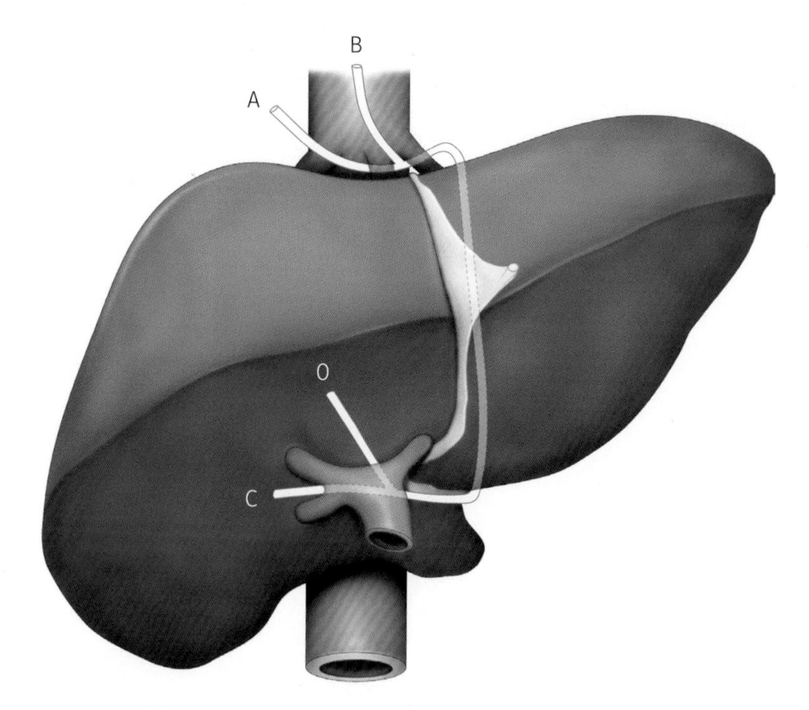

그림 3-8 정맥인대를 따라서 tape을 위치
Tape 상단을 우, 중간, 좌 간정맥 사이에 두고 그 하단을 우전, 우후, 좌 글리손지 사이에 두면서 정맥인대를 따라 위치시킨다.

10. 기타 고려사항 등

좌간절제는 Couinaud 2-4분절 절제를 정의로 하고, 실제로도 그렇다. 하지만, 우간절제는 Couinaud 5-8분절 절제를 정의로 하지만, 실지로 미상엽의 하대정맥 전중앙의 우측 부위를 포함한다. 사실 우후분절과 미상엽의 경계를 정확히 정하기는 어렵다. 미상엽의 글리손지와 간정맥이 대체로 작고 그 분지가 일정하지 않기 때문이다. 미상엽의 미상 돌기부위의 종양의 경우, 미상엽 단독 절제를 할 수도 있지만, 절제연 확보를 위해 우후구역을 포함한 미상엽 절제를 고려 할 수도 있다.

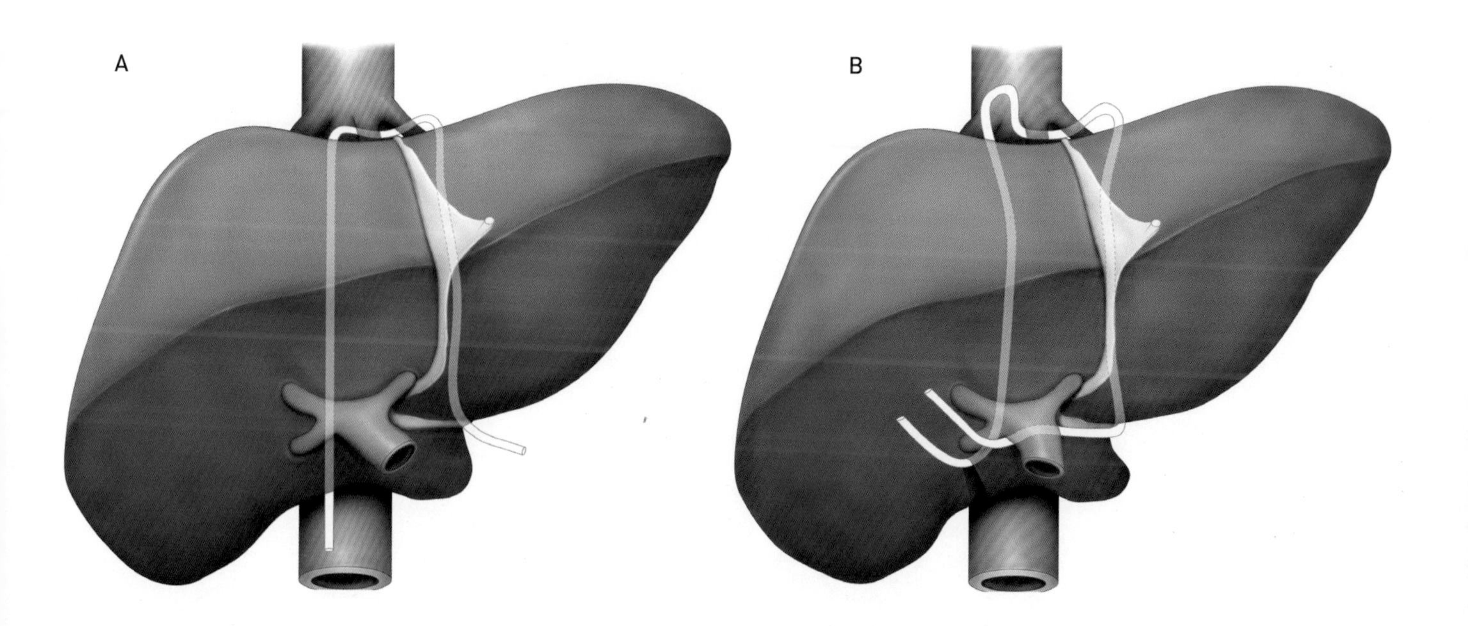

그림 3-9 미상엽 단독 절제
Tape 상단을 간문부 미상엽 아래에서 하대정맥의 전중앙을 통해 우 간정맥과 중간 간정맥의 사이로 진행시킨 후, 중간 간정맥과 좌 간정맥 뒤로 통과시켜 정맥인대를 따라 간문부 글리손지 뒤에 위치시킨다(A). 그 하단과 만나게 해서 양단을 들면, 미상엽 단독 절제가 가능하다(B).

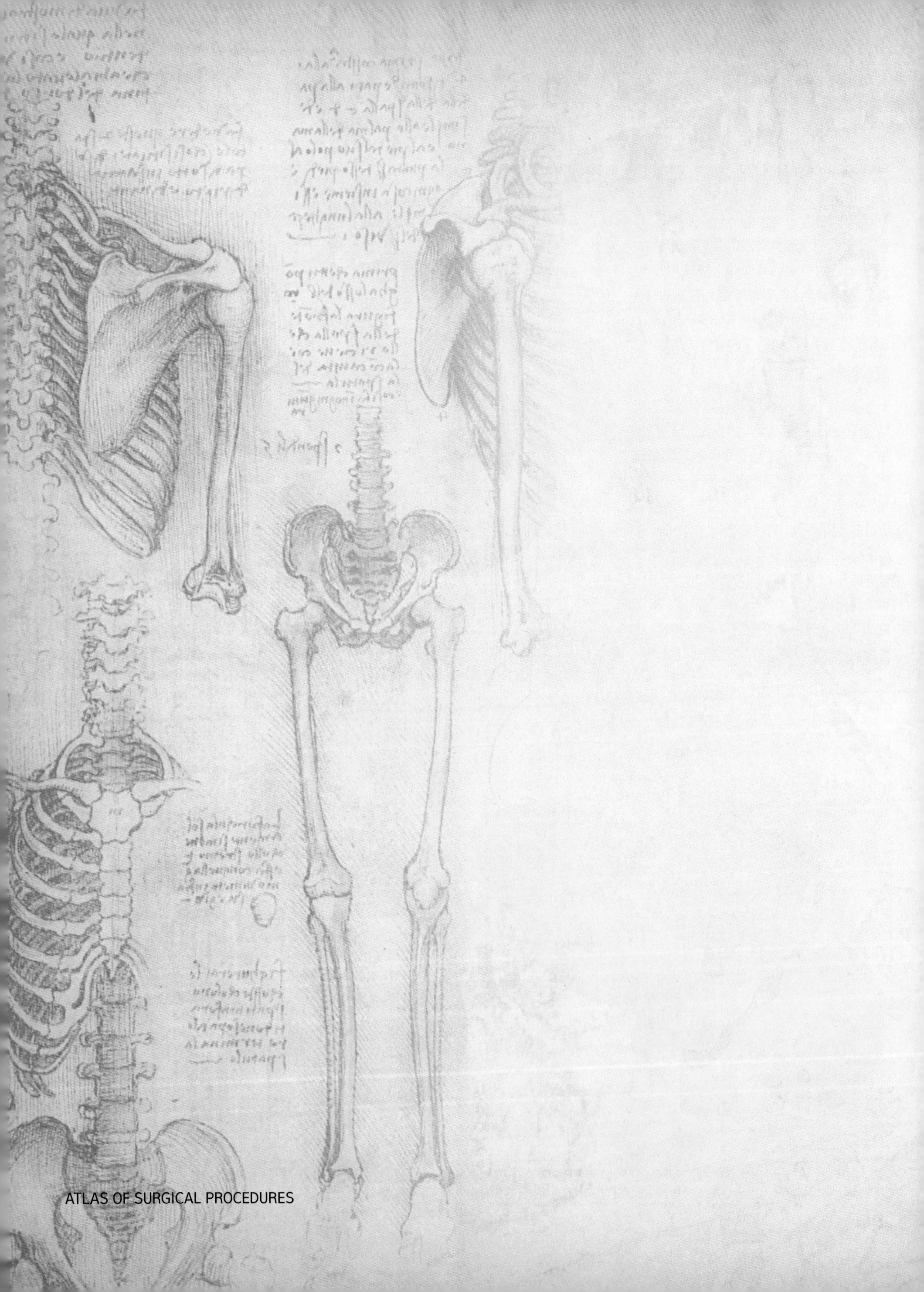

ATLAS OF SURGICAL PROCEDURES

CHAPTER 4

간 수술 기구들의 작동원리 및 사용법

The Operation principles and usages of liver surgical devices

간 수술은 간 절제 시 출혈을 최소화할 수 있는 기구와 술기를 개발하면서 발전하였다. 초기 간 절제 방법은 1958년에 소개된 수지 분쇄법으로(Finger Fracture) 손가락을 이용하여 간 실질 내에 혈관이나 글리슨지를 박리하고 결찰 하는 것이다. 이 술기는 이후 Kelly clamp를 이용하여 간 실질을 절제하는 clamp crushing 술기로 발전하였고 현재에도 가장 많이 사용되고 있는 수술 방법의 하나이다. 지난 수십 년 동안 과학 기술의 발전으로 간 수술을 위한 다양한 기구들이 개발 및 소개되어 실제 수술시 사용되고 있다. 이 장에서는 간 절제 시 사용되는 다양한 기구들의 작동원리 및 사용법을 소개하고자 한다.

1. 초음파 박리기 (Ultrasonic dissector)

1) 작동원리

초음파 박리기는 초음파 에너지(24~40 kHz)(그림 4-1)를 이용하여 간 실질을 박리하는 것으로 이는 간 실질이 서로 다른 조직들로 이루어져 있기에 가능하다. 간 실질은 다양한 조직 저항성을 갖고 있는 조직들로 이루어져 있는데 간세포는 초음파 에너지에 의해 쉽게 파쇄(fragmentation)되어 사라지고 결합조직으로 싸여 있는 혈관 조직은 파괴되지 않고 노출되어 결찰하면서 효과적으로 간 실질을 박리할 수 있다.

핸드피스의 팁이 진동으로 조직을 파쇄하는 것으로 진동수가 높을 수록 조직의 파쇄가 조금 일어난다. 간 조직을 박리할 때는 1초에 24,000번 진동하는(24 kHz) 초음파 에너지를 사용하고(그림 4-2) 뇌수술의 경우 조직 파쇄가 덜 일어나는 36 kHz의 초음파 에너지를 이용한다.

초음파 박리기의 기능을 위해서는 간 실질을 파괴하는 파쇄가 가장 중요한 기능이지만 그림 4-3에서 보인 것처럼 세척(irrigation)과 흡입(suction) 또한 중요하다. 초음파 에너지의 진동에 의해 핸드피스의 팁에 열이 발생하는데 세척 기능이 진동하는 팁을 냉각시켜 노출

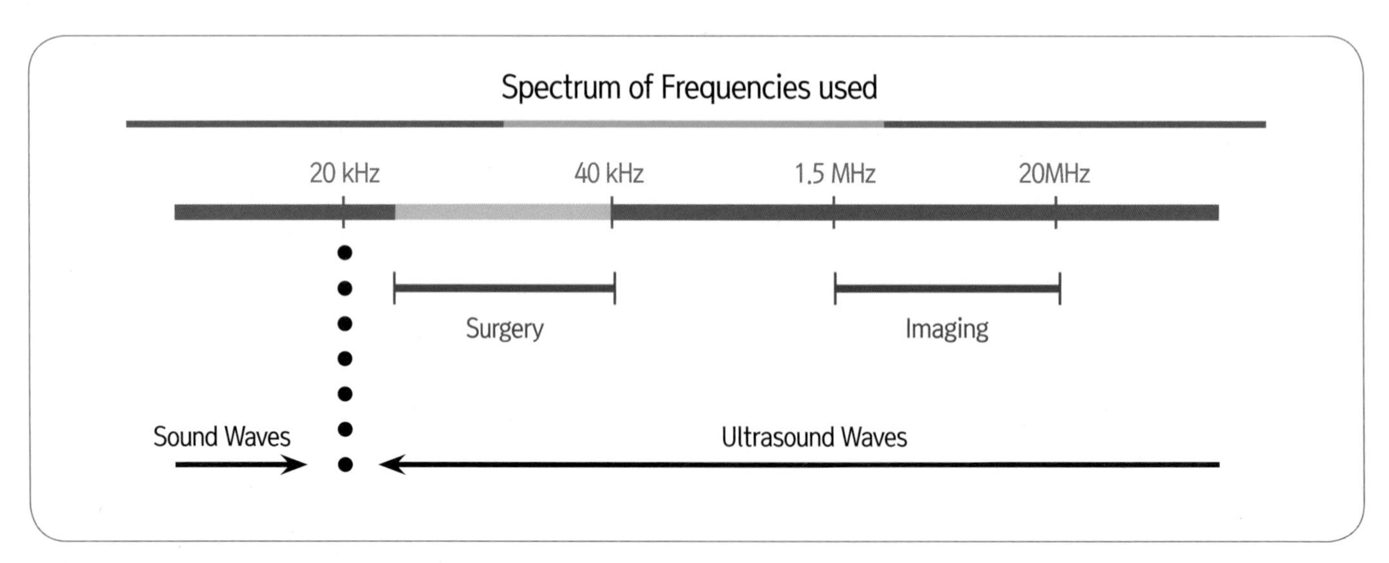

그림 4-1 Utrasound Waves

표 4-1 CUSA Excel의 TissueSelect™ 기능

진동 모듈(Vibration mode)	진폭 세팅(Amplitude setting)	팁 스트로크(Tip Stroke)	예비전력(Reserve Power)
Standard	100%	210um	45 w
Standard	50%	105um	20 w
TISSUE Select™ +	100%	208um	10 w
TISSUE SelectT™ ++	100%	208um	8 w
TISSUE SelectT™ +++	100%	193um	6 w
TISSUE SelectT™ ++++	100%	156um	4 w

되는 조직이 그 구조를 유지하게 해준다. 흡입 기능은 파쇄되는 간 조직들을 제거함으로서 명확한 수술시야를 제공하게 해준다. 초음파 박리기의 3가지 기능(파쇄, 세척, 흡입)은 동시에 작동해야 박리 기능을 효과적으로 제공할 수 있다.

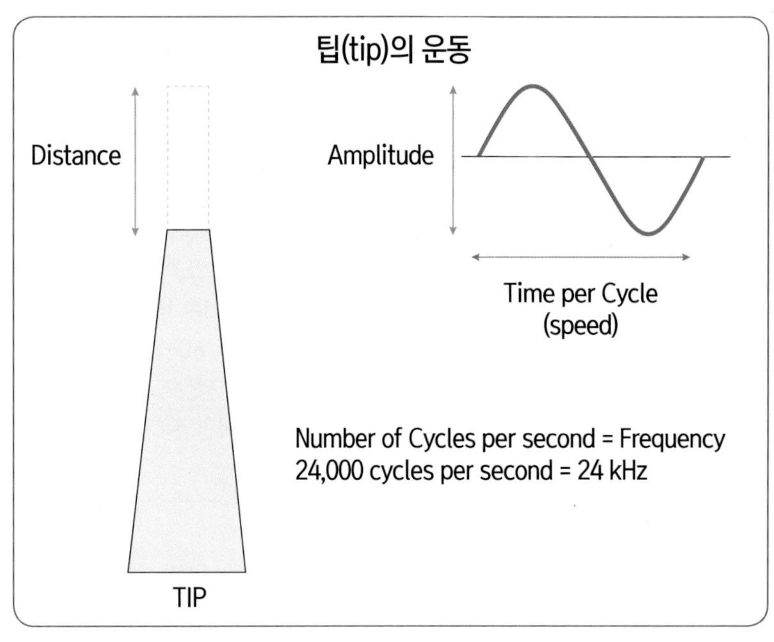

그림 4-2 팁의 운동

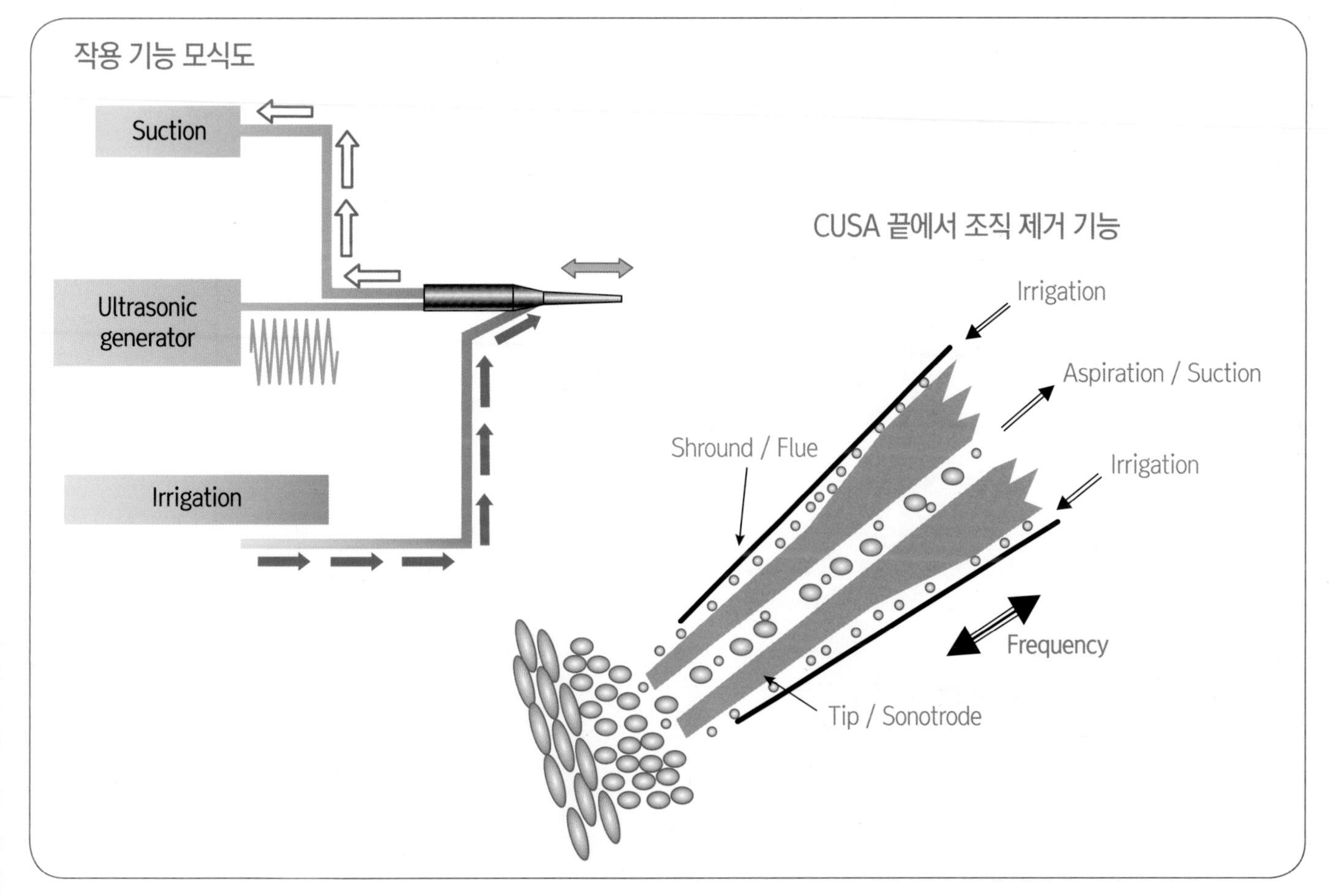

그림 4-3 CUSA 작용 기능 모식도

2) 사용법

현재 가장 많이 사용되고 있는 초음파 박리기는 미국 INTEGRA radionics에서 제조 판매되는 Cavitron Ultrasonic Surgical Aspirator (CUSA) Excel 제품이다. 주 기능을 하는 핸드피스와 본체가 그림 4-4에서 보이는 것처럼 연결되어 파쇄, 세척 및 흡입의 기능이 동시에 작동되어 수술에 이용된다.

CUSA Excel 본체의 머리에는 조절판이 있어 여러 가지 기능을 조절할 수 있다(그림 4-5). TissueSelect™ 기능은 표준을 제외한 4개의 추가 옵션이 있는데 표준 진동 모듈이 가장 효과적으로 조직을 파쇄할 수 있으며 중요한 구조에 접근할수록 추가 옵션을 선택하여 조직 손상을 최소화하면서 조직 파쇄를 할 수 있다. 간 실질을 절제하는 경우에는 표준 모듈(standard)로 선정하여 수술을 시행하면 된다. 조직 파쇄의 정도는 주황색 진폭(amplitude) 버튼으로 조절가능하며 간 절제의 경우 60~80% 범위에서 설정하여 사용하는데 정상조직일수록 진폭을 60% 근처로 설정하면 된다. 세척(irrigation) 버튼은 간 절제의 경우 30% 정도로 설정하고 흡입(suction)은 개복수술에서는 100%로 설정한다. 흡입기능의 강할 경우 작은 간정맥의 손상을 주어 출혈을 증가시킬 수 있어 조절이 필요하고 복강경 수술의 경우 기복을 유지하기 위해 흡입기능을 50%정도로 낮추고 시작하여 수술 진행 상황에 따라 조절할 수 있다. CUSA의 기능은 조직을 파쇄 하는 것이 가장 중요하지만 세척 및 흡입 또한 효과적인 조직 박리를 위해 중요한 기능으로 이 세 가지가 모두 작동할 때 그 기능이 최적화 된다.

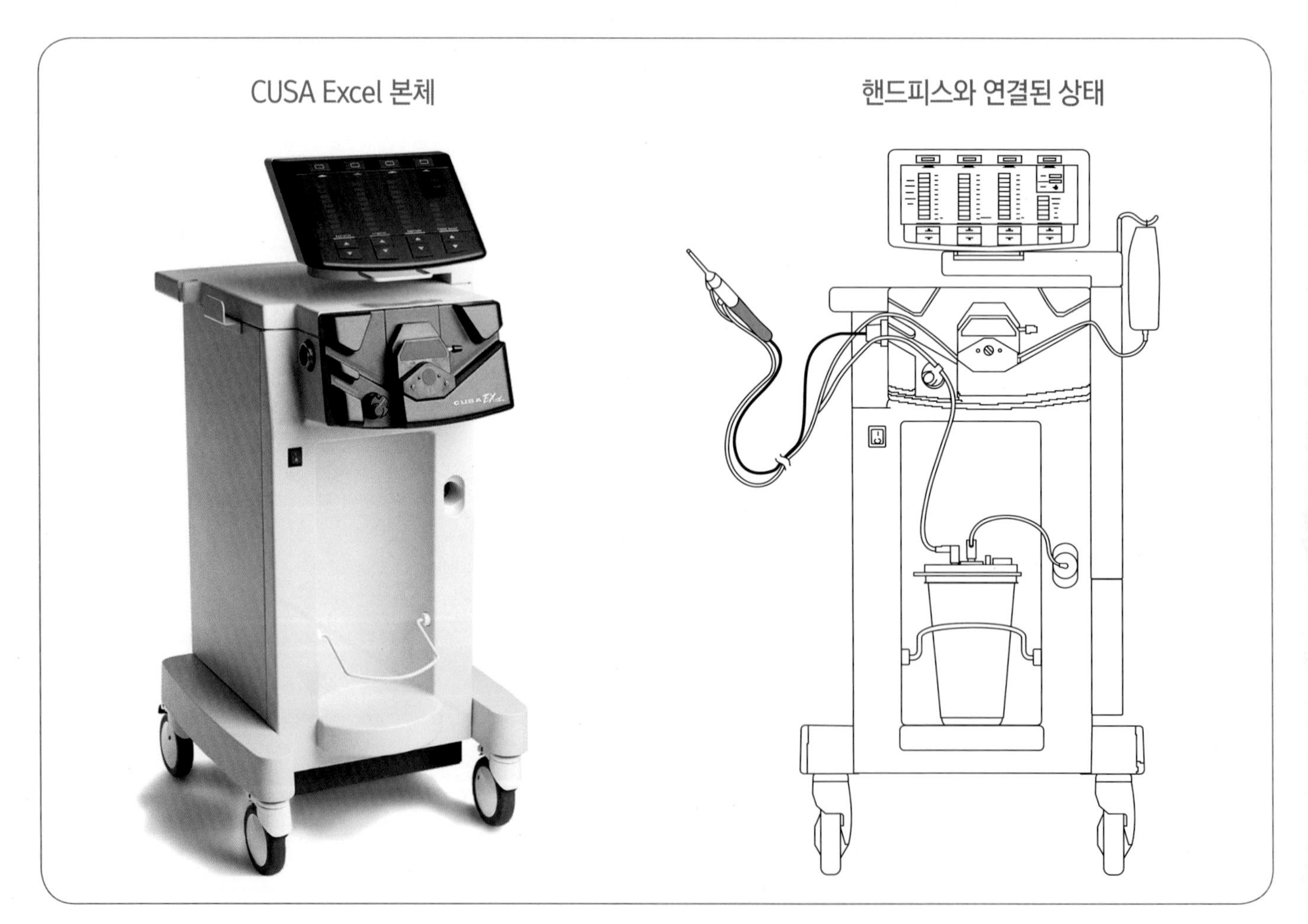

그림 4-4 CUSA excel 본체 및 핸드피스와 연결된 상태

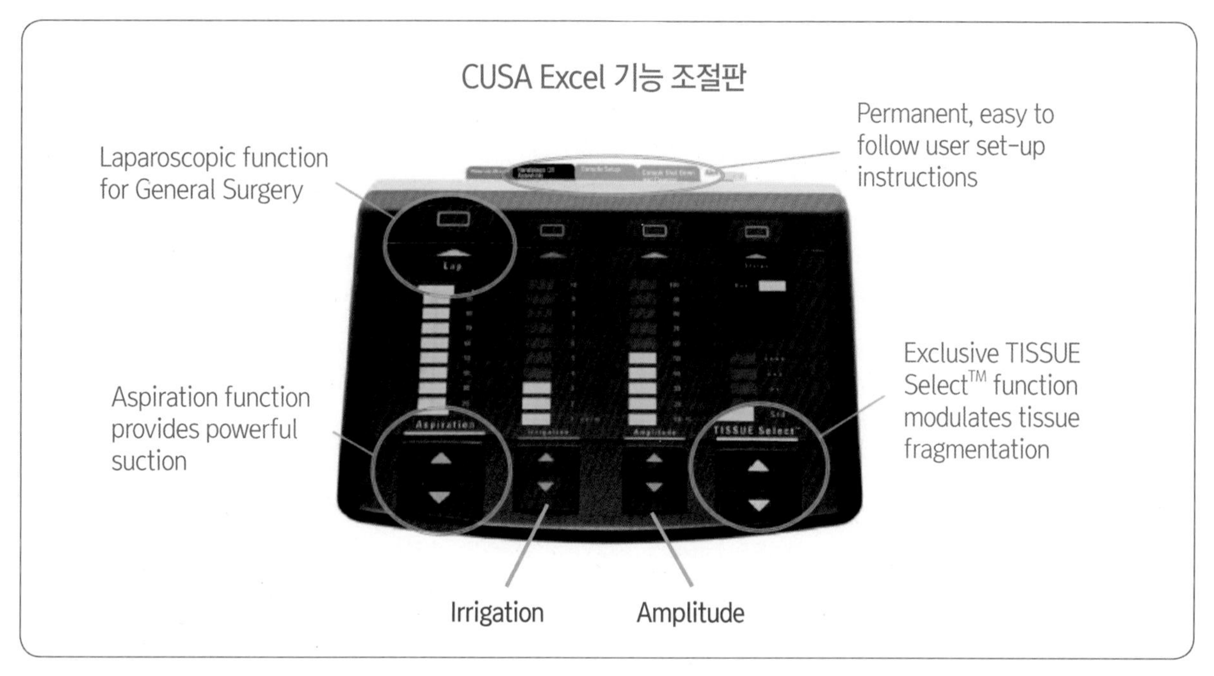

그림 4-5 팁의 운동

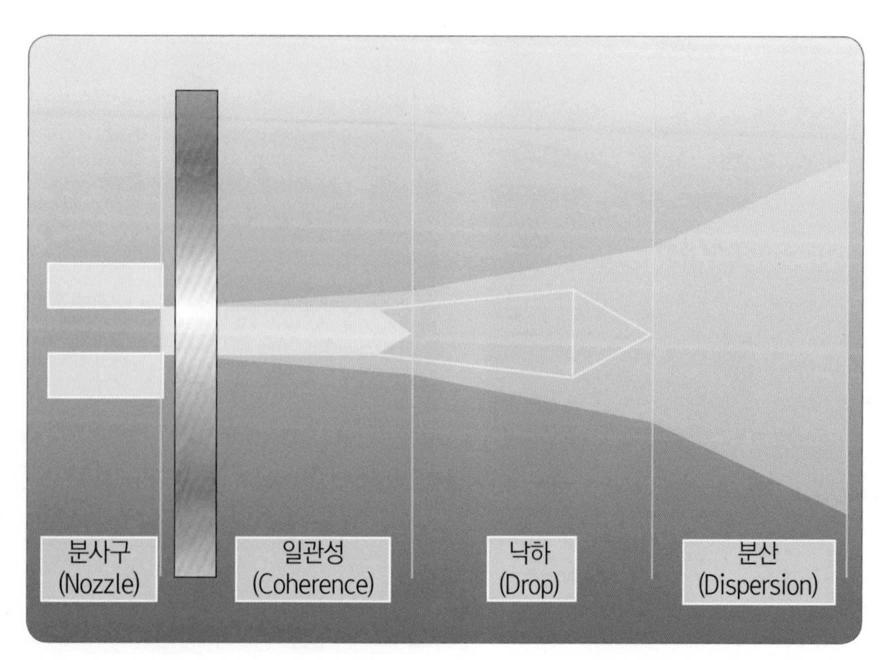

그림 4-6 Water Jet의 원리

2. 물 분사 박리기(Water jet)

1) 작동원리

물 분사 박리기는 이중 실린더 펌프로 공급되는 극세 Water-jet을 쏘아 인체조직을 절제 및 절제하는 의료용 칼이며 절제된 인체조직 등 분비물을 흡입하는 전동식 의료용 흡입기를 조합하여 사용되는 외과수술 장비이다. 그림 4-6에서처럼 미리 설정된 압력으로 분사구를 빠져나온 Water-Jet은 일정 거리까지 초기 압력을 유지하다 낙하 및 분산의 과정을 거치는데 설정된 압력의 에너지를 유지하는 일관성 부분이 조직을 박리하는데 사용된다. Water-jet이 간 실질 절제에 사용되는 이유는 간 조직이 다양한 저항성을 가진 조직으로 이루어져 있기 때문인데 그림 4-7에서처럼 Water-Jet에 의해 결체조직이 없는 간세포는 박리되고 결체조직으로 이루어져있는 혈관구조는 남아있게 되어 효과적인 박리가 가능한 것이다.

2) 사용법

현재 임상에서 사용되는 물 분사 박리기는 ERBEJET 2이고 그림 4-8에서처럼 장비의 상단에 부착되어 있고 그 아래 전동식의료용흡인기(ESM 2) 연결되어 수술 시 발생하는 분비물을 흡인하는 기능을 한다. VIO Cart는 ERBEJET 2, 전동식의료용흡인기 및 기타 액세서리를 장착 할 수 있는 카드이다.

ERBEJET 2에 장착된 이중 실린더 1회용 펌프 카트리지가 가장 중요한 기능을 하는데 Applicator 및 분리중간재(Separation Medium)인 멸균 생리식염수를 연결하여 사전 설정된 진공 압을 Applicator로 지속적으로 공급하는 기능을 한다. 측면에 멸균 생리식염수를 공급하는 intake tube가 장착되어 있어 사용 중 버튼을 눌러 기구 교체가 가능하다. Water-jet의 압력설정은 1~80 bar까지 33단계의 작용 레벨로 조절하여 분사가 가능하다.

Applicator는 개복용과 복강경용 둘 다 있으며 개복용의 경우 단극전극(monopolar electrode)과 흡입기능이 추가되어 있다(그림 4-9).

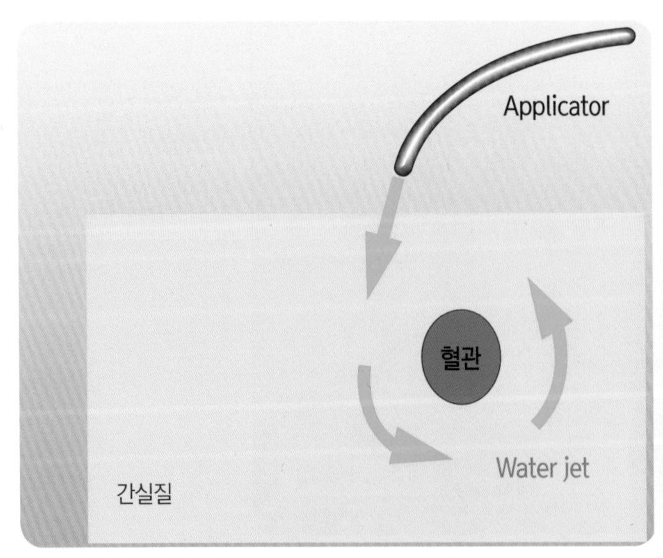

그림 4-7 Water Jet의 간 절제 원리

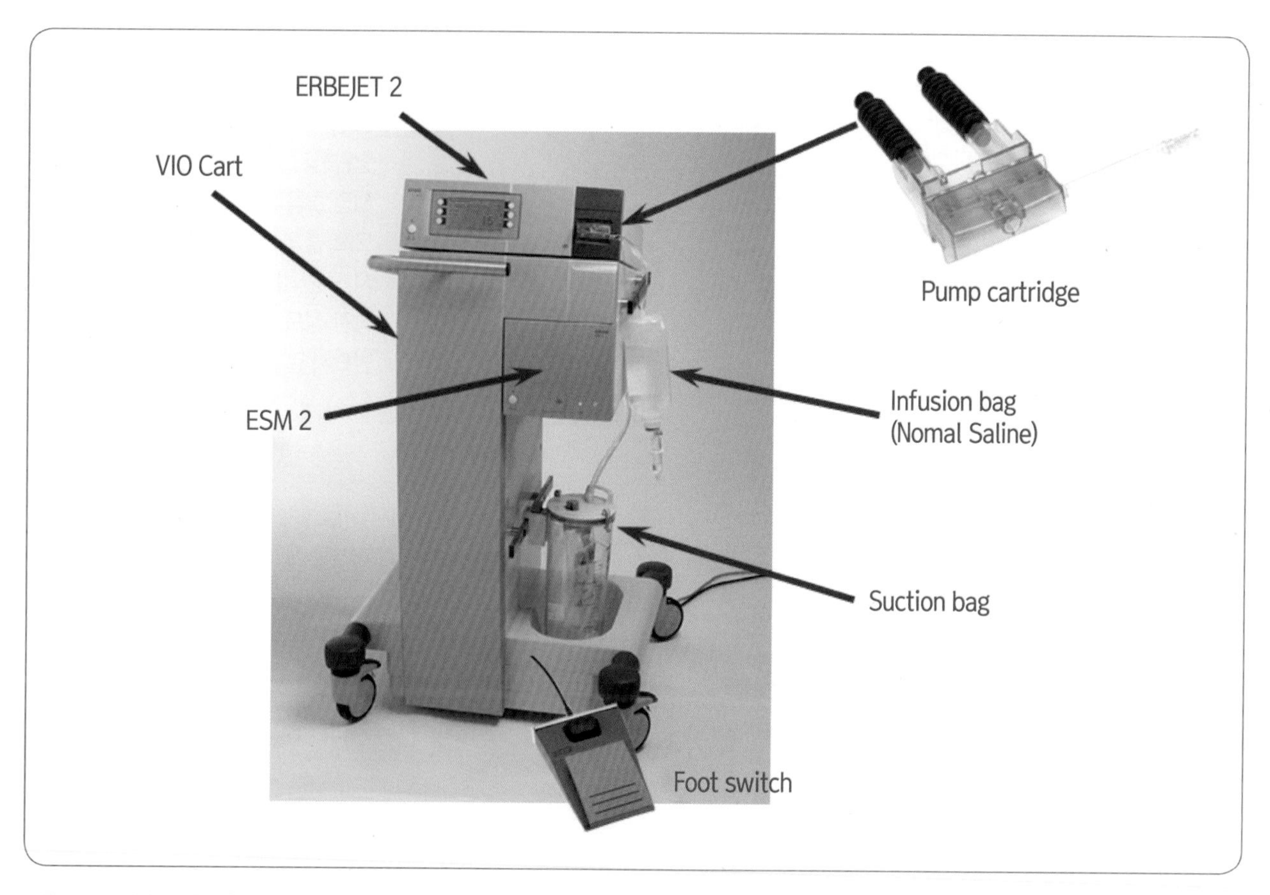

그림 4-8 수압식의료용칼 (ERBEJET2)

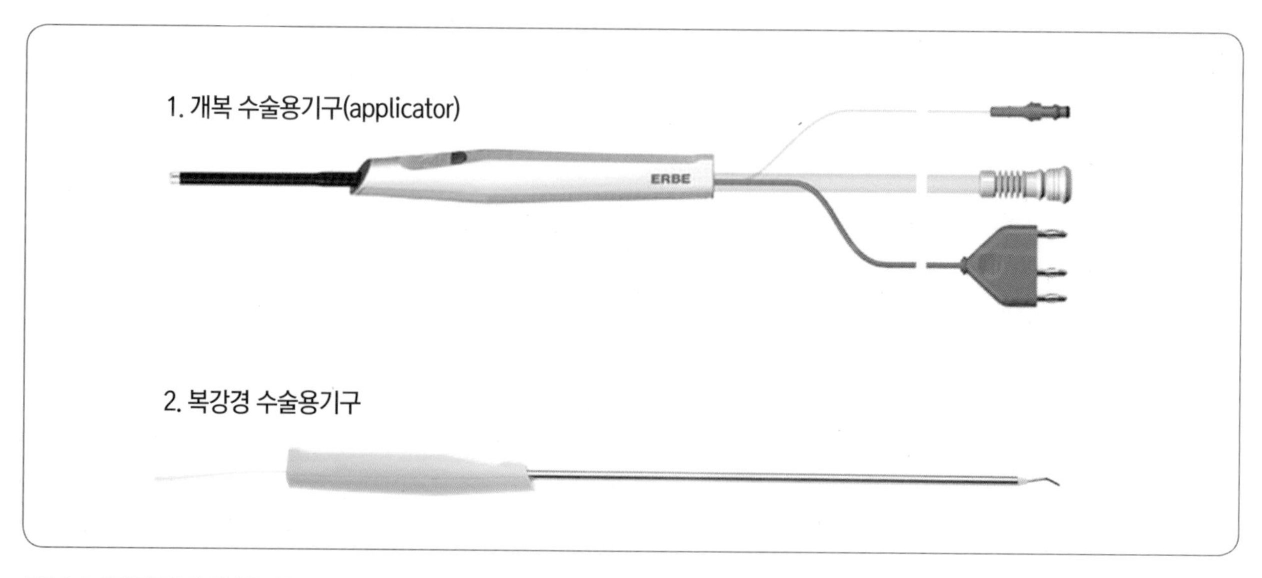

그림 4-9 ERBEJET2 간 절제용 기구

3. 초음파 칼(Harmonic scalpel)

1) 작동원리

초음파 칼은 1초에 55,000번 세로로 진동하는(55.5 kHz) 칼로 조직을 지혈하고 절제하는 수술 기구이다. 그림 4-10에서처럼 초음파 칼의 세로 진동 및 이로 인해 발생하는 열로 조직의 단백질의 변형(Coagulum)을 형성하여 지혈 및 봉인(sealing)의 효과 및 블레이드의 진동이 톱질과 같이 작용하여 지혈과 동시에 조직 절제가 일어난다.

2) 사용법

현재 개복 및 복강경 간 절제 시 가장 많이 사용되고 있는 수술 기구중 하나이다. 사용되는 초음파 갈은 두 개의 모드로 되어 있고 Maximum 버튼은 절제효과가 더 우세하고 minimum 버튼의 봉인효과가 더 우세하여 간 절제시 상황에 따라 사용가능한데 혈관을 절제할 경우 봉인 효과가 더 우세한 minimum 버튼을 권장한다. 최근 소개된 HD 1,000i의 경우 녹색 버튼이 minimum 버튼으로 7 mm 혈관까지 봉인 가능한 것으로 되어 있다. 그렇지만 초음파 칼만 간 절제를 시행했을 경우 담도 누출의 합병증이 발생할 수 있어 간 절제 시 노출되는 간문맥(Glissonean pedicle)이 중간 정도 이상의 경우 담도의 봉인을 위해서 반드시 결찰을 해야 한다.

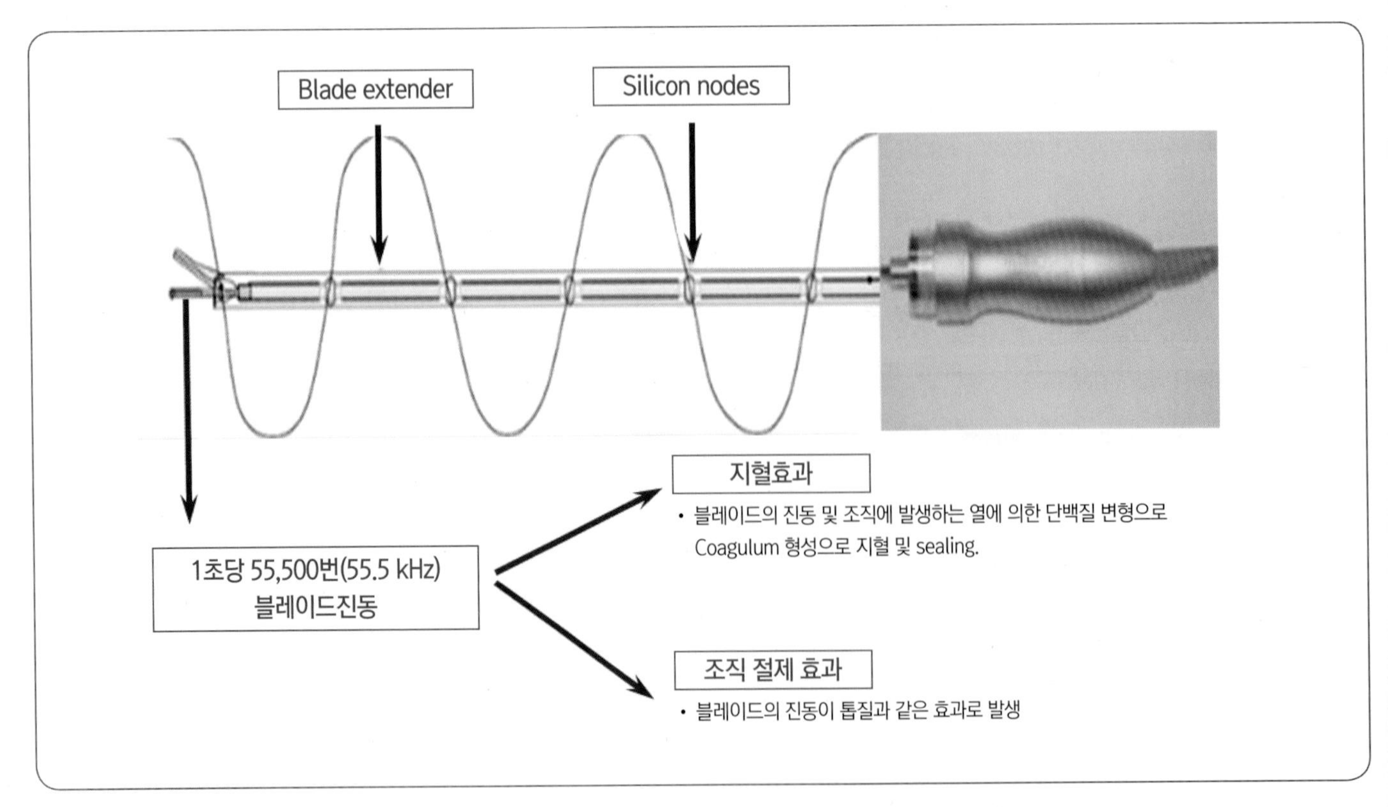

그림 4-10 Harmonic scalpel의 작동 원리

4. 리가슈어(Ligasure)

1) 작동원리

리가슈어는 양극성 고주파에너지와 적당한 압박 압력에 의해 혈관 벽의 콜라겐과 일라스틴이 수축되어 조직의 결합이 일어나 혈관 봉인이 일어난다(그림 4-11). 초음파 칼과는 달리 절제 기능이 없어 봉인 후 다른 버튼을 이용하여 봉인된 조직의 절제를 해야 한다.

2) 사용법

간 실질의 절제에 사용 가능하지만 일정 크기 이하의 혈관을 봉인하는데 주로 사용된다. 7 mm 크기의 혈관까지 안전하게 봉인 가능한 것으로 되어 있다. 초음파 칼과 같이 담도를 봉인하는 데는 한계가 있다.

5. 고주파 보조하 간 절제 (Radiofrequency-assisted liver transection)

1) 작동원리

고주파 에너지는 초기 간 종양의 절제(ablation)에 널리 사용되고 있다. 이 고주파 에너지를 정상 간 조직에 주입하여 조직의 열응고(thermocoagulation)를 유도 후 칼을 이용해 절제하는 방법이다. 현재 여러 개의 고주파 전극을 동시에 삽입할 수 있는 기구가 개발되어 있다(그림 4-12).

2) 사용법

간 절제면을 따라 고주파 전극을 일정 시간(보통 1~2분) 동안 삽입 후 응고된 조직을 형성한 후 칼을 이용하며 단순하게 절제하면 된다(그림 4-13). 현재 개복뿐만 아니라 복강경용(그림 4-12의 왼쪽 기구)도 개발되어 있다. 이 방법은 단순하게 간 절제를 할 수 있다는 장점을 갖고 있지만 1 cm 정도의 응고된 조직 형성으로 인해 간 실질의 손실을 야기할 수 있고 주요 간정맥이나 간 문맥에 안전하게 적용 가능한지 여부는 좀 더 규명 되어야 한다.

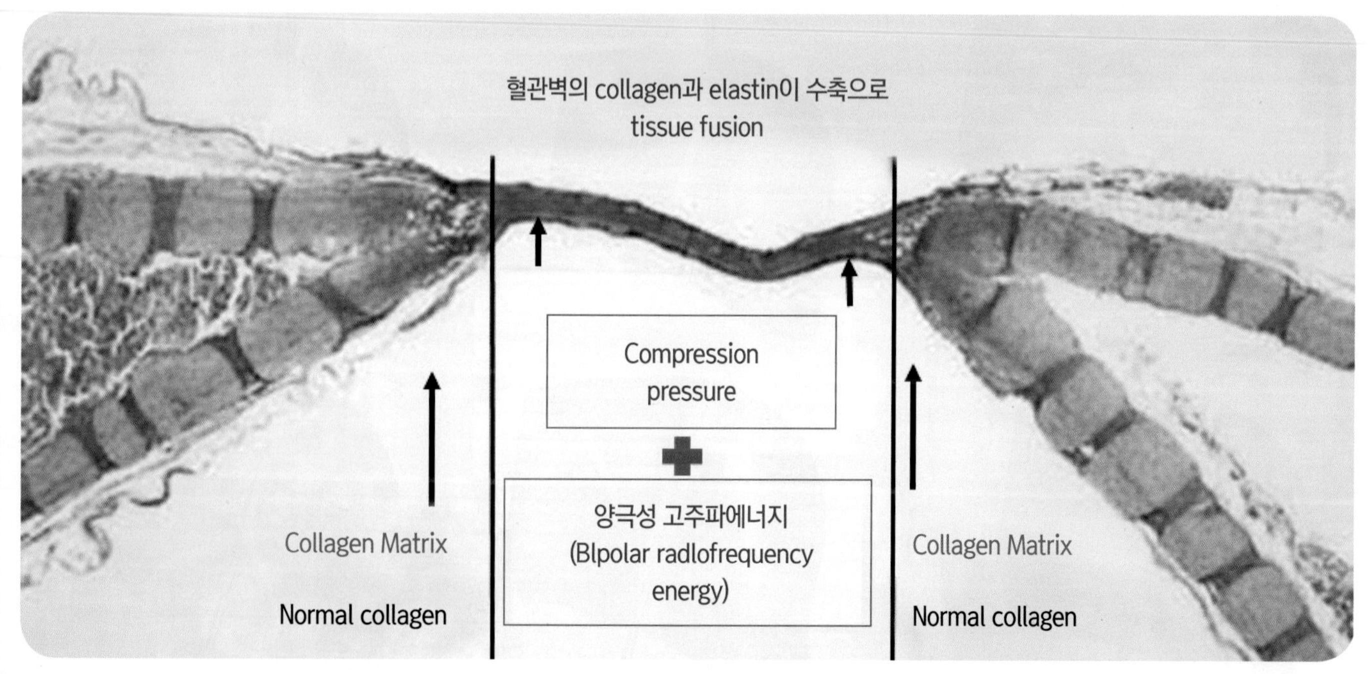

그림 4-11 Ligasure의 봉인 기전(sealing mechanism)

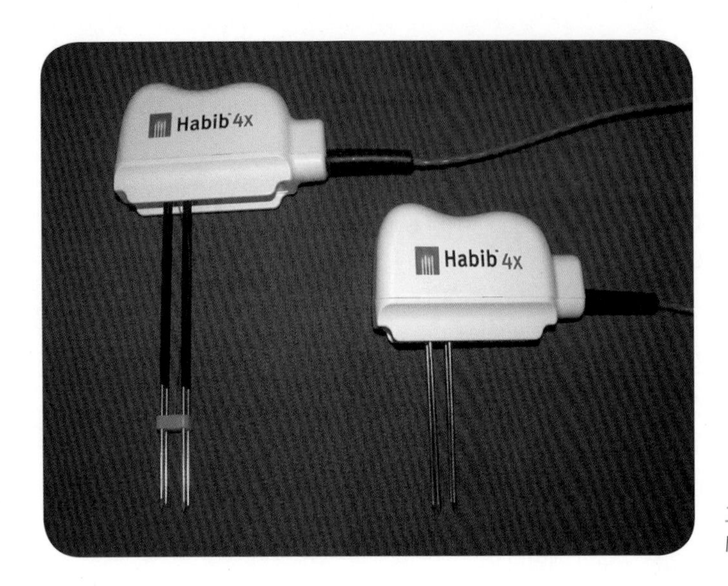

그림 4-12 The-Habib-4X-multiprobe-bipolar-radiofrequency-device-RITA-Medical-Systems-Inc

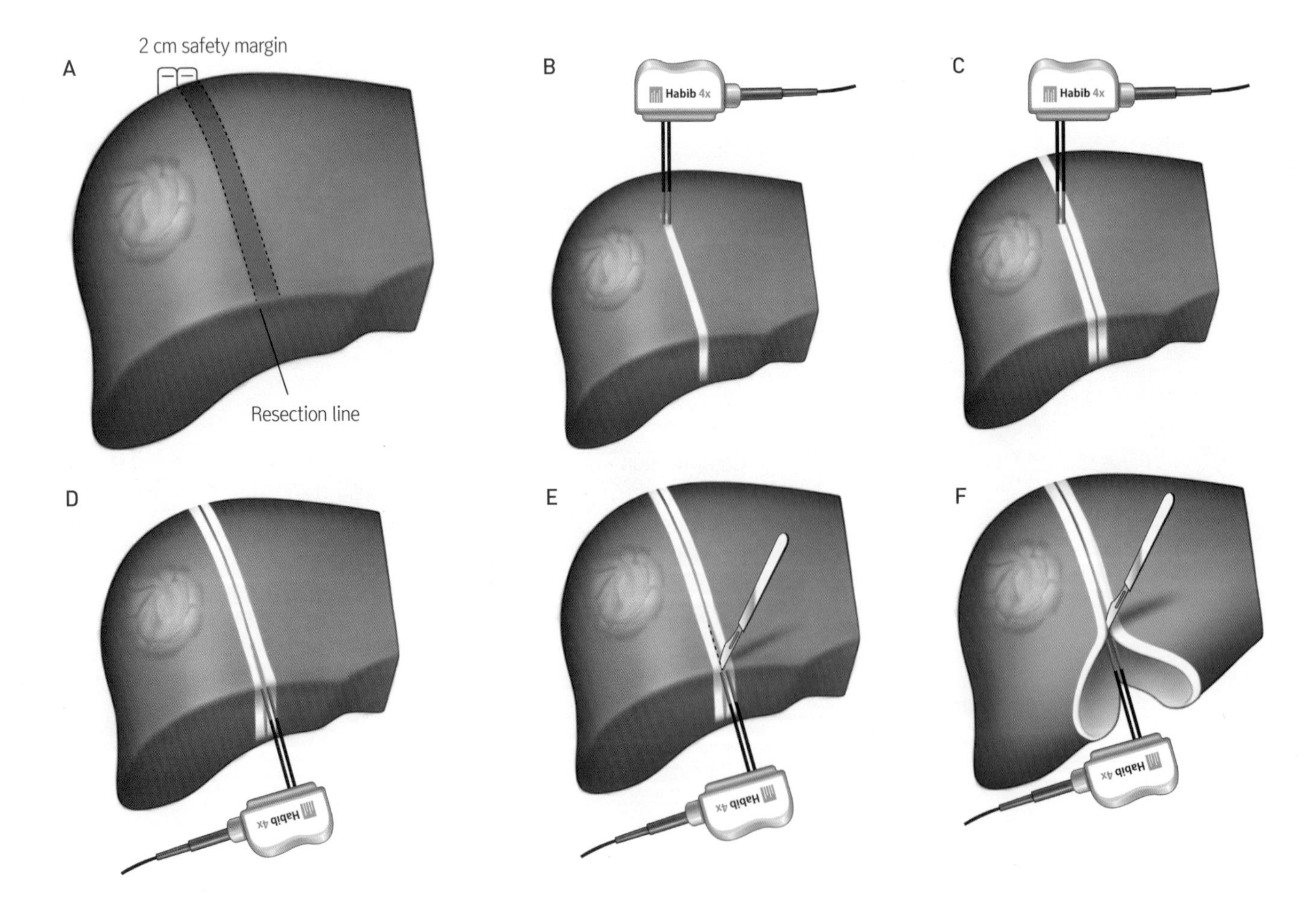

그림 4-13 Radifrequency-assisted liver resection

6. 혈관 자동문합기 (Vascular staplers)

1) 작동원리

현재 두 가지 작용기전으로 작동하는 혈관 자동문합기가 있다. 먼저 Endo GIA는 Tri-staple 방식으로 카틸리지 표면이 계단 형으로 바깥으로 향할수록 카틸리지 간격이 넓어지면서 좀 더 큰 스태플이 사용된다(그림 4-14). 따라서 이전 모델과는 달리 조직에 적용 시 유체의 방향이 측면으로 향하게 되어 있어 조직의 앞으로 밀리는 현상을 최소화 할 수 있다.

Echelon Flex는 스태플링을 하게 전에 조직을 일정시간 동안 압박하여 적당한 조직 두께를 만들고 스태플링을 하는 방식이다(그림 4-15).

2) 사용법

주요 간문맥지나 간정맥을 결찰하고 절제하는데 사용된다. 특히 복강경 대량 간 절제시 반드시 필요한 기구이다. 서양에서는 간 실질 절제 시에도 사용되고 있다. 회사마다 보통 3가지 정도로 다른 스태플 크기의 자동 문합기를 제공하고 있고 가장 작은 크기의 문합기가 혈관을 결찰하는데 사용된다. 현재 자동으로 작동하는 기구들도 소개되어 있다.

7. 간 절제 시 다양한 기술 및 기구들의 올바른 사용법

현재 간 절제 시 가장 많이 사용되고 있는 방법은 Crush-clamp technique, CUSA를 이용한 절제 및 Water-Jet을 이용한 것이다. 현재까지 이 세 가지 방법 중 어떤 기술이 유용한지 많은 연구가 되어 왔지만 가장 유용한 기술을 밝히는데는 실패하였다. 즉, 사용되는 방법보다는 술자의 숙련도가 더 중요하여 가장 많이 훈련받고 시행했던 방법으로 안전하게 시행하면 된다.

간의 절제 단면을 보면 그림 4-2에서처럼 2 cm 정도의 깊이까지는 중요한 혈관 구조물이 없다. 따라서 다양한 에너지를 이용하여 비절제 박리(blunt dissection)가 가능하다(그림 4-16) 좀 더 깊은 간실질 중 해부학적 절제면에서는 주요 간정맥 및 그 가지를 노출 및 결찰해야 하고 비해부학적 절제면에서는 주요 문맥과 정맥 그리고 그 가지들을 노출 및 결찰해야 한다. 따라서 간 표면 박리 때보다는 좀 더 주위가 필요하고 숙련된 기술을 통해 섬세한 박리를 해야 한다.

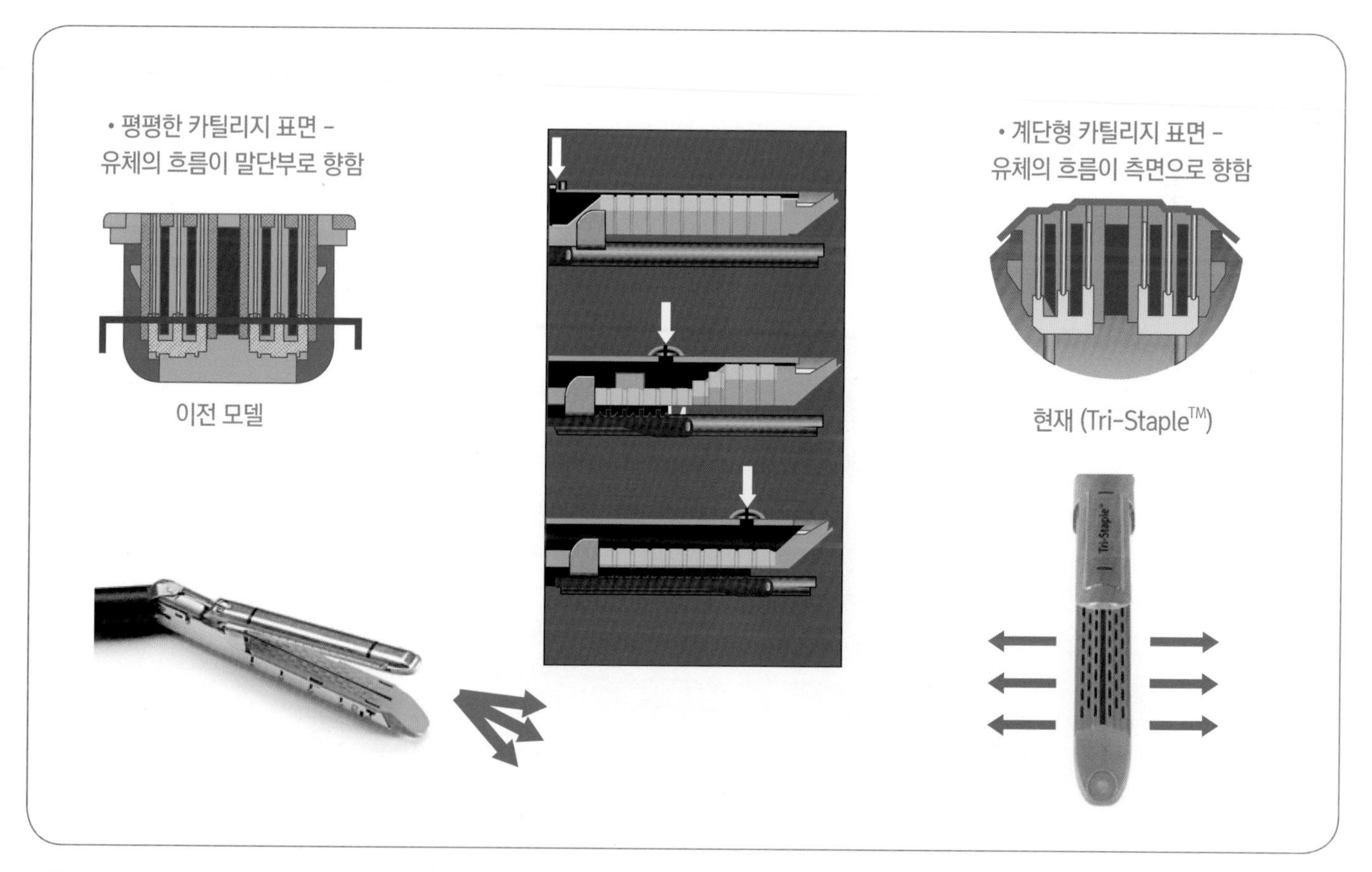

그림 4-14 Endo GIA 작용 기전 (Tri-staple)

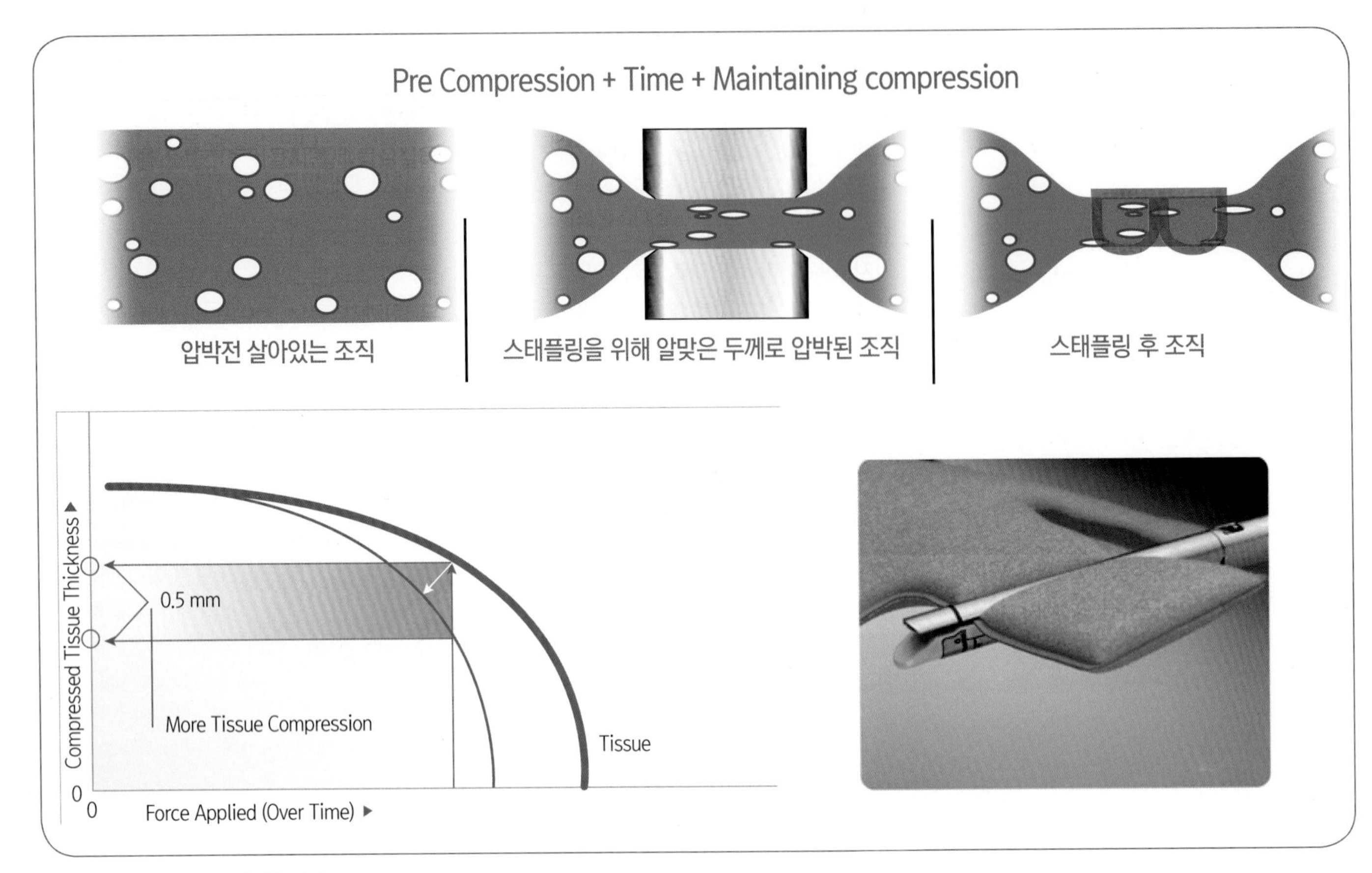

그림 4-15 Echelon Flex의 작용 기전

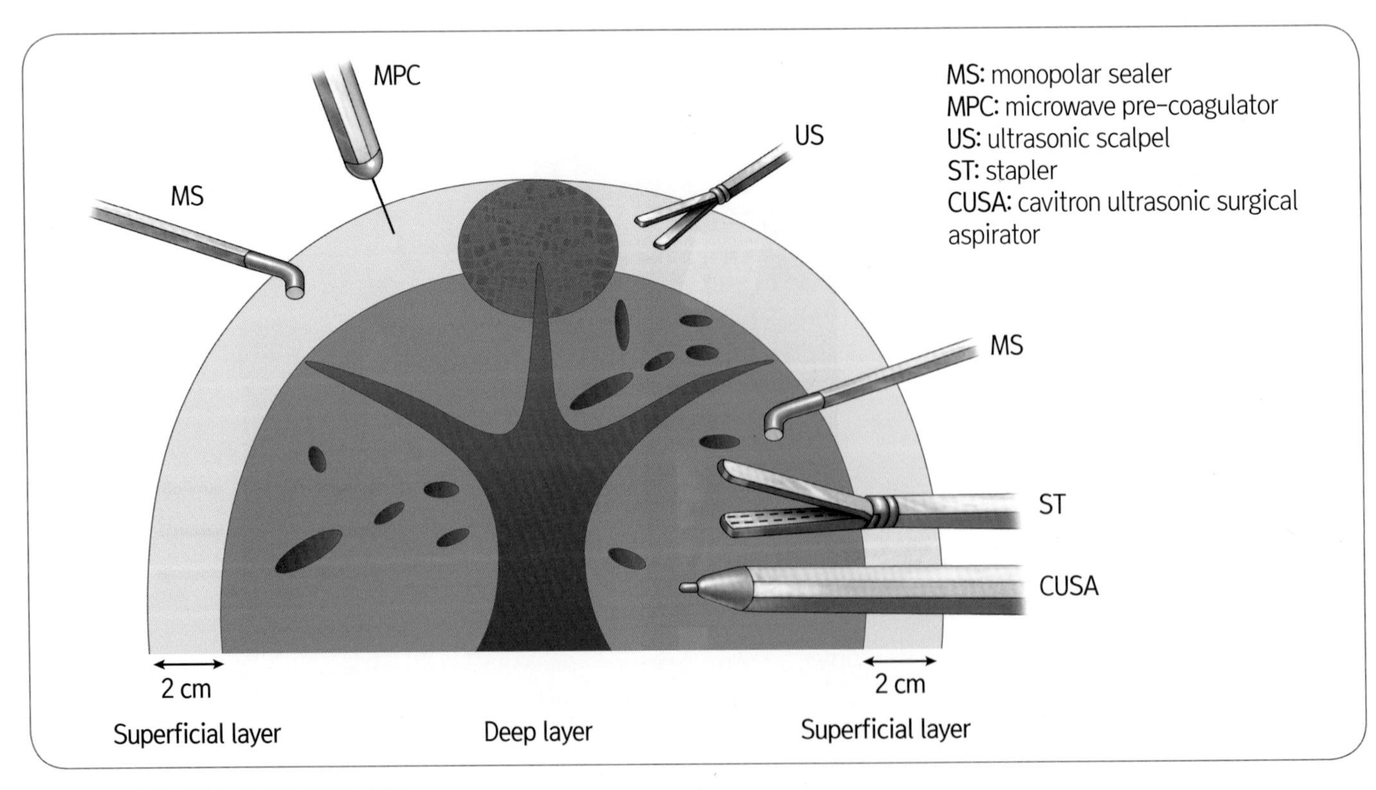

그림 4-16 다양한 간절제 기구들의 올바른 사용법

CHAPTER 5

우간 절제술

Right hemihepatectomy

1. 적응증

간농양, 간외상, 간낭종, 양성 간종양, 악성 간종양(원발성 및 전이성)

2. 비적응증

술 전 잔류 간기능검사와 잔존 좌측 간의 비율을 감안했을 때 우간절제술 후 치명적 간부전이 명백히 예상되는 경우

3. 수술 전 평가

모든 간절제 대상 환자들에게 방사선학적 검사는 필수적이다. 영상 검사를 통해 간내 병변의 크기나 갯수뿐만 아니라 간내 주요 구조물과의 위치 관계에 대해 알 수 있는데 이는 수술 진행 여부에 결정적이다. 대부분의 경우 삼중시기(triple-phase; 동맥기, 문맥기, 지연기) 컴퓨터 단층 촬영을 시행한다. 컴퓨터 단층 촬영 영상은 특히 간의 혈관 구조를 확인하는데 긴요하다. 자기공명영상은 병변의 특성을 파악하는데 유용하므로, 컴퓨터 단층 촬영에서 발견된 간내병변의 감별진단을 위해 시행한다. 이중 도플러 초음파 검사는 간 혈관의 협착 유무, 혈류 방향 및 속도의 측정에 이용된다.

4. 수술 전 처치

간절제술에 대한 수술 전 처치는 일반적인 상복부 개복술에 준한다. 65세 이상 혹은 심폐질환이 있는 환자의 경우 심혈관계 및 호흡기계에 대한 수술 전 평가가 필요하다. 빈혈, 저알부민혈증이 있으면 교정하고, 프로트롬빈 시간이 연장되어 있으면 신선동결혈장을 투여한다. 고빌리루빈혈증이 있는 경우 고용량 비타민 K를 투여한다. 간독성이 적은 예방적 항생제를 사용한다.

5. 마취

전신마취 하에 기관 삽관한다. 간독성이 없고, 대량 간절제 후의 간기능 저하 상태를 극복하기 위해 체내 대사가 적은 마취제를 사용해야 한다. 중요한 것은 수술 중 대량 출혈의 위험성에 대한 대비이다. 중심정맥도관을 삽입하여 수액 주입의 경로뿐만 아니라 중심정맥압의 감시 수단을 확보할 필요가 있다. 간실질의 절제가 끝나기 전까지 수액의 주입을 가급적 절제하고 중심정맥압을 5 mmHg 이하로 유지하여야 간정맥으로부터의 실혈량을 줄일 수 있다. 만약 실혈량이 체내 수분량의 20%를 초과할 경우 혈역학적으로 불안정하게 되므로 수혈이 필요하다.

6. 환자 자세

환자는 앙와위 자세로 수술대에 잘 고정하도록 한다. 오른쪽 팔을 arm board 위로 빼고 왼쪽 팔을 접어 넣는 것이 간절제술에 편하지만 수술 팀의 인원 배치와 마취과 의료진과의 상의 하에 결정한다. 소독제를 복부에 도포한 다음, 하흉부에서 제대 직하부까지의 상복부 전체가 노출되도록 소독포를 덮는다. 수술 시야를 확보하기 위해 적절한 견인기(Kent, Omni-Tract, Iron-intern 등)를 이용하여 늑골을 거상시킨다.

7. 수술 과정

우간절제술은 간문부에서 우간으로 유입되는 맥관의 결찰, 우간유동화 및 우간정맥의 절리, 간실질절리의 3단계로 구성된다. 자세한 수술 술기 및 순서는 술자의 선호도에 따라서 달라질 수 있다.

1) 진단적 복강경

(그림 5-1) 개복하기 전에 진단적 복강경으로 복강 내 장기 및 복막 파종을 관찰하면 절제 불가능한 병변을 미리 발견하여 불필요한 개복술을 피하고 이에 수반되는 합병증을 줄일 수 있다. 진단적 복강경을 시행할 예정인 경우는 예정된 절개선 위에 투관침을 삽입하는 것이 불필요한 절개를 가하는 것을 줄일 수 있으나 술자의 선호도에 따라 결정하도록 한다.

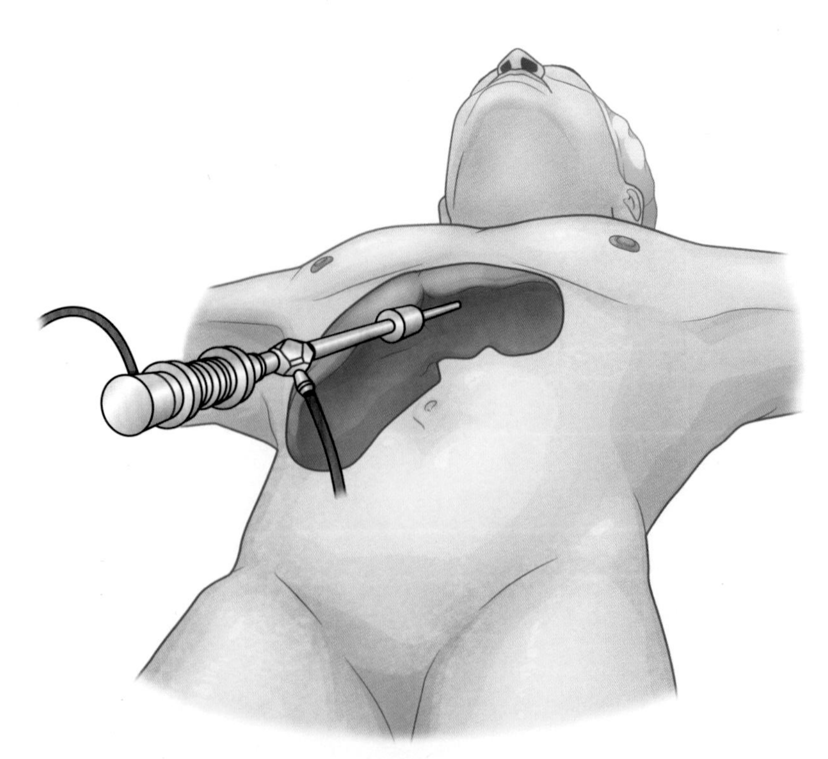

그림 5-1

2) 복부절개

(그림 5-2) 개복방법에는 여러 가지가 있다. 대부분 우측늑골하 절개(A)+검상돌기까지의 정중절개(D)를 시행한다. 더 많은 시야를 확보하기 위해 좌측 늑골하 절개(C)를 추가한 Mercedes-Benz incision을 추가할 수 있지만 술자의 선호도에 따라 결정하면 된다. 검상돌기(D)부터 제대의 3 cm 상방 지점(B)까지 긴 정중절개(D~B)를 가한 다음, 늑골과 장골융기 iliac crest 사이의 중간 액와선상 지점까지 우측으로 연장(B~A)하는 개복방법도 있다.

3) 개복과 수술 중 초음파

(그림 5-3) 정중절개창의 하단에서 간원인대(round ligament)를 절리한 다음, 두측으로 진행하여 겸상인대(falciform ligament)를 복벽에서 절리한다. 양손으로 간을 촉진해서 간병변의 범위를 확인한다. 소망을 열고 Winslow공을 통해 미상엽하방으로 손가락을 넣어서 간문부 주변 림프절을 확인한다. 만약 간문부 림프절의 비대가 의심되면 동결절편검사를 시행한다. 간외 전이가 없는지 복강 전체를 관찰한다. 술중 초음파검사를 하여 수술 전 진단을 확인함과 동시에 새로운 간병변이 없는지 전간에 걸쳐 빠짐없이 검색한다. 또 간병변 주변 주요 구조물의 주행을 파악한다.

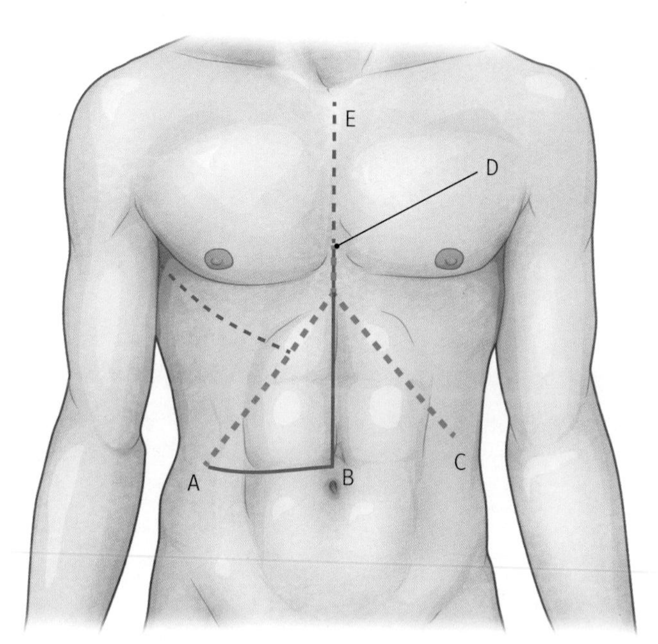

그림 5-2

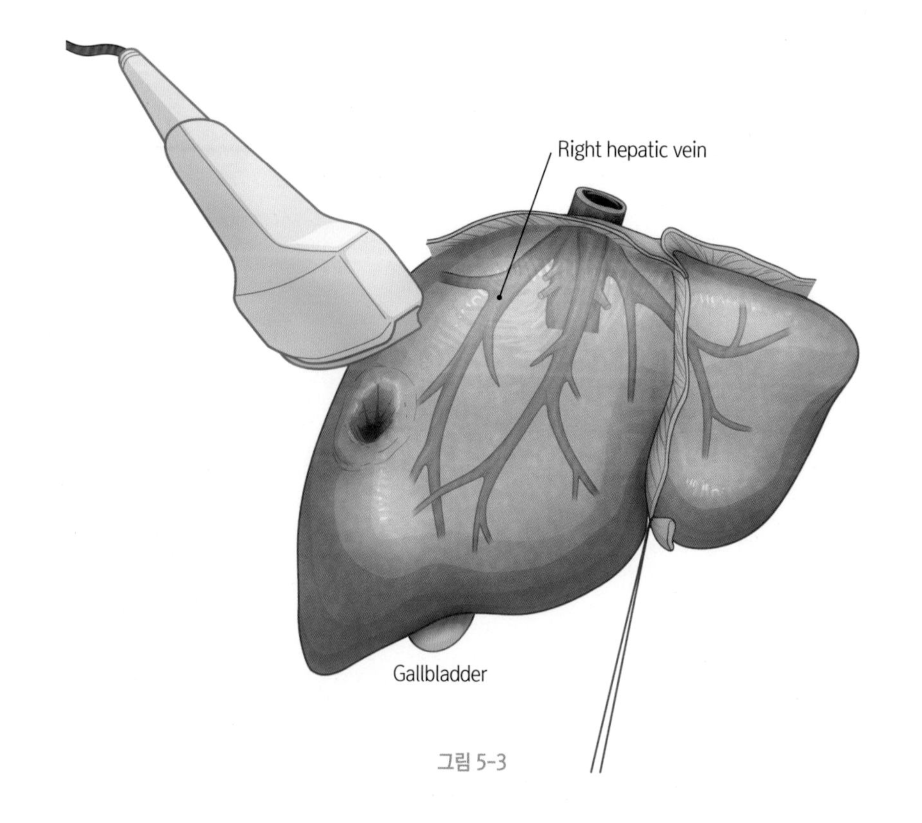

그림 5-3

4) 간동맥의 변이를 확인

(그림 5-4) 수술 시작 전에 전산화단층촬영이나 자기공명영상을 통해 얻은 영상 정보에서 간의 혈관 구조를 파악한다. 수술을 할 때도 간동맥의 변이에 대해 파악하여 실수로 인한 혈관 손상의 위험을 줄여야 한다. 왼손 집게손가락을 Winslow공에 삽입한 다음 엄지손가락과의 사이에 간십이지장 인대를 잡는다. 일반적으로 간동맥의 분지부는 간십이지장인대의 내측하방에서 촉지되고 좌간동맥은 내측상방에서 촉지된다. 우간동맥은 총담관의 후면에서 수평으로 놓여있다. 우간동맥이 상장간동맥에서 비롯되는 경우 간십이지장인대의 외측에서 수직으로 주행하는 동맥을 촉지할 수 있다.

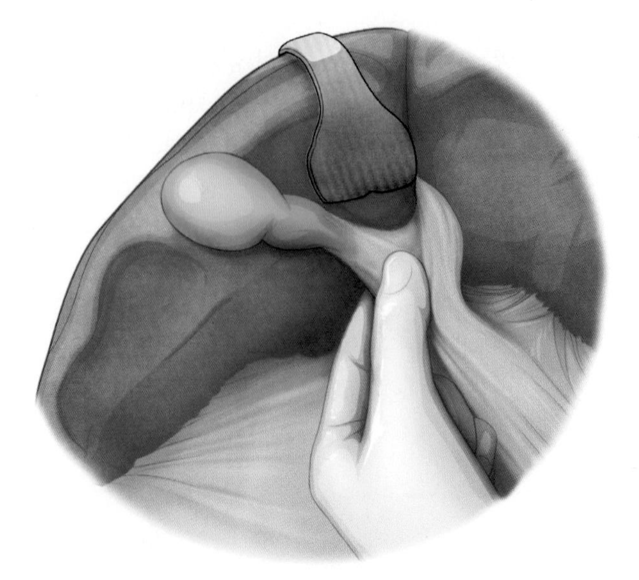

그림 5-4

5) 간외 박리 및 절제: 유입혈류 제어

(그림 5-5) 간을 두측으로 견인하여 간문부를 노출시킨다. 담낭동맥과 담낭관을 결찰 및 절리하여 담낭절제술을 한다. 절리한 담낭관의 근위부는 간문부 박리 시 담관을 당기는데 사용한다.

(그림 5-6) 총담관의 위치를 확인하고 간십이지장인대의 장막을 종방향(총담관에 평행)으로 절개하여 담관우배측의 결합조직을 박리하면 우간동맥이 노출된다. 좌간동맥의 손상을 피하기 위해 우간동맥은 총간관의 우측에서 이중결찰한 다음 절리한다.

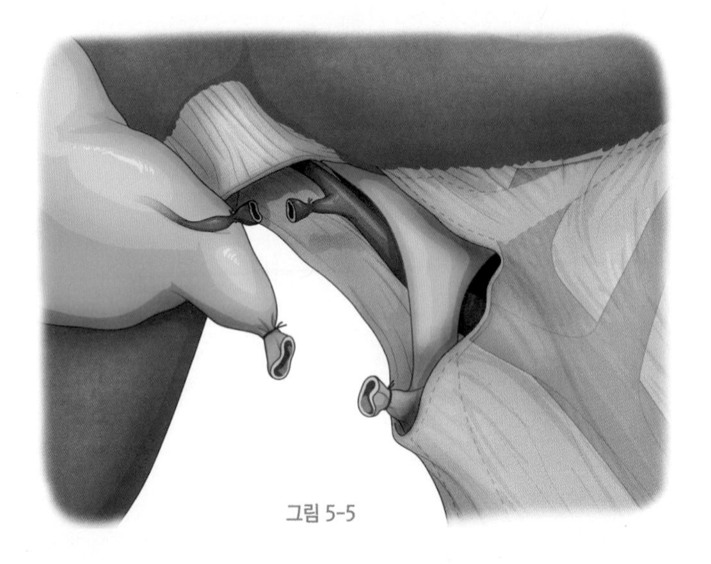

그림 5-5

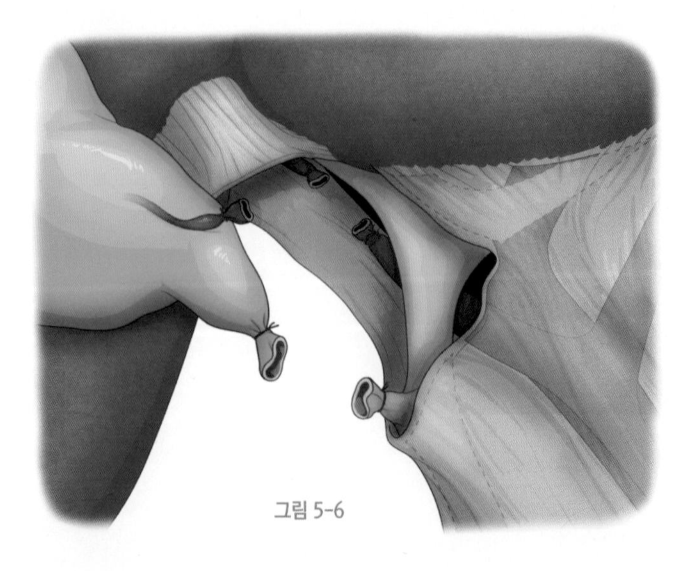

그림 5-6

(그림 5-7) 담관과 우간동맥을 좌측으로 당기면서 우간동맥 배측의 결합조직을 박리해 가면 문맥의 우측벽이 노출된다. 우측벽이 노출되면 간문을 향해 문맥의 전벽을 박리하고, 좌우분지부를 노출시켜 우간문맥의 박리를 시작한다. 이 때 간문맥 분지부 가까이에는 미상엽지가 한 개 혹은 두 개가 있으므로 손상되지 않도록 조심하며 박리 결찰해야 성가신 출혈을 피할 수 있다. 박리한 우간문맥을 결찰 및 절리하는데 잔류측은 관통결찰을 가한 이중결찰을 하며 간문맥에서 좌간문맥으로 흐르는 문맥혈류에 지장이 없도록 적절한 위치에서 결찰을 하도록 한다. 위와 같이 조작이 완료되면 좌우간의 혈류차단 영역 경계선이 선명하게 나타나게 된다.

(그림 5-8) 우간문맥의 길이가 짧을 때에는 혈관겸자로 결찰하고 절리 후 각 단단을 비흡수성 봉합사로 연속봉합을 시행한다(그림 5-8A). 또 우간문맥이 굵어서 단순 결찰이 어렵고 결찰이 풀릴 가능성이 있을 경우에는 혈관자동문합기를 이용하기도 한다(그림 5-8B). 우간담관은 간실질을 절제하여 상부를 모두 노출시킨 뒤에 결찰 및 절리할 수 있으므로 간실질 절제 후에 시행한다.

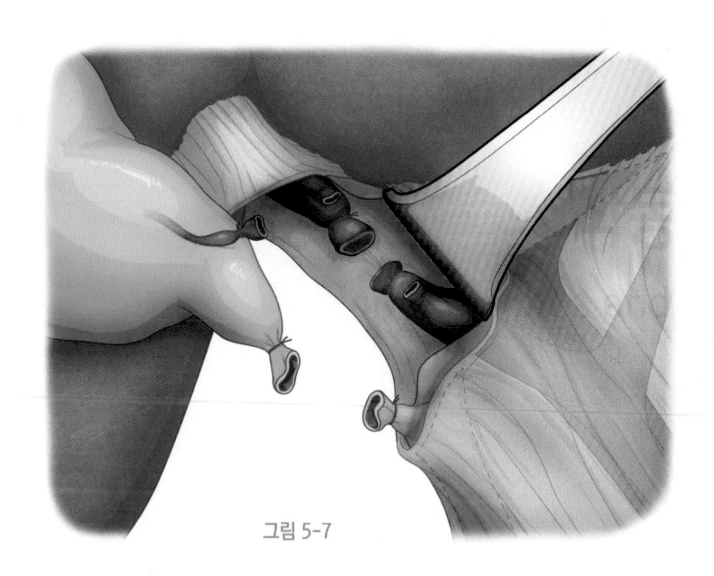
그림 5-7

TIP 1
간문부 박리 시 모든 조작을 직시 하에 하는 것이 중요하다.

A
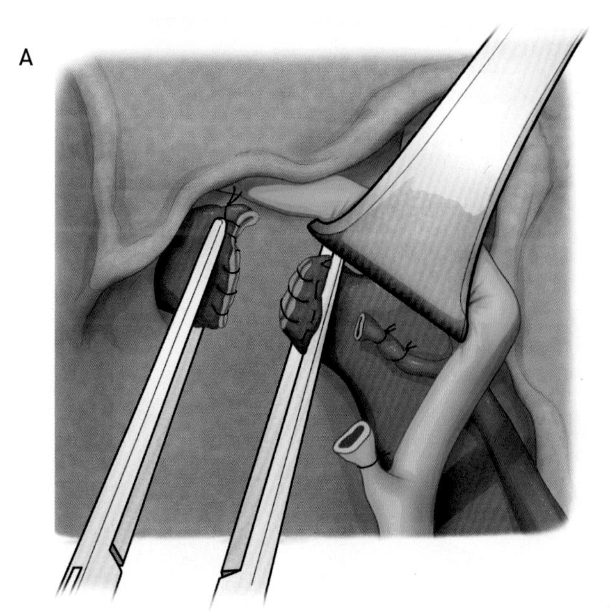

B
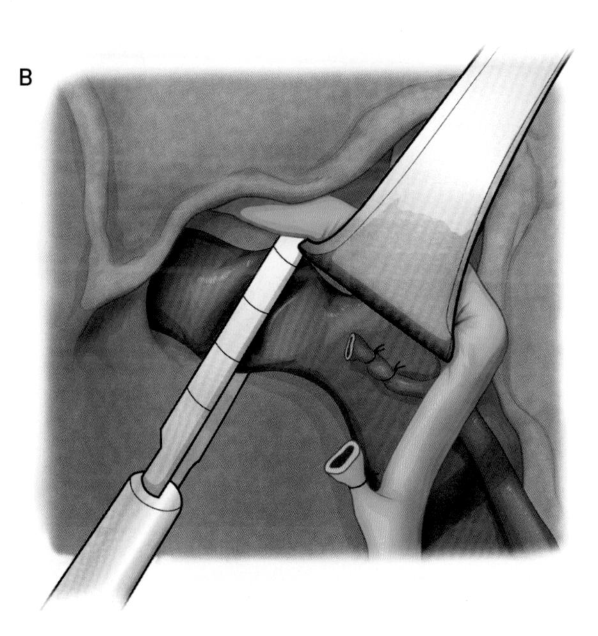

그림 5-8

6) 간내 글리손지 결찰: 유입혈관의 제어

(그림 5-9) 우간으로 유입되는 혈관을 처리하는 방법에는 그림 5-5처럼 간문부에서 각각을 개별적으로 처리하는 방법 외에 글리손지를 일괄 처리하는 방법이 있다. 글리손지는 간문부에서 안쪽으로 들어가면서 두꺼운 결체조직으로 되어 문맥, 담도, 동맥을 감싸게 된다.

(그림 5-10) 간의 특정 위치(주개구부)에 Glisson 캡슐과 간의 캡슐 사이를 박리함으로 간내 중요 글리손지를 직접적으로 노출시킬 수 있다. 이 때 CUSA를 사용하면 출혈을 줄이고 좋은 시야를 확보할 수 있다. 우간으로 향하는 글리손지를 찾기 위해서는 주 문맥열(main portal fissure)로 접근한다. 우선 담낭절제술을 한 다음 vein retractor를 이용하여 간십이지장 인대를 거상시키면서 우측 글리손지의 아래 쪽과 간 캡슐 사이를 박리한다. 이때 한두 개의 작은 분지를 분리 결찰한다. 다음 우측 글리손지의 위쪽을 간 캡슐과 분리한 후 박리를 Glisson지에 붙여서 진행하여 아래 쪽에 준비한 쪽과 만남으로서 우측 Glisson지의 전체 둘레를 확보할 수 있다.

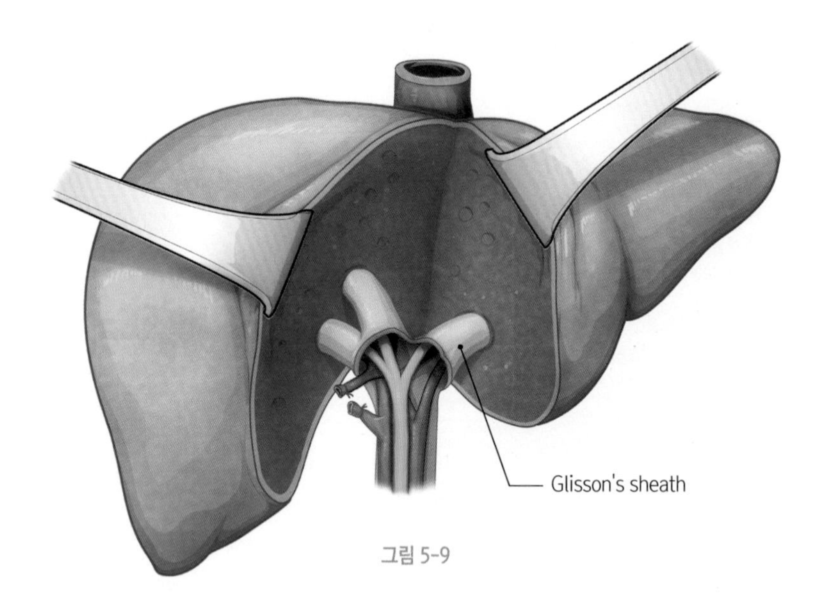

그림 5-9

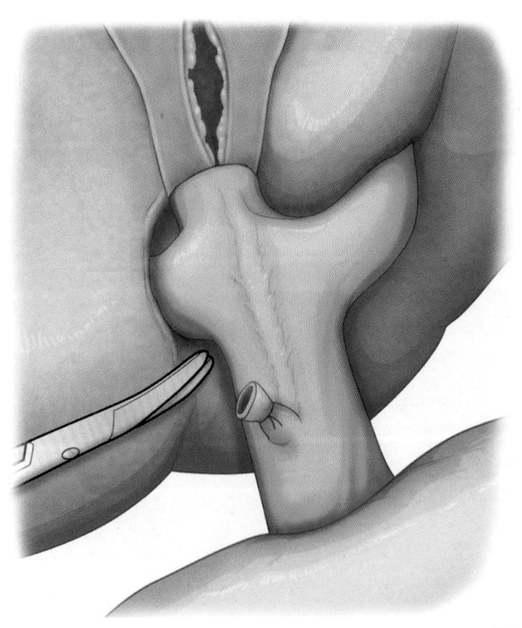

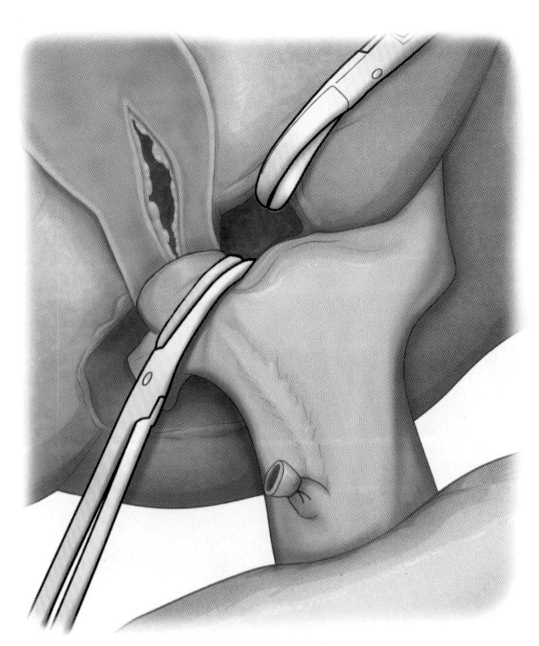

그림 5-10

(그림 5-11) 각 글리손지는 박리한 다음 제대 테이프로 걸어둔다. 우 글리손지를 결찰 및 절리하여, 간문부 접근법 때와 마찬가지로 간표면의 변색을 유도한다. 좌간담관의 협착을 예방하기 위해 우 글리손지를 일괄 결찰하기 보다 전후구역지를 각각 결찰할 수도 있다.

(그림 5-12) 혈관자동문합기(transverse anastomosis (TA) vascular stapler)를 이용하여 글리손지를 일괄처리할 수도 있다. 그림 5-11의 방법으로 우 글리손지를 박리한 다음 제대 테이프로 걸어둔다. 제대 테이프를 내측으로 단단히 견인시켜서 간문부가 좌측으로 당겨지게 한 다음 혈관자동문합기를 장전한다. 이때 좌간으로 유입되는 혈관 및 담관이 자동문합의 위치에서 유동적으로 떨어져 있음을 확인한다(그림 5-12A). 이 거리가 확보되지 못할 경우에 수술 후 담관 협착의 합병증을 초래할 수 있으므로 특히 주위를 요한다. 혈관자동문합기 작동 직후, 우 글리손지를 말초에서 혈관겸자로 결찰한 다음 절리한다(그림 5-12B).

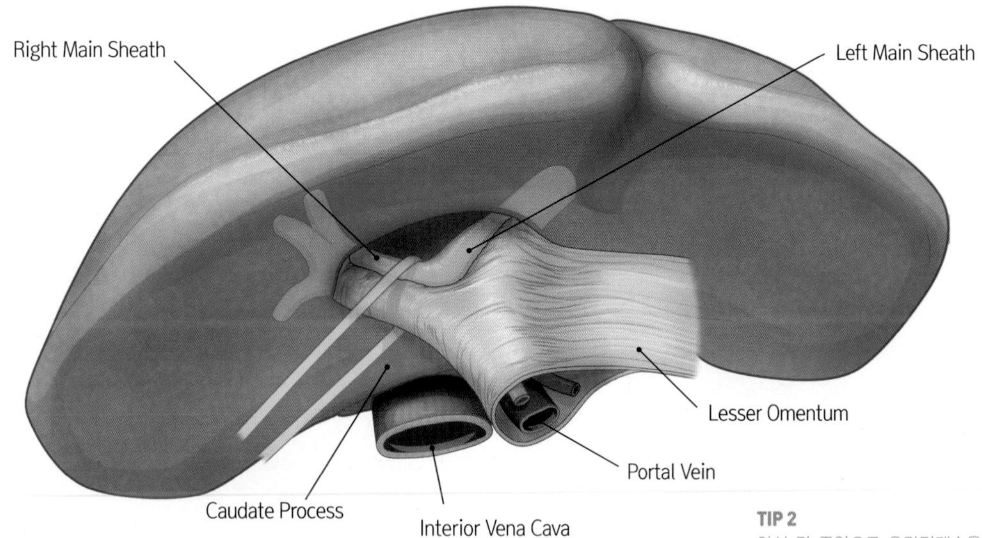

그림 5-11

TIP 2
악성 간 종양으로 우간절제술을 시행하는 경우, 간종양이 간문부에서 2 cm 이내에 가까이 있으면 글리손지 일괄처리법은 추천되지 않는다. 간종양의 절제연을 확보하기 위해 간문부맥관의 개별처리법을 해야 한다.

A

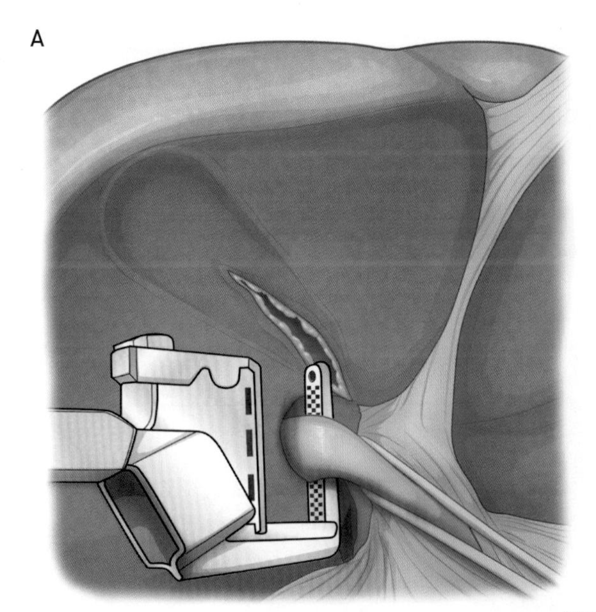

B

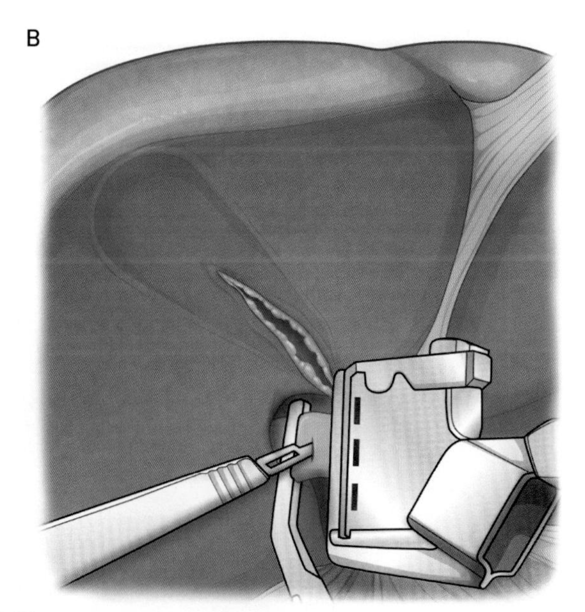

그림 5-12

7) 간 유동화

(그림 5-13) 개복 시 복벽에서 분리한 겸상인대의 절리를 간상부 하대정맥의 전면에 이를 때까지 두측으로 더 진행한다. 겸상인대가 좌우의 관상인대로 이행하는 부위까지 절리한 다음, 우간을 미측으로 당겨서 간막을 넓히고 우측 관상인대를 횡격막으로부터 박리한다. 이때 우간정맥과 중간정맥과의 사이의 결합조직을 박리하여 두고 우간정맥의 위치를 확인해 둔다.

(그림 5-14) 우삼각인대를 절리하고 우간을 좌측으로 거상시켜 무장막구역 하부까지 박리한다. 다음 간신인대를 간문부를 향해 절개하면 우부신의 전면에 이르고, 우부신을 간으로부터 박리하면 하대정맥의 전면과 우측벽에 도달한다. 우부신이 우간에 매우 견고하게 유착되어 있는 경우에는 부신과 하대정맥 우측벽 사이를 박리한 다음 우간과 우부신에 혈관겸자를 가한 후 절리하고 각각의 단단을 연속봉합한다.

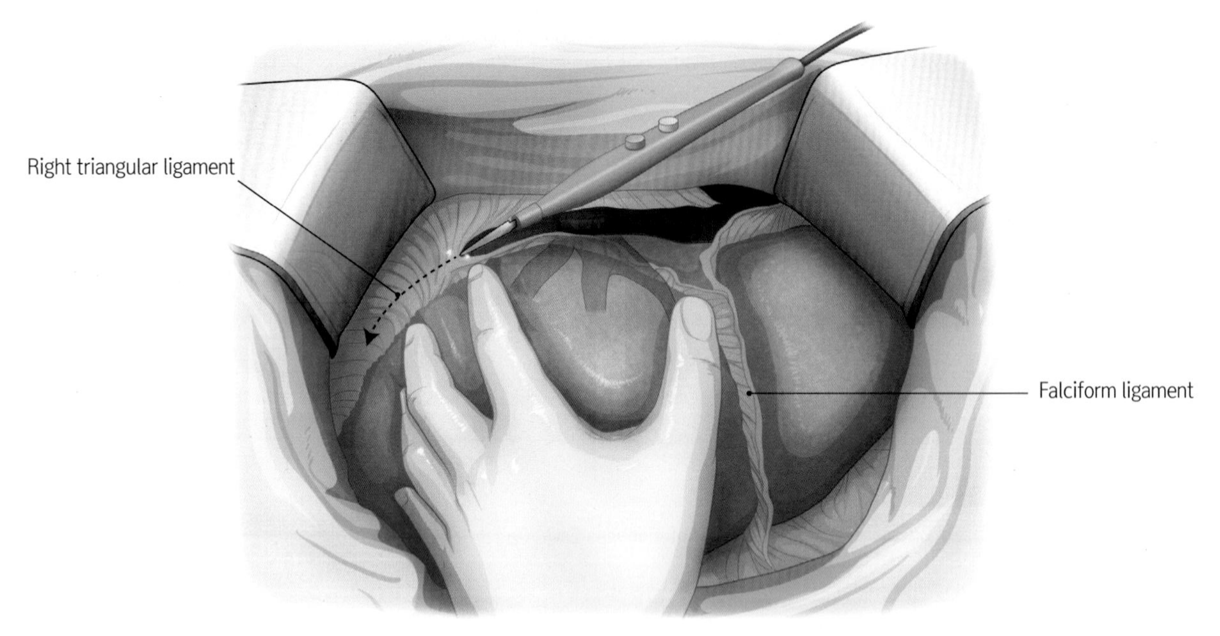

그림 5-13

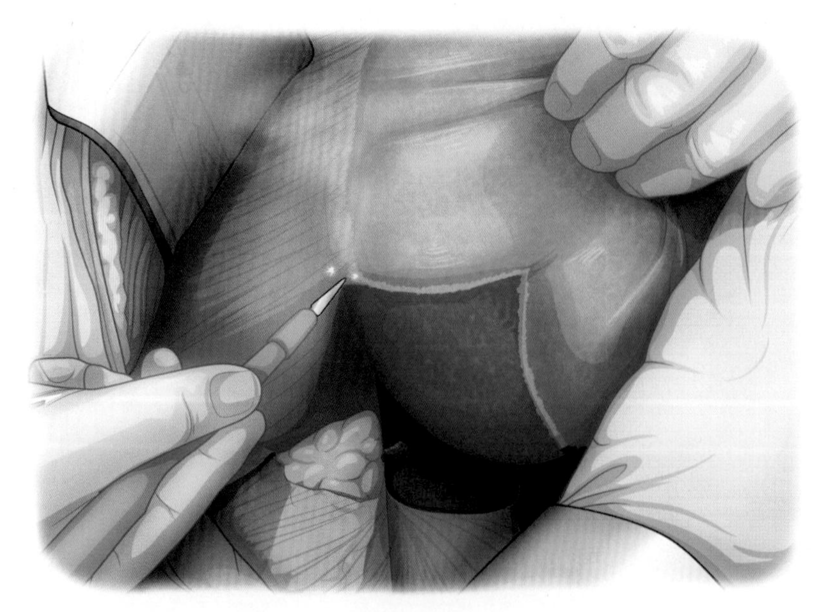

그림 5-14

(그림 5-15) 하대정맥의 두측에는 견고한 하대정맥인대가 있는데 결찰 및 절리해야 한다. 이 하대정맥인대(inferior vena cava ligament)의 내부나 근처에 단간정맥이나 부우간정맥이 위치해서 출혈을 일으킬 수 있기 때문이다. 하대정맥인대를 절리하면 그 뒤로 우간정맥이 노출된다.

(그림 5-16) 하대정맥의 우측벽이 완전히 노출되면 우간을 좌복측으로 당기면서 하대정맥과 우간 사이를 박리한다. 이 때 여러 개의 단간정맥(short hepatic vein)이 노출된다. 단간정맥은 미측에서 두측방향으로 순차적으로 결찰 및 절리하여 하대정맥의 좌측면에 이를 때까지 시행한다.

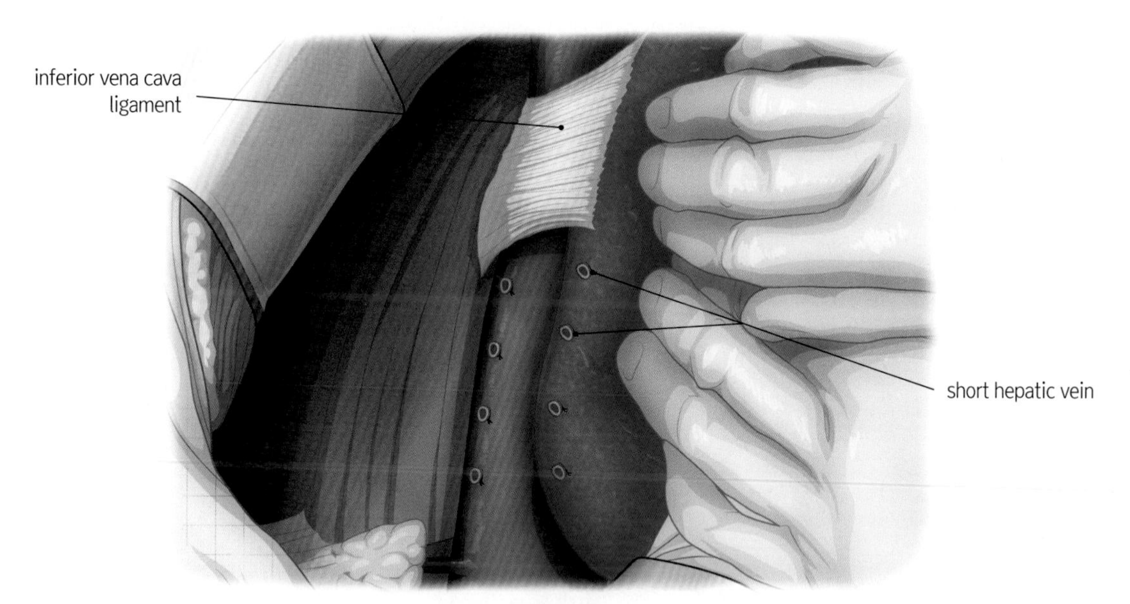

그림 3-15

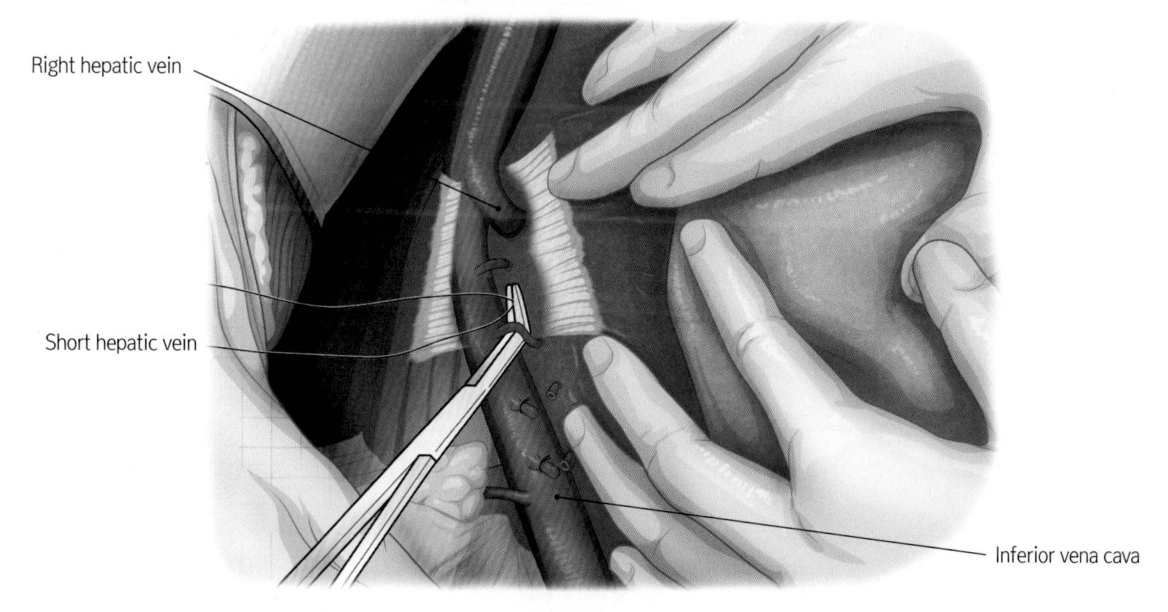

그림 3-16

(그림 5-17) 박리가 끝나면 하대정맥 전면의 두 측방향에서 우간정맥과 중간정맥 사이의 틈이 보인다. 하대정맥 전면에서 우간정맥의 좌벽을 따라 혈관겸자를 삽입하여 관통시킨 후 우간정맥에 혈관견인줄을 걸어둔다.

8) 간정맥 결찰: 유출혈관의 제어

(그림 5-18) 완전히 유동화된 우간을 좌복측으로 당기고, 박리된 우간정맥에 혈관겸자를 가한 후 절단한다. 하대정맥측의 단단은 비흡수성 봉합사로 연속봉합하여 폐쇄시킨다. 간측의 단단도 마찬가지 방법으로연속봉합한다(그림 5-18A). 우간정맥의 결찰에도 혈관자동문합기(endoscopic gastrointestinal anastomosis (GIA) stapler)를 이용할 수 있다. 하대정맥에 평행하게 혈관자동문합기를 삽입해야 한다. 하대정맥측의 단단과 간측의 단단을 동시에 폐쇄시킬 수 있어서 유용하다(그림 5-18B). 우간정맥의 간외처리는 간절리 시행 후 마지막 단계에서 시행할 수도 있다.

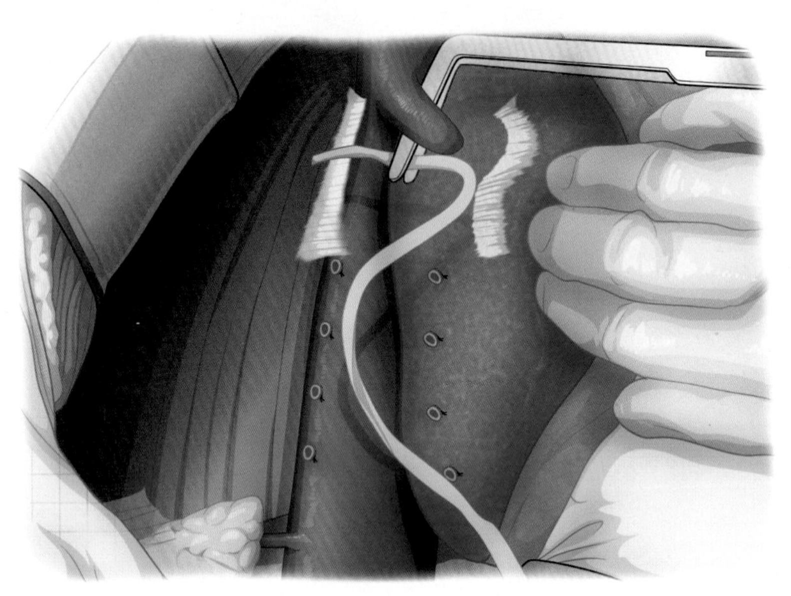

그림 3-17

A

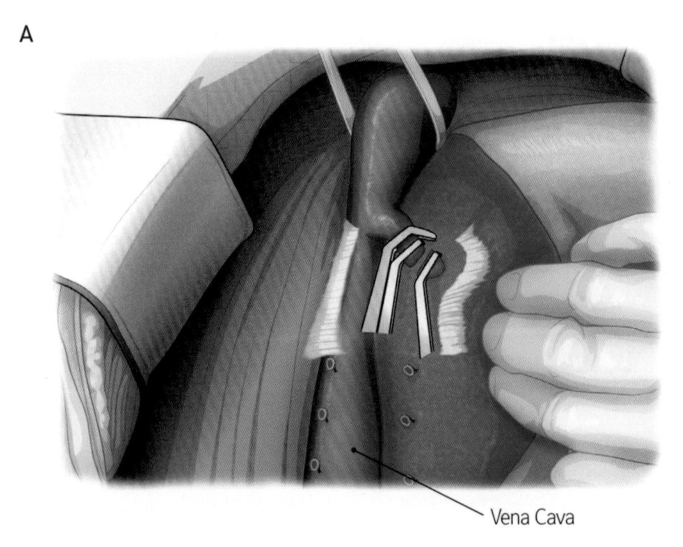

B

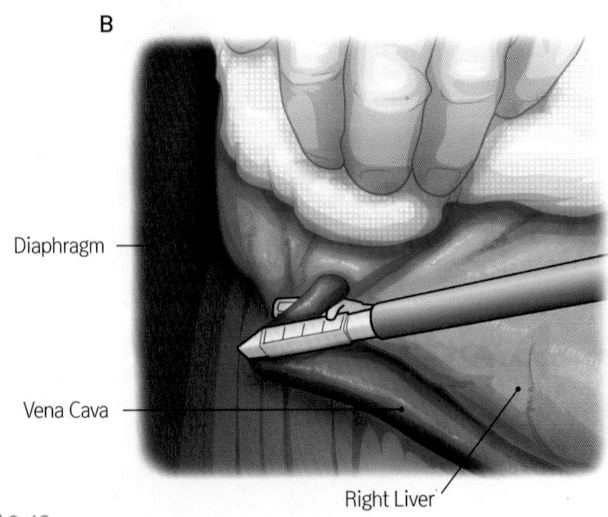

그림 3-18

9) 간문부 차단술

(그림 5-19) 간십이지장 인대를 일시적으로 압박함으로써 좌간으로 유입되는 혈액을 차단할 수 있다. 이러한 Pringle 수기를 간절리 시 출혈량을 줄이기 위해 사용한다. 15분간 잔류측 간의 혈행을 일시적으로 차단하고 5분간 재관류시키면서 간절리가 완료될 때까지 반복적으로 시행한다. 간내 글리손지 결찰을 위해 간절개를 시행하고 해당 글리손지를 박리할 때도 Pringle 수기를 적용할 수 있다.

10) 간실질 절리

(그림 5-20) 간표면에 나타난 좌우간의 경계선을 따라 간절리를 시행한다. 그전에 먼저 간절제면의 양측에 굵은 봉합사(prolene 2-0)를 이용하여 고정봉합(stay suture)을 한다. 이는 간실질의 절단 동안에 견인, 분리 및 거상의 목적으로 쓰인다. 간절리는 간 아래 횡격막면과 담낭상에서 시작하여 중간정맥의 우연을 따라 두측으로 진행한다. 간실질을 절단시키는 방법에는 여러 가지가 있는데, Kelly 겸자나 clamp-crushing 손가락(blunt finger fracture)을 이용하여 조금씩 압좌해서 절단해 가는 고전적 방법(그림 5-20A)에서

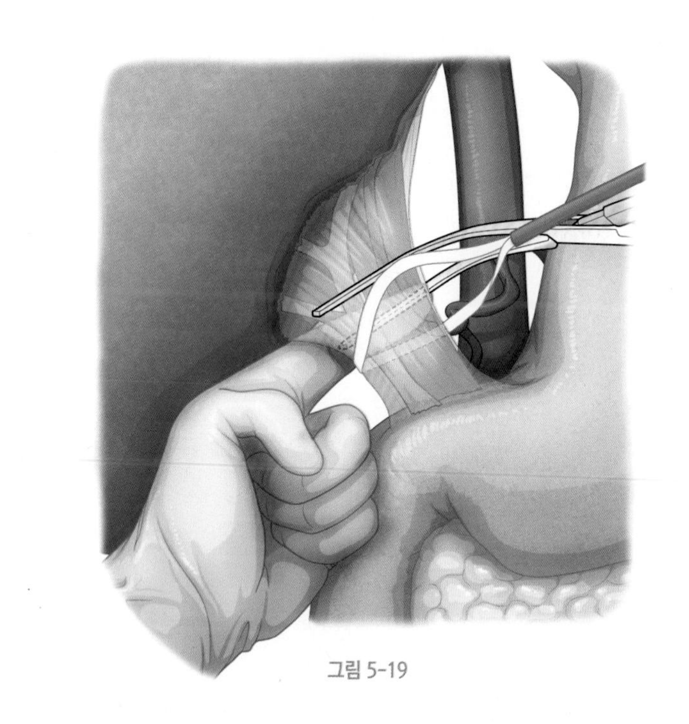

그림 5-19

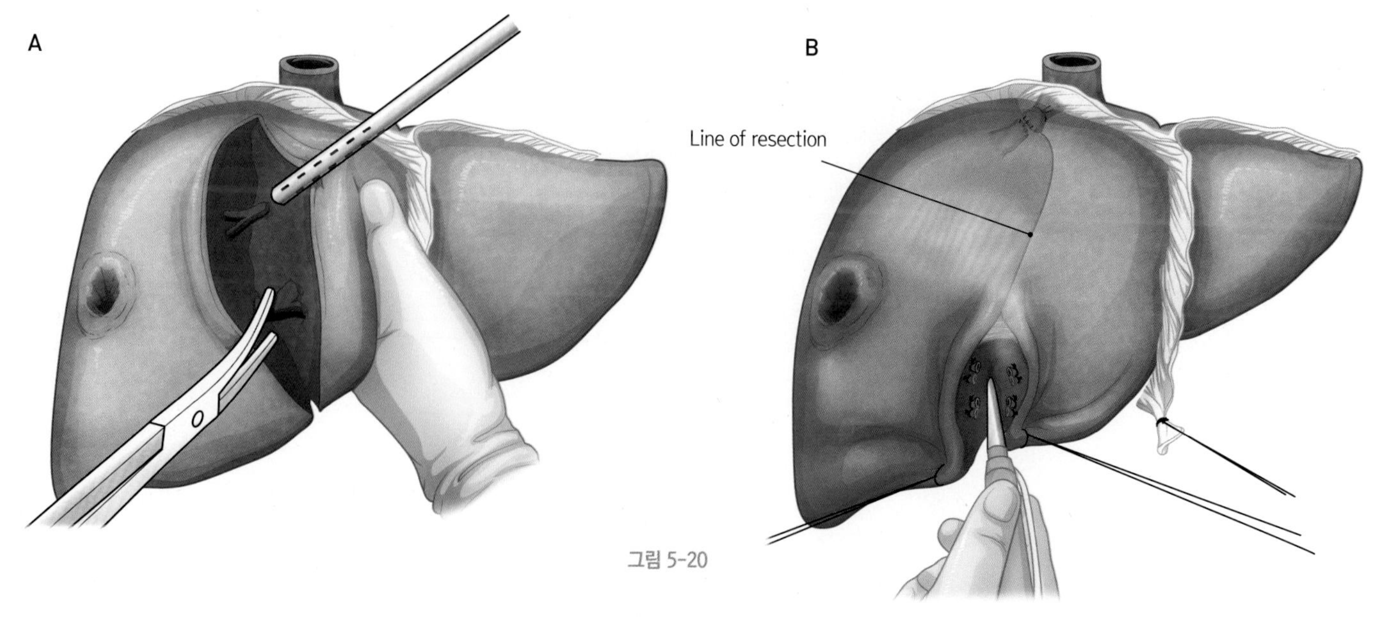

그림 5-20

부터 단극 혹은 쌍극유도 전기 소작기(mono-(Bovie) or bipolar electrocoagulator), 초음파 칼(ultrasonic scalpel; harmonic scalpel®, Sonicision®), 물분사 박리기(water-jet dissector), 레이저 칼(laser scalpel), 극초단파소작기(LigaSure®) 등이 있다. 현재 간실질 절제에 가장 많이 이용되는 기구는 초음파 박리기(cavitron ultrasonic surgical aspirator, CUSA®)로 간내 혈관 및 담관을 손상 없이 노출시켜 처리한 후 간 절제를 할 수 있는 섬세 방법이다(그림 5-20B). 간실질을 절단시킨 후 남은 결합조직은 전기 소작하거나 클립을 가한다. 대개 직경 0.5 mm 이하의 혈관 분지는 전기소작기로 소작하며 0.5 mm에서 1.5 mm 크기의 글리손지는 클립을 가하고 1.5 mm 이상의 혈관 및 담관은 지연 출혈 등을 예방하기 위해 반드시 결찰 혹은 봉합 결찰하는 것을 원칙으로 한다. 중간정맥의 큰 정맥분지들은 이중결찰한다. 만약 이전에 우간담관, 우 글리손지 혹은 우간정맥이 처리되지 않았다면 간절리 마지막 단계에서 결찰 절리한다.

11) 잔존간의 절제연 처리

(그림 5-21) 우간절제 후 간절단면으로부터 출혈이나 담즙 누출이 없는지 확인한다. 출혈부위는 전기 소작기나 아르곤빔소작기(argon beam coagulator)를 이용해 간절단 표면을 응고 및 소작시켜 지혈한다. 지혈이 안 되는 부위는 figure-of-eight 방법으로 봉합 지혈한다. 절단면에서 간내 출혈이 완전히 지혈된 다음, 더운물에 적신 수술용 거즈를 절단면에 대고 압박 지혈한다. 담즙누출부위는 간내담관을 봉합 결찰하는 것을 기본으로 한다. 때로는 국소 지혈을 목적으로 국소지혈물질을 뿌려 준다. 가장 흔히 사용하는 국소지혈물질로 피브린글루(Greenplast®)가 있다. 피브리노겐과 트롬빈을 간절단면에 동시에 분사시키고 결합 및 응고시켜 지혈효과를 얻는다. 그 외 Surgicel®, avitene®, Gelfoam®, Tisseel®, Floseal®, neoveil®, Tachosil® 등이 사용되는데, 출혈부위에 이러한 물질을 덮고 압박하면 혈액이 간절제면에서 덩어리를 이루며 밀착하여 지혈효과를 나타낸다. 때로는 피브린글루와 함께 사용하기도 한다.

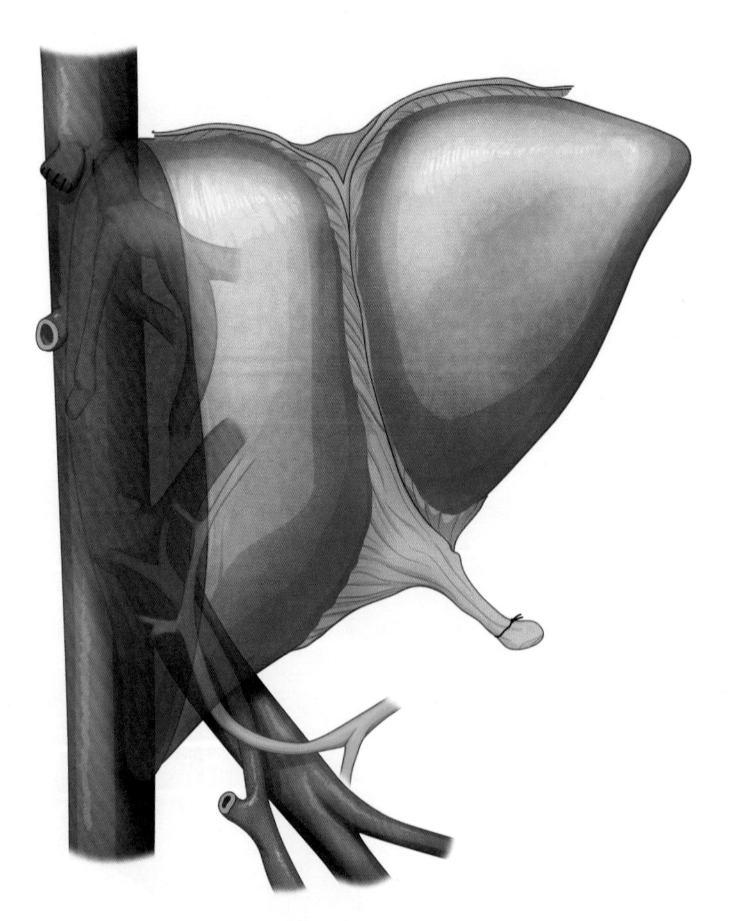

그림 5-21

12) 배액관 설치 및 폐복

(그림 5-22) 폐복과 배액관의 유치는 우간절제술 후 합병증을 최소한으로 줄이는데 중요하다. 간절제면은 출혈이나 담즙 등 삼출액이 생산되는 부위이고, 함몰형태 이어서 특히 횡격막과의 사이에 사강을 만들기 쉽다. 따라서 간절제면의 삼출액이 적절히 배액 되도록, 우측 횡격막하 부위에 폐쇄식 배액관(Jackson-Pratt drain)을 유치하는 것이 중요하다. 필요시 Winslow공에도 배액관을 유치한다. 배액관은 가능한 최단거리로, 중간정맥 등 간절단면에 노출된 주요 맥관에 닫지 않도록 평행하게 위치 설정한다. 폐복 직전에 대망과 장관은 원위치로 배치하고, 겸상인대의 근위부를 횡격막측에 봉합함으로써 간을 복벽에 고정한다. 폐복은 합성흡수사를 이용하여 사강이 만들어지지 않도록 복막, 근층근막, 피하지방조직을 층층으로 결찰 봉합한다. 복막 봉합폐쇄 시에 겸상인대의 원위부를 포함시켜 봉합한다.

8. 수술 후 관리

우간절제술 후 경구 영양공급이 가능해질 때까지 포도당 수액을 공급한다. 일반혈액검사, 전해질, 프로트롬빈 시간 등의 검사는 수술 후 3~4일 동안 매일 시행한다. 혈중 알부민 수치를 3 g/dL이상 유지하기 위해 그 이하로 떨어지는 경우 알부민을 정맥 주입한다. 혈색소 7 g/dL이상 프로트롬빈 시간이 17초 이하가 유지되도록 수술 후 며칠간 비타민 K를 정맥 주입한다. 수혈은 종양학적으로 악영향을 줄 수 있기 때문에 적극 권장하지 않지만 기준치를 넘어서면 적혈구나 신선동결혈장 등의 수혈을 하도록 한다. 예방적 항생제를 사용하는데, 수술 전 1회 투여 후 수술 시간이 4시간 이상인 경우 1회 추가적으로 투여한다. 통증 조절은 자가조절진통제(patient-controlled analgesia, PCA)를 이용한다. 간절제술 후 간의 약물대사 기능이 감소하므로 통증 조절제의 선택과 용량 설정에 주의가 필요하다. 담도장관문합술이 없는 한 경구 영양공급은 최대한 빨리 시작한다. 보통 spironolactone과 furosemide 등을 사용하며 spironolactone 100 mg, furosemide 40 mg을 함께 복용하기도 한다. 만약 원인을 알 수 없는 발열과 복부불편감 등이 생기면 복강내 담즙 누출 가능성이 있고 고빌리루빈혈증이 있는 경우 담도협착의 가능성이 있으므로 컴퓨터 단층 촬영을 통해 이를 확인하고 배액술 등의 보존적 치료법의 필요성을 고려해본다.

9. 고려 사항

1) 간경변증을 가진 환자

만성 간질환이나 간경변증을 가진 환자들은 간 재생능력이나 예비능이 저하되어 있다. 이러한 환자에서 안전하게 우간절제술을 하려면 수술 전 정확하고 객관성이 있는 간예비능 평가를 시행하여 잔류 좌간의 해부학적 용적뿐만 아니라 기능적 용적도 충분함을 확인하여야 한다. 개복 시 흉복부 절개는 피해야 하고, 간문부 차단술을 최소화하여 간허혈에 의한 스트레스를 최대한 줄여야 한다. 간실질의 섬유화로 인해 간 내 해부학적 지표들의 크기나 위치가 변형되어 있는 경우가 많아 찾기 어렵다. 또 간이 단단해져서 간유동 시 견인하기가 어렵고, 문맥압항진증과 조직 파쇄성(friability)으로 인해 간절리 시 실혈량이 많아진다. 간실질이 간내맥관보다 단단해지기

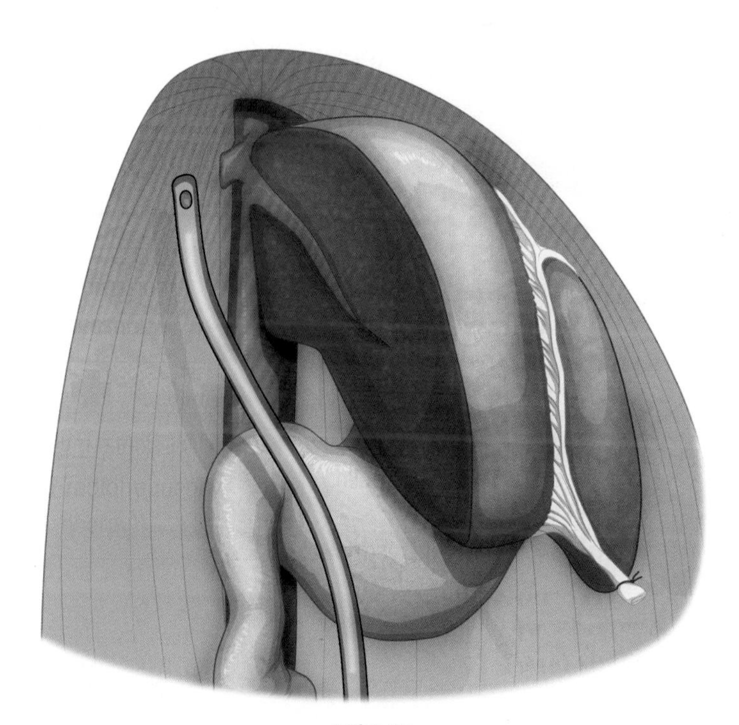

그림 5-22

때문에 Kelly 겸자나 손가락으로 간실질을 압좌해서 절단해 가면 간내 혈관이나 담관이 손상받기 쉽다. 이때에는 초음파 박리기나 물분사 박리기를 이용하여 간을 절리해야 한다. 수술 후 조절하기 어려운 복수가 생기기 쉬우므로 두툼한 흡수성 봉합사로 단단하게 연속 봉합하여 방수폐복해야 한다. 간절제술 후에는 이러한 환자의 대부분에서 일시적인 간부전이 생겨서 고빌리루빈혈증, 저알부민혈증, 프로트롬빈시간의 연장이 관찰되므로 주시하여야 한다. 수술 후 초기에는 충분한 문맥 혈류량을 유지하기 위해 수액을 공급하다가 안정화되면 수분 및 염분을 제한하여야 한다.

2) 현수기법을 이용한 전방접근법

(그림 5-23) 크기가 큰 간병변이 횡격막 혹은 후복강에 심하게 유착된 경우 간을 유동화하기가 쉽지 않다. 또 간의 유동화 과정에서 병변이 압박되어 종양이 파종될 위험성이 있다. 이러한 경우에 간 유동화를 먼저 시행하지 않고 간문부에서 우간으로 유입되는 혈류를 차단하고 간절리를 먼저 한 다음 우간정맥 및 단간정맥을 분리한 후 마지막으로 횡격막 혹은 후복강 유착 부위를 유동시키는 전방접근법을 이용한다. 이때 좀 더 용이하게 하기 위해 현수기법을 적용한다. 현수기법은 미상엽 후면과 하대정맥 전면 사이에서 두측으로 박리를 시작하여 긴 혈관겸자를 우간정맥과 중간정맥 사이로 노출시킨다(그림 5-23A). 그 다음 제대 테이프를 걸어 간을 하대정맥으로부터 들어 올리는 것이다. 이 방법은 전방접근법을 이용한 우간절제술 시 정확한 간의 절리면을 유도하고, 간의 심부면에서 절리와 지혈을 용이하게 한다(그림 5-23B).

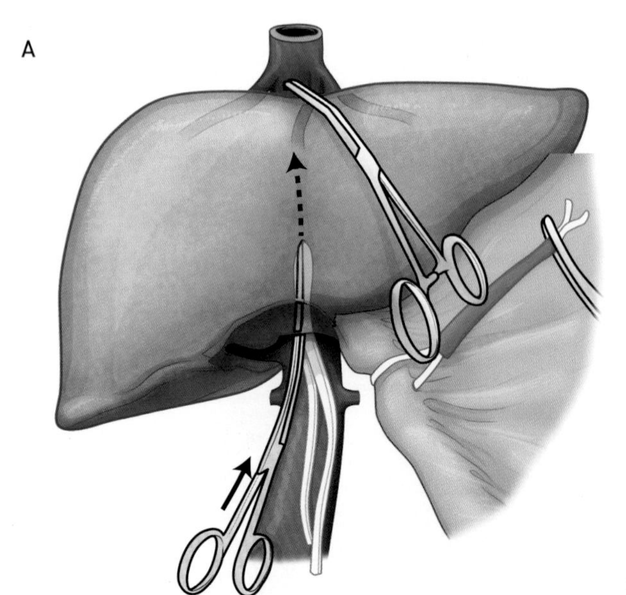

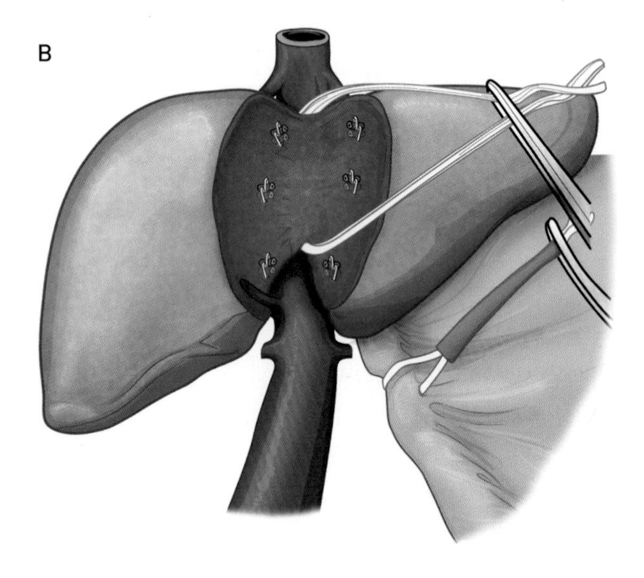

그림 5-23

CHAPTER 6

좌간 절제술

Left hemihepatectomy

1. 적응증

간좌엽에 국한되어 있는 간세포암, 간내담관암 및 전이성 간종양과 같은 악성종양과 간좌엽에 국한된 간내담석증과 같은 양성질환에서 시행한다.

2. 수술 전 처치

우후구역담관지가 좌엽담관지로 삽입하는 정상변이가 있는 경우 우후구역담관지 손상이 발생할 수 있으므로 술전 MRI Cholangiography (자기공명 담관 영상)을 시행하여 담관 정상변이를 확인한다. 환자가 만성간염 및 간경화가 있는 경우 간 잔존기능을 확인하고 필요하면 CT, MRI를 이용하여 절제간 용적 및 잔존간용적을 측정한다. 일반적으로 잔존간 기능이 Child 분류 A라면 간좌엽절제술이 가능하다.

3. 마취

전신마취를 시행한다. 수술 중 중앙정맥압은 가능 하면 2 cmH_2O 이하를 유지한다.

4. 환자자세

개복술을 시행할 때와 동일하여 supine자세를 취하며 간절리 중 air embolism을 예방하기 위해 head down position을 취하지만 환자가 비만하거나 간경화로 간이 위축되어 흉강쪽으로 간이 깊게 위치한 경우에는 head up position을 취해 간이 복강내쪽으로 하강할 수 있도록 한다.

5. 수술 과정

절개 및 노출

- (그림 6-1) 환자의 원인 질환, 비만 정도에 따라 다양한 절개선 중에서 선택하여 시행한다. 특히 간세포암의 경우는 재발의 가능성이 있고 재발암의 치료로 간이식을 시행할 수 있으므로 간이식 시 이용하는 절개선(그림 6-1C)을 이용한다.

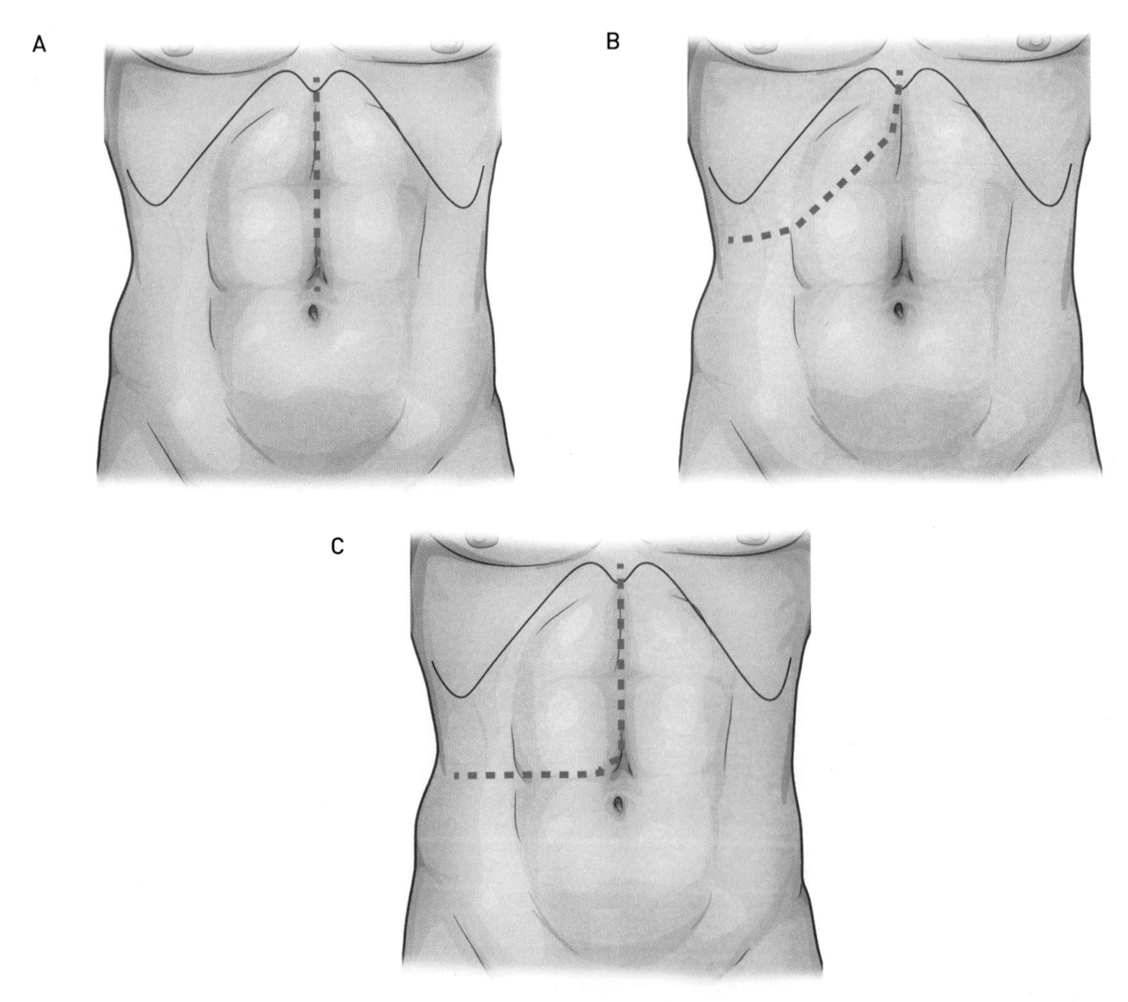

그림 6-1

- (그림 6-2) 절개 후 간원인대는 결찰하고 절리 후 술중 간을 당기는데 이용한다.
- (그림 6-3) 겸상인대의 절리를 두 측으로 진행하여 우간정맥, 중간정맥과 좌간정맥의 하대 정맥 유입부(*)가 노출되도록 한 후 좌관상인대의 전벽을 좌로 향하여 절리 한다.

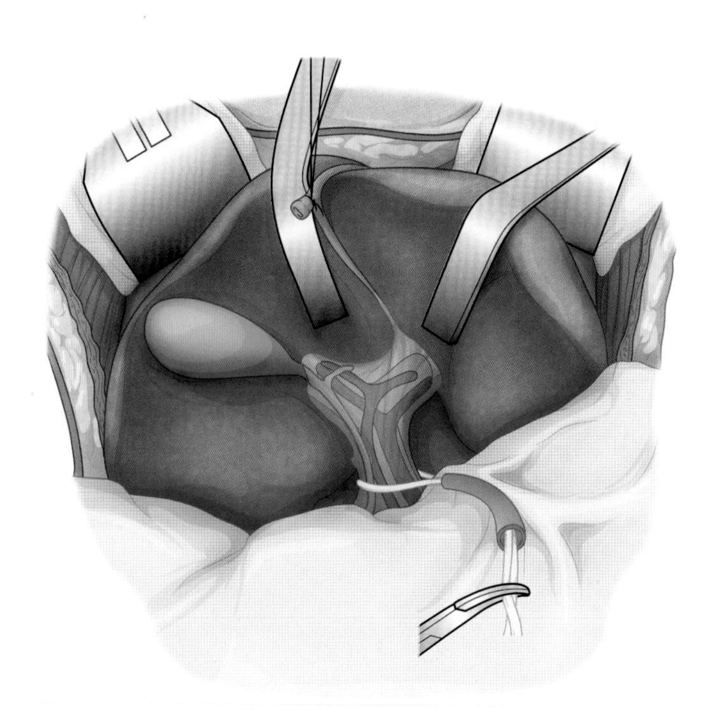

그림 6-2

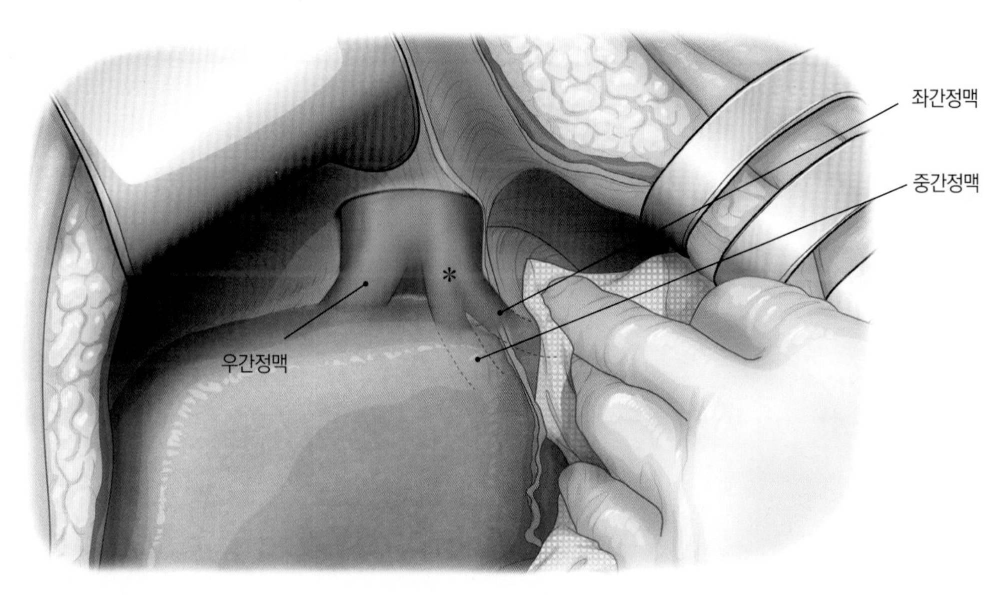

그림 6-3

- (그림 6-4, 5) 좌관상인대 박리할 때 경우에 따라서는 횡경막정맥이 간내로 유입되는 경우가 있는데 손상을 가하면 예기치 못한 출혈이 야기되므로 좌횡경막 정맥지가 노출되면 결찰 절리한다. 또한 거즈를 간좌엽외측구역 배면에 삽입하여 위벽이 손상되지 않도록 하고 간을 미측으로 당기면서 좌관상간막의 후벽을 절리한다. 좌삼각간막에 이르면 이를 결찰 절리한다. 이때 비장에 손상을 주지 않도록 조심한다.

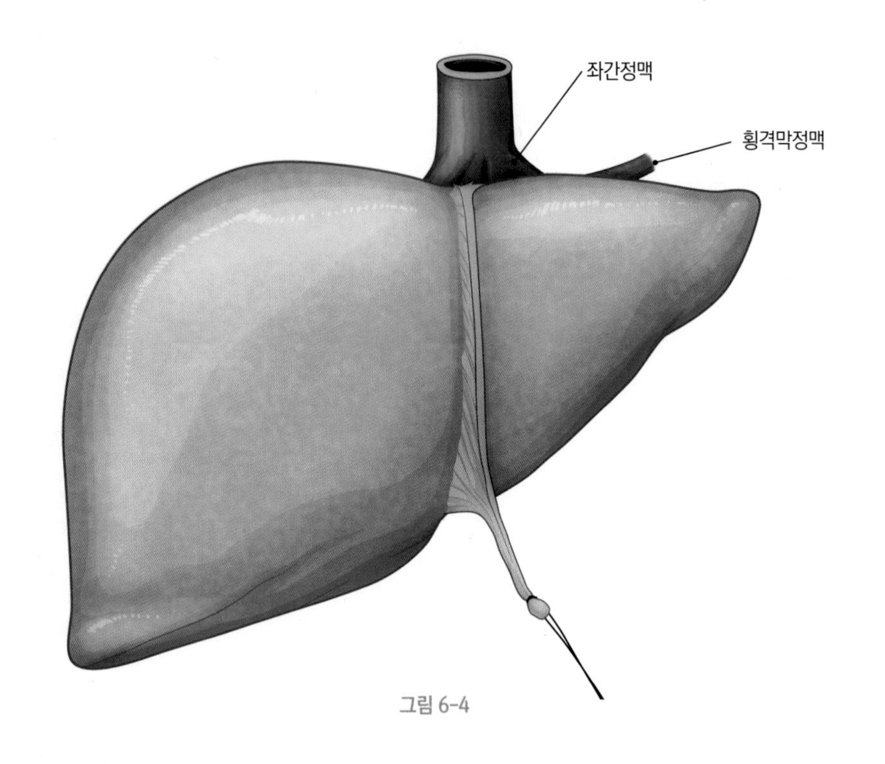

그림 6-4

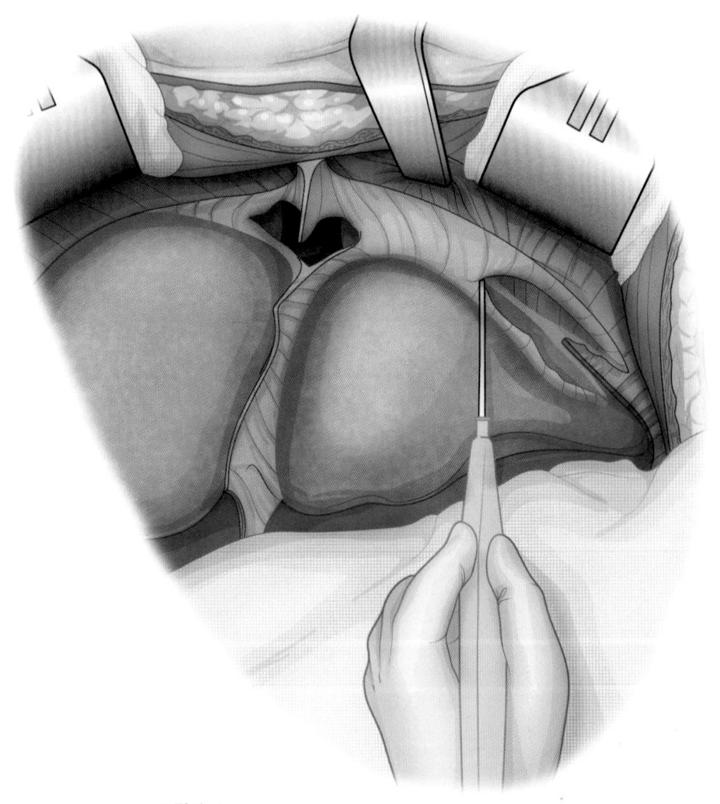

그림 6-5

- (그림 6-6, 7) 간십이지장 인대 우측에서 담낭동맥과 담낭관을 박리한 후 결찰 절리한 후, 담낭절제술을 시행한다. 술전 자기공명영상을 시행하지 않은 경우는 담낭절제술 후 반드시 담낭관을 통해 술중 담도조영술을 시행하여 우후구역의 담관이 좌간내 담도로 분지하는지를 확인한다. 간원인대를 두측으로 당기면서 간십이지장 간인대를 간측에서 횡으로 절리한 후 결합조직 및 신경총을 박리하면서 고유간동맥 및 좌, 우 간동맥을 노출한다. 좌간동맥을 결찰 절리한다. 변이에 따라서 중간동맥도 있으면 결찰, 절리할 수 있다. 절리한 간동맥 밑으로 간십이지장간막 좌측에서 좌문맥 또는 문맥본간의 좌측벽이 노출된다. 이것들을 기준으로 하여 박리를 진행하여 좌문맥과 문맥본간의 전면이 노출되도록 한 후 좌문맥을 결찰 절리한다.

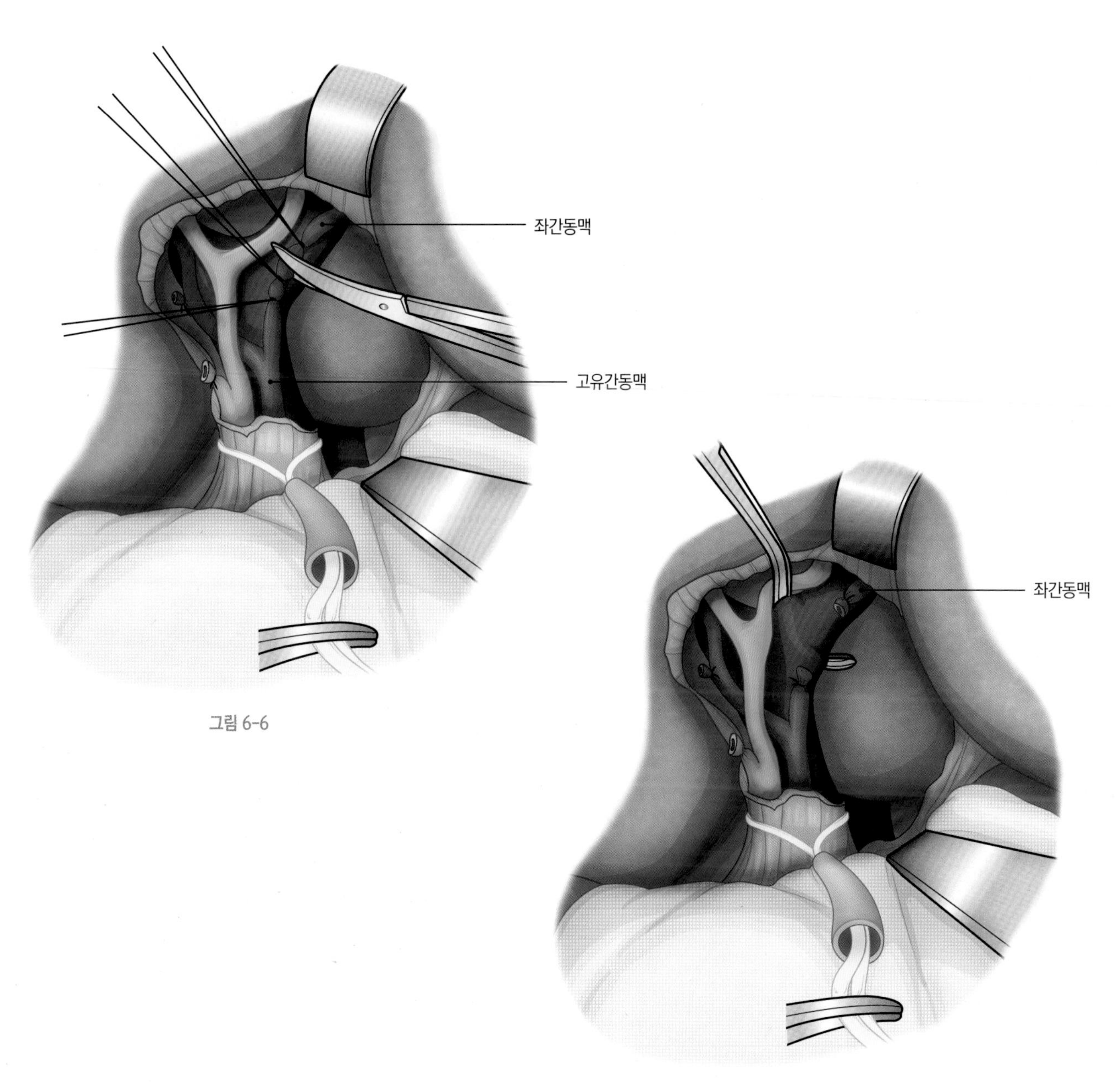

그림 6-6

그림 6-7

- (그림 6-8) 간좌엽을 우측으로 탈전시킨 후 소망을 좌미상엽전면에서 상하로 완전히 결찰 절리한다. 이때 좌위동맥에서 기시하는 좌간동맥이 정상변이로서 발견되는데 결찰 절리한다. 아주 드물게 unique hepatic artery의 가능성이 있으므로 절리 전 clamp하여 우간동맥의 박동을 손으로 확인한다. 좌간정맥 좌측에서 Arantius관(정맥인대)을 박리하여 결찰 절리하면 좌간정맥의 좌측 및 배측의 일부가 노출된다.
- (그림 6-9) 좌, 중간 간동맥과 좌간문맥을 결찰하여 좌간으로 가는 유입혈류가 차단되었다면, Cantlie line을 따라 간색조의 변형이 발견된다. Indocyanine green (ICG) near-infrared fluorescence cholangiography를 이용하면 보다 선명하고 명확한 demarcation line을 얻을 수도 있다. 간절리 시 출혈을 최소화 하기위해 간문부 차단술을 행한다. 간절단은 CUSA나 하모닉(harmonic scalpel)을 이용하면 좋은 시야확보와 출혈을 줄일 수 있으며, 미측으로부터 두측으로 향하여 넓고 얕게 진행한다. 중간정맥의 복측이 노출되면 중간정맥의 내측구역지를 결찰 절리하면서 진행한다. 간절단의 최후단계에서는 술자가 환자의 좌측에 서서 왼손으로 간좌엽을 잡고 절단을 진행하면 간좌엽에서의 출혈도 조절할 수 있는 장점이 있다.

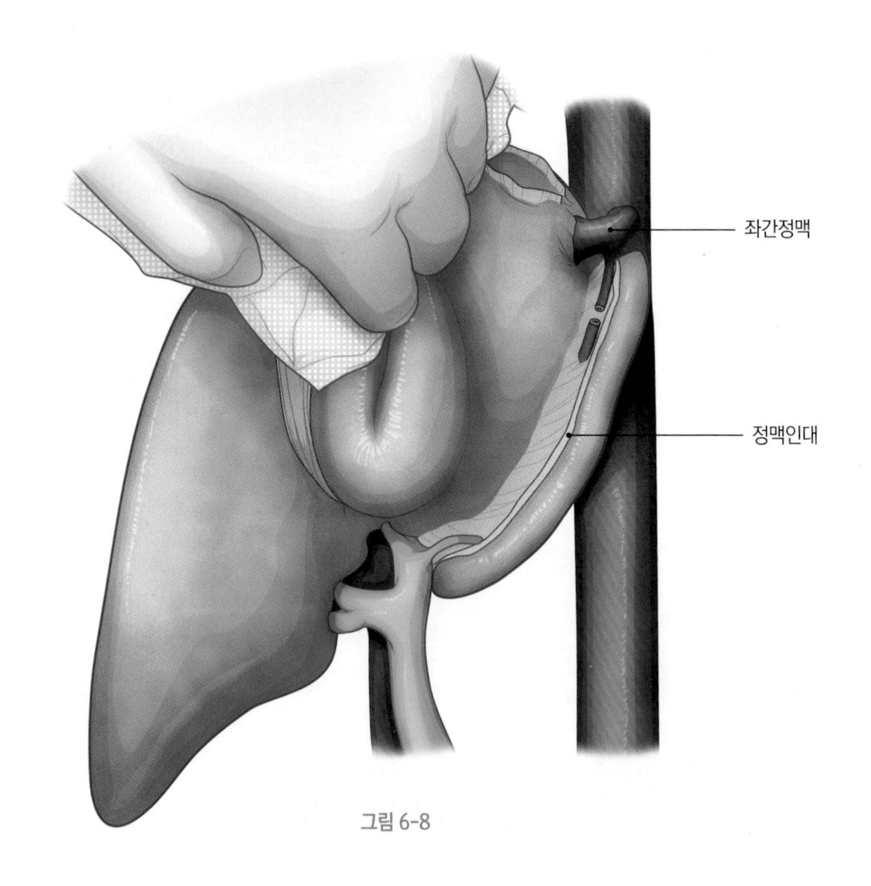

그림 6-8

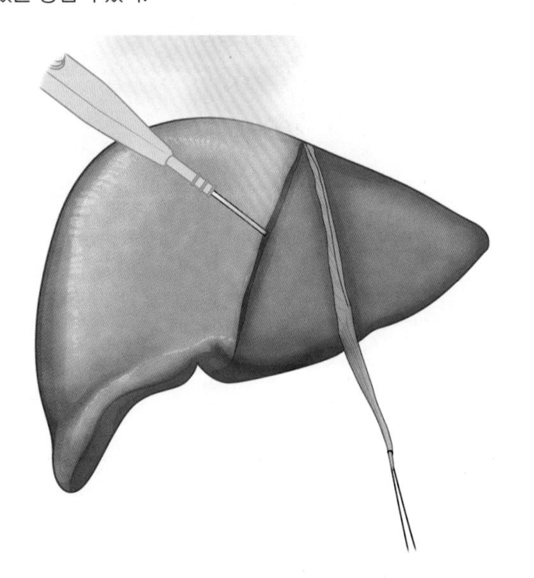

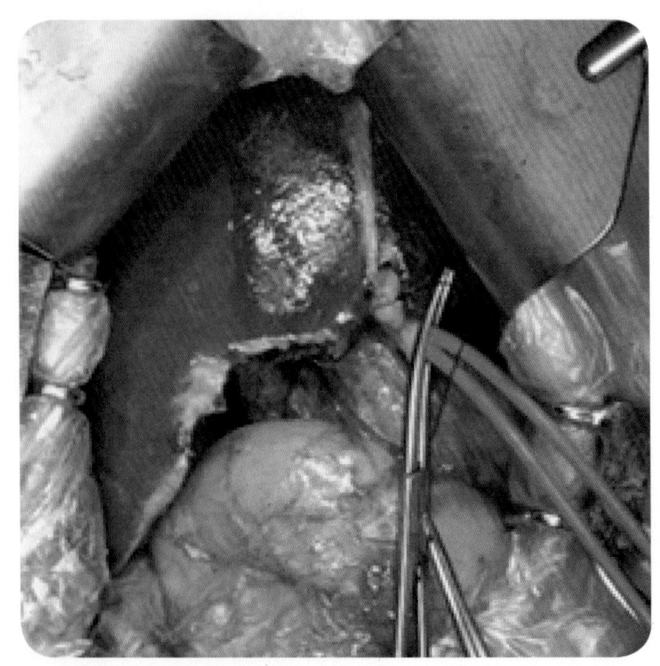

그림 6-9

- (그림 6-10, 11) 좌간정맥이 완전히 노출되면 좌간정맥을 결찰 절단한다. 다음 간문부 처리 시 담관이 결찰, 절리되지 않은 경우 담관을 혈관겸자를 가한 후 절단하고 절단부위를 5-0 Prolene으로 연속봉합한다. 우후구역담관지가 좌간내 담도로 삽입되는 경우는 진입부 좌측에서 절리하도록 한다. 완료 후 간절리면에서 출혈부위를 Argon beam coagulator 혹은 Bovie를 이용하거나 Prolene으로 봉합 지혈하고 J-P 배액관을 Winslow공을 통해 절단면과 우횡경막하부에 각각 1개씩 삽입하고 폐복한다.

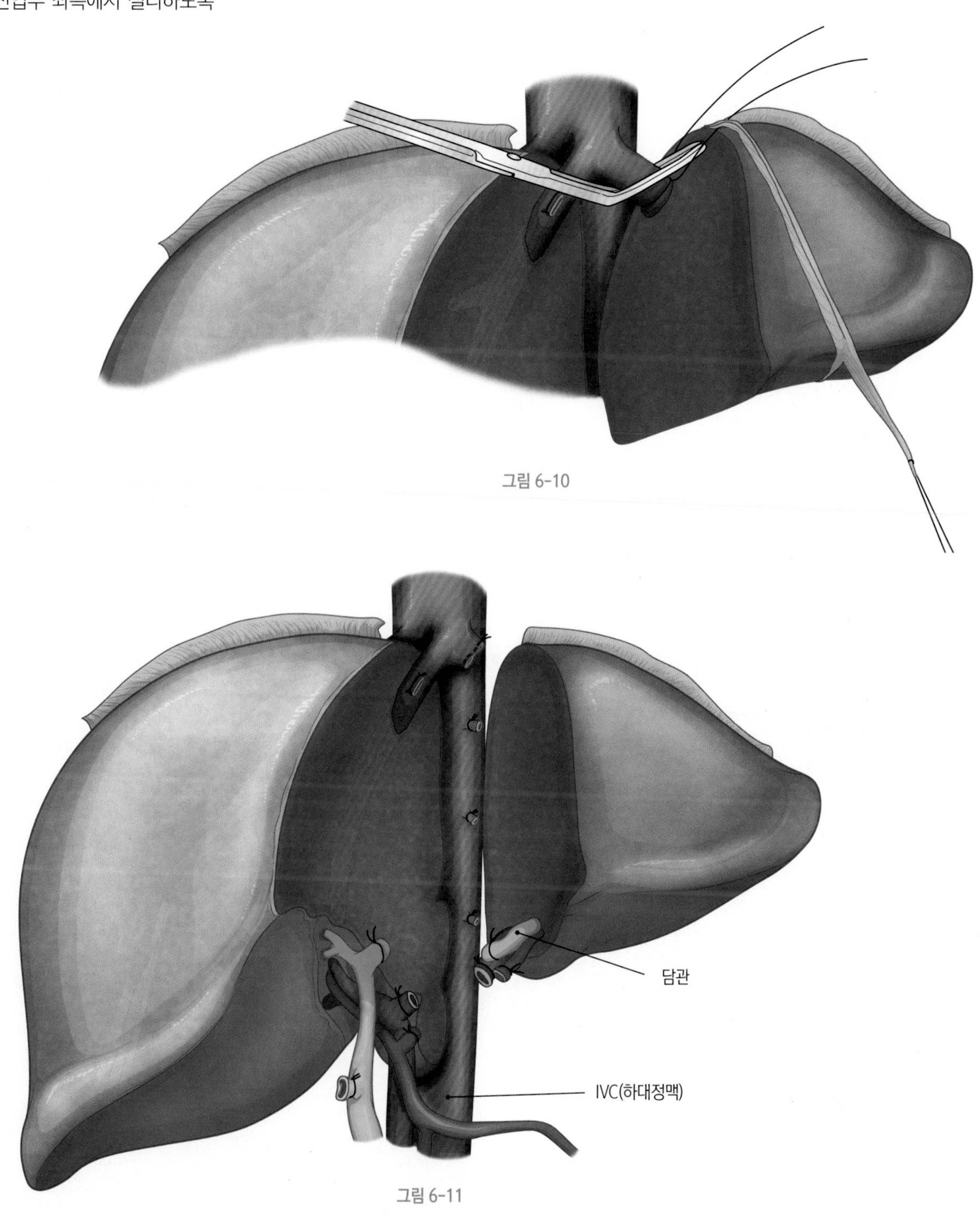

그림 6-10

그림 6-11

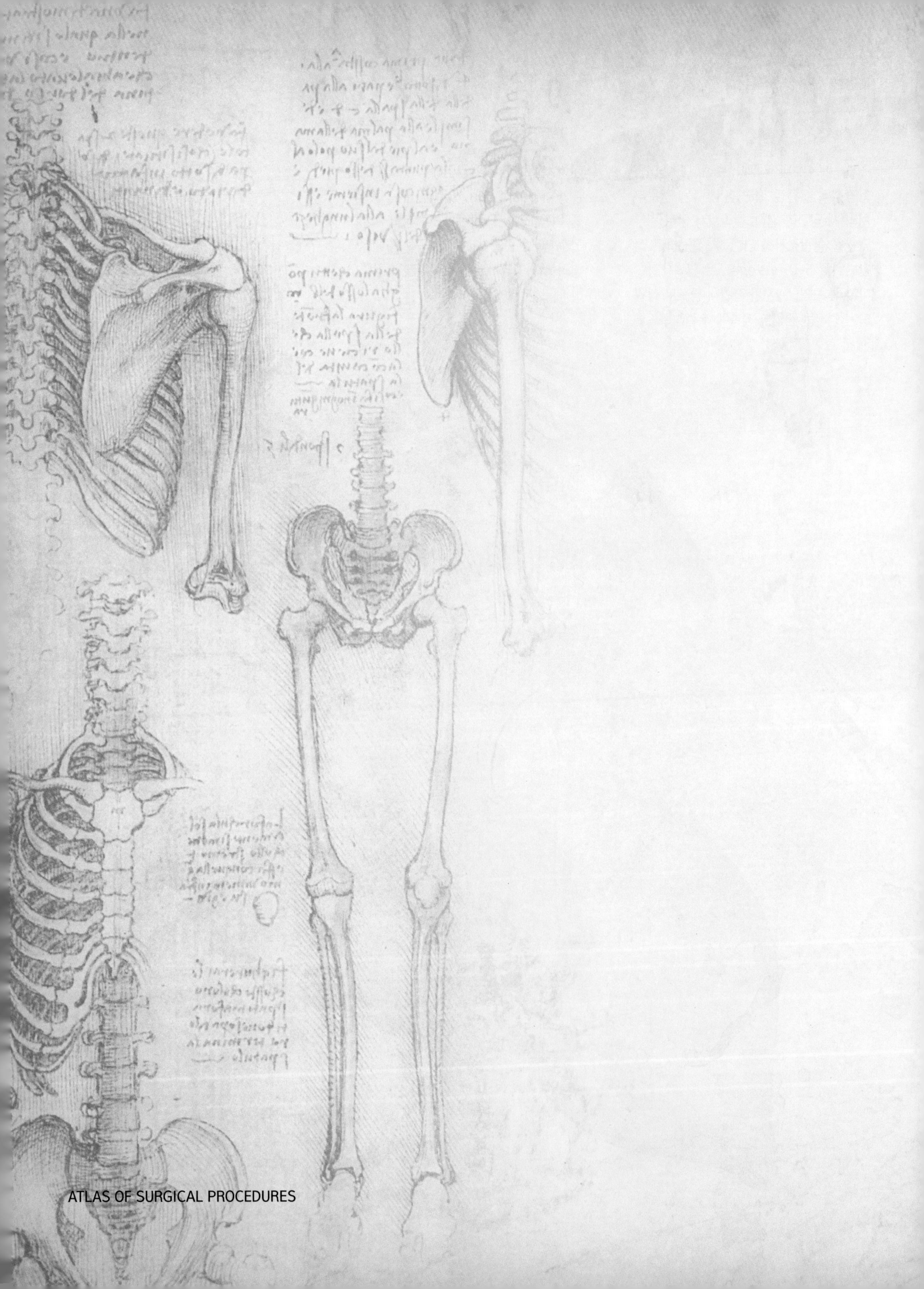

ATLAS OF SURGICAL PROCEDURES

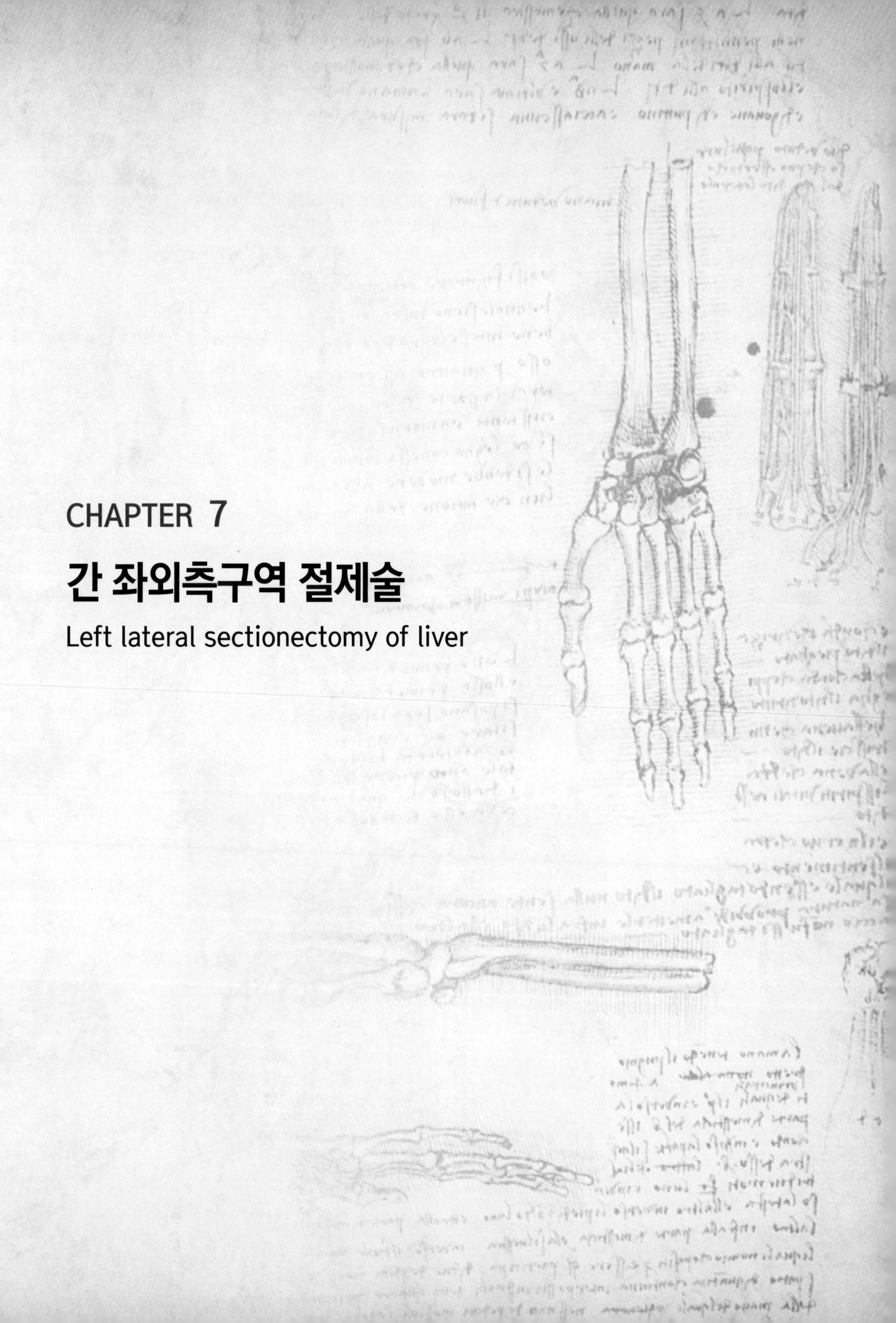

CHAPTER 7

간 좌외측구역 절제술

Left lateral sectionectomy of liver

1. 서론

간 좌외측구역 절제술은 육안적으로 겸상인대가 확인이 가능하므로 간 구역절제술 중 비교적 어렵지 않게 시행할 수 있어서 최근에는 복강경을 이용한 최소침습수술의 방법으로도 활발히 시행되고 있다. 그러나 이 수술을 안전하게 시행하기 위해서는 주위 구조물과의 분리, 혈관 유입부 및 겸상인대의 처리와 간정맥의 결찰이 핵심적으로 숙지해야 할 사항이다. 소아간이식에서의 공여간 분할이나 reduced graft의 구득에 필요한 술기 또한 이러한 기초적인 지식에서 출발한다.

2. 적응증

간에 생긴 병변 중 겸상인대의 외측에 위치할 때 시행하며, 주로 전이성 병변, 간세포암, 간내 담도암과 간내 담석증 등이 주된 적응증이다. 간세포암의 경우는 대부분 간경변을 동반하고 있으므로 ICG R15 검사 수치가 30%를 넘거나 복수나 황달이 동반할 때에는 간 절제술의 선택에 신중을 기하여야 한다.

3. 수술 전 처치

마취유도 중 위장관에 공기가 충만하면 술기에 지장을 초래할 경우가 있으므로 기본적으로 비위관을 삽입하는 것이 권장된다.

4. 마취

다른 간 절제술과 마찬가지로 마취 중의 중심정맥압을 5 mmHg 이하로 유지하는 것이 간실질 분리 중 출혈량을 적게 하는 방법이 되므로 혈액학적인 안정을 유지하는 한 마취과 의사와 긴밀히 협조하여 불필요한 수액 과다 공급을 예방하는 것이 좋다.

5. 환자자세

앙와위를 기본적으로 하며 복강경 수술 시에는 약 30° 정도의 역 트렌델렌버그 자세가 도움이 될 수 있다.

6. 절개 및 노출

복부 정중절개나 우늑골하 절개를 흉골의 겸상돌기부위 까지 연장하여 시행한다(그림 7-1).

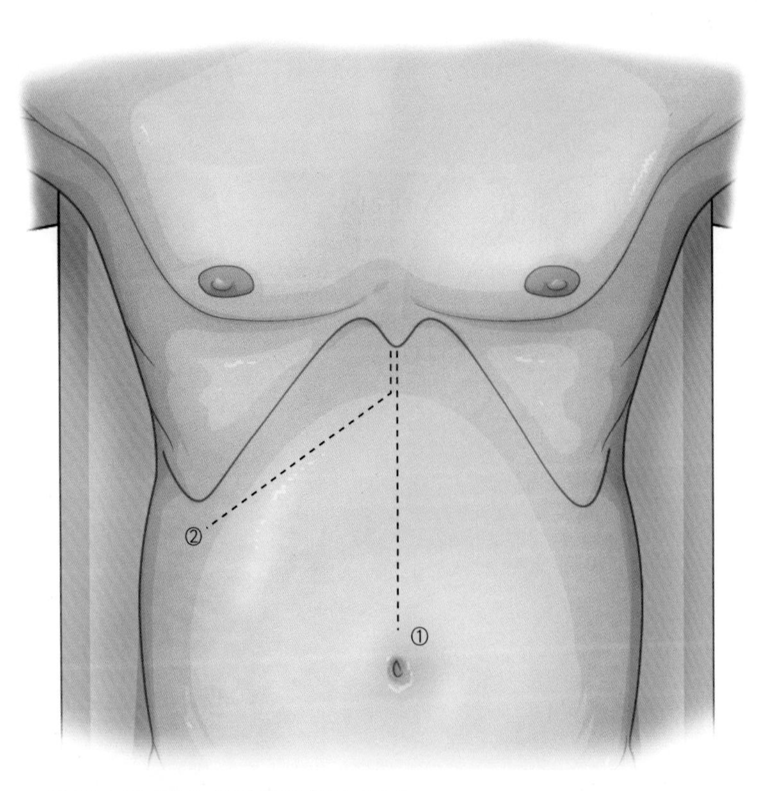

그림 7-1 간 좌외측구역 절제술을 위한 복부절개
① 복부정중절개
② 우 늑골하절개 및 정중연장

7. 수술과정

1) 개복수술 방법

간원인대(ligament teres hepatis)를 결찰, 분리하고 이어지는 겸상인대를 전기소작기 등을 이용하여 분리한다(그림 7-2). 삼각인대부위는 혈관이 횡격막과 연결되어 있는 경우도 많으므로 반드시 결찰하여 분리하여 간 외측구역을 주위 장기로부터 자유롭게 만든다. 간 표면은 전기소작기를 이용하여 분리를 시작하며 CUSA를 이용하면 혈관이나 담관 구조물의 손상을 최소화하면서 간실질을 분리할 수 있다.

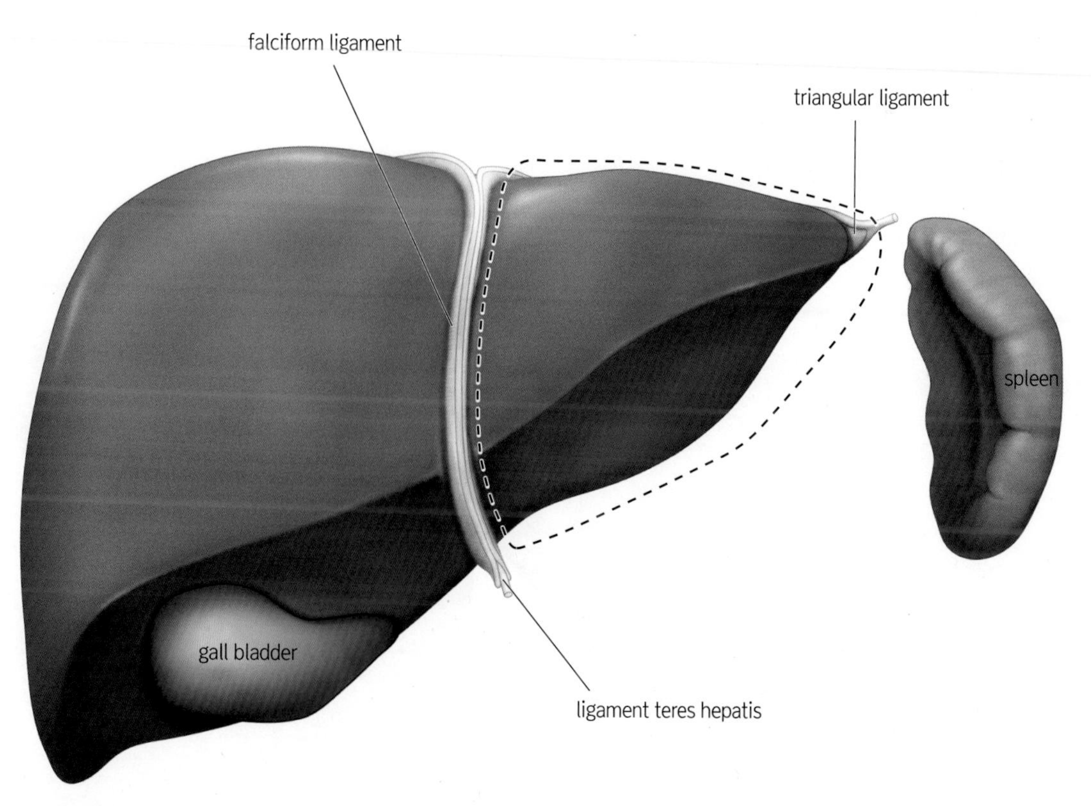

그림 7-2 간 외측구역 절제범위 (점선)

간 실질의 분리 중에 나타나는 간문맥 분지 P2, P3는 각각 결찰하여 분리하고 인접하여 주행하는 동맥과 담관의 분지도 동시 또는 각각 결찰한 후 분리한다(그림 7-3).

간실질 분리 후 마지막으로 남는 좌간정맥은 혈관 감자로 결찰한 후 Nylon 5-0로 연속 봉합하거나 혈관자동문합기(vascular stapler)를 이용하여 결찰 후 분리한다(그림 7-4).

분리한 간 실질의 단면의 지혈을 완전히 종료한 후는 fibrin glue 또는 각종 지혈제를 도포하여 마감할 수도 있다.

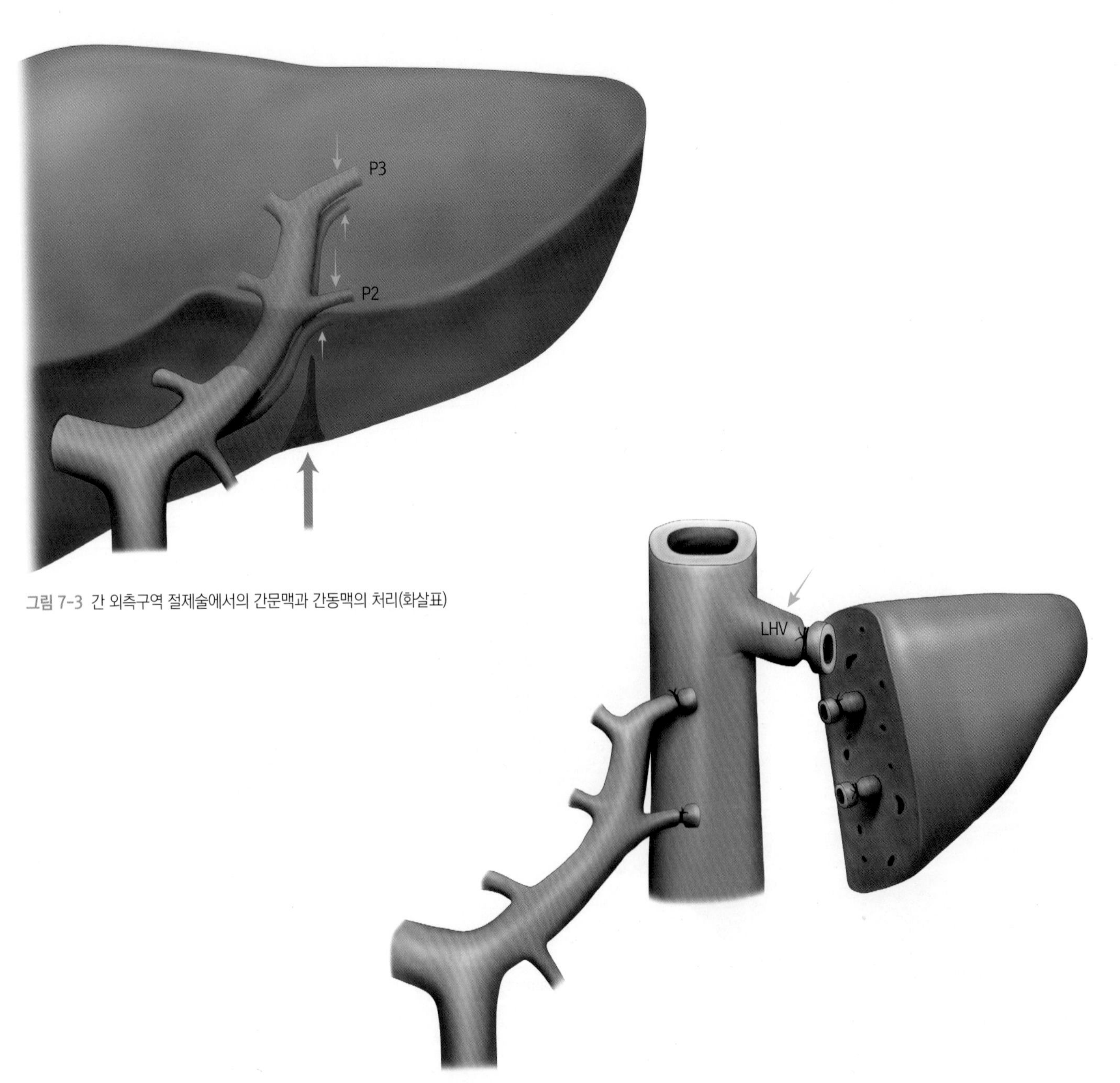

그림 7-3 간 외측구역 절제술에서의 간문맥과 간동맥의 처리(화살표)

그림 7-4 간 외측구역 절제술시 간 실질의 분리를 종료한 후 좌간정맥의 처리 부위(화살표)

2) 복강경 수술방법

(1) 수술자의 위치

수술자와 복강경 보조의는 환자의 우측이나 가랑이 사이에 위치하는 것이 수술 진행에 있어서 편리하며 견인을 위한 수술 보조자는 환자의 좌측에 위치한다(그림 7-5).

(2) 복강경 수술시의 주의점

기본적으로 간 좌외측구역 절제술은 개복술과 동일한 방법으로 사용한다. 복강경 수술시에는 간의 견인을 위해 간원인대(ligament teres hepatis)를 적절하게 이용하며 병소가 있는 좌외 구역은 비 파괴적인 기구를 이용하여 밀고 당긴다. 삼각인대의 분리 시 비장의 손상을 주의해야 하며 고열의 에너지 장치를 이용하여 간을 횡격막에 분리할 때 기흉이 생기지 않도록 해야 한다. 특히 좌외측구역이 위축되어 있는 간의 절제 수술에서는 간 실질 분리 이전의 간 유동 조작 중 좌간정맥의 손상이 쉽게 일어날 수 있다는 점을 유념해야 한다.

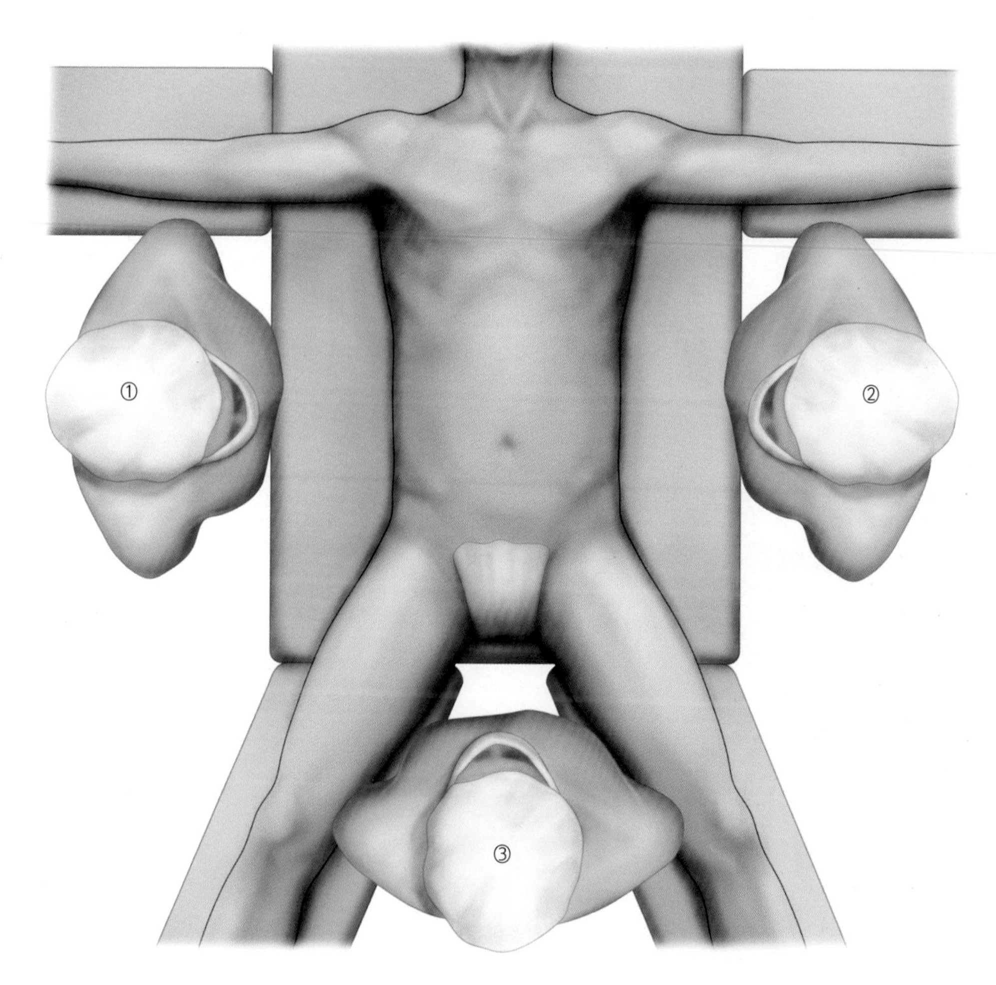

그림 7-5 복강경 간 외측구역 절제술에서의 수술자와 보조자의 위치(수술자와 scopist는 ① 또는 ③에 위치한다)

3) 간이식을 위한 공여자 좌외측구역 절제술

소아간이식 수술을 위한 간 좌외측구역 절제술을 시행할 때에는 좌 간문맥이나 좌 간동맥, 담관을 기시부에서 구득해야 하므로 간 실질을 겸상인대의 우측에서 분리해야 할 뿐 아니라 좌간 절제술에 준하는 방법으로 혈관을 구득해야 하며(그림 7-6) 특히 간동맥의 경우 혈관내피가 분리되지 않도록 결찰하기 이전에 예리한 칼이나 기구를 사용하여 절제해야 한다.

생체 간이식에서는 문제되는 일이 거의 없지만 뇌사자 전간에서 간 좌외측구역을 분할하는 경우에는 분할 이후 남게 되는 4번 분절의 허혈에 의한 괴사성 변화에 따른 문제가 발생할 가능성이 있다는 점을 간과해서는 안 된다.

8. 수술 후 관리

간의 좌엽이나 좌외측구역 절제술 후에는 gastric emptying의 장애를 초래할 수 있으므로 수술 후 gastric distension이 발견되면 비위관을 통하여 감압하여 흡인성 폐렴이 발생하지 않도록 한다. 이 합병증은 수술 후 4주 이내에 대부분 자연 치유되므로 이 기간 동안 영양공급에 집중하도록 한다.

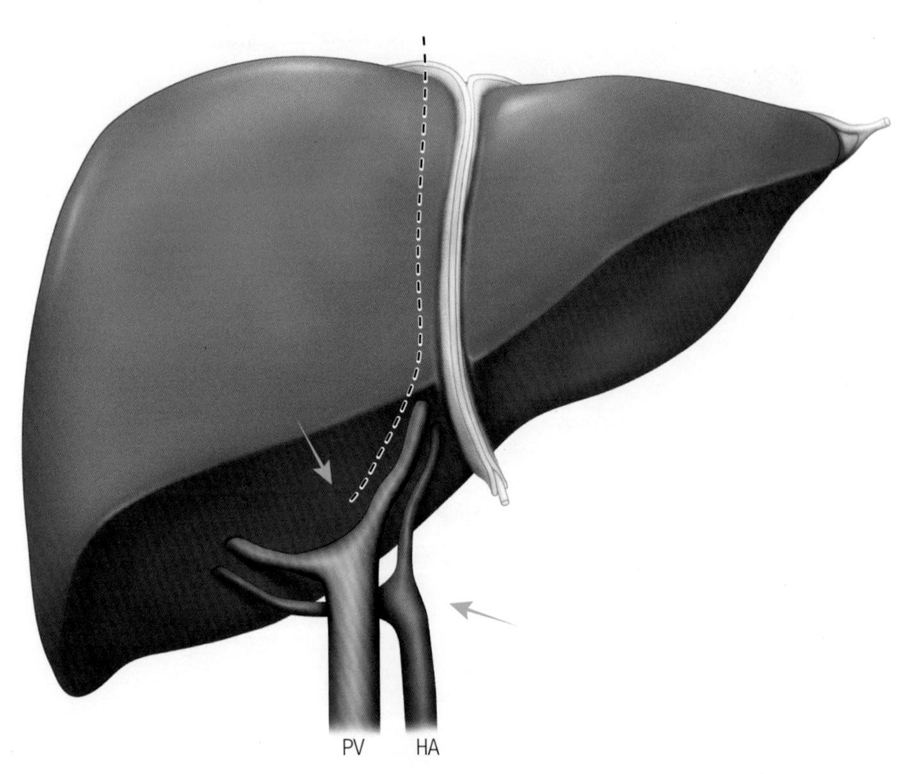

그림 7-6 간이식을 위한 간 좌외측구역 절제술에서의 좌 간문맥과 좌 간정맥의 분리 부위처리(화살표)

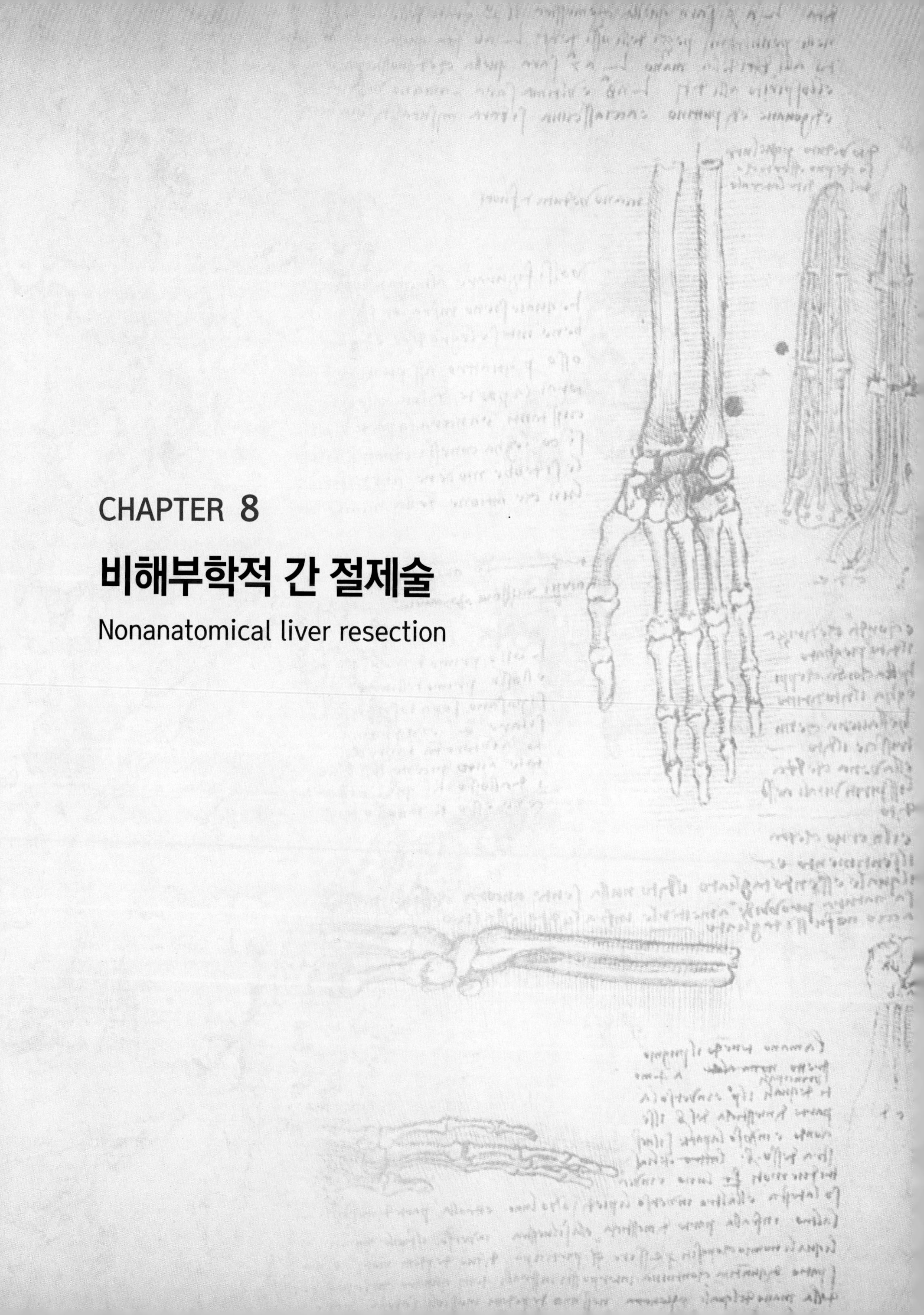

CHAPTER 8

비해부학적 간 절제술

Nonanatomical liver resection

I. 비해부학적 간절제

1. 서론

간의 비해부학적 절제는 해부학적 절제 또는 계통적 절제에 대비되는 개념으로 병변이 위치한 간의 구역 또는 분절에 상관없이 병변을 중심으로 0.5~1 cm의 충분한 절제연의 확보에 중점을 두고 절제하는 것으로 일명 쐐기절제라고도 한다.

병변이 간의 표면에 돌출되어 있거나 간 실질 내 깊지 않은 부위에 있을 경우 해당 구역이나 분절을 모두 절제하는 해부학적 절제 대비 절제되는 간의 용적을 줄일 수 있는 장점이 있으나, 병변이 매우 크거나 실질내 깊은 부위에 위치해 있는 경우 또는 해당 문맥지나 정맥에 매우 가까워서 충분한 절제연 을 확보할 수 없는 경우에는 결국 상당한 간실질의 절제가 동반되므로 상대적으로 이점이 상쇄된다. 최근 복강경 술기의 발달로 비해부학적 간절제의 많은 경우는 복강경을 이용해 시행되고 있는 추세이다.

2. 적응증

환자의 나이와 전신상태뿐만 아니라 종양의 크기와 위치도 대량 간절제를 할 것인지 비해부학적 절제를 할 것인지를 정하는데 고려해야 할 중요한 인자들이다. 증상이 있거나 암과 감별이 되지 않는 양성종양이나 각종 전이암의 경우에는 비해부학적 간절제가 일차 선택으로 고려된다. 한쪽 혹은 양쪽 간에 한개 이상의 종양이 존재할 때나 과거 간전이를 절제한 환자에서 다시 재발한 경우에도 흔히 비해부학적 절제가 사용된다. 간세포암의 경우에도 간의 표면에 위치하면서 크기가 작을 경우 적용할 수 있으며, 간을 충분히 절제하기 어려울 정도의 간기능을 가지고 있는 경우에도 비해부학적 절제를 우선 고려하여야 한다.

3. 수술 전 처치

필요한 최소한의 금식을 유지하고, 예방적 항생제를 투여한다.

4. 마취

기도삽관을 통한 전신마취를 하고, 양쪽 팔에 필요 시에 수액이나 혈액을 공급하기 위한 정맥삽관 또는 중심정맥삽관이 되어야 한다.

II. 개복하 비해부학적 간절제술

1. 환자자세

수술대 위에 앙와위(supine position)로 눕히되 오른팔은 옆으로 벌리고, 왼팔은 몸에 붙인다. 개복이 끝나면 수술대는 약간의 역 트렌델렌버그 자세(reverse Trendelenburg position)를 취하면 간의 노출이 좀 더 용이하다.

2. 절개 및 노출

절제하고자 하는 병변의 위치와 크기, 분포를 고려하여 절개 방법을 결정하여야 한다. 병변이 우엽의 상부, 즉 간의 dome에 위치할 경우 우측 간을 충분이 유동화할 수 있을 정도의 절개를 필요로 한다. 일반적으로 정중확대절개를 동반한 우측늑골하절개 혹은 양측 늑골하절개는 매우 좋은 수술시야를 제공할 수 있다. 그리고, 대안으로 종종 검상돌기에서 시작되는 정중절개도 사용되는 경우가 있다.

3. 수술과정

개복후에 가장 먼저 복막, 소장, 대장, 골반강, 장간막 및 대망을 전이여부에 대하여 검색한다.

간은 주의깊게 시진을 하고, 양손으로 촉진한다. 이 때 술중 초음파는 심부병변을 찾고 종양의 경계를 확인하여 절제 범위를 결정하는데 매우 유용하고, 종양과 간의 주요 맥관구조들과의 관계를 파악하는데 중요한 역할을 한다. 간은 상부와 배부(背部: 뒷 면)를 확인하기 위하여 충분히 유동화시키는 것이 좋다. 직시하에 간의 모든 표면을 볼 수 있도록 겸상인대와 삼각인대를 절개한다.

간실질의 절제중 필요시 출혈을 감소시킬 목적으로 Pringle 수기를 할 수 있도록 간문부를 tape으로 감고, vascular tourniquet을 걸어둔다.

(그림 8-1) 간종양이 간 좌엽의 표면에 있고 간의 가장자리에 위치한 경우에 쐐기절제는 쉽게 시행할 수 있다. 종양에서 절제연까지의 충분한 절제연은 적어도 1 cm를 확보하는 것이 추천되며, 절제전에 간표면에 전기소작기로 절제 예정선을 그리되 간의 capsule이 충분히 소작되도록 1~2 mm 정도 깊이로 충분히 소작한다.

(그림 8-2) 전기소작으로 표시한 선의 바깥쪽에

간조직의 견인을 목적으로 바이크릴 2-0 봉합사로 두껍게 매트리스 또는 8자 바느질을 한다. 봉합사는 간의 표면이 찢어지지 않으면서 간의 실질이 압박이 되도록 주의 깊게 결찰을 한다. 병변이 간의 두꺼운 쪽, 예를 들어 7 또는 8번 분절의 표면에 위치한 경우 견인용 봉합사를 3, 6, 9, 12시 방향으로 위치시키면 절제시 전체적으로 균형된 견인을 유지시킬 수 있다. 하나 이상의 견인용 봉합사(A)를 충분한 절제연의 바로 안쪽에 만들되 종양의 파종이 되지 않도록 견인용 봉합사가 종양을 관통하여 바느질 되지 않도록 하여야 한다.

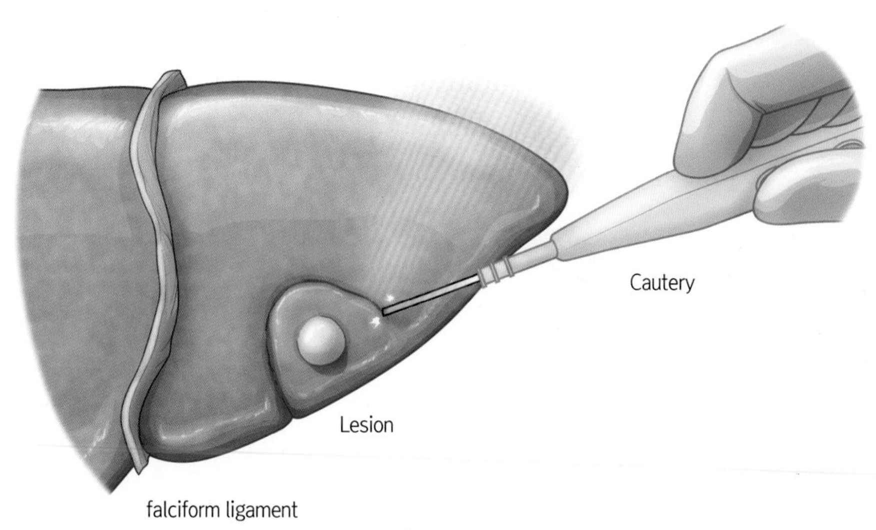

그림 8-1

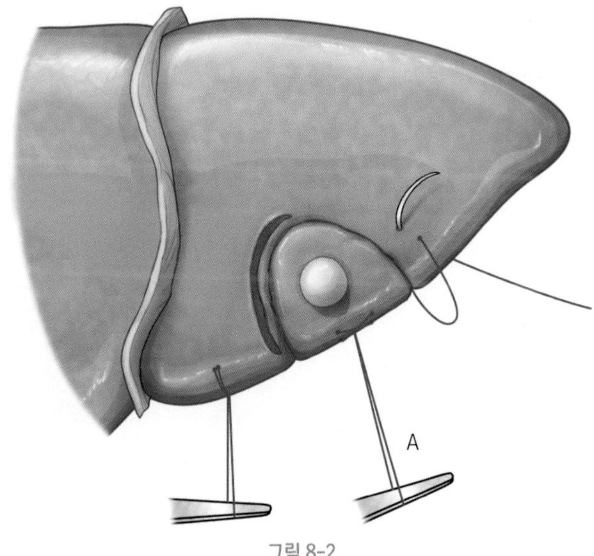

그림 8-2

(그림 8-3) 이들 견인용 봉합사들은 간실질의 분리 과정에 종양을 들어 올리는데 매우 유용하고, 또한 종양을 위로 들어 올려주므로 종양과 일정한 거리를 계속 유지시키면서 절제를 진행할 수 있게 한다. 종양 주변의 충분한 절제연이 수술의 전 과정동안 유지되도록 하기 위하여 지속적인 주의를 기울여야 하며, 절제의 가장 깊은 부위에서 특히 주의를 요한다. 많은 외과의들은 간실질의 절제를 위하여 초음파 박리기(Cavitron Ultrasonic Surgical Aspirator, CUSA)를 사용하고, 1~2 mm 이하의 작은 맥관구조나 섬유성 조직은 전기소작기로 절단할 수 있다. 약 2 mm (그림 8-4) 이상의 큰 혈관과 담관들은 클립으로 결찰을 시행하기도 하고, 봉합사를 이용해서 개별결찰을 할 수도 있다. 지혈을 용이하게 하기 위하여 아르곤광선응고기(argon beam electrocoagulator)를 사용한다.

때로는 다양한 크기의 여러 개의 전이 병변들이 있을 경우에도 같은 방법을 반복적으로 적용하여 절제를 시행할 수 있다. 어떤 외과의들은 간절제를 시행한 공간에 지혈용 거즈(Surgicel gauze)를 수분 동안 채워 두기도 한다. 종양의 위치가 깊거나 큰 혈관들 가까이

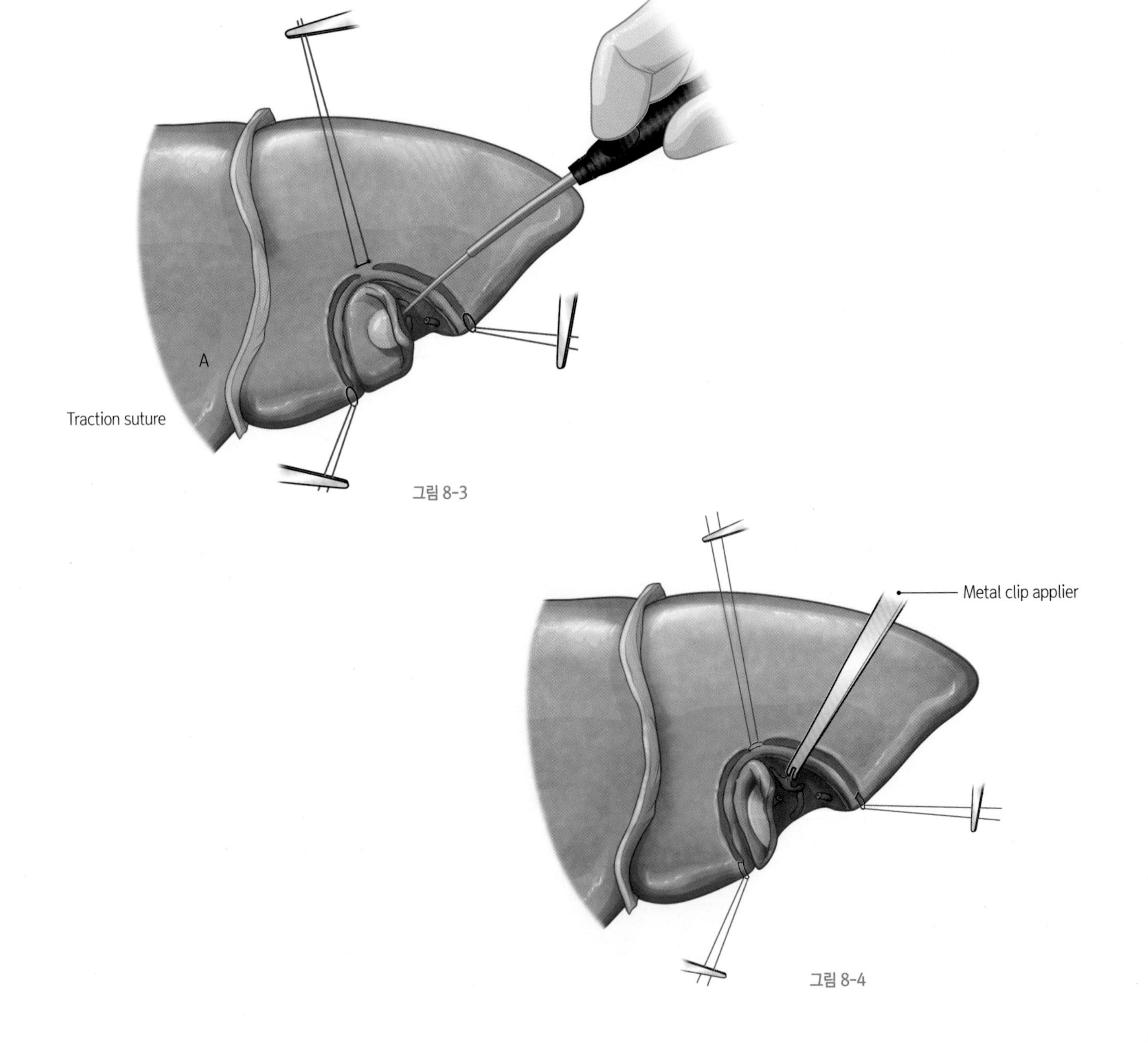

그림 8-3

그림 8-4

위치하지 않는 경우에는 쐐기절제로 인하여 출혈은 대개 문제가 되지 않는 경우가 많으나 예상보다 출혈이 심하다고 판단될 경우 항시 Pringle 수기를 시행하도록 한다.

4. 폐복

(그림 8-5) 지혈이 완전히 되었다면 배액관은 필요하지 않다. 그러나, 일반적으로 폐쇄식 배액관을 간절제 부위에 삽입한다. 간의 절제면에서 흐르는 담즙이 발견된다면 그 부분의 봉합결찰을 시행하고 폐쇄식 배액을 고려하여야 한다. 종양의 절제연이 의심스러울 경우에는 절제된 조직을 이용해 동결 절편 검사를 의뢰하던가, 추가로 간조직을 절제생검하여야 한다.

5. 수술 후 관리

수술 다음 날부터 물과 유동식의 섭취가 가능하며, 장마비 증세가 보이지 않는다면 2일째부터 정상식이를 진행한다.

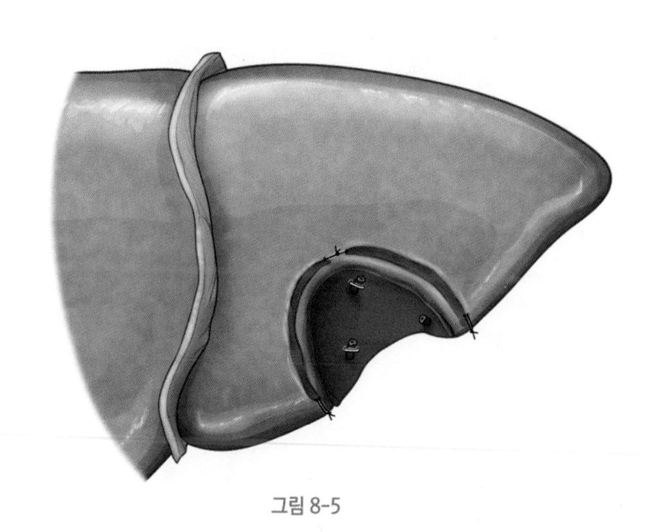

그림 8-5

III. 복강경하 비해부학적 간절제술

1. 환자자세

복강경 수술 시 환자의 자세는 병변의 위치에 따라서 노출과 접근이 용이한 방법을 선택하여야 한다.

(그림 8-6) 병변이 좌엽에 위치할 경우에는 개복시와 마찬가지로 앙와위를 하고 술자가 환자의 오른편에 서면 병변으로의 접근이 용이하다.

(그림 8-7) 병변이 간의 우측에 있으면서 간의 많은 유동화 없이도 접근이 가능한 위치에 있다면, 앙와위에 양 다리를 벌린 자세(French position)를 취한다. 오른 쪽 어깨 밑으로 시트를 접어서 깔아 우측 흉부를 약간 올려주고 우측 팔을 머리 위로 걸면 우엽의 노출이 조금 더 용이해 진다. 이때 술자는 환자의 다리 사이에 위치하고, 조수와 scopist는 환자의 왼편에 위치한다.

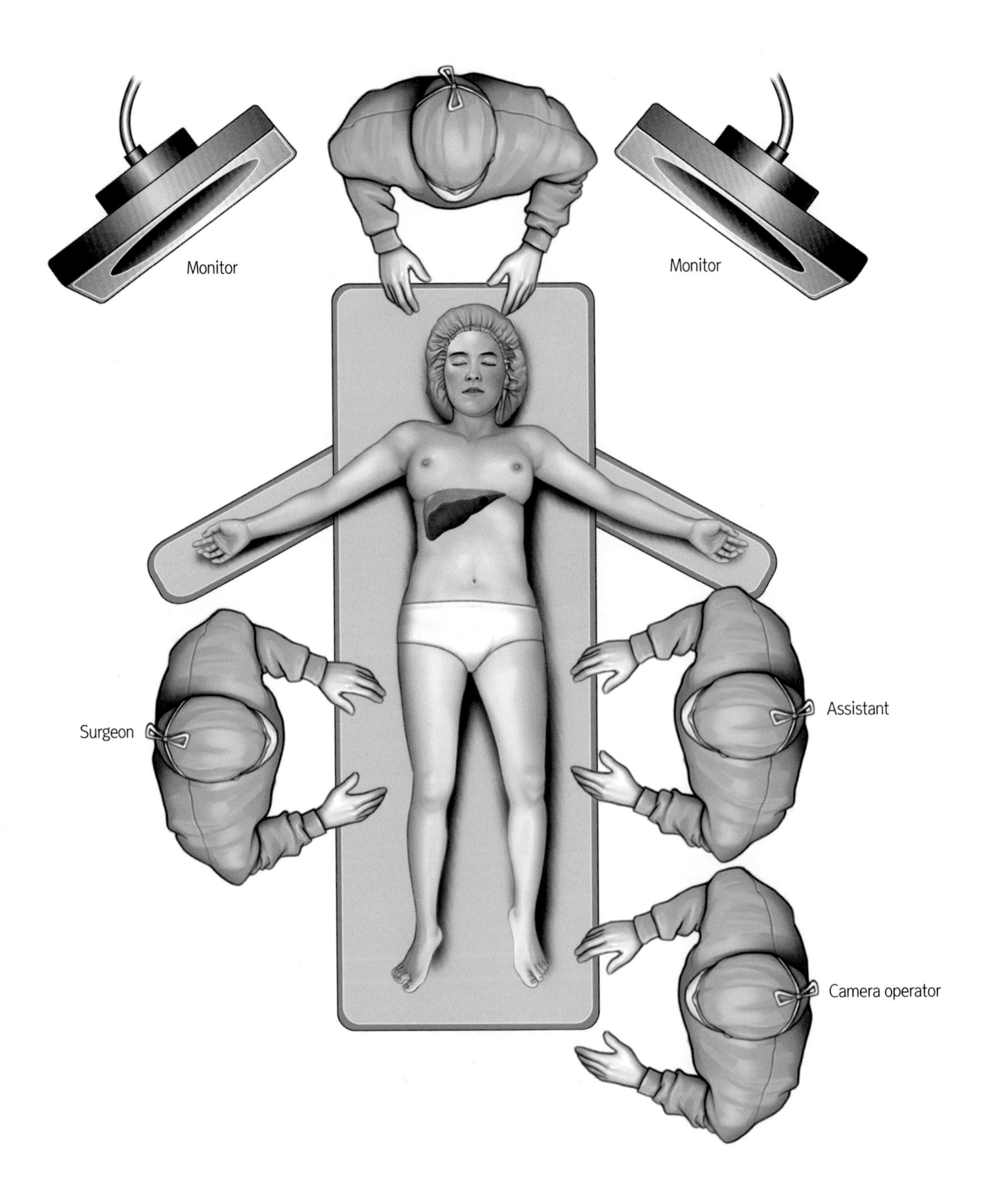

그림 8-6

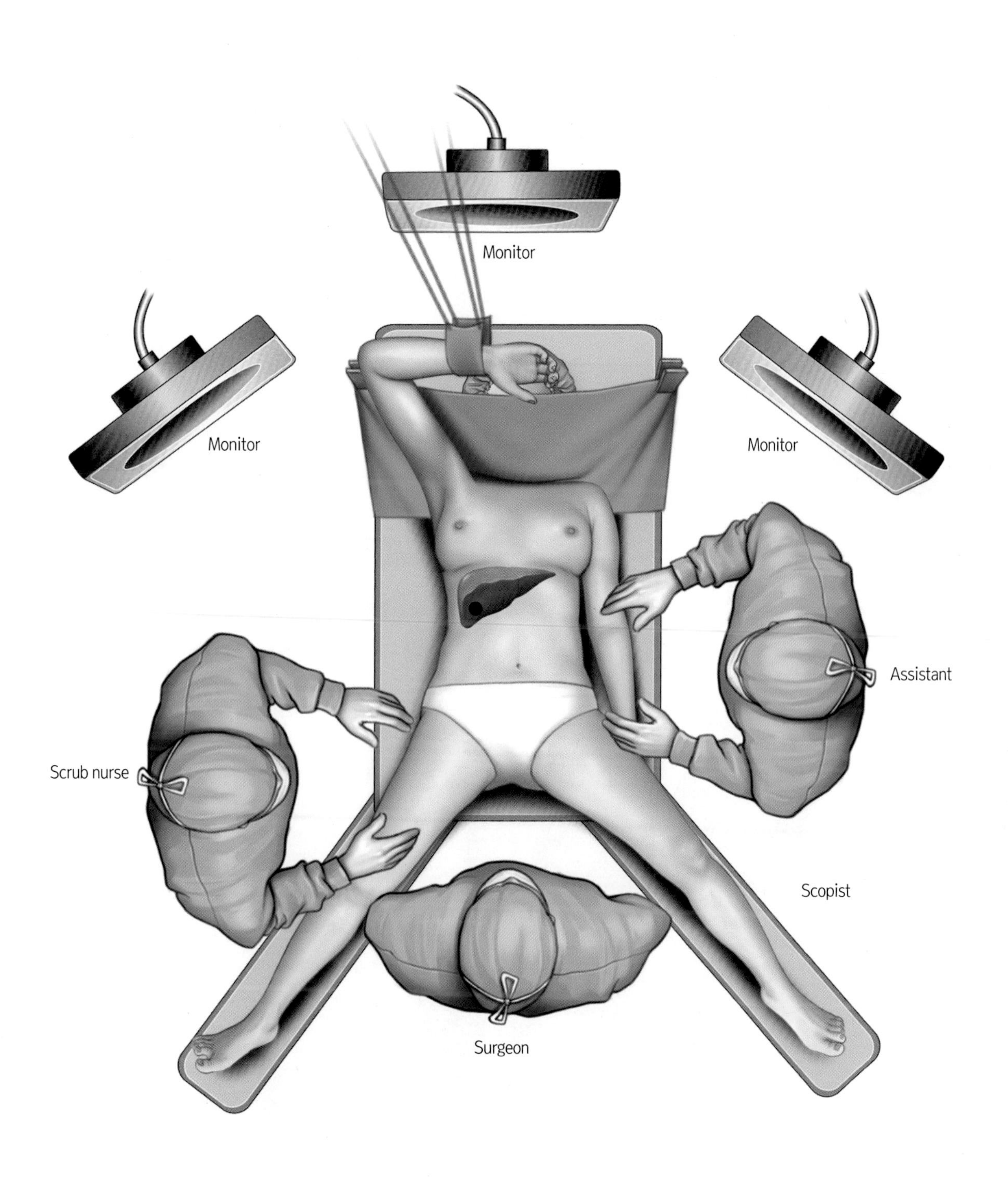
Monitor
Monitor
Monitor
Assistant
Scrub nurse
Scopist
Surgeon

그림 8-7

(그림 8-8) 병변이 7번 분절이나 간의 dome에 위치하고 있거나, 우엽을 많이 유동화하여야지만 노출되는 경우에는 왼쪽 옆누운자세(left lateral decubitus position)를 취하면, 우측 간의 유동화가 진행됨에 따라서 중력에 의해 간이 좌하방으로 내려감으로 간의 견인을 위한 노력을 줄이고 병변의 노출을 쉽게 할 수 있다. 좌측 겨드랑이 밑으로 타월을 두껍게 감아서 받치고 우측 팔이 꺾이지 않게 고정한다. 침대를 좌우로 돌려도 환자가 움직이지 않도록 환자의 골반부위와 다리도 테입을 이용해서 고정한다. 술자는 환자의 등을 보고 선다. 허리 부위의 침대를 약 20~30° 꺾어서 우측 옆구리가 최대한 펴지도록 하고, 우측으로 10~20° 정도 기울인다.

모든 자세에서 수술을 시작하면 역 트렌델렌버그 자세(reverse Trendelenburg position)를 취한다.

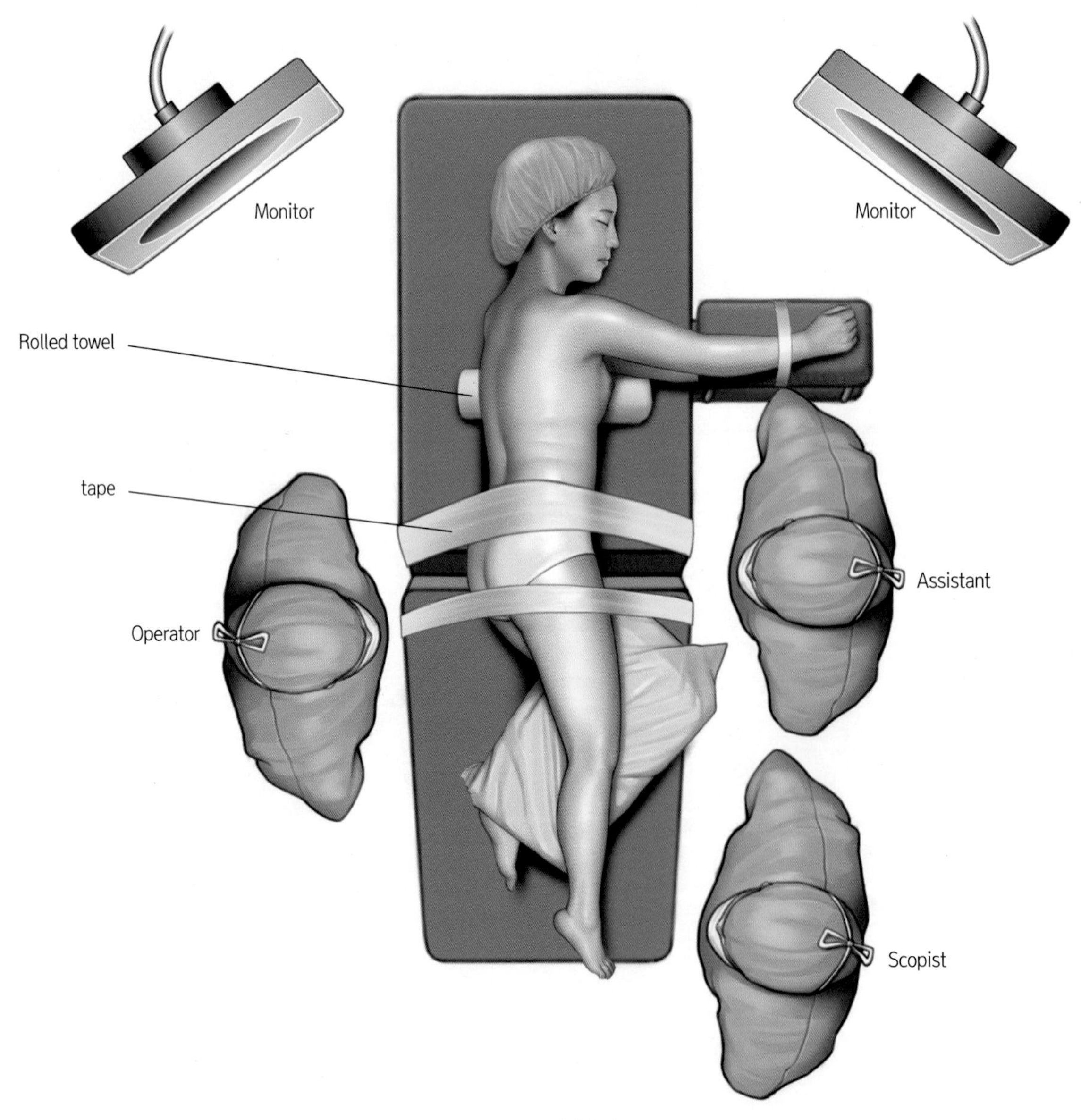

그림 8-8

2. 수술준비

30° 렌즈가 장착되어 있거나, flexible한 복강경 카메라 시스템을 사용하는 것이 유리하다. 에너지 장치(Harmonic Scalpel® 또는 Thunderbeat®)를 준비한다.

3. 수술과정

앙와위나 French position의 경우에는 투관침을 그림 8-9와 같이 위치한다.

카메라포트는 배꼽을 통해 넣고 풍선이 있는 12 mm 투관침을 사용하면 경우에 따라서 투관침을 당기거나 밀어 넣어서 시야를 더 확보할 필요가 있을 때 용이하다. 술자의 주 작동 투관침은 정중선에서 약간 우측으로 비켜나서 늑골연에서 2~3 cm 아래에 위치시키고 Pringle 수기를 사용할 때 Bulldog 클램프 등이 쉽게 드나들기 위해서는 12 mm 투관침을 사용한다. 술자의 왼손을 위한 투관침은 앞겨드랑이선상에서 늑골연으로부터 1~2 cm 아래에 삽입한다. 조수는 좌측 쇄골중간선상에서 늑골연으로부터 1~2 cm 아래에 5 mm 투관침을 삽입하고, 필요시 정중선 검상돌기 아래나 좌측 앞겨드랑이선상에서 늑골연으로부터 1~2 cm 아래에 5 mm 투관침을 추가로 삽입한다.

(그림 8-10) 왼쪽 옆누운자세(left lateral decubitus position)를 취하는 경우에는 침대를 우측으로 20~30° 정도를 기울인 상태에서 우측 쇄골중간선상에서 늑골연으로부터 1~2 cm 아래에 12 mm 투관침을 먼저 삽입하여 배속에 CO_2를 주입한 후 카메라를 넣고 복강을 살피면서 배꼽 높이에서 우측 쇄골중간선과 만나는 지점에 12 mm 투관침을 삽입한 후 카메라를 옮긴다. 필요시 늑간을 통해서 5 mm 풍선 투관침을 삽입하면 병변으로의 접근이 매우 용이해 질 수 있다. 이때는 8번 또는 9번 늑간을 통해서 들어가고 복강에서 횡경막을 보면서 폐의 움직임을 관찰하여

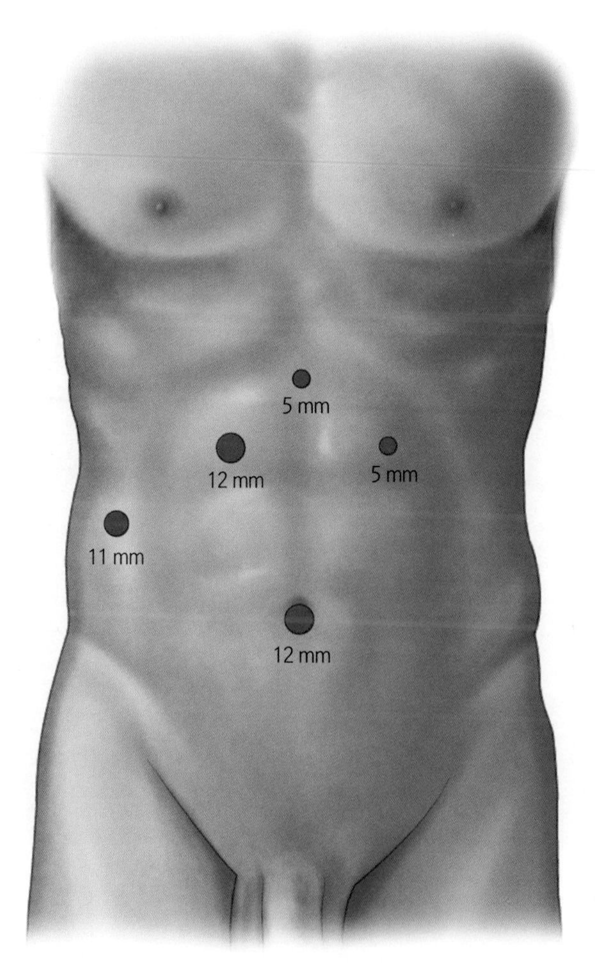

그림 8-9

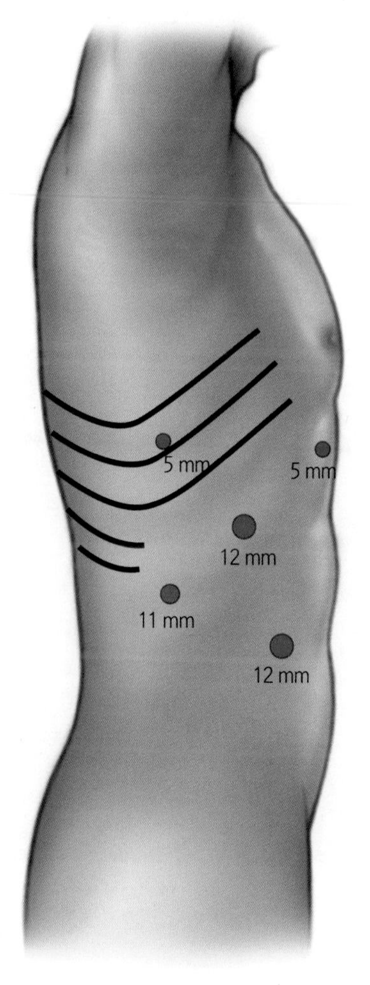

그림 8-10

폐손상이 없이 들어갈 수 있는 위치를 파악한 후 마취의에게 잠시 호흡기를 멈추게 한 후 늑간동맥에 손상을 주지 않도록 아래쪽 늑골에 붙여서 삽입한다(그림 8-11).

4. 수술과정

복강내 공기압은 12~15 mmHg를 유지한다. Pringle 수기를 필요로 할 시 신속하게 할 수 있도록 간십이지장 인대에 tape을 걸어두고, 필요시 복강경용 Bulldog 클램프를 적용할 수 있도록 준비해 둔다.

병변을 포함한 수술부위와 그 주위가 충분히 확인 가능하도록 에너지장치를 이용해 간주변 인대를 절개한다.

쐐기절제술 시행의 절차는 개복하에서 시행할 때와 동일하나 견인을 위한 봉합사는 주로 병변에 국한하여 시행하고 주변 간은 조수가 기구를 이용해 누르거나 당기면서 견인력을 유지해 준다(그림 8-12). 간의 표면으로부터 5 mm~1 cm 정도의 깊이까지는 에너지장치를 이용해서 천천히 절제를 하면 큰 출혈 없이 진행할 수 있으며, 더 깊은 곳으로 진행하기 전에 절제하고자 하는 절제 예정선을 따라서 최대한 진행해 둔다. 초음파 박리기(CUSA)나 에너지장치를 활용해 간실질을 절제하고, 맥관 구조는 클립을 이용해 결찰 후 절단한다. 절제 후 절단면은 아르곤광선응고기(Argon beam electrocoagulator)로 지혈한다.

5. 폐복

투관침부위의 출혈 여부를 확인하면서 제거하고, 10 mm 이상의 투관침 부위는 근막을 봉합을 한다. 늑간을 통해서 투관침을 삽입한 경우는 5 mm이지만 반드시 횡경막을 봉합하여야 하며, 다른 투관침의 제거 이전에 가장 먼저 실시한다. 호흡을 멈춘 상태에서 투관침을 제거하자마자 조수는 피하조직을 봉합하고, 술자는 횡경막을 봉합한다. 횡경막 봉합 시에는 Endo Stich™를 이용하여 8자 봉합을 하면 한 번에 마무리 할 수 있다. 복강내 공기가 흉강으로 들어가 기흉이 관찰되는 경우 흡입기를 구멍에 삽입한 후 흡입을 하면서 발살바조작을 하여 흉강내 공기를 최대한 제거하면서 봉합을 시행한다.

6. 수술 후 관리

늑간 투관침을 삽입한 경우 흉부 엑스선 촬영을 하여 기흉의 잔재 여부를 확인하고, 필요시 산소를 공급한다.

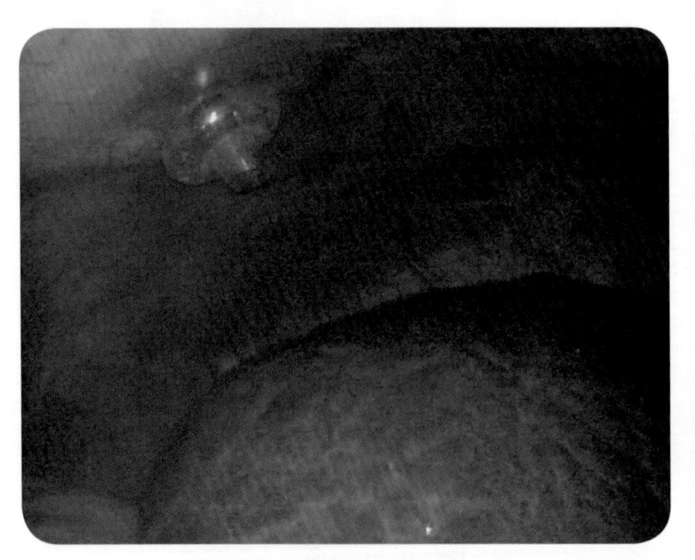

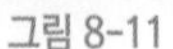
그림 8-11

그림 8-12

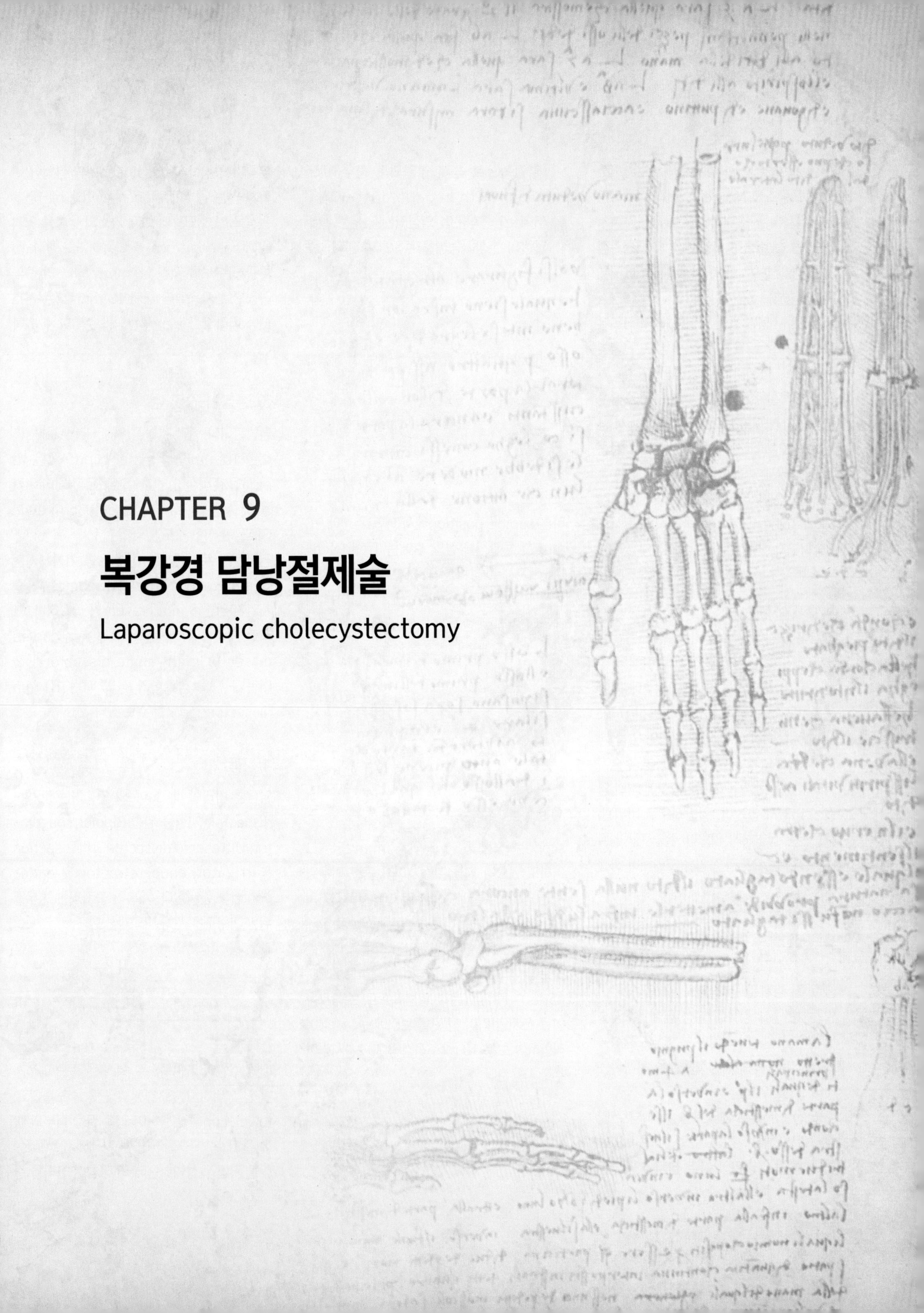

CHAPTER 9

복강경 담낭절제술

Laparoscopic cholecystectomy

1985년 독일의 Muehe가 처음 보고하고, 1987년 프랑스의 Mouret이 비디오로 복강경 담낭절제술을 소개하였고 우리나라에서도 1990년 첫 수술이 시행된 이후, 경험축적과 기구의 발전으로 개복 담낭절제술을 대체하는 수술방법으로 인정되었다. 과거 복강경 수술의 금기시 되던 조기 담낭암, 과거 상복부 개복수술경력으로 유착이 있는 경우, 간경변증, 문맥압항진증, Mirizzi증후군 그리고 만성 폐쇄성 폐질환이나 임신 등에서도 수술자의 경험과 마취의 발전으로 절대 금기에서 상대적 적응증이 되고 있다. 수술기법 또한 전형적인 4공식에서 3공식이나 단일통로 술식 등이 소개되고 있다. 본장에서는 복강경 담낭 절제수술의 표준이 되는 4공식 술식을 중심으로 서술하고자 한다.

1. 수술 전 준비

- 과거력상 상복부 수술기왕력이 있는 경우 유착으로 인한 장손상에 대비해서 장청소를 할 수도 있다. 개복가능성에 대한 충분한 사전 설명이 필요하며 특히 right subcostal incision의 기왕력이 있을 때는 더욱 주의가 필요하다. 하복부 수술기왕력이 있는 경우는 개복가능성에 거의 영향을 미치지 않는다. 일반적으로 비위관, 요도관은 삽입하지 않으나 수술시간이 길어질 경우는 요도관 삽입을 고려해야 하겠다. 비위관 역시 위, 십이지장의 팽창이 심해 수술시야에 방해가 되는 경우에 선택적으로 삽입할 수 있다.
- 수술 전 복부초음파, CT 혹은 MRCP 등의 술수 전 검사를 통해 담도결석의 동반이 발견되면 내시경적 역행성 담췌관조영술 및 괄약근 절개나 확장을 통해 담도결석을 제거한 후 복강경담낭절제술을 시행하는 것이 일반적이다.
- 수술 전 CT 혹은 MRCP를 통해 담도 및 담낭관의 해부학적 구조의 파악이 필요하다. 특히 담낭관이 아주 짧거나 총담관에 간쪽으로 높게 연결되는 경우(high fusion with hepatic duct) 그리고 Mirizzi 증후군이 의심되는 경우는 총수담관의 손상가능성을 주의해야 한다(그림 9-1, 2).

2. 마취

전신마취하에 기관지 삽관 후 예방적 항생제를 투여한다.

3. 환자의 자세와 술자의 위치

환자는 앙와위자세로 고정하고 수술대는 리모콘 조절이 잘 되는지 확인이 필요하다. 똑바른 supine position에서 배꼽 주변에 10 mm 첫 투관침을 삽입 후에는 Trendelenburg 자세로 상체를 약 20° 정도 거상하고 동시에 좌측으로 20~30° 정도 기울여서 위장관이 아래로 향하게 하여 간십이지장인대가 잘 노출되게 한다. 그 후 다음 투관침을 삽입하도록 한다.
술자와 scopist는 환자의 좌측에, 제1 보조의와 scrup 간호사는 환자의 우측에 선다.

4. 수술장비 및 기구준비

1) scope

scope는 직경이 5 mm와 10 mm 또는 그 이하도 있으나 가늘수록 시야가 좁고 어두워서 담낭절제수술에는 대부분 10 mm 직경의 rigid type을 사용하고 10 mm site로 절제된 담낭을 제거 한다. 카메라가 사물을 비추는 각도에 따라 직시경 0°부터 사시경으로 30, 45, 60° 등이 있는데 일반적으로 초심자는 0°를 쓰지만 각이 진 곳을 보기에는 사시경이 적합하여 보통 10 mm 직경의 30° 사시경이 주로 사용된다.

2) Veress침과 투관침

보통 Veress needle을 이용하여 시작하나 유착이 있거나 Veress needle의 삽입이 여의치 않는 경우에는 open method로 첫 투관침을 넣게 되는데 이때 가스의 누출을 막기 위해 balloon trocar를 사용하기도 한다. 첫 투관침은 보통 직경 10 mm로 하나 다음 투관침으로 사용될 5 내지 10 mm, 혹은 선호도에 따라 2, 3 mm 투관침을 준비할 수 있다(그림 9-3).

3) 결찰기구 및 겸자

담낭관이나 혈관 결찰을 위해 Hemolock (5 혹은 10 mm)이나 metal clip (5 혹은 10 mm)을 준비한다. 간혹 이것으로 결찰이 어려울 때 사용되기도 하는 endoloop 나 endo GIA를 준비할 수도 있다.
겸자는 주로 담낭의 fundus를 거상시키는 5 mm grasper와 Calot triangle을 노출시키기 위한 5 mm grasper가 필요하다. 그리고 박리를 위해서는 주로 5 mm curved dissector, right angle dissector가 쓰이는데 간혹 섬유화가 심할 때는 10 mm dissector가 필요할 수도 있다.

4) 기타

담낭을 박리할 때 Bovie와 연결하는 hook-dissector, 지혈을 위한 Bipolar coagulator, Ultrasonic dissector 그리고 suction & irrigator, endo-retractor 및 endo-pouch를 준비한다. 개복이 불가피한 경우를 위한 기구도 즉시 준비되게끔 한다.

5. 수술술기

1) 기복강 만들기

(1) 폐쇄법

배꼽 주변이나 안쪽으로 횡 혹은 종으로 절개를 한후 피하지방을 벌린 후 근막을 노출하고, towel-clip을 이용하여 양쪽 끝을 피부와 함께 물고 복벽을 들어 올린 상태에서 Veress 침을 가볍게 삽입하는데 이때 침이 근막을 관

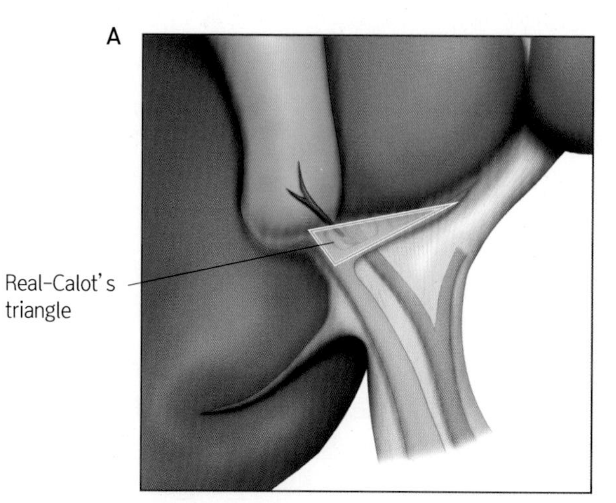

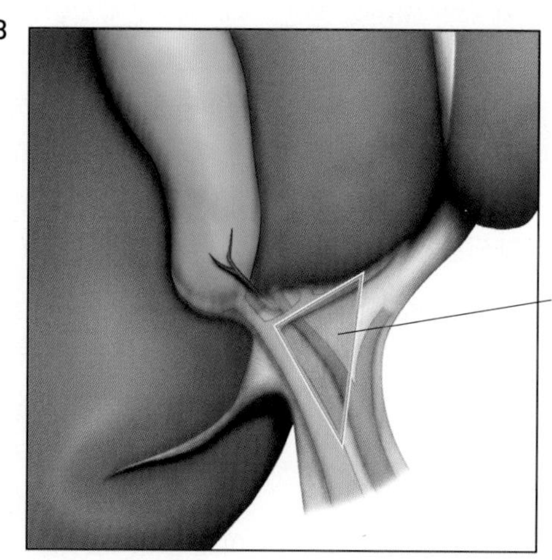

그림 9-1 A. High fusion or short cystic duct: space of Real-Calot's triangle is decreased.
B. When CBD bending upwardly, Pseudo- Calot's triangle is created.

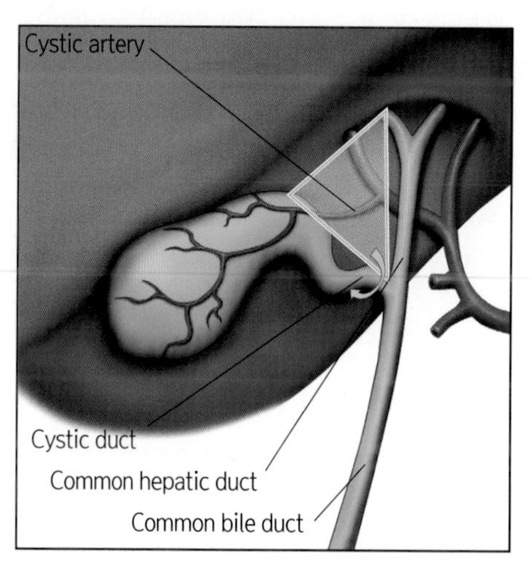

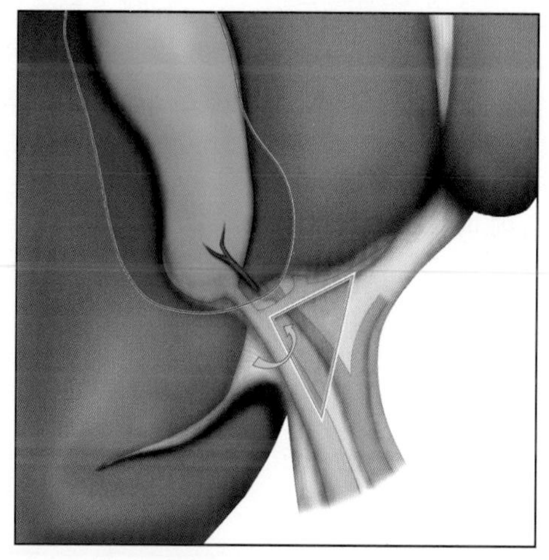

그림 9-2 우측모식도처럼 담낭관이 짧거나 염증이 심한 경우 수술 시 담낭을 상방으로 견인할 때 총수담관이 딸려 올라가서 형성되는 Pseudo-Calot's 삼각으로 인한 오인된 해부학구조 속에서 총수담관손상을 주의해야 한다.

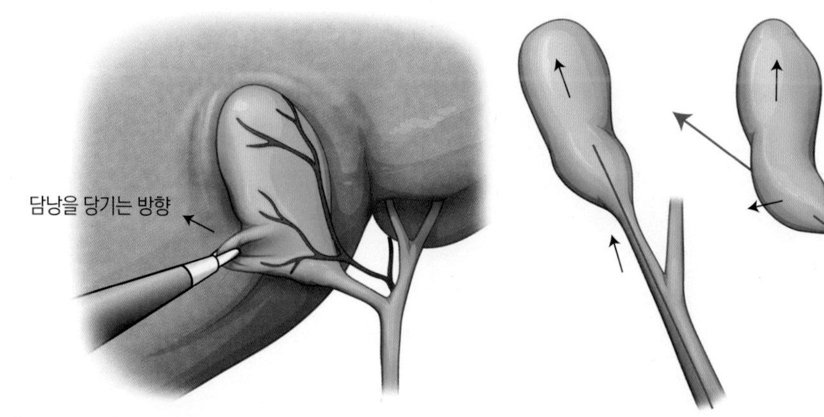

그림 9-3 Veres침, 투관침삽입 및 트로카위치

통할 때와 복막을 관통할 때 각각 Veress 침 내부의 스프링이 튕기는 소리가 두 번 들리게 된다(그림 9-3). Veress 침 삽입 시 복벽을 들어 올리면 근막이 경사지게 됨을 고려하여 근막에 직각으로 들어가게 주의한다. 그 후 Veress 침에 생리식염수가 담긴 주사기로 식염수를 소량 주입하면 저항 없이 쉽게 복강내로 들어가는지를 확인한다.

Veress침에 CO_2 line을 연결하고 처음에는 분당 1~3 L의 저속으로 주입하면서 복압이 천천히 증가하면 고속 주입으로 바꾸어 12 mmHg까지 올리고 Veress 침을 제거한다. 이때 가스주입초기에 천천히 압력증가 증가가 되지 않고 급격히 상승하는 양상이 보이면 가스주입을 중단하거나 혹은 Veress 침의 위치를 재확인하거나 침을 빼고 개복법으로 전환하기도 한다.

(2) 개복법

상복부수술의 과거력이 있을때는 수술상처의 위치와 수술자의 선호도에 따라 복벽 초음파 검사등으로 유착유무를 확인하고 피부절개위치를 정하기도 한다. 근막을 절개 후 복막이 보이면 하방의 장유착을 주의하면서 절개하고 투관침이나 balloon 투관침을 삽입한다.

2) 투관침 삽입

10 mm 첫 투관침의 배꼽 부위 삽입시 근막을 횡으로 Bovie로 1 cm정도 절개한 후 towel clip을 들고 있는 상태에서 투관침의 상부를 손바닥에 밀착시키고 중지를 길게 펴서 투관침에 밀착한 상태로 부드럽게 삽입하여 돌발적인 복강내 장기 손상에 주의하여야 한다(그림 9-3). 그 후 즉시 scope를 삽입하여 이상 유무를 확인한다.

두 번째 투관침은 검상돌기로부터 대략 3~5 cm 하방에 5 mm 투관침을 넣게 되는데 염증이 심하고 담낭관이 굵을 때는 필요에 따라 10 mm 투관침을 넣기도 한다. 세 번째 투관침(2, 3 혹은 5 mm)은 우상복부의 쇄골중앙선과 늑골연하방 3~5 cm에 삽입한다. 네 번째 투관침(2, 3 혹은 5 mm)은 우측 중앙 액와선상의 늑골하연 5 cm 부근에 삽입하여 담낭을 우측 액와부 방향으로 거상시키는 용도로 쓰이며 담낭절제 후 배액관 거치 용도로 쓰인다(그림 9-3).

3) 담낭절제과정

(1) 수술공간 및 Calot 삼각의 노출

보조의에 의해 외측 투관침으로 Locking 되는 겸자를 이용하여 담낭의 fundus 혹은 body를 잡고 상방 혹은 외상방(대략 10시 방향)으로 가볍게 들어 올리는 기분으로 밀어준다. 이때 과도하게 밀어서 담낭 cystic plate와 간실질의 열상으로인한 출혈에 주의한다. 그 후 술자에 의해 우상복부 투관침으로 겸자를 넣어 담낭의 infundibulum을 잡고 외측으로 가볍게 당겨서 Calot 삼각의 접혀진 부위를 펴서 총수담관과 담낭관이 노출되게 한다(그림 9-4).

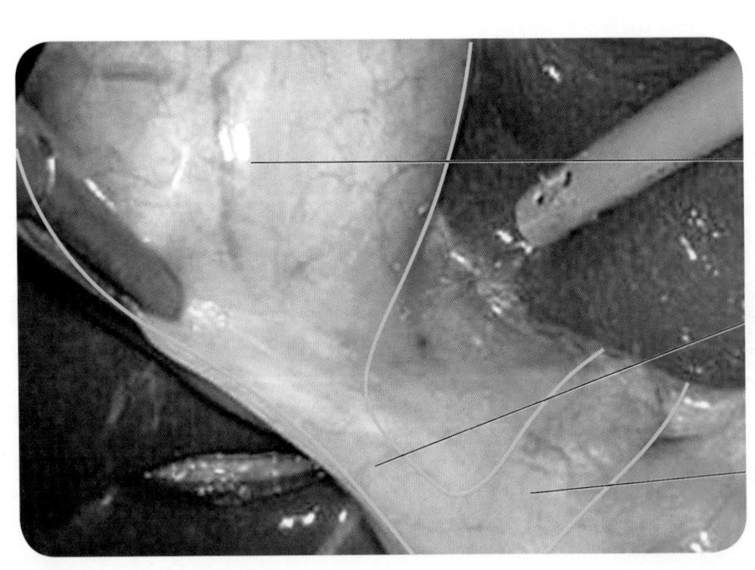

그림 9-4 Calot 삼각의 노출

복부지방이 없고 염증이 심하지 않는 경우는 육안으로 쉽게 보이지만 담낭과 총간관사이의 심한유착총수담관위를 두꺼운 지방조직이나 부종 혹은 섬유회된 조직들로 덮여있는 경우가 많아 총수담관의 손상을 피하기 위해 Critical view of Safety (CVS)를 확실하게 확인하는 것이 중요하다(그림 9-5).

(2) Critical view of safety (CVS)의 확인

Calot 삼각의 앞면, 즉 담낭 누두부(infundibulum)와 총수담관 사이의 장막을 박리 한다. 이때 저자는 주로 Bovie hook dissector를 이용한다. Calot 임파선의 직하방에서 serosa 박리를 시작하는데 easy touch bleeding하는 임파선을 상부로 밀면서 담낭관에서부터 가능한 담낭의 체부까지 장막을 박리한다(그림 9-6). 이때 임파선으로 부터의 출혈은 총수담관이나 담낭동맥의 손상을 피하기 위해 가능한 거즈를 이용한 압박 이후 정확하게 출혈부위를 보면서 bipolar coagulator로 지혈하는 것이 좋다.

담낭 누두부를 잡고 있는 술자의 겸자를 반대

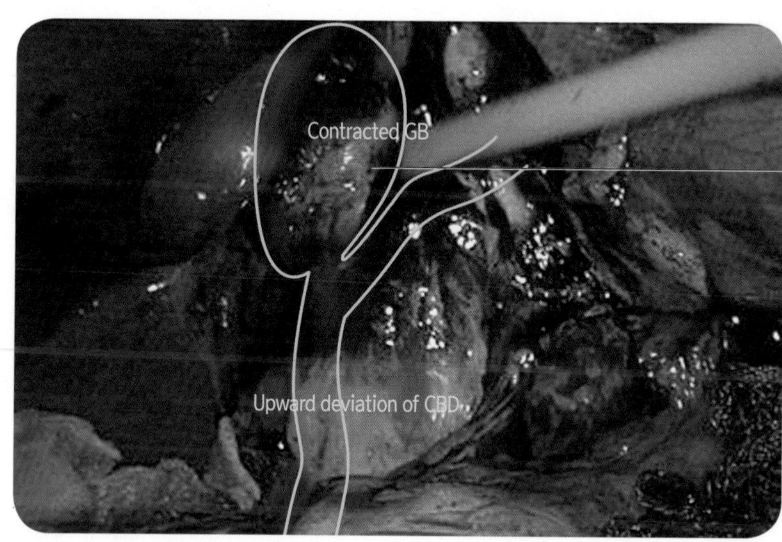

그림 9-5 염증및 담낭조직의 위축성 섬유화로 변형된 Calot 삼각구조

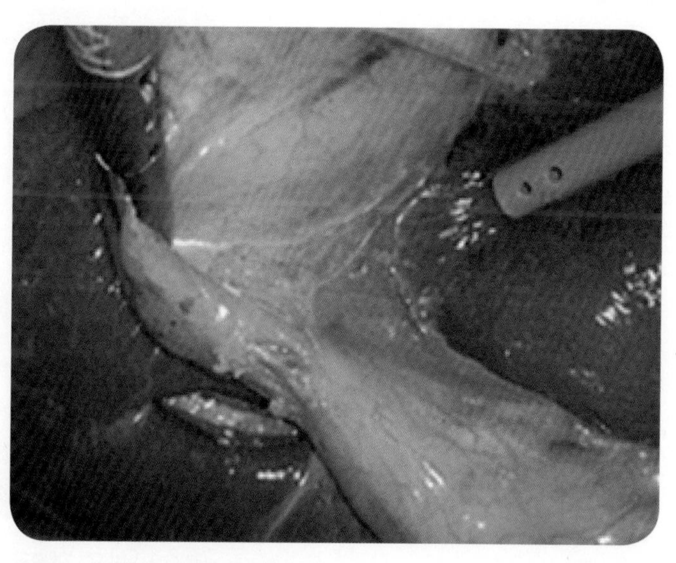

그림 9-6 담낭관에서 체부의 장막박리

로 즉 환자의 좌측으로 견인하여 Calot 삼각의 후면과 Rouviere sulcus를 노출시킨다. 담낭관으로부터 Rouviere sulcus의 상단을 따라 담낭의 체부까지 가능한 멀리 장막을 Hook dissector를 이용하여 박리한다(그림 9-7)(염증으로 부종이 심할때는 초음파 절삭기를 쓰는 것이 효과적일 때가 많다). 이때 담낭관이 우후담관으로 직접 합류하거나 우후담관이 총간관으로 직접합류하는 경우를 확인해야 한다. Calot 삼각 후방의 담낭관 주변 박리는 충분히 할수록 좋다. 이때 후방에서 담낭의 누두부로 향하는 담낭동맥이나 분지의 출혈을 조심하여 혈관구조물이 보이면 작은 클립으로 처리하는 것이 안전하겠다.

(3) 담낭관 및 담낭동맥의 확인

Calot 삼각의 전방 장막의 박리 후, 담낭관 상방의 누두부를 겸자로 잡고 외측 혹은 외상방으로 당기면서 담낭관과 담낭동맥주변의 지방조직이나 신경조직, 임파관 등을 박리한다. 염증이 심한 경우는 흡입기로 지방조직등을 흡입하면 시야 확보에 도움이 되기도 한다. 그러나 woozing 출혈이 있을 때는 여유를 갖고 거즈로 압박 지혈 후 다시 접근하는 것이 좋다.

누두부의 내측이 확인된 후 이 plane이 담낭관으로 연결되는 것이 확인되어야 바람직하다(그림 9-8). 심한 염증으로 확인이 어려울 때는 담낭관의 내측을 따라 흡인기나 Curved Blunt dissector로 총수담관에서 먼쪽으로

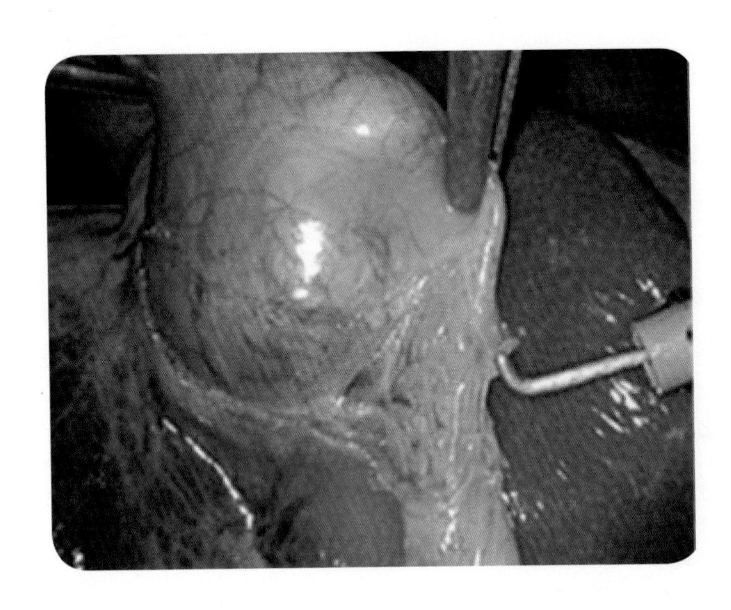

그림 9-7 Calot 삼각후면의 담낭관으로부터 Rouviere sulcus의 상단을 따라 담낭의 체부까지 가능한 멀리 장막을 박리한다.

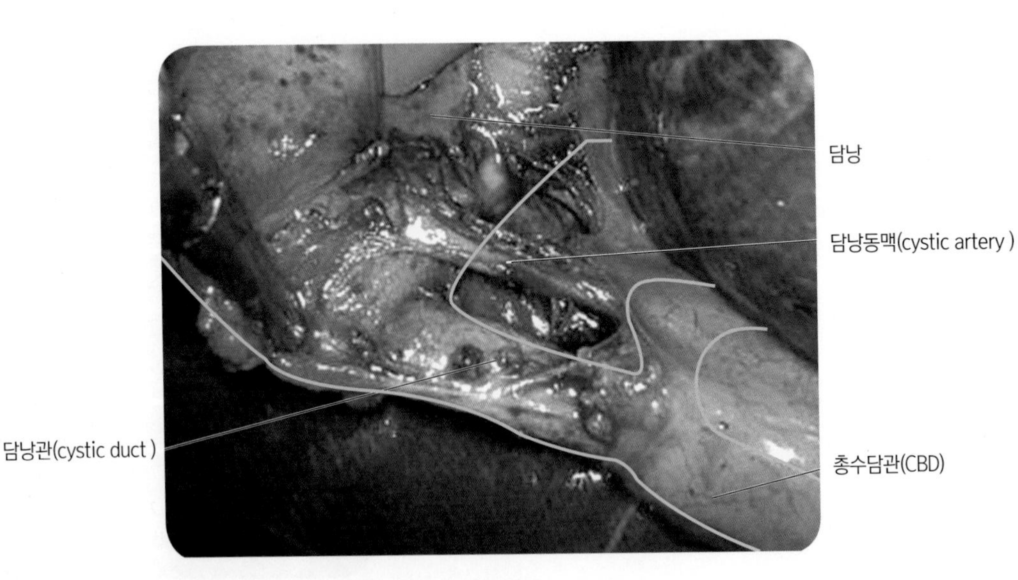

그림 9-8 Critical view of Safety (CVS)의 확인

담낭관을 가볍게 떠올리듯이 뒤쪽으로 관통시키면 담낭관이 쉽게 박리되기도 한다(그림 9-9).

일반적으로 담낭관이 총수담관과 만나는 부위까지 박리하는 것은 담도손상의 우려가 있어 불필요하나 담낭관 결석이 의심될 때는 담석을 dissector를 이용하여 담낭쪽으로 밀어 올리는데 담석이 impact 되어 있을 때는 세심한 박리가 필요하다.

(4) 담낭관과 담낭동맥의 결찰 및 절단

(그림 9-10) 박리가 된 담낭관은 metal-clip 혹은 hemo-lock으로 총수담관쪽에 2개, 원위부에 1개로 결찰하고 복강경용 가위로 절단한다. 이때 과도하게 담낭을 당기면 총수담관을 포함하여 결찰하게 되는 경우가 있어 주의를 요한다. 또한 염증으로 담낭관이 두껍고 easy-fragile할 때의 metal-clip은 칼처럼 작용하여 수술 후 담낭관으로부터 담즙유출이 될 수도 있어 주의를 요한다. 간혹 endo-loop로 결찰하거나 드물게는 복강경용 자동봉합기(endo-stapler)를 사용할 때도 있다. Calot 삼각내의 결합조직을 세심하게 가능한 담낭쪽으로 붙여서 박리하면 담낭동맥이 확인되는데 이때 Calot 삼각내의 림프절이 나타나는 경우는 가능한 easy-touch bleeding하는 림프절을 건드리지 말고 담낭쪽으로 걷어 올리듯이 박리하면 그 직하방이

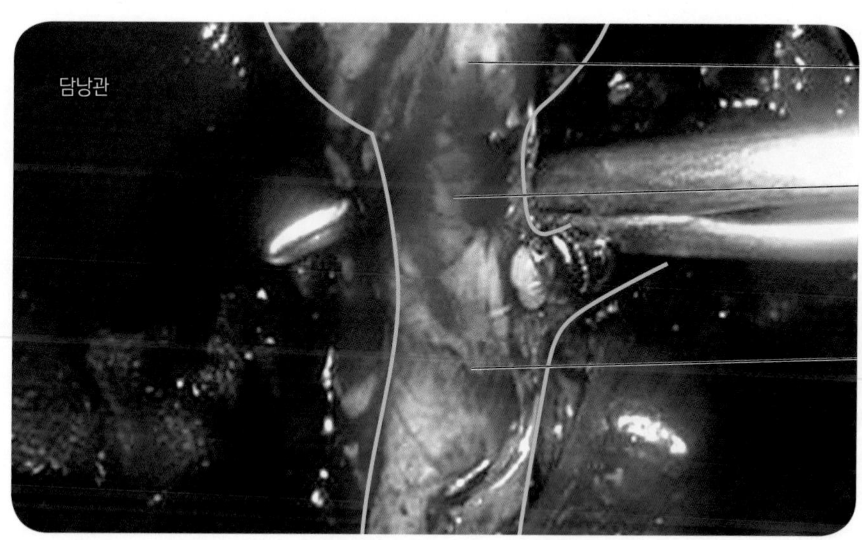
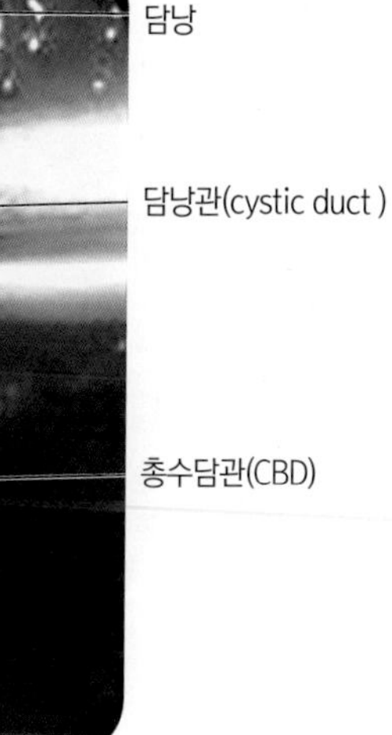

그림 9-9 염증과 유착 심한 경우 Curved Blunt dissector를 이용한 담낭관의 박리

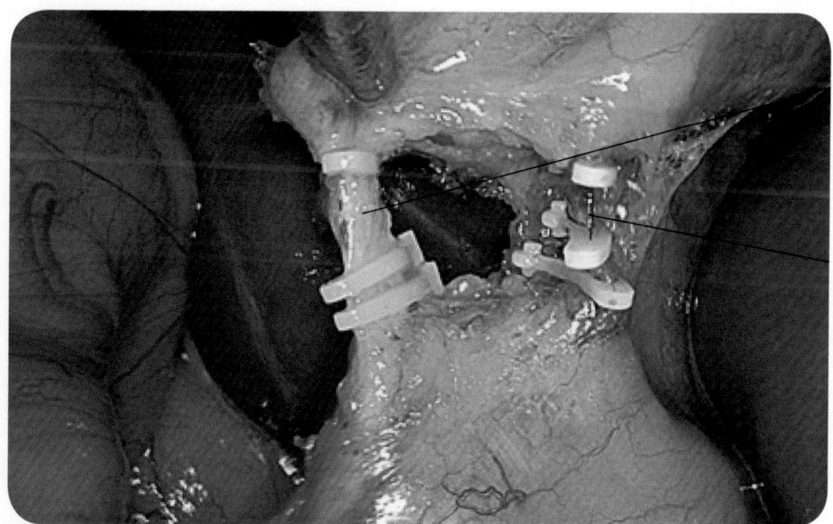

그림 9-10 담낭관과 담낭동맥의 결찰 및 절단

나 근처에 담낭동맥이 발견된다(이때 림프절로부터의 출혈은 잠시 거즈를 이용하여 압박지혈하거나 bipolar coagulation하는 것이 담낭동맥의 손상을 피할 수 있다). 담낭으로 들어가는 담낭동맥을 확인한 후 이중결찰과 절단을 한다. 그 후 절단된 담낭관을 들어 올리면서 담낭의 infundibulum의 후면을 박리한다. 이때 박리의 방향은 수평을 유지하면서 가능한 담낭에 붙여서 종종 발견되는 후담낭동맥을 확인 결찰해야 하며, 우간동맥의 손상을 주의한다(그림 9-11).

(5) 담낭체부의 박리 및 제거

(그림 9-12) Hook bovie 혹은 초음파절삭기등을 이용하여 담낭을 간으로부터 절제한다. 최대한 담낭의 근육주변결합조직면에 따라 절제면을 유지하여 담낭의 천공으로 인한 담즙의 spillage를 최소화 한다. 또한 간쪽으로 파고 들어가서 cystic plate의 손상과 간실질의 노출로 인한 출혈을 피해야 한다. 만약 간실질의 노출과 출혈이 있다면 압박, bipolar, 혹은 Bovie coaguation 등으로 지혈한 후 복압을 6~8 mmHg 이하로 하여 낮은 압력에서도 출혈이 없는지를 확인해야 한다.

절제된 담낭은 비닐백에 담은 후 배꼽이나 상복부의 10 mm 투관침부위로 빼낸다(그림 9-13).

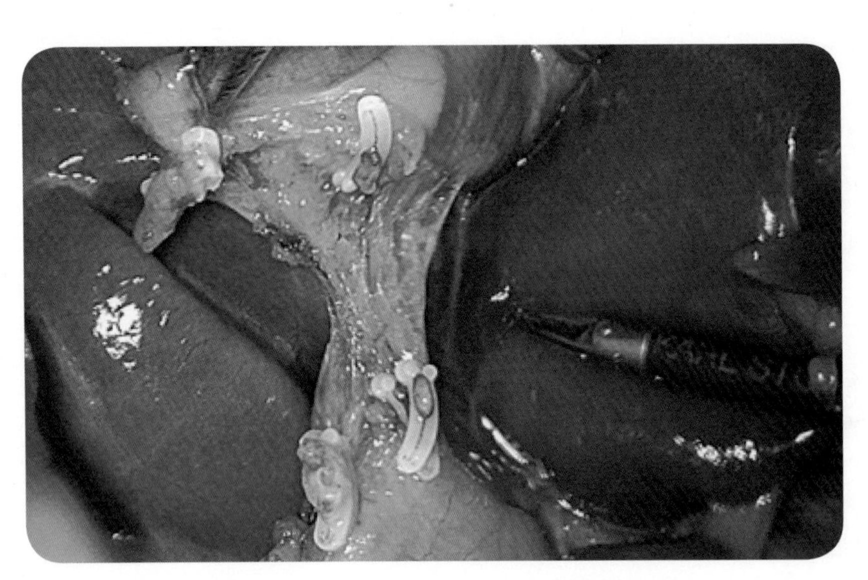

그림 9-11 절단된 담낭관을 들어 올리면서 담낭의 infundibulum의 후면을 박리한다.

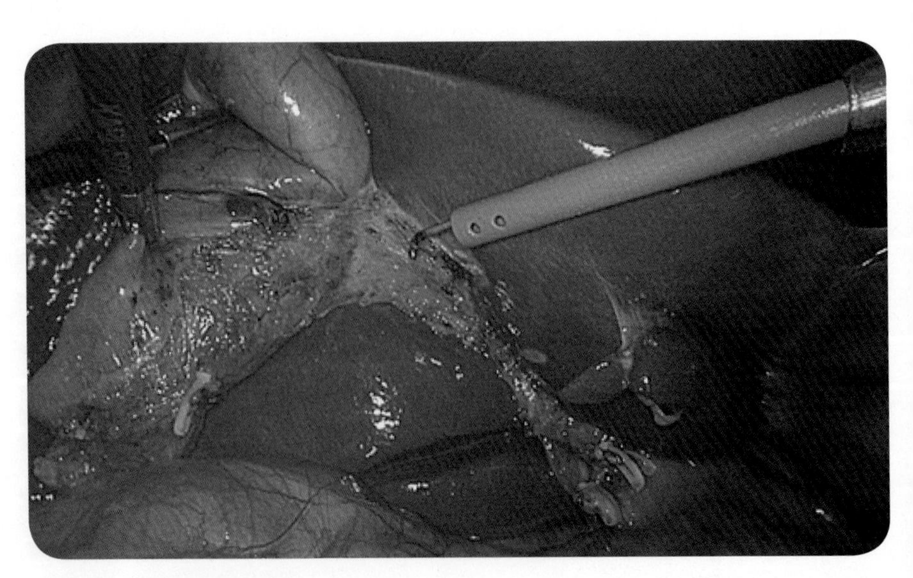

그림 9-12 간으로부터 담낭의 분리

담낭을 제거한 후 수술부위를 다시 한 번 지혈 및 확인하고 투관침 부위도 bipolar coagulator를 이용하여 지혈한다. 감염이나 수술 후 담즙누출 등이 우려되는 경우는 배액관을 가장 우측 5 mm 투관침 부위로 넣어 간하부에 삽입한다(그림 9-14).

복강경 시야에서 투관침을 제거하면서 반드시 투관침삽입 부위의 출혈을 확인해야하고 5 mm 투관침 부위는 근막봉합이 불필요하지만 10 mm 투관침 부위는 흡수성 합성봉합사로 근막봉합을 하고 피부봉합을 하여야 한다.

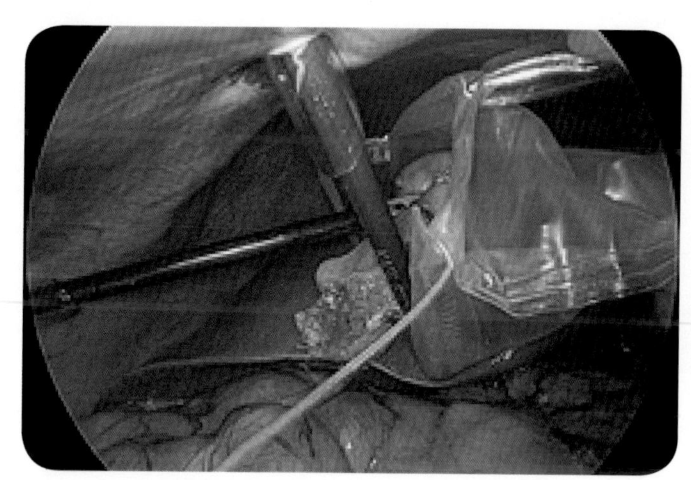

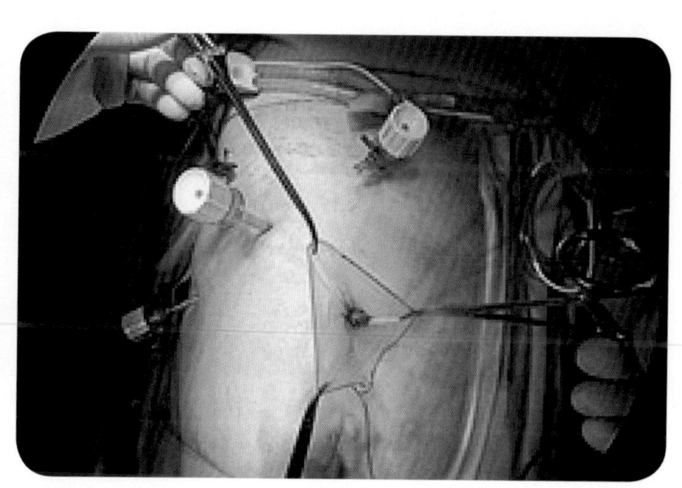

그림 9-13 담낭의 제거

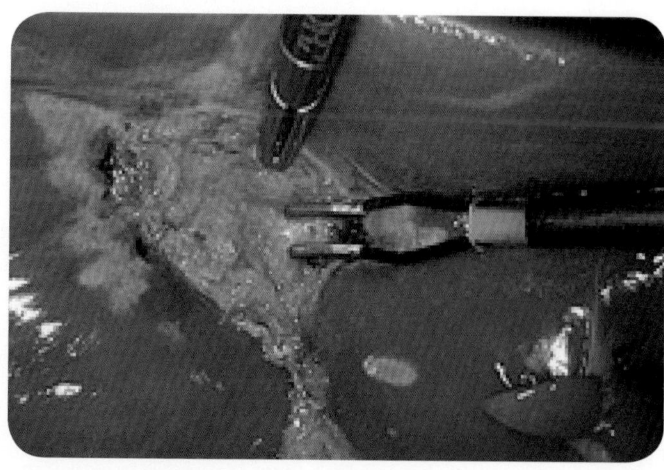

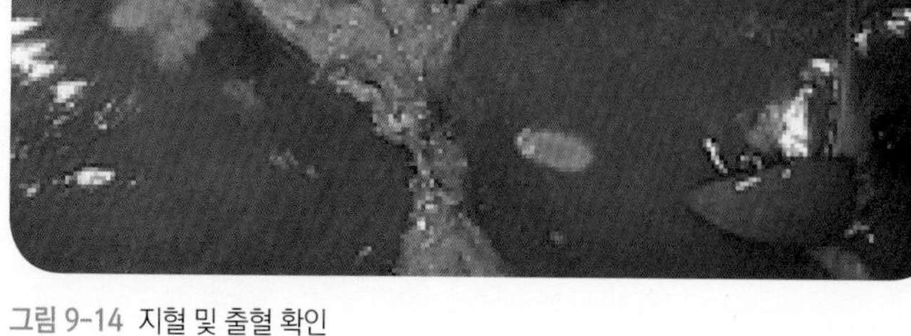

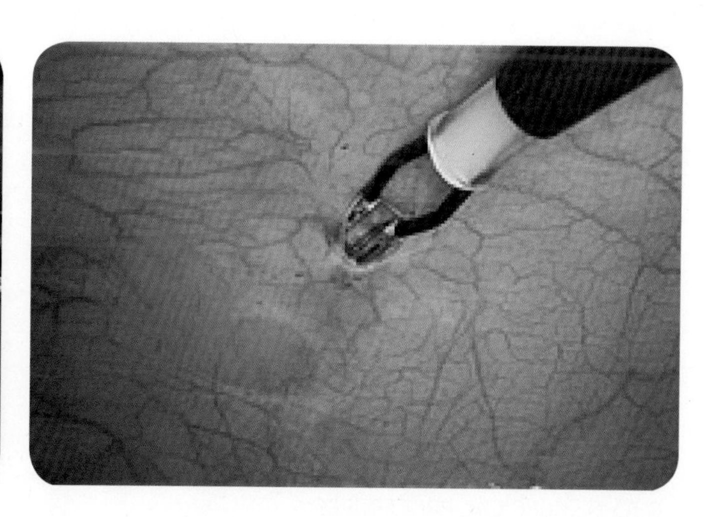

그림 9-14 지혈 및 출혈 확인

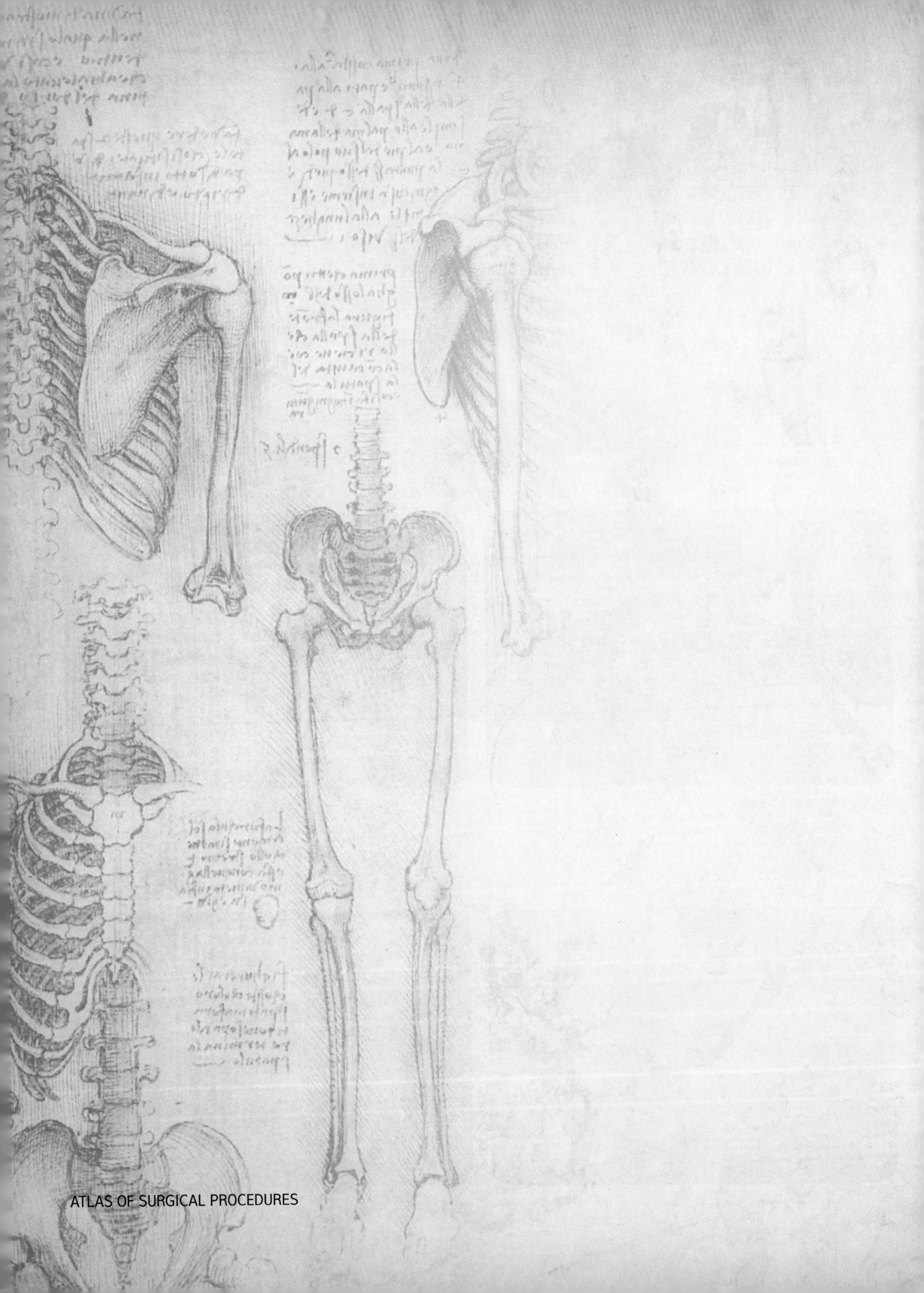

ATLAS OF SURGICAL PROCEDURES

CHAPTER 10

근치적담당절제술

Radical (extended) cholecystectomy of gallbladder cancer

1. 적응증

확대담낭절제술은 담낭을 포함한 담낭상(Gallbaldder fossa)의 간실질을 담낭으로부터 약 2~3 cm 정도의 변연을 두고 절제하며, 동시에 주변 림프절인 간십이지장인대(12번), 간동맥 주변(8번), 췌두부 후면(13번) 림프절을 절제하는 것으로 정의된다.

담낭암은 벽침윤의 깊이에 따라 수술 방법을 달리해야 하는 종양이다. 담낭암의 발생빈도가 낮은 미국의 NCCN 가이드라인에서는 점막에 국한된 경우(T1a)에만 단순 담낭절제술을 추천하고, 근육층(T1b) 이상을 침범한 경우에는 확대담낭절제술을 권유한다. 하지만 한국을 포함한 담낭암의 발생빈도가 높은 국가에서의 연구 결과를 보면 T1까지는 단순 담낭절제술로 충분하며, T2 이상의 병변에서 확대담낭절제술을 추천한다.

하지만, 우간으로 가는 혈관의 침범이나, 광범위한 간 침습이 있는 진행성 담낭암의 경우에는 확대우엽절제술을 하는 것이 바람직하다. 또한, 인접한 장기의 침범이 있는 담낭암의 경우에는 (1) 담도 침범 시 간외담관 절제술, (2) 췌장 침범 또는 췌두부 후면 림프절 전이(retropancreatic lymph node metastasis), 십이지장 침범 등에서는 췌십이지장절제술, (3) 인접 대장 침범 시에는 대장 합병절제술이 필요할 수도 있어서, 병변의 진행상태를 수술 전에 면밀히 파악해야 한다.

2. 수술 전 처치

일반적인 상복부 수술에 준하는 정도의 준비(예방적 항생제, 자정 금식 등)로 충분하지만, 합병 절제해야 하는 장기, 특히 대장 침범 등이 있을 경우에는 관장을 하는 것이 좋다. 수술 전에 고해상도의 초음파검사, CT, EUS 등의 영상 검사를 통해 종양의 침습 정도 및 주변 조직과의 관계 등의 3차원적 해부학을 잘 파악하고 수술에 임해야 한다.

3. 환자의 자세 및 절개

일반적으로 환자의 자세는 앙와위이며, 복부절개는 역 L자 절개(inverted L incision)를 시행하지만, 술자에 따라서는 우측늑골하절개+정중절개(right subcostal incision with midline extension)를 선호하기도 한다(그림 10-1).

4. 수술 과정

개복 시 수술 전 검사에서 발견되지 않은 복막 또는 간 전이 등의 근치적 수술의 적응증이 안 되는 요인이 있는지를 확인하고, 이와 같은 소견이 없다면 수술을 진행한다.

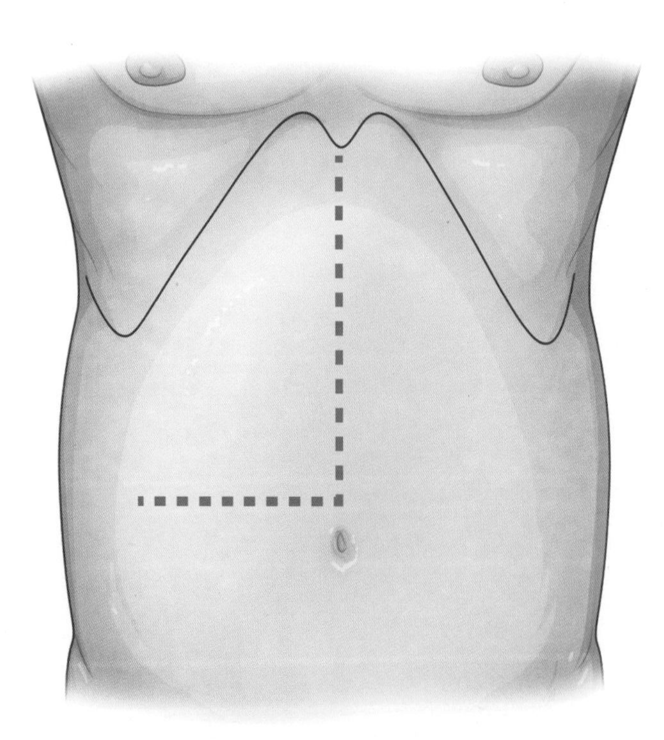

그림 10-1 역 L자(Inverted-L) 절개. 배꼽 위 2 cm 정도까지 정중 절개로 하고, 갈비뼈 하단 2 cm 정도를 목표로 횡절개를 한다.

1) 췌두부 후면의 노출 (Kocher's mobilization)

간십이지장인대부터 시작해서 십이지장 제3부까지의 복막에 절개를 가해서 췌두부 후면을 완전히 노출한다(그림 10-2). 이를 통해 담낭암의 전신 전이에 해당하는 대동맥 주위의 림프절 종대를 확인할 수 있고, 종대가 있는 경우에는 동결절편검사를 시행한다. 다음으로 췌두부 후면(13번) 림프절의 절제를 시행한다. 술자에 따라서는 13번 림프절의 전이시 췌십이지장절제술을 하는 경우도 있으나, 생존율의 향상이 높지 않고 수술의 위험성이 높아지기 때문에 이의 시행은 환자의 전신상태 등을 고려해서 신중히 판단 해야겠다.

2) 담낭관의 절단 및 동결절편검사

담낭을 겸자나 견인기를 이용해서 우상방으로 거상한 후 절개된 간십이지장인대의 우측연을 박리해서 먼저 담낭동맥 및 담낭관을 찾고 절단한 후 담낭관 절제연의 동결절편검사를 먼저 시행한다. 동결절편검사 결과에 따라 총담관절제와 담관공장문합술이 필요한 경우도 있다. 동결절편검사를 기다리는 동안에 림프절 절제술을 시행한다.

3) 림프절 절제술

간십이지장인대를 종으로 절제하여 간동맥, 총담관, 간문맥을 확인하여 그림 10-3과 같이 혈관걸이(vessel sling)를 걸면 혈관이나 담도를 좌우로 견인하여 림프절을 절제할 때 공간을 확보하고, 혈관/담도 손상을 줄일 수 있다.

술자의 경우에는 간십이지장인대의 위쪽(간하연), 아래쪽(십이지장)에 횡절개를 가하여 연부 조직의 유동화를 쉽게 한 후, 간동맥 주변의 박리를 먼저 시행하여 12a를 절제하고, 이 절개선을 따라 췌장의 상연과 총간동맥 사이로 들어가서 8번 림프절을 동시에 절제한다. 이후 담도 주변의 림프절(12b,c)을 절제하고, 맨 마지막으로 간문맥 주변의 림프절(12p)를 절제한다.

이때 림프절 외에 혈관 주변의 신경총을 같이

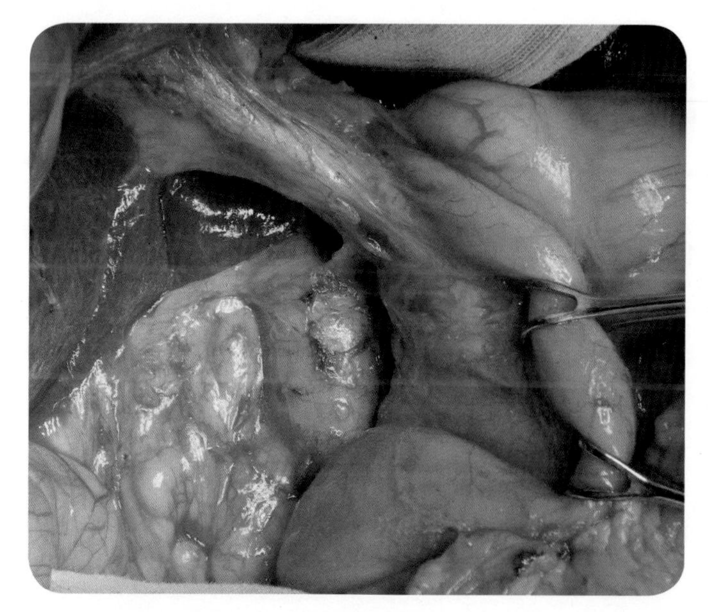

그림 10-2 췌두부 후면의 노출. 십이지장을 들어 올리면서 하대정맥 앞 조직들을 박리하면서 하대정맥을 깨끗하고 완전히 노출시켜서, 16번 림프절의 종대 여부를 확인하고, 췌두부 후면의 림프절(13번)을 절제한다.

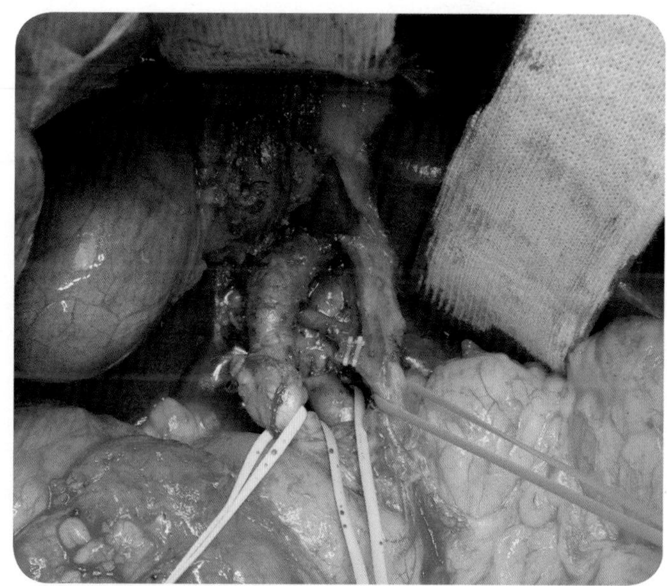

그림 10-3 혈관걸이로 담관, 총간문맥, 총간동맥을 표시함. 담도 및 혈관 주위 조직을 완전히 절제하여 골격화(Skeletonization)한다.

절제하여 골격화(skeletonization)하는 것을 일반적으로 같이 시행한다. 하지만 담도 주변의 과도한 박리는 담도 허혈이나, 담도 누공을 만들 수 있으므로 조심히 시행해야 한다.

4) 간절제

일반적으로 담낭와 주변으로 2~3 cm의 경계를 두고 설상 절제(wedge resection)를 한다. NCCN 가이드라인에는 IVa+V구역 간절제 하는 것을 추천하지만, 한국 및 일본에서 시행된 다기관 연구결과에 따르면, 설상 절제와 IVa+V구역절제 사이에 생존율의 차이가 없어서 굳이 필요 없는 광범위 간절제를 시행할 이유가 없다.

우선 담낭을 경계로 2~3 cm 경계 부위에 전기 소작기로 절제연을 표시한다. 절제연을 경계로 #2-0 Vicryl 봉합사를 이용해서 간 견인을 위한 봉합을 그림 10-4와 같이 시행한다. 이후 CUSA나 겸자 등 선호하는 기구를 이용해서 간을 절리하게 된다(그림 10-5). 간 절리 시 작은 담도와 혈관분지가 나타나면 이를 결찰하면서 절리를 진행한다. 비정형 간절제이기 때문에 절리하면서 간절제연과 담낭과의 거리를 수시로 확인하면서, 담낭벽에 가까워

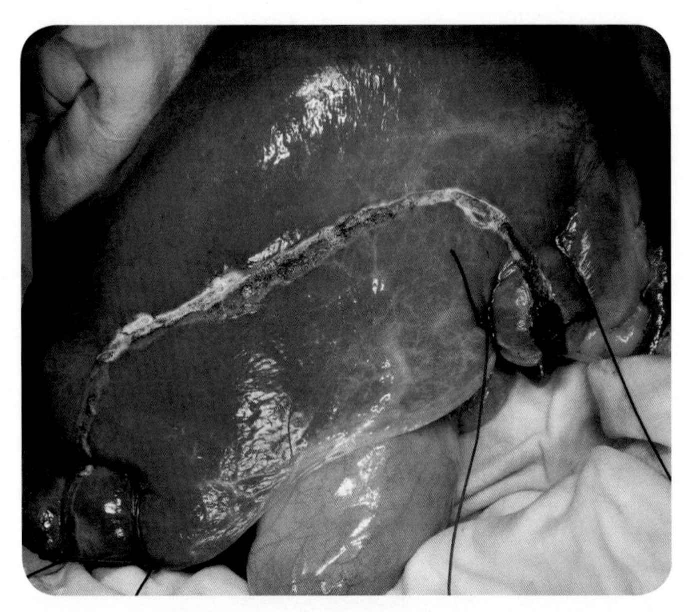

그림 10-4 설상 절제(Wedge resection)의 경계를 전기소작기로 표시한 모습. 담낭으로부터 약 2~3 cm 거리를 두고 표시하며, 견인을 위해 #2-0 Vicryl 봉합사로 경계의 양쪽을 봉합하여 박리하기 용이하게 한다.

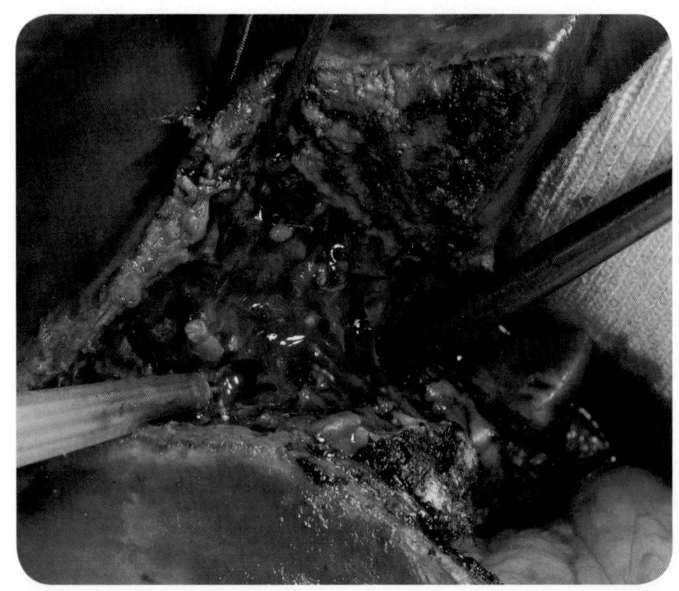

그림 10-5 CUSA로 간을 절리하는 모습. 포셉이나 견인기로 잘 견인해서 적절한 절단면을 노출시키면서, CUSA로 간 실질을 파쇄 및 흡인하면서 혈관분지나 담도가 보이면 봉합사나 클립으로 결찰하면서 진행한다.

지거나, 혹은 반대로 너무 깊게 들어가서 우간관이나 우간동맥/문맥 등의 중요 구조물이 손상, 절제되지 않도록 조심해야 한다. 간절리 시 가장 깊은 부위에서는 중간정맥이 존재하는 경우가 대부분이므로 절리 시 확인하고 결찰해야 한다.

절제가 이루어지면 깨끗한 거즈로 절단면에서 담즙 유출이나 출혈이 있는지 확인하여, 필요시 추가적인 봉합 또는 전기 소작을 시행한다. 확대담낭절제술 후 모습은 그림 10-6과 같다.

수술 중 시행한 담낭관의 동결절편 검사에 이상이 없으면 배액관을 간절제면에 위치, 고정하고 폐복한다.

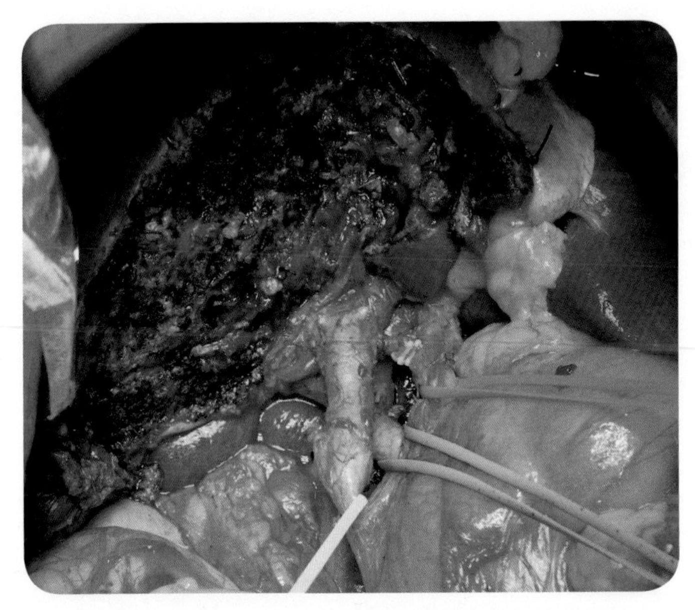

그림 10-6 확대담낭절제술 후 모습. 간 절제면에서 혈액 또는 담즙의 누출이 없는지 흰 거즈를 대어 확인 후 필요시 실이나 전기소작기로 결찰하여 마무리한다.

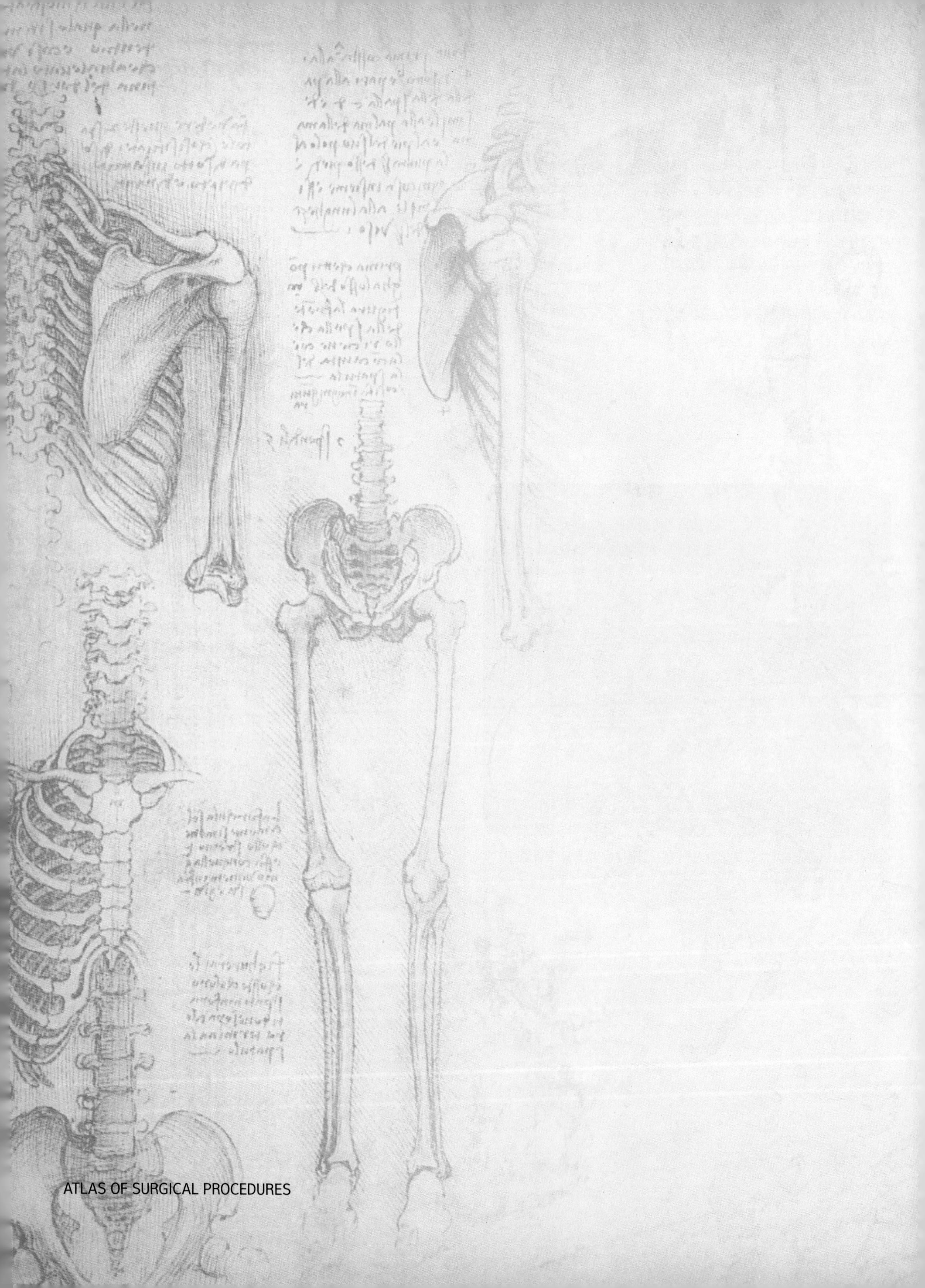

ATLAS OF SURGICAL PROCEDURES

CHAPTER 11

간문부담관암에 대한 확대우간절제 및 미상엽절제

Klatskin tumor – extended right hepatectomy and caudate lobectomy

1. 서론

간문부담관암(hilar 또는 perihilar cholangiocarcinoma)이란 간문부(hepatic hilum)에 발생하는 선암으로, 담관 벽 내에서의 장축 방향으로의 진전뿐만 아니라 담관벽 밖으로의 진전으로 담관주위 결체조직에 쉽게 침윤하기 때문에 근치수술은 담관과 주위 결체조직을 일괄 절제해야 하며 더 진행된 경우에는 혈관 합병절제가 필요하다.

간문부로부터의 간측 담관은 좌 · 우측 담관뿐 아니라 미상엽 담관지들이 분지하기 때문에, 간문부 암의 근치적 수술을 위해서는 암의 진전 부위에서 최소 5 mm 이상의 종양음성 절제 거리(tumor-free resection margin)를 확보하는 담관 절제를 동반해야 하고, 이들 각각의 담관지뿐만 아니라 주위 결체조직과 암에 침범된 담관 분지의 해당 간구역을 합병 절제하는 광범위한 수술이 필요하다.

2. 적응증

- 간문부암이 우간관으로 파급된 Bismuth-Corlette IIIA형 담관암
- 간문부암이 간문부에만 국한되고 좌 · 우측 간담관의 어느 쪽으로도 파급되지 않은 Bismuth-Corlette II형 담관암이라도 근치성을 높이기 위해 미상엽의 완전 절제와 우엽 절제가 권장된다.
- 간문부암이 Bismuth-Corlette IV형으로 간담관의 좌 · 우 양측을 침윤하고 있지만, 좌담관의 종양음성 절제가 가능하게 보이는 경우에도 적용할 수 있다.

3. 확대간우엽 절제의 개념

간문부의 담관과 주위 혈관들의 위치 관계를 보면 다음의 특징을 가지고 있다(그림 11-1).

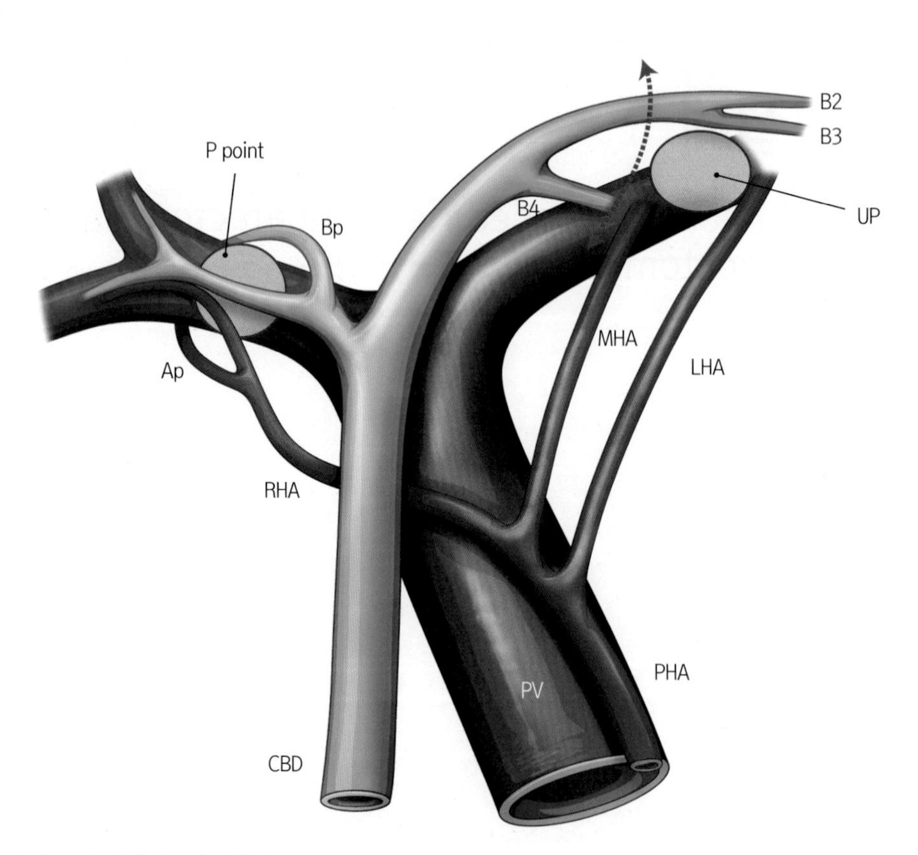

그림 11-1 간문맥의 표준적 맥관해부
PHA: 고유간동맥(Proper hepatic artery), LHA: 좌간동맥, MHA: 중간동맥, RHA: 우간동맥, Ap: 우간동맥후지, CBD: 총담관, B2: 좌담관 외측후지, B3: 좌담관외측전지, B4: 좌담관내측지, Bp: 우담관후지, PV: 문맥본간(Portal vein)[문맥본간은 좌 · 우문맥지로 분지되고 좌문맥지는 횡주부(transverse portion)에서 직각으로 두측으로 꺾이며 제부(Umbilical portion)로 이행된다], UP: 문맥제부(Umbilical portion of portal vein), P point: 우문맥후지 분지부

- 담관은 간십이지장간막의 우측에 기울어서 주행하기 때문에 좌 · 우 간관 분지부는 간문부의 우측에 위치하고, 우엽 Glisson의 근위부에 위치하는 관계로 좌간관의 길이가 더 여유가 있어서, 우측보다 좌측 간관을 더 길고 여유롭게 절제할 수 있다.
- 좌간동맥은 간십이지장간막의 가장 좌측에 위치하여 암의 침윤이 있는 담관에서 멀리 떨어져서 주행하는 반면, 우간동맥은 대다수의 증례에서 총수담관의 배측을 근접하여 횡주하면서 총간관의 우측에 도달하므로 이 부위에서 암의 침윤을 쉽게 받게 되고, 또 설사 침윤이 없더라도 우간동맥을 종양이 침범한 인접 담관에서 세심하게 분리해야 되므로, 이 과정에서 필연적으로 종양을 과도하게 조작하게 되어 암세포의 파종을 유발할 수 있다.
- 미상엽 담관지들은 대다수에서 암 침윤을 받게 되므로 미상엽 동반절제는 근치적 절제술을 행하는데 반드시 필요하다.
- 문맥 합병절제가 필요한 경우, 좌문맥지 횡주부(Transverse portion of left portal vein)의 길이가 길기 때문에 좌문맥이 우문맥에 비하여 절제 및 재건 시에 용이하게 충분한 거리를 확보할 수 있다. 이러한 이유들로 인해 간문부담관암의 점거 부위가 명확히 좌측 간관지에 우위를 둔 경우(Bismuth-Corlette IIIB형 담관암)를 제외하고는, 대다수의 간문부담관암에 대해서는 (확대)우엽절제및 미상엽 절제가 기본적인 근치 수술이 된다. 이 술식은 통상적으로 절제되는 간의 용적이 전체 간 용적의 2/3 이상이 되므로 대량 절제술에 따른 간기능 부전을 방지하기 위해 수술 전 충분한 잔존 간의 용적을 미리 확보하는 것이 꼭 필요하다. 따라서 우엽이 이미 위축되어 있는 경우가 아니면 술전 간우엽 문맥색전술을 시행하여 잔존예정 간인 좌엽의 대상성 비대를 유도하고, CT영상으로 추정 잔존예정 간용적을 계산하여 충분한 크기의 잔존예정 간의 용적이 확보된 것을 확인 후에 수술을 해야 한다.

4. 수술 전 평가 및 처치

수술 전 평가는 암의 진행 정도(담관 침윤의 범위, 혈관 침윤의 유무와 그 부위)와 간기능과 간절제율을 고려한 간의 예비력에 대한 평가이며, 술전 처치는 감황 시술과 문맥색전술이다.

1) 수술 전 평가

암의 근치 수술을 하는데 있어서, 절리 단단의 암음성화가 제일 중요하다. 담관벽 안에서의 장축 방향의 진전 평가에는 감황 전 시행한 MRCP (Magnetic Resonance Cholangio-Pancreatography)가 확장된 담도범위를 정확하게 보여주기 때문에 중요한 정보를 제공한다. 내시경적 역행성담관조영(Endoscopic Retrograde Cholangiography, ERC) 또는 경피경간담관배액(Percutaneous Transhepatic Biliary Drainage, PTBD)에 따른 담관조영술도 종양 범위를 잘 보여준다.
주변 혈관 침범과 같은 수직 방향의 담관벽 밖으로의 진전 범위는 역동적CT와 조영MRI를 실시하여 평가하고, 3차원 재건 영상에서 침윤 범위를 보다 정확하게 확인할 수 있다.
간우엽은 미상엽을 포함하여 대개 전체 간 용적의 2/3 이상을 점유하므로 술 전 역동적 CT를 이용한 volumetry를 시행하여 간실질 절제율을 계산한다. 일반적으로 간문부담관암에서는 폐쇄성 황달이 동반되므로 간예비력의 평가 방법으로서 ICG 배출시험검사의 신뢰도는 낮다. 술 전 황달의 경감 정도와 환자의 고령, 만성 간염 동반 여부, 췌두십이지장 합병 절제 여부 및 환자의 전신 상태를 고려하여 잔존예정 간 용적은 전체 간 용적의 40% 이상을 확보하는 것이 중요하다.

2) 감황 처치

술 전 황달이 있는 경우에는 간기능의 개선과 담관염을 방지하기 위해 충분한 감황이 필요하다. 우엽 절제를 포함하는 대량 간절제를 예정한 경우 감황의 목표는 총빌리루빈치가 2 mg/dL 이하이다. ENBD (endoscopic naso-biliary drainage)를 이용한 감황이 우선적으로 시도되고 있고, 감황되는 속도가 느리고 담관염이 잘 조절되지 않는 경우에는 PTBD를 병행 시행할 수 있다. ENBD는 일측 내지 양측 모두에 시행이 가능한데, 좌우측 담관이 분리된 간문부담관암에서는 담관염 조절을 위하여 가능하다면 양측 배액을 권장한다. PTBD에 의한 복강내 암세포의 산포 증례들이 간헐적으로 보고되고 있기는 하지만, 적응증이 되면 PTBD를 주저없이 시행하는 것이 타당하다. 수술전 환자의 편안함을 위하여 ERBD (endoscopic retrograde biliary drainage)를 시행하는 경우가 있는데, 이는 상행성 담관염의 위험을 증가시키기 때문에 절제 수술을 예정하는 환자에서는 피해야 한다.

3) 문맥색전술 (Portal vein embolization, PVE)

간문부 담관암에서는 선행한 황달에 의해 간의 기능적 저하를 동반하고 있기 때문에 잔존 간용적은 적어도 전체 간 용적의 40% 이상이 남도록 해야 한다. 술 전 황달이 심했거나 간기능이 저하되어 있고 잔존예정 간 용적이 작다고 예상되는 경우는 적극적인 문맥색전술로 잔존 예정 간의 대상성 비대를 유도하여 수술의 안전성을 높이는 것이 중요하다. 경피적 우측 PVE을 시행 후 수일 이내에 역동적 CT를 이용하여 PVE가 제대로 시행되었는지 확인한다. 시술 후 간기능의 급격한 저하를 방지하기 위하여 총빌리루빈치가 5~8 mg/dL 정도로 낮아진 시점에서 우측 PVE를 시행하는 것을 권한다. PVE 시술 수일 후 우측 문맥 혈류 잔존 확인을 위하여 초음파도플러검사를 시행하는 경우도 있지만, 역동적 CT가 더 정확한 정보를 제공할 수 있다. 1주일 간격으로 역동적 CT를 시행하여 우측 간의 위축과 좌측 간의 비대 정도를 확인한다. 잔존예정간이 전체 간 용적의 40% 이상이 되고 총빌리루빈치가 2 mg/dL 이하가 되면 적절한 수술 시기라고 본다. 감황이 잘 되지 않아서 오랫동안 기다리는 경우에는 종양이 대기기간 중에도 서서히 진행하기 때문에, 가능하면 PVE 후 4주 이내에는 수술을 시행하는 것을 권한다.

4) 간정맥색전술 (hepatic vein embolization, HVE)

우측문맥색전술 만으로 충분한 정도의 우측 간의 위축과 좌측 간의 비대를 기대하기 어려운 경우에는 추가적으로 간정맥색전술을 시행하여 우간정맥(right hepatic vein)과 하간정맥(inferior hepatic vein)을 차단할 수 있다. 우측 간의 문맥과 간정맥 혈류가 모두 차단되면 우후구역으로 가는 혈류량이 현저히 감소하여 우측 간 실질의 위축을 좀더 효과적으로 유도하고, 좌측 간의 대상성 비대를 더 많게 유도할 수 있다.

5. 담즙배액관의 수술 중 관리

간문부담관암 환자의 대부분은 폐쇄성 황달이 동반되기 때문에 담즙배액관(PTBD 또는 ENBD)이 삽입되어 있다. 근치 수술은 장시간을 요하고, 술 중 담즙배액 상태가 적절치 못하면 술 후 경과에 나쁜 영향을 미치므로 배액관의 관리가 중요하다. 수술 시작 전 PTBD배액관의 연결 튜브를 떼어내고 PTBD 튜브 끝을 수술용 고무장갑으로 싸서 수술 도중 일시적인 배액 주머니로 사용한다. ENBD 튜브는 총수담관 절단 전까지 그대로 유지한다.

6. 수술 과정

총수담관을 간십이지장간막 내에서 박리하여 췌장 상연에서 절단한 후, 담관과 주위결체조직 · 림프절 · 절제될 간으로 향하는 우간동맥과 우측문맥을 절단하여 일괄처리 절제하고, 잔존할 좌간으로 향하는 동맥 및 문맥을 골격화하여 암세포가 남아있을 수 있는 결체조직을 모두 제거한다. 이 과정은 간내 좌측담관 절리 예정 부위까지 진행하며, 간실질 절리도 이 부위를 향하여 진행해 나가고, 담관과 주위결체조직과 간의 우엽과 미상엽을 함께 절제한다. 실제 수술의 순서는 ① 간십이지장간막 내의 담관과 주위 결체조직의 유리 ② 좌측 Glisson횡주부의 간 · 담관절리 예정 부위까지의 좌 · 중간 동맥과 좌문맥의 골격화 박리 ③ 절제할 우엽과 미상엽의 유동화 및 박리 ④ 간실질 절리 ⑤ 좌간관 절단 및 담관 재건의 순서이다(그림 11-2).

간절제 범위에 따라 간실질 절리선은 달라진다. 좌측간이 충분히 크고 중간정맥과 좌간정맥 사이에 간열정맥(fissural vein)이 존재하는 경우에는 중간정맥간을 완전히 제거하는 확대우엽절제술을 시행할 수 있다. 좌측간이 충분히 크지 않거나 수술 위험도가 높은 경우에는 내구역 간실질을 보존하기 위하여 중간

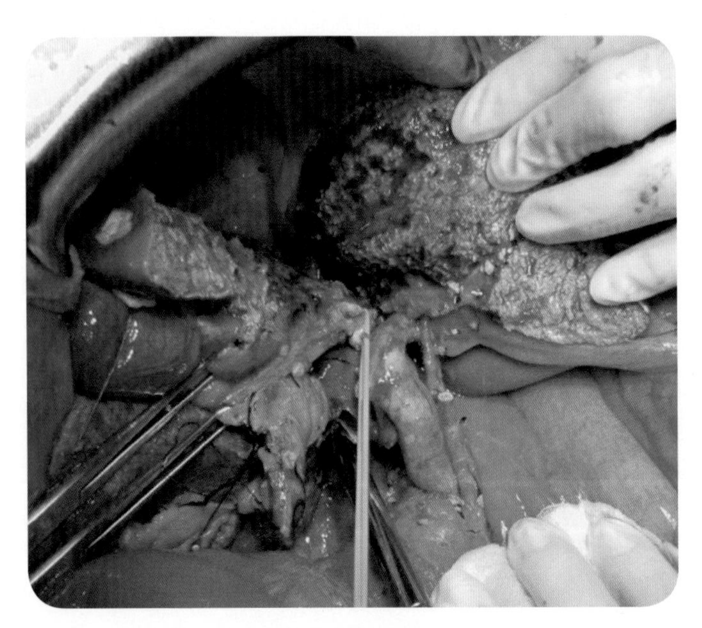

그림 11-2 간절제 범위 및 간십이지장간막의 골격화

정맥의 복측 절반을 제거하고 배측 절반을 보존하는 방법을 사용하는데, 수술 안전성이 높기 때문에 이 수술 범위가 선호된다.

1) 절개와 시야 확보

검상돌기부터 배꼽 상부까지 정중절개로 개복하여 복수, 복막파종 및 간전이 여부를 관찰한 후, 우측 수평절개를 추가한 mirrored-L 자형 절개로 수술 시야를 확보한다. 견인기의 종류에 따라 절개 범위가 달라지기는 하지만 대개 좌측의 수평 절개는 필요하지 않다. 검상돌기를 절제하면 좀더 좋은 수술 시야를 확보할 수 있다. 좌측의 PTBD 튜브는 고정된 봉합사를 풀어서 튜브를 복강 내로 밀어 넣은 후 수술용 고무장갑을 다시 연결하여, 수술 도중 담즙이 장갑 안으로 지속적으로 배액되도록 만든다. 담도 재건이 불완전하거나 간기능부전의 위험이 있는 경우에는 수술 후에도 PTBD를 유지할 수 있기 때문에 좌측의 PTBD 튜브는 절단하지 않고 그대로 둔다. 소망을 열고 암의 장막침윤 여부와 림프절 전이 상황을 관찰한다. 간 겸상간맥(falciform ligament)을 두측으로 절단하여 주요 간정맥들의 하대정맥 유입부를 노출시킨다. 간문부 시야 시야확보를 위하여 원형인대를 결찰한 후 봉합사를 견인하여 견인기 너머로 타월 클램프로 고정한다.

2) 담낭 절제 및 간외담관 박리 및 절단

담낭 절제를 먼저 하지 않는 경우 시야 확보가 어렵기 때문에 담낭관에 광범위한 종양 침윤이 있는 경우가 아니라면 역행적 담낭절제술을 먼저 시행한다. 이어서 우간동맥을 만지면서 장십이지장간막의 결체조직을 조금씩 박리하여 우간동맥과 문맥본간을 노출시킨다. 총수담관의 주행을 파악한 후 췌장을 향하여 박리를 지속한다.

Kocher 조작으로 십이지장을 수동하고, 췌두 후부의 췌장실질을 노출시키기 위해 췌피막과 주위조직을 박리하여 13번 림프절 곽청을 한다. 도중에 후상췌십이지장동 · 정맥(postero-superior pancreaticoduodenal artery and vein)이 노출되는데 이들을 췌장 실질을 따라서 두측으로 유리 · 노출해가면 췌상연에 도달하고, 동맥은 총간동맥으로부터의 위십이지장동맥의 분지 근처에 근부가 있고, 정맥은 배측에서 문맥으로 유입된다.

하부 총수담관을 혈관고무줄로 걸고 견인하면서 총수담관을 췌장 상연에서 절단하여 담관 단단의 신속동결병리검사를 시행한다(그림 11-3). 췌장내 담도 내로 볼팁주사기를 이용하여 생리식염수를 강하게 주입하여 잔존 담관 내 유리된 종양 덩어리나 혈전 등의 문제가 없다는 점을 확인한다. 췌장 내 담관의 단단은 봉합 결찰보다는 5-0 prolene으로 연속 봉합하는 편이 안전하다.

담관 단단이 종양양성으로 통보를 받으면 췌장 실질 내부로 총수담관을 2~3 cm 더 파고 들어가서 최대한의 절제연 거리를 확보한 후

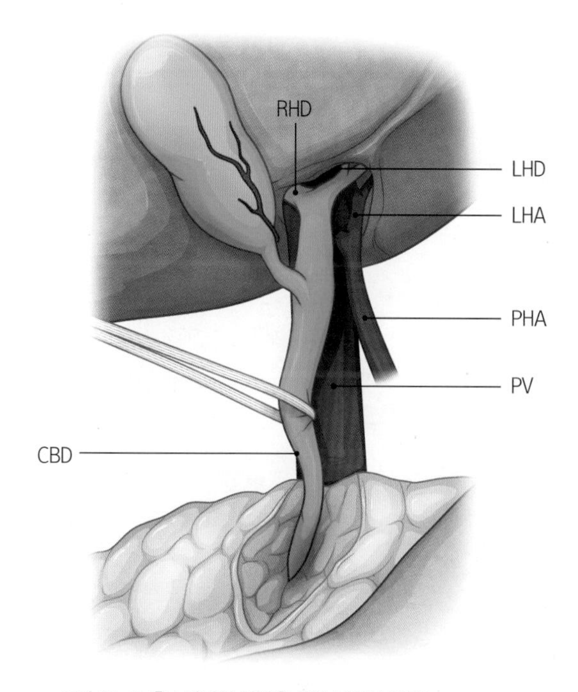

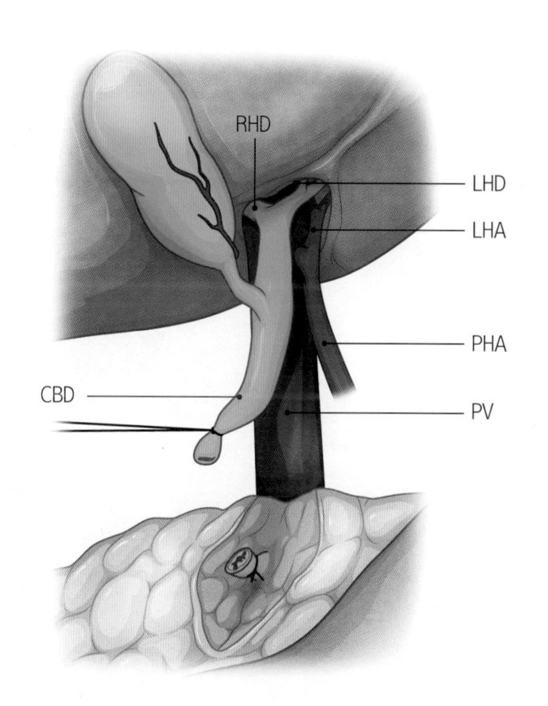

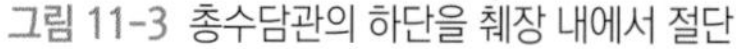
그림 11-3 총수담관의 하단을 췌장 내에서 절단

절단하고 신속동결병리검사를 다시 시행한다. 이렇게 췌장 실질을 깊게 파고 들어가는 경우에는 수술후 췌장액 누출의 위험이 있기 때문에 박리된 췌장 조직을 조심스럽게 봉합해야 한다(그림 11-4).

3) 간십이지장간막 혈관의 골격화

일단 총수담관을 절단하고서 두측으로 견인하면 문맥과 간동맥 전장이 잘 노출된다. 이렇게 수술시야를 확보하고서 문맥주위 림프절 곽청을 시행하여 간문부의 혈관 구조를 간단하게 만든 후 간십이지장간막 내 동맥의 골격화를 시작한다. 우간동맥이나 위십이지장동맥을 시작으로 조심스럽게 주위신경총을 박리하여 우간동맥, 중간동맥, 좌간동맥, 고유간동맥, 총간동맥, 위십이지장동맥으로 이어지는 간동맥의 전장을 노출시킨다.

이때 간동맥 주변의 림프절 중 커진 것이 있다면 신속동결병리검사를 시행하고, 종양 양성으로 나온 것이 있으면 주위신경총을 더 철저하게 제거한다. 간동맥 주위신경총을 과도하게 벗겨내는 경우, 나중에 가성동맥류 발생의 위험이 있기 때문에 동맥 외피(adventitia)에 손상을 주지 않도록 주의하여야 한다. 동맥 주변에서 과도하게 전기소작기를 사용하면 혈관손상으로 이어질 수 있기 때문에, 가능하면 조심스럽게 기계적인 박리를 시행하여야 한다. 박리된 혈관을 견인하기 위하여 혈관고무줄을 걸어 놓으면 편리하기는 하지만, 과도한 견인이 혈관 손상을 유발할 수 있기 때문에 조심하여야 한다.

4) 우간 간동맥 절단 및 문맥계의 노출

우간동맥을 절단하여 결찰하고 림프절들을 포함한 주위결체조직과 총수담관은 우측으로 들어 올리면서 견인하고 문맥본간은 혈관고무줄을 걸고 우측으로, 고유간동맥은 좌측으로 견인하면서 간동맥과 문맥 주위의 결체조직을 장축방향으로 박리하여 좌우측 문맥 분기부를 노출시킨다(그림 11-5).

좌측문맥 횡주부를 박리하여 좌측 문맥분지를 충분히 노출시킨다. 이때 확장된 담도는 담관염 때문에 좌측 문맥에 유착이 되어 있는 경우가 흔하기 때문에 쉽게 노출할 수 있는 부위까지만 박리하여 문맥 침윤이 없다는 것을 확인한다. 좌측 문맥에 붙어 있는 미상엽 문맥분지 2-3개를 절단하고 결찰한다(그림 11-6).

5) 우간 및 미상엽의 유리화

우측 문맥이 잘 노출되어서 쉽게 절단이 가능하면 바로 절단하지만, 주변부 유착 등으로 박리가 잘 되지 않는 경우에는 bulldog겸자 등으로 우측 문맥혈류만을 차단하고 우간 유리화를 시작한다. 이 단계에서 우간의 동맥 및 문맥 혈류가 모두 차단되어 있기 때문에 우간 표면은 허혈성 색변화를 보인다.

전기 소작기로 우관상간막, 우삼각인대, 간신간막을 절단하고 나아가 간과 우측 부신 사이를 유리하여 하대정맥을 노출시킨다. 간

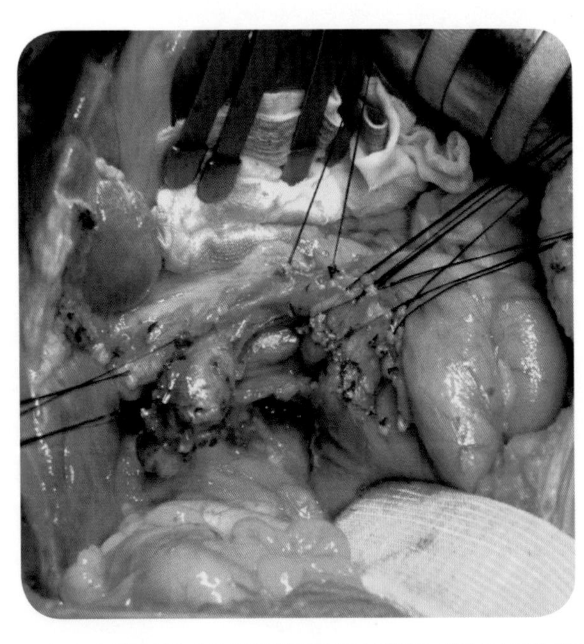

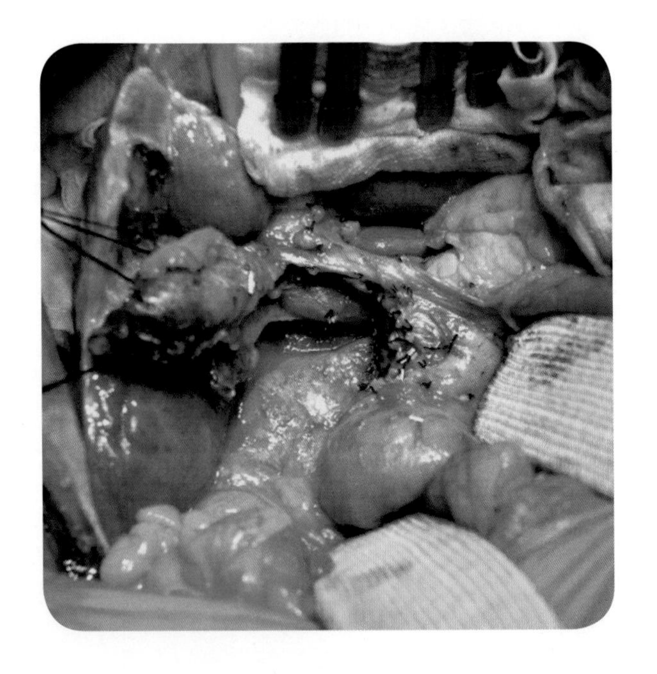

그림 11-4 췌장 실질 속을 깊게 파고들어가서 시행하는 확대 총수담관 절제

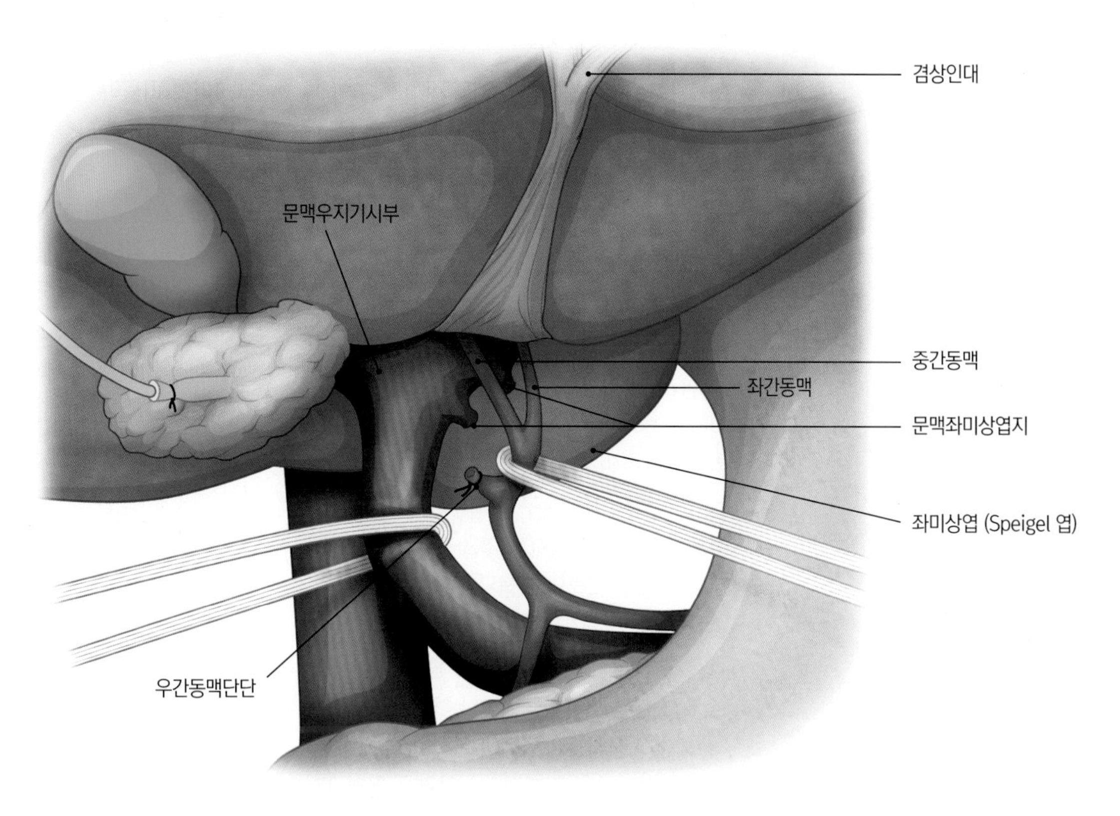

그림 11-5 간문부 문맥 분지의 박리

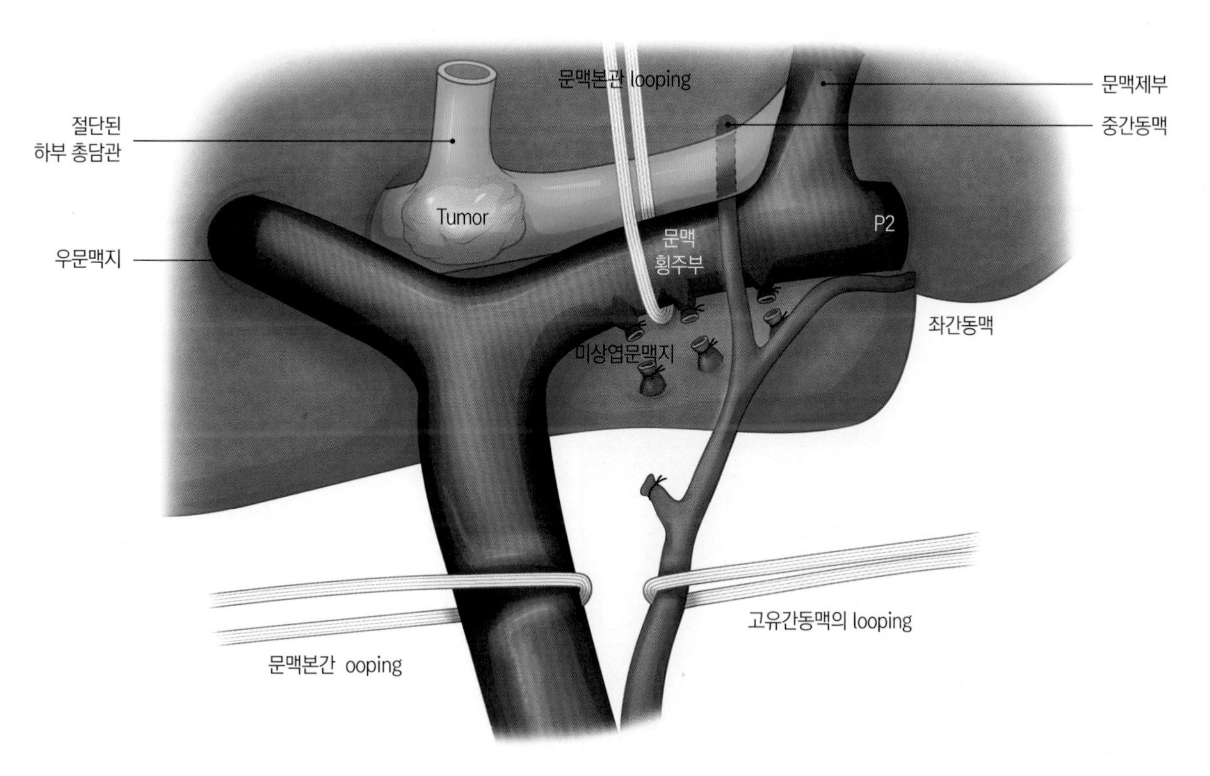

그림 11-6 좌측 문맥의 박리

과 하대정맥 사이에 미상엽을 배액하는 10여 개 이상의 단간정맥들의 노출된다. 이들을 미측에서부터 하나씩 절단한다. 하대정맥측은 봉합 결찰하고 간측은 금속클립으로 지혈한다. 단간정맥의 직경이 3 mm 이상이 경우에는 5-0 prolene으로 연속 봉합하는 것이 안전하다. 하대정맥 박리를 좌두측으로 진행하면, 우간정맥의 유입부 부근의 바깥쪽 하대정맥의 외부에 존재하는 우측 하대정맥인대(inferior vena cava ligament)를 볼 수 있다. 이를 절단하면 우간정맥의 근위부가 쉽게 유리된다. 이 단계에서 우간정맥과 중간정맥 사이에 tosil겸자 등을 삽입하고 혈관고무줄, 나일론 끈 또는 penrose드레인 등을 삽입한다(그림 11-7).

좌미상엽(Spiegel엽) 쪽의 단간정맥을 모두 절단하면 전체 미상엽을 완전하게 유리할 수 있다. 아직 좌측 하대정맥인대가 붙어있는 상태라서 미상엽이 유동되지 않는데, 이 단계에서는 수술 시야가 좋지 않기 때문에 무리하게 좌측 하대정맥인대를 절단하려고 할 필요가 없다. 간유동화가 끝난 간우엽과 미상엽은 수술자의 왼쪽 손안에 확실히 들어오게 오게 된다(그림 11-8). 우간정맥은 이 단계에서 절단할 수도 있지만, 간 거상법(hanging maneuver)을 이용할 때에는 절단하지 않는 것이 편하다.

6) 간실질 절리

우간동맥과 우측 문맥을 절단 후 변색된 우엽과 남게 될 좌엽의 경계선인 Cantlie line을 따라 CUSA 또는 energy device 및 전기소작기를 이용하여 간실질을 절리한다(그림 11-9).

간 절리선은 좌내측구역 하부(S4a)를 함께 절제할 경우와 절제하지 않을 경우에 따라 다르다. 간실질 절리의 요점은 ① 중간정맥의 보존 및 우벽의 노출, ② 간우엽과 미상엽의 전절제 ③ 간실질의 절리가 거의 종료된 시점에서 좌측 간담관을 가능한 한 말초까지 절제하며, 이때 미상엽 Glisson이 완전히 절제 범위에 들어가도록 절리한다. ④ 담관은 문맥 제부에서 문맥의 뒷쪽으로 들어가 버리므로, 담관재건 시에 보다 양호한 시야 확보를 위해 간내측 하부구역(S4a)의 합병절제를 하기도 하나, 술전 volumetry CT에서 좌내측구역의 크기의 비율이 좌외측구역에 비해 월등하게 크면 S4a의 추가절제 만으로도 잔존 간의 용적 부족에 의한 술후 간부전의 위험이 있으므로 조심스러운 접근이 필요하다. S4a의 추가간절제를 위해서는 문맥제부의 기시부에서 내측구역하부로 향하는 작은 문맥지들을 몇 개 절단하고서 문맥 제부의 우측벽을 노출해야 한다. 이때 조심해야할 것은 내측구역상부(S4b)로 가는 문맥지는 잘 보존해야 한다(그림 11-9A). 간내측구역 하부(S4a)를 추가절제하지 않는 경우의 간 절리는 Cantlie선을 따라 위쪽 · 뒤쪽 방향으로 진행하나 간문부 부근에서는 간문판에서 이탈하여 10 mm 전후의 암침윤이 없는 간실질의 안전 영역을 확보할 수 있도록 간의 절리선을 결정한다(그림 11-9B). 따라서 S4a의 작은 부분만 우엽과 함께 절제되며, 실제 S4a의 절리선은 간문부암의 내측구역 하부간구역의 침윤 정도와 내측구역하부로 향하는 간내담관(B4)의 침윤 정도에 따라 각각의 증례마다 적절히 조정하면 되고, S4a를 완전히 절제할 필요는 없다.

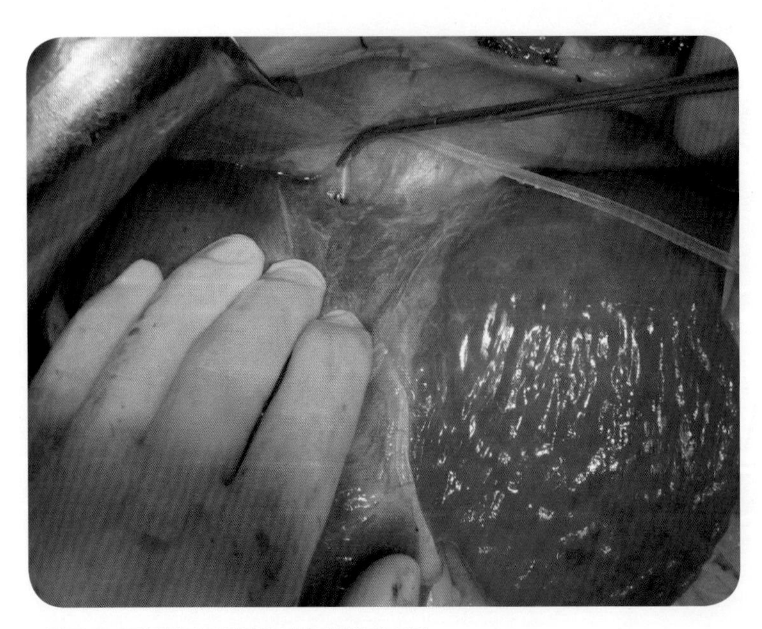

그림 11-7 우간정맥과 중간정맥 사이 거상용 끈 걸기

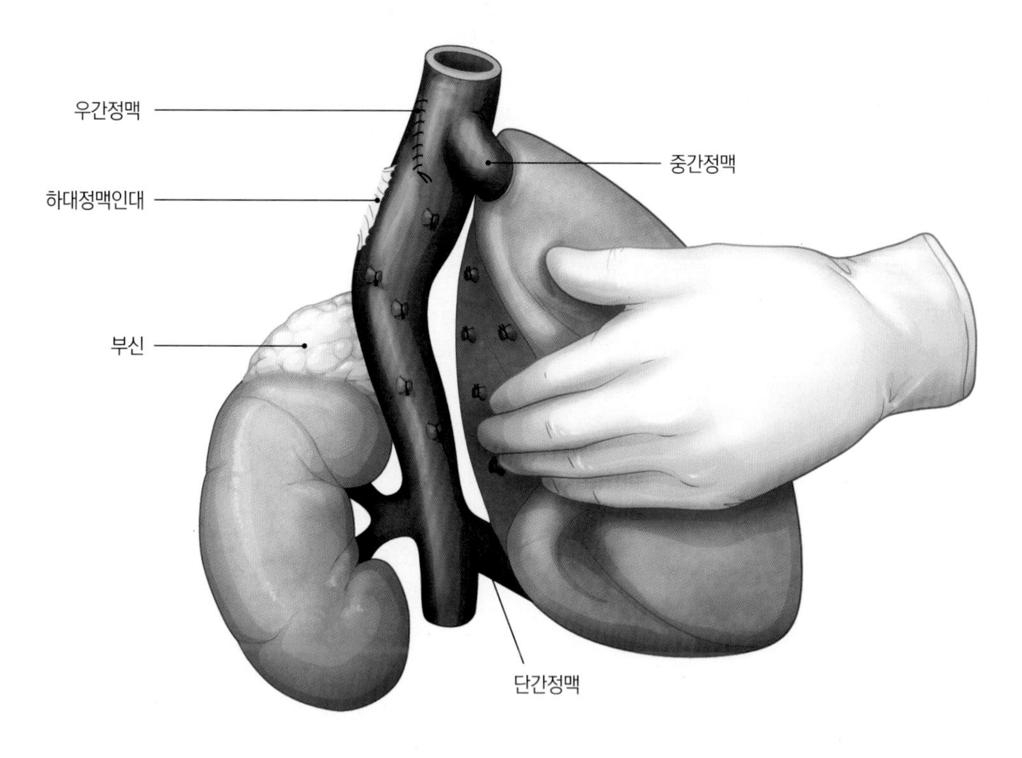

그림 11-8 우측 간의 유동화

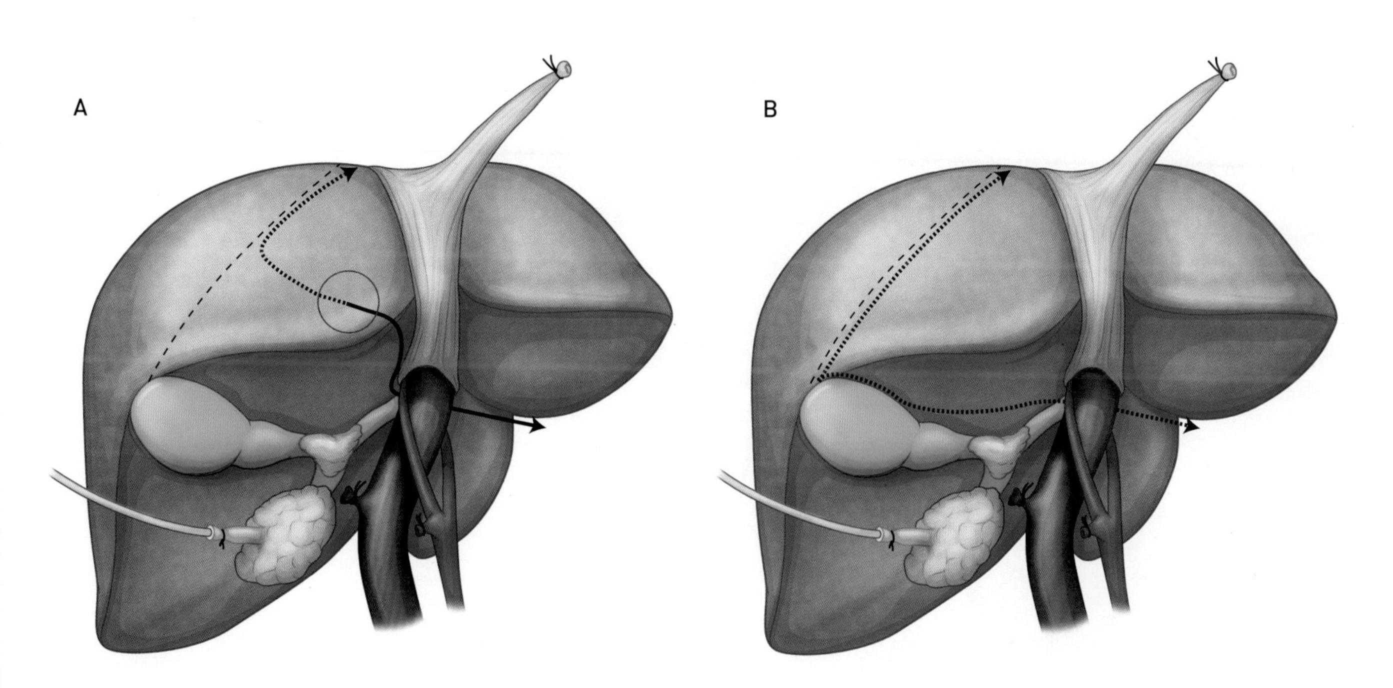

그림 11-9 간 절리선의 결정

간실질 절리는 좌간동맥과 좌문맥을 bulldog 겸자로 물고 간의 유입 혈류를 차단한 상태(pringle maneuver)에서 하며, 혈류 차단은 차단 15분, 개방 5분을 반복적으로 시행한다. 간실질 절리 도중의 출혈은 대개 중간정맥분지에서의 출혈이므로 담낭와 근처에서의 간실질 절리 초기부터 간5아구역(S5)을 배액하는 정맥분지를 찾아서 이를 절단하고, 이 분지를 기준으로 삼아 Cantlie선을 따라 추적해 가면 중간정맥의 본간에 도달한다. 중간정맥의 우측벽을 간 절리면에 노출시키면서 진행하는 것이 술중 출혈을 줄이는 방법이며, 중간정맥 손상 시에는 출혈점을 가볍게 눌러 지혈하여 출혈 위치를 정확하게 확인하고서 6-0 prolene으로 봉합지혈한다. 중간정맥의 중추측을 노출시켜가면서 하대정맥 유입부에까지 두측을 향하여 간 절리를 진행하고, 두측 Arantius관이 하대정맥과 좌간정맥의 접속부 근처의 연결되는 부위에서 두측 Arantius관을 다시 절단하면 좌미상엽이 우측으로 빠져나오게 된다(그림 11-10).

간 절리 시 거상법을 이용하면 간정맥으로부터 출혈을 감소시킬 뿐 아니라 간 절리의 방향이 잘못될 위험이 없어 편리하다(그림 11-11). 중간정맥 본간이 노출된 이후의 더 깊은 부분의 간 절리에서는 거상용 끈을 중간정맥이 하대정맥에 유입되는 우측에서부터 좌미상엽과 좌외측 구역의 경계부를 지나 좌문맥의 후방으로 걸어서 우측으로 당김과 동시에, 거상용 끈을 전방으로 견인하면 간 절리면이 크게 열리면서 절리면의 시야가 좋아져 간 절리면으로부터의 출혈 조절이 쉽고 좌미상엽이 저절로 우측으로 견인되어서 절리 방향을 찾는데 유용하다.

7) 좌측 담관의 절단과 재건

담관암 절리의 마지막 과정으로 좌측 담관을 문맥제부의 우측에서 절리한다. 좌미상엽 Glisson분지를 완전히 절제될 좌간관에 포함시켜 절제해야 하며, 이를 위해서는 우측 담관을 우측으로 잡아당기면서 절제할 담관을 촉지하면서 종양 침윤이 없는 안전거리 5~10 mm가 확보될 수 있도록 담관을 섬세한 수술용 가위로 조심스럽게 절리한다(그림 11-12)

절단된 좌측 담관 단단은 절단 전보다 길이가 짧아지기 때문에 담관 재건을 용이하게 하기 위하여 남는 쪽에 2~3 mm의 여유를 두는 것이 좋다. 담관절단 단단은 신속동결병리검사를 의뢰하여 종양 음성여부를 확인하고 좌측 담관 단단에서의 출혈은 6-0 prolene으로 봉합지혈한다. 만일 종양양성으로 나오는 경우에는 가능하다면 마지막에 남겨놓은 담도

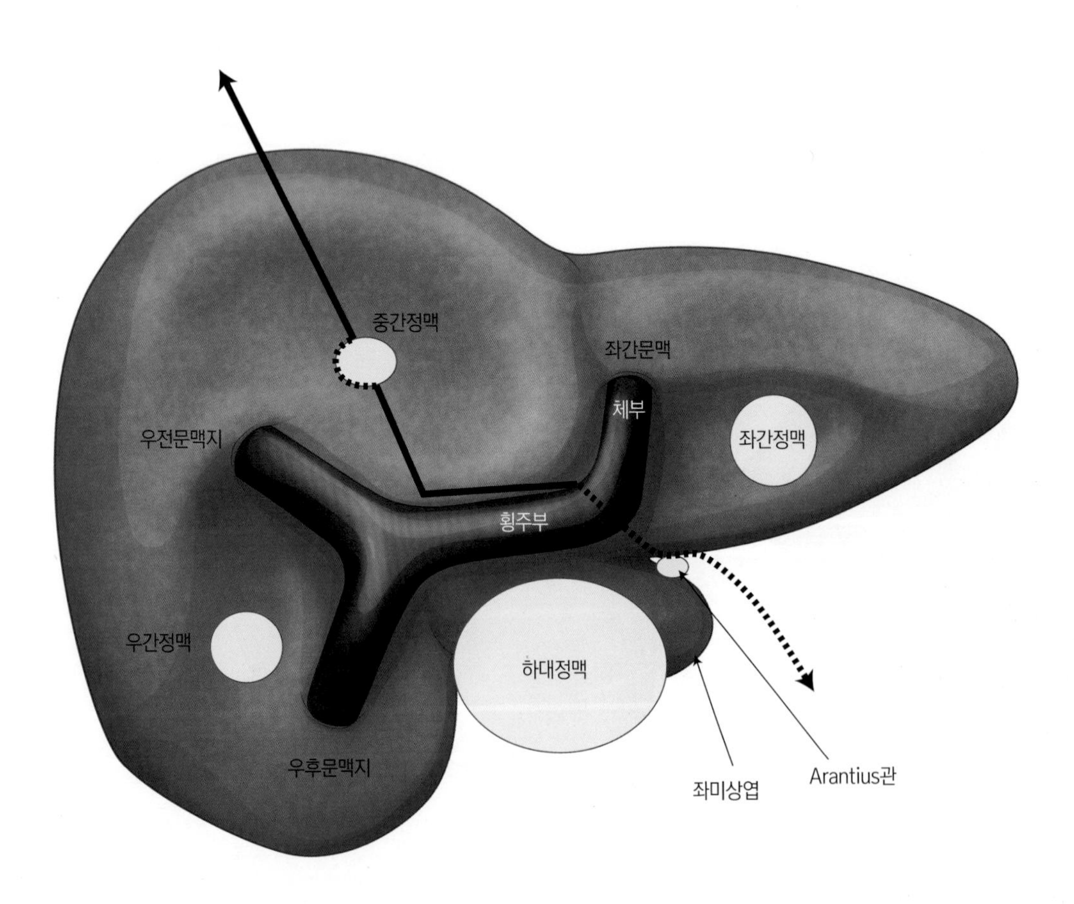

그림 11-10 간 절리면

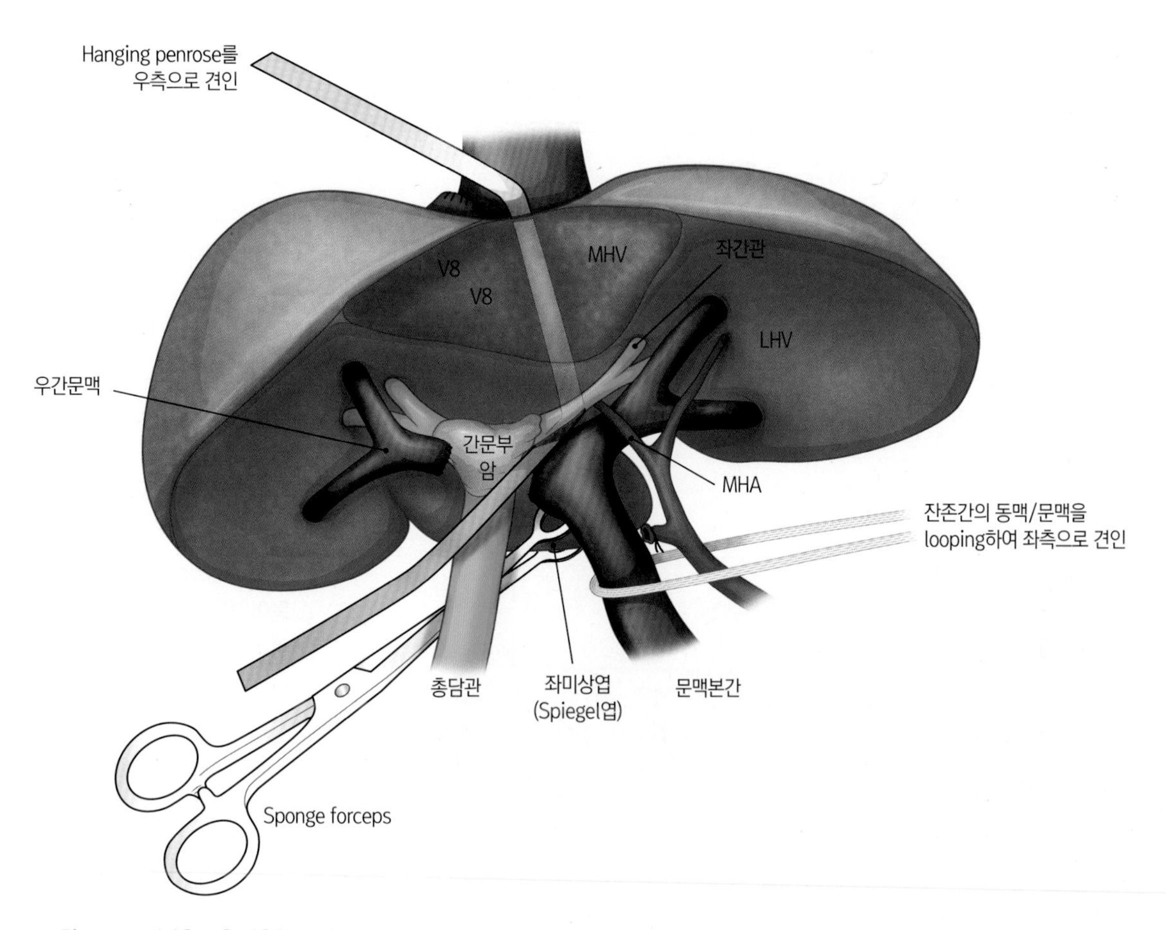

그림 11-11 거상용 끈을 이용한 간 거상법

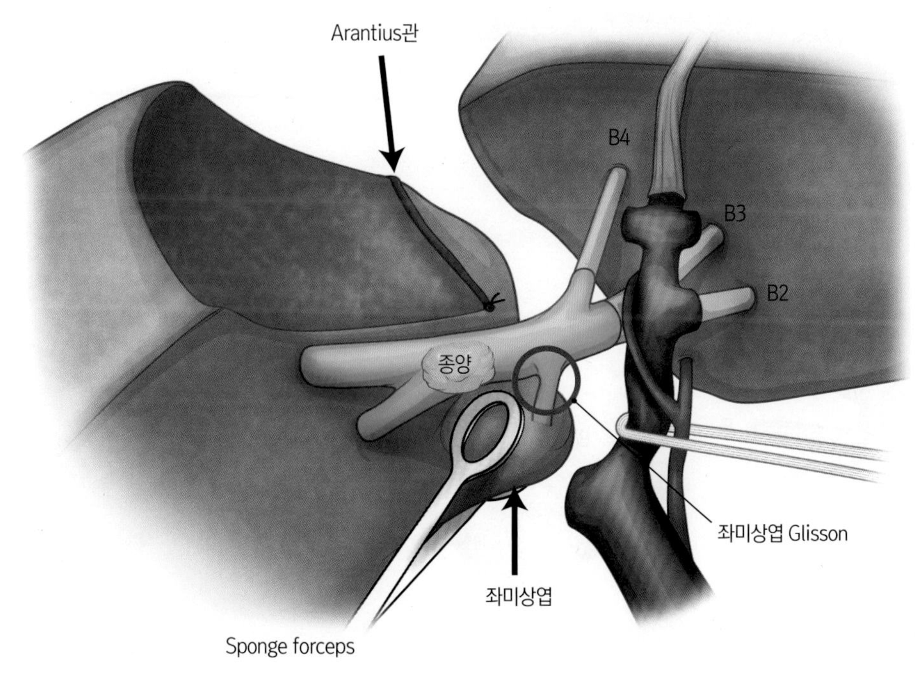

그림 11-12 좌측 담관의 절단

단단을 조금 더 절단하여 신속동결병리검사를 다시 의뢰한다.

절제된 담관 구멍은 2개 내지 3개의 개구부로 노출된다(그림 11-13). 가장 배측이 B2(외측구역후지)이고 가장 복측이 B4(내측구역담관지)이며 대부분 B4와 B2+3의 2개의 개구부로 절단된다(그림 11-14).

2~3개의 담관 개구부가 단일 Glisson 내에 들어 있어서 결체조직으로 연결된 경우에는 각각의 개구부를 6-0 prolene이나 흡수사(PDS)로 몇 바늘씩 떠서 하나의 담관개구부로 만들어서 담관-공장문합술을 쉽게 하도록 한다(그림 11-15).

문합에 앞서 각 개구부의 전벽(복측)에 1.5~2 mm 간격으로 다수의 견인용 봉합을 걸어 놓으면 각 담관의 내강이 잘 보인다. 50 cm 길이의 공장 루프를 만들어서 담관 · 공장 문합술을 시행한다. 2개의 담관 개구부를 각각 독립적으로 문합하는 경우 공장의 문합구 사이의 거리는 담관 개구부 사이의 거리의 3배 정도로 여유있게 만들어야 자연스런 모양의 문합이 된다(그림 11-16).

봉합사는 5-0 내지 6-0 prolene 또는 PDS를 이용하고, 문합부 후면은 연속 봉합 내지 단속 봉합하고, 문합부 전면은 단속 봉합한다. 문합부에 걸치는 짧은 스탠트를 삽입하고, 흡수성 봉합사로 고정하여 나중에 저절로 빠져 나가도록 한다. 원래 좌측 PTBD 튜브를 가지고 있는 경우에는 그 경로를 이용하여 외배액관을 삽입할 수도 있다(그림 11-17).

우측의 복벽측 PTBD 삽입부는 전기소작기 내지 Argon응고기로 바짝 태워서 혹시라도 묻어있을 지 모를 암세포를 없앤다. 좌측의 복벽측 PTBD 삽입부는 PTBD를 제거하는 경우에는 복벽 측은 전기소작기로 부분적으로 절제해 내고, 잔존 간측은 Argon응고기로 간실질을 태워서 암세포 산포에 따른 국소재발 위험을 낮춘다.

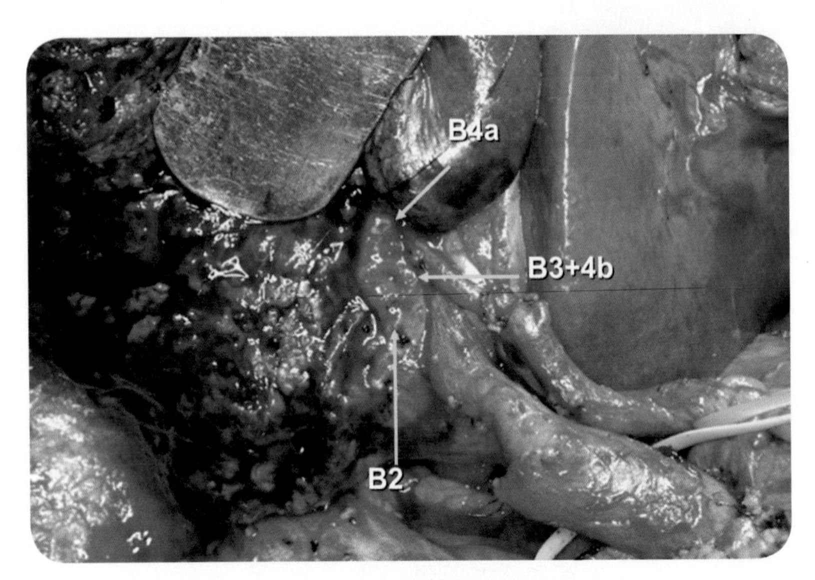

그림 11-13 단일 결체조직 내에 들어있는 3개의 좌측 담관 개구부

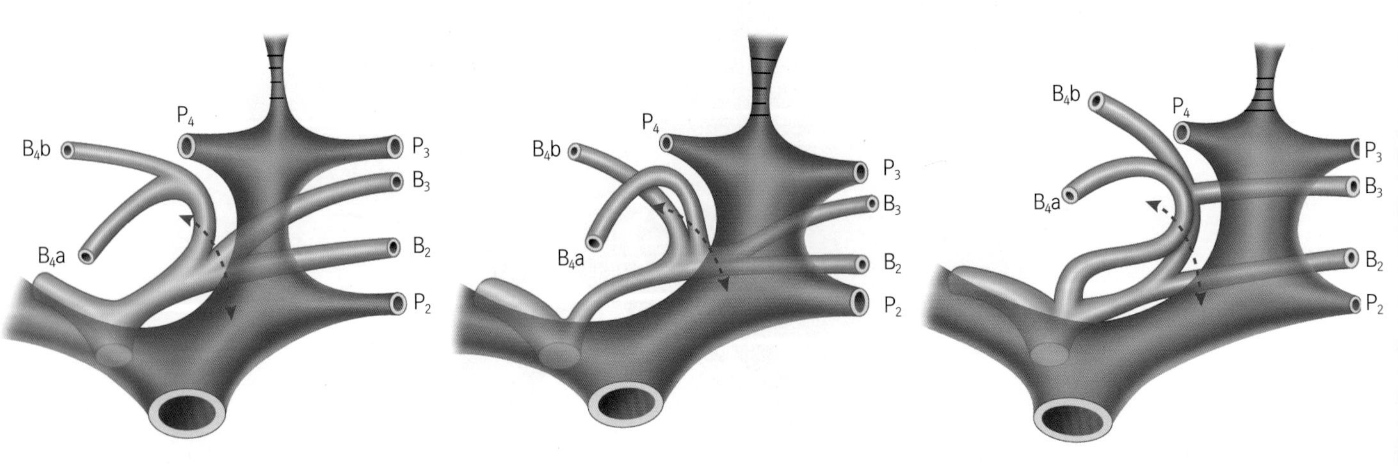

그림 11-14 해부학적 변이에 따른 절단되는 담관 개구부 유형

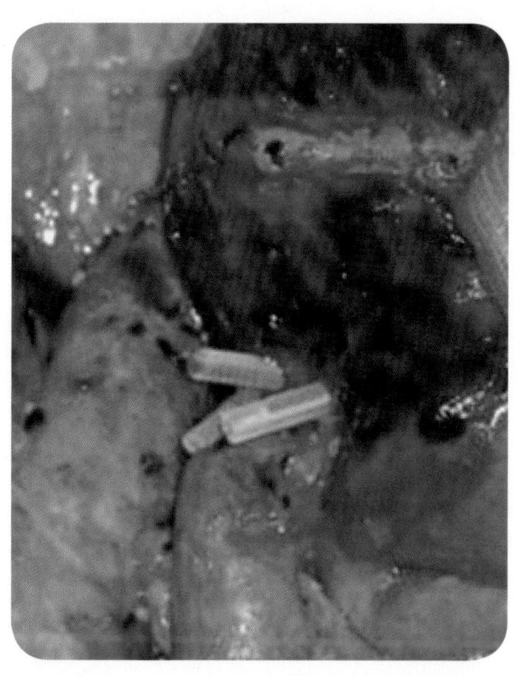

그림 11-15 단일 담관-공장 문합이 가능하도록 성형한 3개의 담관 개구부

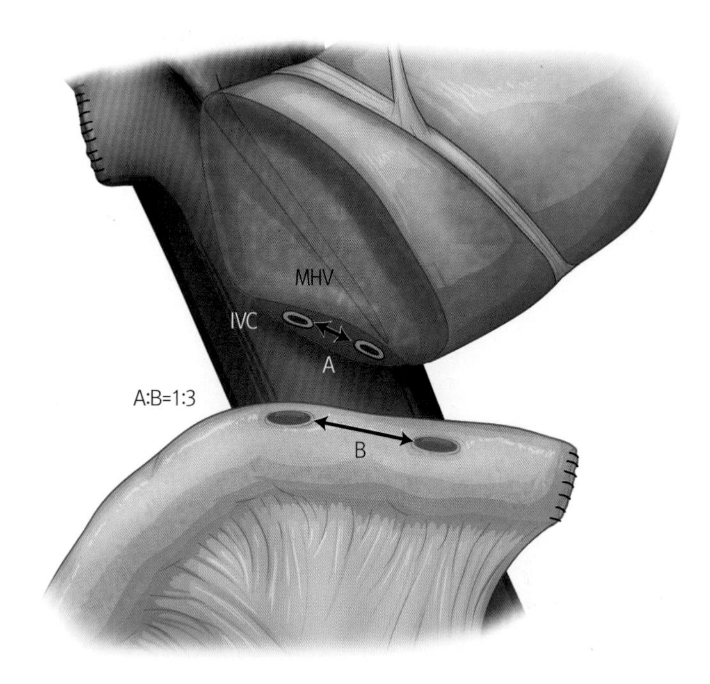

그림 11-16 두개의 담관 재건

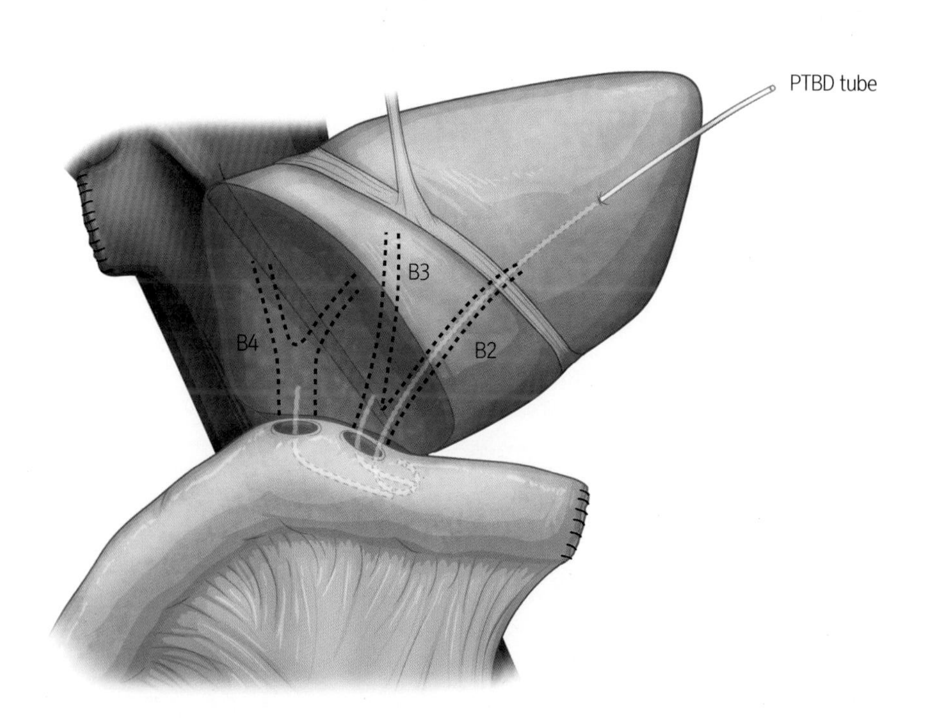

그림 11-17 내배액관 및 외배액관 삽입

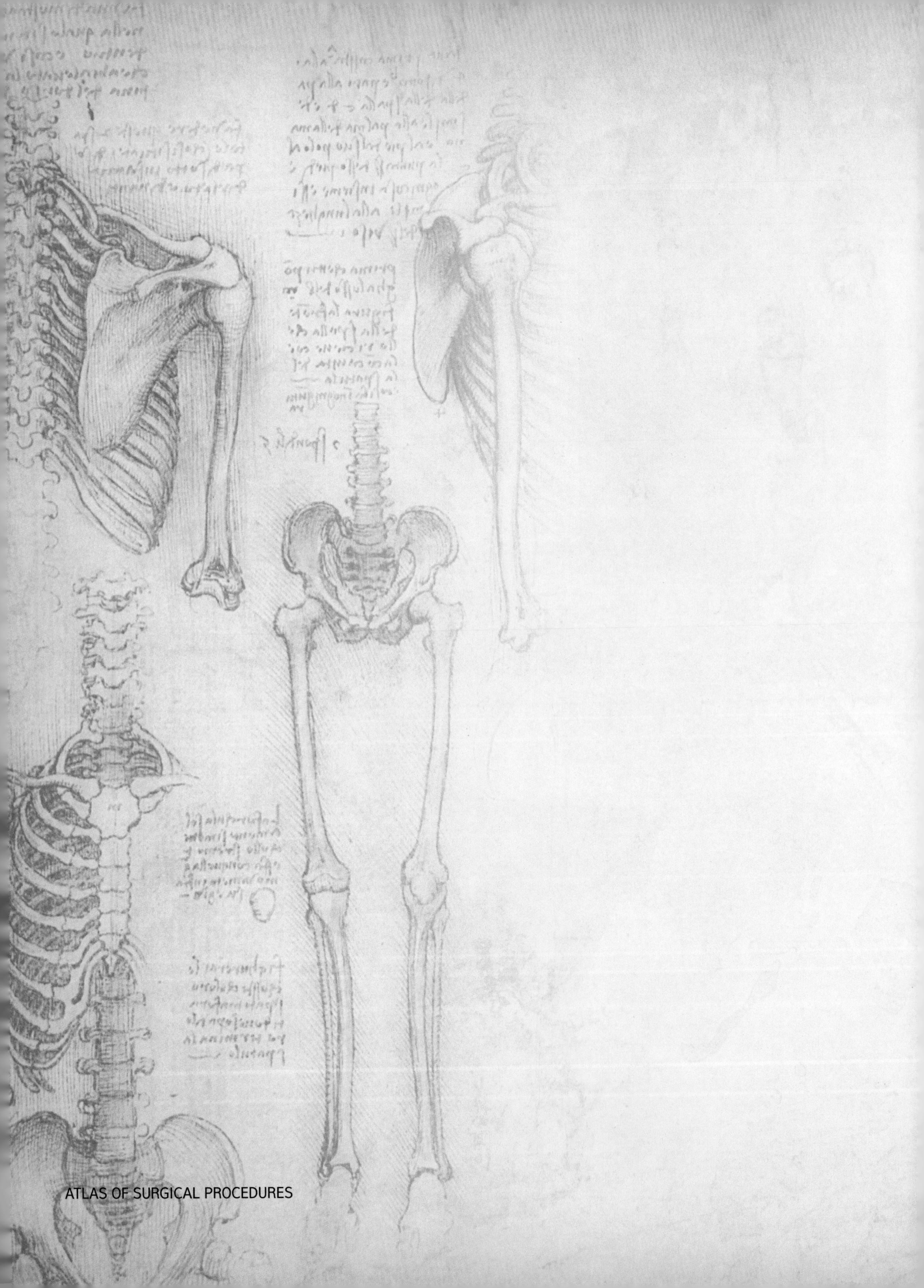

ATLAS OF SURGICAL PROCEDURES

간문부담관암에 대한 확대좌간절제 및 미상엽절제

Klatskin tumor – extended left hepatectomy and caudate lobectomy

1. 서론

확대좌간절제 및 미상엽절제는 간문부 담관암에 대한 정형적인 수술의 하나이다. 확대좌간절제는 확대우간절제보다 절제하는 간실질의 양이 적기 때문에 약간 쉽게 생각할 수 있지만, 간내의 간절리면의 설정이나 간내 담관의 절리에 대하여는 우간절제보다 지표가 부족하고, 결코 쉽게 생각해서는 안될 수술이다. 또한 간좌측 3구역절제는 간문부 맥관의 변이가 많아 합병증이 많은 수기이다. 따라서, 이러한 수술을 실시할 때 각각의 증례의 간문부 및 간내의 국소 해부를 충분히 이해하고 임하는 것이 안전한 수술을 위해 꼭 필요하다.

2. 적응증

간외담도절제를 동반하는 확대좌간절제(또는 좌측 3구역절제) 및 미상엽절제의 적응은 좌측 우위의 간문부담관암(Bismuth type IIIb)이나 양측 담관의 제 2분지를 침범한 간문부암(Bismuth type IV)이 대부분이다. 확대좌간절제를 실시할지 혹은 좌측 3구역 절제를 실시할지를 결정할 때에 고려해야 할 점들을 살펴보면, 간내 담관의 암침윤 범위, 간문부 주요 혈관의 암침윤의 유무 및 간기능의 예비력 등이 있다.

1) 간내 담관의 암침윤 범위와 술식의 선택

간의 우측 전구역의 담관가지의 합류 양식에는 개인차가 크고, 또 우전상지(B8)와 우전하지(B5)가 간내 어디에서 합류하는지 분명한 점이 없다. 따라서, 확대좌간절제를 근치적으로 수행하기 위해서는 보통의 합류 형태인 경우에는 B8과 B5의 합류부에 암침윤이 미치지 않았든지 혹은 합류부에 암침윤이 있더라도 합류부의 극히 근위부에만 침범한 경우에만 확대 좌간절제가 가능하고, B8혹은 혹은 B5의 안쪽까지 암이 침범하였을 경우에는 전구역을 함께 절제하는 간좌측 3구역절제를 시행해야 한다.

담관 우후구역지 주행에는 우문맥의 두배측(craniodorsal)으로 시계방향으로 도는 경우(이른바 상문맥형, supraportal type)와 우문맥의 미복측(caudoventral)으로 반시계방향으로 도는 경우(이른바 하문맥형, infraportal type)가 있다(그림 12-1). 빈도에 있어 약 80%를 차지하는 상문맥형의 경우에는 담관 후구역지의 절제는 우문맥의 두배측 방향으로 간실질을 절개하면서 진행하여야 하고, 이때 절제할 수 있는 담관의 길이는 약 1 cm 정도 밖에 되지 않는다. 따라서, 확대좌간절제에서는 우후지 방향으로의 암침윤이 우후지 근부 부근에 국한되어 있어야 근치적 절제가 가능하다. 상문맥형의 후구역지의 담관영상은 위로 볼록한 주행을 나타내지만, 정점부를 넘어 암침윤이 있을 경우에는 확대좌간절제로 근치적으로 담관 후구역지를 절제할 수 없다. 이 경우에는 간좌측 3구역절제를 실시하면 담관 우후구역지를 우후상지(B7)와 우후하지(B6)의 합류부 부근에서 절리할 수 있다.

담관 우후구역지가 하문맥형이면, 확대좌간절제에서도 간좌측 3구역절제와 같은 레벨로 우후구역지를 절제할 수 있다.

2) 간문부의 주요 혈관의 암침윤과 술식의 선택

우문맥에 암침윤은 있지만 우문맥 전, 후 분지부 직전의 우문맥을 혈관감자로 잡아 절제 및 재건이 가능할 만큼의 여유를 확보할 수 있다면 확대좌간절제를 생각할 수 있다. 우문맥을 절제한 후에 간측 우문맥을 재건할 만한 여유가 있고, 우문맥 전, 후 분지부에 암침윤이 있는 경우에는 간좌측 3구역절제를 선택할 필요가 있다. 최근 high volume center에서는 좌간절제에 임할 때에 우간동맥 합병절제

A

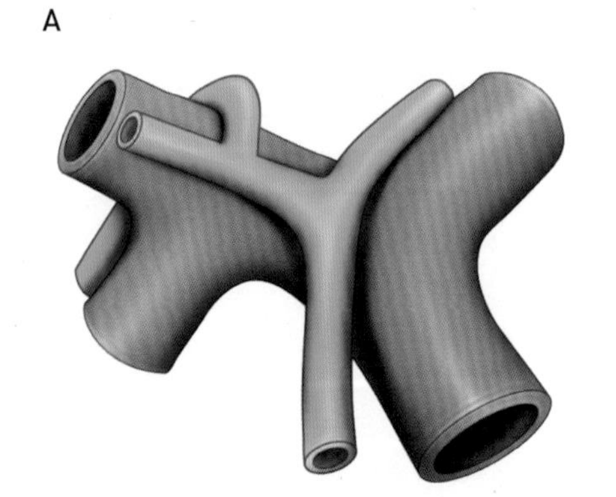

B

C

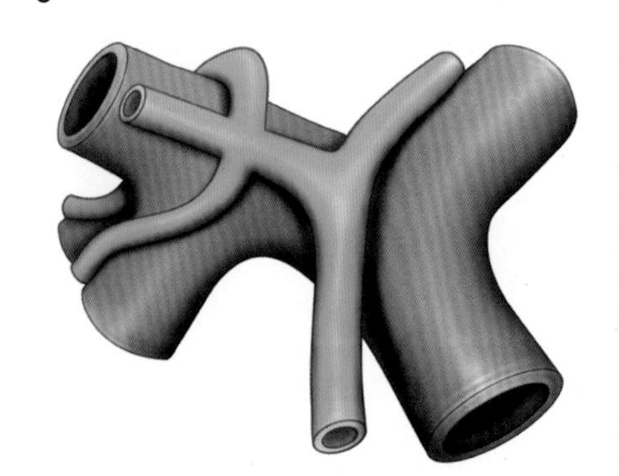

그림 12-1 문맥우지와 우후구역담관지와의 해부학적 관계
A. 상문맥형(supraportal type) : 83%
B. 하문맥형(infraportal type) : 12%
C. 복합형(combined type) : 5%

도 시행되고 있지만, 그 평가는 아직 확실하지 않기 때문에 기본수술을 취급하는 본 항에서는 논하지 않기로 한다.

3) 간기능과 술식의 선택

암 침범 범위로 술식이 정해지면, CT volumetry와 간기능예비력검사로 술식의 안전성을 검토한다. 일반적으로 확대좌간절제 및 미상엽절제로 절제되는 간체적은 전간의 약 30~40%이고, 간좌측 3구역절제에서는 전간의 3분의 2 정도를 절제하게 된다. Makuuchi의 기준에 따르면, 간좌측 3구역절제 및 미상엽절제는 ICG 15분 정체율이 10% 이하, 또한 확대좌간절제 및 미상엽절제는 20% 이하여야 한다. ICG-K로는 간좌측 3구역절제 및 미상엽절제는 0.15 정도, 확대좌간절제 및 미상엽절제는 0.1 정도면 안전하게 수술을 실시할 수 있다. 그러나, 폐쇄성 황달을 동반한 간에 대한 간기능평가법은 아직 확립된 기준이 없고, 또한 간내담관의 배액 상황이나 문맥지 폐쇄 유무에 따라 간내 간기능 분포는 달라지기 때문에 실제 간기능에 비하여 ICG 15분 정체율은 저평가되기 쉽다. 일반적으로 최대한 폐쇄담관의 배액을 시킨 후 담관염이 없고, 총빌리루빈치가 2 mg% 이하로 떨어진 뒤에 ICG 검사를 시행하면 비교적 정확한 간기능예비력 평가가 가능하리라 사료된다.

간 좌측 3구역절제 및 미상엽절제는 간실질의 약 3분의 2를 절제하기 때문에 수술의 안전성을 높이기 위해 수술 전에 좌측 3구역 문맥지색전술을 실시하는 것이 좋다.

3. 수술 과정

1) 개복

우측 늑궁하 절개에 상복부 정중절개를 더해 역 L자 절개 혹은 하키스틱 절개가 일반적으로 사용되지만, 경우에 따라서는 역 T자 절개나 메르세데스 절개를 사용하기도 하고 드물게는 우늑궁하 절개를 제9늑간으로 개흉절개하는 J자 절개도 사용할 수 있다. 각 기관이나 술자에 따라 어떤 절개를 사용할지를 결정할 수 있다. 절개창의 우측 단은 후액와선까지 크게 열어야 하고, 검상돌기를 절제하여야 좋은 시야를 얻을 수 있다.

복강 내를 잘 관찰하여 복막파종이나 간전이의 여부, 원발병소의 장막 침윤 여부나 맥관 침윤 여부와 육안적 림프절전이의 유무 등에 대하여 확인한다.

경피경간담도배액관이 유치되어 있는 경우에는 체외에서 절단한 후에 복강 내로 꺼내 빠지지 않도록 간표면에 봉합고정하고, 그 자른 단에 고무장갑을 씌워 묶어 수술 중 담즙이 배액되도록 해두거나 조심스럽게 배액관을 제거하고 간 천공부를 4-0 검정실크 봉합사로 봉합결찰 폐쇄한다.

2) 림프절 곽청과 십이지장측 담관의 절리

Kocher 조작으로 십이지장 후부의 대동맥 주위 림프절 전이의 유무를 확인한다(그림 12-2). 이곳의 림프절의 곽청에 관하여는 논란의 여지가 있다. 대동맥주위 림프절 중에 눈에 띄는 것이 있으면 수술 중 신속병리검사를 하여 이것이 음성이면, 담도암 근치수술을 진행하고,

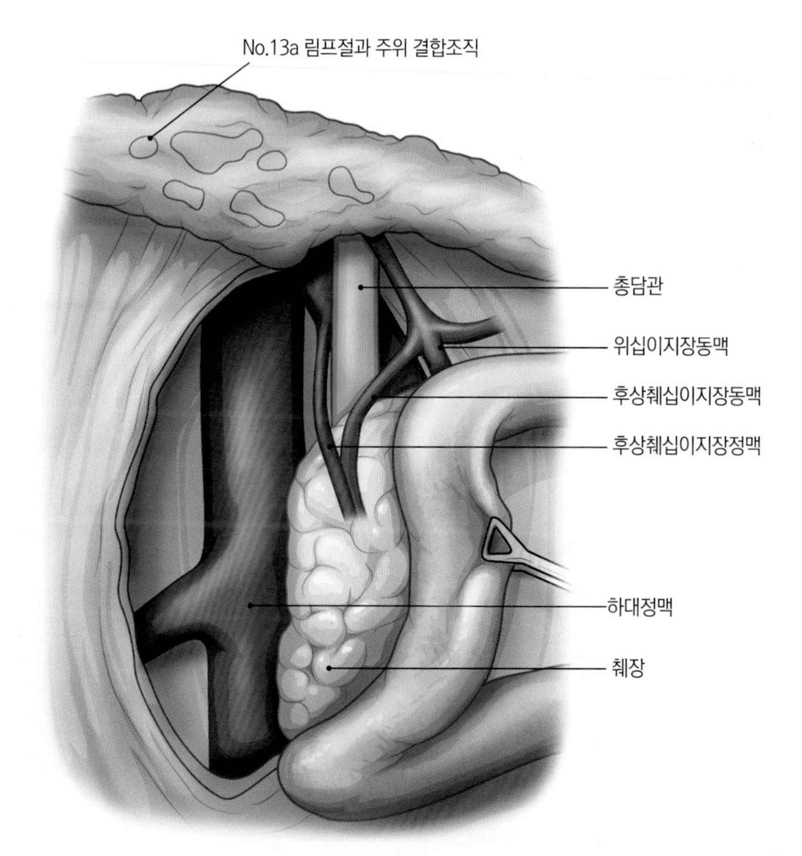

그림 12-2 Kocherization 후 대동맥 주위 림프절을 확인하는 장면

양성인 경우는 수술을 포기하거나 신정맥 상하의 대동맥 주위 림프절을 곽청하는 것에 다소 논란이 있다. 이후에 간위간막을 열고 우위동정맥을 위벽 가까운 곳에서 결찰 절리한다. 또한, 상십이지장 동정맥을 십이지장 벽에 접해 신중히 결찰 절리한다. 위십이지장동맥의 전면으로부터 총간동맥의 전면을 노출시키면서 5번, 8번, 9번 림프절을 곽청한다. 우위동맥은 이 과정에서 근부를 박리해 결찰 절리한다. 총간동맥주위 신경총을 곽청하고 총간동맥에 테이프를 걸어둔다.

12번a 림프절을 곽청하면서 고유간동맥주위 신경총을 곽청하여 고유간동맥, 그리고 좌우간동맥을 박리하고 테이프를 걸어둔다. 이어서 췌두부를 탈전해 13번 림프절을 곽청하여 총담관을 췌두부의 상연에서 사방으로 박리하고 테이프를 걸어둔다. 췌상연 부근에서는 후상췌십이지장동맥(posterior superior pancreaticoduodenal artery, PSPDA)이 총담관 주위를 머리띠모양으로 주행하고 있다. 암이 십이지장 측단으로부터 충분히 여유가 있는 경우에는 PSPDA를 절리할 필요가 없지만, 여유가 없는 경우에는 PSPDA를 총담관을 따라 결찰 절리하여 췌내에 까지 총담관을 박리해둔다. 총담관을 췌상연 부근에서 결찰 절리해 그 단끝을 신속병리검사를 보내 암음성인 것을 확인한다(그림 12-3). 총담관을 절리하면 곽청 도중에 있는 13번 림프절을 12번p 및 8번p 림프절 곽청에 연결해 문맥본간을 사방으로 박리하고 테이프를 걸어둔다.

3) 간좌엽과 미상엽의 탈전

간 겸상간막의 절리를 간정맥 근부로 진행하여 3개의 간정맥 근부를 박리 노출한다. 그 다음에 좌측간의 외측구역을 하부로 당기면서 좌관상인대와 삼각인대를 절리한다. 삼각인대를 절리할 때는 그 횡격막측은 결찰 절리한다(그림 12-4). 외측구역을 우복측으로 거상시켜 좌미상엽(Spiegel엽)이 보이게 한 후에 간위간막의 간부착부에 알란티우스관이 주행하는 것을 확인할 수 있다. 약간 굵은 백색의 색상구조를 하고 있다. 이 두측단은 좌간정맥의 근부에 연결되어 있는데 이 두측단 부근에서 알란티우스관을 박리해 결찰 절리한다.

좌미상엽과 하대정맥 사이의 장막을 절개하고 단간정맥을 결찰 절리하면서 좌 미상엽을 서서히 우복측으로 넘어 가도록 탈전시킨다. 좌 미상엽 가장자리의 두측 3분의 1 정도는 좌하대정맥인대로 배측에 고정되어 있다. 하대정맥인대 내에는 혈관을 포함하고 있는 경우가 많기 때문에 반드시 결찰 후 절리하는 것이 좋다. 단간정맥의 절리를 미측으로부터 머리측 방향으로 좌측에서 우측 방향으로 진행한다(그림 12-5). 가는 단간정맥은 결찰 . 절리할 수 있지만 굵은 것은 혈관겸자로 물고 절리하고 5-0 또는 6-0 혈관 봉합사로 연속 봉합을 한다. 단간정맥의 절리는 하대정맥의 우연까지 충분히 실시하고 전미상엽을 하대정맥으로부터 유리해 둔다. 다만 하우간정맥이 있는 증례에서는 수술 전부터 이 존재를 확인하여 반드시 보존한다.

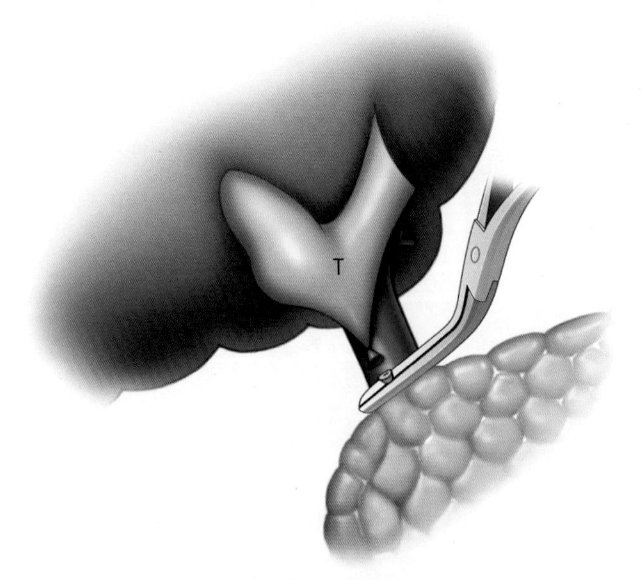

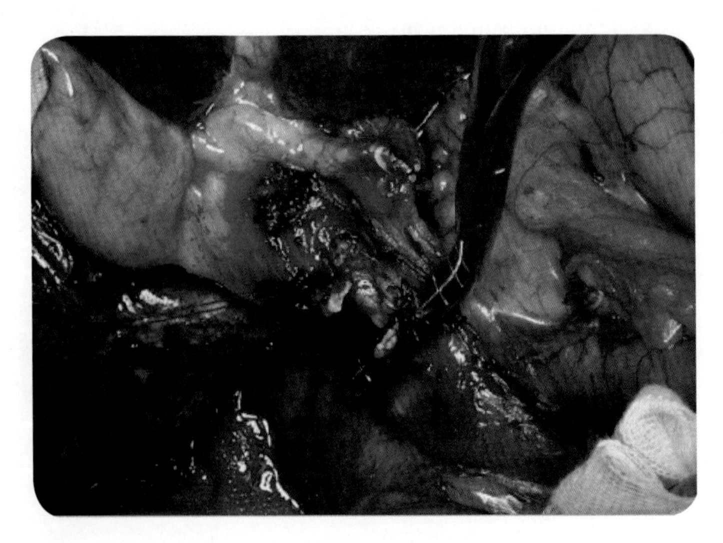

그림 12-3 총담관을 췌상연에서 결찰 처리하는 모습

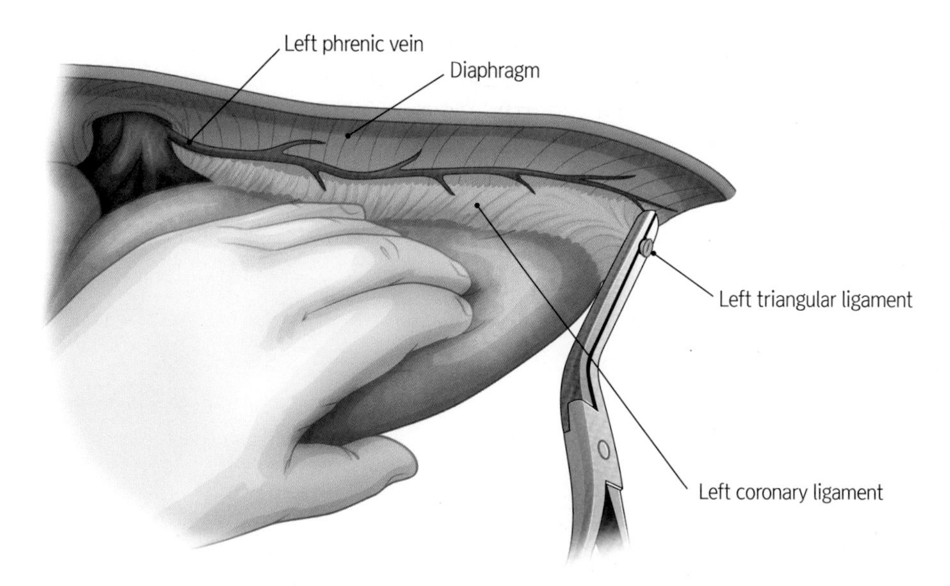

그림 12-4 좌측 관상인대와 삼각인대를 절리하여 유동을 시행한다.

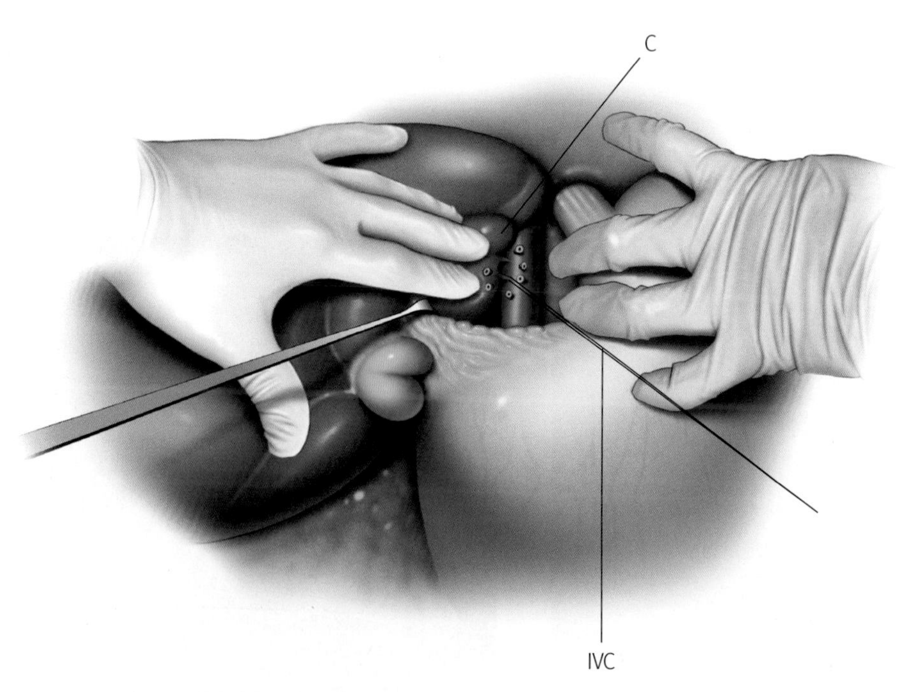

그림 12-5 미상엽의 단간정맥을 결찰처리하는 모습

4) 간문부 맥관의 처리

절리한 총담관의 끝단을 두측으로 거상하면서 간십이지장인대 내의 간동맥과 문맥 이외의 림프절과 결합조직들을 담관에 부착된 상태로 박리함으로 간동맥과 문맥의 skeletonization을 간문부를 향하여 진행한다(그림 12-6). 좌간동맥, 중간동맥 및 담낭동맥을 각각의 근부에서 차례로 결찰 절리한다.

우간동맥의 전구역지와 후구역지를 간내에 들어갈 때까지 충분히 박리해둔다. 보통 우간동맥의 후구역지는 우문맥 및 우후구역지의 복측 . 미측으로 주행하는 하문맥형이 많은 편이고, 약 25%의 증례에서는 우간동맥의 후구역지의 전부 또는 일부가 우문맥의 두측.배측으로 돌아 주행하는 상문맥형으로 주행한다(그림 12-7). 수술 전에 이를 잘 파악하여 상문맥형의 우간동맥의 후구역지를 미상엽의 동맥지로 오인해 절단하는 일이 없도록 주의해

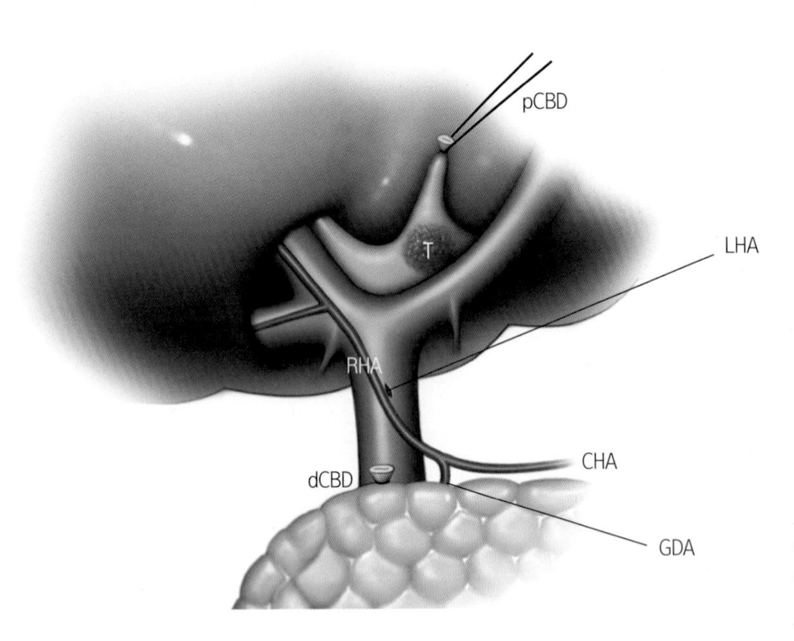

그림 12-6 간동맥과 문맥의 골격화(skeletonization)
CHA: 총간동맥, GDA: 위십이지장동맥, LHA: 좌간동맥단끝, RHA: 우간동맥, dCBD: 총담관 원위부단끝, pCBD: 총담관 근위부 단끝, T: tumor

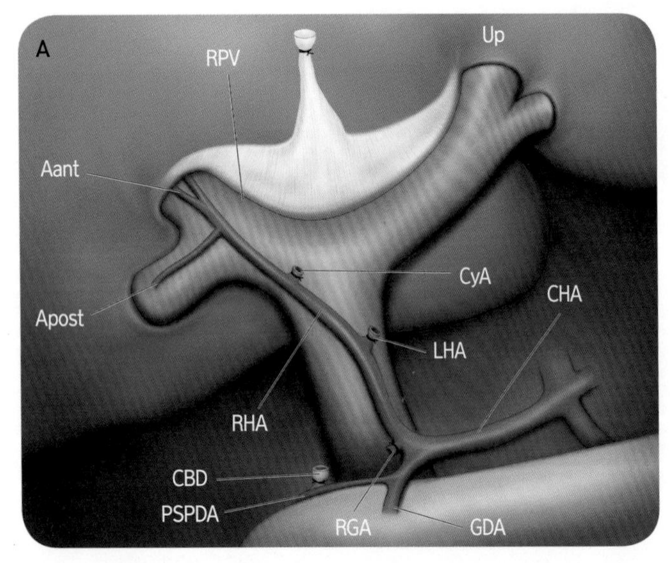

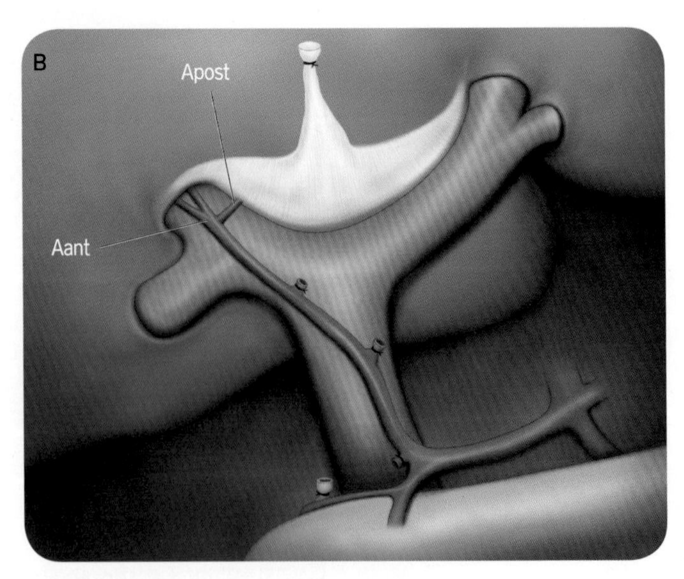

그림 12-7 일반적인 우간동맥의 후구역지의 주행(A)와 상문맥형 주행(B)
CHA: 총간동맥, GDA: 위십이지장동맥, RGA: 우위동맥단끝, PSPDA: 후상췌십이지장동맥, LHA: 좌간동맥단끝, RHA: 우간동맥, CyA: 담낭동맥단끝, CBD: 총담관단끝, UP: 문맥좌지제부, RPV: 우문맥, Aant: 우간동맥전구역지, Apost: 우간동맥후구역지

야 한다. 간좌측 3구역절제 시에도 우간동맥 후구역지를 확인 및 보존한 후에 우간동맥 전구역지만을 이중 결찰 절리한다. 이 때에도 상문맥형 우간동맥 후구역지의 존재에 충분히 주의해야 하는 것은 말할 필요도 없다. 그 다음에 문맥의 박리를 간문으로 진행한다. 문맥 본간으로부터 좌.우 문맥을 박리하여 올라간다. 좌 · 우 문맥의 배측의 가느다란 몇 개의 미상엽문맥지(p1)가 분기한다. 좌 문맥 근부의 절리가 가능한 정도에서 왼쪽 p1을 결찰 절리하고 좌문맥에 혈관 테이프를 걸어 둔다. 또한, 우문맥에서 분지하는 p1을 모두 결찰 절리하고 우문맥에도 혈관 테이프를 걸어 둔다. 좌문맥에 암침윤이 없고, 좌문맥을 충분히 박리할 수 있는 경우에는 좌문맥 근부를 결찰한 후 절리한다. 암침윤 때문에 좌문맥 근부를 충분히 박리할 수 없는 경우에는 문맥 본간, 우문맥 및 좌문맥을 각각 혈관겸자로 잡은 후에 좌문맥 근부를 절리하고(그림 12-8), 6-0 또는 5-0 봉합사로 연속 횡봉합하여 폐쇄한다. 이때 문맥의 긴 직경을 따라 세로 봉합하면 문맥협착의 원인이 되는 경우가 있으므로 주의해야 한다(그림 12-9).

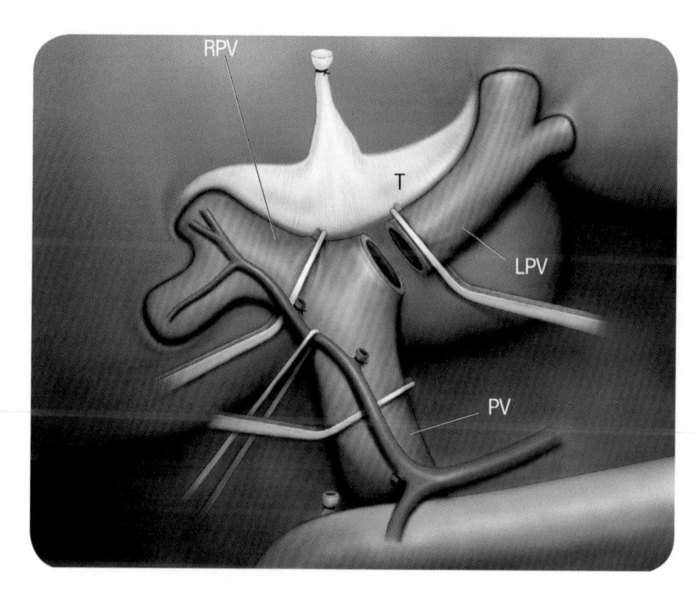

그림 12-8 좌문맥의 절리
암침윤이 있기 때문에 좌문맥의 근부를 충분히 박리할 수 없을 경우에는 좌문맥(LPV), 문맥본간(PV), 우문맥(RPV)을 각각 혈관겸자로 잡고, 좌문맥의 근부를 절리한다.
T: tumor

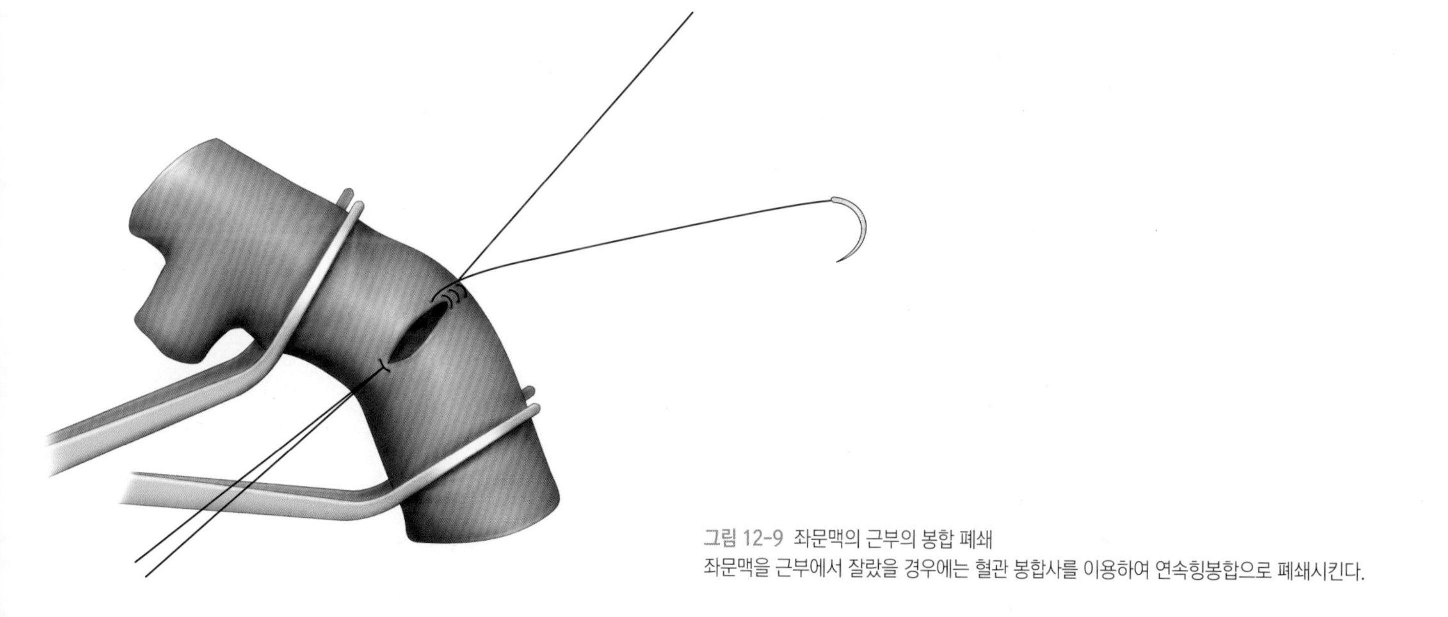

그림 12-9 좌문맥의 근부의 봉합 폐쇄
좌문맥을 근부에서 잘랐을 경우에는 혈관 봉합사를 이용하여 연속횡봉합으로 폐쇄시킨다.

좌문맥근부를 절리하면 우문맥의 박리를 전구역지, 후구역지로 진행한다. 간좌측 3구역 절제의 경우에는 우문맥의 전구역지와 후구역지에 각각을 완전히 박리하고 혈관테이프를 걸어둔다. 이 부근의 문맥의 벽은 얇아 거칠게 조작하면 쉽게 출혈하므로 주의를 요한다. 특히, 전구역지와 후구역지의 배면의 박리는 층을 보면서 신중하게 실시해야 한다. 전구역지의 길이를 충분히 확보할 수 있는 경우에는 결찰 절리하고, 전구역지의 길이를 충분히 확보할 수 없는 경우에는 적어도 결찰만을 해둔다. 후에 간절리 도중에 문맥 전구역지를 절리하면 된다.

5) 간절리

간의 횡단면에서 본 간절리면의 모식도를 그림 12-10에 실었다.

(1) 확대좌간절제의 경우

지금까지의 조작으로 Cantlie선에 변색된 경계가 드러난다. 수술 중 초음파를 시행하여 간 표면의 변색된 경계와 중간정맥의 위치 관계와 분지양식을 확인해둔다. 확대 좌간절제는 그림 12-11에서 A형과 B형으로 크게 나눌 수 있다. A형 술식과 B형 술식 간의 선택은 중간정맥의 주행 경로가 하대정맥과 충분한 간격이 있는 경우에는 A형 술식을, 간격이 좁을 경우에는 B형 술식을 선택하는 것이 좋다.

A형 확대좌간절제의 경우에 간의 절리는 변색된 경계를 따라 복미측의 담낭상의 부분으로부터 두배측으로 진행한다. 간의 이 단면에 중간정맥이 나타나면, 그 좌측면을 노출시키면서 간절리를 진행하여 중간정맥의 본간에 이르고, 지속적으로 절리하여 중 . 좌간정맥의 합류부까지 진행한다. 중좌간정맥의 근부는 공통간을 형성하고 있는 경우가 많다. 좌간정맥 근부를 혈관겸자로 잡고 절리한 후 그 단단을 5-0 혈관봉합사로 연속봉합하여 폐쇄한다. 중간정맥의 좌측벽의 전체가 길게 노출되면, 그 다음으로 그 배측면이 노출되도록 간절리를 진행한다.

중간정맥의 배측면에는 미상엽으로부터 몇 개의 가는 간정맥지가 유입된다. 이것들을 조심스럽게 결찰.절리한다. 중간정맥의 배면이 충분히 노출되면, 간절리를 미상엽 절제로 진행한다. 이 단계에서 우미상엽(미상엽의 방하대정맥부)와 간의 후구역(특히 우후상분절, 제7분절)의 사이에 명료한 경계선이 존재하지 않기 때문에 간절리 방향의 주의가 필요하다.

먼저 하대정맥으로부터 탈전한 미상엽 배면에 대해서는 하대정맥의 우연(문맥후지의 근부의 좌연과 우간정맥 근부를 잇는 선)을 우 미상엽과 후구역의 경계선으로 해서 중간정맥의 배측까지 진행한 간절리선과 하대정맥 우연을 잇는 면을 따라 간절리를 진행한다. 이

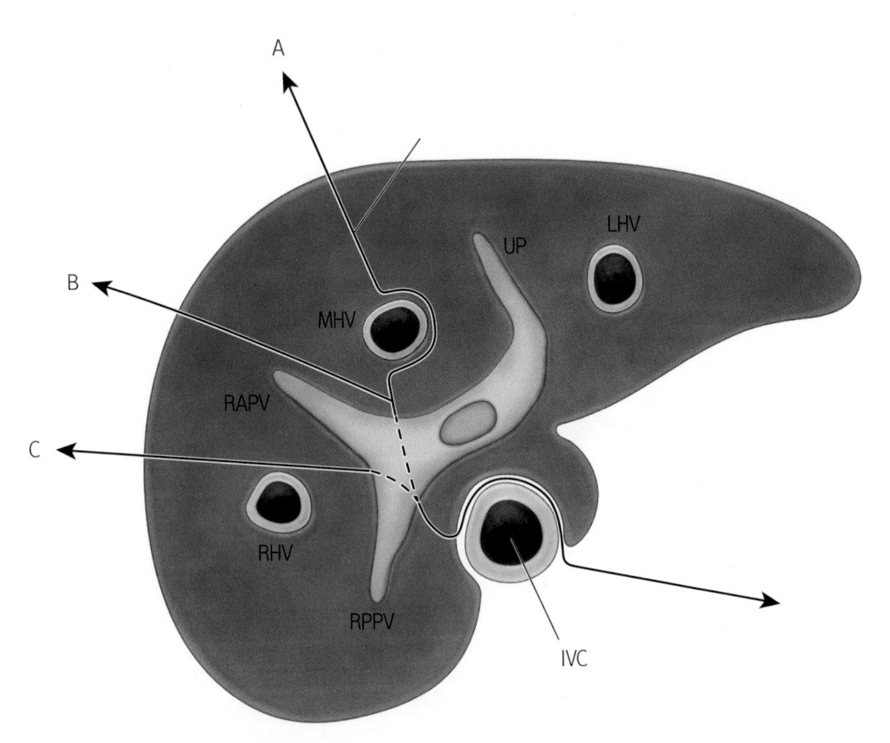

그림 12-10 횡단면에서 본 간절리면의 개념
A: A형 확대좌간절제, B: B형 확대좌간절제, C: 간좌3구역절제, RHV: 우간정맥, MHV: 중간정맥, LHV: 좌간정맥, RAPV: 우문맥전지, RPPV: 우문맥후지, UP: 문맥좌지제부, IVC: 하대정맥

방향이 이해하기 어려울 때는 수동한 미상엽의 배면에 하대정맥의 우연에 상응하는 레벨에서 전기메스로 표시하고 미상엽의 배면에 수술자의 손가락을 삽입하여 이것을 느끼면서 손가락 방향을 향해 간절리를 진행시키면 된다. 자칫하면 미상엽을 완전히 절제하려고 이 절리선이 수술자측, 즉 우엽 쪽으로 깊게 들어가면 제7분절의 글리슨을 손상시킬 우려가 있으므로 주의가 요구된다. 중간정맥의 배측의 간문부근에서는 담관을 포함한 우전구역 글리슨의 결합조직이 백색 구조물로 노출이 된다. 여기까지 진행이 되면, 절리를 미상돌기와 후구역 사이를 미측으로부터 두측을 향해 절리한다. 이 절리선이 이해하기 어려울 때는 앞에 서술한 것처럼 우문맥후구역지의 근부의 좌연을 따라 간을 절리한다.

문맥후구역지의 앞까지 간절리가 진행되면, 먼저 두측에서 진행할 간절리면과 연결한다. 마지막으로 우측 글리슨과의 사이에 남은 간실질을 후구역의 글리슨이 노출되도록 절리한다. 수술자의 방향으로 너무 깊게 절리를 진행하면 담관우후구역지의 담관 누출의 원인이 될 수 있다. 우측으로 절리를 진행하는 것이 아니라 후구역 글리슨을 쉽게 노출시킬 생각으로 간실질의 절리를 진행시키는 것이 좋다(그림 12-11, 12, 13).

B형 확대좌간절제의 경우에는 중간정맥의 우측에서 간절리를 진행시켜 앞에 서술한 것처럼 하대정맥의 우연을 목표로한다. 술중초음파를 시행하여 우전구역 글리슨 본간의 위치를 파악하고 그 좌연을 따라 간실질은 담낭와의 우연에서부터 절리하여 들어가면서 우전구역의 글리슨의 작은 복측지들을 결찰 절리하면, 우전하분절(제5분절)과 전상분절(제8분절)의 글리슨에 이르고, 이들을 간절리면에 노출시키면서 절리를 진행하여 전구역 글리슨으로 합류하는 부분이 넓게 간절리면에 노출되도록 한다. 이어 우측 글리슨 본간의 우복측면을 노출시키면서 간문부 혈관들을 박리해놓은 부위까지 간절리를 진행한다. 간절리가 하대정맥의 우연까지 도달하면, 중+좌간정맥의 공통간을 혈관겸자로 잡고 절리한 후 그 단단을 5-0 혈관봉합사의 연속봉합으로 폐쇄한다(그림 12-14, 15, 16).

(2) 간좌측 3구역절제의 경우

전술한 간좌측 3구역절제를 위한 간문조작으로 전-후구역 사이의 간표면에 변색된 경계가 나타나고, 이것을 따라 미측으로부터 두측으로 간절리를 진행한다. 우간정맥의 분포가 보통 증례에서는 우간정맥의 가지를 쫓아 들어가 우간정맥 본간을 간절리면에 노출시키도록 두측으로 간절리를 진행한다. 우후구역의 체적이 평균적인 증례에서는 이 간절리면은 거의 하대정맥과 수평인 면을 만든다. 다만, 가장 두측에서는 우전상복측 글리슨지(제8분절의 복측 글리슨지)가 우간정맥면보다 약간

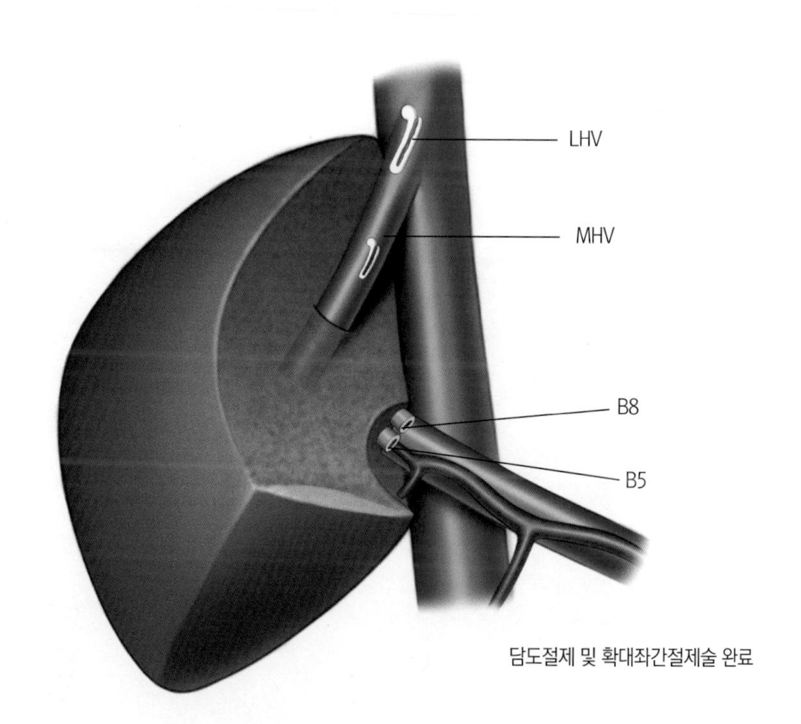

그림 12-11 A형 확대좌간절제 및 미상엽절제에 있어서의 간절리 및 담관절리
우전하분절담관자(B5)와 전상분절담관지(B8)는 이미 절리되어 있다.
화살표 부분에서 후구역지를 절리한다. MHV: 중간정맥, LHV: 좌간정맥단끝

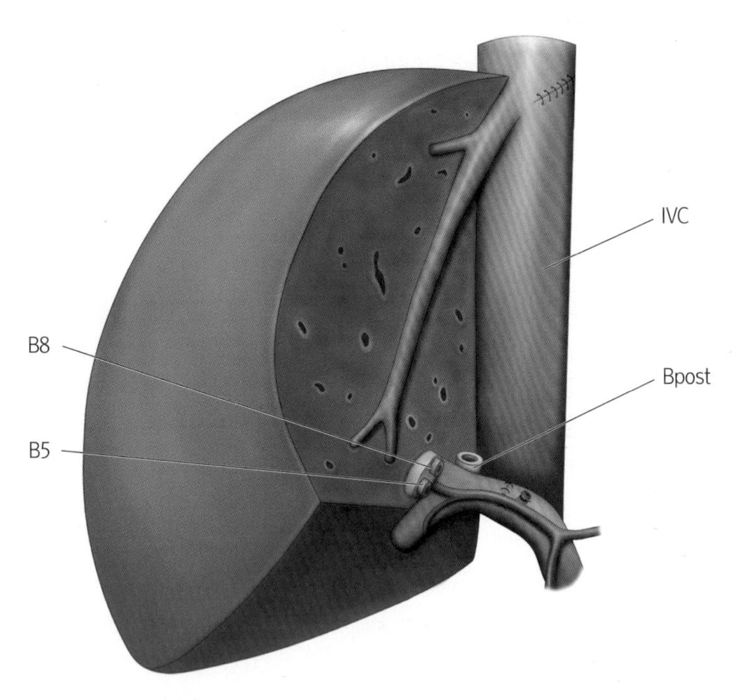

그림 12-12 A형 확대좌간절제 및 미상엽절제의 절제 종료 상태
B5: 우전하분절담관지, B8: 우전상분절담관지, Bpost: 우후구역담관지단끝, IVC: 하대정맥

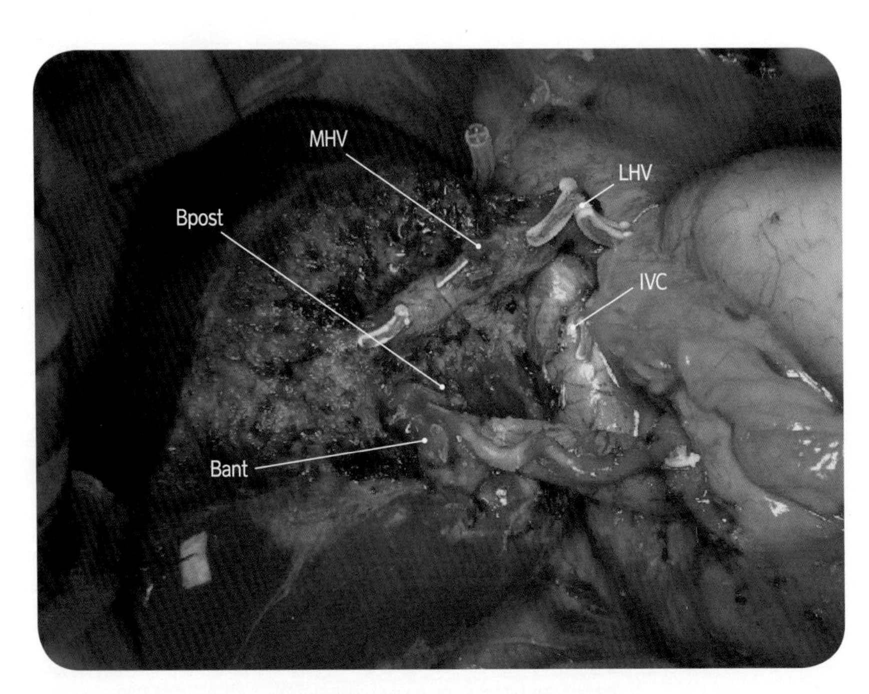

그림 12-13 A형 확대좌간절제 및 미상엽절제의 절제 종료 상태(수술장면)
Bant: 우전구역담관지, Bpost: 우후구역담관지, MHV: 중간정맥, LHV: 좌간정맥, IVC: 하대정맥

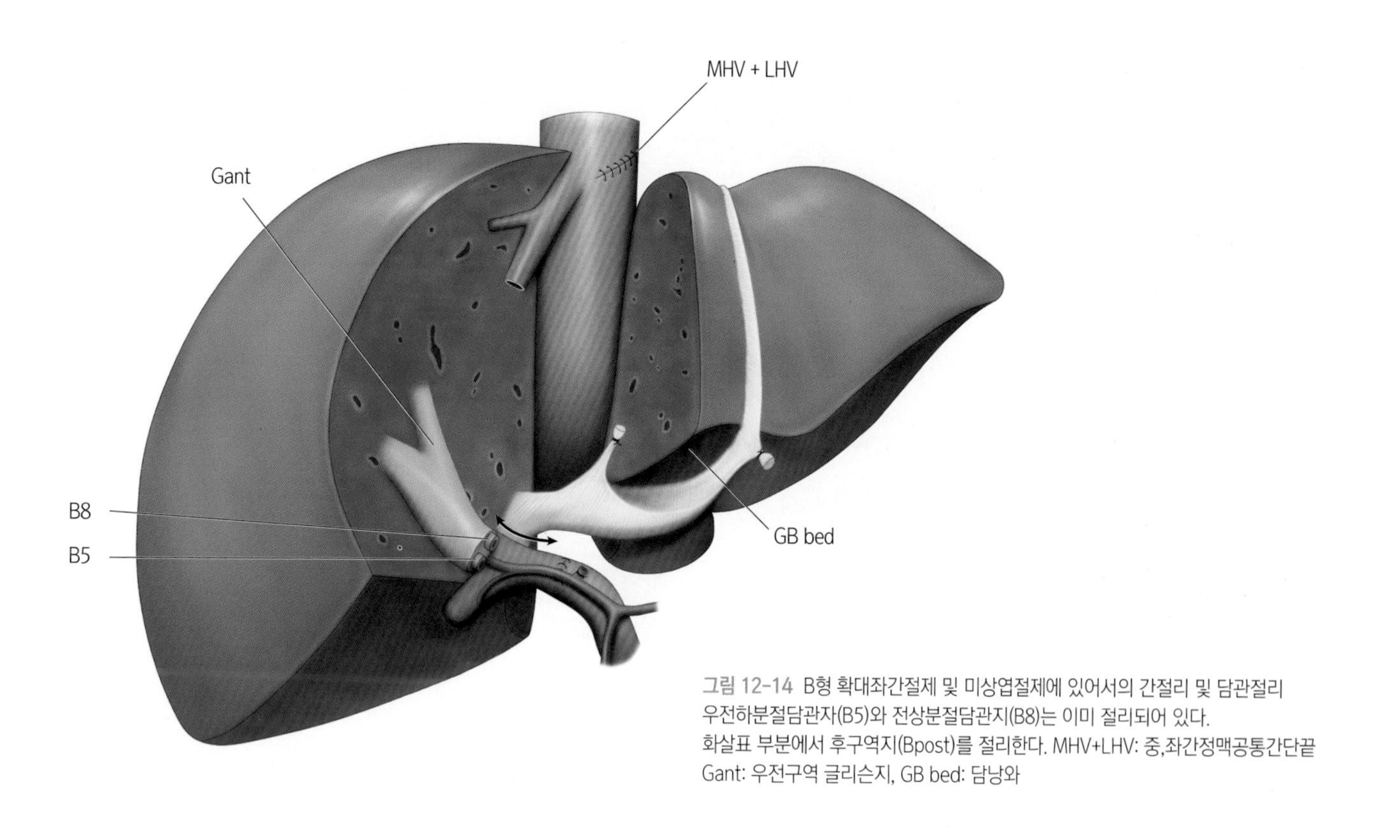

그림 12-14 B형 확대좌간절제 및 미상엽절제에 있어서의 간절리 및 담관절리
우전하분절담관자(B5)와 전상분절담관지(B8)는 이미 절리되어 있다.
화살표 부분에서 후구역지(Bpost)를 절리한다. MHV+LHV: 중,좌간정맥공통간단끝
Gant: 우전구역 글리슨지, GB bed: 담낭와

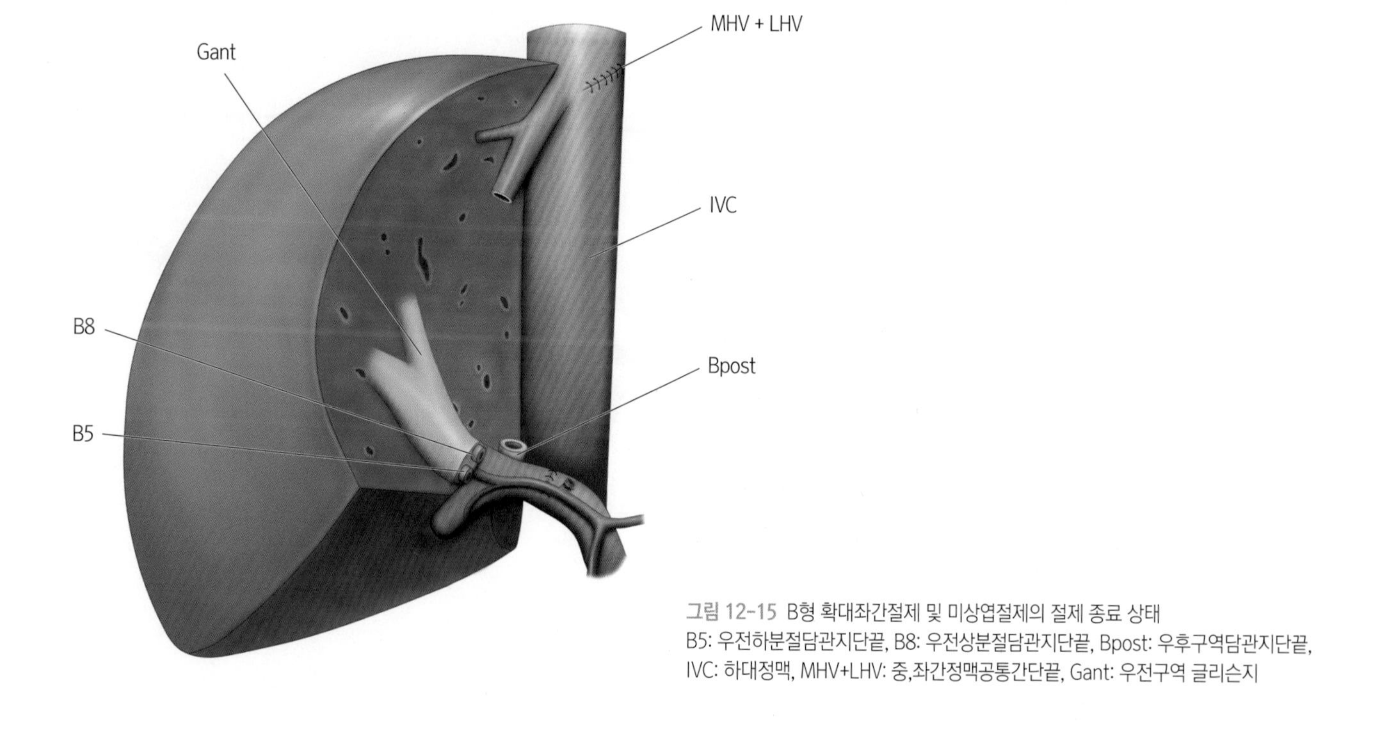

그림 12-15 B형 확대좌간절제 및 미상엽절제의 절제 종료 상태
B5: 우전하분절담관지단끝, B8: 우전상분절담관지단끝, Bpost: 우후구역담관지단끝,
IVC: 하대정맥, MHV+LHV: 중,좌간정맥공통간단끝, Gant: 우전구역 글리슨지

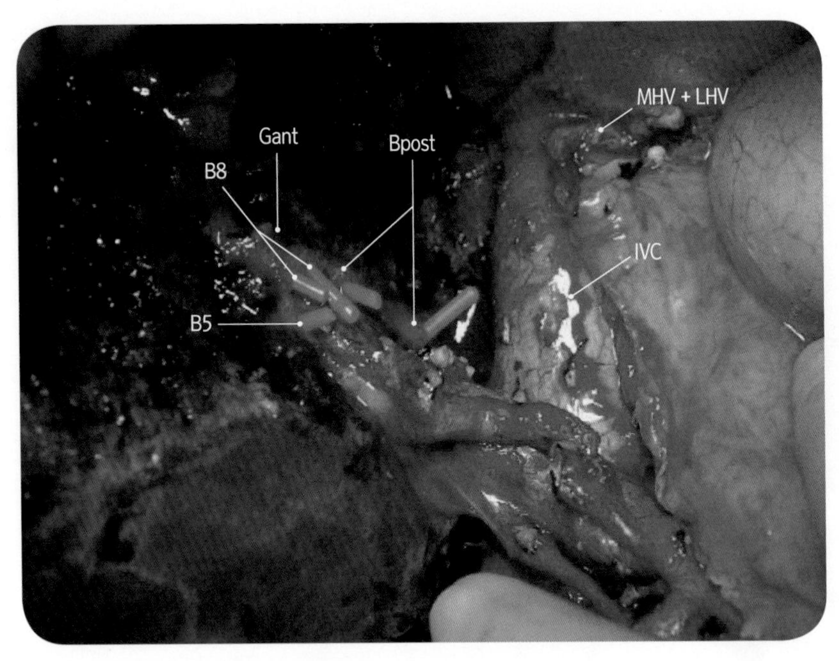

그림 12-16 B형 확대좌간절제 및 미상엽절제의 절제 종료 상태(수술장면)
B5: 우전하분절담관지단끝, B8: 우전상분절담관지단끝, Bpost: 우후구역담관지단끝,
IVC: 하대정맥, MHV+LHV: 중,좌간정맥공통간단끝, Gant: 우전구역 글리슨지

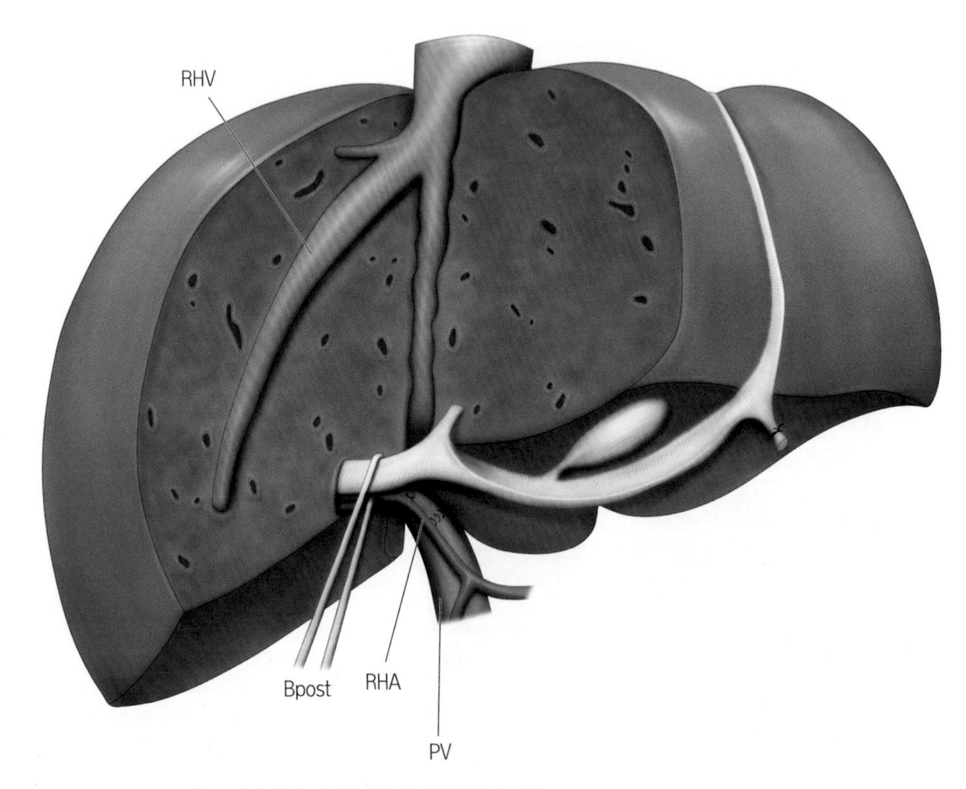

그림 12-17 간좌측3구역절제 및 미상엽절제의 간절리 종료 상태
테이프가 우후구역담관지(Bpost)에 걸려있다. RHA: 우간동맥, RHV: 우간정맥, PV: 문맥

배측까지 지배하는 경우가 많기 때문에 두측의 절리면은 우간정맥보다 약간 배측으로 형성된다.
이 부분에서 우전상복측 글리슨지를 중간에서 절리해서 잔간측에 남기면 수술후 담즙루나 간농양의 원인이 되는 경우가 있으므로 주의를 요한다. 간절리가 우간정맥의 근부까지 도달하면 남는 것은 우미상엽(미상엽의 방하대정맥부)과 우후구역 사이의 간절리이다. 우미상엽과 제7분절 사이는 하대정맥 우연을 목표로 하고 또한 미상돌기와 후구역 사이는 문맥후구역지의 근위부의 좌연을 지표로 간절리를 진행하면, 담관을 포함하는 우후구역의 글리슨의 결합조직이 노출된다(그림 12-17. 18, 19).

하우간정맥이 발달하고 있는 증례에서 제6분절과 제5분절 사이의 간절리는 우간정맥의 본간은 노출되지 않고 제7분절과 제8분절 사이를 절리할 때 처음으로 우간정맥의 본간이 나타난다. 증례마다 간정맥의 발달의 정도도 수술 전부터 잘 파악해 둔다.

6) 간내담관의 절리

(1) 확대 좌간절제술의 경우

담관의 절리를 할 때 가장 주의해야 할 점은 간동맥손상이다. 우간동맥전구역지를 걸어둔 혈관 테이프를 미측 · 배측으로 당기면서, 담관절리 예정선의 말초까지 간동맥가지와 담관가지 사이를 주의깊게 박리해둔다. 담관을 미측으로부터 절리하면 우선 우전구역지 혹은 전구역지 분지들이 나타난다. 우전구역지를 절리하고 다음으로 메젠바움의 방향을 바꾸어 문맥우후구역지의 두측에서 담관우후구역지를 절리한다(그림 12-12, 15). 우간동맥 후구역지가 상문맥형인 경우에는 담관우전구역지를 절리할 때에 우간동맥후구역지의 박리도 말초를 향해 실시하고 또한 담관우후구역지의 절리 시에도 우간동맥 후구역지의 손상을 일으키지 않도록 세심한 주의를 기울인다. 보통의 담관 합류 양식의 경우에는 담관 절리단의 끝은 수술자측 앞에서부터 시계방향으로 B5, B8, 우후구역담관지의 순서로 나열된다(그림 12-13, 16).

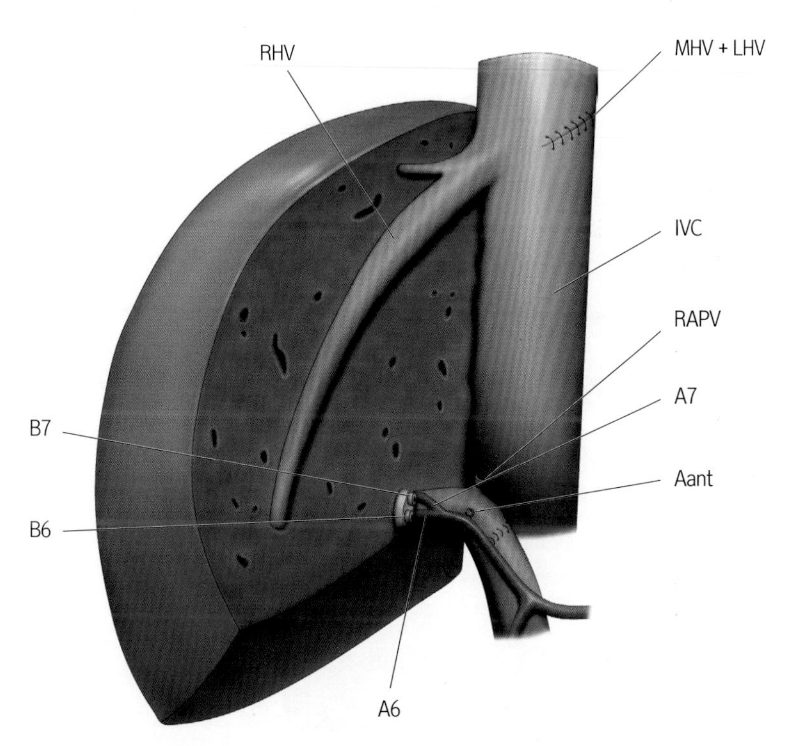

그림 12-18 간좌측3구역절제 및 미상엽절제의 절제 종료 상태
B6: 우후하분절담관지, B7: 우후상분절담관지, A6: 간동맥우후하분절지, A7: 간동맥우후상분절지, Aant: 간동맥우전구역지단끝, RAPV: 우문맥전구역지단끝, IVC: 하대정맥, MHV+LHV: 중간정맥과 좌간정맥의 공통간단끝, RHV: 우간정맥

(2) 간좌측 3구역절제의 경우

간좌측 3구역절제에서는 간절리가 끝난 시점에 우후구역담관지를 포함한 후구역 글리슨의 결합조직이 우간동맥의 후구역지 및 우문맥의 후구역지와 박리된 상태이다(그림 12-18). 우후구역담관지의 분지전 한 개의 구멍을 가진 부위에서 절리를 예정하고 있는 경우에는 이 상태로 담관을 절리하면 된다. 다만 좀 더 안쪽에서 B6와 B7을 따로 절리해야 할 경우에는 우간동맥 후구역지를 한층 더 말초로 박리해 후하분절동맥지(A6)와 후상분절동맥지(A7)를 노출되게 해야 한다. 담관 절리를 함에 있어 특히, A7를 손상주지 않도록 세심한 주의가 필요하다(그림 12-19).

7) 담관의 재건

횡행결장의 뒤 혹은 앞으로 공장을 거상하여 Roux-en-Y로 우간내 담관-공장 문합을 실시한다. 담관의 절리단은 담관 성형을 통하여 일혈화(하나의 구멍으로 만드는 것) 해둔다. 5-0 혹은 6-0 혈관봉합사나 합성흡수사를 이용해 단-측으로 재건한다. 결절봉합으로 문합할지 혹은 연속봉합으로 문합할지는 각 기관이나 수술자의 판단에 따라 결정하는 것이 좋다고 사료된다. 굵은 담관에는 담관 튜브가 반드시 필수는 아니지만, 가는 담관의 경우에는 담관튜브를 유치하는 것이 재건을 용이하게 한다.

확대좌간절제에서는 재건담관이 여러 개인 경우도 드물지 않다.

이 경우에 결절봉합이든 연속봉합이든 재건하기 어려운 후구역지부터 봉합을 시작하여 앞쪽 방향으로 진행하는 것이 좋다. 후구역지 담관은 수술자 쪽에서는 경사진 방향으로 주행하므로 담관벽이 얇은 경우에는 봉합을 위해 침사를 통과한 것만으로도 담관의 벽이 찢어지기 쉬우므로 조심성 없이 봉합사를 강하게 당기지 않도록 주의해야 한다.

Y각의 공장-공장문합이 종료되면 Roux-en-Y각을 횡행결장 뒤로 공장을 거상한 경우에는 장간막 틈새를 봉합폐쇄하고, 횡행결장의 앞쪽으로 공장을 거상한 경우에는 틈새 봉합없이 복강 내를 따뜻한 생리식염수로 세정한 후 이른바 Winslow공과 간절리면(담관-공장문합부 포함)에 배액관을 유치한다. Winslow공의 배액관이 박리된 간동맥에 직접 접하면 위동맥류를 형성하는 경우가 있으므로 간동맥과 문맥에 배액관이 직접 닿지 않도록 조심하여 유치한다.

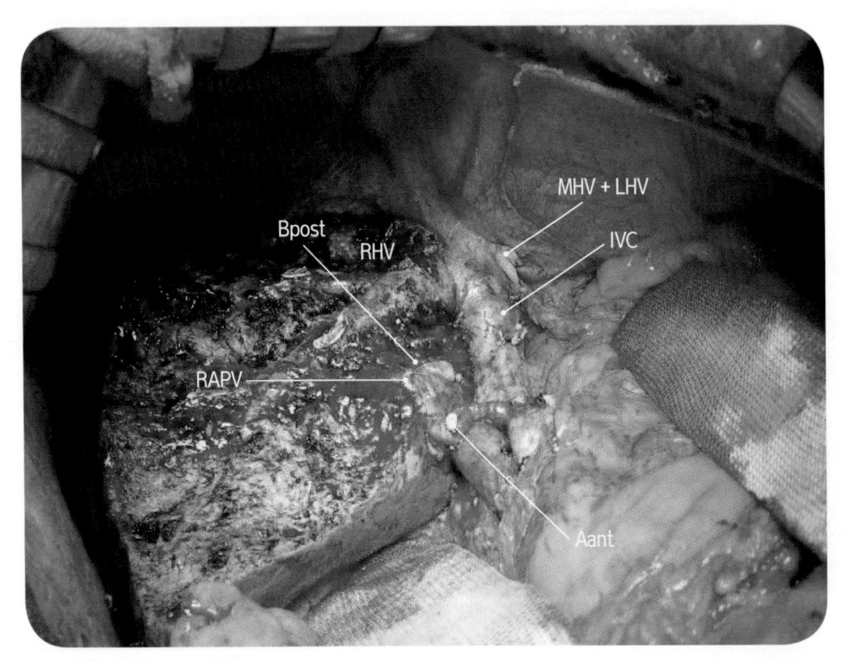

그림 12-19 간좌측3구역절제 및 미상엽절제의 절제 종료 상태(수술장면)
Bpost: 우구역담관지, Aant: 간동맥전구역지, Apost: 간동맥후구역지, Aant: 간동맥우전구역지단끝, RAPV: 우문맥전구역지단끝, IVC: 하대정맥, MHV+LHV: 중간정맥과 좌간정맥의 공통간단끝, RHV: 우간정맥

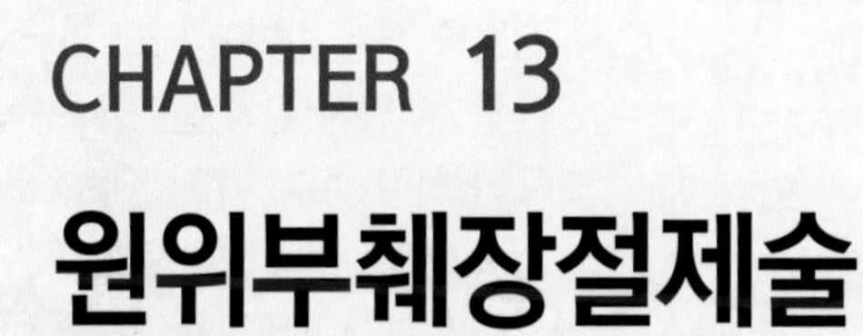

CHAPTER 13

원위부췌장절제술

Distal pancreatectomy and radical antegrade modular pancreatosplenectomy

1. 적응증

췌장의 체부와 미부에 위치한 절제가능한 췌장 선암, 신경내분비 종양, 고형 가유두상종양, 전이암을 포함하는 고형 종양과 주췌관형 췌관내유두상점액성낭종, 3 cm 이상이거나, 증상이 있거나, 낭성 종양 내 고형 종양이 관찰되는 분지형 췌관내유두상점액성낭종, 증상이 있거나 크기 증가가 명확한 장액성 낭종, 만성 석회화 췌장염, 증상이 있는 가성낭종 등이 적응증이 된다. 비장은 췌장 미부에 해부학적으로 가깝게 위치하고 있고 비장 동, 정맥이 동시에 원위부 췌장과 비장의 혈류를 담당하고 있으며, 악성 종양의 경우에는 비장문부의 림프절 곽청의 의미가 함께 포함되어 비장은 원위부 췌장과 함께 제거되었으나, 최근에는 비장의 잠재적 기능에 대한 관심이 증대되고 췌장 수술에서의 경험이 축적되면서 양성 종양의 경우에는 가능하면 비장 보존 원위부 췌장절제술이 시도되고 있다.

2. 비적응증

심각한 심폐질환이나 혈역동적 불안정한 환자와 악성 종양이 복강동맥(celiac trunk)이나 상장간막동맥(superior mesenteric artery)을 침범한 경우, 일괄(enbloc) 절제가 불가능한 주변 장기로의 침범이 있는 경우, 원격 전이가 있는 췌장 선암 등의 경우에는 적응증이 되지 않는다.

3. 수술 전 처치

비장을 함께 절제하려고 계획한다면 수술 2주 전에 폐렴구균, 호혈성 인플루엔자 간균(Haemophilusinfluenza type B), 수막염균(meningococcus)에 대한 예방접종을 시행한다. 신경내분비 종양의 경우에는 다발성의 가능성 및 제1형 다발성 내분비 종양(MEN type I)과의 연관성을 배제하기 위한 수술 전 충분한 검사가 필요하며, CT, MRI 외에 소마토스타틴 수용체 영상(somatostatin receptor scintigraphy), 내시경적초음파(EUS) 등이 도움이 될 수 있다. 기능성 신경내분비종양이 의심되는 경우에는 호르몬 검사도 검해야 하며, 특히 가스트린종이 의심되는 경우에는 술 전 내시경을 통해 십이지장내 선종의 유무도 확인해야 한다.

췌관내 유두상 점액종양의 경우에는 분지형인지 주췌관형인지의 감별이 중요하며, 내시경적 역행성 담췌관 조영술(ERCP), 자기공명 췌담관 조영술(MRCP), 또는 내시경적 초음파(EUS) 등을 적절히 이용할 필요가 있다. 이전 내시경 생검으로 췌장선암이 확진되었거나 강력하게 의심이 되었을 경우에는 수술 전 입원 시에 최근 CT 검사가 수주가 지났을 경우에는 CT를 다시 시행하여 병의 경과를 확인할 필요가 있다.

4. 마취

개복 수술의 경우 기관에 따라서 정맥 혹은 경막 외 자가통증조절 장치(IV or Epidural PCA) 삽입 후 전신마취를 시행하며, 환자의 기저질환 및 혈관문합이 예상되거나 대량출혈이 예상될 경우 동맥감시장치 혹은 중심정맥관을 삽입하기도 한다. .

5. 환자 자세

환자는 앙와위(supine) 자세에서 수술대에 잘 고정하도록 한다.

6. 수술 준비

심부정맥 혈전증(deep vein thrombosis) 고위험환자에 대해서는 이의 예방을 위해 점진적 압박 장치(sequential compression devices, SCD)를 사용하는 것을 권장한다. 피부 절개 1시간 전에 예방적 항생제를 투여한다. 수술부위 피부는 유두와 치골, 옆구리까지 통상적 방법으로 준비한다.

7. 절개 및 노출

주로 정중선 절개선을 이용하나 L자 절개선을 이용하기도 한다.

8. 수술 과정

췌미부절제술은 췌장을 먼저 절제한 후 췌장 말단부와 비장을 분리시켜 나가는 전방향 절제방법(antegrade method)과 비장부터 구동(mobilization)시켜 췌장 미부 및 체부를 구동시켜 마지막에 췌장을 절제하는 고식적인 역방향 방법(retrograde method)이 있다.

전방향 절제 방법에 대해 먼저 기술하자면, 개복 후 먼저 간과 골반을 포함한 복강 내로의 전이 여부, 위간인대(gastrohepatic ligament) 내의 복강동맥 주변, 상장간동맥으로의 침범 여부 등을 먼저 조사하여 절제 가능성에 대해 평가 후 수술을 진행한다. 복강 내 조사가 끝나면 대망(greater omentum, gastrocolic ligament)을 위로 들어올리고 횡행결장을 제1 보조자가 아래쪽으로 견인하게 함으로써 대망을 횡행결장에서 쉽게 분리하여 소낭(lesser sac)으로 진입하여 췌장을 볼 수 있다(그림 13-1).

보통 위는 췌장과 떨어져 있어 쉽게 들어올려지지만, 반복된 염증으로 인해 췌장과 위벽의 유착이 있는 경우에는 우선 유착을 조심스럽게 박리하여 췌장 전체를 노출시킨다(그림 13-2).

췌장의 노출이 완료되면 촉진 및 초음파를 통해 병변의 위치와 경계를 확인함과 동시에 췌장 두부의 병변 유무에 대해서도 평가함으로써 수술 범위를 최종 결정한다.

대망 절제가 끝난 상태에서 위비장간막(gastrosplenic ligament)을 완전히 절제하여 위를 우측으로 구동시킬 수 있도록 한다. 위비장간막 절제 시에는 그 속에 들어있는 좌위대망혈관(left gastroepiploic vessels)과 단위혈관(short gastric vessels)들이 수

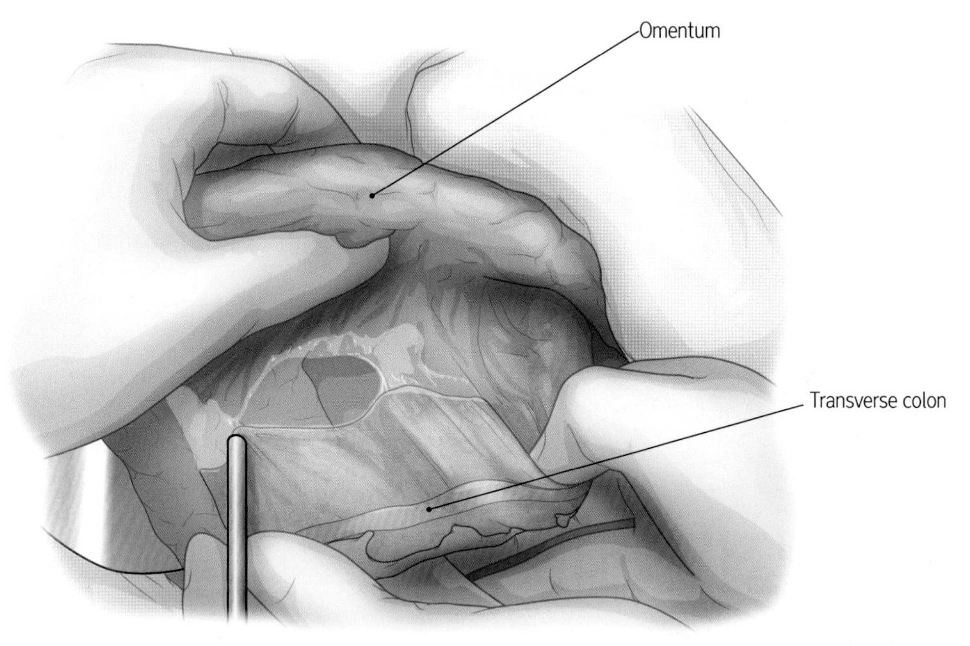

그림 13-1

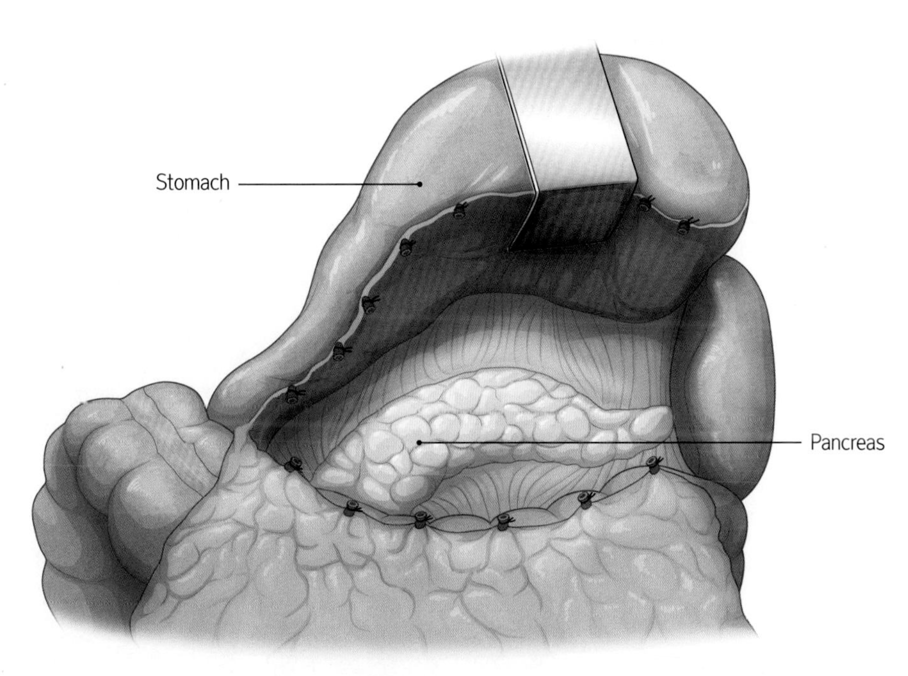

그림 13-2

술 후 출혈의 흔한 원인이므로 안전하게 결찰 후 절제해야 한다(그림 13-3).

이렇게 비장의 앞부분 구동이 끝나면 비장의 아랫부분을 지지하고 있는 비결장인대(splenocolic ligament)를 박리하여 대장을 비장으로부터 분리시킨다(그림 13-3).

췌장 주변 장기들의 구동이 완료되면 위장은 폭이 넓은 S 견인기 또는 디버 견인기(deaver retractor)를 이용해 위쪽으로 견인하고 대장은 수술용 패드를 이용해 복강 아래쪽으로 밀어 넣으면 수술시야가 충분히 확보된다. 이제 췌장을 덮고 있는 후복막을 박리해야 하는데, 췌장 하부의 후복막을 먼저 박리한다. 비장정맥을 확인하고 비장정맥을 따라 우측으로 박리를 계속하게 되면, 상장간막정맥과의 합류부를 찾을 수 있다. 상장간막정맥과 췌장 사이의 무혈관면을 따라 조심스럽게 박리를 한다(그림 13-4).

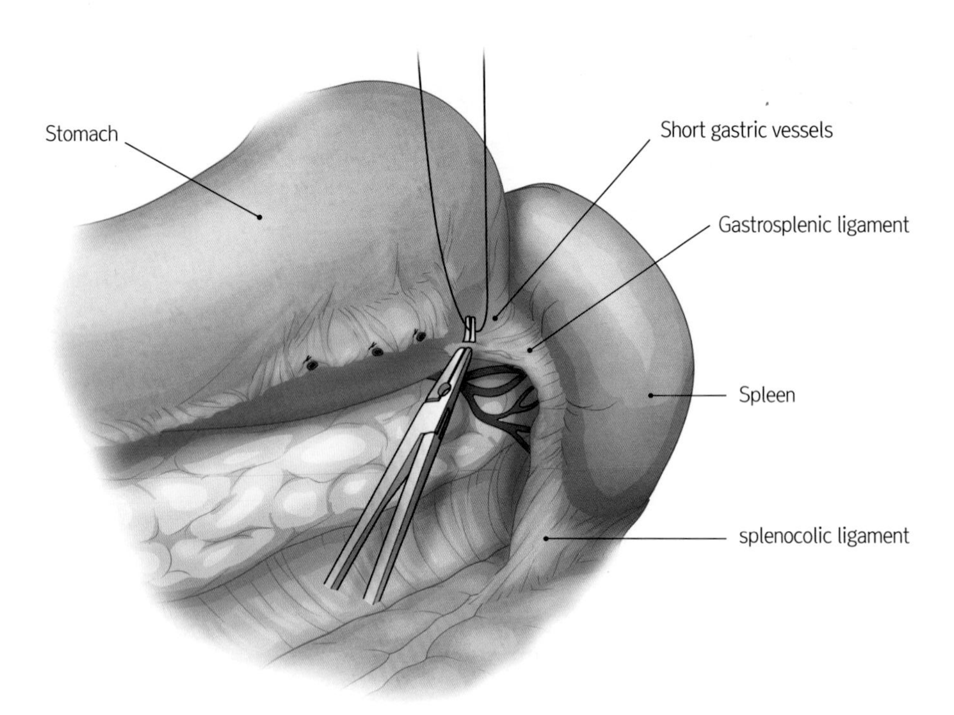

그림 13-3

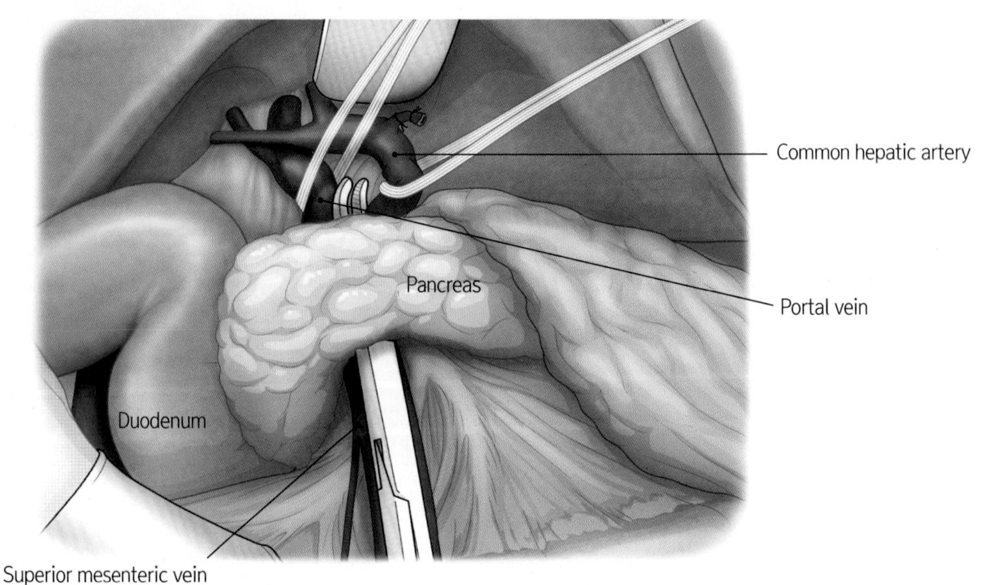

그림 13-4

이후 췌장 상부의 후복막을 박리하기 위해서는 제1 보조자가 수술용 거즈로 췌장 위에 대고 췌장을 아래쪽으로 견인해주면 시야가 좋아진다(그림 13-5).
췌장 상부의 후복막 박리 과정에서는 총간동맥 주위를 박리하여 테이프로 걸어놓고 하방의 간문맥 및 비장 정맥을 확인한다. 총간동맥 림프절을 박리하면서 관상정맥(coronary vein)을 보게 되는데, 보존하도록 노력하지만 출혈이 되거나 비장정맥으로 합류되는 경우에는 결찰해도 무방하다. 다만, 복강동맥 절제를 계획하는 췌미부절제술에서는 수술 후의 위의 울혈이 발생할 수 있으므로 유의한다.
췌장 상부의 후복막을 박리하고 나면 복강동맥에서 기원하는 비장 동맥을 확인할 수 있다(그림 13-6).
췌장경부 상하부의 박리가 끝나면 췌장을 플라스틱 테이프로 걸어서 주위 주요 혈관이 확

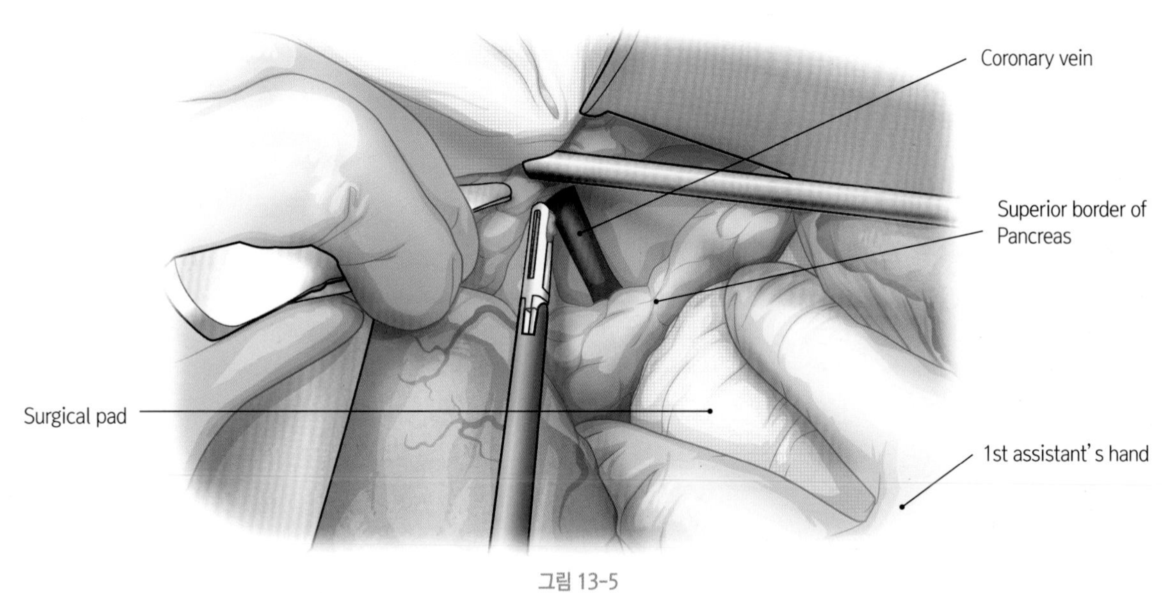

그림 13-5

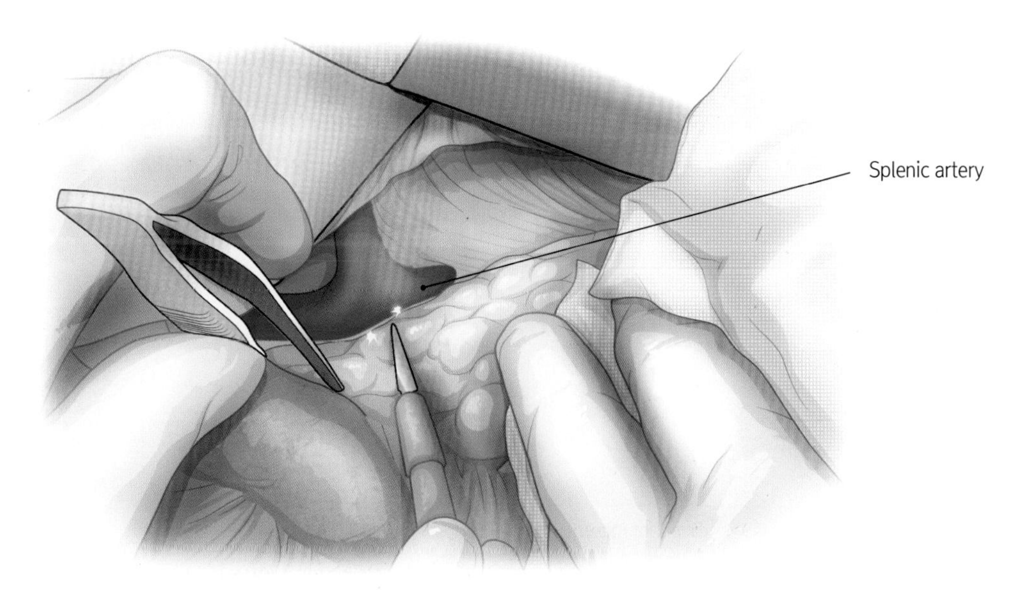

그림 13-6

인하면서 자동봉합기를 삽입하고 이를 이용하여 3분 동안 천천히 닫고, 1분 정도 기다렸다가, 1~2분 정도의 시간 동안 절제를 시행한다(그림 13-7).

췌장의 절제 위치에 따라서 두꺼운 체부에서 절제할 경우에는 두께를 고려한 자동봉합기 카트리지를 선택할 수 있으며, 이외에도 전기소작기, 초음파절삭기 등을 이용해 췌장을 절제하기도 하고 이 경우에는 절제면에서 주췌관을 찾아 봉합하는 과정이 필요하다. 췌장을 절제한 이후에는 췌장절제면의 출혈을 다시 한번 컨트롤 한 후에 이전 박리해놓은 비장정맥과 비장동맥을 비흡수성 봉합사나 플라스틱 클립을 이용하여 결찰하고 자른다.

췌장절단면은 일부 잘라서 동결절편검사를 이용하여 종양의 침범여부를 확인하고, 나머지 췌장은 겸자나 stay suture를 이용하여 위아래로 견인하면 이후 췌장 박리에 도움이 된다. 췌장의 하부 박리과정에서 여러 개의 작은 혈관들 및 비장정맥으로 합류하는 하장간막 정맥(inferior mesenteric vein)을 만나게 되면 조심스럽게 결찰하고 절제한다(그림 13-8).

한편 췌장암의 경우 일반 췌장 종양과 달리 많은 림파절과 주위조직에 대한 광범위 절제술이 실시되기도 하는데 대표적으로 Strasberg에 의해 소개된 radical antegrade modular

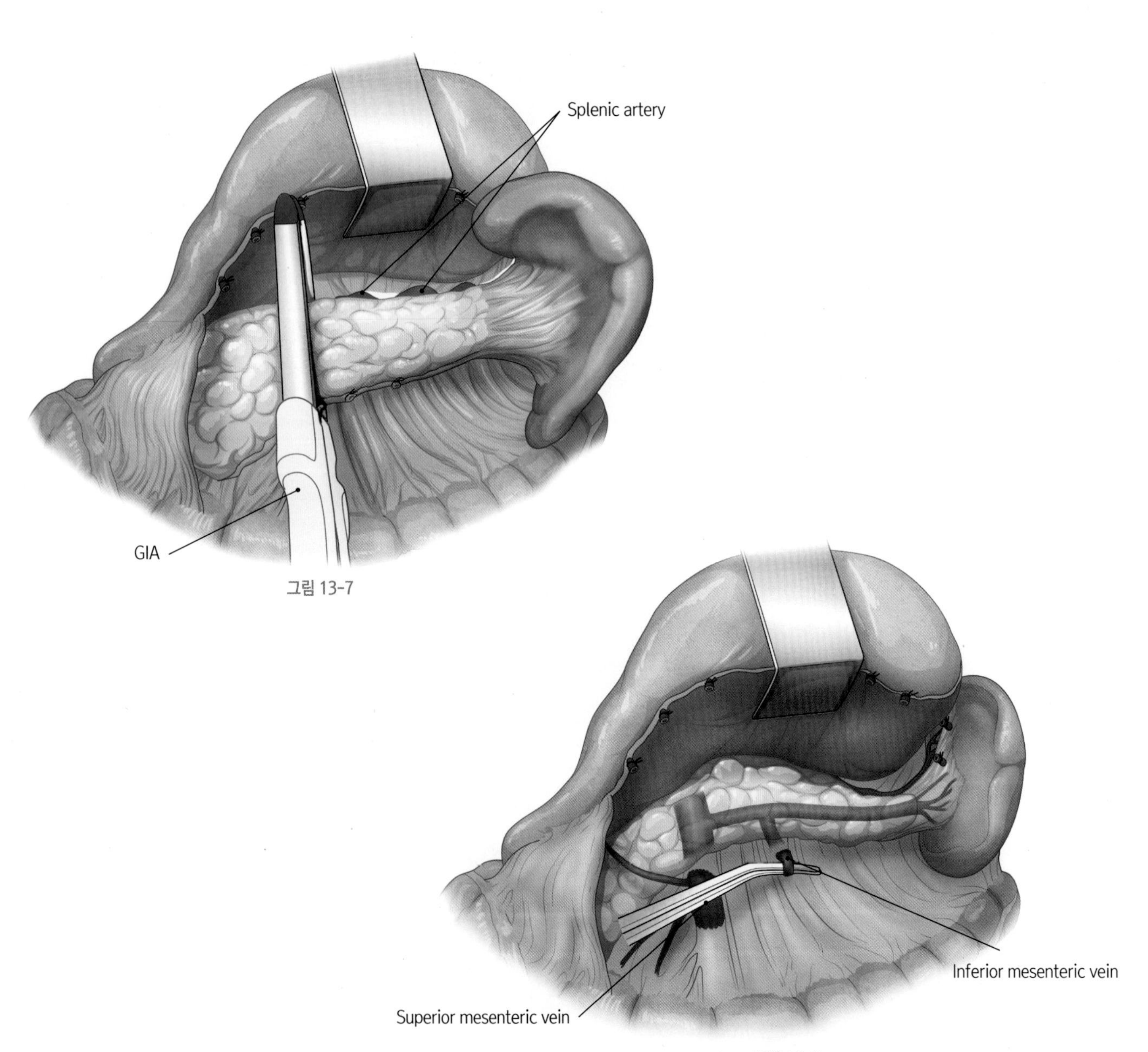

그림 13-7

그림 13-8

pancreatosplenectomy (RAMPS) 수술법이다. 이에 기존의 췌미부 절제술을 구분하여 기술한다. RAMPS는 췌장의 아래쪽 마진을 확보하기 위해서 복강 동맥 및 상장간막 동맥 좌측 주변의 림프절 및 신경조직을 박리하고 부신 및 신장 주위 지방조직까지 함께 절제하는 수술 방법이다.

RAMPS수술의 경우에는 췌장 절제 이후에는 비장동맥 절제 이후 복강동맥 주위 및 상장간막동맥 좌측의 림프절 곽청을 시행하고 좌측으로 박리를 계속한다. 하방으로는 좌신정맥을 노출시키고 상방으로는 횡격막을 기준으로 삼는다. 이때 Kocher maneuver를 시행하여 좌신 정맥을 노출시켜 놓은 경우 좌측에서 상장간막 동맥 주위 림프절 곽청 이후 좌신정맥을 찾는데 용이할 수 있다(그림 13-9).

anterior RAMPS의 경우에는 좌측 부신을 절제하지 않고 상방으로 박리를 계속하여 Gerota fascia를 포함하여 신장 주위 지방조직을 함께 절제하며, 좌측 부신 주위의 종양 침범으로 인해 마진이 확보되지 않을 경우에는 posterior RAMPS를 시행하며 좌신정맥의 상방의 좌부신정맥을 결찰하면서 좌측 부신을 함께 절제한다. 이후 Gerota fascia를 포함하여 신장 주위 지방조직을 함께 절제한다(그림 13-10).

RAMPS가 아닌 췌미부절제술의 경우에는 박

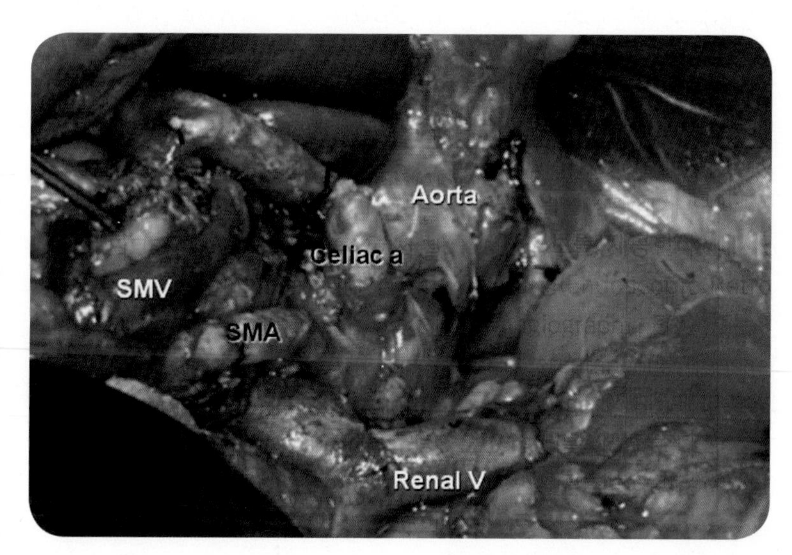

그림 13-9 Posterior RAMPS at completion of dissection

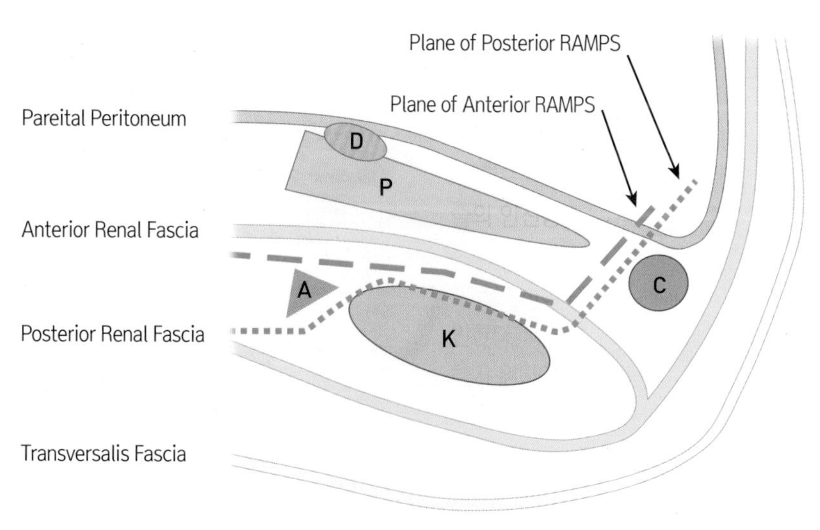

그림 13-10 A. 좌측부신, C. 비장만곡부, D. 십이지장의 제4부, K. 좌측신장, P. 췌장

리해 두었던 췌장 하부의 후복막 면을 따라 Gerota fascia 상방으로 박리를 진행하며 이때 박리되는 조직을 따라 비장동맥 상방의 박리를 함께 진행한다. 위비장간막 박리가 췌장절제 이전에 충분히 이루어지지 않았다면, 단위혈관을 포함한 위비장간막 박리를 꼼꼼한 결찰을 동반하여 계속한다. 위비장간막 박리를 끝마친 이후에는 비신장인대를 처리하여 절제를 마무리한다. Trietz인대나 장간막이 손상되었을 경우에는 일차 봉합을 시행하여 탈장을 예방한다.

다음으로는 고식적 역방향 원위부 췌비장 절제술(Conventional retrograde distal pancreatosplenectomy)에 대해서 설명한다. 췌장 원위부를 구동시키기 위해서는 췌장을 덮고 있는 후복막을 박리해야 하는데, 췌장 하부의 후복막을 먼저 박리한다. 췌장의 하부 박리과정에서 여러 개의 작은 혈관들 및 비장정맥으로 합류하는 하장간막 정맥(inferior mesenteric vein)을 만나게 되면 조심스럽게 결찰하고 절제한다. 이후 췌장 상하부의 후복막을 앞서 기술한 바와 같이 박리한다. 췌장의 상.하부 후복막 박리가 완료되면 완전히 구동된 비장과 췌장 미부를 술자의 왼손을 이용해 환자의 중앙쪽으로 견인하면 췌장 후부 박리를 쉽게 할 수 있다(그림 13-11).

양성질환으로 수술하는 경우에는 췌장 후변을 따라 비장 동맥과 정맥을 함께 박리하면 되지만, 악성종양으로 수술하는 경우에는 종양이 췌장내에 국한되어 있더라도 충분한 경계확보를 위해 후복막 연부조직을 함께 박리하여야 한다. 이때의 박리면은 좌측 부신, 신장 및 신정맥을 노출시키면서 중앙부로 진행하여 상장간막동맥 및 복강동맥 주변의 연부조직과 림프절 박리도 동반하게 된다. 악성종양이 주변장기의 침범이 있는 경우에는 주변장기도 동반절제하여 일괄(en bloc) 절제 하도록 한다. 이렇게 원위부 췌장 및 비장의 구동이 완료되면 췌장 후부에 붙어있는 비장 동맥을 복강동맥 기시부 부근에서 안전하게 분리하여 실크를 이용한 결찰 및 단일섬유(monofilament) 5-0 또는 4-0 봉합 결찰 후 절제한다(그림 13-12).

비장동맥을 결찰하고 나면 비장의 혈액이 빠져나와 자가수혈(autotransfusion)이 되면서 비장의 크기가 줄어들게 된다. 비장 정맥은 상장간막정맥과 합류하는 부위 확인하고 비장동맥을 결찰한 곳과 비슷한 위치에서 실크를 이용해 결찰하거나 단일섬유(5-0 또는 4-0)를 이용해 연속봉합한다(그림 13-13).

비장 동, 정맥을 처리하고 나면 병변으로부터

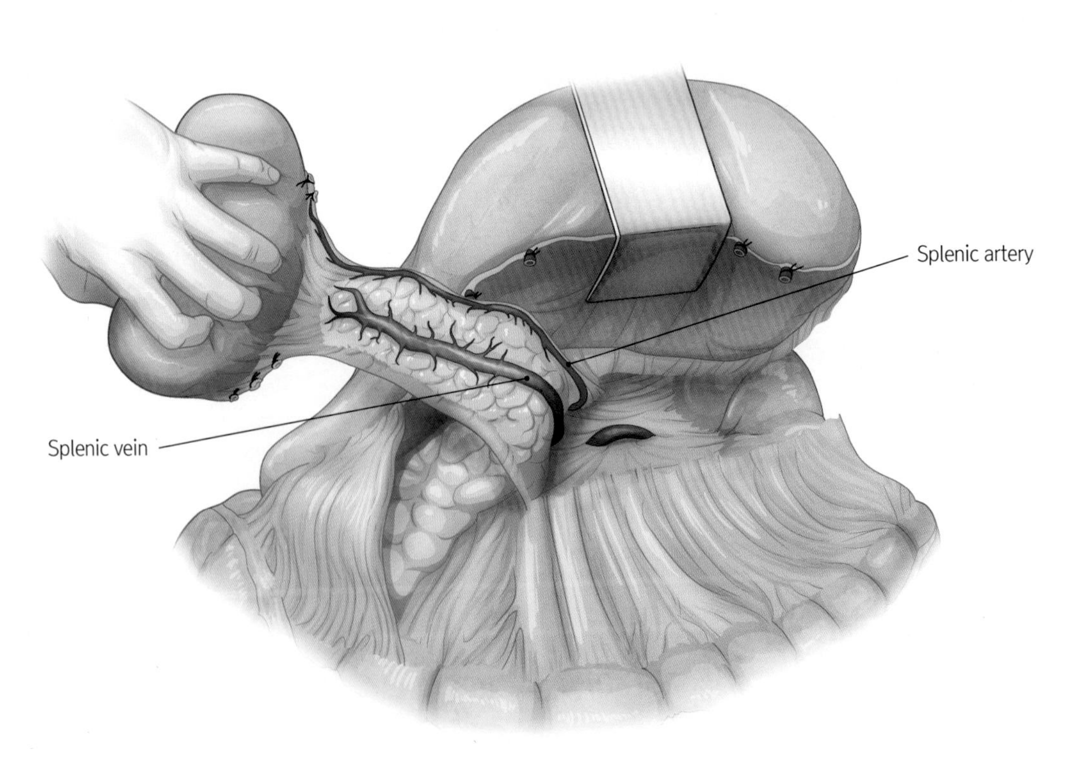

그림 13-11

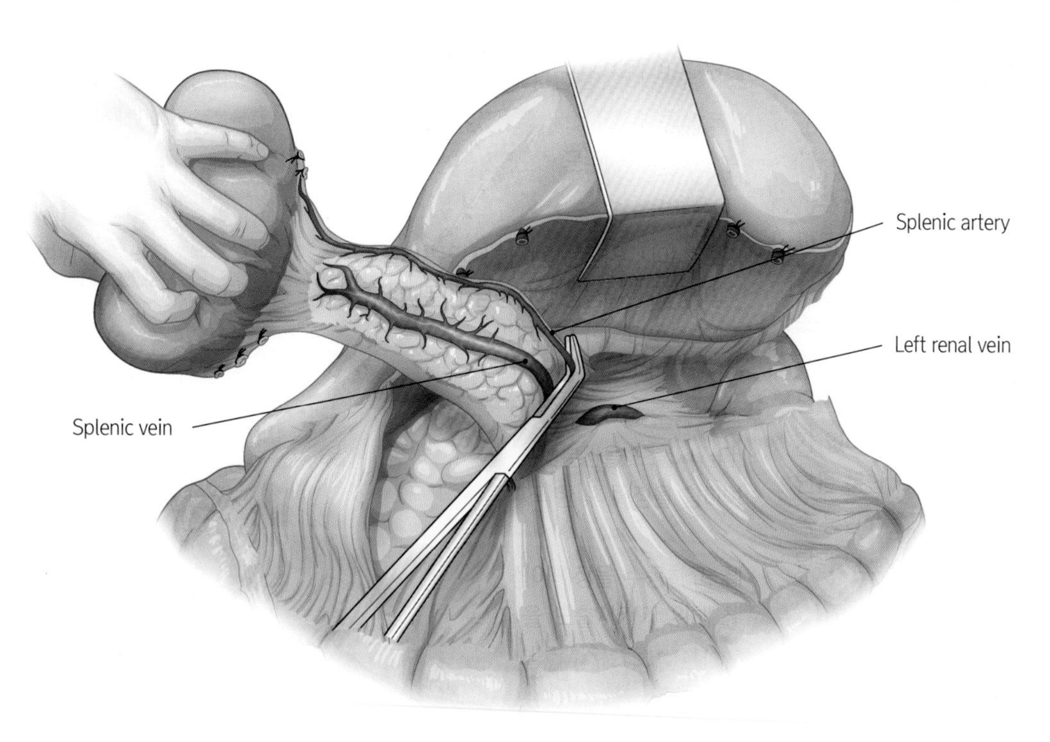

그림 13-12

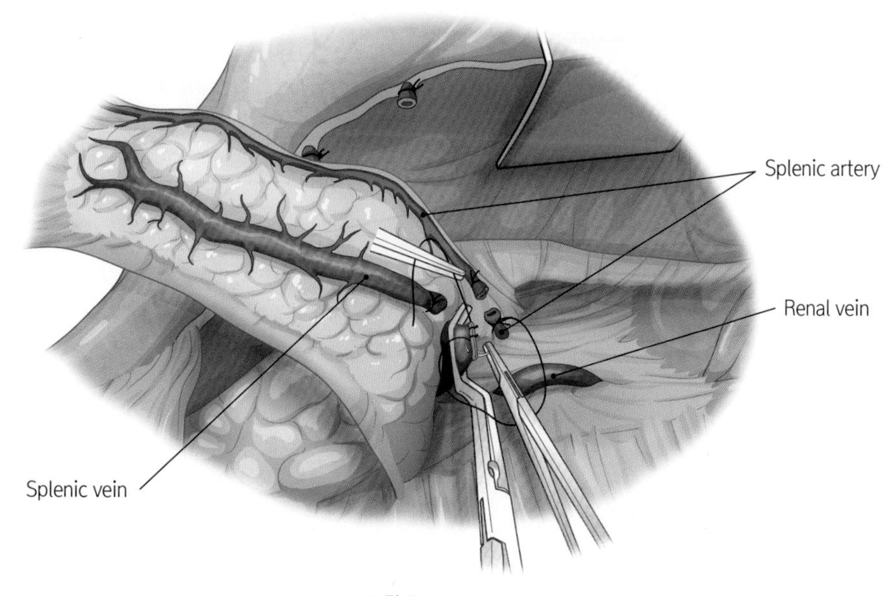

그림 13-13

충분한 거리를 확보한 후 보통 자동 봉합기 (GIA 또는TA)를 이용해 췌장실질을 절제한다(그림 13-14).

술자의 기호에 따라서 또는 췌장의 만성 염증이 심해 섬유화가 많이 진행되어 있거나 췌장의 두께가 두꺼워 자동봉합기를 이용하기 어려울 경우에는 전기 소작기, 초음파절삭기, Ligasure 등을 이용해 췌장을 절제하기도 한다. 어떤 방법으로 절제하든 가능하면 절제면에서 주 췌관을 찾아 비흡수사를 이용해 봉합해주고, 절제한 췌장 단면은 단속적 매트리스 봉합해준다. 원위부 췌비장을 제거한 후에는 출혈여부를 꼼꼼히 확인하고 의심스러운 부위는 다시 한번 결찰하여 수술 후 출혈 및 췌장루에 의한 출혈의 위험을 예방하도록 한다. 환자의 좌측 옆구리를 통해 밀폐형 흡입 배액(Closed suction drain)을 삽입 후 잔류 췌장의 절제면 주위에 위치시키고 위장과 대망을 수술부위 및 잔류 췌장을 잘 덮어준다.

8. 폐복

복벽은 보통의 방법으로 봉합한다.

9. 수술 후 관리

수술 후 의학적으로 위험 요소가 있는 경우가 아니면 대부분의 환자는 일반병실에서 관리한다. 혈당 및 수술 후 췌장염의 유무를 모니터링하기 위해 혈중 아밀라제를 포함한 일반 혈액 검사와 췌장루의 유무를 보기 위해 배액량과 배액 내 아밀라제 수치를 지속적으로 확인하도록 한다. 췌장루, 출혈, 유미루(chyleleak) 및 농양 등은 드물지 않은 합병증이므로 배액의 성상에 대해 항상 주시해야 한다. 수술 후에 췌장루가 없다면 조기에 배액관을 제거하고, 췌장루가 의심되고 CT에서 염증이 동반된 fluid collection이 확인이 된다면 내시경초음파를 이용한 위를 통해 내배액술을 시도하거나 경피적 배액술을 시도할 수 있다.

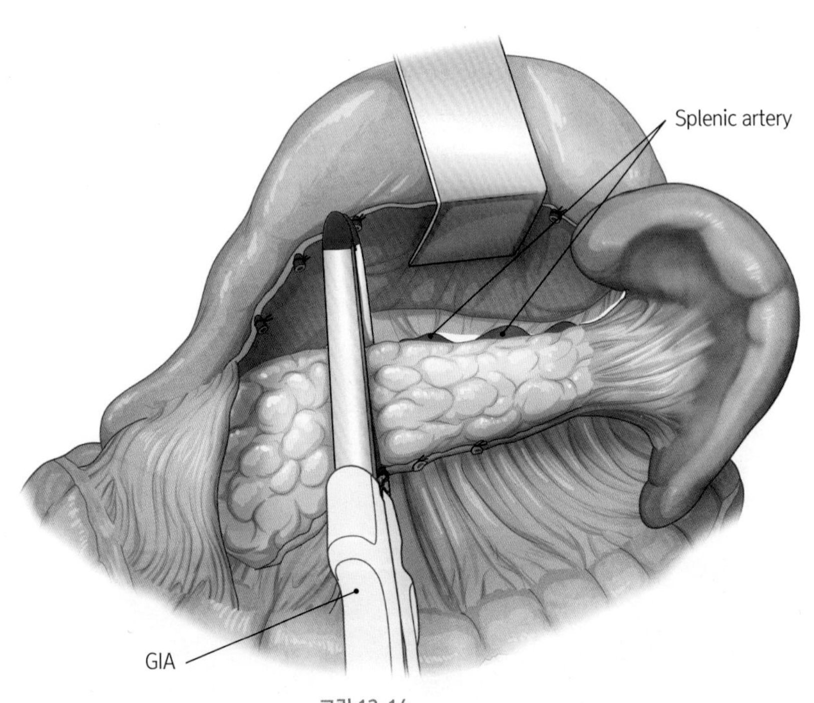

그림 13-14

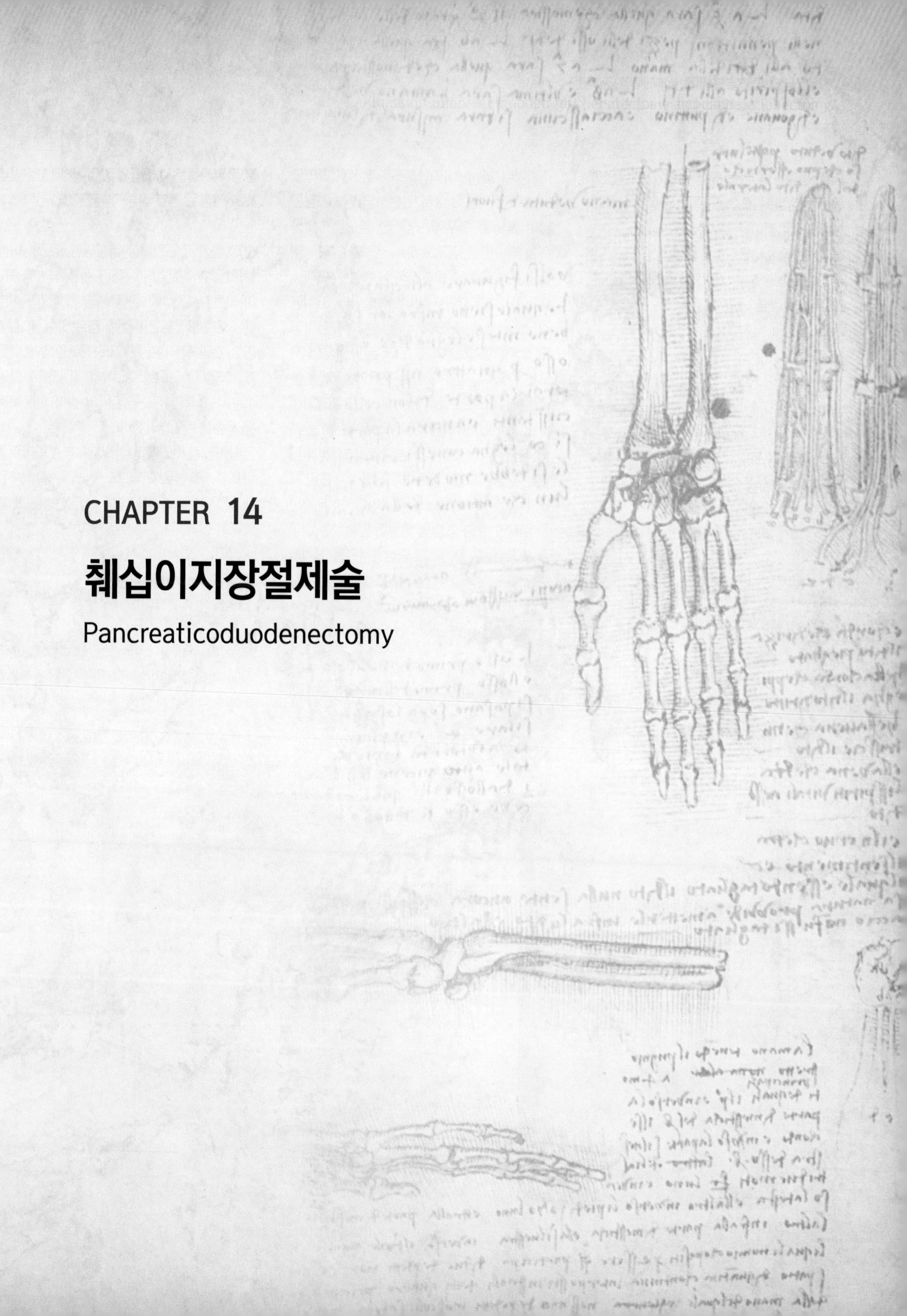

CHAPTER 14

췌십이지장절제술

Pancreaticoduodenectomy

1. 적응증

췌십이지장절제술은 췌장 두부에 발생한 선암을 비롯하여 악성으로의 변환 가능성이 있는 췌관내유두상점액종(intraductal papillary mucinous neoplasm, IPMN)이나 점액낭종(mucinous cystic neoplasm, MCN) 혹은 췌장의 내분비종양(neuroendocrine tumor of the pancreas)이나 팽대부암, 총수담관암 또는 십이지장 악성종양 등의 팽대부 주위 종양이나 암의 치료를 위해 시행되는 술식이다. 췌십이지장절제술은 드물지만 만성 췌장염 환자의 난치성 통증이나 췌두부 부위나 십이지장의 외상성 손상을 치료하기 위하여 시행되기도 한다.

2. 수술 전 처치

수술 시작 1시간 전에 Cephalosporin계 항생제 치료를 시작해야 한다. 술 중, 술 후 시간당 소변 배출량을 측정하기 위해 방광에 도뇨관(foley catheter)을 거치해 두어야 한다. 이론의 여지는 있지만 혈중 total bilirubin 수치가 10 mg/dl 이상으로 심한 황달이 있으면서, 간기능이 심하게 손상되었거나 담관염이 동반된 경우에는 술 전 담도배액술을 시행해야 하는 경우도 있다. 술 전 담도배액술의 방법으로는 내시경적 역행성 담도배액술(ERBD)과 같은 내부 배액술이나 경피경간담도배액술(PTBD)이나 내시경적경비담도 배액술(ENBD)과 같은 외부 배액술이 시도되고 있다. 황달이 심한 경우에는 혈액 응고 장애가 있으므로 Vitamin K를 주입하여 prothrombin 레벨을 정상으로 유지하는 것이 바람직하다. 또한 술 중, 혹은 술 후에 신부전이 올 수 있기 때문에 혈압을 유지하면서 BUN/Cr 수치 변화에 유의하여야 한다. 흔하지 않지만 수술 중 대량 출혈이 발생하는 경우가 있기 때문에 수술 전 중심정맥관을 설치하는 것이 안전하다.

3. 절개 및 노출

우상복부가 넓게 개방되어 좋은 시야를 확보하기 위하여 여러 가지 절개선이 이용되고 있지만 필자들은 대부분의 환자에서 배꼽 아래까지 연장된 상부 정중 절개를 선호한다(그림 14-1, 2).

절개 후 자가 견인기를 설치하여 좋은 시야를 확보한 후에 질병의 상태가 절제술의 적응증이 되는지 확인해야 한다. 특히 간 전이 여부를 확인 할 때 황달이 심한 경우 아주 작은 전이를 간과하는 경우가 있으므로 주의해야 한다. 또한 Cul-de-Sac에서 직장책(rectal shelf)을 확인하고, 장간막에 나타나는 복강내 파종을 확인해야 한다.

간십이지장 인대뿐만 아니라 복강동맥주위 림프절, 췌장상부지역으로 림프절 전이 혹은 대동맥주위 림프절 전이를 수술 진행 전에 파악해야 한다.

4. 수술 과정

1) Kocher 술기

췌두십이지장 절제술의 첫 단계로 Kocher 술기에 의해 십이지장과 췌두부를 유동화시키도록 한다(그림 14-3). 필자들은 십이지장을 제

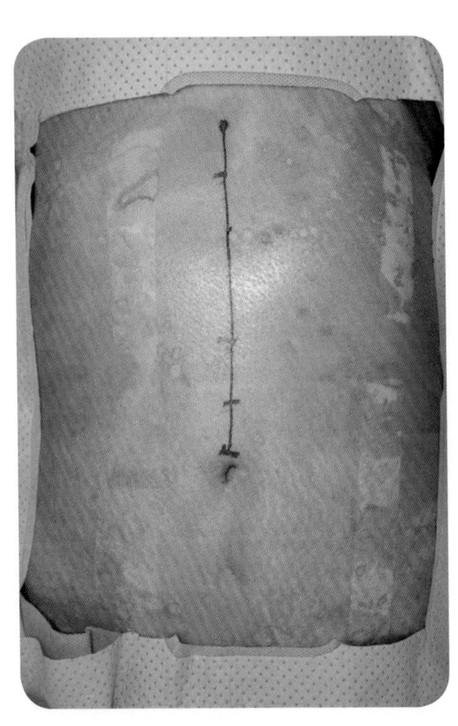

그림 14-1

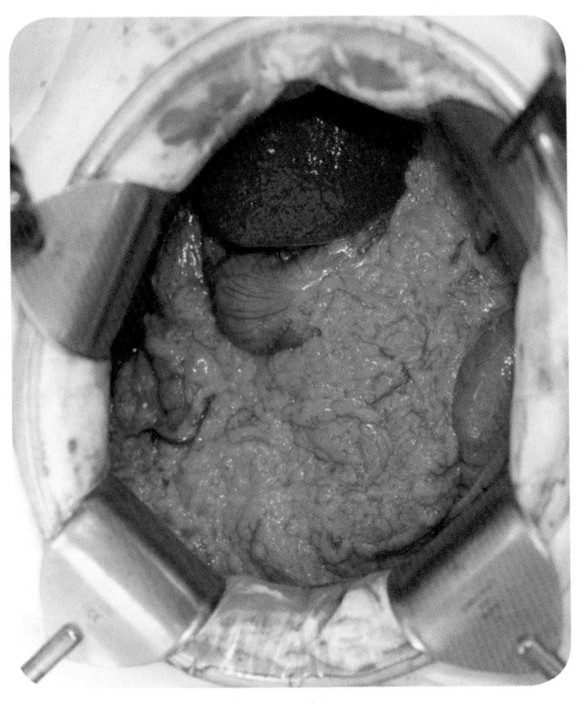

그림 14-2

1 조수가 왼쪽 손으로 십이지장을 좌측으로 당기면서 십이지장 측벽을 따라 복막을 절개하면서 좌측으로 당긴다. 십이지장을 좌측으로 당기면서 십이지장과 췌장두부를 후복막으로부터 분리하면 우측 신장 , 하대정맥, 대동맥이 노출되고, 대동맥 위에 얹혀 있는 좌측 신정맥도 쉽게 노출된다(그림 14-4).

이때 십이지장 3부분과 췌장두부의 전면을 대장간막으로부터 분리해서 십이지장 3부분을 노출시키고 좌측으로 췌장과 대장간막을 더 분리시키면 췌장 구상돌기 위의 상장간막뿌리(mesenteric root) 안에 놓여 있는 상장간막정맥을 볼 수 있고 나중에 accessory right colic vein를 분리하면 십이지장과 췌장 두부와 구상돌기로부터 결장이 완전히 분리된다(그림 14-5). 이후 후복막을 절개하면서 좌측으로 췌장두부와 십이지장을 더 박리하면 후복막에 놓여있는 하장간막정맥이 관찰된다. 머리 쪽으로는 좌측신정맥의 바로 위에서 대동맥에서 분지되는 상장간막동맥을 발견할 수 있으며, 마지막 순간에 십이지장 4부분과 상부 공장을 쉽게 분리할 수 있도록 상장간막동맥 기시부의 좌측 부위까지 후복막을 박리해 놓는 것이 유리한데 하장정맥을 확인하면서 Treitz 인대를 포함하는 후복막을 절개해서 십이지장의 넷째부분과 상부 공장을 Treitz 인대와 후복막으로부터 분리해 놓는다.

2) 대망 분리(Omentectomy) 및 췌장 노출

Kocher 술기가 끝나면 상장간막정맥을 노출시키기 위해서는 우선 횡행 결장과 대망을 분리 해야 한다. 대망 분리 방법은 두가지가 있는데 대망의 가운데를 절제하는 방법과 대장과 붙은 혈관이 없는 부분을 따라서 시행하는 두 가지 방법이 있다. 필자의 경우는 후자의 방법을 선호 한다(그림 14-6, 7).

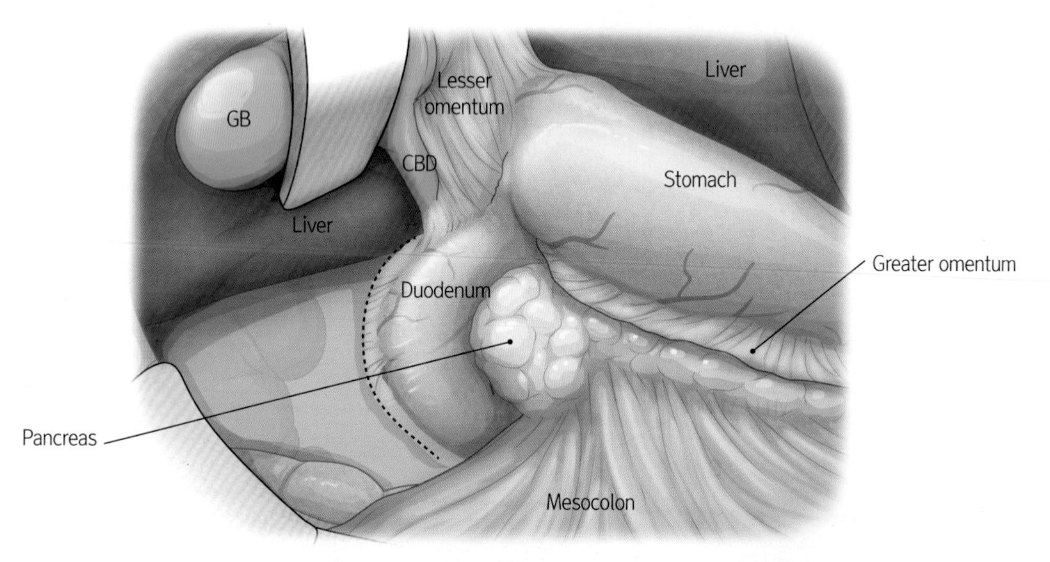

그림 14-3

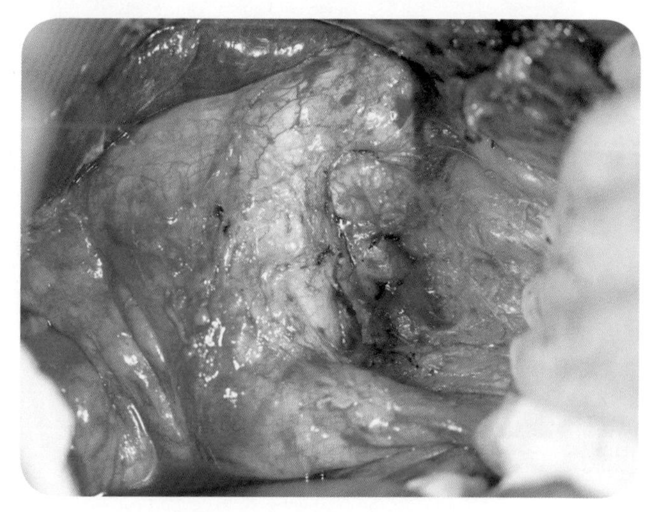

그림 14-4

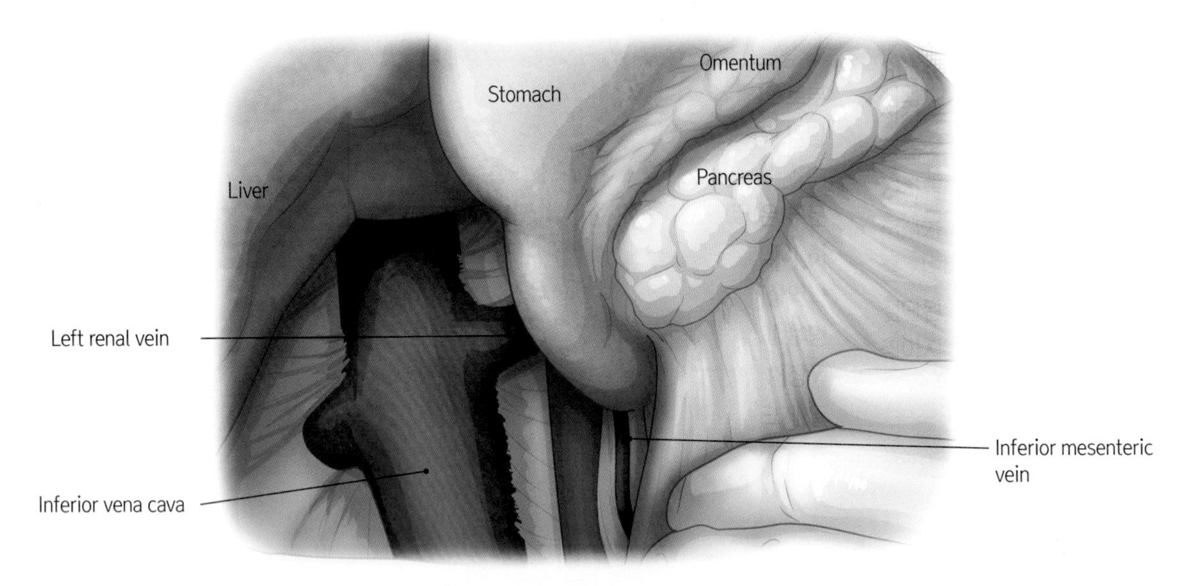

그림 14-5

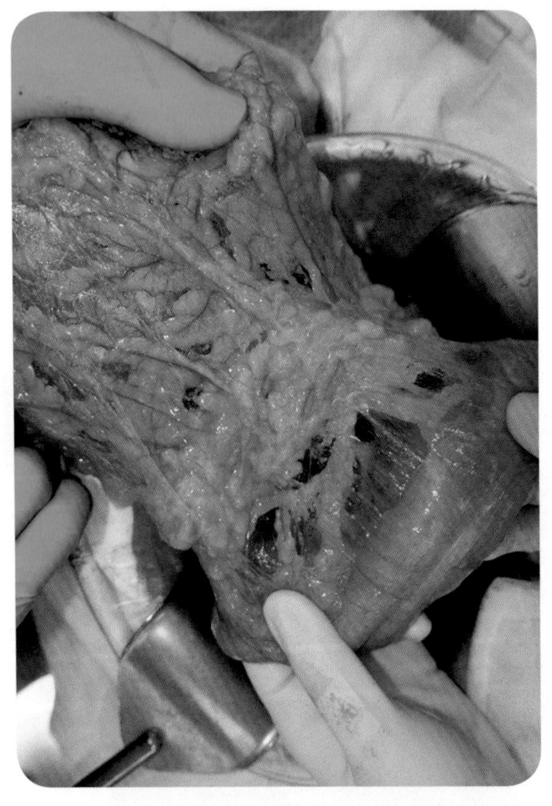

그림 14-6

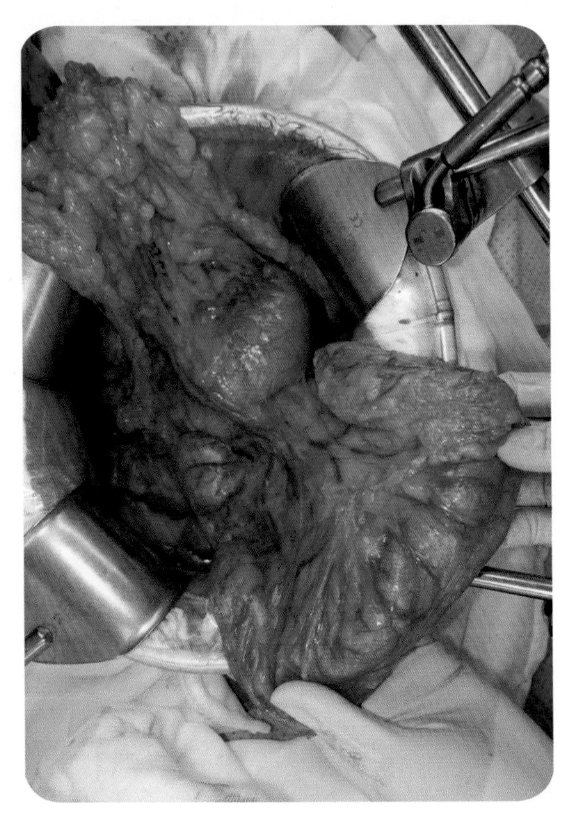

그림 14-7

대망 절제 후 췌장이 노출되면 위 후면과 췌장 전면을 박리하고 소낭으로 접근하게 된다.
췌장 경부의 직 하부에서 상장정맥을 노출시키고 췌장 경부의 후면과 분리하게 되는데 앞에서 설명한 바와 같이 상장간막정맥을 노출시키는 과정에서 우위대망 정맥(rightgastroepiploic vein)과 accessory right colic vein이 만나서 이루어지는 gastrocolic trunk를 상장간막정 맥에서 분리하는 것이 필요한데 이 때 가끔 상당한 출혈이 발생할 수 있어 우위대망 정맥을 미리 분리하는 것이 좋다(그림 14-8, 9).

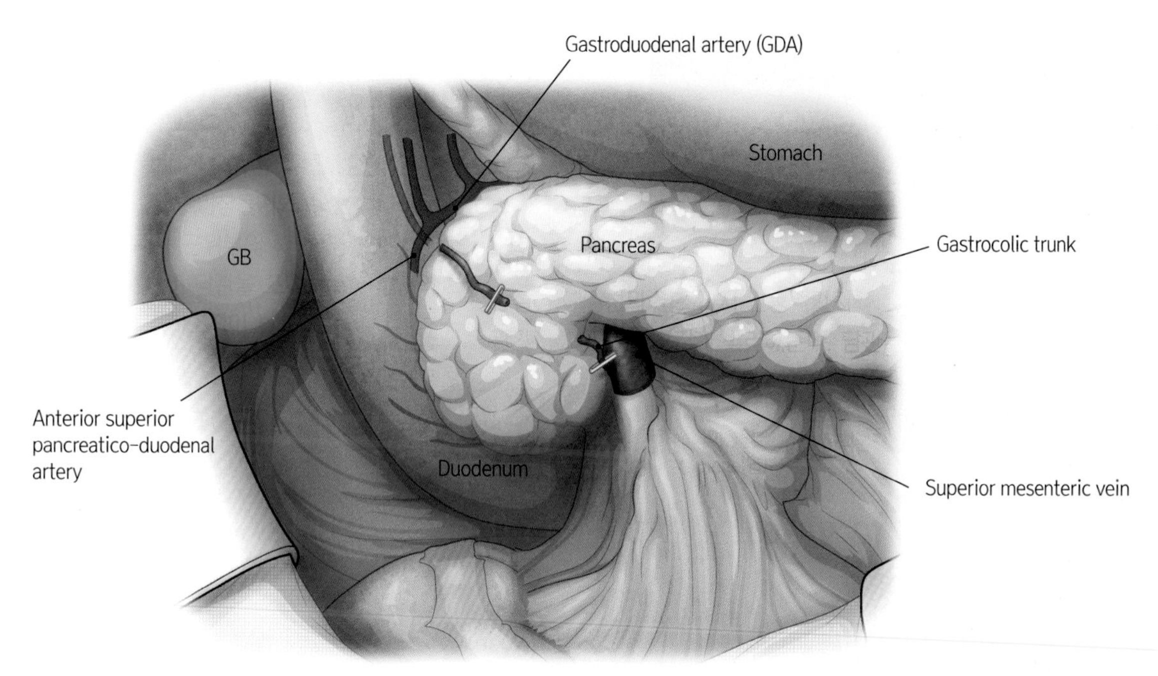

그림 14-8

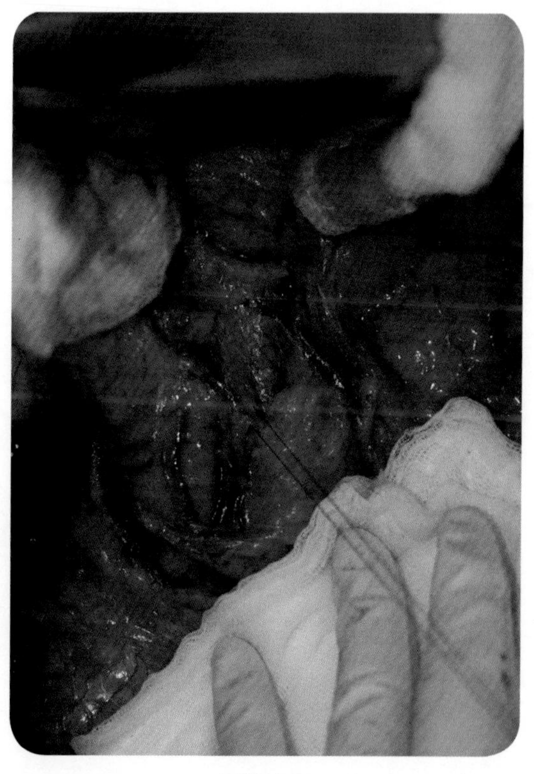

그림 14-9

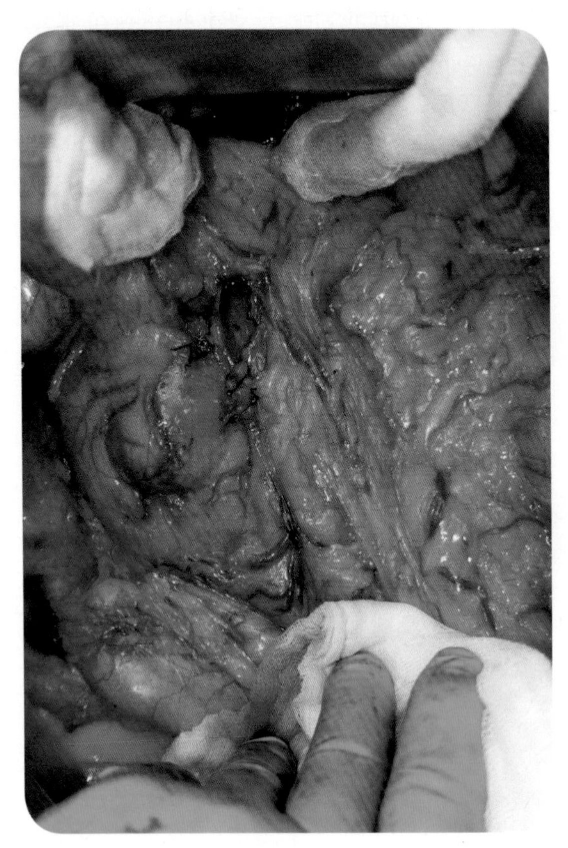

그림 14-10

gastrocolic trunk를 상장정맥에서 분리한 후에 상장간막정맥을 가능한 한 췌장 경부의 상부까지 분리하는 것이 좋다. 췌장두부암이 상장간막정맥을 침범하고 있는 경우에 이 과정은 전체 췌십이지장 절제술 중 가장 어려운 부분이 될 수도 있는데 이경우에는 십이지장 3부분을 노출시킬 때 미리 확인해놓은 췌장 구상돌기 위의 창자간막 뿌리(mesenteric root) 안에 놓여 있는 상장정맥으로부터 췌장 하부의 상장간막정맥을 노출시키는 것이 안전하다(그림 14-10).

3) 십이지장 절제

상장정맥을 췌장 경부의 후면과 분리한후, 유문보존 십이지장절제술을 하기 위하여 십이지장의 bulb(첫째 부위)를 췌장과 간십이지장 인대로부터 분리하는 과정에서 우선 우위대망동맥, 우위대망정맥과 함께 림프절을 곽청해 낼 수도 있다(그림 14-11, 12).

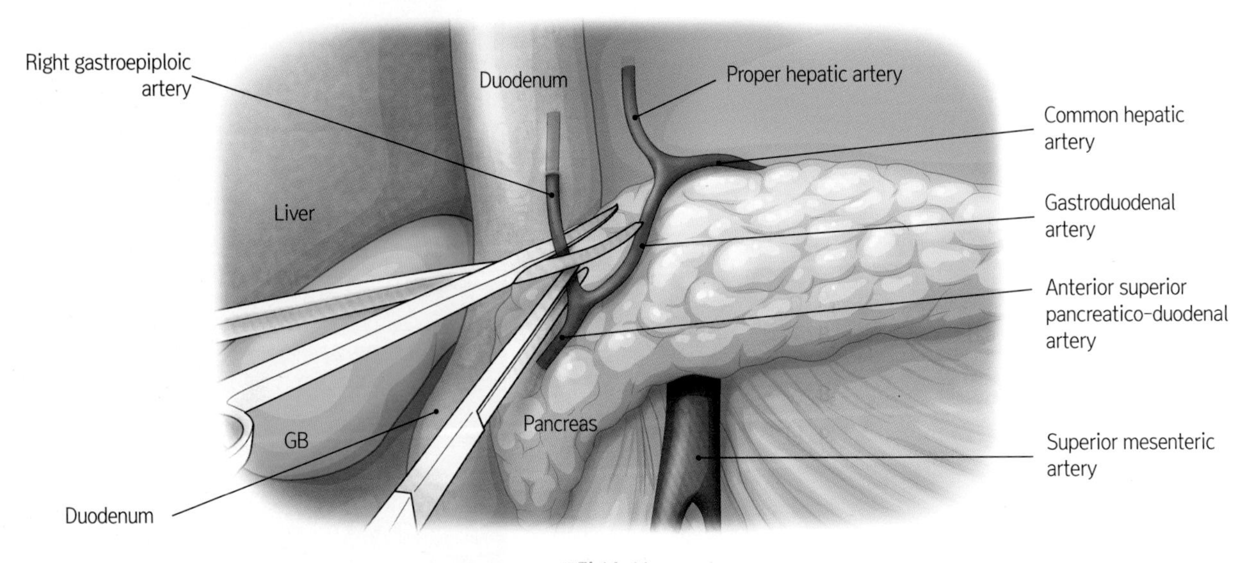

그림 14-11

다음에 위십이지장동맥에서 십이지장을 공급하는 짧은 동맥과 정맥을 분리하면 췌장의 두부에 얹혀 있는 위십이지장동맥을 볼 수 있다. 십이지장 bulb (첫째 부위)가 완전히 가동화(mobilization)되는데 술 후에 발생할 수 있는 위지연배출(delayed gastric emptying)을 방지하기 위해서 3 cm 이상의 십이지장의 bulb를 보존하는 것이 바람직하고, GIA를 이용해서 십이지장을 분리하고 분리된 위를 좌측 복강으로 밀어 놓는다(그림 14-13).

4) 간십이지장 인대 곽청술 및 위십이지장 동맥 결찰

십이지장을 분리한 후에 간십이지장인대를 곽청하게 되는데 이 때 필자는 제 1조수가 췌장을 아래로 견인하면서 총간동맥을 박리하면서 주위의 임파선을 총간동맥과 복강동맥 및 후복막으로부터 분리하게 되는데 간미상엽을 상부로 견인하고위를 좌측으로 견인하면 수술 시야가 좋아 진다(그림 14-14).

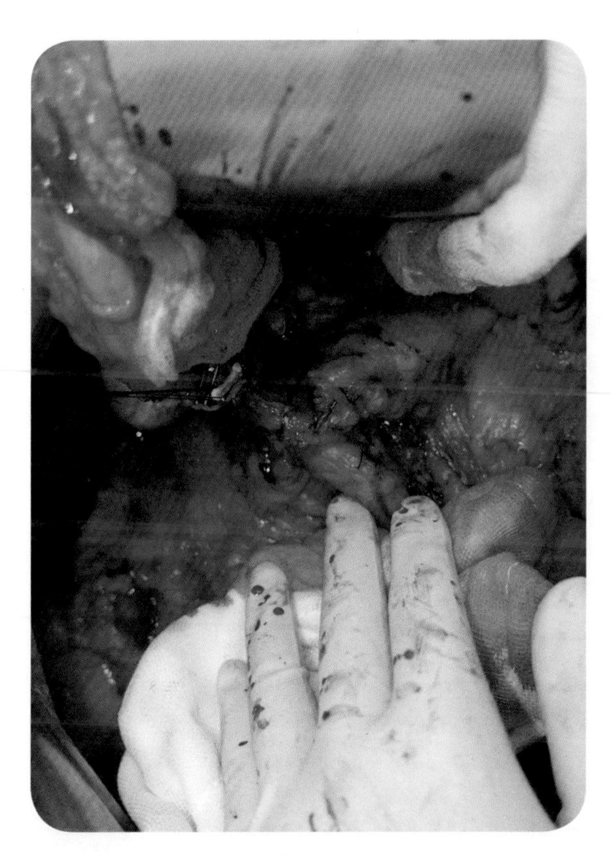

그림 14-12

그림 14-13

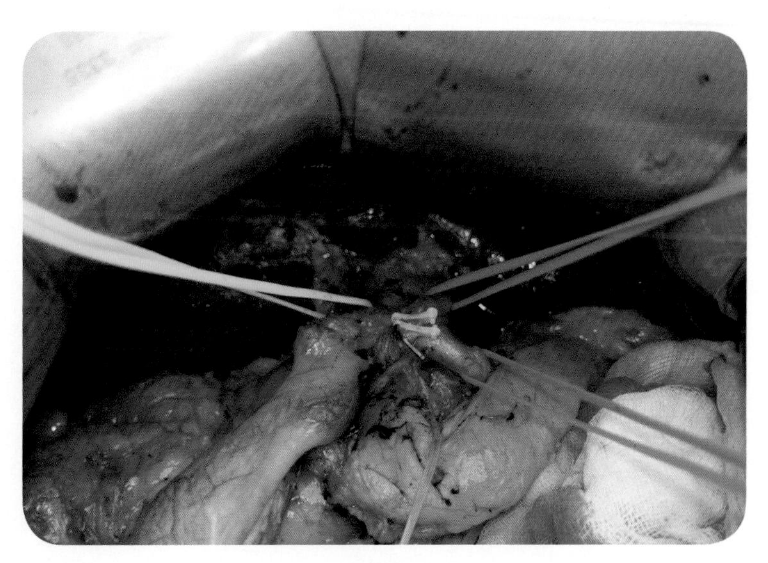

그림 14-14

간십이지장인대를 곽청하는과정은 먼저 간십이지장인대를 간동맥을 따라 종적으로 절개하여 간동맥을 확인한 후, 간십이지장인대의 상부, 즉 간과 붙는 부위의 복막을 절개하여 담관과 간동맥을 더욱 노출시킨다. Calot 삼각(triangle)을 박리 하여 담낭동맥을 확인하고 절리한 후에 담낭관을 보존한 채 담낭을 간으로부터 분리한다(그림 14-15).

다음으로 총간관을 박리하여 tape로 걸어 놓고 박리해서 총간관을 절제한다. 이때 총간관 바로 뒤로 주행하는 우간동맥이 다치지 않도록 세심한 주의를 기울여야한다(그림 14-16). 총간관을 절리한 후 절리된 담낭과 총수담관을 십이지장 쪽으로 견인하면서 고유간동맥을 확인하고, 복강동맥 방향으로 박리해 나가면서 위십이지장동맥이 확인한 후 median ligament Syndrome를 여부를 확인하기 위하여 위십이지장 동맥을 clamp 하여 총간동맥의 맥박을 반드시 확인한 후 결찰해야 한다(그림 14-17).

위십이지장 동맥의 처리는 술 후 발생할 수 있는 가성동맥류의 발생 가능성을 줄이기 위하여 위십이지장동맥의 stump를 처리하는 방법과 수술 후 가성동맥류 발생 시 중재적 처치를 위한 대비책에 대한 여러가지 이견이 있다. 필자는 최대한 위십이지장 동맥을 길게 남겨 놓으며 견사로 이중 결찰하는 방법이 이용되어 왔으나 최근에는 위십이지장동맥의 hemo clip을 이용하기도 한다(그림 14-18).

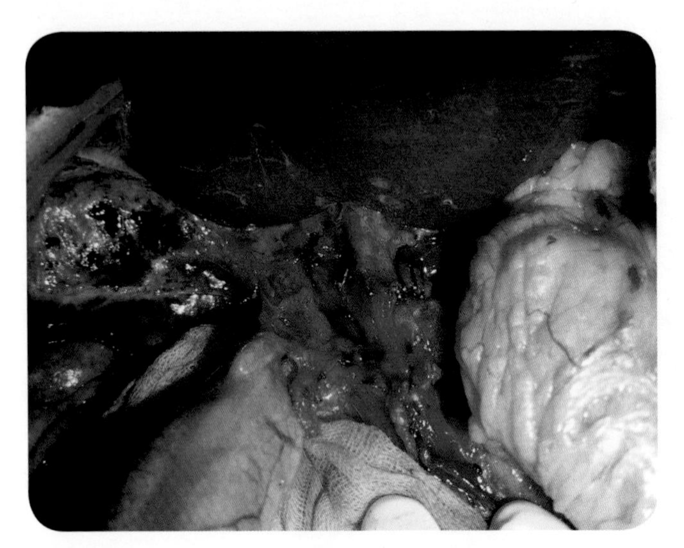

그림 14-15

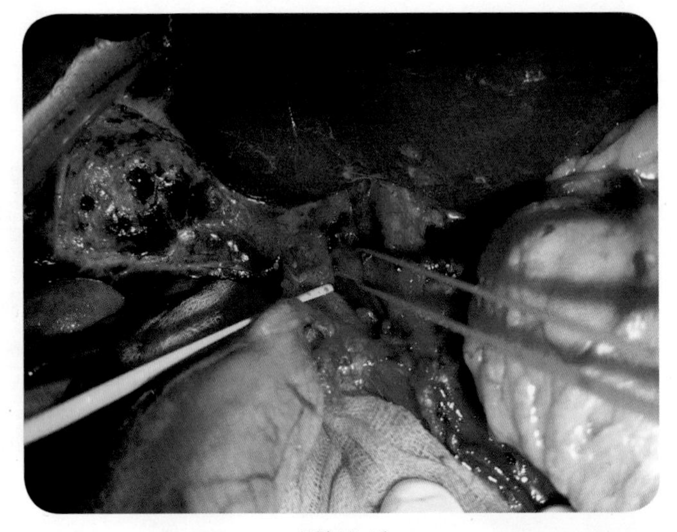

그림 14-16

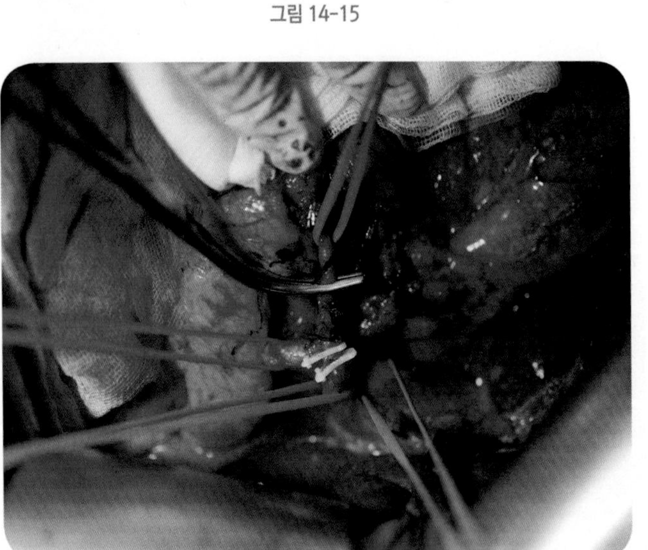

그림 14-17

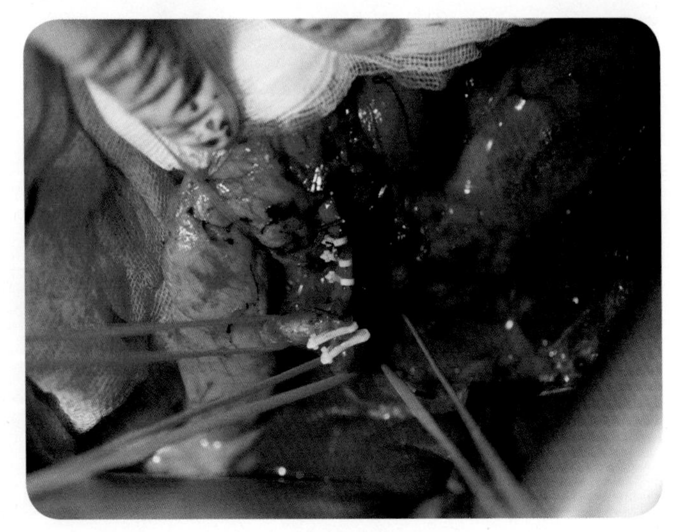

그림 14-18

5) 췌장 절제

간동맥의 전장이 노출되고 간 동맥의 우하방으로 간문맥이 나타나면 간동맥과 간문맥을 서로 분리하면서 주위의 임파선과 신경조직을 박리해 낸다. 간동맥과 간문맥을 완전히 분리하여 간십이지장 인대 골격화(skeletinization)를 하고 간십이지장 인대, 복강동맥, 췌장 두부에 붙어 있던 임파선 및 연부 조직을 완전히 곽청한다.

이과정에서 좌위정맥이 간문맥으로 유입되는 것을 볼수 있고 유입부에서 분리하고 췌장 두부에서 간문맥으로 유입되는 작은 정맥도 확인하여 분리하면 췌장상부의 간문맥이 쉽게 노출된다. 이 후 췌장 상부의 간문맥과 이미 노출시킨 췌장 하부의 상장간막정맥을 같이 보면서 Kelly clamp를 이용하여 췌장 경부와 간문맥, 상장간 막정맥 사이를 박리(tunneling)하면 쉽게 췌장 경부를 간문맥, 상장간막정맥부터 분리할 수 있는데 이는 췌장 경부와 간문맥, 상장정맥 사이에는 혈관이 없기 때문에 출혈을 걱정하지 않고 시행할 수 있다(그림 14-19).

하지만 간문맥, 상장정맥 사이 췌장 경부와 간문맥, 상장정맥 사이에 심한 유착이 있거나 암에 의한 침습이 있는 경우에는 간문맥, 상장정맥이 찢어져 큰 출혈이 발생할 수 있기 때문에 많은 주의가 필요하다.

췌장 경부가 분리되면 췌장 경부 후면에 기계 등을 넣어서 정맥 손상을 막으면서 췌장 경부를 절단한다. 필자는 췌장 절단시 수직으로 절단하는 것보다는 약간 비슴듯이 절단하여 췌장 문합시 췌관이 최대한 가운데 위치하게 한다(그림 14-20). 췌장 경부를 분리하면 분리된 양쪽 췌장에 분리된 췌관이 보이고 대개 양쪽 췌장으로부터 상당한 출혈을 볼 수 있는데 췌관이 막히지 않게 주의하면서 봉합 결찰한다.

분리된 양쪽 췌장에서 출혈이 완전히 멈추면 췌장 두부 쪽을 우측으로 견인하면 미리 간십이지장 인대, 복강동맥, 췌장 두부로부터 박리해 놓은 임파선 및 연부 조직이 복강 동맥과 상장간막 동맥의 근간(origin)에 붙어 있는 부분을 더 명확하게 확인할 수 있고 분리하게 되는데 조그만 혈관이 포함되어 있어 결찰이 필요하다. 임파선 및 연부 조직을 복강 동맥과 상장간막동맥의 근간으로부터 분리해 낸 후 하방으로 곽청을 진행하면 췌장의 두부와 구상돌기를 간문맥, 상장정맥으로부터 분리하게 되는데 이 때 술 자의 왼손으로 십이지장과 췌장 두부를 오른쪽으로 견인하면 췌장의 두부와 구상돌기로부터 간문맥, 상장 정맥으로 유입되는 다양한 크기의 정맥을 볼 수 있고 쉽게 결찰 분리할 수 있으며, 상장간막동맥의 근간으로부터 상부 췌장의 두부의 혈류를 공급하는 동맥을 볼 수 있고 쉽게 결찰 분리할 수 있다(그림 14-21).

하방으로 곽청을 진행하면 구상돌기를 상장간막동맥으로부터 상부 쪽에서 시작해서 하부 방향으로 분리하게 되는데 비교적 췌장의 하부에서 상장간막동맥에서 췌장 두부로 직접 유입되는 하췌십이지장동맥을 관찰할 수 있고 안전하게 결찰 분리해야 하며 이 때 상장간막동맥에서 공장의 기시부(1st jejunal branch)를 공급하는 공장 동맥을 볼 수도 있는데 이 동맥은 보존하는 것이 좋다고 생각된다(그림 14-22).

특히 이 때 하부췌장에서 상장정맥으로 유입되는 부분의 정맥을 자세히 볼 수 있는데 하부 췌장에서 상장정맥으로 유입되는 부분의 정맥은 공장의 상부에서 유입되는 정맥을 만나 비교적 크기가 큰 정맥이 되어 상장정맥으로 유입되기 때문에 공장의 상부에서 유입되는 정맥 자체는 손상을 주지 않으면서 췌장에서 유입되는 작은 혈 관만 세심하게 확인해서 결찰 분리해야 한다(그림 14-23).

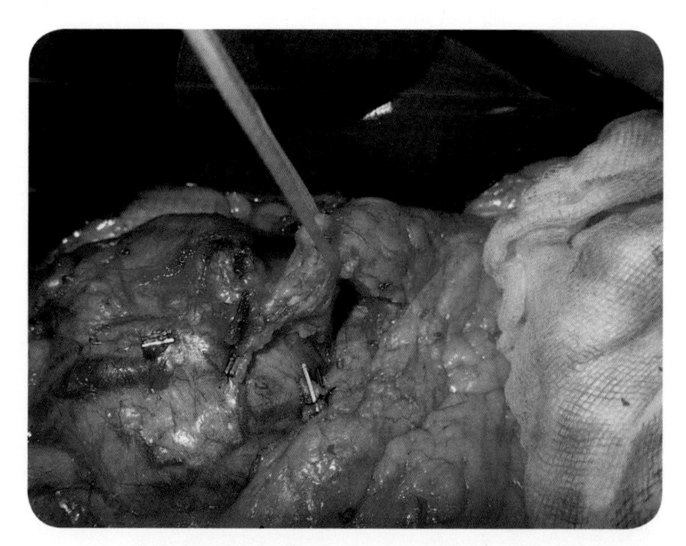

그림 14-19

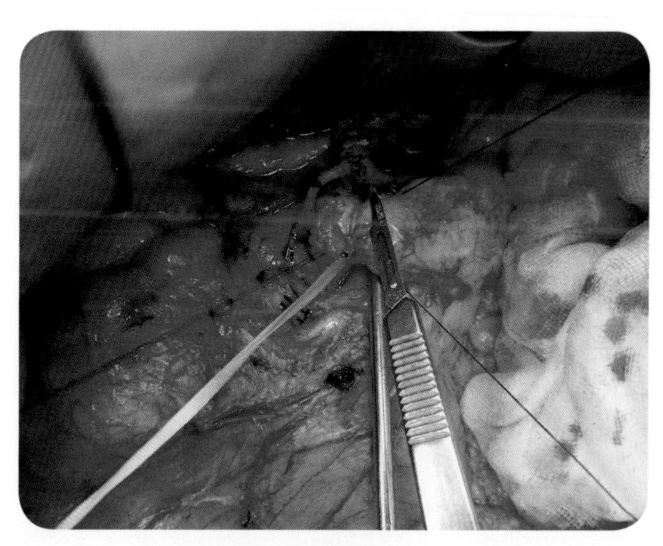

그림 14-20

상간정맥을 좌측으로 조심스럽게 견인을 하게 되면 상간동맥을 노출시킬 수 있으며 조심스럽게 췌장의 구상 돌기를 분리하게 되면 췌장암에서 중요한 후복막 margin을 충분히 절제할 수 있다(그림 14-24A, B).

Treitz 인대가 모두 분리되었는지 확인하고 전술한 바와 같이 십이지장의 4부위가 상장간막동맥의 기시부에서 완전히 분리되어 있으면, 십이지장 4부위와 공장의 기시 부위를 후복막과 상장간막동맥, 상장정맥 사이를 통하여 오른쪽으로 끌어낸 후 GIA를 이용하여 공장을 절제한다.

6) 췌장-공장 문합

재건술을 위하여 우측 대장간막에 개구부를 만들어 상부 공장을 끌어 올린다. 필자는 먼저 췌공장 문합술을 하고, 그 하부에 15 cm 하방에 담관공장문합술을 하고, 하부 60 cm에 십이지장공장 문합술, 혹은 위-공장문합술을 한다.

필자는 췌장을 상간정맥에서 약 2 cm 정도 떨어지게 박리하여 췌장의 후면을 충분히 봉합할 수 있도록 한다(그림 14-25).

췌공장문합술의 구체적인 방법은 췌장과 절제연의 가까운 공장을 연결하는 2열 단측 췌관-공장문합술을 하고 있다. 먼저 후방에는 Vicrly을 이용하여 췌장의 후면과 공장의 장막(serosa)봉합을 한다.

췌장의 췌관을 확인하여 반대편의 공장에 표시를 하고 Bovie를 이용하여 장막을 제거하

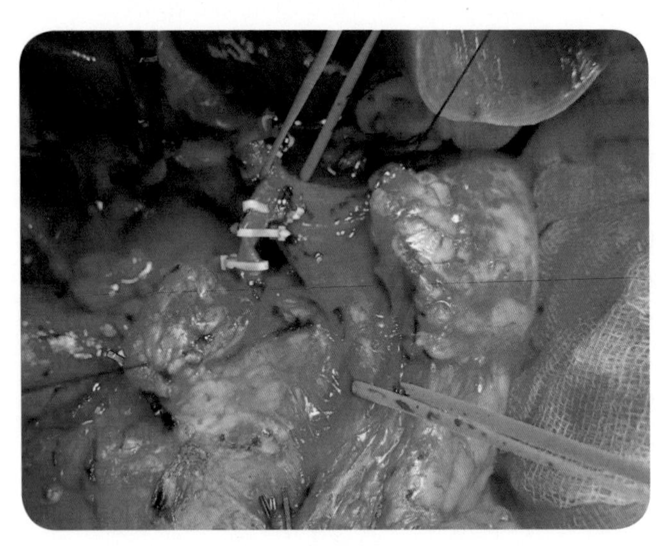

그림 14-21

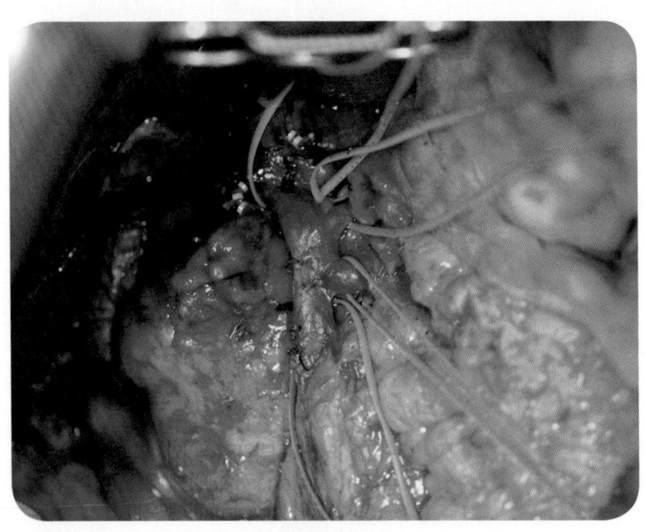

그림 14-22

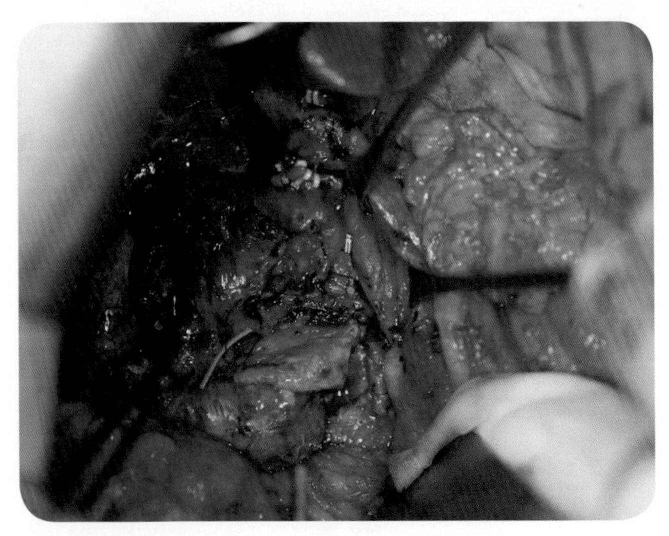

그림 14-23

고 근육층을 통하여 점막을 끌어 올린 후 점막을 아주 조금 절제하여 공장의 구멍이 쉽게 확인될 수 있게 한다. 필자는 5-0 Prolene을 이용하는데 양측에 바늘이 붙어 있는 (Double arm Prolene)을 이용한다. 췌관의 크기에 따라 stitch 수가 달라지지만 보통은 12시, 9시 3시 방향으로 먼저 stitch를 넣게 되면 췌관이 작아도 8개의 stitch를 넣을 수 있다(그림 14-26).

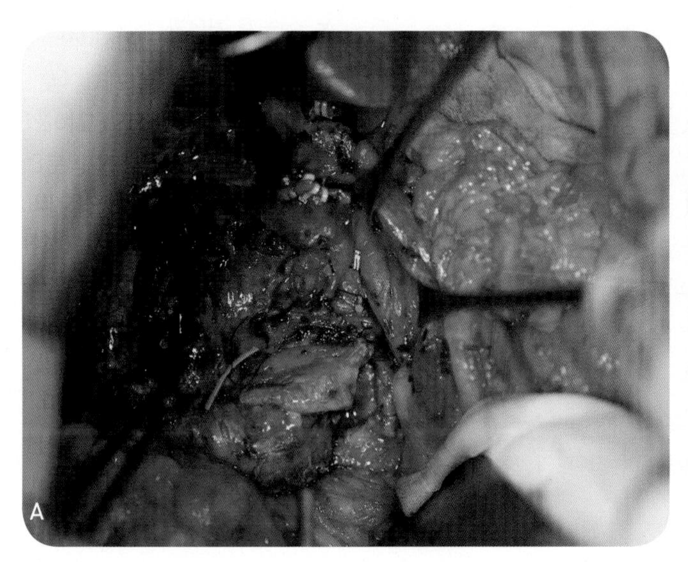

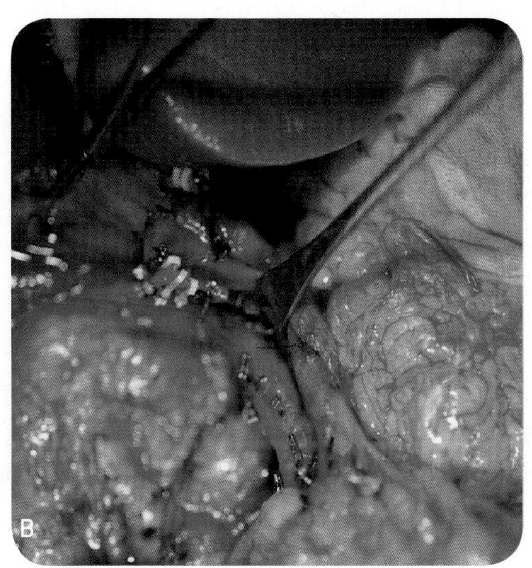

그림 14-24

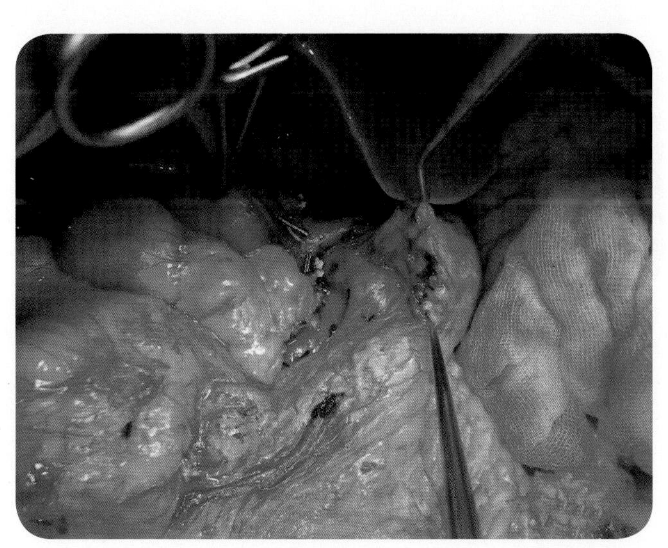

그림 14-25

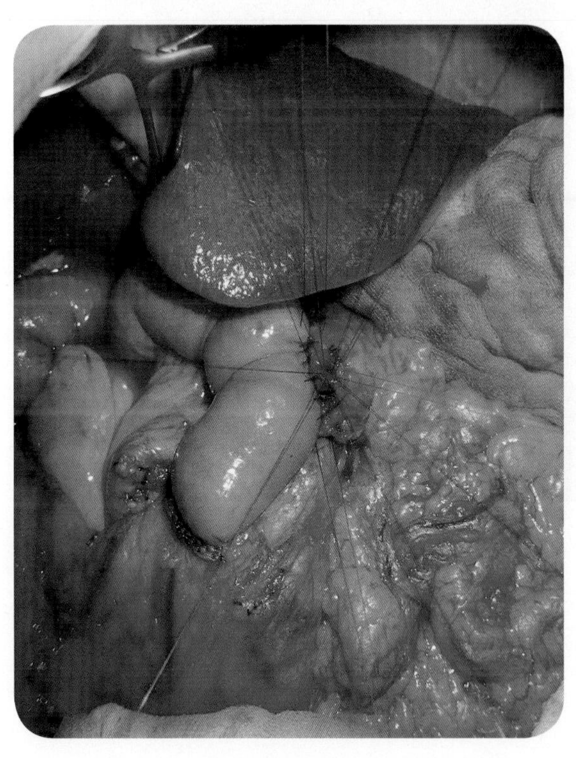

그림 14-26

필자는 췌관 stent를 췌관의 크기에 따라 삽입을 하게 되며 전방의 췌-공장의 봉합도 Vicryl을 이용하여 봉합한 후 췌-공장 문합술을 완성한다(그림 14-27, 28).

7) 담관-공장 문합술

담관공장문합술은 췌공장문합술의 15 cm 하방에 긴장없이 설치하게 되는데 필자의 경우에는 항상 4-o Vicryl을 이용하여 단속 봉합을 이용하여 시행하고 있으며 담관의 크기에 따라 8~16개 정도의 stitch를 시행하고, 췌공장문합술과 같이 후벽의 결찰은 문합부 안에 위치하게 하고, 전벽에는 결찰이 문합부 밖에 위치하게 한다(그림 14-29A, B).

8) 십이지장-공장 문합술

이 후 담관공장문합술 하부 60 cm 정도에 결장의 앞쪽으로 십이지장공장 문합술, 혹은 위-공장문합술을 설치하게 된다. 십이지장공장 문합술은 공장에 십이지장 크기로 절개한 후 2열 문합을 하는데 내벽은 3-o Vicryl로 연속봉합을 이용하여 시행하고 외벽은 silk을 이용하여 시행한다.

5. 폐복

모든 문합술이 끝나면 다시 한 번 출혈을 확인하고 후복막의 결손 부위를 막아 주고, 대장간막과 문합술 을 위하여 올린 공장 사이의 공간을 막아 준다. 배액관은 대개 Jackson-Pratt 형의 폐쇄성 흡입 배액관을 삽입하게 되는데 필자는 췌공장문합부와 담관공장문합부 아래쪽에 1개씩 모두 2개를 설치한다.

6. 수술 후 관리

필자는 수술 후 24시간 후부터 enteral feeding tube를 이용하여 경관 영양을 시작한다. 수술 후 관리는 위장관 수술과 비슷하지만 연령이 많은 환자가 많으므로 전해질과 시간당 소변량을 주의깊게 관찰해야 한다. 특히 수술 후 췌-공장 문합부 누출은 수술 후 중요한 합병증이므로 배액 양과 배액관의 amylase 수치를 측정하여 주의깊게 살펴야 해야 한다. 특히 수술 후 7~10일경에 발생하는 가성동맥류는 수술 후 사망과 가장 밀접한 관련이 있어 감시 출혈(sentinelbleeding)을 세밀히 관찰하여 가성동맥류가 확인되면 중재적방사선과 시술을 이용하여 출혈을 막아야 하는데 가성동맥류는 위십이지장동맥 절단부위에서 가장 흔하게 발생한다. 췌십이지장 절제수술 후에는 장기적으로는 당뇨병이 발생할 수 있어 혈당을 정기적으로 측정하고, 지방변이나 소화 불량 등 췌장 기능 부전의 증상이 나타날 수 있어 필요하면 췌장소 화효소제재를 사용해야 한다.

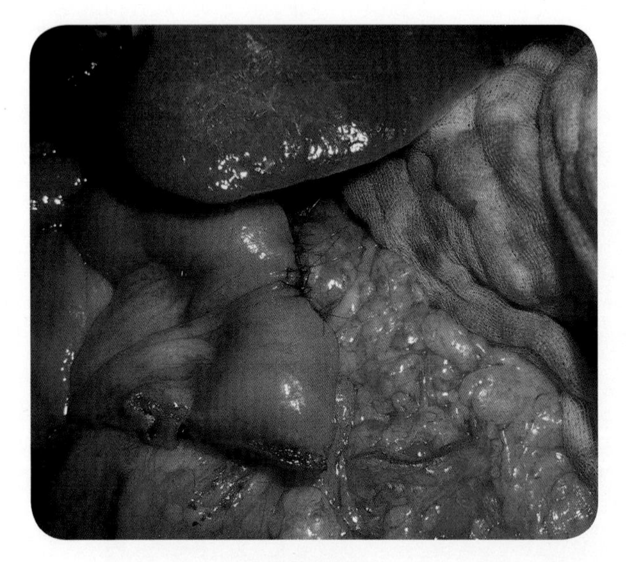

그림 14-27

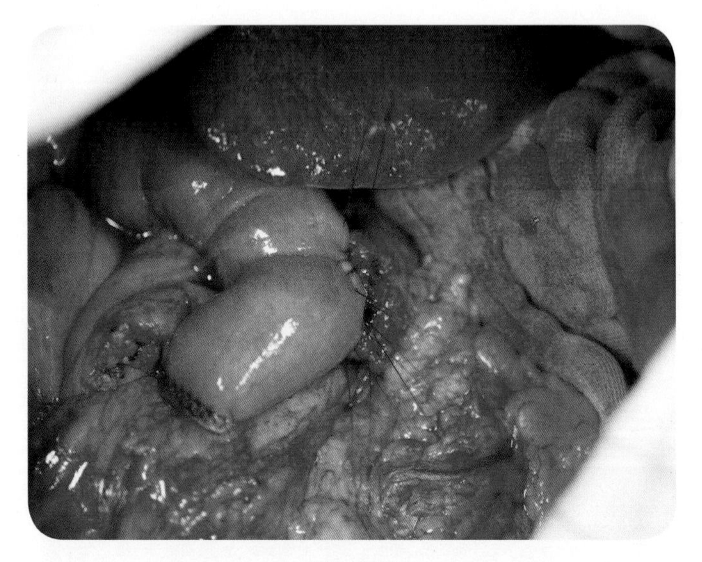

그림 14-28

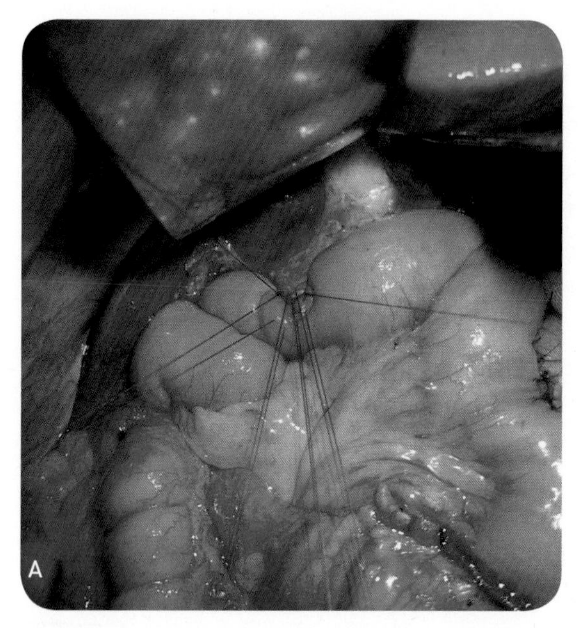

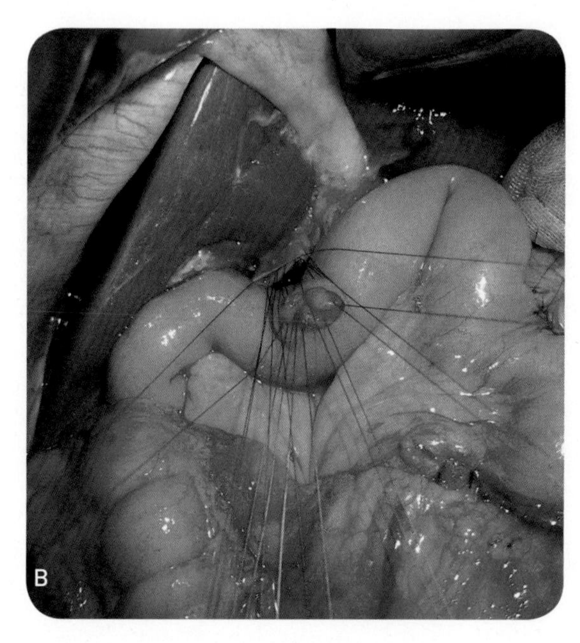

그림 14-29
A. 전면 봉합, B. 후면 봉합

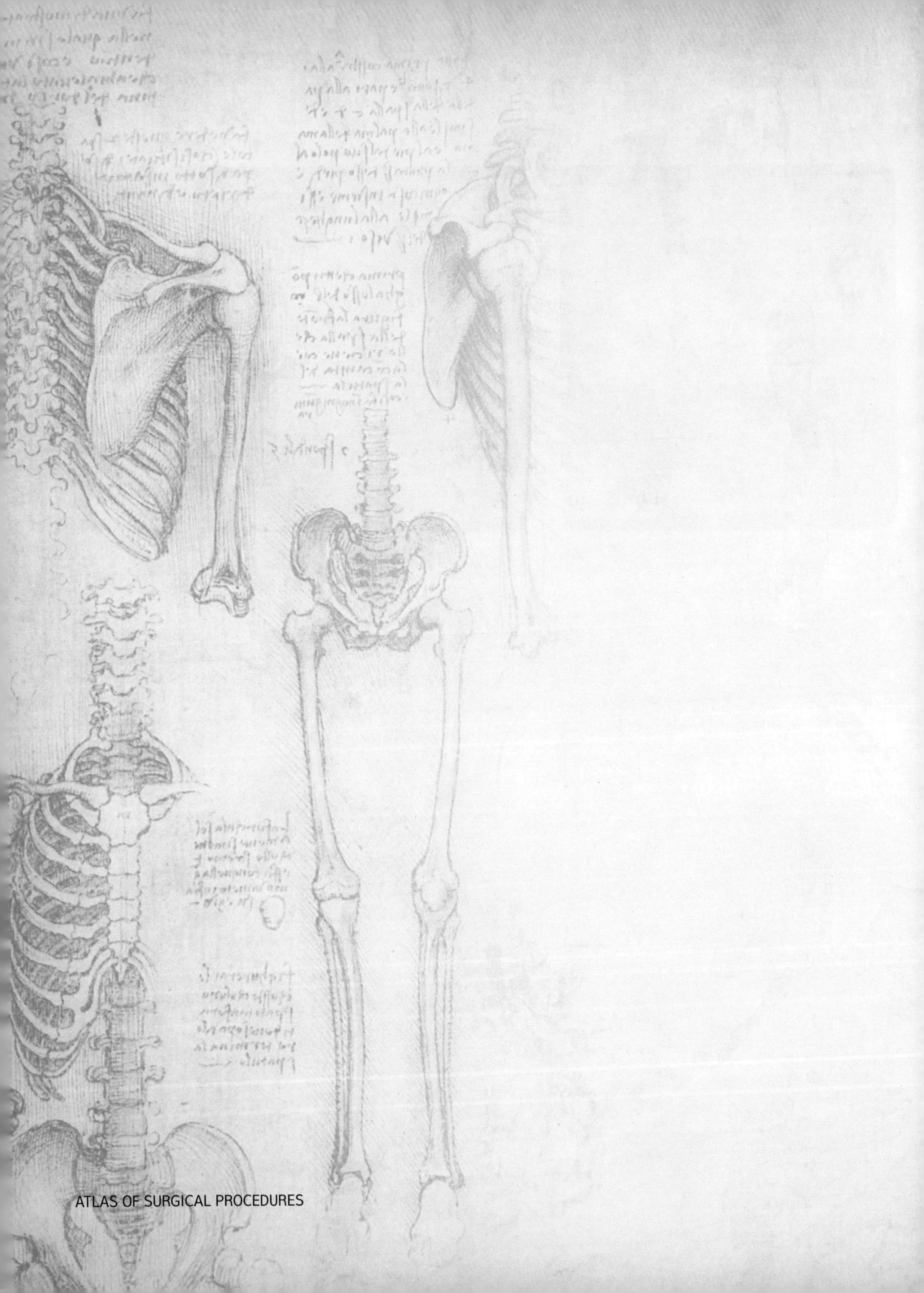

ATLAS OF SURGICAL PROCEDURES

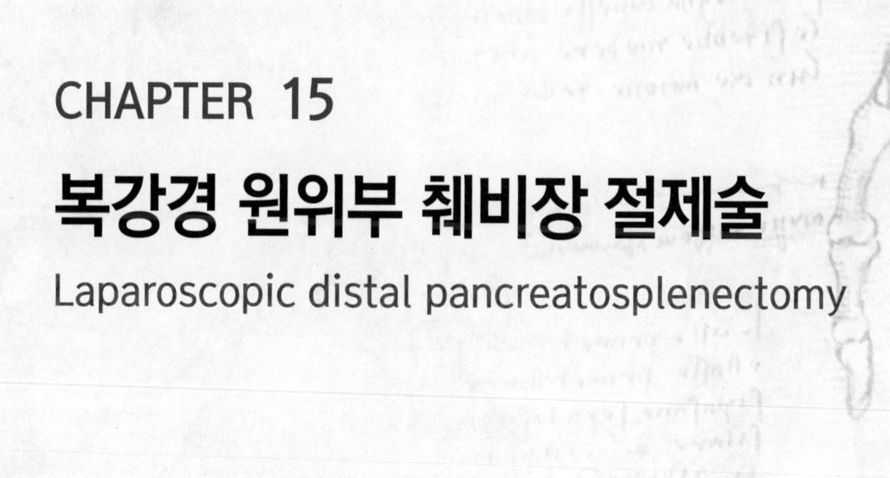

CHAPTER 15

복강경 원위부 췌비장 절제술

Laparoscopic distal pancreatosplenectomy

1. 적응증

췌장의 체부 또는 미부에 위치하는 췌장의 양성 혹은 경계성 종양에서 주로 시행되지만 최근 주위 장기의 침범이 없는 악성종양으로 적응증이 확대되고 있다.

2. 환자 자세

수술 중 환자의 자세는 술자마다 다를 수 있으나 보통 우와위(right lateral decubitus)나 앙와위(spine) 자세에서 수술한다. 우와위는 비장에 가까운 췌장미부에 위치한 병변에 대해서는 유용하지만 상간막정맥/간문맥-비장정맥 합류부에 위치한 병변에 대해서는 접근이 어려운 단점이 있다. 저자들은 앙와위 자세를 기본으로 하고 필요한 경우 수술대를 좌측으로 기울여 수술을 시행한다.

3. 수술전 준비

수술전 CT에서 종양의 위치, 주요혈관(비장정맥, 비장동맥, 간동맥, 상장간막정맥/간문맥)의 주행과 변이, 종양과 비장혈관들과 관계 등을 파악하여 췌장절제 위치 및 비장보존여부를 결정한다. 수술장비는 30° 복강경이나 굴곡형 복강경을 준비하고 복강경용 초음파 절삭기(ultrasonic shears)와 복강경용 자동문합기를 준비한다.

4. 투관침 위치

(그림 15-1) 배꼽 직하방에 12 mm 투관침을 뚫어 기복을 만들고, 나머지 투관침들의 위치는 예상되는 췌장절제 위치에 따라 다르게 한다. 췌장절제 위치가 상장간막정맥에 가까우면 우상복부 늑골 아래에 5 mm, 우상복부 중앙에 복직근보다는 외측에 12 mm 투관침을, 췌장절제 위치가 비장에 가까우면 상복부 중간에 5 mm, 좌상복부 중앙에 복직근보다는 외측에 12 mm 투관침을 뚫어 술자가 사용한다. 추가로 환자의 좌상복부의 늑골하연에 한두개의 투관침을 더 뚫어 보조의가 위의 견인 및 흡입 등으로 사용하도록 한다.

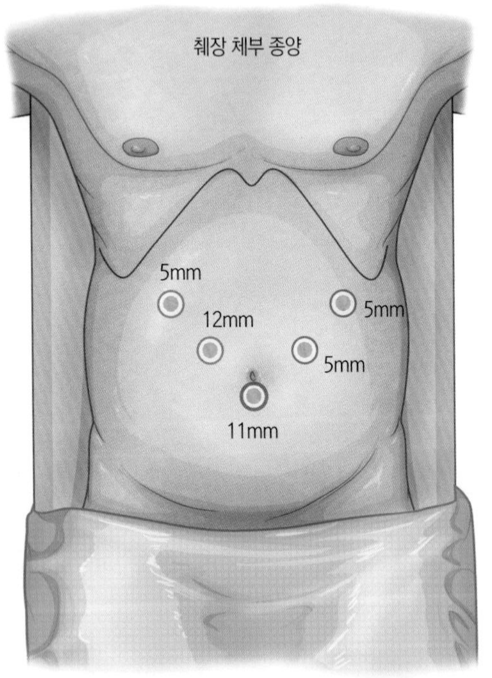

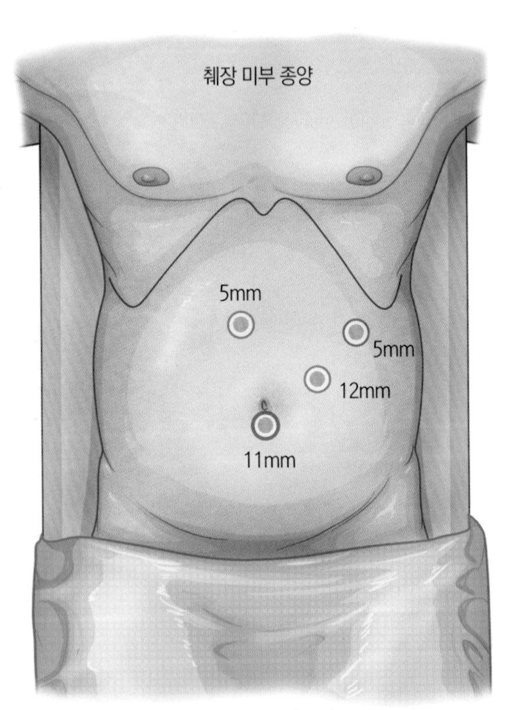

그림 15-1

5. 수술 방식

(그림 15-2) 췌장절제와 주위 조직으로부터 박리하는 순서에 따라 비장과 원위부 췌장을 먼저 후복막에서 분리하고 췌장 경부 쪽으로 박리한 후 췌장을 절제하는 외측 접근법(lateral approach or left-to-right approach)과 췌장을 먼저 절단한 후 비장 쪽으로 박리를 진행하는 내측 접근법(medial or right-to-left approach)이 있다. 외측 접근법은 병변이 비장에 가까운 경우 유용할 수 있고, 내측 접근법은 종양의 크기가 매우 큰 경우, 후복막으로의 암 침윤이 있는 경우, 췌장 주위에 염증이 심한 경우에 유용할 수 있다. 저자들은 주로 내측접근법으로 수술을 시행한다.

6. 수술 과정

먼저 위대망을 상부 앞쪽으로 밀어 올리고 횡행결장과의 사이에 창을 낸다(그림 15-3). 횡행결장 우측부터 비장하부까지 충분히 창을 내면 그 안쪽으로 췌장이 관찰된다. 이때 위대망동맥궁(gastroepiploic arcade)을 손상시키지 않도록 주의하여야 한다. 특히 복강경 수술에서는 위대망혈관에 가깝게 박리하여 적은 양의 대망을 남기는 것이 대망이 수술시야를 가리는 것을 방지할 수 있다. 또한 위후벽을 봉합하여 복벽에 고정하면 수술 시야 확보에 도움을 줄 수 있다.

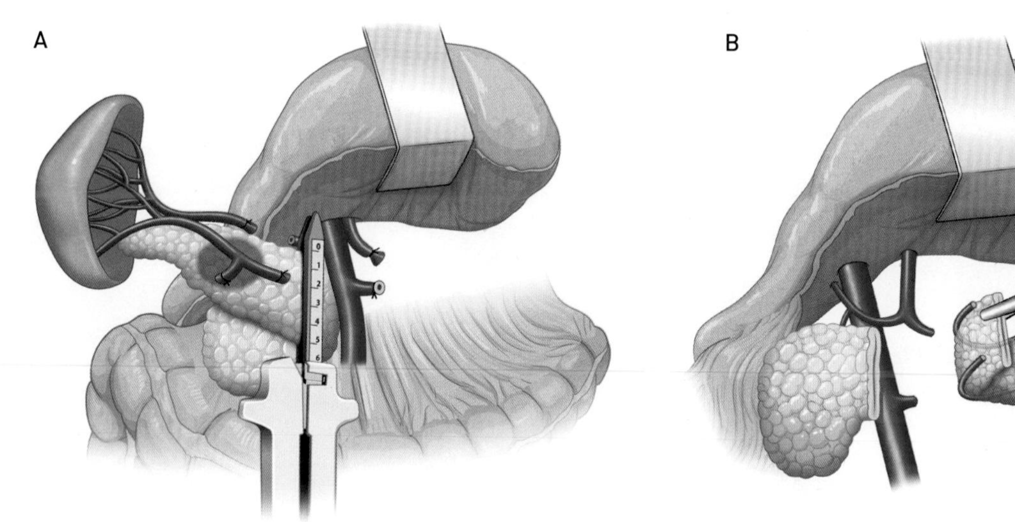

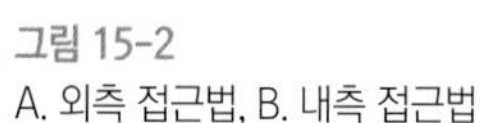
그림 15-2
A. 외측 접근법, B. 내측 접근법

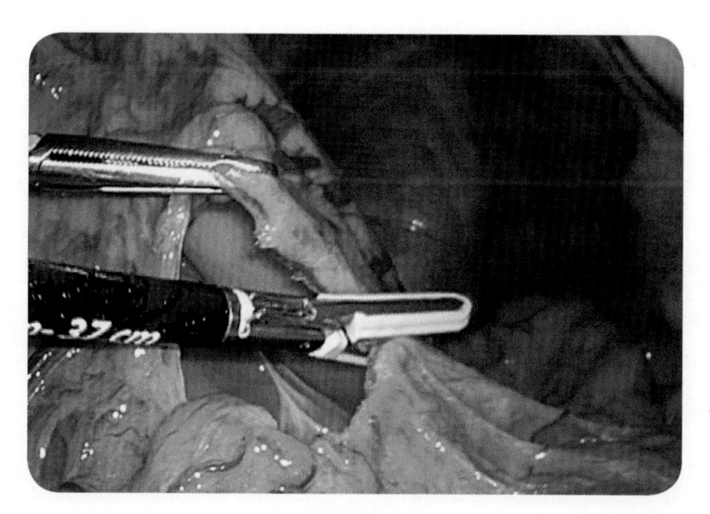

그림 15-3

췌장의 체부와 미부가 완전히 노출되면 췌장의 하연을 따라서 초음파절삭기로 췌장의 후면과 후복막 지방층 사이의 경계부위를 조심스럽게 박리한다. 충분히 박리하면 비장정맥이 노출되는데 췌장후면을 터널링할 목적으로 췌장실질을 비장정맥으로부터 박리한다(그림 15-4). 비장정맥은 상장간막정맥 부위에서는 비장의 하연에 위치하고 비장부위로 가면서 췌장의 상연으로 주행한다. 비장정맥과 상장간막정맥 합류 부위에는 혈관분지들이 없어 터널링이 용이하지만 비장 부위로 갈수록 작은 혈관분지들이 많고 췌장 실질에 파묻혀 있는 경우가 많아 터널링시 출혈이 발생할 수 있어 주의가 필요하다. 다른 방법으로는 비장정맥을 췌장실질로부터 박리하지 않고 췌장실질과 비장정맥을 함께 자동봉합기로 절단하는 것이다. 이 방법은 췌장과 비장정맥 사이의 터널링 시 소요되는 시간과 출혈 위험성을 줄일 수 있는 장점이 있지만 췌장 실질 두꺼운 경우에는 시행하기 어렵다.

췌장의 아래쪽 박리가 끝나면 비장동맥으로 접근하기 위해 췌장의 상연을 박리한다(그림 15-5). 비장동맥이 노출되면 췌장실질을 비장동맥으로로부터 박리하여 자동문합기가 통과할 수 있는 공간을 확보한다. 비장동맥은 췌장 상연에 위치하는데 복강동맥으로부터 2~3 cm 되는 지점에서 췌장실질에 가장 깊게 위치한다. 따라서 이 부위에서 비장동맥을 바로 찾는 것이 어려울 수 있는데, 이런 경우 먼저 간동맥, 좌위동맥을 확인하고 이를 따라가면 비장동맥을 찾을 수 있다. 특히 췌장을 상장간막정맥 주위에서 절제하는 경우에는 간동맥을 비장동맥으로 오인하여 절제하는 일이 없도록 주의해야 한다.

췌장실질을 비장정맥과 비장동맥으로부터 충분히 박리하여 췌장과 혈관사이를 터널링을 한다(그림 15-6).

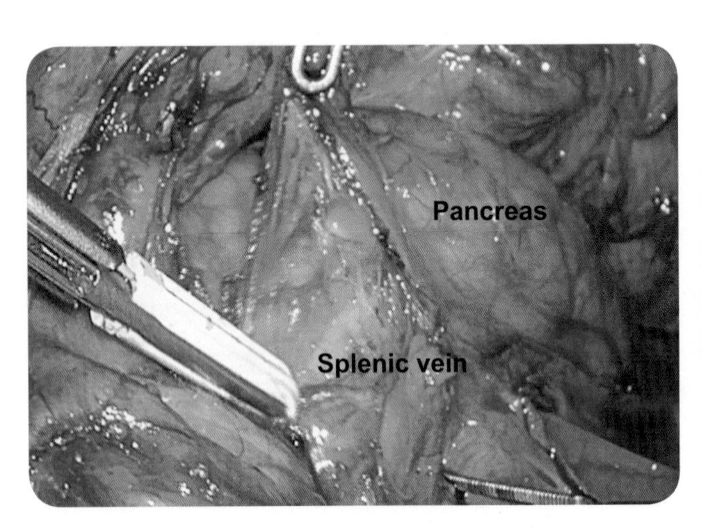

그림 15-4

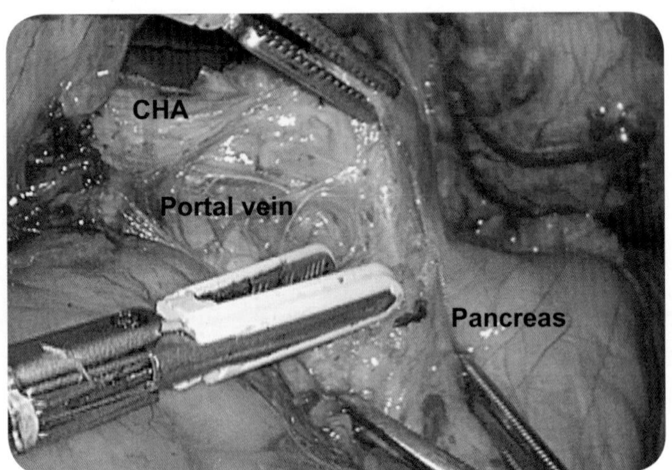

그림 15-5

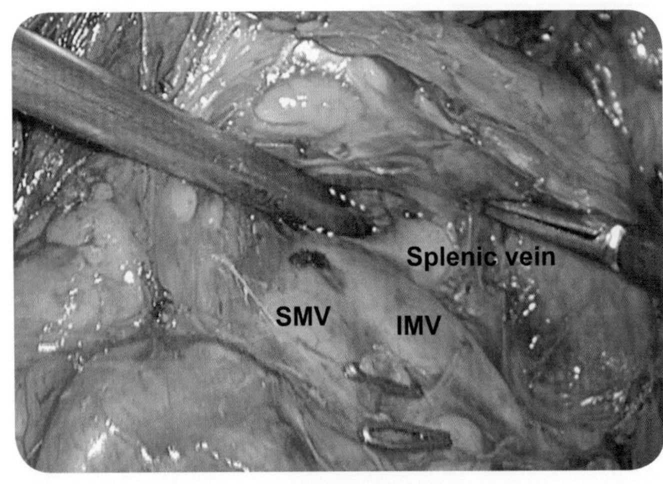

그림 15-6

그림 15-7

췌장을 테이프로 감아서 위쪽으로 들면 아래쪽으로 충분한 공간이 생기게 되고 이때 자동문합기로 췌장을 절단한다(그림 15-7). 자동문합기의 카트리지는 췌장실질의 두께와 딱딱한 정도에 따라 결정하고, 췌장실질의 손상을 줄이기 위해 되도록 천천히 췌장실질을 압박하고 절제를 해야한다. 이때 자동봉합기에 혈관들이 같이 끼어서 절단되지 않도록 주의하여야 한다.

자동문합기로 췌장을 절단한 후 노출된 비장동맥 및 정맥을 차례로 절단한다(그림 15-8, 9). 비장동맥을 췌장과 함께 자동봉합기로 절단하면 출혈 및 동맥꽈리의 문제가 생길 수 있으므로 자동문합기로 췌장과 비장동맥을 한꺼번에 절단하는 것은 피하는 것이 좋다.

췌장을 외측으로 들어오리면서 비장방향으로 후복막으로부터 박리해 나간다. 비장이 노출되면 비장 하부의 비-결장 인대(splenocolic ligament), 비-신 인대(splenorenal ligament)를 초음파절삭기로 절단하면서 비장을 후벽에서 분리시킨다(그림 15-10). 단위혈관(short gastric vessels)들을 안전하게 결찰하고(그림 15-11), 상부에 있는 비-횡격막 인대(splenophrenic ligament)를 절단한다.

췌장이 완전히 비장으로부터 분리된 모습으로 절제 후에는 절제연의 출혈과 췌액의 유출을 유심히 관찰하여 안전한 상태인지를 관찰한 후 췌장의 절단면에 fibrin glue를 뿌린다. 좌상복부 늑골 아래의 5 mm 절개창을 통해 배액관을 삽입하고 절제된 검체를 비닐백에 담아서 12 mm 투관침을 좀더 확장하거나 배꼽의 절개창을 확장하여 빼낸다.

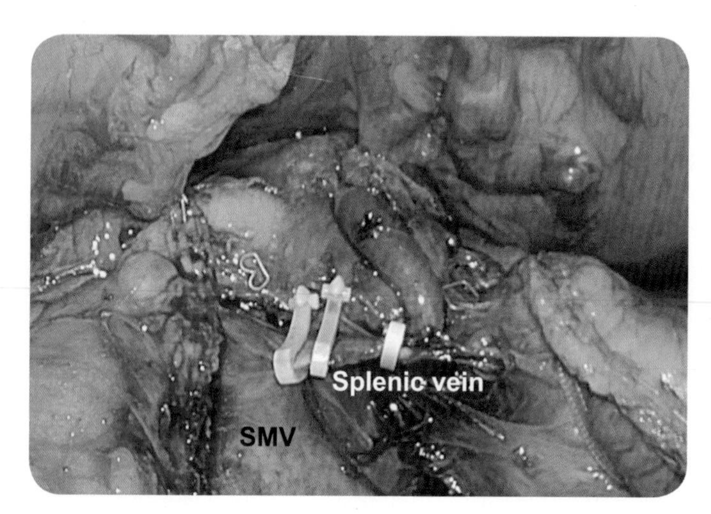

그림 15-8

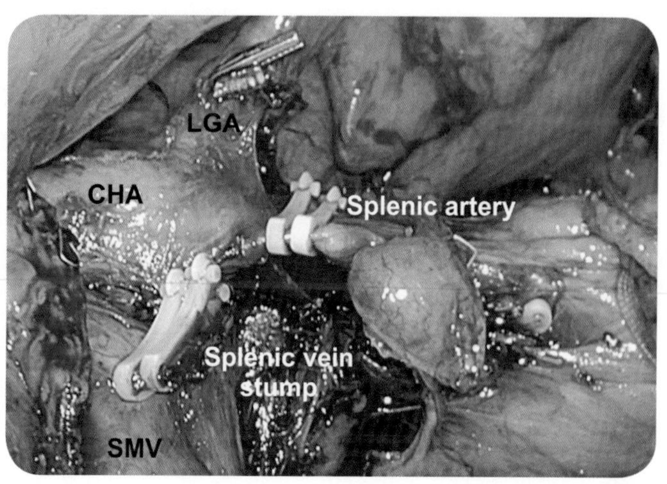

그림 15-9

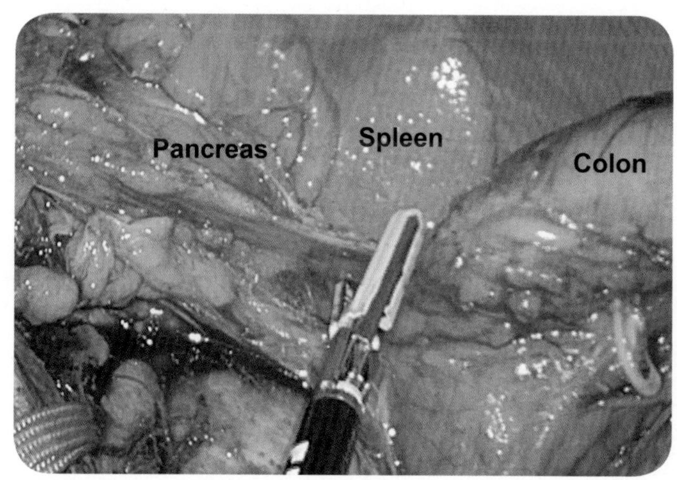

그림 15-10

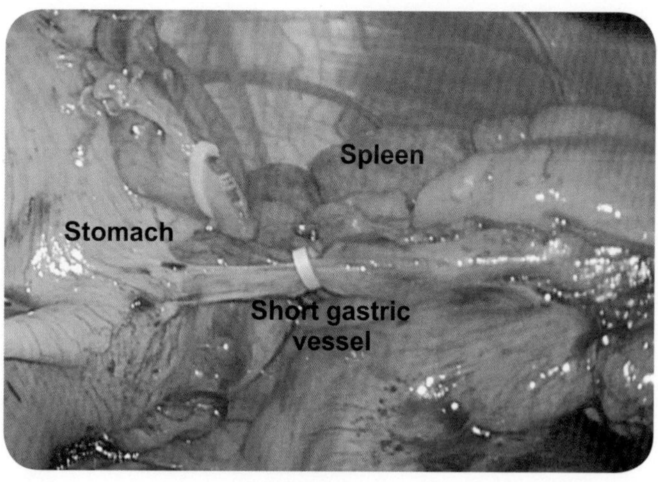

그림 15-11

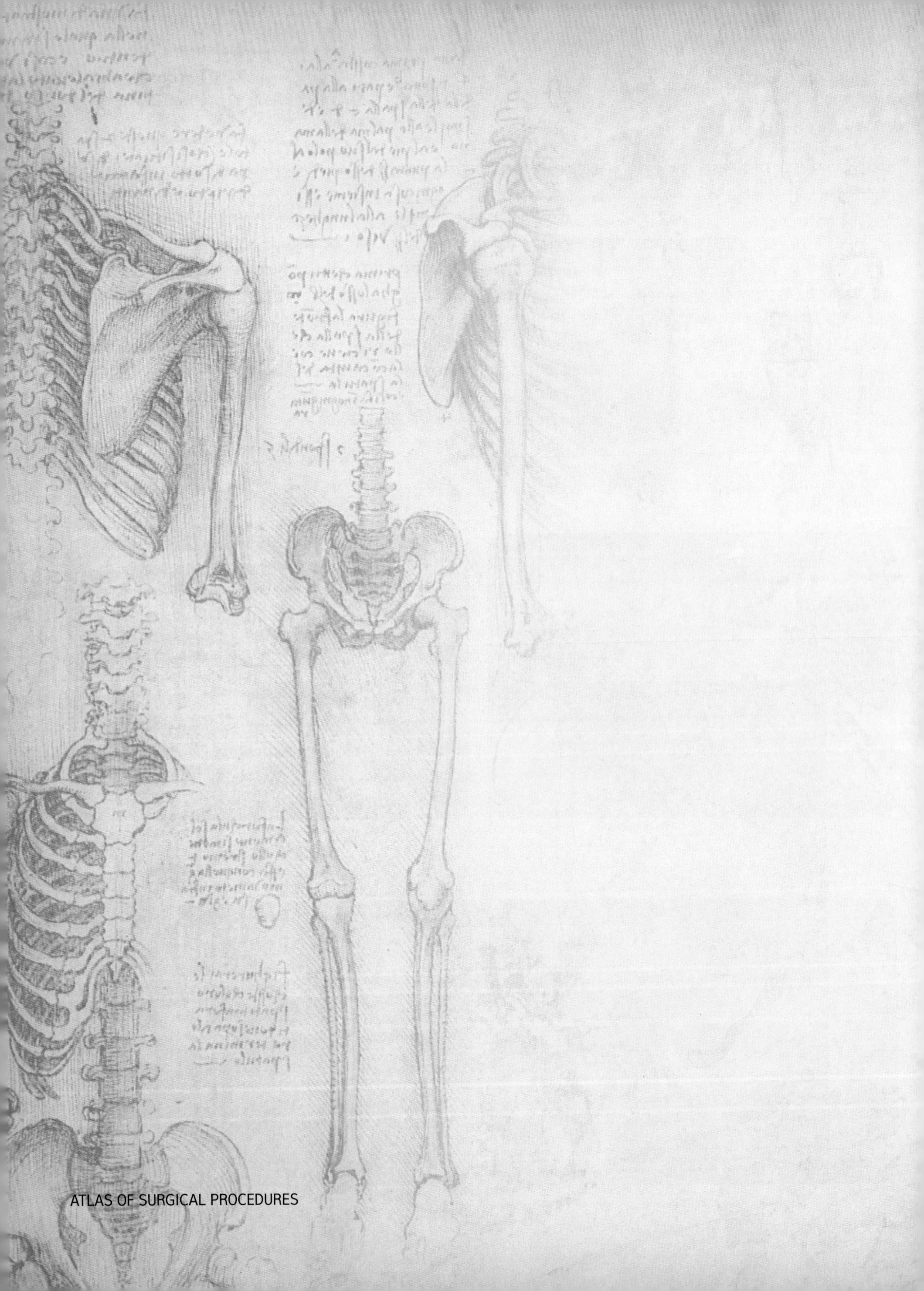
ATLAS OF SURGICAL PROCEDURES

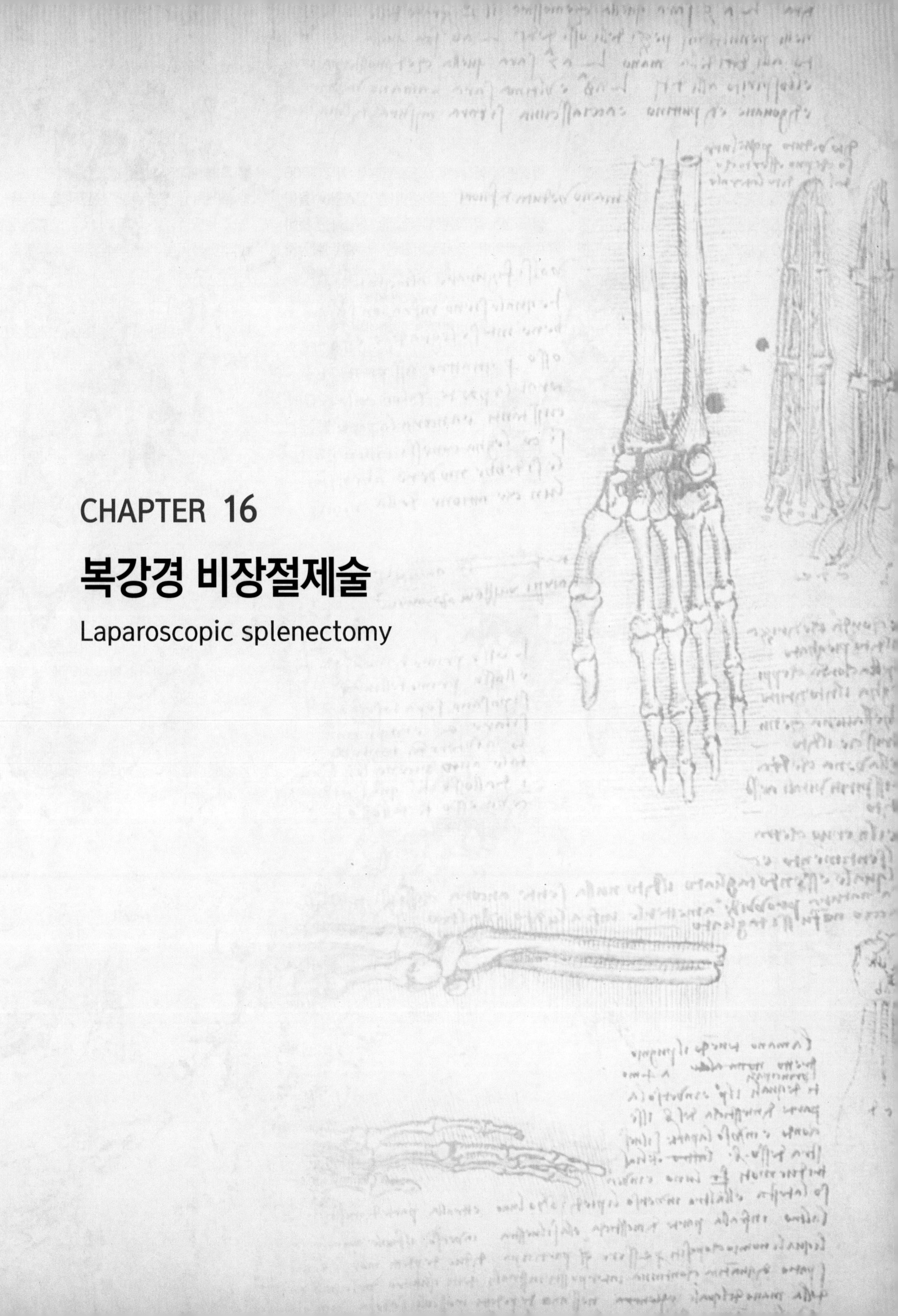

CHAPTER 16

복강경 비장절제술

Laparoscopic splenectomy

1. 적응증

- 양성: 면역혈소판감소성자반증(Immune Thrombocytopenic Purpura, ITP), 유전성구상적혈구증(hereditary spherocytosis), 용혈성빈혈, 겸상적혈구성 빈혈(sickle cell anemia), 비장농양, 부유비장(wandering spleen), 좌측문맥고혈압(left-sided portal hypertension)에 동반된 위정맥류 출혈
- 외상
- 악성: 림프종/백혈병의 진단 및 병기결정, 원발성 종양 및 전이성 병변

2. 비적응증

- 문맥고혈압, 임신

3. 수술 전 처치

혈액질환에 대한 수술의 경우 수혈 및 투약에 주의한다. 선천성 용혈성 황달(congenital hemolytic icterus)의 경우 심각한 용혈반응이 유발될 수 있으므로 수혈을 피해야 하며, 면역혈소판감소성자반증이나 이차성 비장항진증의 경우 환자의 상태에 따라 수혈을 고려한다. 면역혈소판감소성자반증의 경우 스테로이드 혹은 면역글로불린으로 혈소판을 올리는 시도를 하고, 반응이 없는 경우 혈소판 수혈을 한다. 혈소판 수치가 20,000 /mm^3 미만인 경우 수술 중 혈소판 수혈이 필요하며, 비장동맥 결찰 후 수혈하는 것이 효과적이다. 스테로이드를 투여 받던 환자의 경우 수술 전과 수술 후 단기간 동안 스테로이드를 유지한다. 전격성 비장적출후패혈증(Overwhelming Post-Splenectomy Infection, OPSI)을 예방하기 위해 계획된 수술일 경우 2주 이전에 폐렴구균(S. pneumonia; meningococcus), 뇌수막구균(N. meningitidis; meningococcus), 인플루엔자균(H. influenza)에 대한 백신접종을 하고, 응급수술일 경우, 수술 후 30일 이내에 백신을 접종한다(표 16-1).

4. 마취

전신마취 하에 기관내 삽관을 시행한다. 필요에 따라 혈역학적 변화에 대응할 수 있는 큰 혈관을 확보한다.

5. 환자자세

복강경 비장절제술은 수술자의 선호도, 비장의 크기, 환자의 체구, 타 장기의 동반절제 필요성에 따라 우측와위(right lateral decubitus position), 혹은 앙와위(supine position)를 선택할 수 있다.

1) 우측와위 (Right lateral decubitus position)

(그림 16-1) 환자를 오른쪽 옆으로 눕히고 왼팔이 가슴을 가로질러 오른팔에 겹쳐지도록 한다. 수술자의 선호도에 따라 bean bag을 이용하여 45~60° 기울어진 우측와외를 선택할 수 있다. 옆구리의 공간을 늘리기 위해 환자의 왼쪽 늑골과 장골능(iliac crest)의 거리를 늘리도록 수술테이블의 중간부위를 꺾어 주는 것이 유용하다. 이러한 자세는 중력에 의해 위와 결장 등의 장기가 밑으로 떨어져 비장주변 인대의 박리와 비문부 구조물의 확인 및 박리가 용이하다는 장점이 있다.

2) 앙와위(Supine position)

(그림 16-2) 심한 비장비대(splenomegaly)를 동반하거나, 다른 장기의 동반절제가 계획된 경우, 소아환자의 경우, 앙와위로 수술을 진행할 수 있다. 수술자는 환자의 오른편에 서고, 카메라 조수는 환자의 다리 사이에, 보조자는 환자의 왼편에 선다. 복강경 원위부 췌비장절제술이 보편화 됨에 따라 수술자의 선호도에 따라 복강경 원위부 췌비장절제술과 같은 환자자세와 투관침 위치로 복강경 비장절제술을 시행하기도 한다.

표 16-1 비장절제술시 백신 접종

	1차	2차(2개월 후)	추후 5년마다
폐렴구균 (Streptococcus pneumoniae)	Prevenar 13	Prodiax 23	Prodiax 23
b형 헤모필루스 인플루엔자균 (Haemophilus influenza type b)		평생 1번 투여합니다.	
수막구균 (Neisseria meningitides)	Menveo	Menveo	Menveo

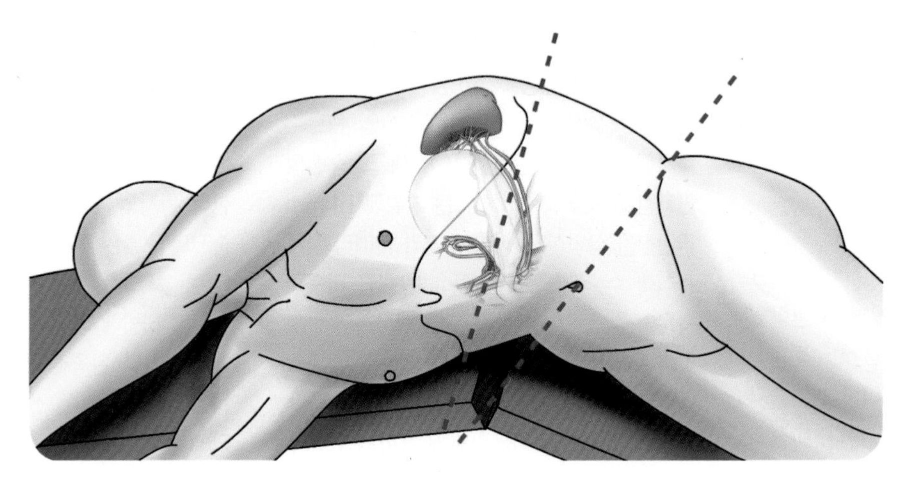

그림 16-1 복강경 비장절제술에서의 우측와위 혹은 45~60° 기울어진 우측와위
테이블을 꺾어 좌측 늑골하연과 장골와(iliac crest)의 간격을 넓힘

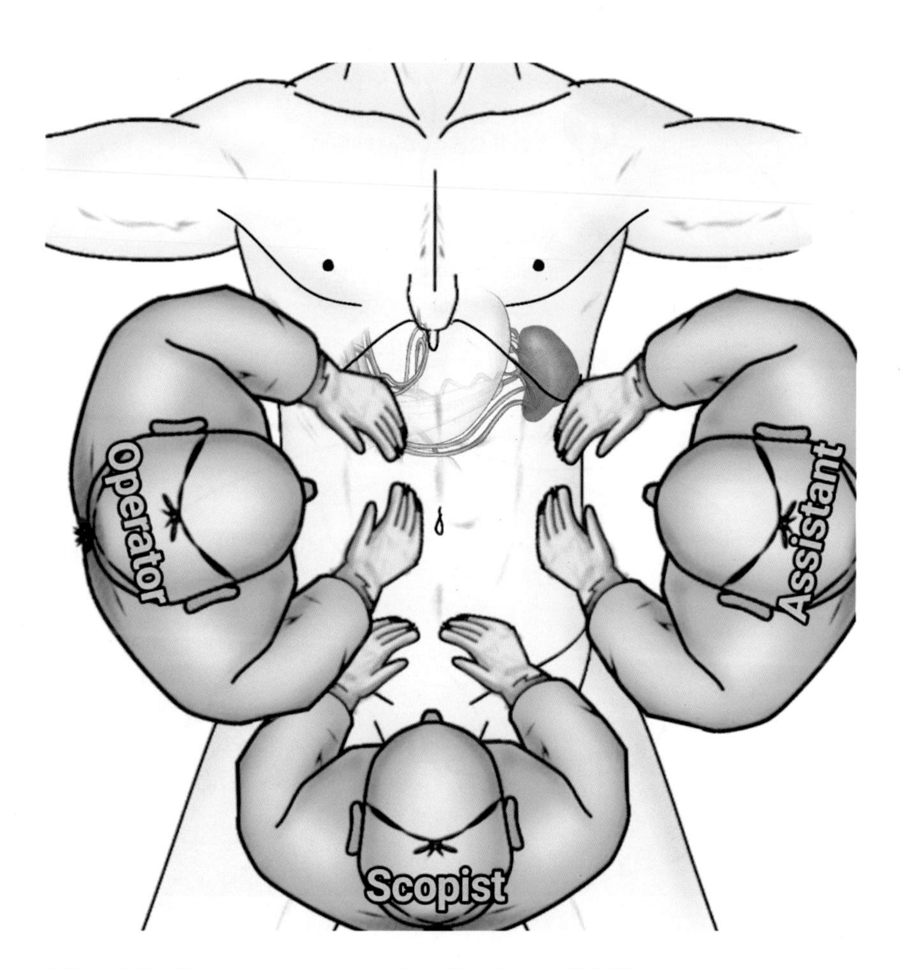

그림 16-2 앙와위(supine position)에서 복강경 비장절제술 시 수술자의 위치

6. 수술 준비

피부는 일반적인 방법으로 소독하고 흉부하부에서 치골까지 노출시킨다. 비위관을 삽입하여 수술시야를 개선할 수 있다.

7. 투관침의 위치 선정

투관침의 위치는 수술자의 선호도, 비장의 크기, 비문부의 위치에 따라 다양하게 변형될 수 있다. 카메라 삽입을 위해 12 mm 투관침을 배꼽 직상방에 Veress 침이나 개복술기(Hasson 술기)를 이용해 삽입한다. 비장의 크기가 작은 경우는 카메라 투관침을 좌상복부나 배꼽 좌측에 삽입할 수 있다. 수술자의 왼손 투관침은 검상돌기 하방의 좌측 늑골 하연의 시작점에 5 mm 투관침을 삽입하고, 수술자의 오른손 투관침은 왼쪽 쇄골정중선의 연장선과 늑골 하연이 만나는 부위에 12 mm 투관침을 삽입한다. 상황에 따라 카메라용 투관침과 수술자의 오른손용 투관침을 바꾸어 사용할 수 있다. 왼쪽 옆구리 늑골 하연에 보조자용 5 mm 투관침을 선택적으로 삽입할 수 있다(그림 16-3A).

비장이 큰 경우는 카메라와 비장까지의 거리, 복강경 스테플러 사용을 위한 거리를 고려하여 투관침의 위치를 조절해야 한다. 카메라 삽입을 위한 12 mm 투관침은 배꼽 상방이나 하방에 삽입하며, 수술자의 오른손을 위한 12 mm 투관침은 배꼽에서 환자의 좌측에 삽입한다. 환자의 체구에 따라 카메라의 위치와 수술자의 오른손 투관침은 바꾸어 사용할 수 있다. 수술자의 왼손을 위한 5 mm 투관침은 검상돌기 하방에 비장의 크기를 고려하여 적절히 삽입한다. 왼쪽 옆구리 늑골 하연에 보조자용 5 mm 투관침을 선택적으로 삽입할 수 있다(그림 16-3B).

A

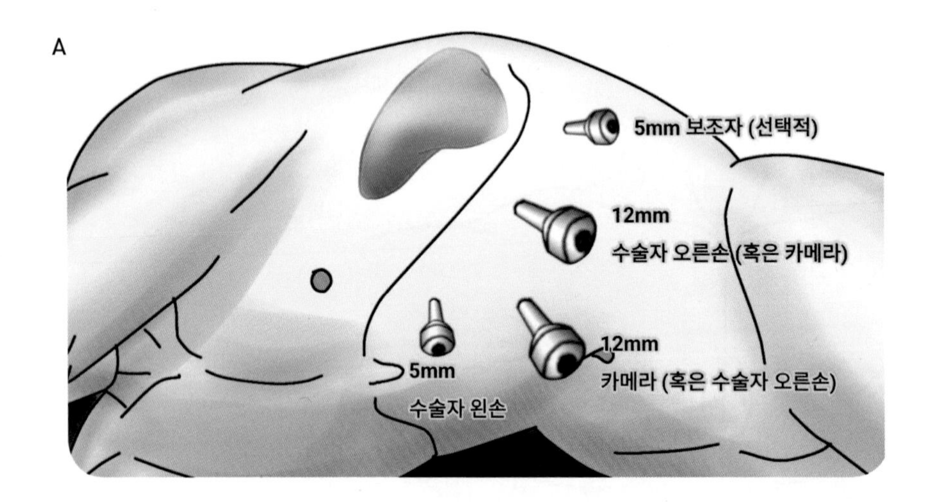

B

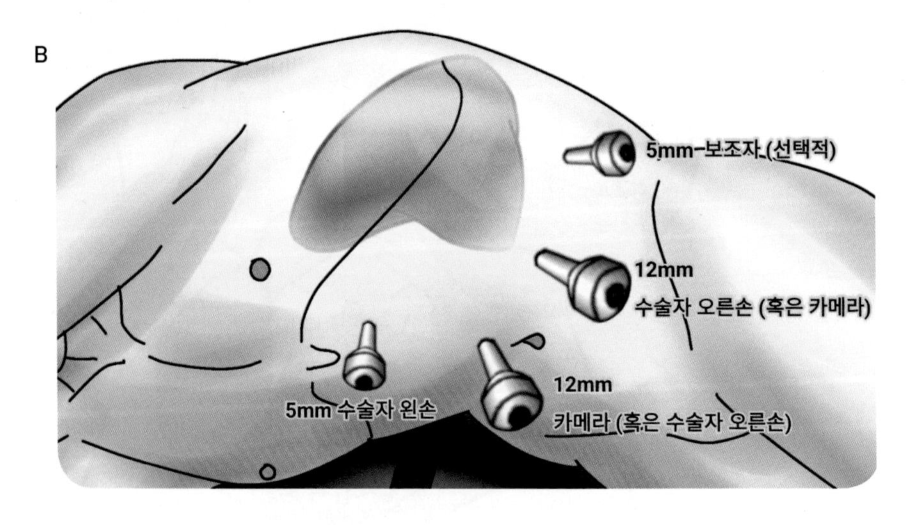

그림 16-3 우측와위에서 복강경 비장절제술 시 투관침의 위치
A. 비장 크기가 정상이거나 비장비대가 경미한 경우
B. 비장비대가 심한 경우

앙와위에서도 투관침의 위치는 대동소이하며, 비장의 크기에 따라 적절히 조절한다(그림 16-4).

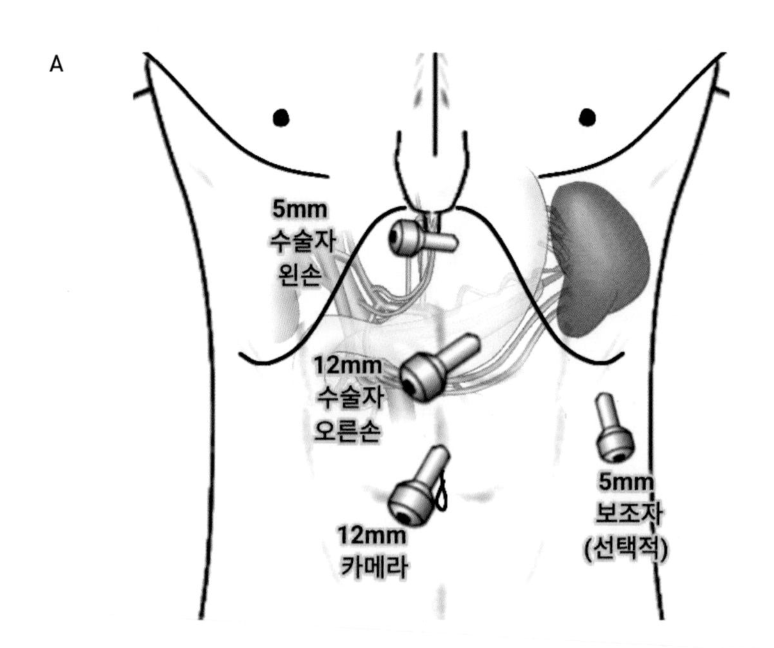

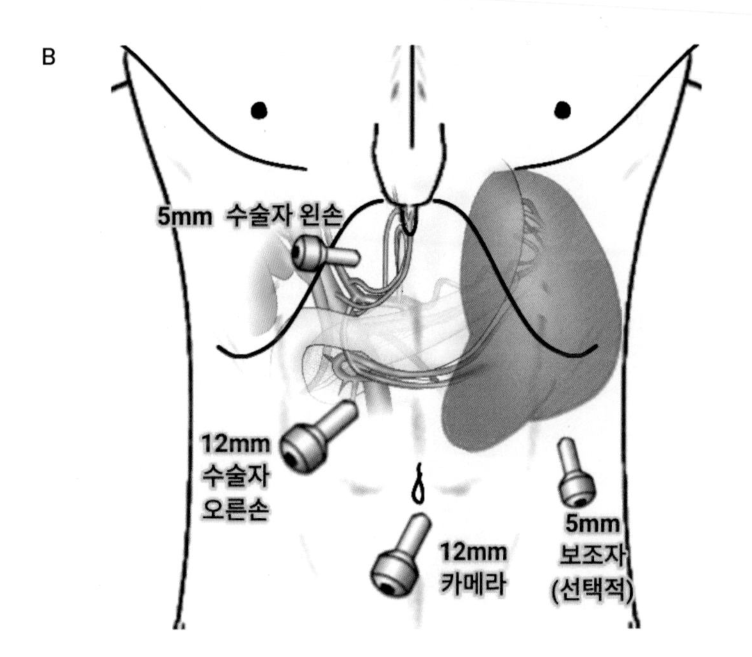

그림 16-4 앙와위에서 복강경 비장절제술 시 투관침의 위치
A. 비장 크기가 정상이거나 비장비대가 경미한 경우
B. 비장비대가 심한 경우

8. 수술 과정

1) 투관침으로 카메라를 넣고 부비장의 존재 여부를 확인한다. 부비장이 흔히 관찰되는 위치는 그림 16-5와 같다.

2) 대망 및 위비인대(Gastro-splenic ligament)의 절개

횡행결장의 비장굴곡(splenic flexure) 부위의 대망을 절개하고 작은 복막주머니(lesser sac) 안으로 진입한다(그림 16-6). 작은 복막주머니(lesser sac)내에서 췌장 미부를 확인할 수 있다. 위의 큰 만곡(greater curvature)을 따라 위-비장인대(gastro-splenic ligament)를 절개한다. 위-비장인대를 절개하는 과정에서 좌측 위대망혈관(left gastroepiploic vessel)(그림 16-7)과 단위혈관(short gastric vessel)(그림 16-8)들을 결찰, 분리하며, 비장의 상극(upper pole)을 향해 박리를 지속한다.

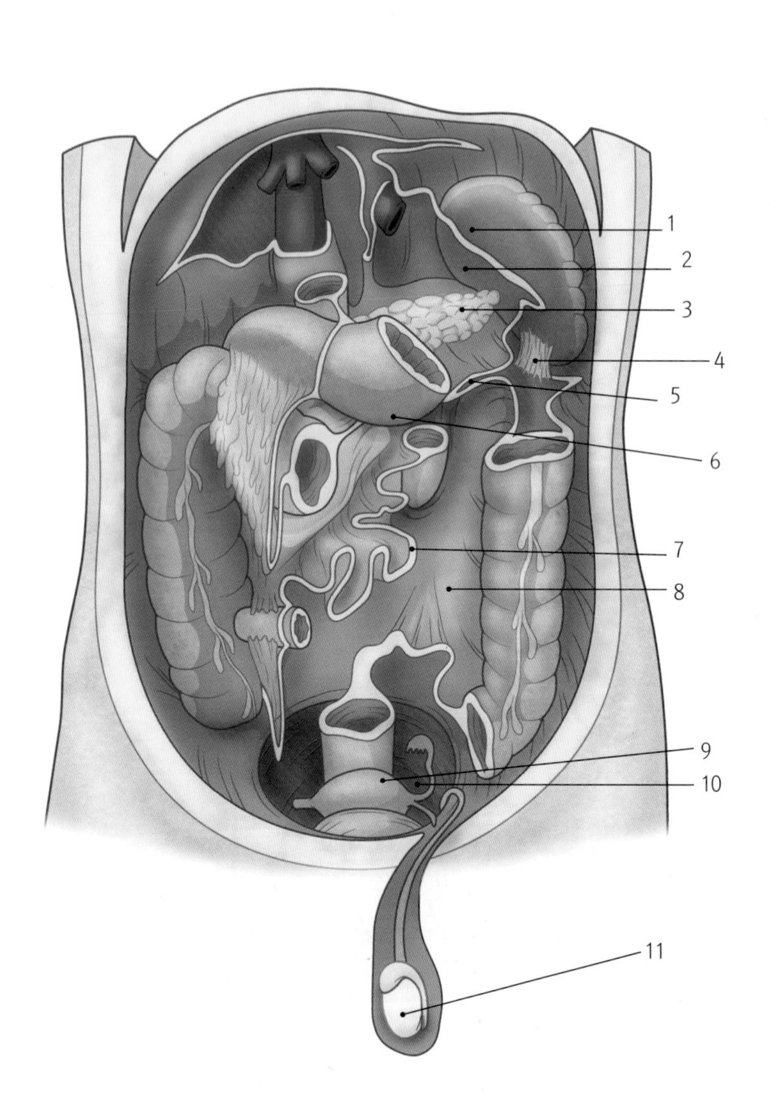

그림 16-5 부비장이 흔히 발견되는 위치
1. Gastrosplenic ligament
2. splenic hilum
3. tail of the pancreas
4. splenocolic ligament
5. left transverse mesocolon
6. greater omentum along the greater curvature of the stomach
7. mesentery
8. left mesocolon
9. left ovary
10. Douglas pouch
11. left testis

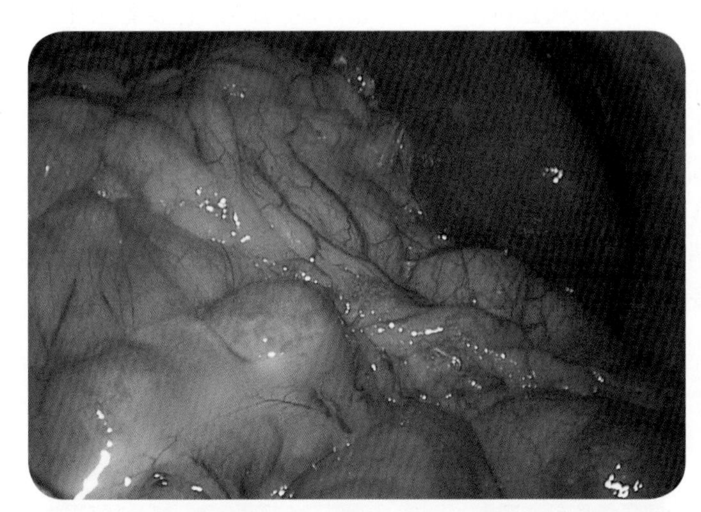

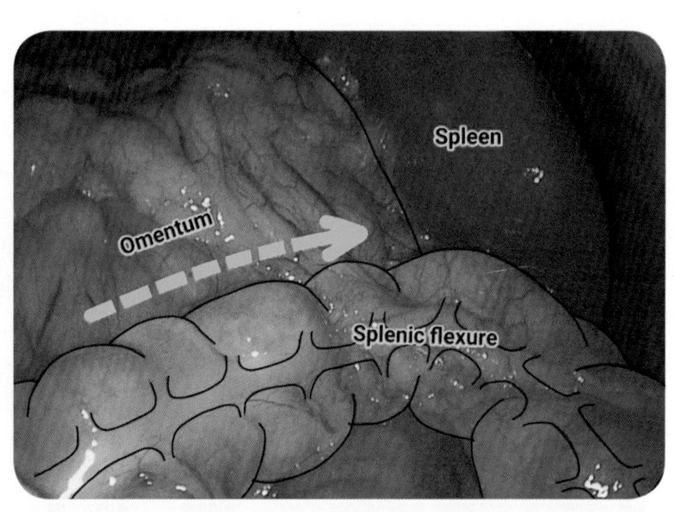

그림 16-6 결장의 비장굴곡(splenic flexure) 부위에서 대망을 열고 작은 복막주머니(lesser sac)로 진입

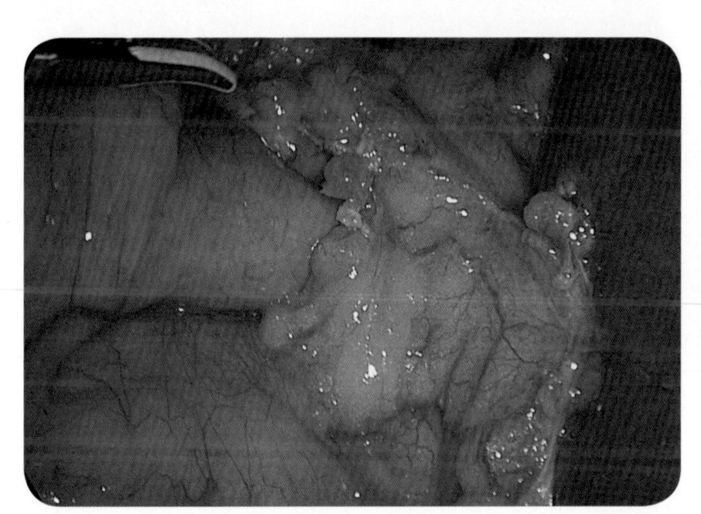

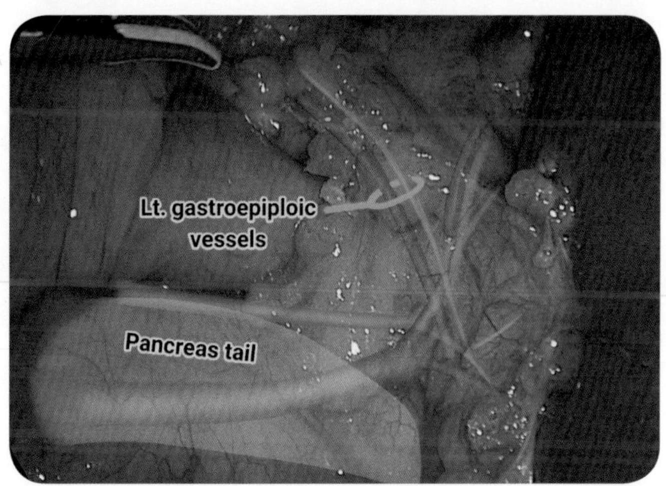

그림 16-7 위-비장인대(gastro-splenic ligament) 절개 중 좌측 위대망혈관(left gastroepiploic vessel)의 결찰, 분리

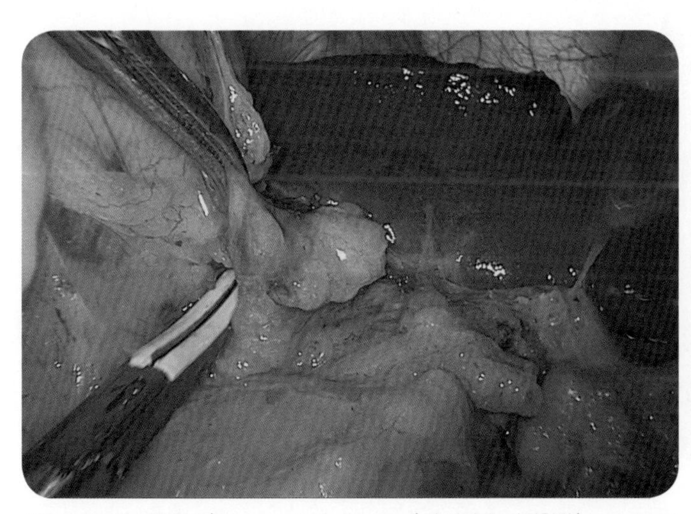

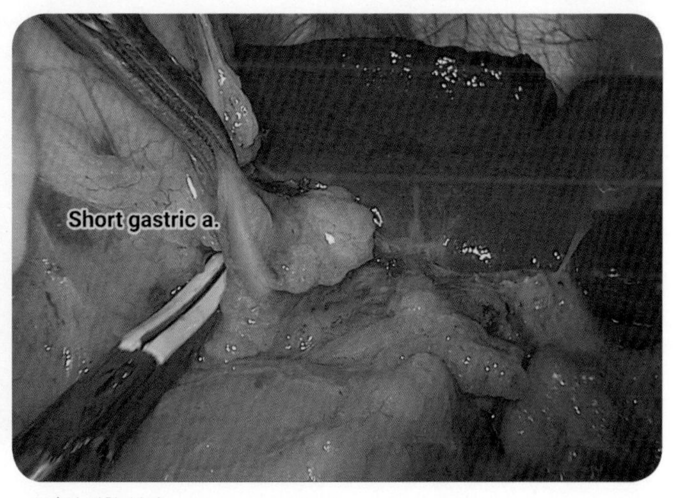

그림 16-8 위-비장인대(Gastro-splenic ligament)의 절개 중 단위혈관(short gastric vessels)의 결찰, 분리

3) 비장결장인대(Spleno-colic ligament), 비장신장인대(spleno-renal ligament)의 분리

비장하부의 비장결장인대(spleno-colic ligament)를 분리한다(그림 16-9). 이 부위에서는 췌장미부와 결장이 비장 하극(lower pole)과 가까이 위치하므로 췌장미부와 결장의 손상이 일어나지 않도록 주의해야 한다. 결장의 비장굴곡부(splenic flexure)를 비장의 하극과 췌장미부로부터 완전히 분리하고, 비장을 후복막에 지지하고 있는 비장신장인대(spleno-renal ligament)와 비장횡격막인대(spleno-phrenic ligament)를 박리하여 비장을 유동화한다(그림 16-10). 이때 비장 상극(upper pole)부위 비장-횡격막인대(spleno-phrenic ligament)를 완전히 분리하지 않고 일부 남겨두어 비장을 횡격막에서 떨어지지 않게 하는 것이 비문부의 처리에 유리하다. 비문부(splenic hilum)에서 복강경 스테플러(endo-stapler)를 사용한 일괄 결찰을 고려한다면, 비장과 췌장 미부를 충분히 유동화해야 한다.

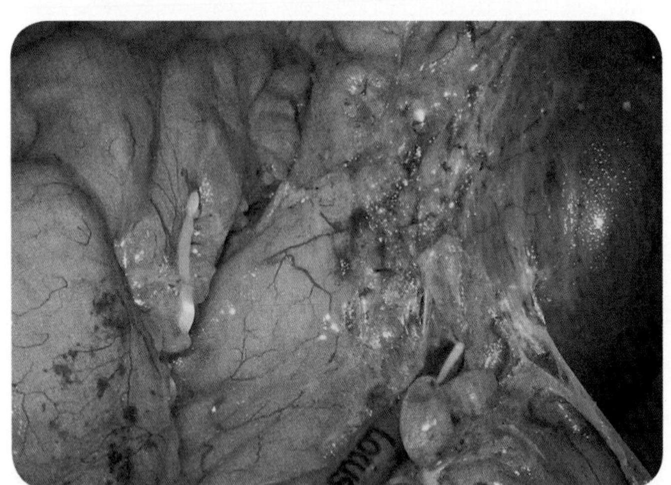

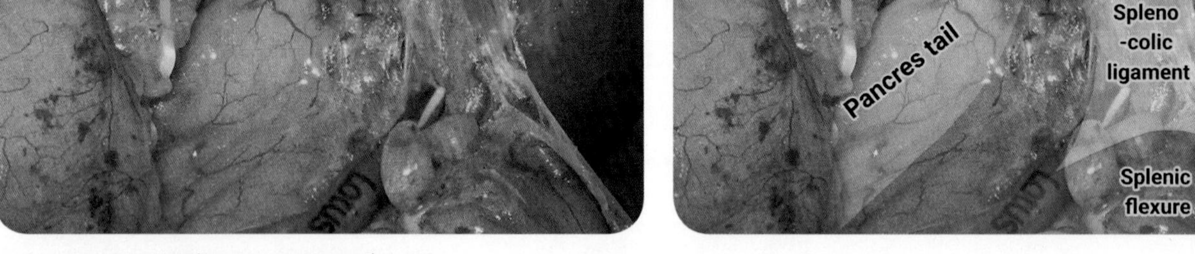

그림 16-9 비장-결장인대(splenocolic ligament)의 박리

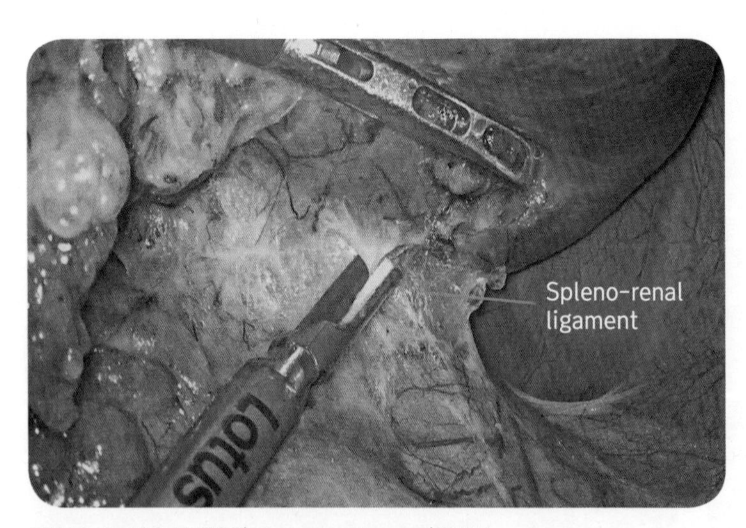

그림 16-10 비장-신장인대(spleno-renal ligament)의 박리

4) 비문부(Splenic hilum)의 처리

비문부(splenic hilum)의 동, 정맥은 클립이 나 봉합사를 이용해 개별결찰(그림 16-11) 하거나 복강경 스테플러(Endo-stapler)를 이용해 일괄결찰(그림 16-12) 할 수 있으며, 두가지 방법을 조합할 수도 있다. 스테플러를 이용한 일괄결찰 시에는 췌장미부의 손상이 일어나지 않도록 주의해야 한다.

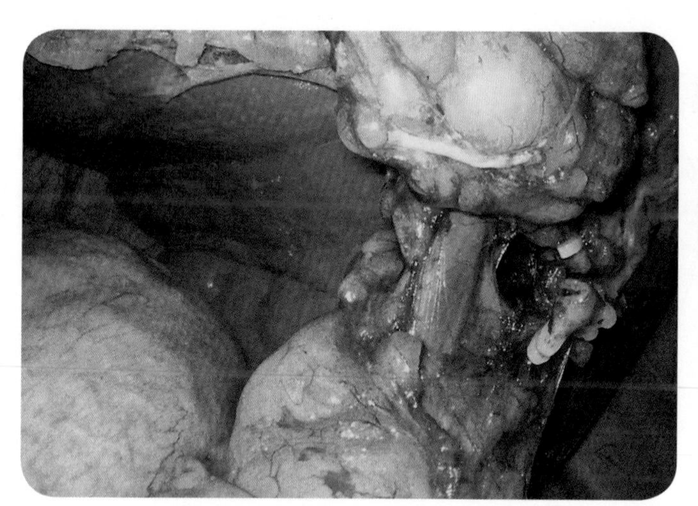

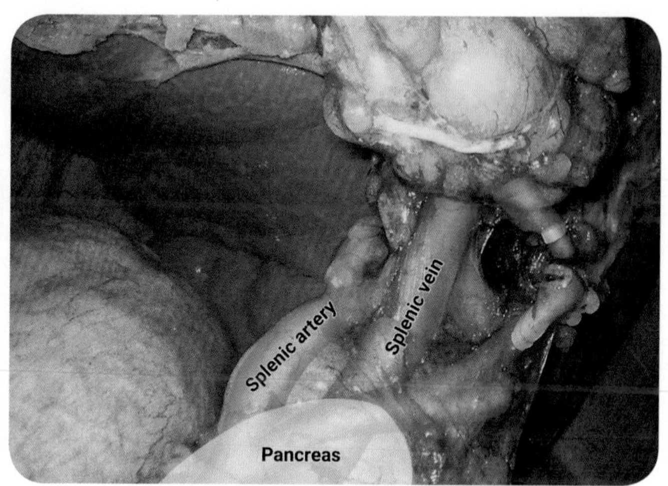

그림 16-11 비장문부(splenic hilum)에서의 비장동맥, 정맥의 개별결찰

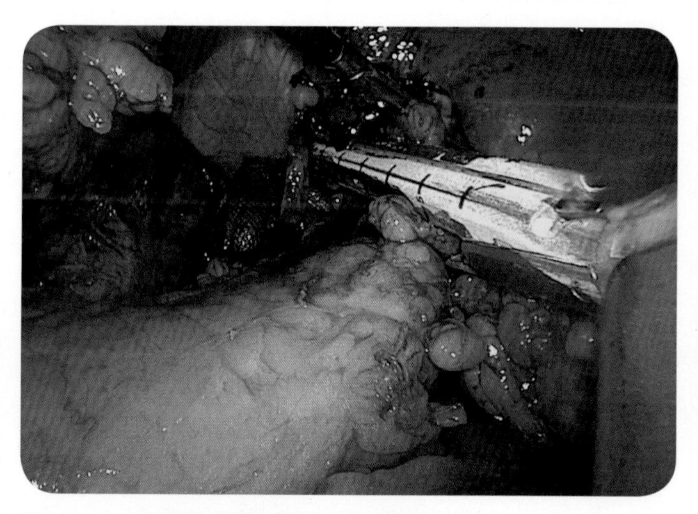

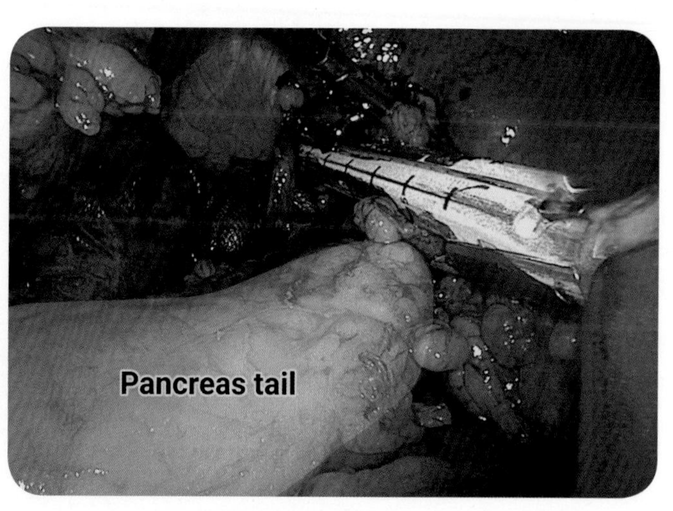

그림 16-12 스테플러를 이용한 비장문부의 일괄결찰

5) 비장 상극(Upper pole)의 박리 및 비장의 회수

마지막으로 비장의 상극에 남아있는 비장-횡격막 인대(spleno-phrenic ligament)를 절개하면 후복막 및 횡격막으로부터 비장이 완전히 분리된다. 회수주머니(retrieval bag)에 비장을 담고 배꼽의 투관침을 제거하고 주머니의 입구를 밖으로 끄집어 낸다. Ring forcep 이나 손가락으로 비장을 분쇄하여 크기를 줄인 뒤 체외로 끄집어 낸다(그림 16-13).

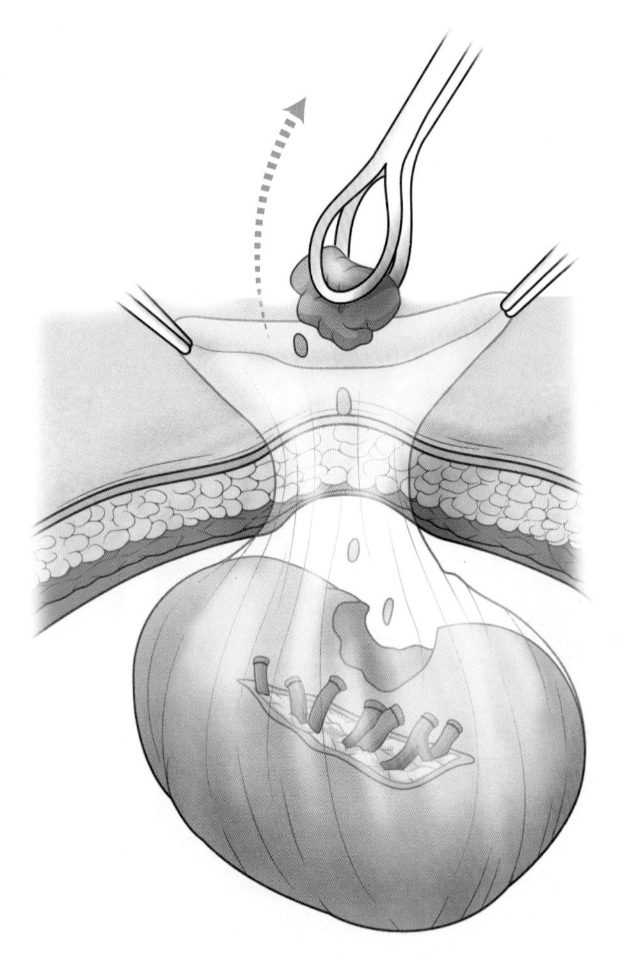

그림 16-13 절제된 비장의 회수

CHAPTER 17

전췌장절제술

Total pancreatectomy

1. 서론

전췌장절제술의 수술범위는 췌십이지장절제술과 원위부췌비장절제술을 합친 것으로 흔한 수술은 아니다. 전췌장절제술을 시행하는 경우로는 췌십이지장절제술을 시도하다가 췌장경부 절제연 암침윤이 계속 있어 부득이 원위부췌장절제술을 추가하게 되는 경우도 있고 반대로 원위부췌장절제술을 시행하다가 임 침윤이 심해 췌두부를 보존할 수 없는 경우도 있으며 본 장에서는 췌두부 및 췌체미부에 암이 넓게 걸쳐 있거나 다발성으로 있어 수술 전부터 전췌장절제술을 구상하고 수술하는 경우에 대해 설명하겠다. 전췌장절제술 후에는 필연적으로 소화장애 및 당뇨가 발생하지만 전신상태가 비교적 좋은 환자의 경우 수술 후 철저한 관리를 통하여 일상생활이 충분히 가능한 삶의 질을 유지할 수 있으므로 적응증이 되는 경우 적극적으로 고려해야 할 것이다.

2. 적응증

췌장 전체를 침범하거나 두부 및 체미부에서 다발성으로 발생한 췌장종양

3. 수술 전 처치

췌장 수술 전 물리적 관장이 수술 후 감염을 줄인다는 증거는 없다. 그러나 일반적으로 수술 전날이나 수술 당일 일찍 가벼운 관장을 시행하는 경우가 많다. 수술 전 항균 샤워가 수술부위 감염을 줄이는 데 효과적이며 수술 전 제모가 반드시 필요하지는 않다. 제모를 해야 한다면 의료용 클리퍼나 화학적 제모제를 이용하여 수술 직전에 시행한다.

4. 마취

전신마취를 시행하고 예방적 항생제를 투여한다.

5. 환자 자세

앙와위 자세로 수술한다.

6. 수술 준비

일반적인 췌장수술에 준함

7. 절개 및 노출

좋은 시야를 확보하기 위해서는 양측 횡상복부절개(bilateral subcostal incision), ㅗ자 절개 또는inverted L 절개가 유리하다. 저자는 절개선을 줄이기 위해서 상정중절개(upper midline incision)를 선호하며 필요하면 배꼽 아래까지 확대한다. 이후 자가 견인기를 걸어 좋은 시야가 확보되도록 한다. 기본적으로 전췌장절제술은 수술범위가 매우 넓어 수술 순서를 정확히 확정할 필요가 없으며 환자에 따라 달리 적용할 수 있다. 아래는 저자가 자주 시행하는 방법과 순서이다.

8. 수술술기

1) 원격전이 여부를 확인하기 위한 진단적 복강경 시행

(그림 17-1) 침윤 범위가 넓은 췌장암인 경우, 수술 전 검사로 확인되지 않은 전이 병소가 있을 수 있다. 이를 개복 전 발견하기 위하여 수술 전 진단적 복강경 시행을 추천한다. 저자의 경우 정중절개선을 따라 2~3개의 투관침을

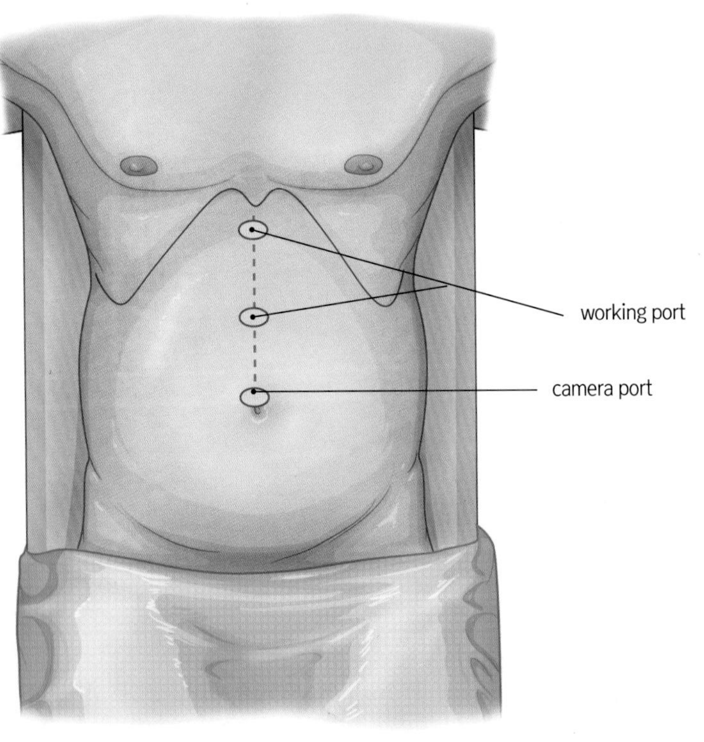

그림 17-1

삽입하고 간 표면, 대망, 복벽, 장막 및 골반 부위를 시계 반대 방향으로 관찰하고 이어 간 전이를 알기 위해 복강경초음파검사를 시행한다. 전이 병소가 발견되면 조직검사로 확인한다. 복수가 있으면 흡인하고 복수가 없으면 500 ml 생리식염수를 복강 내 주입하고 환자를 상하 좌우로 움직인 후 5분 후에 흡인하여 향후 세포 검사를 시행한다.

2) 대망 박리 및 상장간막정맥 노출

(그림 17-2) 대망(greater omentum)을 대장에 근접하여 완전히 박리하여 췌장이 전체적으로 드러나도록 한다. 비장 쪽으로 박리한 후 단위혈관(short gastric vessel)을 결찰한 후 절단한다. 췌장 경부 아래를 조심스럽게 박리하여 연부조직을 제거하면 상장간막정맥(SMV)을 노출시킬 수 있다. SMV가 노출되면 췌장 경부 밑에서 주위조직과 박리하면서 비장정맥(SV)을 노출시키고 문맥(PV)도 가능한 한 노출시킨다.

3) Kocher 수기 및 상부공장 절제

(그림 17-3, 4) 보통 십이지장 제2부의 외측을 따라 Kocher 수기를 시작한다. 이어 십이지장을 좌측으로 들어 올리면서 십이지장 전체와 췌두부를 하대정맥, 좌신정맥, 대동맥 좌연까지 최대한 박리한다. Treitz 인대를 절단하여 십이지장 제4부가 완전히 유동화되도록 한다. 십이지장을 좀 더 들어올리면서 좌신정맥 위쪽에서 분지하는 상장간막동맥(SMA)의 우측을 노출시키고 가능하면 복강동맥총(celiac axis)도 노출시키면 이후 림프절곽청술이 쉬워진다.

공장 절제는 절제 마지막 단계에 할 수도 있지만 저자는 현 단계에서 하는 것을 선호한다. 이는 구상돌기와 상장간막정맥/동맥 분

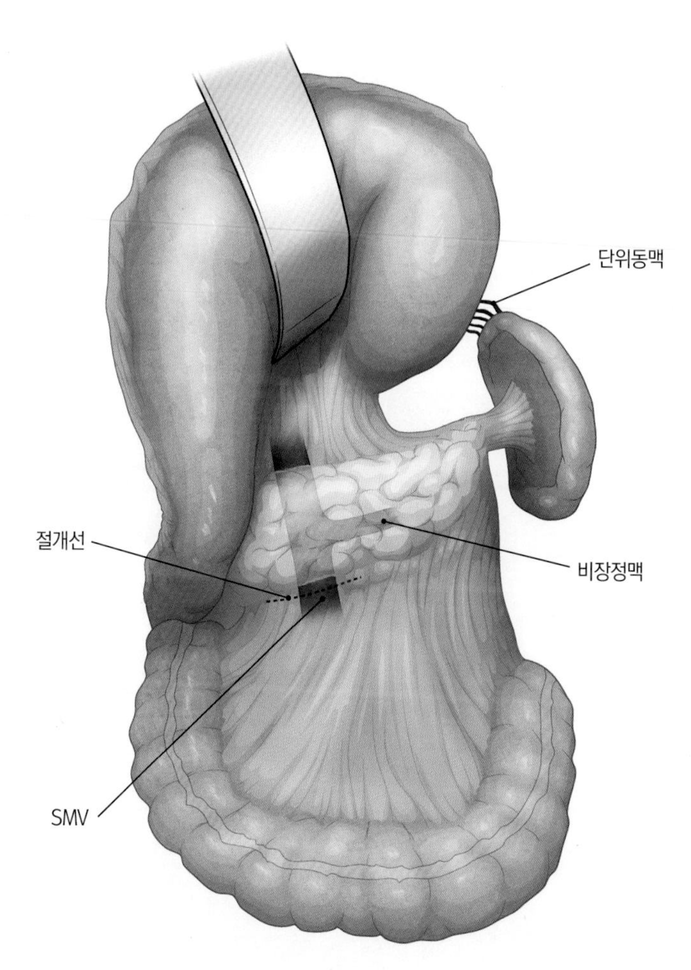

그림 17-2

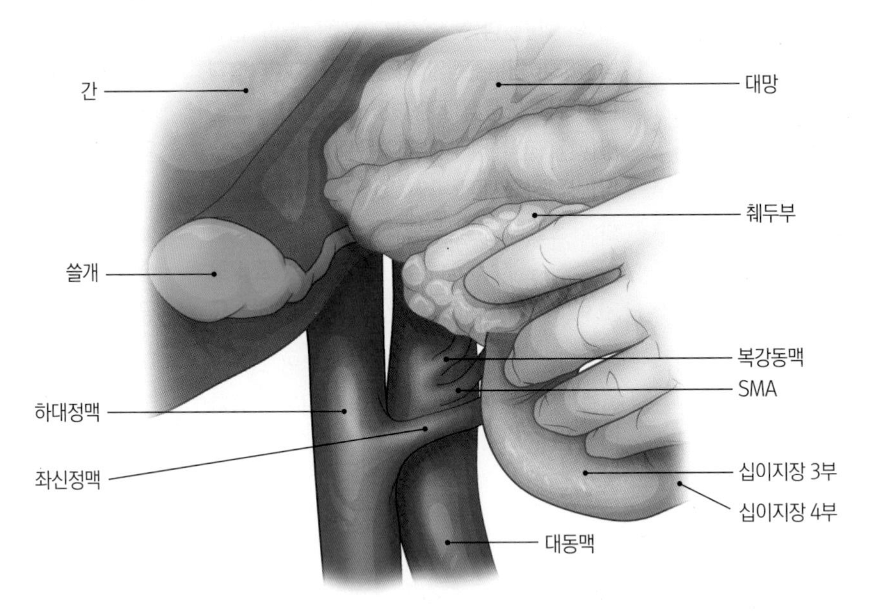
간
대망
췌두부
쓸개
복강동맥
SMA
하대정맥
좌신정맥
십이지장 3부
십이지장 4부
대동맥

그림 17-3

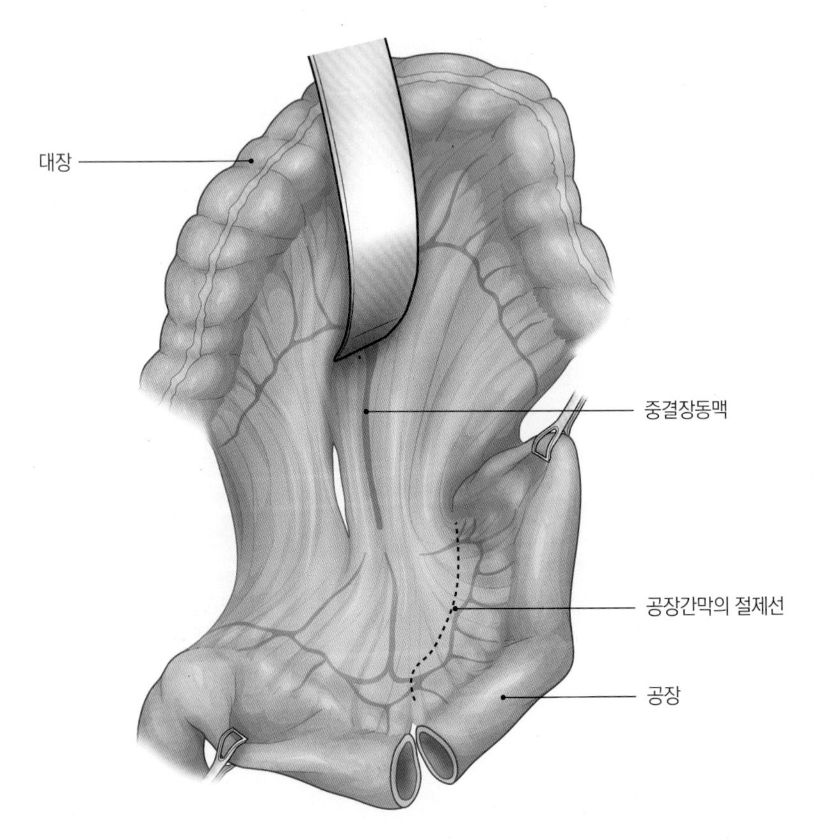
대장
중결장동맥
공장간막의 절제선
공장

그림 17-4

리를 좁은 수술 시야에서 안전하게 시행할 수 있게 하기 때문이다. 횡행대장 결장막를 들고 아래에서 나오는 상부 공장의 장막을 관찰하여, 문합할 공장이 혈류가 잘 유지되면서 충분히 잘 움직일 수 있도록 세심하게 설계해야 한다. 이는 향후 문합부 상태를 결정하는 중요한 인자다. 절제될 공장의 혈관을 결찰 절단한 후 GIA를 이용하여 공장을 절단하고 SMA/SMV 뒤쪽 공간을 통하여 췌두부쪽으로 빼게 된다.

4) 구상돌기와 상장간막정맥/동맥 일부 분리

(그림 17-5) 이번 단계에서는 구상돌기와 SMV/SMA를 분리한다. 환자에 따라서 완전 분리가 어려울 수도 있다. 일부 분리를 하여도 췌두부로의 동정맥 혈류를 조기 차단하는 효과가 있어 저자의 경우 선호한다. 먼저 구상돌기에서 SMV로 배출되는 작은 정맥들을 결찰 절단한다. 절제될 구상돌기쪽 혈관도 제대로 지혈하지 않으면 계속 출혈하게 된다. 이후 SMV를 좌측으로 견인하면 아래 SMA가 나타나는데 손가락으로 만져서 이의 주행을 위아래로 확인한다. SMA 주위 신경총(SMA nerve plexus) 제거 여부는 환자의 상태에 따라 적절히 결정한다. 일반적으로 SMA를 둘러싸고 있는 신경총은 제거하지 않는다. SMA에서 구상돌기로 진행하는 전후췌십이지장동맥들이 여러 개 나오게 되는데 매우 조심스럽게 박리하여 결찰, 절단해야 한다. 절제된 공장을 우측으로 견인하면서 췌장의 하연에서 췌장 경부 쪽으로 박리하는 것이 일반적으로 쉽다.

5) 담낭절제 및 담도 절단

간십이지장인대 박리의 첫 단계는 일반적으로 담낭 절제다. 절제된 담낭은 절제 표본에 붙어 있게 할 수도 있지만 수술에 방해가 된다면 먼저 제거해도 무방하다. 담낭관 직상부의 간십이지장인대 장막을 얇게 열고 총간관(common hepatic duct)를 박리한 후 절단한다. 남게 되는 총간관은 불독겸자로 잡아서 수술중 담즙 유출을 막도록 한다. 제거되는 쪽 담관은 결찰 후 아래로 견인하여 림프절 곽청을 용이하게 한다.

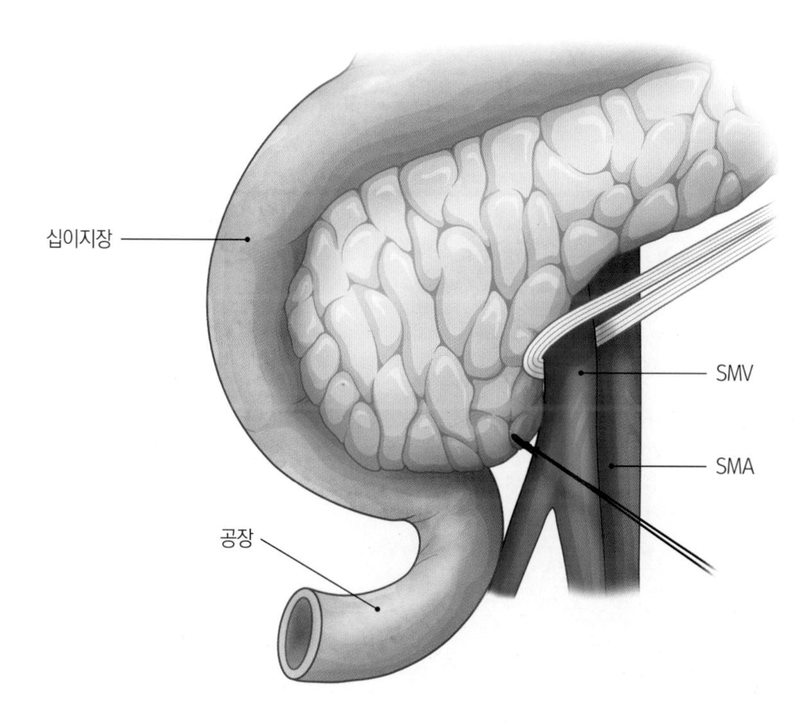

그림 17-5

6) 림프절 곽청술(간십이지장인대/복강동맥 주위) 및 비장동맥 절단

(그림 17-6) 간십이지장인대 림프절 곽청술은 간동맥 및 문맥을 제외한 모든 조직을 제거하는 작업이다(골격화, skeletalization).
이를 위해서 실제로는 간동맥을 주위 조직으로부터 박리하는 것이 대부분의 과정을 차지한다. 정상적인 간동맥 해부인 경우에는 우간동맥, 좌간동맥을 따라 내려가면서 고유간동맥을 주위 조직과 박리한다. 이를 위해서는 간동맥 상부 신경총을 절개한 후 우측 조직은 우측으로 좌측 조직은 좌측으로 유동화 한다. 우위동맥은 기시부에서 결찰 절단한다. 이어 위십이지장동맥(gastroduodenal artery)을 주위 조직으로부터 충분히 박리한 후 이중 결찰 절단한다. 간동맥을 상방 또는 하방으로 견인하면서 총간동맥주위 림프조직 및 신경 등을 박리한 후 복강동맥총 주위를 박리하여 비장동맥을 노출시킨 후 기시부에서 이중 결찰 후 절단한다.
복강동맥총 주위 림프절 곽청은 일반적으로 시행하지는 않는다. 동맥이 골격화가 되면 문맥 위 조직을 절개하고 동맥 골격화가 마찬가지로 문맥 우측 조직은 우측으로 좌측조직은 좌측으로 유동화한 후 최종적으로 곽청한 조직 전부를 문맥 우측으로 빼내서 절제될 부분에 합류시킨다.

7) 십이지장 또는 위절제

종양의 위치에 따라 유문부를 보존할 수도 제거할 수도 있다. 유문부를 제거하더라도 위 전정부를 많이 제거할 필요는 없다. 위 또는 십이지장을 절제할 때는 일반적으로 GIA를 사용하면 편리하다.

8) 비장과 원위부췌장절제

(그림 17-7) 췌장 체미부를 상방(위장 방향) 및 하방(횡행결장 결장막 방향)주위 조직으로부터 박리한다. 종양의 위치에 따라서는 좌신정맥을 절제연으로 삼아 후복막 절제연(retroperitoneal resection margin)을 깊이 확보할 수도 있다. 비신인대(splenorenal ligament)를 절개하여 비장을 앞으로 들어올린 후 계속하여 췌장 체미부도 앞으로 유동화한다. 이후 비장정맥을 문맥 기시부에서 결찰 절단한다. 하장간막정맥이 비장정맥으로 유입하는 경우 이를 결찰 절단하여도 큰 문제 없다.

9) 구상돌기와 상장간막정맥/동맥 완전 분리

(그림 17-8) 수술 초기 구상돌기와 SMV/SMA와 분리가 완전히 이루어지지 않았다면 전체 절제 비장 및 췌장 체미부가 포함된 전체 표본을 환자의 우측으로 가볍게 견인함으로써 복강동맥총과 SMA가 노출되는 좋은 시야를 확보할 수 있다. 이 단계에서 복강동맥총 주위 조직의 박리를 할 수 있다. 복강동맥 및 SMA 주위 신경총을 박리하게 되면 전췌장절제 절제 표본이 한덩어리(en-bloc)로 제거되게 된다.

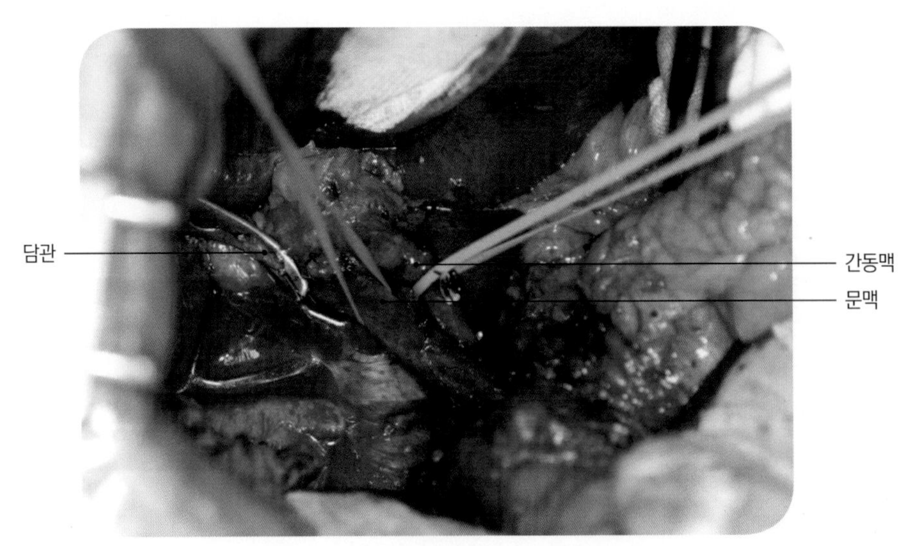

그림 17-6

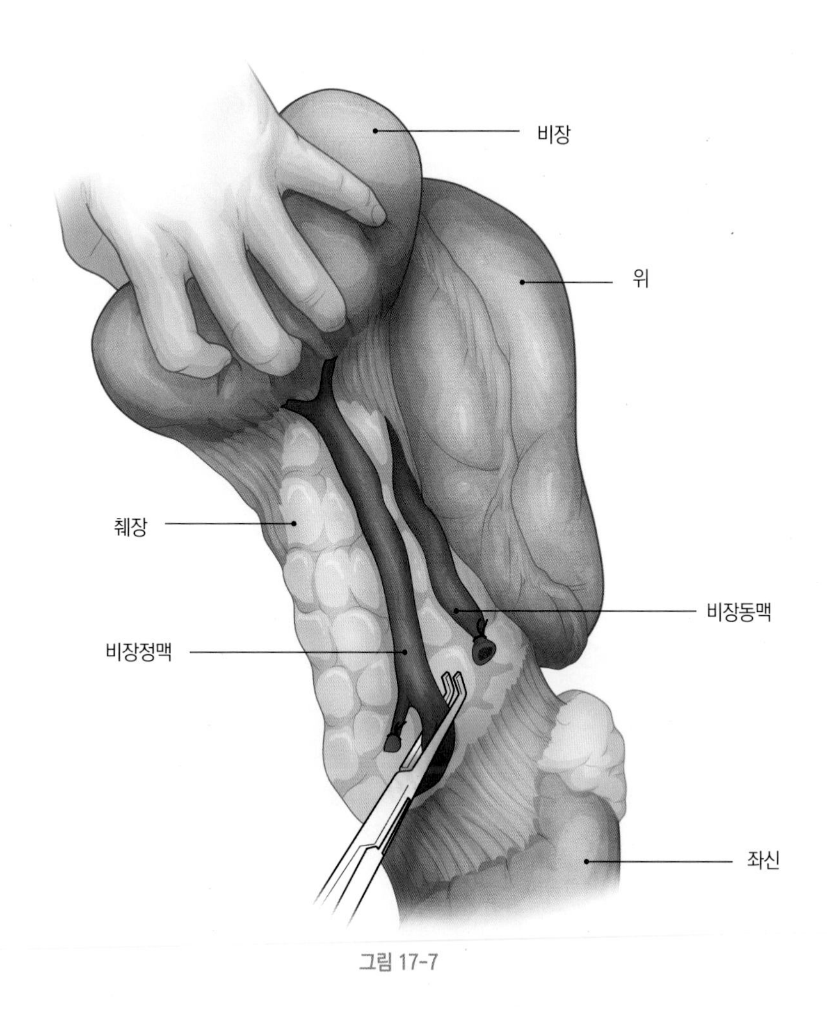

그림 17-7

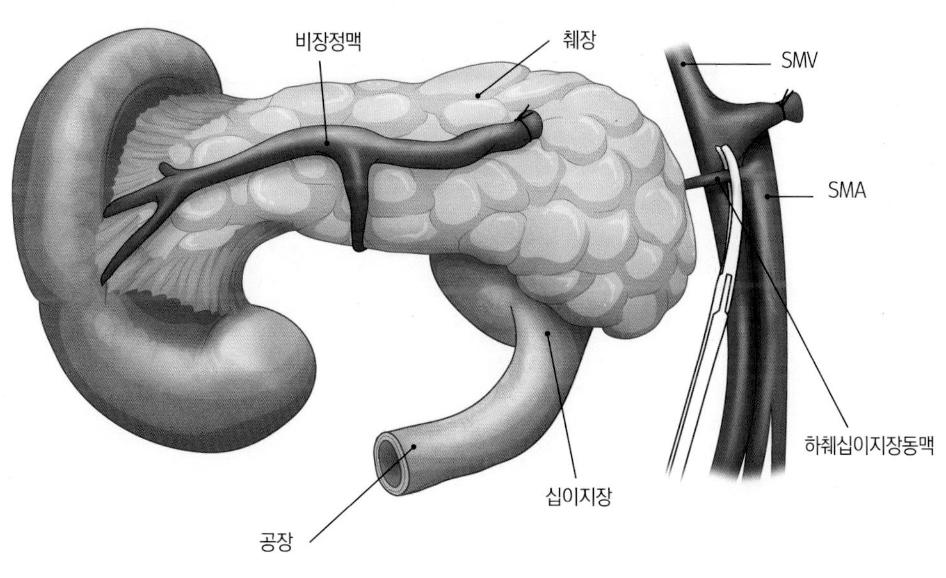

그림 17-8

10) 담관–공장 문합 및 십이지장–공장 문합

(그림 17-9) 담관-공장 문합 및 십이지장-공장 문합 방법은 췌장-공장 문합이 없는 상태의 췌두부십이지장절제술과 동일하다. 공장 Roux-en-Y limb은 유동성이 매우 좋아야 하는 것을 전제로 antecolic 또는 retrocolic 모두 가능하다. 저자의 경우 담관의 지름이 1 cm 이상이고 공장의 부종이 심하지 않는 경우 연속봉합법을 선호한다.

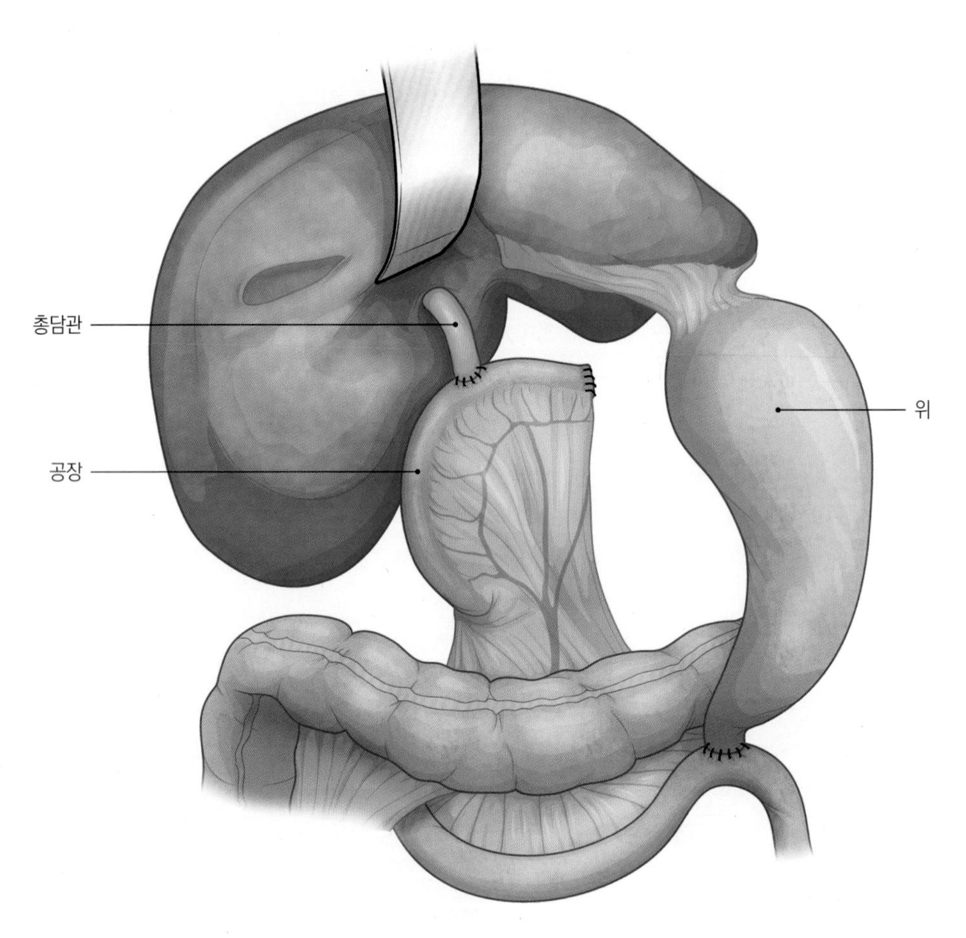

그림 17-9

CHAPTER 18

총담관 탐색-T관삽관술 및 담관십이지장 문합술

CBD exploration with T tube chledochostomy and choledochoduodenostomy; open and laparoscopy

I. 총담관 탐색-T관삽관술(CBD exploration with T tube chledochostomy)

1. 서론

1차성 담관 결석은 식물성 음식을 주로 섭취하던 농경시대에 흔하였으나 산업 정보화 사회가 된 이후에는 담석증의 양상이 서구화되어 담낭 콜레스테롤 결석이 증가하였고 따라서 담관결석도 일차성 담관결석보다는 담낭에서 내려온 2차성 담관결석이 증가추세에 있다.

1차성이든 2차성이든 담관결석으로 진단되면 일단 내시경적역행성담췌관조영술(endoscopic retrograde cholangiopancreaticography, ERCP)이나 경피적담도조영술(percutaneous transhepatic cholangiopancreaticography, PTBD)을 통하여 결석을 제거한다. 이것이 실패하면 개복 혹은 복강경 총담관 탐색을 통하여 담관결석을 제거하는 등 일련의 시술을 한다.

2. 적응증

- 수술 전과 수술 중에 영상으로 진단된 총담관 결석증
- 총담관 결석에 의한 폐쇄성 황달 및 급성 화농성 담관염
- ERCP나 PTBD 통한 총담관 결석의 제거에 실패한 경우
- ERCP의 금기 환자
- 기생충(간디스토마)에 의한 담관염 및 폐쇄성 황달
- 복강경 담낭절제술 후 금속 클립에 의한 이물성 담관결석증

3. 비적응증

- 과거의 수술에 의한 심한 상복부 유착으로 해부학적 구조가 불분명한 경우
- 선천적으로 간담도계 이상이 있는 경우
- 총담관의 내경이 아주 가늘고 미세한 크기의 결석

4. 수술 전 처치

총담관 결석으로 인한 합병증으로 급성 화농성 담관염이 있는 경우에는 수술 전에 환자의 전신 상태를 잘 파악해서 수액 공급과 항생제 치료를 한 다음, 안정이 되면 수술하는 것이 좋으나, 더러는 수술 전에 PTBD 또는 PTGBD를 시행하여 염증을 가라앉힌 뒤에 수술을 하는 것이 안전한 경우도 있다.

5. 마취

전신 마취를 해서 수술한다. 가능하면 마취 약제를 선정할 때 간독성이 있는 약제는 주의 깊게 사용하도록 한다.

6. 환자 자세

환자의 체위를 앙와위로 하고, 좌측 팔은 접어서 환자의 몸에 부착시키고, 술자는 환자의 좌측에 위치하고, 모니터는 환자의 우측에 위치한다(그림 18-1).

환자의 양측 다리는 편하게 펴서 위치시킨다. 일반적으로 환자를 약간 10~15° 정도 상체를 올리고 테이블 우측 즉 환자의 좌측을 약 10~15° 정도 높게 해서 수술을 하는 것이 편리할 때가 많다.

7. 수술 준비

복강경 수술 때는 담낭절제수술때와 마찬가지로 준비하며, 특히 창상감염을 막기 위해서 배꼽을 청결하게 세척한 다음에 피부소독제를 도포한다. 복강경 장비, 0° 및 30° 복강경, 담도경, Dormia basket, 담관 세척용 식염수, Biliary Fogarty catheter, Foley catheter, nelaton, 개복 수술용 결석 겸자 등을 준비 한다. 개복할 경우에는 결석겸자세트, Baker's 담관확장세트, 16~18 Fr 굵기의 silastic T-관을 준비한다.

8. 수술과정

1) 개복수술

(1) 절개 및 노출

정중절개를 이용하기도 하지만 가장 흔히 사용되는 절개방법은 우측 상복부 늑골하 절개다. 복벽견인기를 이용하여 복벽을 상하좌우로 견인하여 담낭, 간문 및 총담관부가 노출되도록 한다.

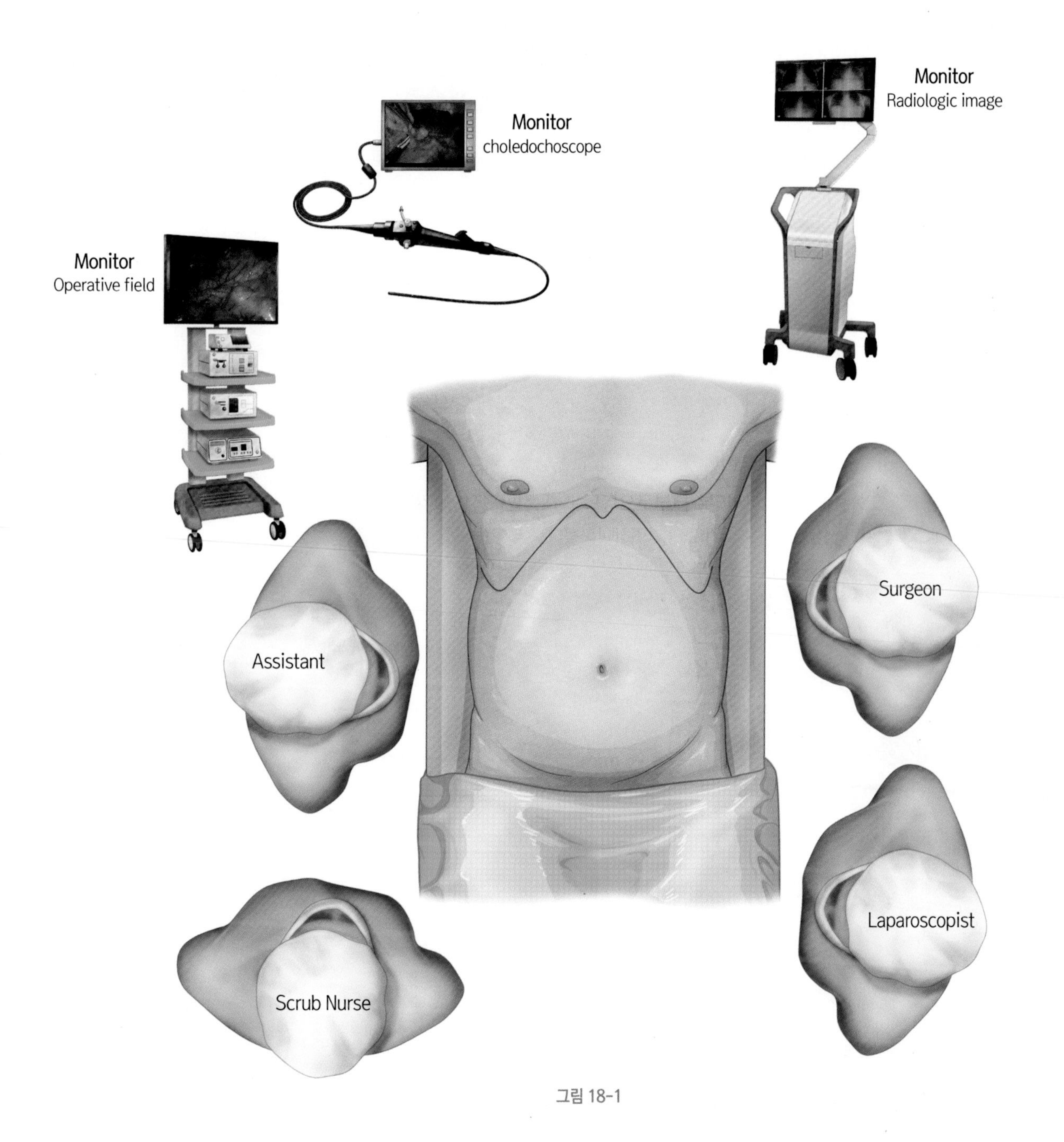
Monitor
Radiologic image
Monitor
choledochoscope
Monitor
Operative field
Surgeon
Assistant
Laparoscopist
Scrub Nurse

그림 18-1

(2) 수술 상세과정

이전에 담낭절제수술을 시행하지 않았다면 통상적인 방법으로 담낭절제를 먼저 시행한다. 담낭관은 가능한 짧게 남기면서 결찰하여 담낭결석이 담도로 흘러내리지않도록 한다. 담낭절제가 이루어졌으면 Harrington 겸자를 이용하여 담낭와(gallbladder fossa) 간을 위로 당겨 총단관부위가 잘 노출되게 한다 (그림 18-2).

담관결석이 있는 경우 담관의 직경이 늘어나 있기 때문에 담관이 쉽게 노출된다. 담관이 노출되었으면 담관을 세로로 절개하는데 가상 절개선의 양쪽으로 견인을 위하여 4-0 모노-필라멘트 봉합실로 담도를 떠서 앞으로 당긴다. 실을 앞으로 당긴상태에서 견인 중간에 12번 수술칼(일명 청룡도)로 세로로 1.5~2 cm 정도를 절개한다(그림 18-3).

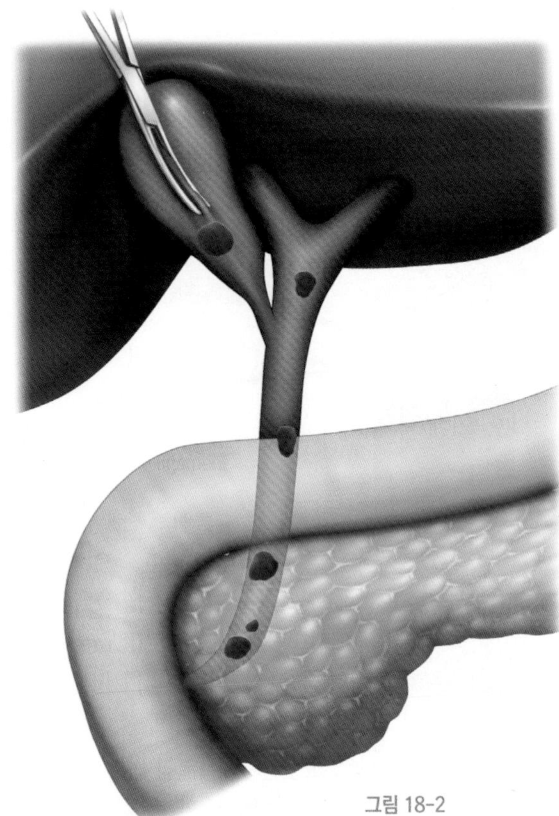

그림 18-2

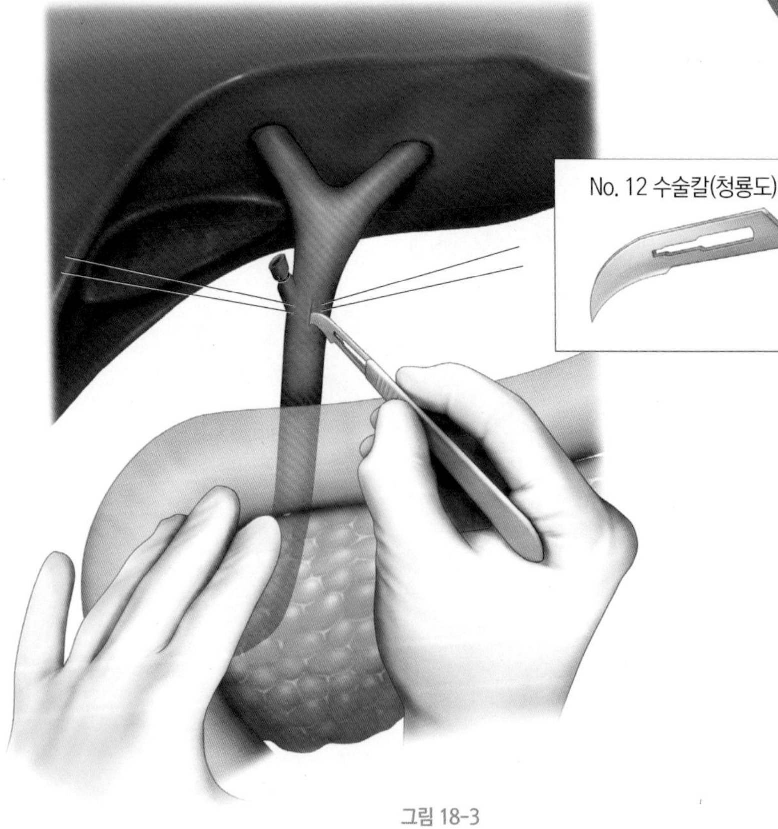

그림 18-3

이때 담즙이 밖으로 흘러나온다. 다양한 각도로 구부러진 Randal 결석겸자(stone forceps)를 이용하여 담관결석을 하나씩 밖으로 집어낸다. 가장 어려운 곳이 담관췌하부 괄약근 상부 좁아진 곳에 있을지도 모르는 담관을 꺼내는 일이다. 마찬가지로 간내 담관쪽으로 결석겸자를 후벼넣어 결석을 제거한다(그림 18-4).

때로는 돌이 부서져 나오기에 찌꺼기를 씻기 위해 No 8. Nelaton 카테터를 담관 상하 양쪽으로 넣고 30 ml 주사기로 찌꺼기를 씻어낸다. 마지막에는 주사기 압력을 세게하여 30 ml를 단번에 밀어넣자 마자 카테터를 밖으로 제거하면 담관내의 압력에 의하여 돌찌꺼기와 작은 돌이 있다면 함께 쏟아져 나온다. 담관 안에 찌꺼기가 더 이상 흘러 나오지 않을 때까지 씻어낸다(그림 18-5).

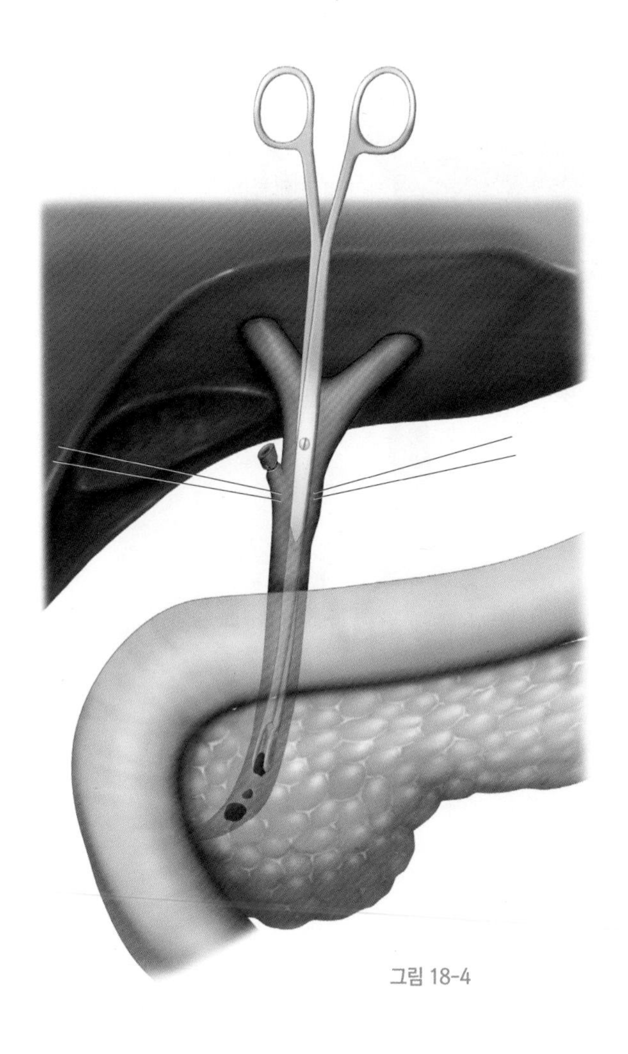

그림 18-4

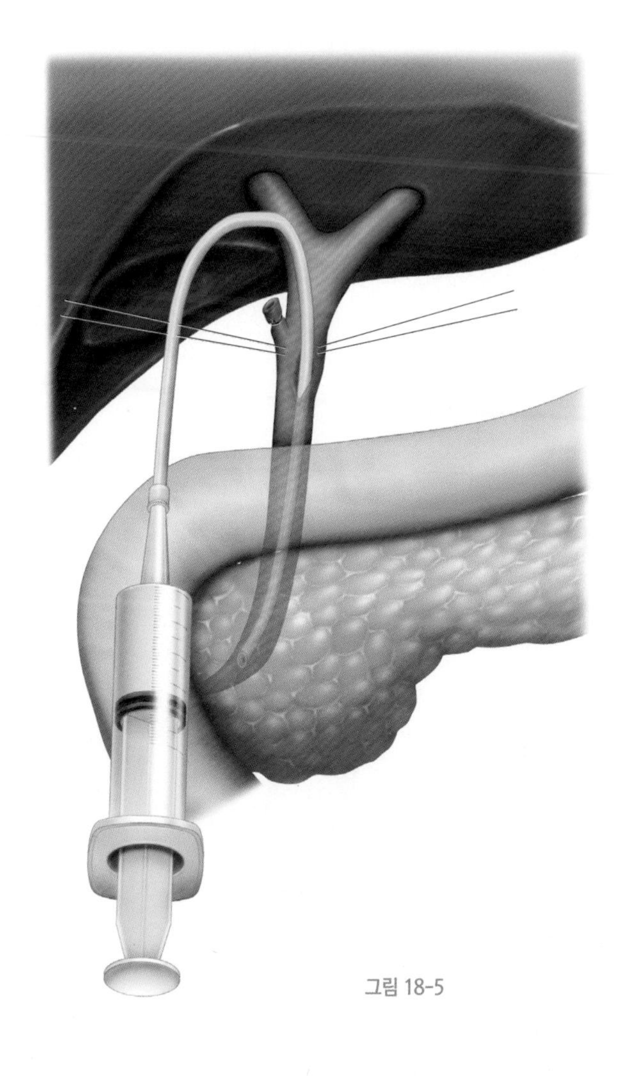

그림 18-5

마지막으로 괄약근 확장 기구(Baker's dilater) 세트를 이용하여 가는 것부터 굵기 별로 차례로 담도괄약근(Sphincter of Oddi)을 통과하여 십이지장까지 확장기구 끝이 만져지는지 확인한다. 3번 확장기가 통과하면 충분하다(그림 18-6).

담도내시경이 구비되어 있다면 담도 내시경으로 혹 남은 결석이 있는지 담관점막에 협착이나 다른 병변이 있는지 확인한다. 다음에는 담관내로 T-tube를 넣는다. 과거에는 고무제품이었지만 지금은 silastic T-관을 이용한다. 14~16 Fr관을 이용하며 환자가 회복 후 2주가 지나서 제거할 때 잘 빠질 수 있도록 T관의 가로축의 길이를 양쪽 각 1~1.5 cm 합이 2~3 cm 정도가 되도록 남기고 양쪽을 경사지게 자른다(그림 18-7).

T-관을 담관내로 넣은 다음 5-0 단선 흡수봉합사(PDS)를 이용하여 단속봉합(Interrupted suture)한다(그림 18-8).

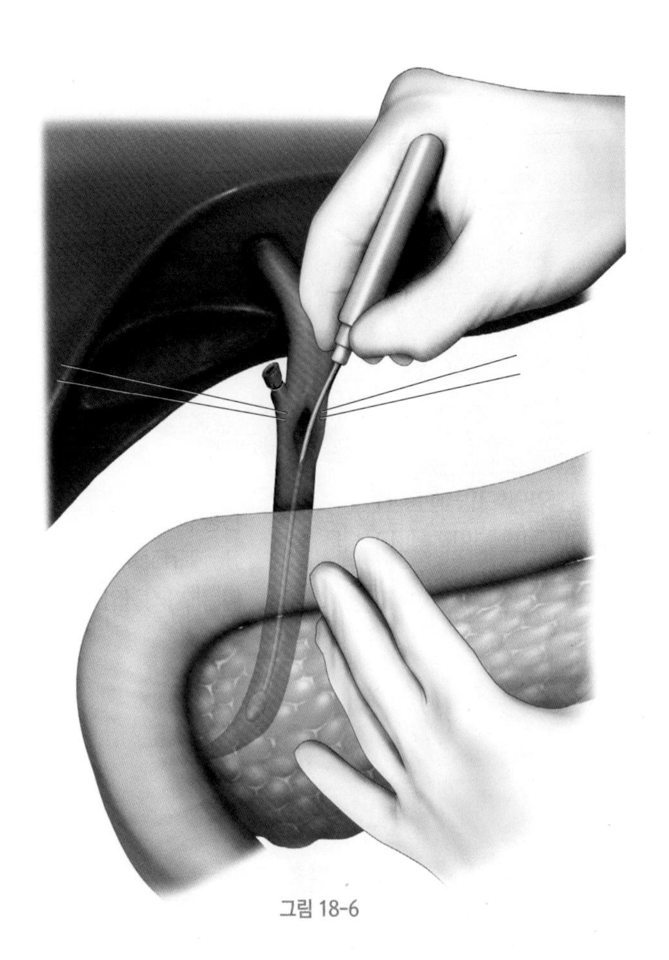

그림 18-6

그림 18-7

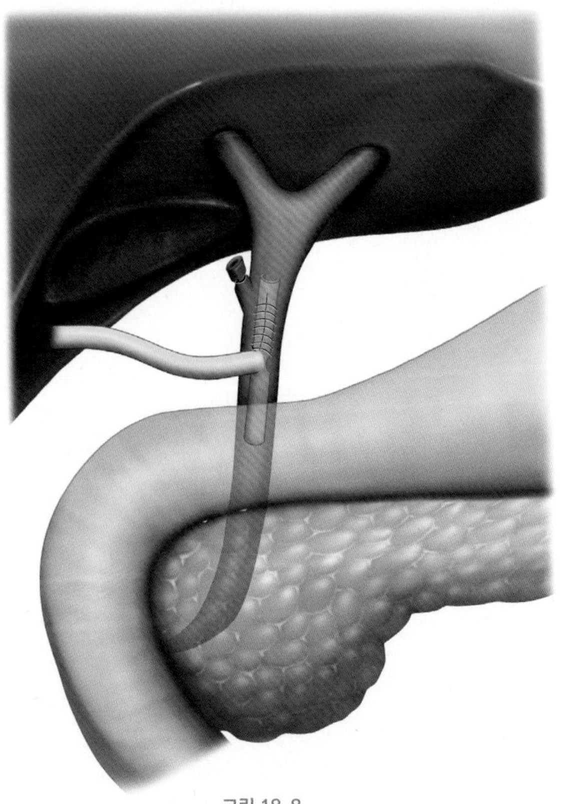

그림 18-8

봉합이 끝나면 거치된 T관에 생리식염수를 주입하여 봉합한 부위에서 생리식염수가 새는지 확인한다. T-관은 피부와 직선거리로 가장 가까운 부위에 작은 절개를 가하여 밖으로 빼낸다.

2) 복강경 수술

중재시술의 발달로 ERCP 나 PTBD로 대부분의 담관결석을 수술하지 않고 제거할 수 있게 되었지만 담낭결석과 동반된 경우 중재시술을 할 여건이 되지 않거나 어려운 경우 복강경 수술을 시행할 수 있다. 배꼽 정중앙을 수직절개하여 복막이 절개된 것을 확인하고 10 mm 투관침을 조심히 복강 내로 삽입해서 기복 상태를 만든 뒤에 복강경을 복강 내로 진입시켜서, 복강 내를 전체적으로 탐색한 뒤에, 우측 상복부에 늑골 밑으로 약 3개의 손가락 넓이 정도 아래로 중쇄골선과 전방 액와부선을 따라서 2~3개의 5 mm 투관침을 추가로 삽입한다. 수술은 개복수술과 같은 개념으로 하게 되나 복강경기구들을 이용해야 하기 때문에 용이하지 않은 경우가 있을 수 있다. 이 때는 개복수술로 전환하는 것을 고려해 보아야 한다.

(1) 담낭 절제술(Cholecystectomy)

통상적인 방법으로 담낭 절제를 시행하고, 담낭관을 이용해서 수술 중에 경담낭관담관촬영술을 할 경우에나 담관을 쉽게 노출하기 위해서 담낭관을 결찰한 뒤 절단하지 않고 담낭을 잡아 당겨서 수술을 용이하게 한다.

(2) 총담관 노출(CBD Exposure)

총담관 앞에 대부분 지방층이 덮혀 있거나 윤문상 조직이 덮혀 있어서 총담관을 노출하기 위해서 박리를 한다. 더러는 총담관 앞에 담낭동맥이나 우측 간동맥이 분지를 하여 자칫 총담관을 절개할 때 심한 출혈이 있을 수 있으므로 주의를 요한다. 과거에 담낭 절제술이나 담관 절개술을 했던 환자의 경우에는 심한 간문부 유착이 있어서 총담관의 위치가 비정상적인 위치에 있는 경우도 있기에 세심한 주의를 요한다. 총담관을 노출시키기 위해서 일정 시간 노력한 뒤에도 해부학적으로 노출이 어려운 경우에는 개복으로 전환을 고려해 보는 것이 좋다.

(3) 술중 경담낭관 담관 촬영술 (Intraoperative Transcystic duct cholangiography)

수술 중에 총담관이 확장되어 있거나, 폐쇄성 황달이 있었고, 수술 전 간기능 검사에 이상이 저명하거나, 수술 전 영상진단에서 총담관 결석이 의심되는 경우에는 수술 중에 담관촬영용 catheter를 우측 상복부 두번째 투관침을 통해서 삽입한 뒤에, 담낭관을 약 5 mm 정도 절개하고 담즙이 배출되는 것을 확인하고 나서 담낭관에 catheter를 삽입하고 상복부 중앙에 위치한 투관침으로 겸자를 이용하여 담낭관을 살며시 잡고 조영제가 주입 되도록 하면서 담관촬영을 한다. 담관 촬영은 수술테이블 머리부위를 살짝 올린 후 조영제를 정상 굵기의 담관인 경우 약 5 ml 정도 주입하고 하부담관을 촬영한다. 처음부터 조영제를 많이 주입하면 조영제가 십이지장으로 많이 흘러 내려가 담관과 겹쳐서 담관의 미세한 부분을 확인하기 어려울 경우도 있기 때문이다. 다음 머리부위를 낮춘 후 우측으로 기울인후 조영제를 10 ml 더 주입하면 간내담관이 더 잘 그려진다. 영상촬영할 순간에는 복강경을 투관침 밖으로 빼내서 복강경에 의한 음영의 장애가 없도록 하여 깨끗한 영상을 얻도록 한다.

(4) 총담관 세로 절개 (Longitudinal Incision of CBD)

총담관이 성공적으로 노출된 뒤에는 총담관 앞에 혈관이 없는 것을 확인하고 아주 작은 혈관들은 전기 소작기로 미리 출혈을 못하게 조치해둔 뒤 특수 제작한 뾰쪽한 칼이나 끝이 뾰족한 가위를 이용하여 담관의 굵기와 담관결석의 크기를 고려하여 적당한 길이로 세로 절개한다.

(5) 결석 제거(Stone Extraction)

총담관을 절개한 뒤, 결석 제거용 비닐 주머니를 복강 내에 넣어 두고, 일차적으로 식염수를 이용해서 총담관을 세척해서 부양된 결석은 손쉽게 총담관 절개창을 통해서 제거할 수도 있으나, 진흙 같은 결석이나 하부담관아래에 박혀있는 결석의 경우 상복부 중앙부에 위치한 5 mm 투관침을 빼고 개복 수술 시 사용하는 결석 겸자를 이용해서 결석을 제거할 수도 있고 담도경을 우 측 상복부 두번째 투관침을 빼고 그 절개창을 통하여 총담관 내로 삽입해서 Dormia basket을 이용해서 제거할 수도 있다. 개복했을 때와 같이 아주 가는 Foley catheter나 Nelaton catheter를 총담관 내에 넣어서 식염수를 분사시켜서 결석제거를 기대해 볼 수도 있다.

(6) T-관 삽입(T-tube insertion)

총담관 내에 있는 결석을 완전히 제거한 뒤에 술자에 따라서는 T-tube를 삽입하기도 하며 일차적으로 담관 절개창을 봉합하기도 한다. T-tube는 실리콘 재질로 굵기는 총담관의 내경을 보고 결정하지만 일반적으로는 No. 6~7 굵기의 T-tube를 사용하고 있다. T-tube는 개복수술과 마찬가지로 2주 이후에 빠질 수 있도록 다듬어서 10 mm 투관침을 통해서 복강 내로 밀어 넣고 겸자를 이용해서 T-튜브의 끝부분이 총담관 내로 들어가게 한 다음에 4-0 monoacryl로 단속 봉합한다.

봉합 후에 T-tube의 다른 끝 부분을 우측 상복부 두 번째 투관침을 제거한 뒤 그 구멍에서 복강 밖으로 꺼내어 개복수술 때와 마찬가지로 식염수를 T-tube를 통해서 총담관 내로 주입하여 누출이 없는 것을 확인한다. 이때까지 담낭이 수술 상처에 달려 있으면 담낭관을 절단해서 담낭과 총담관 결석을 비닐봉지에 담아 배꼽 투관침을 통해 제거한다. 수술종료하기 전에 hemovac이나 drain을 우측 상복부 제일 바깥쪽에 위치한 투관침 구멍을 통해서 배액이 잘 되게 넣어 둔다. 투관침 상처 봉합은 담낭절제술 때와 같다.

9. 수술 후 관리

수술 후 환자 관리는 개복 수술 때는 일반 개복수술 때와 같이, 복강경수술때는 복강경 담낭절제수술 때와 동일하게 하면 된다. 총담관을 일차 봉합해 둔 경우에 더러는 hemovac 이나 drain으로 담즙이 누출되는 경우가 있다. 복막염 증상이 없고 통증을 호소하지 않으면, 복부초음파 검사나 복부 CT 촬영을 해보고 나서 복강 내에 담즙 저류가 없는 것을 확인한 뒤에는 일정기간 시간이 경과하면서 자연적으로 총담관 절개창이 치유되면 흘러 나오던 담즙이 저절로 멈추는 경우가 많다.

10. T-tube 제거

T-tube를 제거는 술 후 2주 이후에 시행하면 답즙이 새는 경우가 별로 없다.
술자에 따라서는 수술 후 약 3~4주간 두어 안전에 만전을 기하기도하나 안전과 환자의 불편을 최소화하는 중간 시점을 잘 선택해 야한다. T-tube를 제거하기 전에 T-tube cholangiography를 찍어 보고 잔류 결석이 없는 것과 십이지장으로 조영제가 잘 내려가는 것을 확인한 뒤에 제거하는 것이 좋다.

11. 결론

본 술기는 특히 담낭 결석과 총담관 결석이 같이 있는 환자에서 한번에 시술하고자 할 때 적용이 될 수 있다.

II. 담관십이지장 문합술(Choledochoduodenostomy; open and laparoscopy)

1. 적응증

이 수술은 확장된 담도내 결석이 있는 경우나 하부담관협착이 있는 경우 적응증이 된다. 정상굵기의 담관이나 췌장염, 경화성 담관염, ERCP로 제거될 수 있는 담도 결석에서는 적응증이 되지 않는다. 이 수술은 적응증이 되는지를 선별해서 시행하면 다른 시술보다 비교적 안전하게 시행될 수 있다.

2. 수술전처치

간기능검사는 기본이고 내시경시술이나 중재영상의학과와 사전에 협의하여 내시경적 혹은 중재시술로 결석을 제거할 수 있는지를 면밀히 협의한 후 수술 결정을 해야한다.

3. 절개 및 노출

우측 늑골하 절개나 정중절개로 개복하며 유착이 있으면 조심스럽게 유착박리를 하며 필요하다면 간인대를 박리하여 담관이 잘 노출될 수 있도록 한다.

4. 수술과정

총담관을 잘 노출하는 것이 무엇보다 중요하나 다른 조작이나 이전 수술로 해부구조가 변형되거나 염증반응으로 조직이 두꺼워져 있는 경우가 흔하다. 따라서 간동맥이나 문맥, 특히 십이지장 손상이 없도록 해야한다. 필요하면 간조직 생검과 술 후 항생제 선택에도 도움되도록 담즙도 채집해 둔다. 담관의 굵기는 2.5 cm 이상으로 확장되어 있어야 한다. 이전에 담낭을 절제하지 않았다면 담낭을 절제한다. 담낭관이나 담관을 만져보아 결석이 있는지를 확인한다. 담관을 세로로 절개하여 담관내의 결석을 모두 제거한다.
십이지장에 염증이 심하면 담관십이지장 문합술을 피해야한다. 후복막쪽의 복막을 십이지장과 췌장머리부위를 Winslow 구멍에서 십이지장 제3부위까지 절개하여 담관쪽으로 당겨 붙였을 때 긴장이 없도록 십이지장을 충분히 들어 올린다(Kocher maneuver). 동시에 총담관의 전면이 가능한 아래로 당기도록 박리한다(그림 18-9).
이는 담관십이지장 문합때 장력을 최소화하여 문합부 누출을 방지하기 위함이다. 총담관 절개선을 가능한 아래쪽으로 가져와야 하는데 이는 후일 소위 'sump symdrome'이라고 하는 음식물이 담관하부에 저류되는 증상을 방지하도록 하기위함이다. 담관 및 십이지장을 절개하여 절개선이 +자로 놓이도록 해야하는데 긴장을 줄이며 십자로 놓고 문합하는 것이 중요하다. 총담관 최하부를 세로로 2.5 cm 절개하고 담관과 가깝게 당겼을 때 절개한 부위와 가장 가깝도록 십이지장을 2 cm 정도 즉 담관절개 길이보다는 약간 작게 세로로 절개한다. 수술시야에서 놓여 있는 해부구조로 보면 총담관은 종절개, 십이지장은 횡절개가 되고 그 절개선은 교차되도록 한다(그림 18-10).
다음은 문합이다. 단필라멘트 흡수성 봉합사(PDS 4-0 혹은 5-0)두개로 한 바늘씩 떠서 끝을 당긴다(그림 18-11).
오른쪽 봉합사는 결찰하여 한 실오라기는 당겨 두고 다른 쪽 실오라기를 이용하여 연속 이음 봉합(continuous running suture)을 하고 봉합선 중간 부위에 새로운 실을 이용하여 단회 보강봉합결찰한다. 반대편 끝까지 봉합이 이루어지면 거기서 봉합을 중단한다(그림 18-12).
담도 십이지장 절개연 앞쪽을 마찬가지로 연속이음봉합을 하며 마찬가지로 이음매의 가운데에 단회 보강봉합결찰한다(그림 18-13).
반대편 끝에 이르면 뒷면 연속이음봉합으로 달려온 실과 결찰한다. 견인을 위하여 떠 두었

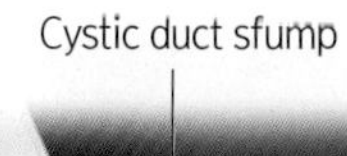

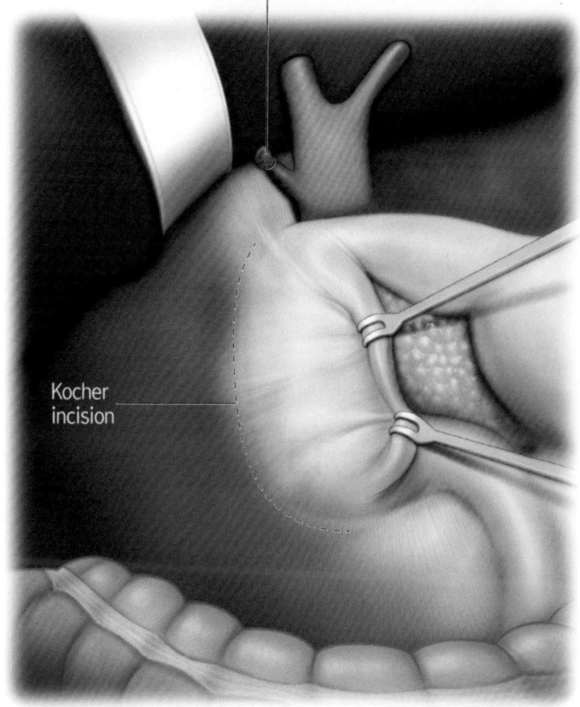

그림 18-9

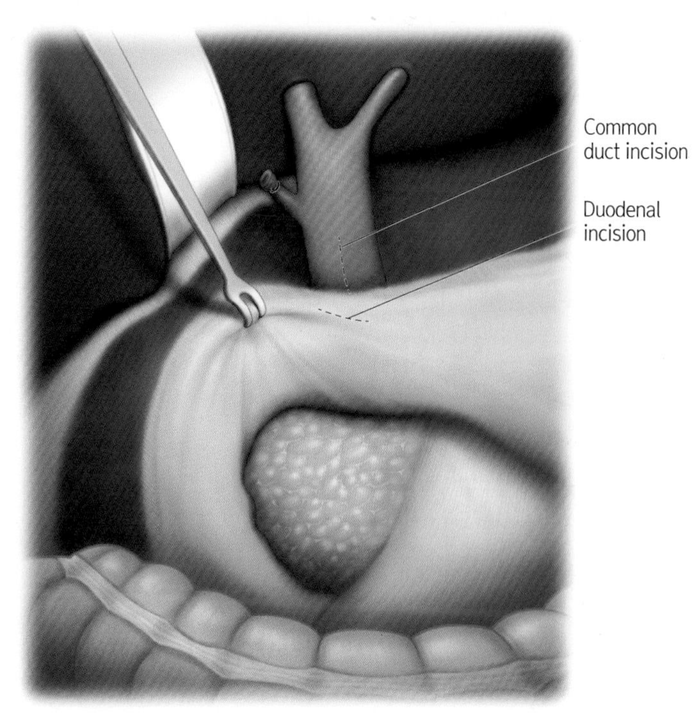

그림 18-10

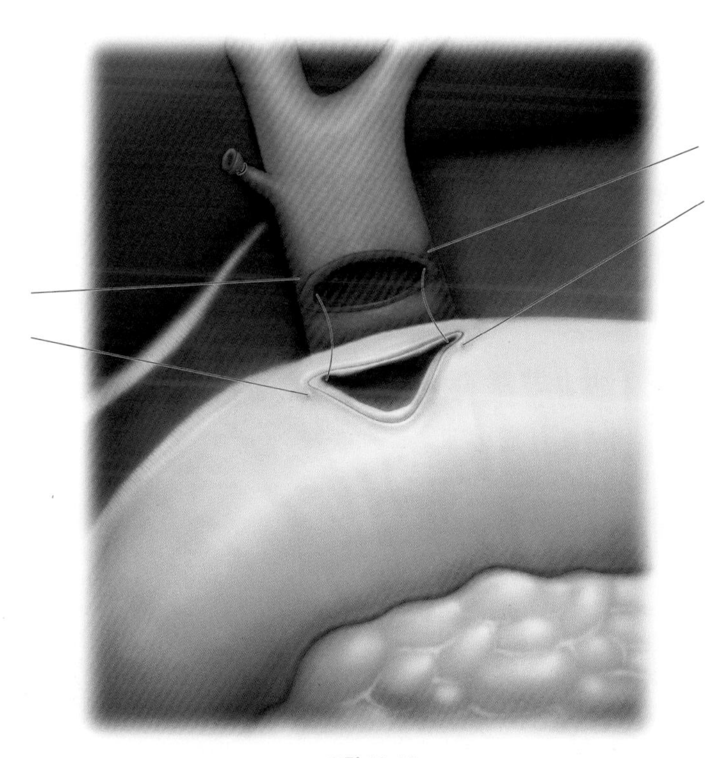

그림 18-11

던 실도 결찰한 후 실을 자르면 봉합이 끝난다 (그림 18-14).

봉합의 양쪽 끝 십이지장과 간십이지장인대 혹은 간피막과 봉합결찰하여 담관과 십이장 사이의 장력을 최소화한다.

5. 폐복

술 후 담즙 혹은 장액 누출에 대비하여 J-P 드레인을 거치한다. 폐복은 통상적인 방법으로 층별로 꿰맨다.

6. 수술 후 관리

청결오염창상이기에 술 후 예방적 항생제를 투여한다. 비위관(N-G 튜브)은 2~3일간 거치해 두었다가 별 의미 없으면 제거한다. 드레인은 나오는 액이 별 의미 없을 정도면 술 후 3~4일경에 제거한다. 3~4일경에 음식물 섭취를 시작하도록 한다. 술 후 2~3일 간격으로 3회 정도 간기능검사를 확인하는 것이 좋다.

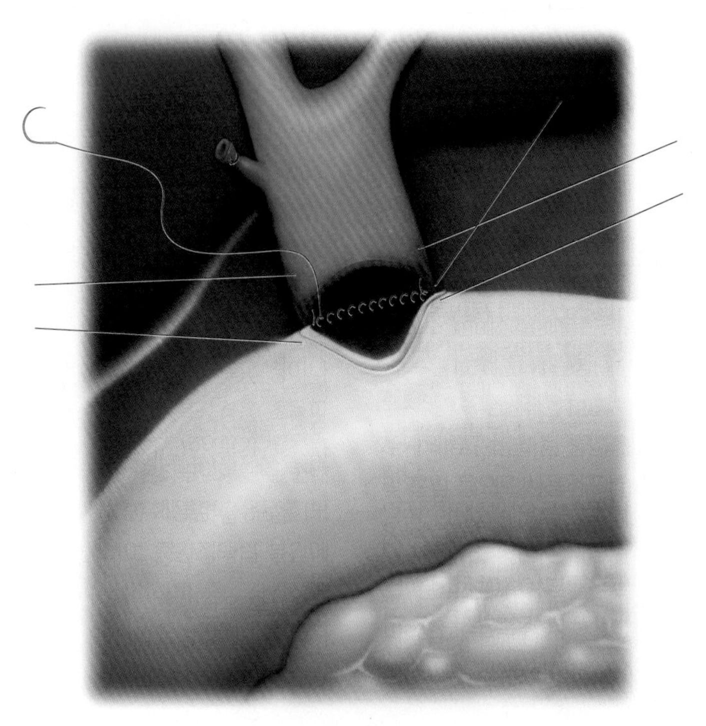

그림 18-12

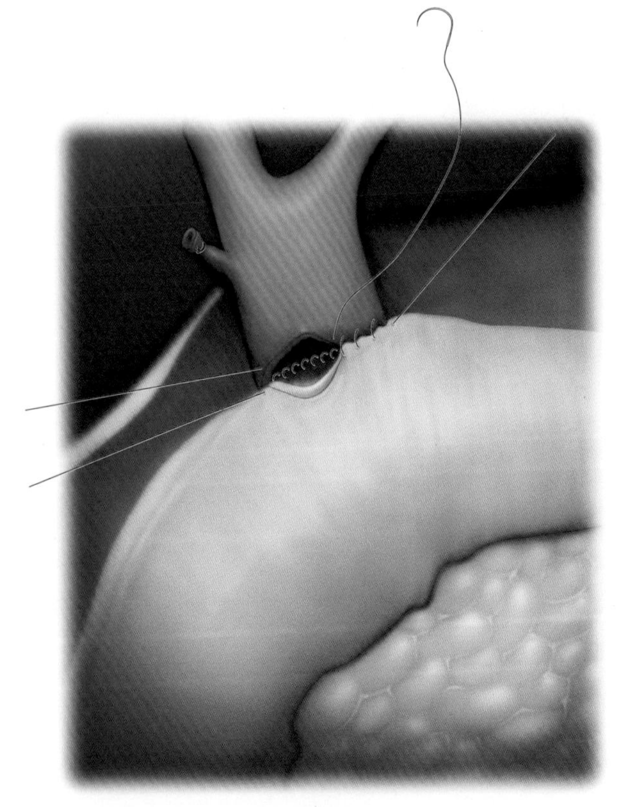

그림 18-13

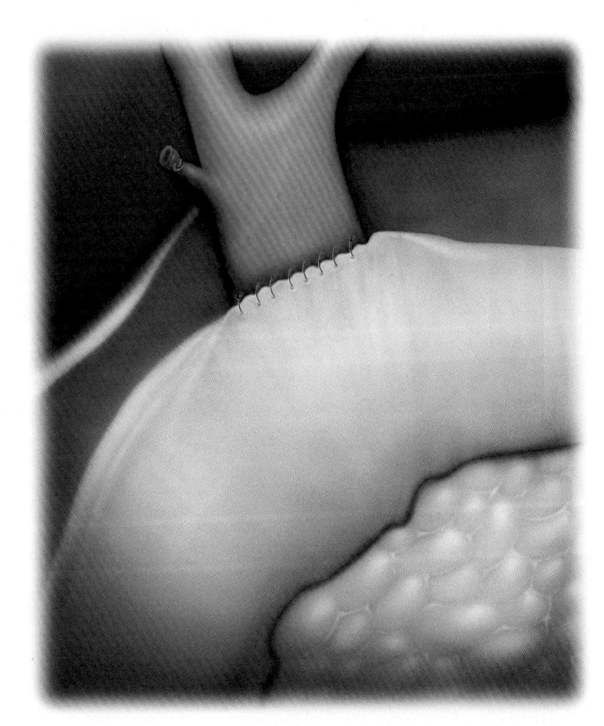

그림 18-14

SECTION 6

소아외과

Pediatric surgery

Chapter Outline

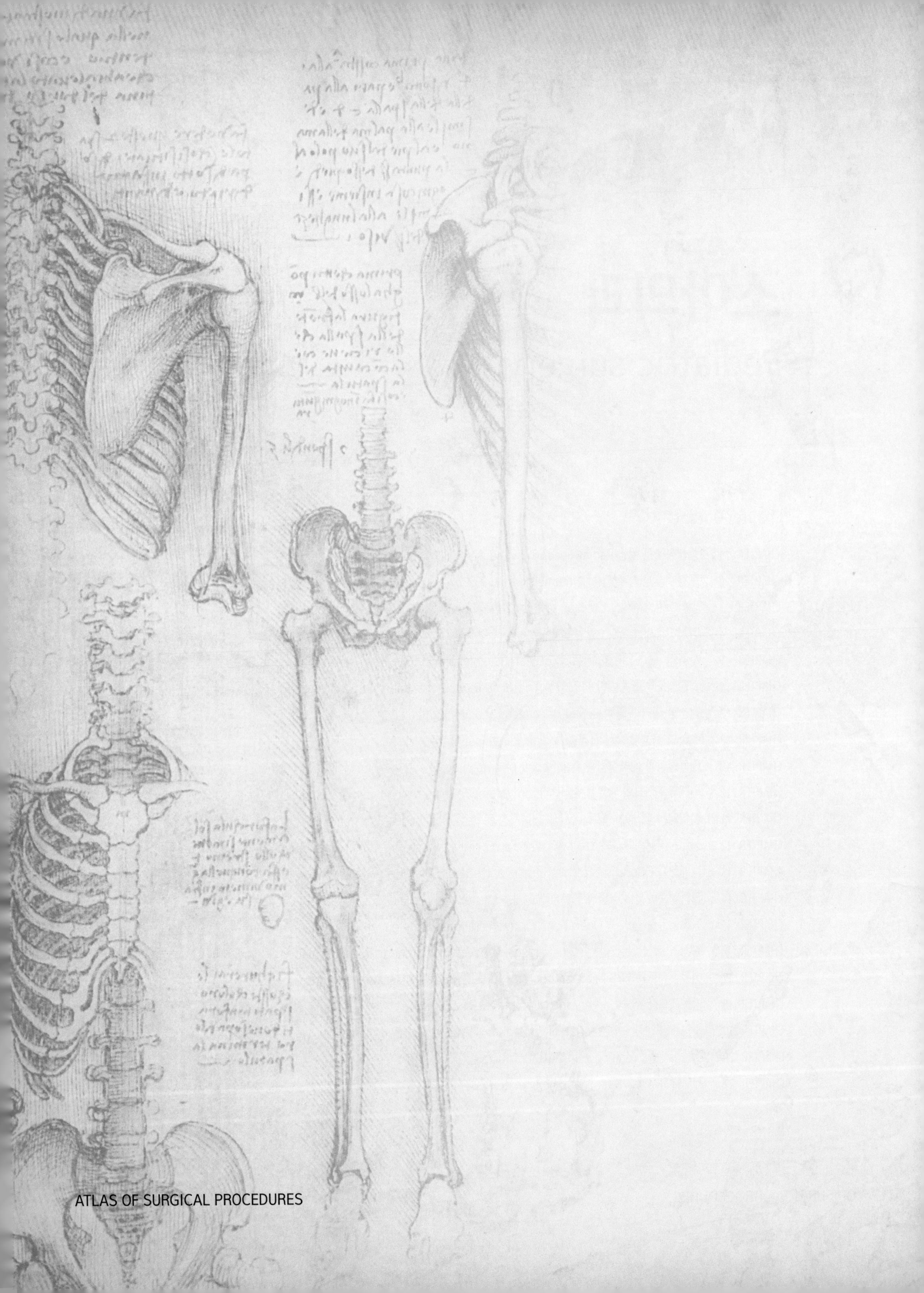

ATLAS OF SURGICAL PROCEDURES

CHAPTER 1

중심정맥관 삽입

Pediatric central venous access

I. Broviac 중심정맥관 삽입

1. 서론

영 · 유아 및 학동기 이전의 소아에서 시행되는 중심정맥관 삽입법이 성인과 다른 이유는 혈관이 가늘고 약하기 때문에 성인에서처럼 중심정맥관 키트(kit)를 사용하면 유도철사(guide wire)나 혈관확장기(dilator)에 의한 혈관손상이 쉽게 발생하여 삽입이 힘들 뿐만 아니라 출혈 등의 합병증이 잘 동반되기 때문이다. 따라서 혈관을 노출시켜 혈관에 직접 관을 삽입하는 방법이 널리 이용되고 있다. 소아에서는 터널식 삽입법으로 감염방지 및 장기간 유지가 용이한 Broviac 중심정맥관이 주로 사용되고, 비터널식 삽입법으로는 말초혈관 삽입 중심정맥관(peripherally inserted centralvenous catheter, PICC)이 있어 이 방법을 소개하고자 한다.

1. 적응증

장기간 반복적 항암화학요법, 고농도 영양수액요법, 반복적 채혈, 수혈, 중심정맥압 측정 등

2. 비적응증

혈역학적 불안정, 단기간의 수액 및 수혈요법

3. 수술 전 처치

중심정맥관 삽입 시 바깥목정맥(external jugular vein), 속목정맥(internal jugular vein), 큰두렁정맥(great saphenous vein)을 사용할 수 있으나, 일반적으로 속목정맥에 시행하며, 특히 우측 부위에 시술한다. 시술의 안정성 및 용이성을 위해 과거 삽입했던 부위, 반흔 부위는 피하는 것이 좋지만 과거 시술 부위의 혈전으로 인한 혈관막힘의 위험요인을 갖고 있는 경우라면 초음파를 시행하여 혈관 상태를 확인하고 안전하게 삽입한다. 필요시 예방적으로 항생제를 투여한다.

4. 마취

영아는 일반적으로 신생아 집중치료실에서 치료 중인 경우가 많아 수술실에서 보다는 신생아 집중치료실 내에서 깊은 진정 하에 시행할 수 있다. 그러나 그 이상의 소아는 수술실에서 전신마취 하에 시행된다. 보통은 장기간 혈관 확보가 필요한 외과적 수술 전 계획되어 전신마취 유도 후 외과적 수술 직전에 시술되는 경우가 많다.

5. 환자 자세

(그림 1-1) 환자는 바로누운 자세를 취한다. 어깨 밑에 베개를 대어 경추를 충분히 신전시키고 머리를 삽입반대 방향으로 돌려 삽입 부위의 목빗근이 충분히 노출되도록 한다.

6. 수술 준비

삽입할 방향의 목과 가슴 상부를 소독한다. 이때 삽입 부위 측 유두가 완전히 확보될 수 있도록 한다.

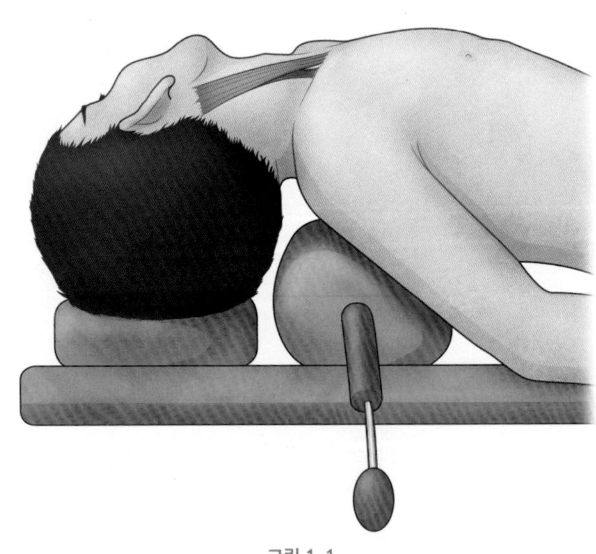

그림 1-1

7. 절개 및 노출

(그림 1-2) 목빗근(sternocleidomastoid muscle, SCM)의 복장뼈머리(sternal head)와 빗장뼈머리(clavicular head), 빗장뼈가 만드는 삼각형 내부, 빗장뼈 1~2 cm 위에 피부 주름 방향으로 1 cm 정도를 절개하고 넓은 목근(platysma)까지 박리한다. 날카로운 겸자를 이용하여 경부근막(cervical fascia)을 비절개 박리(blunt dissection)하고 견인기(retractor)를 이용하여 속목정맥을 노출시킨다. 속목정맥을 혈관걸이를 이용하여 완전 노출시키고, 미주신경 및 속목동맥과 분리한다.

8. 수술 과정

(그림 1-3) 피하 터널의 시작부위 피부절개는 주로 빗장뼈 1/3 후방 아래 오목한 흉벽부위에 위치시킨다. 날카로운 지혈 겸자 등을 이용하여 목의 절개부위로부터 피부 밑으로 터널을 만들면서 신전시켜 흉벽부위 절개부위로 관통시키고 통과시킨 겸자로 삽입관 끝을 물고 빼서 목 절개부위로 정맥관이 진입하도록 한다.

(그림 1-4) 정맥관에 부착되어 있는 Dacron cuff는 흉벽 피부절개 입구부위에서 대략 1.5~2 cm 정도 피부 안쪽에 위치시킨다.

(그림 1-5) 삽입관 끝의 위치는 수술 중 투시검사(fluoroscopy)를 사용하는 경우 직접 확인할 수 있으나 사용하지 못하는 경우 속목정맥의 삽입 부위에서부터 정맥관의 끝이 대략 쇄골에서 유두 중간에 위치하면, 우심방 직전 상대정맥에 위치하거나 우심방에
삽입될 정도가 된다.

(그림 1-6, 7) 속목정맥의 양쪽을 혈관걸이로 걸어 들어올려 혈액의 유입을 막아 출혈을 최소화하면서, 20게이지 또는 18게이지 주사 바늘을 이용하여 속목정맥을 뚫고 10:1 비율의 헤파린 혹은 생리식염수로채워진 상태의 정맥관을 혈관 안으로 밀어 넣는다. 아랫부위 혈관걸이를 느슨히 하여 정맥관이 완전히 다 들어가게 한 후, 윗부위 혈관걸이도 이완시켜 정맥관의 삽입부위에서 출혈유무를 확인한다.

(그림 1-8) 출혈이 있는 경우 출혈부위를 6/0 polypropylene을 이용하여 단순 봉합한다. 이때, 정맥관이 같이 봉합되지 않도록 주의한다. 10:1 비율의 헤파린 혹은 생리식염수로 정맥관의 기능을 확인한다. 목부위 절개창을 층층이 봉합하고, 흉벽부위 절개창에는 정맥관이 손상되지 않을 정도로만 정맥관을 고정 봉합한다.

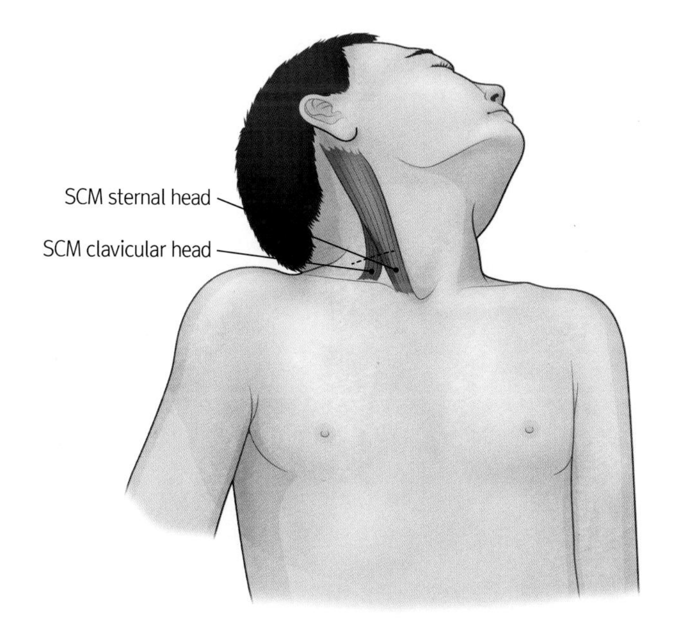

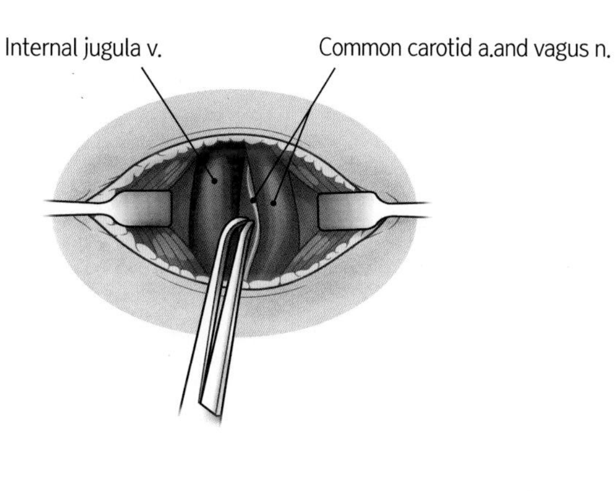

그림 1-2

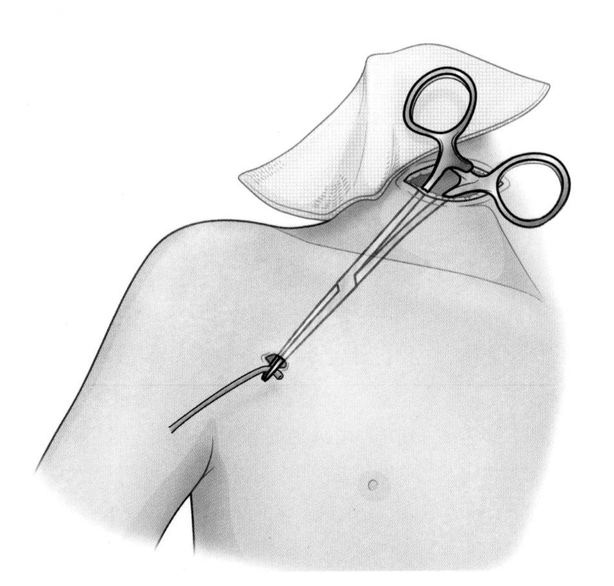

그림 1-3

TIP 1
중심정맥관이 나올 부위는 빗장뼈 아래 흉벽의 어디든 가능하지만 흉터 반응이 심한 복장뼈 부위나 유방발달에 문제를 일으킬 수 있는 유방 실질 부위는 피한다.

TIP 2
피부 밑 정확한 터널의 층 위치는 목에서는 넓은 목근 아래 흉벽에서는 얕은근막(superficial fascia) 아래이다. 박리가 쉽고 목 절개창 봉합이 쉬울 뿐만 아니라 시술 후 환자의 불편감이 적다.

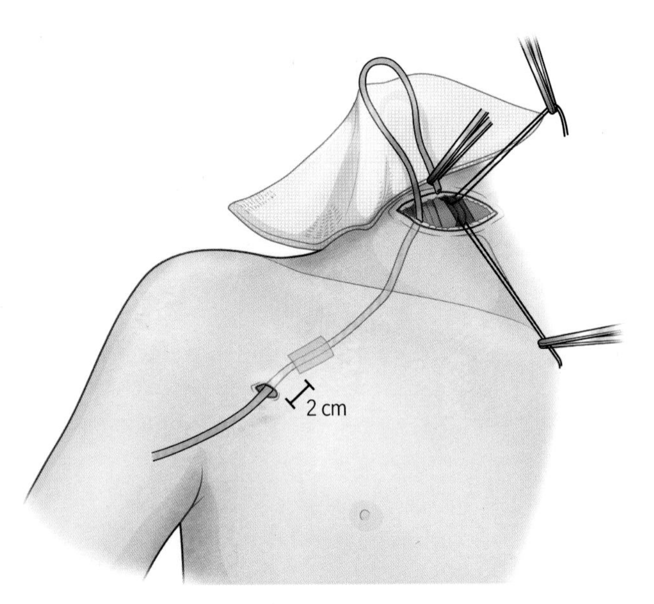

그림 1-4

TIP 3
Dacron cuff는 너무 깊은 경우 추후 정맥관 제거가 어렵고 너무 얕은 경우 정맥관이 빠지거나 피부로 Dacron cuff가 노출되어 기회감염이 증가하게 된다.

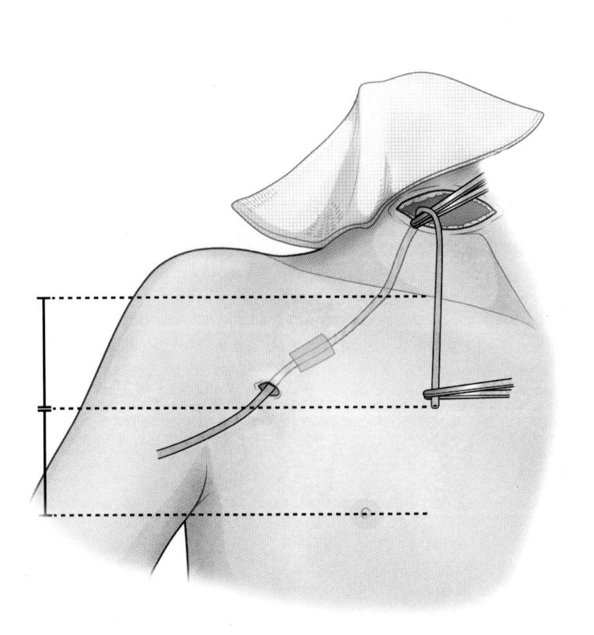

그림 1-5

TIP 4
정맥관 삽입 후 절개창을 봉합하기 전에 반드시 단순흉부방사선 사진을 이용하여 정맥관의 끝 위치를 확인해야하는데, 가끔 빗장밑정맥(subclavian vein)이나 홑정맥(azygos vein)으로 삽입되는 경우가 있기 때문이며, 이런 경우에는 삽입된 정맥관을 통한 항암제 투여가 곤란하고, 장기간 유지가 힘들다.

TIP 5
정맥관을 속목정맥에 삽입하기 전에 정맥관의 끝을 보통 사선으로 자르는데 혈관 내 삽입이 용이할 뿐만 아니라 추후 정맥관 제거 시 완전제거의 표식이 되기 때문이다.

TIP 6
양측 혈관걸이를 과도하게 당길 경우 속목정맥의 내강이 확보되지 않아 뒷벽까지 뚫게 될 수 있어 주의한다.

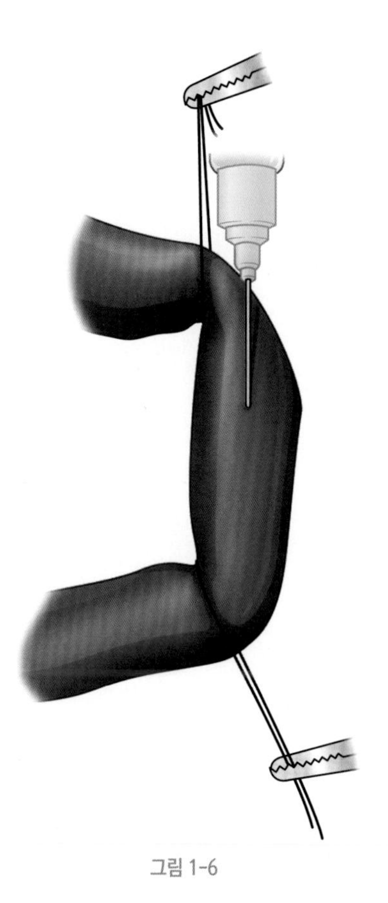

그림 1-6

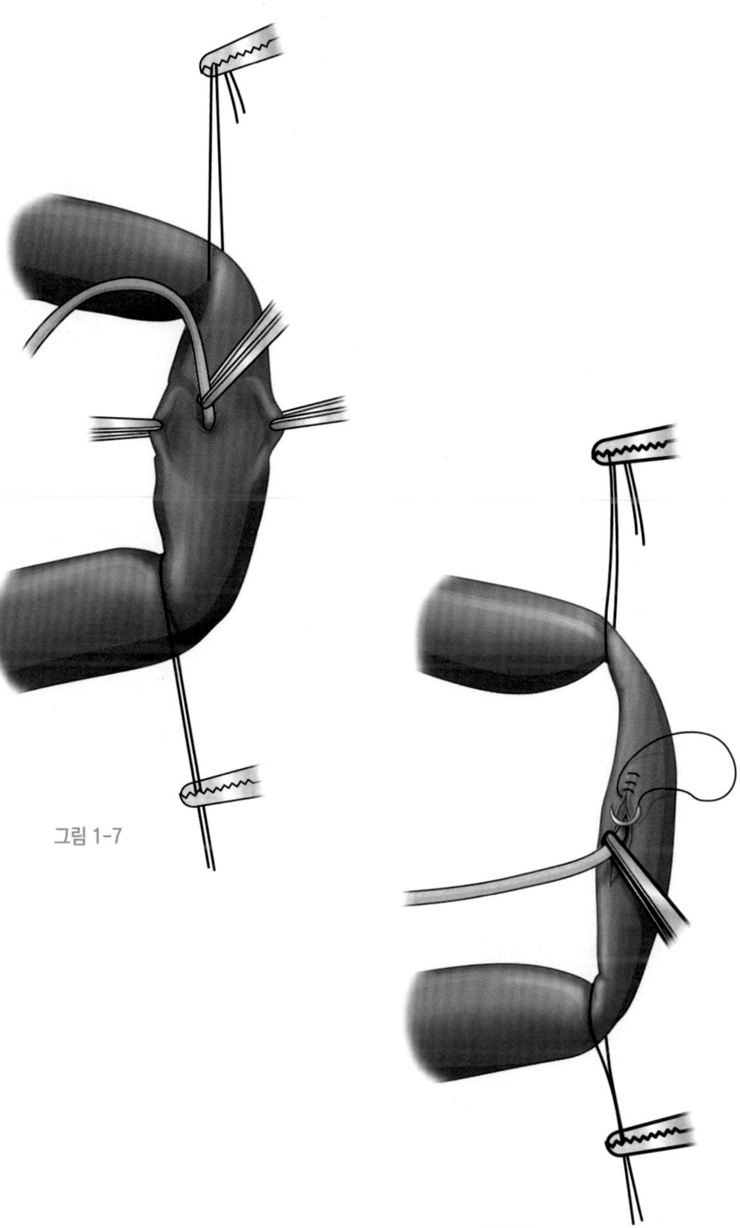

그림 1-7

그림 1-8

II. 말초혈관 삽입 중심정맥관(Peripherally inserted central venous catheter, PICC)

1. 적응증

Broviac 중심정맥관과 동일(영아에서 시행될 경우, 정맥관 내강이 작기 때문에 채혈, 중심 정맥압 측정 및 고용량 정맥투여는 불가능하다.)

2. 비적응증

말초혈관 확보가 어려운 경우, 혈액투석

3. 수술 전 처치

(그림 1-9) 초음파를 이용하여 혈관 상태 및 혈관의 안정성을 확인하고 노쪽피부정맥(cephalic vein)과 자쪽피부정맥(basilic vein), 위팔정맥(brachial vein) 중 삽입혈관을 선택한다. 위팔정맥을 천자하여 삽입하는 경우는 정맥관이 우심방까지의 진전이 용이하다. 주로 자쪽피부정맥이 이용된다. 통상적인 방법으로 소독을 한다.

4. 마취

진정 및 국소 마취

5. 환자 자세

바로누운 자세를 유지하고, 팔을 벌리고, 팔오금이 전면에 있도록 하여 고정한다.

6. 절개 및 노출

21게이지 또는 22게이지 혈관천자바늘로 정맥을 천자하여 정맥혈을 확인한다.

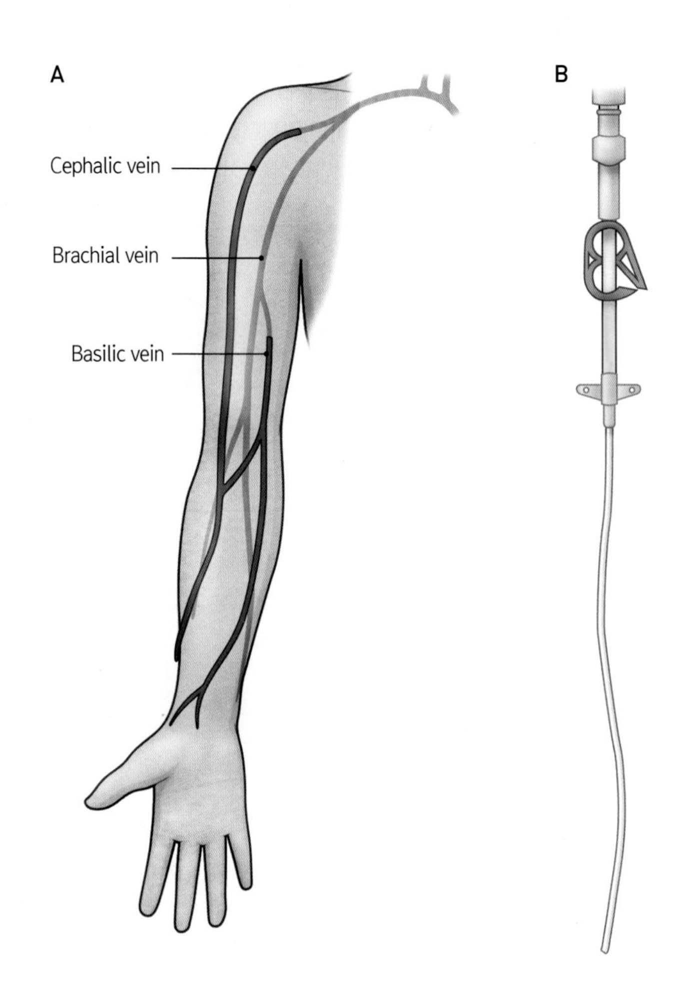

그림 1-9

7. 수술 과정

(그림 1-10) 천자 바늘 안으로 유도철사를 삽입한 다음 천자바늘을 제거한다. 유도철사를 따라 정맥관이 쉽게 삽입될 수 있도록 확장기로 피부 천자부위를 넓히고 정맥관을 삽입한 후 유도철사를 제거한다. 주사기를 이용하여 혈액을 역류시켜 정맥관 내의 공기를 없애고 다시 준비된 10:1 비율의 헤파린이나 생리식염수로 정맥관을 채운다. 상대정맥의 하부나 우심방의 위쪽에 정맥관의 끝을 위치시킨다. 삽입부위는 투명폐쇄 멸균드레싱을 한다.
영아의 경우엔 보통 24 게이지의 수액 바늘을 이용하고, 유도철사나 확장기 없이 정맥 천자 후 수액바늘의 허브와 젤코부위로 직접 정맥관을 삽입한다. 이때 정맥관은 구경이 작아 삽입 후 흡인을 통한 정맥관 내 공기 제거가 어려우므로 사용할 정맥관은 미리 10:1 비율의 헤파린이나 생리식염수를 채워 준비한다.

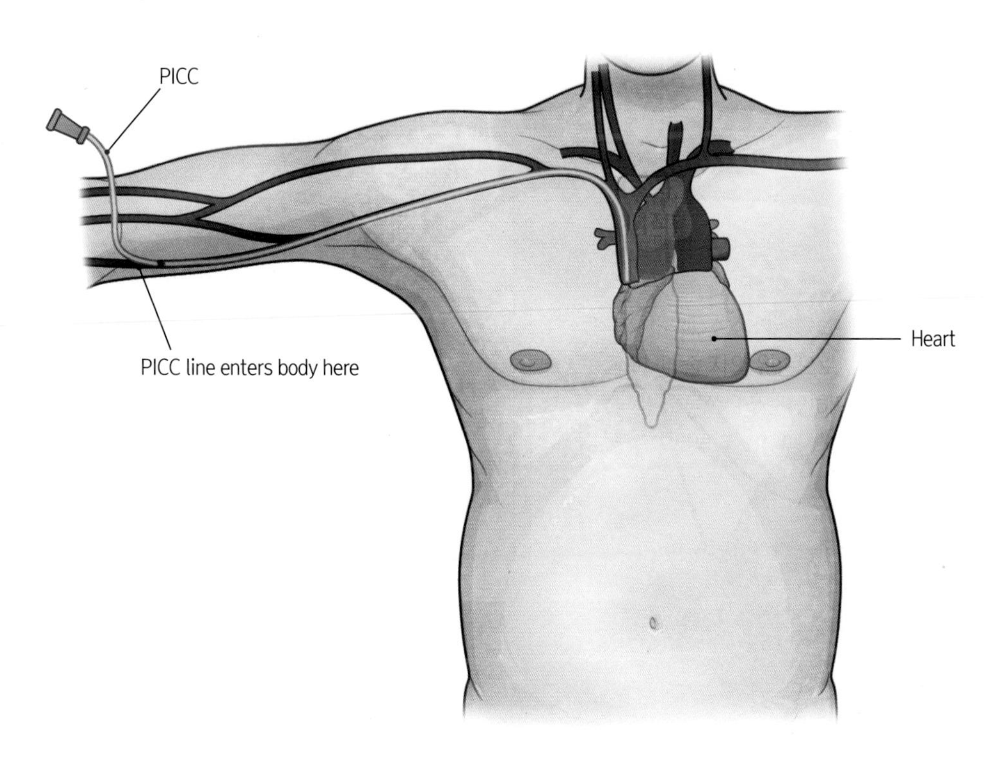

그림 1-10

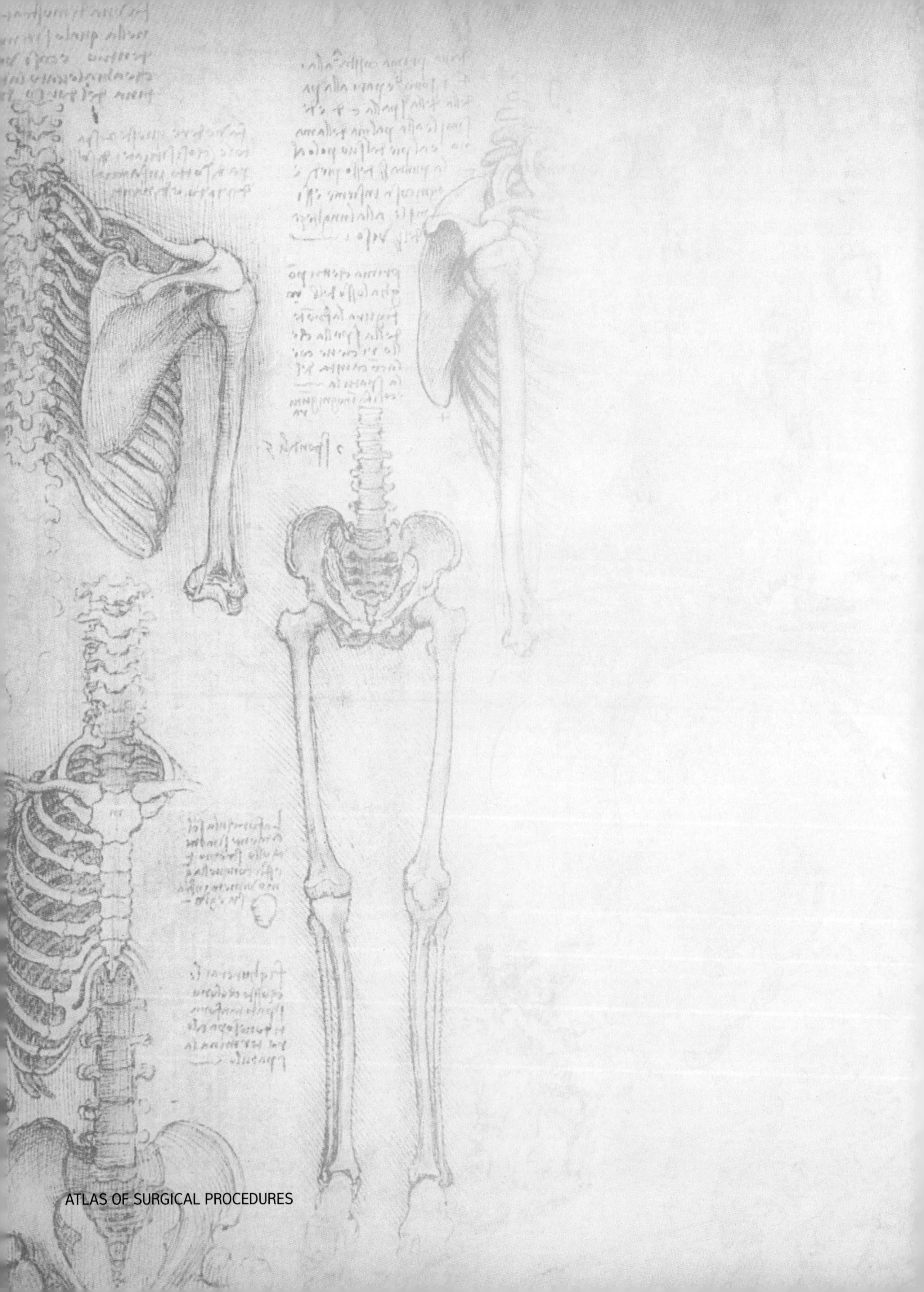
ATLAS OF SURGICAL PROCEDURES

CHAPTER 2

포경수술(환상 절제술)

Circumcision

포경은 포피가 음경 귀두를 덮고 있는 경우를 말하며 유아기엔 '생리적 포경'이라 해 포경인 상태가 정상이다.

1. 적응증

포경수술은 종교적인 이유와 문화적인 차이, 그리고 나라에 따라 수술 시기와 빈도가 다르다. 우리나라에서는 한 때 신생아 포경수술이 시행된 적이 있었으나 지금은 자취를 감추고, 대부분 국소마취를 견딜 수 있는 초등학교 고학년 때부터 중학생 사이에 수술하도록 권하고 있다. 포경수술은 강제로 시행해서는 안 되며 아이가 어느 정도 자란 후 포경수술에 대한 설명을 해준 후 스스로 수술을 받겠다고 할 때 시키는 것이 좋다.

포경수술은 일반적으로 위생이 목적이지만 질병의 치료목적으로 시행하기도 한다. 음경을 둘러싼 포피의 입구가 너무 좁아 소변보기가 불편하거나 반복적인 귀두염 또는 요로감염을 일으키는 진성포경(true phimosis)이나 포피가 뒤로 젖혀진 후 원위치로 복귀되지 않아 링처럼 음경을 조이는 감돈포경(paraphimosis)의 경우엔 조기에 수술을 해줘야 한다.

2. 비적응증

귀두 요도하열(hypospadia)이나 음경 하만곡(chordee)과 같은 선천적인 음경이상이나 왜소음경(micropenis)은 포경수술의 적응증이 아니며, 비만 등의 이유로 음경이 작아 보이거나 숨은음경(concealed penis)인 경우에는 사춘기가 지난 후 수술하는 것이 바람직하다.

3. 마취

나이가 어린 소아에서는 전신마취가 필요할 수도 있으나 10세 이후로는 국소마취로 수술이 가능하다. 음경 아랫부분 둘레로 1% 혹은 2%의 리도카인(lidocaine, xylocaine)이나 0.25% 혹은 0.5% 부피바캐인(bupivacaine hydrochloride)을 세침(25-gauge) 주사기로 주사하는 침윤마취(infiltration anesthesia)를 한다.

4. 수술 전 처치

와위 상태로 편안히 누운 상태에서 음경부위를 소독한 후 수술한다. 제모(除毛)는 하지않아도 되며, 소독은 포비돈(povidone iodine, 10%)이나 아이도폴(idophor)용액으로 한다. 마취 후 포피가 완전히 뒤로 젖혀지는지 확인해야 하며 귀두지(smegma)도 깨끗이 없앤 후 수술을 시작한다.

5. 절개 및 수술 과정

소아나 성인이나 수술원칙은 모두 동일하며 신생아나 성인에서 수술기기를 이용한 포경수술도 시행하고 있지만 극히 제한적이다. 포경수술은 음경의 귀두를 싸고 있는 남는 포피를 환상으로 절제해 귀두가 노출되도록 하는 수술이다. 가장 널리 이용되고 있는 수술법은 배면 절개법(등쪽 절개법, dorsal crush and slit method)과 소매 절제법(sleeve resection method)이다.

1) 배면 절개법(Dorsal slit method)

배면 절개법은 먼저 포피의 등쪽부터 절개하는 수술법으로 심한 포경이나 감돈포경에 시행하기 좋은 수술법으로 특히 포피가 뒤로 젖혀지지 않는 어린 아이에서 시행하기 편하다. 배면 절개법은 소매 절제법에 비해 미용적인 면에선 뒤떨어지지만 수술이 간단한 편이다.

(그림 2-1) 마취 후 포피가 완전히 젖혀지는지 확인 후 포피를 원상태로 되돌려 귀두를 완전히 덮은 상태에서 수술 후의 모양을 고려해 배면과 외관상 볼록하게 보이는 귀두능선(관상구, corona)을 따라 두 개의 절개선을 긋는다. 다음 포피 입구에서부터 귀두능선까지 틈새(slit)를 만들고, 수술가위로 배면절개를 가한다.

(그림 2-2) 관상구를 따라 환상으로 포피를 절제할 때는 봉합이 가능하도록 절제선이 관상구 고랑(coronal sulcus)쪽으로 너무 가까이 가지 않도록 1 cm의 여유를 두는 것이 중요하다.

(그림 2-3) 복측의 주름띠(소대, frenulum) 부위를 절개할 때는 V 모양으로 절개해 주름띠를 잘 보존해야 한다.

(그림 2-4) 마지막으로 두 겹의 포피를 봉합할 때 먼저 4분할 지점부터 봉합한 후 실을 길게 남겨 수술기구로 잡아 그 사이 봉합과 술 후 처치를 위한 길잡이로 사용한다. 4분할 지점 사이는 2~3회 봉합하고(5-0 혹은 4-0 chromic catgut), 봉합할 때 조직을 작게 무는(small bites) 것이 좋다.

(그림 2-5) 봉합을 마치면 1인치 넓이의 바세린 혹은 후라신 거즈를 길게 말아 길게 남겨둔 4분할 지점의 봉합사로 가볍게 결찰해 고정하면 수술 후 상처치료가 거의 필요없다.

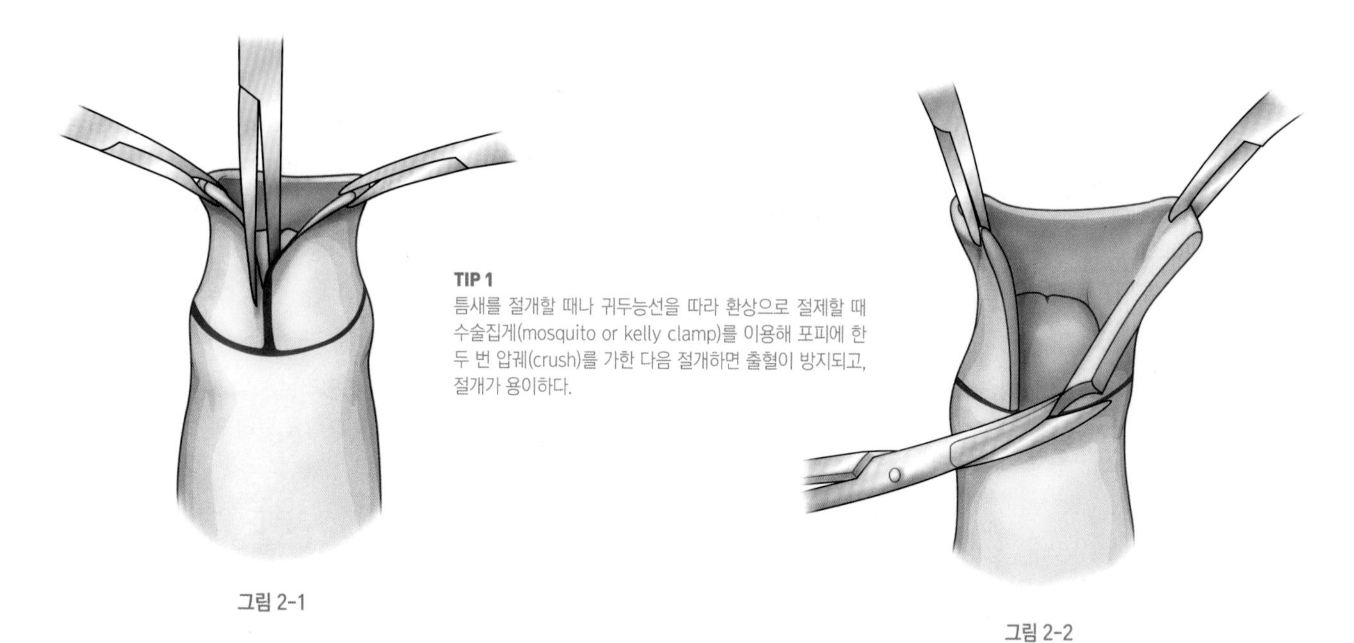

TIP 1
틈새를 절개할 때나 귀두능선을 따라 환상으로 절제할 때 수술집게(mosquito or kelly clamp)를 이용해 포피에 한 두 번 압궤(crush)를 가한 다음 절개하면 출혈이 방지되고, 절개가 용이하다.

그림 2-1

그림 2-2

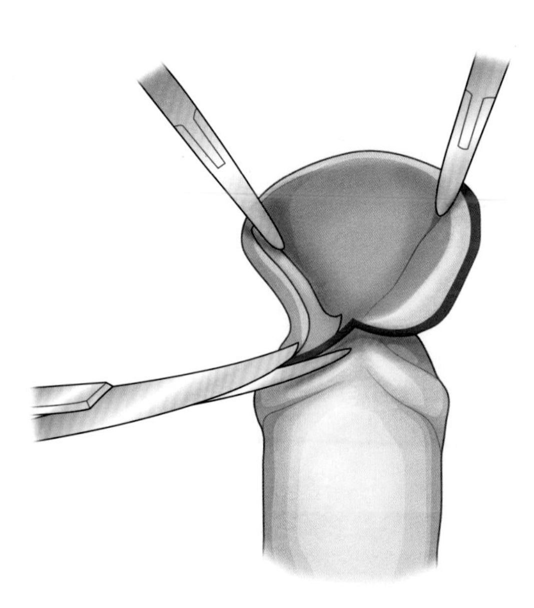

그림 2-3

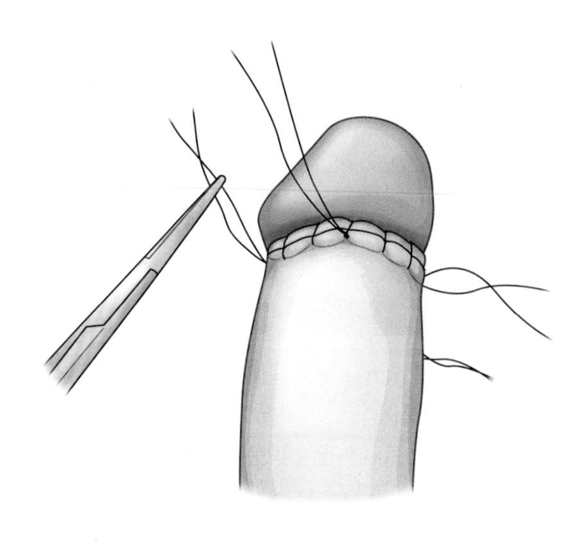

그림 2-4

TIP 2
절개 후 노출된 혈관은 전기 소작술로 지혈할 수도 있으나 술 후 발기되었을 때 출혈을 예방하기 위해 결찰하기도 한다.

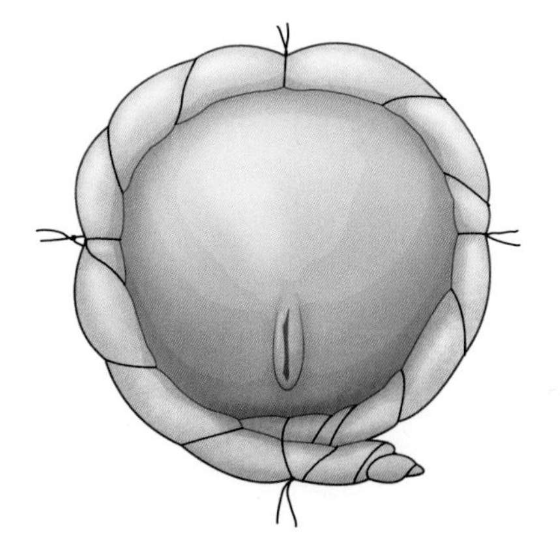

그림 2-5

TIP 3
수술을 마친 후 치골결합(pubic symphysis) 바로 아래 배면 신경혈관다발(dorsal neurovascular bundle)을 블록해 음경 신경블록을 시행하면 수술 후 4~6시간 동안 통증이 느껴지지 않아 좋다.

TIP 4
소변을 볼 수 있도록 귀두 앞 부분만 남겨두고 음경을 4x4 거즈로 둥글게 감싼 후 반창고로 음경하부 피부에 살짝 고정해주면 모든 과정이 끝난다.

2) 소매 절제법(Sleeve circumcision)

이중 절개법(double-incision technique) 또는 환상절제술이라고도 하며 나이든 소아나 성인에서 가장 흔히 시행하는 수술방식이다. 남는 포피의 피부 층만 밴드형식으로 벗겨내는 방법으로 혈관이 거의 손상되지 않아 출혈을 최소화할 수 있으며. 치유가 빠른 장점이 있다.

(그림 2-6) 음경을 자연상태로 두고, 외관상 볼록하게 보이는 관상구 고랑 부위로 절개선을 긋고(그림 2-6A), 복측의 주름띠를 보존하기 위해 V 모양으로 선을 그린다(그림 2-6B).

(그림 2-7) 포피를 뒤로 젖히고, 포피의 점막면에 두 번째 절개선을 그리는데 절개선이 관상구 고랑쪽에 가깝지 않게 1 cm 정도의 여유를 둬야 한다.

(그림 2-8) 선을 따라 절개할 때 절개선 가장자리를 단정하게 하려면 가위보다 메스를 이용하는 것이 좋다.

(그림 2-9) 피부링을 등쪽에서 가위로 자른다.

(그림 2-10) 피부 가장자리를 들고, 음낭근측(dartos layer)으로부터 피부를 박리해 제거한다. 나머지 피부 봉합과 술 후 처치는 배면 절개법과 동일하다.

3) 함몰음경 또는 매몰음경 (concealed, buried or hidden penis)

(그림 2-11) 함몰 또는 매몰(concealed, buried or hidden penis)음경은 음경이 치골부위의 지방덩이(fat pad)에 묻혀 음경 입구만 조금 보이는 경우로 선천적인 원인도 있으나 나이든 소아나 성인에서는 복부비만이 원인일 수도 있다. 함몰음경에 대한 수술방법은 여러 가지가 있으나 아직 수술시기와 방법엔 논란이 많다. 음경 옆으로 피부를 누르면 음경이 드러나는 걸 볼 수 있다. 수술은 음경을 둘러싼 지방조직을 일부 제거한 후 음경피부를 치골막에 고정시켜 음경이 체외로 돌출되도록 하는 방법이다.

6. 수술 후 관리

수술 후 관리는 출혈과 감염을 방지하고, 유착이나 음경함몰 등의 합병증을 줄이는 것이 목적이다. 수술 후 국소적으로 출혈이나 진물이 생길 수 있으며 부종이 생길 수도 있다. 그러나 이런 현상들은 포경수술 후 흔히 발생하는 변화들로 며칠 지나면 대부분 저절로 호전된다. 수술 후 상처치료는 2~3일에 한 번씩 관찰하면 된다.

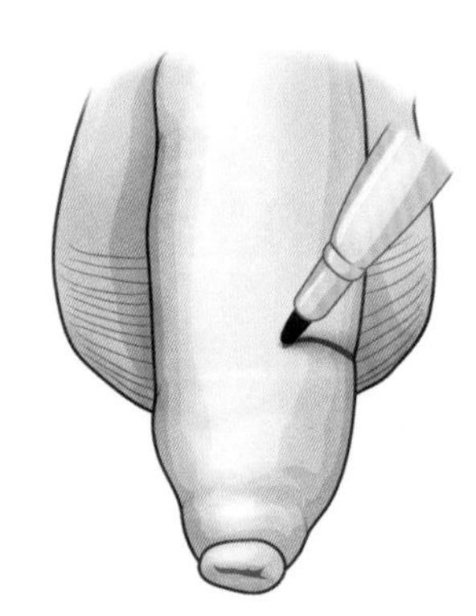

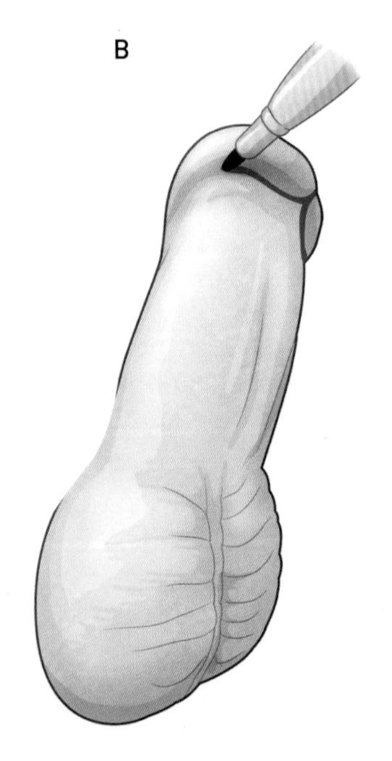

그림 2-6

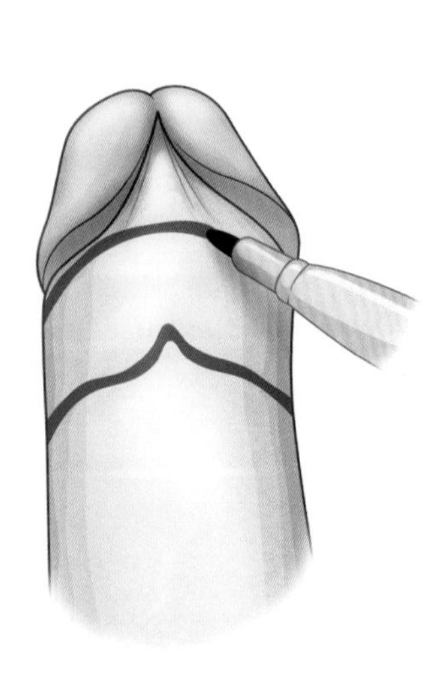

그림 2-7

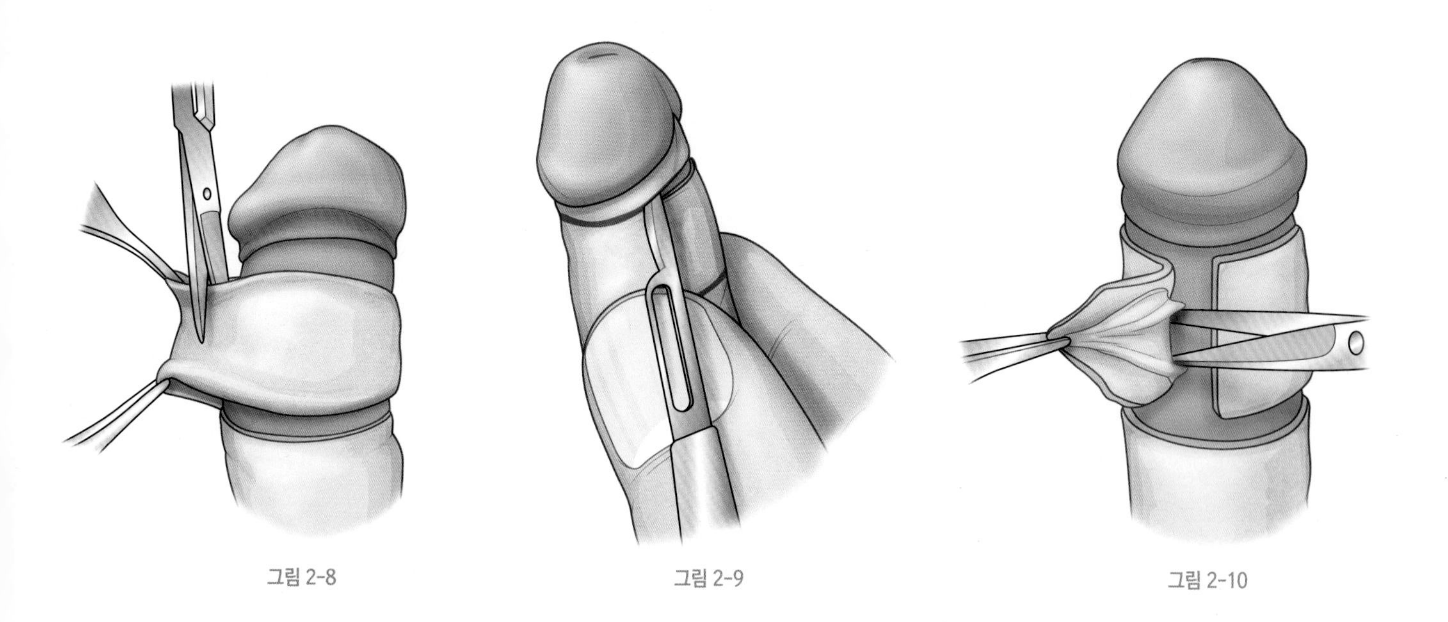
그림 2-8
그림 2-9
그림 2-10

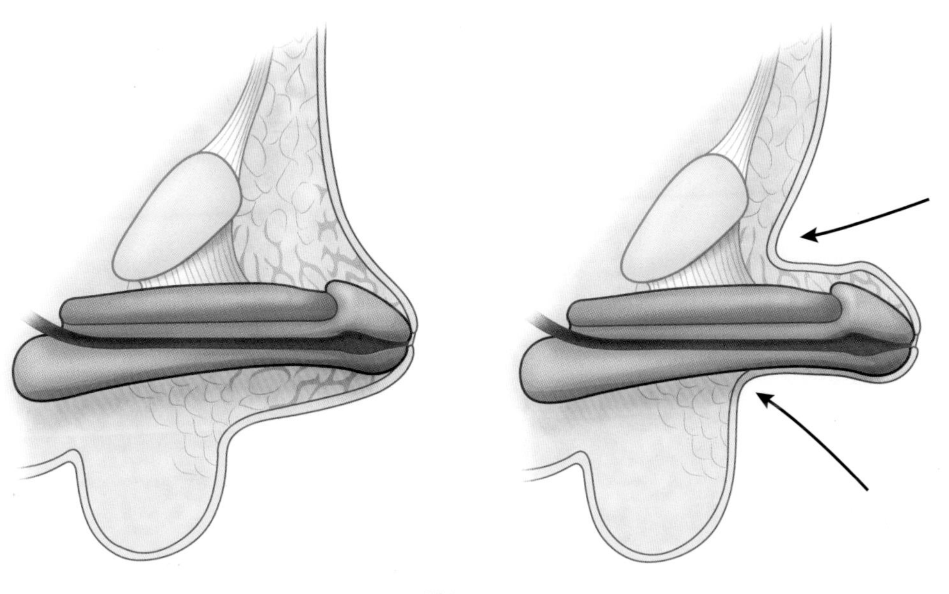
그림 2-11

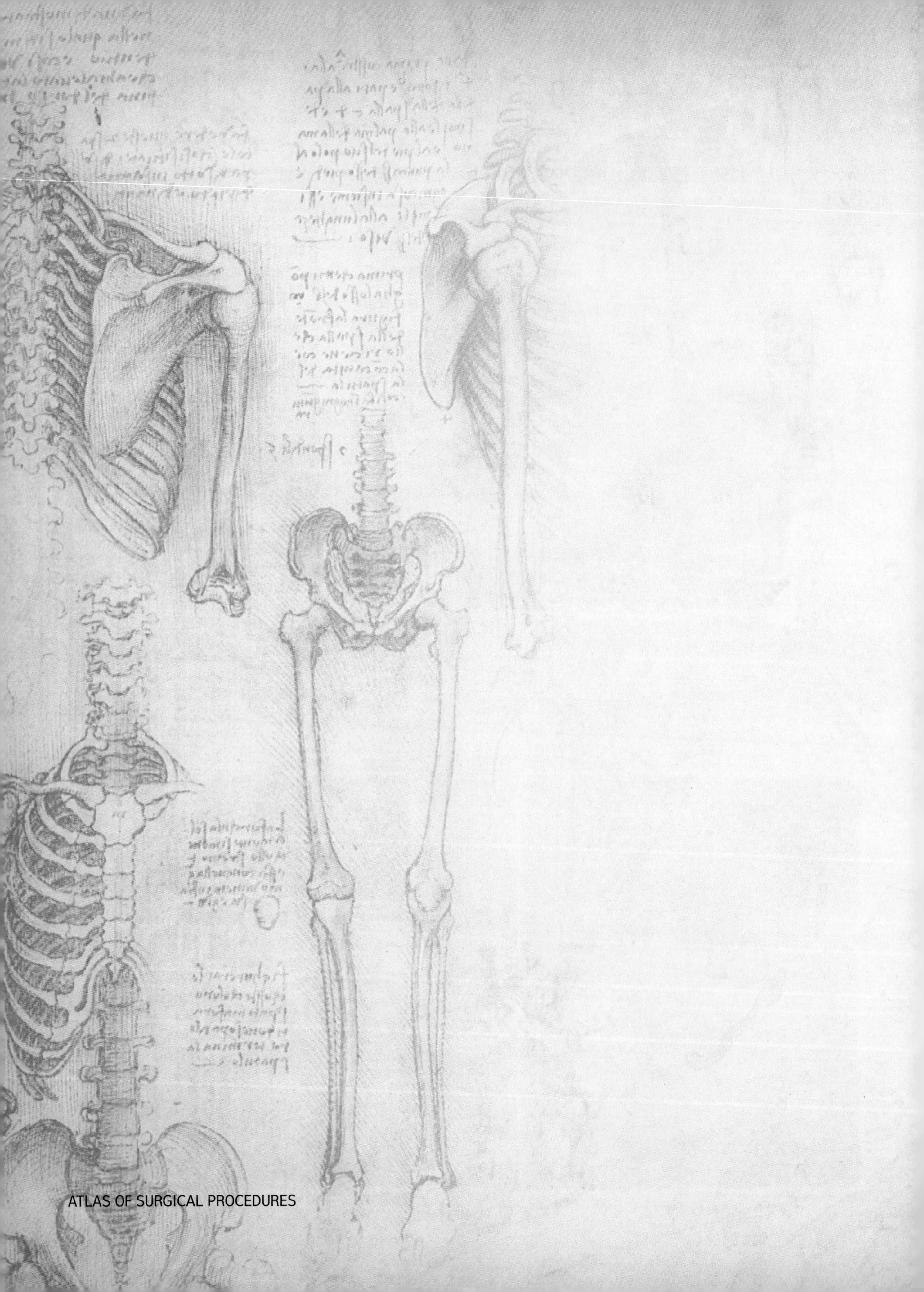

ATLAS OF SURGICAL PROCEDURES

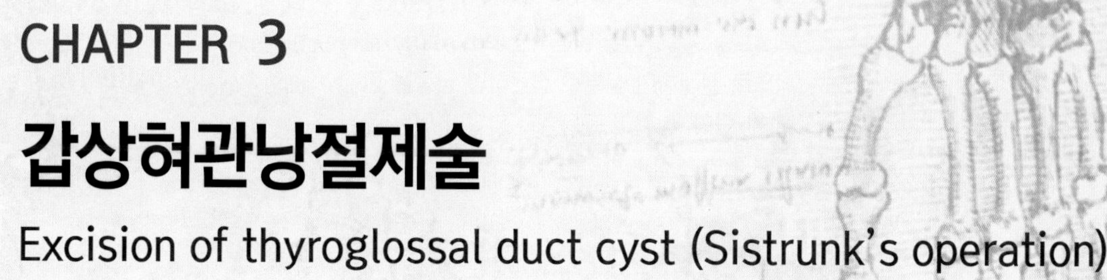

CHAPTER 3

갑상혀관낭절제술

Excision of thyroglossal duct cyst (Sistrunk's operation)

1. 적응증

갑상혀관종, 갑상혀샛길

2. 비적응증

농양이 형성되어 있는 경우에는 배농술을 통하여 염증을 충분히 조절한 후 수술한다.

3. 수술 전 처치

갑상혀관이 여러 개 있거나 크기가 작아 수술 중 손상을 입는 경우, 재발의 가능성에 관하여 설명한다. 예상되는 구강 내 세균에 대한 예방적 항생제를 투여한다.

4. 마취

기관 삽관 후 전신마취 하에 수술한다.

5. 환자 자세

앙와위 자세에서 어깨 밑에 받침대를 괴어 목을 약간 신전시키고 베개로 머리를 고정한다. 머리는 심장보다 높게 하여 두경부 혈류 정체를 방지한다.

6. 절개 및 노출

1) 피부 절개

(그림 3-1) 피부 절개는 턱과 목이 만나는 곳(실선)이나, 낭종 위(점선) 피부 주름선을 따라 횡으로 3~4 cm한다. 낭종이 아래로 많이 내려와 있으면, 두 개의 피부 절개선이 필요할 수도 있다.

2) 낭종의 노출

(그림 3-2) 피하지방, 넓은목근(platysma)을 횡으로 절개하여 심부로 접근하면 낭종을 만날 수 있다. 낭종이 근육층과 맞닿아 있는 곳까지 주위 조직과 박리한다.

3) 목뿔뼈(Hyoid bone)의 노출

(그림 3-3A) 낭종 좌우에서 목뿔뼈를 만질 수 있으며, 뼈를 덮고 있는 근육을 조금 절개하면 목뿔뼈를 볼 수 있다.

(그림 3-3) 낭종이 붙어 있는 목뿔뼈 중앙부 좌우에서 다리 쪽으로는 복장목뿔근(sternohyoid), 머리쪽으로는 턱목뿔근(mylohyoid), 붓목뿔근(stylohyoid), 턱끝목뿔근(geniohyoid)를 전기소작기로 분리하여 목뿔뼈의 절개 부위를 노출시킨다.

4) 목뿔뼈의 절제

(그림 3-4) 낭종이 붙어 있는 목뿔뼈 중앙부 좌우의 노출된 부분을 뼈절단기(bone-cutter)나 전기소작기로 절개하여 중앙부를 절제한다. 절제면의 지혈은 전기소작으로 쉽게 되며, 뼈왁스(bone wax)를 사용할 수도 있다.

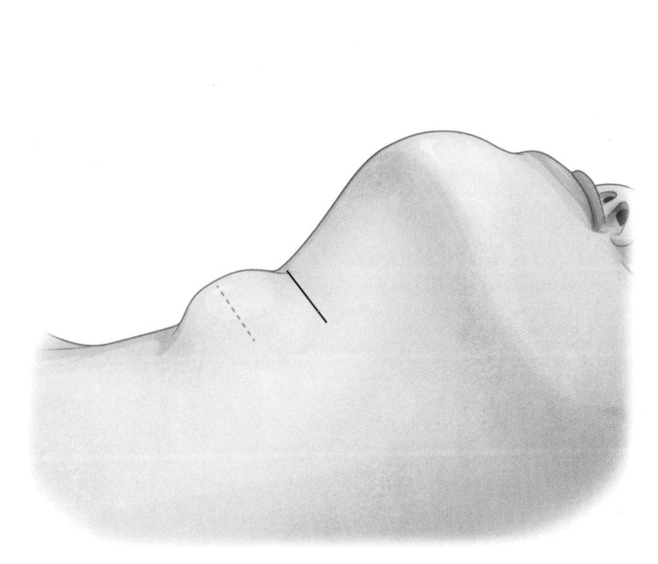

그림 3-1 피부 절개

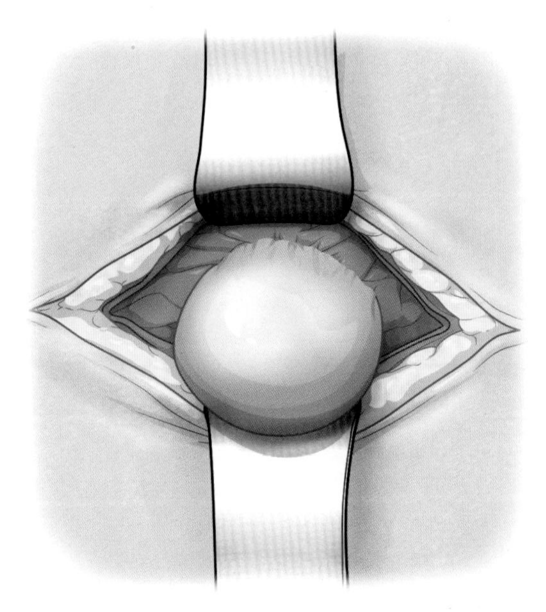

그림 3-2 낭종의 노출

TIP 1

전기소작기를 절개(cut)로 놓고 소작기 침(needle)으로 박리하면 주위 경계면이 잘 보이면서 출혈도 작아 시야 확보가 쉽다. 가능하면 낭종을 터뜨리지 않는 것이 감염 예방과 박리면(dissection plane) 유지에 좋다. 낭종이 큰 경우에는 내용물을 흡인하고 흡인부는 결찰하여 낭종의 모양을 유지한 채로 박리를 진행한다.

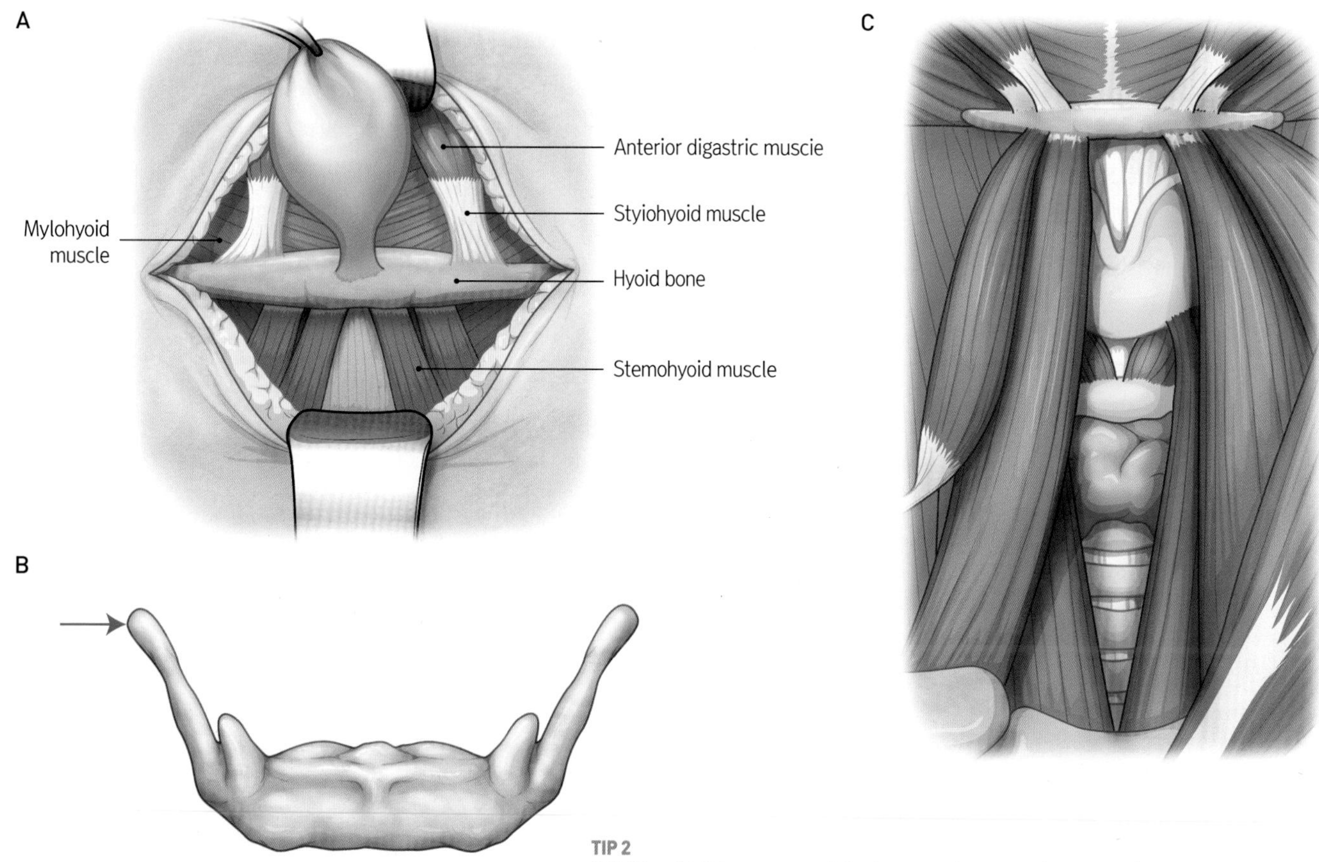

그림 3-3 목뿔뼈(hyoid bone)의 노출

TIP 2
목뿔뼈는 가쪽뿔(lateral horn)을 만져 보거나(그림 3-3B), 후두융기(laryngeal prominence)의 패임(notch) 바로 위에서(1 cm) 목뿔뼈를 만져 봄(그림 3-3C)으로써 확인할 수 있다. 소아에서는 후두융기의 발달이 미약하고, 낭종이 목뿔뼈의 중앙부를 덮고 있어, 반지연골(cricoid cartilage)을 후두융기로 착각할 수 있으므로 주의하여야 한다. 이때 복장목뿔근을 조금 절개하면 후두융기 패임을 쉽게 만질 수 있다.

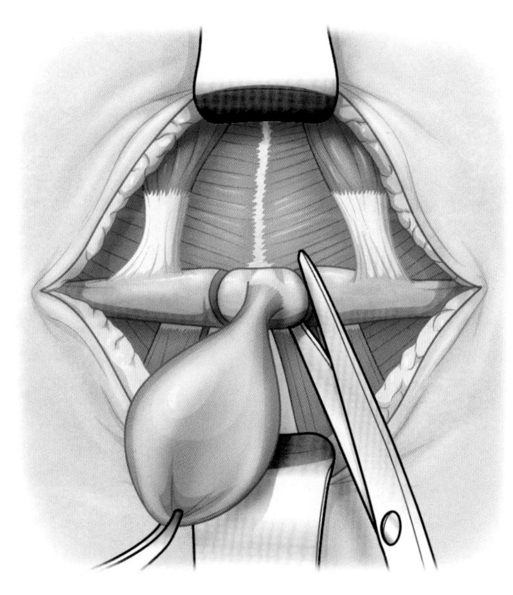

그림 3-4 목뿔뼈의 절제

5) 갑상혀관의 제거

(그림 3-5A) 절제된 목뿔뼈 중앙부의 다리 쪽 및 뒤쪽을 방패목뿔막(thyrohyoid membrane)과 박리한다. 낭종의 끝을 잡아 다리 쪽으로 견인하고, 턱끝목뿔근과 턱끝혀근(genioglossus)을 목뿔뼈 직상방에서 조금씩 절개해 가면서 갑상혀관을 확인한다.

(그림 3-5B) 관이 확인되면 상방으로 박리를 조심스럽게 진행하여, foramen cecum에서 결찰한다.

(그림 3-5C) 마취과 의사가 손가락을 입으로 넣어 foramen cecum을 수술시야 쪽으로 밀기도 하지만 큰 효과는 없다.

6) 절개창 봉합

목뿔뼈를 붙여 줄 필요는 없다. 수술 부위 세척과 지혈 후, 넓은목근과 진피(dermis)를 흡수성 봉합사로 봉합한 후, 테이프로 표피(epidermis)를 붙여 준다. 배액관은 원칙적으로 필요하지 않으나, 빈 공간이 클 때에는 하루 내지 이틀 정도 배액관을 유지한다.

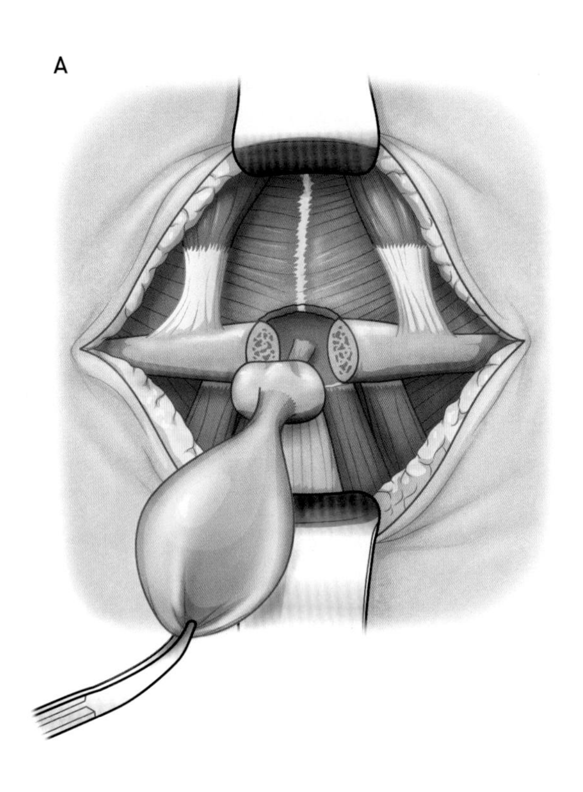

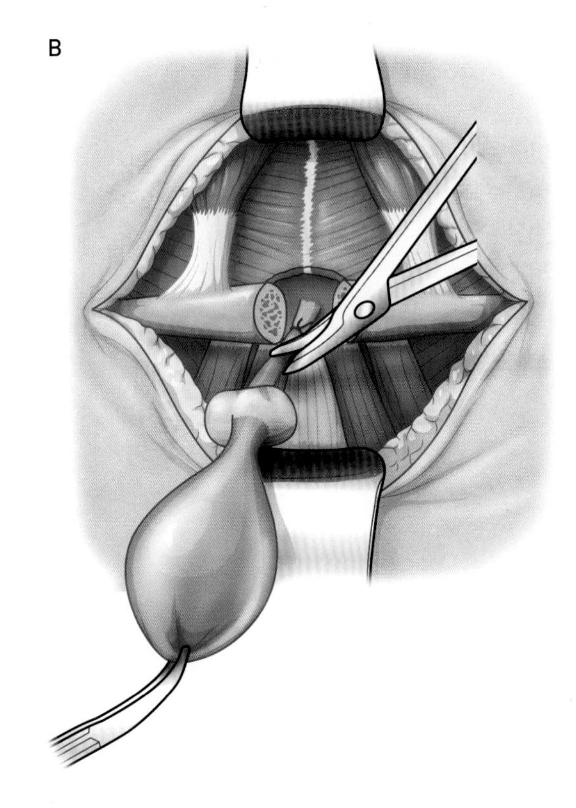

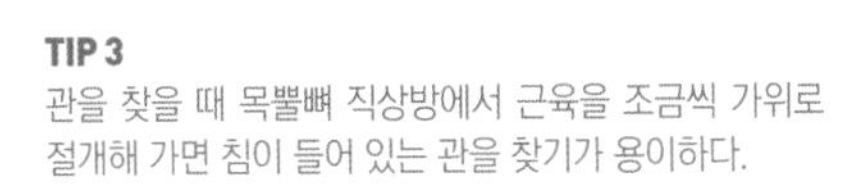

TIP 3
관을 찾을 때 목뿔뼈 직상방에서 근육을 조금씩 가위로 절개해 가면 침이 들어 있는 관을 찾기가 용이하다.

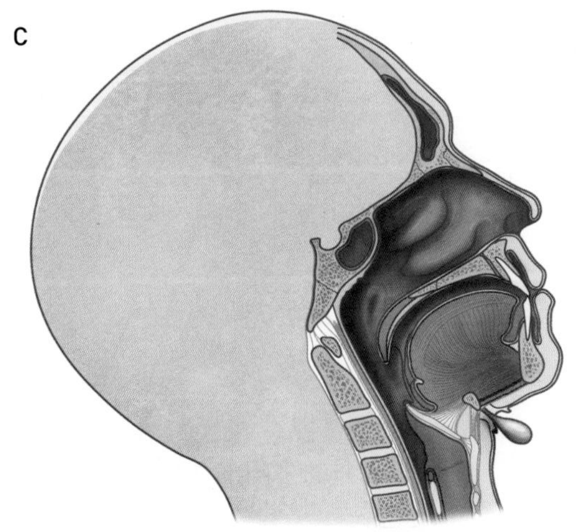

그림 3-5 갑상혀관의 제거

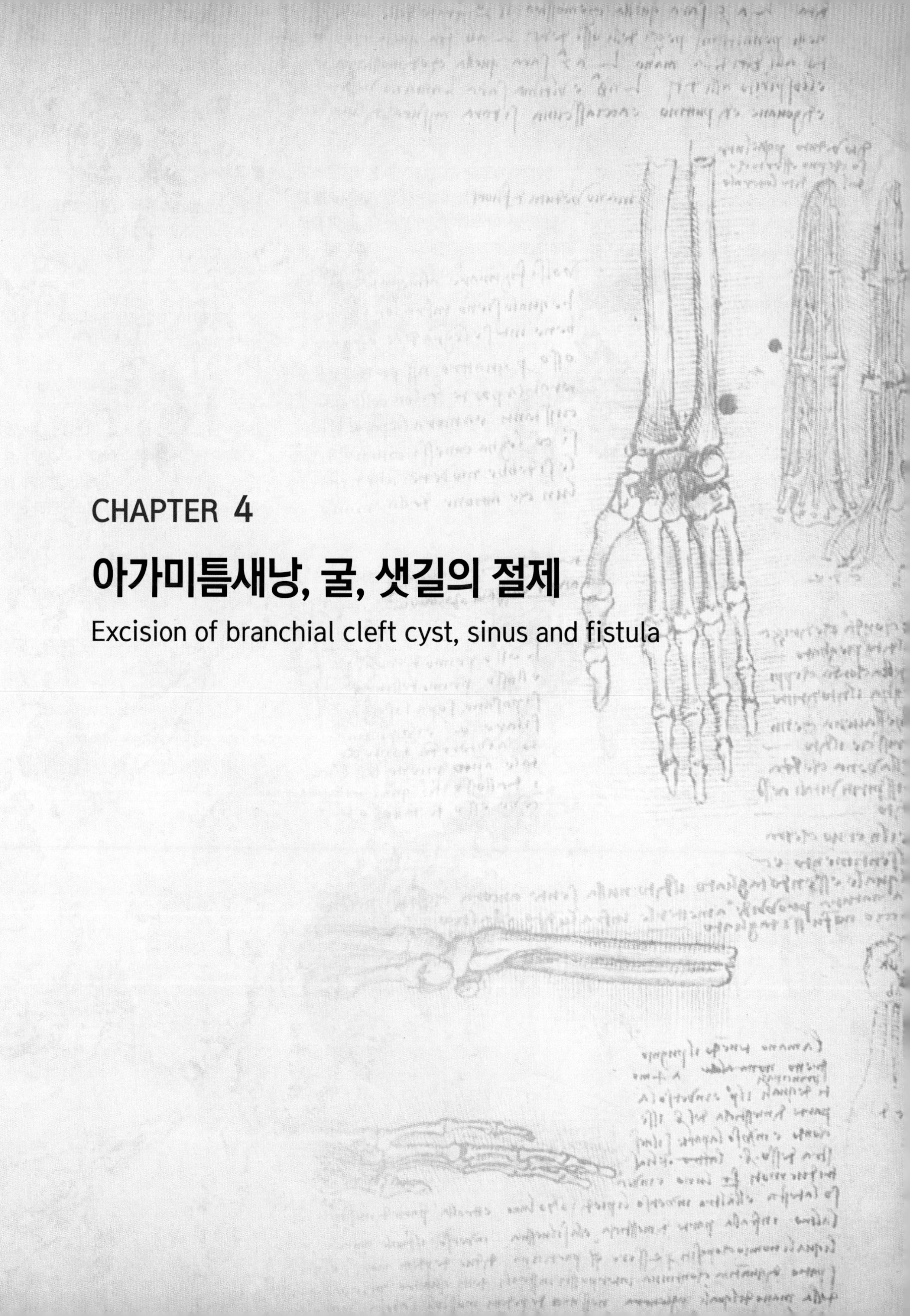

CHAPTER 4

아가미틈새낭, 굴, 샛길의 절제

Excision of branchial cleft cyst, sinus and fistula

1. 서론

(그림 4-1) 아가미틈새 잔류물은 태아 발생 과정 중 아가미틈새의 불완전 폐쇄로 인해 발생한다. 제2형 아가미틈새 잔류물이 75%로 가장 흔하며, 20%에서 제1형 아가미틈새 잔류물이 발생하며, 제3형 및 4형 아가미틈새의 이상은 매우 드물다.

(그림 4-2) 제1형 아가미틈새 잔류물은 바깥귀길과 아래턱뼈의 아래부위 사이에서 발생한다. 제1형 아가미틈새낭은 주로 귀밑샘의 아래 극 근처에 점점 자라는 덩이로 나타나며 주로 나이든 소아나 젊은 성인에서 볼 수 있다.

가장 흔한 제2형 아가미틈새 잔류물은 편도오목으로부터 목빗근의 앞 가장자리의 아래쪽 1/3을 연결하는 가상선을 따라 어디에서나 발생한다.

제2형 아가미틈새굴은 목빗근의 앞 가장자리에 특히 흉골 끝에서부터 머리 쪽으로 1/4~1/3 길이의 위치에 아주 작은 구멍을 형성한다. 특징적으로 구멍을 통해서 맑고 작은 액체방울이 나오거나 길 자체에 감염이 발생할 수 도 있다. 한쪽 혹은 양쪽에 발생할 수 있으며, 가족력이 있을 수도 있다. 비록 감염은 나이가 든 경우에 굴 및 낭에서 주로 발생하지만, 바깥구멍을 가지고 있는 길도 종종 감염이 될 수 있다. 제2형 아가미틈새낭은 소아나 젊은 성인에서 목빗근의 앞 가장자리를 따라 아래턱뼈의 각에 덩이로서 나타나며 주로 상기도 감염과 연관된다.

제3형 및 4형 아가미틈새 잔류물은 신생아에서 공기를 포함하고 있는 염증성 가쪽 목 덩이로 나타나거나, 신생아나 소아에서 급성 화농성 갑상샘염로 나타난다. 제3형 및 4형 아가미주머니의 지속적인 잔류물로 인해 생긴 조롱박오목의 샛길이 원인으로 알려져 있다. 주로 목의 좌측에 공기를 포함하고 있는 염증성 병터를 가진 신생아에서 의심할 수 있다. 치료는 급성 감염을 치료한 후에 수술적 적출술을 시행해야 한다.

2. 적응증

- 빈번한 감염
- 덩이 효과(삼킴곤란, 호흡곤란, 통증)
- 미용

3. 비적응증

- 급성 감염(절제술 이전에 치료가 필요)
- 예정수술에 내과적 금기증

4. 수술 전 처치

수술 전에 감염이 존재하면 항생제를 일차적으로 투여해야 한다.

5. 마취

소아마취의사에 의한 전신마취 하에 기관 내 삽관을 시행한다.

6. 환자 자세

환자는 바로 누운 자세로 수술대에 잘 고정하고, 어깨 하방에 모래주머니와 머리하방에 부드러운 머리받침대를 놓아서 목이 펴지게 한다. 머리와 목의 정맥혈압을 감소시키기 위해서 수술대의 머리부분을 약간 올려준다. 환아의 턱은 병변의 반대쪽으로 돌려준다.

7. 수술 준비

피부는 따뜻한 10% 포비돈-요오드용액으로 수술 부위를 닦아준다.

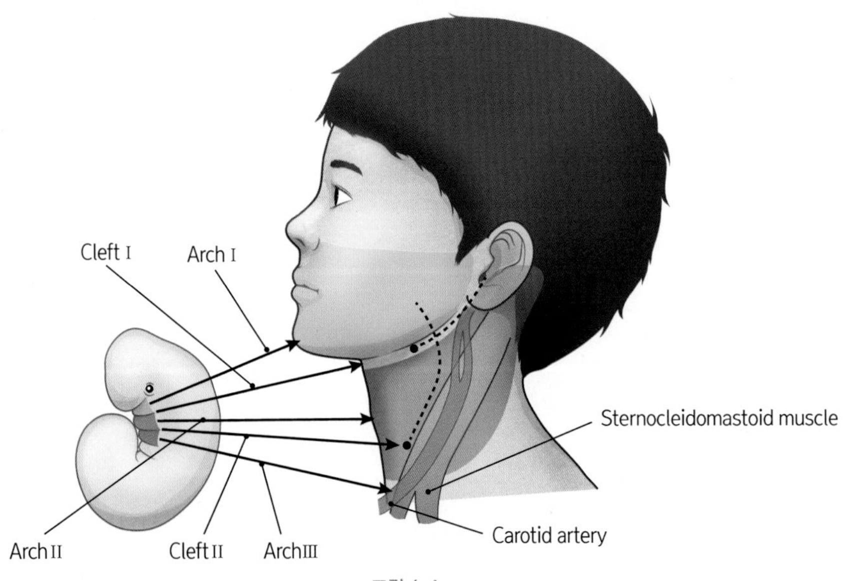

그림 4-1

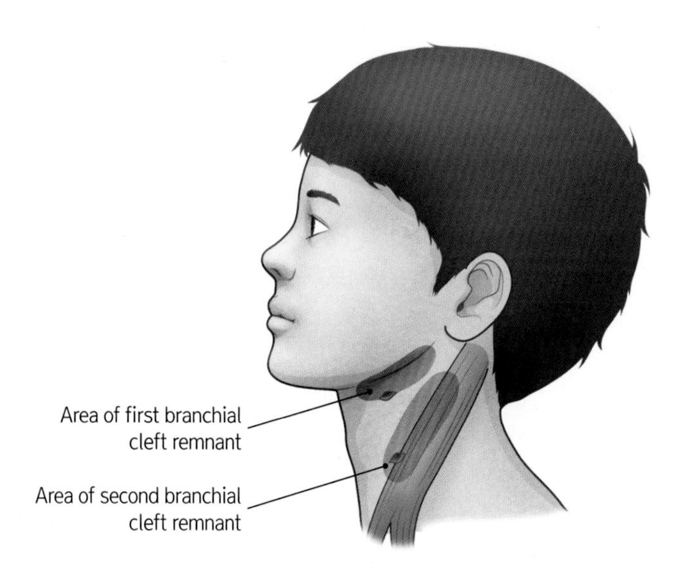

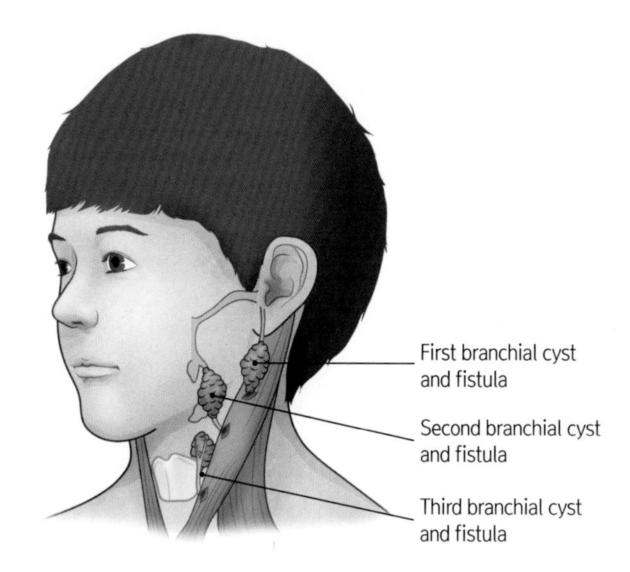

그림 4-2

I. 제2형 아가미틈새낭

1. 절개 및 노출

(그림 4-3) 피부절개는 가장 좋은 미용적인 결과를 얻기 위해서 낭의 직 상방에 정상적인 피부주름 혹은 할선(langer's line)을 따라 시행한다. 절개길이는 낭의 크기에 따라서 다양하다. 전기소작기로 피부 하방의 피부밑조직과 넓은목근까지 절개를 한 후, 피부와 근육피판을 당기면 낭이 노출된다.

2. 수술 과정

(그림 4-4) 목빗근의 앞 가장자리 근처의 깊은 목근막을 절개한 후, 근육을 벌리면 낭이 노출된다. 단단한 낭은 박리하기가 쉬워 수술 중에 터지지 않도록 주의해야 한다. 낭의 하부에는 목정맥과 목동맥이 인접해 있으므로 박리 시에 주의해야 한다. 낭의 뿌리는 대개 목정맥의 후방에 위치하며, 목동맥의 분기점 사이로 주행한다. 낭의 박리는 상방으로 편도기둥까지 시행한 후 비 흡수봉합사로 묶어준다. 세심하게 지혈을 시행하고 상처는 1% 포비돈-요오드 용액으로 세척한 후 봉합한다.

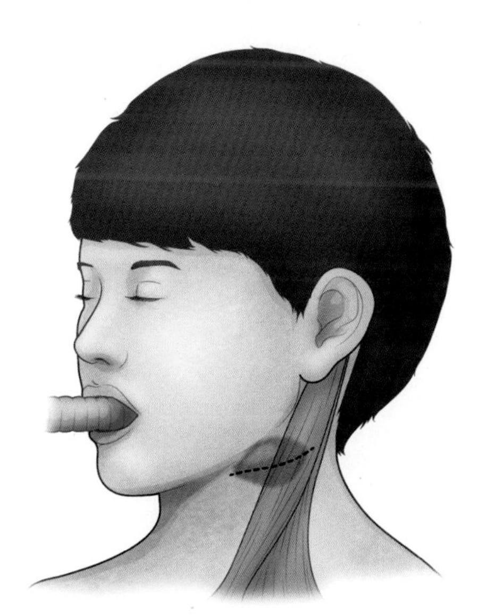

그림 4-3

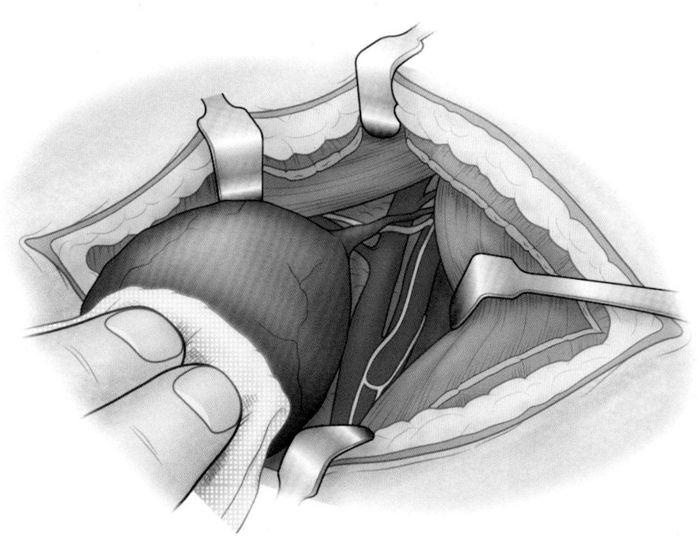

그림 4-4

II. 제2형 아가미틈새굴

1. 절개 및 노출

(그림 4-5A) 피부의 구멍 주위로 타원형의 절개를 시행하고 상방으로 길을 박리한다. 일반적으로 편도기둥 수준까지 박리한다. 인접한 속목정맥, 목동맥, 혀밑신경의 손상을 피하기 위해 길에 붙여서 박리한다.

2. 수술 과정

(그림 4-5B) 굴은 피부구멍에서부터 시작하여 넓은목근 하방의 피부밑조직을 따라 상방으로 주행한다. 목뿔뼈 상방에서 안쪽으로 주행하여 혀밑신경 및 혀인두신경을 거쳐서 목동맥 분지를 지나서 편도오목으로 들어간다.
대부분 하나의 타원절개로 수술이 가능하며, 마취과의사가 장갑을 낀 손으로 편도오목을 하방의 수술부위로 눌러준다.
(그림 4-6) 굴 길에 눈물길 더듬자를 넣어서 길의 주행방향을 확인하면 박리를 쉽게 할 수 있다. 길이 깊게 상방으로 주행하는 경우에는 완전한 절제를 위해서 목의 상방에 이차적으로 피부절개(stepladder counterincision)를 하나 더 시행한 후, 일부 절제된 길을 상방의 절개부위로 빼낸 후 박리를 상방으로 계속 시행할 수 있다. 길의 말단부는 가는 흡수봉합사로 묶어준다. 불완전한 절제 시 감염 및 재발의 위험성 때문에 최대한 모든 길을 절제해야 한다.

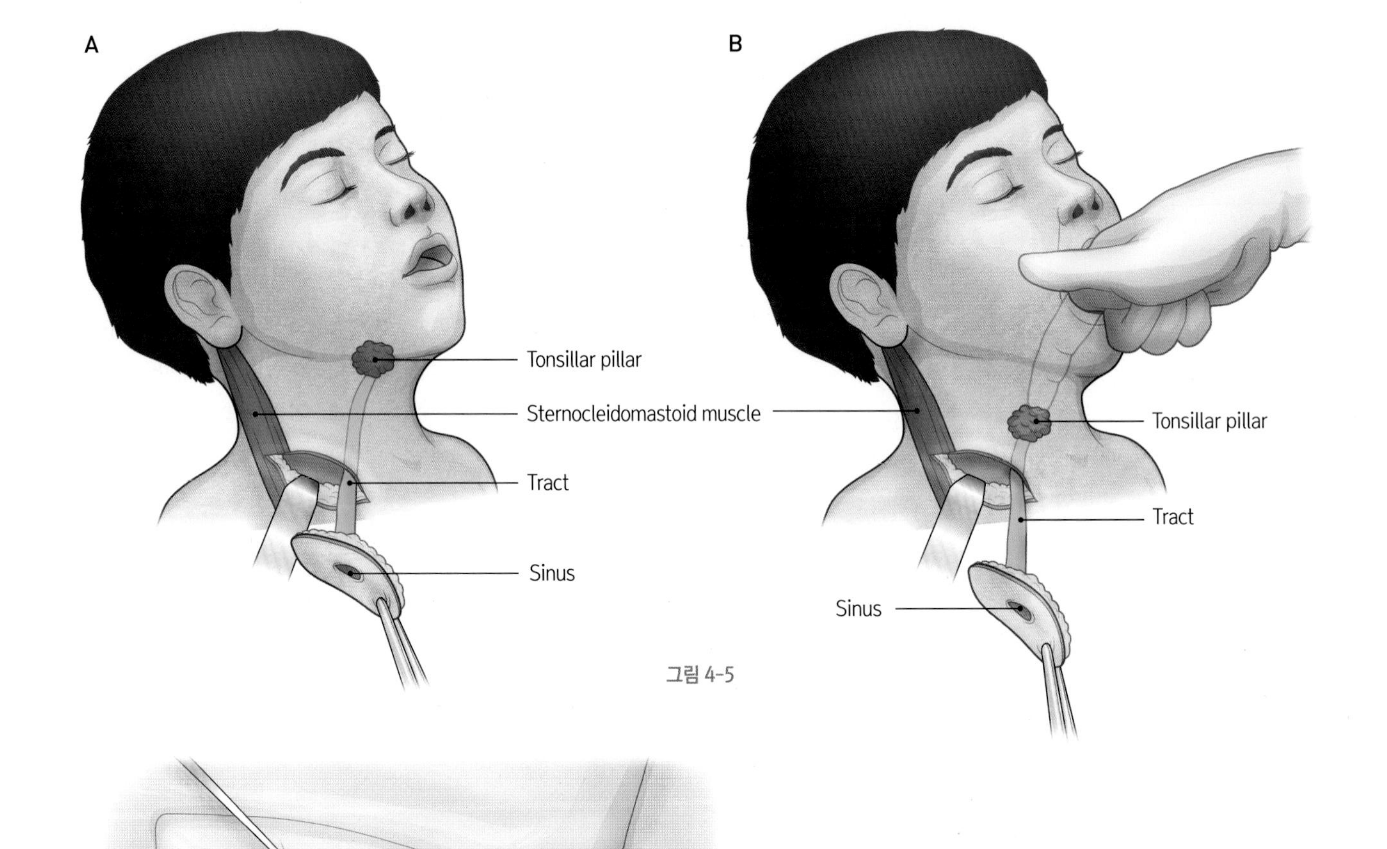

그림 4-5

그림 4-6

TIP 1
제2형 아가미틈새굴(sinus) 혹은 샛길(fistula)의 경우에 길(tract)을 정확하게 알기 위해서, 길에 메틸렌블루(methylene blue)를 묻힌 눈물길더듬자(lacrimal probe)를 넣어서 길을 확인하면 쉽게 절제할 수 있다. 그리고 길이 상방으로 길게 주행하는 경우에는 목의 상방에 추가로 피부절개(소위 "stepladder")를 하나 더 시행한 후, 일부 절제된 길을 상방의 절개부위로 빼낸 후 상방으로 계속 박리를 진행하여 완전한 절제를 시행할 수 있다.

III. 제1형 아가미틈새낭 및 아가미틈새굴

1. 수술 과정

(그림 4-7) 제1형 아가미틈새낭 및 굴의 길이 바깥귀길로 연결되므로 제1형 아가미틈새낭 및 굴의 박리 시에는 인접한 얼굴신경의 손상을 피하도록 주의해야 한다. 종종 박리 시에 신경자극기가 도움이 된다.

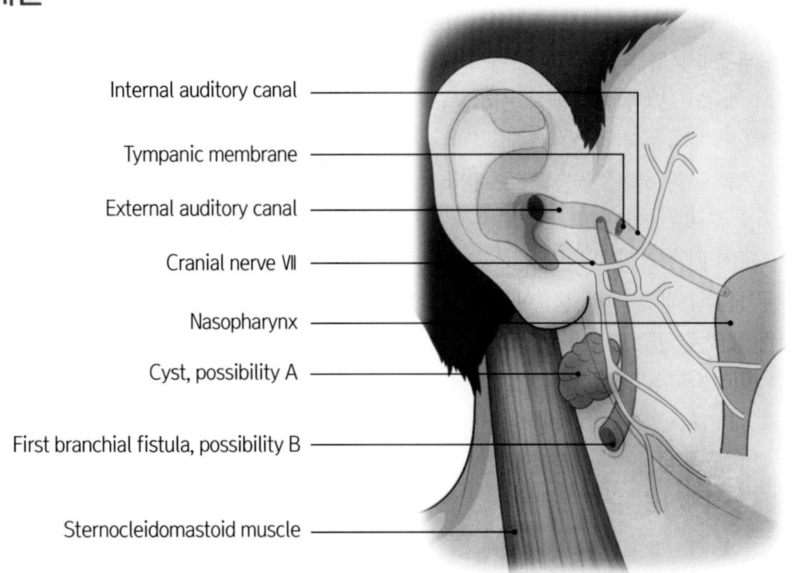

그림 4-7

IV. 제3 및 4형 아가미틈새낭 및 아가미틈새굴

(그림 4-8) 급성 갑상샘염 혹은 공기를 포함하는 염증성 편측성 목 덩이가 있는 경우에 제3 혹은 4형 아가미주머니 기원을 의심해야 한다. 수술 전에 항생제를 투여한 후 바륨 검사를 시행하여 조롱박오목 길을 확인해야 한다. 재발을 방지하기 위해서는 조롱박오목의 수준까지 모든 길을 절제하는 것이 중요하다. 수술 중 길의 위치 선정을 용이하기 위해서 수술 내시경을 시행하여 길로 관 삽입술을 시행할 수도 있다.

1. 수술 과정

표준 목깃절개로 갑상샘 왼쪽 엽을 노출시킨다. 되돌이 및 위 후두신경과 부갑상샘을 확인하고 보호한다. 하 협착기 근육의 섬유를 벌려서 조롱박오목을 노출시키며 특히 이 부위에서 위 후두신경의 바깥 가지를 보존하기 위해서 세심한 주위가 필요하다. 길은 하방으로 기관을 따라 되돌이 후두신경의 바깥으로 주행하여 갑상샘의 위극으로 연결되며, 갑상샘 근처에서 끝이 나거나 갑상샘의 피막을 관통하여 왼쪽 갑상샘 엽의 실질에서 끝이 난다.

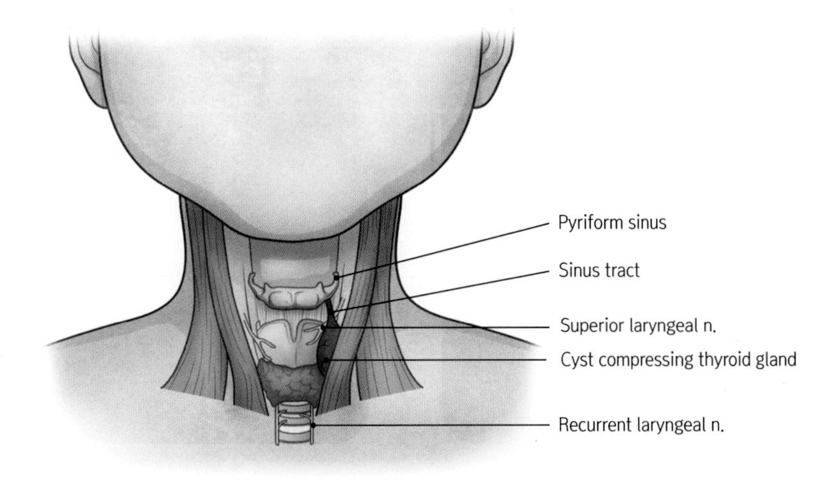

그림 4-8

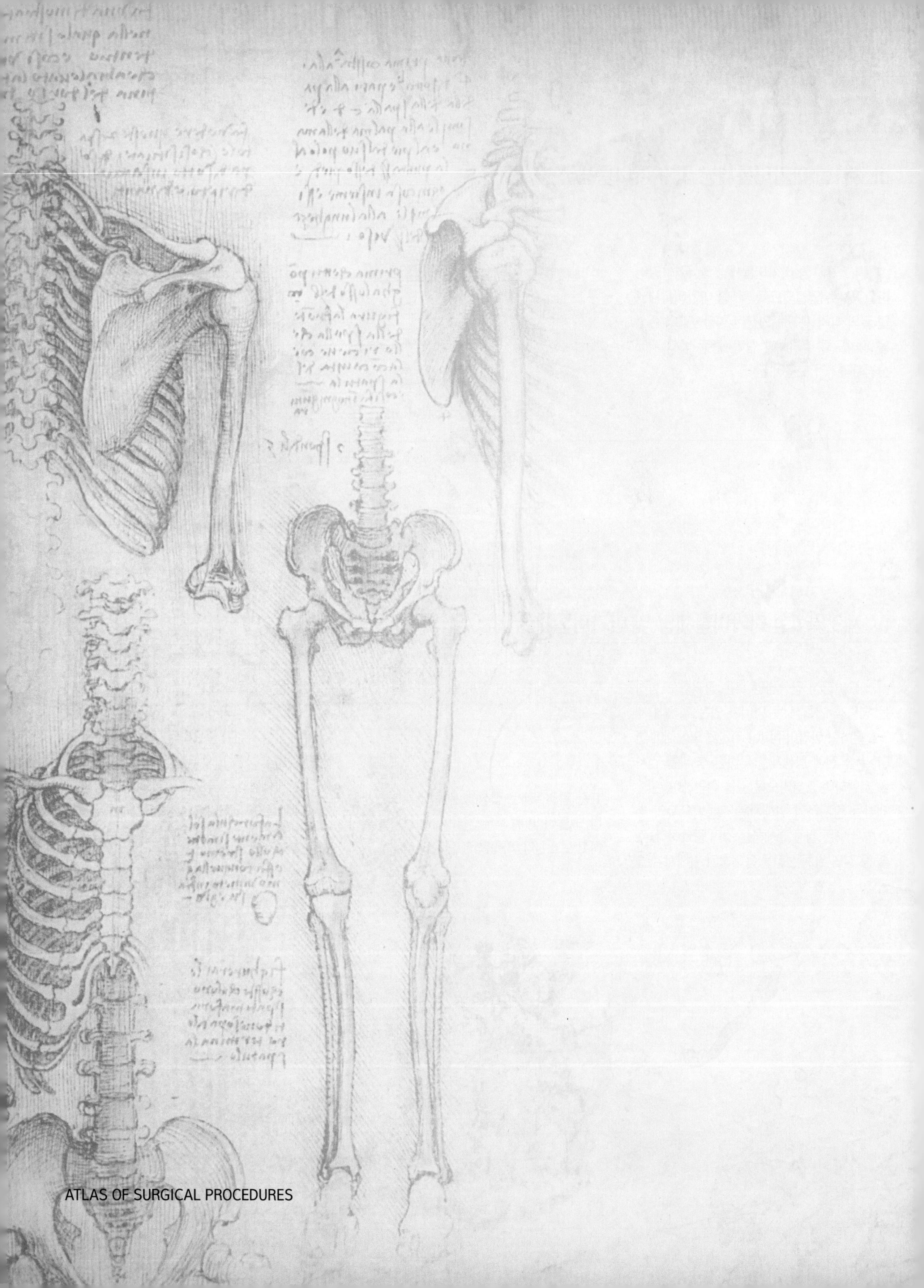

ATLAS OF SURGICAL PROCEDURES

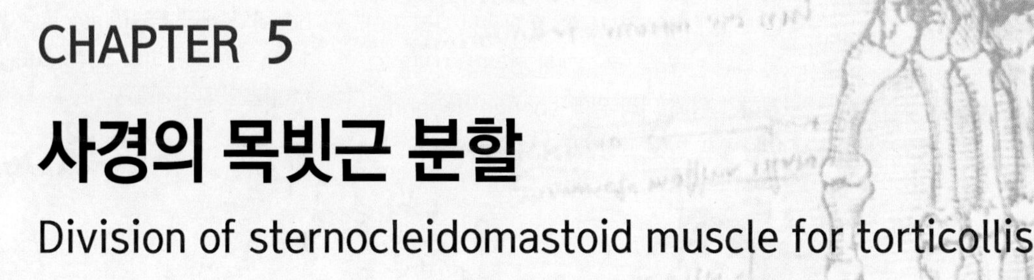

CHAPTER 5

사경의 목빗근 분할

Division of sternocleidomastoid muscle for torticollis

1. 적응증

- 6개월 이상의 보존치료에도 증상이 지속되는 경우
- 나이에 상관없이 얼굴 반형성저하(facial hemihypoplasia)가 발생한 경우

2 비적응증

심각한 심폐질환이 있거나 혈역학적으로 불안정한 환아

3. 수술 전 처치

유사한 증상을 갖는 목빗근 이외의 다른 종괴 여부를 감별하기 위해 초음파검사를 시행하고, 척추 질환을 배제하기 위해 경추에 대한 기본적인 X선 검사로 이상 여부를 확인한다. 특히 큰 환아에서는 드물게 뇌종양 등에 의해 발생하는 경우가 있으므로 이를 배제하기 위해 신중한 검사를 필요로 한다.

수술 전 예방적 항생제는 피부 절개 전 한 시간 이내에 투여 한다.

4. 마취

전신마취를 한다.

5. 환자 자세

(그림 5-1) 환아는 앙와위 자세에서 수술대에 잘 고정하도록 한다. 적당한 두께의 포를 양어깨 밑에 넣어 경부를 약간 과신전 시키고 이환 부위 반대쪽으로 고개를 돌린다. 자세를 유지하기 위해 머리 밑에 sponge doughnut 이나 포를 받쳐 고정한다.

6. 수술 준비

하악골 직상방에서 부터 양측 쇄골까지, 양측 경부의 후 외측까지 노출되게 경부를 소독 한다.

7. 절개 및 노출

목빗근을 분할하는 방법에는 목빗근의 상방, 중간부, 하방 중 한 곳을 분할하는 단극성 유리술과 상방과 하방 양 끝을 분할하는 양극성 유리술이 있으며, 일반적으로 목빗근 하방을 분할하는 단극성 유리술이 많이 시행된다.

(그림 5-2) 이환된 목빗근의 흉골 두부(sternal head)와 쇄골 두부(clavicular head)의 약 1 cm 상부에서 피부 주름을 따라 3~4 cm 정도 피부에 횡절개를 한다.

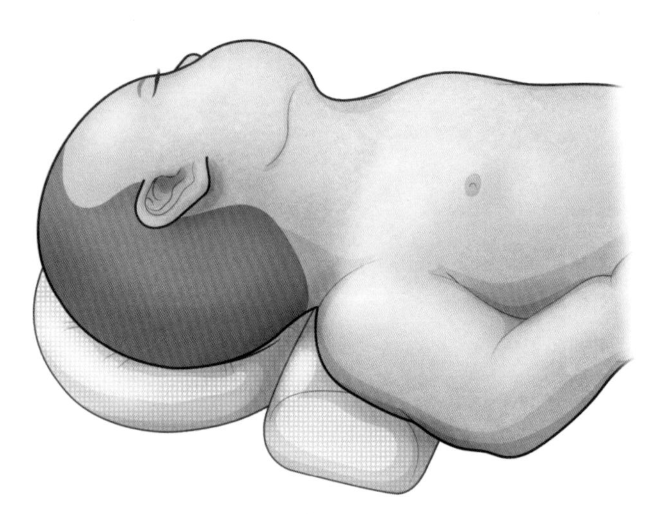

그림 5-1

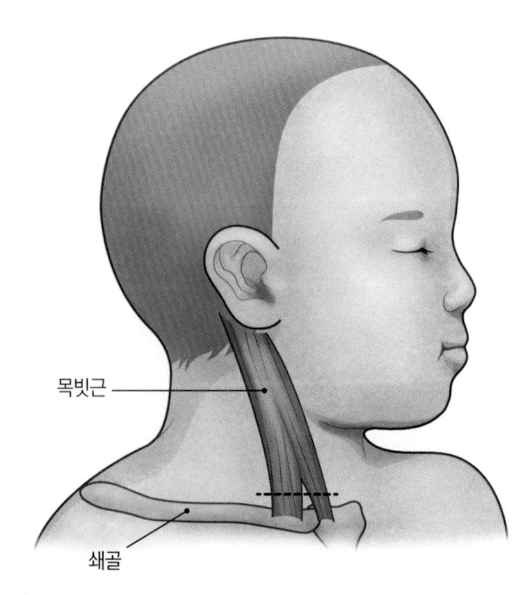

그림 5-2

(그림 5-3) 넓은 목근(platysma)을 절개하여 목빗근을 노출시킨다. 이때 외경정맥이 수술 시야에 있으면 수술 시야 확보를 위해 견인하거나 결찰하여 목빗근이 잘 노출되도록 한다. 수술 시 부적절한 지혈은 수술 후 혈종을 초래할 수 있으므로 주의해서 지혈한다. 특히 외경정맥과 같은 큰 표재성 정맥은 견인이 되지 않으면 결찰하는 것이 좋다.

8. 수술 과정

(그림 5-4) 목빗근 두 헤드의 양 측면과 전 후를 잘 박리한 후 각 두부를 쇄골과 흉골에 부착된 부위에서 전기소작기를 이용하여 출혈이 발생하지 않도록 횡으로 완전히 절단(transection) 시킨다.

(그림 5-5) 경부 후삼각의 저부를 가로질러 목빗근의 전 후 목근막(investing cervical fascia)을 박리하여 분리한다. 재발을 방지하기 위해 목빗근을 포함하여 주변 근막 및 단단한 연부조직을 완전 절제해 주는 것이 중요하다. 목빗근과 등세모근(trapezius muscle) 사이의 목근막의 긴장정도를 잘 만져가면서 박리하여야 하며, 박리 시 더부신경(accessory nerve)과 팔신경얼기(brachial plexus)와 같은 중요한 구조물들을 손상시키지 않도록 세심한 주의를 기울여야 한다.

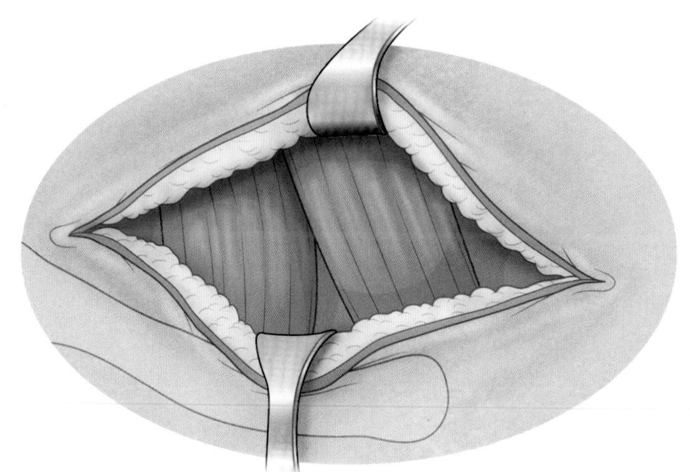

그림 5-3

그림 5-4

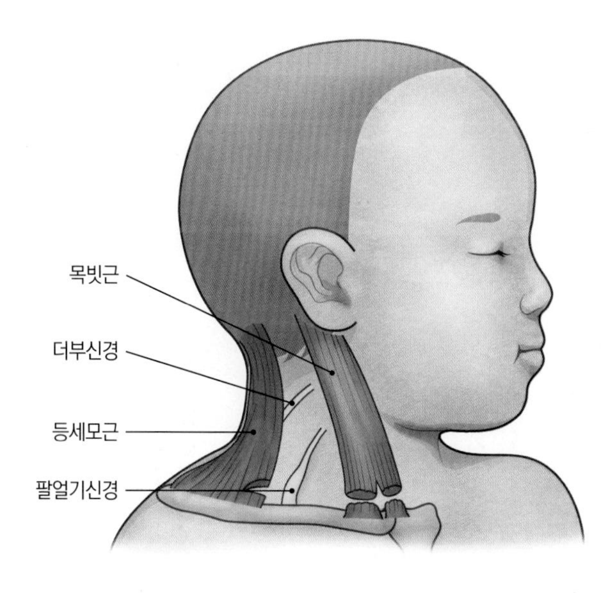

그림 5-5

(그림 5-6) 절단된 목빗근의 양 단면을 하방의 목혈관 신경집(carotid sheath)으로 부터 긴장감이 없도록 박리를 한다. 근위부는 비교적 제한된 박리를 시행하고 원위부는 쇄골과 흉골 근처까지 충분하게 박리를 시행한다.

(그림 5-7) 목을 이환된 쪽으로 돌려 절단된 목빗근을 수술부위에서 만져보면서 긴장감이 남아 있는 부위는 없는지 확인한다. 출혈 여부를 확인 후 넓은 목근을 봉합 후 피부를 봉합한다.

최근에는 귀 뒤쪽이나 액와부를 통한 내시경적 유리술(endoscopic release)도 시행되고 있다.

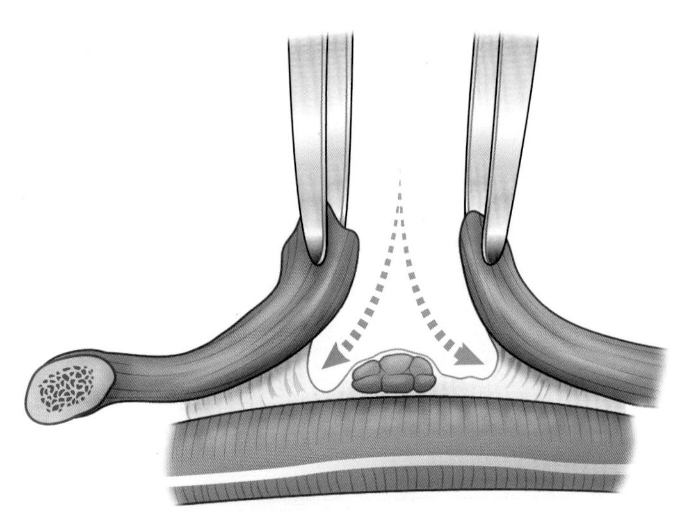

그림 5-6

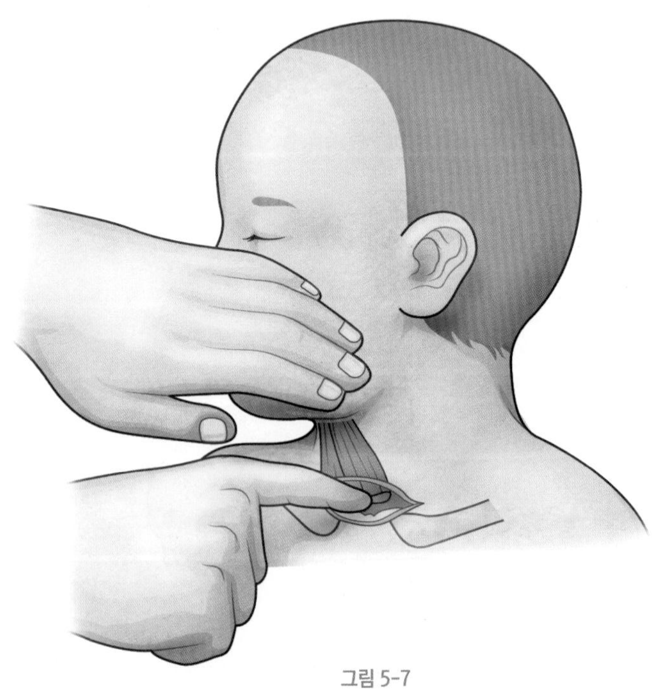

그림 5-7

CHAPTER 6

기관식도루를 동반한 식도 폐쇄증

Total correction of esophageal atresia with tracheoesophageal fistula

1. 적응증

기관식도루를 동반한 식도폐쇄증은 식도의 연속성이 끊어져 있으며 원위부 식도가 기관과의 누공이 형성되어 있는 질환을 일컫는다. 진단이 되면 반드시 수술이 필요하다.

2. 수술 전 처치

수술 전 식도폐쇄증의 유형이 결정되어야 한다. 위관을 삽입하여 식도 원위부 폐쇄를 확인하고, 단순 엑스선검사를 시행하여 복강 내에 공기 음영이 있는지를 확인한다. 조영검사가 반드시 필요한 것은 아니다. 흔히 VACTERL (Vertebral-Anal-Cardiac-Tracheal-Esophageal-Renal-Limb)이라 알려져 있는 다양한 연관기형을 동반할 수 있으므로 심초음파, 복부초음파, 척추검사 등의 수술 전 검사가 필요하다. 환아는 중환자실에서 집중치료를 받도록 하며 호흡부전이 있을 시 기도삽관을 통해 환기를 유지하도록 한다. 위관을 삽입하여 근위부 식도폐쇄에 대한 감압을 시행한다. 진단 즉시 흡인성 폐렴에 준하여 항생제를 사용한다.

3. 마취

전신마취가 필요하다.

4. 환자 자세

(그림 6-1) 좌측 측와위로 환아를 위치시킨다. 오른쪽 팔은 긴장 없이 외전(abduction) 상태로 유지할 수 있도록 환아 머리 위로 고정한다. 패드를 이용하여 부적절하게 압력을 받는 부위가 없도록 조치한다.

5. 수술 준비

경부 및 우측 상완, 흉부, 복부의 피부를 적절한 소독액으로 닦는다.

6. 절개 및 노출

견갑골 아래쪽 우측 제4늑간에 정중액와선(midaxillary line)에서부터 후방으로 절개를 가한 후 흉막외 접근을 통해 기관식도루 결찰, 절제 및 식도 단단문합술을 시행한다.

7. 수술 과정

피하조직 박리 후 광배근을 흉배신경(thoracodorsal nerve)과 함께 후방으로 젖힌다. 이후 견갑골과 그 끝에 붙어 있는 전거근(serratus anterior muscle)을 함께 앞쪽, 위쪽으로 당겨준다. 늑간근(intercostal muscle)은 5번째 늑골의 위쪽 경계를 따라 절개한다. 벽측 흉막이 노출되면 후방종격을 향해 벽측 흉막과 흉벽을 박리하여 흉막외 접근을 한다.

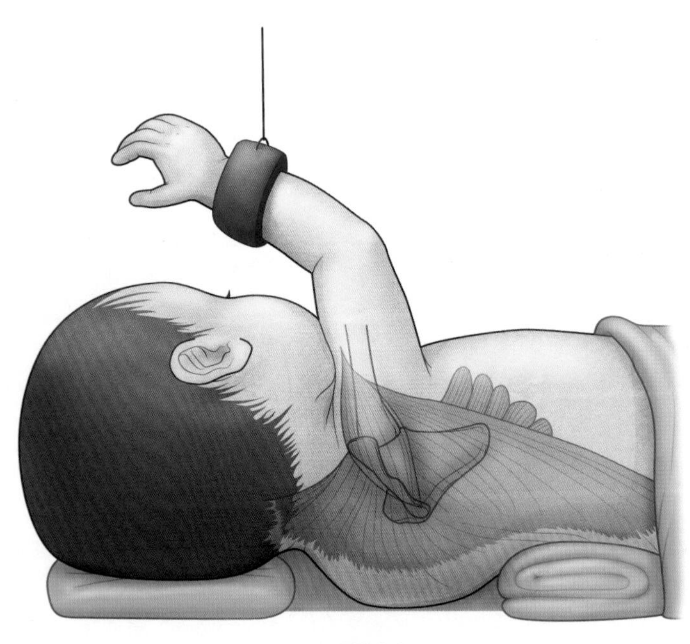

그림 6-1

(그림 6-2) 우측 폐를 조심스럽게 젖히고 기정맥(azygos vein)을 찾아 결찰 및 분리한다. 식도의 우측 경계를 따라 우측 미주신경이 지나가게 되므로 미주신경 근처로 기관식도루를 확인할 수 있다.

(그림 6-3) 미주신경 손상을 주의하면서 직각 클램프(right angle clamp)를 기관식도루 뒤로 통과시켜 혈관 슬링(vascular sling)을 건다.

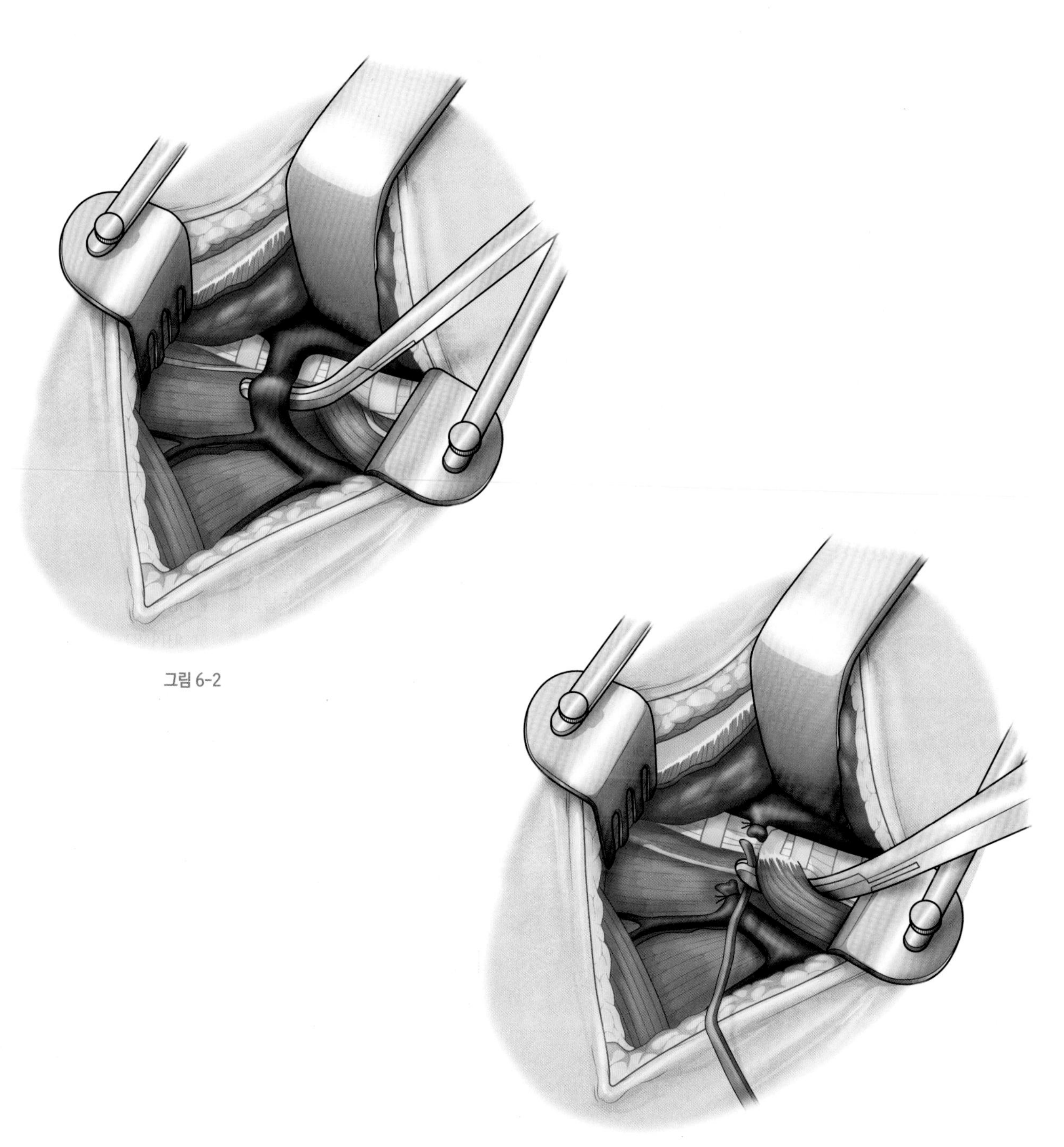

그림 6-2

그림 6-3

(그림 6-4) 기관식도루를 분리한 후 기관쪽에 남은 누공은 흡수사를 이용하여 봉합한다. 이때 기관이 좁아지지 않게 주의한다. 봉합 후에는 식염수를 채우고 강제 환기를 하여 공기의 누출이 없는지를 확인한다.

(그림 6-5) 근위 식도는 비위관을 밀어넣어 그 끝을 확인한 후 주변조직과 박리해 나간다. 가슴샘이 식도와 잘 구별이 안 될 수 있으니 주의한다. 박리가 끝나면 겸자로 끝을 물고 당겨 보아 길이가 짧지 않은지 확인한다. 길이가 다소 짧을 경우 근위 식도를 더 박리하는 것이 아래쪽 식도를 박리하는 것보다 허혈의 위험성이 낮아 안전하다. 길이가 충분하다면 근위 식도의 끝에 양쪽으로 봉합사를 걸어둔 후 절개창을 가한다. 이때 절개창이 식도의 가운데에 오도록 하는 것이 중요하다.

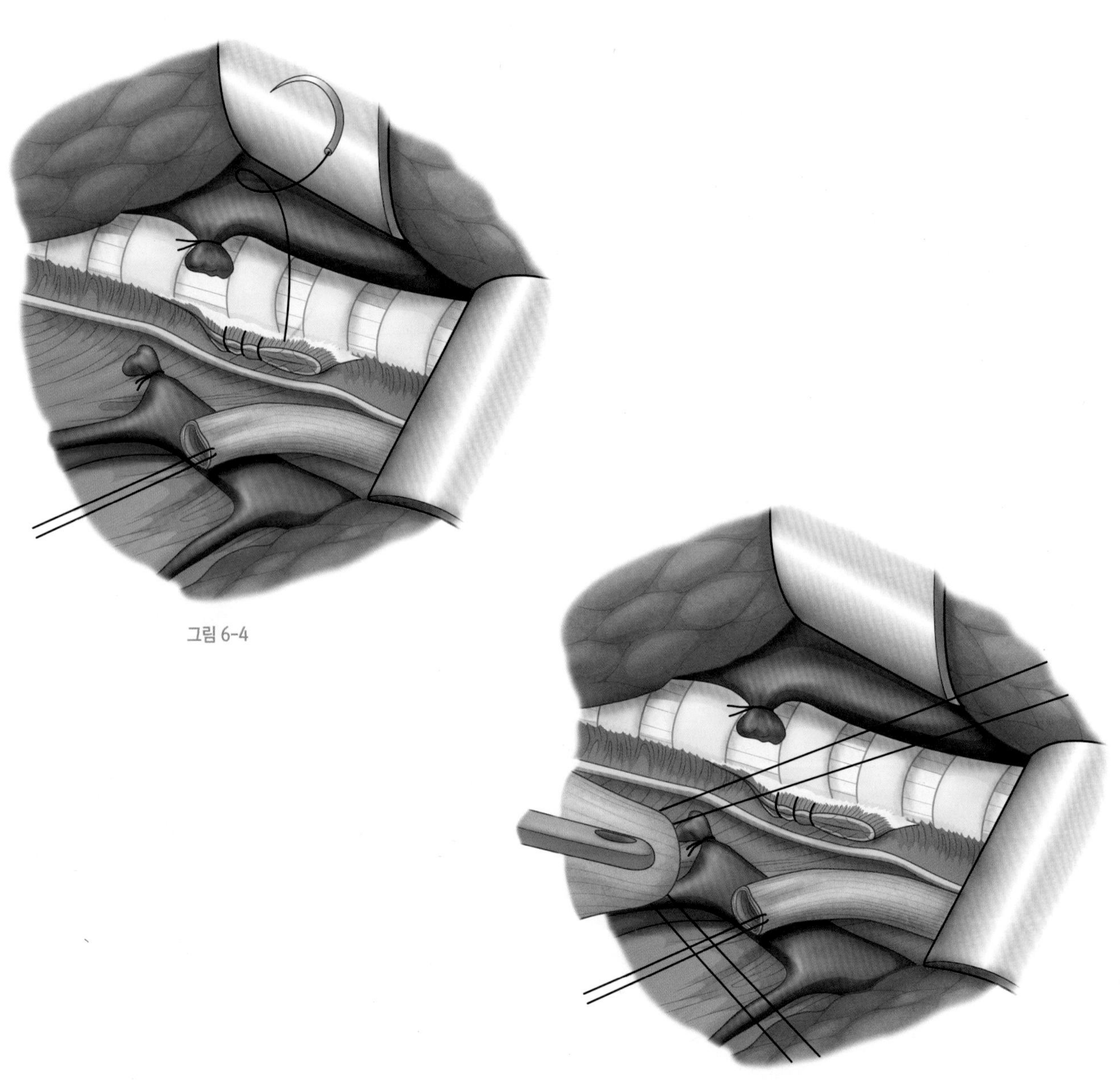

그림 6-4

그림 6-5

(그림 6-6) 근위 식도와 원위 식도의 열린 끝을 단단문합한다. 문합은 흡수사를 이용하여 단속봉합(interrupted suture)하며, 양쪽 끝을 먼저 봉합하고 뒷판과 앞판의 순서로 봉합한다. 봉합 시에는 근육층이 충분히 포함될 수 있도록 하는 것이 중요하며, 장력을 받지 않도록 주의한다.

(그림 6-7) 봉합이 끝나면 위관은 봉합부를 지나 위장 내로 거치시킨다. 별개의 늑간 절개창을 통해 흉관을 삽입한 후 늑골을 접근 봉합하고 근육 및 피부절개창을 봉합한다.

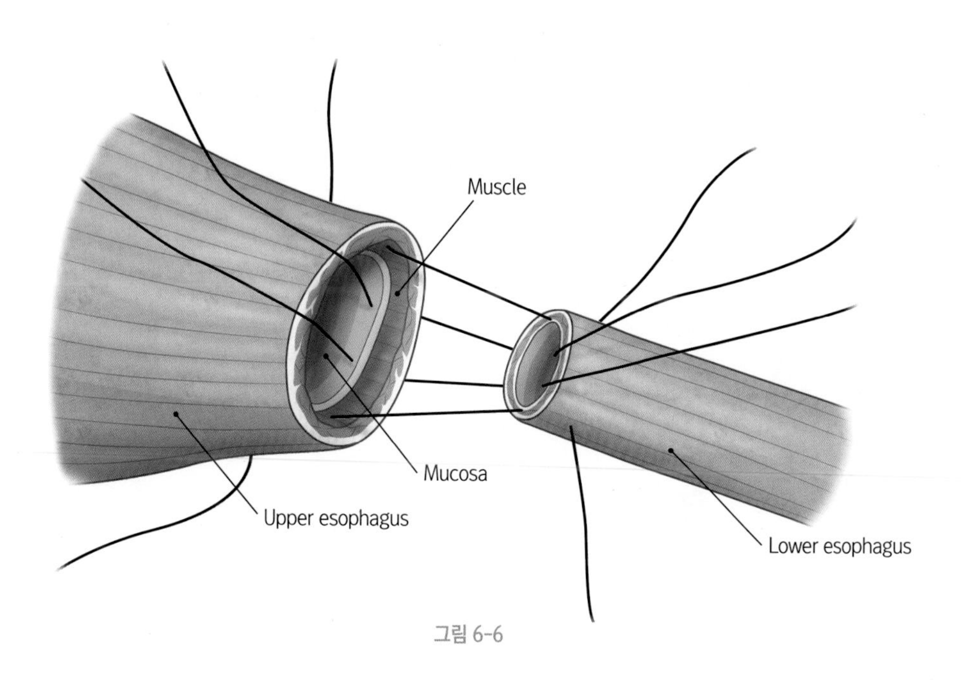

그림 6-6

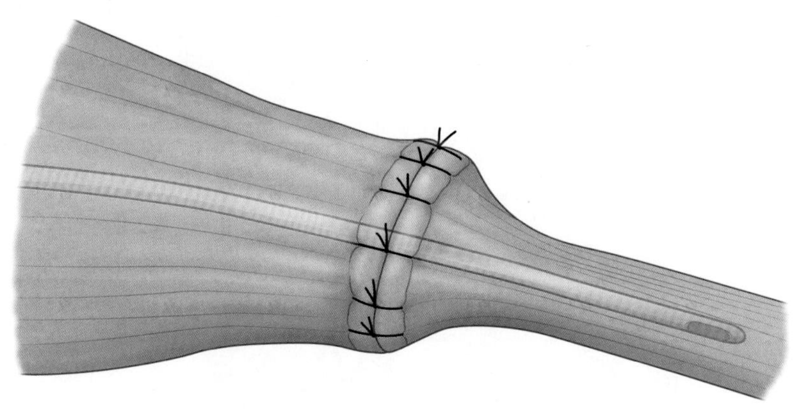
그림 6-7

8. 흉강경 술식

(그림 6-8) 개흉 수술과 동일한 방식으로 수술 전 준비를 한 후, 우측 가슴 아래에 패드를 넣어 약 15° 기울어진 semi-prone 포지션을 취하도록 한다. 수술자는 테이블의 좌측에 서고, 카메라 구동 보조의 좌측에, 환자의 발치에 서도록 한다. 스크럽 간호사는 환자의 우측 아래쪽에 서도록 하고, 모니터는 환자의 머리 좌우측에 하나씩 위치하도록 한다.

(그림 6-9) 카메라용 5 mm 트로카는 scapula의 아래쪽 팁보다 1 cm 아래에 위치하도록 삽입하고, 수술자의 좌우측 기구용 3 mm 트로카는 그보다 posterior쪽과 anterior 쪽에 하나씩 위치하도록 한다.

이산화탄소는 5 mmHg 압력과 0.1 L/min의 속도로 설정한다. 기흉을 유지하는 것은 마취과 의사와 긴밀히 협조하는 것이 매우 중요하며, 특히 초기에는 minute volume을 변경하지 않고 환기 속도를 높이는 것이 도움이 된다. 기흉 압력을 일시적으로 낮추는 것도 도움이 된다. 보통 폐를 retraction하기 위한 기구는 불필요하다.

원위 누공은 azygos 정맥 또는 그 위쪽에 있다. azygos 정맥 위의 흉막을 세로 열고 노출된 정맥을 흉강 내 suture ligation하여 절단할 수 있다. Monopolar hook coagulator를 이용하여 절단할 수도 있다.

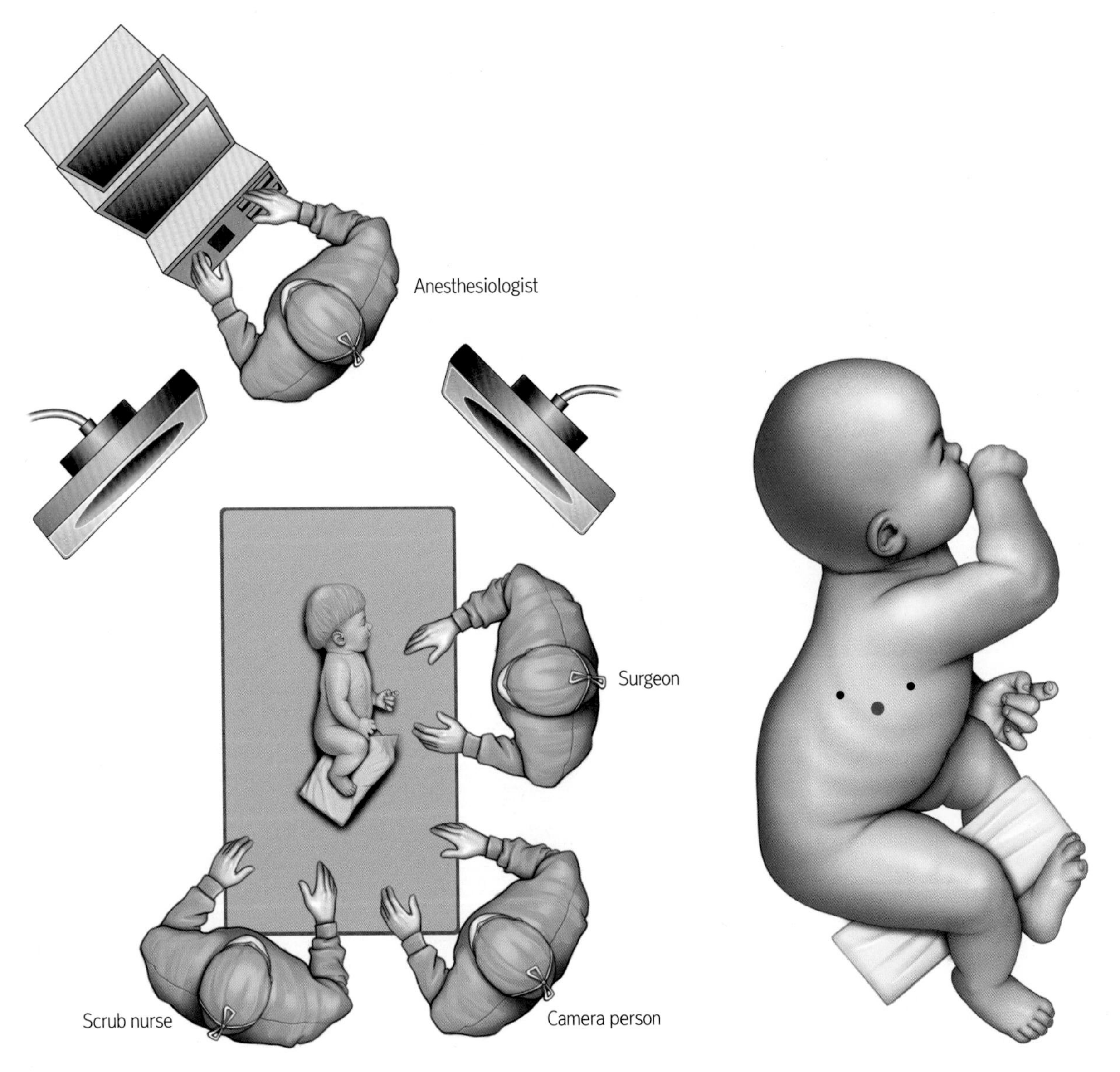

그림 6-8

그림 6-9

(그림 6-10) 원위 식도는 가능한 한 미주신경의 손상을 최소화하며 mobilization한다. 누공 주변을 mobilization한 후, 5-0 봉합사를 이용하여 tie하고 절제한다.

(그림 6-11) 이어서 근위부 pouch를 mobilization한다. Monopolar diathermy를 이용하여 근위 pouch의 끝을 구멍을 만든 다음 가위로 개봉한다. 구멍이 너무 작으면 협착이 발생하므로 점막을 포함하여 근위 식도를 잘 열어야 한다.

식도 뒷판의 중간부터 봉합을 시작한다. 이 첫 번째 스티치는 근위 식도의 안쪽에서 시작하여 밖으로 나간 후 원위 식도의 밖을 통해 다시 안쪽으로 들어오도록 한다. 다음 봉합사는 첫 번째 봉합사 좌우에 같은 방식으로 시행한다. 뒷판이 완성되면, 환자의 비위관을 원위부 식도로 넘겨 위치하도록 한다. 앞판의 봉합은 근위부의 밖에서 안으로 들어와 원위부의 안에서 밖으로 나가는 방식으로 시행한다. 일반적으로 약 8~10개의 봉합을 시행한다.

봉합을 마친 후 수술 필드를 irrigation하고 흉관을 삽입한다. 투관침을 제거하고 삽입부위를 봉합하여 마무리한다.

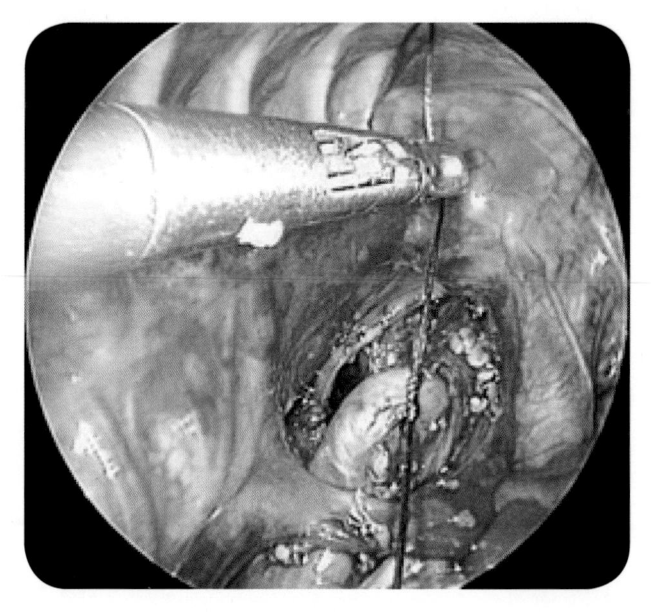

그림 6-10

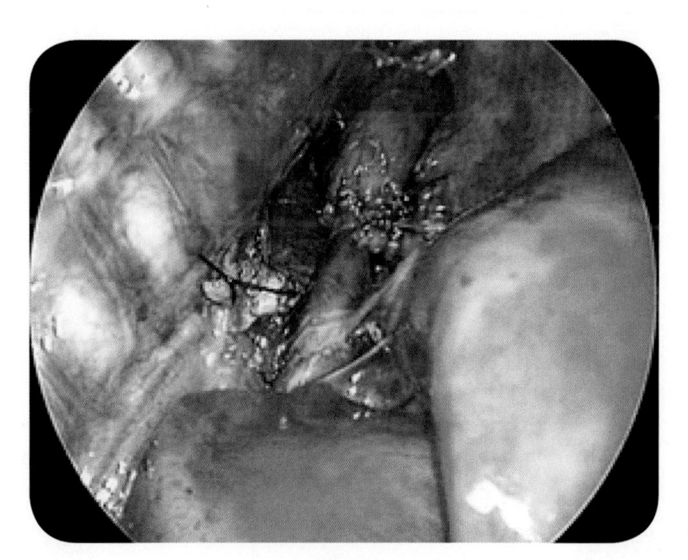

그림 6-11

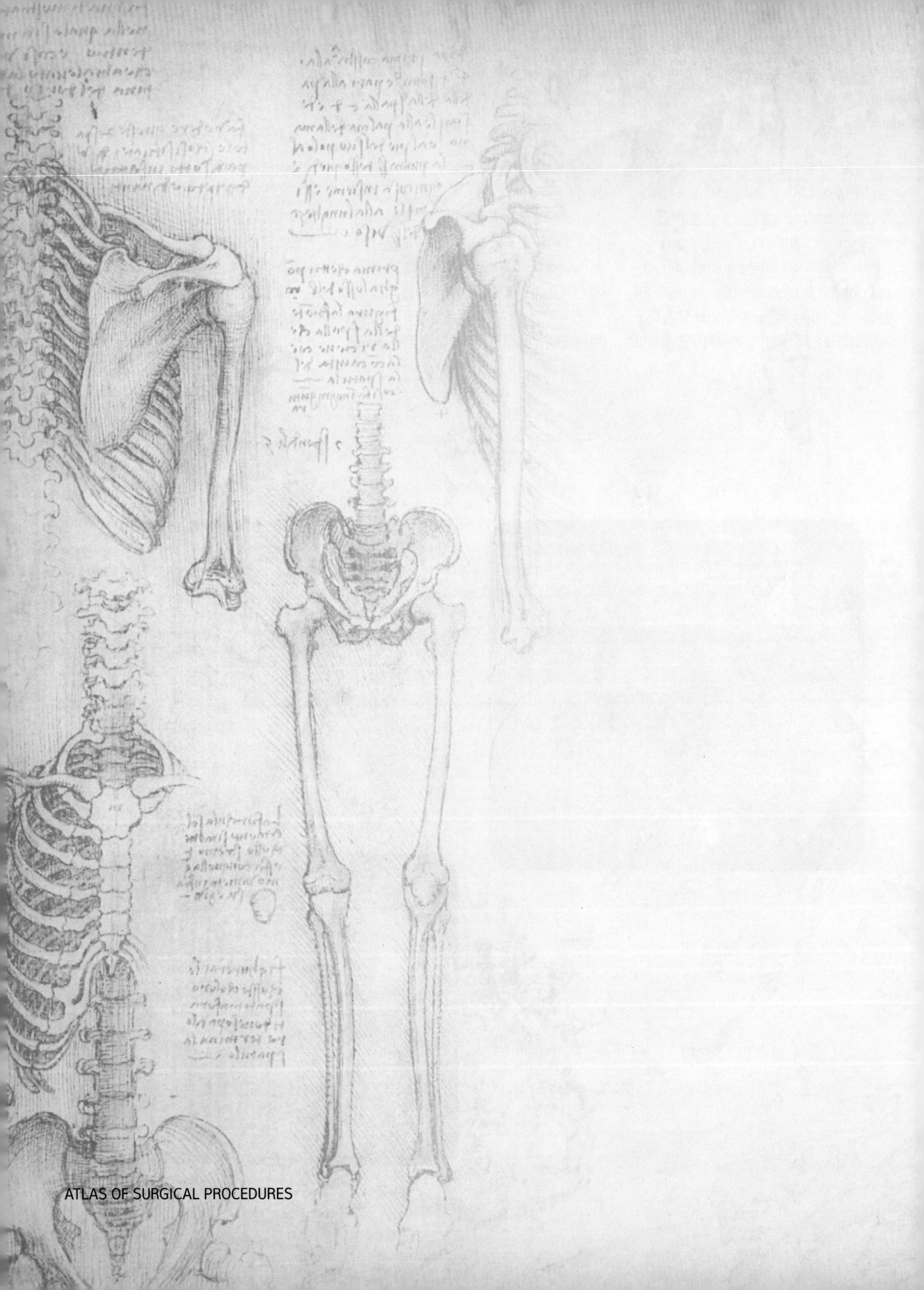

ATLAS OF SURGICAL PROCEDURES

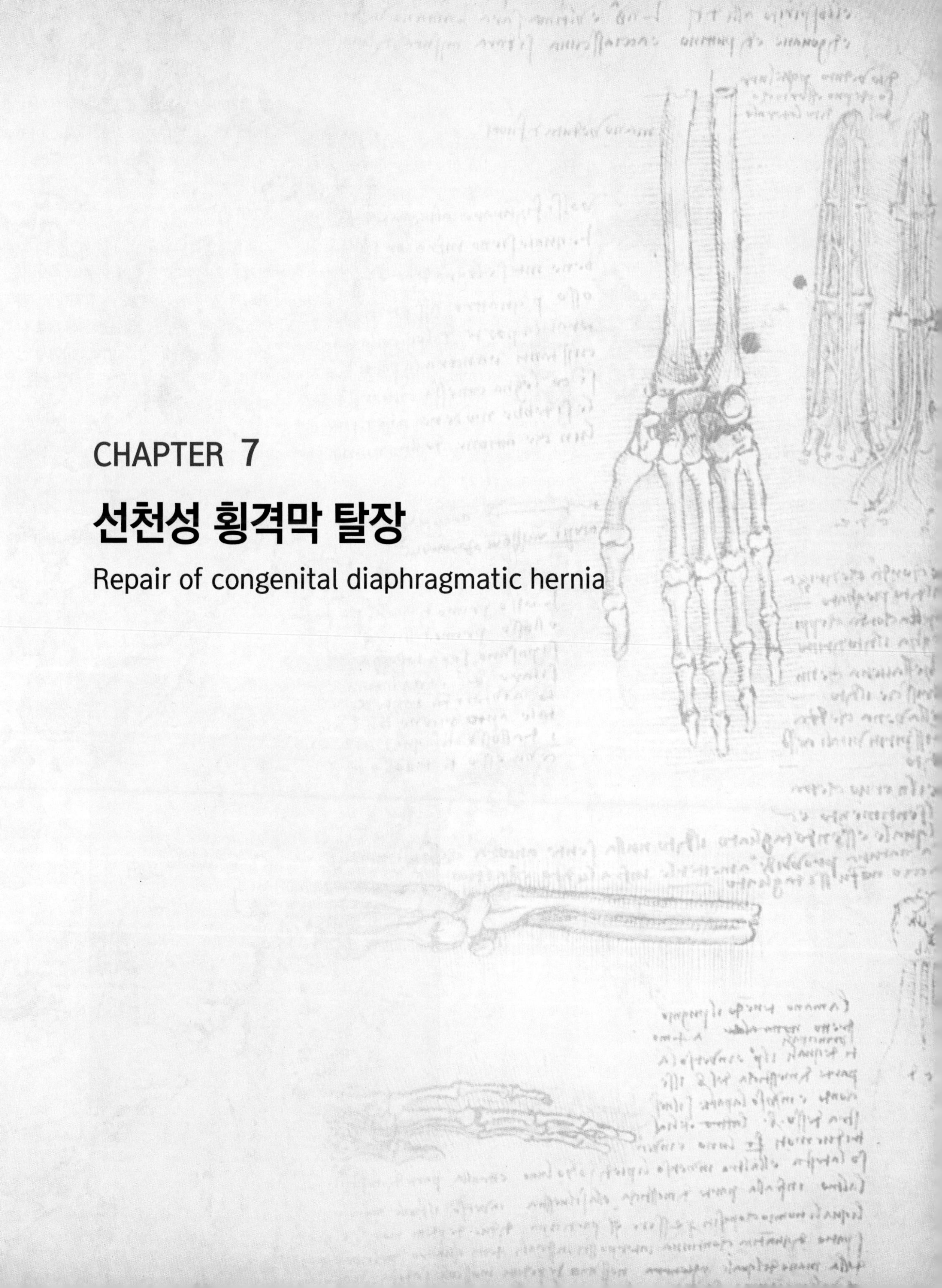

CHAPTER 7

선천성 횡격막 탈장

Repair of congenital diaphragmatic hernia

1. 서론

횡격막 탈장은 횡격막 근육의 결손 부위를 통하여 복부의 장기가 흉강으로 올라가는 상태로, 횡격막 후외측 결손인 선천성 횡격막 탈장(Bochdalek type)과 횡격막 전방의 결손인 선천성 횡격막 탈장(Morgagni type)으로 분류한다. 90% 이상의 환자가 Bochdalek type으로 산전에 진단되어 신생아기에 발견되며, 복부 장기에 의해 눌린 폐가 잘 성장하지 못하면서 폐저형성과 폐고혈압을 유발하기 때문에 수술 전후 처치가 매우 중요하다. 대부분 좌측에 발생하며, 결손 부위의 크기와 탈장낭 유무에 따라 예후가 달라질 수 있다. Bochdalek type 은 pulmonary hypoplasia 의 정도에 따라 예후가 결정되기 때문에 여전히 다른 선천성 기형에 비해 높은 사망률을 보인다. 그러나, Morgagni type 은 출생 당시 증상이 없고 영아 후반기에 우연히 발견되는 경우가 많아 좋은 예후를 보인다.

2. 진단

선천성 횡격막 탈장으로 태어난 신생아는 빈호흡, 그렁거림, 청색증 등을 동반하는 전형적인 호흡 곤란 증상을 동반하며, 이학적 검사에서 홀쭉배와 술통가슴의 소견을 관찰할 수 있다. 산전 초음파의 발달로 산전 진단이 대부분 이루어지며, 출생 후 진단은 단순 흉부 촬영으로 쉽게 확인할 수 있다(그림 7-1).

3. 수술 전 처치

과거에는 진단 직후 응급 수술을 시행하였으나, 1990년대 이후부터는 환자의 상태를 안정시킨 후에 수술을 시행하는 것이 원칙이다. 호흡 부전을 보이는 경우 출생 즉시 기관 삽관 및 비위관 삽입을 시행하고, 인공 호흡기 치료를 시작한다. 가능한 자발 호흡을 유지하고 인공호흡기에 의한 압력 손상을 최소화 하는 것이 중요하다. 최소한의 환기를 하면서 어느 정도의 이산화탄소혈증을 용인해주는 Permissive hypercapnia 전략을 따른다. 환자에 따라 다양하게 적용될 수 있지만, 기존 인공환기 요법에서 이산화탄소 분압이 높은 경우 진동환기 요법(high frequency ventilator)이 필요하기도 하고, Dobutamine 등의 승압제, 폐저형성과 폐동맥 고혈압에 대한 치료로 Nitric oxide 치료가 도움이 된다. 적극적인 치료에도 불구하고 혈압과 산소 포화도를 유지하지 못하는 경우 ECMO (Extracorporeal membrane oxygenation)을 적용한다.

4. 마취

수술 중 압력주기용 영아용 환기기로 기계 환기를 시행한다. 압력에 의해 폐손상이 일어나지 않도록 최소한으로 유지하고, 폐동맥 고혈압에 대한 모니터링을 위해 우측 상지(preductal)와 하지(postductal)에서 산소 포화도를 모니터하는 것이 중요하다. 체온 유지에 각별히 주의한다.

5. 수술 방법

복부 접근의 개복술이나 흉강경을 통한 최소 침습 수술 방법으로 시행한다.

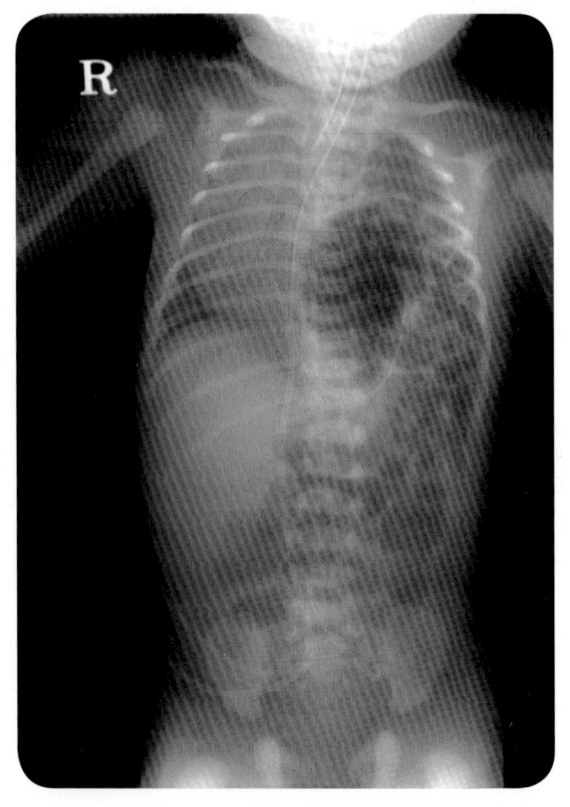

그림 7-1

I. 개복술

1. 환자자세

앙와위에서 상복부와 흉부를 소독하여 준비한다.

2. 피부절개

선천성 횡격막 탈장이 발생한 쪽의 늑골하 피부절개 혹은 상복부 횡절개를 시행한다.

3. 수술 과정

복강에 진입한 후, 피부 절개의 두측과 횡격막의 전측 변연을 견인하면 탈장의 결손 부위를 쉽게 확인할 수 있다(그림 7-2A). 탈장된 장기 및 장관이 손상되지 않도록 조심스럽게 환원시킨다. 특히 비장과 간의 환원 시 과도한 압력으로 출혈과 파열이 일어나지 않도록 조심한다. 탈장되었던 장관을 복강 밖으로 꺼내놓은 후 탈장막이 있는지 확인한다. 탈장막이 있다면, 횡격막 근육 조직이 있는 부위와 막으로만 되어 있는 부위를 구별하여 탈장막을 제거한다. 탈장막의 제거가 필수적인 것은 아니다. 탈장막이 없는 경우, 횡격막 결손의 변연은 중피로 덮여서 말려 들어가 있다. 이 부분을 박리하여 횡격막의 후측 변연을 펼치면 결손 부위의 크기를 줄일 수 있다(그림 7-2B).

비흡수성 봉합사를 사용하여 단순단절봉합으로 결손 부위를 봉합한다. 대부분의 경우 결손 사이의 장력이 강하기 때문에 pledget을 사용하여 횡격막 근육의 파열을 막는 것이 좋다. 결손 부위가 너무 큰 경우 인공첩포를 사용하기도 한다. 보통 1 mm 두께의 Goretex나 생체재료의 인공첩포를 사용한다(그림 7-2C).

수술 후 출혈이 심하거나, 기흉이 있지 않을 경우 흉관을 반드시 삽입할 필요는 없으며, 삽입하더라도 음압을 걸지 않고 자연 배액시킨다. 횡격막 탈장 수술 중 중장회전이상에 대한 수술 시행 여부는 논란이 있다. Ladd's band가 있어서 중장염전이 있는 경우가 아니라면 중장회전이상에 대한 조작이 수술 후 장폐색의 위험을 높일 수 있으므로, 이를 시행하지 않는 것을 권한다.

4. 창상봉합

대부분의 경우 복벽과 복강이 제대로 발달되지 않아 복벽을 봉합하는 것이 매우 어려울 수 있다. 복벽을 닫은 후, 복벽구획증후군이 발생할 우려가 있는 경우 인공 첩포를 사용하여 이차 봉합을 시도하는 것이 좋다.

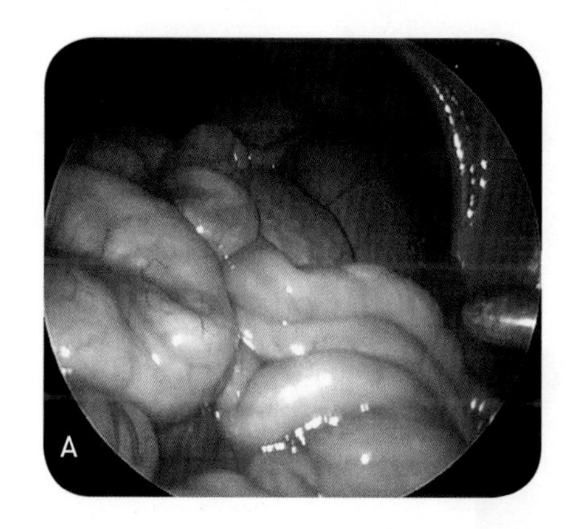

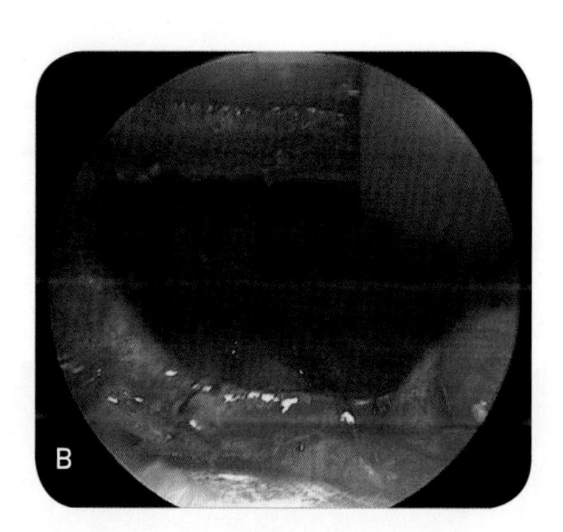

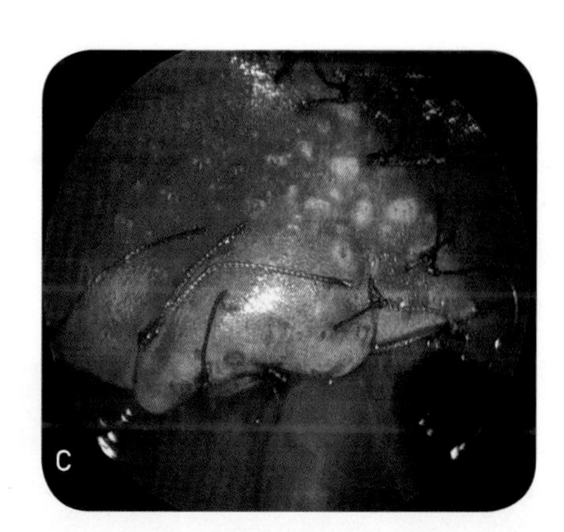

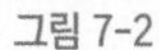

그림 7-2

II. 흉강경 수술

1. 환자 자세

(그림 7-3) 환자를 병변 쪽이 위로 올라오게 측와위로 눕히고, 약간 Trendelenburg 체위로 한다. 신생아는 수술 침대에 횡으로 눕히는 것도 최소 침습 수술의 인체공학적인(ergonomics) 측면에서 도움이 된다.

2. 장비 및 수술자의 위치

수술자는 환자의 배쪽에 서고, 수술자, 환자, 모니터는 일직선에 있게 한다.

3. 장비 및 물품

0°와 30° 카메라를 준비한다. 소아에서 5 mm 흉강경을, 신생아는 3 mm 흉강경을 사용한다. 봉합사는 비흡수성으로 준비한다.

4. 수술 과정

흉강경을 위한 첫번째 투관침은 견갑골(scapula) 아래쪽 끝의 바로 앞쪽 늑간에 뚫는다. 수술 기구를 위한 앞쪽의 투관침은 5번째 늑간에 넣는다. 뒤쪽의 투관침은 흉강경과 척추 사이에 뚫는다. 신생아의 경우 투관침 사이의 간격이 가깝거나, 너무 후방에 위치하면 기구의 간섭이 발생할 수 있어 주의해야 한다.

첫번째 투관침은 직접 보면서 넣어야 한다. CO_2는 0.1 L/min의 속도로 최대 압력을 6~8 mm로 유지한다. 대부분의 경우, 폐가 수축되면 탈장된 장기가 복강으로 환원되기 시작한다. CO_2 통기에 의한 문제점들이 보고되었지만, 투입 속도와 압력을 가능한 낮게 유지하면, CO_2 insufflation으로 인한 합병증은 드물다.

(그림 7-4) 탈장막이 있으면 흉강 내로의 CO_2 통기로 쉽게 환원된다. 탈장막이 없으면 위장, 소장, 대장을 환원한 후 비장을 환원한다. 탈장의 결손 크기가 작을 경우 오히려 어렵다. 탈장의 환원이 어려울 경우, 일시적으로 CO_2 통기 압력을 높여 쉽게 환원될 수 있다.

인공 첩포를 사용해야 할 정도로 결손이 큰 경우, 결손의 크기에 맞추어 인공 첩포를 재량한 후, 투관침 중의 하나를 5 mm 정도로 넓힌 후 둥글게 말아 넣어 봉합한다.

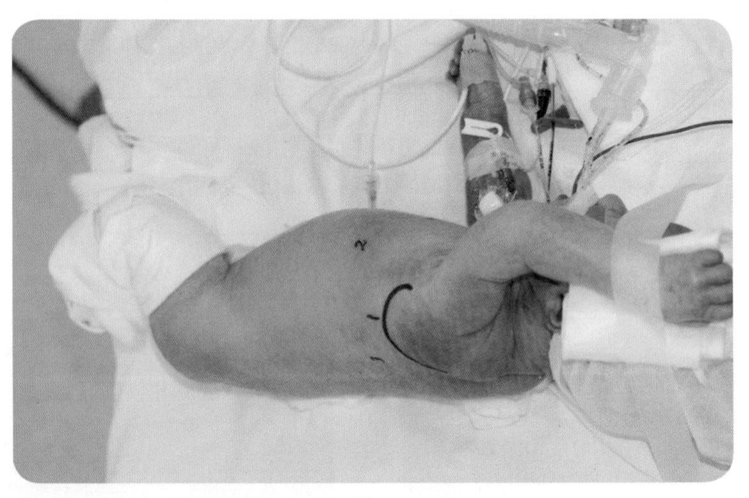

그림 7-3

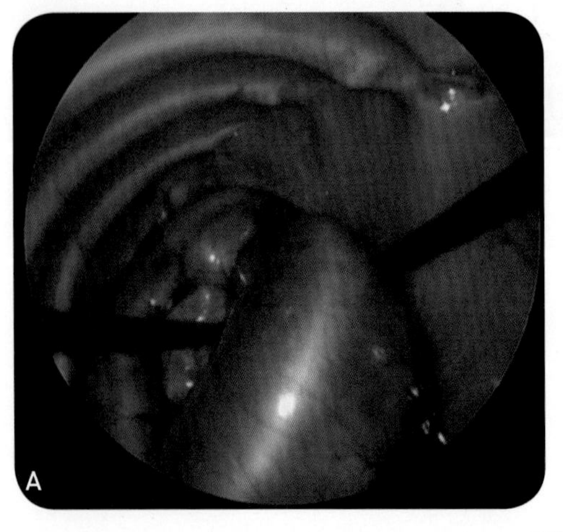

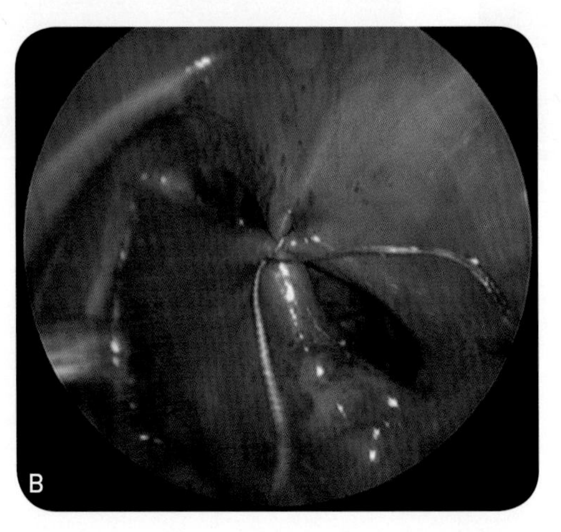

그림 7-4

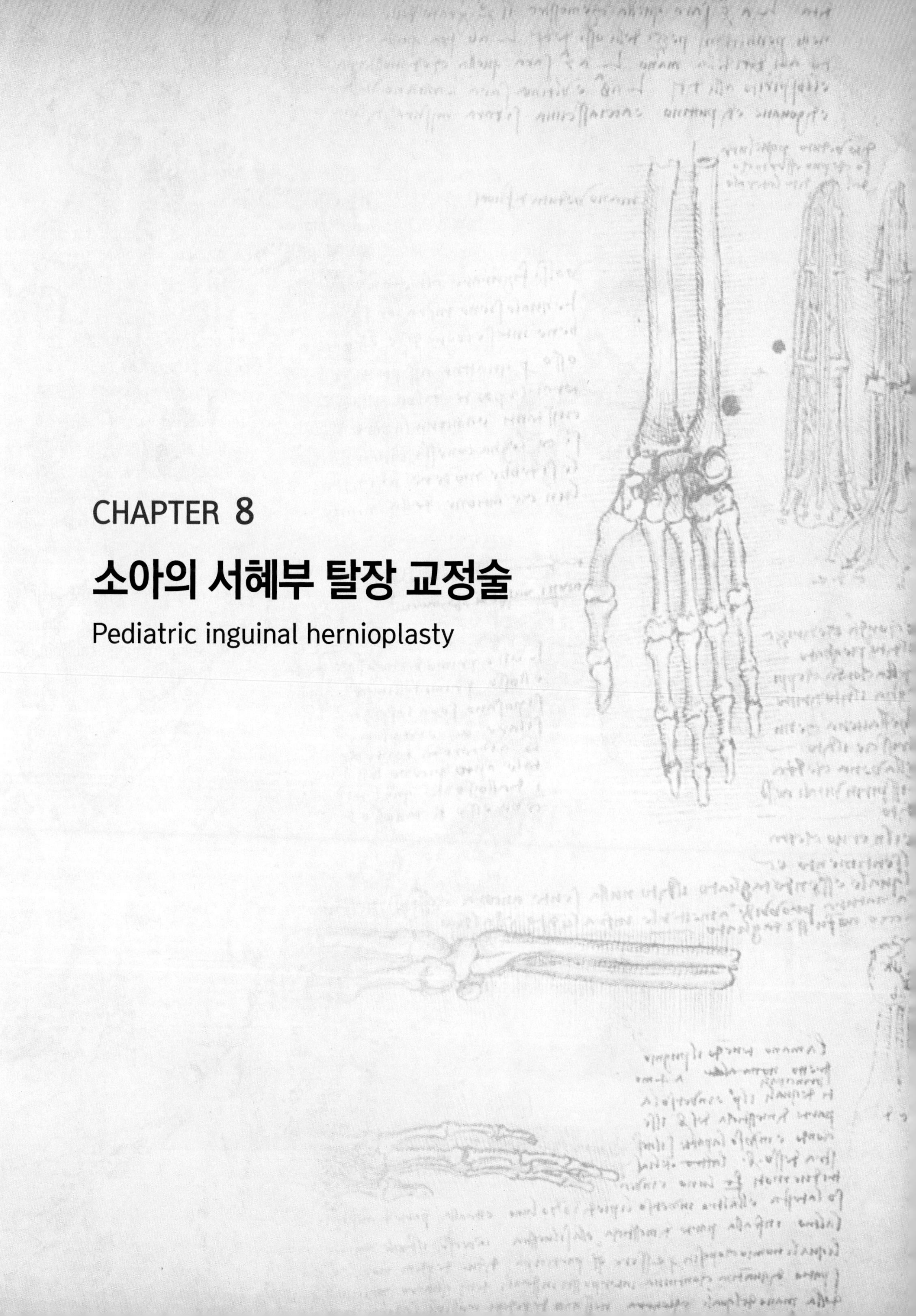

CHAPTER 8

소아의 서혜부 탈장 교정술

Pediatric inguinal hernioplasty

1. 적응증

서혜부 탈장이 진단된 모든 소아 환자 : 미숙아의 경우 환자의 상태와 소아외과 전문의의 판단에 따라 신생아실에서 퇴원 전 수술하거나 혹은 교정연령 50개월에 선택적 수술을 할 수 있다.

2. 비적응증

서혜부 탈장 수술에 대한 절대적 혹은 상대적 금기증은 없다. 다른 이유로 수술이 연기될 수는 있다.

3. 수술 전 처치

- 미숙아 : 미숙아의 출생 연령에 따라 나타날 수 있는 여러 장기의 문제점에 대하여 평가한다. 폐의 미성숙, 장기적 호흡기치료, 산소치료 등에 의하여 나타날 수 있는 만성 폐질환, 폐고혈압, 폐기능의 감소로 만성 산소 치료를 해야 할 필요가 있다.
- 기관지 삽관을 오래한 경우 성대문밑협착(subglottic stenosis) 고려 : 폐질환이 있는 경우 이뇨제 치료 할 수도 있는데 그 경우 volume 감소 및 전해질 불균형을 보일 수 있다. 신경학적 문제로 경기, 뇌실출혈(IVH; Intraventricular Hemorrhage)와 무호흡(prolonged apnea)보일 수 있다. 미숙아의 경우 빈혈이 흔하며, 이는 수술 후 무호흡의 원인이 될 수 있다.
- 수술 전 금식 : 신생아, 유아의 경우 3~4시간, 청소년의 경우 6시간
- 예정된 서혜부 탈장 수술 전에 예방적 항생제는 필요 없다. 다만, 감염의 위험도가 높게 예측되는 경우 사용할 수 있다.

4. 마취

- 기도삽관 전신마취를 하고, 전신마취가 힘든 미숙아의 경우 척추마취(spinal anesthesia) 혹은 미추차단(caudal block)을 할 수 있다.
- 전신마취 후 미추차단을 첨가하거나 혹은 전신마취가 힘든 환아에서 척추마취를 시행하면 수술 후 무호흡(postoperative apnea) 발생률이 감소된다.

5. 환자 자세

- (그림 8-1) 앙와위(supine position)
- 서혜부에 지방(prepubic fat pad)이 많은 유아의 경우 엉덩이에 작은 수건을 받쳐주면 수술 중 노출이 용이하다.

6. Operative approaches to inguinal hernia

- 소아의 서혜부 탈장 수술은 대부분 open technique을 사용한다. 최근 소아에서도 복강경을 이용한 탈장수술이 일부 소아외과의에 의해서 시술되고 있으나 재발률이 아직은 상대적으로 높게 보고 되고 있어 논란이 있다. 본 atlas에서는 open technique과 함께 복강경 수술을 간단히 소개하고자 한다.
- 소아 서혜부 탈장 수술의 기본 원칙: 열려 있는 초상돌기(processus vaginalis)를 내서혜륜(internal inguinal ring) level에서 고위결찰(high ligation)한다.

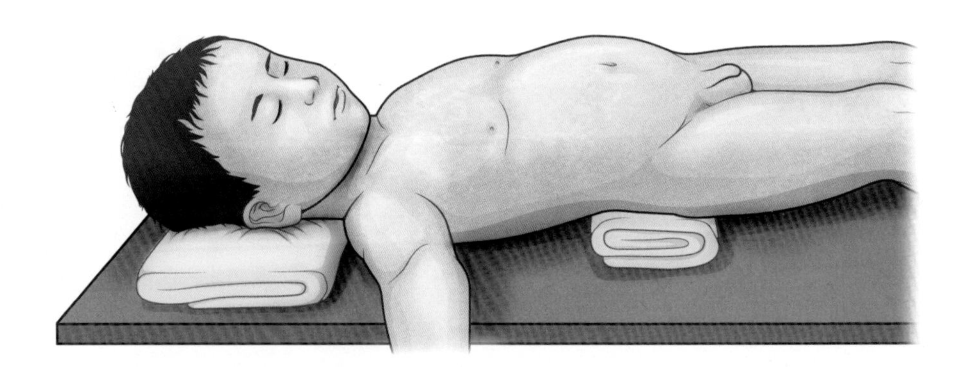

그림 8-1

7. 수술 과정

1) open inguinal herniorrhaphy

(1) 남아

(그림 8-2) 치골(pubic bone)직상방의 서혜 피부선을 따라 절개를 하는데, 치골결절(pubic tubercle) 바로 위, 외측으로 정삭구조물(cord structure) 위에 혹은 내서혜륜 위에1~1.5 cm절개선을 넣는다.

(그림 8-3) 피부에 절개선을 가하여 진피를 열면 하방에 노란색의 피하층이 나오고 이를 잡고 수직으로 열면 하얀색의 Scarpa's fascia가 나온다.유아에서는 이 층이 생각보다 두꺼워 외복사근건막(external oblique aponeurosis)으로 오인되어 수술 plane을 잘못 들어가는 원인이 된다.

(그림 8-4) 겸자(forceps)를 이용하여 Scarpa's fascia를 들어 올린 후 Bovie 혹은 Metzenbaum scissors를 사용하여 절개를 가하면 상외측에서 하내측의 방향을 보이는 외복사근건막(external oblique aponeurosis)의 fibers인 하얀 색 근막이노출된다.

성인 수술 시에는 일반적으로 외서혜륜을 포함하여 외복사근건막에 절개를 가하지만, 소아에서는 성인과 달리 외서혜륜을 건드리지 않고 외서혜륜의 외측으로 외복사근건막에 절개를 가한 다음 사이를 벌리고 절개된 아래 근막의 하연을 따라가 서혜인대를 확인한다.

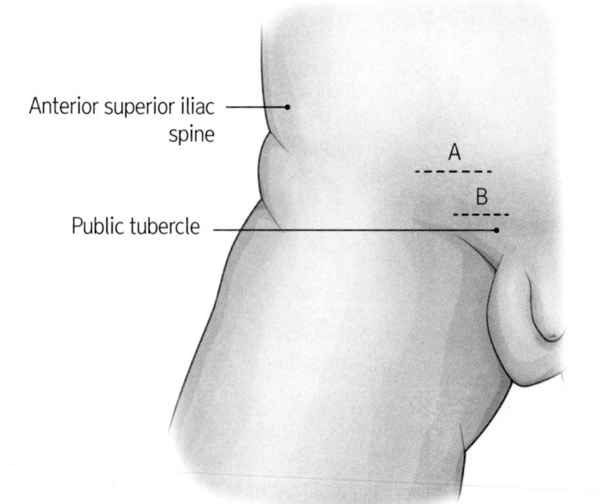

그림 8-2

TIP 1
유아에서는 어리면 어릴수록 내서혜륜과 외서혜륜이거의 겹치듯이 가깝게 있기 때문에 피부 절개선을 더 아래쪽, 더 안쪽으로, 즉 외서혜륜에 가깝게 넣는 것이 좋다.

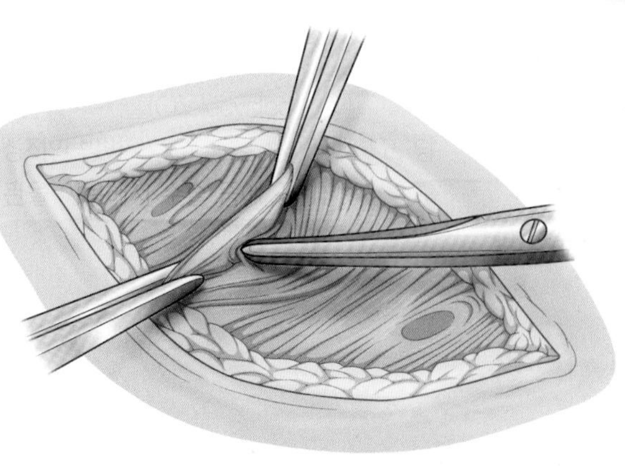

그림 8-3

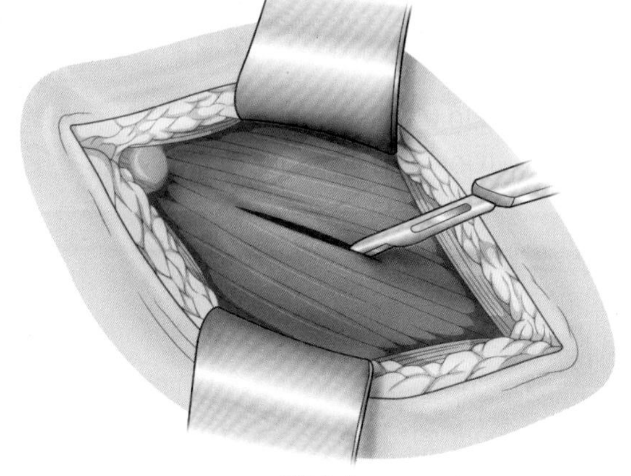

그림 8-4

TIP 2
Scarpa's fascia는 오칭(misnomer)이다. 두껍고 하얗게 보여 마치 근막(fascia)처럼 보이지만 실제 지방층이 단단히 두꺼워진 층으로, Scarpa's fascia를 열어보면 바로 밑에 또 다른 노란색의 지방층이 보이므로 외복사근막과 쉽게 감별된다.

TIP 3
간혹 Scarpa's fascia상방의 지방층이 두꺼워져 또 하나의 근막처럼 하얗게 보일 수 있는데 이것이 Camper's fascia이다. 이 역시 열었을 때 노란색의 지방이 나오거나 혹은 또 다른 하얀색의 Scarpa's fascia가 나오므로 접근 시 염두에 두어야 한다.

TIP 4
생후 6개월 미만의 유아의 경우 내^외서혜륜이 거의 앞뒤로 겹치듯이 있어서 외복사근막을 절개하지 않고 외서혜륜을 통해서도 수술이 가능하다.

TIP 5
외복사근건막(external oblique aponeurosis)을 열었을 때 확인하여야 할 2가지 landmarks는 서혜인대(inguinal ligament)와 정삭(spermatic cord)을 둘러싸는 고환거근(cremasteric muscle)을 따라 주행하는 장골서혜신경(ilioinguinal nerve)이다. 경험이 충분하지 않은 상태에서 이 두 가지를 확인하지 않고 수술을 진행하면 plane을 잘못 들어갈 수 있다.

(그림 8-5) 고환거근(cremasteric muscle)과 이 근육을 따라 함께 주행하는 장골서혜신경(ilioinguinal nerve)을 확인 후 신경을 건드리지 않도록 조심하면서 고환거근을 섬유방향을 따라 벌리면 정삭(spermatic cord)이 보인다. 이때 구조물을 조심스럽게 잡고 견인하여 올린다.

(그림 8-6) 정삭을 싸고 있는 투명하고 얇은 내정삭근막(internal spermatic fascia)을 조심스럽게 박리하여 탈장낭(hernia sac)을 정관(vas deferens)과 정삭혈관(spermatic vessels)으로부터 분리한다.

(그림 8-7) 탈장낭의 내용을 확인, 비어있음을 확인 후에 탈장낭을 위아래 겸자로 잡고 절단하여, 원위부는 제거할 필요 없이 출혈의 유무를 확인 후 제 자리에 넣는다.

(그림 8-8) 근위부탈장낭을 잡고 조심스럽게 안쪽을 향하여 주변조직을 박리하여 노란색의 전복막 지방이 보이는 내서혜륜까지 도달한다. 진정한 내서혜륜의 landmark는 전복막 지방이다.

(그림 8-9) 가능하다면 근위부탈장낭 및 복강경을 이용하여 반대쪽 초상돌기(processus vaginalis)가 열려 있음을 확인할 수 있다. 근위부탈장낭을 통하여 3 mm trocar를 넣고 가스가 빠지지 않도록 결찰한 다음 이산화탄소 가스를 8 mmHg, 1~4 cc/min의 속도로 주입 후 3 mm 70도의 복강경을 이용하여 반대편 내서혜륜의 초상돌기(processus vaginalis)가 닫히지 않고 열려있는지 확인한다. 1.5 or 2 cm 이상의 깊이를 보이는 경우 열려있다 판단하고 수술을 시행한다.

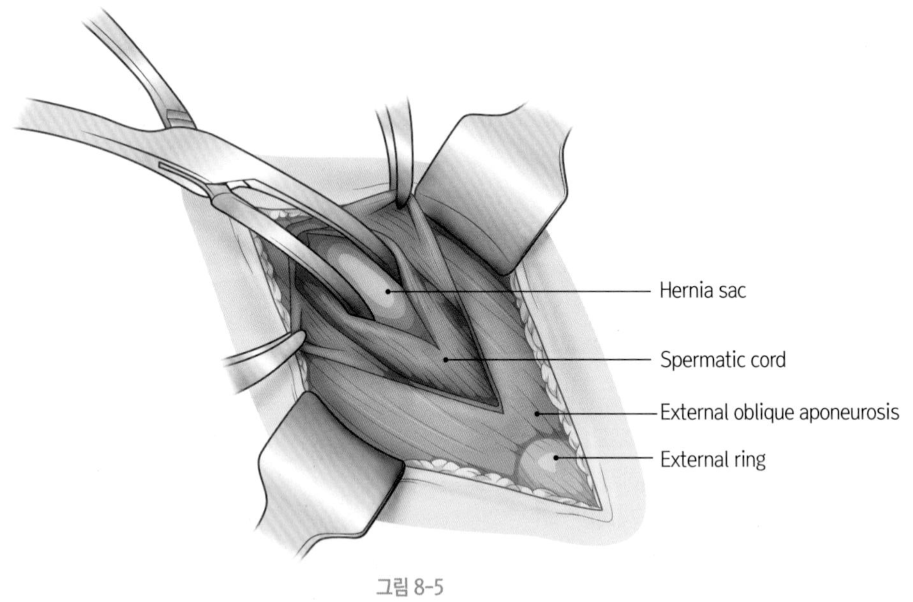

그림 8-5

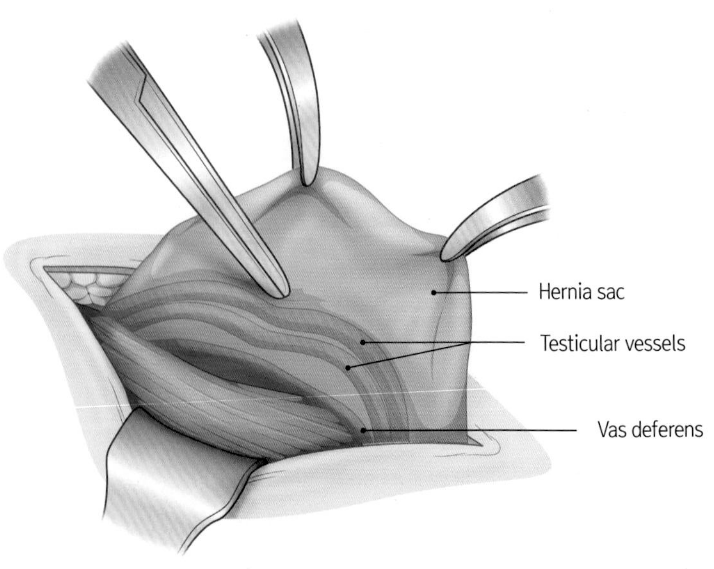

그림 8-6

TIP 6
여아, 특히 유아의 경우 난소나 난관 등의 활주탈장(sliding hernia)이 흔하기 때문에 반드시 탈장낭의 내용을 촉진과 시진을 통해 확인하는 것이 필수

TIP 7
탈장낭의 길이가 짧은 경우 모두 박리, 제거가 가능하지만 음낭까지 내려와 있는 경우에는 모두 제거할 필요가 없다.

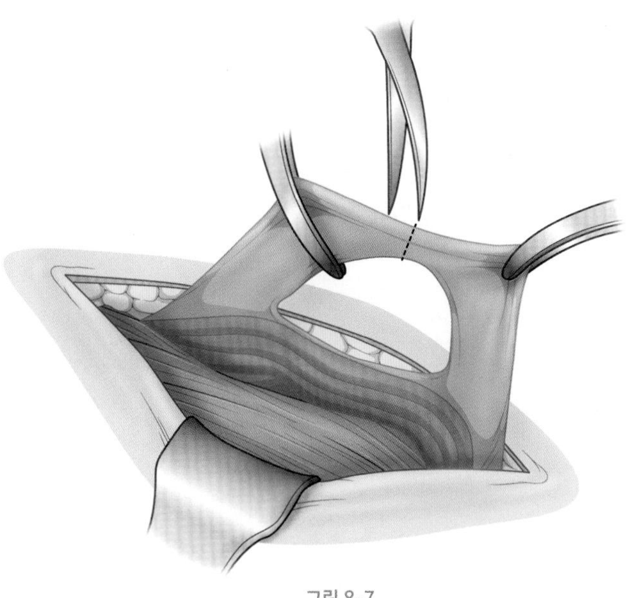

그림 8-7

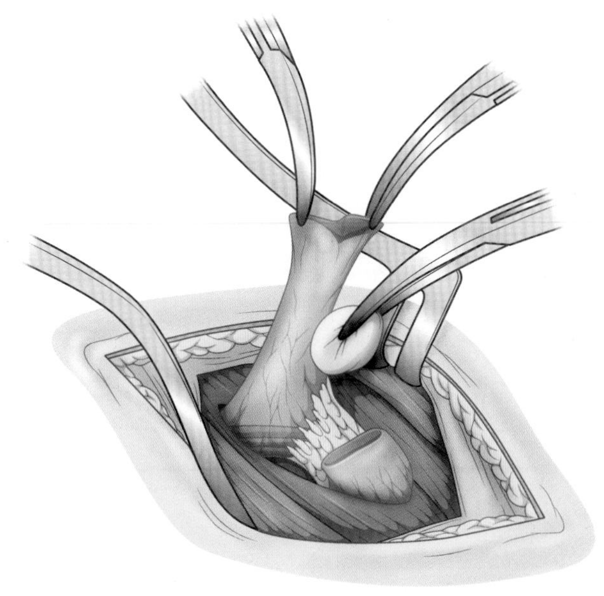

그림 8-8

TIP 8
탈장낭을 박리해서 내려가다 보면 탈장낭의 좁은 부분을 지나 전복막지방과 함께 다시 넓은 부분이 나오는데 이 부분이 진정한 내서혜륜이다.

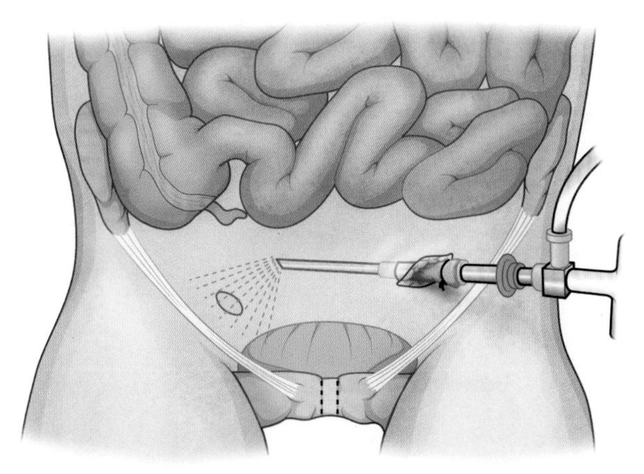

그림 8-9

(그림 8-10) 탈장낭에 이상이 없음을 확인 후 근위부 탈장낭을 몇 바퀴 꼬아 돌린 다음 내서혜륜에서 3-0 or 4-0 비흡수성 봉합사를 이용하여 십자봉합 한 다음 봉합사 상방의 탈장낭은 절제한다.

(그림 8-11) 탈장이 오래되었거나 혹은 크기가 커서 내서혜륜이 매우 확장되어 있는 경우 내서혜륜주위의 복횡근막 및 건막(transversalis fascia & apnoneurosis)을 한 두개의비흡수성 봉합사를 사용하여 좁혀주는 Marcy operation을 할 수 있다.

(그림 8-12) 외복사근건막(external oblique aponeurosis)은 3/0 or 4/0 흡수성 봉합사로 봉합하고, 피하지방의 스카르파근막(Scarpa' s fascia) 등은 4/0 흡수성 봉합사로 층을 맞춰 봉합을 해주는 것이 미용에 좋다.

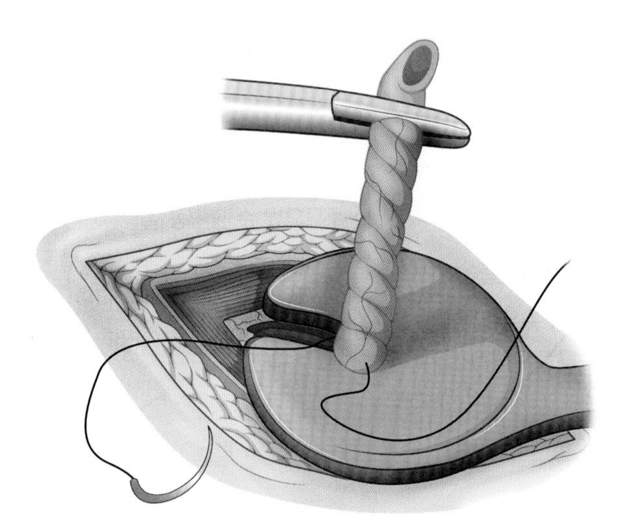
그림 8-10

TIP 9
봉합 시 정관과 혈관의 손상을 막기 위하여 스푼을 사용할 수 있다. 스테인레스 스푼을 잘라 사용하면 편하다.

TIP 10
탈장낭을 꼬는 이유는 탈장낭에 혹시 모르는 장기나 대망이 끼어 있더라도 서서히 위에서 아래로 돌리면 복강 내로 환원이 가능하며, 또한 탈장낭의 기저부가 큰 경우 꼼으로써 크기가 작아져 봉합하기가 편해진다.

TIP 11
음낭수종의 경우 원위부 탈장낭을 다 제거하지 않더라도 탈장낭을 넓게 열어주어 수종이 다시 발생하지 않도록 한다.

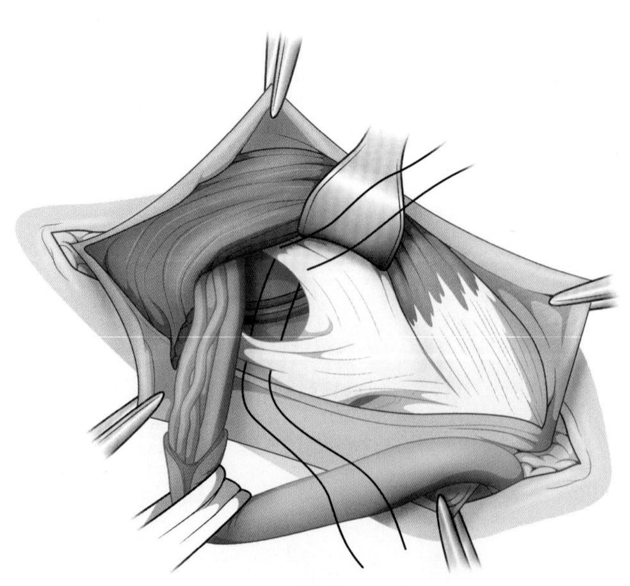
그림 8-11

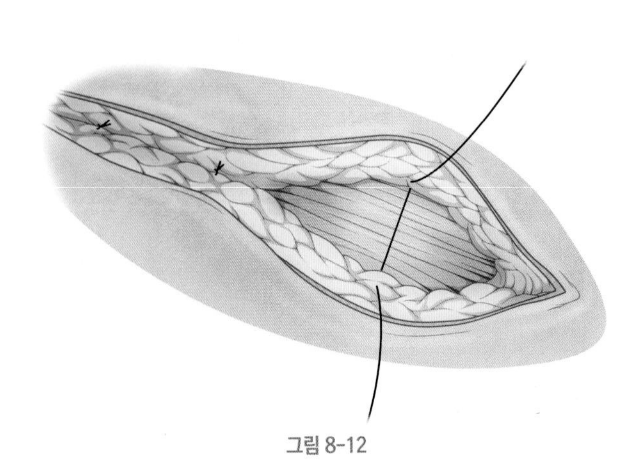
그림 8-12

(그림 8-13) 피부는 4/0 or 5/0 흡수성 봉합사를 사용하여 연속피하봉합을 한 후 장시간 작용하는 국소마취제 0.25% bupivacaine이나 0.5% ropivacaine을 피부에 주사하여 수술 후 통증을 조절 할 수 있다.

(그림 8-14) 수술이 끝나면 음낭 안에 고환이 있는지 확인하는 것이 중요하다. 위로 올라가 있다면 고환을 잡아 당겨서 제자리에 갖다 놓는다.

(2) 여아

피부 절개부터 외복사근건막 절개까지는 동일하나, 여아의 경우 정삭구조물 대신 자궁의 원인대(round ligament)가 서혜관을 지난다. 남아에서의 초상돌기(processus vaginalis)는 여아에서 canal of Nuck에 해당된다.

(그림 8-15) 여아의 원인대에는 남아에서 보이는 정관이나 정삭혈관 같은 중요한 구조물이 없고, 탈장낭이 원인대에 심하게 붙어있어 원인대와 탈장낭이 박리가 잘 안되고 박리하고

TIP 12
국소마취제를 피내 주사 후 한동안 눌러 상처에서 혈액이나 국소마취제가 흘러나오지 않는 것을 확인한 후 Dermabond®나 skin strip을 이용하여 피부 가장자리를 맞춘다.

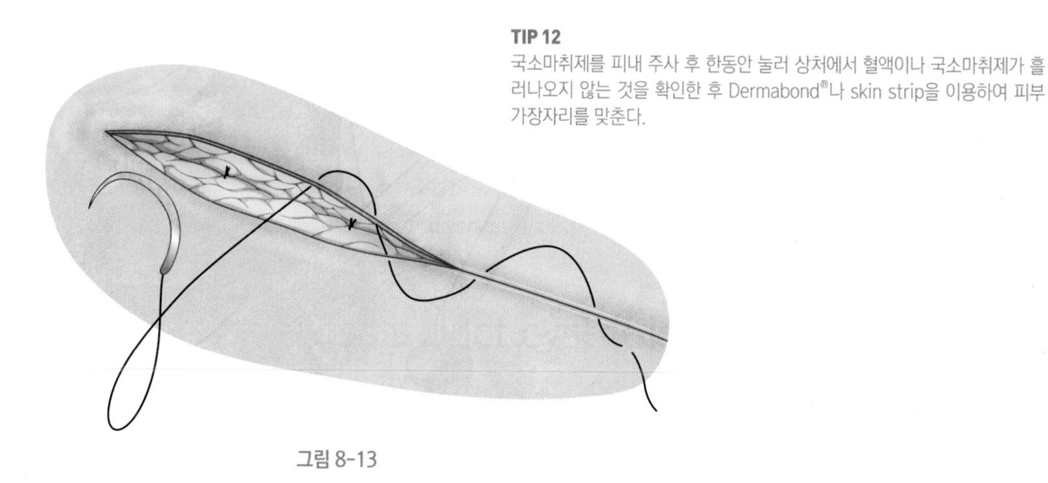

그림 8-13

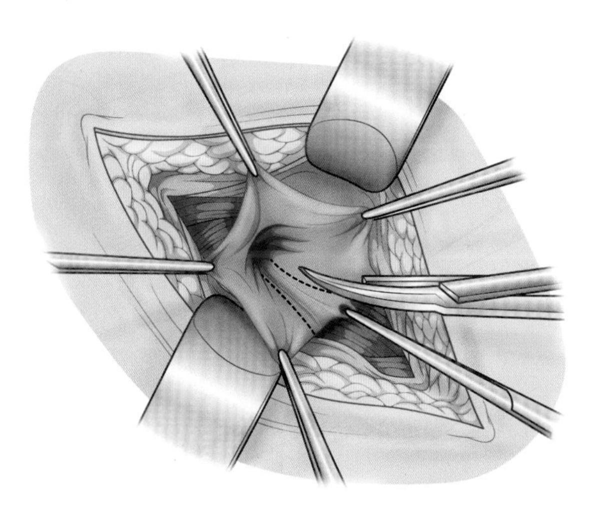

그림 8-15

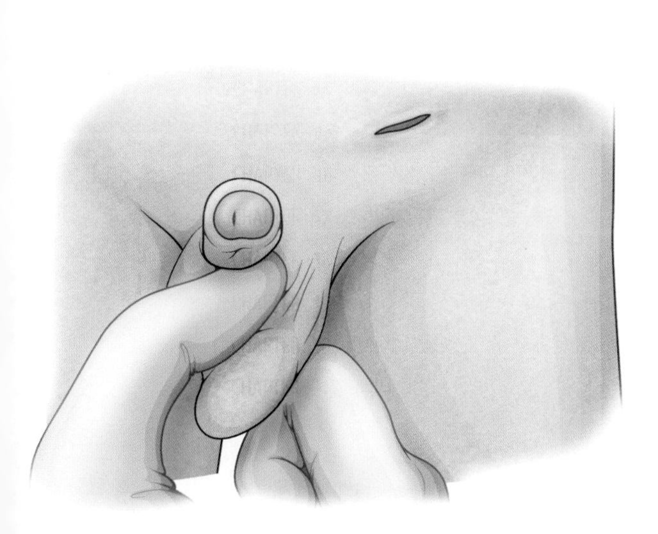

그림 8-14

TIP 13
여아도 cremaster muscle은 발생되나 남아처럼 두껍지 않고 잘 발달이 되어 있지 않으며 외서혜륜 바깥쪽에는 거의 없다.

자 하면 탈장낭이 잘 찢어지므로 탈장낭과 함께 원인대를 절제하여도 무방하다. 원인대를 보존하고자 할 때는 둘을 박리하지 말고 활주탈장 수술과 마찬가지로 탈장낭을 열고 원인대 양쪽으로 평행하게 탈장낭에 절개를 가하여 내서혜륜 근처에서 봉합한다. 여아의 내서혜륜은 결찰하여 닫을 수 있다.

(그림 8-16) 여아에서 활주탈장(sliding hernia)은 비교적 흔하여 많게는 약 40%까지 보고 되므로 반드시 탈장낭을 확인하여야 한다.

(그림 8-17) 난관이나 난소의 활주탈장이 존재하는 경우 탈장낭과 분리하려고 하면 잘 찢어지고, 구조물의 손상 가능성이 있으므로, 활주탈장 부위의 양측을 내서혜륜을 향하여 평행하게 절개를 넣어 내서혜륜 근처에 열린 양쪽을 봉합하여 새로운 탈장낭을 만든 후 고위결찰을 시행한다. 나머지 수술은 남아와 동일하다.

2) laparoscopic herniorrhaphy

(1) 적응증

모든 소아 환자에서 복강경 탈장 수술을 적용하는 것에 저자는 찬성하지 않는다. 소아의 복강경 서혜탈장 수술의 이점이 성인에 비하여 많지 않다. 소아에서 서혜탈장 수술의 피부 절개가 1~1.5 cm로 매우 작은데다 피부 절개가 상처 치유 후 흉이 많이 남지 않을 뿐더러 서혜 피부선에 가려 거의 보이지 않으며, 위치 또한 매우 낮아 옷에 가리기 때문이다. 반면 복강경 수술의 경우 복강경이나 사용하는 기구의 직경이 2~3.5 mm 정도로 작아 상처 치유 후 거의 보이지 않는다는 장점은 있으나 일부러 복벽에 구멍을 3개나 뚫어야 하고 복강 내 이산화탄소가 들어가 복압을 증가시키며, 수술 후 비흡수성 봉합사가 복강 내 남아 다른 장과의 유착이나 이물 반응 등이 충분히 나타날 수 있기 때문이다. 그럼에도 불구하고 일부 환자의 경우, 특히 미숙아나 생후 6개월 미만의 유아에서는 open surgery와 관련되어 정삭 내 정관, 신경, 혈관의 손상이 다른 연령에 비하여 비교적 높게 나타나므로, 복강경 재발률이 높지 않다면 수술이 오히려 더 쉽고 빠를 수 있어 고려해 볼만 하다고 생각된다. 복강경 수술의 장점은 반대쪽의 초상돌기(processus vaginalis)를 관찰하여 동시에 양쪽 수술을 할 수 있다는 것이다.

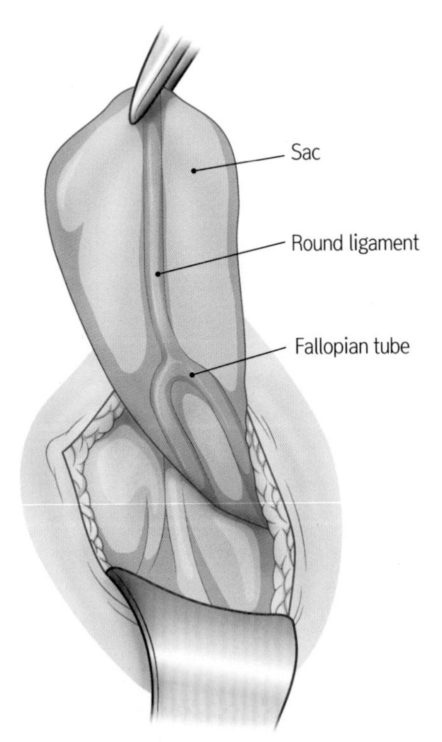

그림 8-16

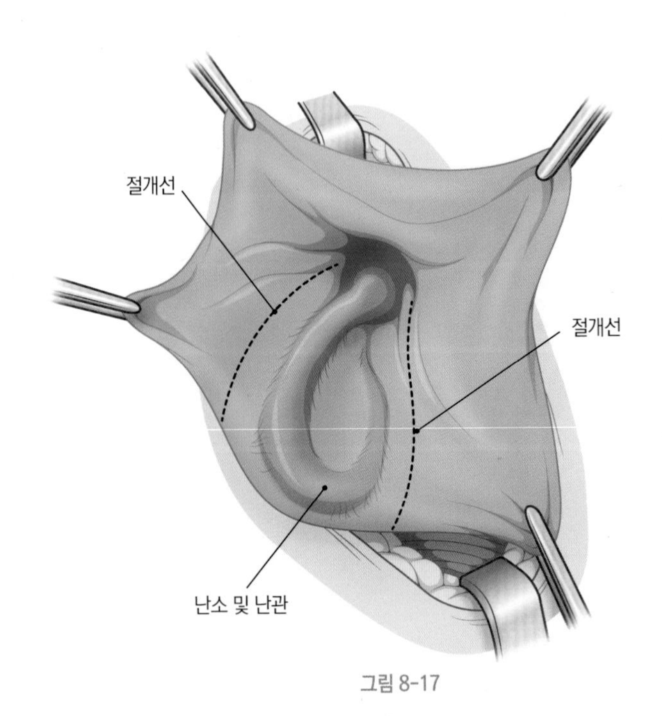

그림 8-17

(2) 복강경 수술 방법

소아 복강경 탈장 수술은 전신마취 하에 앙와위 혹은 트렌델렌버그위(Trendelenberg position)으로 놓고, 모니터는 탈장이 있는 위치에, 외과의사는 탈장의 반대 위치에 서서 수술을 진행한다. 복강경 탈장 수술 방법은 크게 두 가지, 탈장낭의 결찰이 복강 내에서 이루어지는 체내봉합법(intracorporeal technique)과 체외봉합법(extracorporeal technique)이 있다.

① 체내봉합법

(그림 8-18) 배꼽의 피부선을 따라 절개를 가하여 3-or 5- mm의 카메라 투관침을 삽입하고, 이산화탄소의 압력을 8~12 mmHg, 1~6 L/min의 속도로 투여한다. 배꼽의 좌우에 2-or 3- mm의 피부절개를 가하고 투관침을 삽입하거나 혹은 절개선을 통하여 투관침없이 직접 기구를 삽입하여 사용하기도 한다.복강경을 삽입하여 양측 내서혜륜 및 초상돌기(processus vaginalis)가 열려있는지 확인 후 탈장이 확인되면 장을 기구를 이용하여 환원한 후 수술을 진행한다.

(그림 8-19) 열려있는 내서혜륜의 복막에 절개를 가하여 탈장낭을 절제한 후 비흡수성 봉합사를 이용하여 봉합한다. 흡수성 봉합사를 사용하여 배꼽 및 좌우 피부 절개를 봉합 후 dermabond나 skin strips를 이용하여 피부 가장자리를 맞춘다.

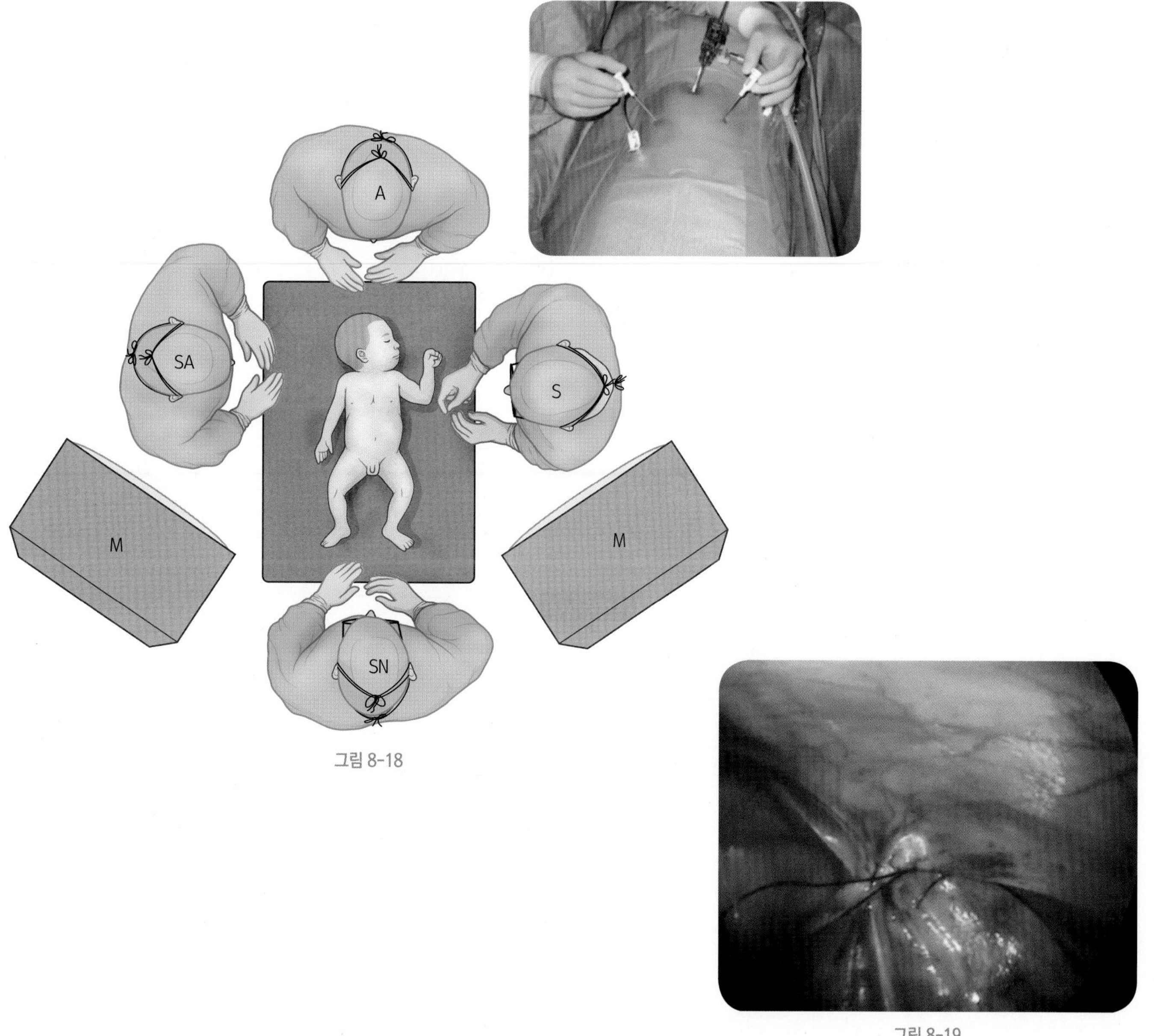

그림 8-18

그림 8-19

② 체외봉합법

(그림 8-20) 대표적인 LPEC (Laparoscopic Percutaneous Extracorporeal Closure)이 일본의 Takehara 등에 의하여 소개된 이후 변형된 많은 방법들이 보고되고 있다. 기본적인 개념은 배꼽에 복강경을 삽입 후 내서혜륜을 눈으로 확인하면서, 트로카를 많이 삽입하지 않고 내서혜륜 직상방의 피부를 바늘로 뚫어 봉합사를 안으로 삽입 후 내서혜륜의 외측에서부터 동그랗게 복막을 정삭 혹은 자궁원인대로부터 들어올려 봉합사가 탈장낭을 둘러싸면서 실을 피부 밖으로 빼어 탈장낭 봉합이 이루어지며, 실의 결찰 부위는 체외에 남게 된다. 기본 개념의 도식 두 가지를 소개한다.

9. 요약

소아 서혜탈장의 치료는 성인과 달리 내서혜륜을 통한 탈장낭의 고위결찰(high ligation)만으로 치료가 가능하다. 탈장낭의 고위결찰이란 탈장낭을 복막낭의 끝까지 박리하여 전복막 지방과 함께 넓은 부분이 나오는 진정한 내서혜륜을 결찰하는 것을 의미한다. 또한, 여아의 경우 어릴수록 활주탈장이 비교적 많이 동반되므로 반드시 탈장낭을 열어 확인하는 것이 중요하다.그렇지 않은 경우 결찰 부위에 난관이나 난소가 들어가 문제를 야기할 수 있다. 소아에서 복강경을 이용한 탈장교정술은 앞으로 장기 성적이 나오면 이에 근거하여 선택적인 환자에 적용할 수 있겠다.

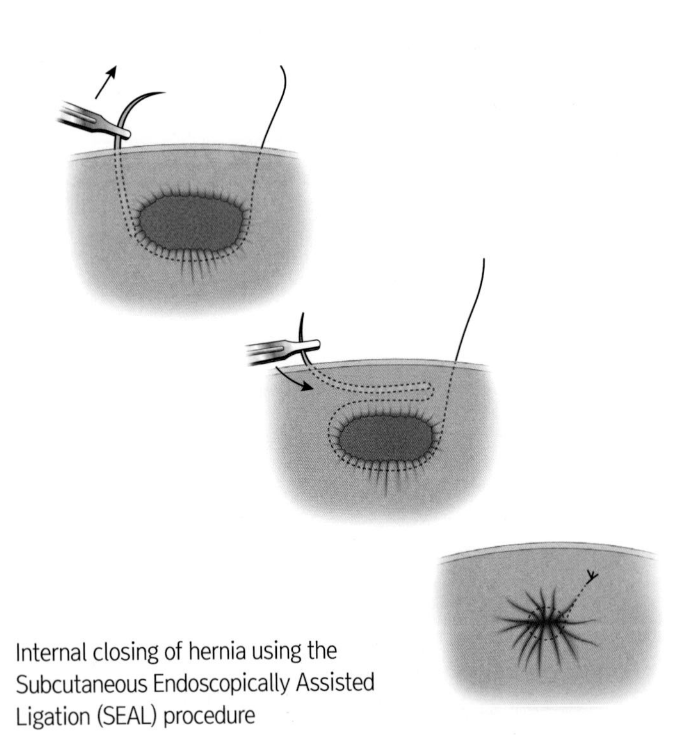

Internal closing of hernia using the Subcutaneous Endoscopically Assisted Ligation (SEAL) procedure

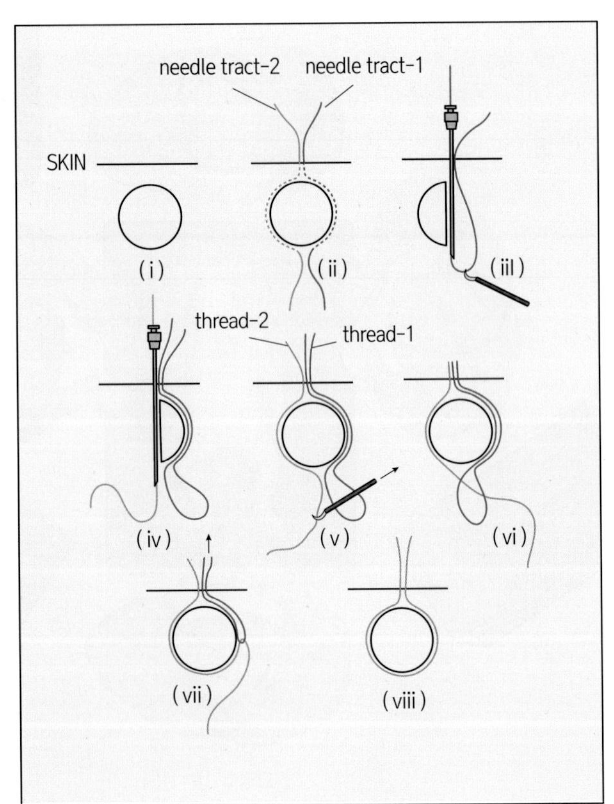

그림 8-20

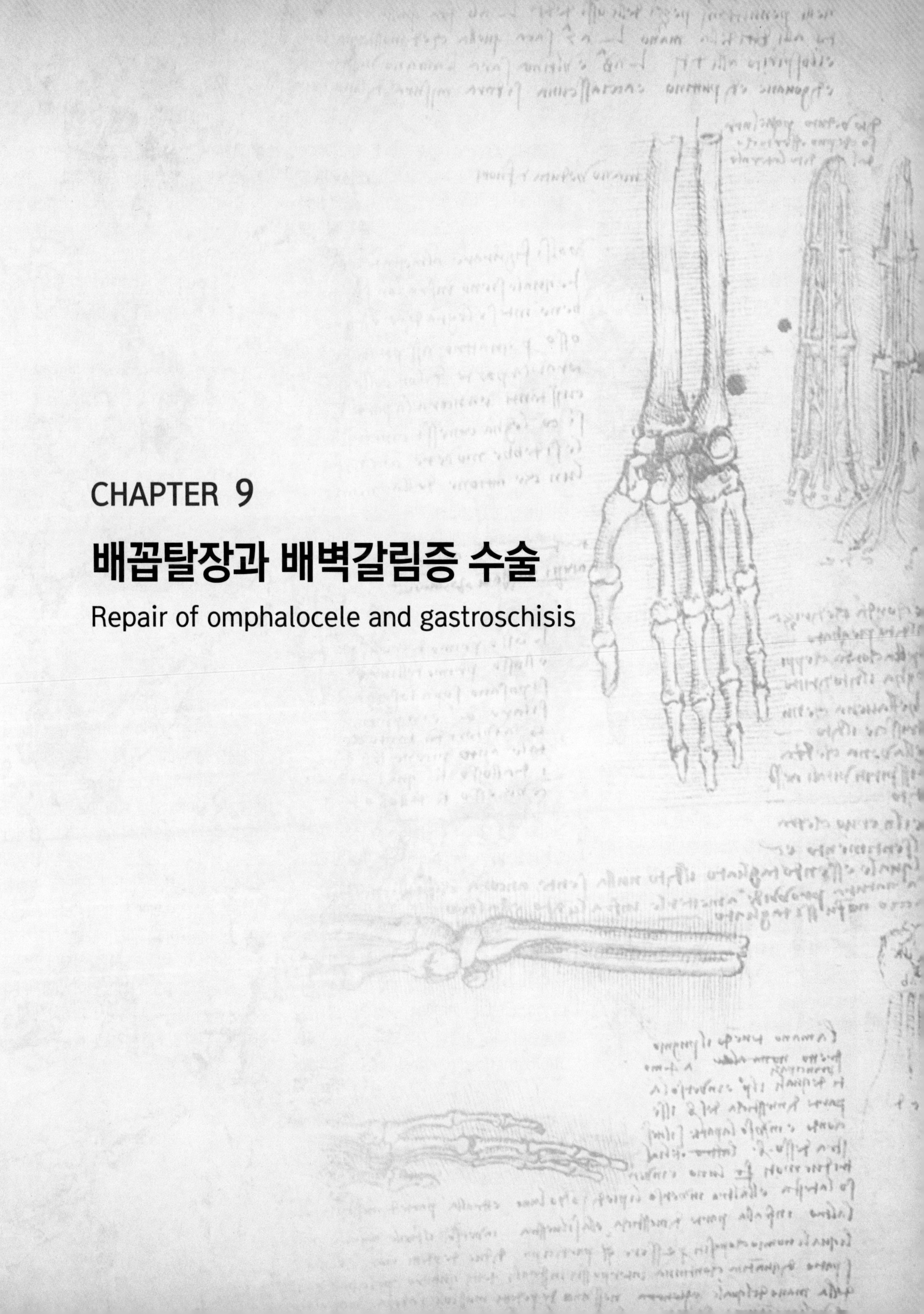

CHAPTER 9

배꼽탈장과 배벽갈림증 수술

Repair of omphalocele and gastroschisis

1. 적응증

복벽결손증: 배꼽륜 탈장, 배꼽기저부 탈장, 파열성 배꼽탈장, 배벽갈림증

I. 배꼽탈장(Omphalocele)

복강내 장기가 탯줄기저부를 통해 탈출 되어 둥근막성낭에 포함되어 있으며 탯줄이 낭의 끝에 부착되어 있다. 결손기저부 크기는 다양하여 소장 일부만 포함되어 있는 적은 크기의 낭으로부터 간, 비장 등 거의 모든 장기를 포함되어 전복벽 대부분이 결손 되어 있는 커다란 낭도 있다. 진단은 시진만으로도 가능하여 확진을 위한 검사는 필요치 않다

1. 수술 전 처치

일단 출생 후엔 저체온에 빠질 수 있어 반드시 온열기로 이동시켜 체온을 유지해준다. 배꼽탈장인 경우 낭이 찢어지지 않도록 하며 출생 전, 후 낭이 찢어진 파열성 배꼽탈장은 체외로 탈출 되어 있는 장기들이 늘어지거나 장이 꼬이지 않도록 한다. 소독된 따뜻한 젖은 거즈로 낭을 덮어주고 그 밖은 마른 거즈로 싸서 낭을 보호하고, 비닐 주머니로 싸서 과도한 수분 소실 및 감염의 기회를 줄인다. 경구위관(OG tube) 삽입으로 위장내 물질을 제거하여 감압하고, 정맥을 확보하여 수액요법을 시행하기 위해 상지에 정맥내 라인을 확보한다. 술 전 비타민 및 광범위 항생제를 주사하고 필요할 경우 기관삽관을 시행한다. 수술 전에는 염색체 검사를 포함한 동반기형, 특히 심장과 콩팥기능에 대해 검사를 시행하여 수술 전 현재 상태 및 예후를 예측해 볼 수 있다. 심각한 심장기형이 동반된 경우는 무리하게 수술을 진행하기 보다는 비수술적 방법을 우선적으로 시행하고 근본수술은 추후로 미루는 것이 좋다.

2. 마취

기관내 삽관, 전신마취 하에 수술을 시행한다. 원활한 봉합을 위해 근육을 충분히 마비시키는 것이 중요하다

3. 환자자세

환자는 앙와위자세를 취한다.

4. 수술준비

복부, 제대, 낭을 betadine으로 닦는다.

5. 수술방법

환아의 임상상태나 배꼽탈장의 특성에 따라 일차봉합, 피부나 저장고(silo)를 이용한 단계적 봉합, 비수술적치료 후 지연 봉합 등 3가지 방법이 있다. 배꼽탈장의 크기가 작거나 중등도이고 특별히 탈장낭내에 간이 들어와 있지 않으면 대개 일차적인 근막봉합과 피부봉합이 가능하다. 결손부위의 크기가 너무 크거나 간이 튀어나온 거대 탈장인 경우는 일차근막봉합이 매우 힘들어 자루모양의 인공저장고(prosthetic silo, 싸일로)에 장을 집어넣고 단계적으로 정복을 하거나, 근막결손부위를 Gore-tex 등의 인공삽입물로 덮고 피부를 봉합해 주거나, 내장을 덮고 있는 양막위로 피부 봉합을 해 주어 복벽헤르니아를 만들어 덮어준다. 만들어진 복벽헤르니아는 추후에 봉합해 준다.

6. 절개 및 노출

배꼽탈장낭 둘레를 따라 피부로부터 배꼽탈장낭을 절개한다.

7. 수술과정

(그림 9-1) 배꼽탈장낭의 둘레를 따라 낭(양막)과 피부사이를 절개하여 피부 연결부위에서 제대낭을 제거한다.

(그림 9-2) 이때 하방으로 지나가는 배꼽동맥과 배꼽동맥 사이에 있는 요막관도 결찰해준다. 배꼽동맥은 매우 약하여 모스키토로 잡기만 해도 출혈할 수 있으므로 주의해야 한다. 낭의 좌측에는 훨씬 큰 크기의 배꼽정맥을 결찰한다. 배꼽정맥은 복벽에 붙어있는 낫인대와 연결된 간의 틈사이로 지나간다. 결손크기가 클수록 간의 상당 부분에 낭이 유착되어 있으므로 낭을 분리할 때는 신생아 간이 찢어지거나 출혈이 되지 않도록 무리해서 제거하지 말고 간표면에 낭의 일부를 남겨둔다.

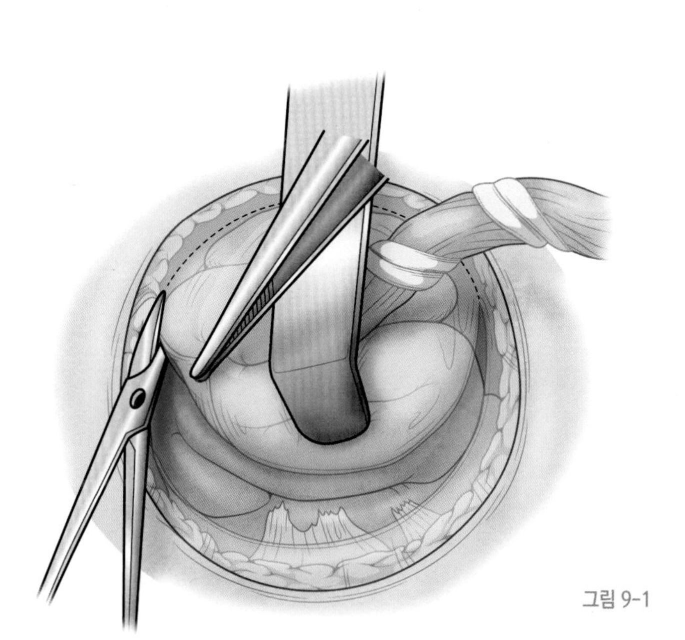

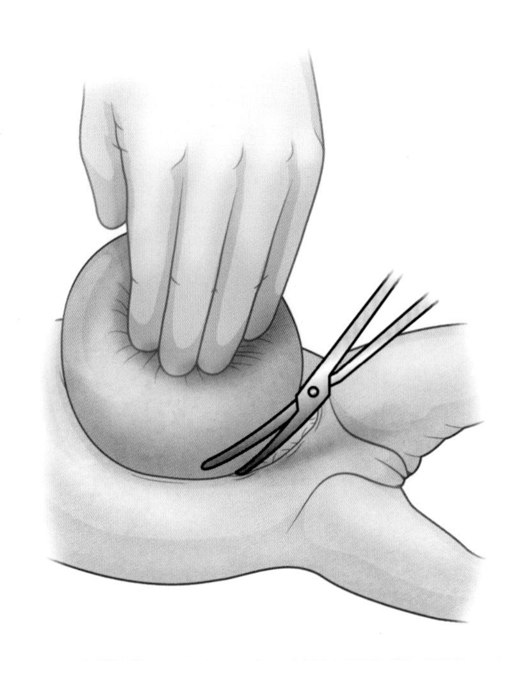

그림 9-1

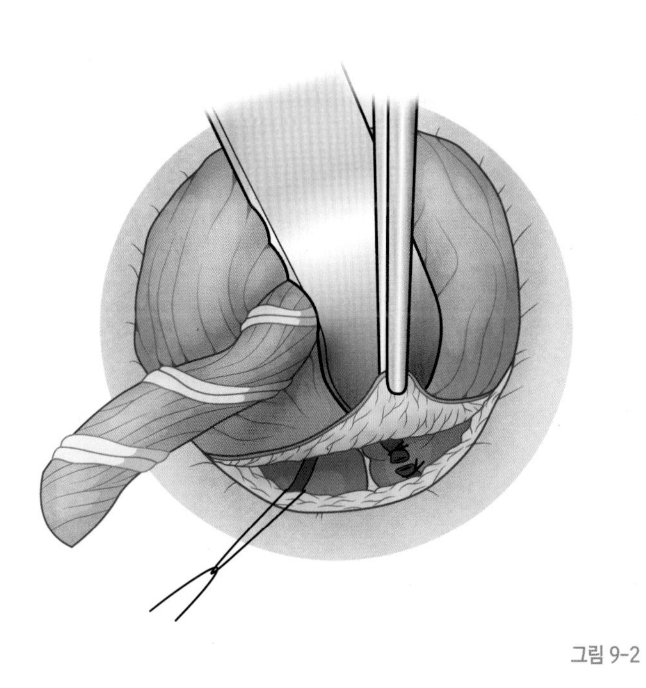

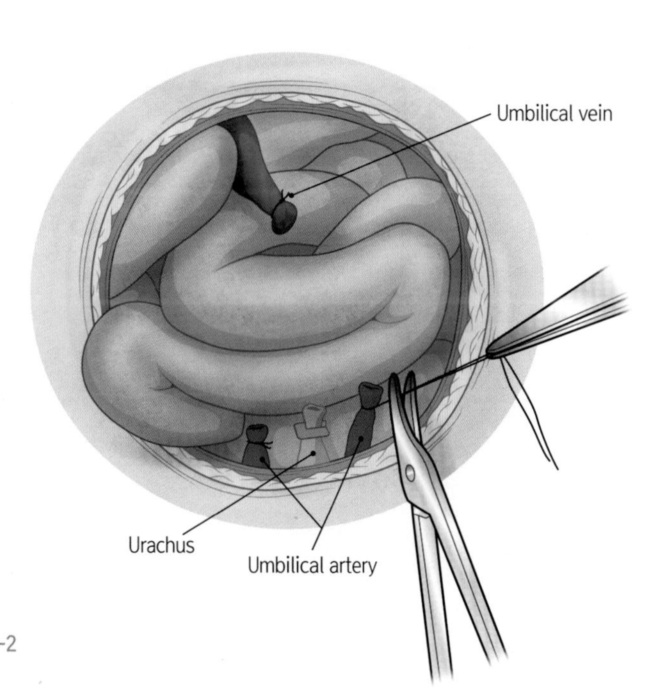

그림 9-2

(그림 9-3) 내장정복이 안되면 복강내로 손가락을 넣어 후복벽부터 전복벽까지 복벽을 손으로 늘려서 복강을 넓혀준다. 내장을 먼저 집어넣고 그 다음에 간을 집어넣어 주면 간이 장을 효과적으로 제자리에 있도록 유지시켜 준다.

(그림 9-4) 결손부위의 피부와 근막 경계부를 조심스럽게 박리하여 분리한다. 안전한 근막 봉합을 위해 피부를 충분히 분리한다.

(그림 9-5) 일차봉합 시 피부를 제외한 복벽 전층을 석상봉합(연차봉합)으로 닫는다. 이때 백선만을 관통해서 봉합을 하면 수술 후 헤르니아가 발생할 수 있기 때문에 꼭 복직근을 통해 봉합을 해 주어야 한다. 절개 상부의 복직근은 늑골모서리에 넓게 부착되어 양측 근막을 붙이기가 가능하지 않으나 간이 이 공간을 채우기 때문에 꼭 봉합할 필요는 없다.

(그림 9-6A) 피부는 연속성 봉합running suture을 사용하여 횡으로 닫는다.

(그림 9-6B, C) 가능하면 배꼽을 만들어주거나 반흔이 배꼽같이 보이도록 만들어 준다. 흡수성 봉합재료를 사용하여 주머니 끈 형식(purse-string)으로 피부봉합을 해주면 충분하다.

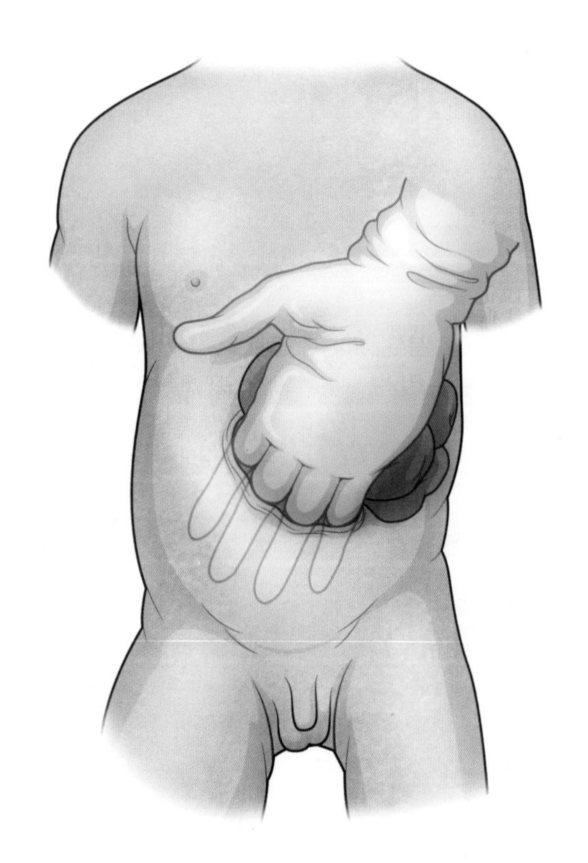

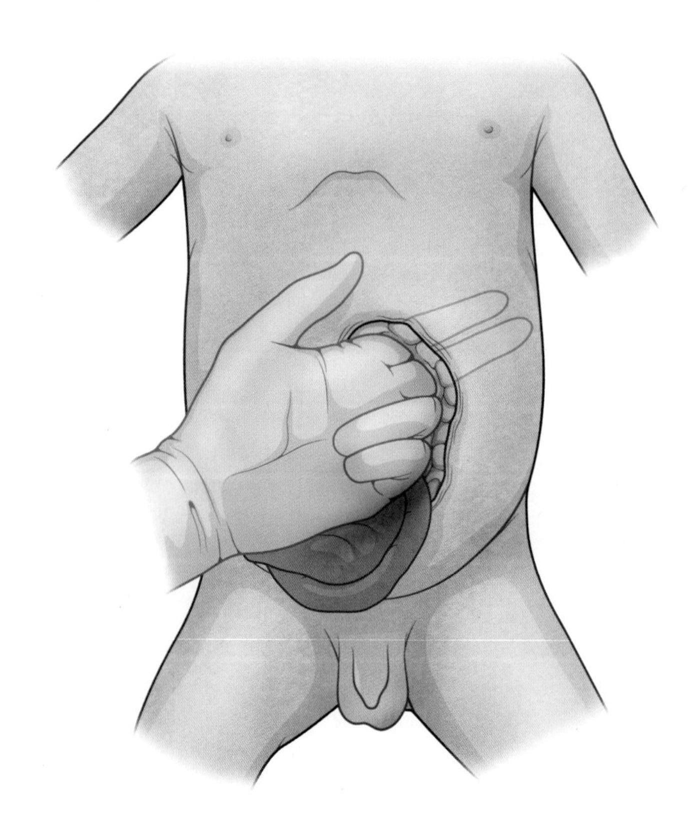

그림 9-3

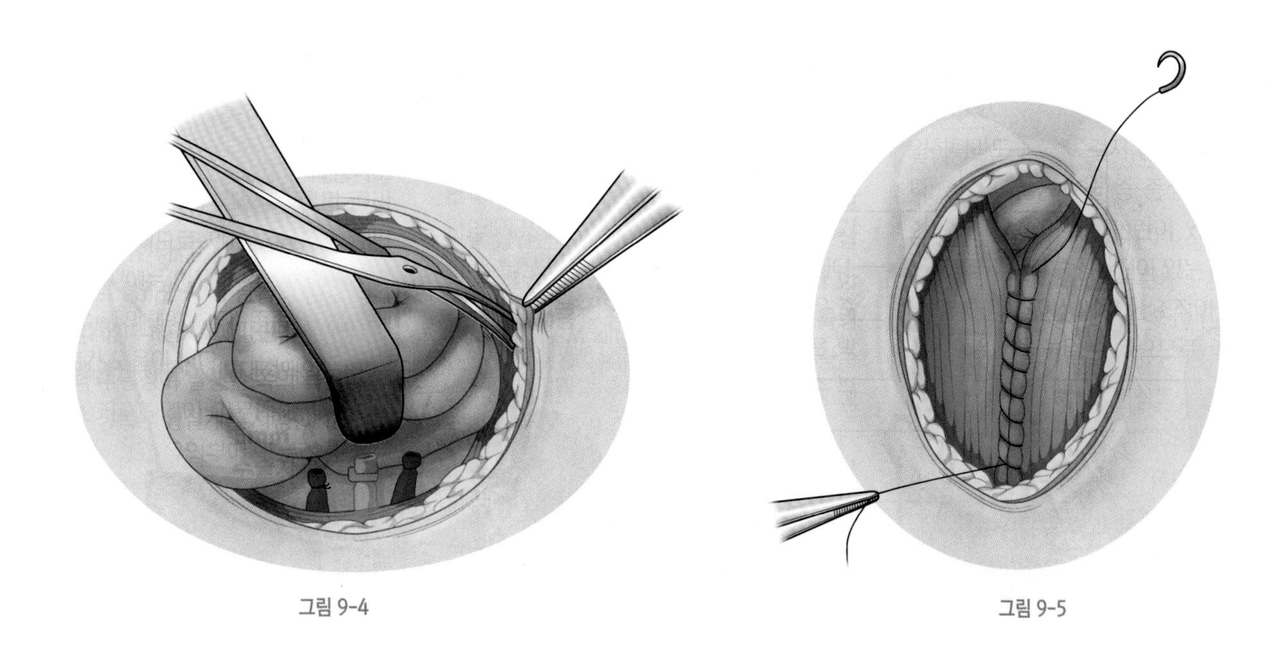

그림 9-4

그림 9-5

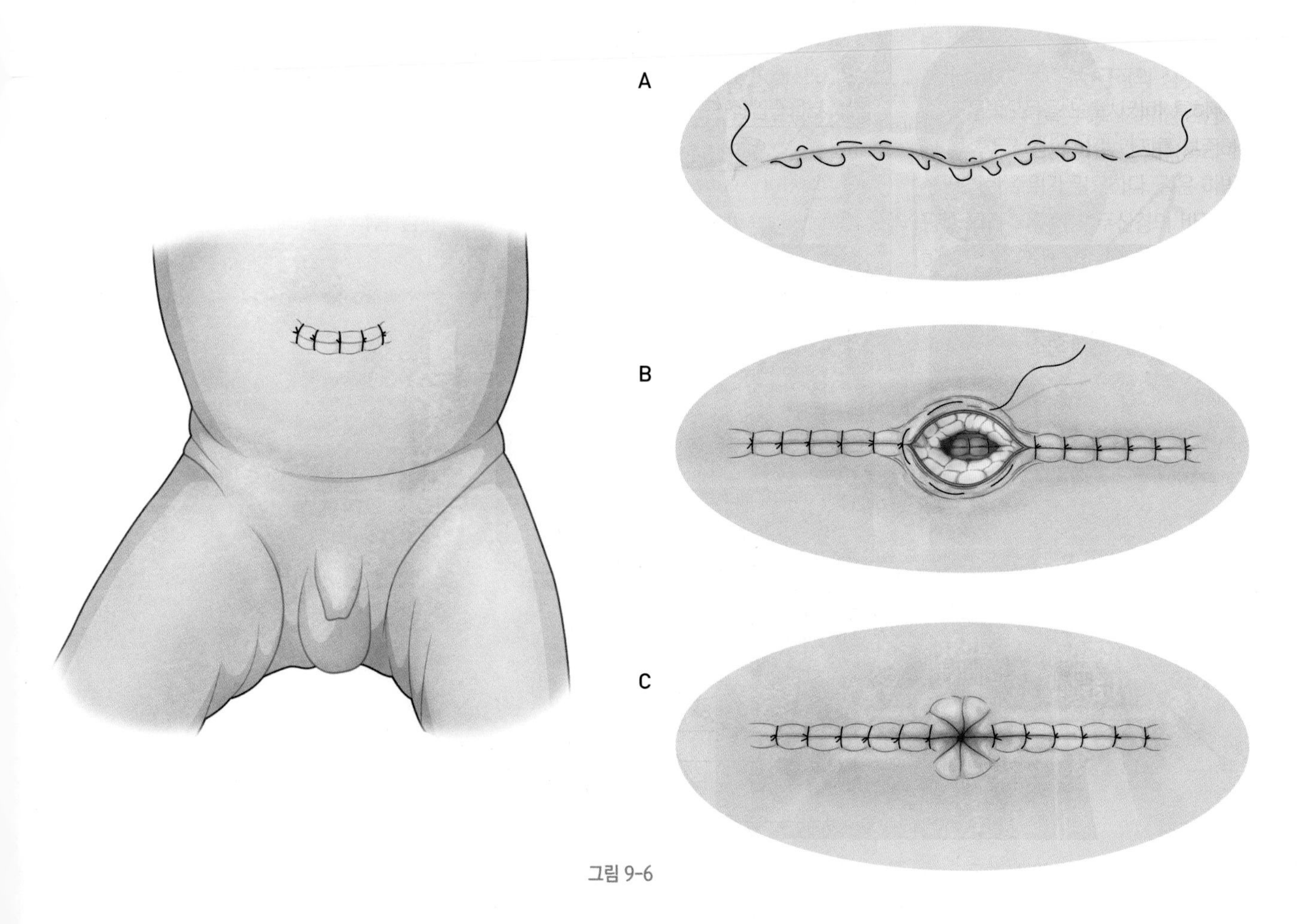

그림 9-6

(그림 9-7A, B) 결손부위가 커서 일차봉합이 불가능 하다고 판단되면 피부를 이용하거나 저장고를 이용해 단계적 수술을 한다. 근막봉합은 어려우나 내장을 덮을 수 있을 정도로 피부가 충분하면 낭을 그대로 두는 경우도 있지만 대부분은 낭을 제거하고 피부를 충분히 박리하고 복부긴장을 최소화하여 피부봉합을 한다.

(그림 9-8) 이때 근막에 부착포(patch)를 삽입하고 부착포 위로 피부를 봉합할 수 있다. 다른 방법으로는 인공저장고(prosthetic silo)에 장을 넣어 주는 것이다.

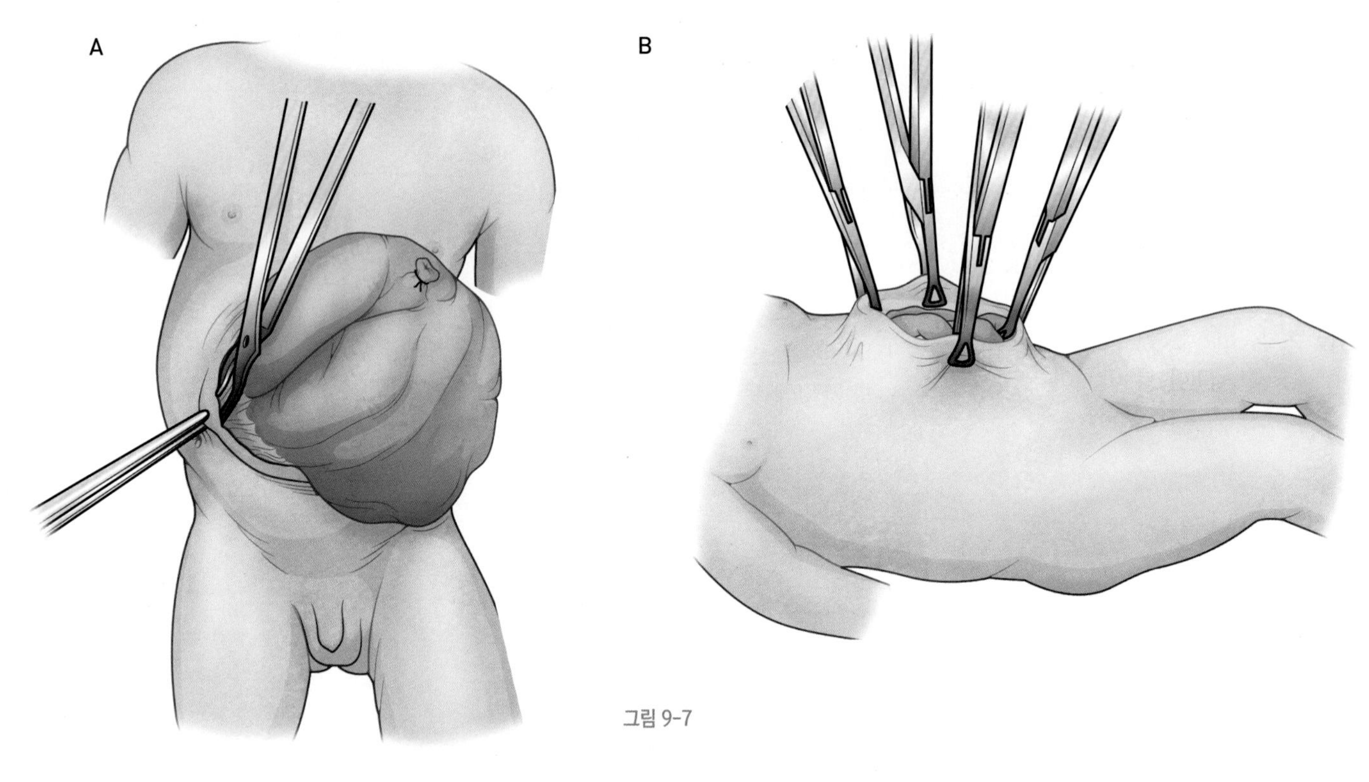

그림 9-7

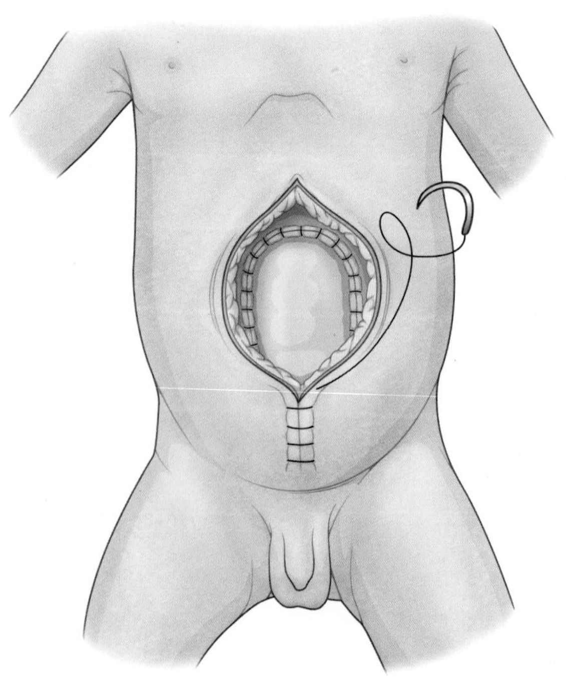

그림 9-8

(그림 9-9) 인공저장고(prosthetic silo) 중에 가장 간단한 것이 한쪽 끝에 스프링이 장전된 고리가 붙어 있는 굴뚝 모양의 실라스틱 주머니(preformed springloaded silo, PSLS)(그림 9-9A)나 창상보호체 및 창상견인기 역활을 하는 개창기(wound protector and retractor, WPAR)(그림 9-9B) 등의 상품으로 나와 있는 제품을 사용한다.

(그림 9-10) 저장고(silo) 속으로 장을 밀어 넣고(그림 9-10A) 복벽가장자리를 통해 고리를 복강내로 밀어 넣는다(그림 9-10B). 이때 고리를 복벽에 봉합하면 내장 정복 시 압력을 가할 때 고리가 밀려 빠져나오는 것을 방지할 수 있다. 이러한 제품사용이 여의치 않을 시는 강화실리콘판(dacro-reinforced silastic sheet 0.007 inch)을 사용한다.

(그림 9-11) 봉합한 매듭이 바깥쪽으로 가도록 근막과 실리콘판을 손으로 봉합하여(그림 9-11A) 저장고를 만들어 장과 간을 집어넣고 저장고 꼭대기에서 실리콘판을 봉합한다(그림 9-11B). 저장고의 밑바닥은 antiseptic solution을 적신 거즈로 둘러싼다.

A

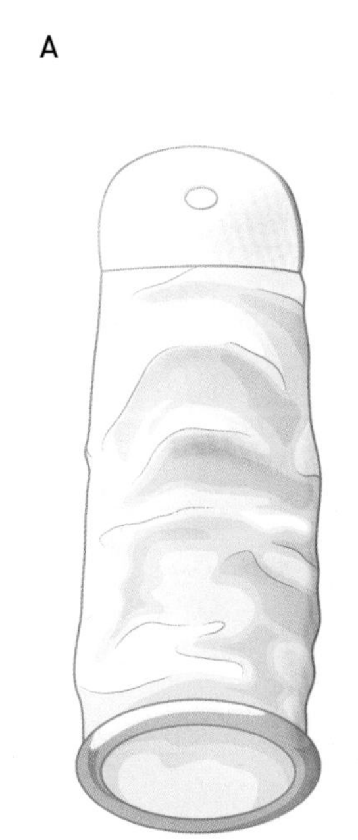

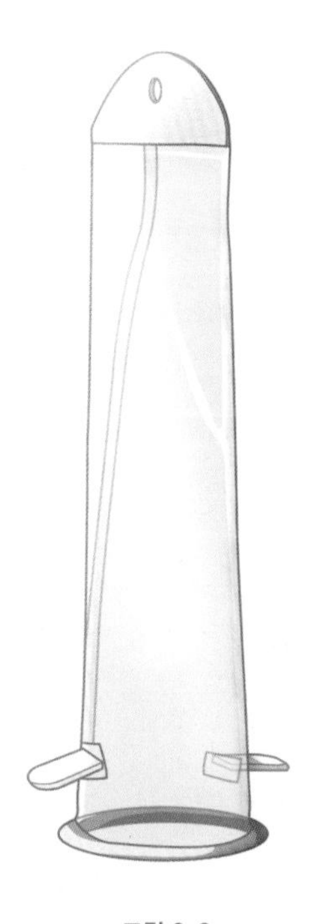

B

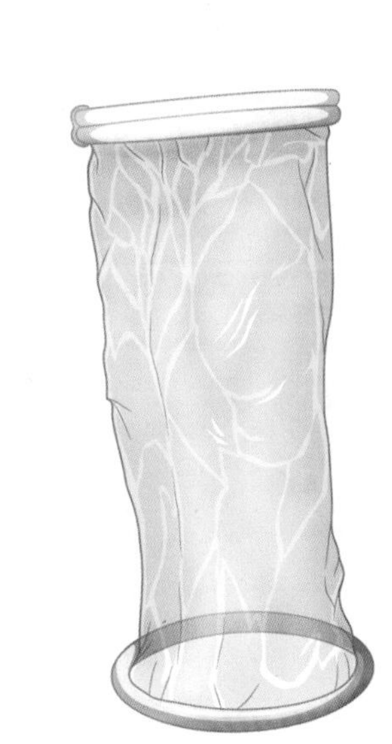

그림 9-9

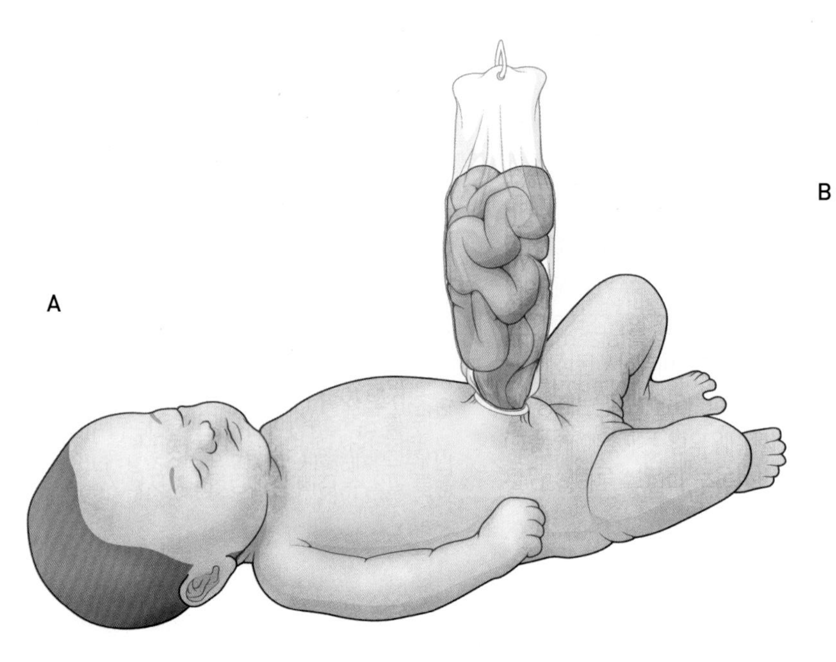

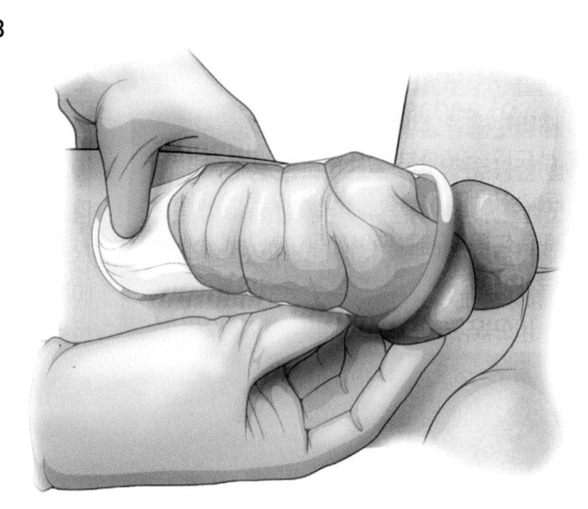

그림 9-10

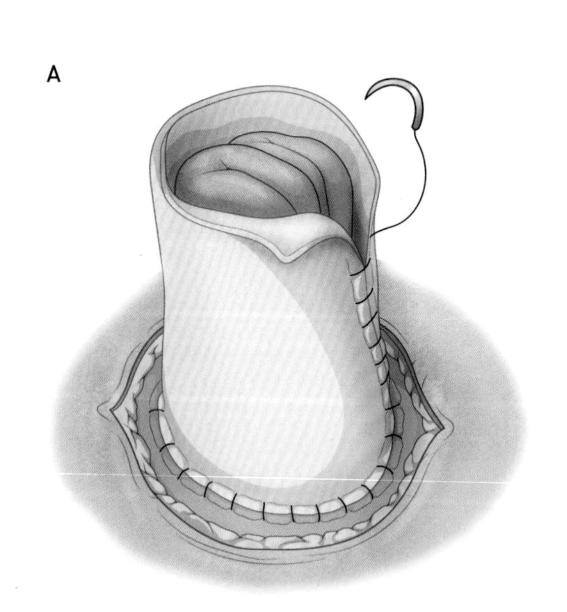

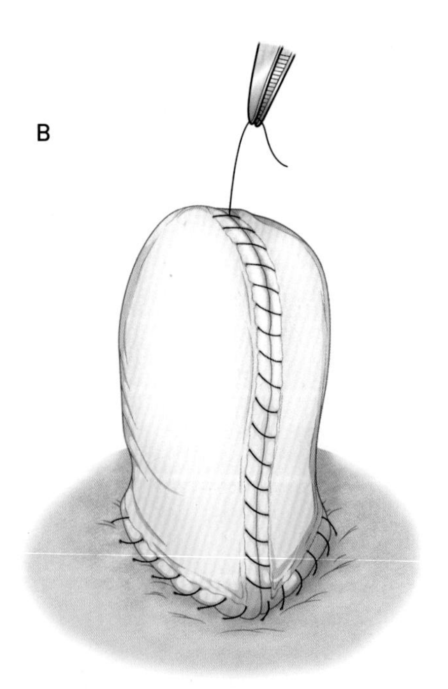

그림 9-11

(그림 9-12) 이렇게 저장고를 만들 경우 장이 꼬이지 않도록 저장고를 수직으로 매달아 두고 내장이 복강내로 들어갈 때까지 매일 혹은 2~3일에 한번씩 점차적으로 저장고의 크기를 줄여 정복하는데(그림 9-12A, B) 저장고를 봉합사로 주름단을 만들거나, 제대(탯줄)조절기를 이용하여 조이거나, 배꼽테이프(umbilical tape)로 조여 안전하게 붙잡아 매둘 수가 있다(그림 9-12C). 내장이 복강내로 완전 정복되어 인공저장고가 평편해지면 수술실로 옮겨 근막과 피부를 닫아준다. 다른 방법으로는 비교적 단단한 배꼽탈장낭 자체를 저장고를 이용하여 소아중환자실 bedside나 수술실에서 최소한의 진정(minimal sedation)

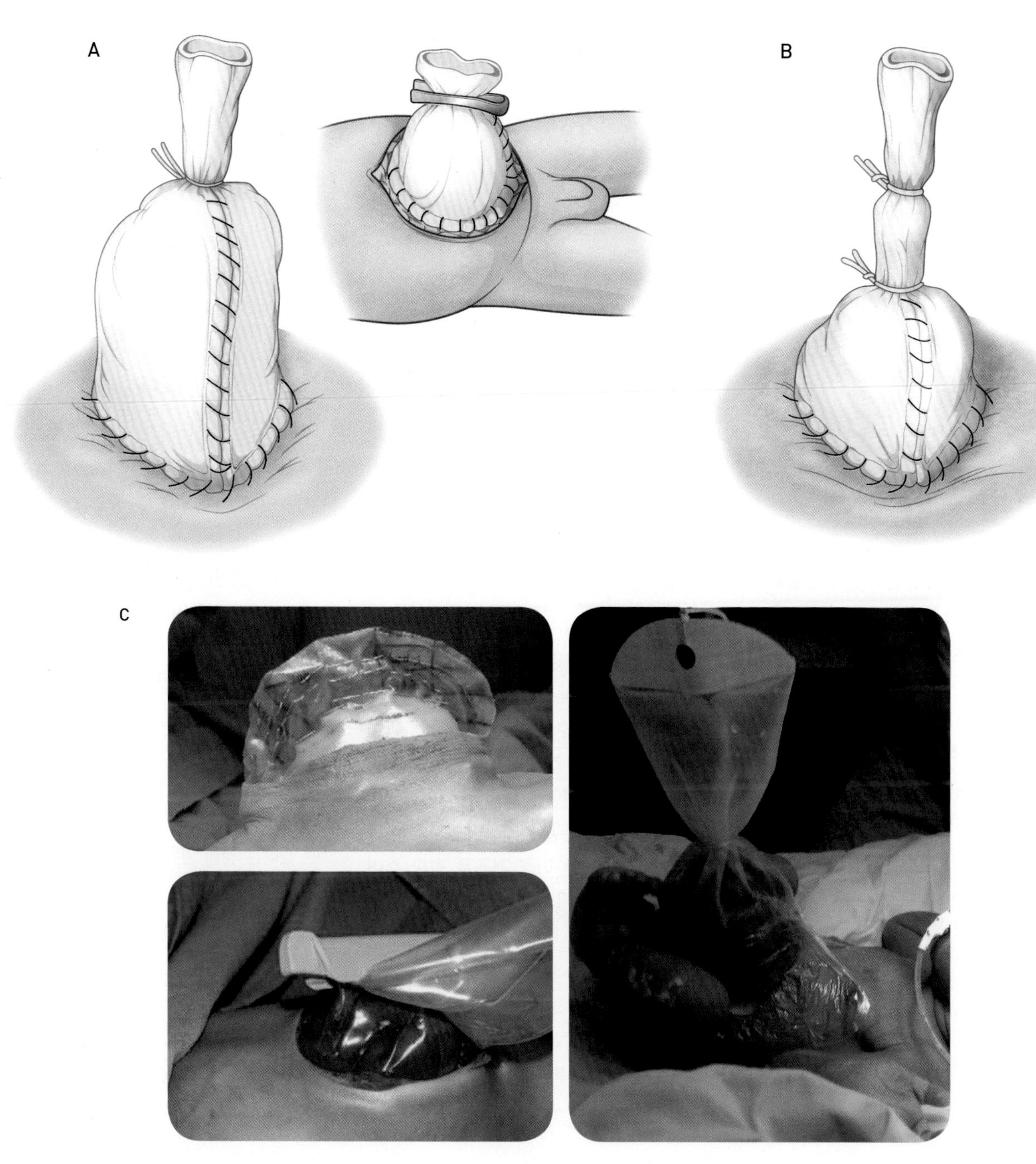

그림 9-12

을 시키고 낭과 장 혹은 간사이의 경한 유착을 가볍게 주물러서 떼어낸 후 낭에 견인기(traction)을 달아서 내용물을 서서히 정복되도록 한다(그림 9-13). 낭을 비틀어 꼬고(twist) 배꼽테이프로 결찰한다. 장내용물이 정복되면 수술실에서 근본적인 봉합을 한다. 환자상태가 나빠서 어떤 형태의 수술개입이 불가능할 경우나 간의 75% 이상이 낭에 들어와 있는 거대배꼽탈장인 경우는 살균약을 낭에 도포하여 육아조직(granulation tissue) 형성을 시켜 결국은 상피화(epithelization)가 되도록 하는 방법도 있다. 상피화가 되면 압박붕대등을 이용한 복대를 시행하고 환자의 상태가 충분히 안정화되는 시기(약 6~12개월 후)에 근본수술을 시행한다.

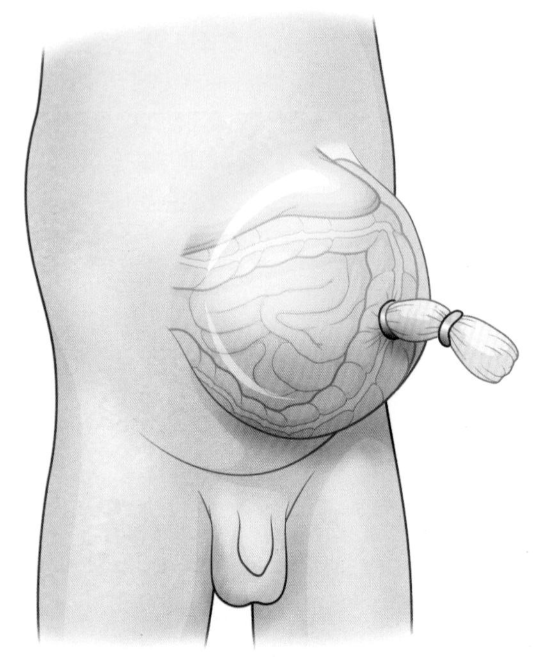

그림 9-13

II. 배벽갈림증(Gastroschisis)

탯줄의 우측에 있는 복벽 전층의 갈라진 틈으로 복강내 장기가 복벽 밖으로 튀어나와 있으며 낭은 없다. 배 밖으로 나와 있는 장은 양수에 노출되어 있어서 장벽이 두껍고, 팽창되어 있으며, 장의 길이가 짧고, 두꺼운 피막으로 덮혀 있거나 서로 유착되어 있다. 장허혈이나 장폐쇄증이 존재할 수 있다. 배벽갈림증 환자의 복강은 상대적으로 공간은 작으며 환자들은 대부분 크기가 작거나 미숙아이다. 양수에 노출된 시간이 길수록 장부종이 심하여 술 후 장운동능력의 회복이 늦다. 배벽갈림증의 술 전 처치 및 수술 방법, 술 후 처치는 배꼽탈장과 비슷하다.

1. 수술 전 처치

낭이 없이 복강내 장기가 체외로 탈출되어 있어 수분이 증발하고 방열이 되기 때문에 저체온에 빠질 수 있어 체온관리가 중요하며 정상적인 체온유지를 위한 노력이 중요하다. 아울러 감염에 취약하여 쉽게 패혈증에 빠질 수 있어 무균시술 및 광범위 항생제 사용이 필요하다. 노출된 장을 따뜻한 생리식염수를 적신 깨끗한 거즈로 감싸고 마른 거즈로 감싸 주며 비닐주머니에 복부 및 하체를 넣어준다. 탈출된 장을 부적절하게 다루거나 부주의하게 다루면 장간막 혈관을 포함하는 혈관각이 염전을 일으킬 수 있다. 불투명한 드레싱으로 덮어 씌우면 진행성 장허혈로 발전하는 것이 관찰되지 않으므로 투명한 외과적 장 주머니의 사용이 강조된다. 적절한 수액처치(125~175 ml/kg/day)를 위한 혈관 확보를 해야 하며 상지에 정맥주사선(intravenons line)을 확보한다. 광범위 항생제 투여 및 비타민 K를 투여한다. 입위관 삽입을 통한 위 감압이 필수적이며 항문을 확장해서 직장에 있는 태변을 배출시킨다. 동반기형은 적은 편이지만 10% 이상의 환자에서 선천성소장폐쇄증이 동반할 수 있다는 것을 염두 해야 한다.

2. 마취

기관내 삽관, 전신마취 하에 수술을 시행한다. 수술시 안전한 근육 및 근막봉합을 위해 충분한 근이완제를 줄 수 있도록 한다

3. 환자자세

환자는 앙와위자세를 취한다.

4. 수술준비

가슴부터 튀어나온 장기를 포함한 전후복부, 하지까지 전신을 준비한다.

5. 절개 및 노출

장기가 용이하게 복강내로 복원될 수 있도록 결손 부위를 종측 혹은 상하 횡측으로 1~2 cm 넓혀준다.

6. 수술방법

배벽갈림증(gastroschisis)의 외과적 치료는 크게 3가지 방법이 있다.
첫째, 근막을 봉합하고 피부를 닫아주는 일차적 정복술 둘째, 저장고(silo)를 씌우고 점차적으로 정복하여 나중에 지연 근막봉합을 하거나 셋째, 근막봉합 없이 일차정복 하거나 지연정복하는 방법이다.

7. 수술과정

배벽갈림증에서 튀어나온 장들을 완전히 배속으로 정복시킬 수 있으면 일차 봉합이 가능하다. 갈라진 복벽은 크기가 작기 때문에 복벽의 갈라진 부위의 크기를 넓혀야 하는데 내장손상을 피하기 위해 손가락을 넣고 정중선을 따라 근막을 위쪽으로 절개하여(그림 9-14) 넓힌다. 복벽결손 하부에는 방광이 근접해 있어 하부쪽으로 절개하는 데는 제한이 있으므로 상부로 확장하는 것이 좋다. 경우에 따라서는 가로절개도 가능하다. 복강이 작아 탈출된 장을 정복하기 어렵기 때문에 복강내에 충분한 공간을 만들기 위해서 배꼽 탈장에서와 같은 방법(그림 9-3) 손가락을 넣어 복벽을 잡아당겨서 복벽을 점진적으로 넓혀 복강을 늘려준다. 너무 과도한 복벽신장은 복직근초(rectus sheath) 안에 있는 복직근에 출혈과 부종을 일으킬 수 있다. 동시에 배 밖으로 나와있는 장내의 내용물들을 비위관을 통해 근위부쪽으로 짜내거나 항문확장 후 직장관을 넣어 생리식염수로 태변을 세척해 내어 복강내에 들어가는 장의 부피를 최대한 줄인다. 장을 덮고 있는 두꺼운 피막은 제거하면 장천공의 위험성이 있고 유착의 기회가 커져 제거하지 않는다. 수술 중에는 노출된 장의 표면이 마르지 않도록 따뜻한 식염수를 지속적으로 장표면에 뿌려주어 건강한 상태를 유지하고 위, 십이지장, 소장, 대장, 직장까지 손상된 장부위가 없는 지 꼼꼼하게 살핀다.
(그림 9-15) 일단 모든 장기가 복강내로 정복되면 근막을 불연속봉합(interrupted absorbable suture)으로 닫는다.

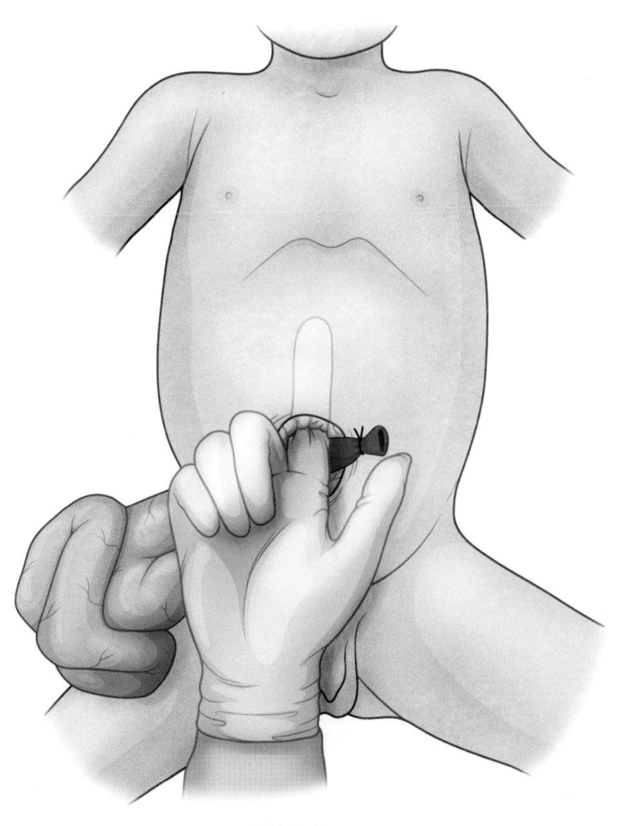

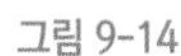
그림 9-14

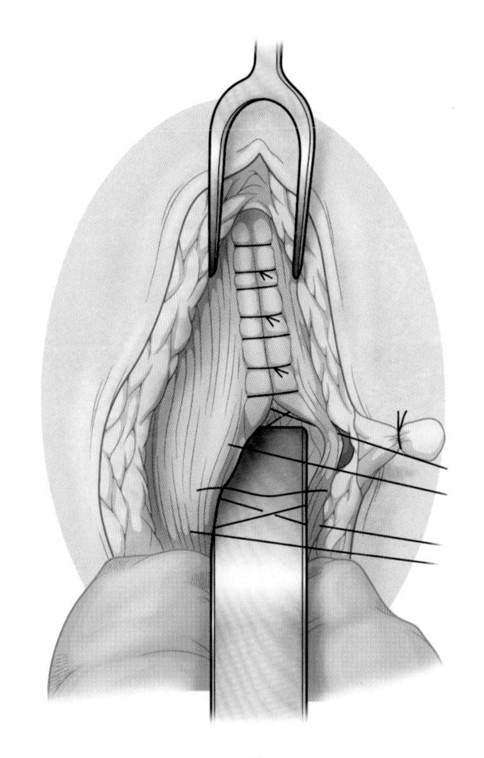

그림 9-15

(그림 9-16) 근막을 닫을 때 배꼽에서는 배꼽륜(umbilical ring)의 바깥쪽 근막을 확인하고 봉합해야 한다. 배꼽륜 안쪽에서 봉합하면 배꼽결손이 커져 다시 수술해야 한다. 수술단계에서 배꼽을 완전하게 남겨 놓으면 만족스런 미용적 피부봉합을 할 수 있다. 복벽에서 2~3 cm 길이의 탯줄만 남겨 놓고 여분의 탯줄 끝을 잘라낸 후 배꼽과 같은 높이에서 배꼽혈관과 요막관를 결찰하여 자른다. 피부봉합 전에 손상된 피부를 잘라내고 배꼽이 정상적으로 복부중심에 위치할 수 있도록 절개의 좌측 끝에 놓고 피부봉합을 한다. 호흡에 장애가 없고 복부구획증후군이나 파국적인 장허혈과 괴사을 일으키지 않을 것으로 판단된다면 일차근막봉합술이 가장 좋다.

일차적 근막봉합술이 가능한지의 여부는 간접적 방법으로 복강내 압력을 측정하여 예측할 수 있다. 복강내 복압은 폴리카테터(Foley catheter)나 비위관(nasogastric tube)을 삽관하여 압력계(manometer)를 연결하면 측정할 수 있다. 복부구획증후군(abdominal compartment syndrome)을 피하기 위해 중심정맥압, 방광내압, 위장내압이 20 mmHg를 넘어서는 안된다. 복벽을 닫을 때 너무 팽팽하게 조이면 횡격막의 운동이 제한되고 환기저항의 증가를 보상하기 위해 들숨의 압력증가가 필요하게 된다. 최고 흡기압(peak inspiratory pressure)을 25cm H_2O 이하로 환기(ventilation)가 가능하면 안전하게 복벽을 닫을 수 있다.

만약 호흡부전을 유발할 정도로 완전 정복이 불가능 할 경우에는 거대배꼽탈장과 마찬가지로 단계적 수술을 한다. 복벽에 저장고를 만들어 주는데 이 방법은 결손부위 양쪽에 실라스틱판(dacro-reinforced silastic sheet 0.007 inch)을 근막의 둘레를 따라 봉합 해주고 장내용물의 주위를 원탑형의 저장고를 만들어 내장을 집어 넣고(그림 9-11A) 저장고의 크기를 점차 적으로 줄여가며 복강내 장기를 천천히 정복한 후(그림 9-12A, B) 근막이 충분히 서로 접근하면 저장고를 제거하고 근막과 피부를 봉합한다. 배꼽탈장과 마찬가지로 최근엔 스프링이 장전된 고리가 붙어있는 제품화된 자루모양의 실라스틱 주머니(PSLS)나 창상견인기(WPAR)를 사용하기도 한다. 고리가 있는 자루입구를 통해 주머니 안으로 장을 밀어 넣고 기저부의 고리를 창상 안으로 집어 넣은 후(그림 9-17A) 장이 들어 있는 자루모양의 주머니를 순차적으로 줄여가며(그림 9-17B) 복부장기를 복강내로 정복시킨 후(그림 9-17C) 근막가장자리가 충분히 가까워지면 저장고를 제거하고 근막과 피부를 봉합한다.

8. 폐복

복강은 무리해서 닫아서는 안된다.

9. 수술 후 관리

대부분의 환자는 수술 후에 짧은 기간 인공호흡기 부착이 필요하다. 저장고로 닫은 경우는 매일 혹은 2~3일 간격으로 단계적으로 압력을 가해 장을 점진적으로 복강내로 밀어 넣어 들어가도록 단계적 정복술을 시행한다. 특별히 저장고를 씌운 경우 항생제 투입이 필요하고 단계적 정복 시 저장고가 복벽에서 떨어져 나가지 않도록 무리한 정복은 피하여 장기를 복강내로 밀어 넣어 되도록 일주일 내에 점진적으로 정복되도록 한다. 2주 이상 장기간 시간이 소요되면, 감염 가능성이 높아 저장고를 분리시켜야 한다.

수술 후 마비성 장폐색 기간이 오래 지속되므로 중심정맥영양법에 의한 비경구 영양공급이 필요하다. 피부봉합만 한 경우는 술 후 환아의 호흡이 용이한 범위내에서 복강의 신장을 내측으로 하기 위해 탄력 붕대로 복부를 감아주면 복벽탈장(ventral hernia)이 커지는 것을 방지하고 동시에 복강이 커지도록 유도한다.

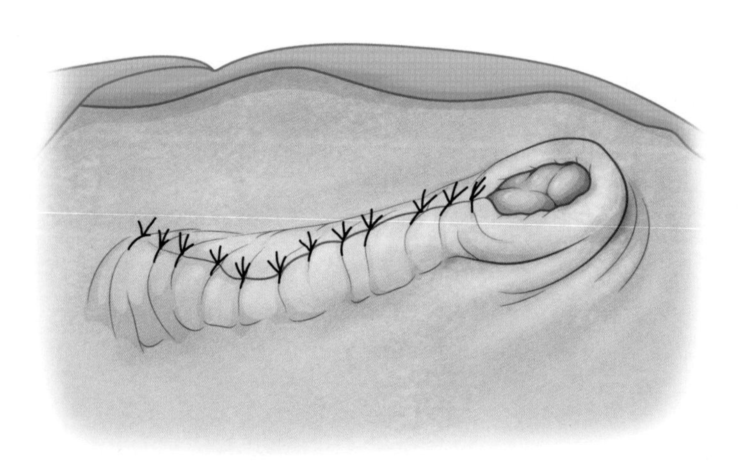

그림 9-16

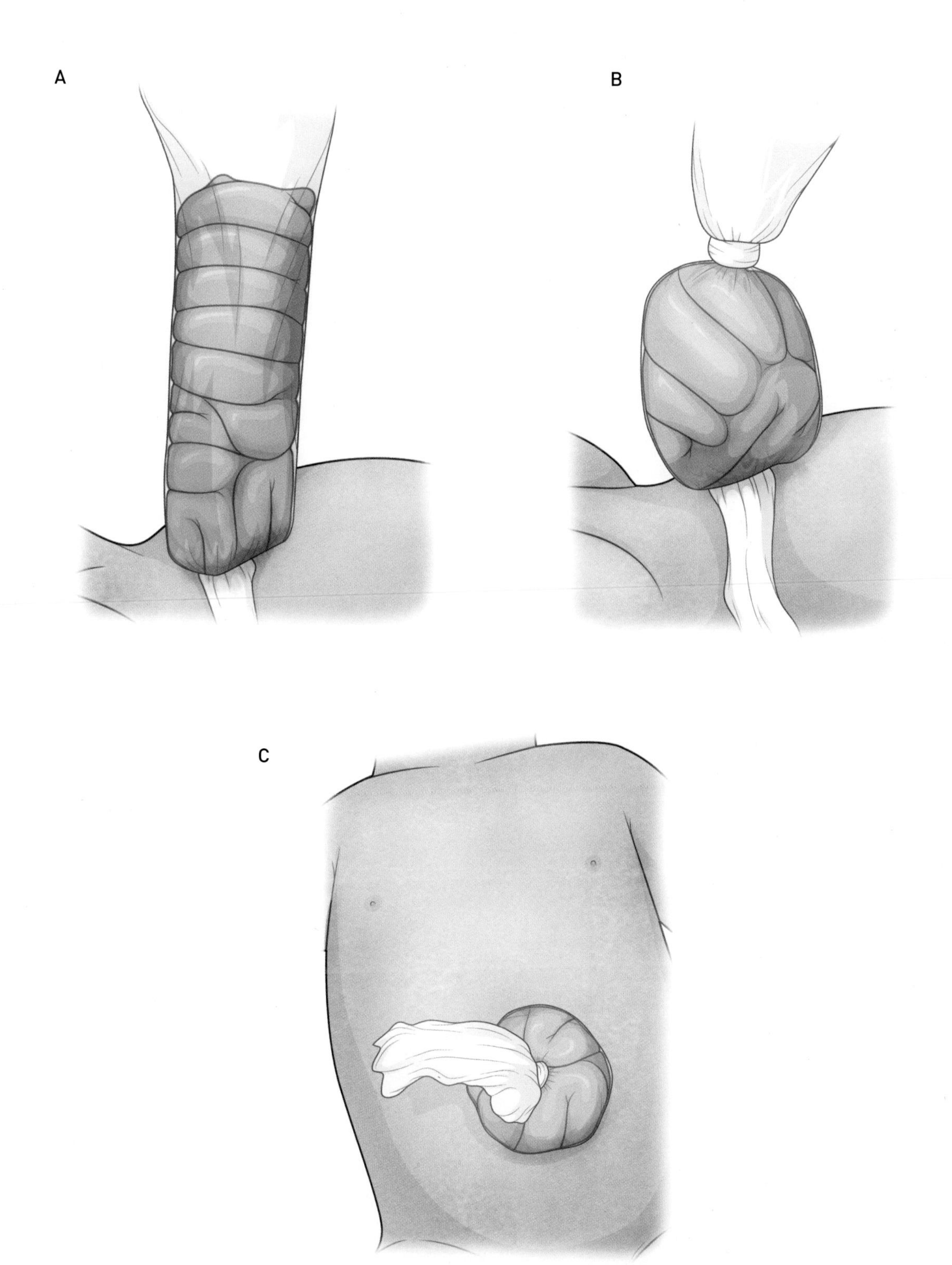

그림 9-17

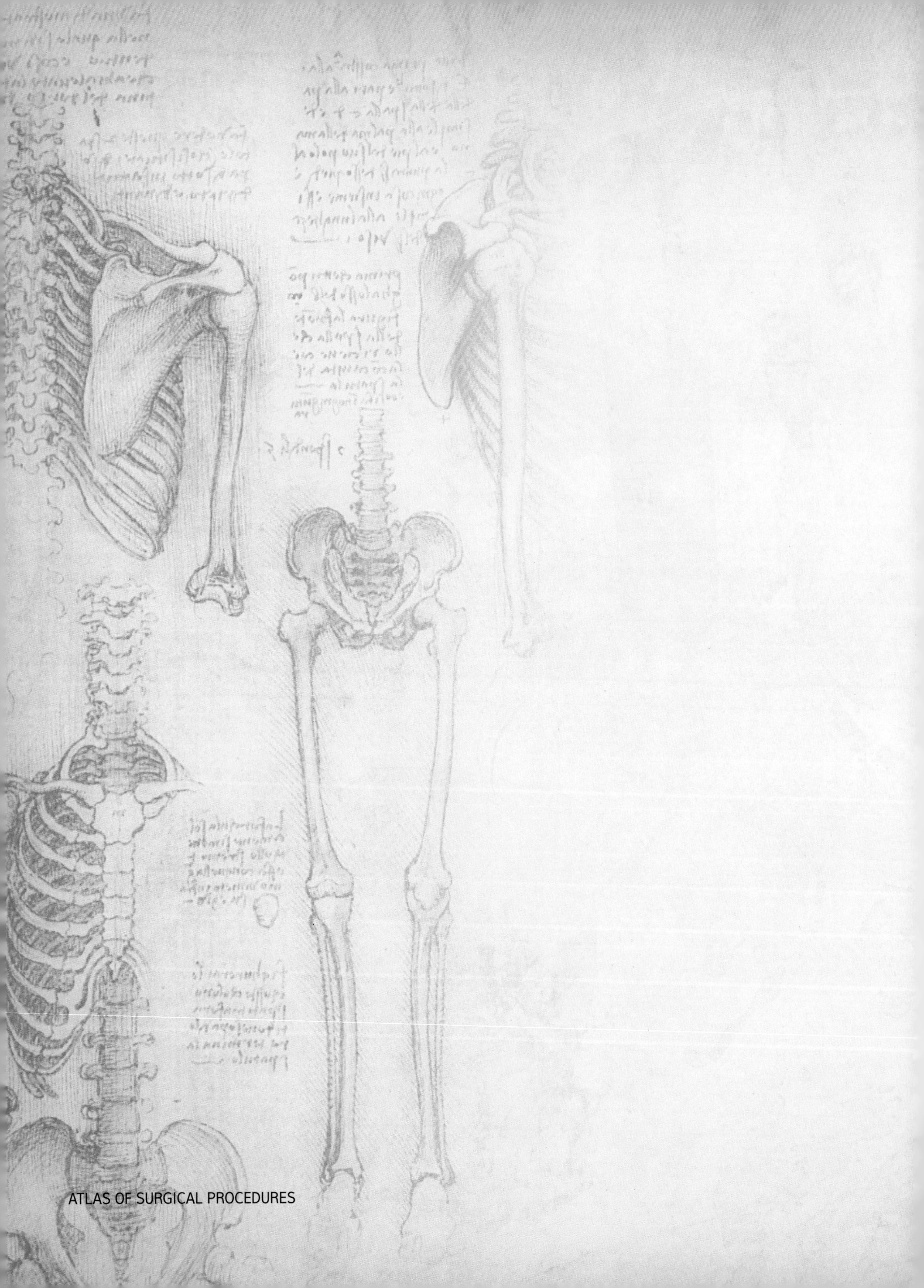

ATLAS OF SURGICAL PROCEDURES

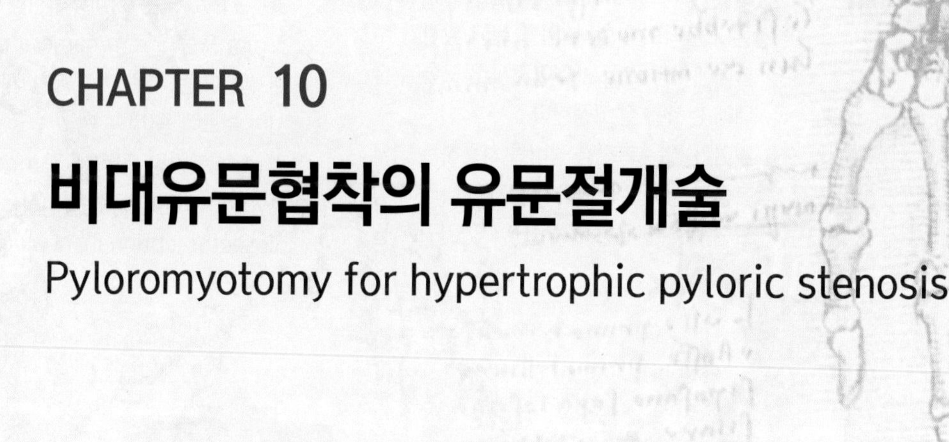

CHAPTER 10

비대유문협착의 유문절개술

Pyloromyotomy for hypertrophic pyloric stenosis

1. 적응증

비대유문협착으로 진단된 영아

2. 수술 전 검사

- 복부초음파
- 상부위장관조영술: 복부초음파로 진단이 불명확한 경우

3. 수술 전 처치

- 심각한 탈수나 전해질 불균형, 산-염기 불균형 등이 있을 경우 충분한 수액 공급을 통해 교정
- 금식 유지
- 필요시 비위관(또는 구위관) 삽입 후 위장관 감압
- 바륨 조영제를 이용한 상부위장관 조영술을 받은 경우, 비위관/구위관을 통해 식염수를 수 차례 주입 및 배액하여 위세척 함으로써 바륨 조영제 제거

4. 마취

전신마취 및 기도삽관

5. 환자 자세

- Supine position
- 복강경 수술 시 환자를 수술대 끝으로 위치시키고 reverse Trendelenburg position으로 체위를 변경해 pylorus가 잘 노출되도록 한다. 이를 위해 환자가 수술대에서 미끄러져 떨어지지 않도록 수술대에 환자를 잘 고정한다.
- 길이가 짧은 복강경 장비를 사용하는 경우 복강경 장비의 손잡이가 환자의 다리에 닿으면서 수술에 장애가 될 수 있으므로, 필요하다면 환자의 등 뒤로 수술포를 접어 넣어서 환자의 몸통이 수술대에서 약간 들려 올려지도록 자세를 잡는다(그림 10-1A).
- 술자는 환자의 다리 쪽에 위치하고, scopist는 술자의 왼쪽 또는 오른쪽에 서며, 모니터는 환자 머리 쪽으로 둔다(그림 10-1B).

6. 수술 준비

1) 비위관(또는 구위관) 삽입 및 배액

2) 복강경 수술 시

- 30° 3 mm 또는 5 mm 복강경 카메라
- 3 mm 또는 5 mm camera port (복강 내 삽입되는 부위가 투명한 제품이 수술 시야 확보에 용이)
- 3 mm 복강경 장비 : 3 mm trocar, myotomy knife, atraumatic grasper, dissector (optional), hook (optional),

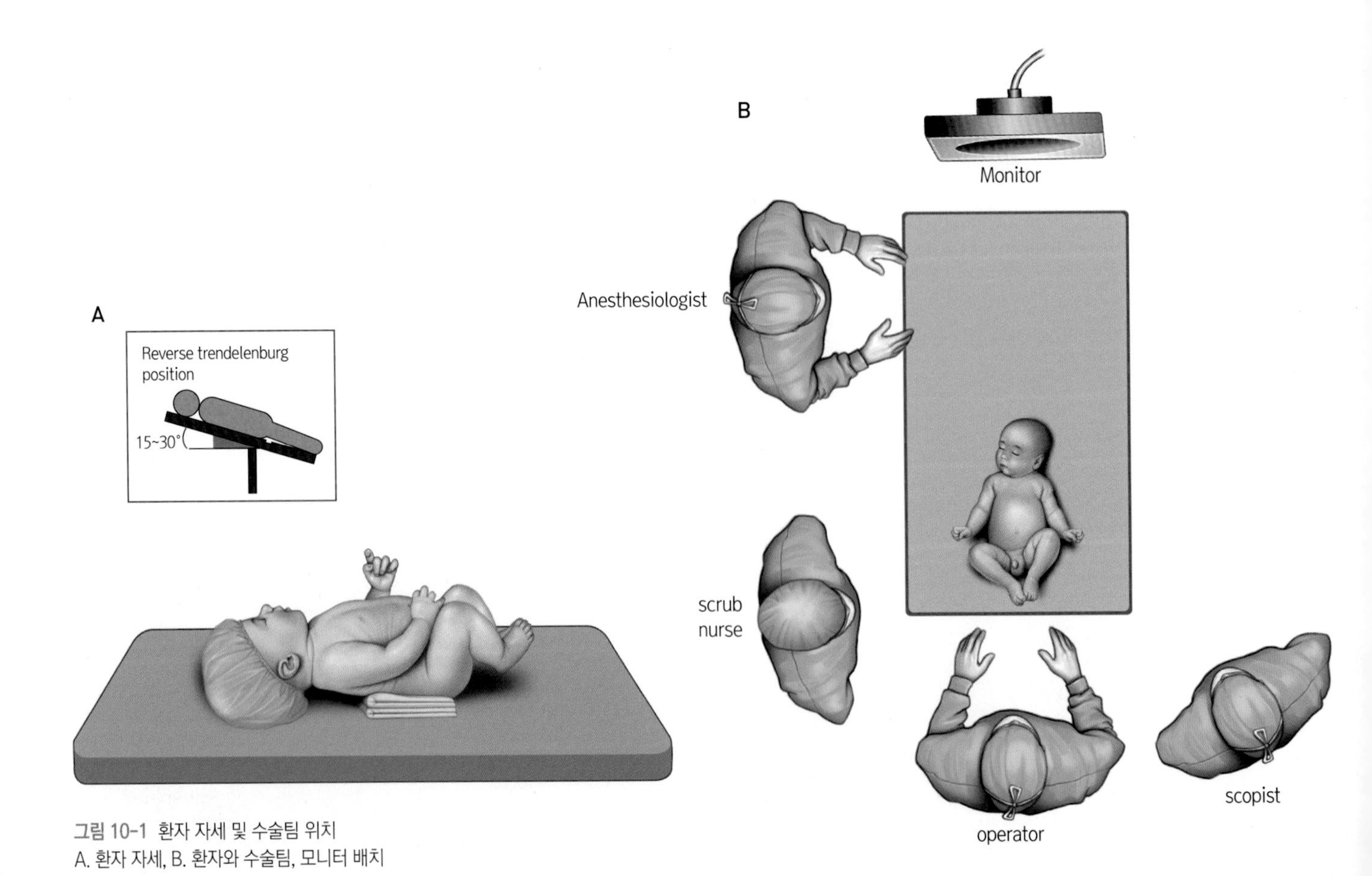

그림 10-1 환자 자세 및 수술팀 위치
A. 환자 자세, B. 환자와 수술팀, 모니터 배치

pyloromyotomy spreader (optional), irrigation and suction catheter (optional)

7. 절개 및 노출

Pylorus로의 접근 방법에 따라 피부 절개 위치 및 수술법이 나뉘게 된다.

1) 우상복부 횡행 절개

우상복부에 pyloric mass가 만져지는 곳으로 피부 절개를 하여, pylorus로 직접 접근하는 방법이다.
우상복부 pyloric mass가 만져지는 곳에 피부 주름을 따라 길이 2.5~3 cm 가량 횡행으로 피부를 절개한다. 피부 절개선 방향대로 피하지방 및 복부 근육, 복막을 절개하여 복강 내로 들어간다. pylorus를 찾아 피부 밖으로 빼낸다(그림 10-2).

2) 배꼽 상부 절개

우상복부 피부 절개를 통한 수술의 경우 수술 후 복부의 상처가 남으므로, 미용적으로 조금 더 우수한 결과를 위한 수술법이다. 그러나, 배꼽과 유문근의 거리가 멀거나, 유문근이 절개창을 통해 잘 나오지 못하는 경우, 수술의 어려움이 따를 수 있다.
배꼽 바로 위의 피부 주름을 따라 반원형으로 피부 절개를 한다(그림 10-2, 3A).
피하로 linea alba 바로 앞의 plane을 따라 epigastric area 방향으로 공간을 만든다. 피부가 매우 얇기 때문에 피하 공간을 만드는 과정에서 피부의 천공이 일어나지 않도록 주의하여야 한다. 만들어진 배꼽 위 피하 공간에 linea alba의 정중선을 따라 직상방으로 절개한다(그림 10-3B).
복강 내에서 pylorus를 찾아 피부 밖으로 빼낸다. 이 과정에서 유문근이 잘 나오지 않을 경우, 피부 절개나 linea alba의 절개를 연장해야 할 필요가 있다. 절개창으로 무리하게 유문근을 빼다가 장막이 찢어지는 합병증이 발생할 수도 있으니 주의해야 한다.

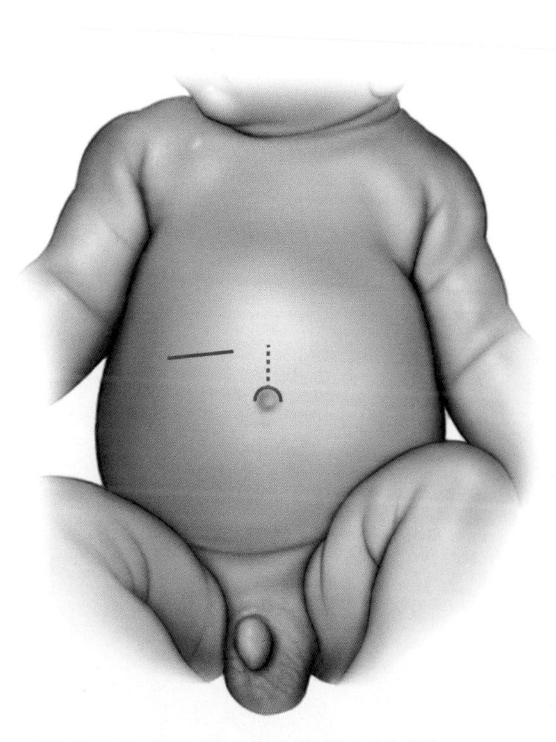

그림 10-2 우상복부 횡행 절개 / 배꼽 상부 절개 위치

A

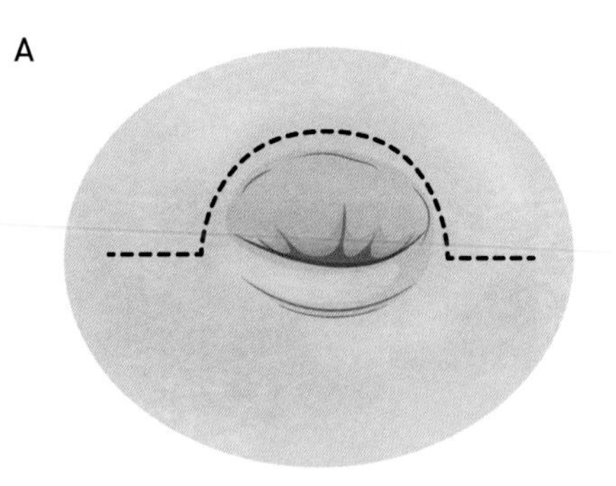

B

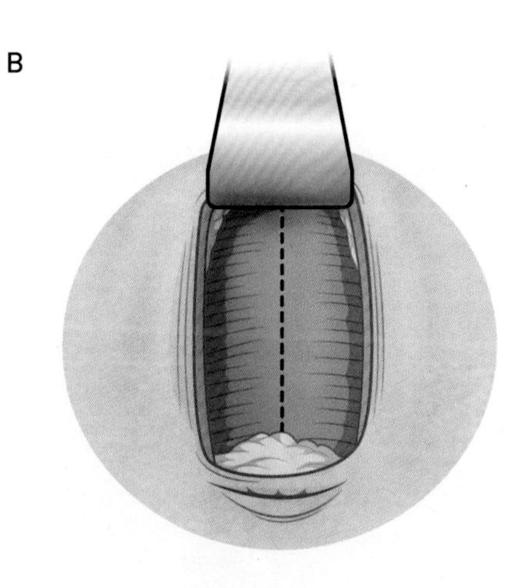

그림 10-3 배꼽 상부 절개
A. 배꼽 직상부의 피부 주름을 따라 반원형으로 피부 절개
B. 배꼽 위 linea alba 바로 앞의 plane을 따라 epigastric area 방향으로 피하 공간을 만들어 linea alba의 정중선을 따라 직상방으로 절개

3) 복강경

복강경 기구를 이용하여 미용적으로도 우수하고, 수술 후 회복에도 유리하다.

카메라용 포트 위치는 배꼽이나 배꼽 위 또는 배꼽 아래의 피부 주름을 따라 포트 크기에 맞도록 피부를 절개하고 절개창을 만들어 삽입한다. 삽입하려는 부위의 피부 주름에 카메라 포트를 투관침 없이 눌러 포트의 크기를 맞추고 이 표시에 맞춰 피부 주름을 따라 배꼽 위 또는 아래의 횡행 피부 절개를 한다. 수술을 받는 환자의 대부분에서는 일반적으로 배꼽의 근막이 충분히 닫히지 않은 경우가 많으므로, 배꼽 바로 아래 피부 주름을 통해 피부 절개하여, 배꼽의 중심 부위로 접근하여 배꼽 바로 밑 근막 중심 결손 부위를 확장하여 복강 내로 카메라 포트가 삽입될 공간을 만든다. 이렇게 하면, 카메라 포트가 자연스럽게 수술 부위를 향하도록 할 수 있다(그림 10-4). 탯줄이 배꼽에서 모두 제거된 경우, 배꼽 중앙을 포트 크기에 맞춰 피부 절개하여 배꼽 근막 중심을 통해 카메라 포트를 삽입할 수도 있다. 카메라 포트를 삽입 후 기복을 만든다. 복압이 8~12 mmHg가 되도록 이산화탄소를 카메라 포트를 통하여 주입한다. 3 mm 카메라 포트의 경우, 카메라가 포트에 들어가 있으면 이산화탄소 주입이 원활하게 안 되는 경우도 있다.

신생아나 영아에서는 복강 내 공간이 매우 협소하여 카메라 포트를 깊이 삽입할 수 없고, 복벽이 비교적 얇아 수술 중 카메라 포트가 쉽게 복강으로부터 빠지게 되므로, 필요시 수술 과정 동안 배꼽 피부에 anchoring suture로 카메라 포트를 고정해둘 수 있다. 그러나, 이 수술의 경우 수술 시간이 비교적 짧고, 카메라 포트가 복강 내에서 빠지더라도 복벽이 얇아 카메라 포트를 다시 넣는 것도 용이하며, anchoring suture를 해두어도 카메라 포트가 빠지는 경우가 있으므로, 카메라 포트의 anchoring suture는 선택적으로 시도할 수 있다.

기복이 이루어진 후 복강경 카메라로 복강 안을 보면서, 피부 밖 명치 부위에서 suture 하여 간의 원인대를 들어올려 복벽에 고정한다

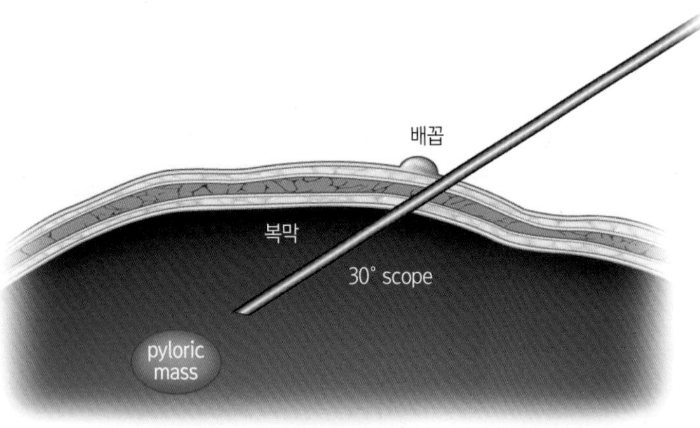

그림 10-4 복강경 카메라 삽입 위치

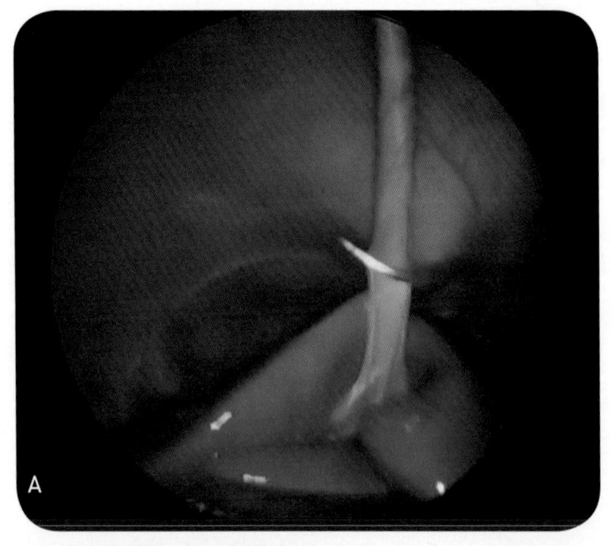

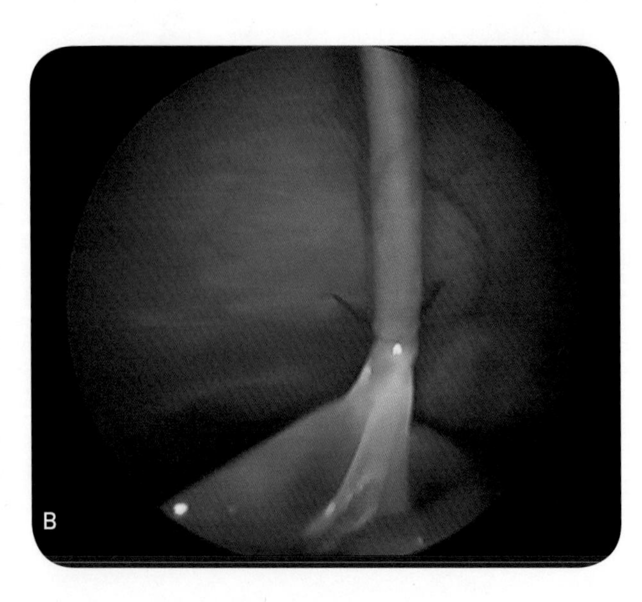

그림 10-5 복강경 수술: 간 원인대 견인

A. round needle이 달린 1-0 또는 2-0 굵기의 봉합사를 이용하여 명치 부위 피부에서 복강 내 간 원인대를 들어올려 다시 피부 밖으로 바늘을 빼낸다.

B. 봉합사를 피부 밖에서 당기면서 원인대를 전방 복벽에 고정하여 간을 견인한다.

(그림 10-5). 이 때 사용하는 봉합사는 피부 밖에서 stitch를 넣을 때 복강 내 원인대를 포함할 수 있을 정도의 충분한 크기의 바늘이 달린 봉합사(round needle이 달린 1-0 또는 2-0 굵기의 봉합사)를 사용한다. 한 번의 stitch로 충분히 간이 들어올려지지 않을 경우, 2~3회 추가로 stitch를 넣어 간을 견인할 수 있다. 이 과정에서 바늘 끝으로 원인대나 간을 찔러 출혈이 발생하지 않도록 한다. 봉합사 결찰은 피부 밖에서 하며, 결찰 실 아래로 피부와 실 사이에 작은 거즈를 접어 넣어 수술 과정 동안 피부가 봉합사에 의해 눌리지 않도록 한다. 결찰 후에도 간이 충분히 들어올려지지 않았다면, 추가 stitch를 통해 견인을 효율적으로 하여 유문부의 시야를 충분히 확보한다.

유문부가 노출된 후 배꼽 좌우로 적절한 거리를 두고 기구 삽입 위치를 결정한다. 유문부를 직접 보면서, 수술자가 한 손으로 유문부를 잡고 다른 한 손으로 유문부 근절개를 할 수 있는 적절한 위치로 기구를 삽입한다(그림 10-6). 이 때 고려해야 할 점은, 신생아나 어린 영아는 복강 내에서 간이 차지하는 면적이 비교적 넓기 때문에, 복강경 기구 삽입부가 상복부에 너무 치우치는 경우, 복강경 기구를 넣으면서 복강경 기구가 간 표면을 찔러 간이 손상될 수 있다는 점이다. 복강경 카메라로 간의 하연을 확인하고 수술 중 복강경 기구 삽입 시 기구가 간에 부딛히지 않도록 간의 하연보다 아래로 기구 삽입 위치를 결정하는 것이 이러한 문제를 줄일 수 있는 방법이다. 복강경 카메라로 보면서 결정된 기구 삽입 위치의 복벽에 3 mm 포트를 삽입한다. 포트를 삽입하지 않고, 3-mm 기구가 들어갈 정도의 길이로 복벽에 stab incision을 복강 안까지 깊이 넣어 포트 없이 직접 복강경 기구를 삽입하여 수술을 진행할 수도 있다. 이런 경우 stab incision을 넣으면서 복강 내 장기 손상이나 복벽 출혈이 없는지 카메라로 직접 확인하여야 하며, 전기소작기를 사용할 경우, 전기소작기 연결 기구의 단열 여부를 확인하여, 전기 누출로 인한 피부 화상이 발생하지 않도록 주의해야 한다.

8. 수술 과정

위의 유문근이 두꺼워져 발생하는 유문관의 협착을 완화하기 위해, 두꺼워진 유문근의 횡절개를 통해 유문 내 공간을 확보하는 과정이다.

1) 복부 절개(우상복부 횡행 절개 또는 배꼽 상부 절개)를 통한 수술법

한 손으로 pyloric mass를 단단히 잡고, 다른 손으로 수술칼을 이용하여 pyloric mass의 앞 부분 중 비교적 혈관 분포가 없는 부분으로 횡절개를 한다. 횡절개의 깊이는 장막과 일부 근육층이 포함될 정도의 깊이로 얕게 하며,

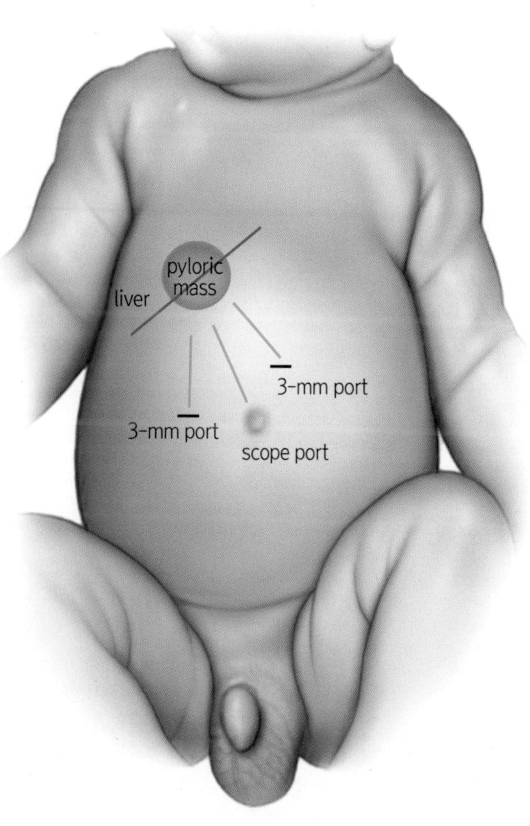

그림 10-6 복강경 카메라 및 기구 위치

횡절개의 범위는 Antropyloric junction 부위를 근위부로 하고, pyloric vein (vein of Mayo) 직상방을 원위부로 하여 절개한다(그림 10-7A). mosquito forceps 등을 이용하여 pylorus의 점막하층이 손상되지 않도록 주의하며 점막하층이 보이도록 근절개창에서 직각 방향 안쪽으로 근절개 깊이를 점진적으로 확장한다. 우선, mosquito forceps tip을 절개창 중간 부위로 살짝 밀어넣어 유문부를 둘러싸고 있는 근육 사이를 약간 벌려준 후, 근위부와 원위부로 근절개 범위를 넓혀간다. 근절개 범위가 어느 정도 넓어졌다면 mosquito forceps 의 둥근 부분을 이용하여 안쪽 점막하층이 충분히 드러날 때까지 충분히 근절개창을 넓힌다. 장막에 횡절개된 범위만큼 근육층 전체로 충분히 절개가 이루어지도록 조심스럽게 근위부와 원위부로 근절개 범위를 넓혀준다(그림 10-7B).

근절개가 불완전하면 수술에도 불구하고 구토 증상이 지속될 수 있으므로, 이를 방지하기 위해 충분한 길이의 절개를 하도록 한다. 특히, 위장관 쪽 절개창이 충분히 만들어져야 한다. 유문부의 두께가 두꺼운 근육층과 비교할 때, 근절개 근위부에서 근육층 두께가 정상적으로 얇게 나타나는 것이 보일 정도로 근위부 절개 범위를 충분히 한다. 또한, 절개창을 통해 점막하층이 약간 튀어나와 보이도록 절개 범위와 깊이를 충분히 한다. 근절개의 원위부인 pyloroduodenal junction에서 남아있는 근육층을 모두 절개하려고 시도하다가 점막 천공이 잘 발생될 수 있으니 원위부에서는 더욱 주의하여 근절개를 한다. 근절개가 충분히 되었다면, 안쪽의 점막하층이 튀어나와 보이고, 절개된 양쪽 근육을 forceps 등으로 잡아 서로 반대 방향으로 움직일 때 양쪽 근육층이 자유롭게 따로 움직이는 것을 볼 수 있다(그림 10-7C).

출혈이 심할 경우 전기소작기로 지혈이 필요할 수도 있으나, 대부분의 출혈은 지혈 과정 없이 금방 멎게 된다.

복강 내로 유문부를 넣기 전에 비위관/구위관을 통해 공기를 넣어 위를 팽창시켜 유문부와 십이지장으로 공기를 통과하도록 하면서 근절개 부위의 점막 천공 여부를 확인한다. 점막 손상으로 천공이 된 경우, 4-0 또는 5-0 흡

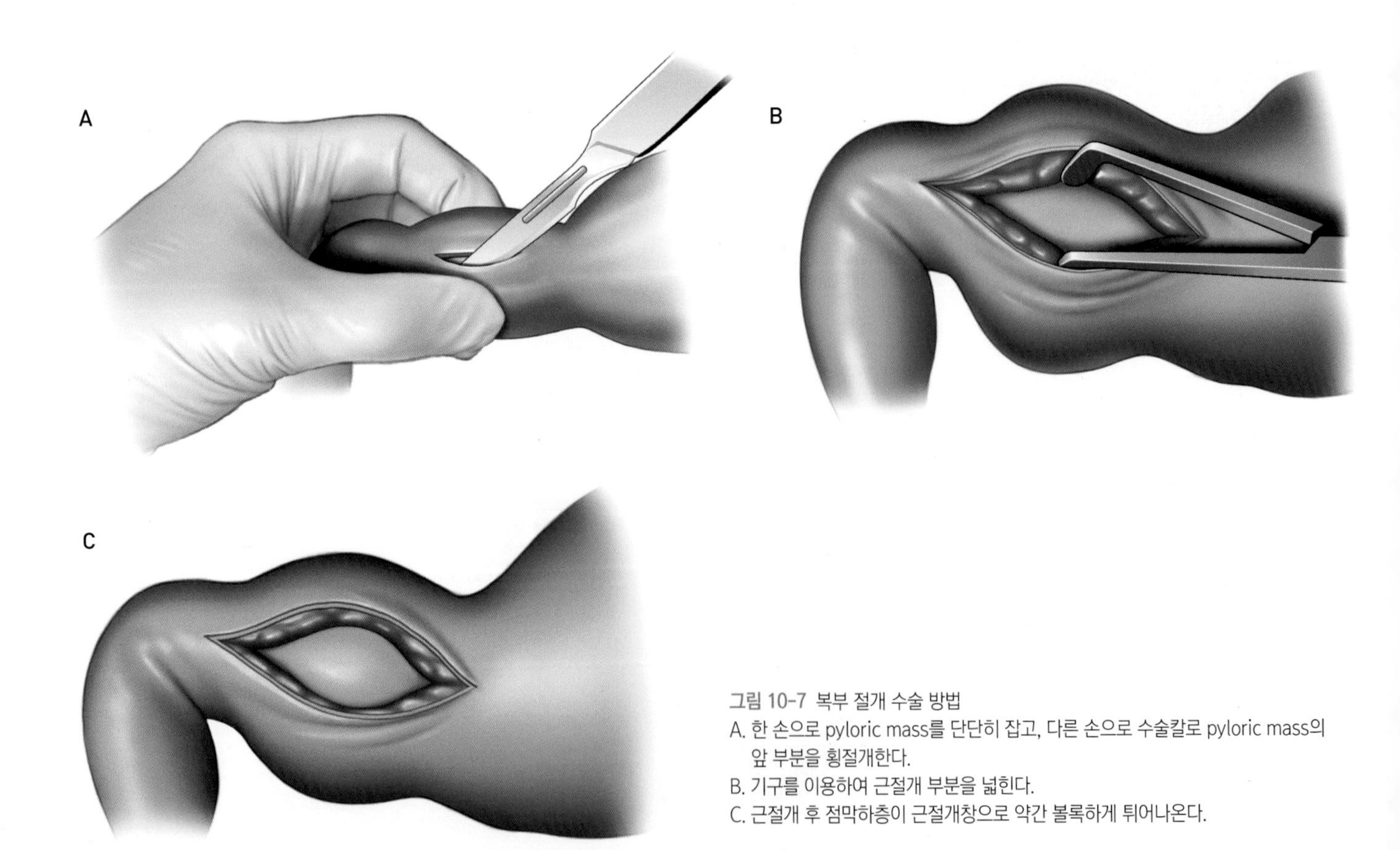

그림 10-7 복부 절개 수술 방법
A. 한 손으로 pyloric mass를 단단히 잡고, 다른 손으로 수술칼로 pyloric mass의 앞 부분을 횡절개한다.
B. 기구를 이용하여 근절개 부분을 넓힌다.
C. 근절개 후 점막하층이 근절개창으로 약간 볼록하게 튀어나온다.

수성 봉합사로 천공 부위를 비연속 봉합 후 대망을 그 위에 위치시키거나, 천공 부위 봉합 및 근절개 부위 봉합 후, 유문부를 돌려서 뒷편에 다시 근절개술을 시행한다.

점막 천공이 없음을 확인한 후 위 안의 공기를 다시 빼서 위장을 감압해주고, 유문부를 복강 안으로 넣어 원위치시킨다.

2) 복강경 수술법

Pyloric mass를 찾아 두 개의 grasper로 pyloric mass 양측을 잡거나 누르면서 pyloric mass의 proximal margin과 distal margin을 확인한다(그림 10-8).

grasper를 이용하여 한 손으로 pyloric mass를 잡고, 반대편 손으로 전기소작기 연결된 hook을 이용해 pyloric mass가 노출된 부분에 longitudinal marking을 한다. 이때, 복강경 기구에 쉽게 노출되면서 혈관 분포가 적은 부위를 일직선으로 관통하며 marking 한다. 절개선의 근위부는 antropyloric junction 부위가 되도록 하고, 원위부는 pyloric vein (vein of Mayo) 바로 직전까지 연장되도록 한다(그림 10-9).

복강경용 myotomy knife를 이용하여 hook 소작 표시를 따라 장막과 근육층을 절개한다. 이 때, pyloric mass를 다른 한 손의 grasper로 단단히 잡아서 움직이지 않도록 고정한 채 lumen에 직각 방향으로 근절개가 될 수 있도록 한다(그림 10-10). 간혹 근절개가 lumen을 향하지 않고, 비스듬히 들어가면서 결국 점막하층 쪽으로 접근하지 못하고 근육층의 표면만 벗기는 절개가 될 수 있으니, 주의하도록 한다.

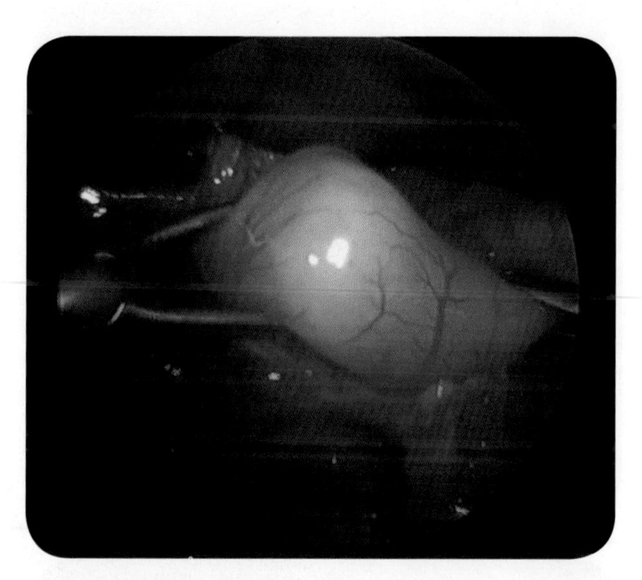

그림 10-8 복강경 수술: pyloric mass 확인

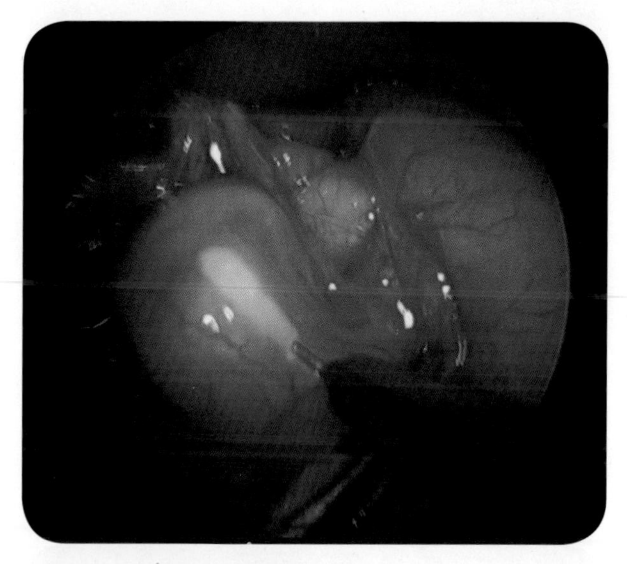

그림 10-9 복강경 수술: 근절개 위치 표시

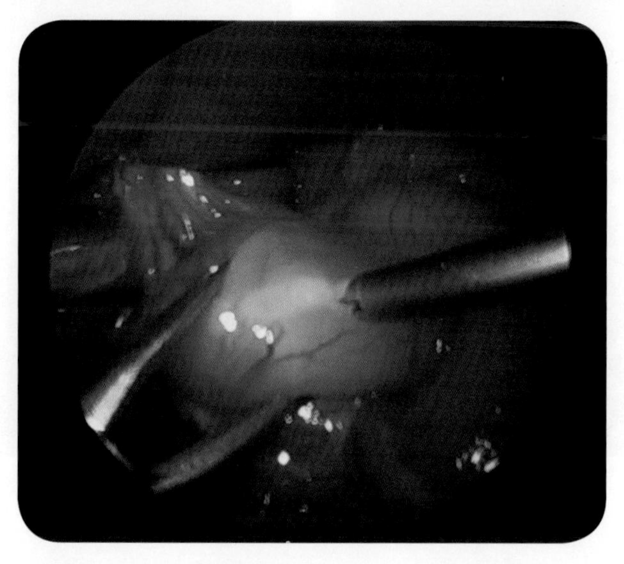

그림 10-10 복강경 수술: 복강경용 myotomy knife로 근절개 시작

Pyloromyotomy spreader 또는 dissector 나 grasper 등을 이용하여 절개된 부분의 점막하층이 충분히 드러날 때까지 근육을 절개한다. 3 mm 포트에 크기가 맞지 않는 Pyloromyotomy spreader의 경우, 3 mm 포트를 제거하고 피부절개선을 통해 바로 복강 내로 삽입하여 수술을 진행할 필요가 있다. Dissector나 grasper를 사용하는 경우, 먼저 dissector tip을 절개선 중간 부위로 살짝 밀어넣어 근육 사이를 약간 벌리면서, 근위부와 원위부로 근절개 범위를 넓혀간다(그림 10-11A, B). 근절개 범위가 어느 정도 넓어졌다면 dissector 의 둥근 부분이나 grasper tip을 이용하여 안쪽 점막하층이 충분히 드러날 때까지 근절개를 하거나(그림 10-11C, D), 두 개의 grasper로 근절개창 한 쪽씩 잡고 서로 멀어지는 방향으로 잡아당기면서 근절개창을 충분히 넓힌다. 장막에 횡절개된 범위만큼 근육층 전체로 충분히 절개가 이루어지도록 조심스럽게 근위부와 원위부로 근절개 범위를 넓혀준다(그림 10-12).

Pyloric mass의 근위부(antropyloric junction)와 원위부(pyloroduodenal junction)까지 충분히 근육층이 박리되어 점막하층이 드러나도록 한다.

불완전한 근절개를 방지하기 위해서는 위장관 쪽 절개창이 충분히 만들어져야 하며, 근절

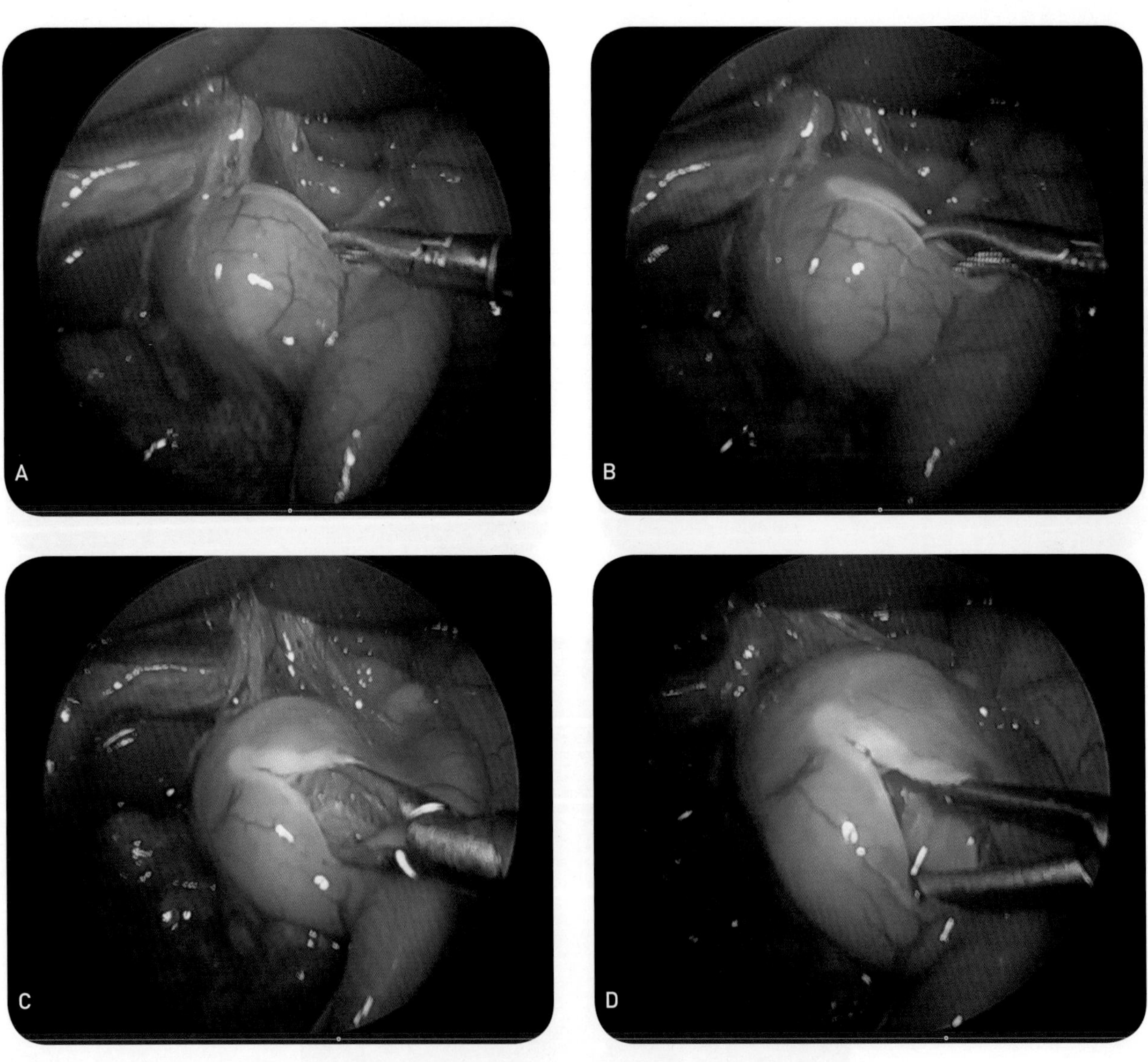

그림 10-11 복강경 수술: 근절개 확장

개 후 절개창을 통해 점막하층이 약간 튀어나와 보이도록 한다. 또한, 충분한 근절개 후, 절개된 양쪽 근육을 grasper 등으로 잡아 서로 반대 방향으로 움직일 때 양쪽 근육층이 자유롭게 따로 움직이는 것을 확인한다.

근절개 부위에서 약간의 출혈이 있을 수 있으나, 대부분의 출혈은 수술이 진행되는 동안 저절로 멈추며, 지혈을 필요로 하지 않는다. 그러나, 수술을 마무리하면서 근절개 부위에 식염수 세척 후 출혈이 지속되는 부위가 있다면, hook 등을 이용하여 소작하여 지혈할 수 있다. 이때, 점막층에 가까운 부위를 소작하면 점막층의 손상과 천공을 유발할 수 있으므로 주의해야 한다. 점막층과 가까운 부위에서 출혈이 지속될 경우 우선 cottonoid 등을 올려 지긋이 누르고, 그럼에도 출혈이 멈추지 않을 경우에는 근육층 안쪽의 점막이 손상되지 않도록 주의하며 필요 시 소작기를 이용해 hook 등으로 지혈하도록 한다.

근절개 부위의 점막 천공 여부를 확인하기 위해 비위관/구위관을 통해 공기를 넣어 위를 팽창시키고 복강 내 유문부 주위로 식염수를 주입하여 공기가 새어나오는지 확인한다(그림 10-13).

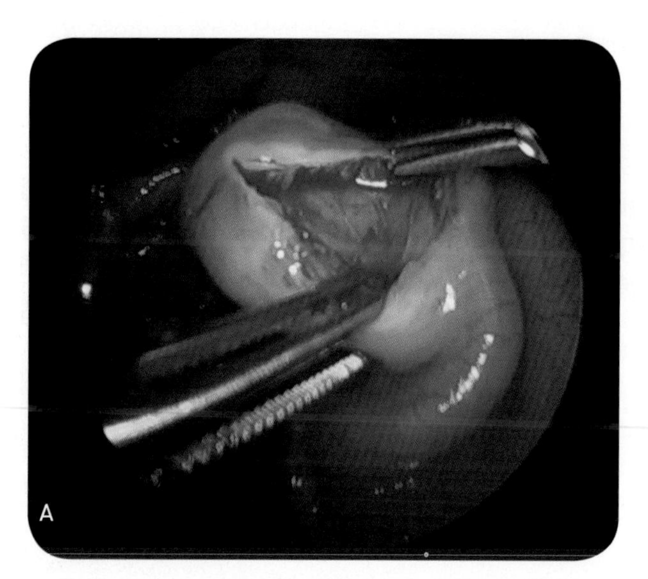

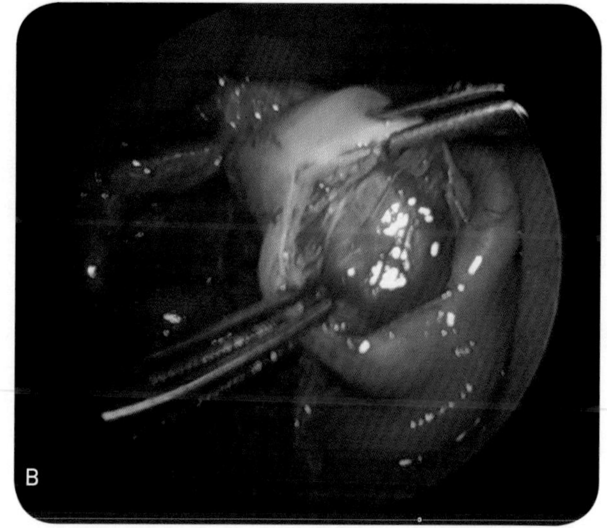

그림 10-12 A. 복강경 수술: 근절개 근위부 확장, B. 복강경 수술: 근절개 원위부 확장

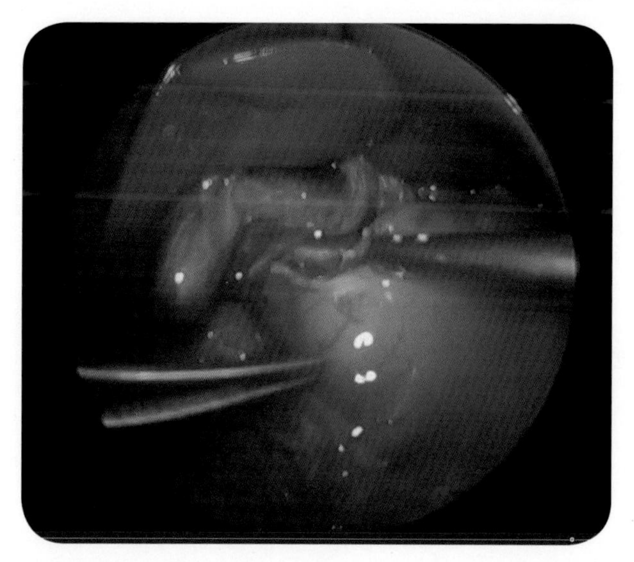

그림 10-13 복강경 수술: 점막 천공 확인

점막 천공이 없음을 확인한 후 비위관/구위관을 통해 위장 내 가스를 빼내어 위를 다시 감압시킨다. 복강 내 주입된 식염수를 흡인해 낸다.
간의 원인대 봉합사를 명치 부위에서 절단하여 풀어주고, 출혈 등의 이상 소견이 없는지 확인한다(그림 10-14).
3 mm 기구용 포트를 사용한 경우, 포트를 제거하고 포트 삽입부위의 출혈 등 이상 소견이 없는지 확인한다. 마지막으로 카메라와 함께 카메라 포트를 제거하고, 복강 내 공기를 빼낸다.

9. 폐복

1) 우상복부 횡행 절개 시

복막, 근막, 근육층을 층별로 구분하여 2-3층으로 안쪽부터 순차적으로 닫고, 피하 봉합을 한다. 사용하는 봉합사는 복막, 피하층 등은 5-0 흡수성 봉합사를 사용할 수 있고, 근막과 근육층은 봉합하려는 조직의 두께 등을 고려하여 4-0 또는 3-0 흡수성 봉합사를 사용한다.

2) 배꼽 상부 절개 시

복막을 포함하여 linea alba를 4-0 또는 3-0 흡수성 봉합사로 비연속 봉합한다. 피하 봉합은 5-0 흡수성 봉합사를 이용한다.

3) 복강경 수술법

카메라 포트 삽입 부위의 배꼽 근막은 4-0 또는 3-0 흡수성 봉합사로 봉합하고 피하 봉합은 5-0 흡수성 봉합사로 봉합한다. 3 mm 기구용 포트 삽입 부위는 5-0 또는 6-0 흡수성 봉합사로 피하 봉합하거나, 피부 접착용 테잎 등을 붙인다. 간의 원인대를 들어올리는 용도로 사용한 명치 부위의 봉합 상처는 피부 접착용 테잎 등을 붙인다.

10. 수술 후 관리

수술 후 무호흡 여부를 확인하기 위해 pulse oximeter 모니터링을 유지한다.
수술 후 수유 재시작 시기 및 수유량 증량 방법과 관련해서는 여러 가지 프로토콜이 있으므로, 기관에 맞는 방법으로 수유를 진행하도록 한다.
수술 후 마취에서 충분히 회복된 후에 수유를 시작하게 되며, 일반적으로 수술 후 2~6시간 동안 금식 후 수유를 다시 시작한다. 수유 시작은 일반적으로 5% dextrose water 등의 맑은 액체를 소량 섭취하도록 한다. 구토가 없으면 일반적인 신생아의 수유 간격으로 수유를 진행하여 모유나 분유로 전환하고 수유량도 점차 증량하여, 수술 후 1~2일 기간 동안 정상적인 수유량까지 점진적으로 늘인다.
수술 중 점막 천공이 있었던 경우, 비위관 등으로 24시간 정도 감압 후 조심스럽게 수유 재개하도록 한다.

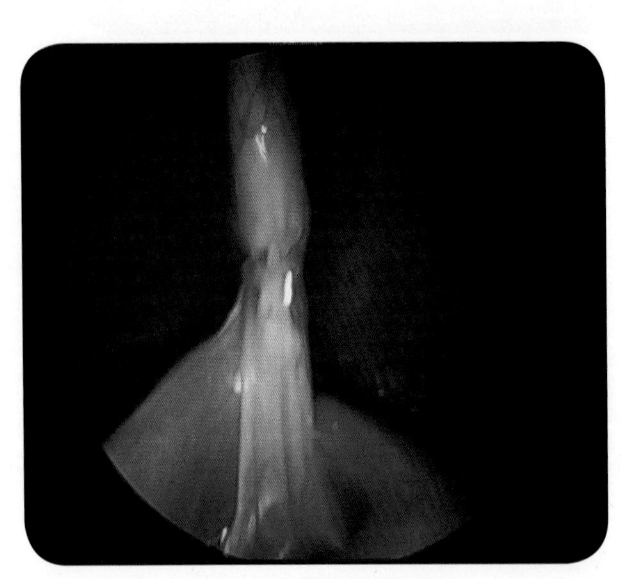

그림 10-13 복강경 수술: 간 원인대 봉합사 제거 후 확인

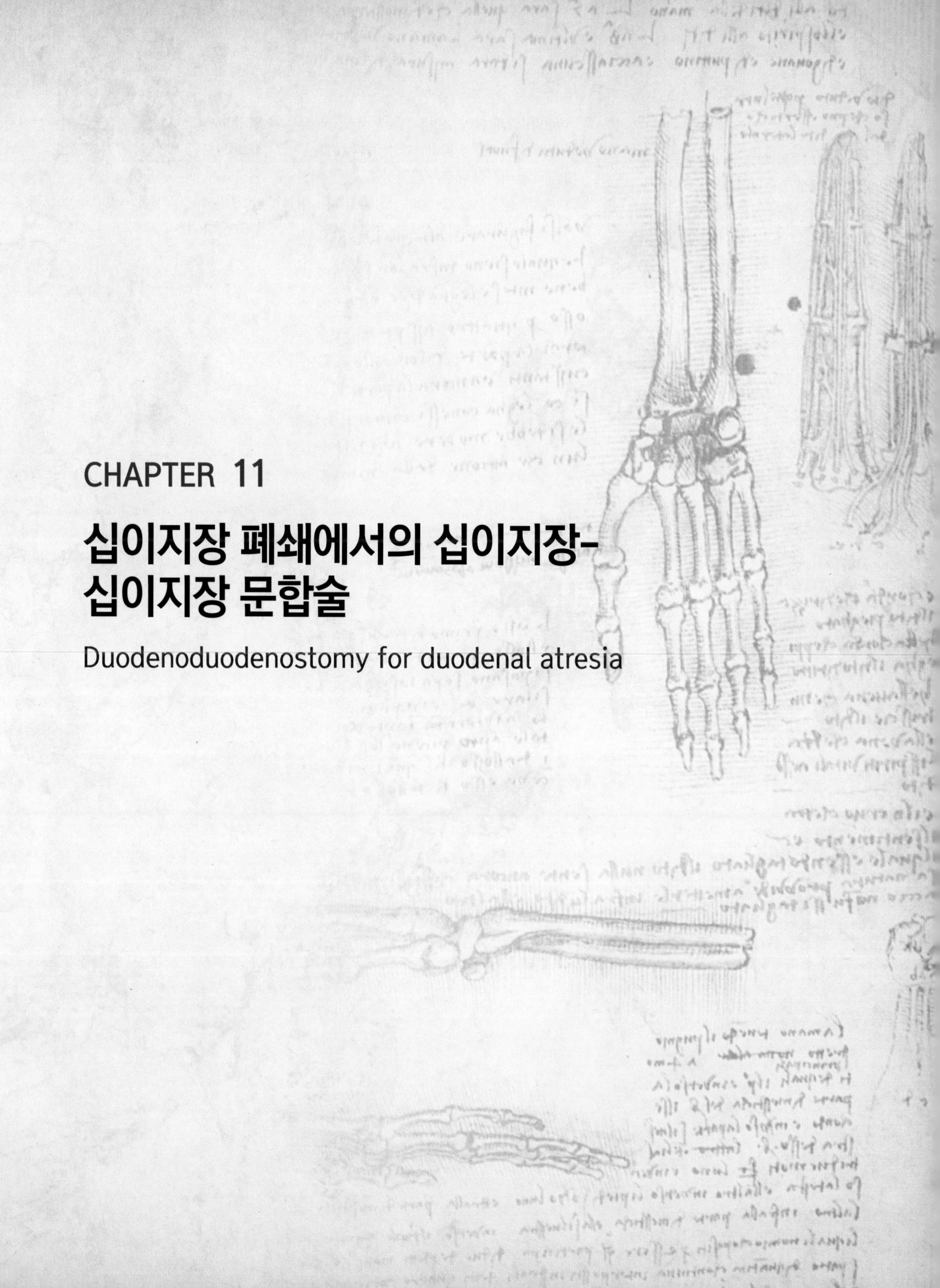

CHAPTER 11

십이지장 폐쇄에서의 십이지장-십이지장 문합술

Duodenoduodenostomy for duodenal atresia

1. 서론

신생아에서 십이지장 폐쇄가 진단된 경우 십이지장 폐쇄의 형태에 따라 3가지로 나누는데 Type I의 경우에는 십이지장의 끊어짐 없이 연결은 있으나 내부에 막이 있는 경우로 web이 짧게 붙어있으면서 near complete obstruction을 유발하고 있는 경우(그림 11-1, 2)와 십이지장 내부가 좁아져있지는 않지만 web이 길어 "wind-sock"을 유발하여 이 web의 끝에서 십이지장 폐쇄가 일어나는 두 가지가 있다(그림 11-3). Type II는 십이지장 폐쇄의 근위부와 원위부가 fibrous cord로 연결되어 있는 경우이며(그림 11-4), Type III는 근위부 십이지장과 원위부 십이지장의 연결이 전혀 없는 경우이다(그림 11-5).

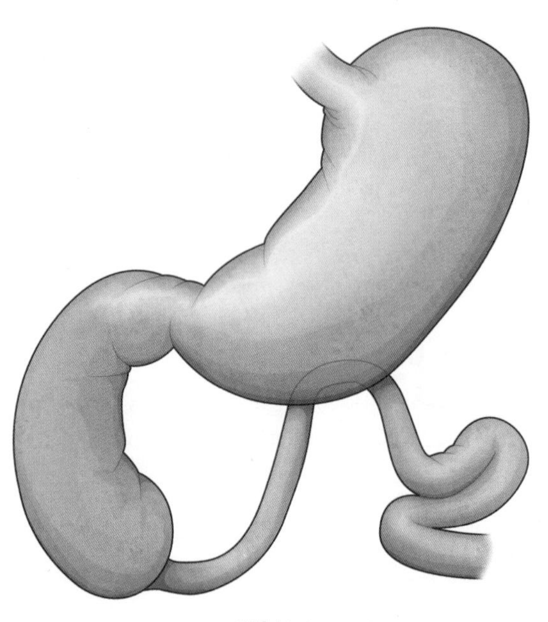

그림 11-1

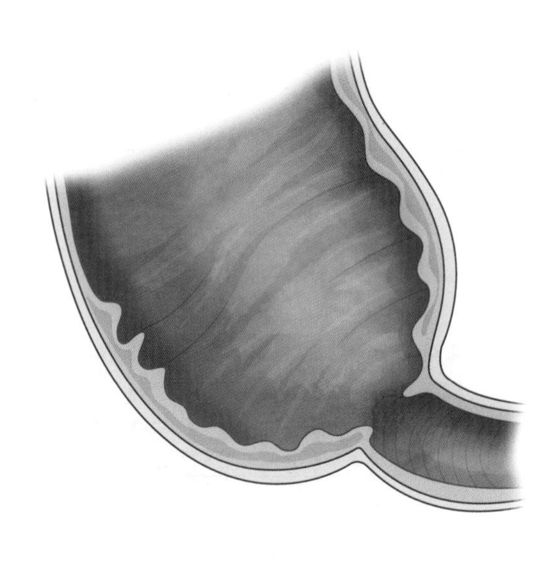

그림 11-2

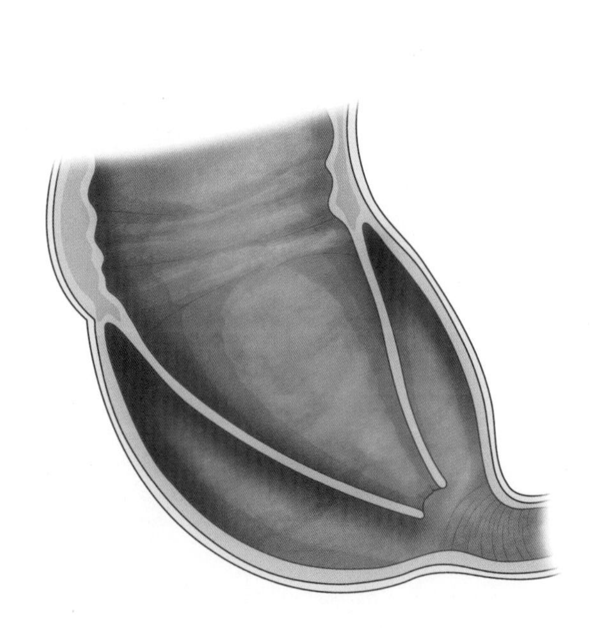

그림 11-3

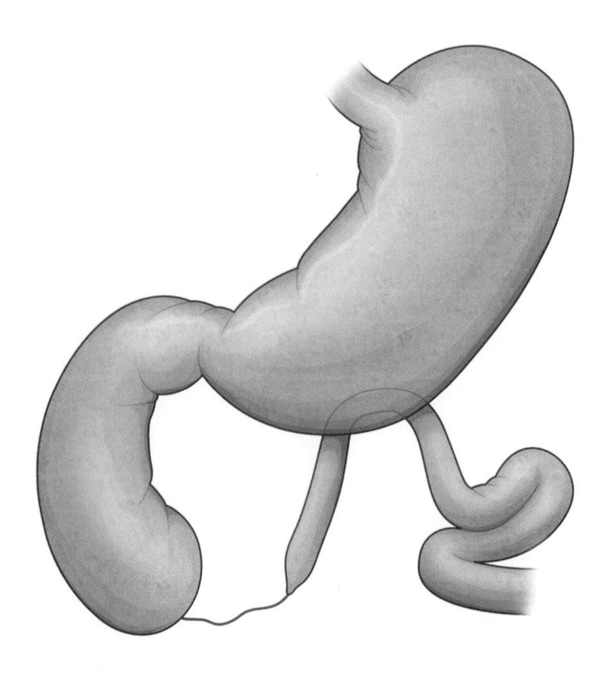

그림 11-4

2. 수술 전 처치

대부분 신생아에서 진단되는 경우가 많으므로, 환자가 수술장에 도착하기 전 overhead warming light와 warming blanket을 준비하여 수술장 온도를 24° 이상 유지하도록 하며, 비위관이 삽입되어 있지 않다면 삽입하도록 한다.

3. 마취

전신마취 하에 기관삽관 후 예상되는 세균에 대한 예방적 항생제를 투여한다.

4. 환자 자세

환자는 앙와위 자세에서 수술대에 잘 고정하도록 한다.

5. 수술 준비

소독 용액으로 umbilical cord를 소독한 뒤 복벽 가까이에서 전기소작하여 수술 시 복부 절개가 용이하도록 한다. 수술 전 복부 소독 시 용액이 흘러 수술대를 적시게 되면 환자의 체온이 떨어지게 되고 또한 전기소작기 사용으로 인한 화상이 발생할 수 있으므로 주의한다.

6. 절개 및 노출

(그림 11-6) 복부 절개는 배꼽 상방에서 횡행절개supraumbilical transverse incision를 시행한다. 개복 후에는 오른쪽 결장이 잘 고정되어 있는지, ligament of Treitz가 잘 형성되어 있는지 확인한다.

장회전 이상이 동반되어 있는 경우에는 Ladd 술기를 먼저 시행한 뒤 십이지장을 노출 시키도록 한다.

장회전 이상이 없는 경우에는 Kocher 술기를 시행하여 십이지장을 노출시키고 십이지장의 폐쇄를 확인하고, 이와 함께 췌장과의 관계를 확인하도록 한다.

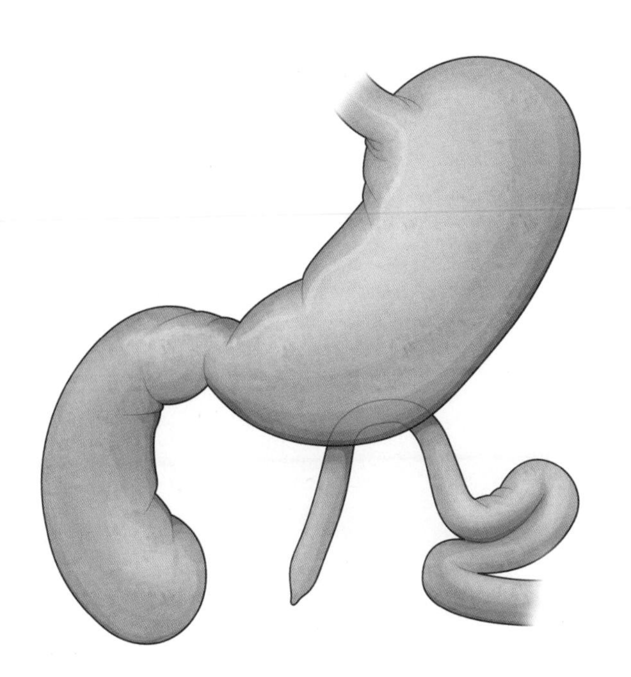

그림 11-5

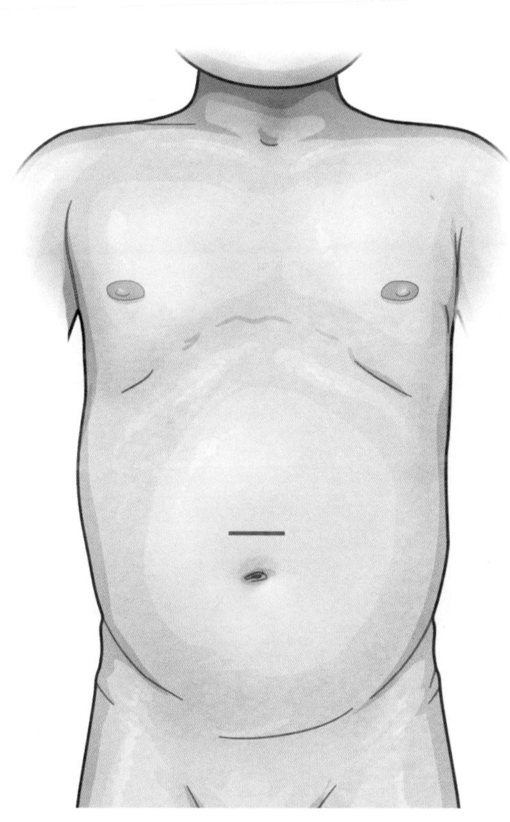

그림 11-6

7. 수술 과정

(그림 11-7) Type I: 십이지장 web이 있는지 만져본다. 잘 만져지지 않는 경우에는 위 또는 이행부위 상방을 조금 절개하여 열고 이곳으로 도관을 넣어 십이지장 web으로 인해 좁아진 부분을 가늠해본 후 이 부위에서 longitudinal duodenotomy를 시행하여 십이지장 web을 노출 시킨다. Wind-sock 형태의 web이 존재할 경우 담즙이 배출되는 곳을 확인하여 ampulla of Vater의 위치와 Santorini 췌관의 accessory 췌관의 개구가 있는지를 확인하고, 이들이 손상되지 않도록 주의하면서 십이지장 web을 절제한다. 또 다른 폐쇄가 없는 것이 확인되면 세로 절개 longitudinal incision가 된 십이지장을 fine interrupt suture를 시행하여 가로 방향으로 문합transverse repair을 시행한다. 만약 십이지장 web을 제거하지 않은 경우에는 이 이행부위를 건너 뛰어 이행부 상방 1 cm 거리에서 ampulla의 손상을 예방하기 위해 십이지장의 전측방쪽에 transverse incision을 가하고 이행부 하방 1 cm 거리의 십이지장에서는 antimesenteric border에 세로 절개longitudinal incision를 시행한 후 diamond-shaped 십이지장-십이지장 문합술을 시행하거나 십이지장-공장 문합술을 시행하도록 한다. 문합술을 시행할 때에는 full-thickness single layer closure를 하도록 한다.

(그림 11-8, 9) Diamond-shape문합을 시행할 때에는 이행부 상방의 transverse incision의 양 쪽끝을 이행부 하방의 longitudinal incision의 가운데 지점에 각각 연결한다. 따라서 이행부 상부와 하부 incision의 꼭지점은 각각 반대편 incision의 가운데지점에 문합되게된다. annular pancreas가 있거나, preduodenal portal vein이 있는 경우에도 같은 방법으로 십이지장-십이지장 문합술을 시행할 수 있다.

Type II, III: 가장 많이 늘어난 이행부 상방에 transverse duodenostomy 시행하고 반대쪽 이행부 하방에 tension이 걸리지 않는 부분에서 longitudinal duodenotomy 시행하고 이행부 위, 아래로 도관을 통과시켜보고 막힌 부분 없이 잘통하는지 확인 후

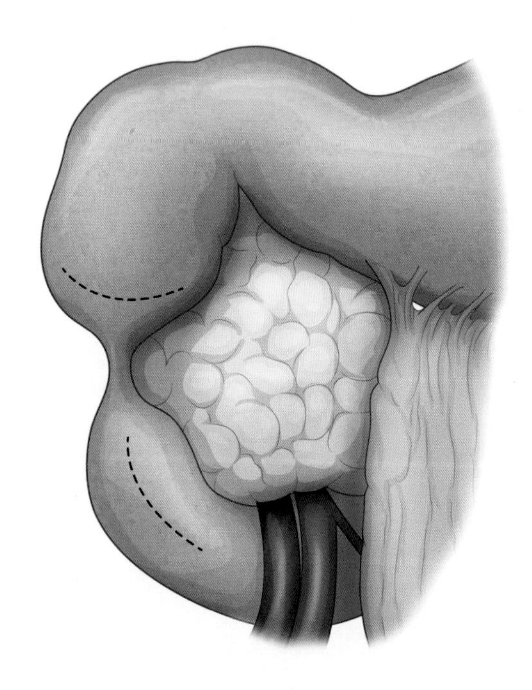

그림 11-7

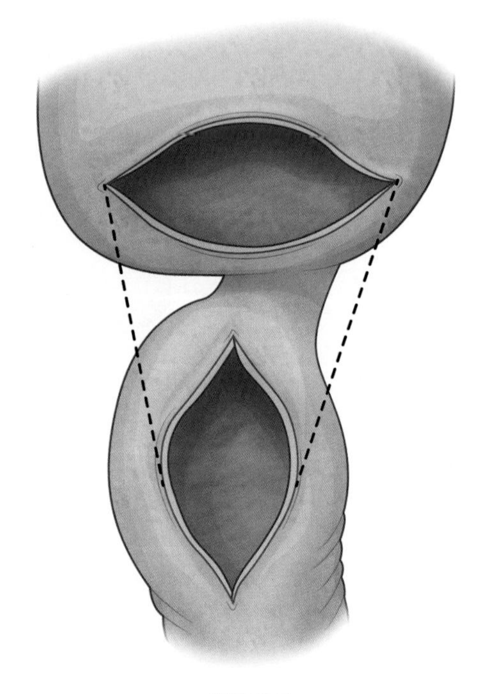

그림 11-8

diamond-shape의 십이지장-십이지장 문합술을 시행한다.

(그림 11-10) 이행부 상방의 십이지장이 심하게 늘어나있는 경우에는 장운동이 약하여 장내용물의 통과에 지장을 주고 장내용물의 저류가 발생하여 bacterial overgrowth가 발생할 수 있다. 이런 경우에는 La Place's law에 따라 늘어난 장을 tapering함으로서 장운동성을 개선할 수 있는데 늘어난 십이지장 내에 도관을 넣어 적당한 장의 구경을 유지한 상태에서 antimesenteric쪽 장을 stapler 등을 이용하여 longitudinal하게 절제하여 tapering을 시행할 수 있다.

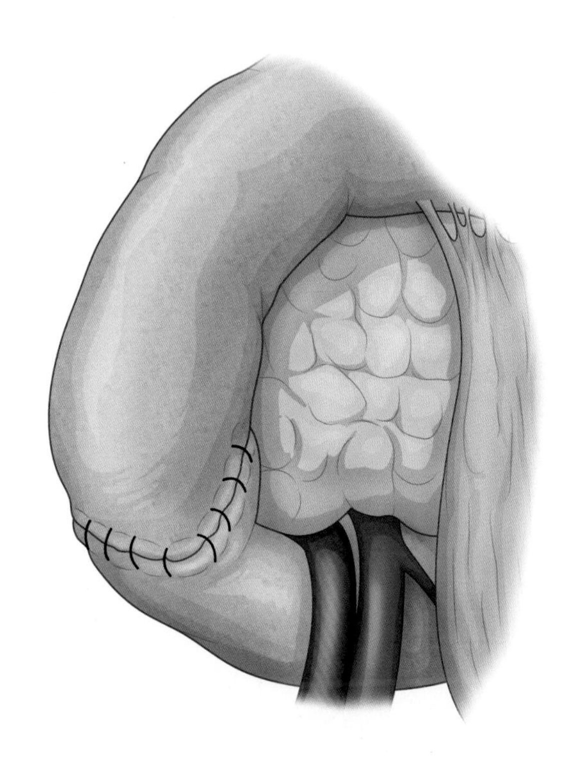

그림 11-9

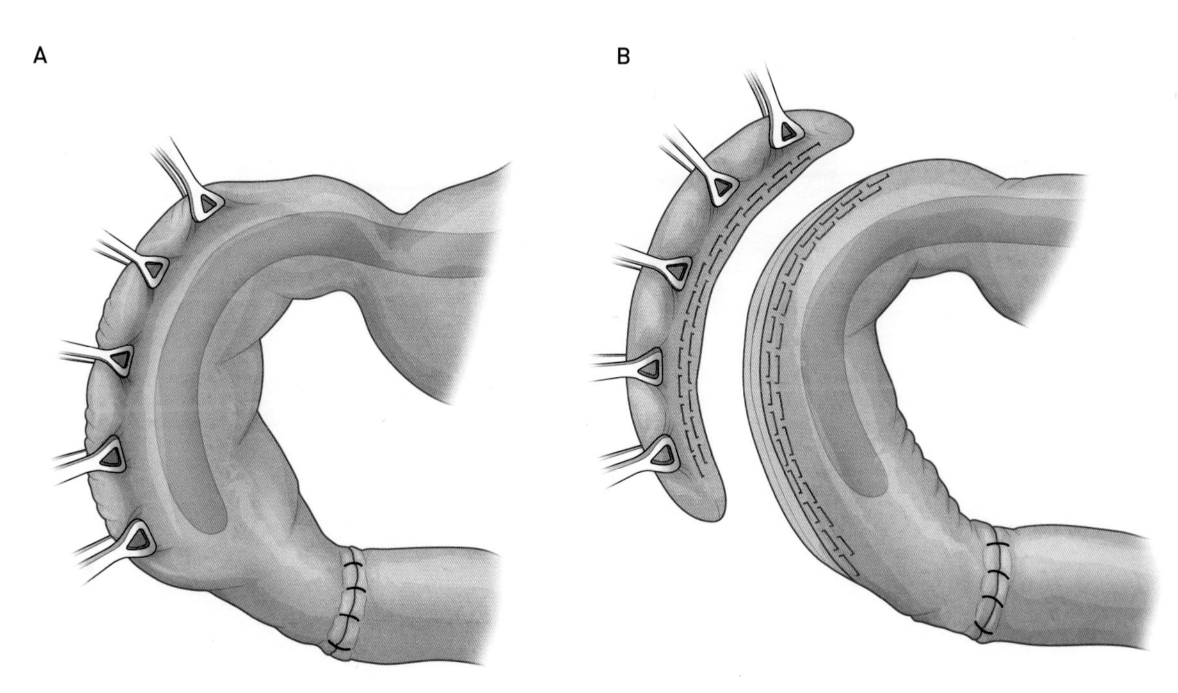

그림 11-10

8. 복강경 십이지장-십이지장 문합술(Laparoscopic duodenoduodenostomy for duodenal atresia)

수술 전 처치 및 마취는 개복수술과 동일하게 시행한다(그림 11-11). 환자는 앙와위 자세를 취하며, 수술대의 가장 끝에 위치하여 수술자와의 거리를 가깝도록 한다. 수술 중 수술대를 기울여 역트렌델렌버그자세(reverse Trendelenburg position)를 취하게 되므로 환자를 수술대에 잘 고정하도록 한다. 수술자는 환자의 발쪽에 서며, scopist (1조수)와 스크럽 간호사가 각각 수술자의 왼쪽과 오른쪽에 위치한다. 모니터는 환자의 머리 위로 수술자의 정면에 위치한다. 4개의 트로카를 사용하며, 각각 배꼽(5mm, 카메라용)과 배꼽의 좌우(각 3 mm, 수술자용), 상복부(3 mm, 1조수용)에 위치하도록 삽입한다.

간의 겸상인대(falciform ligament)를 명치부위 복막에 고정하고, 수술대를 역트렌델렌버그자세로 기울이면 수술부위의 노출에 도움이 된다. 1조수는 담낭을 잡고 간을 머리쪽으로 견인하거나, 날문(pylorus)을 잡고 위를 좌상복부로 견인하며 수술부위의 노출을 도울 수 있다. 십이지장을 박리하고 폐쇄 부위를 확인하여 문합술을 시행하는 수술 과정은 개복수술과 동일한 방법으로 진행한다.

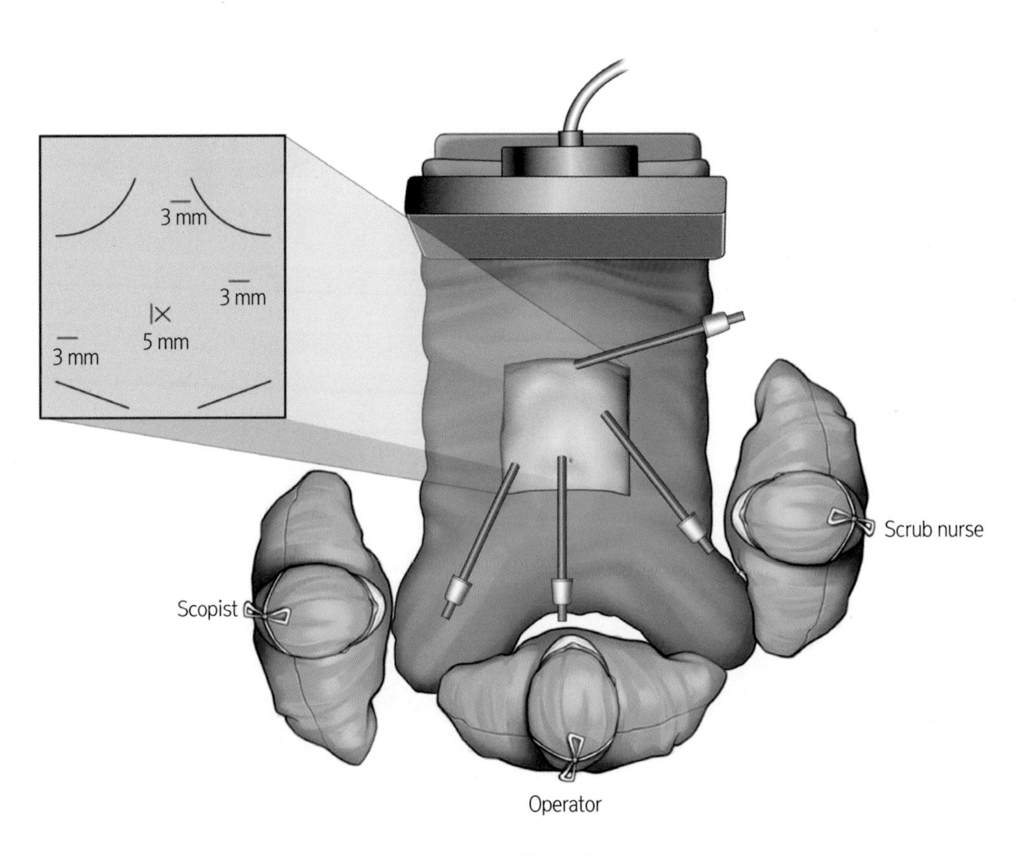

그림 11-11 Port placement and position of the operating staff

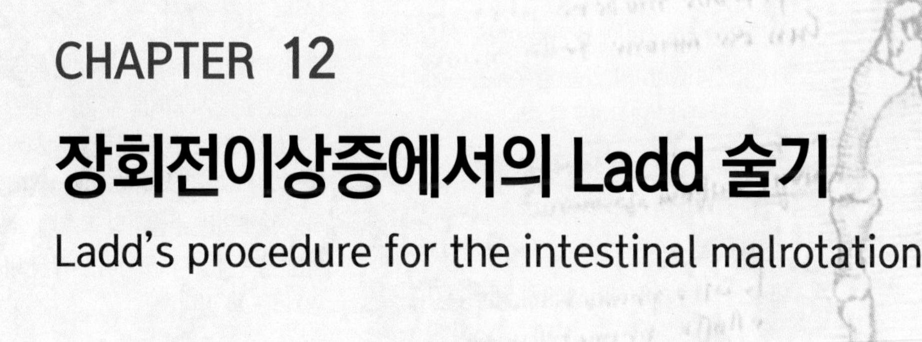

CHAPTER 12

장회전이상증에서의 Ladd 술기

Ladd's procedure for the intestinal malrotation

1. 적응증

장회전이상(intestinal malrotation)은 중장(midgut)이 비정상적으로 위치하면서 발생한다. 회전이상의 흔한 유형으로는 첫째, 십이지장-공장연결부가 정중선보다 우측에 위치한 경우, 둘째, 등쪽 장간막 부착부위가 좁은 경우, 셋째, 복막주름이 대장과 십이지장, 간, 담낭 사이를 지나 라드 밴드(Ladd's bands)를 형성하는 경우를 들 수 있다.

Ladd 밴드나 간헐적인 중장염전(midgut volvulus) 등으로 급성 장폐색이 발생할 수 있으며, 증상이 있는 모든 환자에서 응급 수술을 시행해야 한다. 증상이 없다면 장허혈의 위험성 등을 고려하여 수술 여부를 결정한다.

2. 수술전 처치

비위관을 삽입하고 구토 등에 의한 탈수를 교정하고 수술 전 예방적 항생제를 사용한다.

3. 마취

전신마취가 필요하다.

4. 환자 자세

앙와위로 다리는 편 채 유지한다.

5. 수술 준비

유두 부위에서 치골 상방까지 피부를 소독액으로 닦는다.

6. 절개 및 노출

배꼽 약 2 cm 상방에서 가로방향으로 절개를 가한다. 망(web)이 있는 경우에는 절개창을 우측으로 좀 더 연장하도록 한다

7. 수술 과정

제대정맥은 결찰 분리한다(그림 12-1). 복강 내의 모든 장을 추적하면서 염전 및 허혈 여부를 확인한다. 염전은 반시계방향으로 풀어주며 생존 불가능해 보이는 장이 있다면 절제 후 문합하도록 한다(그림 12-2). Ladd 밴드는 분리한다(그림 12-3). 상장간막동맥이 확인되면 혈관이 다치지 않도록 주의하면서 장간막을 최대한 넓혀 준다. 충수돌기는 남겨둘 경우 향후 충수돌기염이 발생하였을 때 충수돌기의 위치 이상으로 진단이 어려울 수 있어 제거를 하기도 한다. 소장은 오른쪽, 대장은 왼쪽으로 정리하여 복강 내에 위치시킨 후 복벽을 닫는다.

8. 복강경 술식

염전의 동반 여부와 관계 없이 회전이상의 복강경 수술을 시도해볼 수 있다. 환자를 결석제거술(lithotomy) 자세로 위치시키고 수술자는 환자의 다리 사이에 선다. 카메라를 운용하는 보조의는 수술자의 좌측에, 스크럽 간호사는 우측에 선다. 모니터는 환자 머리 위쪽에 위치하도록 한다.

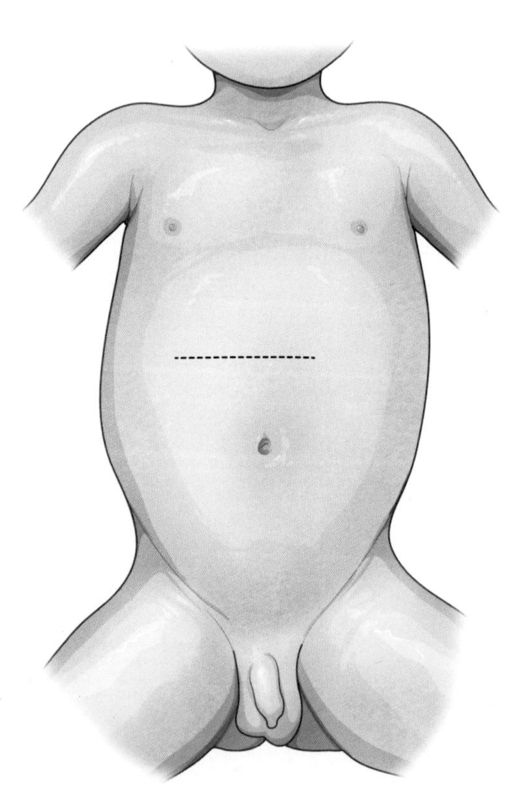

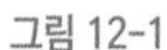
그림 12-1

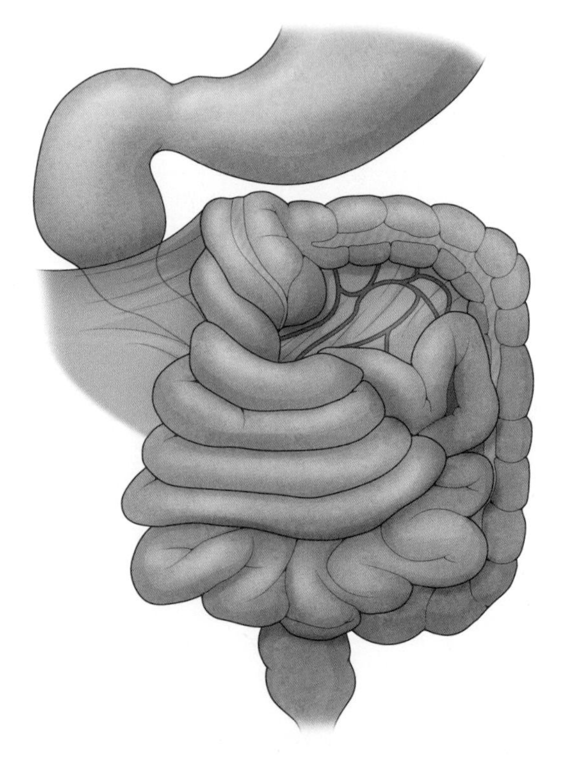

그림 12-2

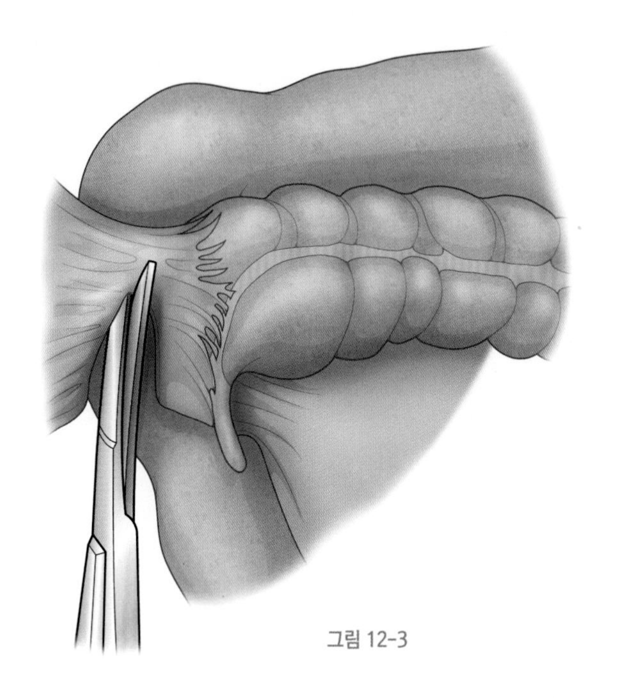

그림 12-3

5 mm 투침관(trocar)을 이용하여 배꼽 아래에 삽입하고 카메라를 넣는다. 우하복부와 좌하복부에 추가 투침관을 넣고, 환자 몸무게에 따라 3 mm 또는 5 mm 투침관을 이용한다. 복강 내 압력은 8~12 mmHg, 이산화탄소의 유속은 2~5 L/min으로 설정한다(그림 12-4).

염전이 동반되어 있는 경우 반시계방향으로 풀어주고, 간, 후복막, 장 사이의 밴드를 제거한다. 이어 십이지장과 회맹부를 고정하는 밴드를 제거한다(그림 12-5).

이후 상행 결장의 장간막을 열지 않도록 주의하면서 최대한 넓혀주고, 대장은 좌측, 소장은 환자의 우측에 놓도록 한다. 충수돌기 절제 여부는 술자의 선호도에 따라 결정한다. 투침관 부위를 봉합하고 수술을 종료한다.

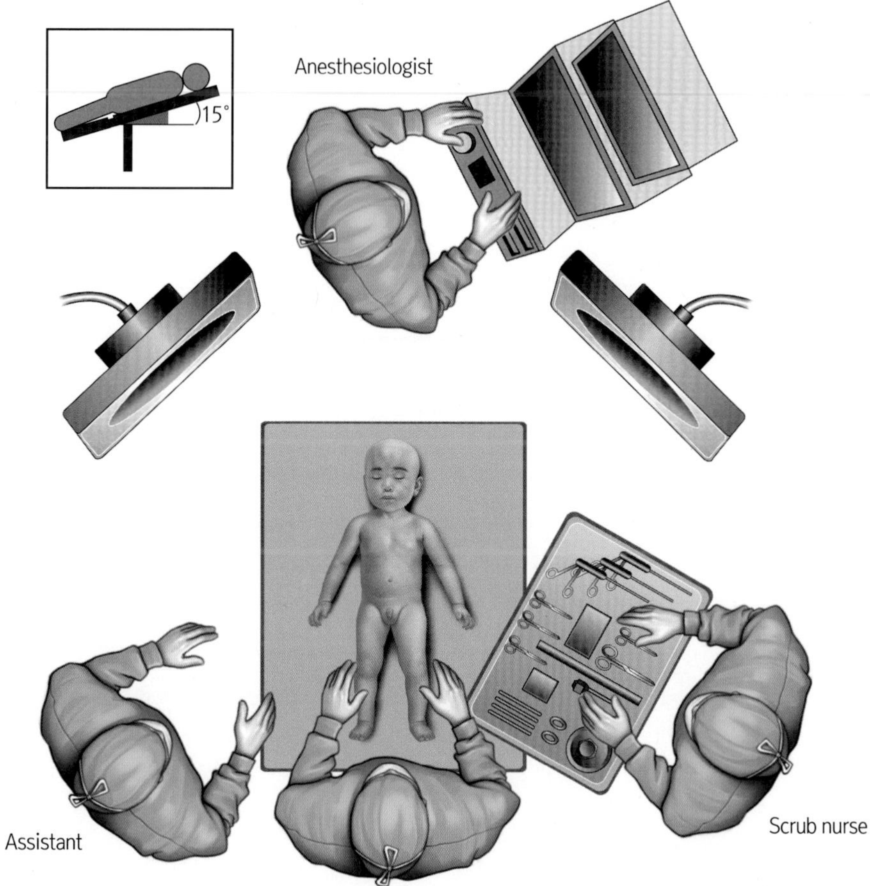

그림 12-4

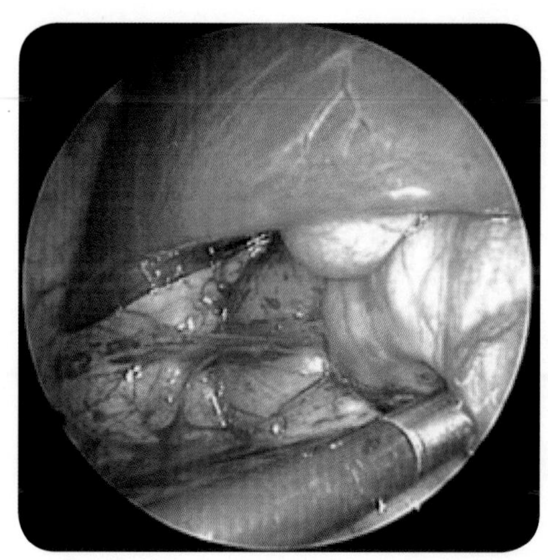

그림 12-5

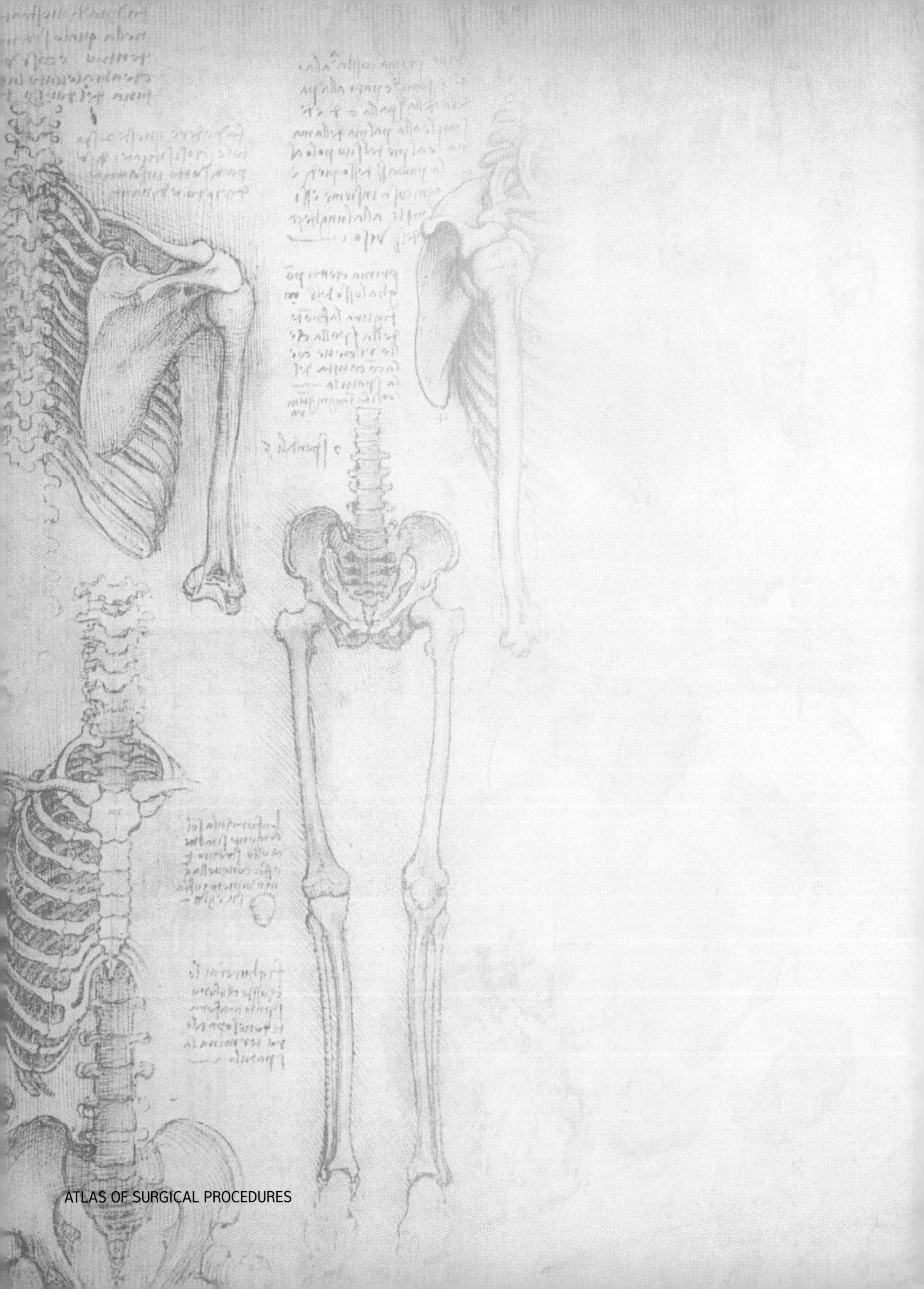

ATLAS OF SURGICAL PROCEDURES

CHAPTER 13

장폐쇄증

Operations for the atresia and stenosis of the small intestine

(그림 13-1) 장폐쇄증은 임신 중 태아의 장혈관의 발생 중 사고(vascular accident)의 결과이며, 여러 가지 형태로 발생할 수 있다. 가장 흔한 형태는 장의 연속성이 상실되고, 장간막의 공백이 존재하는 형태이다. 이런 경우 대개 근위부 장의 심한 팽창과 비대를 가져오며 소실된 장의 길이는 측정하기 힘들다.

(그림 13-2) 장의 내강은 대개 퇴축되어 있는 반면에 근육층은 정상적으로 남아 있을 수 있다. 장간막 또한 남아있는 경우가 있다. 장의 길이는 정상이며, 폐쇄된 장의 근위부는 팽창되어 있다. 이러한 형태의 장 폐쇄증에서는 여러 군데에 폐쇄가 있을 수 있는데, 장 크기의 차이는 오로지 가장 첫 번째로 폐쇄된 부분의 근위부에서만 보일 수 있으므로 주의해야 한다.

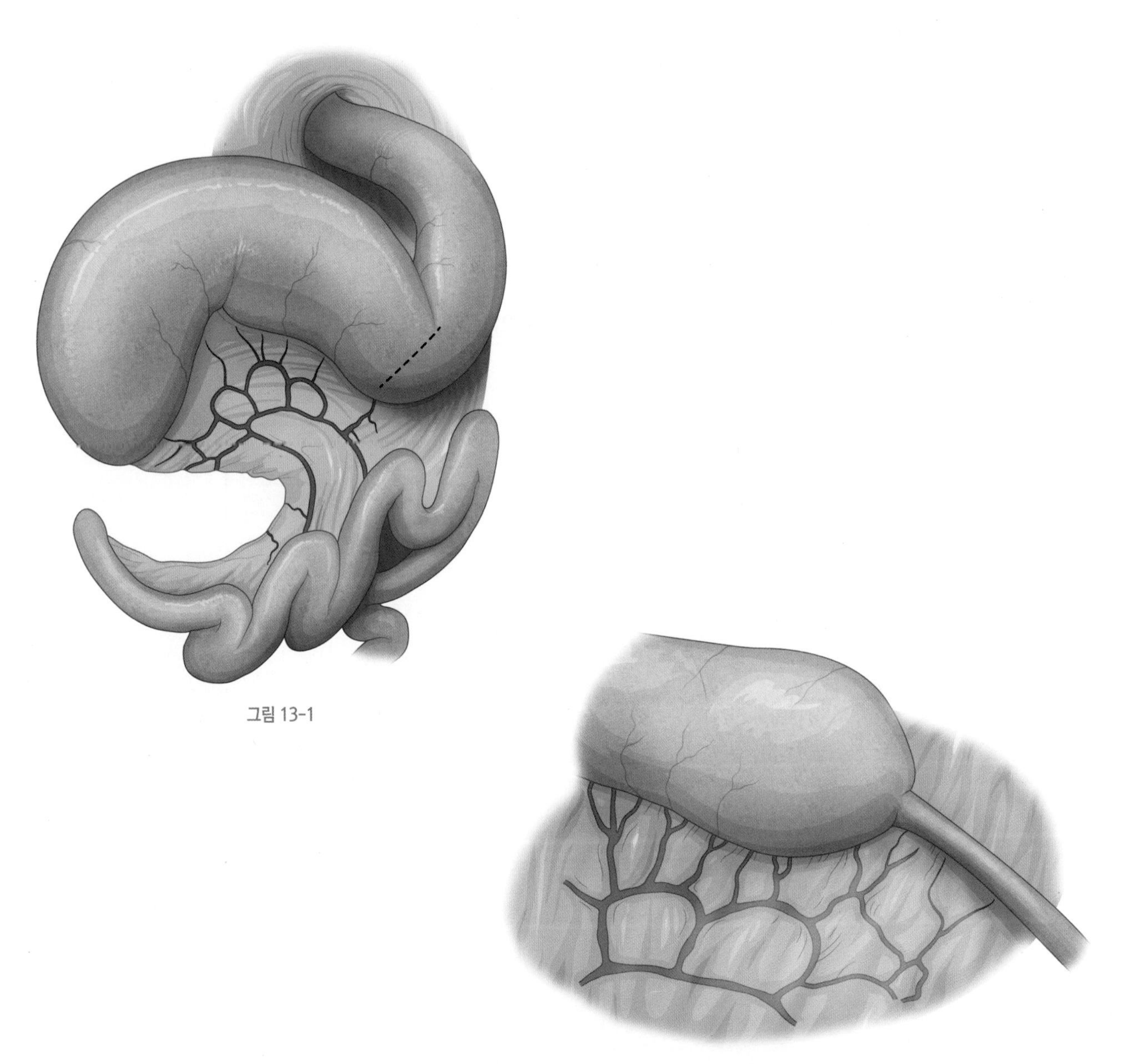

그림 13-1

그림 13-2

(그림 13-3) 다수의 장 폐쇄가 다수의 장간막 공백과 함께 나타날 수 있다. 이러한 환자들에서는 대개 심각한 장 길이의 소실이 초래된다.

(그림 13-4) 장 폐쇄증의 가장 어려운 형태 중에 하나는 주름창자 또는 돌주름창자 혈관으로부터 혈액을 공급받는 원위부 소장을 침범하는 형태이다. 원위부 장이 혈관 줄기주변을 싸고 있는 모양 때문에 "Christmas tree" 기형이라고 알려져 있다.

모든 형태의 장 폐쇄에서 폐쇄의 뒷부분 장은 사용되지 않았기 때문에 작다. 하지만, 만약 장의 연속성이 회복될 수 있다면 정상 기능을 할 가능성은 있다.

End-to-end 연결 또는 end-to-back 연결은 크기가 다른 장의 끝을 연결하는 데 사용되어야 한다.

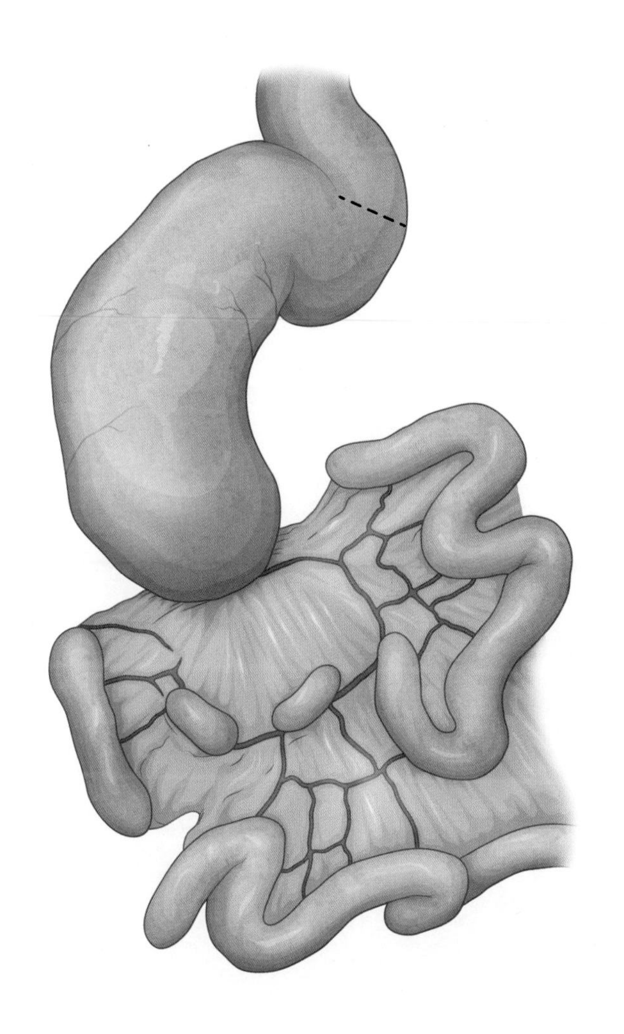

그림 13-3

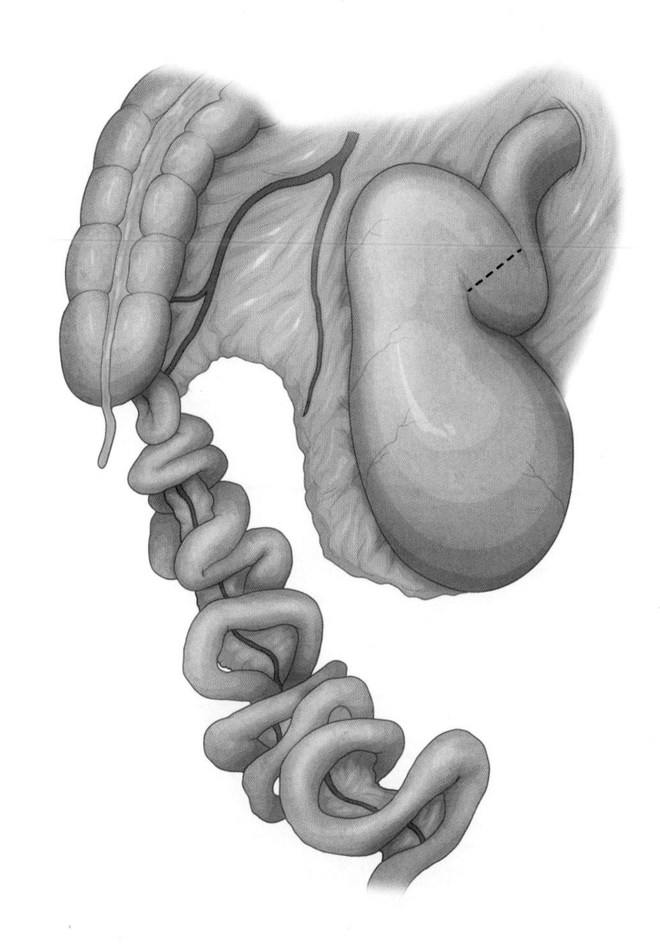

그림 13-4

(그림 13-5) 첫 번째 단계는 원위부 구역의 연속성을 결정하는 일이다. 이는 무균 미네랄 오일이나 무균 생리식염수를 원위부 장내강에 주사함으로써 알 수 있다.
원위부 장을 통해 주사한 내용물을 짜내려가면서 돌창자까지의 장 내강이 유효함을 확인한다. 근위부 장의 둥근 끝부분(대개 10~15 cm)은 장내용물이 쉽게 통과하지 않는데, 이는 장 벽이 맞닿지 않기 때문이다. 만약 장 길이가 충분하다면, 이 부위는 절제하여야 한다. 만약 보존해야 한다면, 이 부위의 중첩술(plication)이 장 연동운동을 증진시키는데 효과적일 수 있다.
(그림 13-6) 원위부 구역의 끝을 절제하고, 장간막 반대측 면(antimesenteric border)을 절개함으로써 문합을 위해 선택된 근위부 장의 둘레와 같게 만든다. 장문합은 두 층, 연속 봉합을 선호하는데, 모노필라멘트이며, 천천히 녹는 6-0 또는 7-0 polydioxanone을 사용한다.
(그림 13-7) 연속 봉합술은 문합 부위의 뒷면을 전 층 연속 잠김 봉합(full thickness continuous locking suture)으로 접합하며 수행한다. 잠김 봉합은 봉합 줄이 짧아지지 않도록 하기 위함이다. 같은 방법으로 잠김 봉합이 문합부 앞쪽에 적용된다. 마지막으로 Connell suture가 있는데, 이는 바깥쪽으로 놓이며, 매듭을 만든다. 두번째 봉합 줄 또한 연속 잠김 봉합으로 시행하는데, 이는 첫 번째 봉합 줄을 보강하는 역할이며, 최소한의 조직

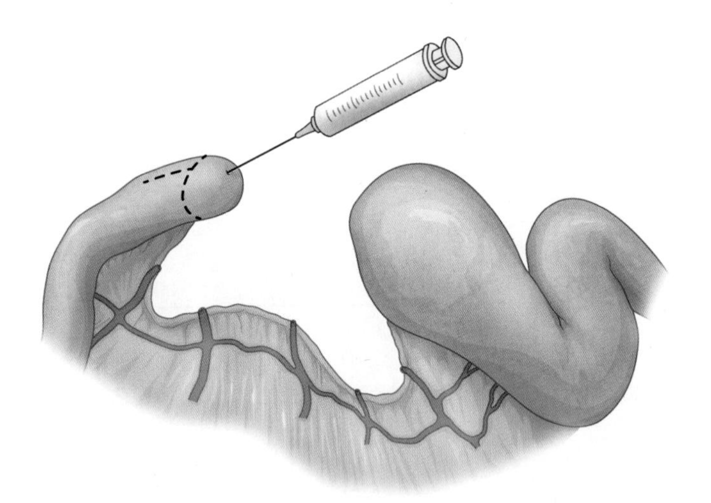
그림 13-5

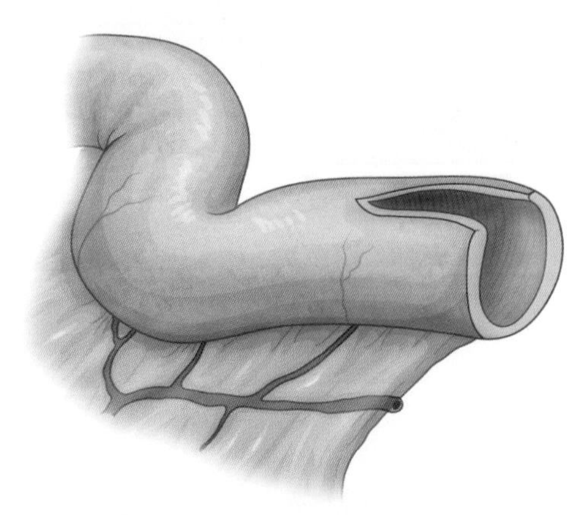
그림 13-6

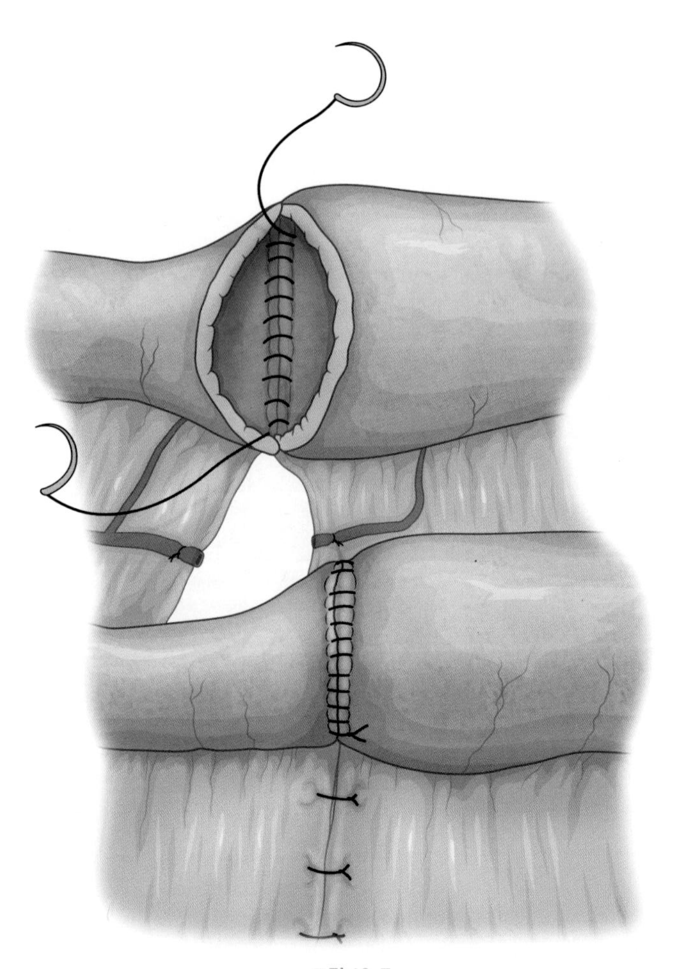
그림 13-7

으로만 시행되어야 한다.

(그림 13-8) 대체 가능한 문합 방법으로는 5-0 실크를 이용한 단속, inverted, 수평 매트리스 봉합법이 있다. 이러한 봉합법은 전층을 최소한의 조직을 이용하여 봉합하는 방법으로 매듭이 안쪽으로 놓이게 된다. 앞쪽 벽의 대부분은 마찬가지로 안쪽으로부터 봉합할 수 있다. 마지막 몇개의 봉합은 전층을 물며, 바깥에 놓인다.

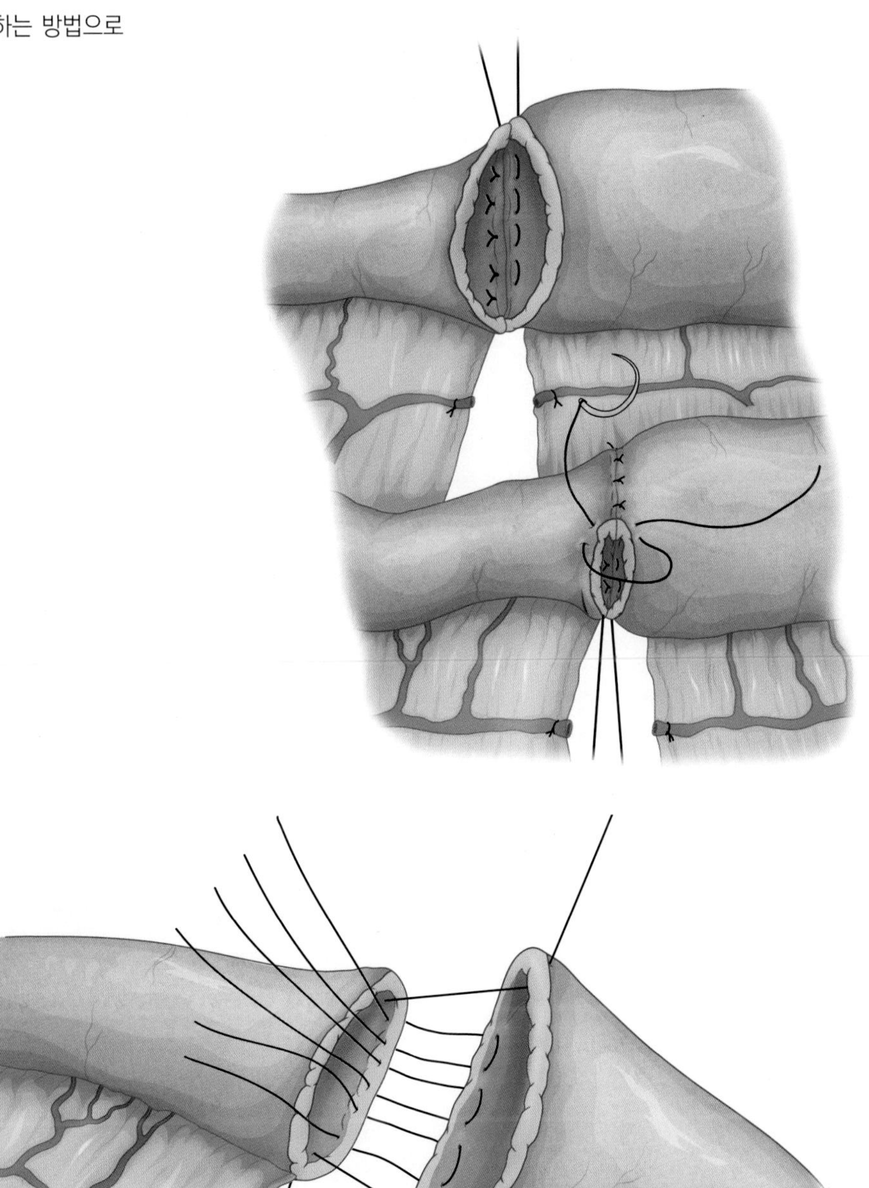

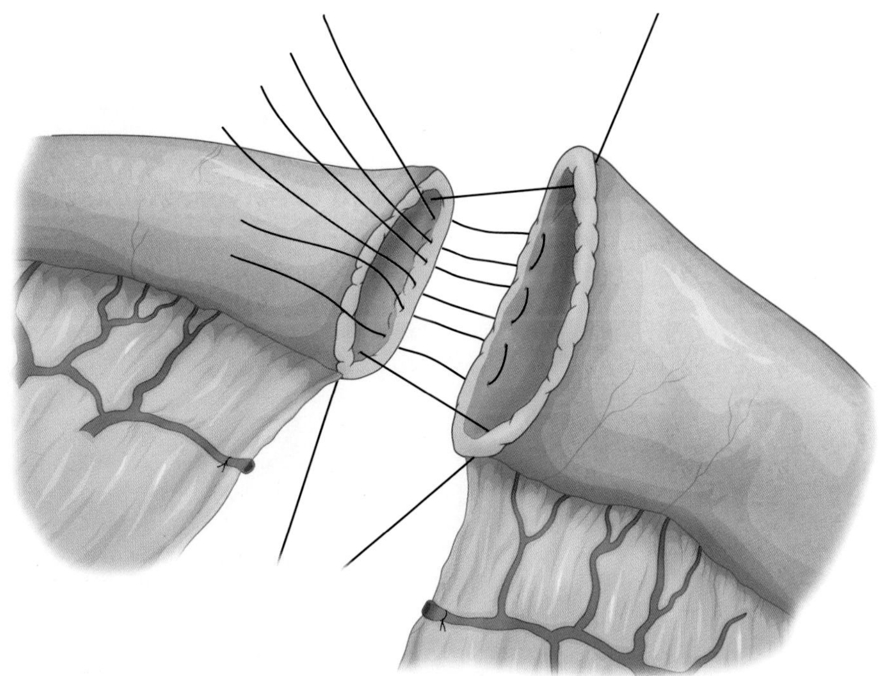

그림 13-8

(그림 13-9) 상기의 문합을 시행한 후, 장간막 결손은 단속봉합으로 폐쇄하고, 이때, 혈액 공급에 손상이 없도록 주의해야 한다.

단속, inverted, 수평 매트리스 봉합법은 최대구경의 문합을 제공한다. 실제로 이 문합은 조금 더 긴 수술 시간을 필요로 한다. 드물게 발생하는 합병증은, 내강으로 뒤집힌 가장 자리가 서로 붙어 문합부 협착을 발생시켜 이차 수술을 필요로 한다는 것이다. 아직까지 연속 잠김 봉합법을 사용했을 때 이러한 합병증은 없었다.

그림 13-3에 묘사된 여러 군데 장 폐쇄는 그림 13-10처럼 교정됐다. 만약 장 길이가 충분하다면, "sausage links"를 잘라내어, 하나 또는 두 개의 문합을 만들 수 있다. 하지만 장을 보존해야 한다면, 그림에서처럼, 둥근 끝부분을 유지한 채로 두 개의 퇴축된 장 분절 절제만을 시행한다. 만약 장 길이가 충분하다면, 둥글고 팽창된 근위부 분절은 점선만큼 절제한다. 근위부의 팽창된 분절의 중첩술은 이 부분의 지름을 감소시켜 연동운동이 일어날 때 장벽이 접할 수 있도록 간혹 시행된다.

(그림 13-11) Christmas tree 변형의 교정은 어렵다. 원위부 분절까지의 혈액 공급은 종종 빈약하며, 아직까지는 가능한 모든 장을 보존하는 것이 최선이다. 길이를 고려하지 않는다면, 그림의 점선으로 표시된 근위부의 팽창된

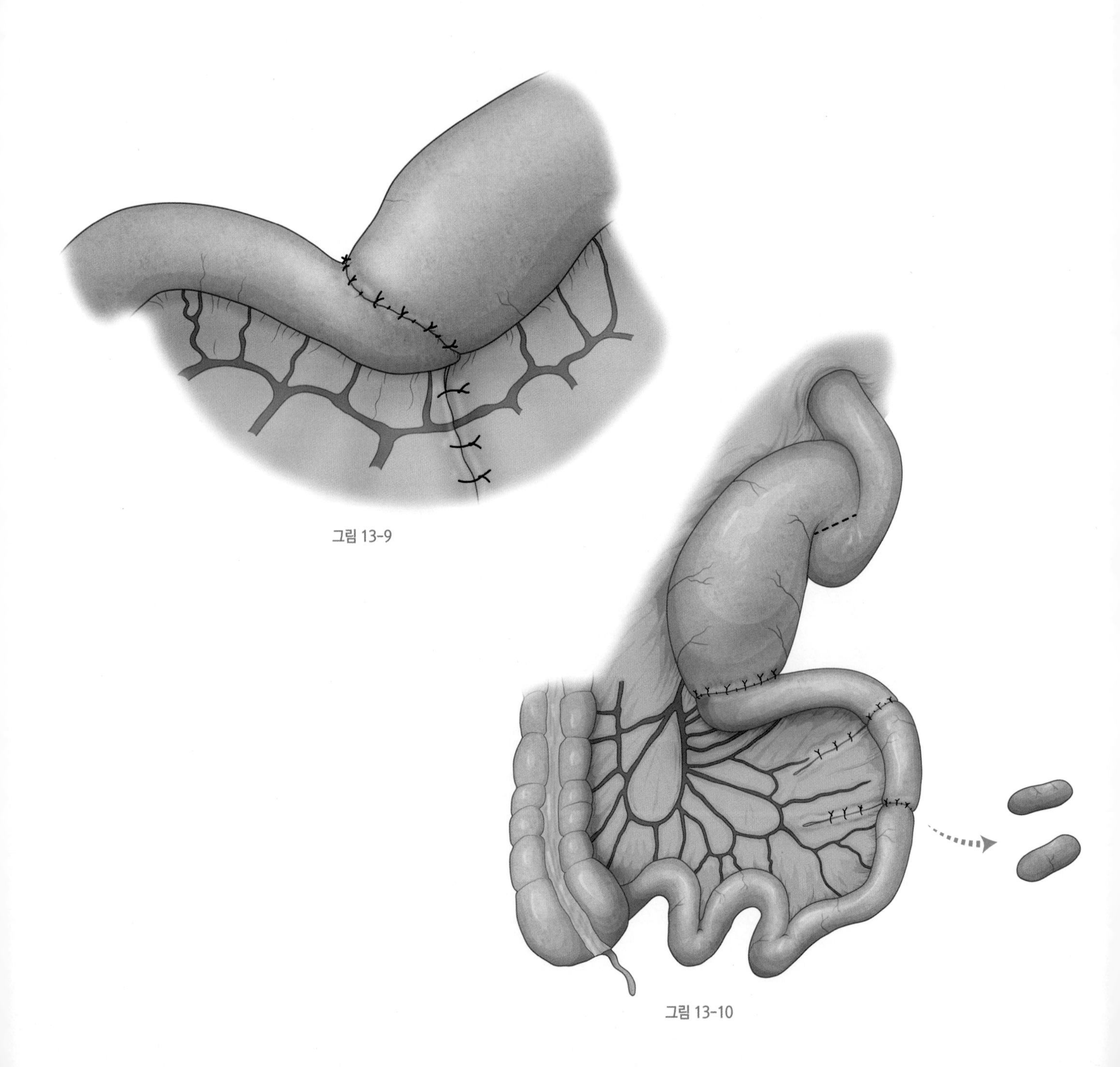

그림 13-9

그림 13-10

분절까지 절제하는 것이 바람직하다. 위의 예에서 원위부 분절의 내강 연속성은 입증되었고, 모든 분절은 유지되었다. 둥글게 확장된 근위부 장의 장간막대측벽을 단속 봉합을 통해 안으로 접어 넣는 중첩술을 고려해야 한다.

한편, 근위부 장의 팽창이 심하지 않은 경우에서 제한적으로 복강경 수술을 시도해 볼 수 있다. 환아가 바로 누운 자세에서 수술자는 환자의 다리 사이에 선다. 5 mm 카메라 포트는 배꼽, 3 mm 포트는 우하복부와 좌하복부에 각각 위치시킨다.

좌하복부 포트를 5 mm로 바꾼 후 복강경용 5 mm 스테이플러를 이용하여 복강 내에서(intracorporeal) 소장의 절제와 문합까지 시행하는 예가 있지만 국내에는 아직 기구가 도입되지 않아 시행이 어렵다. 따라서 복강경 하 탐색으로 장 폐쇄의 형태와 범위를 파악한 후 주로 배꼽 포트 삽입부를 연장-절개하여 병변을 끄집어내어 체외에서(extracorporeal) 병변의 절제와 소장 문합을 시행하는 형태의 복강경-보조(laparoscopic-assisted) 수술을 시행할 수 있다.

장 기능의 정상화는 때로는 수 주일이 걸린다. 말초 또는 중심부 총정맥영양법은 장 기능이 영양 섭취를 유지하는데 충분해 질 때까지 환아가 살아갈 수 있게 한다.

장 폐쇄 교정술 시행 직후에 주요한 합병증은 문합부 협착 또는 유착성 폐색이다. 연동 운동의 정상화 지연에서 이 두 가지 합병증을 구별하는 것은 어렵다. 이는 장 길이의 소실을 걱정하여 둥근 근위부 장을 남긴 경우에 특히 더 어렵다. 3주 이상 지연되는 경우에 조영제 검사를 고려해야 한다.

수술 후 괴사성 장염이 발생할 수 있다. 이때에는 경구 섭취를 중단하고, 비위관 배액을 재개하며, 비경구 항생제가 요구된다.

주요한 장기적인 합병증은 짧은 창자 증후군이다. 이러한 환아에게 최선은 경구영양법이다. 경구 섭취는 모유나 분유로 시작한다. 섭취량은 점차적으로 정상까지 증량한다. 장 길이가 충분하더라도, 이 절차는 2주까지 걸릴 수 있다. 충분치 않은 장 길이를 가진 환아는 적응하는데 수개월에서 수년까지 걸릴 수 있으며, 이때는 반드시 중심 정맥관을 통한 총정맥영양법을 시행하여야 한다.

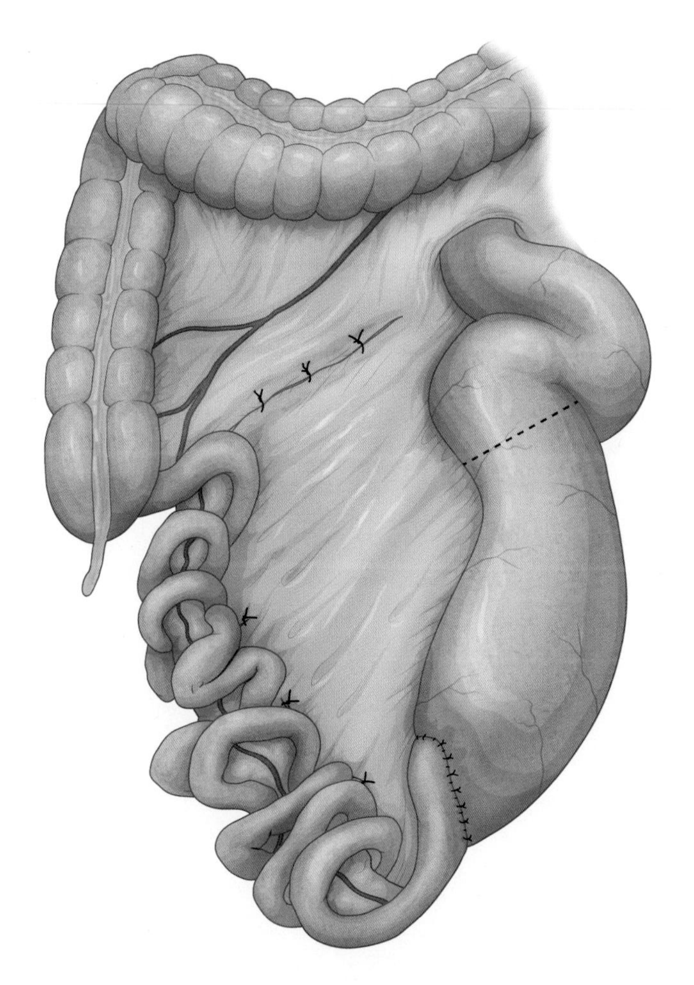

그림 13-11

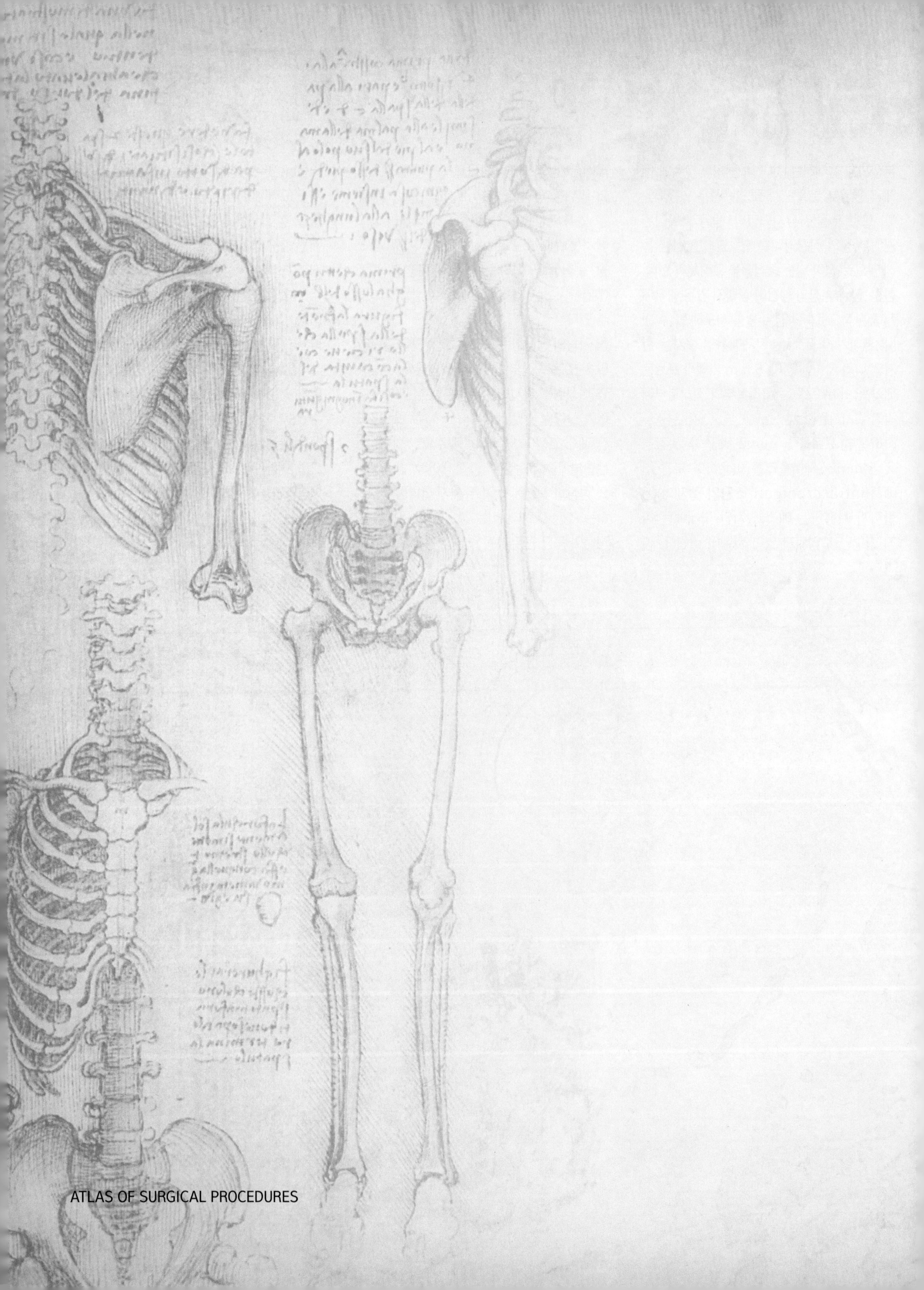

ATLAS OF SURGICAL PROCEDURES

CHAPTER 14

장중첩증에서의 수술적 정복술과 절제술

Intussusception, surgical reduction and resection

1. 서론

장중첩증은 소아의 장폐색의 가장 흔한 원인 중의 하나이다. 치료가 늦어지면 유병률의 증가 및 사망에 이르기도 하기 때문에 즉각적인 처치가 필요하다. 대부분 비수술적 정복술(영상의학적 정복술)이 효과적이나 수술적 정복술은 중요한 치료방법이다. 복강경 수술이 소아에서 폭넓게 적용되면서 장중첩증 수술에도 시행되고 있다. 수술적응증이 되는 환자에서 일부 급성 장중첩증의 경우 복강경 수술의 적용에 대해 논란이 있으므로 올바른 수술방법의 적응증과 개복 및 복강경 수술법을 익혀 두는 것이 좋을 것으로 생각된다.

2. 적응증

- 비수술적인 방법으로 정복되지 않았거나 불완전하게 정복된 경우
- 복막염 소견이 있거나 장괴사가 의심이 되는 경우
- 병리적 선두점이 존재하는 경우
- 완전 소장폐쇄증 혹은 소장내 폐쇄 병변이 의심이 되는 경우
- 여러 번에 재발이 있는 경우

* 복부팽만이 심하거나 복막염 소견이 있는 경우, 개복수술이 추천된다.

3. 수술 전 처치

대부분에서는 수술 전 수액치료가 필요하지 않지만, 증상이 오래되었거나 복막염 소견, 괴사 및 패혈증이 의심되는 경우에는 적극적인 수액투여와 광범위항생제 및 비위관을 통한 위 감압술이 필요하다. 항생제는 충수돌기절제술 혹은 장절제술이 필요할 경우가 있으므로 수술 전에 투여한다.

4. 마취

전신마취 하에 기관내 삽관으로 마취를 시행하고 예방적 항생제는 예상되는 세균에 대해 마취 시작 후 절개 전에 투여한다.

5. 환자 자세

1) 개복술

환자는 앙와위 자세에서 수술대에 잘 고정하도록 한다. 소아의 경우 허리에 수술실 수건을 감아서 넣으면 수술시야가 잘 노출될 수 있다.

2) 복강경 수술

(그림 14-1) 환자는 앙와위에서 약간의 Trendelenburg 자세로 수술대에 잘 고정하도록 한다.

술자는 환자의 좌측, 제1보조의는 우측에 위치하고, 카메라를 잡는다.

6. 수술준비

수술부위를 포함해서 전복부를 항생물질로 닦고 수술포를 덮고 절개될 부위를 노출시킨다.

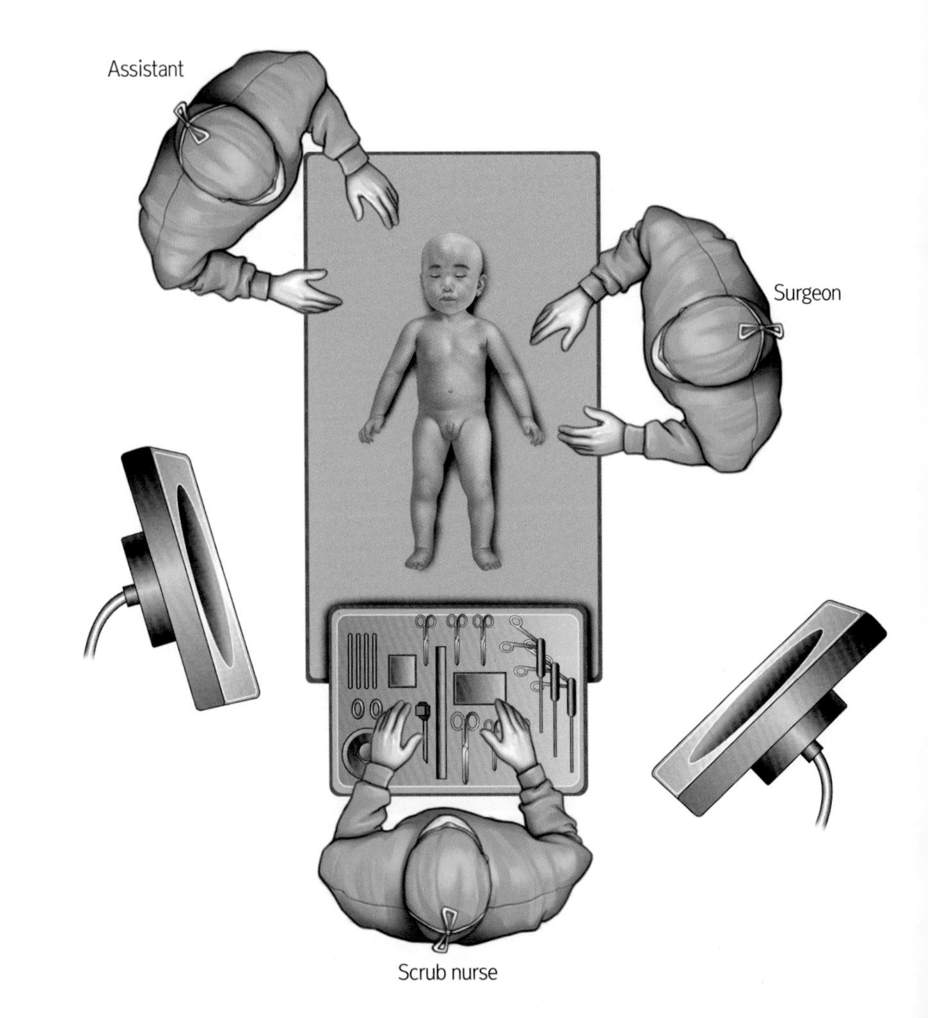

그림 14-1

7. 절개 및 노출

1) 개복술

(그림 14-2) 장중첩증은 장의 위치가 정상과 다르기 때문에 처음에는 해부학적으로 당황할 수 있으나 대개 우측결장으로 회장의 일부분이 들어가 있는 것을 볼 수 있다. 그림에서처럼 회장감입부(ileumintussusceptum)와 맹장감입초(cecum intussuscipiens)를 확인할 수 있다.

(그림 14-3) 절개위치를 결정할 때는 장중첩증의 크기와 위치를 고려해서 결정한다. 대부분 우측복부에 횡행절개를 시행하는데 만져지는 종괴의 위치에 따라 배꼽 상방(가) 및 배꼽 하방(나)에 절개를 시행한다. 장중첩증이 원위부까지 진행된 경우에는 상복부에 정중앙절개(다)를 시행할 수 있다. 횡행절개에서 장중첩증의 크기가 작을 때는 급성충수돌기절제술처럼 복벽근육을 절개할 수 있으나 크기가 클 때는 외측 복부근육과 전면 복직근초 및 복직근의 일부분이 절개될 수 있다. 피부절개 범위는 겹쳐진 장이 절개부위 밖으로 나올 정도의 크기로 시행하고 장중첩증이 심하게 원위부로 진행된 경우에는 피부절개를 확장해야 할 경우도 있다.

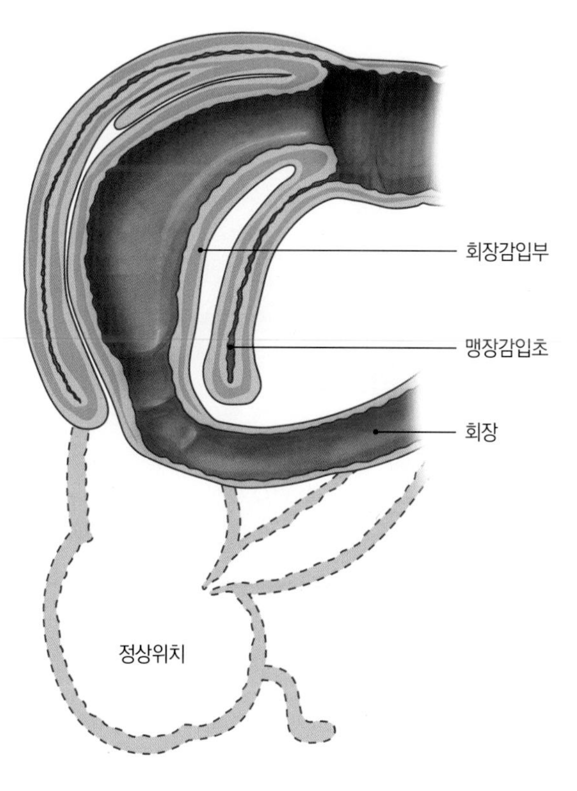

그림 14-2

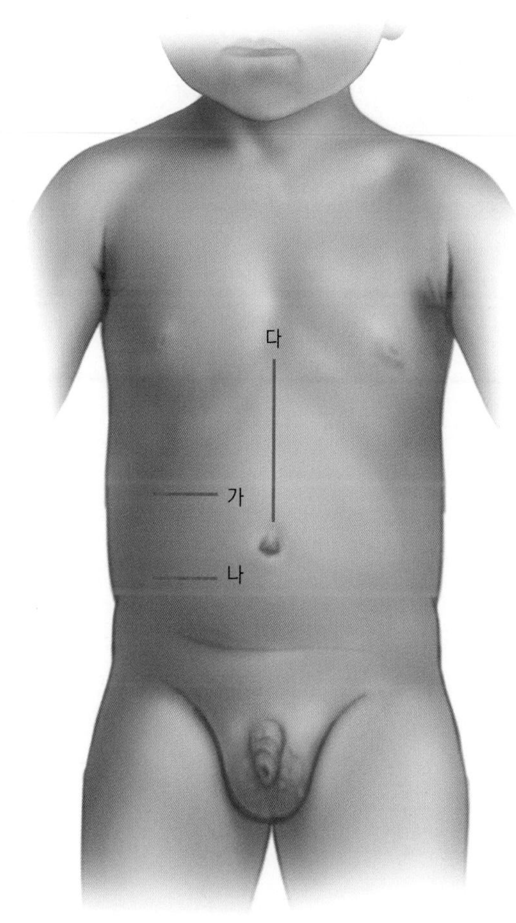

그림 14-3

(그림 14-4) 절개 후 장중첩증 부위를 확인하고 겹쳐진 장을 절개부위 밖으로 꺼내서 노출시킨 후 도수정복술을 시행한다.

2) 복강경 수술

(그림 14-5) 카메라포트와 투관침의 위치는 술자에 따라 선호하는 위치가 다르지만 대부분 사용하는 방법은 다음과 같다. 카메라포트는 배꼽하방(혹은 상방)(가)의 피부주름에 반원형절개(혹은 세로절개)를 통해 다른 복강경 수술의 경우와 같은 원칙으로 접근한다. 나머지 투관침의 위치는 좌측복직근의 측면마진(나)와 좌하복부(다), (나)와 치골상부(라), (다)와 (라) 혹은 (다)와 우하복부(마)를 이용할 수 있다. 필요에 따라 투관침을 추가할 수 있다.

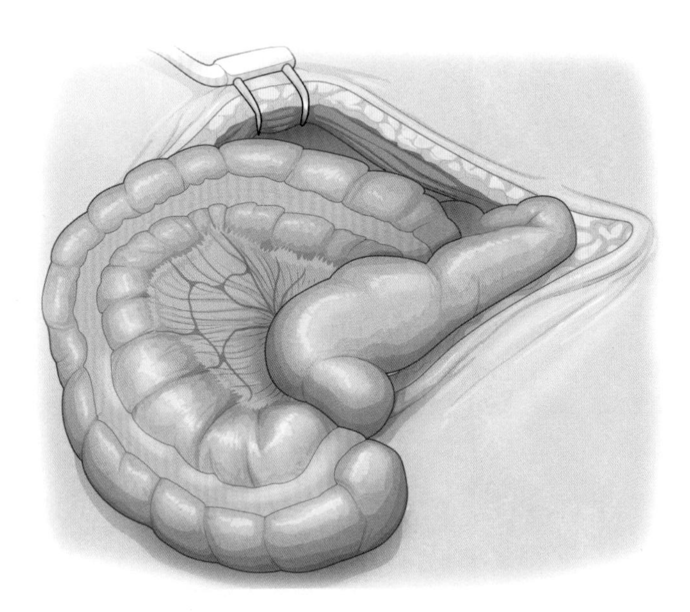

그림 14-4

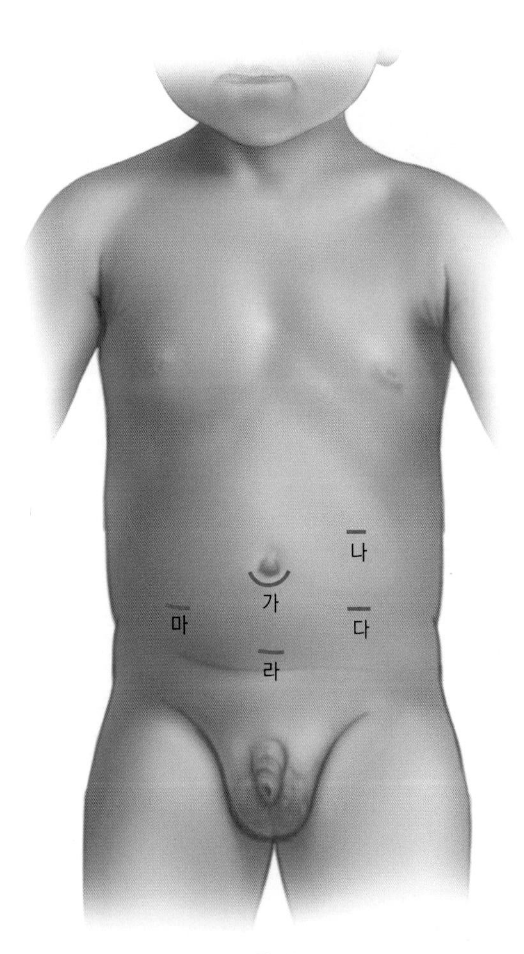

그림 14-5

8. 수술 과정

1). 개복술

(그림 14-6) 장중첩증 부위를 절개부위 밖으로 꺼내서 도수정복을 시행한다. 도수정복을 성공적으로 시행하기 위해서는 원위부에서 근위부로 힘이 전달되도록 시행한다. 이때 근위부 장을 잡아 뽑듯이 당기는 것은 피해야 하나 불가피한 경우 조심스럽게 잡아당기면서 원위부에서 밀어주어야 하는 경우도 있다.

(그림 14-7) 도수정복을 수행하는 방법은 감입부(intussusceptum) 선두를 뒤쪽에서 두 손으로 치약을 짜는 것처럼 밀어내듯이 힘을 가하면서 시도하는 것이다. 회맹판막(ileocecal valve)을 통해 회장을 정복할 때는 인내심을 가지고 적절한 압력으로 시행해야 하며 갑자기 압력이 주어질 때 장막이 찢어지는 경우가 발생하는데 이는 장천공의 가능성을 높이는 것이므로 과도한 압력이나 힘을 가하지 않도록 주의를 기울여야 한다.

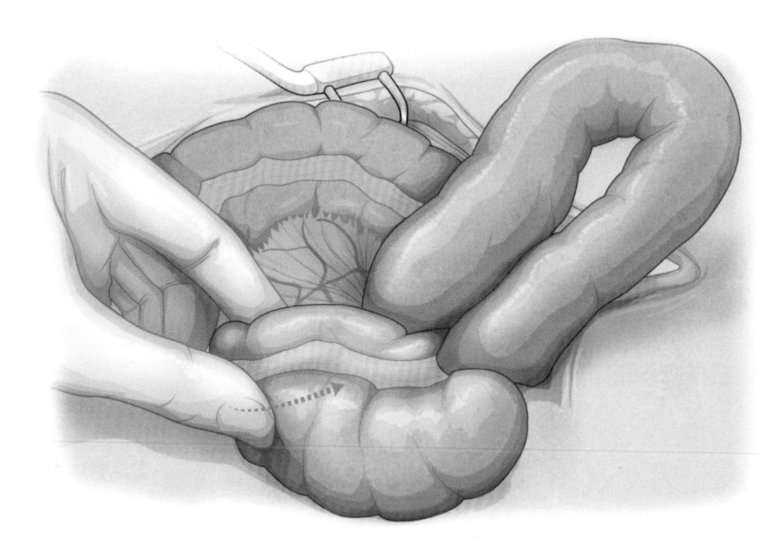

그림 14-6

TIP 1
장과 손가락 사이에 거즈를 놓고 도수정복술을 시행하면 조작이 쉬울 수 있다.

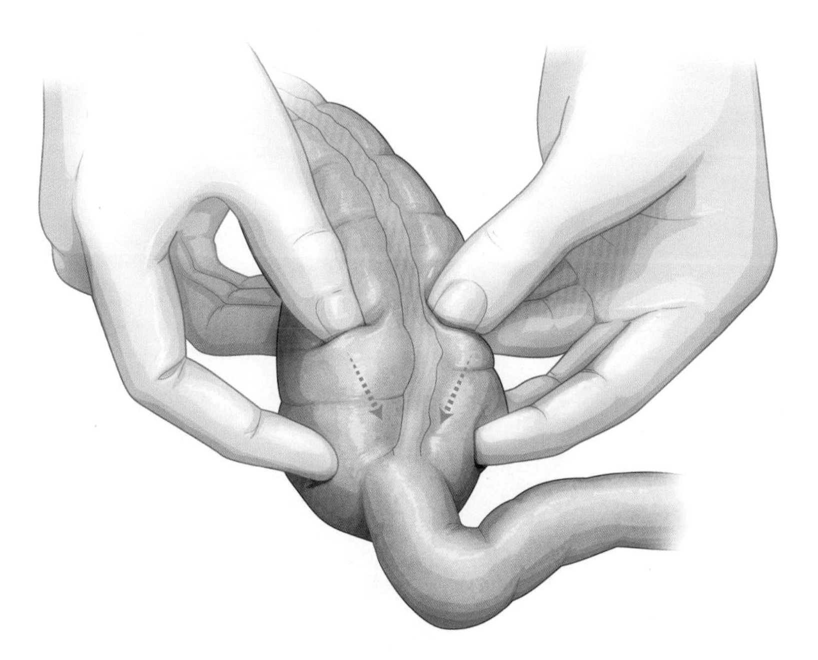

그림 14-7

TIP 2
도수정복이 쉽게 되지 않을 경우에는 따뜻한 식염수에 적신 패드나 거즈로 장중첩증 부위를 감싼 뒤 다시 시도하면 정복이 되기도 한다.

TIP 3
도수정복을 할 때 양손의 엄지손가락으로 감입부 선두부위를 밀고 다른 손가락으로 맹장의 벽을 끌어 당기듯이 시행하면 효과적일 수 있다.

(그림 14-8) 선두점은 대개 말단 회장에 배꼽모양의 파이어반(Peyer' s patch)으로 만져지거나 보여지는데 도수정복술 후 추가적인 치료는 필요하지 않다. 하지만 다른 병리적인 선두점으로 메켈게실이 있을 수 있고 드물게 용종 및 종양을 동반할 수 있는데 이러한 병리적인 선두점이 있는 경우에는 수술적인 제거가 필요하다.

(그림 14-9, 10) 정복 후 중첩되었던 장은 장조직의 생존여부를 확인해야 한다. 처음에는 대개 검푸른 색을 띠며, 충혈되어 있기 때문에 생존하지 않아 보이지만 따뜻한 식염수에 적신 패드나 거즈로 감싼 뒤 확인하면 호전되는 경우도 있다. 만일 위와 같은 방법으로도 호전되지 않거나 정복된 장의 생존 여부가 불확실하다면 그 부분은 절제하여야 한다. 또한 도수정복을 한 후 병리적인 선두점이 확인되는 경우에도 병리적 선두점을 포함해서 장 절제술을 시행하여야 한다. 드물게 장괴사의 진행으로 도수정복이 되지 않는 경우에는 장중첩이 된 상태에서 장절제술을 시행하는 것이 안전할 수 있다.

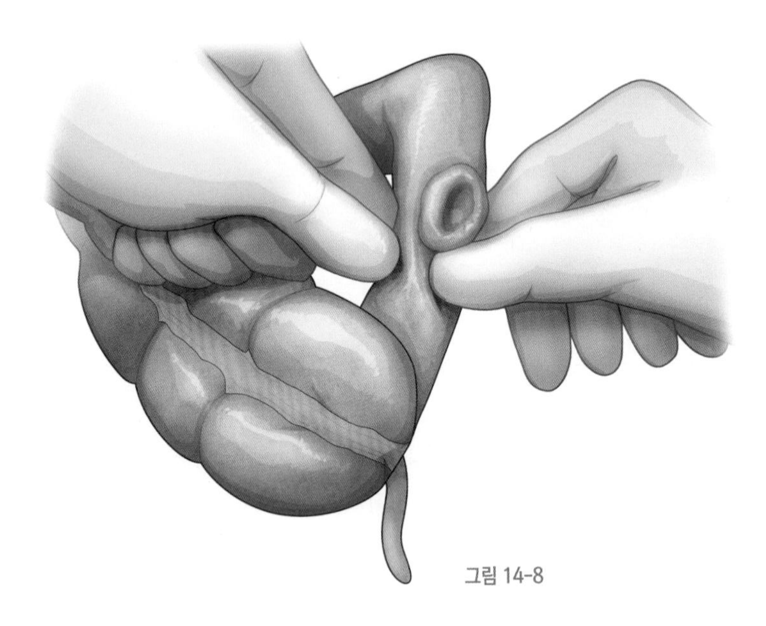

그림 14-8

TIP 4
회맹판막에 부종이 있거나 파이어반이 있는 경우에 장내종괴가 있는 것처럼 보이므로 신중한 촉진을 통해 불필요한 장 절제술을 피해야 한다.

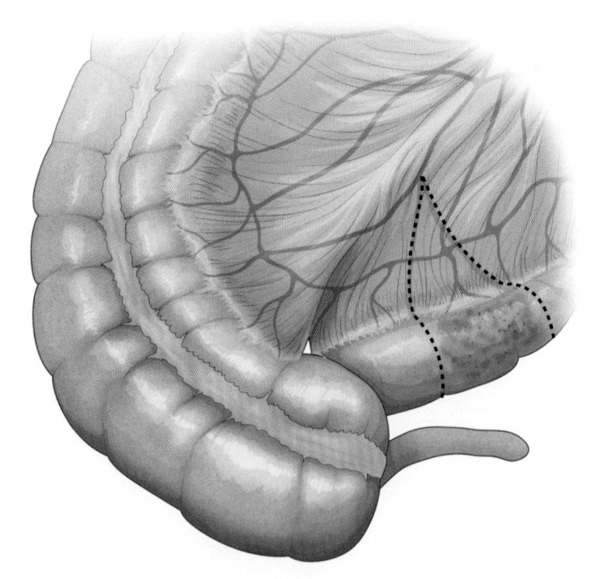

그림 14-9

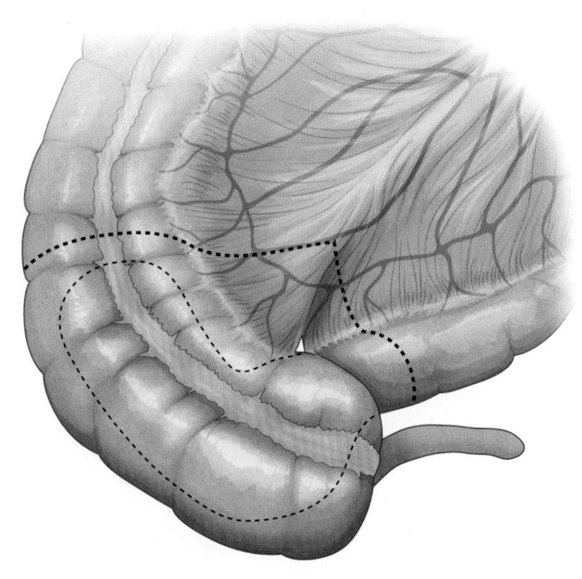

그림 14-10

(그림 14-11) 장절제술 및 문합술은 Section 1. 총론 Chapter 4의 소장문합술식편을 참조하도록 한다.

(그림 14-12) 장중첩증 수술 후 흉터가 충수돌기절제술의 수술부위와 유사하여 급성충수돌기염을 진단하는데 혼란을 일으킬 수 있고 또한 장중첩증이 발생한 경우 충수돌기로 가는 혈류도 같이 차단되는 경우가 빈번하기 때문에 충수돌기절제술을 같이 시행할 수 있다. Section 4. 대장항문 Chapter 6의 충수절제술을 참조하도록 한다. 창상은 복벽근육층을 근육층별로 봉합을 시행한 후 피부봉합을 한다.

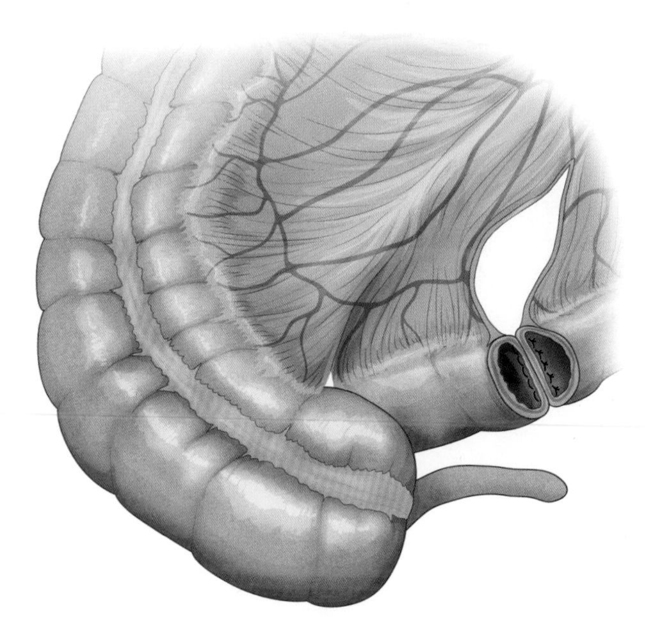

그림 14-11

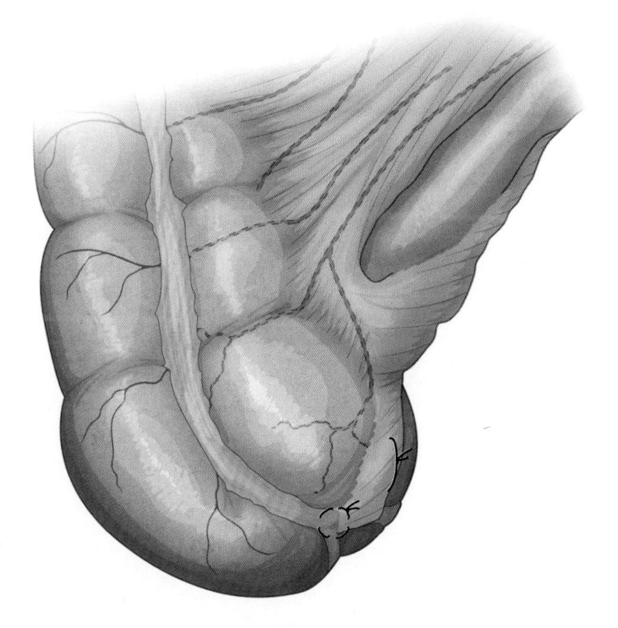

그림 14-12

2) 복강경 수술

(그림 14-13) 앞에서 설명한 도수정복술에서처럼 비외상성 도구를 이용해서 감입부가 있는 결장에서 맹장 쪽으로 번갈아 가면서 장을 짜내려 가면서 정복을 시도한다. 비록 개복에 의한 도수정복술과는 맞지는 않지만, 장중첩증의 원위부 결장은 원위부 방향으로 회장은 그 반대 방향으로 장벽이 손상되지 않을 정도로 부드럽게 잡아당겨 counter-traction을 시도하는 방법도 있다. 정복이 되지 않을 때는 비외상성 겸자로 회장을 가로로 한번에 잡아 근위부를 고정하고 중첩된 장이 포함된 결장(감입초)의 바깥쪽에 결장벽을 다른 비외상성 겸자로 잡고 원위부 결장 방향으로 밀면서 정복을 시도한다.

(그림 14-14) 다른 방법으로는 막창자를 겸자로 상방으로 당기면서 고정하고 회장을 반대 방향으로 장벽이 손상되지 않을 정도로 부드럽게 잡아당겨 정복을 시도할 수 있다.

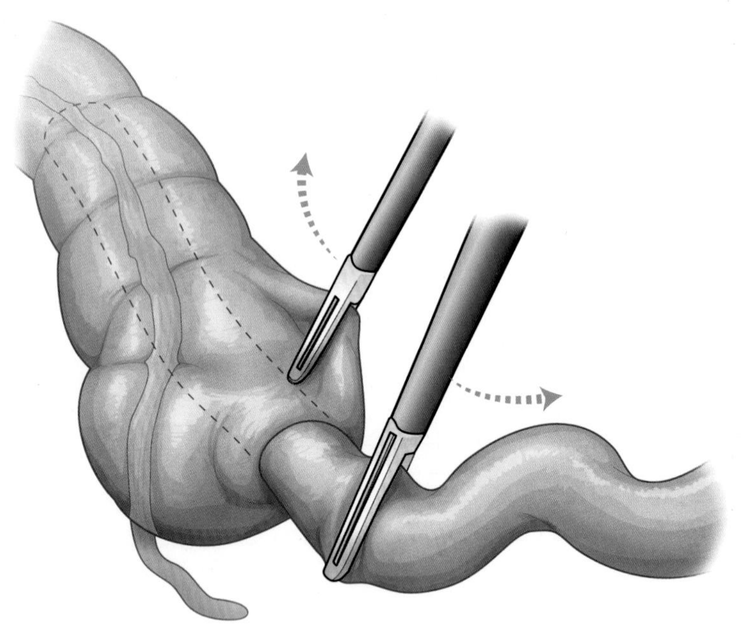

그림 14-13

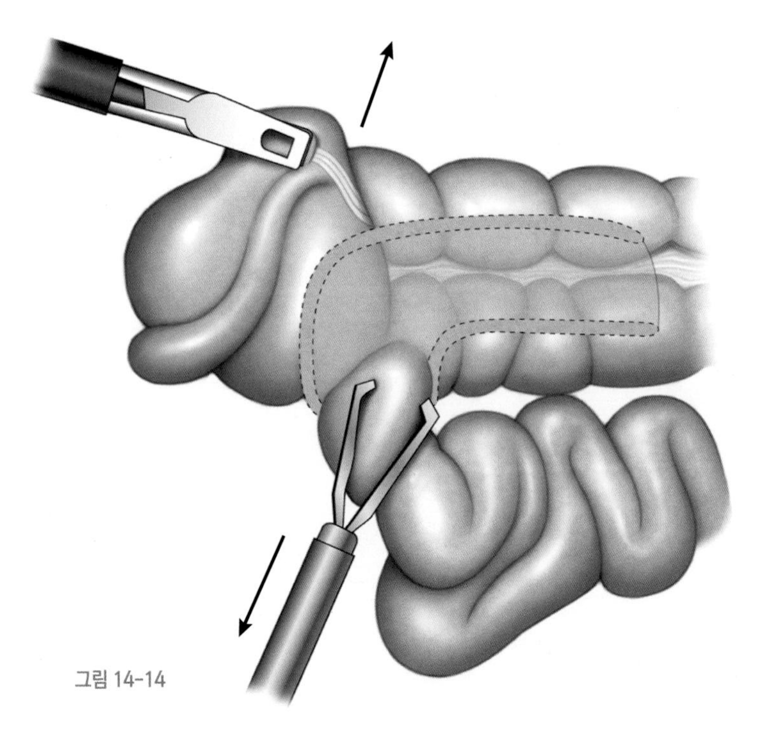

그림 14-14

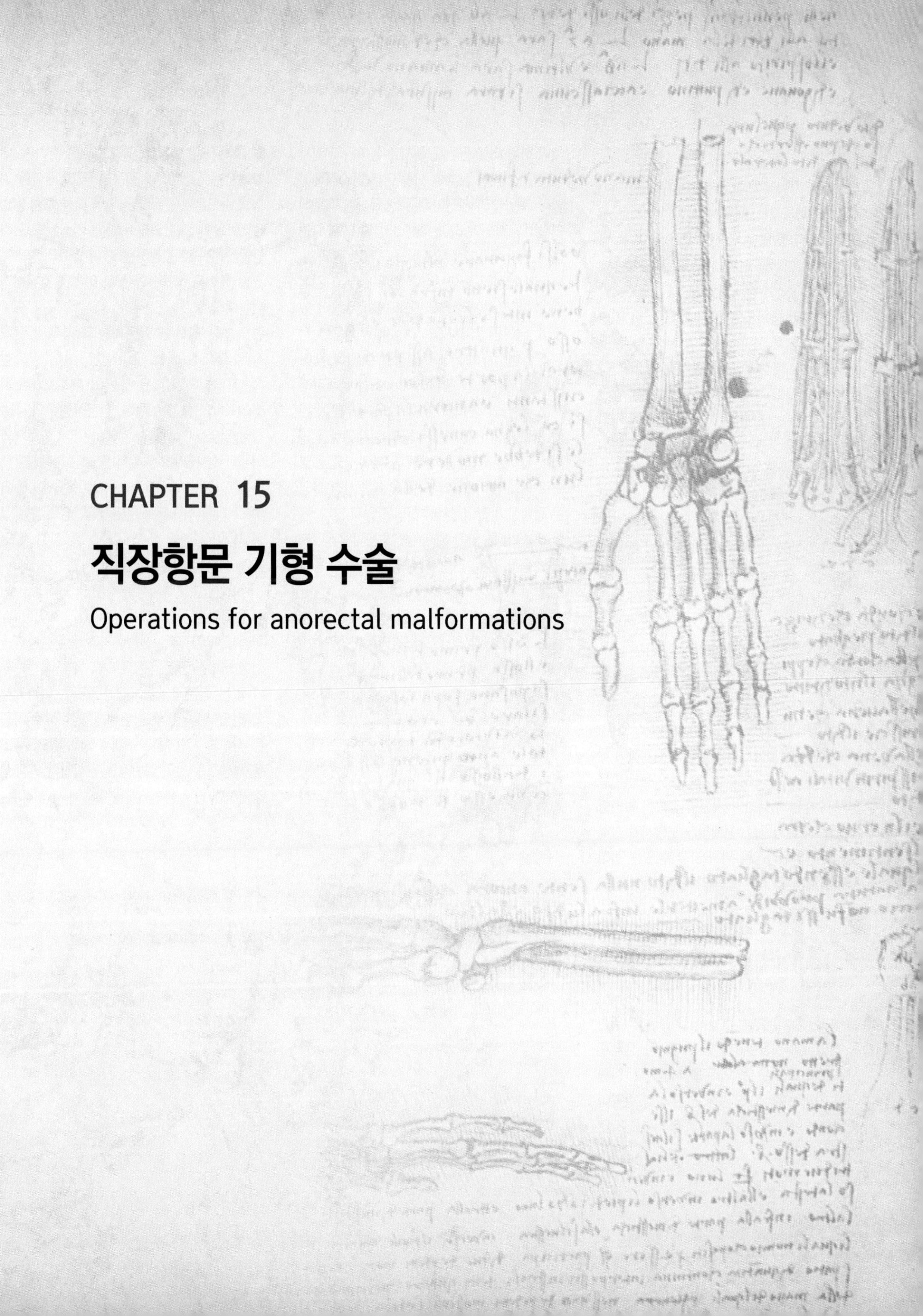

CHAPTER 15

직장항문 기형 수술

Operations for anorectal malformations

1. 서론

직장항문 기형에 대한 수술적 치료는 현대식 수술이 발달되기 전에도 원시적인 형태로 시도된 기록이 있었다. 그러나 이 기형이 폭 넓은 범위의 형태를 나타내는것으로 밝혀져서, 기형의 형태와 중증도에 맞는 적절한 수술방법의 선택이 중요함을 알게 되었다. 이 기형은 폐쇄 말단부의 위치에 따라 저위, 중위, 고위 기형으로 분류되어왔으며 분류에 따라 다른 수술 원칙이 적용되었다. 신생아기에 발견된 저위기형에 대해서는 장루술 없이 일차적 항문성형술을 시행하며, 중위 이상의 기형의 경우는 장루술을 먼저 시행한 후 생후 3~6개월 사이에 항문성형술을 시행하며, 이후에 장루 복원술을 시행하는 단계적 수술이 수술적 치료의 기본 개념이었다. 장루술 방법, 장루술의 필요성, 항문성형술의 시행시기, 복강경수술의 적용여부 등은 기관과 술자에 따라 차이가 날 수 있다.

항문기형 수술은 1982년에 보고된 Pena 술식으로 알려진 후 정중선접근 직장항문성형술(posterior sagittal anorectoplasty, PSARP)이 현재는 널리 시행되고 있다. Pena 술식은 회음부의 정중앙을 절개하여 전기소작기(Bovie coagulator)를 이용하여 무혈적 수술을 시행하여 기형을 정확히 확인할 수 있으며 괄약근을 정확하게 노출시켜 괄약근 범위 내에 직장을 위치 시킬 수 있는 점이 장점으로서 다양한 형태의 직장항문기형에 모두 적용할 수 있다.

2. 신생아기 직장항문기형에 대한 일반적 처치

〈수술 전 처치〉 출생 후 금식을 하며, 비위관을 삽입하여 위장관 감압을 시행하며, 정맥주사로를 확보하여 수액치료를 시행한다. 항문기형 환자는 출생 후 먼저 전신 상태 파악이 중요하며 기형의 종류, 동반 기형 여부를 확인해야 하며 이를 근거로 해서 신생아기의 일차적 항문성형술, 장루술 시행 여부를 결정해야 한다. 회음부의 시진이 매우 중요하기 때문에 면밀히 관찰해야 하며, 태변 배설 여부를 확인해야 한다. 태변은 출생 16~24시간 경과 후 나오기 때문에 출생시각을 염두에 두고 관찰해야 한다. 여아의 경우 95%에서 누공이 있으며, 남아인 경우 80% 이상에서 회음부 시진과 소변검사를 통해서 결정될 수 있다. 남아에서 기저귀를 잘 관찰하거나 소변에서 걸러지는 태변을 확인하기 위해 요도 끝부분에 흰색 거즈를 놓이게 해서 누공의 존재유무를 과거에 많이 시행하던 직장말단부의 공기음영으로 폐쇄 높이를 결정하던 단순 방사선 촬영은 정확성이 떨어져서 추천되고 있지 않다. 동반기형여부를 알기 위해 심장초음파 검사, 복부 초음파 검사, 단순 척추 방사선 검사 등이 필요하다.

수술방법의 선택에는 기형의 형태학적 분류가 중요하다. 윙스프레드(Wingspread, 1984) 분류가 이용되었으나 현재는 새로운 국제 분류가(International Classification, Krickenbeck, 2005) 발표되었다(표 15-1). 새로운 분류에서는 이전의 저위, 중위, 고위기형으로 크게 나누던 분류가 아닌 각 기형의 형태를 기술하여 표시하였다. 남아에서는 직장요도루 기형, 회음부 루의 순으로 흔하며, 여아에서는 전정부 루, 회음부 루, 총배설강 기형의 순으로 발견된다. 성별에 따른 처치 방법은 〈외과학, 대한외과학회〉에 기술된 알고리즘을 기준으로 결정하는데, 이 알고리즘의 중요한 목적은 장루술의 설치 여부를 결정하기 위함이다.

장루술이 필요한 항문기형의 경우는 단계적 수술(Staged operation)이 필요한데, 장루술의 목적은 대변의 우회로(fecal diversion)를 확보하여, 항문성형술의 수술창상 감염을 방지하기 위해서 이다. 요로계와의 완전한 분리를 위해서는 말단 하행결장루술(descending end colostomy)이 좋으며 그 외에 루프 에스 결장루술, 루프 횡행 결장루술이 시행될 수 있다. 장루술 설치 시 이후에 시행할 항문성형술 시 시행하는 pull-through 술식에 지장을 주지 않도록 장루 이하 원위부 장관의 길이를 여유있게 해야한다.

회음부 루인 경우 신생아기에 항문성형술을 시행하며, 남아의 직장요도루, 직장방광루, 루가 없는 항문폐쇄증, 직장 무공증, 여아에서의 전정부 루, 무루 항문폐쇄증, 직장 무공증은 장루술 시행 후 3~6개월 사이에 PSARP를 시행하는 것이 일반적인 원칙이다. 총배설강기형인 경우 생후 6개월 이후에 시행한다.

표 15-1 International classification (Krickenbeck)

Major clinical groups	Rare/regional variants
Perineal (cutaneous) fistula	Pouch colon
Rectourethral fistula	Rectal atresia/stenosis
Prostatic	Rectovaginal fistula
Bulbar	H fistula
Rectovesical fistula	Others
Vestibular fistula	
Cloaca	
No fistula	
Anal stenosis	

3. 수술 과정

1) 회음부 루(Perineal fistula)

항문기형 중 가장 단순한 기형으로 Wing-spread 분류상 저위기형에 속한다. 이 기형에서 직장은 막혀있는 항문 흔적보다 앞으로 열리며, 누공에서 연결되는 직장 전벽은 남아의 경우 요도 후벽과 밀접하게 붙어 있다. 여아의 경우는 정상항문 위치에서 앞쪽의 질 쪽으로 치우쳐서 누공이 열려 있다. 수술시기는 신생아의 경우 출생 후 24~48시간 이내에 시행해야 하며 이 시간이 지난 경우 대변 내 세균총이 성인에 가깝게 변하여 감염의 위험이 높아진다.

출생 직후 발견된 경우 장루술 없이 일차적 항문성형술을 시행하며 Pena는 회음부 루에 시행되는 술식을 'minimal posterior sagittal anoplasty'라고 표기하였다. 과거에는 회음부 루에 대해서 cut-back 술식, Y-V 항문 성형술, 항문 위치전이술(anal transposition) 등이 시행되었다. 이 술식들은 항문괄약근에 전기자극기를 통한 괄약근의 정확한 위치를 정하여 시행하는 항문 성형술이 아니어서 수술 후 회음체(perineal body)가 짧아 미관상, 위생상의 문제가 되었으며 수술 후 심한 변비 등이 문제가 되었다. 그러나 전신상태가 좋지 않아 전신마취가 어려운 경우 cut-back 항문성형술을 시행할 수 있다.

(그림 15-1) 환자는 복와위에 골반을 높인 자세를 취한다. 특히 남아인 경우 회음부 루에 밀접하게 위치한 요도 손상을 방지하기 위해 폴리카테터를 반드시 삽입해야 한다. 피부절개는 테니스 라켓 모양으로 하여 누공(fistula orifice)에서 정중앙선을 따라서 후방으로 항문 흔적을 포함하여 약 2~3 cm 절개한다.

(그림 15-2) 누공의 점막피부 경계부위(muco-cutaneous junction) 둘레 전체에 5-0 비흡수 봉합사를 설치한다. 이 다발성 봉합사를 설치하게 되면 항문관 박리 시 말단부에 조직 손상을 주지 않으면서 일정한 장력으로 당길 수 있어 유리하다. 항문관의 박리는 괄약근의 사이에 충분히 놓여질 정도로 박리되어야 하나 너무 많이 되면 항문관 단말부를 불필요하게 많이 절제 할 수 있다. 항문을 설치할 위치는 전기근육자극기로 괄약근 수축을 확인한 후 항문이 될 위치의 앞, 뒤 경계에 5-0 비흡수 봉합사로 표시한다.

항문관과 피부의 봉합과정은 다른 형태의 항문기형에서의 항문성형술과 유사하다(그림 15-17~22). 신생아의 적당한 항문직경은 12번 헤가 항문확장기가 삽입될 수 있어야 한다. 수술 후 수유 제한을 할 필요 없으나, 항문성형술의 창상 보호를 위하여 환아를 복와위로 두는것이 유리하며, 24~48시간 동안 경주 항생제를 투여 한다.

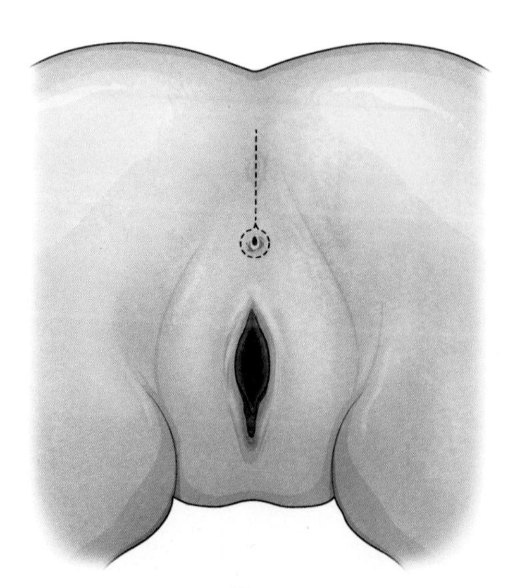

그림 15-1

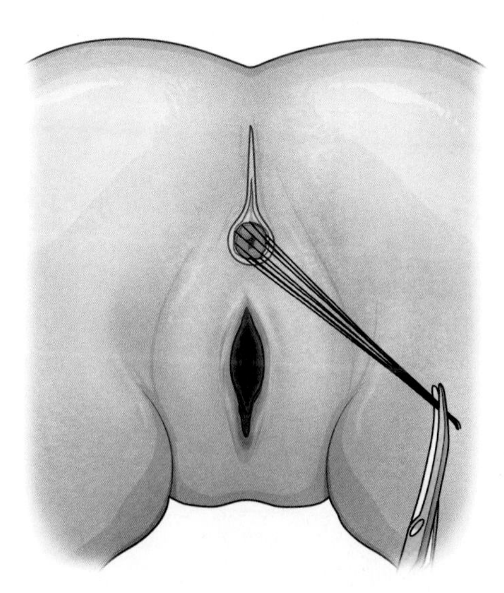

그림 15-2

2) 직장요도 루(Rectourethral fistula)

복와위로 한 후 골반을 높인 자세를 취한다. 수술 전에 반드시 폴리 카테터를 삽입해야 한다.

(그림 15-3) 미골의 윗 부분에서 항문 흔적 부위(anal dimple)를 약간 지나쳐서 피부 절개를 한다. 절개 시 수술용 칼을 이용하기 보다는 전기소작기를 이용하면 괄약근의 수축을 보면서 무혈 시야를 유지할 수 있어 유리하며, 집도의 엄지와 집게 손가락을 이용하여 절개창을 양쪽으로 벌리면서 절개하면 정중앙면을 더 정확하게 접근할 수 있다.

(그림 15-4) 피부 절개 후 피하지방, 옆 정중선 근육(parasagittal fiber), 근육 복합체(muscle complex)가 나타난다.

(그림 15-5) 거상근을 절개 했을 때 직장 구부 요도 루(rectourethral bulbar fistula)인 경우는 직장이 부풀어 있으며 흰색을 띠어 쉽게 발견할 수 있으며, 발견되는 부분은 직장의 후벽이다. 직장 전립선 루(rectoprostatic fistula)인 경우는 절개된 거상근 사이로 직장이 부풀어 오르지 않아 발견하기 어려우며 미골 밑에서 직장을 발견할 수 있다. 따라서 직장 전립선 루인 경우 직장을 찾기 위해 절개창의 아랫부분에서 직장이 그 위치에 없는데도 박리를 계속하면 요도, 정관, 전립선, 정낭에 손상을 입혀 소변조절과 성기능에 영향을 주는 심각한 합병증을 일으킬 수 있다. 수술 전에 장루의 원위부를 통해서 부드러운 고무관을 삽입하여 두면 수술 중 직장 말단부를 쉽게 확인하는데 도움이 될 수 있다.

(그림 15-6) 직장 후벽이 확인되면 직장 후벽의 원위부 중앙부에 2개의 5-0 비흡수 봉합사를 설치하여 그 사이의 직장을 전기 소작기를 이용하여 약 1~2 cm 정도 종 절개하여 직장 내부를 노출시킨다.

(그림 15-7) 절개를 조금씩 상하로 연장하여 점진적으로 원위부 방향쪽으로 종으로 절개해 내려간다. 점차 벌어지는 절개면에 5-0 비흡수성 봉합사를 5~10 mm 정도의 간격으로 봉합사를 설치한다. 봉합사를 설치할 때 좌우 양측이 대칭을 이루도록 하는 게 좋다. 이 절개는 직장 요도 루의 직장 쪽 외공에 근접할 때까지 진행하며 루에 가까워 질수록 직장은 점차 좁아진다. 직장 쪽 외공의 직경은 매우 작은 편으로 점막주름의 방향을 보고 구분할 수 있으며, 이 누공을 통해서 요도 안의 폴리 카테터를 확인할 필요는 없다. 누공에 2~3 mm 정도 근접한 지점에서 누공의 6시 방향에 5-0 비흡수성 봉합사를 설치하여 표시해 둔다. 이후에는 요도의 누공과 직장을 분리하는 단계로 넘어간다.

(그림 15-8) 누공의 윗부분에 해당하는 직장 전벽 점막에 누공에서 약 5 mm 정도의 거리를 두는 상상의 선을 정한 후 이 선을 따라서 5-0 비흡수 봉합사를 3 mm 전후의 간격으로 설치한다. 이때 너무 깊으면 요도 층의 일부가 포함될 수 있으므로 너무 깊지 않게 설치한다.

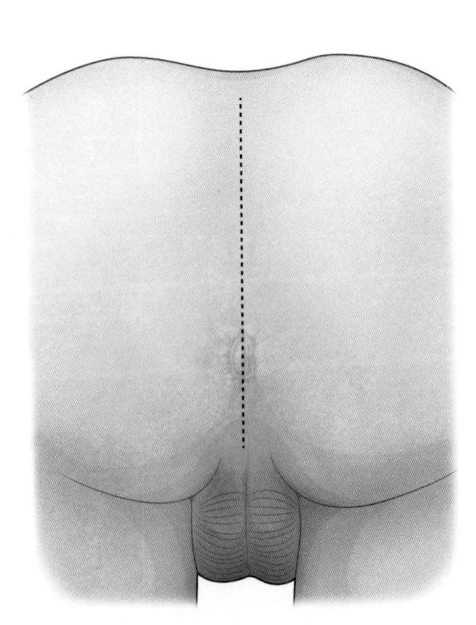
그림 15-3

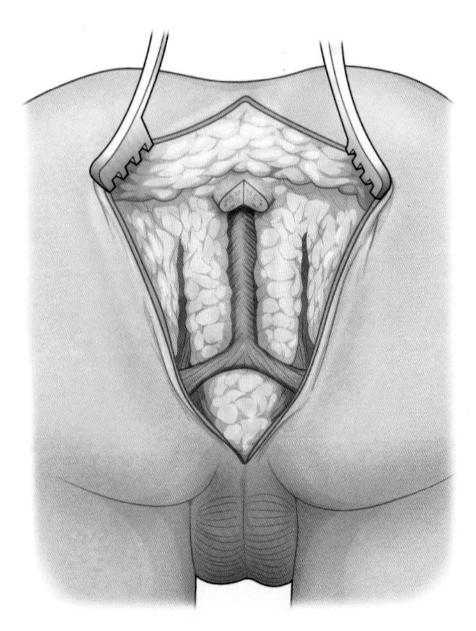
그림 15-4

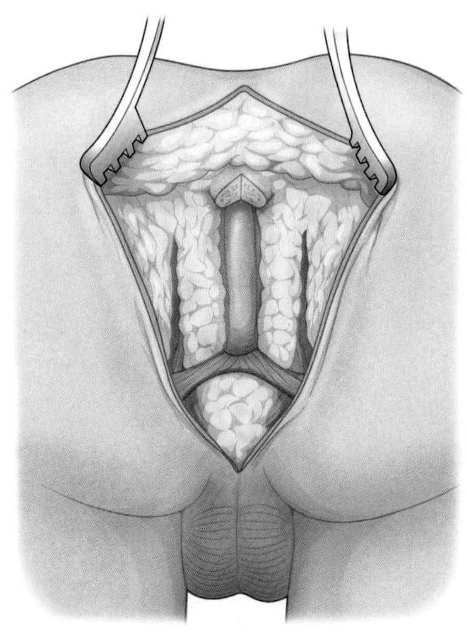
그림 15-5

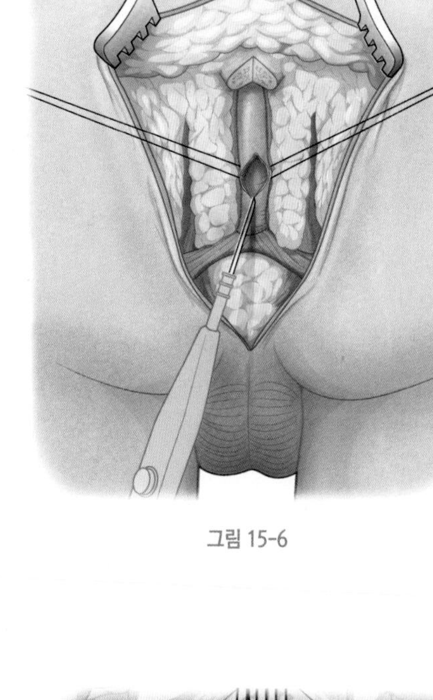
그림 15-6

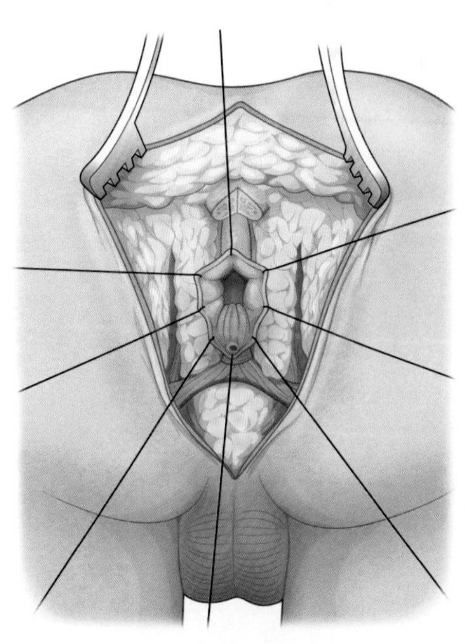
그림 15-7

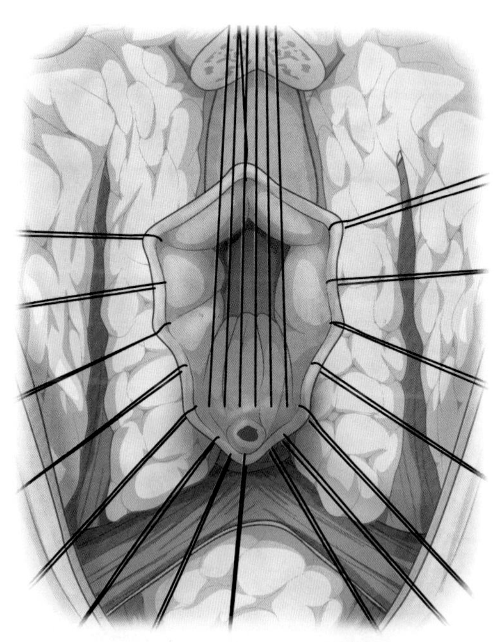
그림 15-8

(그림 15-9) 누공 위에 설치한 다발성 봉합사를 한 다발로 모아 클램프로 잡아 직장 점막을 일정하게 당기면서 누공과 다발성 봉합사가 이루는 선 사이의 점막을 전기소작기로 절개한다. 절개는 처음에 매우 얕게 시작한다. 이 부위에서의 직장과 요도는 두 구조가 공유하는 구조(common wall)를 가지고 있으며 매우 얇고 밀접해 있어서 박리하는데 세심한 주의를 요한다.

절개를 시작한 후 동일한 방향으로 계속 진행하여 직장과 요도를 박리하기 보다는 직장의 후벽과 측벽을 먼저 박리하면 점막하층의 박리가 더 용이하다. 이 시점에서는 직장의 좌우 절개창과 직장의 전벽 점막에 설치한 3묶음의 봉합사가 있게 되며 각각 당기는 방향을 자유롭게 바꿔가면서 박리한다. 이 과정에서 직장 후벽의 근막이 박리되어야 직장의 길이가 항문 성형술에 이용될 정도로 길이가 확보되는데 근막을 예리한 겸자로 조금씩 잡은 후 전기소작기를 이용해서 박리해 낸다.

(그림 15-10) 직장과 요도 사이의 박리는 직장을 당기던 봉합사를 한 다발로 합쳐 당기면서 더 용이해지며 점막하층 면(submucosal plane)을 따라서 진행되는데 약 5~10 mm 진행되면서 점차 직장의 전체 두께가 나타나면서 요도로부터 분리된다. 직장을 요도에서 완전히 분리한 후 누공은 3~4개의 5-0 흡수 봉합사를 이용하여 봉합 폐쇄한다.

(그림 15-11) 새로운 항문을 만들 부위의 앞뒤 경계를 정하기 위해 근육자극기를 이용하여 괄약근을 수축시키며 위치를 정한다. 그 위치는 근육복합체와 옆 정중선 근육(parasagittal fiber)이 만나는 곳으로서 항문이 거상되고 중심을 향해 수축하는 전형적인 모양을 보면서 앞뒤 경계를 정한다. 정해진 부위의 피부에 5-0 비흡수 봉합사를 이용하여 표시해 둔다.

(그림 15-12) 지금까지 세 다발로 당기고 있던 다발성 봉합사를 하나로 합쳐서 잡은 후 직장을 당기면서 새로운 항문위치까지 충분히 올 수 있을 정도가 될 때까지 박리를 한다. 이때 직장 외벽에 있는 근막을 점진적으로 전 둘레에 걸쳐 돌아가면서 박리, 분리해야하며, 이 박리가 진행될수록 직장의 길이가 더 확보된다. 이 근막에는 혈관이 포함되어 있어 박리 시 분리되는 조직은 일일이 전기소작기로 지혈하며 진행한다. 충분한 길이가 확보된 후 직장의 직경을 보고 괄약근 사이의 공간에 충분히 놓여질 수 있는지 판단해야 한다. 만일 직장의 직경이 괄약근 사이의 공간보다 큰 경우 직장 축소수술(tapering procedure)이 필요하다. 축소 수술 시 반드시 직장 후벽의 부분을 제거하여 줄여야 하며 흡수봉합사를 이용하여 2층으로 봉합해야 한다. 직장 전벽을 제거하게 되면 봉합선이 요도의 누공이 마주보고 인접하게 되어 재발성 루의 위험이 높아지기 때문이다.

(그림 15-13) 근육 복합체의 앞 부분 결체 조직을 5-0 흡수성 봉합사로 봉합하며 회음체를 재건한다.

(그림 15-14) 전기 자극기를 이용하여 거상근을 확인 후 직장이 거상근의 앞쪽에 놓이게 한다. 5-0 흡수봉합사를 이용하여 거상근을 봉합한다.

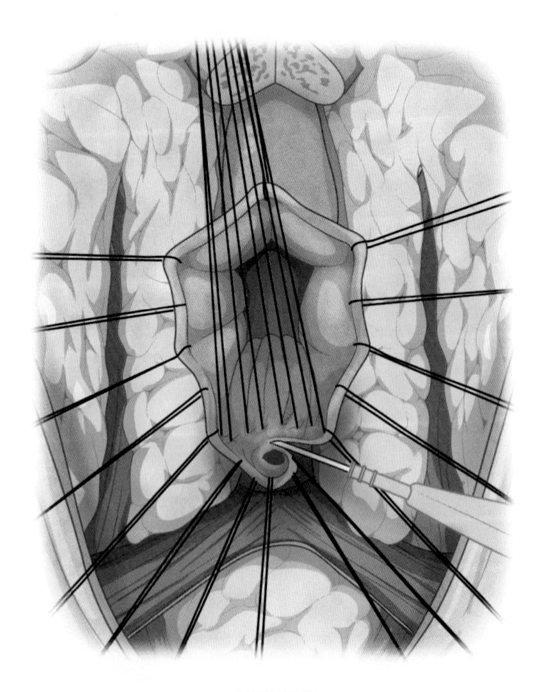
그림 15-9

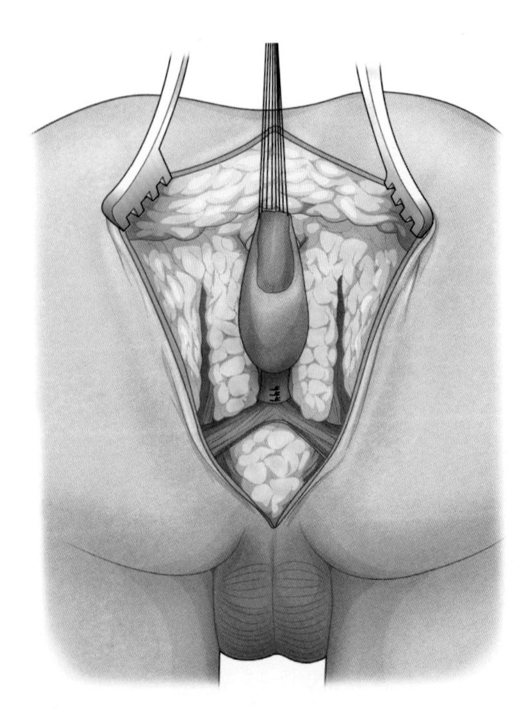
그림 15-10

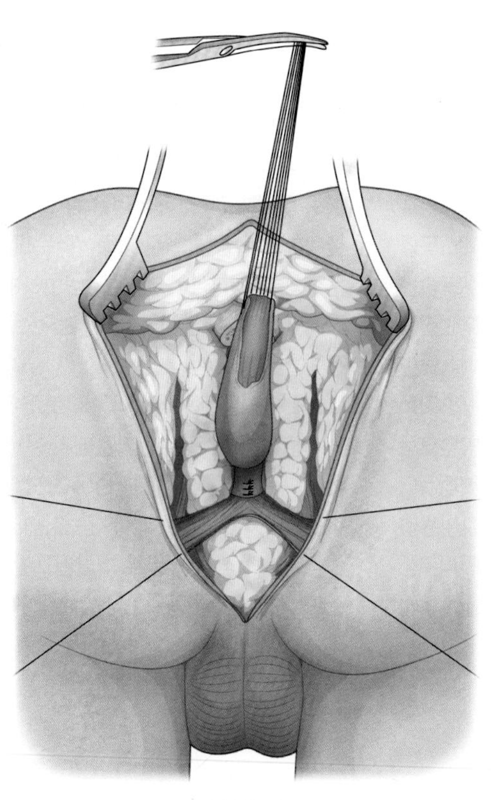
그림 15-11

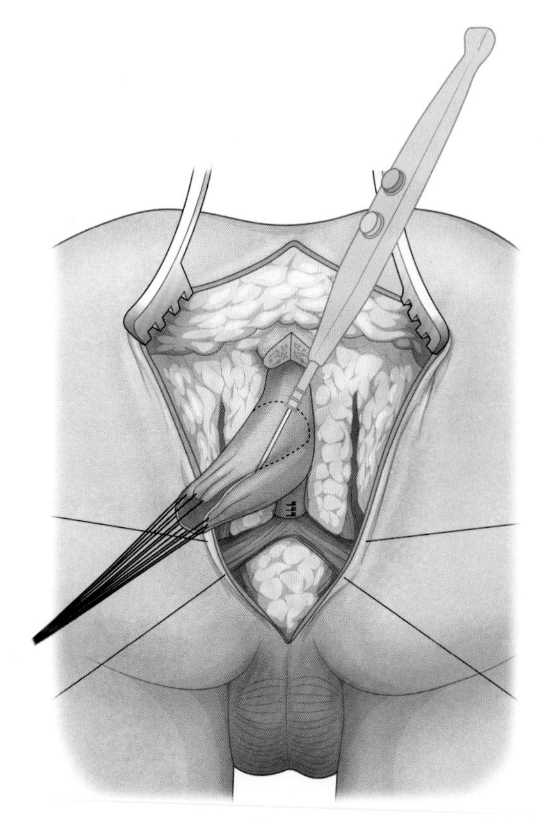
그림 15-12

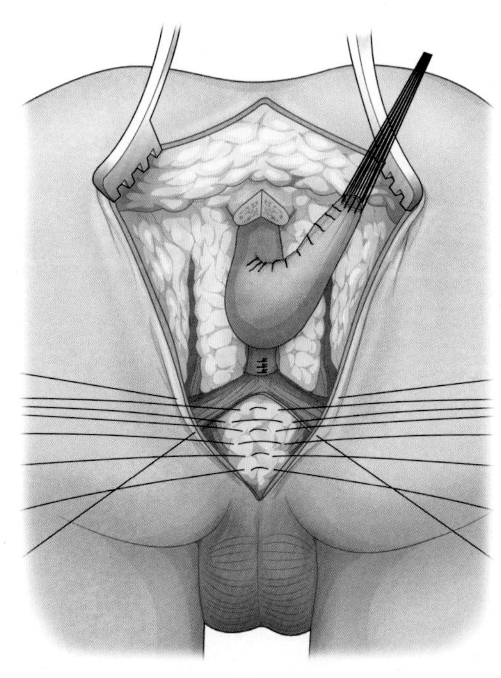
그림 15-13

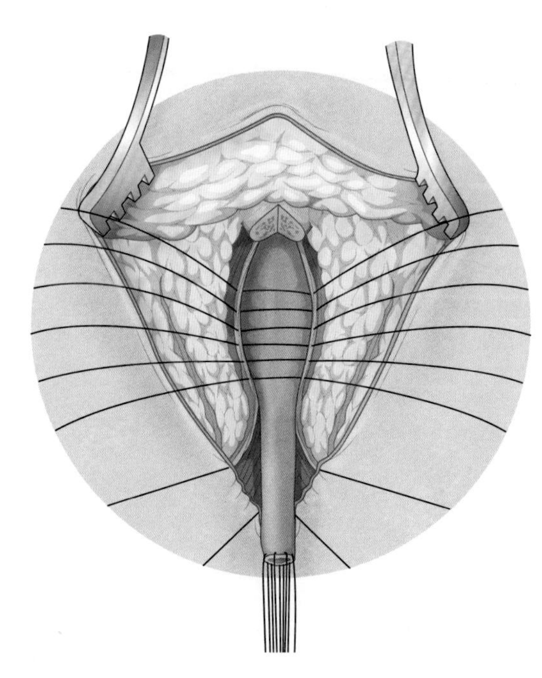
그림 15-14

(그림 15-15) 거상근의 원위부 연결구조인 근육복합체 사이에 직장을 놓이게 한 후 이 근육구조의 뒤쪽 경계를 5-0 흡수 봉합사를 이용하여 봉합한다. 이 봉합 시 수술 후 직장 탈출을 방지하기 위하여 직장 후벽을 포함하여 봉합하여야 한다. 이후 절개면의 지방조직인 좌골직장 지방층(ischiorectal fat)을 5-0 흡수 봉합사로 봉합한다.

(그림 15-16) 다발성 봉합사로 당기던 직장의 단말부가 항문을 만들 부위를 통해 나오게 된다. 직장 단말부를 당기고 있던 다발성 봉합사 다발을 좌우 대칭이 되도록 균일하게 양분하여 각각 클램프로 잡아 직장 단말부를 절제할 준비를 한다. 좌우 대칭이 되도록 하지 않으면 항문성형술 시 직장 점막이 좌우 비대칭이 되어 점막이 한쪽으로 치우치게 되면 수술 후 항문 점막의 탈출의 원인이 될 수 있다. 좌, 우 양쪽의 봉합사를 균일하게 양 옆으로 당기면서 직장벽의 앞, 뒤 벽을 전기 소작기를 이용하여 정중앙선 방향을 따라 절개 분리해 내려가며 피부 높이보다 약 5 mm 정도 더 깊이 내려가도록 한다.

(그림 15-17) 비흡수 봉합사로 표시했던 항문 앞쪽 경계 부위와 직장 단말부의 앞쪽 벽을 5-0 흡수봉합사를 이용하여 매트리스 봉합(mattress suture)을 시행한다. 이 봉합은 항문 성형술의 봉합 중 기준이 되므로 매우 중요하며 피부-직장 단말부의 전층-직장 단말부의 전층-피부의 순서로 한다. 항문의 뒤쪽 경계부위와 직장의 뒤쪽 벽도 같은 방법으로 봉합한다. 앞뒤 순서가 바뀌어도 무관하다.

(그림 15-18) 항문이 만들어질 위치에 불필요하게 나와 있는 직장의 단말부를 제거해야 한다. 우측을 먼저 제거하고자 할 때 양쪽으로 동일하게 나눠진 봉합사 다발(그림 15-16)을 한쪽을 치우치지 않게 약간 강하게 외측으로 당긴 상태에서 Cushing forcep과 같은 예리한 포셉을 정중선과 평행하게 놓이게 한 후 전기 소작기를 이용하여 정중앙선에서 2~3 mm 외측으로 거리를 두면서 놓여진 포셉과 평행한 선으로 절제해 낸다. 이때 너무 강하게 당기면서 절제하면 봉합선의 긴장도가 너무 강하여 항문성형술 후 창상이 벌어질 수 있으며 너무 약하게 당기면 직장 점막이 남게 되므로 적절한 장력을 필요로 한다.

(그림 15-19) 절제된 직장의 끝부분과 3시 방향의 피부를 5-0 흡수봉합사를 이용하여 봉합한다. 봉합 시 직장의 전 층이 포함되도록 해야 한다.

(그림 15-20) 직장 단말부의 불필요한 좌측 부분도 그림 15-19와 동일한 방법으로 제거한다.

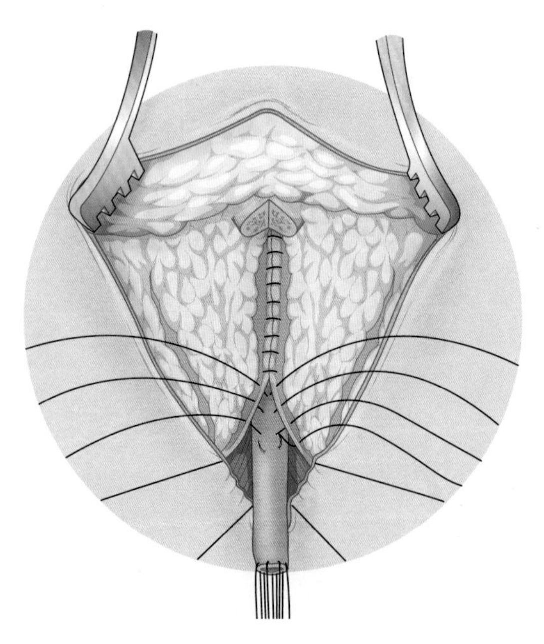

그림 15-15

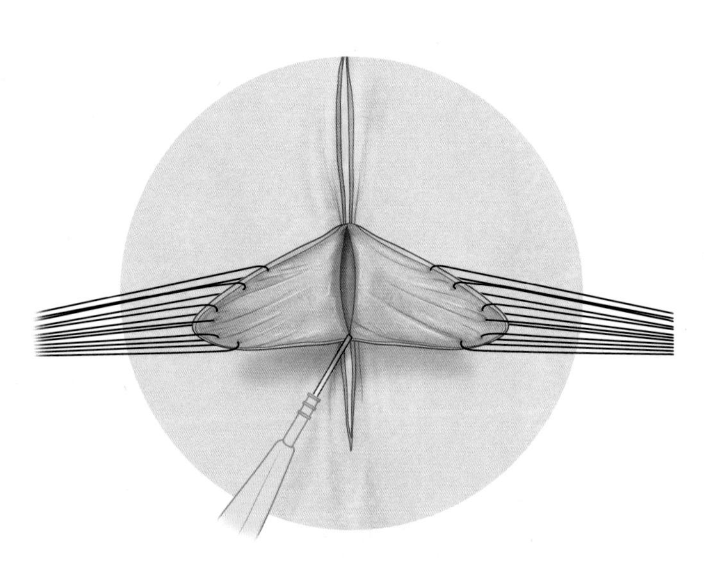

그림 15-16

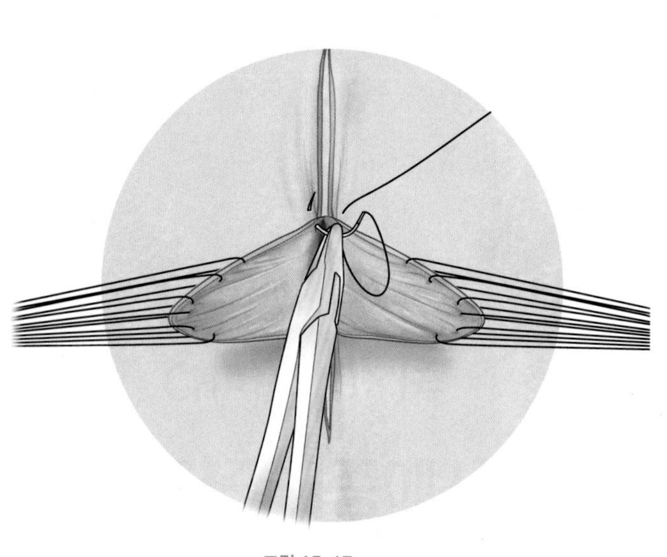

그림 15-17

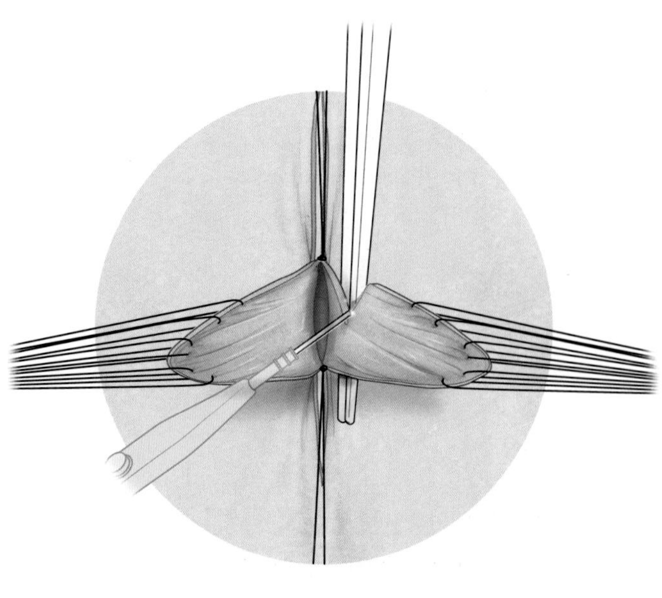

그림 15-18

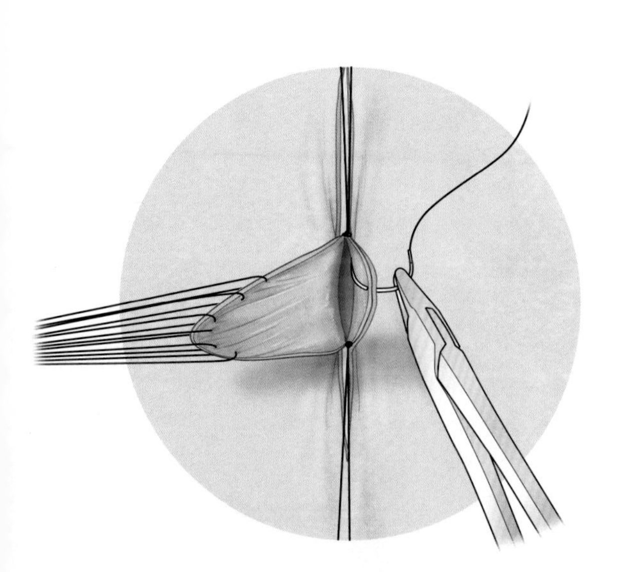

그림 15-19

그림 15-20

(그림 15-21) 9시 방향에 직장 단말부와 피부를 봉합한 후 돌아가면서 맞은 편과 동일한 방법으로 봉합하여 항문성형술을 마친다. 전체적으로 12~16개의 봉합을 시행하게 된다.
(그림 15-22) 항문성형술이 완료된 후 앞뒤의 회음부 창상을 봉합한다.
수술 후, 1~2일 경과후에 식이를 시작하며, 요도관은 수술 후 7일 전후에 제거한다. 정맥주사는 유지하며, 경주 항생제를 투여한다. 수술 후 창상감염외에도 항문의 항문점막과 피부의 창상치유 여부를 면밀히 관찰해야 한다.

3) 전정부 루(Vestibular fistula)

환자의 자세는 복와위 상태로 골반을 상승시킨 자세로 하며, 요도관을 삽입한다.
(그림 15-23) 피부절개를 미골에서 루 외공까지 한 후 누공을 포함하여 테니스 라켓모양으로 절개한다. Pena는 전정부 루에서 시행되는 술식을 limited posterior sagittal anorectoplasty라고 기술 하였다.
(그림 15-24) 여러 개의 5-0 비흡수 봉합사를 좌우대칭이 되도록 하면서 설치한다.

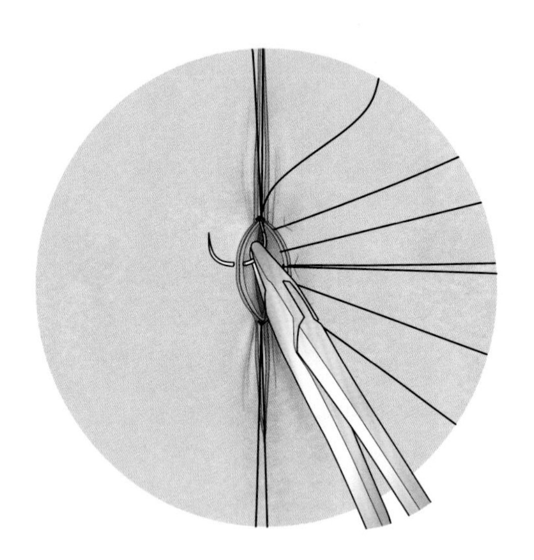
그림 15-21

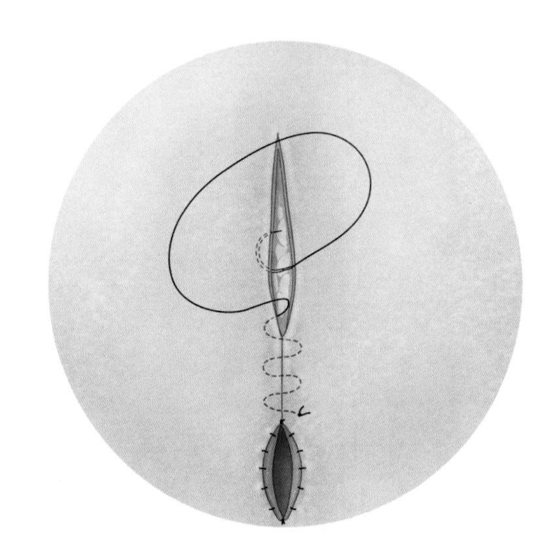
그림 15-22

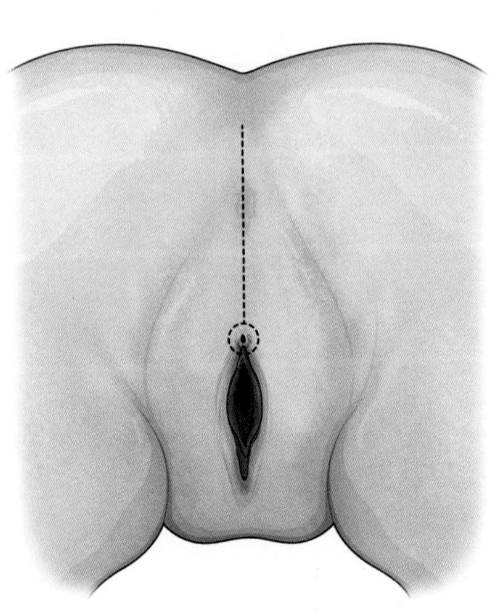
그림 15-23

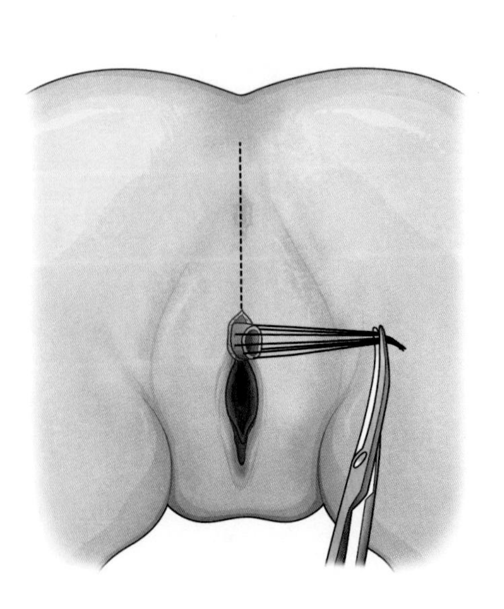
그림 15-24

(그림 15-25) 절개창을 통하여 더 깊이 들어가면 괄약근이 나오고 직장의 후벽이 나타난다. 직장을 덮고 있는 근막을 제거하여 박리 면을 만든다. 이 박리 면을 따라서 직장 벽의 외측을 따라서 양쪽 측벽을 각각 박리한다.

(그림 15-26) 누공에 설치한 다발성 봉합사를 당기면서 누공과 질 사이를 전기소작기를 이용하여 절개한다. 절개는 처음에는 매우 얕게 하며 직장의 양쪽 측벽을 동시에 박리하면서 직장을 질에서 분리해 낸다. 질과 직장이 밀접해 있는 부분은 1 cm 전후의 길이로서 박리 도중 질과 직장의 구조에 손상이 가지 않도록 주의해야 한다.

(그림 15-27) 직장이 완전히 분리된 후 전기자극기를 이용하여 항문의 앞 뒤 경계를 정하여 각각 5-0 비흡수 봉합사로 표시한다.

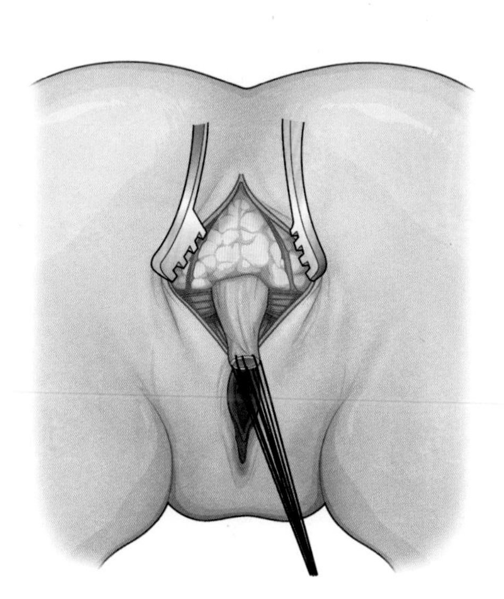

그림 15-25

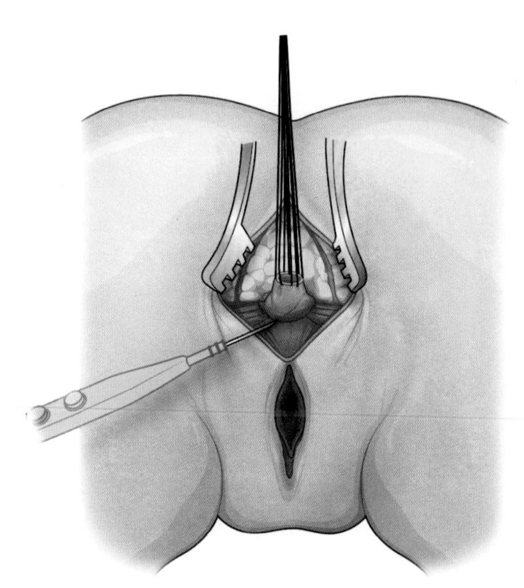

그림 15-26

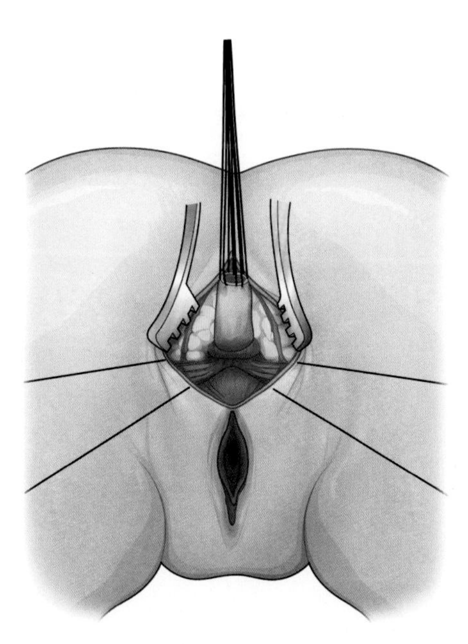

그림 15-27

(그림 15-28) 질 후벽과 직장 근육 복합체 사이의 조직을 5-0 흡수봉합사를 이용하여 봉합하며 회음체를 만든다.

(그림 15-29) 직장을 괄약근의 앞뒤 경계, 양쪽 근육 복합체의 범위 내에 놓이도록 한 후 근육복합체와 직장의 후벽을 5-0 흡수봉합사를 이용하여 봉합한다. 직장 단말부의 필요 없는 부분을 이전의 직장 요도루 기형에서의 경우와 동일한 방법으로 절제한 후 항문 성형술을 시행한다.

신생아인 경우는 수술 후 약 2~3일간 금식을 하며, 항생제를 투여한다. 출생 직후에 진단되지 못하고 이후에 발견되어 수술하게 되는 경우에는 장루술 없이 장관세척을 수술 하루 전에 철저하게 시행한 후 수술 후 약 10일간 금식을 하며 경정맥 과영양요법을 시행한다.

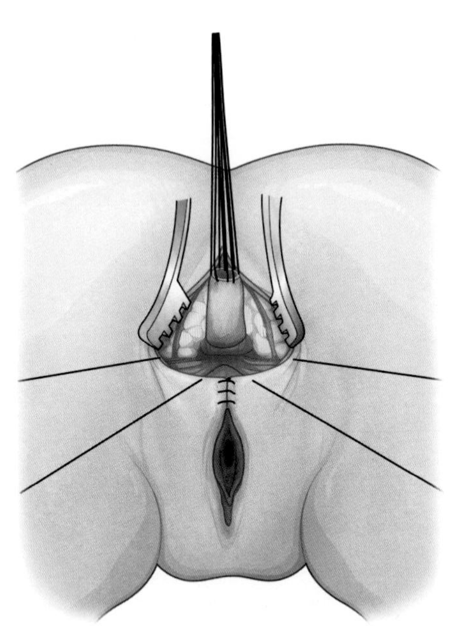

그림 15-28

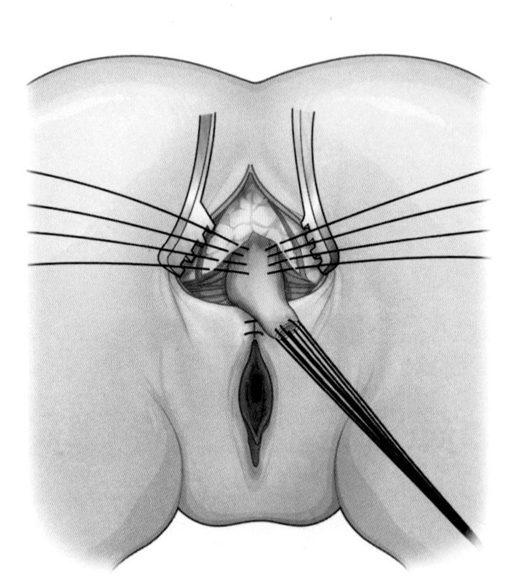

그림 15-29

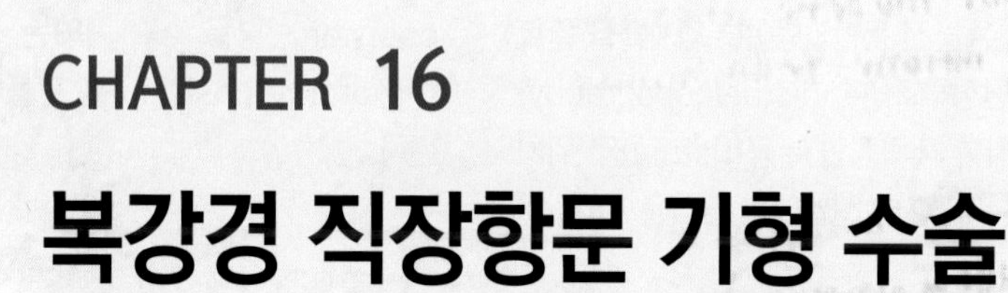

CHAPTER 16

복강경 직장항문 기형 수술

Laparoscopic operation for anorectal malformation

1. 서론

복강경을 이용하는 직장항문기형 수술인 Laparoscopic assisted anorectal pull-through (LAARP)는 2000년 Georgeson 등에 의해 처음 보고되었고, 기존에 직장항문기형의 표준 수술로 자리 잡은 후 정중선 접근 직장항문성형술(posterior sagittal anorectoplasty, PSARP)을 대체할 수 있는 직장항문기형 수술로 점점 그 시행 빈도가 증가하고 있는 술식이다.

2. 적응증

남아에서는 직장 방광루(rectovesical fistula), 직장 요도루(rectourethral fistula)에 주로 적용되고, 여아에 경우 총배설강(cloaca), 직장 질루(rectovaginal fistula)에 적용될 수 있다. 직장 회음부 루(rectoperineal fistula), 직장 전정부 루(rectovestibular fistula) 등에서는 항문을 바로 만들어주는 일차적 항문성형술(cutback 술식, 항문 위치전이술 등)을 시행하는 것이 원칙이다.

3. 수술 전 처치

LAARP 수술의 적응증에 해당하는 직장항문기형을 가진 신생아가 출생 시, 장루술을 먼저 시행하게 된다. LAARP의 수술 시점은 각 병원마다 상이한데, 보통 생후 3개월 이후에 시행하게 된다.
LAARP 수술 전 동반기형여부 검사들을 완료하고, 말단장루조영술(distal loopography)을 시행하여 대략적인 누공(fistula)의 위치를 파악한다. 수술 전날에는 금식을 하며, 말단 장루를 통해 관장을 실시하여 장이 깨끗이 비워질 수 있도록 준비한다.

4. 환자 자세 및 수술 준비

복강경 수술과 항문 수술을 동시에 진행해야 하기 때문에, 환자의 복부와 회음부, 다리를 모두 소독하여 수술 시 복부와 회음부가 수술 시야에 노출 될 수 있도록 한 뒤 침대와 직각 방향으로 환자를 앙와위(supine position) 자세로 눕힌다(그림 16-1). 수술자는 환자의 두경부에 위치하고 직장 박리 시 두경부를 10~15° 아래로 기울인다(Trendelenburg position). 항문 수술 시에는 쇄석위 자세(lithotomy position)를 만들어 시행하게 된다.

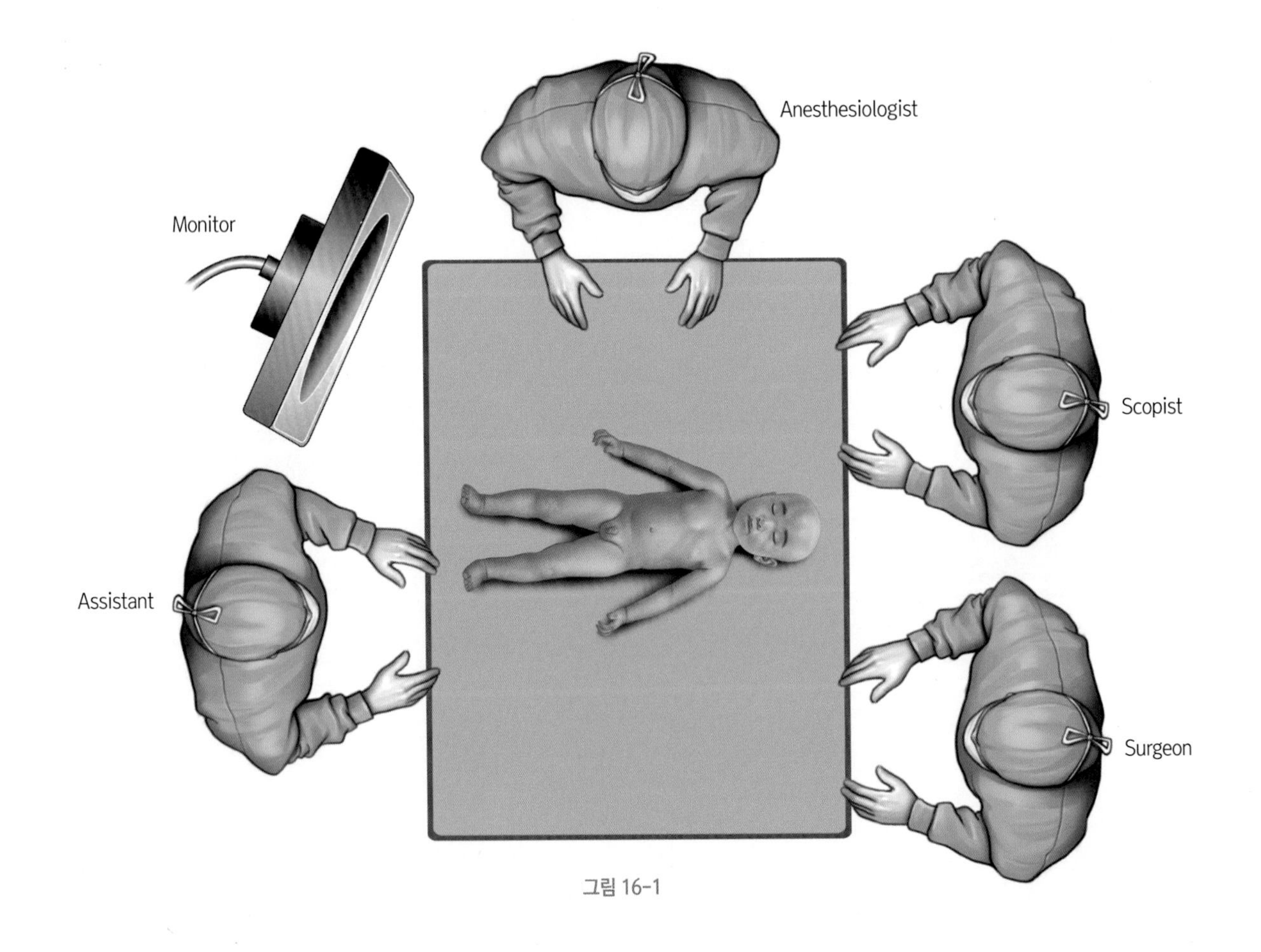

그림 16-1

5. 절개 및 노출

이미 가지고 있는 장루를 복원한 후 복강경 수술을 시행한다. 포트는 배꼽에 5 mm camera 포트를 만들고, 우하복부, 좌하복부에 3 mm 트로카(trocar)를 삽입을 하게 된다. 직장 요도루(rectourethral fistula) 혹은 직장 방광루(rectovesical fistula) 결찰 시 상복부에 포트 하나를 더 만들게 된다(그림 16-2).

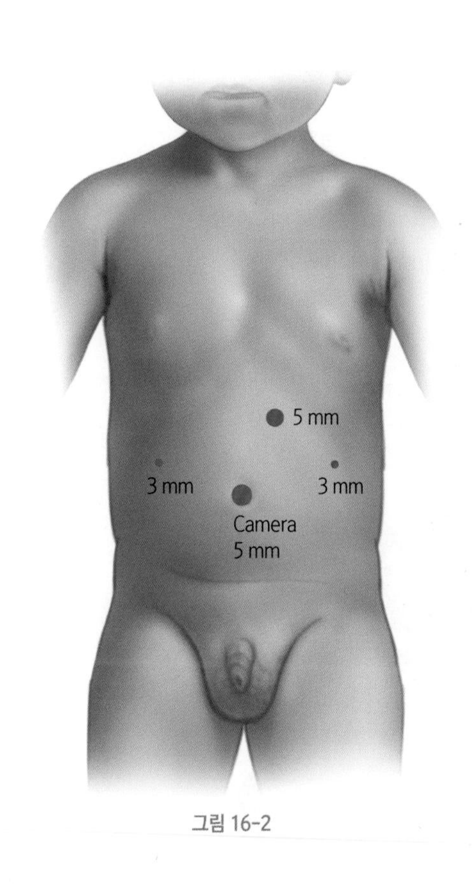

그림 16-2

6. 수술 과정

1) 직장 박리(Rectal dissection)

직장박리는 복막반전(peritoneal reflection) 부위에서 시작하여 직장전방면(Anterior side of rectum)을 따라 박리를 진행한다(그림 16-3A, B).

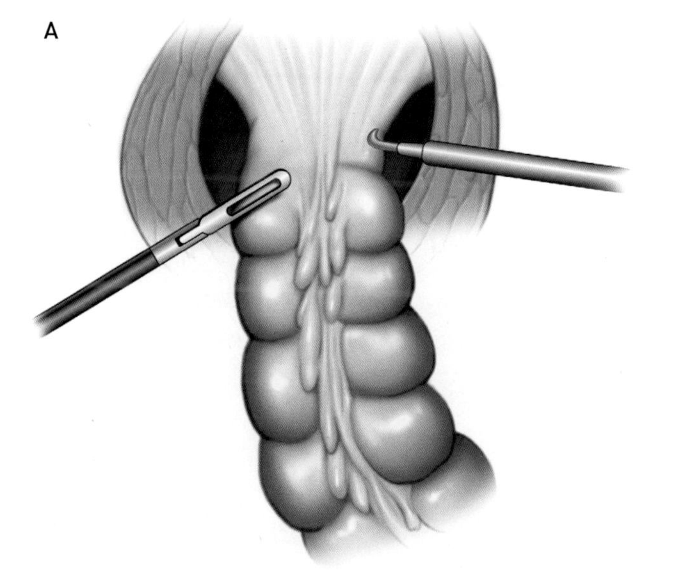

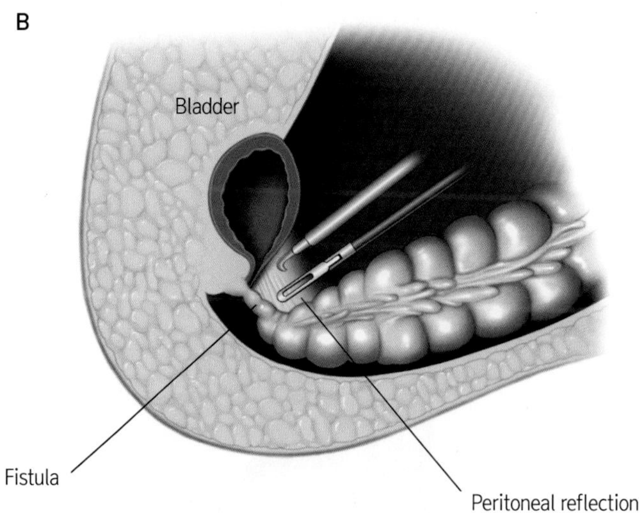

그림 16-3

박리를 진행하다 보면 직장 앞쪽 면에 요도 후벽(여자의 경우 질 후벽)으로 향하는 누공이 보이게 되는데, 누공이 시야에 잘 보일 때까지 직장의 앞면과 측면을 조심스럽게 박리한다. 누공을 360° 박리한 후 절개하여 직장과 누공을 분리시킨다(그림 16-4A, B). 근위부(proximal) 직장의 후벽(posterior wall)은 짧게 박리를 한다.

2) 누공의 결찰(Ligation of the fistula)

누공은 복강경 수술용 endo loop를 이용하여 결찰한다(그림 16-5A, B).
누공을 길게 남기는 경우 수술 후 합병증으로 후방요도게실(posterior urethral diverticulum)이 생길 수 있으므로 앞쪽에 있는 요도 또는 질에 최대한 가깝게 붙여 결찰한다. 결찰 후 남아있는 누공 조직을 endo scissor로 잘라낸다(그림 16-6).

3) 전기자극기(Electro stimulator)를 이용한 회음부 박리(Perineal dissection)

환자를 쇄석위 자세로 만들어 회음부가 잘 보이게 한 후(그림 16-7), 항문 흔적 부위에 근육 전기자극기(pena stimulator)를 이용하여

A

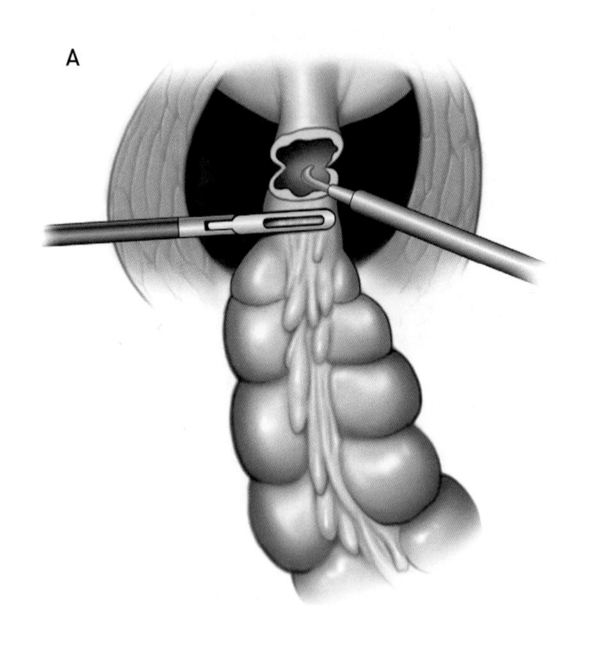

B

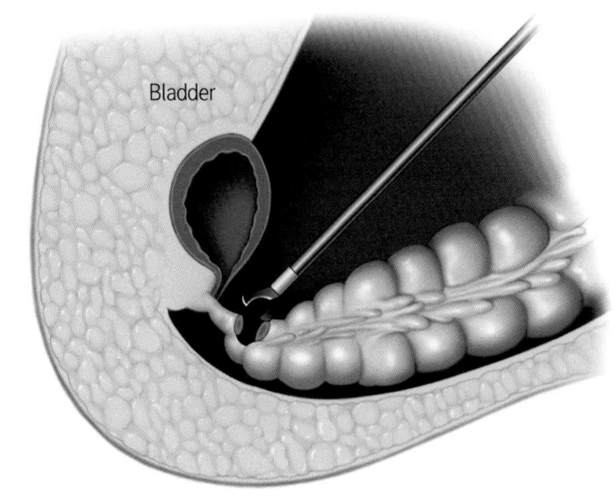

그림 16-4

A

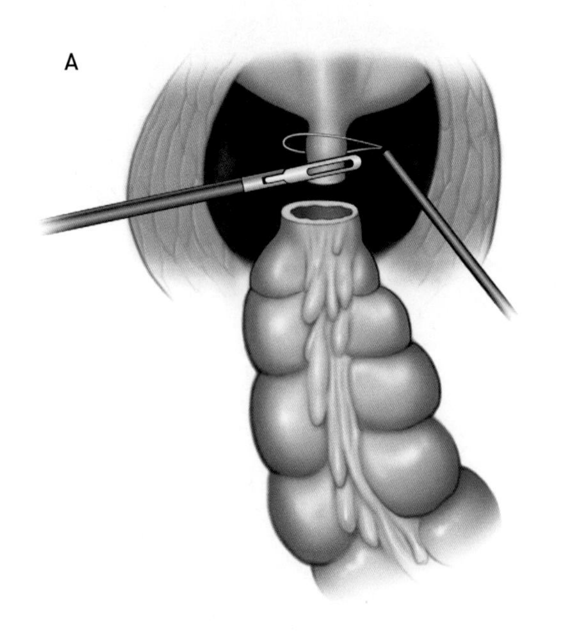

B

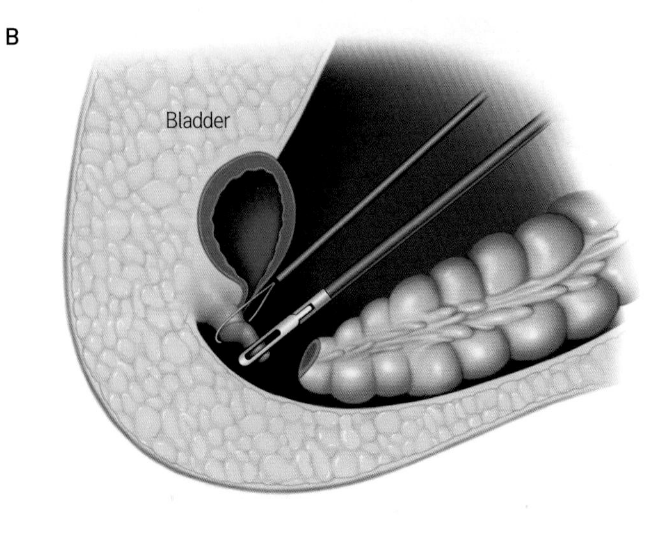

그림 16-5

항문 괄약근을 확인한다(그림 16-8). 근육의 수축이 최대인 지점을 중심으로 항문 크기만큼 수직으로 피부 절개를 한 후 근육전기자극기로 항문괄약근의 정중앙을 확인한다(그림 16-9).

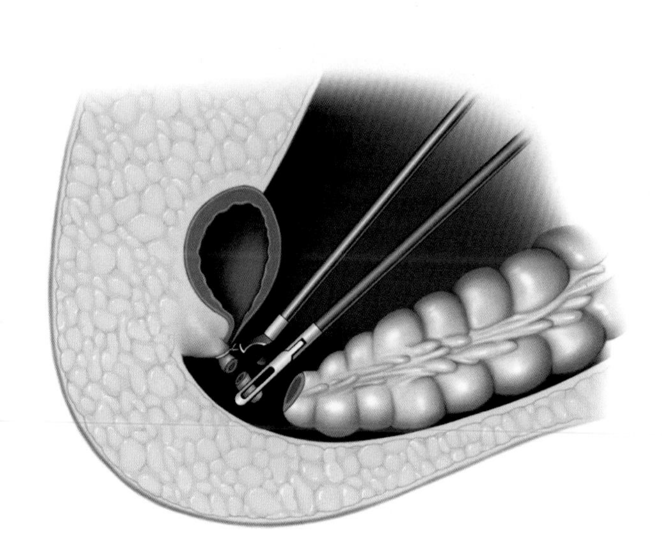

그림 16-6

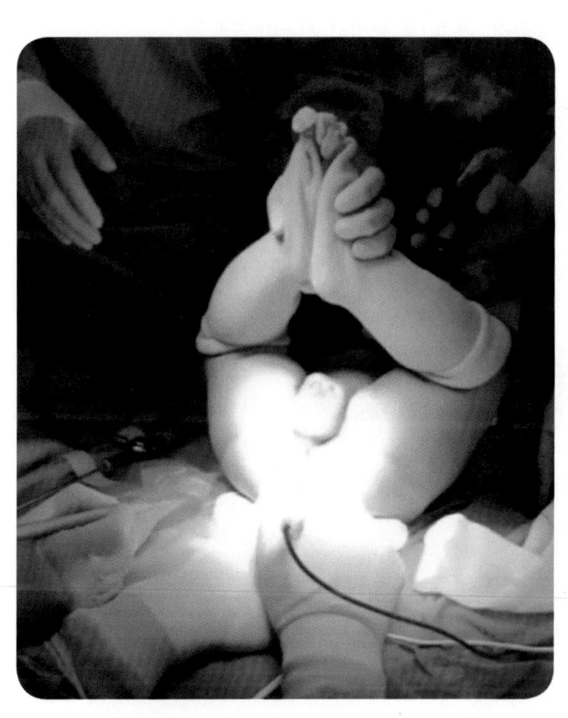

그림 16-7

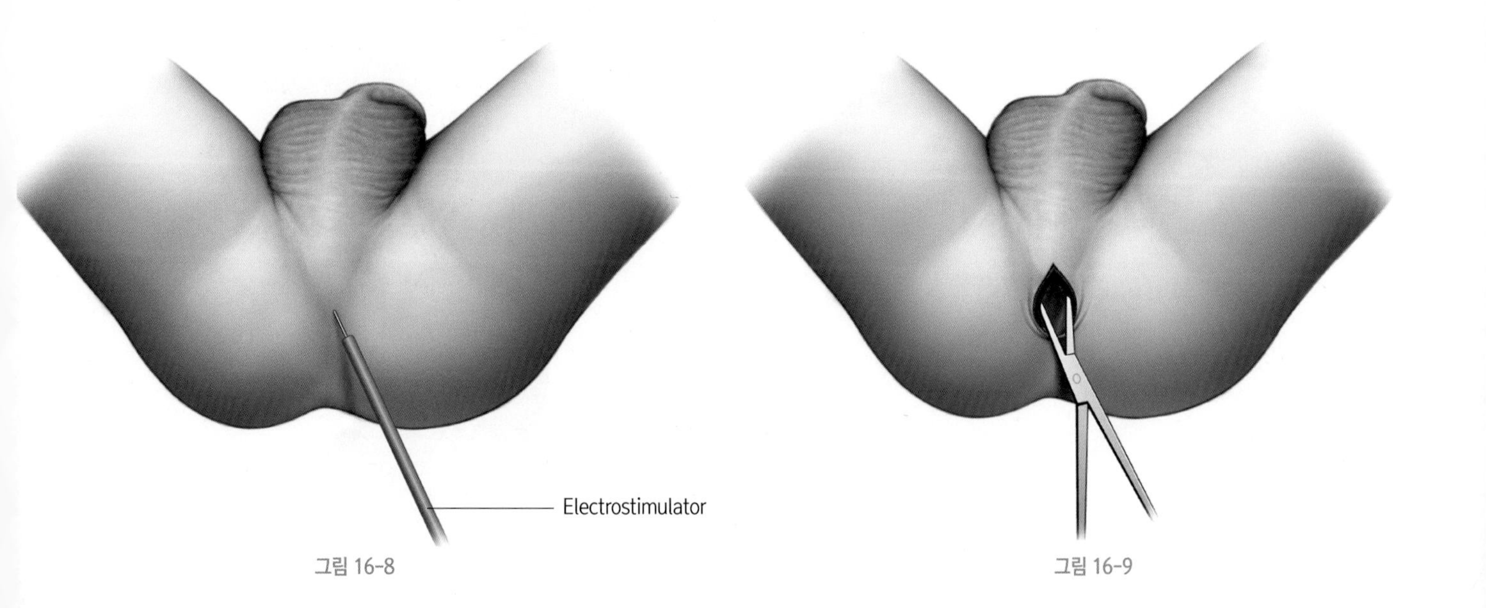

그림 16-8

그림 16-9

4) 항문에 트로카 삽입 및 확장(Anal dilatation with trocar)

복강경의 모니터에서 골반바닥(pelvic floor)에 치골미골근(pubococcygeus muscle)의 중심부를 확인한 후 VersaStep의 Veress 침을 회음부의 항문괄약근의 중앙부위에 삽입하여 복강경 모니터를 보면서 치골미골근의 중심에서 나올 수 있도록 한다(그림 16-10). VersaStep의 sheath 안으로 5, 12 mm 트로카를 차례로 삽입하며 항문을 확장시킨다(그림 16-11, 12).

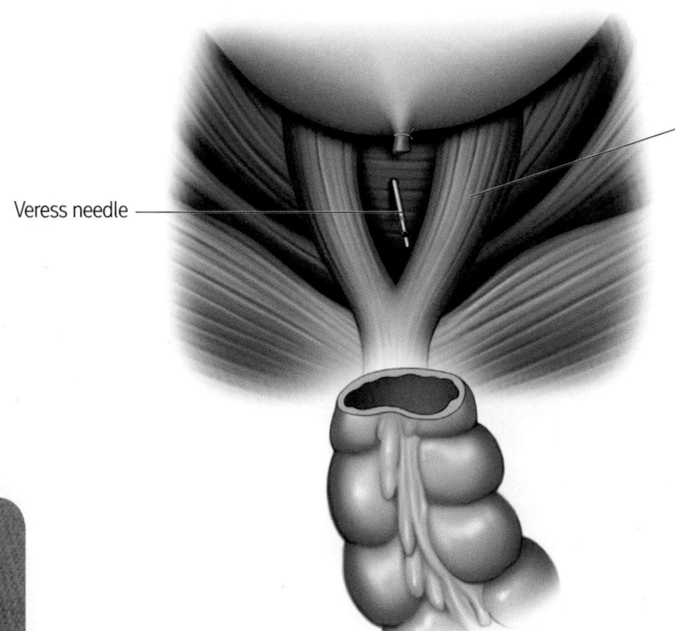

그림 16-10

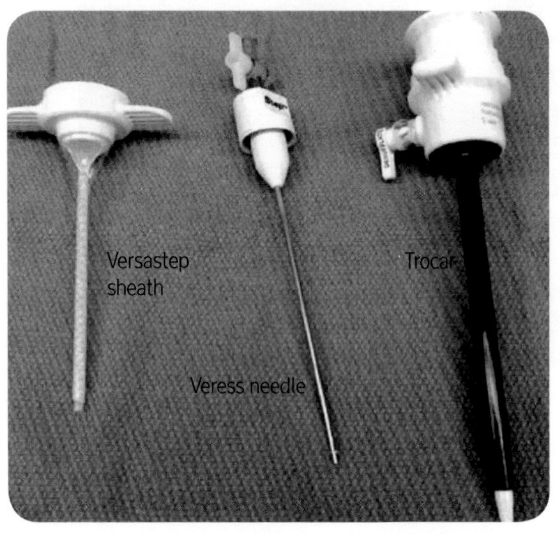

그림 16-11

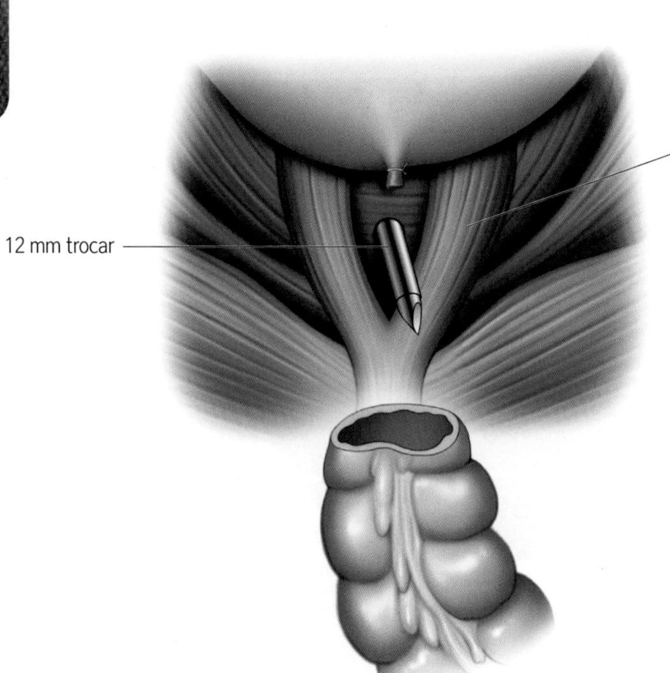

그림 16-12

5) 직장의 pull-through 및 직장 · 항문 문합(Rectal pull-through and recto-anal anastomosis)

항문에 삽입된 12 mm 트로카로 atraumatic 겸자를 삽입한 뒤, 누공과 분리된 직장의 끝부분을 잡아서 겸자로 물고 트로카 안으로 넣은 후 트로카와 함께 회음부로 직장을 뽑는다(그림 16-13, 14). 이때 직장의 방향이 돌거나 꼬이지 않게 복강경으로 확인하는 것이 중요하다. 당겨져 나온 직장 끝부분의 전층(full layer)과 항문의 피부~피하지방층을 두껍게 문합 한다(그림 16-15). 먼저 12시, 6시, 3시, 9시 4군데에 봉합을 시행하고, 각 봉합 사이에 3개 정도의 봉합을 일정한 간격으로 시행한다. 문합이 끝나면 hegar dilator를 삽입하여 항문의 크기가 적당한지 확인한 뒤 수술을 종료한다.

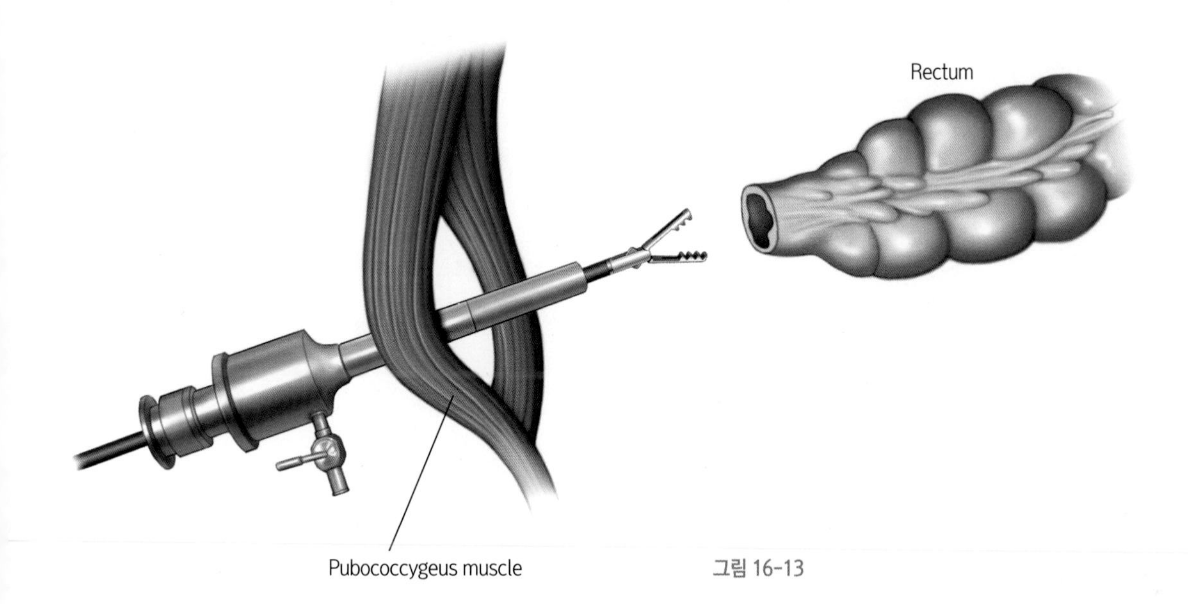

그림 16-13

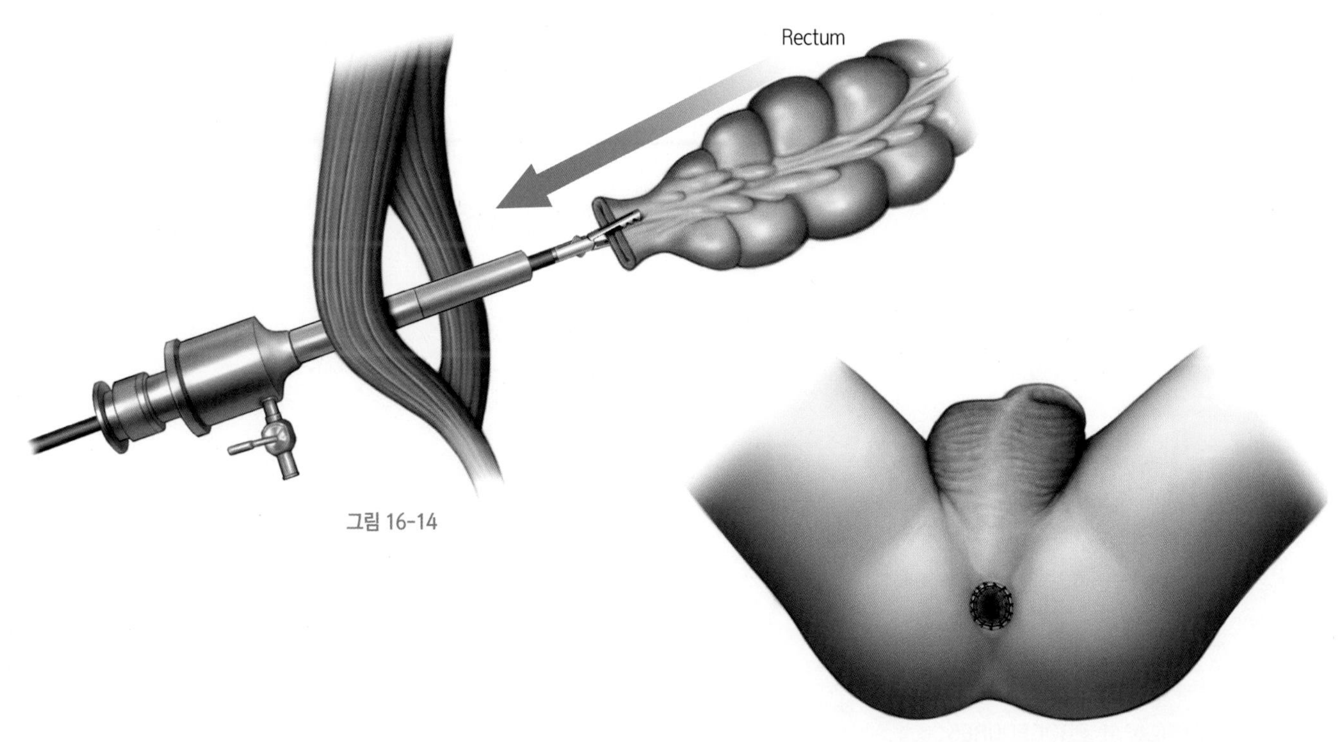

그림 16-14

그림 16-15

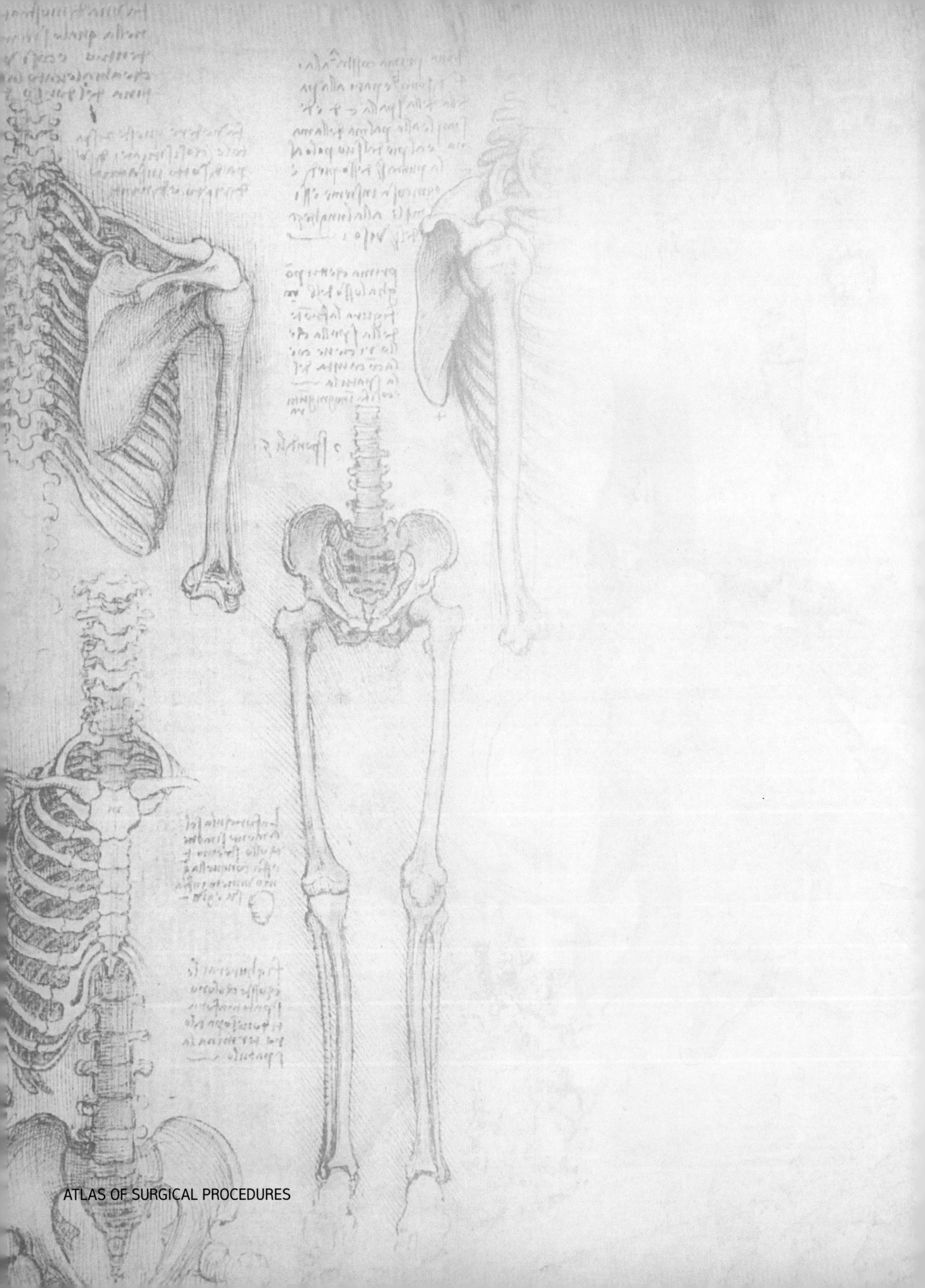

ATLAS OF SURGICAL PROCEDURES

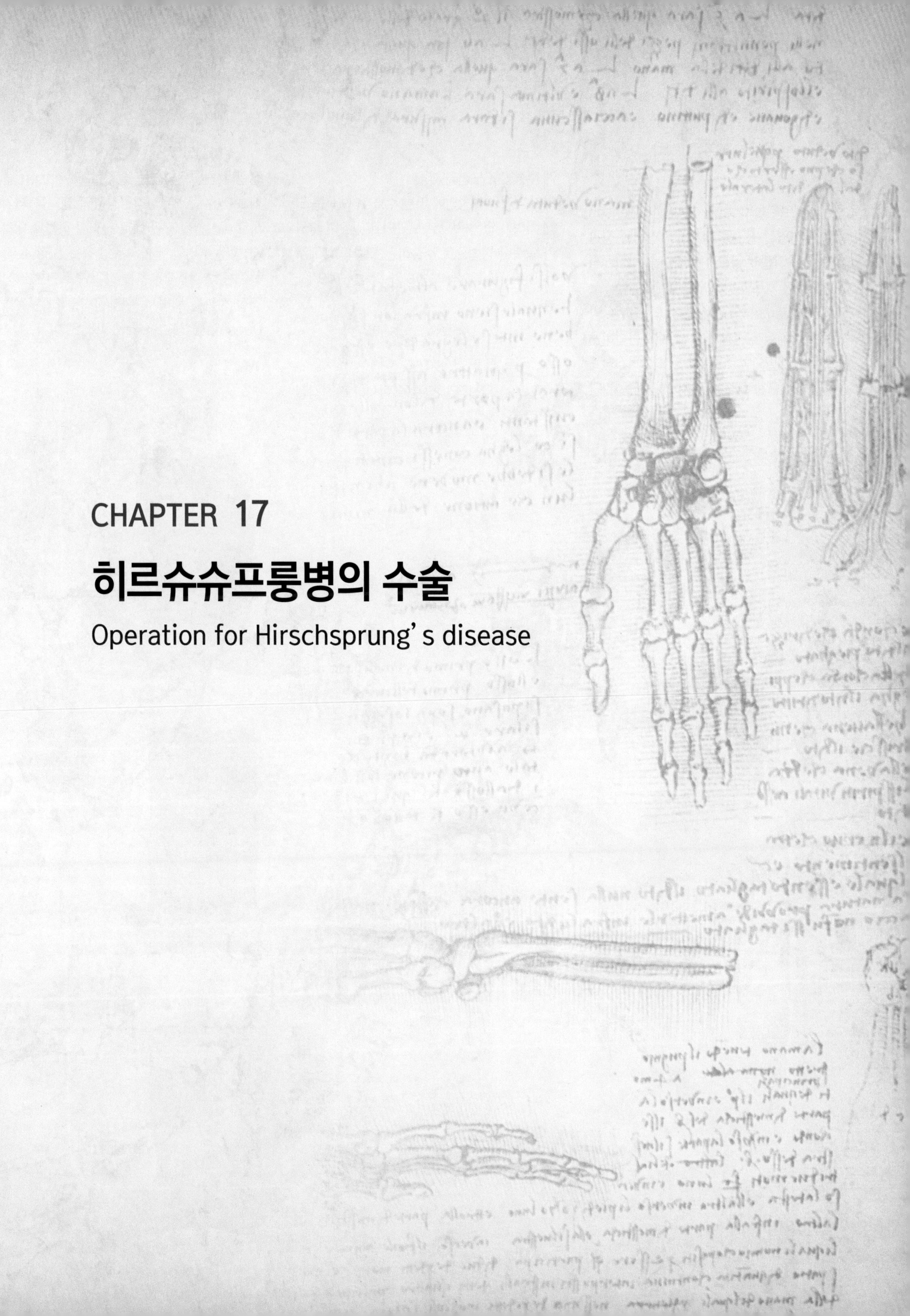

CHAPTER 17

히르슈슈프룽병의 수술

Operation for Hirschsprung’s disease

1. 서론

히르슈슈프룽병의 수술은 1945년 Swenson 등이 무신경절 장관을 절제하고 신경절 장관을 항문에 가깝게 문합하는 수술을 최초로 성공함으로써 치료의 길이 열렸다.

그 후 Duhamel, Soave 등에 의해 다른 방법으로 신경절 장관을 항문 부위에 문합하는 방법들이 개발되었으며 수술도 최초의 3단계 수술에서 2단계 수술을 거쳐 최근에는 일단계 수술법이 도입되었다.

여러 가지 수술방법에 따른 수술 후 예후는 크게 차이가 없는 것으로 보고되고 있으며 술자가 익숙한 방법으로 수술하면 되나 국내에서는 Duhamel 술식의 빈도가 타 술식에 비해 높다.

2. 수술 방법 비교

(그림 17-1) 무신경절 장관을 절제하고 신경절 장관을 단단문합하는 술식을 Swenson 술식(그림 17-1A), 무신경절장관의 점막을 제거하고 무신경절 장관 내로 신경절 장관을 내려서 항문 부위와 문합하는 술식을 Soave 술식(그림 17-1B), 무신경절 장관의 후면으로 신경절 장관을 내려서 측면 문합을 하는 것을 Duhamel 술식(그림 17-1C)이라고 한다.

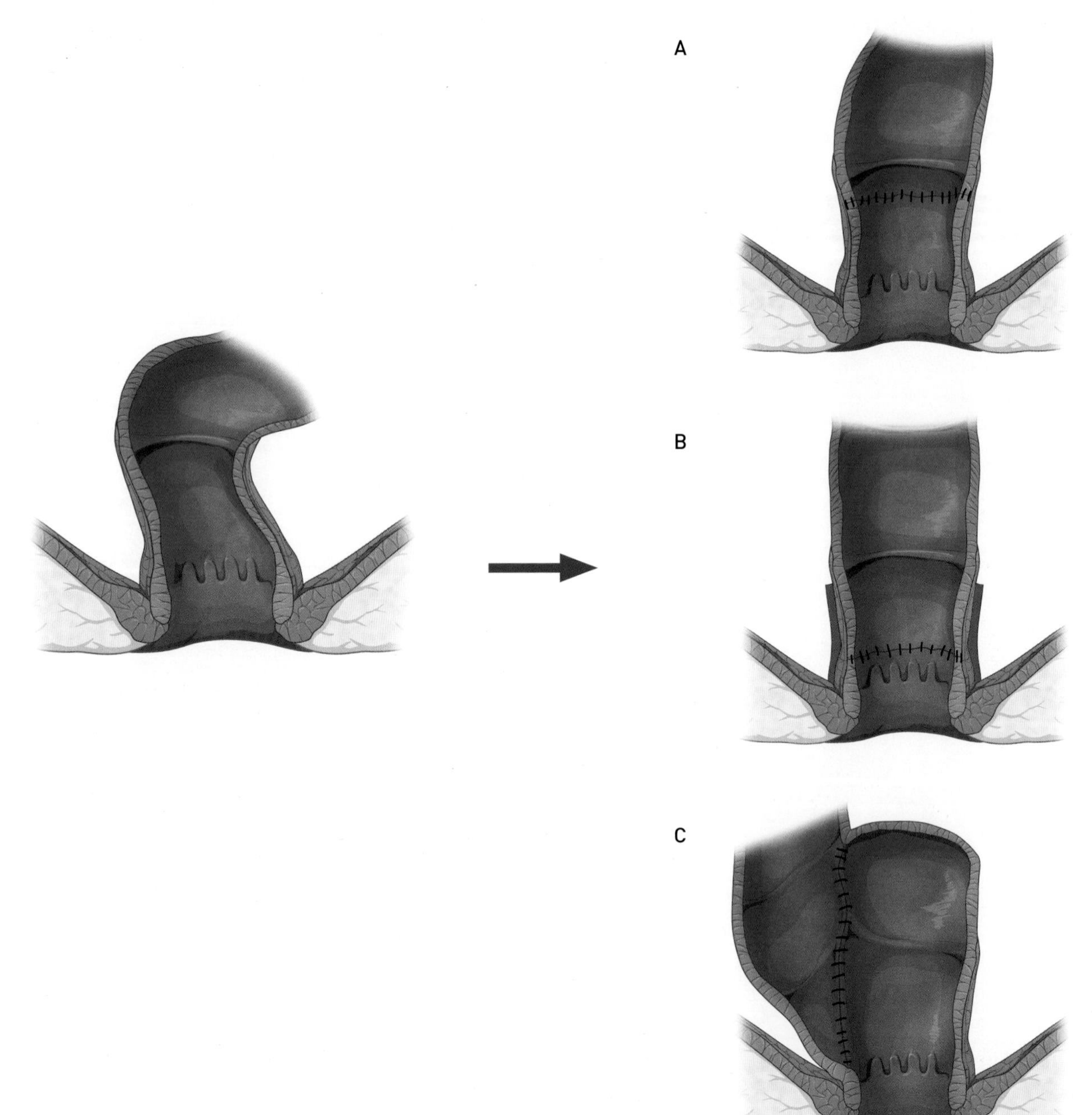

그림 17-1

3. 수술 방법의 선택

2단계 수술은 일차로 장루를 만들어주고 수개월 후에 근치적인 수술을 하며 일단계 수술은 장루의 형성 없이 바로 근치적인 수술을 한다. 무신경절 장관의 길이가 짧아 이행부위(transition zone)가 직장구불결장 부위 이하인 경우 one-stage transanal endo-rectal pull-through operation을 시행할 수 있으며 무신경절 장관의 길이가 길어 이행부위가 하행 결장 이상에 있는 경우에는 2단계 수술을 시행하는 것이 안전하다.

4. 수술 전 처치

히르슈슈프룽병 환자는 무신경절 장관의 근위부가 심하게 팽대되어 있으므로 수술 전 감압이 중요하다. 관장과 직장관(rectal tube)을 삽입하여 가스 및 변을 배출시켜 수술이 용이하도록 한다.

5. 수술과정

1) Duhamel operation

(그림 17-2) 수술 시 도뇨관 및 비위관을 삽입하며 자세는 쇄석위를 취한다. 쇄석위는 소아용 발걸이를 이용하거나 종아리 부위에 부드러운 패드를 쌓아 유지하는데 수술 시 환자의 다리나 발을 누르지 않도록 주의해야 한다. 수술 부위는 복부 전체와 회음부를 한꺼번에 소독하여 수술 중 복부와 회음부를 자유스럽게 오갈 수 있도록 한다.

(그림 17-3) 결장루가 형성되어 있는 경우에는 결장루를 포함하여 개복을 시행하며 결장루 하부 장관은 골반내복막 반사(peritoneal reflection) 상방까지 박리한 뒤 직장 상부에서 박리된 장관은 절제한다. 항문까지 남은 직장은 후직장 공간을 추가적으로 박리한 뒤 클램프에 솜을 물려 치상선(dentate line) 부위까지 박리한다.

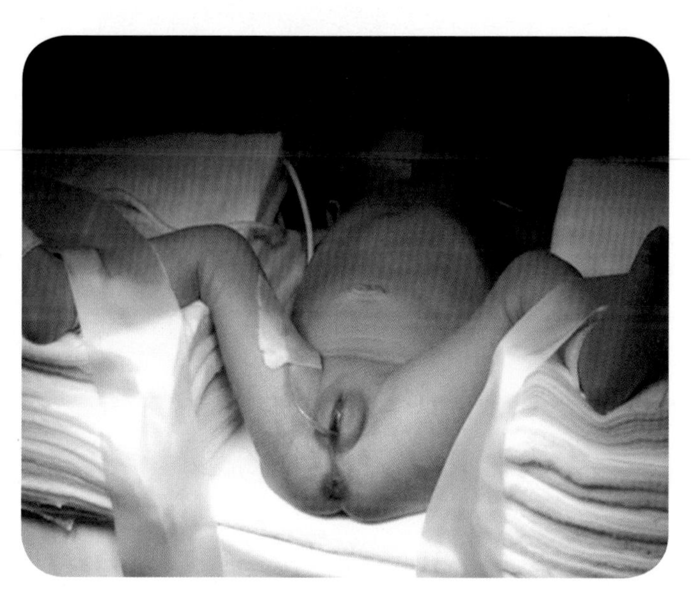

그림 17-2

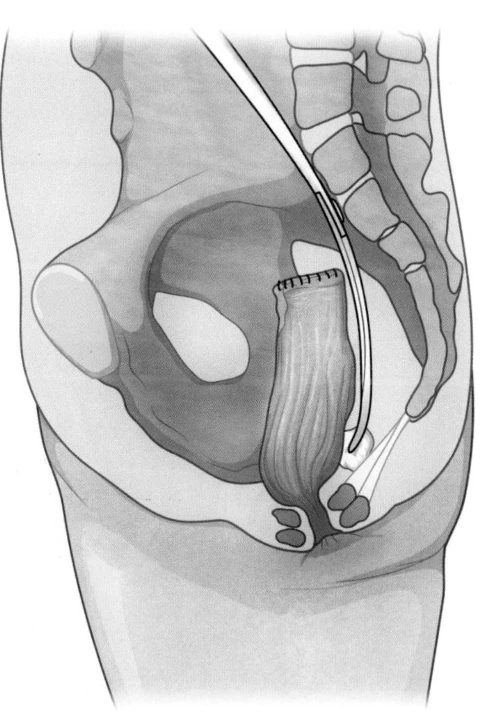

그림 17-3

(그림 17-4) 후직장 공간의 박리가 완전히 이루어지면 항문쪽에서 치상선 약 0.5cm 상부를 절개하여 후직장 공간과 소통이 되게 한다. 이때 복강 내에서 솜이 물린 클램프를 후직장 공간에 넣어서 치상선 부위를 밀어주면 절개가 쉽다. 절개의 길이는 절개 후에 절개연을 따라 장관을 문합할 수 있도록 충분히 해 줘야 한다.

(그림 17-5) 복강 내에서는 신경절이 있는 결장루 근위부의 정상 장관의 말단 부위를 봉합하고 봉합사를 자르지 않고 길게 둔다. 항문 쪽의 절개창을 통하여 클램프를 삽입하고 복강내에서 정상 장관의 말단 부위 봉합사를 클램프에 물려 항문 쪽으로 당겨 절개창으로 나오게 한다. 이때 내려온 장관이 복강내에서 꼬이지 않도록 하며 mesocolon의 혈관 부위를 9시 방향으로 유지하여 자동 문합기 사용 시 혈관이 다치지 않도록 한다. 내린 장관은 절개창보다 1 cm 정도 더 밖으로 나오게 하여 문합 시 말단부위를 다듬을 수 있도록 한다.

(그림 17-6) 항문 밖으로 나온 장관은 말단 부위를 다듬은 뒤에 항문의 절개연을 따라 환형으로 봉합한다. 봉합사는 5-0 굵기의 흡수성 봉합사를 사용하여 interrupted suture를 한다.

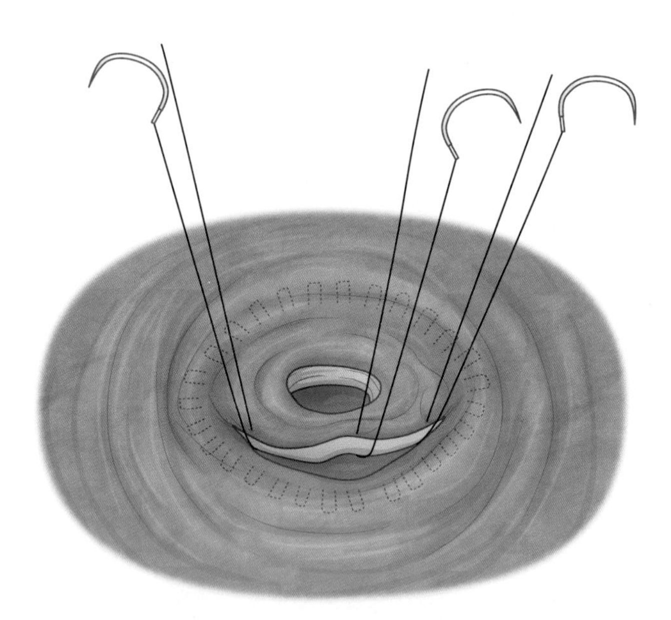

그림 17-4

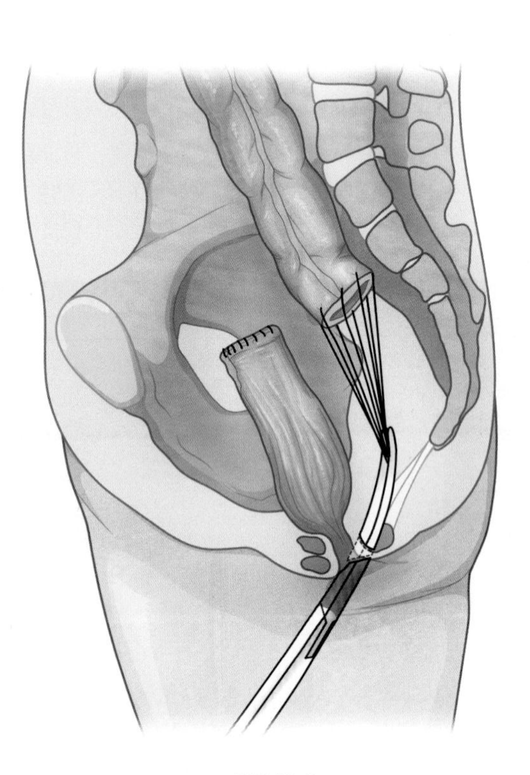

그림 17-5

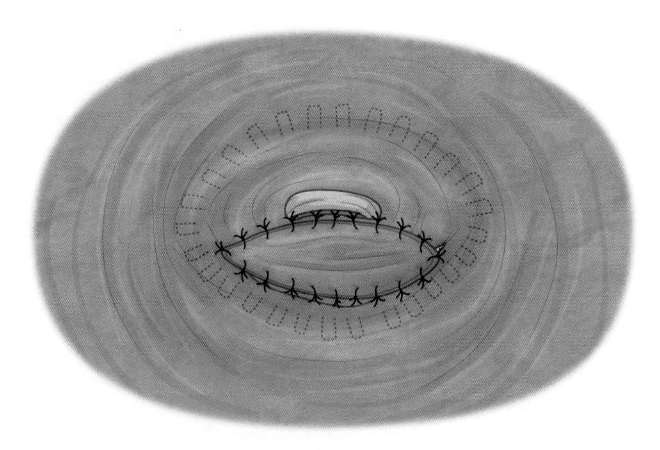

그림 17-6

(그림 17-7) 봉합이 끝나면 자동문합기(GIA stapler)를 한쪽은 절개창에 문합된 후직장으로 내려온 장관에 삽입하고 다른 한쪽은 항문으로 삽입한다. 자동문합기는 직장과 내린 장관이 남은 직장의 상부 말단까지 충분히 문합될 수 있도록 길이가 긴 것이 적당하며 문합이 완전하지 못한 경우에는 직장 상부에서 추가적으로 문합을 해도 된다. 또 환자의 항문이 작아서 일반 크기의 자동문합기를 삽입하기 어려운 경우 복강경용 자동문합기를 사용하는 것이 좋다.

(그림 17-8) 자동 문합이 끝나면 복강내에서 직장 상부와 후직장으로 내려온 결장을 문합하여 준다. 내린 장관과 후복막 사이에 공간이 있으면 봉합하여 탈장이 되는 것을 방지하고 출혈이 없는 지 확인한다. 복강내배액관을 삽입할 필요는 없으며 복벽을 봉합한 뒤 수술을 종료한다.

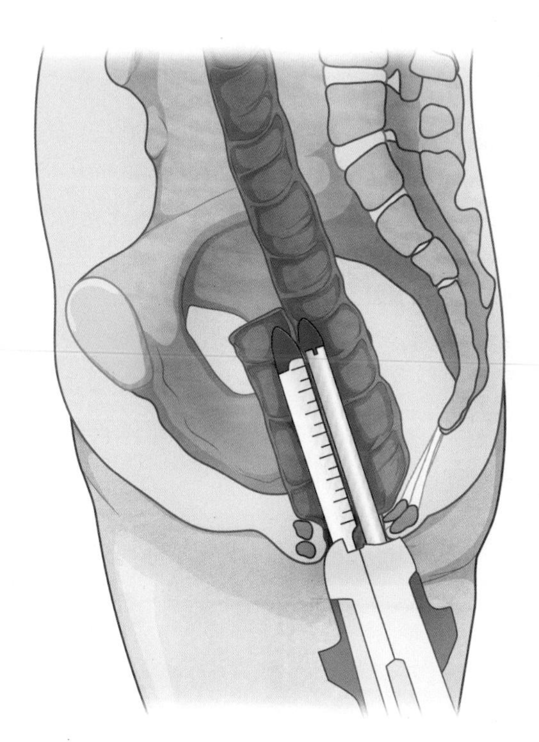

그림 17-7

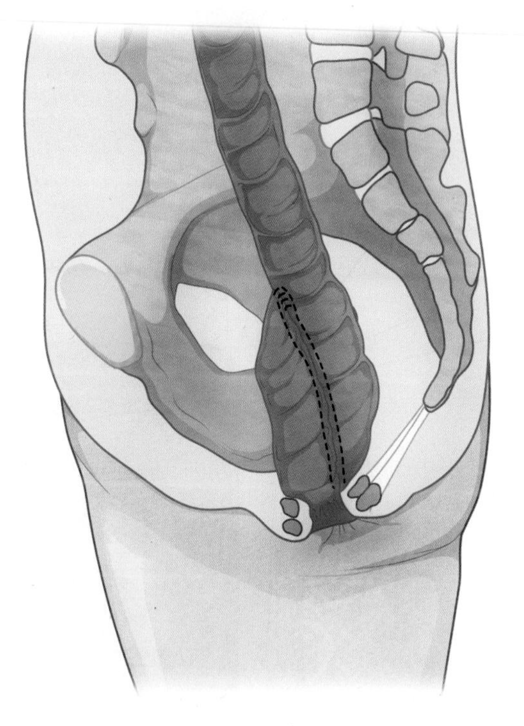

그림 17-8

2) One-stage transanal endorectal pull-through operation (TERPT)

TERPT는 일기에 수술을 완료하므로 장 청소가 잘 되는 것이 중요하다, 수술 전 장 청소는 관장 및 직장관을 삽입하여 시행하며 장 청소가 잘 되면 수술 시 오염을 줄일 수 있을 뿐만 아니라 근위부 장관의 팽대를 줄여줘서 문합을 쉽게 해 준다.

TERPT 시 환자의 자세는 Duhamel 술식과 동일하게 쇄석위를 취한다. 도뇨관은 삽입하여야 하나 복강내의 조작이 없으므로 비위관의 삽입은 하지 않아도 된다.

수술 부위는 회음부만 소독하면 된다.

(그림 17-9A, B) TERPT 시 수술 부위 시야를 확보하기 위해서 항문을 견인해야 한다. 견인은 후크형 견인자를 원형 견인기에 거치하여 시행할 수 있으며 항문에 봉합사를 거치하여 시행할 수도 있다. 후크형 견인은 지속적으로 항문을 견인하여 수술 시야 확보가 좋으나 항문괄약근이 과다 견인될 수 있으며 봉합사를 이용한 견인은 과다 견인은 방지할 수 있으나 시야 확보가 후크형 견인에 비해 나쁘다. 견인은 치상선이 잘 노출될 수 있게 시행하며 8군데에서 견인을 하면 시야 확보에 충분하다.

(그림 17-10) 항문의 견인이 끝나면 치상선 1~2 cm 상부의 직장 점막에 5-0 견사를 환형으로 여러 개 단속봉합한 뒤 봉합사는 길게 유지하여 견인할 수 있도록 한다. 이때 봉합사가 근육층을 포함하지 않도록 조심한다.

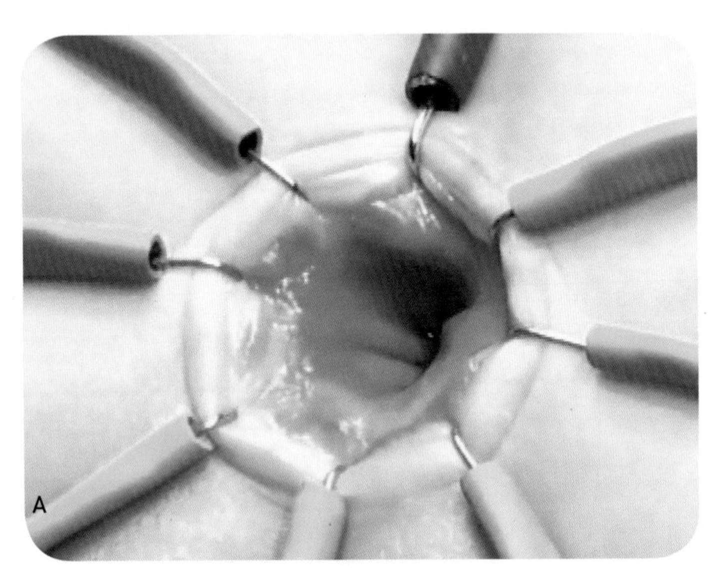
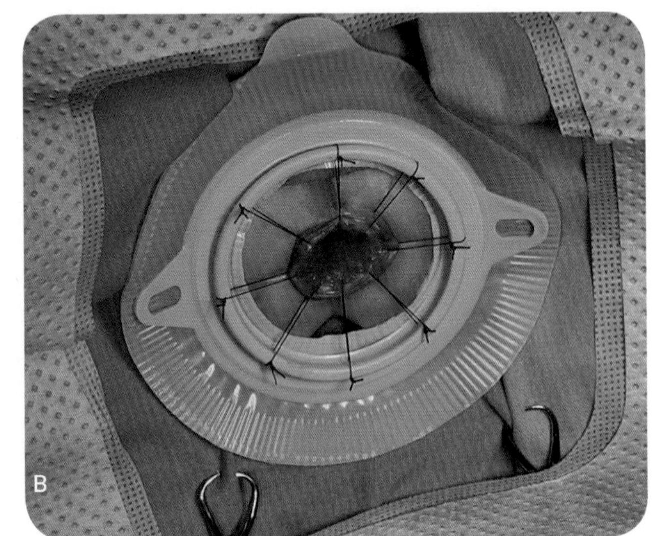

그림 17-9

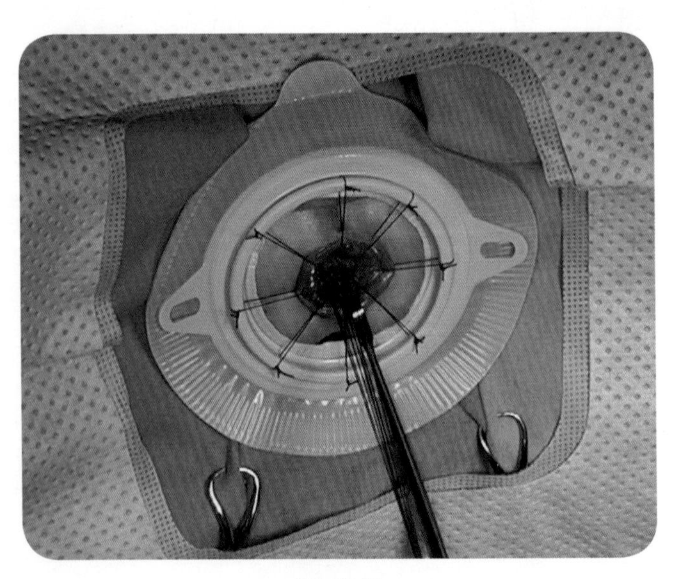

그림 17-10

(그림 17-11A, B) 견인 봉합사를 당기며 치상선의 0.5 cm 상부에 치상선을 따라 전기소작기를 이용하여 환형으로 점막을 절제한다. 점막의 절제 시 근육층이 포함되면 박리가 어려워지므로 점막하층을 정확하게 박리할 수 있도록 노력해야 한다. 점막의 박리는 전기소작기와 솜이 물린 클램프를 이용하여 시행하며 근위부로 진행한다.

(그림 17-12) 박리가 근위부로 5~6 cm 정도 진행되면 복강 반사 부위의 원형 근육(circular muscle)이 보이기 시작하며 이 부위의 근육이 항문 밖으로 약간 돌출될 때까지 박리를 진행한다. 박리는 근위부로 갈수록 쉬워지므로 충분히 박리가 이루어지도록 해야 한다.

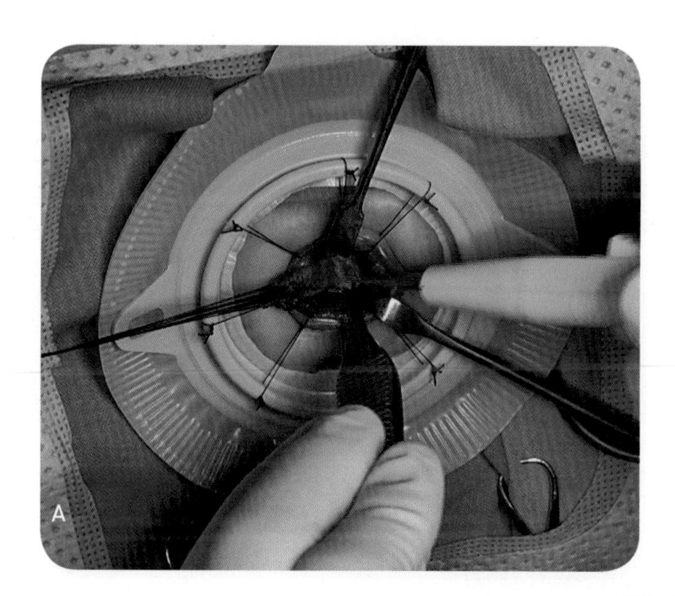

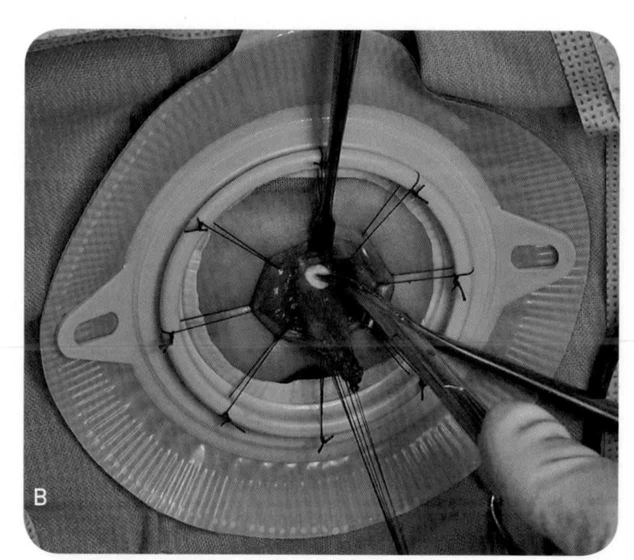

그림 17-11

그림 17-12

(그림 17-13A, B) 박리가 충분히 되었다고 판단하면 돌출된 원형 근육에 절개를 환형으로 넣어 복강내부와 소통하게 한다. 근육의 환형 절개 시 직장의 앞쪽은 쉽게 복강 내부와 소통이 되나 뒤쪽은 직장간막이 붙어 있으므로 섬세하게 박리해 줘야 한다. 이 단계가 지나면 상부 직장 및 구불결장의 전 층이 노출되게 한다.

(그림 17-14A, B) 결장 벽을 따라 혈관을 결찰하고 결장간막을 절제하며 박리를 계속 진행하여 무신경절의 이행부위보다 충분히 근위부에 도달할 때까지 박리를 진행한다.

(그림 17-15) 박리가 충분하다고 판단되면 근위부의 결장에서 전층 동결절편조직검사를 시행하여 신경절이 있음을 확인한다.

(그림 17-16) 동결절편 검사가 진행되는 동안 점막이 제거된 직장의 근육층을 6시 방향에서 V자 형태로 절제하여 직장근절제술(rectal myectomy)을 시행한다. 직장근절제술은 직장의 근육층 안쪽에 위치한 장관이 치유 과정에서 협착되는 것을 방지하기 위함이므로 충분히 시행하여야 한다.

(그림 17-17A, B) 신경절의 있음이 확인되면 박리된 결장을 절제하여 치상선 0.5 cm 상부의 최초 절개부위와 문합하여 준다. 문합은 5-0 흡수성 봉합사를 사용하여 단속봉합하며, 앞쪽의 절반을 먼저 시행하고 박리된 결장을 절제한 뒤에 뒤쪽의 문합을 시행한다.

(그림 17-18A, B) 문합이 끝나면 견인용 봉합사를 제거하고 수술을 종료한다.

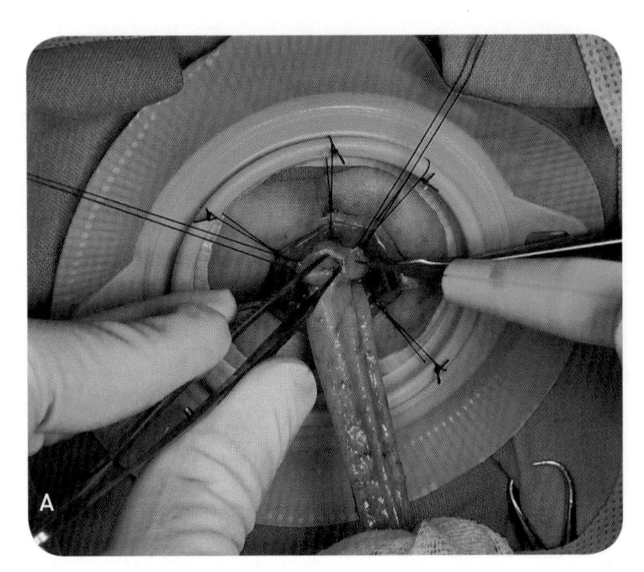

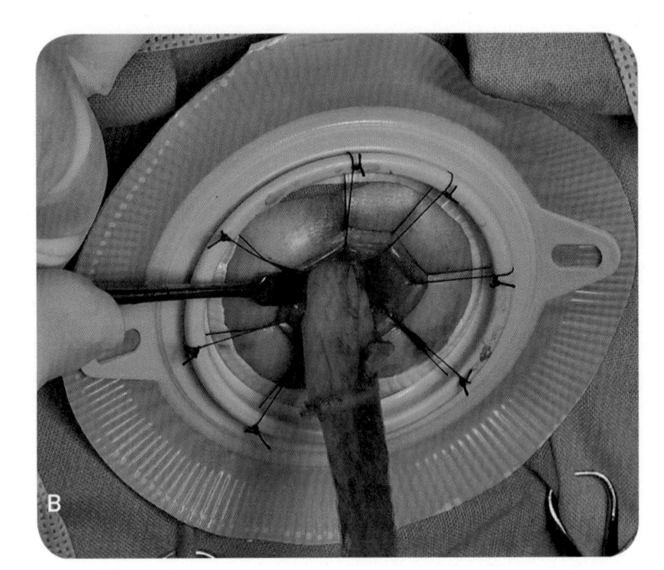

그림 17-13

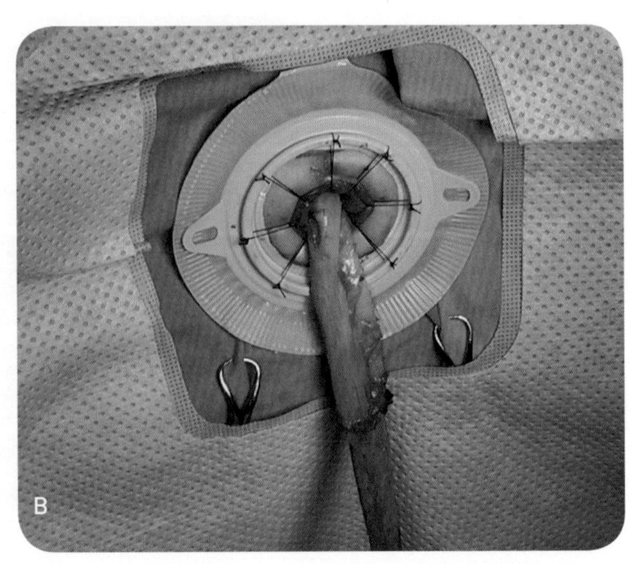

그림 17-14

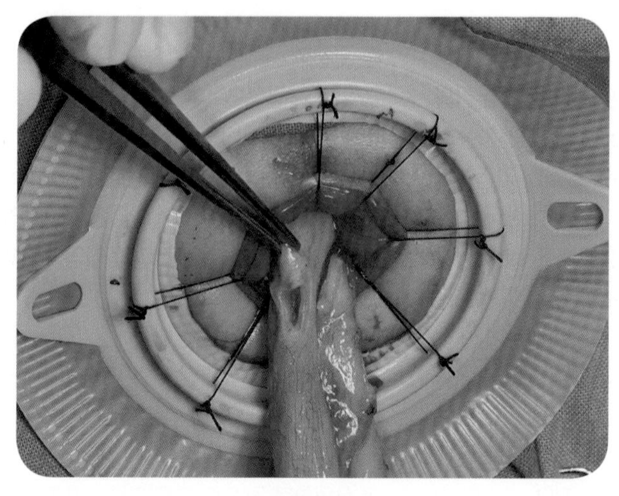
그림 17-15

그림 17-16

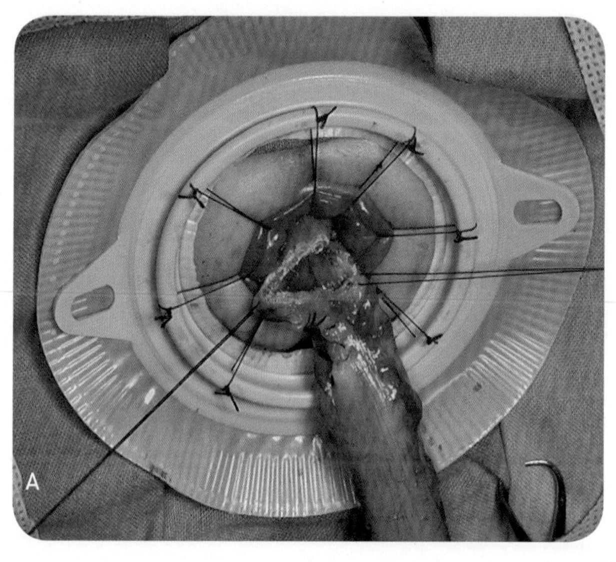

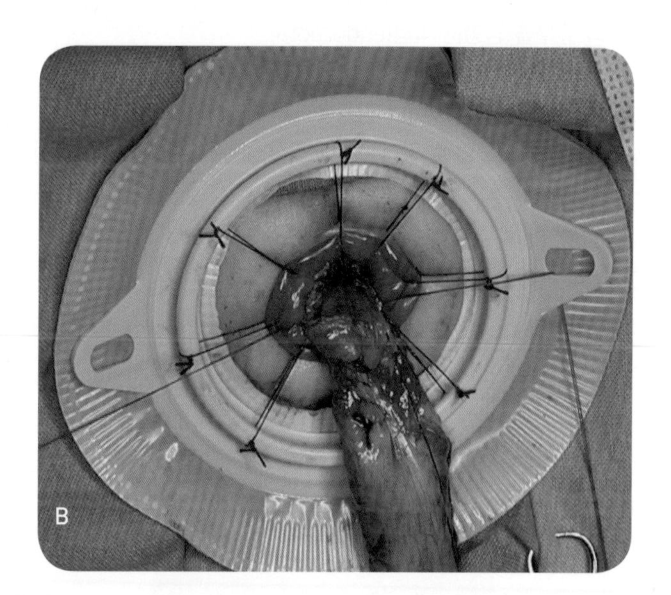

그림 17-17

B

그림 17-18

3) 최소침습수술
(복강경 보조 경-항문 풀스루 수술, Laparoscopy-assisted Endorectal Pull-Through Assisted Endorectal Colon Pull-Through)

앞서 설명한 TERPT는 항문을 통해서만 수술을 진행하기때문에 복강경을 이용해 수술을 하는 데 비해 복부에 흉터를 남기 지 않고, 복강 안으로 진입하지 않는다는 장점이 있다. 그러나 복강경을 이용하여 풀스루 수술을 할 경우 역시 이를 상쇄할 만한 장점이 있다. 그 중 가장 중요한 장점은 근위부의 신경절 세포의 유무를 경항문 박리(endorectal dissection)를 시작하기 전에 복강경을 통한 조직검사로 알 수 있다는 것이다. 경항문 박리는 한번 시작하면 되돌릴 수 없기 때문에 적절한 범위를 정하는데 도움이 된다.

두 번째로, 복강경을 통한 무 신경절 부위의 맥관절제(devascularization) 및 가동화를 할 수 있다. 이를 통하여 직장의 가동성을 증가시켜 경항문 박리를 어디까지 해야 하는지를 명확하게 해준다. 세 번째로, 상부 곧창자 및 구불잘록창자(Rectosigmoid colon)를 조기에 가동화시키기 때문에 TERPT에서와 같이 내측 항문조임근(internal anal sphincter)을 과도하게 확장시킬 필요가 없어 경항문 박리를 진행할 동안 대변 자제 메커니즘을 약화시킬 가능성이 적다. 수술의 원칙은 무 신경절 부위를 제거하고, 정상 신경절 부위를 항문에 문합하는 것으로 TERPT와 같다.

이 장에서는 수술 시의 자세 및 복강경 수술 부분에 대해서만 서술하며, 이후 부분은 TERPT와 같으므로 이를 참고하면 된다.

(그림 17-19) 환자의 자세와 기구의 배치

환자의 자세는 TERPT와 동일하나, 쇄석위를 위하여, 다리를 높게 들어 올리면 수술자의 오른쪽 손을 사용하는 포트의 움직임이 제한되기 때문에 주의해야 한다.

카메라를 위한 포트는 배꼽에 3/5 mm를 삽입한다. 환자의 배꼽 높이의 오른쪽에 수술자의 오른손을 위한 5 mm 포트를, 명치부위에서 약간 우측에 왼손을 위한 3/5 mm 포트를 삽입한다. 필요할 경우 오른손 포트와 거울상으로 환자의 좌측에 추가적인 포트를 삽입한다. 복강의 압력은 10~12 cm H_2O로 한다. 복강경 카메라는 3/5 mm 30°를 사용한다.

(그림 17-20) 먼저 이행 부위(transition zone)

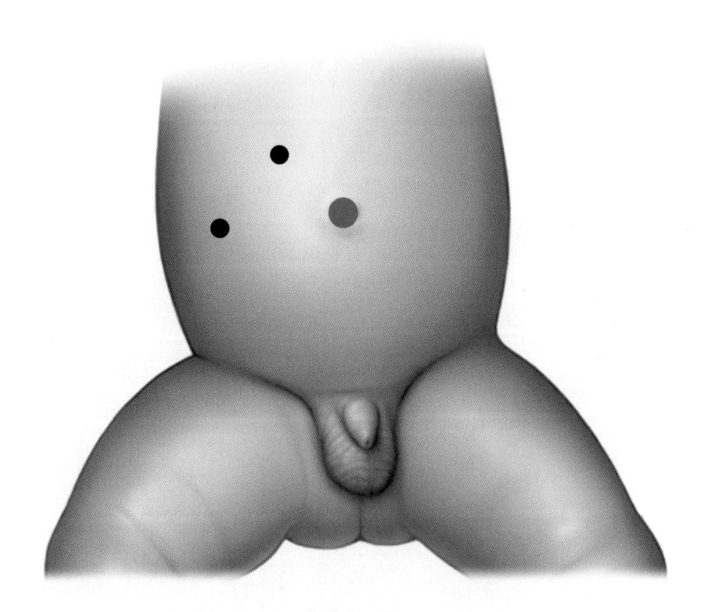

그림 17-19

를 찾는다. 이행부위에서는 장의 직경이 커지며 장벽의 두께가 두꺼워진다. 이행부위의 근위부에서 점막을 보존한 상태로 근육-장막 층의 조직 검사(seromuscular biopsy)를 시행하여 절제 범위를 정한다. 수술자에 따라서는 조직 검사를 2회 하는 것을 추천하는데 연속으로 신경절 세포가 있는 것으로 나와야 절제 범위를 정확히 정할 수 있다고 생각하기 때문이다.

(그림 17-21) 대장과 위곧창자동맥(superior rectal artery) 사이에 틈을 전기소작기 훅(hook)이나 초음파 절삭기로 만든 후 신경절이 없는 부분을 원위부로 박리한다. 뒤쪽으로는 곧창자 뒤편의 혈관이 없는 면을 따라 박리하여 복막 반전(peritoneal reflecion)의 1~2 cm 아래까지 박리한다.

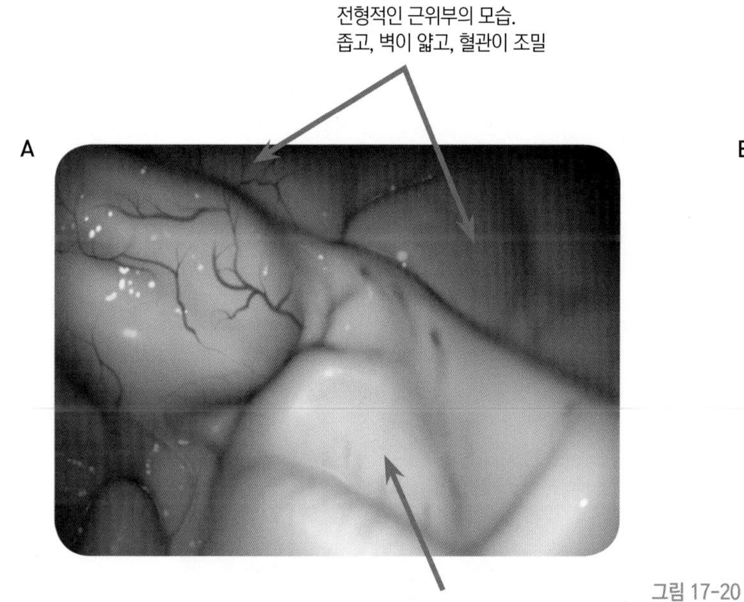

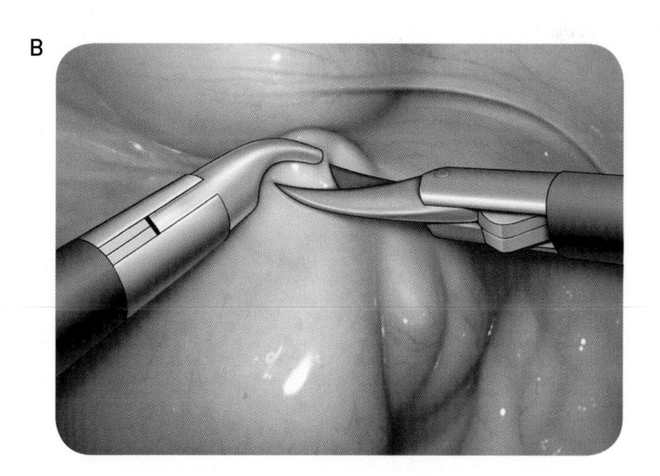

그림 17-20

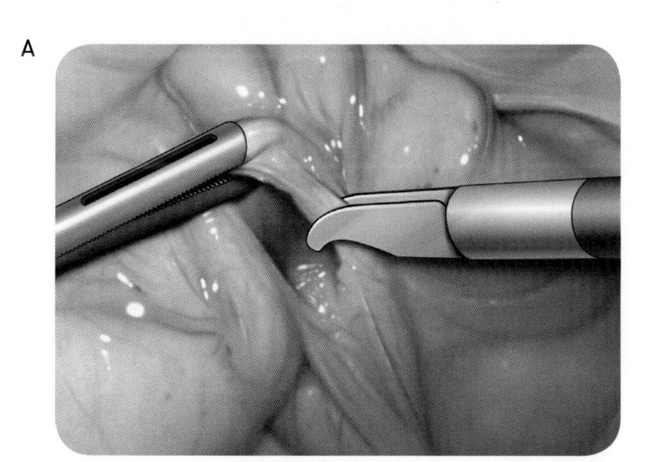

B

직장

그림 17-21 A. Superior rectal a. 위 mesocolon에 구멍내는 그림.
B. 복막반전의 약간 아래(distal)까지 직장이 주변 조직과 완전히 박리된 모습을 보여준다.

(그림 17-22) 근위부의 잘록창자간막을 박리할 때는 잘록창자에 너무 근접하여 박리하여 모서리 동맥(marginal artery)이 손상을 입지 않게 주의하여야 한다. 동맥이 손상을 입으면 잘록창자에 허혈이 생겨 협착, 기능 이상이나 문합부 누출이 발생할 수 있다.

근위부 박리의 범위는 이행부위의 위치에 따라 결정되며, 문합부위에 장력이 걸리지 않을 정도로 해야 한다. 이행부위가 곧창자 및 구불잘록창자(Rectosigmoid colon)에 한정된다면, 근위부로 박리를 많이 할 필요가 없지만, 그보다 근위부에 위치한다면, 지라 굽이(splenic flexure)까지 잘록창자를 가동화해야 할 수도 있다.

곧창자 및 잘록창자의 박리 및 가동화가 끝나면, 기복을 해제한다. 이후의 수술 과정은 앞서 기술된 TERPT와 같다. 복강 내에서 박리한 부분과 항문을 통해 박리한 부분이 연결되면 잘록창자를 항문을 통해 끌어 내릴 수 있다. 문합에 앞서 복강 내에 다시 이산화탄소를 주입하여 문합해야 할 잘록창자가 꼬이지 않았는지 확인하고 진행하면 꼬임에 의한 합병증을 막을 수 있다.

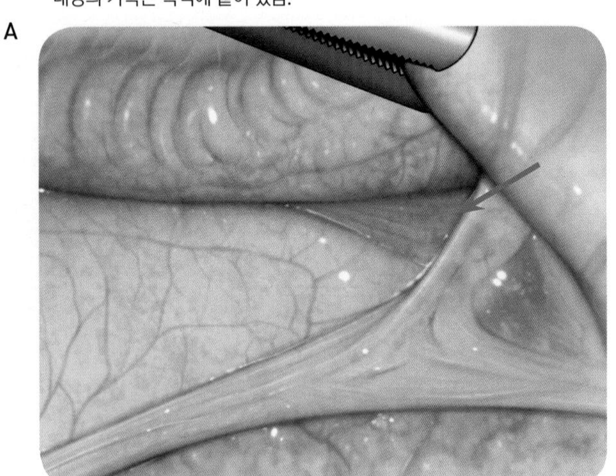

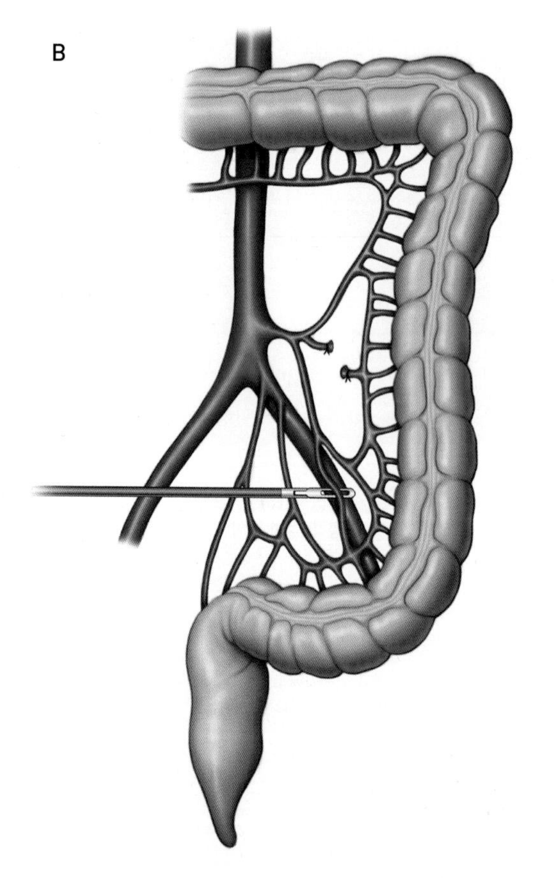

그림 17-22

CHAPTER 18

담도폐쇄증 수술

Surgery for biliary atresia

1. 적응증

영아담즙정체황달(infantile cholestatic jaundice)에서 수술 전 검사로 담도폐쇄증(biliary atresia)이 아님이 증명되지 않아, 수술을 통한 담도폐쇄증의 최종 진단된 후 카사이 수술(Kasai operation)이 필요한 경우

2. 비적응증

절대적 금기는 없으나 환자의 연령이 6개월 이상인 경우 간이식을 일차 수술로 선택함이 좋다.

3. 수술 전 처치

영아담즙정체황달은 간기능의 저하로 저알부민혈증(hypoalbuminemia)이 초래된 경우가 동반될 수 있어 이를 교정하며, 지방 흡수장애로 지용성 비타민, 특히 비타민 K의 결핍으로 인한 응고장애로 출혈 소인에 대한 위험을 예방한다. 수술 전 장세척을 하며 최소 수술 8시간 전부터 금식하고, 금식 및 검사로 인한 탈수 및 전해질 이상을 교정한다. 수술 직전 혐기성 세균을 포함한 장내 세균에 작용하면서 담즙으로 분비가 잘 되는 광범위 정맥 항생제를 투여한다. 수술 중 출혈에 대비한 혈액 및 혈장을 준비한다.

4. 마취

전신 마취 하에 기관 삽관 후, 동맥압 감시 및 채혈을 위하여 가능하면 동맥관삽입을 시행한다. 중심정맥삽관은 담도폐쇄증이 최종 진단된 후에 하는 것이 좋다.

5. 환자 자세

환자는 수술 테이블에 앙와위로 위치하고 견갑골 사이에 패드를 삽입하여 추후 중심정맥삽관이 쉽게 경부를 신전시킨다.

6. 수술 준비

비위관 및 배뇨관을 삽관한다. 경부와 흉-복부를 소독한 후 이 부위가 모두 노출되도록 소독포를 덮는다. 경부를 신전하고 노출하는 이유는 축소개복(minilaparotomy)을 통한 수술담관조영술(operative cholangio-graphy)로 담도폐쇄증이 최종 확인된 경우에 바로 수술대에서 중심정맥관을 삽관 할 수 있게 하기 위한 것이다.

7. 절개 및 노출

(그림 18-1) 근 이완제를 투여하여 복벽 근육이 충분히 이완된 상태에서 담낭이 위치할 것으로 추정되는 부위(통상 복부 중앙 우측으로 약 2 cm, 늑골 하연 약 1 cm 하방)에 길이 2~3 cm의 축소개복을 하여 간의 하연을 노출 시킨다. 수술 거즈를 복강에 집어넣어 개복창으로 노출되려는 장을 복강으로 환원시키고 간을 상부로 견인하여 담낭을 노출하여 수술적 담관조영술을 위한 폴리에틸렌 튜브를 삽입한다.

(그림 18-2) 이때 환자가 담도폐쇄증이라면 담즙성 간섬유증(hepatic fibrosis)이 진행되어 담도폐쇄증 특유의 간 표면(hepatic surface)을 관찰할 수 있다. 특히 간 표면에서 피막하모세혈관확장(subcapsular telangiectasia)을 확인할 수 있는데 이는 담도폐쇄증과 감별하여야 하는 다른 질환에서는 관찰되는 경우가 드물거나 그 정도가 심하지 않다.

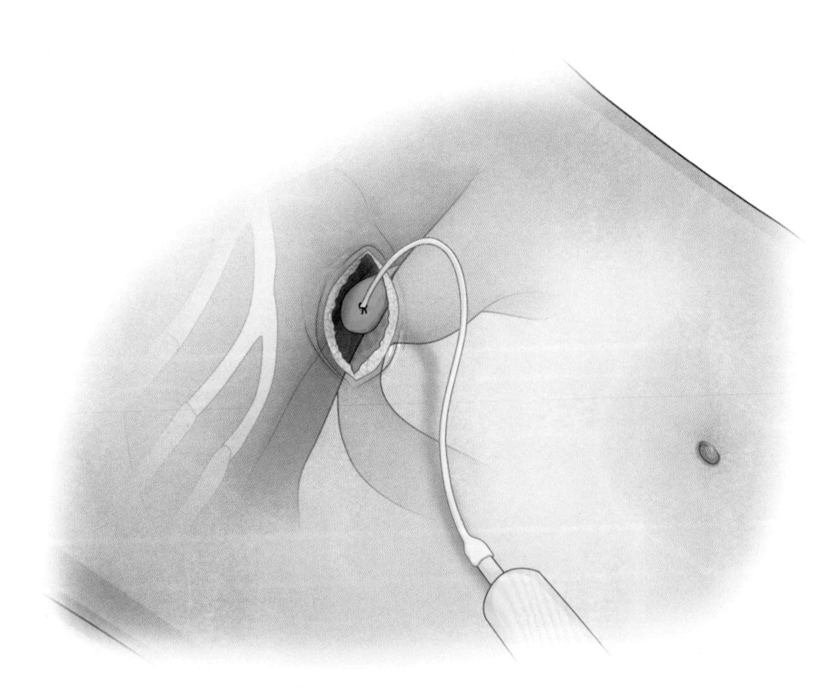

그림 18-1

(그림 18-3) 겸상인대 우측의 간하연을 살펴보면 담낭와(gallbladder fossa)를 확인할 수 있는데, 담도폐쇄증의 경우는 섬유화로 인한 간의 형태적 변화로 인하여 담낭와가 상당이 깊고 좁으며 담낭은 이곳에 숨어 있어서 노출이 용이하지 않다. 따라서 담낭을 노출하기 위하여 봉합사를 이용하여 담낭 기저부(gallbladder fundus)를 견인하여 담낭을 노출한 후 기저부에 작은 구멍을 내어 담낭의 내강을 확보한다. 이때 담낭으로부터 흘러나오는 점액은 담도폐쇄증의 경우 대부분 흰색(white bile)이나 드물게 옅은 노란색의 담즙이 흘러나오기도 한다.

흰색의 담즙이 나오는 경우는 담도폐쇄증일 가능성이 매우 높다. 일부 담도폐쇄증 환자에서는 담낭의 내강도 섬유화로 소실되는 경우가 있어서 담도 촬영이 불가능한 경우도 있으며, 이는 위에서 언급한 담도폐쇄증 특유의 간 표면의 확인과 담낭내강이 소실된 것만으로 담도폐쇄증의 수술적 확진을 하고 수술을 진행하여도 무방하다. 담낭에 내강이 있는 경우는 폴리에틸렌 튜브를 내강에 삽입한 후 이를 통하여 수술담관조영술을 시행하여 간외담도의 전부(그림 18-3A), 혹은 일부(그림 18-3B)가 소실된 것이 확인된 경우는 담도폐쇄증을 확진하고 절개부위 확장을 통해 수술을 진행한다. 만약 간 내외 담도가 모두 존재함이 확인되는 경우(그림 18-3C)는 환자는 담도폐쇄증이 아니므로 더 이상의 수술이 필요 없으므로 담낭의 절개부위를 봉합하고 간 조직 검사를 시행하고 복강을 폐쇄한다. 간 조직 검사는 담도폐쇄증으로 확인된 경우에도 시행하여 간 섬유화 정도 및 간의 병리소견을 확인한다.

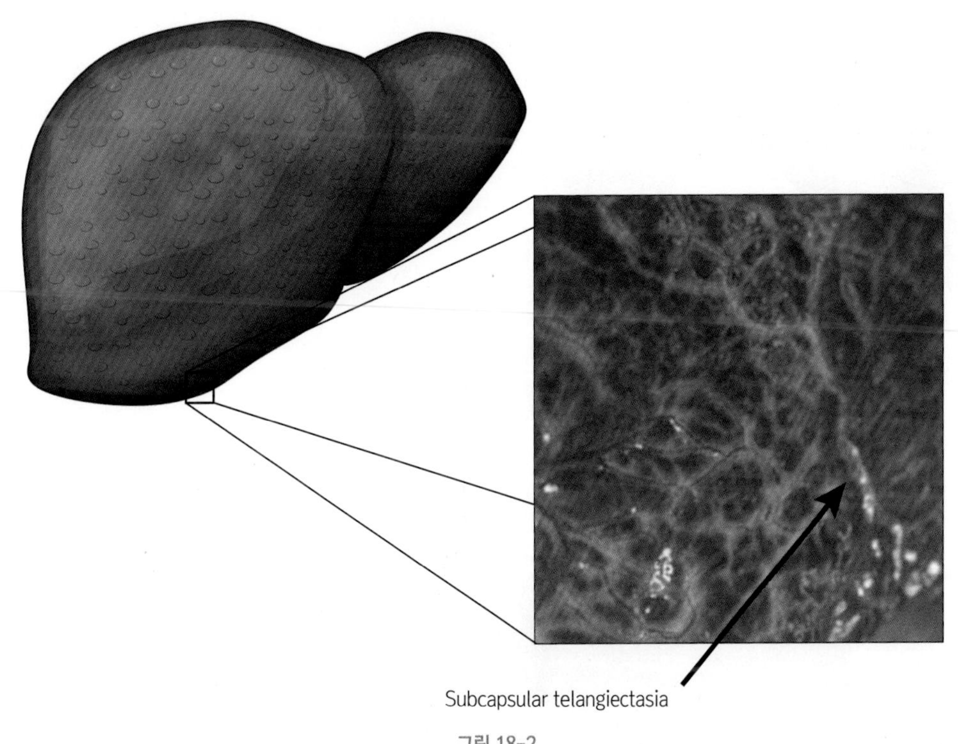

그림 18-2

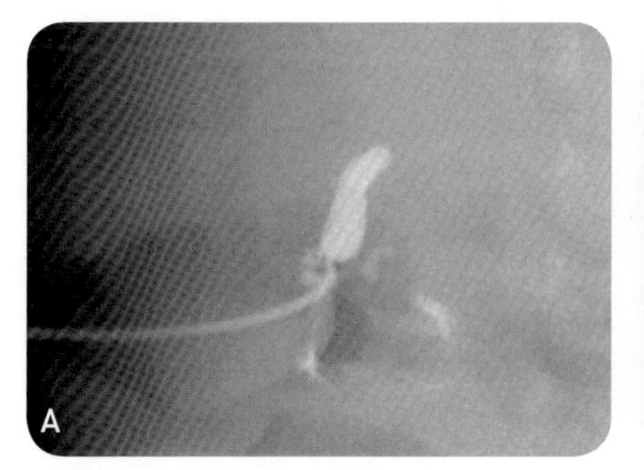

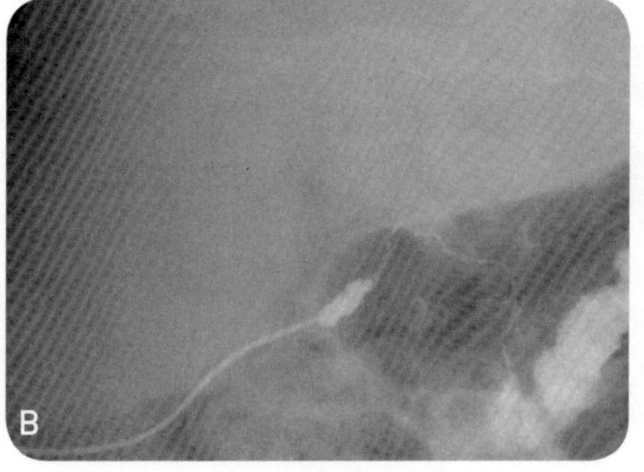

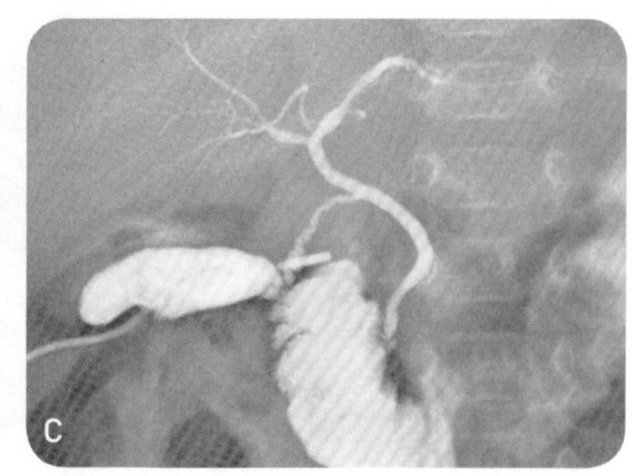

그림 18-3

8. 수술 과정

(그림 18-4) 실크 봉합사로 담낭기저를 견인한 상태로 전기 소작기를 이용하여 담낭을 담낭와로부터 분리한다. 이때 담낭동맥(cystic artery)을 찾으려고 칼로삼각(Calot's triangle)의 박리를 진행하는 경우는 간동맥에 손상을 줄 수 있으므로 무리한 진행을 할 필요는 없다. 추후 간 동맥 주위의 섬유화를 박리하는 과정에서 자연스럽게 칼로삼각부가 박리되어 담낭동맥이 자연스럽게 노출된다.

(그림 18-5) 간십이지장인대(hepatoduodenal ligament)를 싸고 있는 글리슨피막(Glisson's capsule)을 박리하여 좌우 간 동맥을 확인하여 분리한다. 이때 위에서 언급한 칼로씨 삼각부에서 자연스럽게 담낭동맥이 간동맥으로부터 분지됨이 확인되며 이를 결찰한다. 분리된 담낭은 완전히 제거하지 않고 간 문맥주위 섬유화 조직(periportal

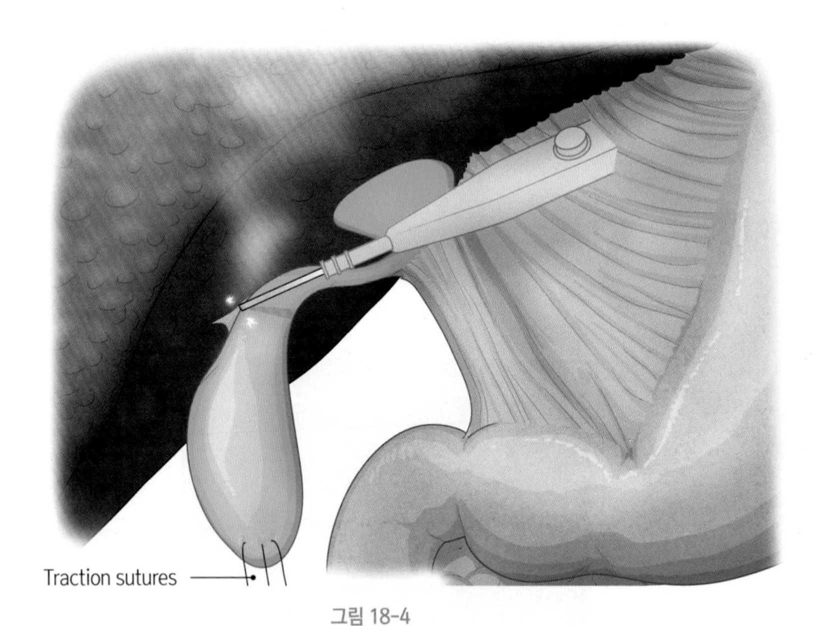

그림 18-4

Glisson's capsule

Ligation of
cystic artery

그림 18-5

fibrous tissue)을 견인하는데 이용한다.

(그림 18-6) 간 문맥 섬유화와 붙어 있는 담낭을 적절한 방향으로 견인하면서 간 문맥 주위 섬유화 조직을 간 동맥, 간 문맥으로부터 완전히 분리한다. 이때 간 문맥 내에 비후화된 임파선들이 존재하는 경우가 있는데 불필요하게 이를 제거하거나 손상을 주지 않는다. 그 이유는 수술 후 복수, 특히 유미성복수(chylous ascites) 등은 이들 임파선이나 임파관 손상으로 발생할 수 있기 때문이다. 간 문맥주위 섬유화 조직을 십이지장 쪽에서부터 분리하면 그 조직이 인대양 구조(ligamentous structure)가 되는데 이를 십이지장 쪽으로 결찰하고 절단한다.

(그림 18-7, 8) 십이지장 쪽의 인대양 구조의 박리와 결찰이 완성되면 이를 적절한 방향으로 견인하면서 총간동맥(common hepatic artery)과 그 분지, 간문맥(portal vein)과 그 분지로부터 분리하며 박리를 진행한다.

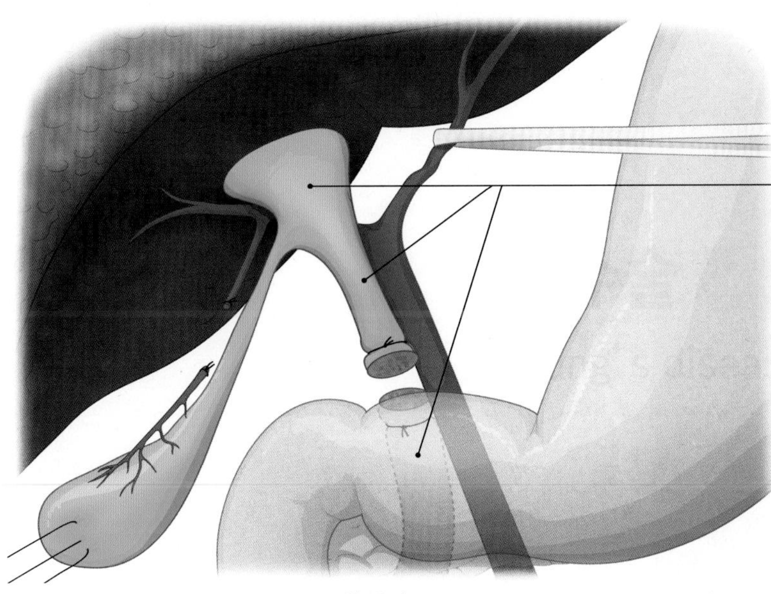

그림 18-6

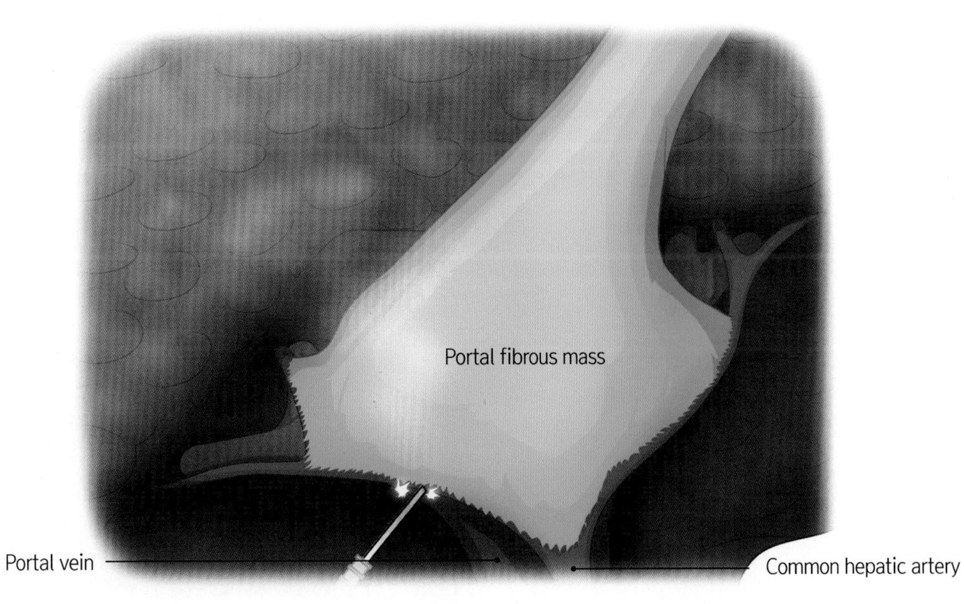

그림 18-7

(그림 18-9) 인대양 구조물이 간문맥부(portal area)에서 삼각형으로 펼쳐지는 것을 볼 수 있다. 이를 문맥 섬유화 종괴(portal fibrous mass or portal plate)라고 하며 담도폐쇄증의 중요한 초음파 소견인 삼각건 징후(triangular cord sign)는 이 구조물의 초음파 음영이다. 문맥 섬유화 종괴의 외측 박리 경계선(lateral dissection border)은 통상 양측 간 문맥 및 간 동맥의 분지를 손상을 주지 않도록 가능하면 넓게 설정하여 박리하는 것이 좋다.

(그림 18-10, 11) 간문맥 섬유화 종괴 박리의 후경계선(posterior dissection border)은 섬유화 종괴와 미상엽(caudate lobe)의 실질(parenchyme)과의 경계선으로 설정하여 박리한다. 이때 간 문맥의 손상을 주지 않게 주의하여야 한다. 통상적으로 섬유화 종괴의 뒤쪽 박리를 진행하는 동안 미엽과 섬유화 종괴로부터 작은 문맥 분지가 나오는 것을 볼 수 있는데 이를 결찰하여야 섬유화 종괴의 후경계선(posterior border)을 확보할 수 있다.

(그림 18-12) 문맥 섬유화 종괴의 양측과 후측의 박리를 완성하면 종괴 모습이 삼각형 혹은 원뿔형으로 드러나게 된다. 통상적으로 섬유화 종괴의 전후방 경계선을 확인할 수 있으나 외측 경계선은 명확하지 않다. 섬유화 종괴 절제선의 선택은 외측은 최대한 혈관의 분지를

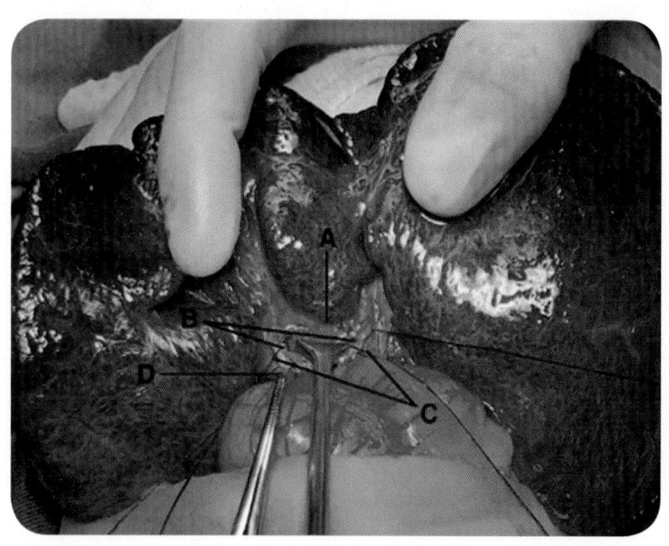

그림 18-8
A. Porta hepatis, B. Portal vein, C. Hepatic artery, D. Dissected gallbladder

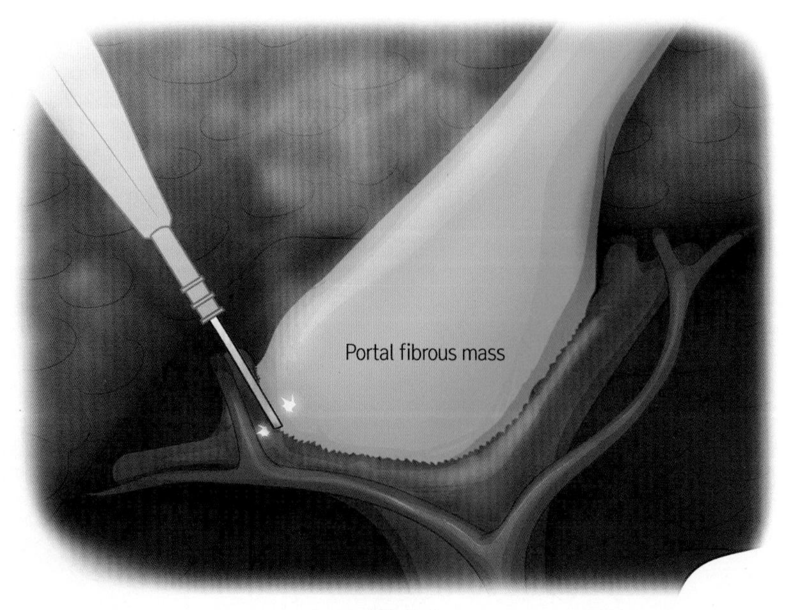

그림 18-9

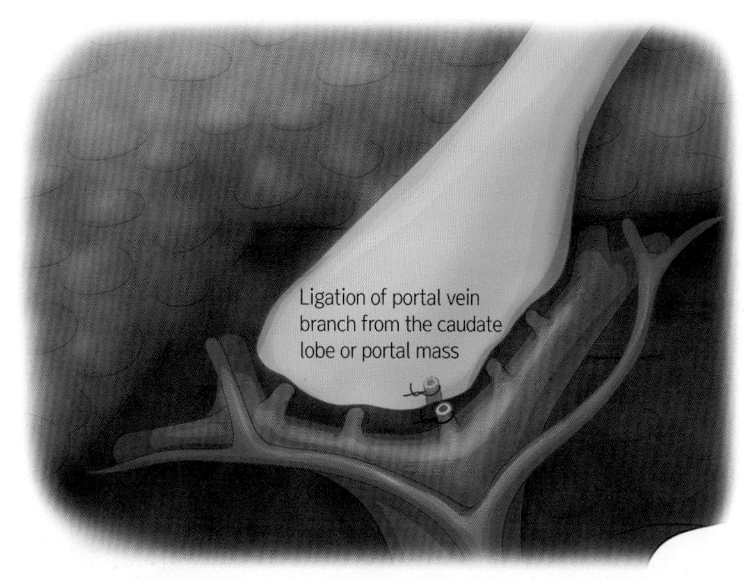

그림 18-10

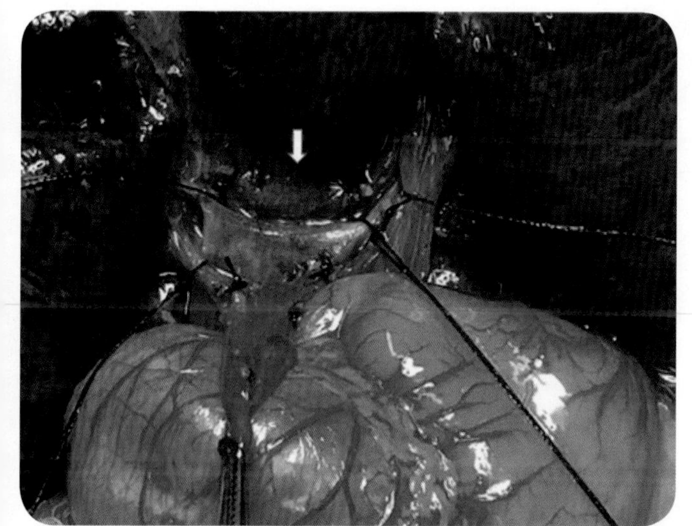

그림 18-11 A completely exposed portal fibrous mass or portal plate (white arrow) after ligating small portal vein branches

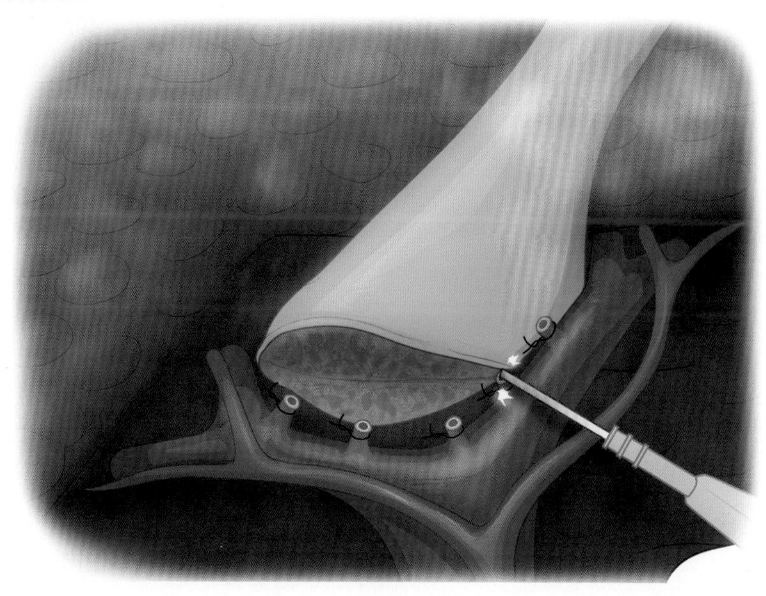

그림 18-12

다치지 않을 부위를 설정한다. 전후방 절제선의 선택은 드러난 종괴의 경계선으로 한다. 수술칼이나 가위를 이용하여 섬유화 종괴를 설정된 절제 경계선을 따라 절제한다. 이때 전기 소작을 이용한 절제는 피하는 것이 좋은데 그 이유는 절제 면에 존재하는 담즙세관(bile canaliculi)이 불필요한 전기 소작으로 폐쇄될 위험성이 있기 때문이다.

(그림 18-13) 문맥 섬유화 종괴를 절제한 직후에는 절제면에서 다량의 출혈을 볼 수 있다. 지혈은 출혈 부위를 잘 노출한 후 끝이 미세한 바늘형 전기 소작기(needle tip electrical cauterization)로 정확히 지혈한다. 어느 정도 출혈이 멎으면 Bosmin을 적신 솜을 절단면에 충전한 후 추가 지혈을 유도한다. 이 상태에서 루와이(Roux-en-Y) 공장-공장 문합을 만들게 되면 그 동안 대부분의 미세 출혈은 자연 지혈된다.

(그림 18-14) 루와이 공장은 일반적인 방법으로 만들면 되는데, 트라이츠인대(Treitz ligament)로부터 20 cm 하방의 공장을

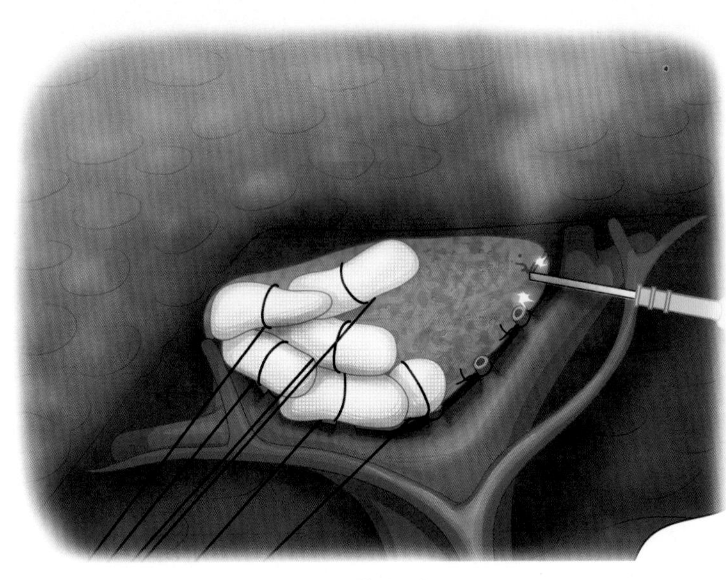

그림 18-13

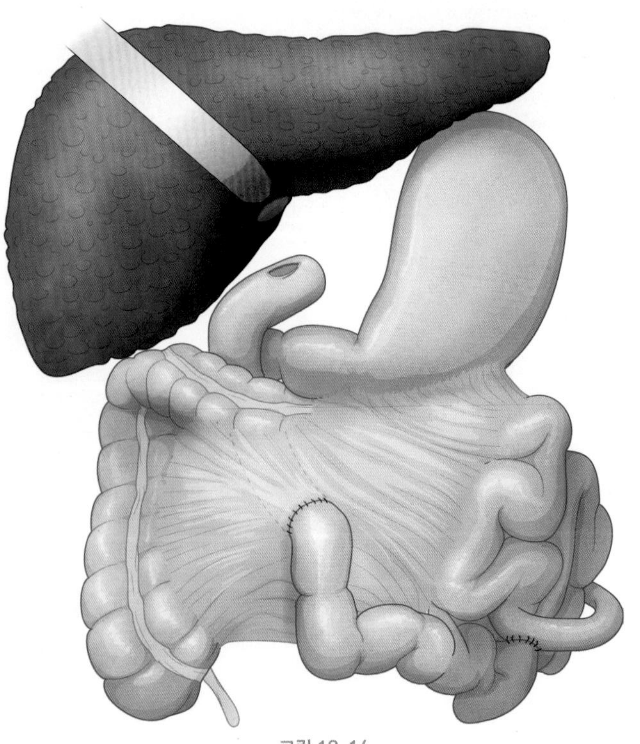

그림 18-14

분리 후 시작한다. 이때 간 문맥으로 올라가는 원위부 공장의 길이는 상행성담도염(ascending cholangitis)을 예방할 목적으로 통상 45 cm 정도로 길게 만드는 것이 좋다(long Roux-en-Y jejunal limb).

공장과 문합하게 될 종괴 절제면의 크기는 형성된 종괴의 크기에 따라 다양하다. 종괴 절제면의 크기에 맞추어서 문합할 공장의 절개 부위의 크기도 달라지므로 단측연결(end-to-side)형식의 문맥공장 문합술을 선택하는 것이 단단연결(end-to-end)방식의 문맥공장 문합술을 선택하는 것보다 좋다. 문맥과 연결될 공장은 내탈장(internal hernia)을 예방하기 위하여 결장후방(retrocolic route)을 통하여 올린다. 이때 결장간막(mesocolon)을 통하여 간문맥부위에 위치하게 되는 공장의 길이는 추후 있을지도 모르는 간 이식을 염두에 두고 충분한 길이를 확보하여 놓는 것이 좋다.

(그림 18-15) 루와이 공장이 완성되면 Bosmin을 적신 솜을 제거하고 추가 지혈을 시행한 후 루와이 공장을 종괴 절제면 크기에 맞추어 열고 문맥공장 문합(portoenterostomy)을 후방의 내측에서 외측으로 흡수사를 이용하여 단속봉합(interrupted suture)한다.

(그림 18-16) 문맥공장문합 중 고려할 사항은 봉합선 안으로 모든 절제면이 포함되게 하여 절제면에 포함된 미세담도로부터 분비될 담즙이 공장으로 모두 배수되게 하는 것이다. 절제면의 미세 담도 일부가 문합부 안으로 포함되지 못하고 복강으로 노출된 경우에는 이 곳에서 분비되는 담즙으로 인하여 수술 후 담즙성 복수가 발생하는 경우도 있을 수 있다. 그러나 무리하게 넓은 문합 부위를 확보하려고 하면 주위 혈관의 손상을 초래하여 간의 허혈성 위축을 초래할 수 있으므로 주의하여야 한다. 후방부의 봉합이 완성되면 전방부의 봉합은 비교적 쉽게 완성할 수 있다.

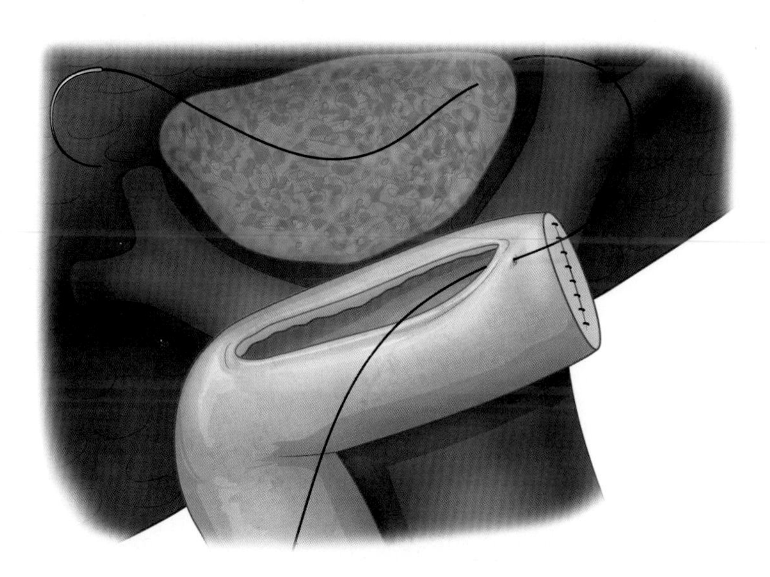

그림 18-15

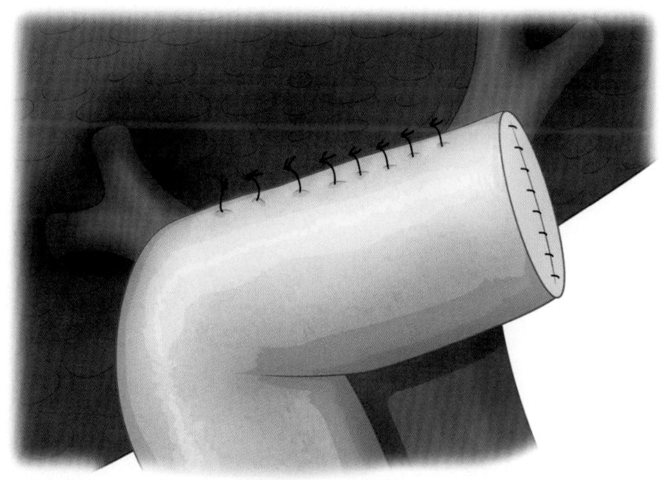

그림 18-16

(그림 18-17) 루와이 공장을 올리면서 생긴 소장간막과 결장간막 사이, 소장간막 사이의 결손을 봉합하여 막아 준다.

(그림 18-18) 추가 지혈을 하고 복강을 따뜻한 생리식염수로 충분하게 세척한 후 폐쇄식흡인배액관(closed suction drain)을 간 문맥부에 위치시키고 일반적인 방법으로 폐복한다.

배액관은 수술 후 다량의 복수가 발생하지 않고 특별한 합병증이 없으면 수술 제 5일에 제거한다.

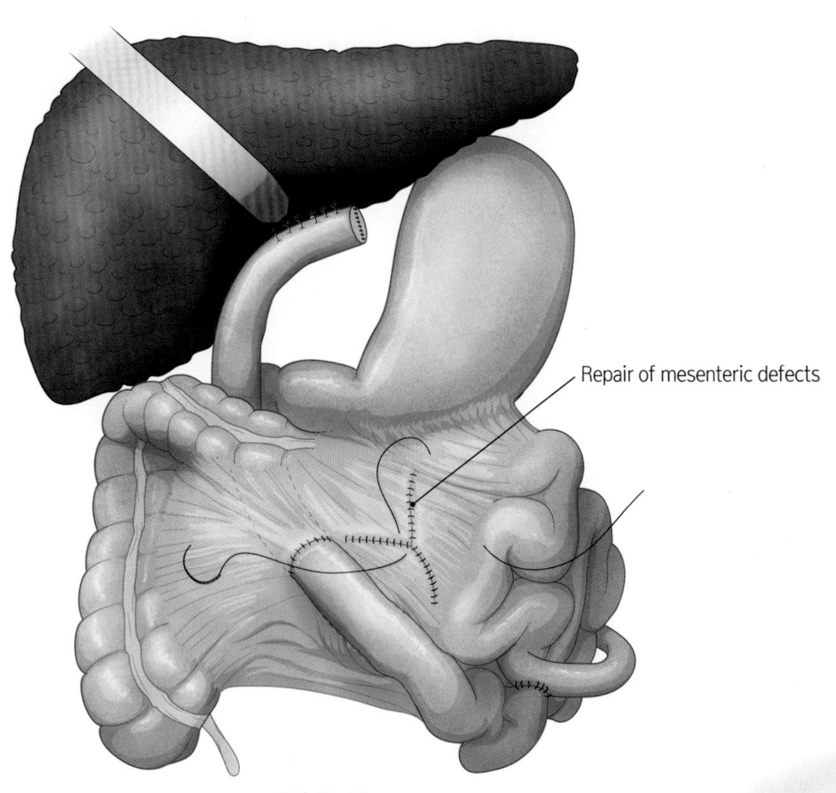

그림 18-17

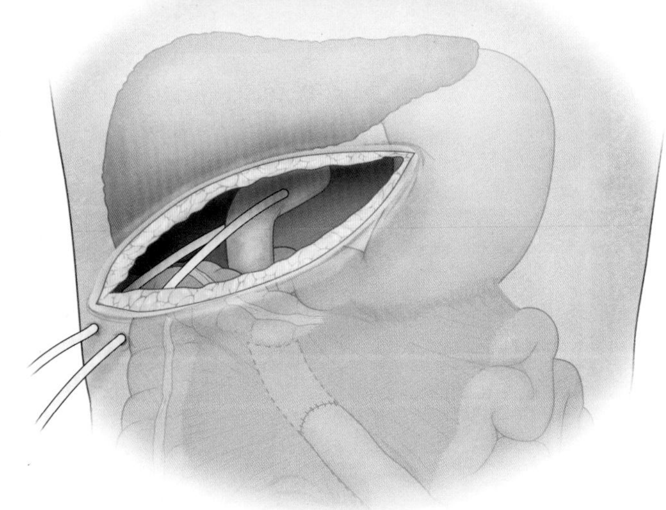

그림 18-18

(그림 18-19) 간 생검 조직을 포함한 모든 조직은 장기간의 수술 시간으로 인하여 수술을 마친 후 정리를 할 경우 이미 일부 조직에는 괴사가 일어나서 정확한 조직 소견을 얻을 수 없는 경우가 발생한다. 따라서 조직 샘플이 나오면 바로 표시를 하여 포르말린 고정액 고정하는 것이 좋다. 특히 절제된 문맥 섬유화 종괴의 경우는 수술에 참여하지 않은 병리 의사나 보조의사가 정리하는 경우는 해부학적 이해 부족으로 조직 샘플의 구역 설정에 대한 혼란이 올 수 있고, 이로 인하여 원하는 종괴 부위의 담즙세관의 크기 등을 정확히 파악 할 수 없는 경우가 발생할 수 있다. 그러므로 그림과 같이 절제된 간 문맥 섬유화 종괴의 7개 구획을 설정하여 집도의가 직접 조직을 정리함으로써 조직 검사를 표준화할 수 있고 추후 데이터의 상호 비교가 가능할 것이다.

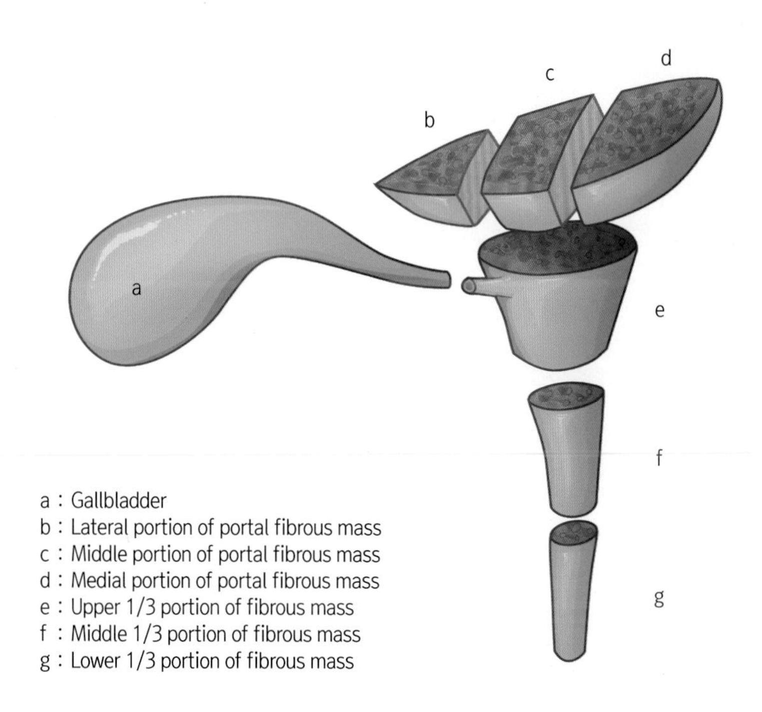

그림 18-19

TIP 1

담낭의 내강이 유지되고, 담낭관 및 총수담관 common bile duct 모두가 개통되어 있으면서 단지 총간관(common hepatic duct)이 막힌 담도폐쇄증(그림 18-3B)에서 담낭을 이용한 카사이 문맥담낭문합(gallbladder Kasai operation)을 하면 루엔와이 공장을 설치할 필요가 없으므로 수술이 간단하고 시간이 절약되며, 상행성 담도염은 오디씨 괄약근 sphincter of Oddi 기능이 유지되므로 발생하지 않을 것이라고 주장하기도 한다. 그러나 담도폐쇄증의 병리 진행을 살펴보면 담낭을 포함한 간 내외 담도가 서서히 폐쇄되어 가는 진행성 폐쇄성 담도질환(progressive obliterative cholangiopathy) 이므로 현재 내강이 있는 담도도 추후에는 병이 진행하면서 폐쇄될 가능성이 존재하며 저자의 경우 실제로 이런 경우가 의심되는 증례를 임상 경험한 바 있다. 따라서 저자는 이런 형태의 담도폐쇄증이라도 담낭을 이용한 문맥담낭문합술을 시행하지 않고 있다.

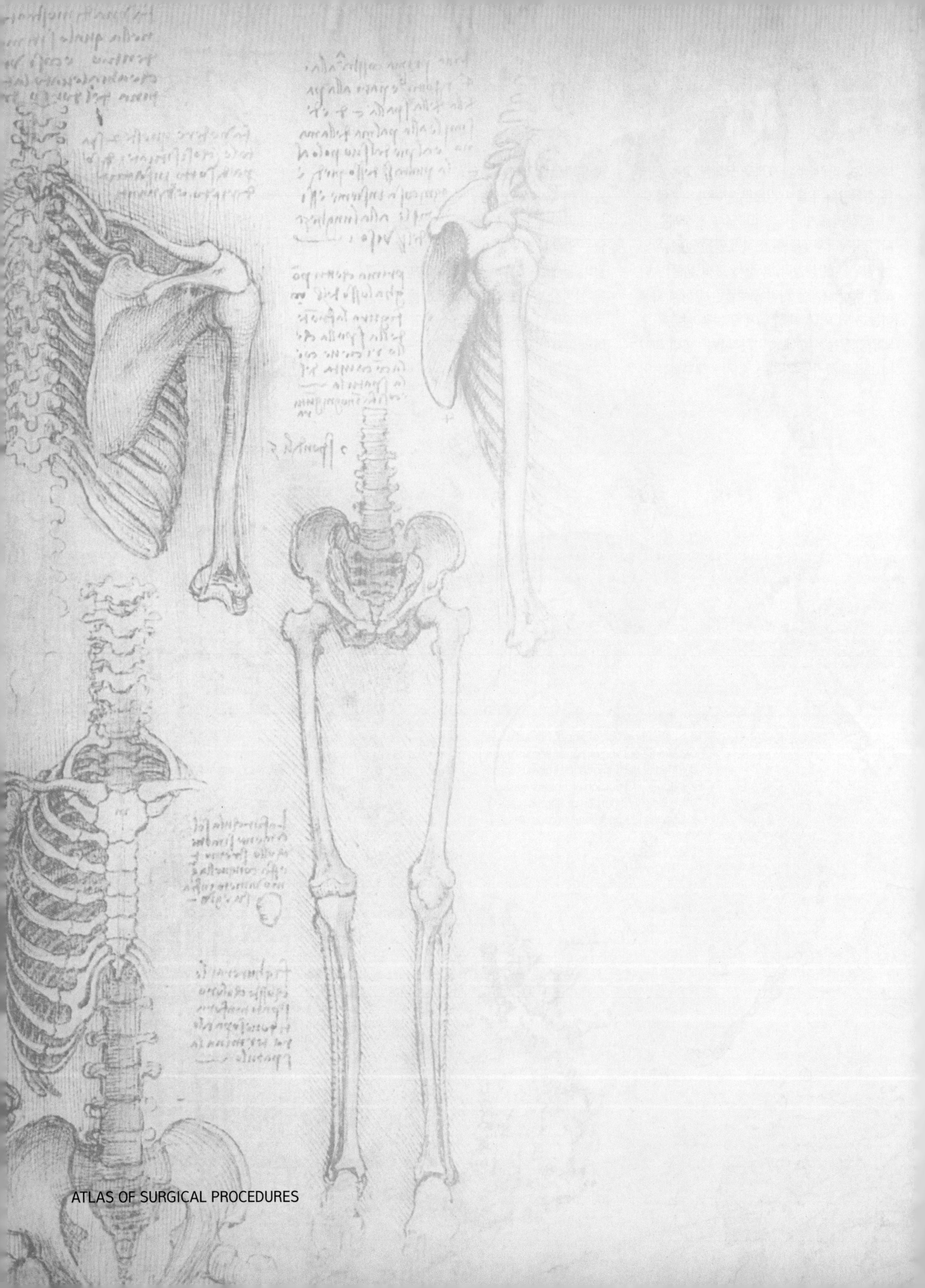

ATLAS OF SURGICAL PROCEDURES

CHAPTER 19

총담관낭 절제술

Resection of choledochal cyst

1. 적응증

(그림 19-1) 본 지면에서는 총담관낭으로 진단된 환자 중 대부분을 차지하는 Todani씨 분류 제 1형인 경우의 절제술에 대하여 설명한다. Type V 중 간엽 일부에 국한된 경우는 절제가 가능하나 이는 부분 간 절제(partial hepatectomy)를 시행하게 되므로 간 절제를 설명하는 Chapter를 참고하면 될 것이다. 그 외의 형태는 절제가 불가능하거나 아주 드문 형태이므로 이 장에서는 지면 관계상 설명을 생략한다.

2. 비적응증

절대적인 금기는 없으나 진단이 매우 늦어져서 간 부전증(hepatic failure)에 빠진 경우는 그 상태가 가역적(reversible)이면 상태를 호전시켜서 총담관낭을 절제하고, 비가역적(irreversible)이면 간 이식을 고려해야 할 것이다. 그러나 현대 의학에서는 간 이식을 해야 할 지경까지 상태가 악화되는 경우는 매우 드물다. 담도염이나 췌장염의 급성기인 경우 보존적 요법으로 이를 호전시킨 후 수술한다.

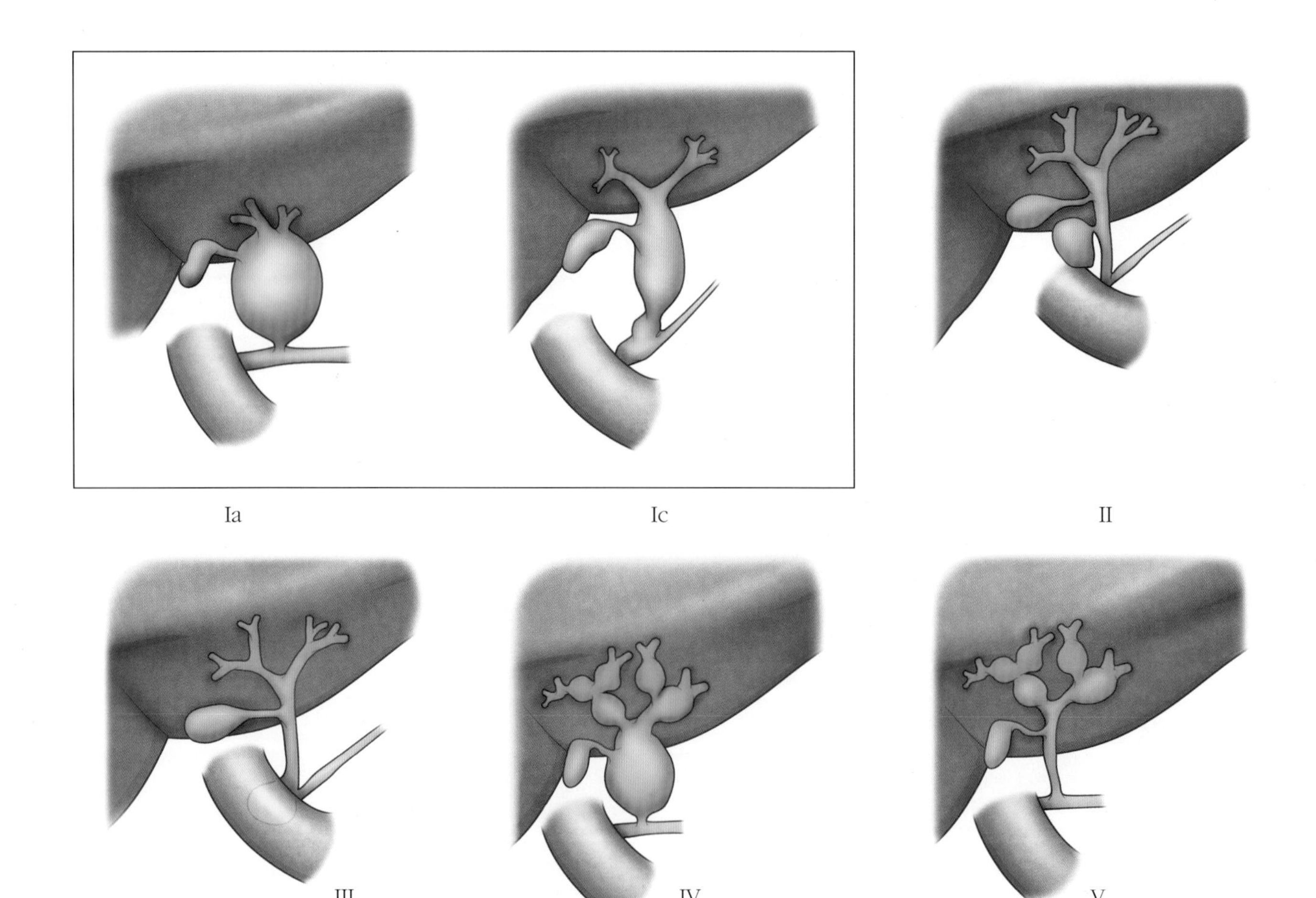

그림 19-1 총담관낭의 Todani씨 분류법

3. 수술 전 처치

(그림 19-2) 담도염이 동반된 경우 담즙으로 분비되는 광범위한 정맥 항생제를 투여하여 담도염을 치료한 후 수술한다. 췌장염이 동반된 경우는 금식, 항생제 투여, 단백질 분해 효소의 활성을 억제하는 gabexate mesylate (Foy®)와 같은 약물의 투여, 적절한 수액 요법 등의 치료를 통해 췌장염을 호전시킨 후 수술한다. 복부 초음파, 복부 전산화 단층 촬영, 자기공명 췌담관조영술(magnetic resonance cholangiopancreatography), 간담도 섬광조영술(hepatobiliary scintigraphy), 내시경역행췌담관조영술(endoscopic retrograde cholangiopancreatography) 등의 영상 검사를 하여 진단과 동시에 수술 부위의 해부학적 구조를 파악한다. 또한 이를 통하여 담석, 혹은 담즙 침전물(bile sludge), 췌담관 합류이상(anomalous pancreaticobiliary duct union)을 막고 있는 단백질 마개(protein plug) 등을 확인할 수 있다.

4. 마취

전신 마취 하에 기관 삽관 후, 동맥압 감시 및 채혈을 위하여 가능하면 동맥천자를 시행한다. 간 기능이 떨어진 환자의 경우는 간 독성이 적은 마취제를 선택한다.

5. 환자 자세

환자는 수술 테이블에 앙와위(supine position)로 위치하고 고정한다.

6. 수술 준비

비위관 및 배뇨관을 삽입한다. 복부를 소독한 후 소독부위가 노출되게 소독포를 덮는다.

7. 절개 및 노출

충분한 마취 심도에 환자가 도달하고 복부 근육이 충분히 이완된 상태에서 우측 늑골하절개(right subcostal incision)를 한다. 절개가 완성되면 수술 테이프로 복강을 충전하여 복강 내 장기가 절개창으로 나오지 않게 한 후 십이지장은 하측으로, 위 유문부는 내측으로, 간은 상측으로 견인하여 담낭(gallbladder)과 간십이지장인대(hepatoduodenal ligament)를 노출시킨다.

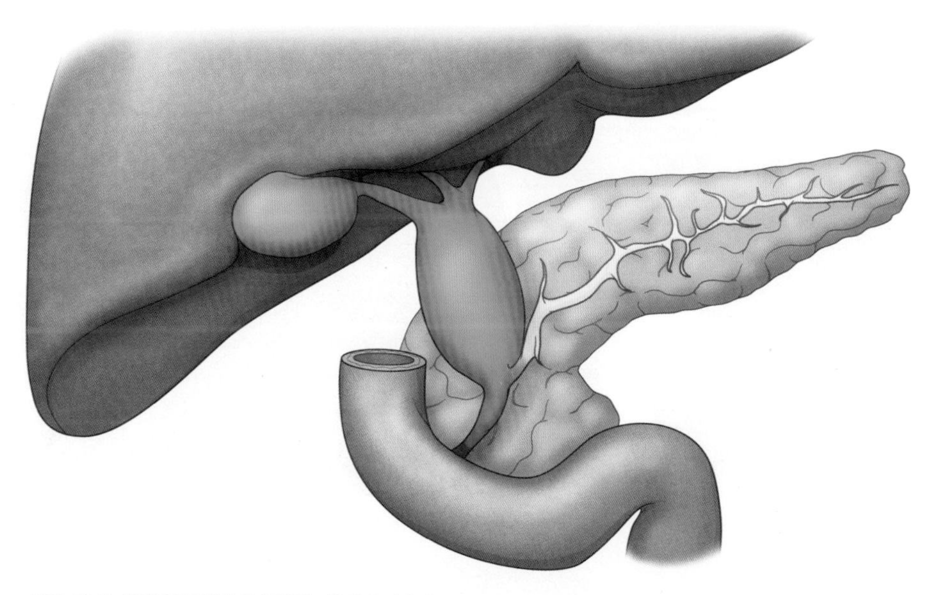

그림 19-2 췌담관합류이상을 동반한 1형의 총담관낭

8. 수술 과정

(그림 19-3) 담낭을 견인하면서 담낭와(gallbladder fossa)에서 담낭을 박리하고 담낭동맥(cystic artery)을 확인 후 결찰한다.

(그림 19-4) 담낭와에서 담낭이 분리되면 수술적 담관조영술(operative cholangiography)을 시행한다. 수술적 담관조영술을 시행하기 위한 삽관 방법은 담낭관(cystic duct)을 통하여 하는 폴리에틸렌 관을 삽관하는 방법(그림 19-4A)과 직접 총담관낭 전벽(anterior wall)으로 삽관하는 방법(그림 19-4B)의 두 가지가 있다. 담낭관을 통하여 삽관을 시도하였으나 삽관이 잘 안 될 경우에는 담낭관을 결찰하고 총담관낭에 직접 삽관하여도 무방하다. 이때 미생물 배양 검사, 아밀라제(amylase), 그리고 리파제(lipase)의 농도를 측정하기 위하여 담낭과 총담관낭의 담즙을 각각 채취한다. 삽관이 완성되면 생리식염수를 주입하여 삽관 부위가 방수가 되는지 확인 한 후 늘어난 담도에서 생리식염수와 담즙을 최대한 제거한 후에 조영제를 투여한다.

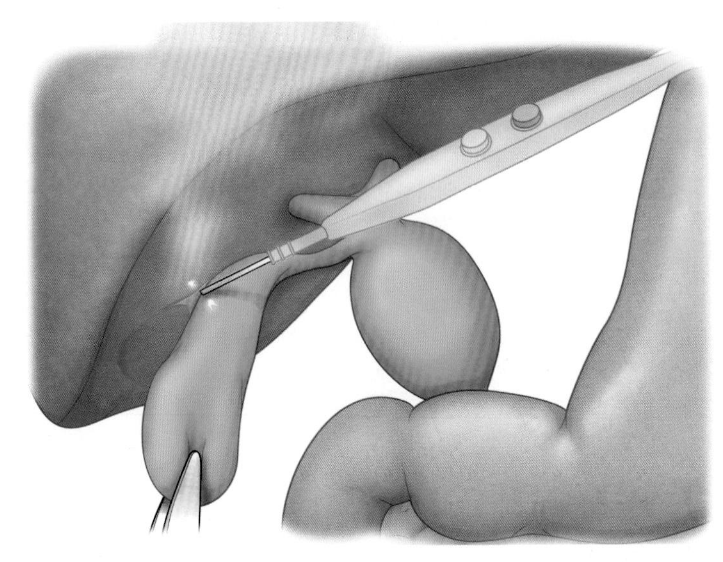

그림 19-3

A

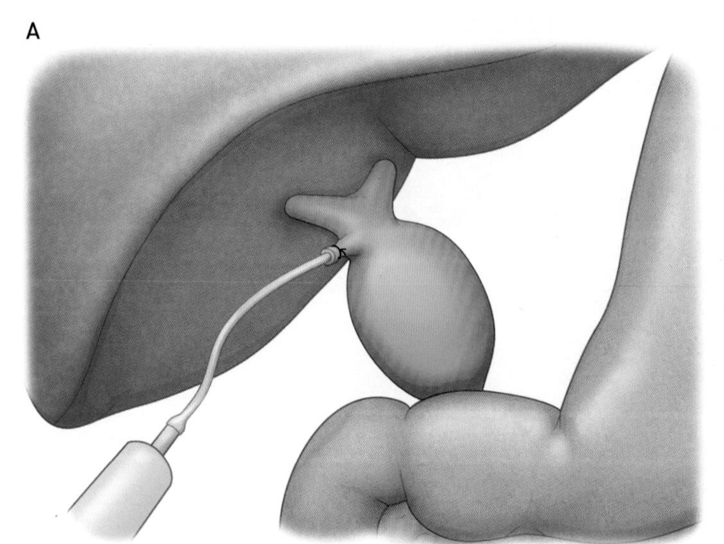

B

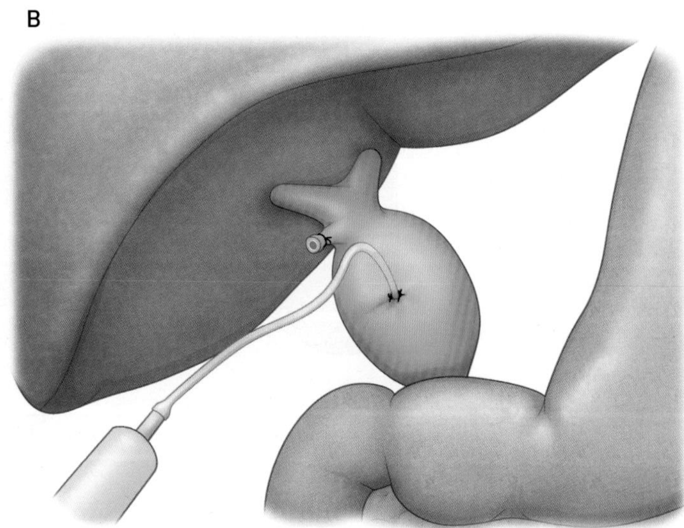

그림 19-4

(그림 19-5) 수술적 담관조영술은 간내담도(intrahepatic duct)와 췌관(pancreatic duct)을 잘 볼 수 있게 촬영하여야 한다. 가느다란 췌관을 보기 위해서는 조영제는 원액을 사용하거나 1/2 희석된 농도로 사용하는 것이 좋다. 간내담도와 췌관까지 조영제가 충전되기 위한 조영제 양은 총담관낭의 크기에 따라 다르다. 그러므로 좋은 사진을 얻기 위해서 조영제를 투입하면서 총담관낭을 계속 촉진하여 간내담도나 췌관까지 조영제가 침투하였다고 생각될 때까지 총담관낭이 팽창되었다고 생각되는 시점에서 담관조영술 사진을 얻는다. 이렇게 얻은 사진은 총담관낭의 근위부 및 원위부 절제선의 선택, 공통통로(common channel)를 막고 있는 단백질 마개(protein plug)의 존재 여부 및 제거 후 공통통로의 개통 여부, 그 외 다른 해부학적 기형 등이 의심될 경우 참고하는데 많은 도움이 된다.

(그림 19-6) 간십이지장인대를 덮고 있는 Glisson's capsule을 총담관낭의 좌측 연(left border)을 따라 조심스럽게 박리하면 총간동맥(common hepatic artery)을 확인할 수 있다. 먼저 총간동맥의 주행 부위 주위를 박리한다. 이미 담도염이 심하게 왔던 환자의 경우는 염증으로 인한 신생혈관증식(neovascularization)으로 인하여 박리 과정에서 전기 소작만으로는 지혈이 잘 안될 수 있다. 이때는 결찰 지혈하는 것이 좋다.

(그림 19-7) 총담관낭 주위를 박리하면서 간 문맥 및 간동맥의 분지를 확인한다. 특히 총담관낭의 후벽을 박리 할 때는 간 문맥과 간동맥을 다치지 않도록 주의 한다. 간 동맥은 총담관낭의 좌측 후방에 있으면서 우측과 좌측으로 분지를 내면서 올라가면서 간 문맥 위에 놓여 있게 된다.

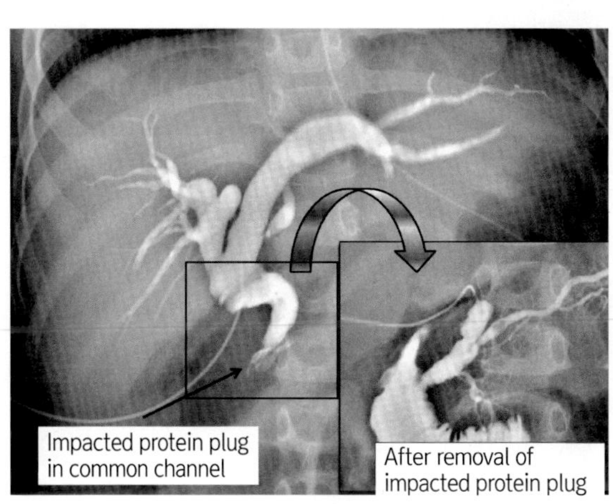

그림 19-5

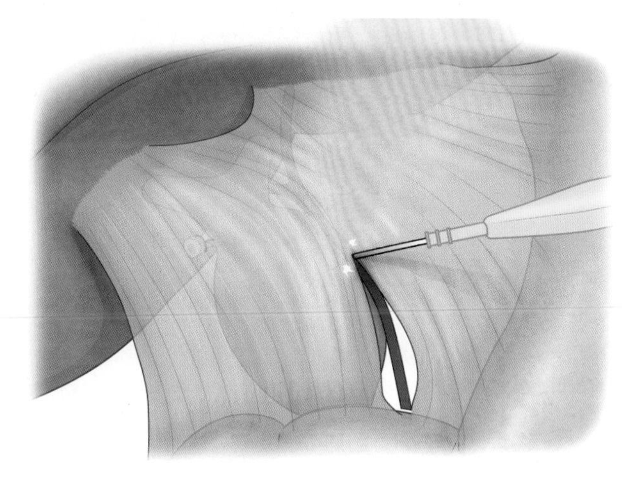
그림 19-6

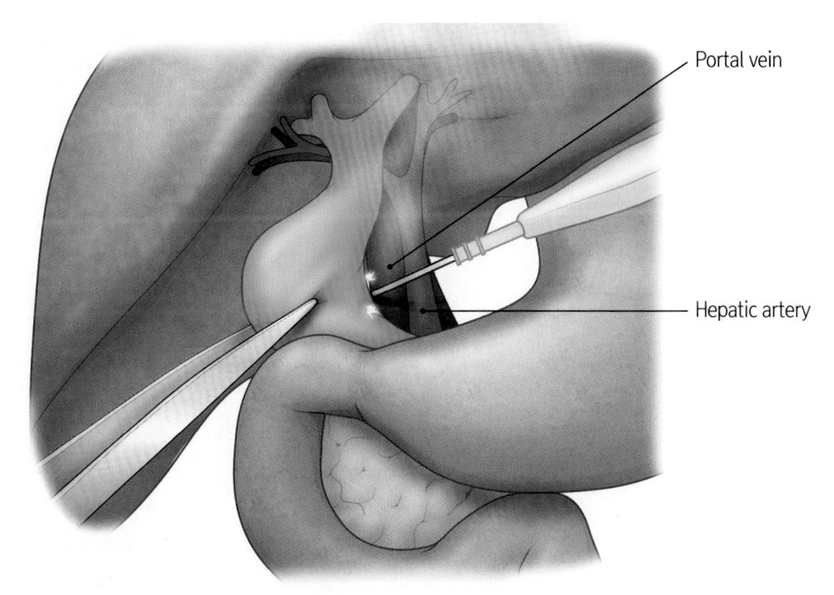

그림 19-7

(그림 19-8) 총담관낭의 후벽 일부가 총간동맥과 간 문맥으로부터 분리되어 총담관낭을 횡으로 절개하여도 안전할 정도가 되면 총담관낭 전벽(anterior wall)을 견인하면서 총담관낭 전벽을 횡으로 절개한다. 이 때 총담관낭 내강에 존재하는 담즙과 함께 담석, 담즙 침전물, 혹은 단백질 마개 등이 같이 흘러 나오게 된다. 만약 자연 배출 되지 않는 것이 있으면 생리식염수로 강하게 세척하여 제거한다.

총담관낭을 횡으로 절개하는 방법은 다음과 같은 장점이 있다. 1) 총담관낭 안에 존재하는 고형성 물질들이 수술 조작 중 공통통로로 추가로 흘러 들어가는 일을 사전에 방지할 수 있다. 2) 공통통로를 막고 있는 단백질 마개가 존재하는 경우는 이를 제거 할 수 있고 완전 제거가 되었는지 여부를 수술적 담관조영술을 추가 시행하여 확인할 수 있다. 3) 총담관낭 후벽을 간 문맥과 간동맥으로부터 분리할 때 안전하고 용이하다. 4) 절개부위를 통하여 총담관낭의 내강을 직접 보고 적절한 절제선 선택이 가능하다.

(그림 19-9) 횡으로 절개된 총담관낭의 반쪽을 봉합사를 이용하여 각각 간과 십이지장 방향으로 견인하면서 총담관낭의 후벽을 간동맥과 간문맥으로부터 분리한다. 이때 출혈이 예상되면 주위 조직을 결찰하면서 분리하는 것이 좋다.

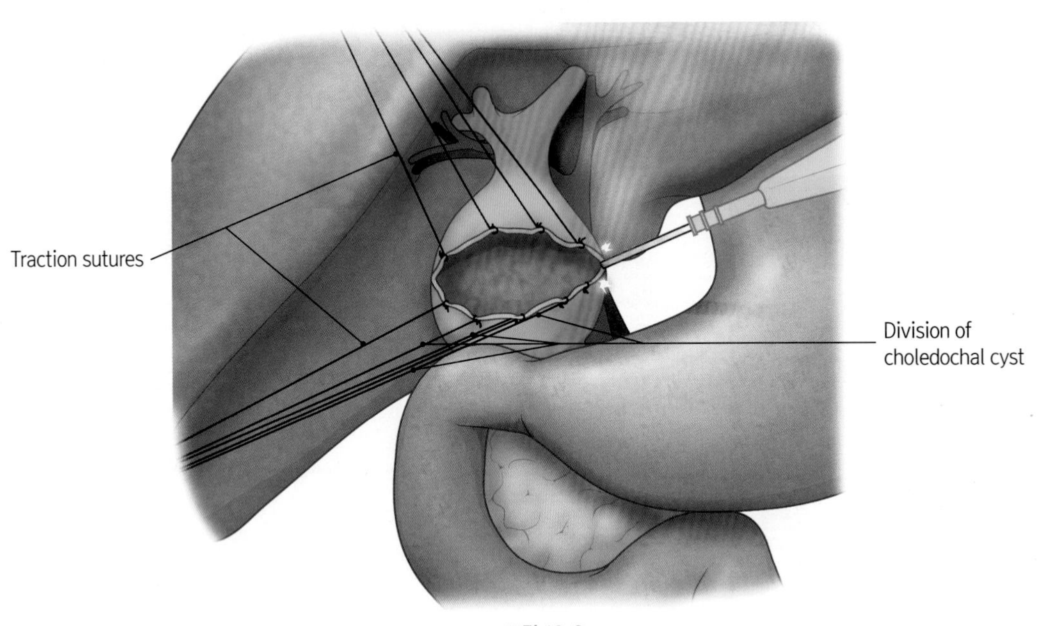

그림 19-8

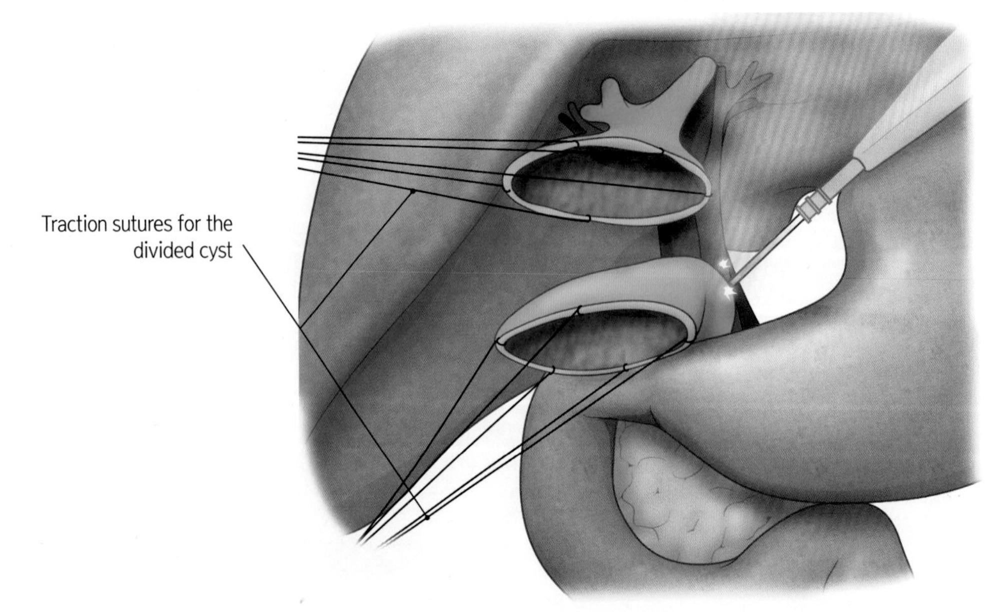

그림 19-9

(그림 19-10) 영상 검사 자료를 참고하고 절개된 부위를 통하여 총담관낭 내강을 관찰하면서 총담관낭의 양측 절제선을 설정한다. 간 쪽의 절제선은 가능한 병적인 조직을 모두 제거하고 안전한 간공장문합이 시행될 수 있는 선을 설정하여 절제한다.

(그림 19-11) 췌장실질로 둘러 싸인 부위(intra-pancreatic portion)의 총담관낭을 봉합사를 이용하여 적절한 방향으로 견인하면서 총담관낭 벽에 근접한 면을 따라 박리한다. 이 때 공통통로를 막고 있는 단백마개가 있으면 생리식염수 세척이나 Bakes dilator를 이용하여 제거한다. 박리를 진행하면서 방사선 검사와 총담관낭의 내경을 확인하여 췌관이 다치지 않을 부위의 선을 선택하여 절제한다.

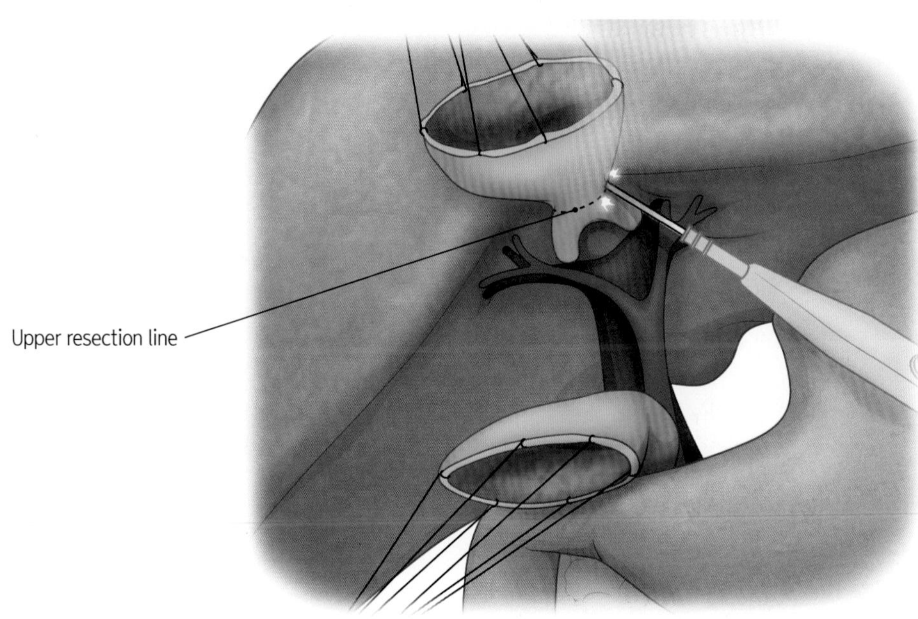

그림 19-10

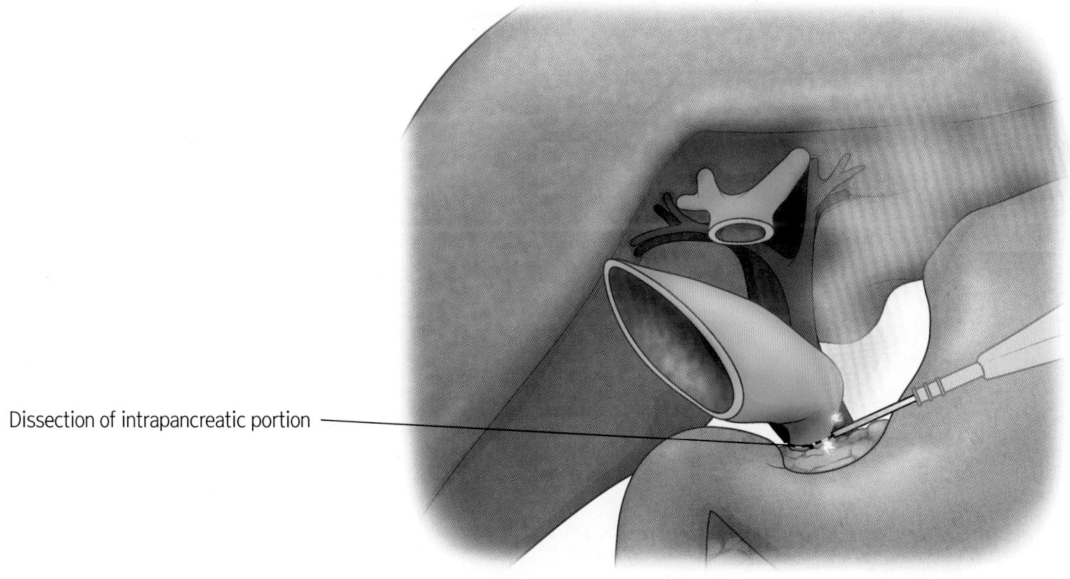

그림 19-11

(그림 19-12) 총담관낭의 절단 끝(distal stump)을 췌관이 다치지 않게 주의하면서 흡수사로 봉합하거나 결찰한다.
(그림 19-13) 트라이츠 인대(Treitz's ligament)를 확인 후 루엔와이 공장공장 문합(Roux-en-Y jejunojejunostomy)을 완성한다. 간관공장문합(hepaticojejunostomy)이 이루어질 공장의 길이는 환자의 크기에 따라 다르겠으나 40 cm를 기준으로 하여 결정한다. 루엔와이 공장을 횡행 결장 뒤로(retrocolic route) 통과시켜 간 문맥 부위에 위치시킨다.
(그림 19-14) 간관공장문합은 단단문합(end-to-end anastomosis)을 할 수도 있으나 문합이 이루어질 총간관(common hepatic duct)의 직경이 다양하므로 단측문합(end-to-side anastomosis)이 더 많이 시행된다. 본 장에서는 이를 위주로 설명한다.
장간막 반대편(antimesenteric site)의 공

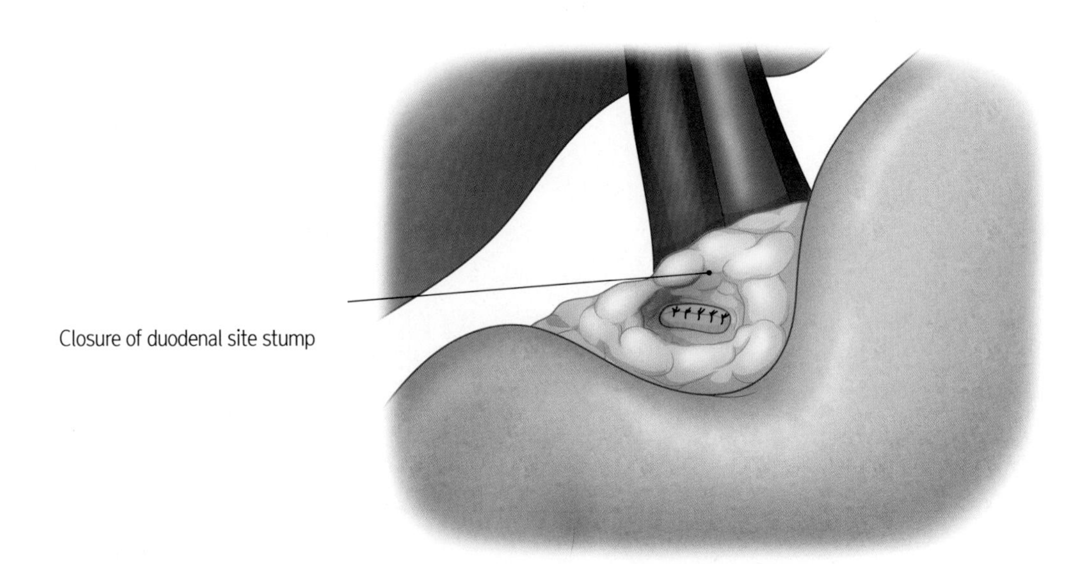

그림 19-12

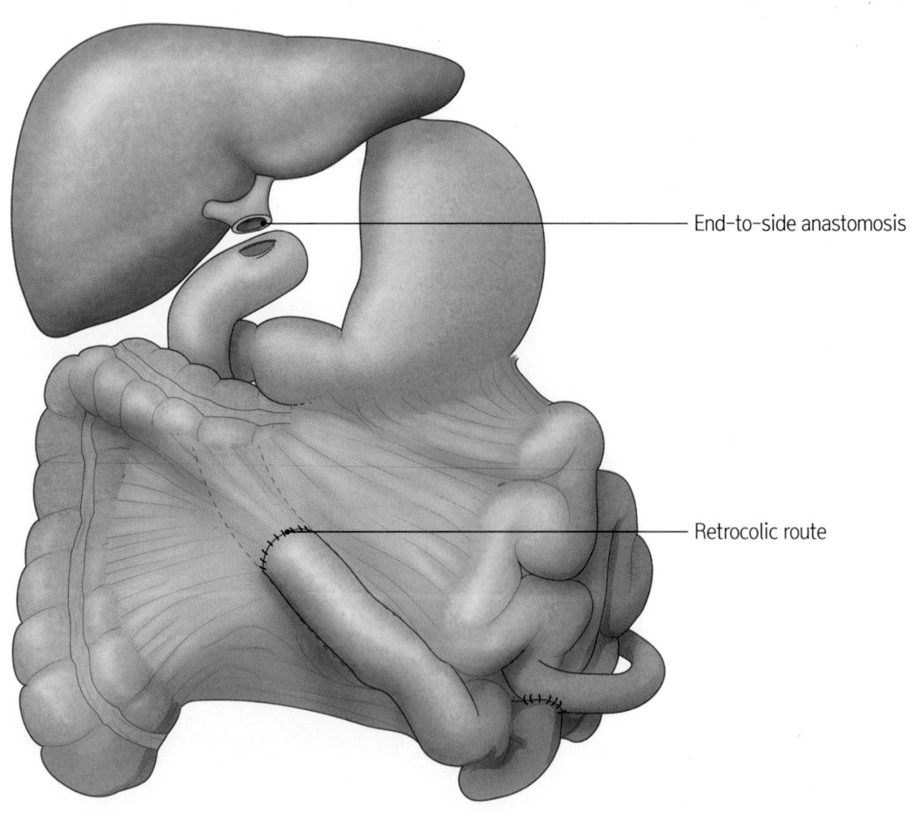

그림 19-13

장 벽에 문합이 이루어질 총간관 내경과 같은 크기의 절개를 한 후 간관공장문합을 후방부터 시행한다. 이때 봉합사는 흡수사를 선택하며 흡수사의 굵기는 5-0를 기준으로 한다. 이론상 연속봉합(continuous suture)보다는 단속봉합(interrupted suture)을 하는 것이 문합부위의 협착을 예방하는데 도움이 된다. 문합은 일층(one layer)으로도 충분하다.

(그림 19-15) 후방 문합이 완성되면 전방 문합을 완성한다. 문합이 모두 완성되면 공장 벽의 일부를 간관 주위의 결체 조직에 봉합하여 혹시 발생할 수 있는 견인력으로부터 문합부 손상을 보호한다.

(그림 19-16) 간 조직검사를 하고 최종 지혈을 한 후 충분한 생리식염수로 세척한다. Closed suction drain을 간관공장문합 주위에 설치한 후 일반적인 방법으로 폐복한다.

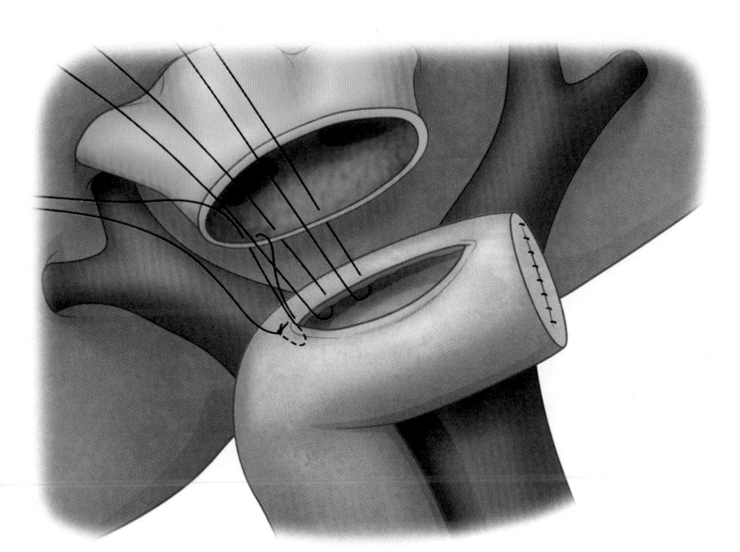

그림 19-14

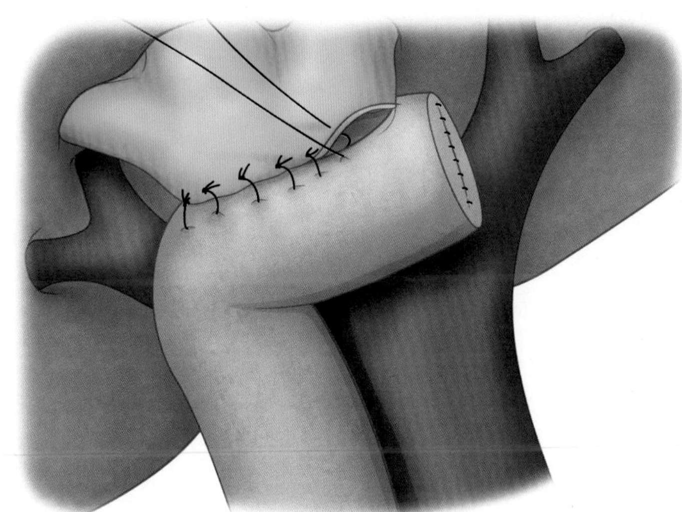

그림 19-15

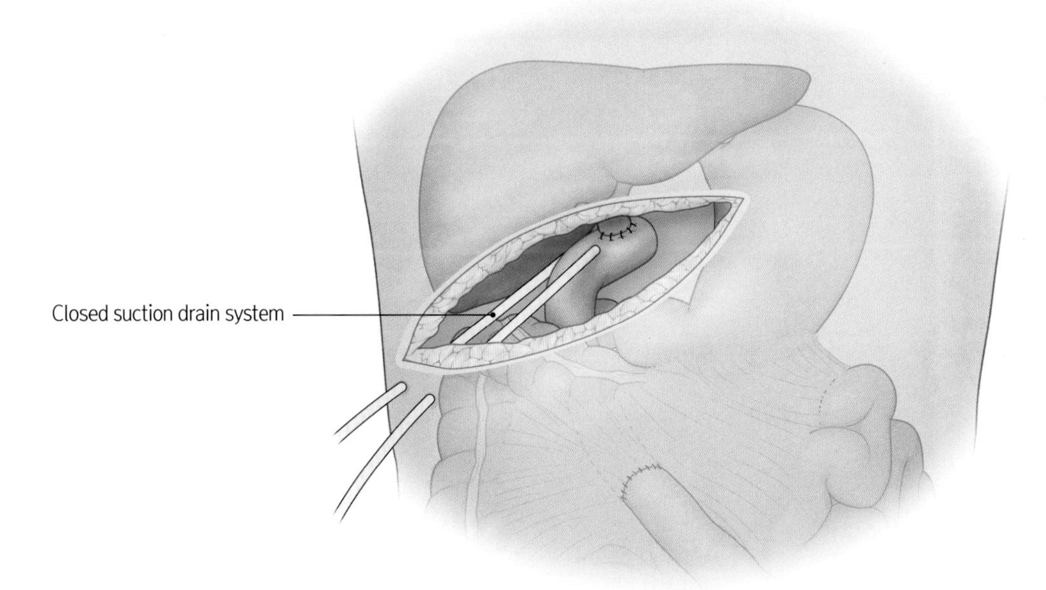

그림 19-16

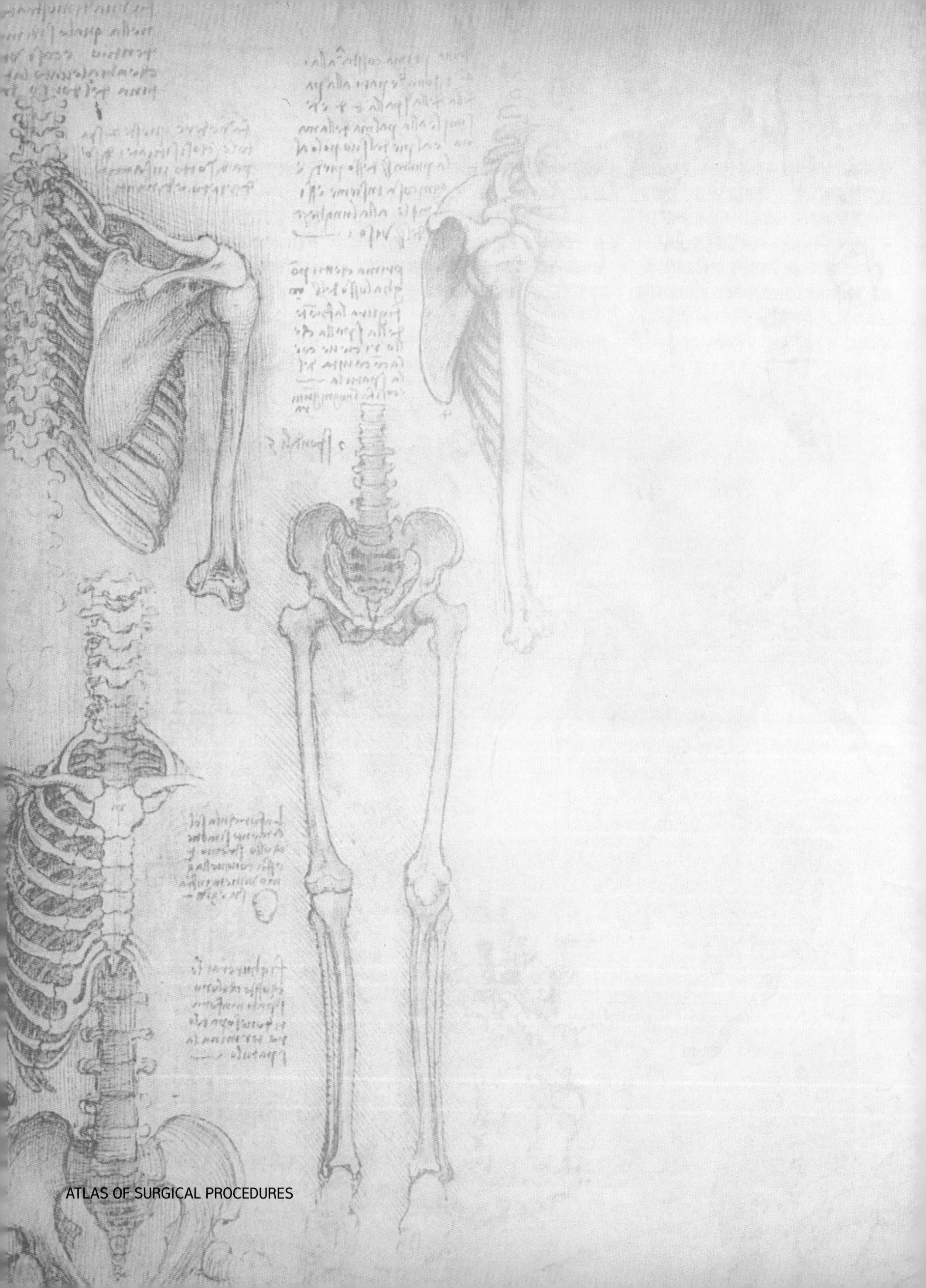

ATLAS OF SURGICAL PROCEDURES

CHAPTER 20

소장이식술

Small bowel transplantation

1. 적응증

위장관가성폐쇄, 미세융모봉입병, TPN 의존형 비가역적 단장증후군

2. 비적응증

패혈증, 다기관기능부전증, 원격전이암, 알코올-약물중독, 폐렴, 심한 심폐질환, 현증 에이즈, 심한 뇌신경장애는 금기이며, 무증상 에이즈 보균자는 상대적이나 간부전증. 국소침윤성 위장관암, 문맥혈전증, 중증 신부전증 등은 다장기이식에는 선별 적용함.

3. 수술 전 처치

- 공여자 항원에 대한 교차반응 음성 확인
- 중심정맥관을 제외한 위장관과 연결된 모든 관 제거
- 중심정맥관 설치 가능 혈관 영상검사 확인
- 생체이식은 수혜자 공여자 모두 2일간 장청소 및 SBD (selective bowel decontamination)를 시행하나 뇌사자이식은 뇌사자장기구득과정 공동 수칙에 따름.
- 수술 전 면역억제제, 예방적 항생제 투여

4. 마취

기관삽관을 포함한 전신마취

5. 환자 자세

장시간 수술 대비 패딩과 체온보존방석 위에 환자를 앙와위로 안전히 고정

6. 수술 준비

성분수혈제와 알곤빔, 리가슈어, 하모닉 스칼펠 등 효과적 지혈 도구, head set 등 국소조명, 수술현미경 및 미세혈관수술 도구, 자동견인기, 관류액, 보존액, 장기저장용 백, 백 테이블 수술 세트 등

7. 절개와 수술 방법

1) 공여자 수술

생체공여자는 횡행 혹은 복부정중선 종단절개하며, 뇌사공여자는 다장기구득수술의 원칙에 따른다.

2) 수혜자 수술

개복창 반흔과 장루를 설치할 위치를 마음에 두고 절개선을 설정하며, 이식할 혈관문합 부위가 뱃 속 깊숙이 위치한 점을 고려하여 "+"자 절개 등 넉넉한 절개창을 계획한다.

3) 소장 이식 3종류

소장만 이식(Isolated intestinal transplantation, IIT), 간-소장 함께 이식(Liver-intestine transplantation, LIT), 간, 위장, 췌장 등 위장관 전체를 함께 이식하는 다장기이식(multi-visceral transplantation, MVT) 등 세 가지로 크게 나눈다. LIT는 간과 소장을 각각으로나누어 이식하는 것과 LI를 한 덩이로 이식하는 것이 있는데, 한 덩이로 이식할 때는 문맥 등 혈류 문제로 십이지장과 췌장 두부가 이식편에 함께 포함될 수 밖에 없다. MVT 중에서 간 만을 제외하고 이식할 때에는 색다른 테크닉을 적용하게 되므로 변형다장기이식(Modified MVT, MMVT)으로 따로 나누기도 한다. 모두 뇌사공여자이나 IIT는 생체공여도 가능하다(그림 20-1).

주요 분류	IIT: 소장 단독이식	LIT: 간 · 소장 함께 이식		MVT: 다 장기 이식	
세부 분류		간 · 소장 분리 이식	간 · 소장 한덩이 이식	MVT: 다 장기 이식	MMVT: 변형 다 장기 이식
이식 장기	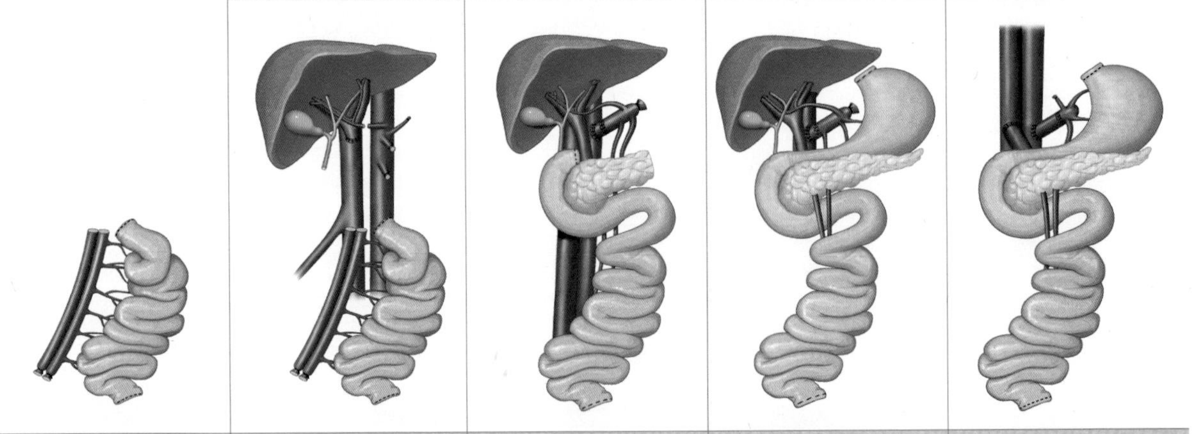 소장	간 + 소장	간 + 소장 + 십이지장췌장덩이	위장 + 간 + 소장 + 십이지장췌장덩이	위장 + 십이지장췌장덩이 + 소장
선택 옵션	대장	대장	대장	대장, 비장, 신장	대장, 비장, 신장

그림 20-1 소장이식 분류와 이식장기

4) 생체공여자 이식편 구득

(그림 20-2) Cattel 술식으로 우결장과 소장간막을 후복막강을 통하여 트리츠인대 부위까지 분리한다. 회맹판 상부 약 10~15 cm의 회장에 공급되는 상장간막동맥(Superior mesenteric artery, SMA)과 정맥(SMV)의 아케이드와 이 시작 점으로부터 근위방향으로 계획된 이식편 길이(100~200 cm) 만큼 실측한 회장관에 블랙실크-봉합결찰로 표식한 다음 이에 해당하는 SMA와 SMV 본체의 원-근위부 혈관을 연성불독으로 동시에 혈류를 차단하여 회맹판측 말단회장 혈액순환이 맹장 쪽의 역행성 SMA, SMV에서 회맹혈관을 통하여 혈류가 정상적으로 유지될 수 있슴을 확인 후 원위부 차단 부위의 아케이드 동정맥을 각각 절단-결찰하고 회장도 GIA로 절단한다(그림 20-2A).

근위부 상장간막혈관 차단부위는 혈관루프로 표식 후 열어 이식편 혈류를 유지시킨 채 해당 회장을 GIA로 절단하고 구획된 이식편의 혈류 상태를 확인하며 SMA, SMV 방향으로 부채꼴 모양으로 장간막을 분리하며 혈관을 절단-결찰하여 이식편을 분리시킨다(그림 20-2B). 이식편 근위부 블랙실크 표식을 확인 후 SMA를 통하여 관류하여 보관함에 담는다. 공여자 소장은 단단문합하고, 장간막 틈새를 봉합 후 복부개복창을 닫는다.

5) 뇌사공여자 소장이식편 구득

뇌사공여자 이식편 구득은 다장기구득술에 준하며, 적출 전 소장이식편 장관강내 세척은 췌장이식팀의 십이지장강내 약물투여 과정과 겹치므로 췌장적출팀과의 협조가 필요하며, 췌장적출이 없는 경우에도 이와 동일한 과정으로 (췌장이식편 참조) 경비위관을 공장 상부까지 삽입하여 준비된 전처치약물이 이식편 소장강 내에 도달토록 한다.

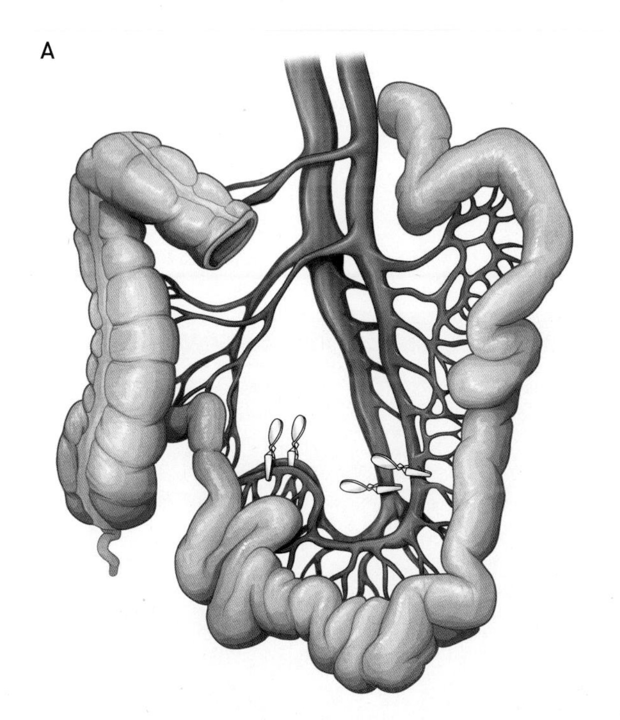

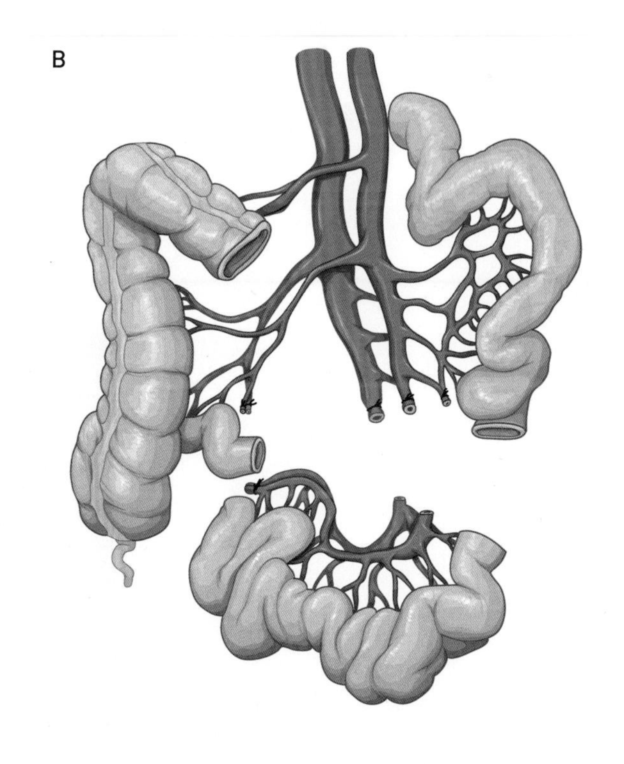

그림 20-2 생체공여자 이식편 구득 시 이식편 장간막혈관 처리 과정.
A. 절단 전 혈류 테스트, B. 이식편 떼 내기

(1) 뇌사공여자에서 IIT 이식편 구득

(그림 20-3) 위-결장인대를 절단하고, 중결장동맥(MCA) 분지 전 3 mm 정도 근위부의 SMA를 표식한다. 횡행결장간막을 따라 MCV을 포함할 수 있게 SMV를 박리-절단 후 MCA를 함께 이식편에 포함시키도록 좌측 횡행결장을 GIA로 절단한다. 트리츠인대로부터 약 30 cm 원위부 공장을 GIA로 절단하고, 횡행결장과 공장의 장간막을 분리한다. 근위부에 표식된 SMA, SMV를 절단하여 공장부터 우횡행결장을 포함한 이식편(소대장이식편)을 보존한다(그림 20-4).

구득한 소대장이식편 손질: 근위부 SMA-V의 가지들을 정리하여 1 cm 이상이 자유롭게 되도록 만든다. 뇌사자이식도 IIT는 소대장이식편에서 SMA 좌측을 따라 우결장으로 분지하는 혈관들을 차례로 정리하여 상행결장과 회맹판 주변까지 제거하지만 IIT의 최근 추세는 상행결장까지 포함시킨다. 장간막 절단면은 촘촘히 결찰하거나 "8"자 봉합-결찰하여 이식 후 림프성복수 발생을 최소화한다. 뇌사자

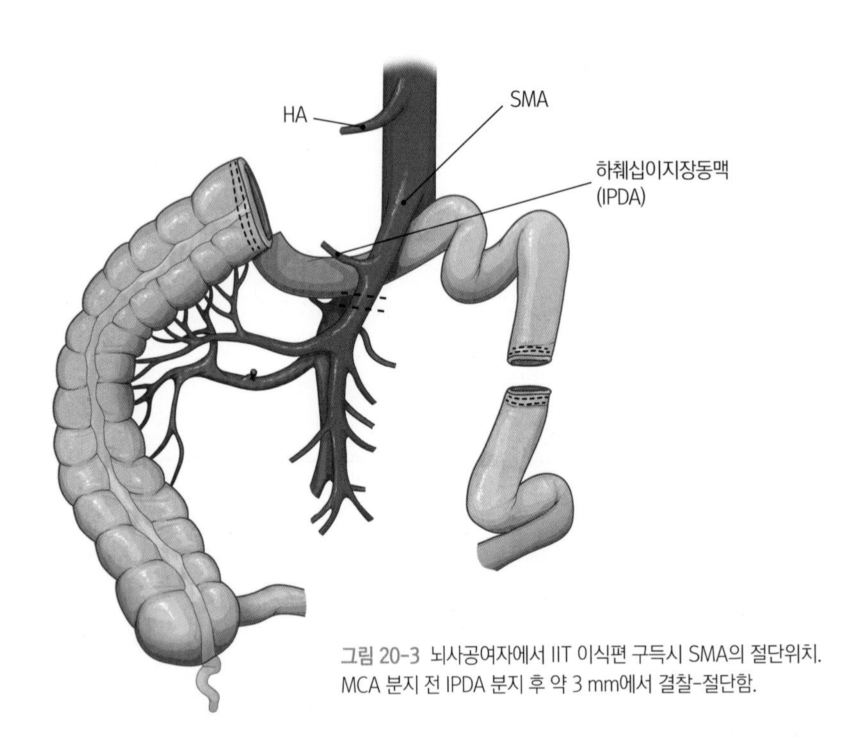

그림 20-3 뇌사공여자에서 IIT 이식편 구득시 SMA의 절단위치. MCA 분지 전 IPDA 분지 후 약 3 mm에서 결찰-절단함.

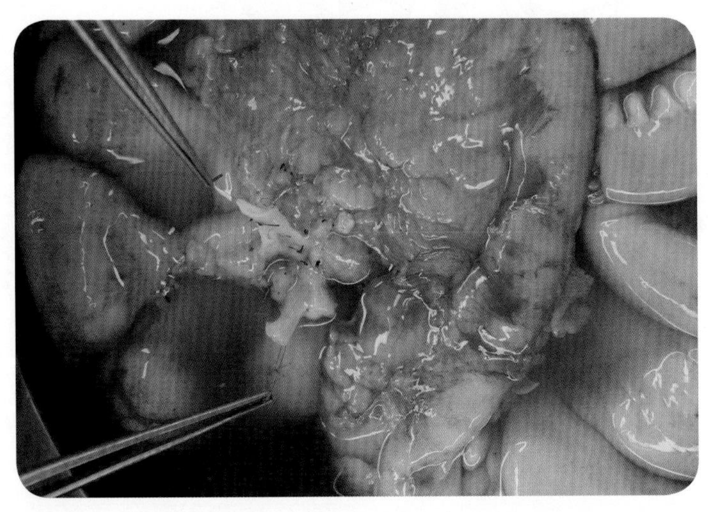

그림 20-4 소장이식편 구득, 관류 후 문합할 준비가 된 이식편의 SMA-SMV. 우결장을 포함한 뇌사자소장단독이식

장기적출 시 확보한 장골동맥 약 2~3 cm를 SMA 끝에 브릿지로 단단문합하여 복부대동맥(Abdominal Aorta, AA)과의 측단문합술에 이용한다(그림 20-6A, B와 그림 20-8 참조).

(2) LIT 이식편 구득

간과 소장을 분리하여 각각 이식할 때의 이식간 구득은 뇌사자간이식에 준하며, 소장은 뇌사자 IIT 구득과 같다. 그러나 간-소장이 연결된 채 한덩이로 이식(클러스터이식)할려면 첫째로 공여자-수혜자 사이의 내장의 크기 비율 적합도가 잘 맞아야 하며, 둘째는 기술적으로 이식덩이에 십이지장-췌장 부분(십이지장-췌장덩이)이 함께 포함되게 되므로 또 다른 수혜자에게 췌장이식 계획이 없어야만 가능하다. MVT용 이식편 구득과정과 동일하게 간과 복강동맥-간동맥, 상장간막동맥, 췌장 및 위장관이 함께 포함된 AA segment와 문맥 등이 그대로 보존된 채 이식편덩이를 구득한 후 이식편 손질 과정에서 십이지장과 췌장두부를 유지시킨 채 위장과 췌장의 체-미부를 제거하는 것이므로 MVT편을 참조한다.

(3) MVT 이식편 구득

(그림 20-5) 간, 위-십이지장-췌장-(비장)-소장-결장을 포함하며, 신동맥하부 AA와 IMV에 관류액 주입관을, 배액로로 신정맥하부 IVC로 관류한다. 관류 후 간상하부 IVC 절단은 전간이식(Total liver transplantation) 과정을 참조하며, AA는 횡격막 crus를 박리하여 내장동맥총(Celiac Axis, CA)에서 근위부로 5~7 cm의 AA segment를 확보하며, 원위부는 CA와 SMA를 AA에 포함하도록 SMA 아래 우신동맥 직상부에서 후방절단면이 30° 정도 되게 비스듬하게 근위부를 향하도록 절단하여 이식편덩이를 구득한다. 위분문부 밑동을 식도와 연결된 채 남기고 GIA로 비스듬히 절단한다.

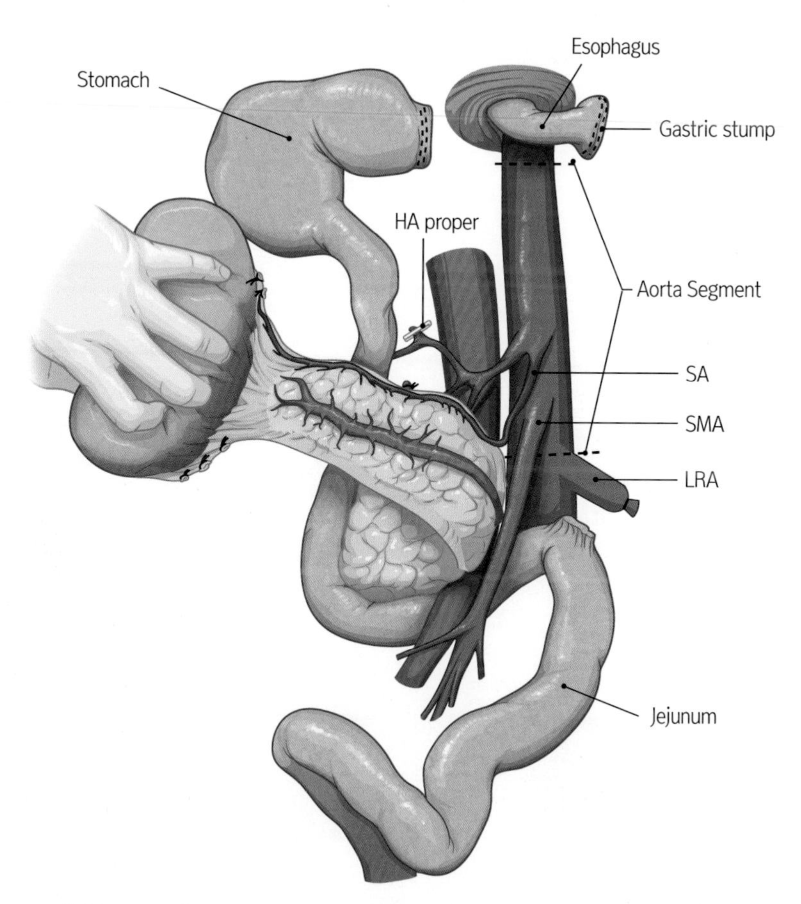

그림 20-5 MVT와 MMVT 이식편의 복부대동맥분절(AA segment)를 포함하는 동맥계통 구득과정

(그림 20-6A) MVT 이식편 손질 및 대동맥브릿지 연결: 이식편 AA의 근위부 약 3~5 cm 를 대동맥브릿지용으로 확보하고, AA 근위부 끝은 결찰하며 원위부 끝에는 SMA 입구가 잘 보존되도록 주의하며 대동맥브릿지를 30° 각도로 단단문합한다.

(4) MMVT용 이식편 구득

간을 제외한 MVT이다. 즉 간동맥은 간이식팀과 사전 협의하여 상췌십이지장동맥 분지 후의 HA에서 절단하여 간 쪽으로 주며, PV도 coronary V 이후에서 절단하여 간 쪽에 주어 간을 먼저 구득시킨다. 그 다음 과정은 MVT와 동일하다.

(그림 20-6B) MMVT 이식편 손질 및 대동맥브릿지 연결: 이식편덩이의 근위부 대동맥을 5 cm 이상의 길이로 잘라 내어 대동맥브릿지용으로 쓴다. 이식편덩이 대동맥의 CA와 SMA 기저부를 포함한 Carrel patch 모양의 판을 모자 씌우듯 대동맥브릿지의 한 쪽 끝에 연결 후 보존한다.

6) 수혜자 수술

(1) 수혜자 장기 제거

수혜자의 기존 복벽 장루구는 복부 소독할 때 봉합-패쇄하며 잔류 위장관을 장루구와 함께 절제한다. 남겨질 위장관 중 기능이나 혈류상태를 확신할 수 없는 부위는 이 때 완전히 제거한다.

MVT의 수혜자 잔여장기 제거는 뇌사공여자에서 CA-SMA가 있는 AA에 접근할 때처럼 비장-췌장을 함께 전방의 시계 반대방향으로 회전-견인하며 횡격막 전면을 따라 후복막부를 박리하며 AA에 접근한다(그림 20-5 참조). 이때 횡행결장 일부와 하행결장이 남아 있다면 비장-결장인대를 절단하고 하행결장옆 고랑을 절개하여 하행결장 및 횡행결장간막을 함께 당기면서 박리하여 AA에 접근한다. 이후 간절제 과정은 간이식의 수혜자 간절제술과 같다.

(그림 20-7) MMVT에서 수혜자 위장관 제거: AA를 노출 후 CA의 HA만 남기고 LGA, SA, 그리고 SMA의 밑동에서 절단-결찰한다. 이식 대상자의 대부분이 가성폐쇄 환자이므로 원위부 장관은 10 cm 내외의 문합용 직장 밑동과 이와 연관된 IMA의 IHA (Inferior hemorrhoidal artery)만 보존한다. 위장은 분문부를 GIA로 절제하여 식도에 연결된 밑동만 남긴다. CA 중 HA만 유지시키고, 위십이지장동맥(Gastroduodenal artery, GDA)과 LGA를 절단-결찰한다. 간문부의 간측 PV을 IVC에 단측문합하며, CBD는 나중에 이식소장의 Roux-en-Y 루프와 연결시키도록 길게 남겨두고, 간, AA 및 IVC만 남기고 췌장과 위장관 전체를 제거한다.

(2) 수혜자 혈관 문합

IIT에서 수혜자의 SMA-SMV 짝은 주변 유착이 심하고 해부학적 손상도 많아 이용하지 못한다. 문합할 혈관의 처녀성이 잘 보존되어 이용되는 동-정맥 짝으로는 AA-IVC, AA-PV, SA-SV, IMA-IMV, Iliac A-IV 등이 있으나 AA-IVC, SA-SV, 그리고 IMA-IMV 짝이 주로 이용된다.

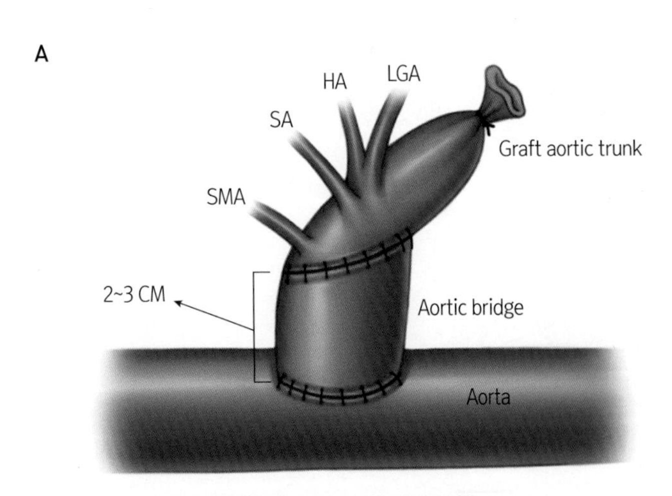

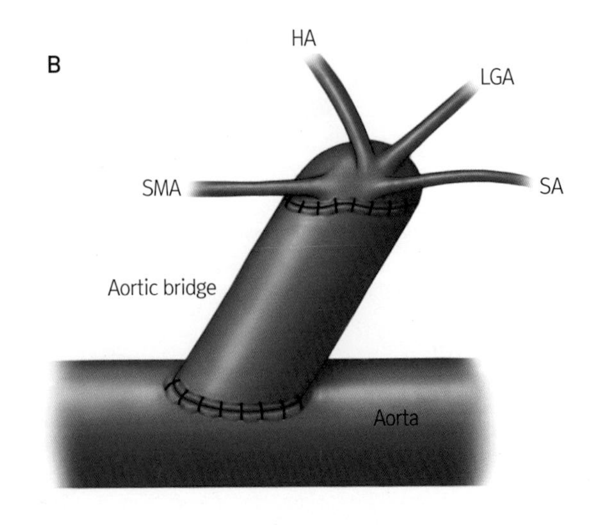

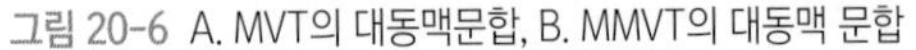
그림 20-6 A. MVT의 대동맥문합, B. MMVT의 대동맥 문합

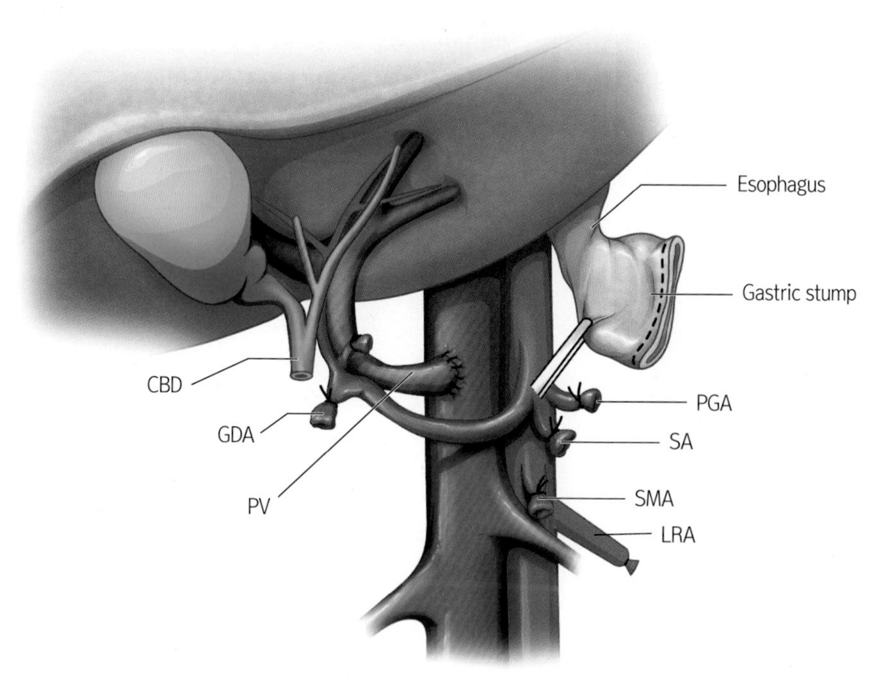

그림 20-7 MMVT에서 수혜자 위장관 제거 후 모습

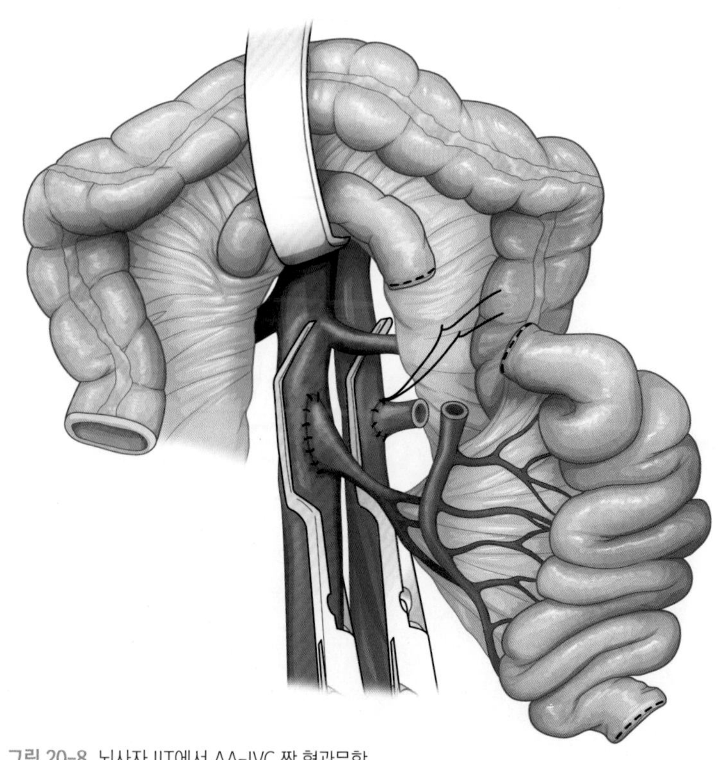

그림 20-8 뇌사자 IIT에서 AA-IVC 짝 혈관문합

(그림 20-8) AA-IVC 짝; 좌신동맥(LRA)과 좌신정맥(LRV) 원위부의 AA와 IVC를 박리하여 각각 혈관감자로 잡고 브릿지동맥을 대동맥에 측단문합 후 이식편 SMA를 단단문합하고(혹은 브릿지동맥이 연결된 이식편 SMA를 대동맥에 측단문합함), SMV-IVC는 직접 측단문합한다(그림 20-9). 소장이식편의 방향을 조정하고 펴주어 재개통된 장관 전체에 혈액이 골고루 순환되고 정맥울혈이 없도록 위치를 잡은 후 더운 습포로 보호한다. 동맥브릿지가 필요하므로 뇌사공여자 IIT에서만 이용된다.

(그림 20-10A, B) 비장동정맥(SA-SV, 10A) 과 하장관동정맥(IMA-IMV, 10B) 짝은 동맥브릿지를 얻을 수 없는 생체공여자 IIT에서도 쓰인다. 혈관 보존이 좋고, 동-정맥 모두 단단문합할 수 있으며, 문합부위 혈관의 유동성을 확보할 수 있어 꺾이지 않으므로 이식 후 이식편덩이가 움직여도 혈류가 잘 유지될 수 있다. 수술용 현미경을 이용한 미세혈관수술을 하여야 하며, 어린이 IIT에서도 잘 쓰인다.

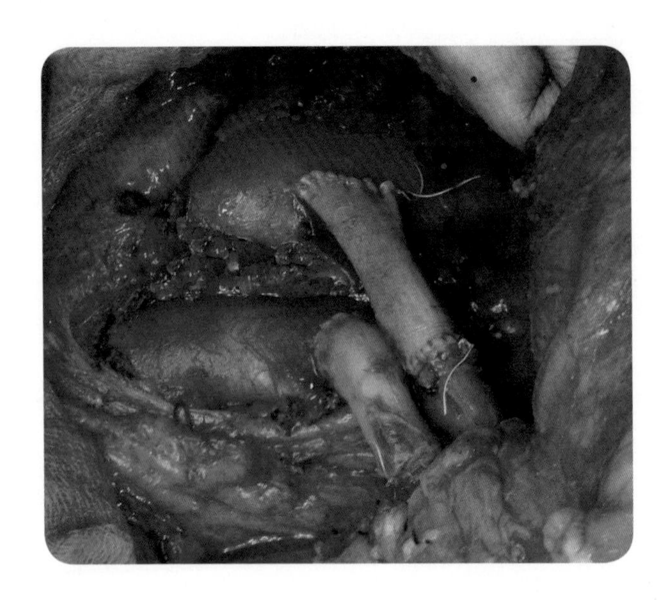

그림 20-9 동맥 브릿지를 이은 상장간막동맥-AA와 SMV-IVC 간 이식편 혈관 문합이 끝 난 모습

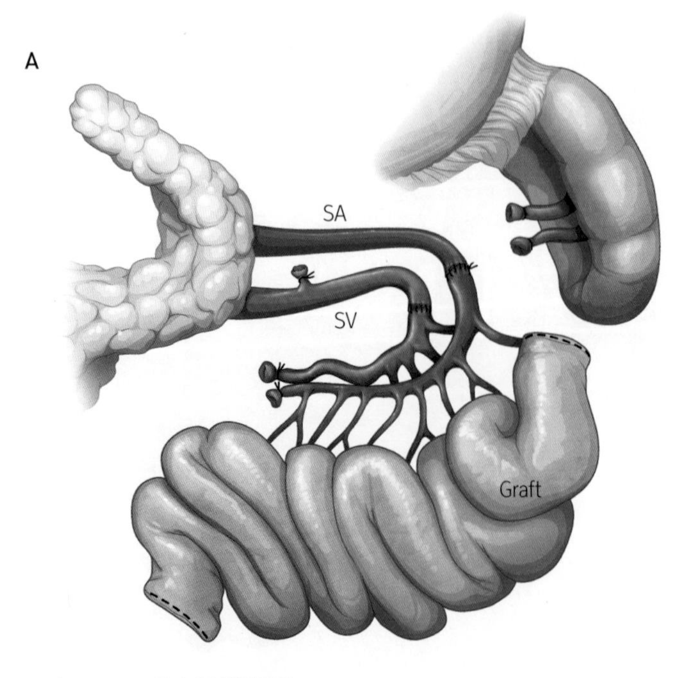

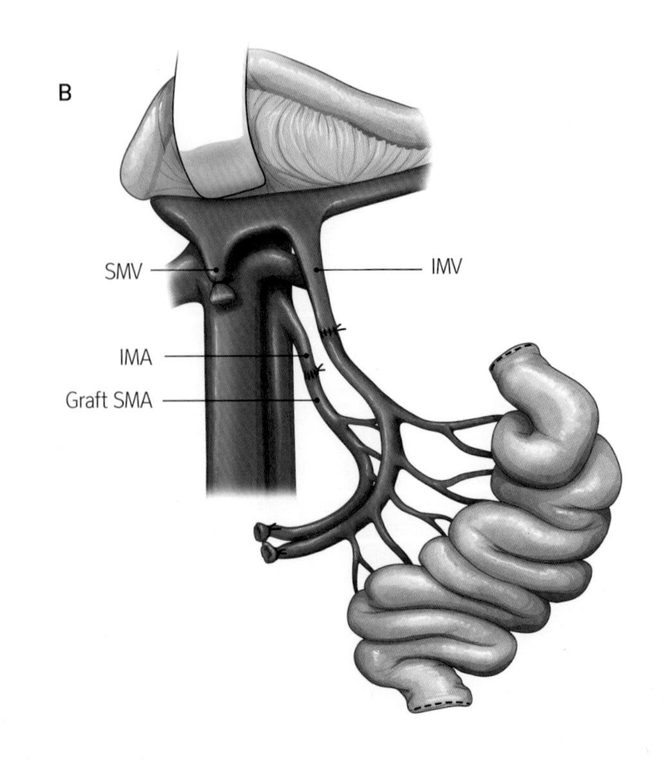

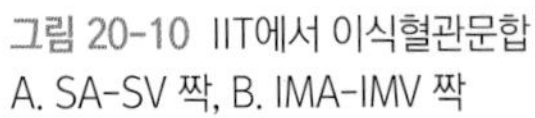

그림 20-10 IIT에서 이식혈관문합
A. SA-SV 짝, B. IMA-IMV 짝

(그림 20-11) MVT 혈관문합: IVC 문합은 전간이식 때와 같아서, 원위부 IVC 끝을 결찰하고, 근위부 IVC를 IVC에 piggy-back 형으로 측단문합하거나 근위부도 결찰한 후 IVC-IVC 측측문합을 한다. 동맥계는 이미 그림 20-6A 처럼 준비된 MVT용 대동맥브릿지 끝을 수혜자의 좌신동맥 하부 AA에 머리를 치켜 든 piggy-back 형태로 측단문합한다. 동맥측 감자를 먼저 풀어 관류액이 IVC-IVC 문합부로 배설되게 한 후 IVC의 감자를 풀고 마지막 봉합사를 결찰한다.

LIT의 간 및 소장 분리이식 때에는 간 측 PV과 장측 PV을 각각 간하부 IVC에 측단문합하는데, 이는 MMVT에서 PV-IVC 간의 측단문합과 같은 과정이 적용된다(그림 20-7).

MMVT에서 이식편의 AA는 그림 20-6B 처럼 준비된 대동맥브릿지를 좌신동맥하부 AA에 측단문합한다.

(3) 수혜자 위장관 문합

(그림 20-12) IIT의 상부위장관 문합: 수혜자 잔여공장의 길이에 따라 근위부는 대부분 트리츠인대 주변 공장에서 단단문합, 측측문합 혹은 단측문합을 하며, 위-공장문합이나 브라운 문합을 병용할 때도 있다.

MVT와 MMVT에서 상부위장관 문합: 수혜자의 위장분문부 밑동에 이식편 위장을 단단문합하며, Nissen 위바닥주름술을 함께 하기도 한다(그림 20-11). 그러나 미주신경은 절단된 상태이므로 반드시 유문성형술을 시행한다.

MMVT에서 CBD는 이식편 상부공장으로 만든 30 cm 이상의 기다란 Roux-en-Y 공장에 측단문합한다.

원위부 위장관 문합은 일시적 굴뚝장루술을 회장-결장간에 혹은 결장-결장단단문합 후 회맹판 근위부 30cm에 회장루를 설치하기도 하며, 장루로 끝나기도 한다(Tip 1). 이는 모두 문합부 안정성과 이식편의 내시경 및 조직학적 감시창 기능을 고려한 것이며, 이식 6~12개월 후 복원된다.

(그림 20-13) 배액을 위한 경피적 위루관과 경피적 위장경유 공장급식관 설치. 비강경로를 이용치 않으며, 모두 복벽을 통한 경피 시술이며, 수술 중 설치 완료 후 개복창을 닫는다(Tip 2).

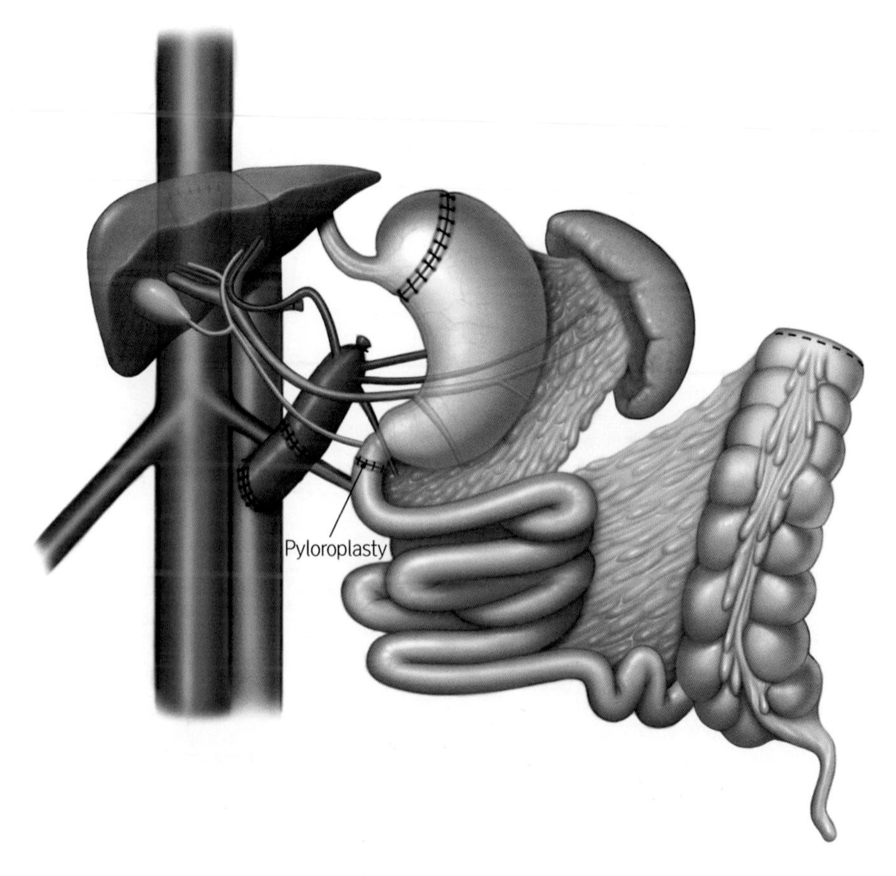

그림 20-11 MVT에서 이식편 혈관문합 모식도. 문맥과 담관계는 그대로 유지되어 옮겨지며, AA-segment는 동맥브릿지를 통하여 AA와 측단문합, 정맥계는 간뒤쪽 IVC와 수혜자 IVC 사이 측측 혹은 측단문합.

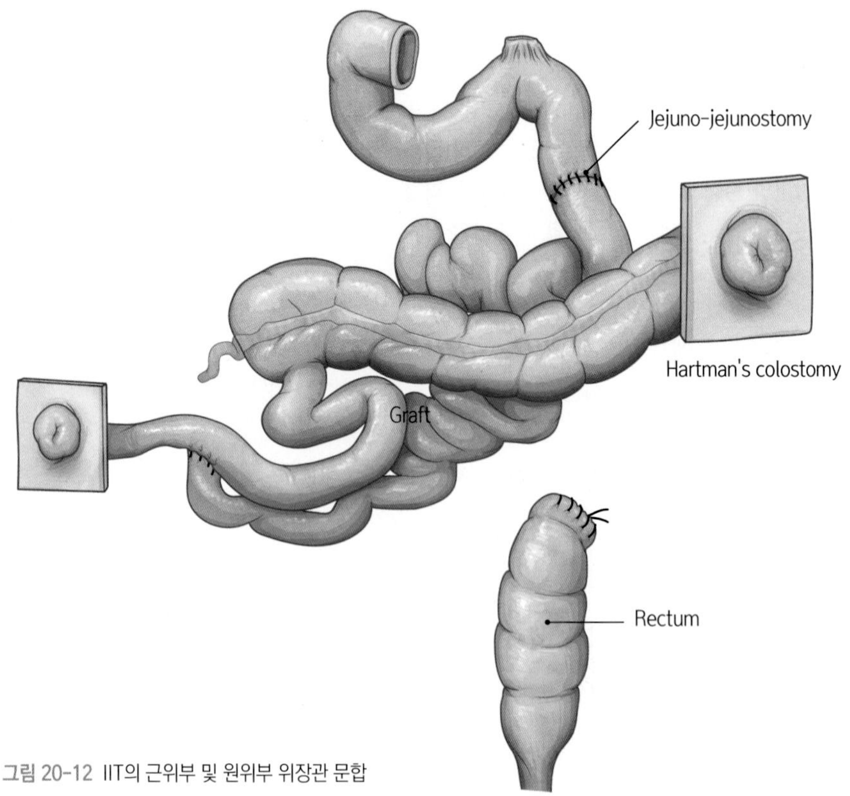

그림 20-12 IIT의 근위부 및 원위부 위장관 문합

TIP 1

이식편 양단을 수혜자 잔여위장관과 연결할 때의 주의 사항(그림 20-12). 이식편의 원위부장관 끝은 원인 질환에 따라 각각 수혜자의 회장, 결장, 직장 혹은 항문 등에 문합하거나 아니면 문합 없이 말단 장루로 끝나기도 한다. 문합하는 경우의 이식소장 끝과 수혜자 하부잔류장관 사이에는 Bishop-Koop 혹은 Santuli식의 굴뚝형장루(chimney procedure)로 하는데, 수술 다음 날부터 바로 내시경이 드나드는 이식편에 대한 내시경적 및 조직학적 감시창으로 쓰이므로 처음부터 견고하게 성숙장루(matured enterostomy)로 만든다. 결장까지 이식할 때는 문합부 양단의 안정성이 명확하지 않을 수가 있어서 하트만식 장루술과 함께 회맹판 30~40 cm 근위부 회장에 굴뚝형장루를 하나 더 만드는 것이 일반적이다(그림 20-12). 수 개월 후 하트만식 대장루를 먼저 복원하고 굴뚝형장루는 이식 후 6개월 내지 1년에 복원한다.

TIP 2

위루 및 장루 설치에 관한 주의 사항. 배액용 위루관과 조기경장영양법용 위장경유 공장급식관(trans-cutaneous trans-gastric feeding jejunostomy)은 반드시 복벽을 경유하도록 설치한다. 초기 면역억제제 경장투여 경로로도 이용되는 공장급식관 끝은 공장-공장문합부 하방까지 닿아야 하므로 근위부 공장-공장문합의 전벽봉합을 마치기 전에 관을 위치시키는 것이 기술적으로 훨씬 쉽다(그림 20-13). 급식관으로 경비위관을 장기간 유지하면 이식 환자에서는 특히 합병증이 많으므로 경피적 관설치가 권고된다.

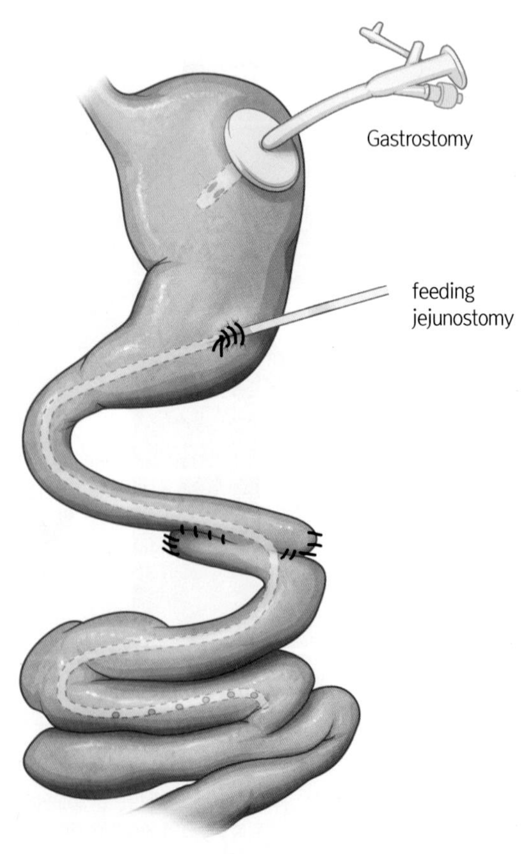

그림 20-13 경피적 위루관과 위장경유 공장급식관 설치

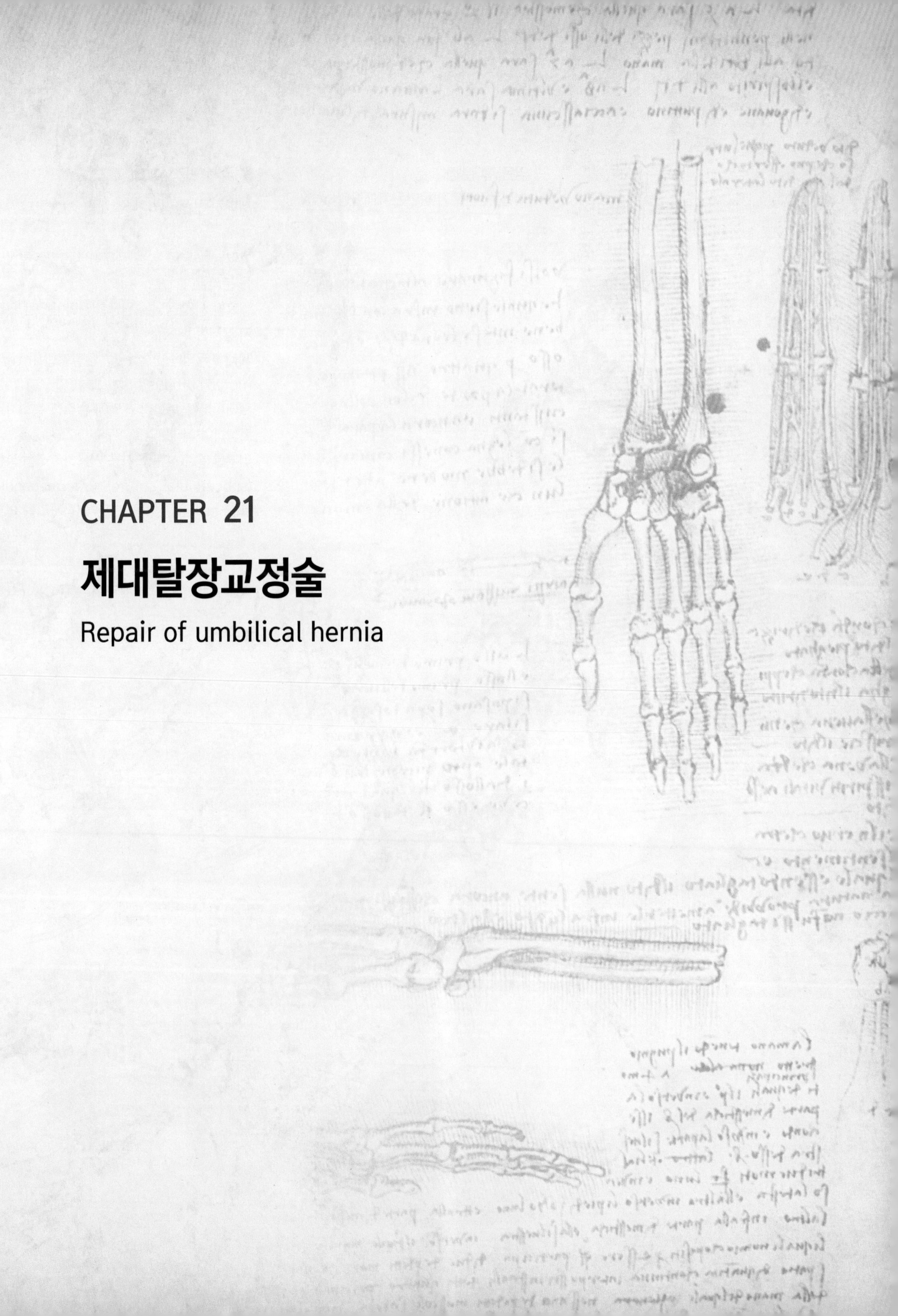

CHAPTER 21

제대탈장교정술

Repair of umbilical hernia

1. 원인

제대탈장은 제대고리(umbilical ring)의 폐쇄부전으로 발생한다.

2. 수술적응증

- 4세 이상 관찰 후 자연소멸되지 않는 제대탈장
- 제대고리(umbilical ring)의 직경이 2 cm가 넘는 크기가 큰 제대탈장

- 감돈 제대탈장
- 뇌실복강션트가 동반된 제대탈장

3. 수술 전 처치

수술 전 금식과 예방적 항생제투여를 절개 전 1시간 이내에 투여한다. 수술 후에는 예방적 항생제를 투여할 필요 없다.

4. 마취

기관내 삽관, 전신마취 하 수술을 시행한다.

5. 환자자세

환자는 앙와위 자세를 취한다.

6. 수술과정

제대하 반원형 피부절개를 시행한다(그림 21-1).

탈장낭을 덮고 있는 제대피부로부터 탈장낭을 분리한다(그림 21-2 A, B).

필요할 시 탈장낭을 단단한 근막이 있는 곳까지 절제한다(그림 21-3).

제대고리의 근막결손을 단절봉합(interrupted suture)한다(그림 21-4).

제대피부를 봉합한 근막에 흡수성 봉합사로 고정하여 제대모양을 복원한다(그림 21-5).

피부를 흡수성 봉합사를 사용하여 피하봉합(subcuticular suture) 후 dermabond나 skin strips를 이용해 피부가장자리를 맞춘다(그림 21-6).

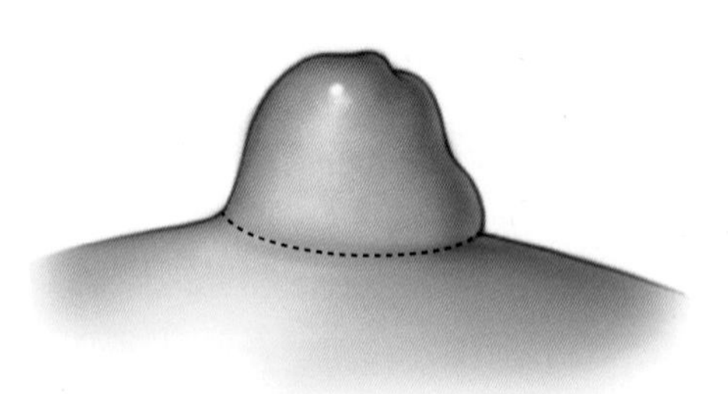

그림 21-1

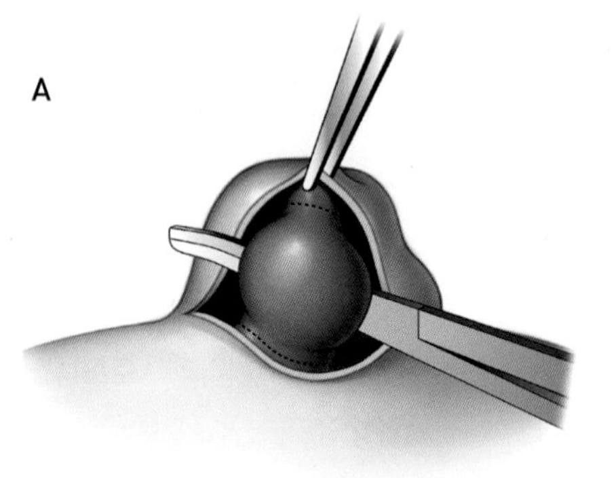

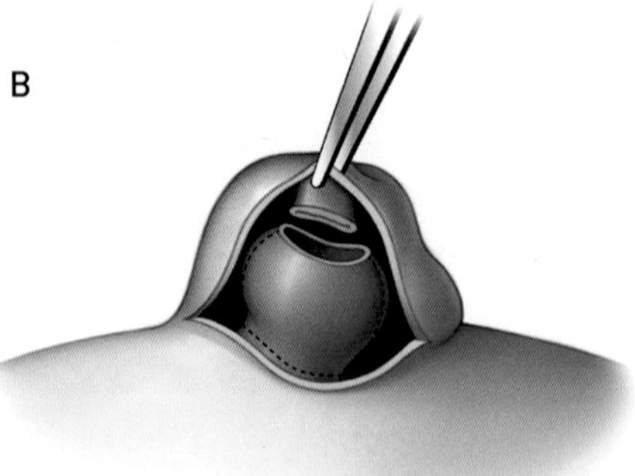

그림 21-2

그림 21-3

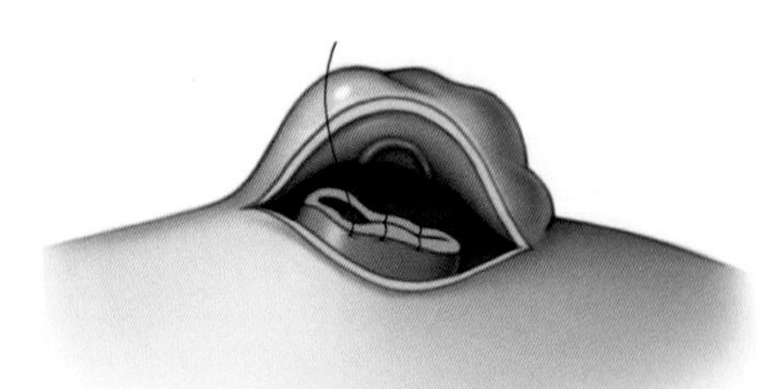

그림 21-4

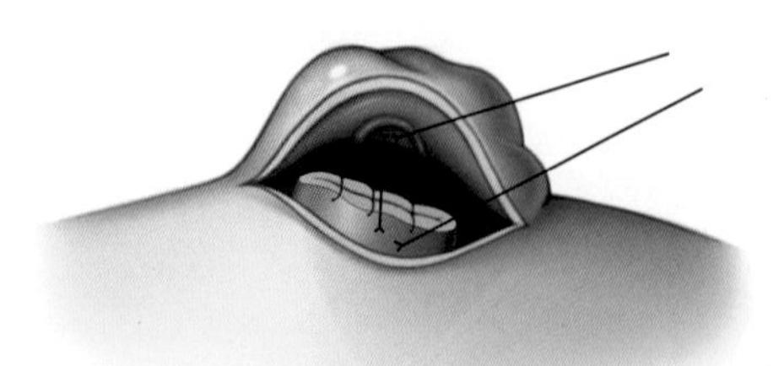

그림 21-5

그림 21-6

SECTION 7

이식
Transplantation

Chapter Outline

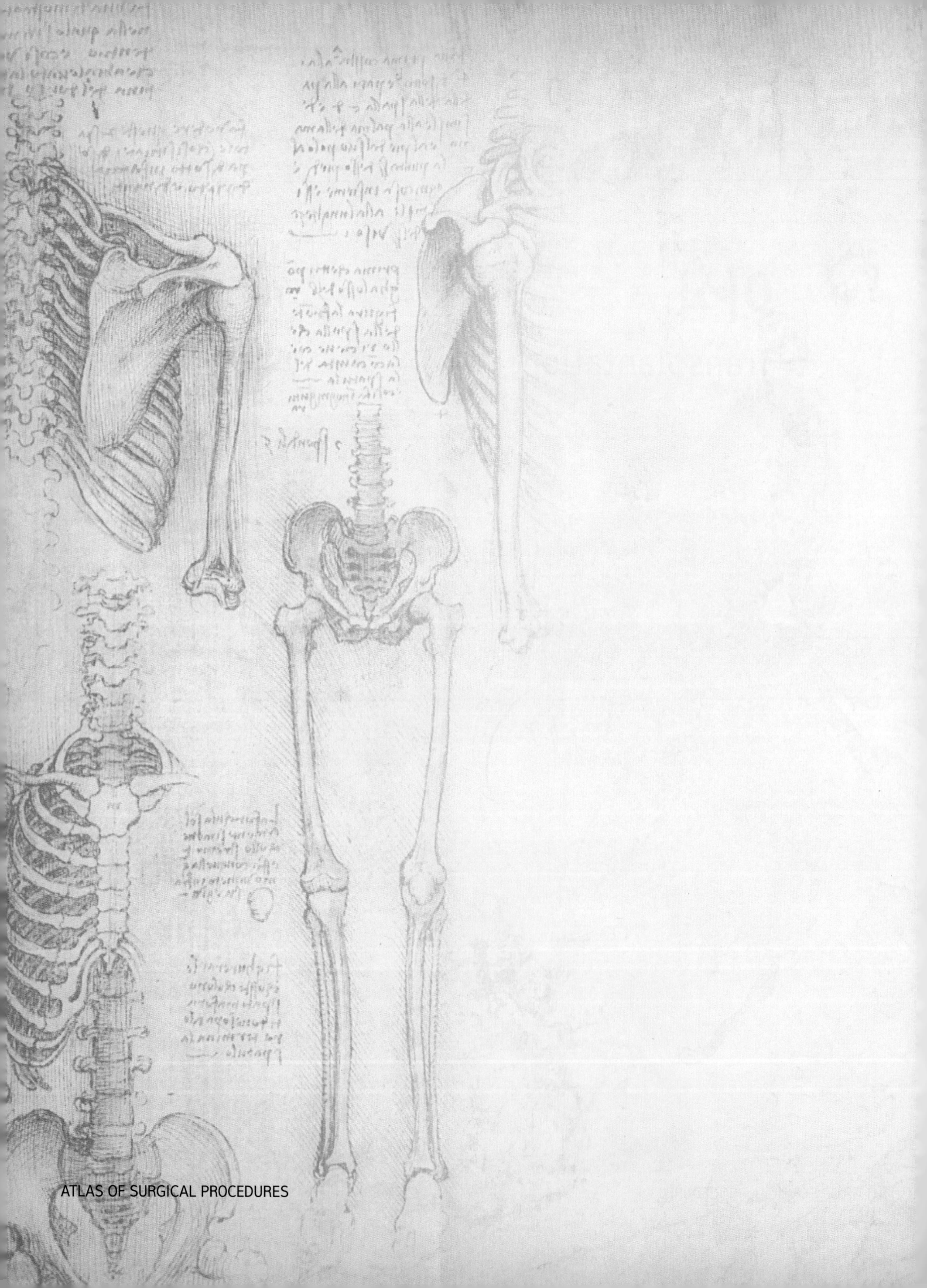

ATLAS OF SURGICAL PROCEDURES

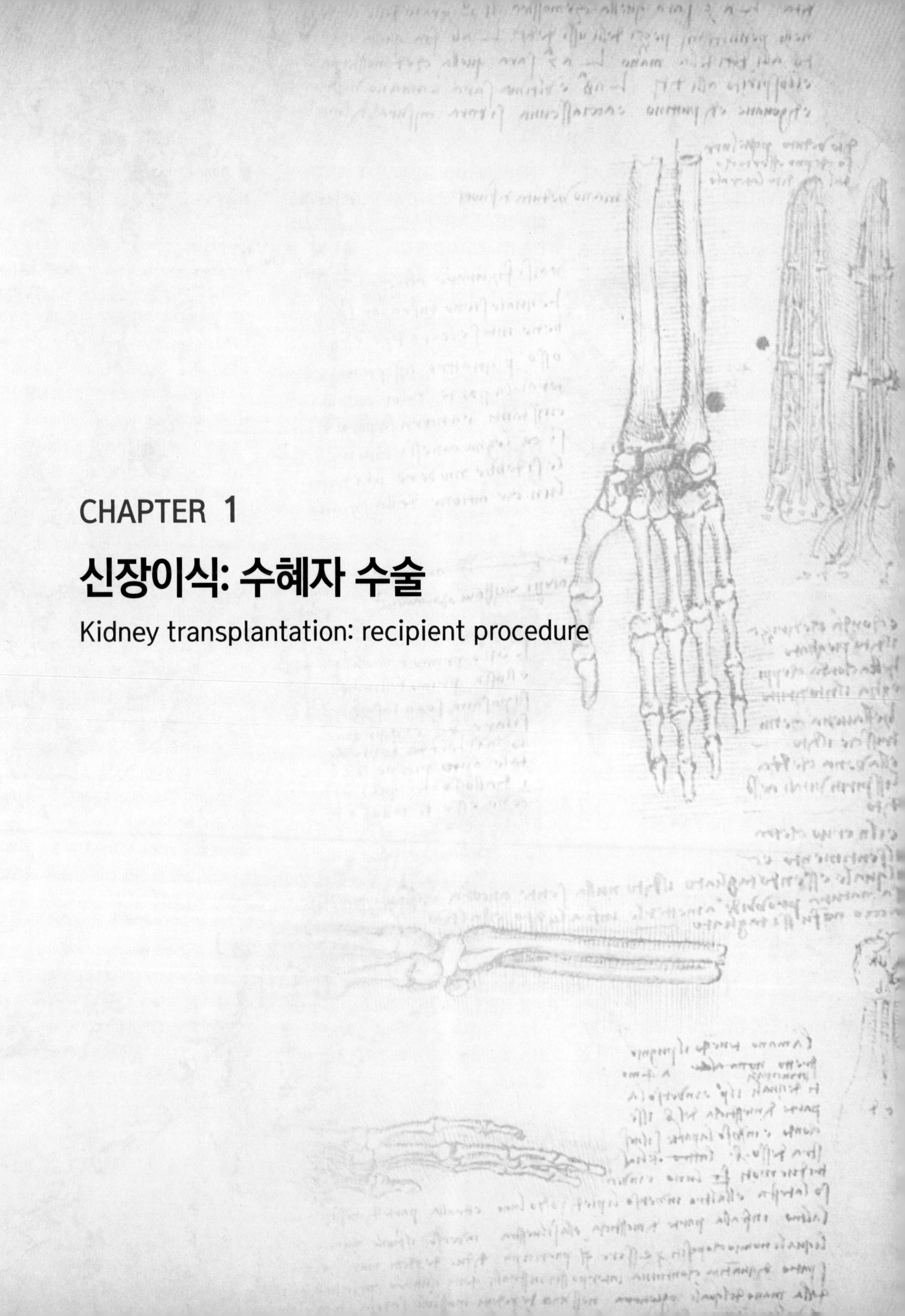

CHAPTER 1

신장이식: 수혜자 수술

Kidney transplantation: recipient procedure

1. 적응증

모든 만성 신부전증 환자가 신장이식의 적응 대상이다. 다만 적절하게 치료되지 않은 현증 감염(active infection)이나 완치 혹은 완전 관해에 도달하지 못한 악성종양(malignancy) 환자는 제외된다.

2. 수술 전 처치

신장이식을 준비하고 있는 환자에서 영양 상태의 개선, 전해질 평형의 유지 및 출혈성 소인의 감소 등과 같이 전신 상태를 호전시키기 위하여 이식을 시행하기 전에 일시적으로 수 차례의 투석을 시행할 수도 있다. 또한 요로계, 폐, 치아 및 피부, 특히 수술 부위를 포함한 신체 모든 부위에 치료가 필요한 감염증은 없는지 수술 전에 반드시 확인하여야 한다.

이외에도 이식 후 환자 사망을 유발하는 원인으로 심혈관계 합병 증이 감염증에 못지 않은 빈도를 차지하므로 수술 전에 환자가 심혈관계 질환을 동반하고 있는지에 대한 평가와 이식 후 면역억제제 투여에 따른 다양한 종양 발생 가능성에 대하여 위, 대장 내시경검사를 비롯하여 전신의 각 장기 상태에 대한 평가가 세심하게 이루어져야 하며 문제가 있을 경우에는 이식 수술 당시 환자가 최적의 상태가 될 수 있도록 사전에 치료하여야 한다.

이를 위하여 특히 당뇨병을 동반한 노령의 환자에서는 수술 전에 심장 부하 검사, 심도자 검사는 물론 관상 동맥 우회 수술 등이 필요할 수도 있다. 요로 협착과 관련된 질병으로 요로 재건술이 필요한 환자에서는 신장 이식 전에 반드시 수술적인 방법을 사용하여 이를 해결해야 하며 양측 신장 절제술은 치료가 잘 되지 않는 요로계 감염, 특히 요로 결석, 요관 역류 또는 요관 폐쇄가 동반된 경우, 조절이 잘 되지 않는 신성 고혈압, 심한 단백뇨, 양측 신장에 종양이 있을 경우 및 부피가 큰 다낭성 신장 특히 출혈 또는 감염이 동반된 경우 혹은 이식 신장이 위치 할 충분한 공간이 확보되지 않는 경우에도 시행한다.

최근에는 생체 신장 공여자에 대한 항체 역가가 어느 이상 양성이거나 ABO 혈액형 불일치가 있는 경우에 면역글로불린과 리툭시맵(Rituximab)같은 단클론 항체(monoclonal antibody, mAb) 요법과 혈장교환술을 이식 수술 전에 시행하여 항체의 역가를 떨어뜨린 후 신장이식을 시행하기도 한다.

3. 마취

척추마취를 사용할 수도 있으나 대부분 전신 마취를 시행한다. 혈관 문합과 요관 문합을 위해서는 충분한 근육 이완이 필요하지만 투석치료를 받고 있는 환자의 경우 choline-sterase가 감소되어 있으므로 다량의 근육 이완제, 특히 succinyl choline을 사용하지 않는 것이 무호흡을 예방하는 길이다. 근육 이완제로는 atracurium을 선호하는데, 짧은 반감기를 가지고 있으며 신장이나 간장을 통하여 대사 되지 않기 때문이다.

4. 환자 자세와 수술 준비

환자를 수술대에 똑바로 눕힌 다음 도뇨관(Foley Catheter)을 사용하여 방광 삽관을 시행한 후 광범위 항생제가 함유된 적당량의 생리식염수로 방광을 세척 하고 마지막으로 60~120 cc 정도의 세척액을 채워 넣은 다음 감자를 사용하여 도뇨관을 잠정 폐쇄시킨다. 집도의에 따라 신장동맥, 정맥 문합 후, 뇨관 문합 직전에 방광 충만(bladder filling)을 시행하기도 한다. 수술 부위를 소독액으로 세척한 후 감염을 막기 위해 피부에 보호 film을 붙인다.

5. 절개 및 노출

1) 표준 우장골 절개

신장이식을 시행하기로 결정한 쪽의 하복부에 치골 상부 중앙에서부터 서혜부 인대 바로 위로 사선의 절개선을 사용하여 옆구리 쪽으로 연장하거나 복직근 측면을 따라 하키채 절개(hockeystick incision)를 사용하며 필요에 따라 12번 늑골연까지 연장할 수 있다. 최근에는 수혜자의 요구와 적절한 선정 시준에 따라 최소 피부절개(minimal skin incision)를 시행하기도 한다(그림 1-1). 피부를 절개한 다음에는 외경사근막을 사선으로 절개한 후 복직근 측면을 따라 절개하여 후복막으로 접근한다. 다음으로 복막을 후복벽으로부터 분리하여 이식할 신장이 자리할 후복막의 공간 확보와 함께 신동맥과 신정맥을 연결할 장골 동 · 정맥을 노출한다(그림 1-2). 이때 자가견인기를 사용하는 것이 좋으며 특히 수술대에 부착하여 고정하는 자가견인기를 사용하면 매우 편리하다. 혈관의 박리는 오른쪽이 왼쪽에 비하여 쉬우나 신장 이식을 포함하여 충수돌기 절제술, 탈장 교정술, 방광 또는 요관 수술 등 과거에 수술을 시행했던 부위나 복막 투석관이 위치한 쪽을 피하여 장소를 선택하고 향후 췌장이식의 잠정 수혜자인 경우 좌측에 시행한다.

혈관 문합을 위하여 적절한 혈관 노출을 위한 박리는 가능한 한 적게 하며 장골 동 · 정맥을 노출시키기 위해 절단되는 림프관은 결찰하여 지속되는 림프액 유출과 림프액 낭종을 방지한다. 방광의 노출을 쉽게 하기 위해서는 대부분의 환자에서 하 복벽 동 · 정맥(inferior epigastric artery, vein)은 자른다. 가능하면 여자에서는 원 인대(round ligament)를 보존하고, 남성의 경우에는 정삭(spermatic cord)을 자를 경우 부고환 염, 고환 허혈, 고환 위축의 원인이 될 수 있다.

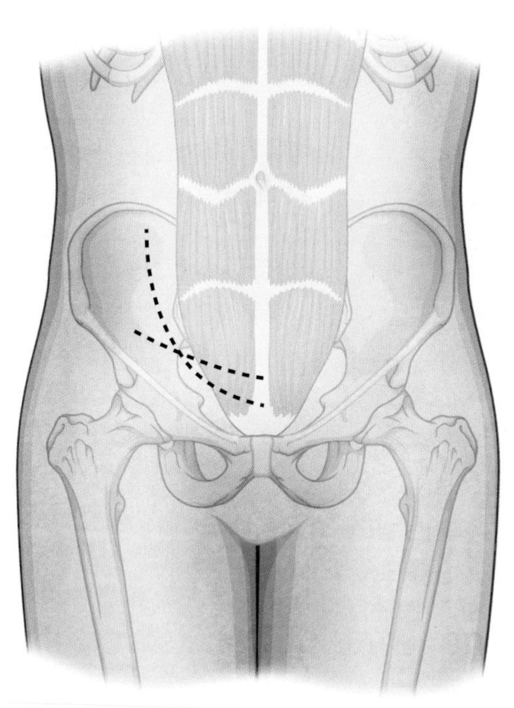

그림 1-1 표준 우장골 절개와 최소 피부절개

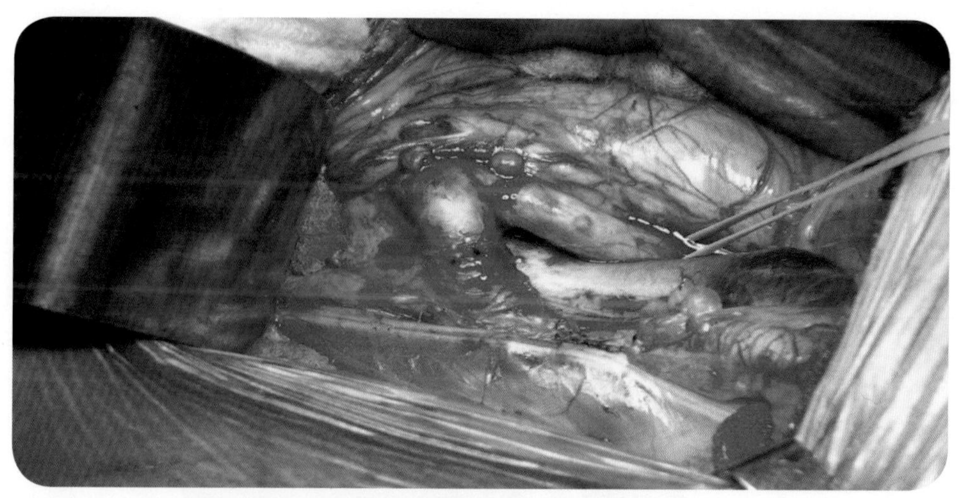

그림 1-2 후복막 공간의 확보와 혈관의 노출

2) 정중선 절개

3차 이식이거나 체중이 20~25 kg 이하 또는 상대적으로 큰 성인의 신장을 이식해야 하는 소아의 경우, 그리고 다낭신 환자에서 양측 신장을 절제해야 하는 경우에는 정중선 절개를 사용한다. 개복 후에는 우측 대장과 소장간막 축(mesenteric root)을 좌측으로 젖힌 후 복부대동맥과 하대정맥을 노출시키고 총장골 동맥과 하대정맥 하부까지 노출되도록 수술을 진행한다. 성인의 경우 신정맥은 하대정맥 하부에 신동맥은 총장골동맥에 문합하며 소아에서는 신정맥을 하대정맥 하부에 문합한 후 신동맥은 하부대동맥에 문합하는 것이 바람직하다.

6. 수술 과정

신장이식은 신장에 혈액을 공급하는 신동맥과 신장에서 여과된 후 배출된 혈액을 심장으로 돌려보내는 신정맥을 각각 수혜자의 동맥과 정맥에 문합하고 이식된 신장에서 만들어진 소변을 배설하는 요관을 수혜자의 방광에 연결하면 된다. 신장을 이식할 부위로는 양측 장골와(iliac fossa)를 사용하는데 그 이유로는 이식할 신장이 자리할 충분한 공간의 확보가 가능하며 장골 동 · 정맥이 있어 신동맥 및 신정맥과의 혈관 문합이 용이하며 방광과도 가까워 요관을 방광에 문합하기 쉽기 때문이다.

1) 수혜자 장골 동 · 정맥의 노출과 박리

이식할 신장이 자리할 부위로 장골와를 선택하고 해당 부위의 후복벽과 복막을 분리한 후 자가견인기를 사용하여 충분한 공간을 확보한 후 신동맥과 신정맥을 연결할 장골 동 · 정맥을 노출한다. 원활한 혈관 문합을 위하여 미세혈관, 림프관과 지방조직을 포함한 장골 동 · 정맥을 둘러 싸고 있는 연조직(soft tissue)을 혈관으로부터 박리한다. 이때 림프관은 반드시 결찰하여 지속되는 림프액 유출과 림프액 낭종을 방지한다. 적절한 혈관 노출을 위한 박리는 가능한 한 적게 하는 것이 좋으나 위쪽으로는 내외 장골 동맥 분지점으로부터 1~2 cm, 아래쪽으로는 서혜부까지 범위를 정하는 것이 혈관 겸자를 적용하기도 편리하고 혈관문합을 위한 충분한 거리를 확보한다는 목적에 부합한다.

혈관의 박리는 보다 표면에 위치하는 장골동맥에 대하여 먼저 시행하며 출혈이 발생할 경우 혈관문합에 방해가 될 수 있으므로 작은 가지라도 모두 조심스럽게 결찰하는 것이 바람직하다. 신동맥 문합을 위하여 내장골 동맥을 사용할 경우에는 내장골 동맥을 같은 방법을 사용하여 박리하고 원위부는 출혈을 예방하기 위하여 2회 이상 결찰하며 최소 한번은 봉합사를 사용하여 결찰하는 것이 바람직하다. 장골 동맥의박리가 끝난 후에는 같은 방법으로 장골 정맥을 박리한다. 공여 신장이 우측인 경우, 신장 정맥이 좌측에 비해 상대적으로 짧아 신정맥 문합 시 당김(tension)이 있을 수 있고 신정맥 혈전이 발생할 확률이 높아지는 위험 이 있어, 내장골정맥을 총장골정맥과 만나는 부위에서 근위부와 원위부를 각각 결찰한 후 분리하여 당김을 예방 할 수 있다.

2) 신동 · 정맥 문합

(그림 1-3) 장골 동 · 정맥의 박리가 완전히 끝나고 이식할 신장이 준비된 후에는 장골 동 ·

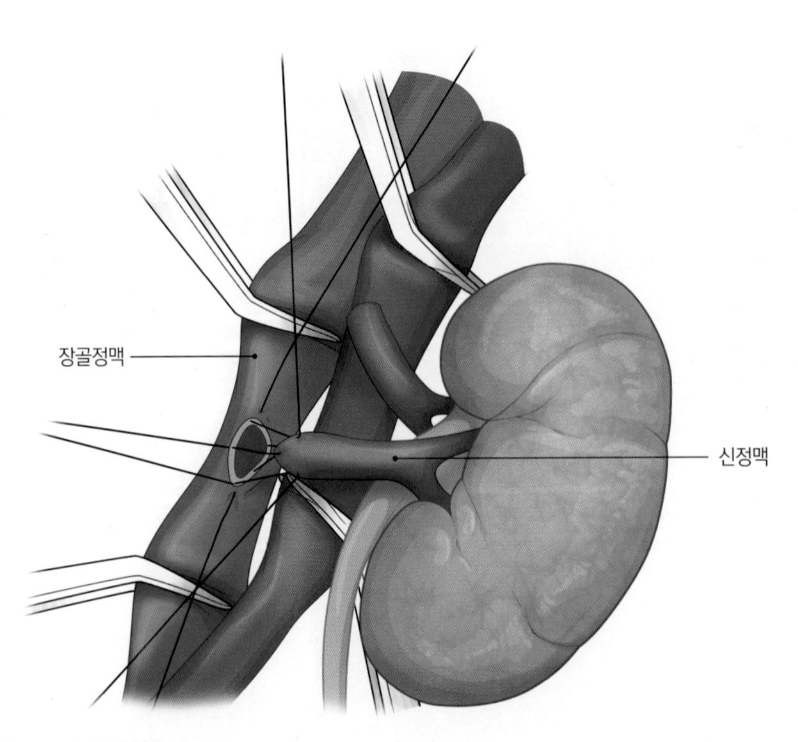

그림 1-3 신정맥의 문합

정맥의 근위부와 원위부에 각각 혈관겸자를 적용하여 혈행을 막고 혈관겸자의 손잡이 부분에는 수술용 테이프를 덮어서 혈관문합 시 봉합사가 끼이는 곳이 없도록 예방한다. 봉합사로는 가늘고 흡수가 되지 않는 단섬유사(nonabsorbable monofilament)를 사용한다. 준비된 장골와에 최종적으로 위치 할 신장의 상태를 고려하여, 신정맥이 자연스럽게 만나는 장골정맥의 측면에 신정맥의 크기와 맞도록 직각 수술 가위(Potts-Smith Scissors) 혹은 11번 수술칼(blade) 를 사용하여 원형의 구멍을 낸 후 6-0 polypropylene을 사용하여 단측(end to side) 문합을 시행한다.

문합을 용이하게 하기 위하여 원위부와 근위부 및 양 측면에 polypropylene suture를 시행한 후 연결 봉합 방법을 이용하여 문합하며 이때 조수는 측면에 적용한 봉합사를 견인하므로서 문합 시 실수로 반대쪽 혈관벽이 포함되지 않도록 주의한다. 여러 개의 신정맥이 있는 경우 동맥과는 달리 신장 내부에서 부행순환(collateral circulation)이 이루어지므로 가장 큰 것 하나만을 선택하여 문합해도 무방하나 가능하다면 모두 문합하는 것이 바람직하다. 뇌사 기증자의 우측 신장을 이용할 때 신정맥이 짧은 경우에는 뇌사자의 대정맥을 이용하여 연장하는 extension graft 방법을 사용하기도 한다(그림 1-4).

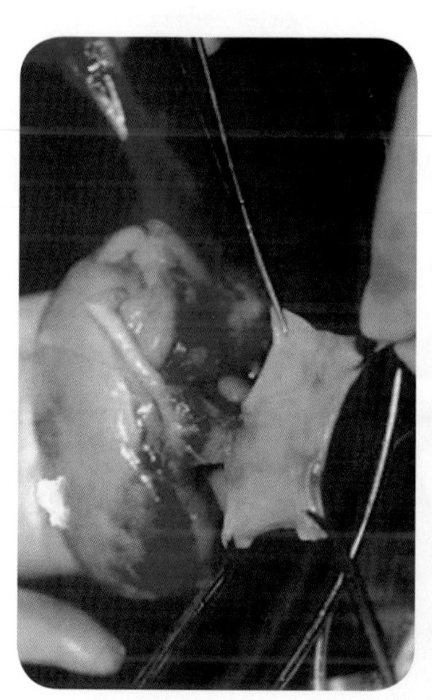
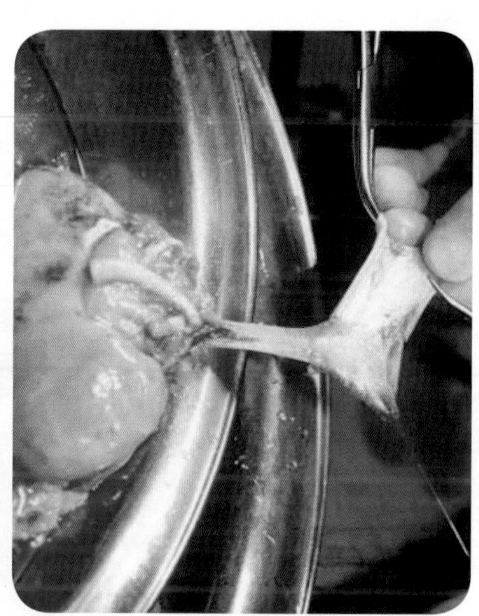
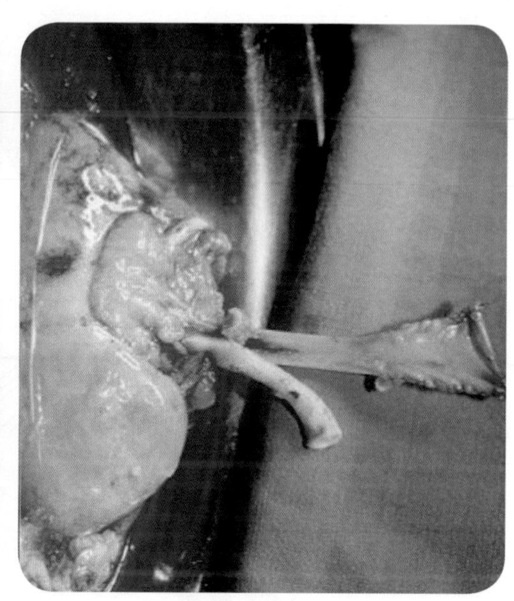

그림 1-4 복대하대정맥을 이용한 신정맥 연장술(renal vein elongation with IVC)

(그림 1-5) 전통적으로 신동맥의 문합은 기증자 신장동맥의 끝과 수혜자의 내장골 동맥의 근위부 끝을 연결하는 단단 문합(end to end) 방법을 사용해 왔으나 최근에는 신동맥과 외장골 동맥 간의 단측 문합이 일반적으로 사용되는데 특히 반대쪽 내장골 동맥이 과거의 신장 이식수술로 이미 사용되었거나 결찰된 환자, 내장골 동맥에 심한 죽종성(atheroma) 병변이 흔히 동반되는 대부분의 당뇨병 또는 고령의 수혜자에서 보편적으로 시행한다. 이는 양측 내장골 동맥 모두를 문합에 사용할 경우 동맥성 발기부전 등의 원인이 될 수 있기 때문이며 대부분의 이식 외과의들이 단측 문합을 선호하는 또 다른 이유로는 외장골 동맥을 노출시킬 경우 박리를 적게 하여도 되며 특히 뇌사 기증자의 대동맥조각(carrel patch)을 이용할 경우 문합부위의 협착이 덜 일어나기 때문이다.

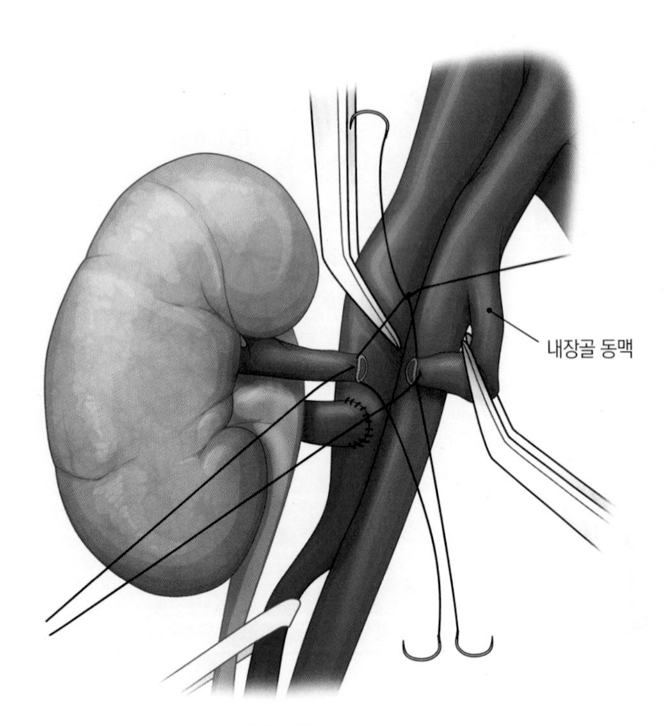

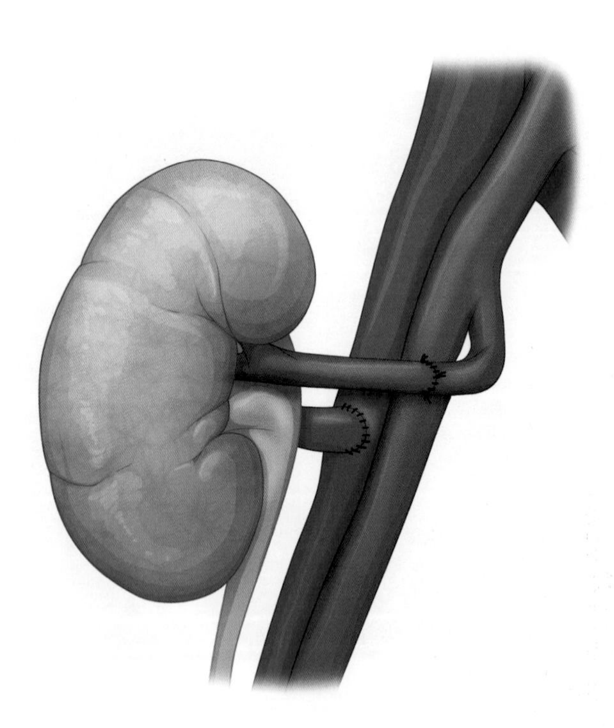

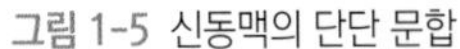
그림 1-5 신동맥의 단단 문합

(그림 1-6) 단측 문합을 시행할 경우에는 동맥 펀치를 사용하여 수혜자의 동맥에 구멍을 만든 후 연결하는데 봉합사로는 6-0 또는 7-0 polypropylene을 사용한다. 신동맥 문합 기술로는 신정맥의 문합에서 사용한 것과 같은 4 quadrant technique을 사용하기도 하나 신정맥과 비교할 때 상대적으로 혈관의 크기가 작으므로 보다 원활한 문합을 위해서 근위부와 원위부에만 polypropylene suture를 시행한 후 연결 봉합(continuous running suture) 방법을 이용하여 봉합하는 방법이 선호되고 있다. 아주 작은 신동맥을 부가적으로 문합하는 경우 수술자에 따라서는 단속 봉합(interrupted suture) 기법을 사용하기도 한다.

(그림 1-7) 만약 기증자의 신동맥이 여러 개일 경우, 뇌사 기증자 신장에서는 큰 대동맥 조각 하나에 모든 신동맥이 포함되도록 하는 것이 바람직하나 생체 신이식에서는 대동맥 조각을 만드는 것이 불가능 하므로 더 작은 신동맥들을 가장 큰 신동맥의 측부에 문합하여 한

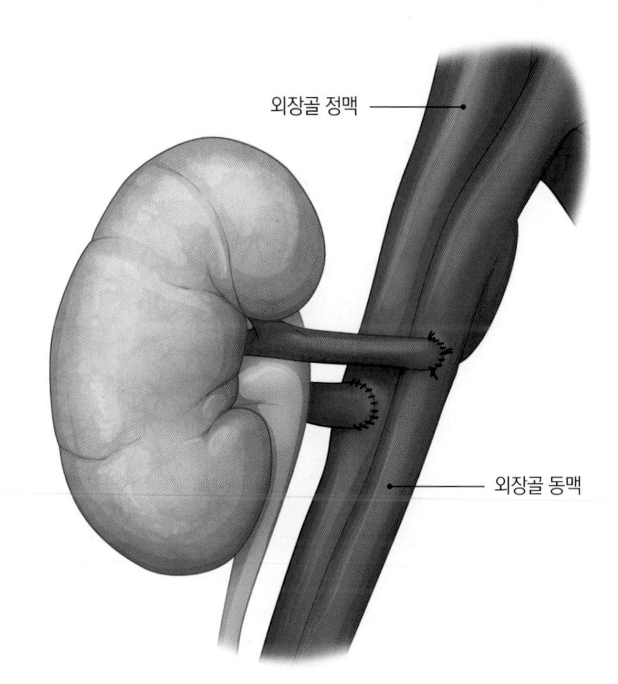

그림 1-6 신동맥의 단측 문합

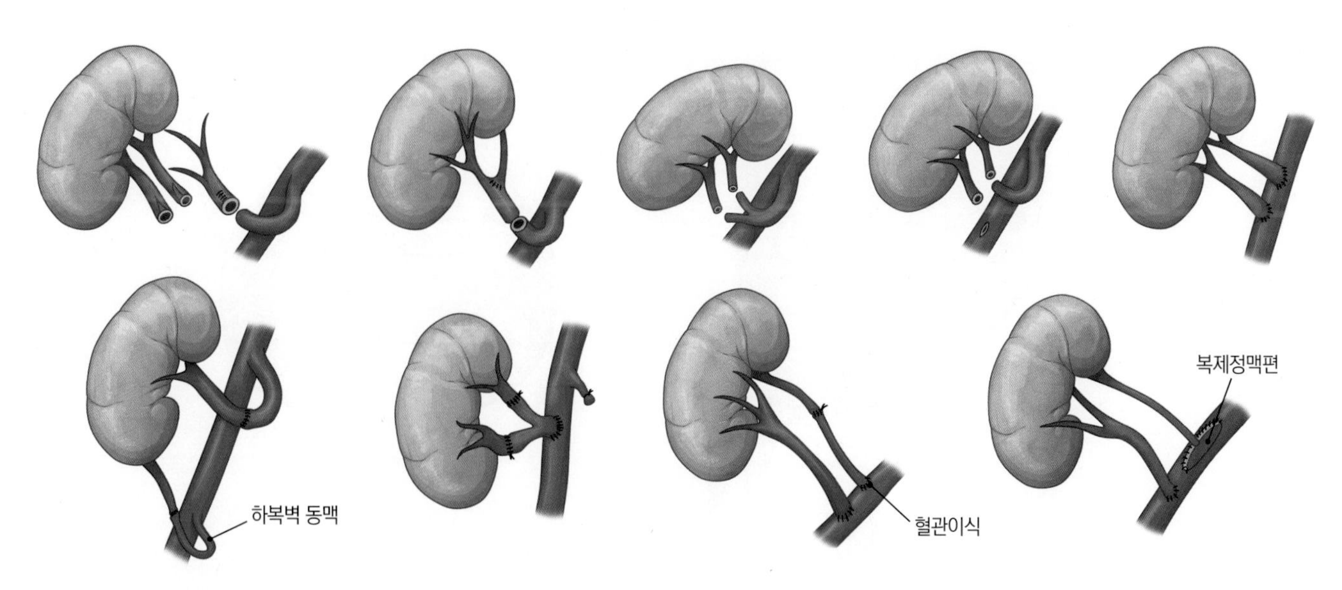

그림 1-7 신장동맥 상태에 따른 다양한 문합 방법

개의 신동맥으로 재형성(reconstruction)한 후 하나의 동맥 문합이 이루어지도록 하거나 각각의 혈관을 개별적으로 문합하는 방법을 사용할 수 있다. 이때 하복벽 동맥을 작은 신동맥과의 단단문합에 사용 하기도 한다.

여러 개의 신동맥을 하나로 재건할 경우 차가운 생리 식염수를 채운 수반에 신장을 담가 놓은 상태에서 확대경을 이용하여 천천히 수행할 수 있으며 이 경우 수혜자의 몸 안에서 시행하는 혈관 문합은 재형성된 하나의 혈관을 사용하게 되므로 단 한 번의 문합만으로 빨리 시행할 수 있게 되는 장점이 있다. 그러나 이 경우 재건을 시행한 작은 동맥에서 혈전이 발생하여 가장 큰 동맥으로 확대될 가능성이 있다. 신동맥은 측부 순환(collateral circulation)이 없어 아주 적은 신동맥이라도 막히면 혈관이 분포하고 있는 원위 distal 부위의 신장 조직에 경색이 일어날 수 있으므로 신동맥의 폐색은 반드시 피해야 한다. 특히 신장 하부에 분포하는 부속(accessory) 신동맥이 묶여 손상될 경우에는 요관과 집합관 collecting duct으로 가는 혈액이 차단되어 요관 괴사 또는 요로루(urinary fistula)가 생길 수 있으므로 반드시 보존해야 한다.

3) 요관의 재건

요관의 재건에는 이식신의 요관을 환자의 방광에 직접 연결하는 uretero-neocystostomy 방법과 이식신의 요관 손상 등으로 요관의 길이가 짧거나 다른 이유 등으로 인하여 요관 재건에 환자의 방광을 직접적으로 사용하기 어려운 경우에는 환자의 요관에 이식신의 요관 uretero-ureterostomy 또는 신우를 연결하는 uretero-pyelostomy 방법이 있다. 이식신의 요관을 환자의 방광에 연결할 경우 방광요관 역류를 방지할 목적으로 방광벽을 열고 방광 내에서 방광벽 점막을 통하여 요관을 연결하는 Leadbetter-Politano 변형법이 있으며, 다른 방법으로는 방광 외측에서 방광근육만을 박리하여 방광에 구멍을 낸 후 이식신의 요관 말단부를 연결하는 Lich 방광외 문합법이 있는데 최근에는 시술의 편이성에 힘입어 대부분의 이식외과의가 방광 외 문합법을 선호하고 있다. 이는 수술 시간이 단축되고 문합에 필요한 수뇨관의 길이가 비교적 짧아도 무방하며 별도의 방광절개가 필요 없기 때문이다.

(그림 1-8) 방광외 문합법을 사용할 경우에는 방광요관 역류를 예방하기 위하여 방광 점막과 요관을 문합한 후 방광근육을 덮어 보강하는 방법을 사용한다. 요관의 문합을 위한 봉합사로는 흡수성 봉합사를 사용하는데 비흡수성 봉합사를 사용할 경우 문합부위에서 남아있는 봉합사를 핵으로 하여 방광 또는 요로 결석이 발생할 가능성이 높기 때문이다. 요관 문합 수술의 방법에 관계없이 요관은 남자의 경우 정삭(spermatic cord), 여성의 경우 원인대(roundligament) 후방에 놓이도록 통과시켜야만 요관 굴절이나 요관 폐쇄를 예방할 수 있으니 반드시 유의해야 한다.

요관이 두 개인 경우에는 각각의 요관 말단부를 하나의 개구부로 재건하여 문합하거나 두 개를 따로 연결할 수 있다. 이식신 수혜자가 인공 방광을 가지고 있는 경우에는 인공방광에 요관을 연결할 수 있으며 방광이 없는 경우에는 복벽 외부로 요관을 연결한 후 소변

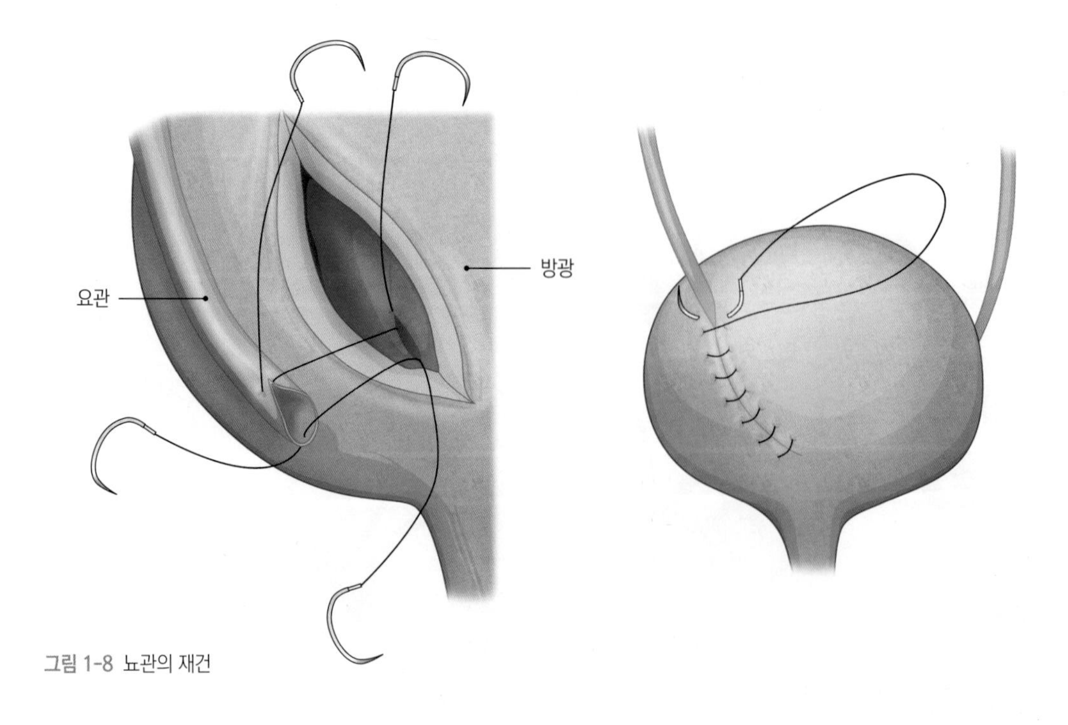

그림 1-8 뇨관의 재건

주머니(urine bag)을 착용할 수도 있다. 어떤 형태의 요관 문합을 사용한 경우라도 요관 문합의 완성도가 불안할 경우 요관 스텐트(double-J or pig-tail ureteral stent)를 유치할 수 있다. 요관 스텐트는 수술 후 경과에 따라 퇴원 전이나 퇴원 후 방광내시경을 통하여 제거한다.

7. 창상봉합

신장이식을 받는 대부분의 환자는 장기간의 투석과 요독증으로 출혈성 경향을 동반하고 있으며 조직 자체도 자그마한 손상일지라도 매우 심한 출혈이나 손상을 일으킬 수 있는 취약한 상태를 가지고 있다. 따라서 수술 전반에 걸쳐 완벽한 지혈을 위하여 노력해야 하며 출혈이 의심되는 부위는 외과적 결찰을 통하여 완전을 기해야만 한다. 수술이 완료되고 창상을 봉합하기 전에 이식신이 자리하고 있는 장골와를 생리 식염수를 가지고 깨끗하게 세척하는 것이 바람직하며 대부분의 환자에서는 배액관의 삽입이 필요하지 않으나 배액관의 삽입 여부는 수술집도의의 판단에 따르는 것이 마땅하다.

창상의 봉합은 절개한 역순으로 흡수성 봉합사를 사용하여 각각의 층을 봉합하는 것이 바람직하며 복벽 조직의 약화로 수술 후 창상부위 탈장(hernia)이 염려되는 환자에서는 봉합을 시행하는 중간에 비 흡수성 봉합사를 사용하여 창상 봉합부위를 강화할 수 있다.

8. 두 개의 신장이식

뇌사자 신장이식에서 신장 기증자가 소아이고 신장의 크기가 작아 한 개의 신장만으로는 수혜자의 신장 기능을 회복시키기에 부족하다고 판단할 경우, 한 환자에게 두 개의 신장을 같이 이식할 수 있다. 보통 기증자의 대동맥과 대정맥의 근위부는 봉합사를 이용하여 폐쇄하고 원위부 대동맥과 대정맥을 각각 장골동맥과 장골정맥에 단측 문합을 시행하여 이식신장으로의 혈행을 재건한다. 요관의 재건 방법으로는 각각의 요관 말단부를 하나의 개구부로 재건하여 문합하거나 두 개를 따로 연결할 수 있는데 각각의 요관을 분리하여 따로 재건하는 것이 어느 한쪽에 문제가 발생할 경우 다른 한쪽이 안전할 수 있으므로 수술 집도의의 판단과 결정에 따라 방법을 달리할 수 있다(그림 1-9).

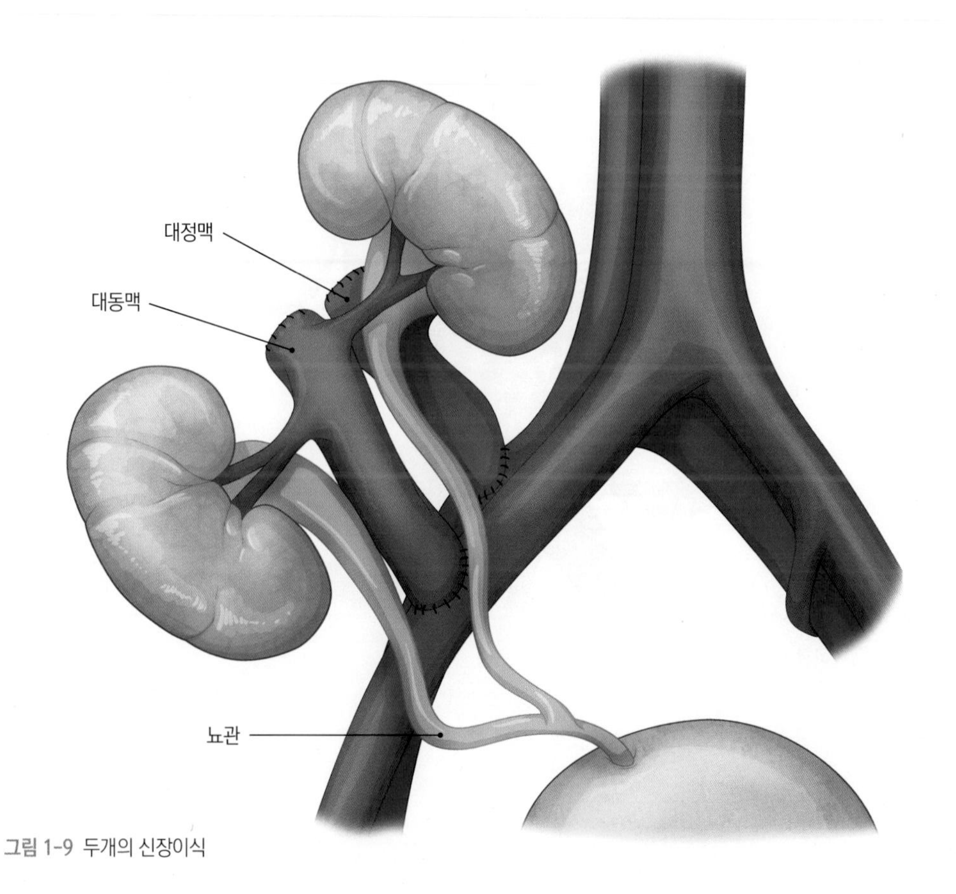

그림 1-9 두개의 신장이식

9. 소아 환자에서 특별히 고려할 점

(그림 1-10) 소아의 경우 체중이 20~25 kg 이상인 경우에는 성인에 준하여 신장이식을 시행할 수 있으나 상대적으로 큰 성인의 신장을 이식하는 경우가 대부분이므로 절개창이 상대적으로 커져야 하며 총장골동 정맥(common iliac artery and vein) 또는 대동맥과 대정맥을 이용하여 이식신장으로의 혈행 재건을 하게 되는 경우가 많다. 이보다 체중이 적은 소아의 경우에 는 복부 정중절개가 필요하며 이식신으로의 혈행재건을 위한 목적으로 큰 혈관의 노출과 함께 이식할 신장이 자리할 공간의 확보를 위하여 우측결장을 후복막으로부터 분리하여 좌측으로 이동시킨 후 신장이식을 시행한다. 경우에 따라 공간이 부족하면 환자의 우측 신장을 제거하여 보다 여유로운 공간을 확보할 수도 있다.

10. 신장이식 환자에서 다른 장기의 이식이 필요한 경우

최근 만성신부전환자의 원인 질환과 동반 질환이 다양화하면서 신장이식과 함께 췌장, 간장, 심장 등 여러 개의 장기를 동시에 이식하는 경우가 많아지고 있다. 특히 제 1형 당뇨와 동반된 만성신장기능부전의 경우 신췌장 동시이식이 췌장 단독 이식에 비 해 우수한 예후를 보여주나, 부득 신장이식을 우선 시행하는 경우 향후 췌장이식의 잠정 수혜자가 될 수 있는 바 신장이식을 좌측에 시행할 수 있다. 또한 간장이나 심장 이식 환자에서 이식 후 일정한 기간이 경과한 후 만성신부전이 발생하여 신이식을 받는 경우도 늘어나고 있어 이 경우 신장이식은 앞에서 기술한 수술 술기를 사용한다.

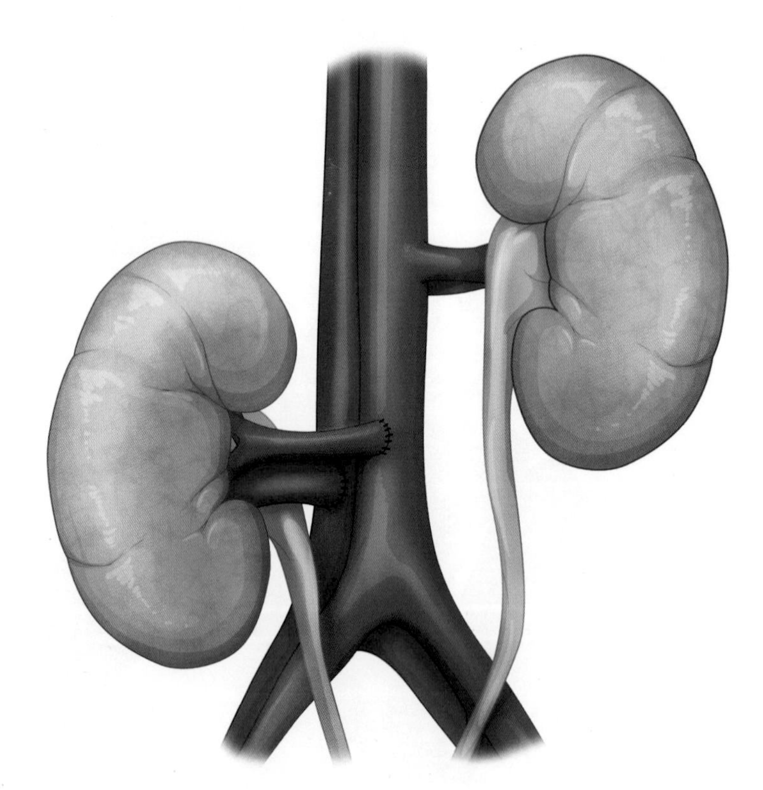

그림 1-10 작은 소아에서의 신장이식

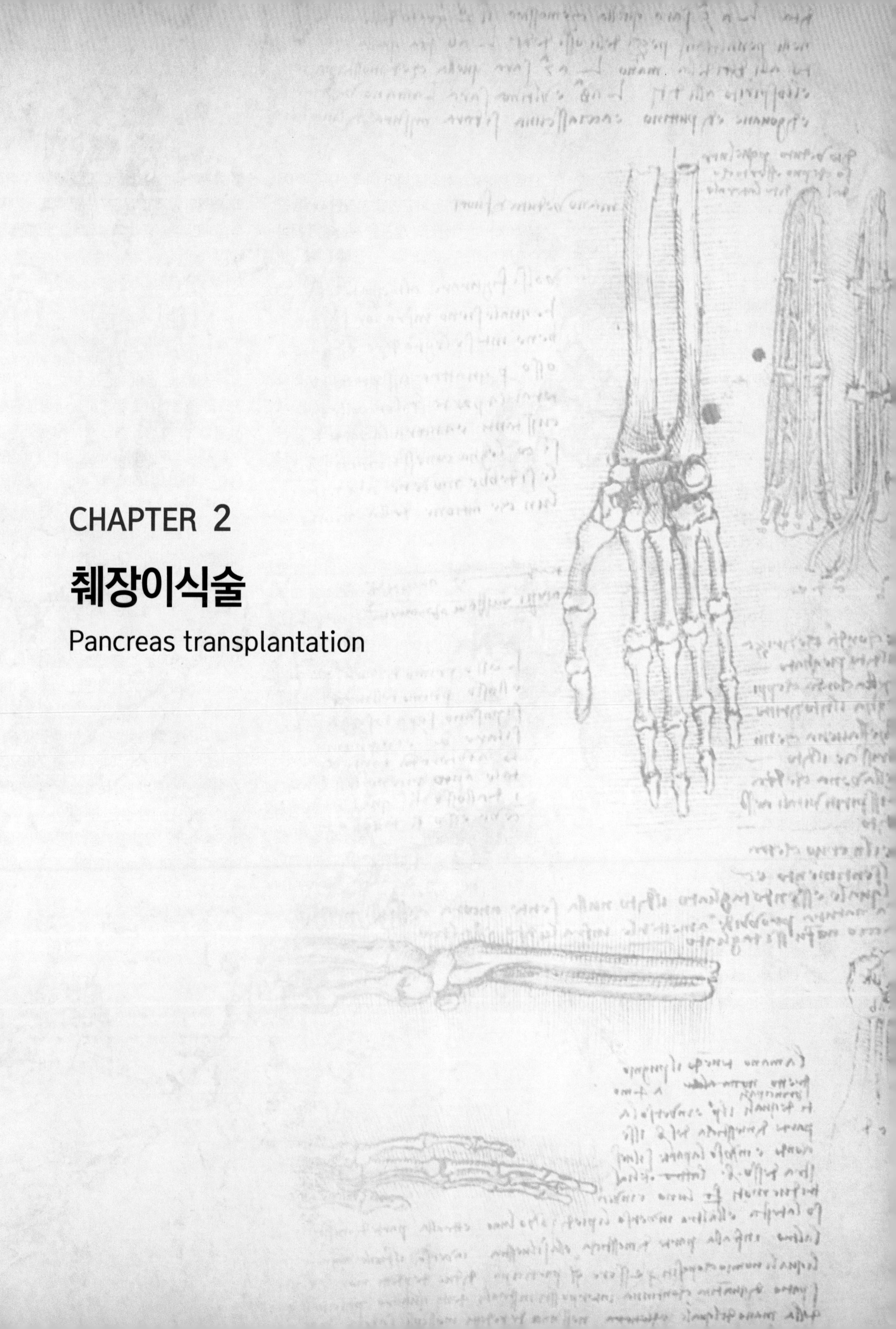

CHAPTER 2

췌장이식술

Pancreas transplantation

1. 적응증

1) 공여자

췌장 공여는 대부분 뇌사자로 발생하나 생체 공여로도 가능하다. 생체 공여자인 경우 당뇨병의 소인이 없어야 하고 췌장 부분절제 수술에 따른 위험성이 없어야 한다. 뇌사자 공여인 경우는 당뇨병이 없고 췌장에 직접 외상이 없어야 하며 대개 45세 미만의 뇌사 기증자 췌장을 사용한다.

2) 수혜자

제1형 당뇨병 환자와 기타 인슐린 분비 장애로 당뇨병이 유발된 만성 췌장염, 그리고 기타 췌장 수술 후 췌장 기능이 상실된 환자 등이 적응 대상이다. 제2형 당뇨병 환자 중 인슐린을 사용하고 비만이 없으며 수술에 따른 위험성이 없는 환자도 대상이 된다.

(1) 신췌장 동시 이식

각각 뇌사공여 혹은 생체공여 기증자의 신장과 췌장을 동시에 이식하는 방법

(2) 신 이식 후 췌장 이식

신장 이식을 이미 받은 수혜자에게 췌장을 이식하는 방법

(3) 췌장 단독 이식

췌장만 단독으로 이식하는 방법

(4) 췌도 이식

췌장 내에서 인슐린을 분비하는 세포가 있는 췌도만을 분리하여 환자에게 이식하는 방법으로 공여자의 췌장을 얻어 여러 단계를 거쳐 인슐린을 분비하는 세포만을 분리한 다음, 간문맥이나 다른 장기의 혈관을 통하여 주사함으로써 이식하는 방법

2. 금기

1) 공여자

생체 공여자인경우 당뇨병의 소인이 있거나 전신마취 수술에 따른 위험이 있는 환자와 뇌사자 공여인 경우 당뇨병, 감염성 질환, 암 등이 의심되고 45세 이상으로 동맥경화증이 사망 원인인 경우가 해당된다.

2) 수혜자

활동성 감염이 있거나, 최근 암수술을 시행 받거나 치료 중인 환자, 전신마취 수술에 따른 위험성이 있는 환자, 심한 허혈성 심질환이 있으며 수술을 포함한 여러 치료로 이를 적절히 치료할 수 없는 경우와 심한 말초혈관질환이 있는 환자, 60세 이상의 환자, 심한 정신질환자나 약물 중독자는 적응이 될 수 없다.

3. 수술 전 준비

수혜자는 수술 전 공여자의 항원에 대한 항체반응이 없어야 하며, (교차반응음성) 심장 검사를 포함한 전신 검사에서 전신 마취에 적합한 상태이어야 하고 수술 전 적절한 면역억제제를 투여한다.

4. 마취 및 환자 자세

전신마취로 기관지 삽관과 Foley관을 삽입하고 방광에 saline을 저항 없을 때까지 주입한다. 앙와위 자세로 잘 고정하고 예방 항생제를 투입하고. 수술 중 면역억제제를 투여한다.

5. 절개와 수술 방법

1) 공여 췌장 수술 준비 (Bench Procedure)

뇌사 공여자인 경우 췌장은 그림 2-1과 같이 장간막근을 봉합기로 봉합하고 공장상부에 역시 봉합기로 소장을 절단 시킨 후 상장간막 동맥을 대동맥 가까이에서 절단하고, 비장동맥을 간동맥 기시부에서 절단한다. 간문맥을 췌장상부에서 절단하고 하장간막정맥을 결찰한 후 절단하고 비장과 함께 췌장 및 십이지장이 적출되어 구득 되는데, 본격적 췌장 이식 수술 전에 준비수술(Bench Surgery)이 필요하다. (그림 2-2) 준비 수술은 4.0℃에서 원위부 십이지장을 GIA 봉합기를 이용하여 절단하고 근위부 십이지장의 봉합면을 원위부와 함께 4-0 prolene으로 봉합한다. mesenteric root를 4-0 prolene으로 보강 결찰을 시행한다. 비장을 췌장미부에서 분리 절제 해내고 문맥 및 상장장간막동맥 주위, 췌장 미부와 체간 등 전체 부분의 loose tissue 및 임파조직을 수 많은 정교한 결찰과 더불어 절제해낸다. 비장동맥과 상장간 동맥을 기증자의 장골 동맥을 이동하여 Y-graft형태로 단일 혈관으로 만든다.

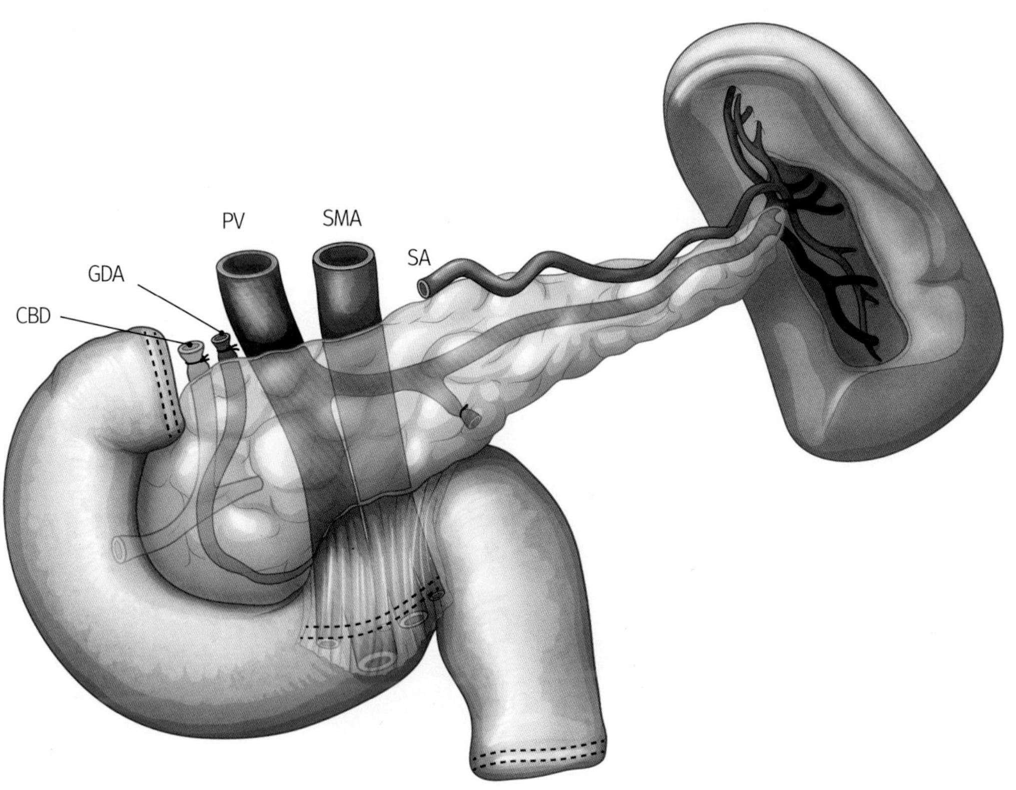

그림 2-1 뇌사 구득 췌장
(CBD: common bile duct, GDA: gastroduodenal artery, PV:portal vein, SMA: superior mesenteric artery, SA: splenic artery)

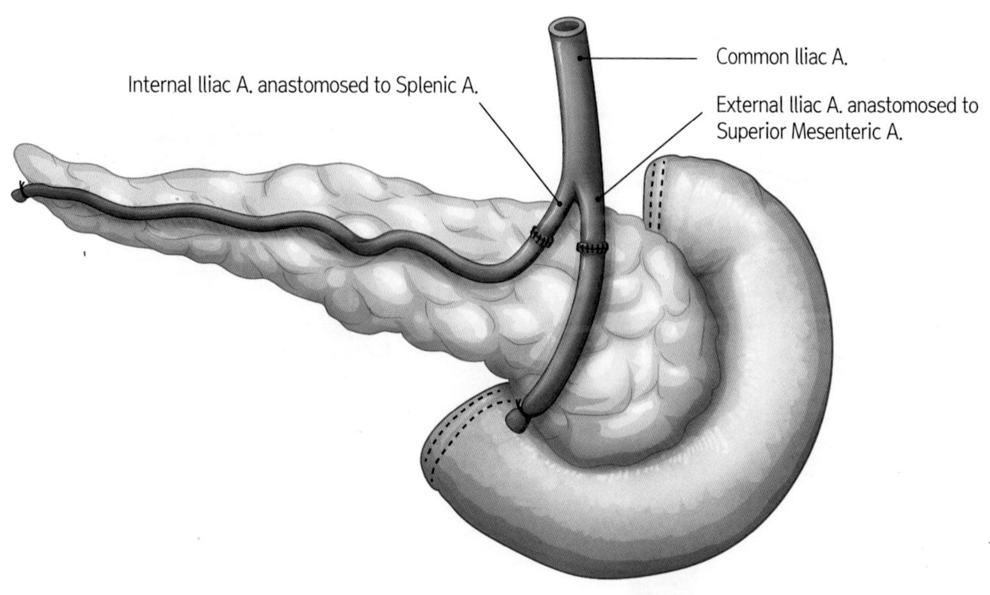

그림 2-2 Bench Surgery 후 동맥 모양

(그림 2-3) 생체기증자에서 공여된 경우에는 적출 췌장 체부 및 미부 그리고 함께 적출된 비장을 4.0℃ 하에서 비장동맥을 통해 관류액을 서서히 주입시켜 췌장을 저온으로 유지한다. 비장을 절재 해 내고 비장 정맥 및 동맥을 주위 조직으로부터 1 cm 정도 박리해 둔다.

2) 수혜자

(1) 뇌사 공여 췌장

(그림 2-4) 복부 중앙절개로 하복부를 노출시키고, 좌우 장골 동.정맥을 주위 조직으로부터 박리한다. 허혈 시간(cold ischemic time)이 12시간 이내로 길지 않으면 좌측에 신장이식을 먼저 시행하고 우측에 췌장이식을 시행하나 허혈시간이 길어지면 췌장 이식을 먼저 하기도 한다.

(그림 2-5) 췌장-방광 문합술인 경우 외장골 동맥과 정맥의 위치를 바꿔서 정맥이 바깥에 놓이게 하고 충분히 주위를 박리시켜 이식

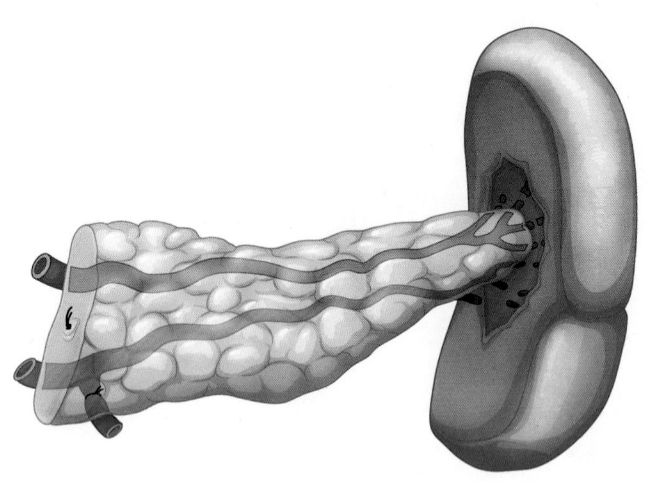

그림 2-3 생체 공여 췌장

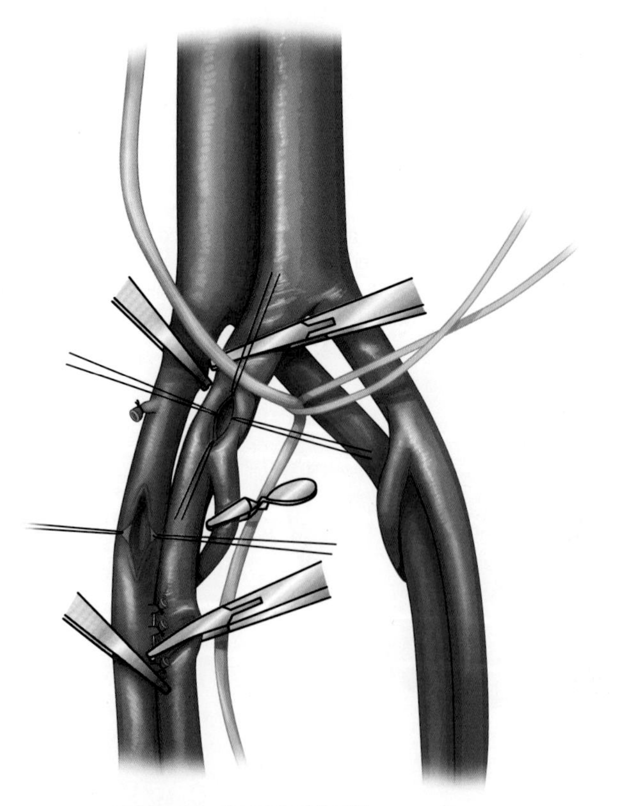

그림 2-4 우측 장골 동맥, 정맥 준비

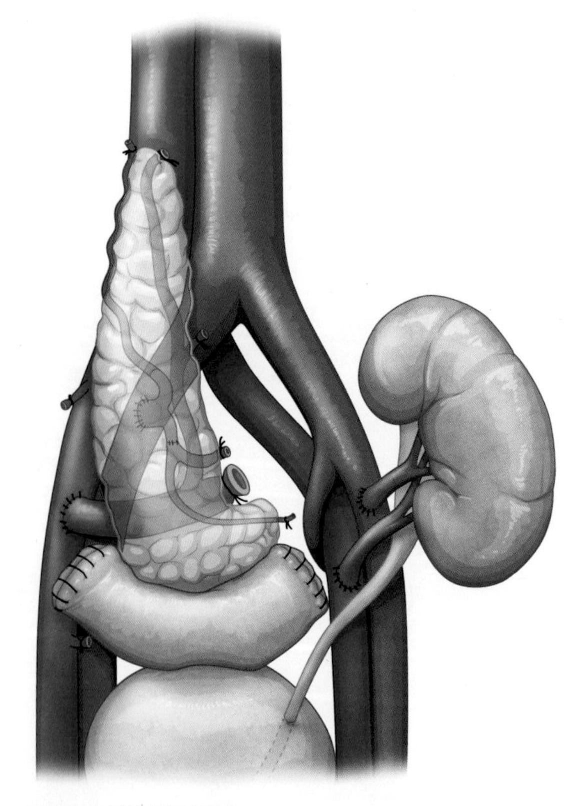

그림 2-5 췌장-방광 문합술

췌장의 주요 정맥인 문맥과의 문합술에 긴장(tension)이 안 가도록 한다. 문맥-외장골정맥 단측문합술을 5-0 또는 6-0 prolene 로 봉합하고 연이어 Y-graft로 만들어진 동맥을 외장골동맥에 6-0 prolene으로 단측 문합한다. 혈관 문합술 후 혈류재개를 시행하고 전 이식 조직의 출혈 부위를 세심히 장시간에 거쳐 반복적으로 지혈한다. 췌장에 인접된 십이지장에 3 cm 길이로 십이지장을 방광에 측측문합술을 시행한다. 4-0 PDS 흡수성 봉합사로 내측을 봉합한 후 4-0 prolene 봉합사로 외측 문합술을 시행한다. 좌측 하복부에 신장이식을 시행한다. 박리 된 장골정맥에 신정맥을 5-0 prolene으로 단측 문합하고 신동맥을 외장골동맥에 6-0 prolene으로 단측 문합한다. 혈류 재 관류 후 요도를 방광에 6-0 PDS로 단측 문합 시행하고 방광근육층을 3-0 PDS로 봉합한다.

(그림 2-6) 췌장-소장 문합술인 경우 체장 미부가 골반부에 놓이게 하고 문합 부위인 십이지장을 상복부로 향하게 위치한 후 이식 췌장의 정맥인 문맥을 외장골정맥에 단측 문합술, Y-graft 총장골동맥을 이용한 췌장동맥을 외장골동맥에 단측 문합술로 시행한다. 혈류 재개 후 이식 조직의 출혈 부위를 세심히 장시간에 거쳐 반복적으로 모두 지혈하고, 이식 췌장에 인접한 십이지장을 상부공장(treitz에서

TIP 1
십이지장 상부공장 측측문합술에서 10~15 cm 하부에 공장-공장문합술을 시행하여 수술 후 장폐색을 예방한다.

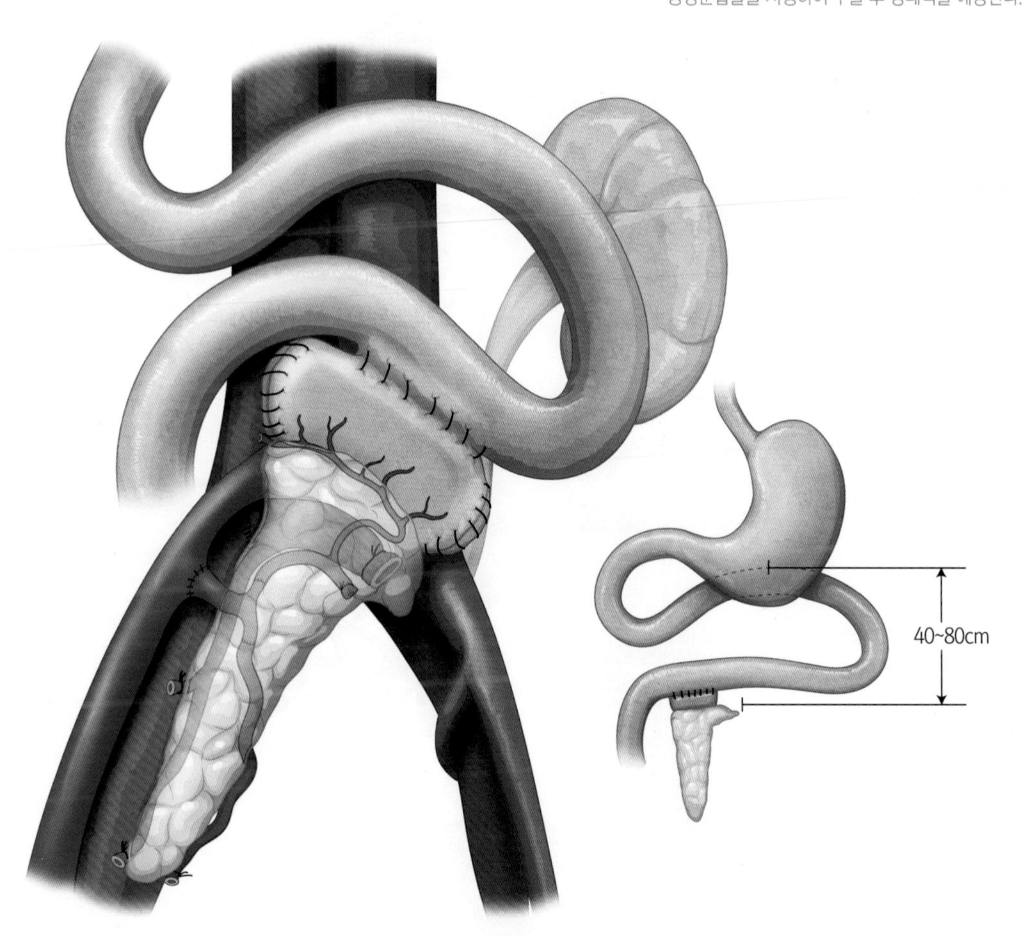

그림 2-6 췌장-소장 문합술

40~80 cm 하방)에 측측 문합술 시행한다.

(그림 2-7) 췌장-십이지장 문합술인 경우 체장 미부가 우측 골반부로 향하게 놓이게 하고 문합부위인 십이지장을 상복부 수혜자 십이지장 쪽으로 향하게 위치한 후 췌장의 정맥인 문맥을 복대하대정맥에 긴장이 가지 않도록 단측문합술을 시행하고, Y-graft 총장골동맥을 이용한 췌장동맥을 우측 총장골동맥에 단측 문합술을 시행한다. 혈류 재개 후 출혈부위를 세심하게 장시간에 거쳐 반복적으로 모두 지혈하고 이식 췌장의 상부 십이지장을 수혜자의 십이지장에 십이지장-십이지장 측측문합술을 시행한다.

(2) 생체 공여 췌장

(그림 2-8) 생체 기증자에서의 췌장이식에서 췌장-소장문합술인 경우 췌장의 비장정맥을 외장골 정맥에, 비장동맥을 외장골동맥에 6-0 prolene으로 단측문합술을 시행한다. 췌장 경부의 단면을 공장과 단측 문합술을 시행한다. 내측은 4-0 prolene문합과 외측 4-0 prolene 문합을 시행하고 췌장관(Pancreas Duct)에 4~5cm polyethylene catheter를 삽입한다.

(그림 2-9) 생체 기증자에서의 췌장-방광 문합술인 경우 췌장 미부가 상복부로 향하게 한 후 동맥과 정맥 문합술을 외장골 동맥과 정맥에 시행한다. 췌장-방광 문합술로 췌장단면을 방광에 단측 문합으로 시행한다. 내측을 4-0 PDS 봉합사 문합술과 외측을 4-0 prolene 봉합으로 문합하고 췌장관 내에 polyethylene catheter를 삽입한다.

수술 후 출혈로 인한 재수술과 합병증이 흔하므로 세심하게 충분한 시간을 장시간에 거쳐 반복적으로 모두 수술부위를 지혈하고, 복강내 세척 후 J-P 배출관을 2~3개 삽입하고 복부를 봉합한다.

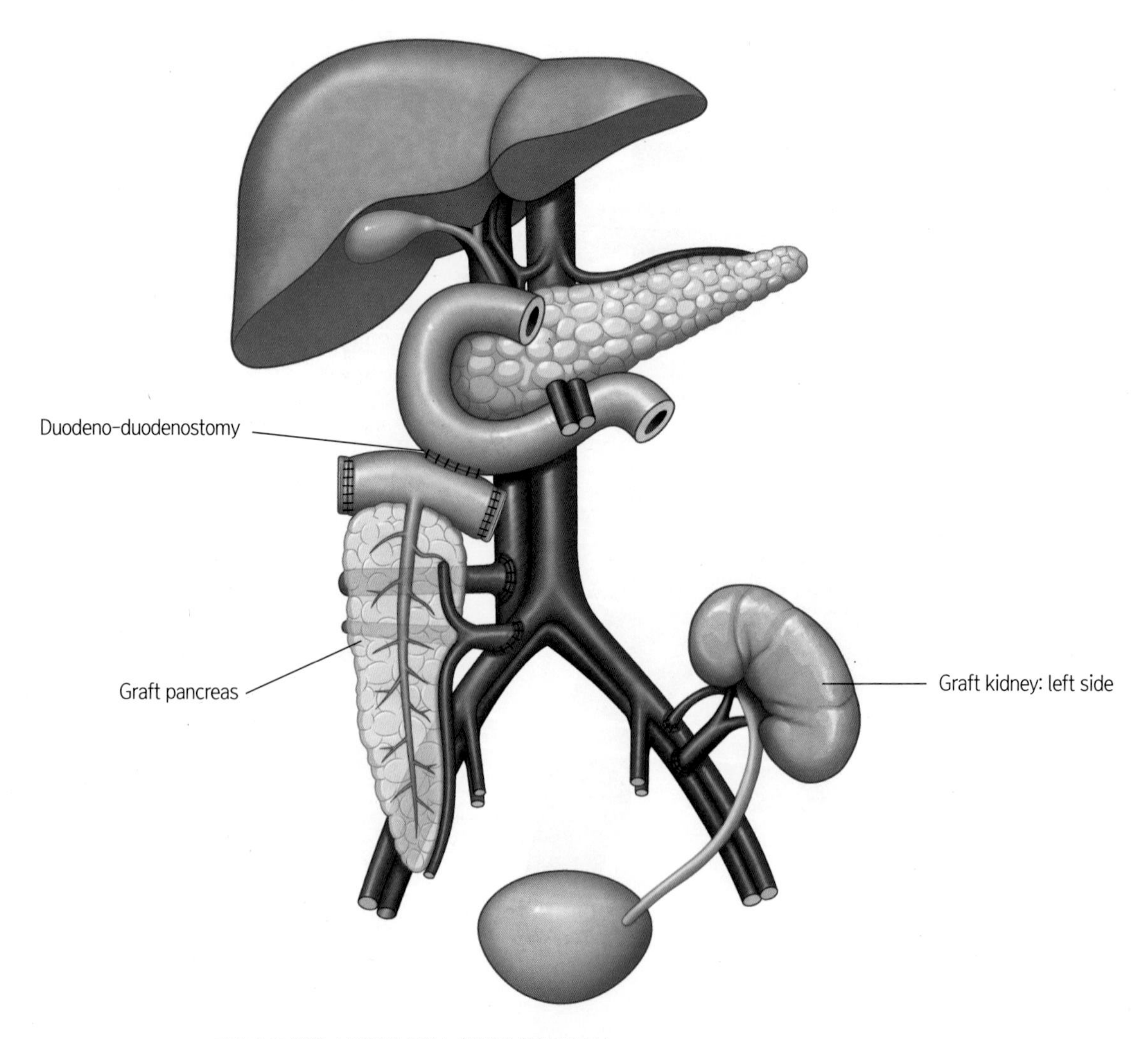

그림 2-7 췌장-십이지장 문합술 (신췌장 동시 이식술)

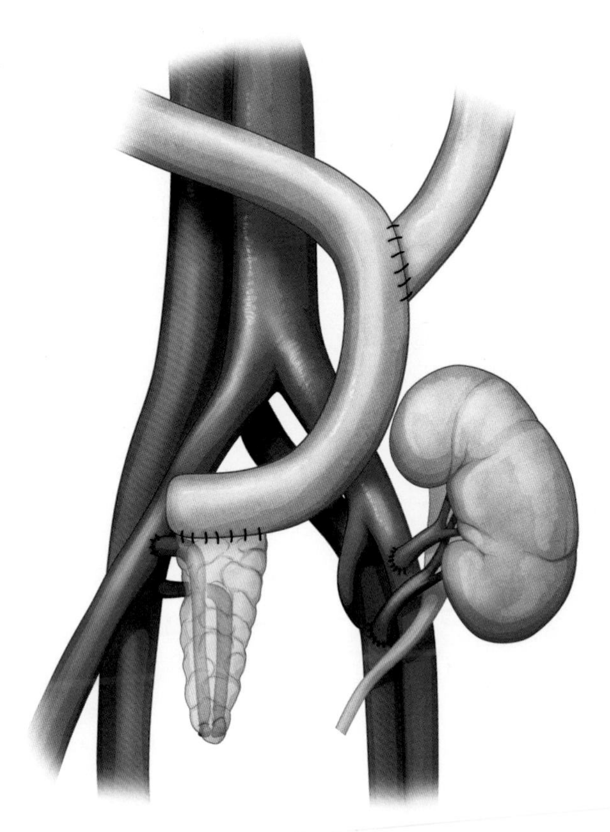

그림 2-8 생체 공여 췌장-소장 문합

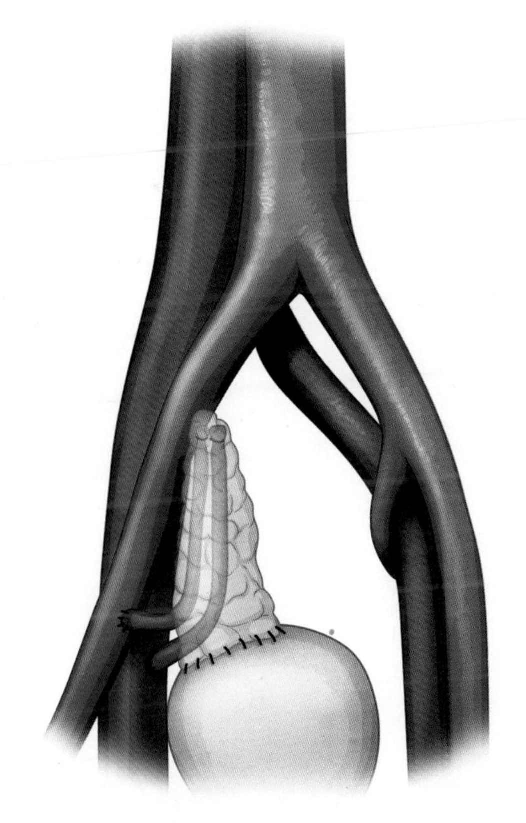

그림 2-9 생체 공여 췌장-방광 문합

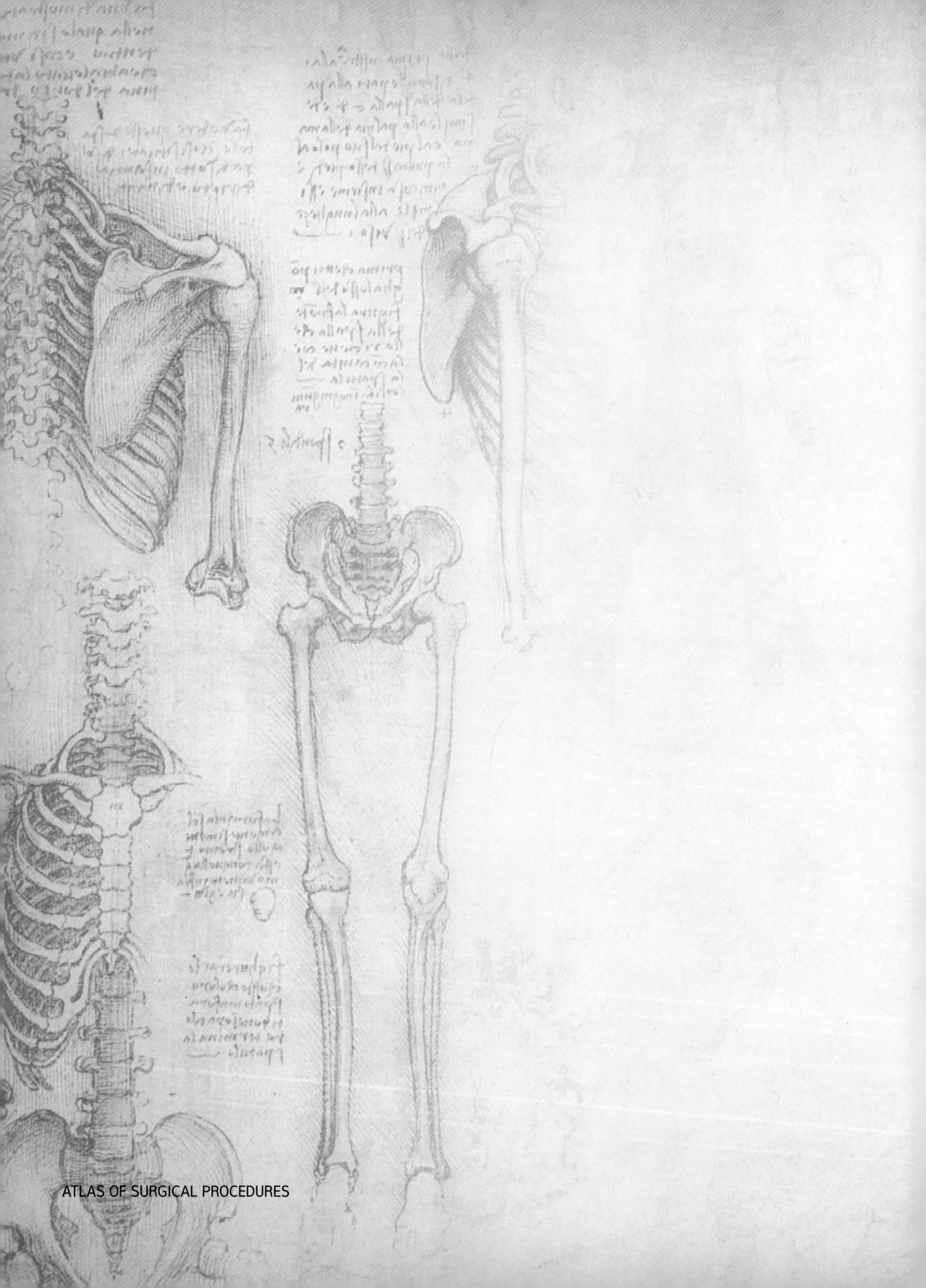

ATLAS OF SURGICAL PROCEDURES

CHAPTER 3

복부장기 관류 및 간구득 (간 구득, 췌장 구득, 신장 구득)

Abdominal organ recovery (liver, pancreas, kidney)

I. 간 구득(Whole liver recovery)

1. 서론

뇌사자 장기 적출 시 가장 중요한 개념은 장기를 구득할 때까지 적절한 혈류와 환기를 유지하여 각각의 장기들이 최적의 상태로 구득하고 이식되어 재관류 후 각 장기가 기능을 할 수 있도록 하는 것이다. 이를 위해 관류 전 각 장기의 최소한의 조작(less warm dissection), 적합한 관류유지(good perfusion), 그리고 빠른 냉각(rapid cooling) 등이 이루어질 수 있도록 술기를 단순화하고 체계화하여 수술이 안정적으로 진행되도록 하여야 한다.

2. 적응증 및 비 적응증

뇌사자에서 장기기증의 최적 조건을 갖춘 경우는 흔하지 않다. 뇌사자 장기공여의 최적의 조건은 연령이 10~50세, 간기능과 생화학적 지표 및 전해질 지표 정상범위, 사고일로부터 뇌사로 판정되기까지 기간이 5일 이내, 과거 다른 질병으로 치료받은 적이 없는 경우 등이다. 공여-수여자간 전달에 의하여 수여자가 사망 또는 중증의 병에 이르게 하는 경우는 장기공여를 할 수 없다.

3. 수술 과정

1) 피부절개는 검상돌기(xiphoid process)에서 치골상부까지 수직정중절개를 가하고 배꼽 상부에서 양측으로 수평절개를 추가하고(그림 3-1A) 개복한다. 절개로 생긴 4개의 피편을 밖으로 젖혀 타올클립으로 고정하여 복강 내 장기가 충분히 노출되도록 한다(그림 3-1B, C). 개흉술이 필요한 경우 절개를 흉골상절흔(suprasternal notch)까지 연장하고, 흉골을 전기톱(sternal saw)으로 분리한 후 Finochietto sternal retractor를 사용하여 개흉하고, 심막을 열어 심장을 노출 시킨다(그림 3-1C).

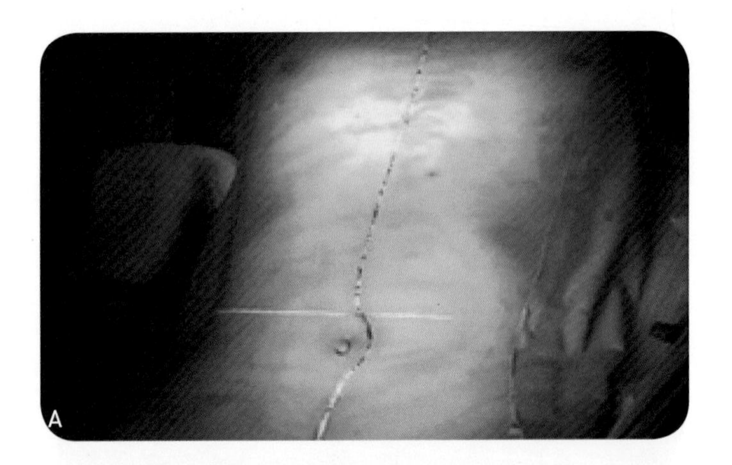

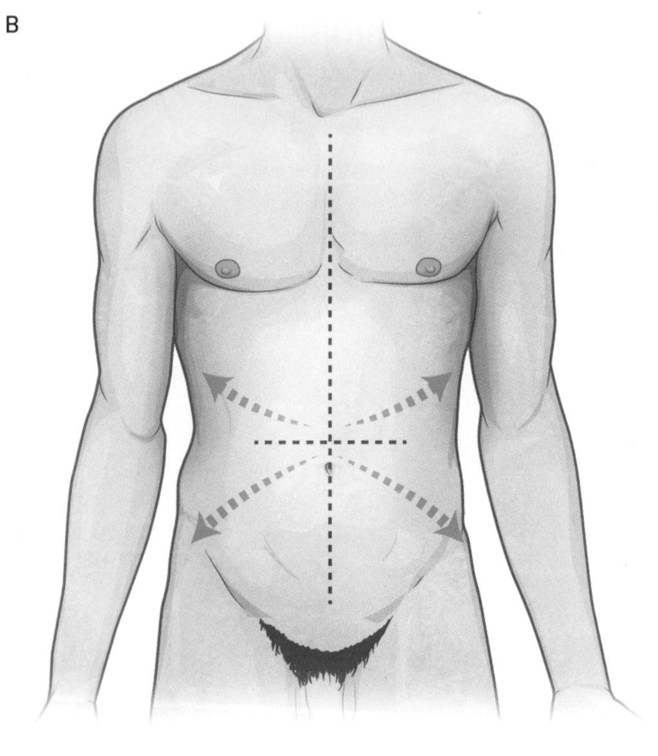

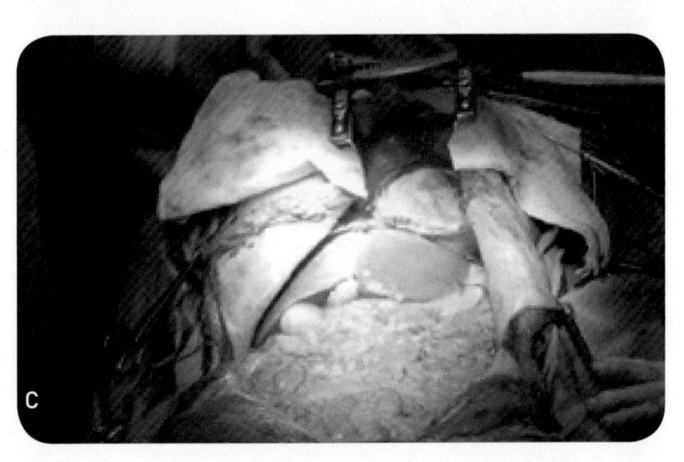

그림 3-1
A. 개흉 및 개복을 위한 피부절개
B. 복부 수직정중절개 및 수평절개를 통한 4개의 피편을 밖으로 젖히는 모식도
C. Towel dip을 이용한 복부 및 Finochietto retractor를 이용한 흉부 고정

2) 간의 충분한 노출을 위하여 간원인대(liga-mentum teres)를 결찰 하여 분리하고(그림 3-2A, B), 겸상인대(falciform ligament)를 간정맥과 간상부하대정맥(suprahepatic inferior vena cava, IVC)의 합류지점까지 노출되게 박리한다(그림 3-2B). 간 좌측의 관상인대(coronary ligament)와 삼각인대(triangular ligament)를 분리하여 간의 좌외측구역(left lateral section)을 박리한다(그림 3-2A, C).

3) 부가(accessory) 또는 대치(replace)된 간동맥의 손상을 피하기 위하여, 좌측은 간위인대 부위(그림 3-3A), 우측은 윈슬로우공(foramen of Winslow) 부위(그림 3-3B)를 관찰 및 촉지한다. 대부분의 부가 또는 대치 간동맥은 좌간동맥은 좌위동맥에서 기원하여 소낭(lesser sac) 부위로 주행하고, 우간동맥은 상장간맥동맥(superior mesenteric artery, SMA)에서 기원하여 총담관의 후면부로 주행한다.

4) 관류액 삽관 부위인 대혈관을 노출하기 위해서 상행대장의 복막굴절부위를 노출시킨 후 Toldt 백선(white line)을 따라 절개하여 후복막으로 진입한다(그림 3-4A).
우측결장의 유동화는 간결장인대를 절개 박리하여 안쪽으로 젖히고, 십이지장을 Kocherize하여 간하부 하대정맥과 좌신정맥(left renal vein, RV) 및 상장간막동맥(superior mesenteric artery, SMA)과 하장간막정맥(inferior mesenteric vein, IMV)이 노출될 때까지 박리한다(그림 3-4B).

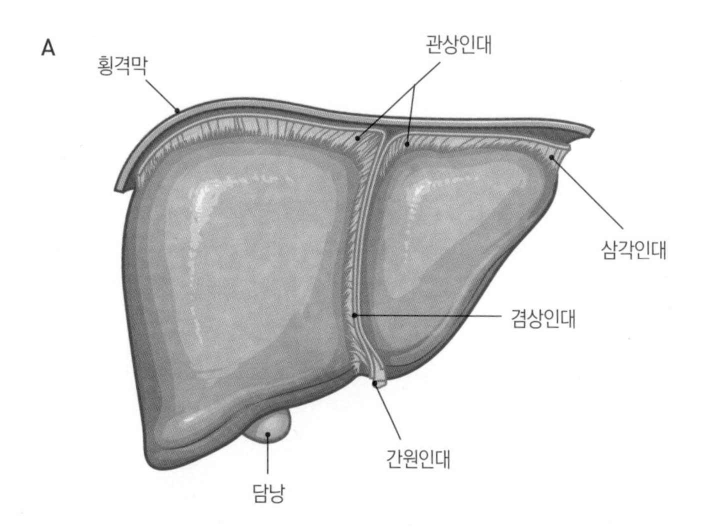

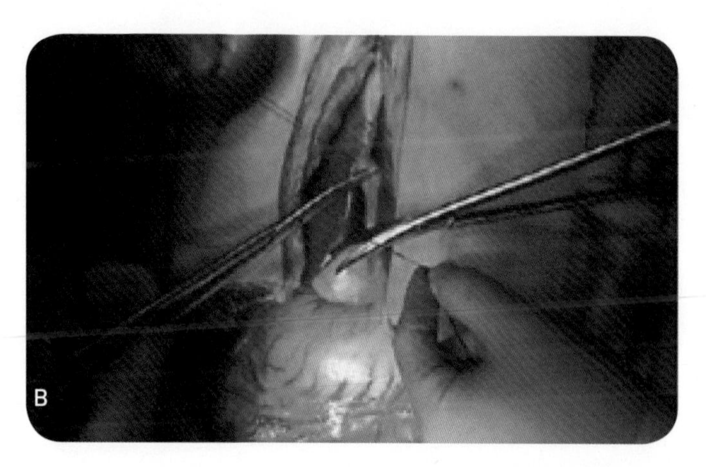

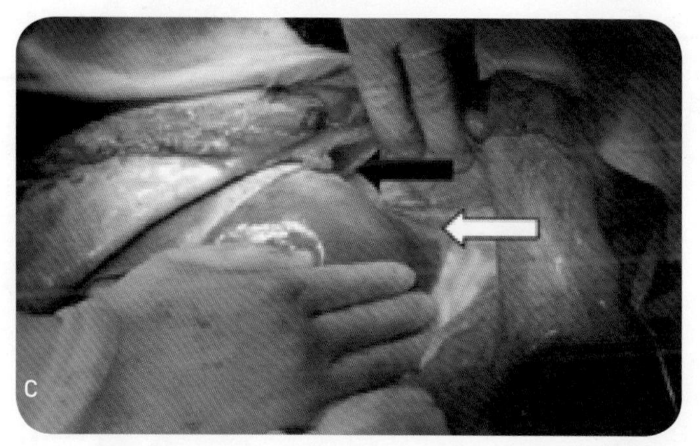

그림 3-2
A. 간부변 인대
B. 간원인대 및 겸상인 분리
C. 간 좌외측엽 박리를 위한 좌측 관상인대(검은색 화살표) 및 삼각인대(흰색 화살표) 노출

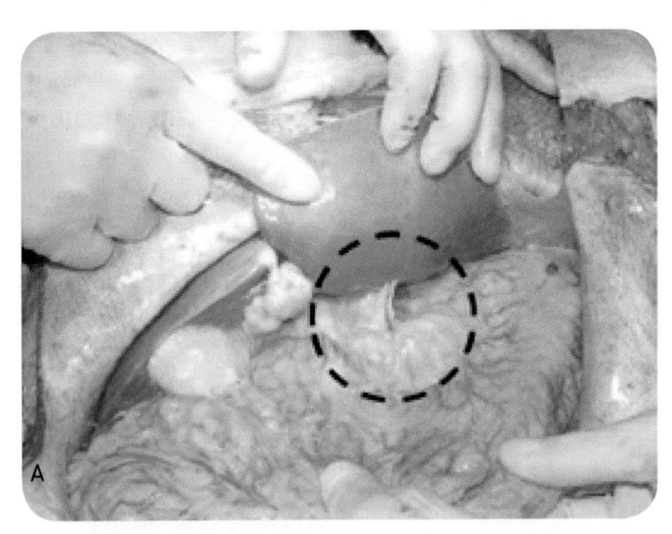

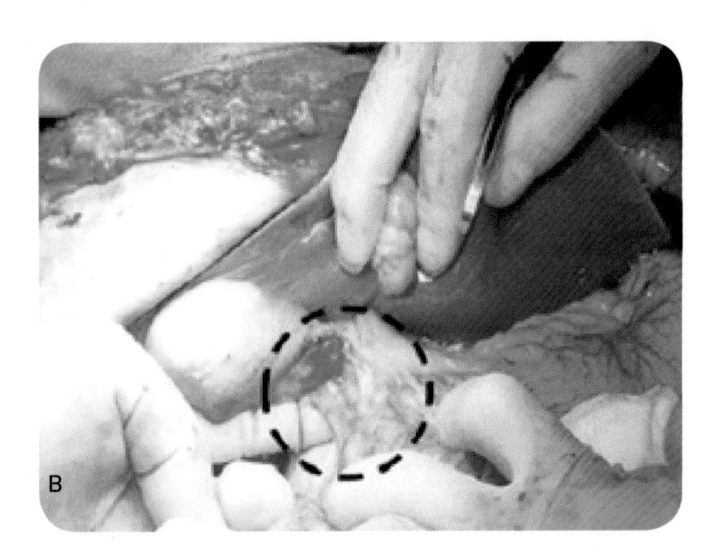

그림 3-3 간동맥의 해부학적 변이 파악
A. 좌간동맥 변이여부 확인을 위한 간위인대 부위 관찰 및 촉지
B. 우간동백 변이여부 확인을 위한 원슬로우공(foramen of Winslow) 부위 관찰 및 촉지

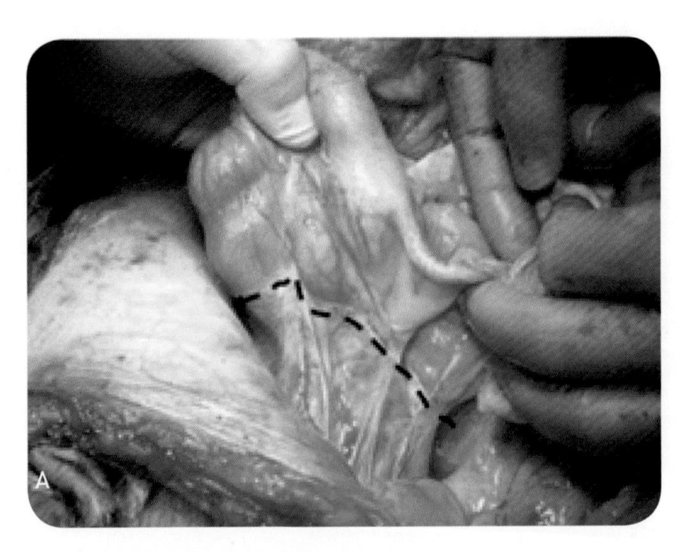

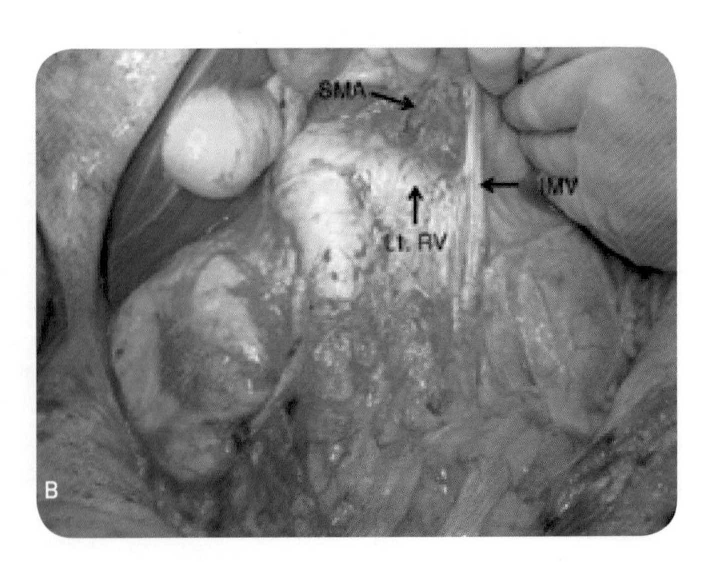

그림 3-4 장관 유동화 및 후복막 혈관 노출
A. 상행대장의 Toldt 백선(white line)을 따라 절개
B. 결장인대 절개 박리 및 십이지장 Kocherize에 의한 간하부 하대정맥과 좌신정맥(Lt. RV) 및 상장간막동맥(SMA)과 하장간정맥(IMA) 노출

5) 문맥 관류 시 삽관을 시행하는 경우를 위해 장간막 뿌리(root of mesentery) 부위까지 박리하여 Treitz 인대 하방 좌측 부위로 주행하는 하장간막정맥(inferior mesenteric vein, IMV)을 노출시켜 3-0 black silk를 상하부에 걸어둔다(그림 3-5). 문맥 관류를 하는 경우 문맥으로의 삽관을 위하여 하장간막정맥이나 췌장을 사용하지 않는 경우는 상장간막정맥(superior mesenteric vein, SMV)을 박리하여 삽관하기도 하며, 문맥삽관이 어려울 경우나 수술의 간소화와 박리의 최소화를 위하여 동맥만을 통해 관류액을 주입하기도 한다. 동맥관류는 주로 신장하부 대동맥에 삽관하여 시행한다. 박리된 장관을 타올로 싸서 상부로 젖히고 좌우장골동맥으로 분지되는 직상부의 대동맥을 노출시켜 상하로 umbilical tape을 걸어 둔다(그림 3-5). 대동맥 노출 시 동맥후벽과 후면부로 분지되는 척추동맥이 손상되지 않게 기구(주로 right angle 사용)로 대동맥 후면부를 박리하지 않고 통과만 시킨다. 또한 대동맥 주위로 유착이 심하거나 길이가 짧아 삽관 시 조절하기 어려운 경우에는 하장간막동맥을 결찰 분리한다.

6) 대동맥 겸자압박(cross clamp)은 상황에 따라 복강대동맥이나 흉부대동맥을 이용한다. 복강대동맥을 이용하는 경우는 복강동맥(celiac axis) 상방을 겸자압박하는데, 분리하여 놓은 좌간외측구역을 우측으로 젖히고 식도를 좌측으로 견인하여 횡격막다리(diaphragmatic crura)를 박리하여 노출시켜(그림 3-6A, B) umbilical tape을 걸어 놓는다.
흉부대동맥을 이용하는 경우는 좌측흉강으로 진입하여 좌측폐를 흉간외로 빼내 젖혀 식도 외측에 위치하는 하행대동맥을 겸자압박한다(그림 3-6C). 심장을 동시에 구득할 경우 심장관류액 주입을 위한 삽관을 시행하고 상행대동맥을 겸자 압박한다.

7) 관류액(Histidine-Triptophan-Ketoglutalate, HTK용액)과 삽관튜브(대동맥 18-22 Fr, 문맥 10-12 Fr 카테타 이용)를 연결하고 잘게 부순 얼음 등을 준비한 후, 헤파린(heparin) 300 IU/kg를 정맥내로 투여 하고 전신순환이 되도록 3분 정도 기다린다. 이때 담즙에 의한 담관점막의 자가용해를 감소시킬 목적으로 담낭을 부분 절개하여 실온의 생리식염수로 깨끗해질때까지 세척한다(그림 3-7).

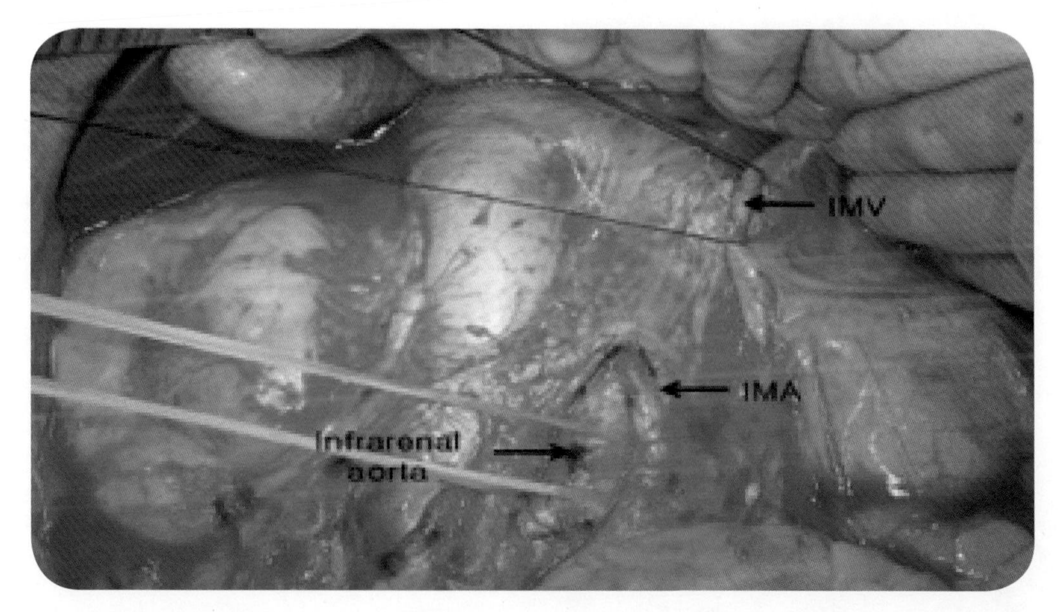

그림 3-5 문맥 삽관을 위한 하장간막정맥(IMV) 노출 및 3-0 black silk 거치와 동맥 삽관을 위한 좌우장골동맥 분지 직상부의 대동맥 노출 및 umbilical tape 거치.

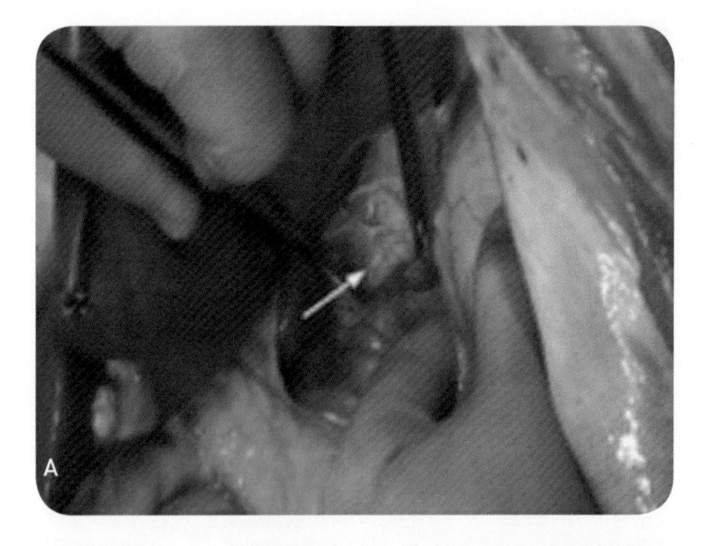

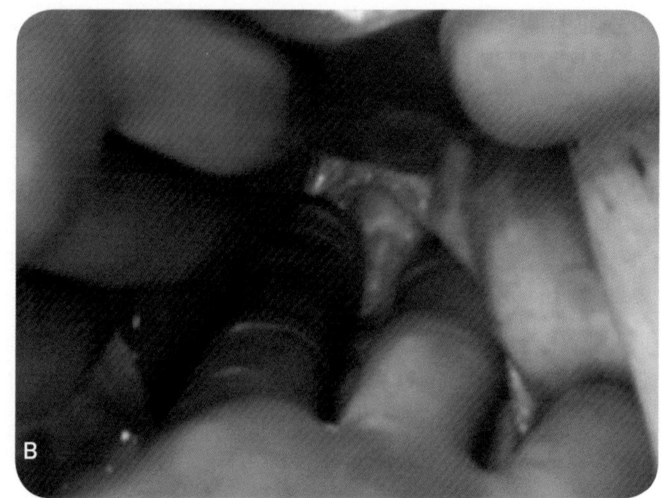

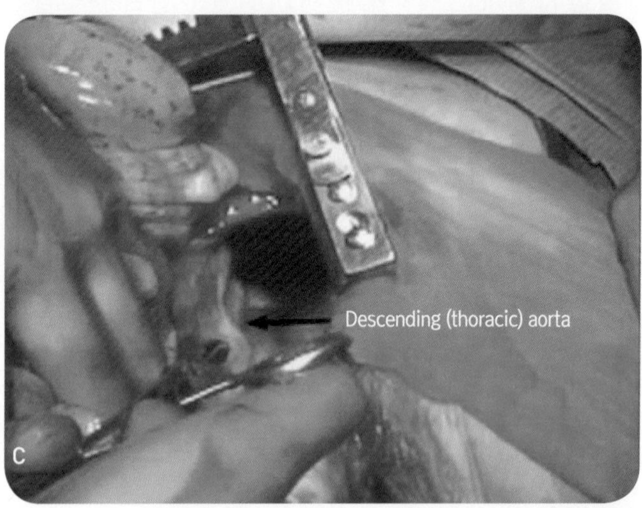

그림 3-6
A. Diaphragmatic crura muscle 박리
B. Abdominal aorta 노출
C. Descending(thoracic) aorta 박리

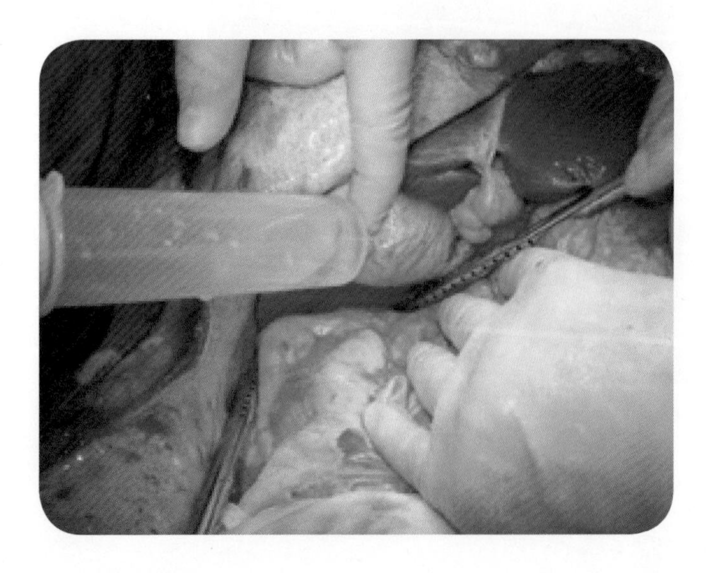

그림 3-7 관류 전 담낭을 부분 절개하여 생리식염수로 담도 세척

8) 동맥카테터삽관은 복부대동맥의 원위부에 걸어놓은 나일론테이프를 이용하여 양측 총장골동맥 분지부의 직상부에서 대동맥을 결찰하고 그 상부를 손가락으로 잡거나 겸자를 적용하고, 1/3가량 절개 한 후 동맥내강을 확인 한 후 동맥내막의 손상 없이 튜브의 끝이 신동맥 하방에 위치하도록 2~3 cm 삽입하고 결찰 고정한다(그림 3-8A, B). 문맥 관류를 시행하는 경우 하장간막정맥(IMA) 또는 췌장을 구득하지 않는 경우는 SMV에 삽관을 시행한다(그림 3-8B).

9) 대동맥(흉부대동맥 또는 복강동맥 상부)을 겸자한 후 냉각된 HTK용액을 주입하여 관류를 시작하고, 배액을 위하여 주로 간상부 하대정맥과 우측심방 사이 또는 신장하부 하대정맥에 부분절개를 가한다(그림 3-9A, B). 동시에 준비된 얼음을 구득할 장기 주위에 신속히 넣어 급속 냉각시킨다(그림 3-9C). 관류액 bag을 pneumatic cuff로 감아 150 mmHg 압력을 가하여 주입하고(그림 3-9D), 배액물이 혈성도가 소실되어 깨끗해질 때까지 관류를 지속한다. 관류액 양은 대동맥만 관류 시는 5 L, 문맥관류를 함께 하는 경우는 대동맥은 30~60 ml/kg 문맥은 1~2 L 정도 주입한다.

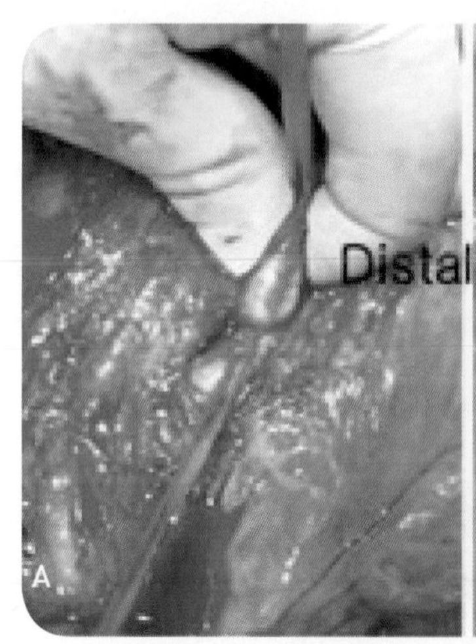
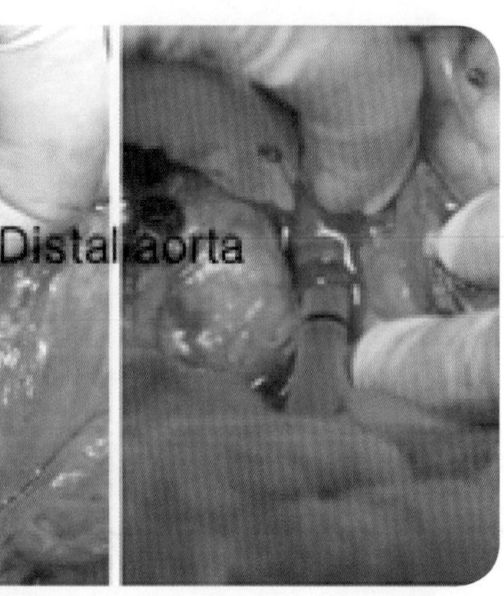

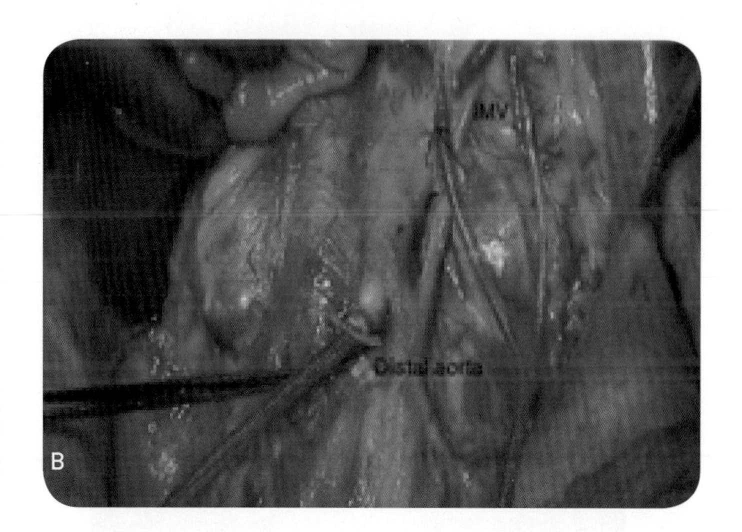

그림 3-8 동맥 및 문맥 삽관
A. Distal aorta 결찰 및 삽관 과정
B. Distal aorta와 IMA를 통한 동맥 및 문맥 삽관 후 결찰 고정

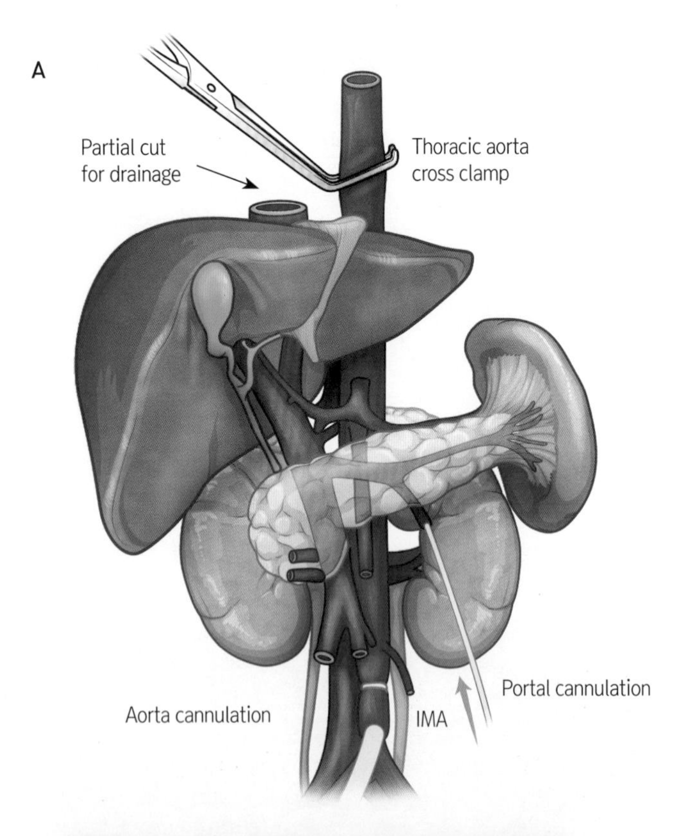

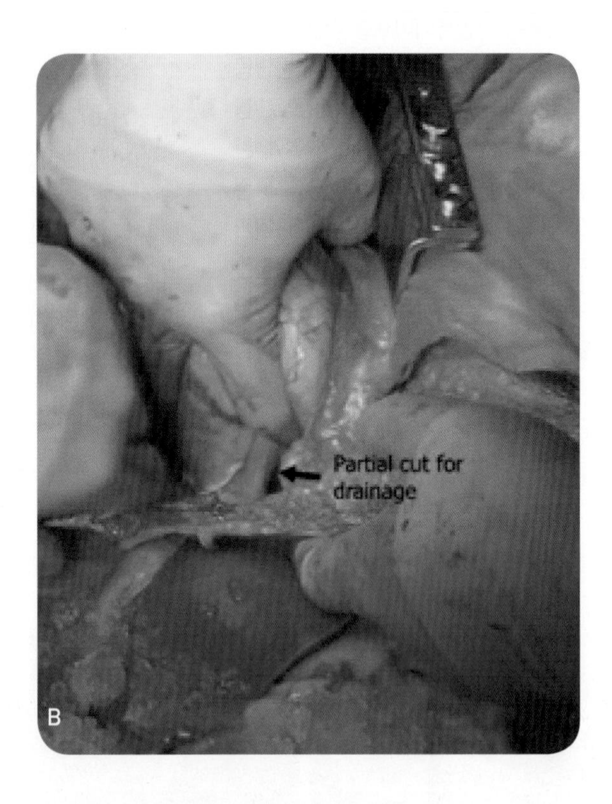

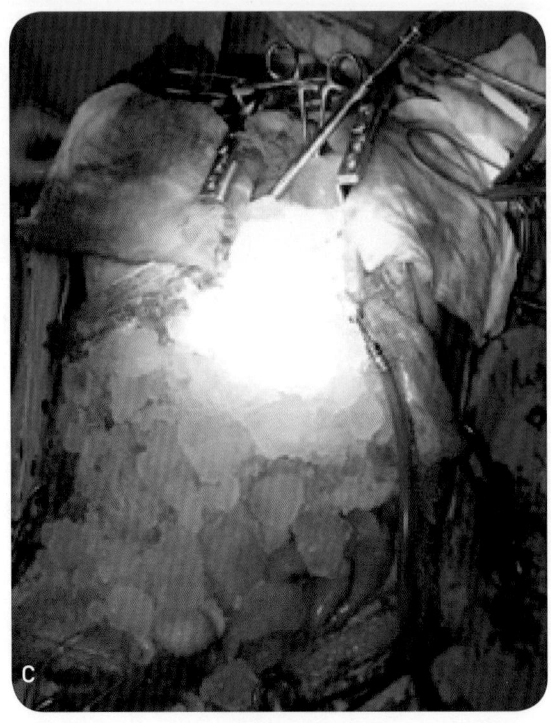

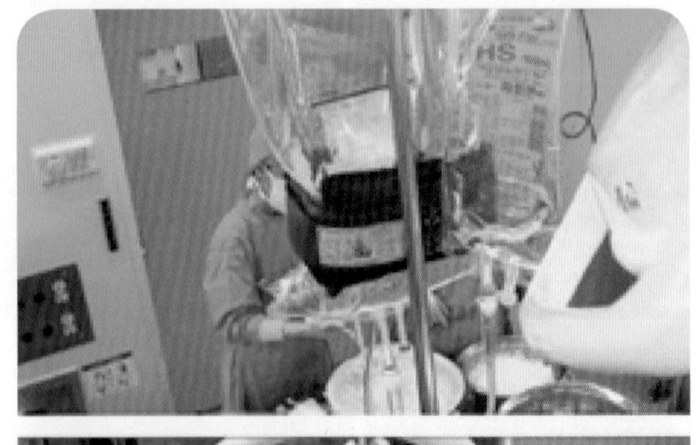

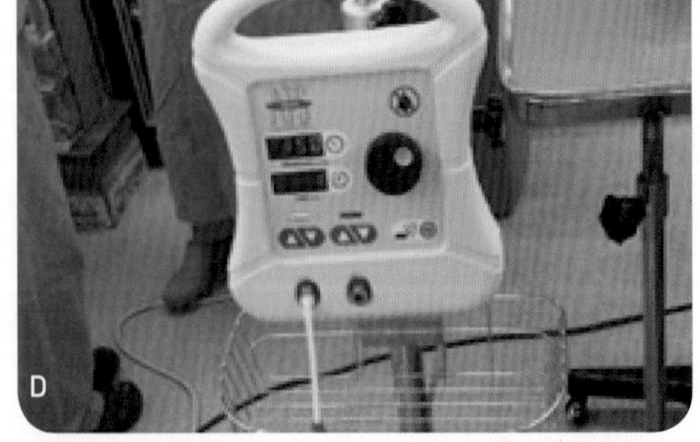

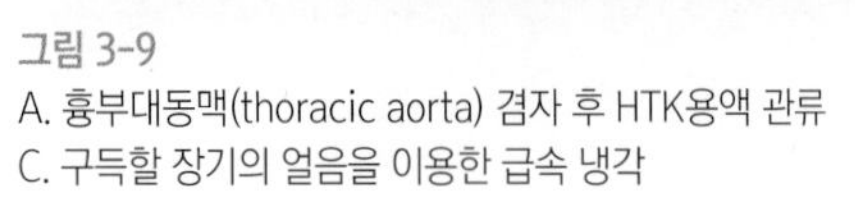

그림 3-9
A. 흉부대동맥(thoracic aorta) 겸자 후 HTK용액 관류
B. 배액을 위한 간상부 하대정맥과 우측심방 사이 하대정맥 부분절개
C. 구득할 장기의 얼음을 이용한 급속 냉각
D. 관류액 bag을 pneumatic cuff로 감아 150 mmHg 압력을 가한다.

10) 장기의 구득 순서는 심장, 폐, 간, 췌장, 소장, 신장 순으로 구득한다. 간구득 시 박리하는 순서는 총담관, 위십이지장동맥(gastro-duodenal artery, GDA), 간문맥, 비장동맥, 상장간막동맥, 간하부하대정맥(infrahe-patic IVC), 간 주변 인대 순으로 한다.
관류가 끝나갈 즈음 배액을 위해 부분 절개한 간상부하대정맥과 우심방 사이를 완전히 절개 분리한다(그림 3-10A). 겸자 부위가 흉부대동맥인 경우 겸자 하부를 절제 분리하고 횡격막부위의 복부대동맥까지 박리한다(그림 3-10B). 간의 좌외구역을 위로 젖히고 위의 대만부를 양손으로 잡아 당겨 부가 또는 대치된 좌간동맥이 손상되지 않도록 간위인대를 소만부를 따라 위식도 결합부위까지 박리 절제한다(그림 3-10C). 겸자부위가 복강동맥 상부인 경우 복부동맥을 절개 분리 한다. 박리 노출된 복강동맥은 간구득 마지막 단계에서 en-bloc 형태로 절제한다.

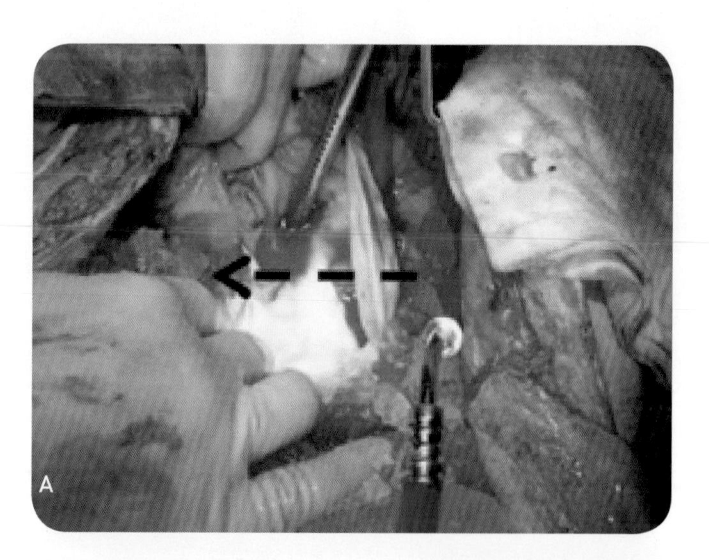

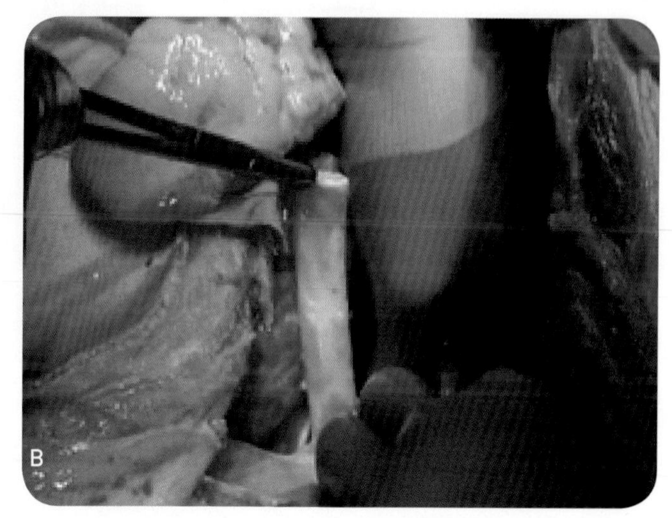

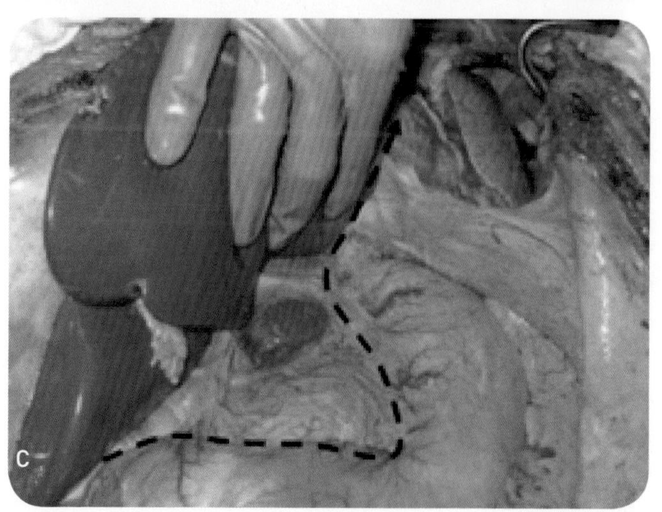

그림 3-10
A. 간상부하대정맥과 우심방 사이 절개 분리
B. 겸자하부 흉부대동맥 절제 분리 및 복부대동맥까지 박리
C. 간위인대를 소만부를 따라 위식도결합 부위까지 박리 절제

11) 십이지장 제1부와 위전정부위를 아래로 잡아당겨(그림 3-11A) 십이지장 상연에서 총담관을 확인하여 박리 절제 한다(그림 3-11B). 총담관 박리시 양측으로 주행하는 혈관이 손상되지 않게 주의한다. 총담관 좌측으로 박리하여 위십이지장동맥(GDA)을 확인하여 절제한다(그림 3-11C).

12) 췌장을 구득하지 않는 경우 췌두부와 체부사이를 절개하여 비장정맥과 상장간막정맥이 만나 이루는 간문맥을 박리하여 노출한 후(그림 3-12A), 상장간막정맥 및 비장정맥 원위부에서 절단하여 문맥을 분리한다(그림 3-12B).

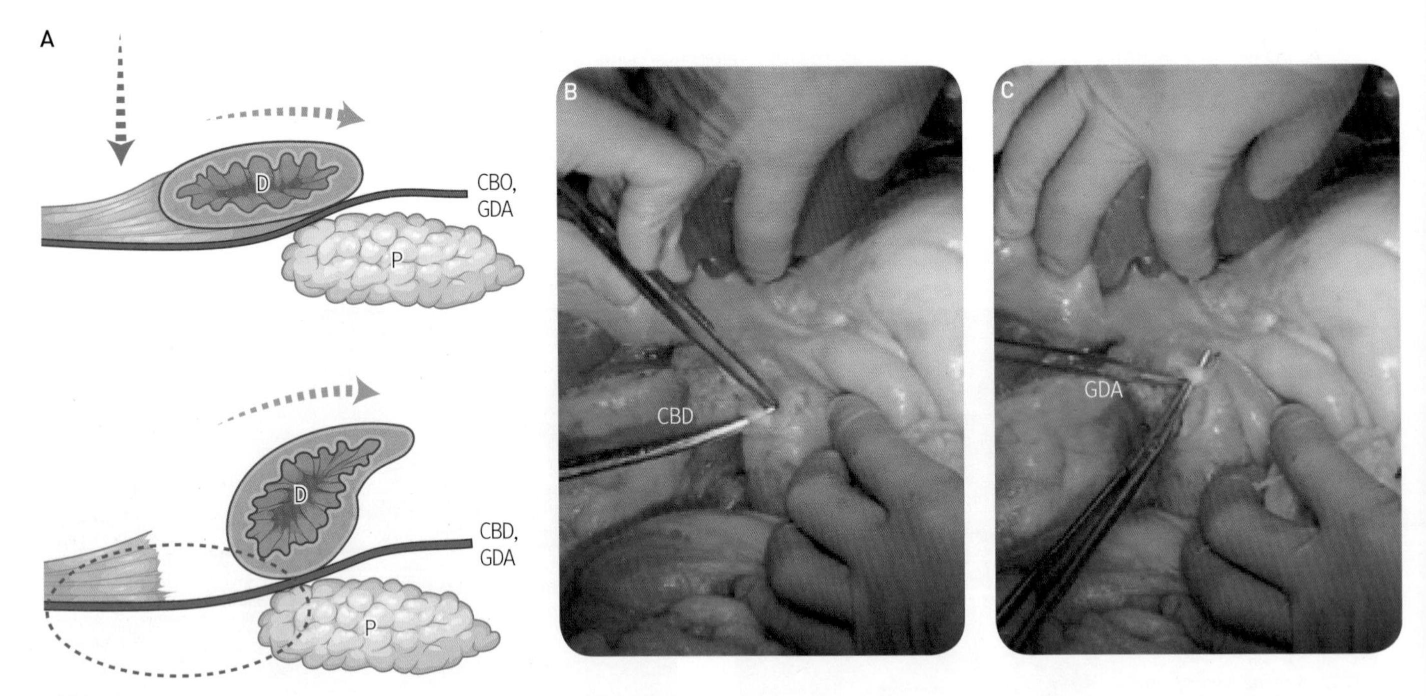

그림 3-11
A. 십이지장 제1부를 아래로 잡아당긴 모식도, B. 십이지장 상연에서 총담관(CBD) 박리 절제, C. 총담관 좌측의 위십이지장동맥(GDA) 박리 절제

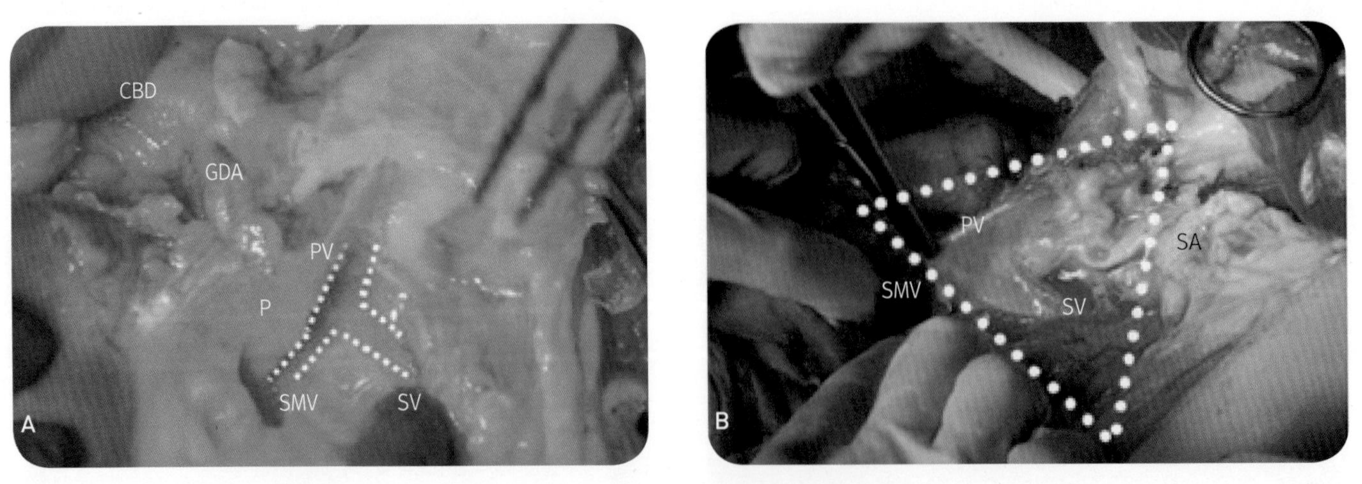

그림 3-12
A. 췌두부와 체부사이를 절개하여 문맥(portal vein, PV), 비장정맥(splenic vein, SV)과 상장간막정정맥(SMV) 박리
B. SMV 및 SV 원위부에서 절단하여 문맥을 분리

13) 췌장두부의 상부연 좌측에 있는 림프절(lymph node 8번)을 박리한 후 총간동맥(common hepatic artery, CHA)를 확인하고(그림 3-13A), 췌장 상부연을 따라 복강동맥 부위에서 비장쪽으로 박리하여 비장동맥(SA)을 확인한 후 절단한다(그림 3-13B).

췌장을 구득할 경우에 문맥은 췌장두부의 상연에서 절단하고, 비장동맥도 기시부에서 절단 후 각각을 prolene 6-0를 이용하여 표시하고, 췌장으로 분지하는 문맥과 동맥이 손상되지 않도록 주의한다.

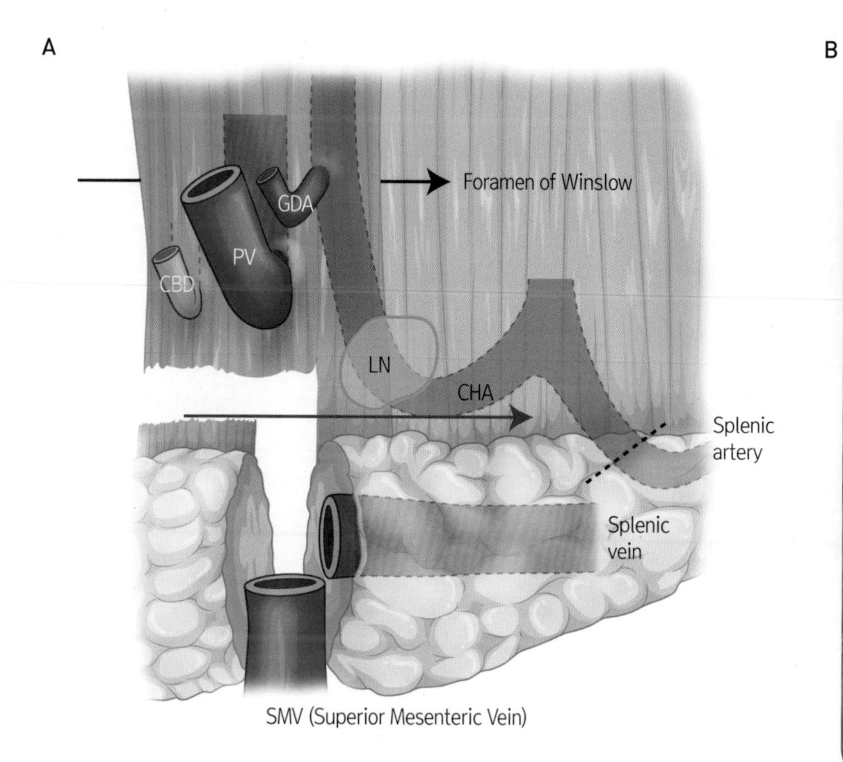

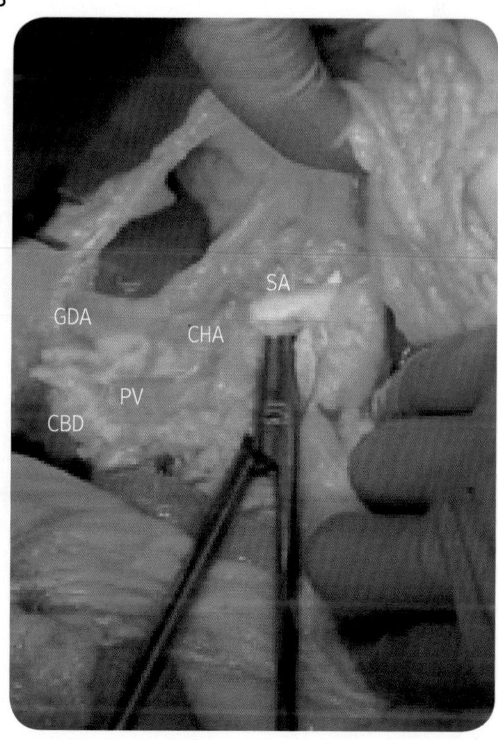

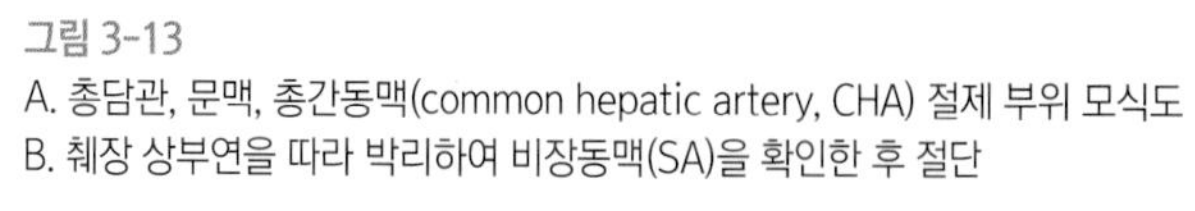
그림 3-13
A. 총담관, 문맥, 총간동맥(common hepatic artery, CHA) 절제 부위 모식도
B. 췌장 상부연을 따라 박리하여 비장동맥(SA)을 확인한 후 절단

14) 췌장하부로 이동하여 상장간동맥 기시부의 대동맥을 박리한다. 췌장을 사용하지 않는 경우는 정중앙을 기시부에서 2~3 cm정도 하부로 박리 절단하는데, 부가 또는 대치된 우간동맥이 이 사이의 우측에서 기시하므로 손상되지 않도록 주의하여야 한다. 상장간막동맥을 분할 절개하여(그림 3-14A) 대동맥 내에서 우신동맥 및 신장의 부가동맥의 존재여부를 확인한 후 그 상부쪽으로 대동맥을 절단 분리한다(그림 3-14B). 췌장을 사용할 경우에는 상장간막동맥을 기시부에서 절제하여 표시하고 혈관손상이 없도록 더 이상의 박리는 하지 않는다. 복강동맥 주위의 두터운 신경조직을 박리 분리한다.

15) 간하부 하대정맥을 좌신정맥 유입부의 상부에서 부분절개하여 IVC 내강에서 양측 신정맥의 내강을 확인한 후(그림 3-15A), 손상되지 않도록 적당한 간격을 두고 절단한다(그림 3-15B). 우측 신장을 아래로 당겨 보호하면서 간신인대를 절제하여 간 하부를 분리한다(그림 3-15C).

16) 간상부 IVC에 손가락을 넣어 손상되지 않게 보호하고, 간이 손상되지 않게 간 주위의 횡격막을 절제 분리한다(그림 3-16A). 간문부 주위의 총담관, 문맥, 위십이지장동맥, 비장동맥을 확인하여 모두 간 쪽으로 젖히고 상장간막동맥 및 복강동맥이 포함되게 분리된 대동맥을 확인하여 젖히고 그 하부로 박리 절제하여 간을 구득한다(그림 3-16B).

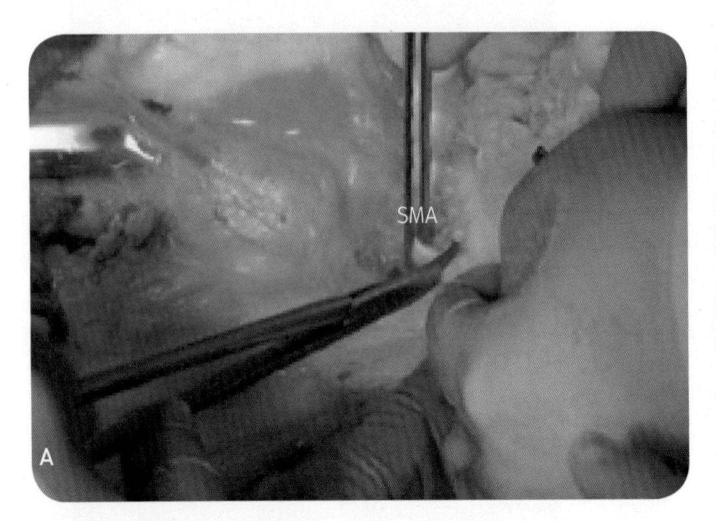

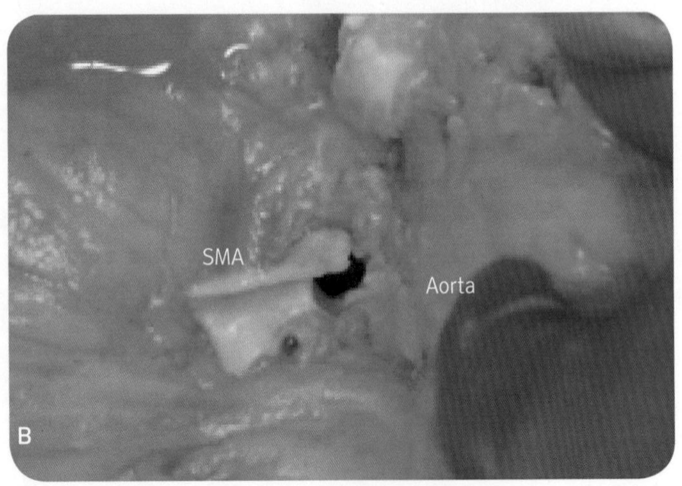

그림 3-14
A. 복강동맥 하부의 SMA 절제
B. SMA 분할 절개를 통한 우신동맥 및 신장 부가동맥 여부 확인

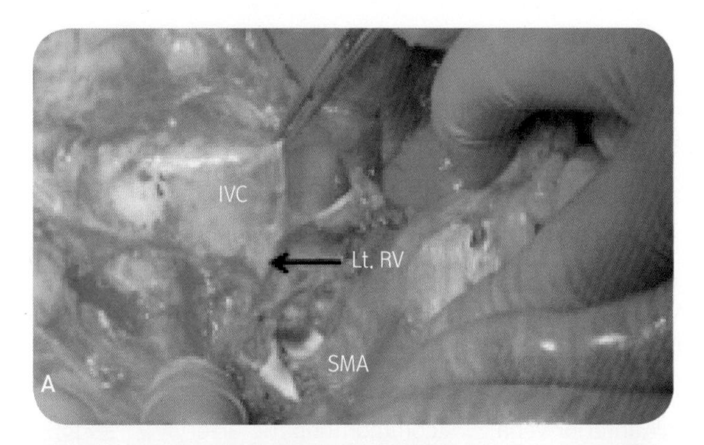

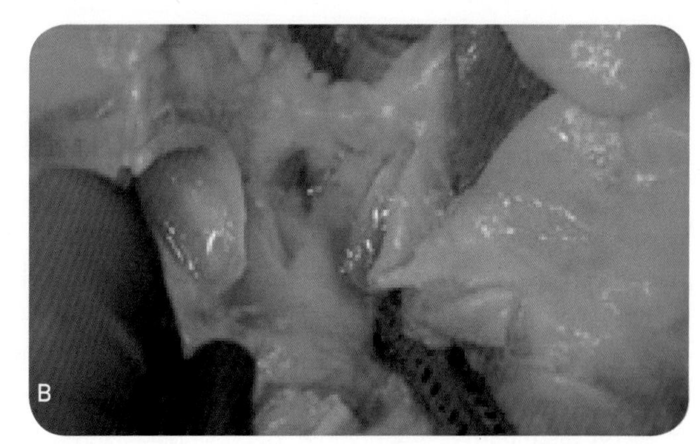

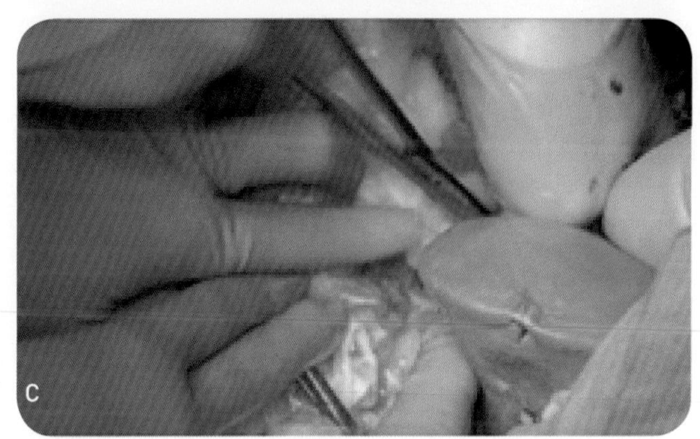

그림 3-15
A. 좌신정맥(Lt. RV) 유입부의 상부에서 간하부 하대정맥(inferior vena cava, IVC)을 부분절개
B. 간하부 IVC 완전 절제
C. 간하부 분리를 위한 간신인대 절제

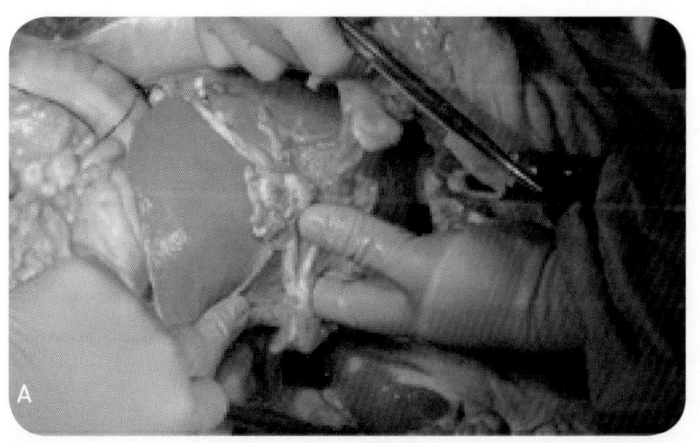

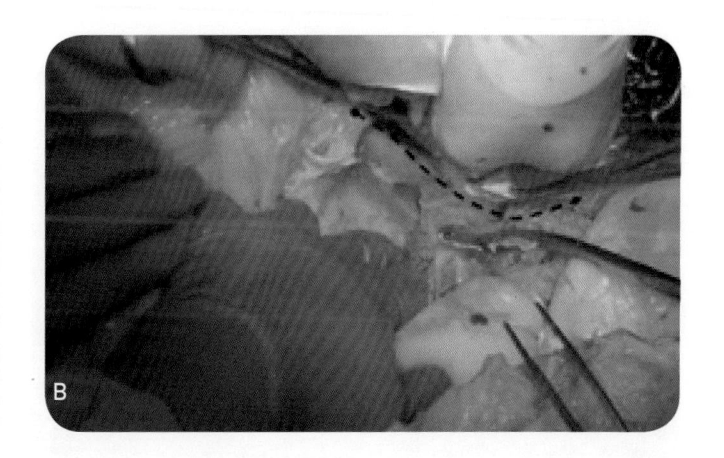

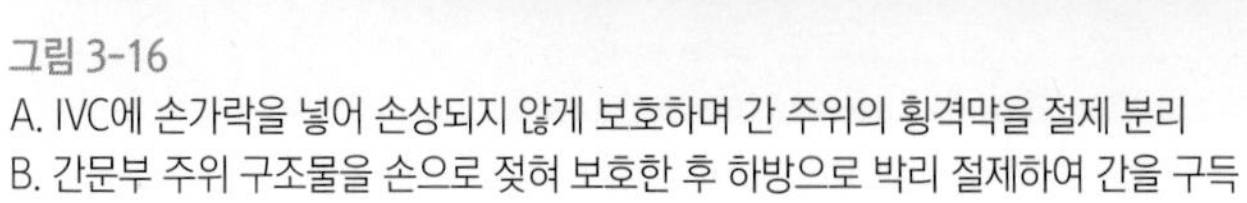
그림 3-16
A. IVC에 손가락을 넣어 손상되지 않게 보호하며 간 주위의 횡격막을 절제 분리
B. 간문부 주위 구조물을 손으로 젖혀 보호한 후 하방으로 박리 절제하여 간을 구득

II. 췌장 구득(Pancreas recovery)

뇌사 기증자 췌장적출술은 일반적으로 표준화된 다장기 적출의 일부이다. 적출은 췌장의 상태를 관찰하고 촉지하여 최종적으로 췌장을 사용할 것인지 결정하는 것부터 시작된다. 이식을 위해 췌장의 상태가 적합한지를 결정하는 가장 중요한 방법은 적출하는 시점에 장기의 상태를 직접 관찰하는 것이다. 췌장의 상태를 평가하기 위해 우선 간위인대(hepatogastric ligament)를 박리하여 췌장의 두부(head)와 몸통(body)의 일부를 관찰할 수 있다. 또한, 대망(greater omentum)을 횡행결장(transverse colon)에서 분리하여 소망낭(lesser sac)을 열고 췌장의 전체 전면을 보면서 췌장의 상태를 파악한다(그림 3-17). 대부분의 적출의는 췌장에 석회화, 전반적인 섬유화, 지방 침윤, 심한 부종 또는 해당 혈관의 동맥경화증이 심한 경우 적출을 포기하게 된다.

췌장을 적출하기에 적합하다고 결정을 하게 되면, 췌장을 십이지장과 함께 적출하기 위해 박리를 시작한다. 우선, Kocher maneuver를 통해 췌장 두부(head)와 십이지장(duodenum)을 박리하여 췌장 두부(head)의 후면과 대동맥(aorta) 및 하대정맥(inferior vena cava)을 노출시킨다.

유문 직하방의 십이지장에서 주행하는 anterior and posterior pancreaticoduodenal artery 을 결찰하여 Gastro-Intestinal Anastomosis (GIA) stapler를 사용할 공간을 확보한다(그림 3-18).

오른위동맥(right gastric artery)과 십이지장위동맥(supraduodenal artery)도 결찰한다. 상장간막동맥(superior mesenteric artery)에서 분지하는 우측 간동맥(right hepatic artery)이 있을 수 있으므로 박리할 때 확인이 필요하다. 오른위동맥(supraduodenal artery)을 결찰한 후 총간동맥(common hepatic artery)에서 분지하는 위십이지장동맥(gastroduodenal artery)을 확인할 수 있으며, 췌장 적출 시 prolene 6-0로 표시(tagging)하기 쉽도록 vessel loop을 걸어둔다.

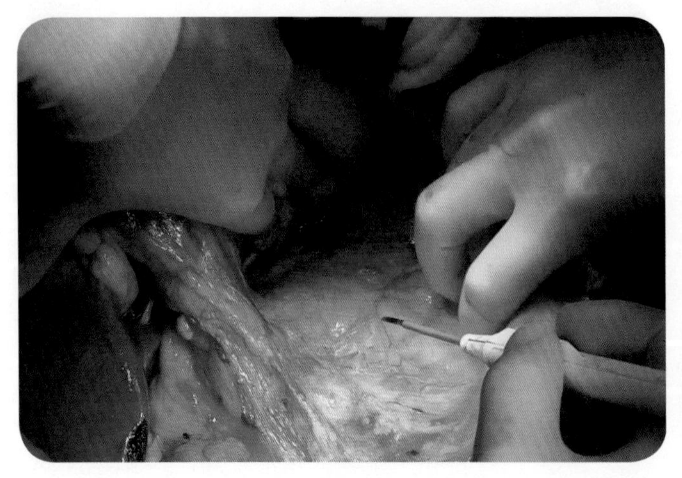

그림 3-17

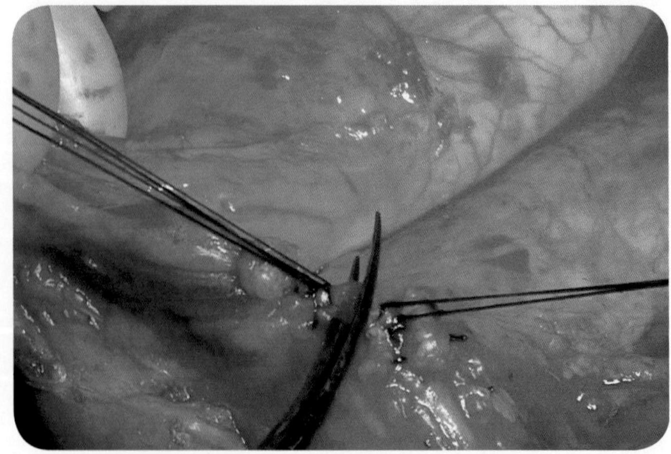

그림 3-18

총간동맥(common hepatic artery)에서 복강동맥(celiac trunk) 방향으로 박리를 하면서 비장동맥(splenic artery) 기시부를 확인하고 vessel loop을 걸어둔다(그림 3-19). 하장간막정맥(Inferior mesenteric vein)이 췌장으로 진입하는 부위를 확인하고 vessel loop을 걸어둔다. 간 적출팀이 하장간막정맥(inferior mesenteric vein)을 통해 간문맥 관류(portal perfusion)를 계획할 경우 관류 삽입관(cannula)이 췌장 실질 내부까지 삽입되지 않도록 주의를 요한다.

위(stomach)에 거치되어 있는 비위관(nasogastric tube)을 Treitz 인대 부위까지 끌어내리고 Treitz 인대 하방에서 소장을 intestinal clamp로 막아 둔 상태에서 비위관을 통해 항생제 및 항진균제가 포함된 생리식염수로 세척(irrigation)을 여러 차례 시행한다. 비위관을 다시 위(stomach) 내부로 위치 시킨 뒤 GIA 60스테이플러를 사용하여 유문과 그 직하방 십이지장을 분리한다(그림 3-20). 그 다음, Treitz 인대 근처 십이지장과 공장 근위부를 GIA 60 스테이플러로 분리한다. HTK 또는 UW 용액으로 관류가 완료된 후, 일반적으로 췌장과 간은 원래 위치에서 분리한다. 비장동맥(splenic artery)은 복강동맥(celiac trunk)에서 분지되어 나오는 지점에서 분리한다. 위십이지장동맥(gastroduodenal artery)도 총간동맥(common hepatic artery)에서 분지하는 지점에서 분리한다. 비장동맥(splenic artery)과 위십이지장동맥(gastroduodenal artery) 모두 분리하기 전에 prolene 6-0로 표시(tagging)한다. 간 적출팀과 협의하여 간문맥

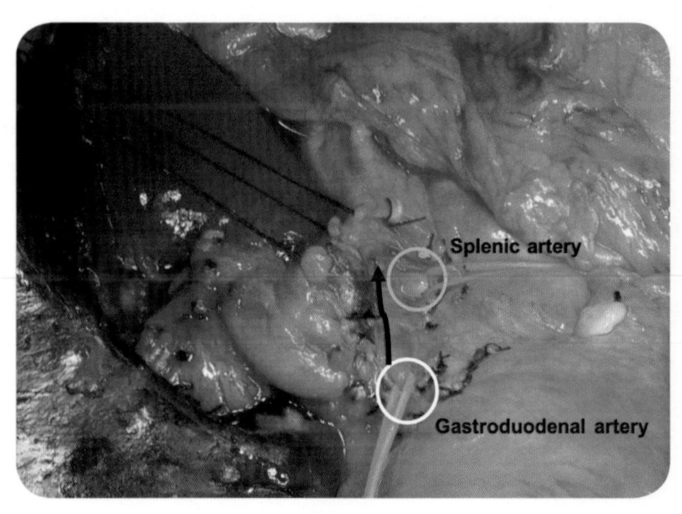

그림 3-19

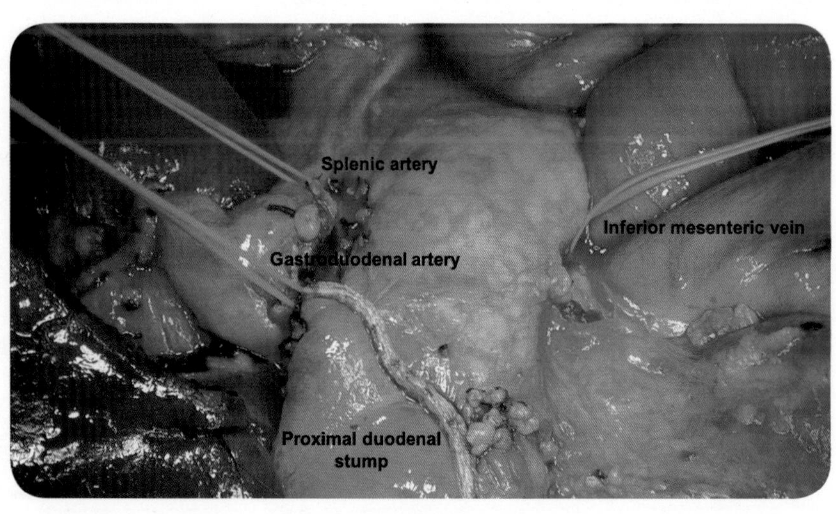

그림 3-20

(portal vein)을 적절한 길이로 분리한다(그림 3-21).

간 적출이 완료된 후 대동맥에서 분지하는 상장간막 동맥(superior mesenteric artery)을 분리한다(그림 3-22). 이때, 상장간막 동맥(superior mesenteric artery) 직하방에 위치한 양측 신동맥(renal artery)과 좌측 신정맥(renal vein)이 손상되지 않도록 주의해야 한다.

하장간막정맥(inferior mesenteric vein)을 췌장 진입 부위에서 결찰한다. 췌장갈고리돌기(uncinate process) 하부에서 장간막근위부(mesenteric root)를 TA 90 스테이플러를 이용하여 분리한다. 췌장 상부에서 짧은위동맥(short gastric arteryies)을 잘라내 위와 비장을 분리한다. 췌장 하부와 좌측 신장을 박리하여 분리한다.

비장(spleen)을 보조 손으로 잡은 상태에서 비장 주변과 췌장 꼬리 부분을 주변 조직으로부터 박리하여 분리하면 췌장 적출이 마무리된다. 신장 적출이 완료된 후, back-table에서 Y-graft를 만들기 위해 장골총동맥(common iliac artery)와 그 양측 가지를 en bloc으로 적출한다.

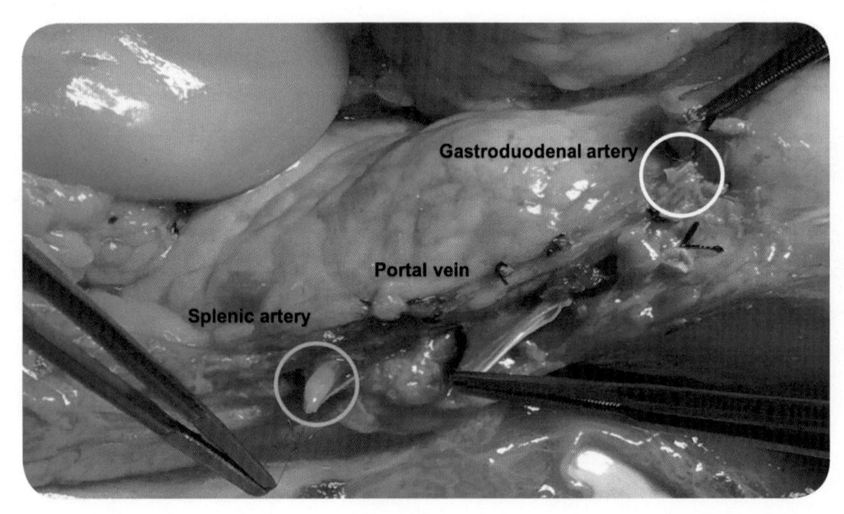

그림 3-21

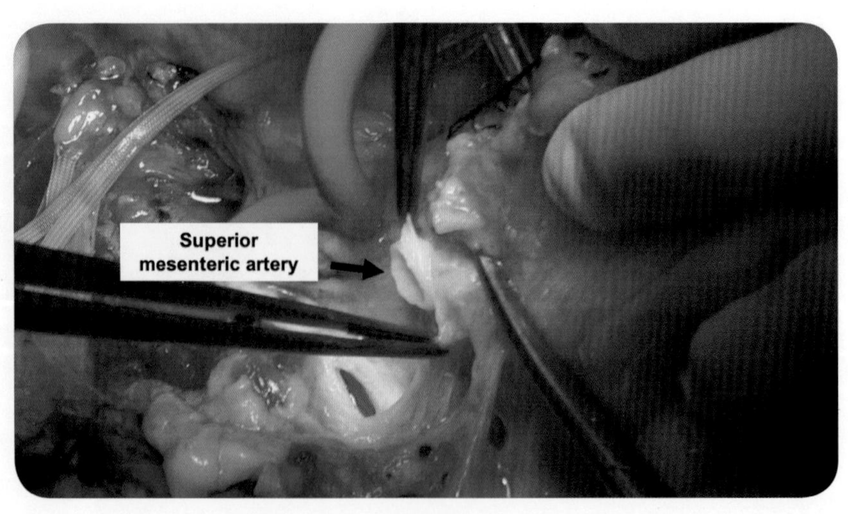

그림 3-22

III. 신장 구득(Kidney recovery)

1. 서론

뇌사자 콩팥 구득의 궁극적인 목적은 콩팥실질과 동맥, 정맥 및 요관의 손상 없이 허혈손상시간을 최소화하여 콩팥을 구득하는 것이다. 콩팥은 간, 췌장, 소장 구득 이후에 시행하는 것이 일반적이다. 특별한 경우엔 한쪽 콩팥만을 박리하여 적출하는 경우도 있지만 대부분 양측 콩팥을 복부대동맥 및 하대정맥, 콩팥 주변 연부조직 및 요관을 한번에 구득하는 방법(en-bloc resection)이 사용되는데 (그림 3-23) 그 이유는 다음과 같다. 첫째, 직접적인 신장동맥과 정맥의 도관삽입(cannulation)으로 인한 혈관내막손상의 가능성을 피할 수 있다. 둘째, 신장 적출 후에 혈관식별 및 박리가 이루어지기 때문에 박리 시 발생할 수 있는 미세혈관 손상을 최소화하고 콩팥적출시간을 최소화하여 허혈시간을 줄일 수 있다. 셋째, 콩팥동맥이 여러 개거나 혈관교정술이 추가로 필요한 경우 대동맥과 하대정맥을 혈관패치(예: carrel patch)로 사용하여 수혜자 수술 시 이를 이용할 수 있다.

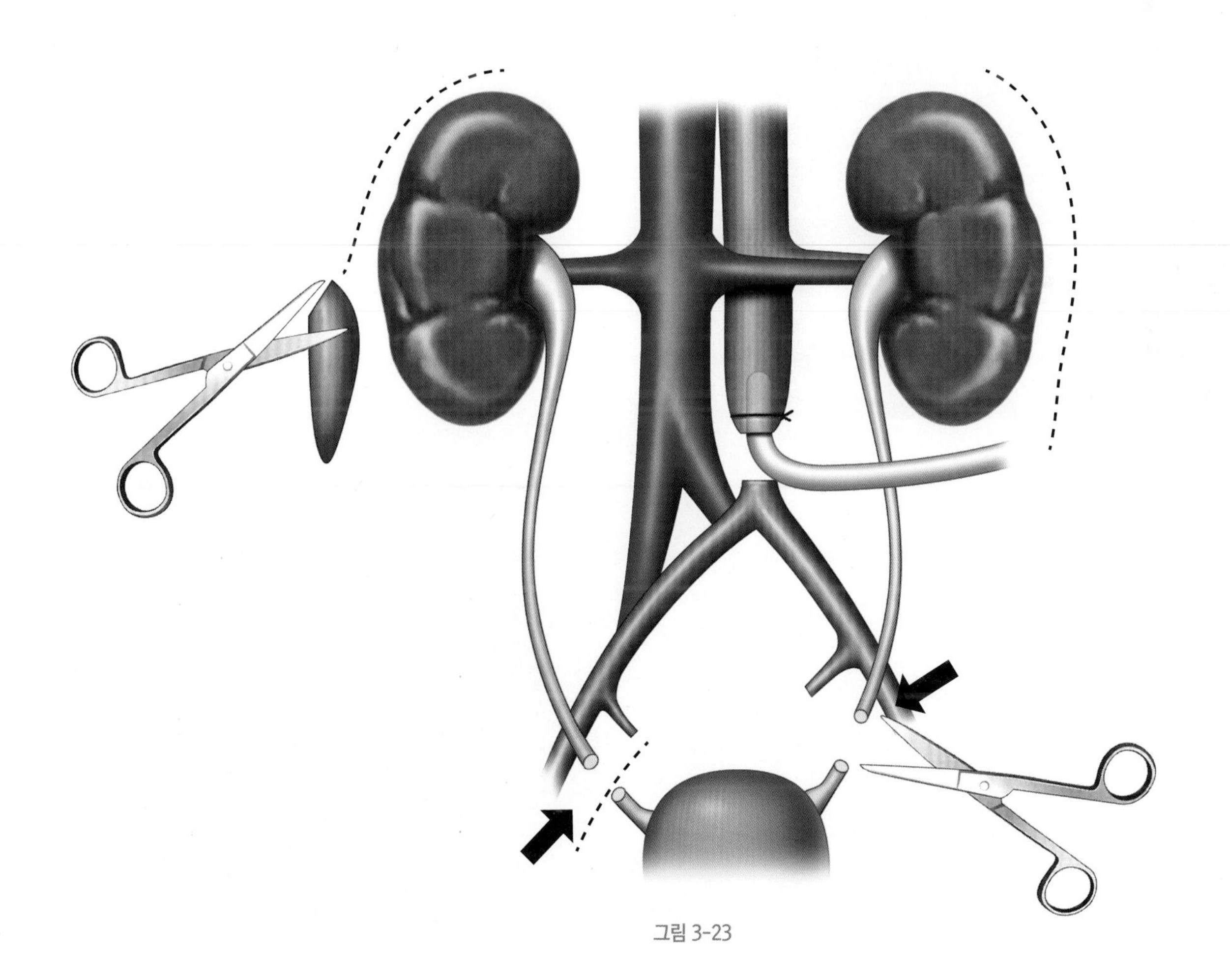

그림 3-23

2. 절개 및 노출

콩팥 구득 단독으로 진행할 경우 관류를 위한 도관삽입과 관류가 필요하다(간구득 부분 참조). 일반적으로는 간 구득과 콩팥구득만 같이 이루어 지는 경우가 많으니 여기에 준해서 기술하겠다. 간구득이 끝난 직후엔 후복막기관인 신장위에 소장과 대장이 놓여있는 상태이다(그림 3-24). 가장 먼저 해야 할 일은 복부 접근 시 빠른 탐색을 통하여 복강내 예기치 않은 감염원이나 신생물, 기타 병적상태 유무를 파악해야 한다. 이상소견이 없다면 콩팥구득을 시작한다.

3. 수술과정

1) 콩팥 구득

콩팥의 구득은 췌장을 구득한 상태가 아닌 경우에는 박리된 우측결장과 소장을 좌내측 상방으로 견인한 후 십이지장의 외측 복막 연결부를 절개한 후 수동화 시켜 십이지장과 췌장을 좌측 상방으로 이동시킨다(그림 3-25). 이의 결과로 후복막의 대정맥, 대동맥, 우측 콩팥 및 요관 등이 노출된다. 먼저 우측요관을 찾아 아래로 박리하여 방광 근처에서 절단하고 끝의 일부를 작은겸자로 잡아 추후 박리 시 표지자로 이용한다(그림 3-26). 하행 및 에스결장부를 박리하여 좌측요관을 찾아 우측과 같은

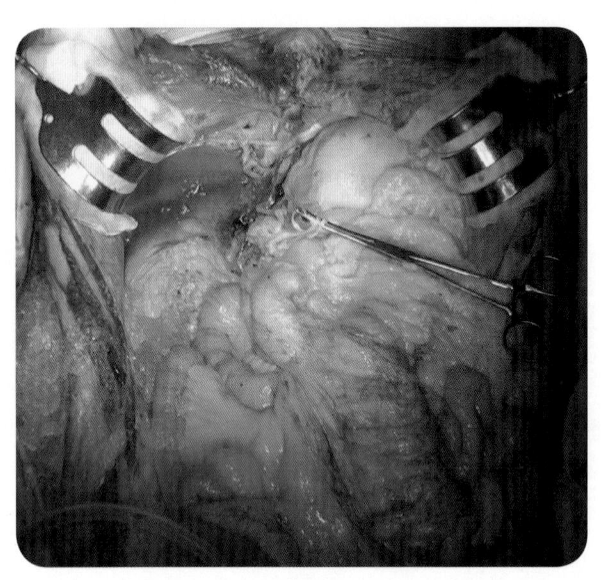

그림 3-24

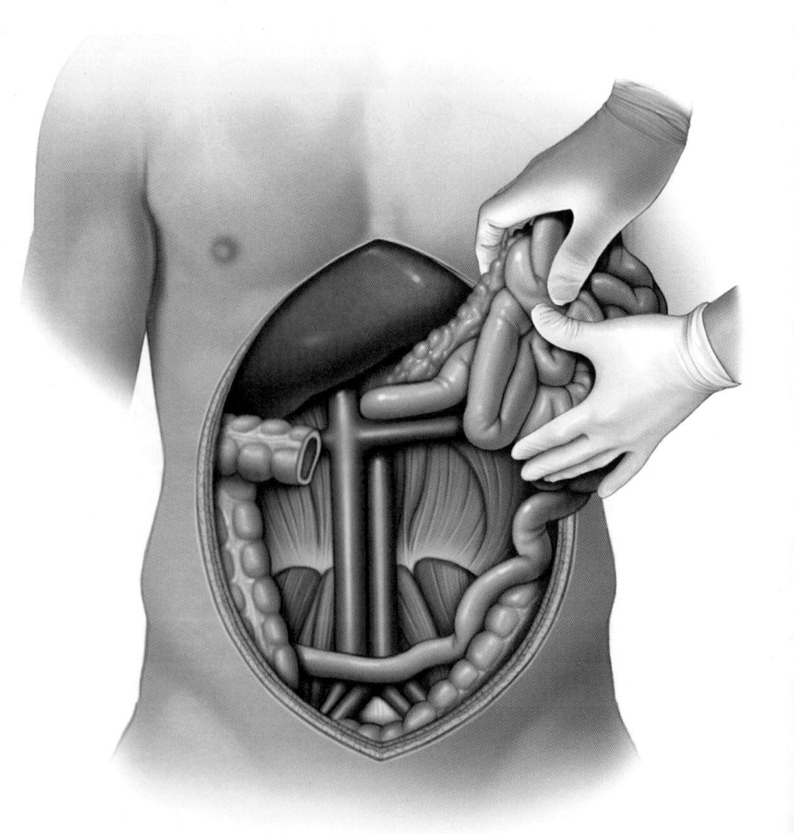

그림 3-25

방법으로 박리 절제한다(그림 3-27). 요관을 양측 콩팥의 하방부까지 박리하는데 요관에서 조금 떨어져 박리하여 혈관과 요관이 손상되지 않도록 주의한다. 요관주위의 섬유윤상조직은 콩팥의 신우 뒤쪽에서 절개하고, 요관주위의 혈관이 손상되지 않도록 주의하여 요관을 적출한다. 특히 신우의 아래쪽에서 요관으로 분지되는 혈관은 손상되지 않도록 하여야 한다. 좌신정맥을 따라 외측으로 박리를 진행하여 부신정맥 및 성선정맥을 확인하고 이들을 절리하면 콩팥이 주변 조직과 분리된다. 대동맥과 대정맥의 근위부를 절단한 후 전방 및 상방으로 들어 올린 후, 뒤쪽에서 노출되는 각 쌍의 요골 혈관들을 절리하여 박리를 진행한다. 주변 조직과 분리된 콩팥과 요관을 전방으로 들어올리고 후복막과 대동맥, 대정맥 사이에 남아있는 연결부위를 절제하여 en bloc으로 구득한다.

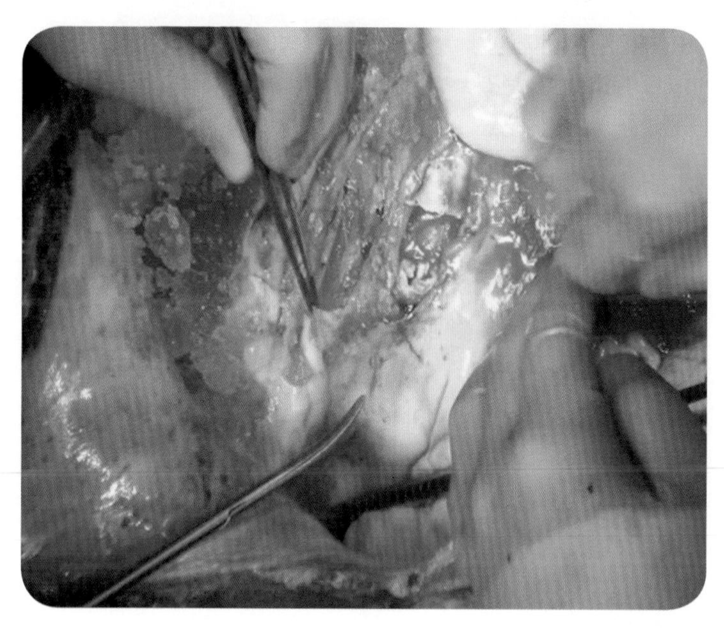

그림 3-26

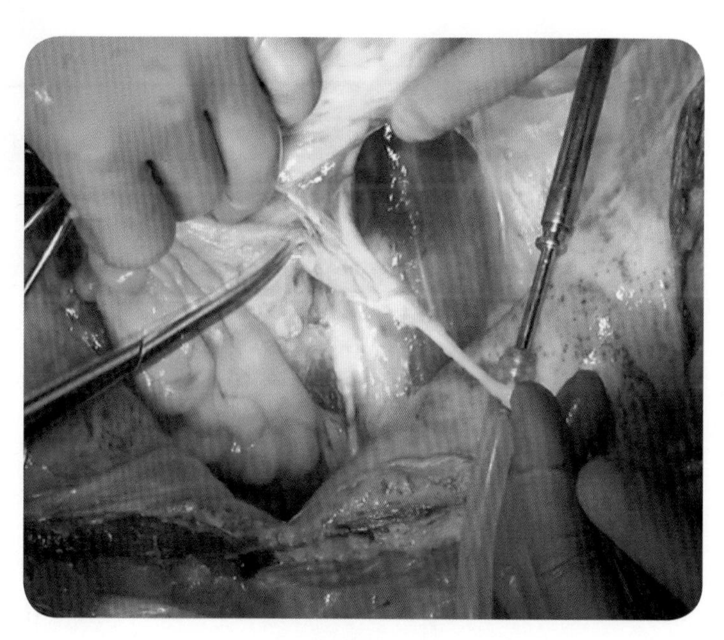

그림 3-27

2) 콩팥 분리와 박리 (Division of both kidneys)

(1) 콩팥 분리

두 개의 콩팥을 분리하는 일은 하대정맥을 박리하면서 시작한다. 하대정맥에서 분지되는 양측 콩팥정맥을 박리하여 노출시킨 후 좌측 콩팥 정맥의 기시부에서 절단하여 분리한다(그림 3-28). 다음으로 대동맥을 노출 시킨 후 대동맥 정중앙을 분리하여 콩팥동맥이 분지되는 기시부를 확인한 다음 같은 비율로 절단 및 분리한다(그림 3-29). 일반적으로 요골 동맥이 쌍으로 분지되기 때문에 그 사이를 절단하여 분리하면 쉽게 콩팥동맥 손상 없이 분리할 수 있다.

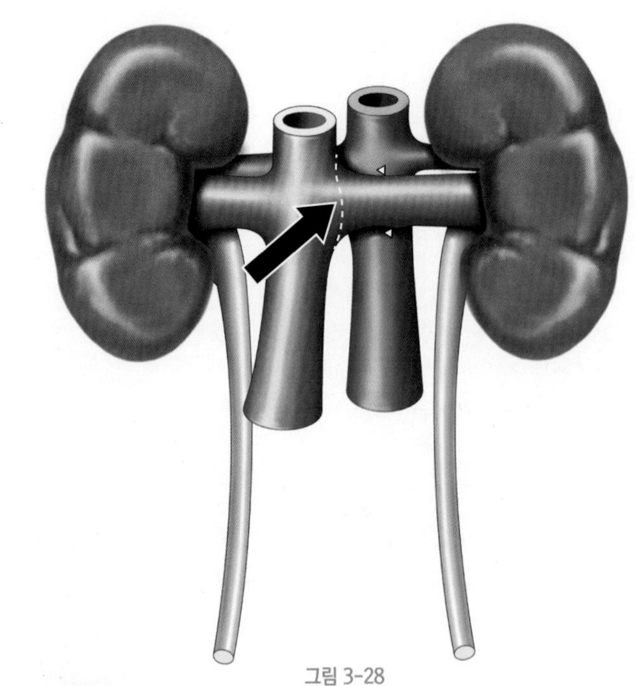
그림 3-28

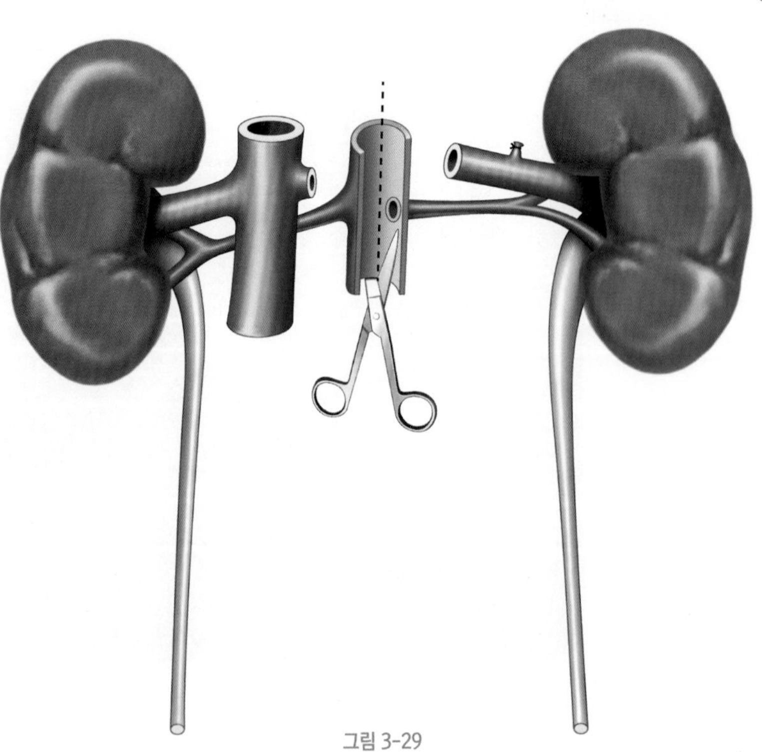
그림 3-29

(2) 콩팥 주변 박리(Bench procedure)

콩팥을 해부학적 위치로 놓고 혈관과 요관, 콩팥 실질이 손상되지 않게 면밀하게 확인하며 박리를 진행한다. 콩팥동맥과 정맥 끝을 견인한 후 동맥과 정맥 주변 연부조직을 박리한다 이때 분지혈관을 파악하여 콩팥과 연결되지 않는 혈관은 결찰하고 연결된 혈관은 박리하여 따로 표시해둔다(그림 3-30). 일반적으로 좌측 콩팥정맥으로부터 생식선 정맥이 분지되니 결찰한다(그림 3-31).

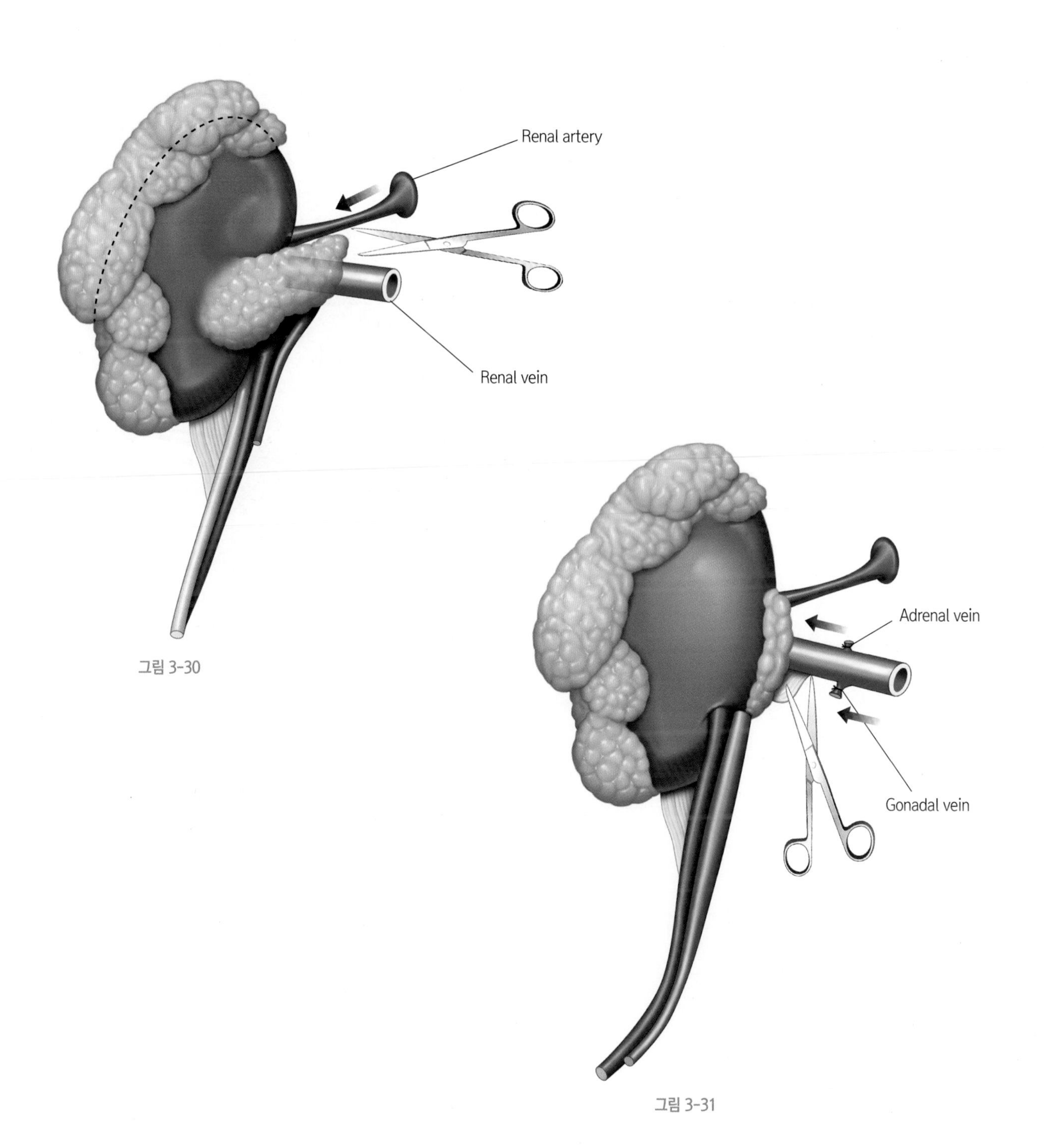

그림 3-30

그림 3-31

혈관 박리 후 콩팥주변 연부조직을 박리한다. 이때 주의할 사항은 요관과 연결된 혈관들이 손상을 받아 이식 후 요관괴사가 올 수 있기 때문에 콩팥하단 극과 요관이 접하는 부분의 박리는 피해야 한다(그림 3-32). 요관 끝쪽에 남아 있는 생식선 정맥을 포함하여 요관 주변 연부조직을 제거한다(그림 3-33). 박리가 끝난 후 콩팥동맥으로 관류액을 투여해 이식편에 남아있는 공여자 혈액을 제거한다.

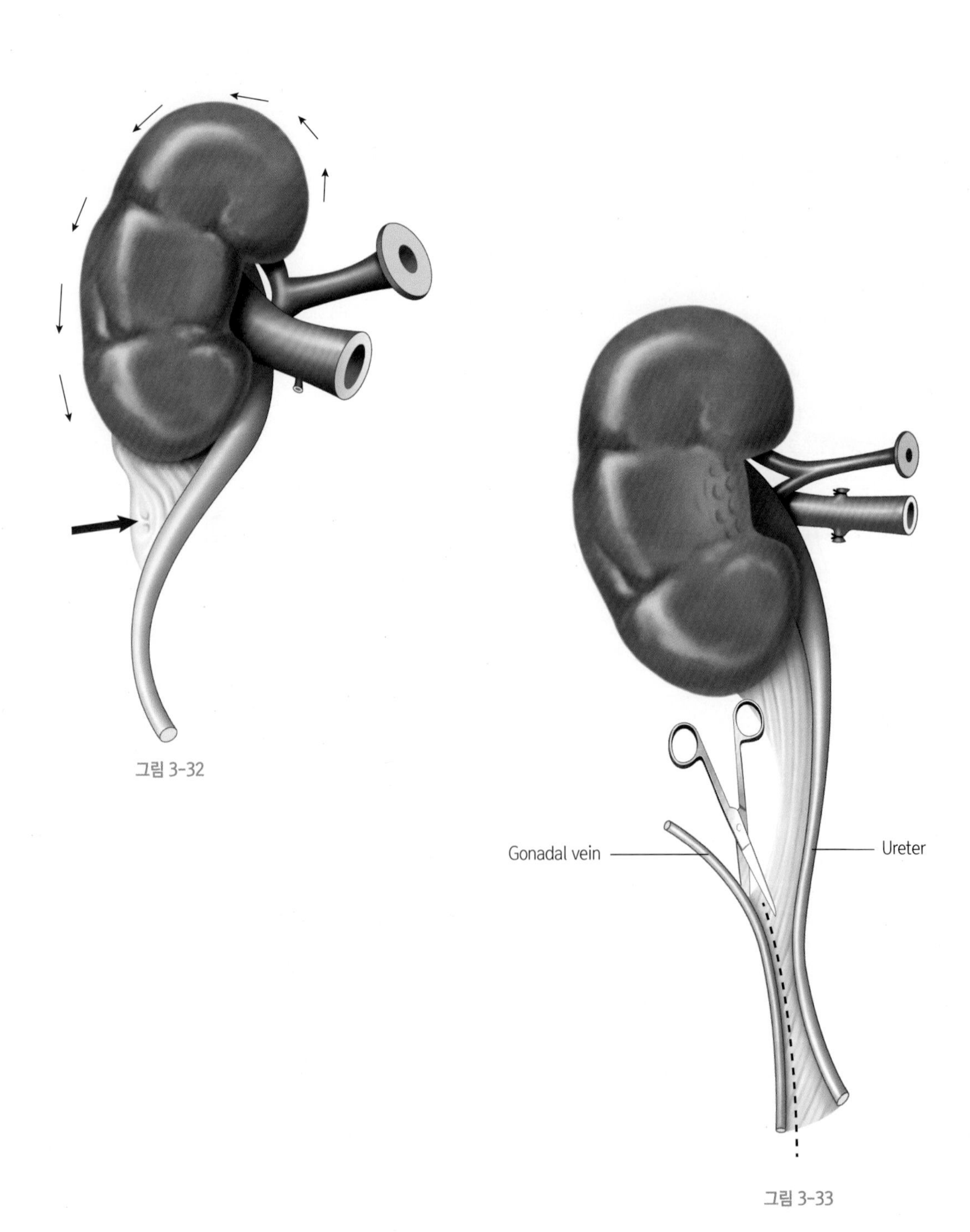

그림 3-32

그림 3-33

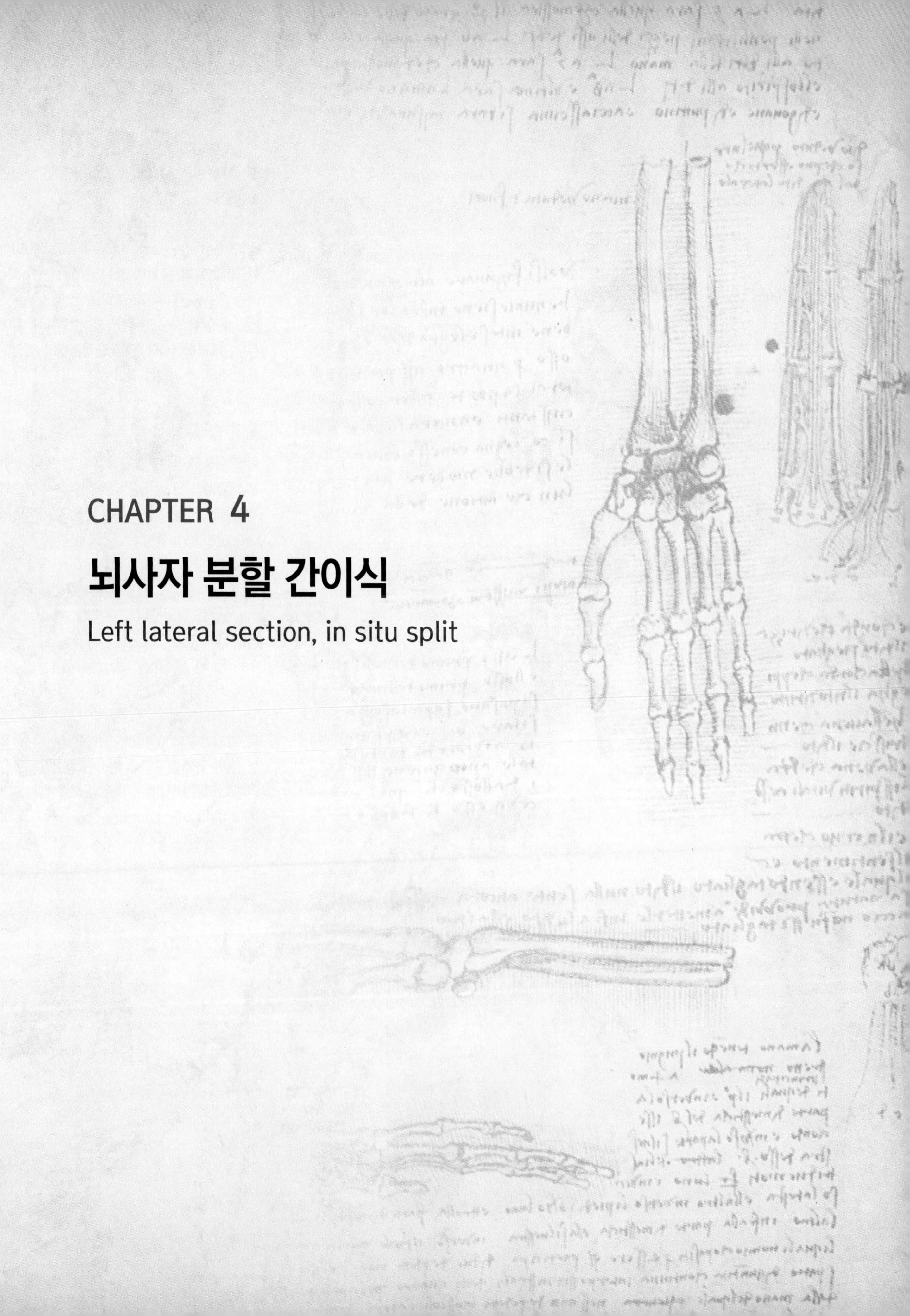

CHAPTER 4

뇌사자 분할 간이식

Left lateral section, in situ split

1. 적응증

1) 분할 간이식 대상 공여자 적응증

(가) 혈동학적으로 안정되고 심장이 뛰고 있는 뇌사 상태의 다장기 기증자

(나) 연령이 40세 이하이면서 체중이 50 kg 이상

(다) 1차 뇌사조사 후 간장 이식대상자 선정 시점까지, 다음과 같은 기준의 혈압 상승약 사용이 모두 해당하는 경우

① Dopamine 15 ㎍/ kg/min 이하

② Dobutamin 15 ㎍/kg/min 이하

③ Norepinephrine 0.75 ㎍/kg/min 이하

④ Epinephrine 0.075 ㎍/kg/min 이하

(라) 1차 뇌사 조사 이후 중환자실 재원일수 5일 이하인 경우

(마) 적출 할 당시 24시간 전에 GOT/GPT 검사결과가 정상(40 U/L)의 3배 이하인 경우

(바) 적출 할 당시 24시간 전에 혈청 sodium 160 mg/dL 이하인 경우

이때 (가) 내지 (다)는 필수조건이며, (라) 내지 (바)는 참고사항이다.

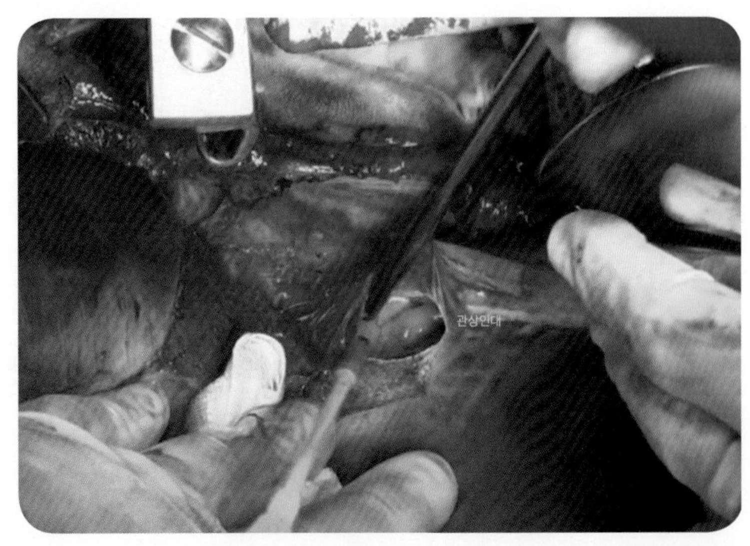

그림 4-1

2) 분할 간이식 수여자의 조건

- 15세 이하이면서 등록 다시 체중이 30 kg 이하인 경우
- 이식편의 좌외측구역에 국한하여 이식하는 경우

2. 수술 전 처치

뇌사자 전 간 적출을 위한 수술팀과 논의 후 뇌사자 분할 간 적출 수술이 가능할 것으로 판단되면 타 장기의 상태를 확인하는 과정이 끝날 때까지 기다려야 한다. 그리고, 뇌사자 분할 좌외측구역 적출 수술은 뇌사자 적출 과정에서 발생할 수 있는 응급상황에서 대처를 용이하게 하기 위해, 간을 포함한 뇌사자 장기 적출을 위한 대동맥 및 문맥 관류 준비가 끝난 상태에서 시작한다.

3. 수술 준비

뇌사자 장기 적출이 시행되는 병원의 사정에 따라서 간의 해부학적 구조를 확인하기 위해 컴퓨터단층촬영 결과를 확인한다.

간절단의 편의를 위해 CUSA 등의 간 절제 기구의 준비가 필요하며, 혈관의 절단을 위해 사친스크클램프(Satinsky clam) 등을 포함한 혈관겸자를 준비한다.

그리고, 분할된 좌외측구역에 보존용액를 주입하기 위해서 back-table을 따로 준비한다. 간실질의 분할이 끝나면 back-table에는 2L의 HTK (Histidine-trypophan-ketoglutarate) 보존용액을 수액대에 걸어두며, 대형 bowl에 얼음 슬러시를 1/3정도 채운 후 장기 비닐을 덮어둔다.

4. 수술 과정

복부 대동맥 및 문맥 관류를 위한 준비가 마친 상태에서 간 절제를 쉽게 진행하기 병원의 사정에 따라서 가능하다면 칼돌기(xiphoid process) 위로 복부 견인기를 설치한다.

먼저, 간원인대(ligamentum teres)는 견인을 위해 봉합사로 결찰한 켈리클램프(Kelly clamp)로 잡아둔다. 간원인대는 보조자에 의해 다리 방향으로 당긴 후 좌측 겸상인대(faciform ligament)를 전기 소작기를 이용해 좌간정맥이 확인될 때까지 절단해 나간다. 위장와 비장의 손상을 방지하기 위해 간의 좌외측구역 아래에 거즈를 넣어서 위장과 간의 좌외측구역을 분리한 후 좌측 관상인대(coronary ligament)와 좌측 삼각인대(triangular ligament)를 전기 소작기를 이용해 절단한다(그림 4-1). 좌측 삼각인대는 간이식 후 출혈을 예방하기 위해 봉합사로 결찰한다.

보조자는 간 좌외측 구역을 견인기를 이용해 복부 중앙으로 견인한 후 위간인대(gastrohepatic ligament)를 절단한다. 위간인대의 간 쪽 부위는 간 이식 후 출혈을 방지하기 위해 정맥인대(ligamentum venosum 또는 arantius duct)를 따라서 결찰 후 절단한다. 좌간정맥을 확인한 후 좌간정맥과 대정맥 사이를 조심스럽게 mixter겸자로 벌리면서 좌간정맥의 후벽을 박리한다. 좌간정맥과 중간간정맥이 만나는 부위가 확인이 되면 Hanging maneuver를 위해 나일론테입을 넣어 둔다(그림 4-2). 만약, 만나는 부위가 명확히 보이지 않으면 좌간정맥의 손상 위험성이 있기 때문에 무리해서 박리를 시행하지는 않는다.

(그림 4-3) 위간인대를 절단할 때 좌위동맥에서 나오는 좌간 동맥의 여부를 반드시 확인해야 한다. 그를 위해, 술자는 반드시 술자의 눈으로 좌간 동맥의 가능성을 확인하고 술자의 손으로 좌간 동맥의 박동을 확인해야 한다. 위간인대내에서 좌간동맥이 확인되는 경우 좌간동맥의 길이를 최대한 확보하기 위해 위의 작은 굽이(lesser curvature of stomach)를 펼친 후 복강동맥으로부터 좌위동맥의 시작부위까지 조심스럽게 결찰을 진행한다.

hilar plate의 좌측에서부터 조심스럽게 전기소작기를 이용해 박리를 진행한다. 좌간동맥이 가장 먼저 확인이 되며, 좌간동맥은 vessel loop을 이용해 좌측으로 당긴 후 좌간문맥을 확인하고 박리를 시행한다. 좌간문

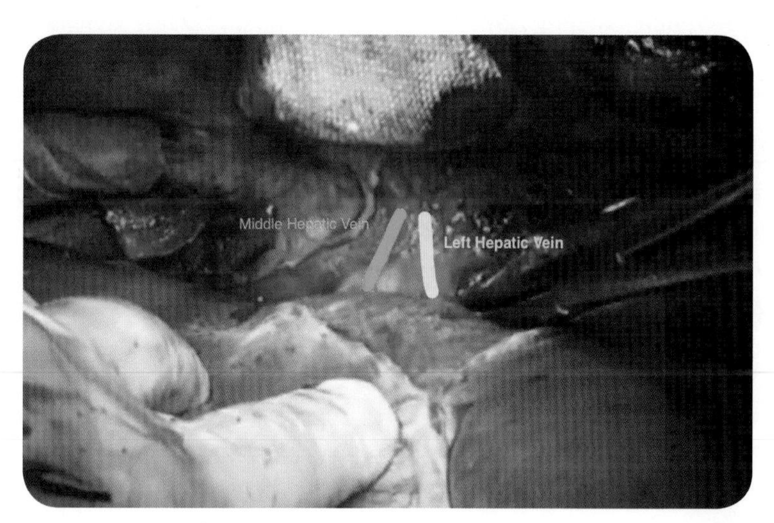

그림 4-2

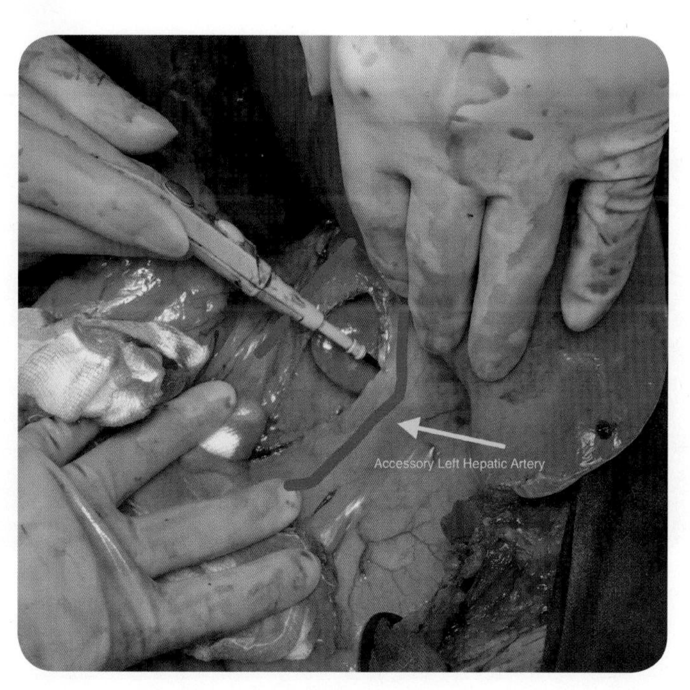

그림 4-3

맥은 mixter겸자를 이용해 좌간문맥의 후벽을 박리한 후 역시 vessel loop을 거치한다. 좌간문맥에서 미상엽으로 가는 작은 문맥분지를 확인하고 문맥분지의 상부에서 vessel loop을 거치한다(그림 4-4). 박리를 좀 더 우측방향으로 진행해서 중간간동맥을 확인하고 vessel loop을 거치한다.

겸상인대를 따라서 우측으로 5 mm 간격을 두고 좌간정맥까지 전기소작기로 경계선을 표시한다(그림 4-5). 간의 견인을 위해 절단면의 우측을 1-0 monofilament 실로 8자 suture를 시행한다.

술자와 보조자는 간실질의 절단을 위해, 술자는 꿰매둔 실을 당기고, 보조자는 간원인대를 묶어둔 실을 당겨서 절단면이 벌어지게 한다. 간실질의 절단은 CUSA를 이용해서 조심스럽게 진행하며, 간 절제 중 그리고 간이식 후 발생할 수 있는 출혈 및 담즙누출을 예방하기 위해 가능하면 작은 glisson분지 및 간정맥분지도 클립과 봉합을 시행한다. S4a와 S4b를 공급하는 glisson분지는 양측 부위를 모두 2중 결찰을 시행한 후 절단한다.

간실질의 절단은 아래에서 위쪽방향으로 시행하며, hilar plate 바로 상부에 도달할 때까지 진행한다. 보조자는 좌간문맥과 좌간동맥, 중간동맥을 좌측방향으로 살짝 당겨서 좌간담도와 분리시켜 준 후, 술자는 좌간담도를 메쨈(metzembaum)가위로 1/3 정도 절단한다. 좌간담도의 분리 위치가 정확한지를 확인하기위해 탐색자(Probe)를 삽입한다. 총담도와 우간담도를 확인한 후 남은 2/3 좌간담도를 절단하다. 총담도와 우간담도에 이상에 없음을 확인한 후 좌간담도 절단단은 6-0 monofilament봉합사로 running suture 시행한다(그림 4-5).

좌간정맥과 중간간정맥 사이에 넣어둔 nilon tape의 한 쪽 끝을 정맥인대를 따라 거치한 후 좌간문맥의 우측으로 빼내어서 Hanging maneuver을 시행한다. CUSA로 남은 간실질을 모두 절단한다.

뇌사자 장기적출팀과 상의 후 헤파린을 뇌사자에게 투여한다. back table이 준비가 되면, 좌간동맥, 중간간동맥, 좌간문맥, 좌간정맥의 순으로 절단한다. 좌간동맥은 고유간동맥으로부터 2 mm 정도의 절단단을 남기고 2중 결찰을 시행한 후 가위로 절단한다. 중간간동맥 역시 동일한 방식으로 절단한다. 좌간문맥은 미상엽으로 분지되는 작은 문맥분지 바로 위에서 사친스키클램프(Satinsky clamp)로 잡고 메쨈가위로 절단한다. 좌간정맥은 중간간정맥의 혈류에 지장이 없도록 사친스키클램프로 잡고 메쨈가위로 절단한다. 완전히 분할된 간은 back table로 옮긴 후 좌간문맥으로 HTK보존용액을 주입한다.

좌외측구역을 back table로 보낸 후 좌간정맥 절단단은 5-0 monofilament 봉합사로 running suture를 시행한다. 그리고, 좌간문맥 절단단은 6-0 monofilament 봉합사로 running suture를 시행한다(그림 4-6).

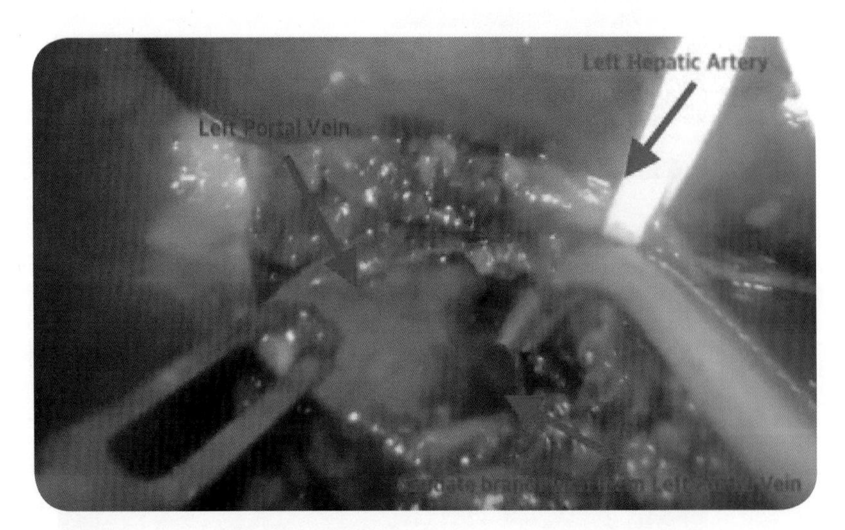

그림 4-4

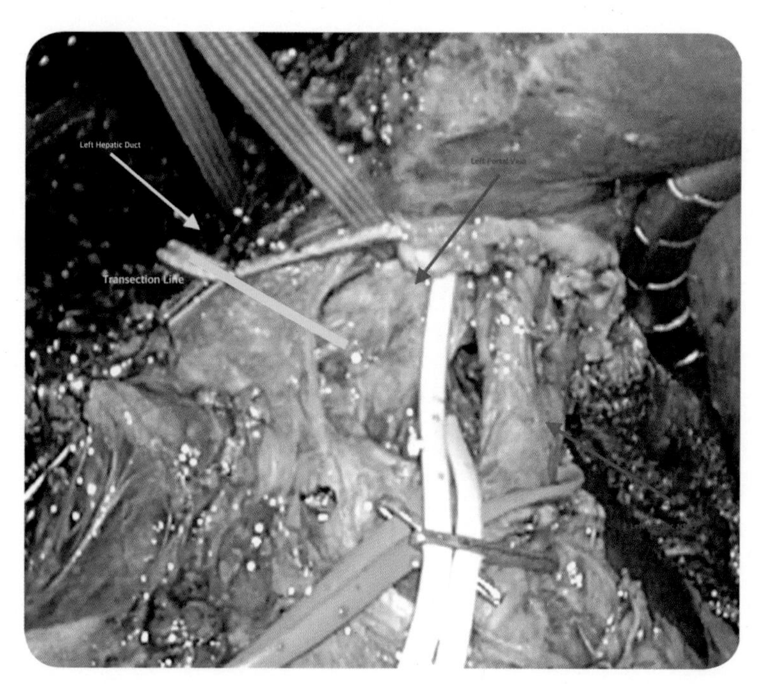
Left Hepatic Duct
Transection Line

그림 4-5

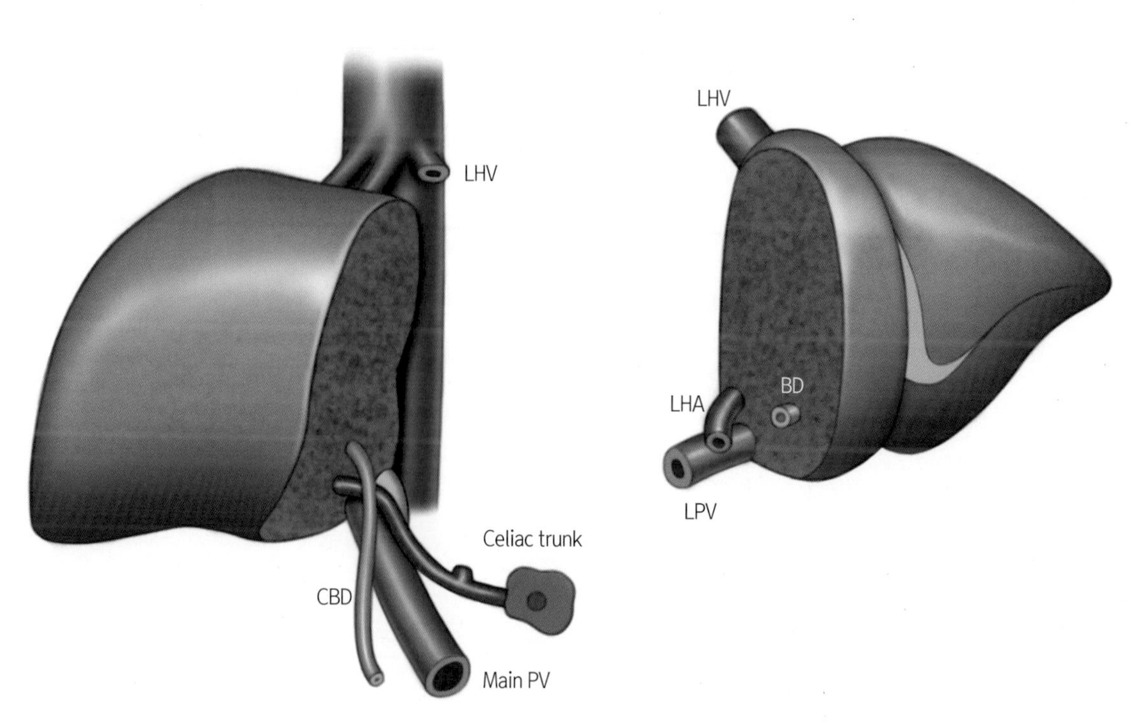
LHV
Celiac trunk
CBD
Main PV
LHV
BD
LHA
LPV

그림 4-6

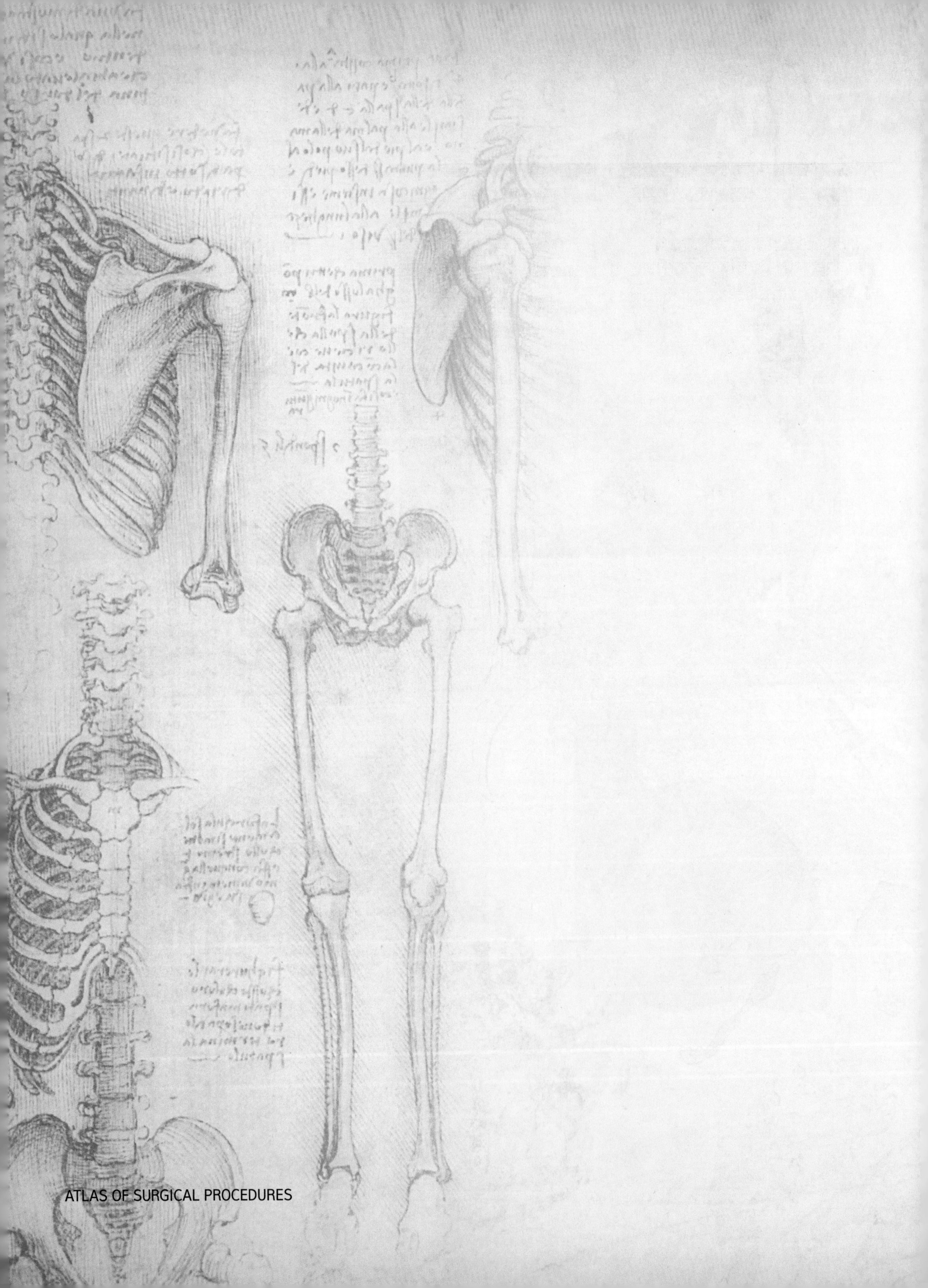

ATLAS OF SURGICAL PROCEDURES

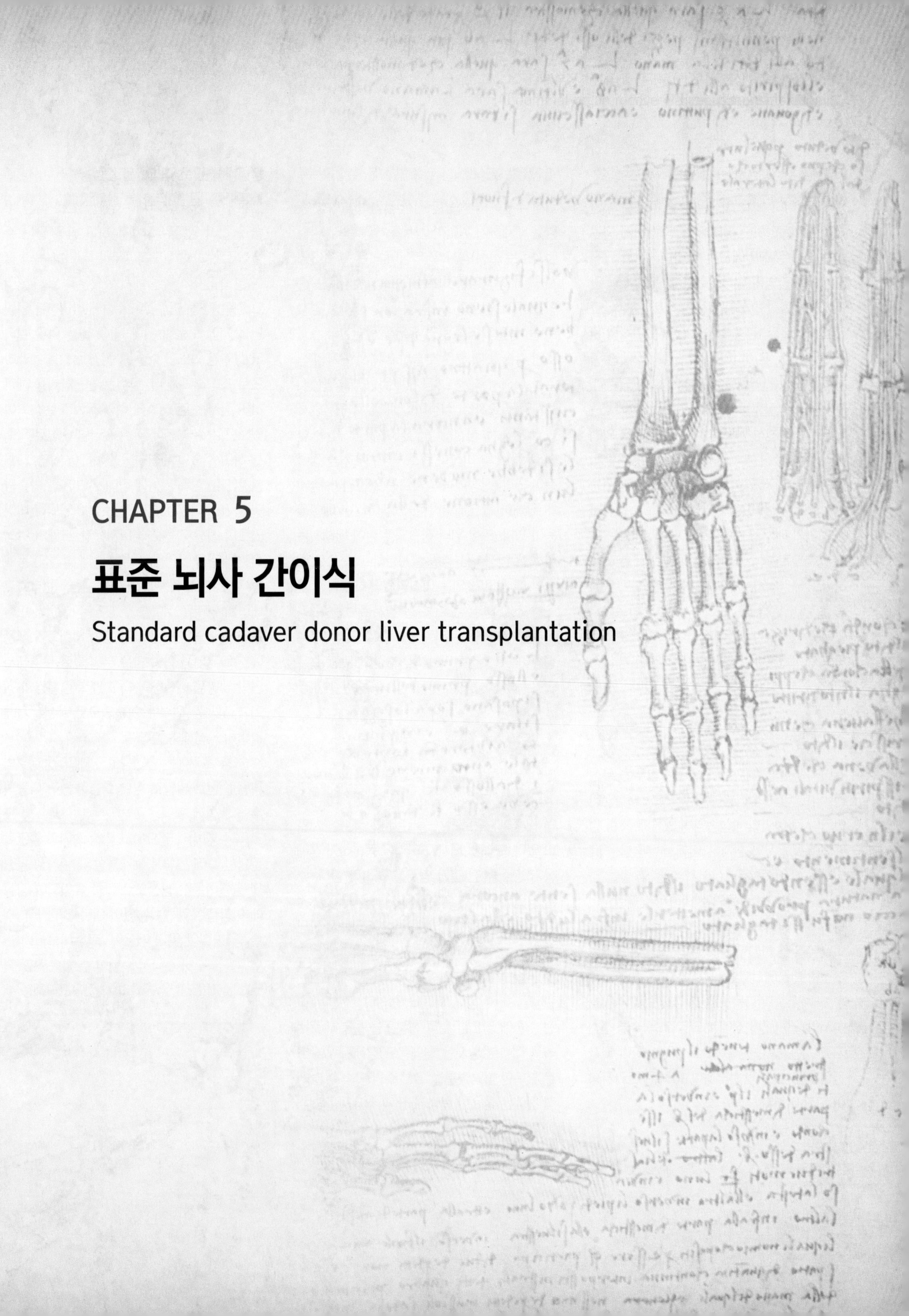

CHAPTER 5

표준 뇌사 간이식

Standard cadaver donor liver transplantation

1. 적응증

생체이식이나 뇌사 이식은 수술 적응증이 원칙적으로 동일하다. 뇌사자 이식을 하게 되는 원인 질환은 성인에서는 우리나라에서 가장 많은 B형 간염이 대부분이고 그 외에 C형 간염과 알코올성 간질환이 증가 추세에 있다. 그리고 급성 간 부전증 환자도 응급 간이식의 원인 질환이다. 우리나라에서는 많지 않지만 일차성 담즙성 간경변증, 일차성 경화성 담관염, 자가면역 간질환등이 간혹 있다. 소아에서는 대부분이 선천성 담도 형성 장애이고 그 외에 여러 종류의 선천성 대사 질환 등이 있다. 이상의 여러 가지 원인질환이 악화되어 간 기능이 나빠지면 간이식의 대상이 되는데 이식하는 시기가 매우 중요하다. 간이식의 대상이 되는 증후로는 복수가 증가하여 이뇨제를 사용하여도 해결되지 않을 때, 반복되는 식도 정맥류 출혈이 있을 때, 내과적 치료에 반응하지 않은 간성혼수가 있을 때, 간기능이 악화되어 적극적인 치료를 할 수 없는 비교적 조기 종양이 있을때, 계속되는 복막염 등이 있다.

2. 금기증

간이식 수술을 해서는 안 되는 경우는 우선 간, 담도 이외의 감염에 의한 전신 패혈증이 있거나 간 이외의 악성종양이 있을때, 또한 혈액형이 제공자와 환자 사이에서 부적합할 때이다. 그리고 음주가 심해서 수술 후 술을 끊을 수 없거나 여러 원인에 의해서 심폐질환이 악화되어 간이식 수술을 견디지 못할 때도 간이식 수술을 하지 않아야 한다. 최근에 혈액형 부적합 환자에서 수술 전후에 여러 가지 치료를 하여 수술이 가능하고 그 결과도 매우 양호하지만, 뇌사 간이식에서 탈감작 등 수술 전처치를 하는 것이 현실적으로 불가능하여 뇌사 간이식에서 혈액형 부적합 이식은 고려사항이 되기 어렵다.

3. 수술 전 검사

이식 수술에 부적합한 전신 감염이나 악성 종양을 배제하기 위하여 검사를 해야 한다. 감염검사로는 혈청 검사 및 의심이 되는 여러 곳에서 균 배양 검사를 하고 악성 종양검사로는 종양 표지자 검사와 X-선 검사 및 내시경 검사로 몸 속 장기내의 종양 유무를 판별한다.
또한 수술할 때 혹은 수술하고 나서 환자의 생존을 위해서 각 중요 장기에 위험성이 있는지 조사가 필요하다. 심장이나 폐의 기능을 검사하기 위해서 심전도나 심장 초음파 검사, 혈액 내 산소 및 이산화 탄소 농도, 폐 기능 검사 등이 있다. 신장기능 검사로는 소변검사, 혈액 내 유레아나 크레아니틴, 크레아티닌 배설률 등이 있다. 또한 위나 장관의 질환에 대해서는 위 혹은 대장 내시경을 실시한다. 다음으로 수술할 때 참고가 되는 이식장기의 해부학적 구조를 조사한다. 주로 X-선 검사로 초음파 검사, 단층 촬영 혹은 자기영상 촬영을 검사하여 질환이 있는 장기의 상태, 혈관의 폐색 혹은 협착 등의 양상, 해부학적 변이 등을 관찰한다.

4. 수술 전 처치

뇌사자 이식은 대부분의 경우에 응급으로 시행되고 환자가 선정되고 24시간 이내에 수술이 이루어지므로 수술을 준비할 충분한 시간이 없다. 그래서 뇌사자 이식을 등록하기 전에 상기의 수술 전 평가 검사를 하여야 한다. 수술 당일에는 우선 일반적인 혈액 검사, X선 검사 및 심전도 검사를 하여 이상이 있는지 판단하고 특히 혈액형이 맞는지 다시 확인해야 한다. 감염을 예방하기 위해서 항생제가 포함된 관장을 하여 장내 세균을 줄인다. 또한 수술 전 수술에 필요한 혈액 성분들을 충분히 준비하고 대부분 환자는 혈액응고 장애가 있으므로 부족한 혈액성분을 우선 수혈한다. 수술 시작 전에는 필요한 항생제, 면역 억제제를 계획에 따라서 투여한다.

5. 마취와 환자 자세

(그림 5-1) 환자의 자세는 일반적으로 다른 수술과 같이 앙와위 자세를 하고 양쪽 팔은 수술 의료진의 선호도에 따라 벌리거나 몸과 붙여 넣되 간이식 수술에서는 오른쪽 팔을 벌리고 왼쪽 팔을 넣는 것이 수술에 참여하는 인원의 배치에 도움이 된다. 양쪽 팔을 너무 벌리고 장기간 있으면 수술 후 신경 손상을 초래하므로 조심해야 한다. 마취는 전신마취를 해야 하며 환자는 간 이외의 여러 장기가 손상되어 있으므로 수술 전에 마취 전담팀에 진료 의뢰를 하여 수술의 위험성을 조사해야 한다. 대부분 환자는 심폐 기능에 장애가 있어 심 박출량이 증가 되어 있고 혈중 산소 농도가 감소되어 있으며 신장 기능도 떨어져있다. 그래서 여러 혈관에 관을 삽입하여 수술 중에 혈압 및 동맥혈 가스 분석, 폐동맥 쐐기압을 추적 관찰하고 대량의 혈액을 수혈할 수 있게 준비한다. 또한 간이식 수술은 오랜 시간 동안 시행되기 때문에 앙와위에서 압박 받은 부위를 잘 보호해서 압박 궤양을 예방해야 하고 개복된 복강의 장기가 장시간 외부에 노출되므로 체온유지에 각별히 조심해야 한다.
수술 중 초기에는 혈액응고 장애와 간 주위의 부행 순환로 발달로 심한 출혈이 있어 다량의 수혈과 함께 혈액응고 인자 투여가 필요하므로 특수 장비가 필요하고 이식 장기의 혈관을 문합한 후에 혈류를 재개통할 때는 산성 물질 및 칼륨이온이 심장으로 다량 유입되어 심장에 이상을 초래 할 수 있어 대비해야 한다. 수술 중 출혈이 많기 때문에 복강 내로 고이는 혈액을 회수하여 다시 수혈할 수 있는 자가 혈구 회수기(Cell saver)의 사용도 고려해볼 수 있다.

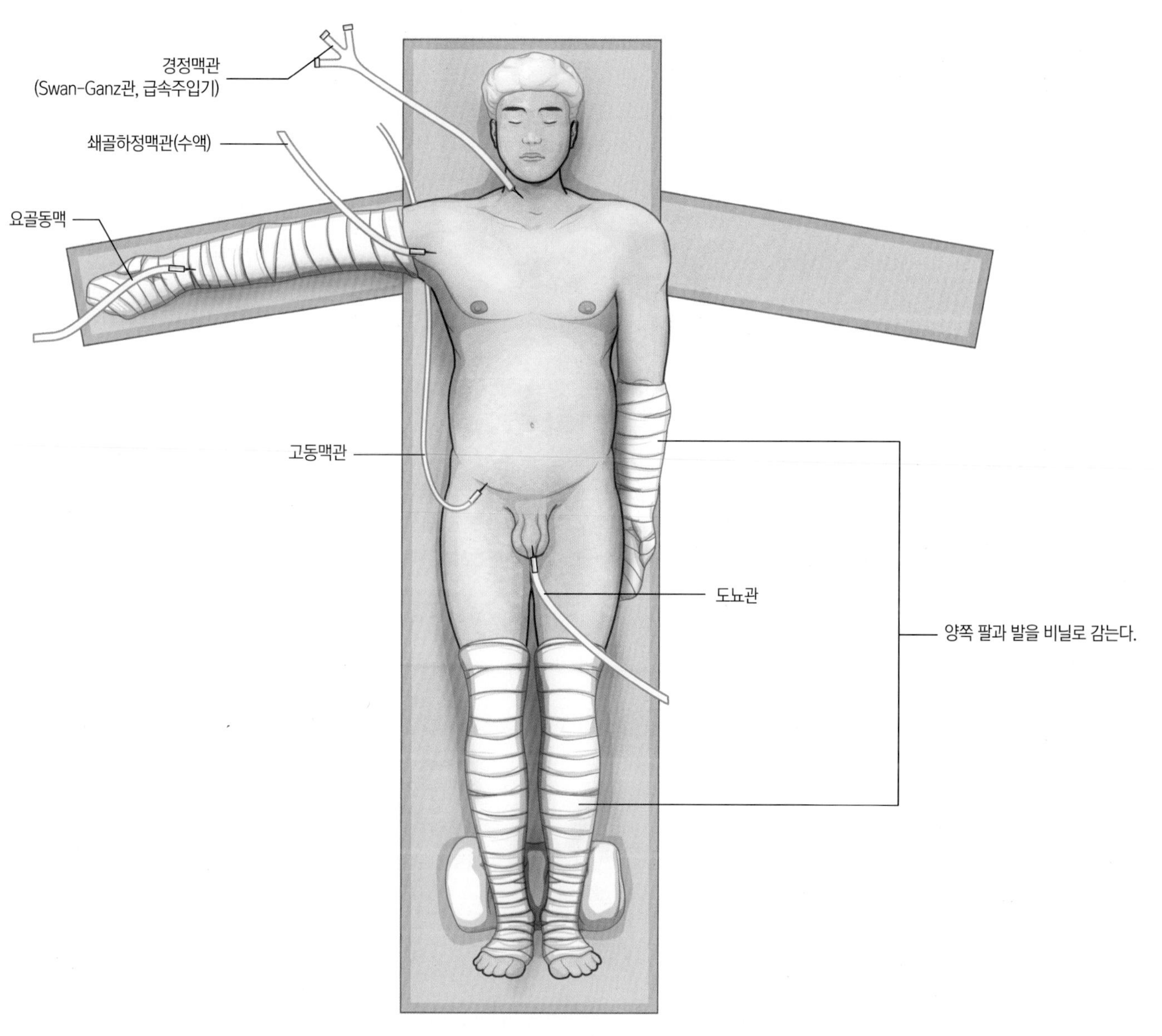

그림 5-1

6. 수술 과정

간이식 수술은 질환이 있는 간을 절제해 내고 그 자리에 새로운 간을 위치하여 이식 수술하는 동소성 이식수술이다. 간이식 수술은 수술형태와 관계없이 수술시기에 따라서 3단계로 나눌 수가 있다. 우선 질환이 있는 간을 절제하는 전 무간 시기(preanhepatic phase)가 있고 절제된 질환이 있던 간의 공간에 이식할 장기를 위치하고 혈관 문합을 하는 무간 시기(anhepatic phase), 그 다음은 문합된 혈관을 통해서 혈류를 계통하고 수술이 끝날 때까지 시기 즉 후 무간 시기(postanhepatic phase)이다.

(그림 5-2) 표준 뇌사 간이식은 하대정맥을 교차 차단해야 하므로 혈류 우회술을 시행해야 할 가능성이 있다. 간경화의 합병증으로 측부순환이 발달한 경우 하대정맥의 교차 차단 후에도 생체 징후가 안정적으로 유지되는 경우도 있지만 혈역학적으로 불안정해질 경우 혈류 우회술을 시행할 필요가 있다. 이런 경우를 대비하여 혈류 우회술을 위해 서혜부에서 대복재정맥 찾아서 미리 박리하여 둘 필요도 있다 피부 절개는 수술자의 선호도에 따라서 선택 할 수 있으나 가장 흔히 사용되는 방법은 양측의 늑간 하 절개와 위쪽으로 정중 절개하여 확장하는 것이다(그림 5-2A). 그러나 그 외에도 양측 횡 절개와 상부로 정중 절개하여 확장(그림 5-2B) 혹은 배꼽 상하부의 정중절개에 우측 흉곽으로 확장 절개를 하는 방법도 있다(그림 5-2C). 그러나 가능하면 흉부절개는 수술 후 합병증 때문에 삼가하는 것이 좋다. 피부절개를 통해서 복벽을 절개하여 복강을 개복할 때는 복벽에 있는 부행 순환이 많으므로, 세심하게 부행 순환 혈관을 결찰을 하여 출혈을 예방해야 한다. 또한 충분히 복벽을 절개해서 복강 내 장기가 완전히 노출시켜야 하며 정중절개로 확장할 때 검상돌기를 절제하면 시야가 좋아지는데 절제할 때 출혈이 되므로 전기 소작기 등으로 완전히 지혈해야 한다.

(그림 5-3) 간장은 외부 충격에 따라 이동을 막기 위해서 주위에 여러 지지 조직이 있는데 이를 먼저 분리해서 간장을 주위조직에서 노출해야 한다. 이때에도 후복막이나 인대내의 부행 순환이 많이 있어 세심한 혈관 결찰과 지혈을 해야 한다. 우선 겸상인대와 관상인대를 절제해서 위쪽으로 진행하면 간정맥이 하대정맥에 유입되는 부위까지 노출한다. 이에 간원삭은 태생기 간정맥의 퇴화물로 말기 간 부전증 환자는 이 혈관이 열려져 있으므로 분리, 결찰할 때 조심해야 한다. 열려진 정맥이 매우 클 경우에는 중요한 부행 순환로가 되기 때문에 결찰하면 다른 부위에 울혈이 심해져서 출혈이 많아지고 수술이 어려워지므로 간을 절제할 때까지 보존하는 것이 좋다.

(그림 5-4) 다음으로 좌측 관상인대와 삼각인대를 절개하여 간 좌측을 분리하고 우측으로 이동하여 우측 관상인대와 삼각인대를 절개하고 간을 위쪽으로 들어올려서 후복막 조직을 간에서 분리하는데 여기에도 부행 순환 혈관이 많아서 세심한 결찰이 필요하다(그림 5-4A). 더욱 진행하여 하대정맥까지 도달하면 우측 부신을 만나기 되는데 분리하기가 힘들 때는 절단 할 수도 있다. 또한 하대정맥에 유입되는 부신 정맥을 분리 결찰한다. 하대정맥도 간과 함께 후복막으로부터 분리해야 하며 후복막의 염증으로 조직이 딱딱하여 분리하기가 어려울 때도 있는데 조심하여 분리하지만 하대정맥이 손상되면 많은 출혈을 동반한다. 하대정맥 뒤쪽에는 몇 개의 요추정맥이 있으며 역시 손상되지 않게 조심해서 분리 결찰한다. 하대정맥이 상하로 충분히 분리되어야 나중에 혈관 문합이 쉬어진다(그림 5-4B).

A

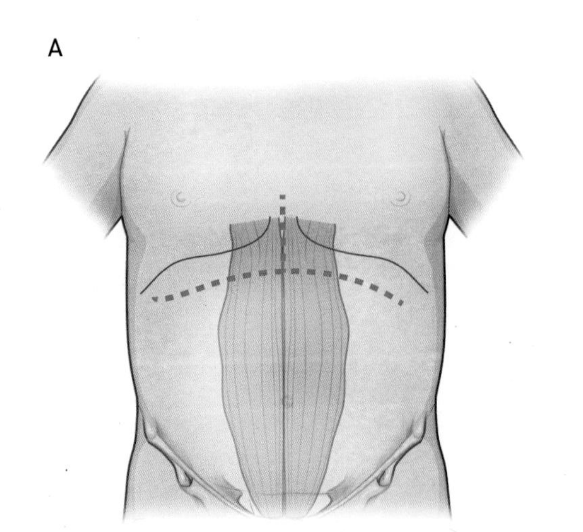

B

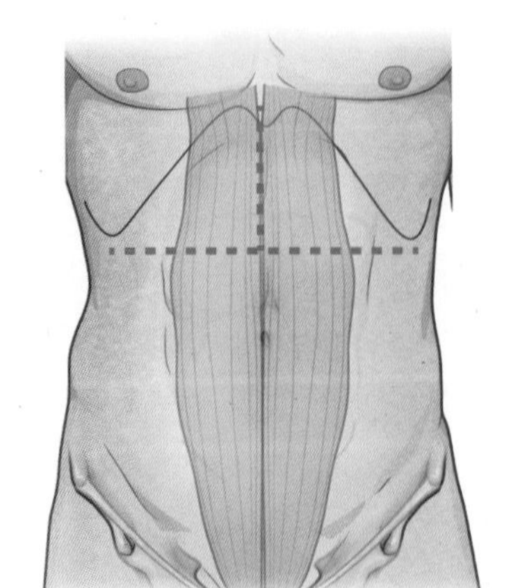

C

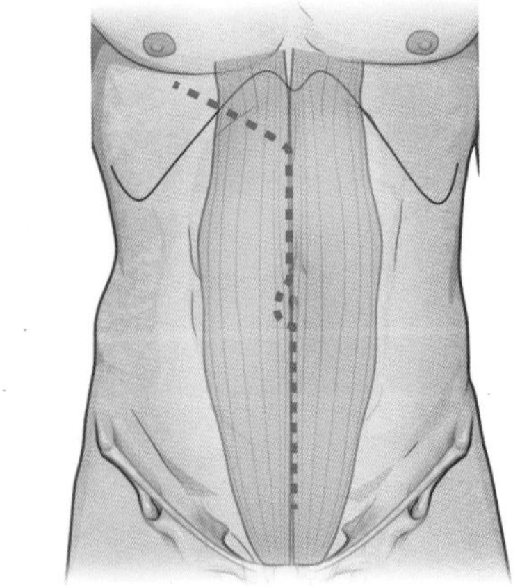

그림 5-2

CHAPTER 6

생체 기증자 좌간절제와 좌간을 이용한 생체간이식

Live donor left hepatectomy & LDLT using left liver

I. 생체 기증자 좌간 절제

1. 좌간 생체간이식의 대상

체격이 작은 성인 내지 청소년 및 소아 수혜자에게 상대적으로 큰 체격의 성인이 기증하는 경우에 좌간을 이용한 생체간이식이 시행된다.

2. 절개 및 노출

좌간 간절제 시 정중절개와 inverted L형 절개가 이용된다. 겸상돌기에서 배꼽 사이의 거리가 길고 날씬한 체형인 경우에는 정중절개만으로도 충분한 시야를 확보할 수 있는 경우가 많다. 정중절개만으로 충분한 시야를 확보하지 못하는 경우에는 inverted L형 절개로 확대할 수 있다.

3. 좌간 크기 평가 및 간조직 검사

수술 전 CT volumetry를 이용하여 좌간의 크기를 평가하는데, 실제 간 크기와 편차가 클 수 있기 때문에 유의하여야 한다. 절개 후 담낭 절제와 간문부를 박리하지 않은 상태에서 좌우측 간을 구분하기 위하여 엄지와 인지로 우측 내지 좌측 간의 Glisson분지를 단단히 눌러서 간의 변색을 유도하는 방법을 이용할 수 있다. 좌간의 크기가 수술전 평가에서처럼 충분히 크다고 판단되는 경우에만 수술을 진행한다. 수술 전 CT volumetry로 측정된 좌간 크기보다 실제 촉진으로 가늠한 좌간의 크기가 너무 작은 경우에는 생체간이식 수술을 취소할 수도 있다. 좌우측 간의 가장자리에서 간조직을 각각 조금 떼어내어 수술 중 간조직 검사를 시행한다.

4. 담낭 절제

통상적인 담낭 절제를 시행한다. 담관 변이가 동반된 경우가 많기 때문에 수술 전 MR 담도조영검사를 실시하여 간문부 담도 구조를 미리 파악하는 것이 도움이 된다. 담낭관은 처음에는 충분히 길게 남겨서 절단한다. 남은 담낭관을 통해 coronary dilator가 들어가지 않는 경우에는 나중에 추가적으로 담낭관을 더 절제한다.

5. 간 유동화

간낫인대(falciform ligament)를 하대정맥 부근까지 절개한다. 이어서 관상인대(coronary ligament)와 좌측삼각인대(left triangular ligament)를 절단한다.

6. 간문부 박리

좌간동맥 및 중간동맥의 주행을 확인하고 우간동맥과의 분지부까지 박리한다. 좌간문맥은 미상엽분지가 나오는 부위보다 근위부를 박리하여 혈관용고무줄을 걸어 놓는다(그림 6-1). 위 소만부에서 좌간동맥이 나오는 경우에는 그 동맥을 충분히 길게 박리한다.

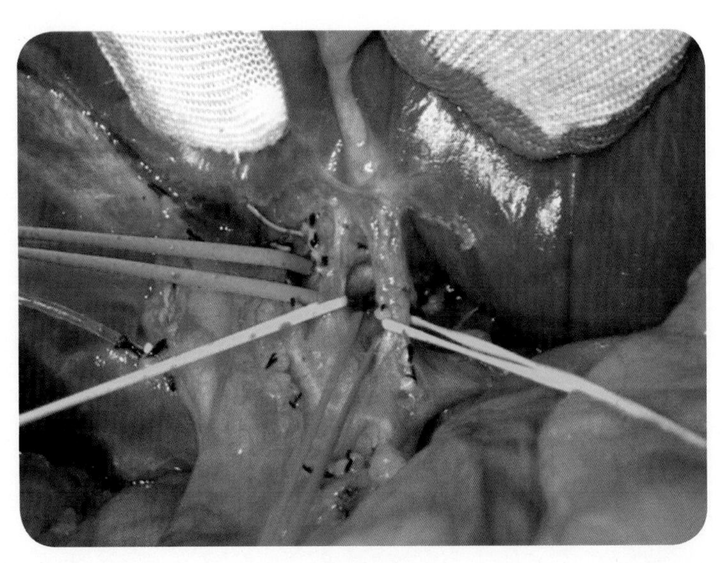

그림 6-1

7. 간실질 절리

좌간동맥, 중간동맥 및 좌간문맥을 혈관 클램프로 잡고서 전기소작기로 간 표면의 변색 경계선을 점으로 표시한다. 수술중 초음파로 중간정맥이 그 경계선과 일치하는지를 확인하고 변색 경계선을 좀 더 진하게 실선으로 표시한다. 좌간 절편은 크기가 불충분한 경우가 흔하기 때문에 간실질 파쇄에 의한 좌간 실질의 소실을 방지하기 위하여 변색선보다 0.5-1 cm 우측에서 간절개를 시행할 수도 있다. 특히 중간정맥이 우간 내부로 깊게 들어 있는 경우에는 중간정맥의 안전한 확보를 위하여 간절리면이 우측으로 깊게 파고들어 갈 수도 있기 때문에 유의하여야 한다(그림 6-2).

간실질 절리 시에는 Pringle조작 없이 CUSA와 전기소작기 만으로 절리가 가능하다. 필요시 Pringle조작을 하여도 무방하다. 간실질 절리 시작 전 중간-좌간정맥간(middle- left hepatic vein trunk)을 박리하여 혈관용 고무줄로 걸어 놓을 수도 있지만, 이 과정에서 출혈을 유발할 수도 있기 때문에 생략할 수 있다. 간실질 절리가 거의 끝난 단계에서는 좀더 쉽게 중간-좌간정맥간을 박리하여 혈관용 고무줄을 걸 수 있다.

8. 좌측 담관 절제 및 단면 봉합

간실질 절리가 거의 완료되면 좌측 담관을 절제한다. 이식 간절편에 단일 담관 구멍이 만들어질 수 있도록 적절한 위치에서 좌측 담관을 절단하는 것이 중요한다. 이를 위하여 coronary dilator를 담낭관으로 밀어넣어서 역으로 간문부 담도 분지부의 위치를 확인하는 방법(그림 6-3)을 사용하거나, rubber band tagging법 등의 방사선비투과성 표식자를 절단 예정 담관 부위에 부착하고 담관조영술을 시행하여 절단 위치를 정확하게 결정한다(그림 6-4).

작은 미상엽 담도가 절단되는 경우에는 담즙누출이 되지 않도록 양측의 끝을 6-0 봉합사로 결찰한다. 잔존 담관의 길이를 확인하기 위하여 coronary dilator를 열린 담관 구멍을 통해 삽입하여 간문부 분지부까지의 거리를 확인한다. 기증자측 담관 절제 단면을 연속봉합한다. 기증자측 잔존 담관에 손상이 없는 것을 확인하기 위하여 담낭관을 통한 담관조영술을 시행한다.

9. 구득

헤파린 5,000단위를 정주한 후 좌간동맥 및 중간동맥을 결찰하고 절단한다. 좌문맥은 혈관감자로잡고서 절단하고 문맥단단은 연속봉합한다. 중간-좌간정맥간을 혈관감자로 잡고서 절단을 할 수 있는데, 혈관 단단이 짧기 때문에 중간-좌간정맥간 끝이 빠져나올 위험이 있고, 그런 경우 대량 출혈의 위험이 있다. 따라서 좌간 절단 후 바로 혈관 끝이 빠져나가지 않도록 몇 개의 5-0 봉합사를 걸어서 견인하면 그런 위험이 최소화된다(그림 6-5).

최근에서 stapler로 중간-좌간정맥간을 먼저 결찰하고 그 아래 쪽을 칼과 가위를 이용하여 절단하는 방법을 많이 이용한다. 남아 있는 stapler로 물려있는 혈관 끝 부위는 5-0 봉합사로 연속봉합하여 보강한다.

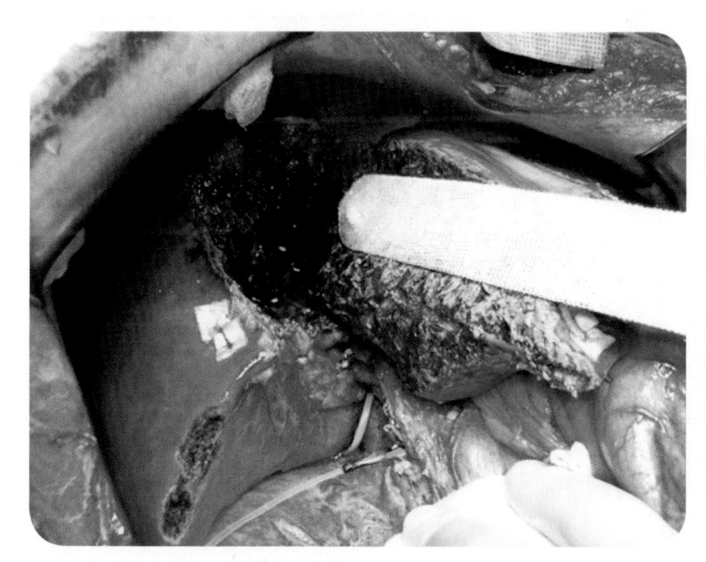

그림 6-2

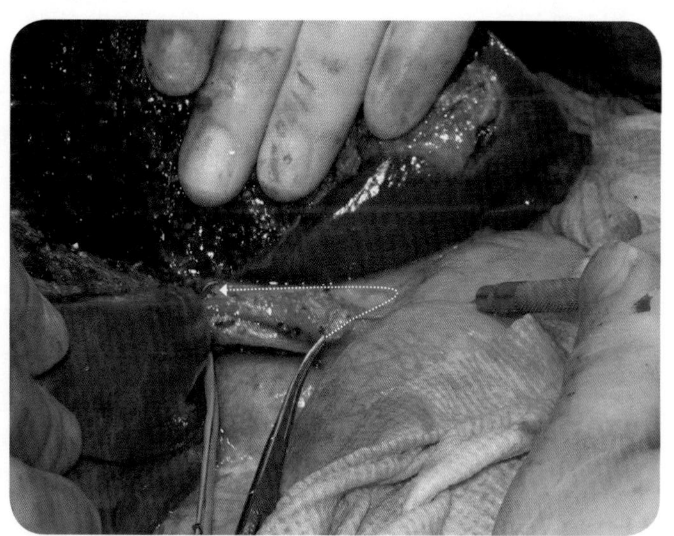

그림 6-3

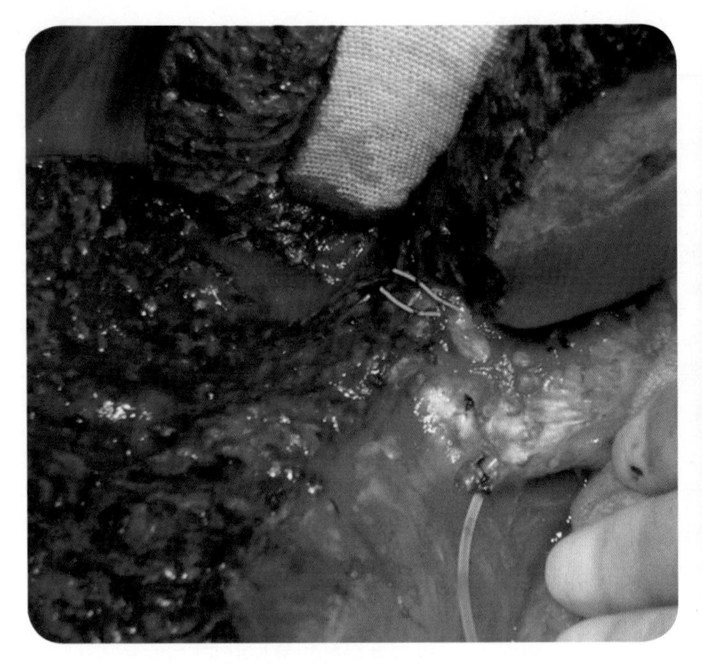

그림 6-4

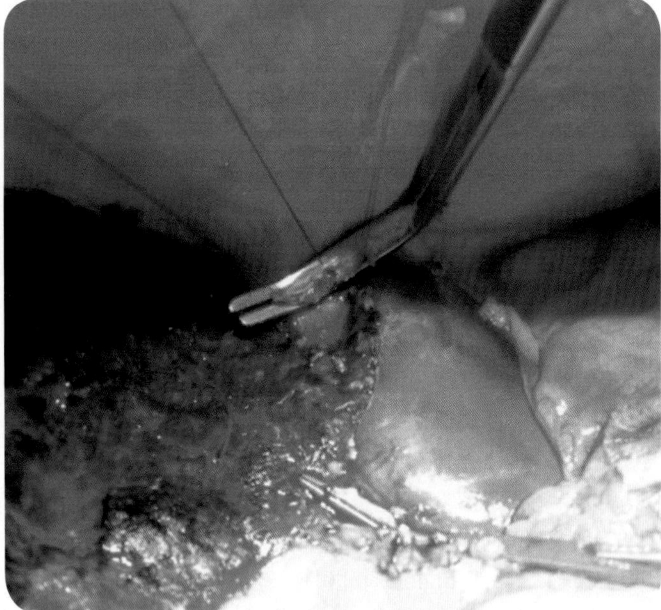

그림 6-5

II. 생체 기증자 좌간 및 미상엽 동반 절제

1. 좌간 및 미상엽을 이용한 생체간 이식의 대상

좌간의 크기가 수혜자 체격에 비해 작은 경우 이식 간절편의 크기를 늘이기 위하여 미상엽을 같이 구득할 수 있고, 미상엽의 크기만큼 좌간 용적의 5~10%가 늘어나게 된다. 그러나 모든 공여자가 좌간 및 미상엽 동반 구득의 대상이 되지는 않는다. 구득한 미상엽이 이식 후 제대로 기능하기 위해서는 미상엽과 좌간의 연결부위 두께가 2 cm이상이 되어야 하기 때문에, 이러한 구득이 가능한 경우에만 구득 대상이 된다(그림 6-6, 7).

2. 간 유동화

미상엽 동반 절제를 위하여 위 소만부쪽에서 미상엽인대를 박리하고 미상엽을 유동화한다. 수술 시야가 나쁘기 때문에 박리가 잘 되는 부위까지만 박리하여 하대정맥에서의 출혈 위험을 줄인다.

3. 간실질 절리

미상엽을 동반 절제하기 위해서는 간절리면이 좌간 구득시와는 차이가 있다. 간절리선은 하대정맥의 11시 방향을 향하도록 절단한다. 이어서 하대정맥에 붙은 단간정맥을 조심스럽게 절단하고 결찰한다. 미상엽에서 배출되는 3 mm 이상 크기의 단간정맥이 1~2개 나오는데, 그 중 가장 큰 것을 수혜자 측에서 재건하기 위하여 보존한다(그림 6-8).

4. 담관 절제

작은 미상엽 담관이 좌측 담관에 연결된 부위보다 더 근위부에서 담관을 절제하여 하나의 담관 구멍을 만들어야 하기 때문에 세심한 주의가 필요하다(그림 6-9). 만일 미상엽 담관이 좌간담관과 분리되어 따로 나온다면, 미상엽 담관의 추가적인 재건은 매우 어렵기 때문에 미상엽 담관을 담즙 유출이 되지 않도록 연속 봉합으로 단단히 결찰한다.

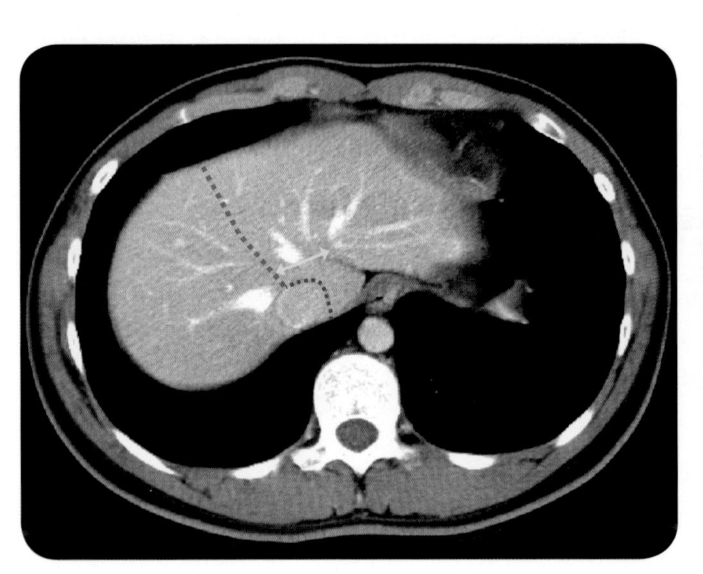

그림 6-6

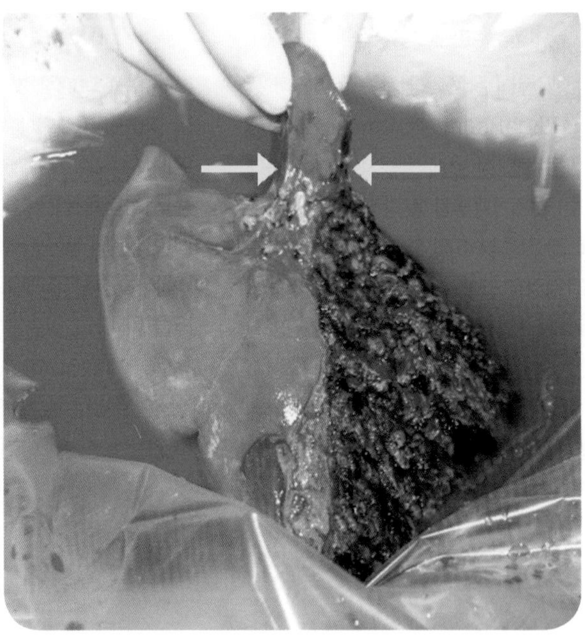

그림 6-7

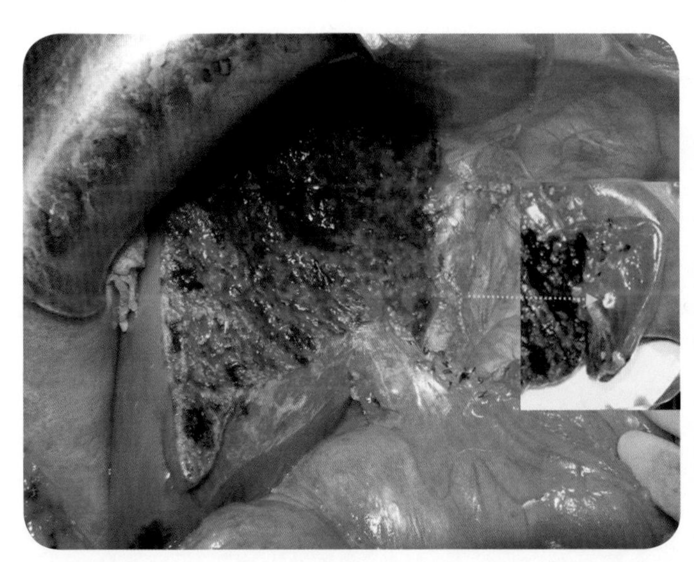

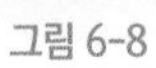

그림 6-8

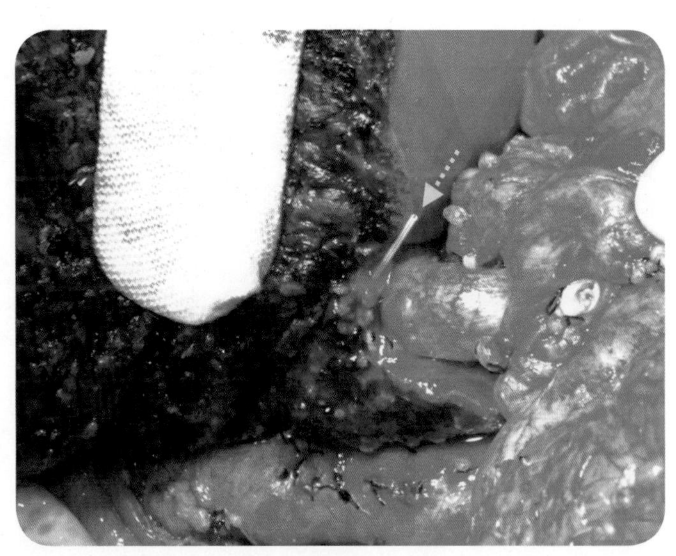

그림 6-9

III. 좌간을 이용한 수혜자 생체간이식

1. 절개, 간 유동화 및 박리

수혜자 전간 절제술을 위한 우간을 이용한 생체간이식시와 동일하다. 좌간 이식 시에는 간정맥 문합을 최대한 넓게 만들기 위하여 하대정맥을 차단하는 경우가 많기 때문에 간상부 하대정맥과 간후부 하대정맥을 충분히 박리하여 혈관감자로 잡을 수 있도록 준비한다. 시험적으로 하대정맥 혈류를 차단하여 혈압 저하가 발생하는 지 확인하고, 만일 심각한 혈압 저하가 발생하면 원심력펌프를 이용한 정정맥우회술을 시행할 준비를 한다.

2. 전간 절제술

기증자 수술 진행 정도를 확인하여 기증자 간이 준비되는 시간에 맞추어 수혜자 전간 절제를 시작한다. 간동맥 분지들을 미세혈관 클램프로 잡고서 가능한 길게 절단한다. 공여간의 좌간동맥이 위 소만부에서 나오는 경우에는 수혜자의 좌간동맥의 길이를 최대한 길게 만든다.

문맥간(portal vein trunk)의 12시 방향에 수술용 펜으로 표시를 하여 문맥의 축을 잘 알 수 있도록 한 후 좌우간의 문맥 분지에서 절단한다(그림 6-10).

간상부 하대정맥은 큰 새틴스키 클램프로 잡고 간하부 하대정맥은 중간크기의 혈관 감자로 잡은 후 우간정맥을 단단을 길게 남기고서 절단한다. 이어서 중간-좌간정맥간 부위의 간실질을 칼로 절단한 후 가위를 이용하여 혈관단단을 길게 만들어 절단한다. 우간정맥과 중간정맥 사이의 격벽을 절단하고 혈관의 남은 부분들을 봉합하여 이어 붙여서 하대정맥 직경만큼 큰 문합용 구멍을 만든다. 문합부 혈관벽이 약한 경우에는 자가 또는 동종 혈관 조각을 띠 모양으로 붙여서 문합부를 보강할 수 있다(그림 6-11).

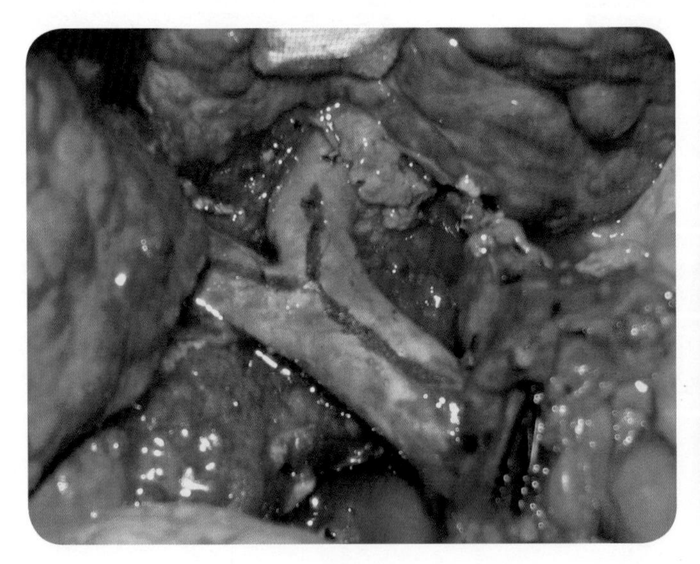

그림 6-10

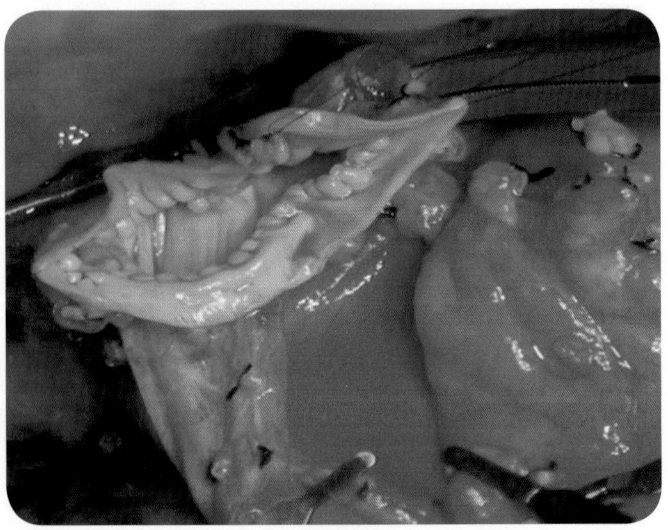

그림 6-11

3. 벤치에서의 중간-좌간정맥간 혈관 성형

좌간 절단 시 중간정맥과 좌간정맥이 분리되어 두 개의 정맥 구멍이 만들어지는 경우가 많기 때문에 이 두개의 혈관을 봉합하여 하나로 이어 붙인다. 두 개의 간정맥 구멍들이 서로 분리되어 있는 경우에는 그 사이의 간 실질을 부분적으로 제거한 후 5-0 봉합사로 연속봉합하여 하나의 이식편 간정맥 구멍으로 만든다(그림 6-12).

성형한 간정맥 구멍의 크기가 상대적으로 작은 경우에는 중간정맥 부분을 일부 절개하고 그 부분에 자가 또는 동종 혈관 조각을 붙여서 구멍을 크게 만든다. 좌간정맥쪽에 횡경막정맥(phrenic vein) 분지가 남아있는 경우에는 그 혈관을 절개하고 혈관 조각을 덧붙여서 문합부 구멍을 크게 만들 수도 있다. 경우에 따라서는 중간-좌간정맥간 주위로 띠 모양의 혈관을 덧붙여서 문합이 되는 부위를 더 크게 만들 수도 있다(그림 6-13).

4. 이식간 간정맥 문합

혈관 성형을 하여 하나의 큰 구멍으로 만든 수혜자 하대정맥측 개구부는 9시, 12시, 3시 방향으로 실을 걸어서 펼쳐놓는다. 복강 내에 가는 얼음 조각들을 넣고서 이식 간을 복강 내에 위치시킨다. 좌간 이식간은 폐복 시 복강 내에서 우측으로 쳐지게 되기 때문에 미리 이식간을 놓을 위치를 잡고서 우측 횡경막하 공간에 거즈을 채워 넣어서 위치를 잡는다. 그렇게 위치를 맞춘 후 수혜자 하대정맥측 문합부 구멍

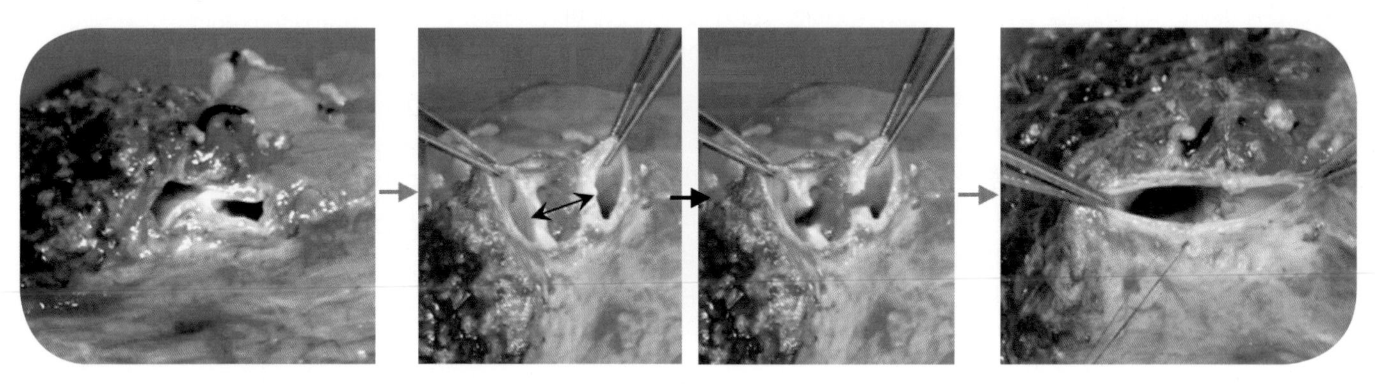

그림 6-12

그림 6-13

과 이식간 간정맥 구멍을 5-0 봉합사로 연속 봉합하여 연결한다. 봉합사를 타이하기 직전에 볼팁 주사기로 헤파린 용액을 삽입하여 공기를 제거한다.

5. 문맥 문합 및 재관류

간정맥 문합을 통해 이식간은 한쪽이 고정이 된 상태에서 이후 폐복 시 이식간절편이 놓일 위치를 감안하여 문맥 문합을 시행한다. 좌간 이식편이 우측 횡경막하 공간으로 쳐지기 때문에 그 각도를 감안하여 9시, 12시, 3시 방향으로 실을 걸어 놓으면 정확한 문맥 연결 각도를 맞출 수 있다.

수혜자 문맥 쪽은 우측 문맥 분지와 좌측 문맥 분지의 끝인 9시 및 3시 방향으로 실을 걸어 각도를 확인한다. 앞서 문맥간에 수술용 펜으로 색을 칠해 놓은 부분이 12시 방향인 것을 확인한다. 이렇게 연결 축이 비틀리지 않고 정확하게 맞았다는 것을 확인한 후 6-0 봉합사로 연속 봉합한다. 문맥 문합부에 헤파린 용액을 삽입하여 공기를 제거한 후 문맥 감자를 풀어서 재관류를 시행한다. 재관류 후 문맥 문합부를 손으로 비벼서 봉합사가 충분히 잘 펴지게 만든 후 약간의 성장인자를 주고서 봉합사를 타이한다. 문맥 문합부가 잘 팽창하도록 하기 위하여 문합부 전장에 걸쳐 하나의 타이 매듭을 만드는 것이 도움이 된다. 이식 수술 당시 좌간 이식편의 문맥 크기가 작다고 수혜자 문맥의 좌간 분지를 이용하면 안되고, 그런 경우에도 수혜자의 좌우측 문맥 분지부를 모두 열어서 크게 만든 후 이식간 문맥에 깔때기 모양으로 문합해야 한다. 이식 후 좌측 이식간이 커지면서 이식간의 문맥도 동시에 커지기 때문에 이에 대비해야 한다.

6. 간동맥 문합

좌간 이식편은 좌간동맥과 중간동맥이 동시에 존재하는 경우가 많기 때문에 이 두 개의 혈관을 모두 문합하여야 한다. 큰 크기인 좌간동맥을 먼저 문합하여 개통시킨 후 중간동맥을 통해 역행혈류가 잘 나오는 경우에도 중간동맥 문합이 기술적으로 가능하다면 중간동맥을 재건하는 것이 타당하다. 좌간동맥과 중간동맥은 우간동맥에 비하여 크기가 작기 때문에 수술현미경을 이용하여 9-0 nylon을 이용하여 재건한다.

7. 담관 문합

수혜자의 총수담관 개구부를 이용하여 단단문합을 우선적으로 시행한다. 담도 단단문합이 가능하지 않은 경우에는 담도-소장문합을 시행한다.

8. 폐복 및 조직확장기 (Tissue expander) 설치

수혜자 복강에 비해 이식되는 좌간 절편의 크기가 현저하게 작은 경우에는 이식간의 원형인대를 복강벽에 고정하더라도 간이 우측 횡경막하 공간으로 치우쳐져서 혈관 문합부가 변형되면서 기능적인 혈관 협착 현상이 발생할 수 있다. 이를 방지하기 위하여 조직확장기를 삽입하여 적당한 양의 증류수를 넣어 팽창시킨다. 주입 포트를 피하에 삽입하여 수술 후 CT상 이식간이 커지는 것을 보면서 주입된 증류수를 조금씩 빼내고(그림 6-14), 수술 1~2주 후 수술창을 조금 다시 열어서 조직확장기를 제거한다.

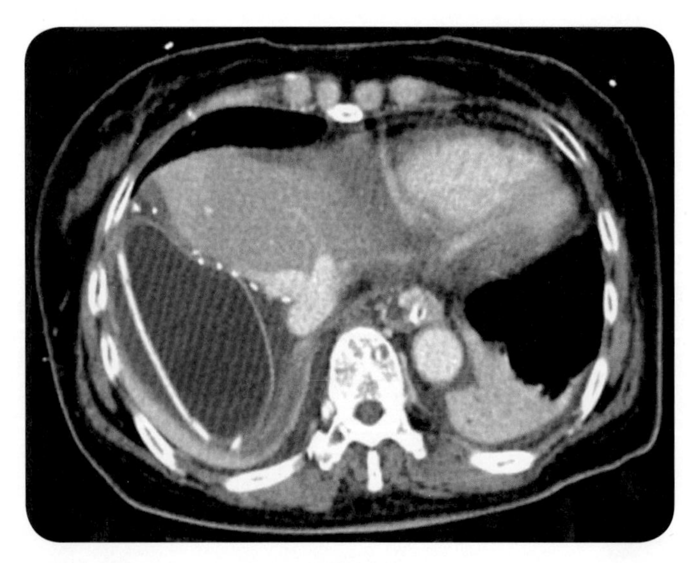

그림 6-14

CHAPTER 7

생체 기증자 우간절제와 우간을 이용한 생체간이식

Live donor right hepatectomy & LDLT using right liver

I. 생체 기증자 우간절제

1.절개 및 노출

간 절제 시에는 역T자형 절개, 양측늑골하 절개 + 정중절개, 우늑골하절개 + 정중절개, J형 절개 등이 사용되고 있으며, 생체간이식 기증자 간절제 시에는 J형 절개 또는 inverted L 형 절개가 많이 사용되고 있다. 특히, 생체간이식에서는 젊은 기증자가 많아서 점차 절개창(incision)이 작아지고 미용을 중시하는 경향이 있다.

2. 간 가동화

(그림 7-1A) 간낫인대(falciform ligament)를 분리하고 상방으로 진행하여 하대정맥 및 간정맥을 노출시킨다.

(그림 7-1B) 계속 유동화를 진행하고 간을 횡경막으로부터 분리시킨다.

(그림 7-2) 관상인대(coronary ligament) 및 무장막구역(bare area)의 박리를 시행하여 간을 유동화시킨다.

우하방에 위치한 우측 부신을 간으로부터 분리한다. 부신정맥은 하대정맥으로 직접 유입되는 정맥이므로 출혈에 주의한다.

미상엽을 하대정맥으로부터 분리하며 이때 환자의 좌측으로 충분히 분리시킨다.

간후면과 하대정맥을 최대한 분리시킨다.

(그림 7-3A) 간에서 직접 유입되는 단간정맥(short hepatic vein)들을 주의해서 결찰한다(그림 7-3B). 우하간정맥(RIHV)을 박리할 때 크기가 작지 않으면 결찰하지 않고 유지한다. 하대정맥(IVC)로부터 간 후방을 분리하면서 상부로 올라가다 보면 우간정맥(RHV)에 다다르기 전에 하대정맥 인대(IVC ligament)를 만나게 된다.

(그림 7-3C) 하대정맥 인대는 대부분 조심스럽게 박리가 가능하고 실로 결찰하면 분리가 되는 경우가 많으나 때로는 혈관을 포함하고 있고 하대정맥 자체가 간에 유착되어서 하대정맥 인대처럼 보이는 경우가 많아서 혈관클램프를 적용하여 봉합을 해야 하는 경우도 많다.

A

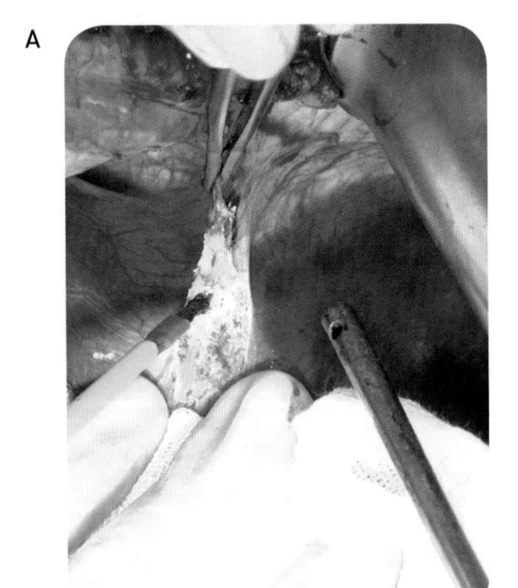

B

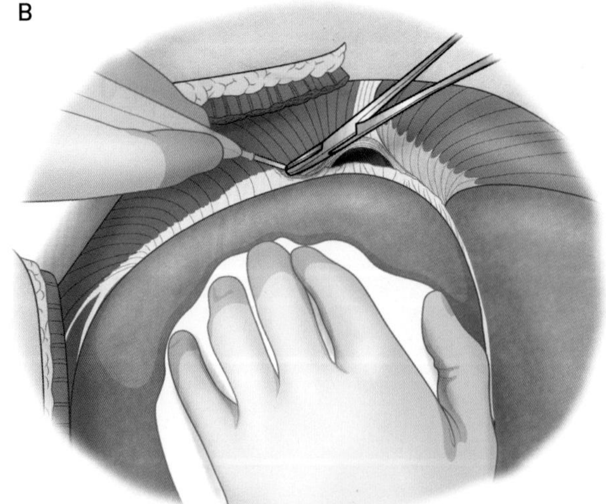

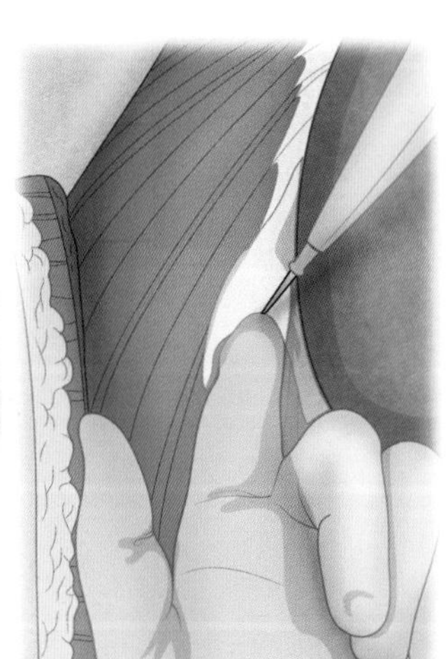

그림 7-1

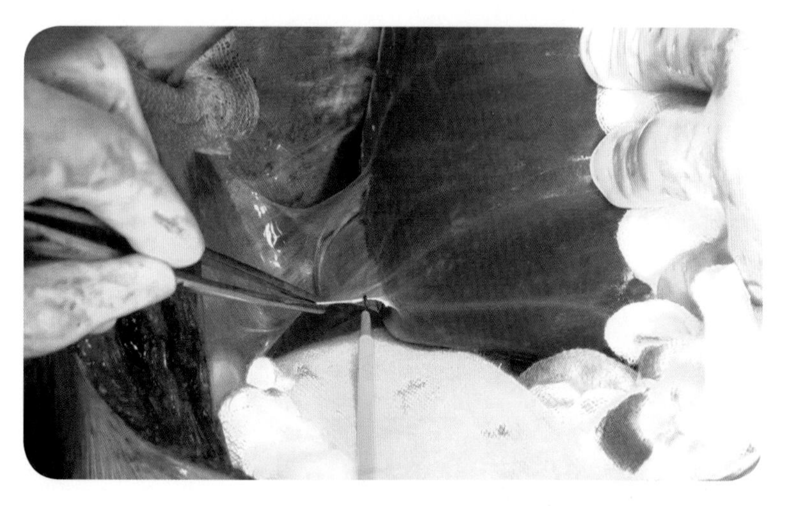

그림 7-2

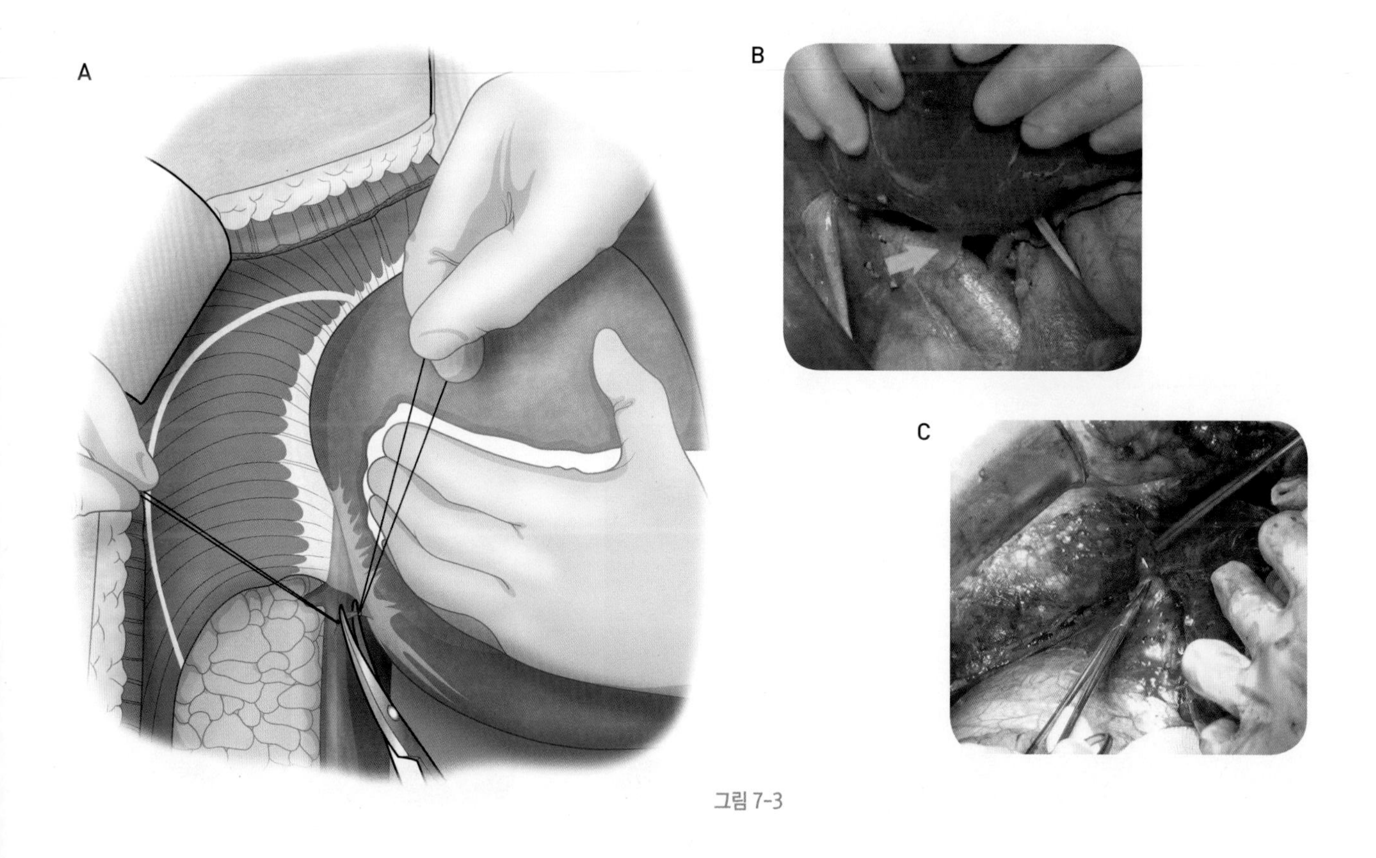

그림 7-3

(그림 7-4) 우간정맥과 중간간정맥 사이로 현수 테이프 등을 삽입한다. 이때 우간정맥이 손상되지 않도록 주의한다.

3. 담낭절제

(그림 7-5) 통상적인 개복 담낭 절제술을 시행한다. 우간관의 변이가 다양하므로 MRI나 수술 중 담관조영술을 시행하여 우간관의 주행을 확인하여, 담낭관으로 오인하여(그림 7-6) 손상되지 않도록 주의한다.

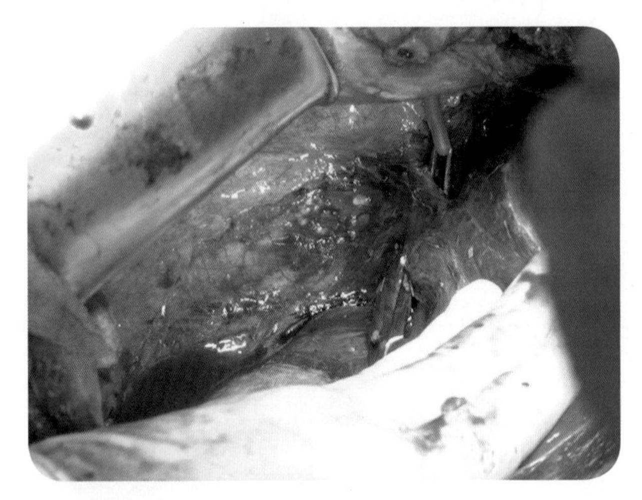
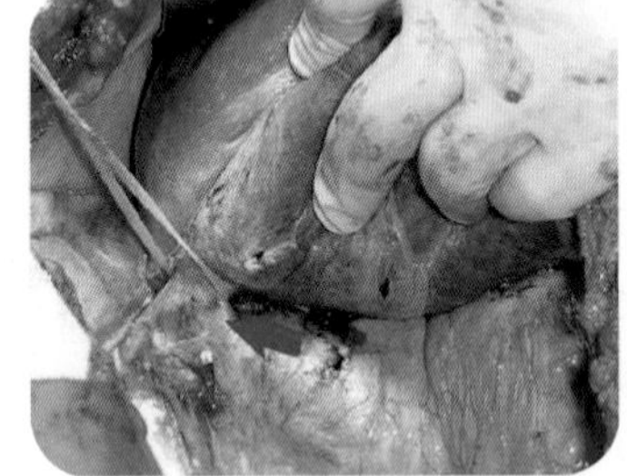

그림 7-4

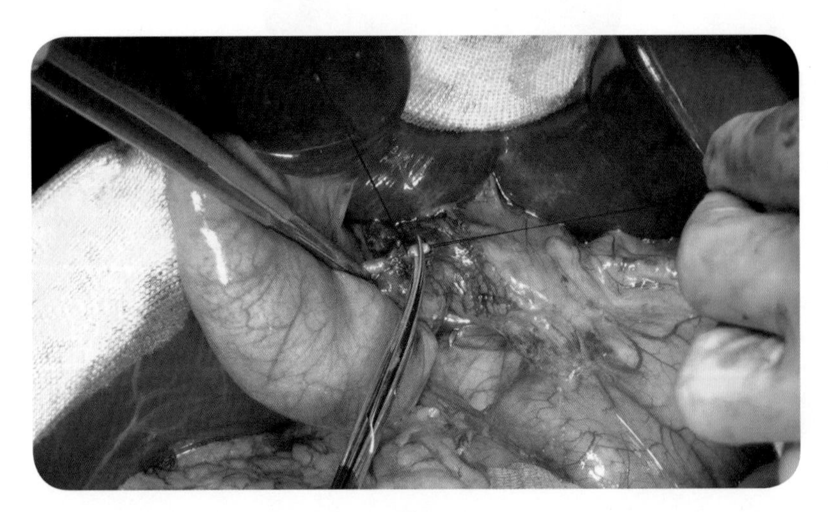

그림 7-5

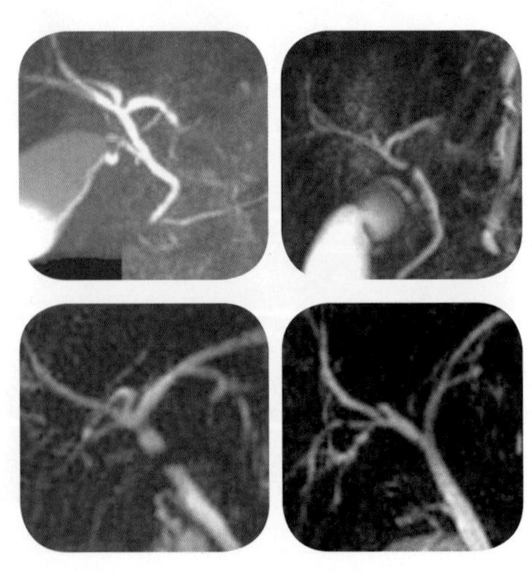

그림 7-6

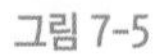

4. 간문부 박리

(그림 7-7) 우간문맥의 주행을 확인한다. 미상엽을 공급하는 작은 분지(화살표)가 손상시키지 않도록 주의하고 이를 결찰해야 좀더 긴 우간문맥을 얻을 수 있다.
우담관의 기시부 및 우후담관이 좌담관으로 연결되는 변이가 있는지를 확인한다.
담낭관를 통해서 조영제를 주입하여 수술 중 담관조영상을 얻을 수도 있다.

(그림 7-8) 간문부의 박리를 시행한 후에는 우간동맥과 우간문맥에 혈관 클램프를 적용한다. 이후에 간의 변색되는 경계 부위를 전기소작기로 정확히 표시한다. 이후에 혈관 클램프를 풀어준다.

5. 간 박리

(그림 7-9A, B, C) 간정중면을 따라서 절제하면서 중간정맥의 분지를 확인한다.

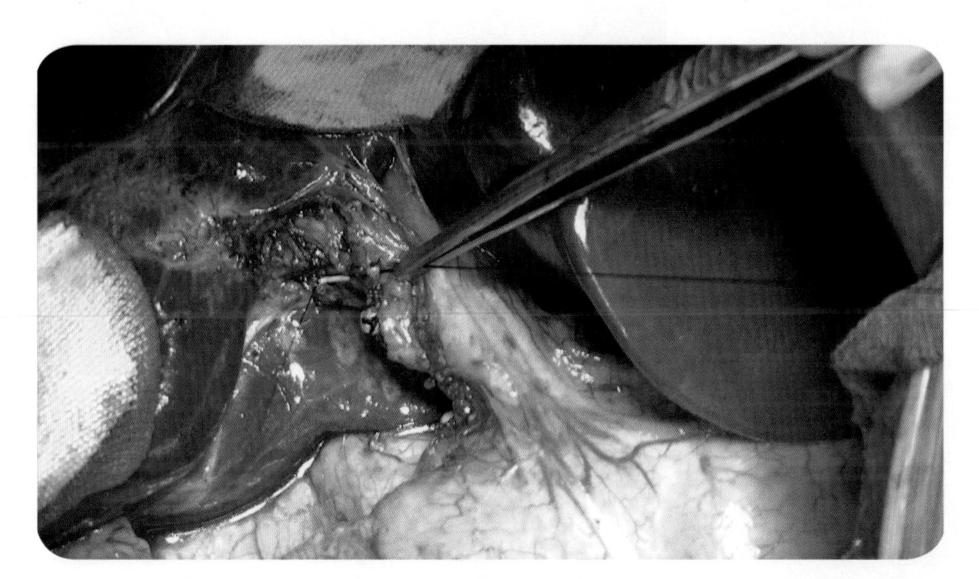

그림 7-7

TIP 1
흡인기 끝부분이나 집게로 간동맥을 손상시키지 않도록 주의한다. 특히 내막 박리가 발생하지 않도록 주의하고 전기소작기에 의해 동맥이 손상되지 않도록 주의한다. 담관을 공급하는 혈관의 손상 시에 기증자 담관의 합병증이 발생할 수 있으므로 담관의 주변 조직을 최대한 보존한다.

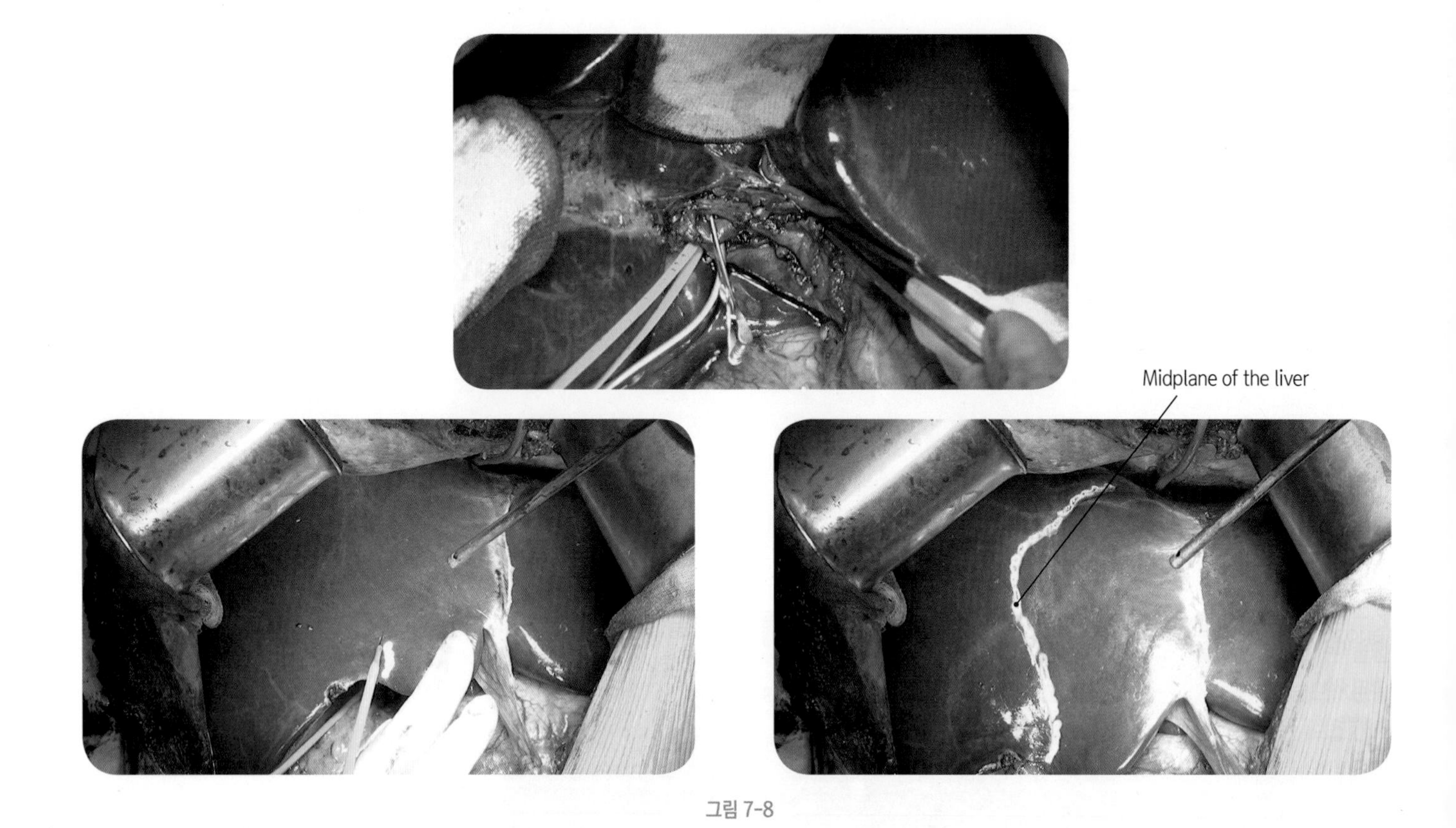

그림 7-8

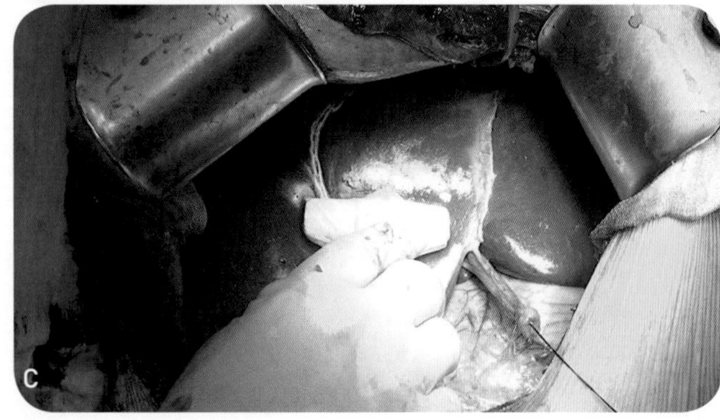

그림 7-9

(그림 7-10A, B, C) V5, V8 중간 간정맥 분지들 중에는 5 mm 이상인 경우에 재건을 고려해야 한다.

(그림 7-10B) 제거 가능한 클립을 적용하여 결찰하고 벤치에서 자가혈관이나 인공혈관을 이용하여 복원한다.

6. 우담관 절제 및 절개 단면 봉합

간실질 절제가 거의 완료되면 우간관을 절제하고 기증자측 담관 절제 단면을 연속 봉합으로 막는다. 이후에 간문부 판을 결찰하여 간실질만을 남긴다. 수술 중 담관 조영술을 통해 좌간관, 우간관의 경계를 확인하면서 절제 할 수 있다

(그림 7-11) 우간관을 절제할 때에 담낭관으로 직접 더듬자 검사를 하여 절제위치를 정할 수 있다.

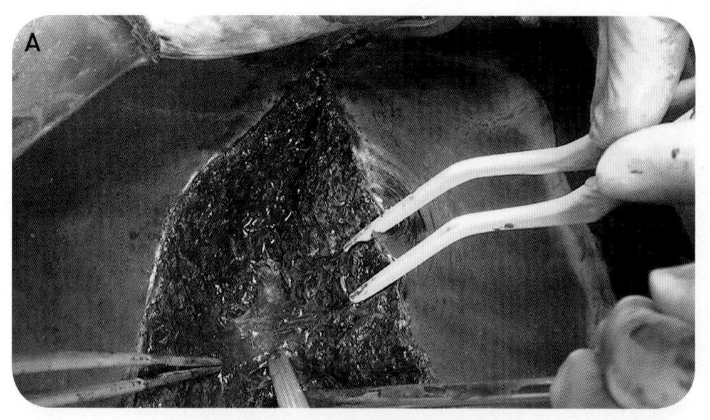

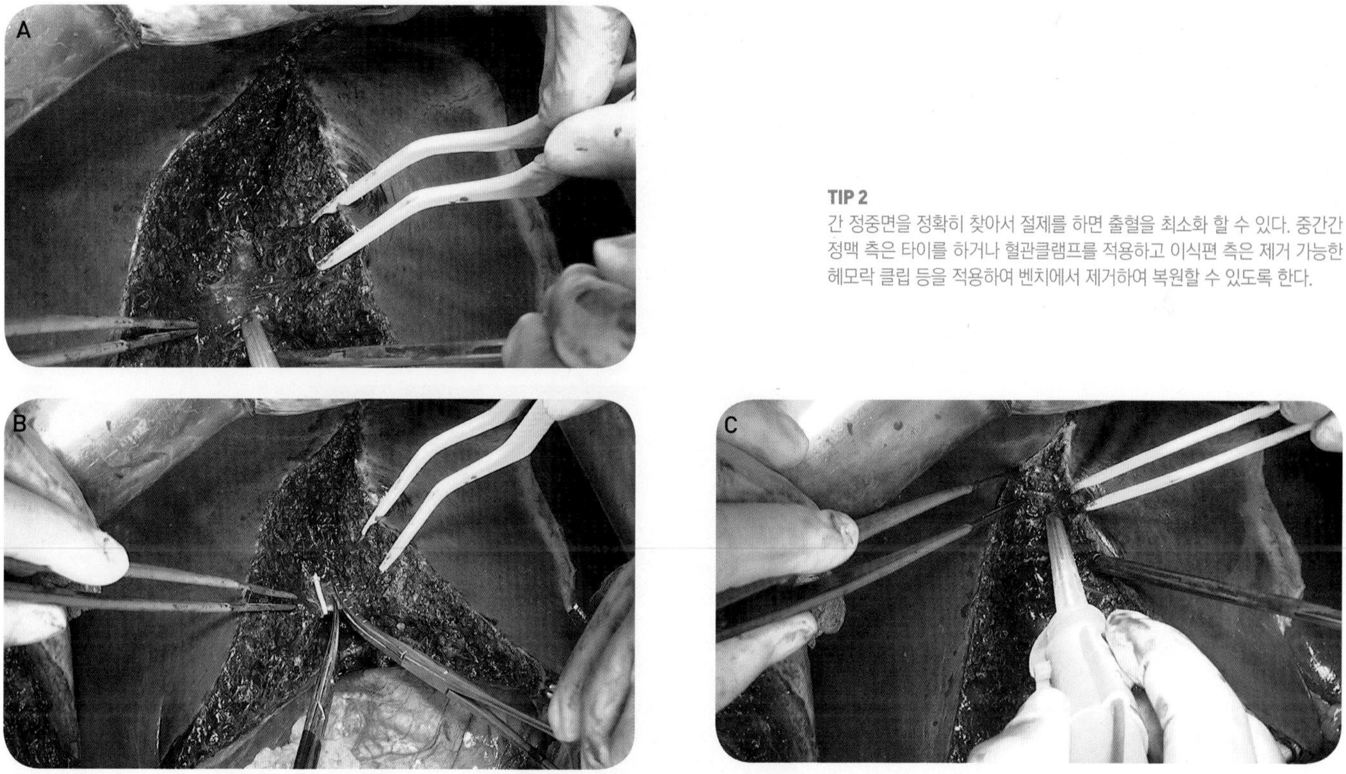

TIP 2
간 정중면을 정확히 찾아서 절제를 하면 출혈을 최소화 할 수 있다. 중간간정맥 측은 타이를 하거나 혈관클램프를 적용하고 이식편 측은 제거 가능한 헤모락 클립 등을 적용하여 벤치에서 제거하여 복원할 수 있도록 한다.

그림 7-10 MHV branch

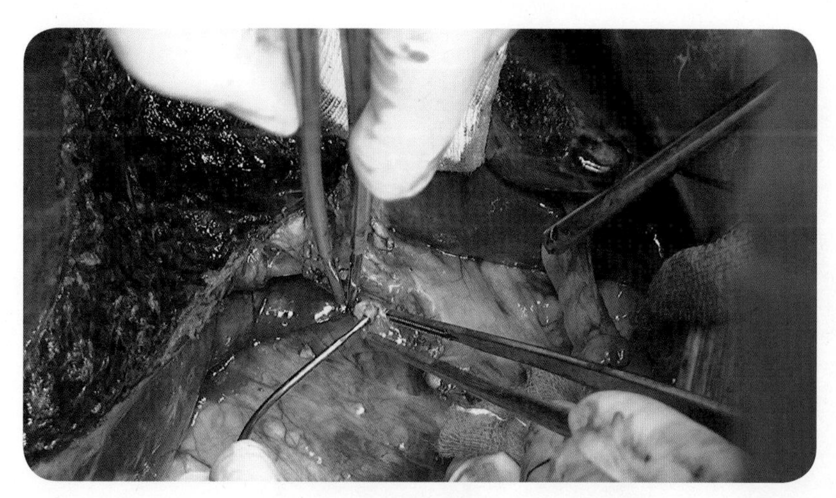

그림 7-11

(그림 7-12) 한편, 우간관의 일부를 절개하고 열린 창을 통해서 직접 더듬자 검사를 하여 좌담관, 우담관의 경계를 다시 확인하면서 절제 할 수 있다.

(그림 7-13) 우후간관이 결찰되지 않도록 주의한다.

7. 미상엽 절제, 현수기법, 잔존 간실질

(그림 7-14) 현수기법(hanging maneuver)을 시행하면서 미상엽을 절제한 후에 (그림 7-15)

그림 7-12

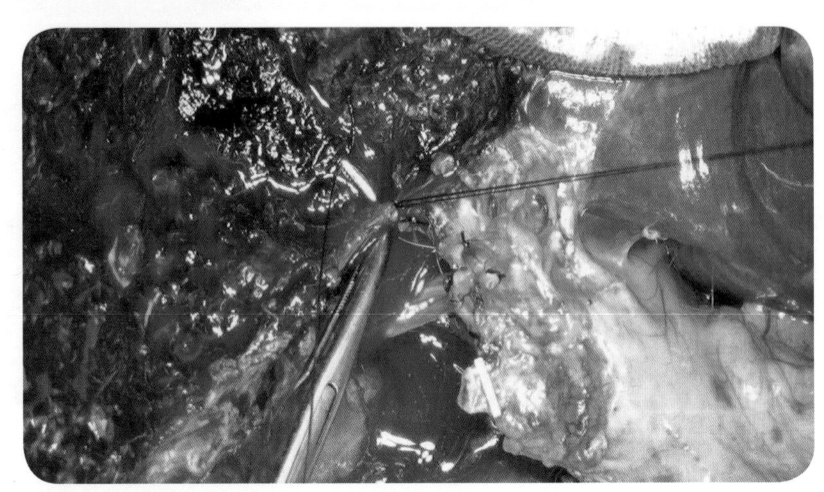

그림 7-13 Hilar plate 처리

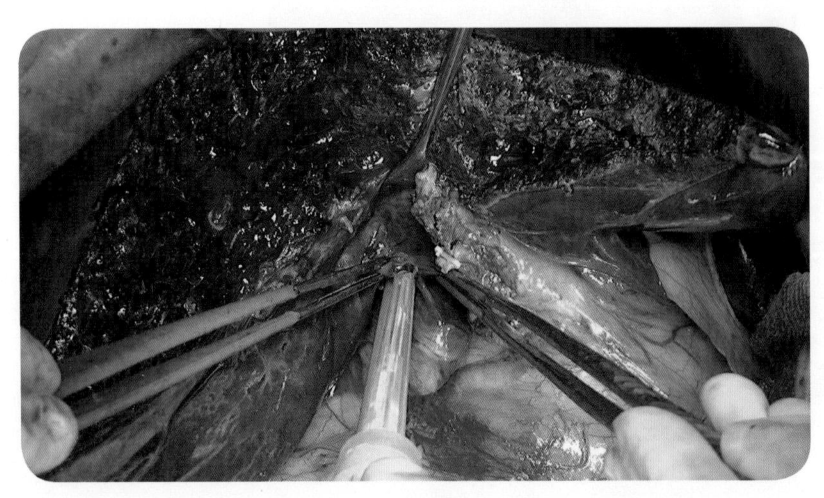

그림 7-14

넬라톤 카테터를 간과 간동맥 및 간문맥 상측으로 통과시킨다.

(그림 7-16, 17) 현수기법을 적용하여 남아있는 간을 절제한다.

그림 7-15

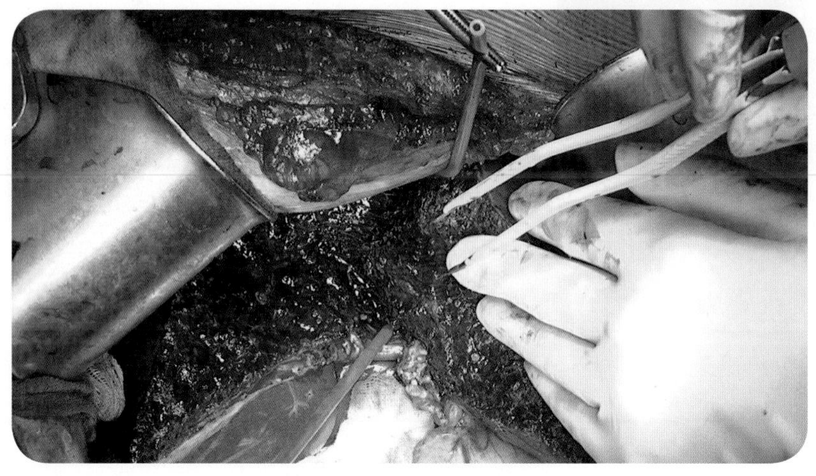

그림 7-16

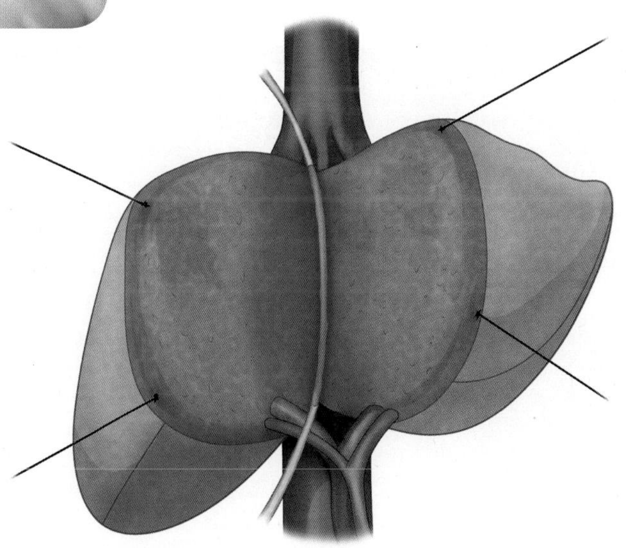

그림 7-17

8. 간이식편 회수

(그림 7-18) 간동맥은 박리 시에 손상을 입지 않도록 주의하여야 한다. 중간 간동맥의 기시부를 확인한 후에 결찰을 시행하며 이식편 측에 동맥의 길이를 최대한 길게 남기도록 한다.
(그림 7-19) 우간문맥의 기시부를 잘 확인하여 일자형 혈관클램프를 적용하고 이식편 측에도 일자형 혈관 클램프를 적용한 후에 절제한다.
(그림 7-20, 21) 우간정맥은 혈관 봉합기나 혈관 클램프를 적용한 후에 절제한다.
(그림 7-22) 간이 적출되면, (그림 7-23) 하대정맥, 특히 단간정맥, 부신 등에서 출혈이 있는지 확인해야 하며, 담즙 누출 여부 등을 확인해야 한다.
(그림 7-24) 배액관을 삽입 후 간낫인대를 재건한다.

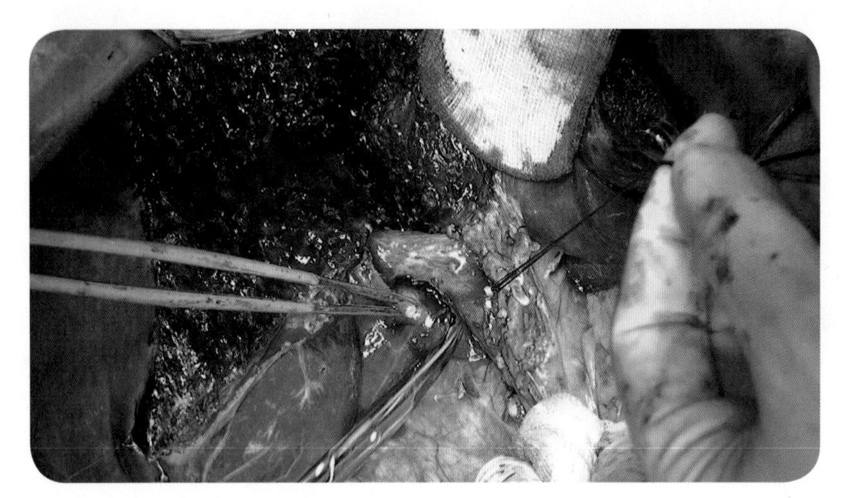

그림 7-18

그림 7-19

TIP 3
간문맥 절제시 혈관의 장축에 수직 방향으로 절제한다. 간문맥을 이식편 쪽으로 너무 길게 절제하여 기증자의 간문맥에 협착증이 발생하지 않도록 주의하고 문맥 절단편을 봉합하는 동안에도 좁아지지 않도록 주의를 기울려야 한다.

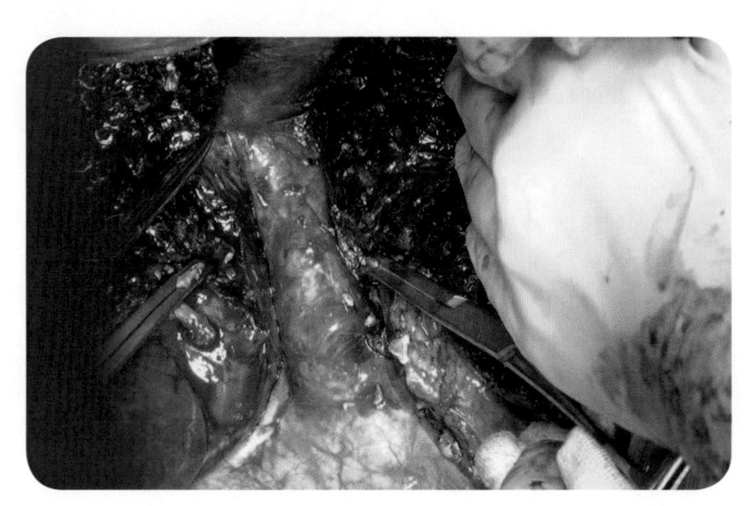
그림 7-20

TIP 4
우하정맥은 크기에 따라 이식편에서 활용이 가능하지만 간 유동화 시기에 결찰을 하면 울혈을 일으키게 되어 기증 간의 크기가 충분하지 않을 시에는 좋지 않다. 따라서 간을 절제하기 직전에 결찰하는 것이 좋고 수혜자 수술에서 연결할 수 있도록 구멍을 최대한 크게 한다.

그림 7-21

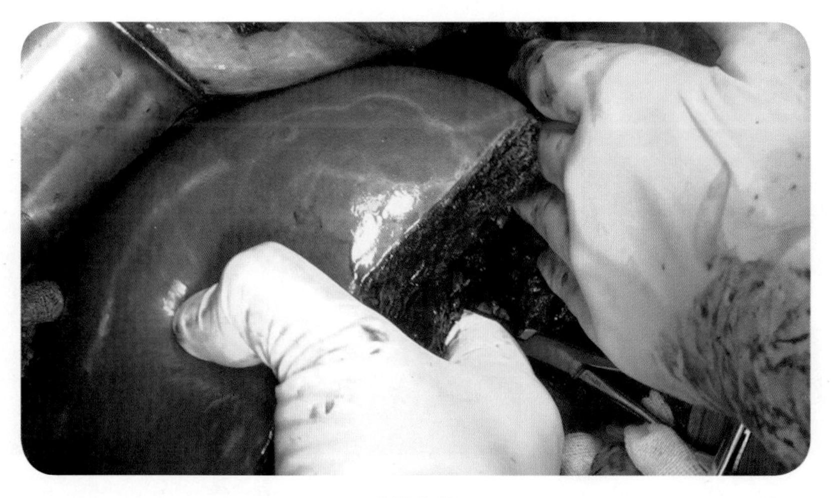
그림 7-22

9. 벤치 수술(Bench procedure)

벤치에서 관류가 끝나면 V5, V8에 대해 중간 간정맥 재건을 시행한다.
(그림 7-25) 재건에는 자가정맥 또는 냉동보존 혈관을 이용할 수 있으며 (그림 7-26) 인공 혈관을 이용하여 시행할 수 있다.

10. 다양한 기증자 간절제

기증자 수술에는 다양한 간절제 방식이 있는데, 단분절절제술, 좌외구역절제술, 확대좌외구역절제술, 좌간절제술, 확대좌간절제술, 우간절제술, 변형우간절제술, 변형확대우간 절제술, 확대우간절제술, 우후구역절제술 등이 있다. 또한 최근에는 ICG 카메라 및 3D 복강경을 이용한 순수복강경 간공여자 수술이 이루어지고 있으며, 미용적인 측면에서 장점이 있다.

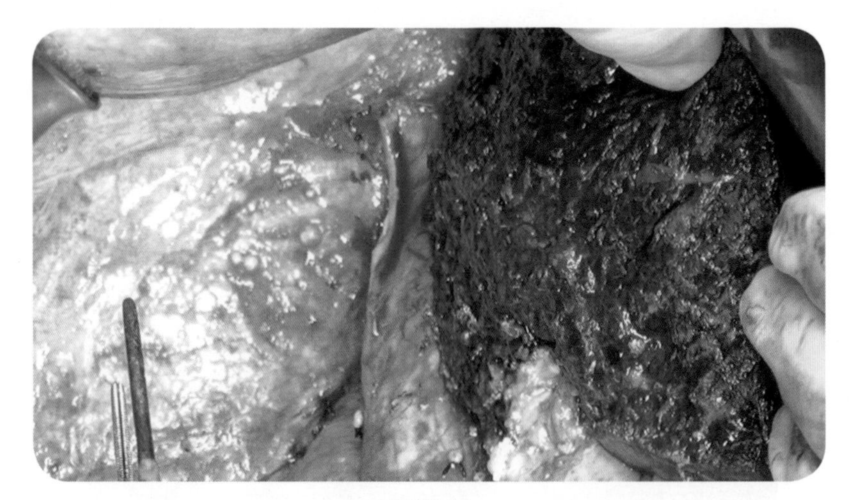

그림 7-23

그림 7-24

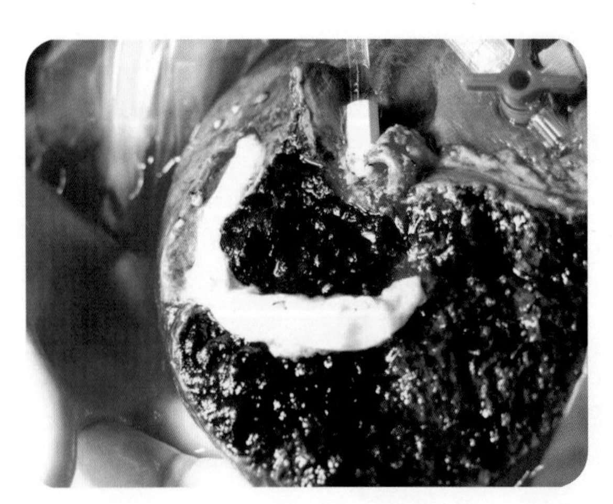

그림 7-25

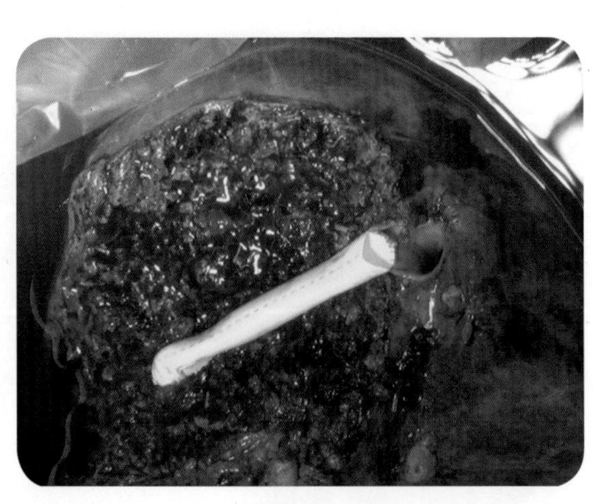

그림 7-26

II. 우간을 이용한 수혜자 생체간이식

1. 절개 및 노출

수혜자의 경우에는 Mercedes-Benz 절개와 갈비밑절개 또는 역 T자형 절개를 많이 사용한다. 작은 절개도 가능하지만 대부분 출혈 경향이 있는 환자이므로 절개창의 길이를 충분하게 하여 시야를 확보하는 것이 좋다.

2. 간 유동화

수혜자는 대개 문맥압 항진증이 있거나 이전의 치료에 의해 유착 및 출혈 경향이 있고 혈관이 발달해 있어서 수술이 어렵다.

(그림 7-28) 간낫인대(falciform ligament)와 관상인대(coronary ligament) 부분에서 최소한의 유동화만을 시행한다.

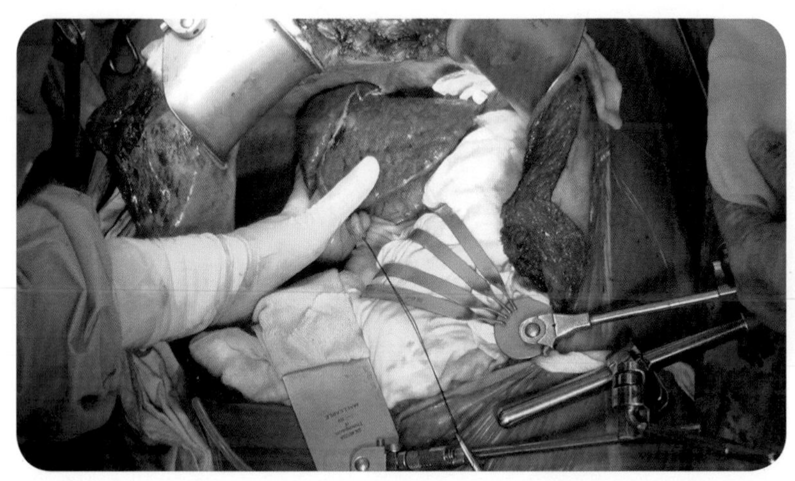

그림 7-27

TIP 5
복측에도 추가 견인기를 설치하면 좋은 시야를 확보할 수 있고 수술 보조자의 수를 줄일 수 있다(그림 7-27).

그림 7-28

TIP 6
초반부터 J-P 배액관을 삽입하여 흡인장치에 연결하면 수술 시야를 확보하는데 도움이 된다.

3. 담낭 절제

(그림 7-29) 출혈경향이 있어 완전한 담낭절제술이 어려운 경우가 많으므로 담낭관 및 담낭동맥을 결찰하고 담낭은 절제하지 않고 놔둔다.

4. 간문부 박리

(그림 7-31) 수혜자의 간문부를 처리할 때는, 좌우 간동맥과 문맥을 가능한 충분히 길게 박리하고, 담도는 혈류의 손상 없이 좌우담관 개구 부위 말초까지 살려서 박리하는 것이 필요하다. 간문부 박리 시에도 담관 주변의 조직에 손상을 주지 않도록 주의한다.

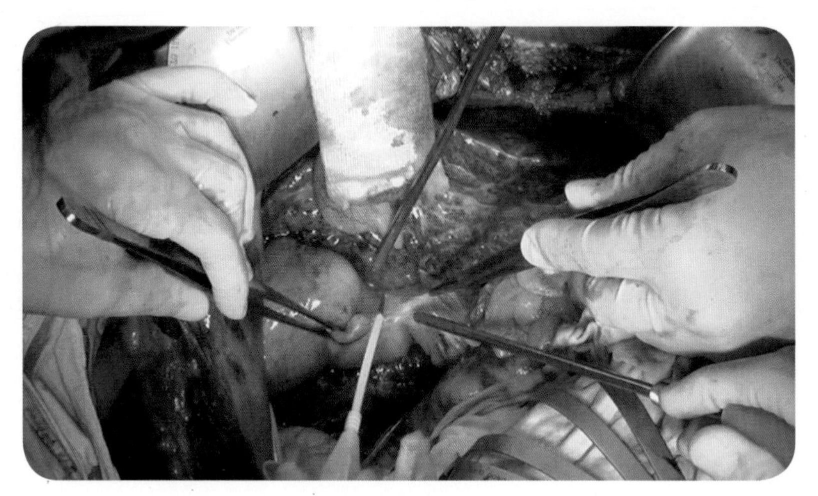

그림 7-29

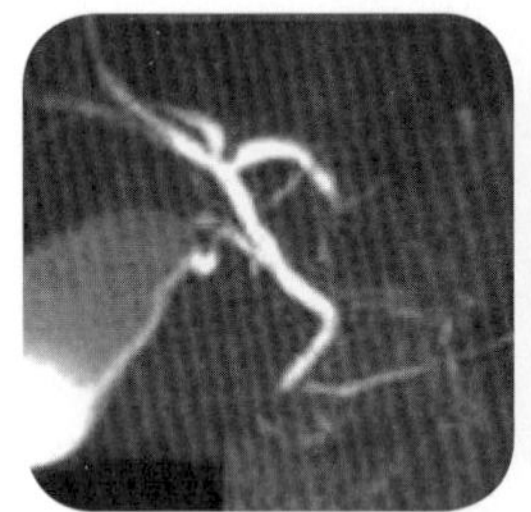
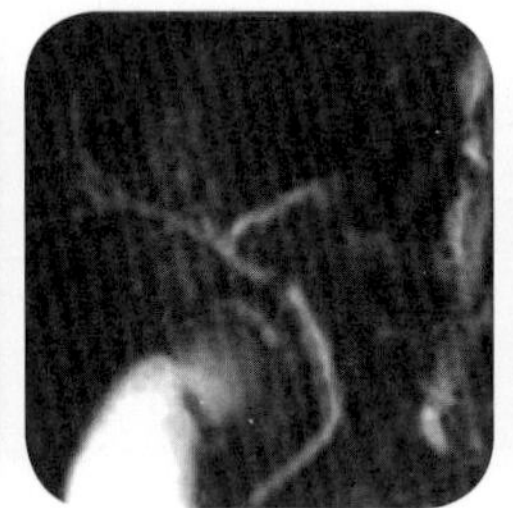
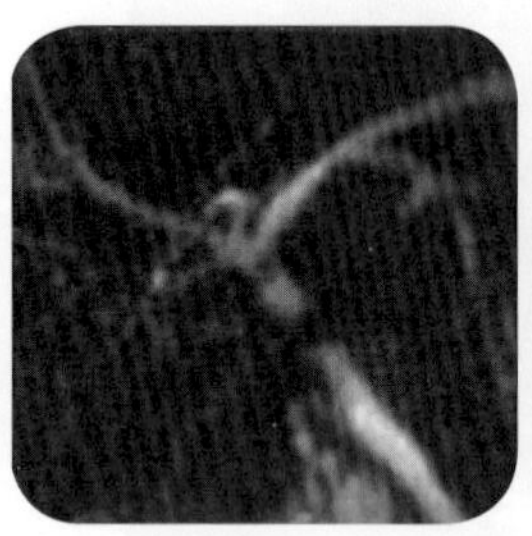
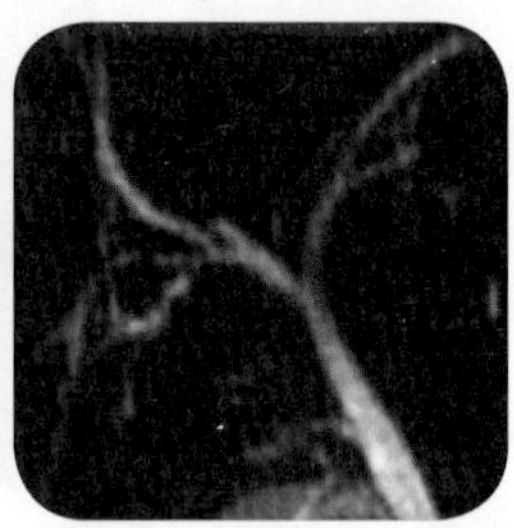

그림 7-30 다양한 담관의 주행

TIP 7

기증자의 우담관의 주행을 알고 있어야 한다. 만일 기증자의 담관이 두 개 이상인 경우에는 담낭관을 문합에 사용할 수 있으므로 충분히 길게 남기고 결찰해야 한다(그림 7-30).

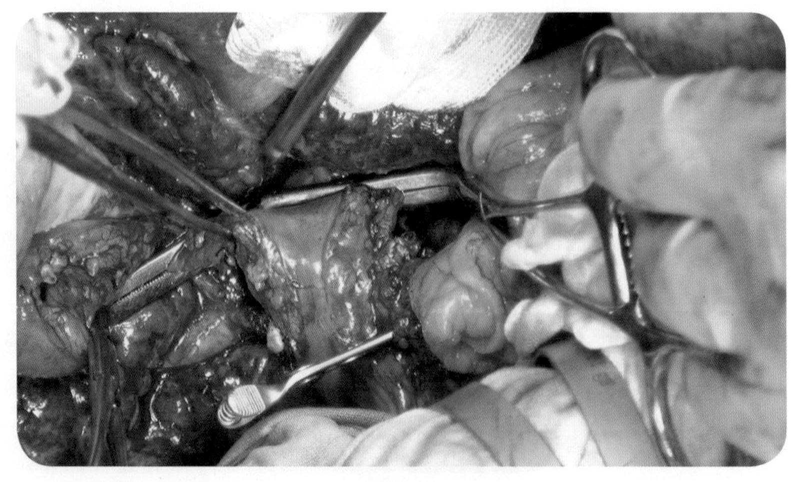

그림 7-31

1) 간동맥 및 담관

(그림 7-32) 간동맥을 촉지하여 주행을 파악하고 좌간동맥, 우간동맥, 중간동맥을 최대한 길게 남기도록 한 후 수혜자 측에 혈관겸자를 적용하고 절제한다. 절제 후에는 헤파린을 주입하여 혈전이 발생하지 않도록 한다. 담관 역시 혈관 클램프를 적용하고 최대한 간에 가깝게 절제하고 간방향의 담관 개구부는 봉합술로 담즙 유출 및 출혈을 막아 시야를 확보한다.

2) 간문맥

(그림 7-33) 간문맥은 우간문맥, 좌간문맥 분지 부위까지 우간문맥을 결찰할 수 있다. 간문맥을 전부 결찰할 경우에는 이후에 간유동화시에 출혈을 줄일 수 있는 장점이 있으나 장울혈이 심해질 수 있으므로 주의하여야 한다. 측부혈관 유무를 확인하여야 한다. 측부혈관이 충분히 형성되어 있지 않을 경우에는 좌간문맥의 혈류는 유지시키는 것이 좋다.

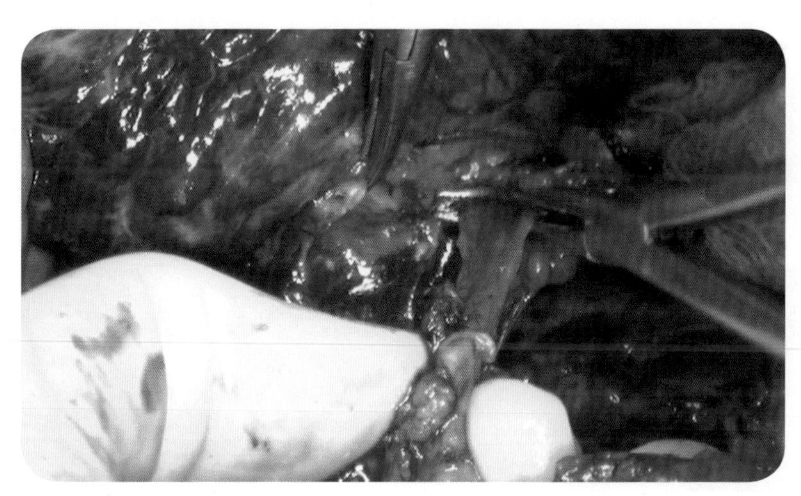

그림 7-32

TIP 8
동맥의 주행을 촉지하는 것이 중요하다. 동맥 근위부에 혈관 클램프를 적용하고 박리해야 혈관 손상을 막을 수 있다. 동맥이 어느 정도 박리되면, 동맥 및 담관에 혈관클램프를 적용하여 동시에 절제하는 것도 가능하다.

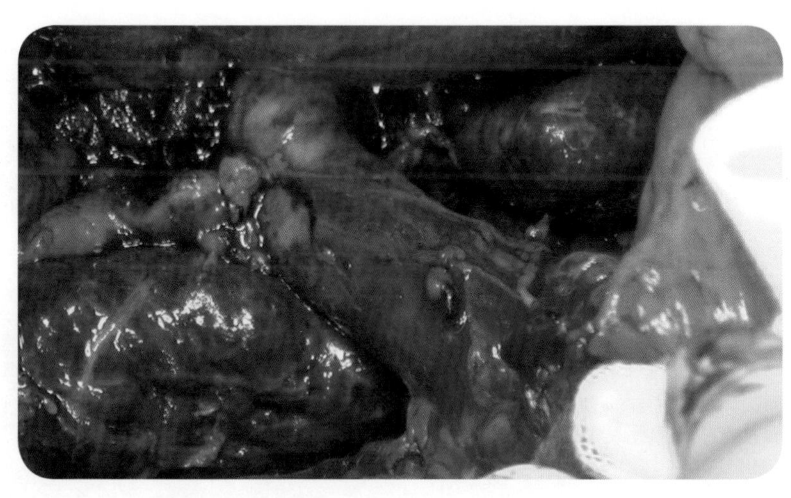

그림 7-33

3) 간 유동화 및 전간절제술

(그림 7-34) 추가적인 간유동화를 시행한다. 간 하방에서 하대정맥을 찾는 것이 중요하며 하대 정맥을 찾은 후에는 이를 따라서 상방 우측을 분리한다. 우간정맥이 분리가 되면 클램프를 물고 절제한다(우간문맥을 결찰한 경우). 우간정맥을 절제하면 간은 좌측으로 좀더 견인이 가능하며 하대정맥과 간 후면의 사이가 좀 더 노출되어 간을 하대정맥으로부터 분리하기가 용이해진다. 하대정맥과 간을 완전히 분리시키면 좌간문맥, 중간 및 좌간정맥만 남게 된다.

(그림 7-35) 기증자 수술 진행정도를 확인하여 기증자 간이 준비되는 시간에 맞추어서 수혜자 간 절제를 시작한다. 중간간정맥과 좌간정맥은 혈관스테이플러를 사용 후 절제하거나 절제 후 봉합을 시행한다. 절제 후 문맥에 대해 헤파린을 투여하여 혈전이 발생하지 않도록 한다.

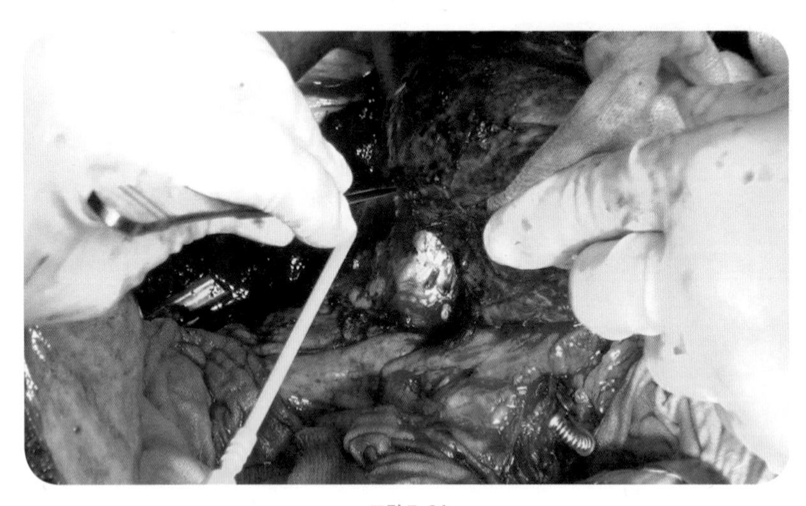

그림 7-34

TIP 9

간동맥을 결찰하고 우간문맥을 결찰하면, 간 유동화 시에 출혈이 감소하며 보다 좋은 시야를 확보할 수 있다. 우간문맥을 결찰하였다면 우간정맥을 결찰해도 되는데 이때 우간정맥 문합을 위해서 'ㄱ'자 클램프를 적용하고 최대한 길게 남기면서 절제한다.

TIP 10

수혜자 간의 완전 적출 시기는 기증자 간의 허혈시간을 최소화 할 수 있는 시간에 맞추어야 하고, 적출 후부터는 수혜자의 장에 울혈이 발생하기 때문에 이를 최소화 할 수 있는 시간에 맞추어야 한다. 장울혈이 심한 경우에는 간문맥과 하대정맥간에 단락(shunt)을 만들어서 장울혈을 최소화할 수 있다. 기증자 간을 기다리는 동안 간정맥, 문맥, 동맥, 담관에 대해 문합 준비를 한다.

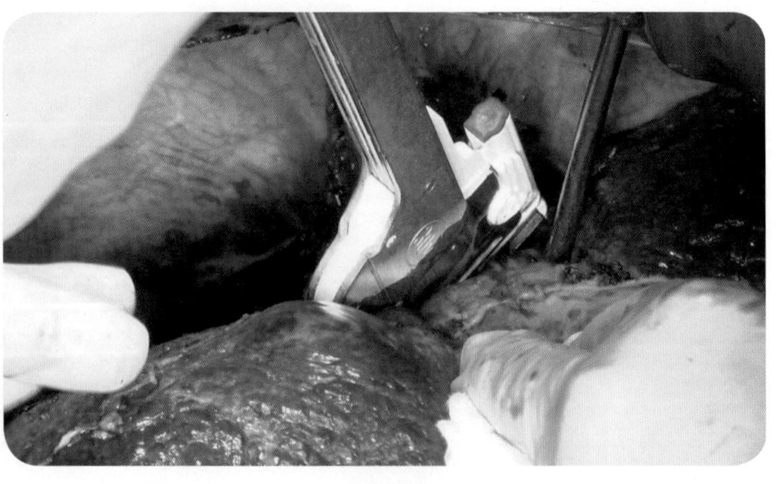

그림 7-35

5. 문합 준비

1) 간정맥과 간문맥

(그림 7-36) 수혜자의 우간정맥 개구부 주변의 조직들을 정리한다. 간문맥도 문합할 수 있도록 주변 조직을 정리하고 췌장 방향으로 내려가면서 주변 구조물과 분리시키고 우위정맥을 결찰하거나 작은 분지 혈관들을 결찰한다.

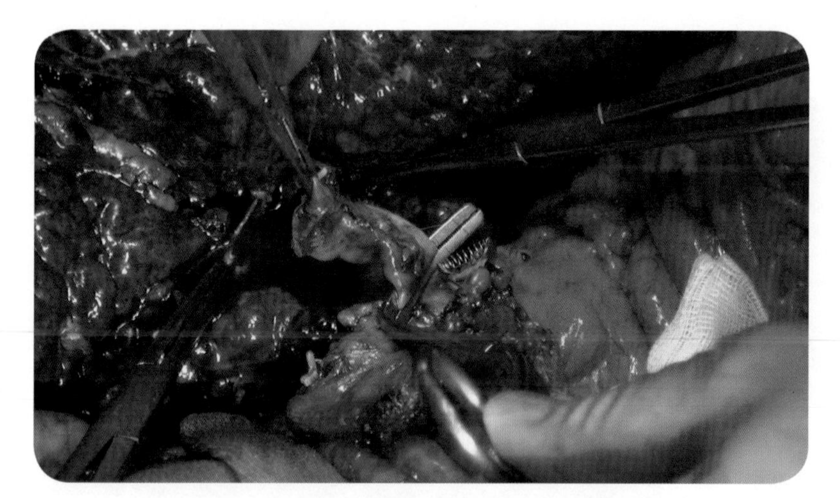

그림 7-36

2) 간동맥

(그림 7-37) 간동맥의 개구부를 최대한 깨끗이 정리해야 하며, 이때 혈관 손상이 발생하도록 한다. 혈관 클램프를 열어서 혈전이 발생하지 않는지 확인해야 하고 다시 헤파린을 투여한다.

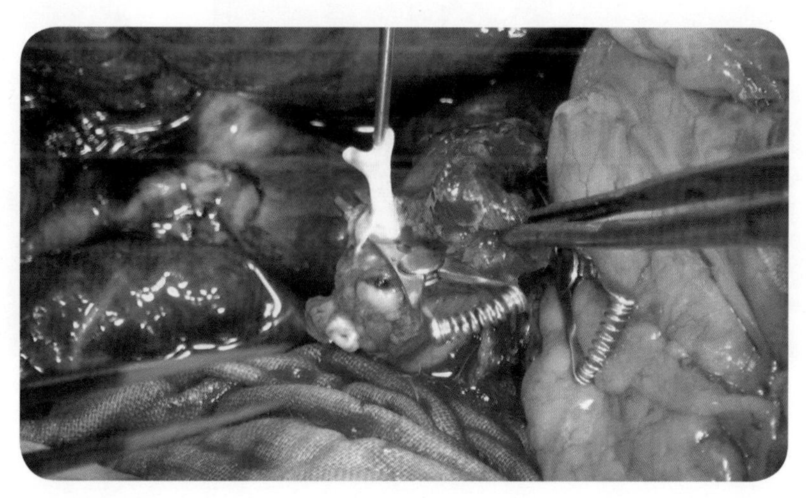

그림 7-37

3) 담관

(그림 7-38) 담관의 개구부를 하나로 정리하여야 하며 식염수를 주사기에 준비하여 담관에 주입하여 다른 개구부가 없는지 확인하여 수술 후 담즙누출을 예방한다.

6. 문합

1) 우간정맥, Flushing

(그림 7-39A) 우간정맥을 더 큰 새틴스키형 혈관 클램프로 클램프 한 후에 이식편 우간정맥 크기보다 약간 크게 하방으로 확장을 한다. 하대정맥의 심장으로의 유입로가 좁아지므로 혈압 등의 변화에 유의한다. 간이 놓여지는 부위에 얼음이 묻은 거즈를 놓아서 온허혈손상을 최소화한다.

(그림 7-39B) 간을 올려 놓은 후 정맥 개구부의 위치를 맞추고 문합을 시작한다(4-0 또는 5-0 prolene). 우간정맥 문합이 절반정도 진행 되면 차가운 알부민을 간문맥을 통해 주입한다.

(그림 7-39C, D) 우간정맥 문합을 마친 후에 작은 혈관 클램프를 적용하고 큰 새틴스키형 클램프를 제거하면 정맥 환류(venous return)가 회복된다.

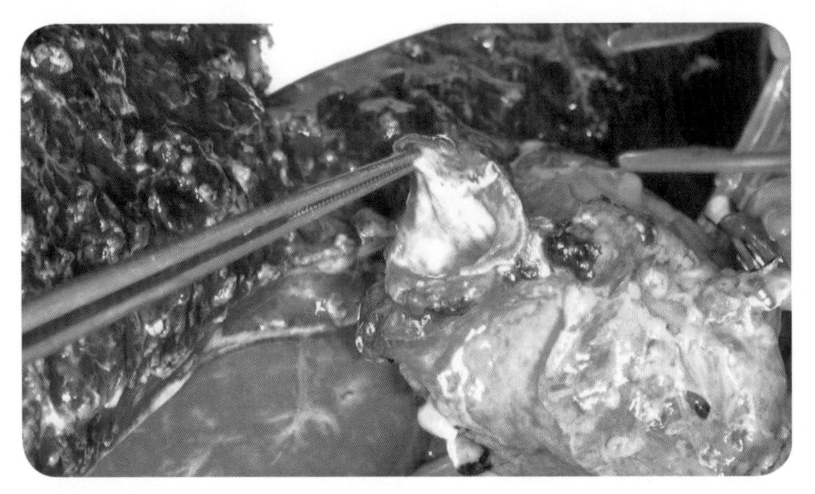

그림 7-38

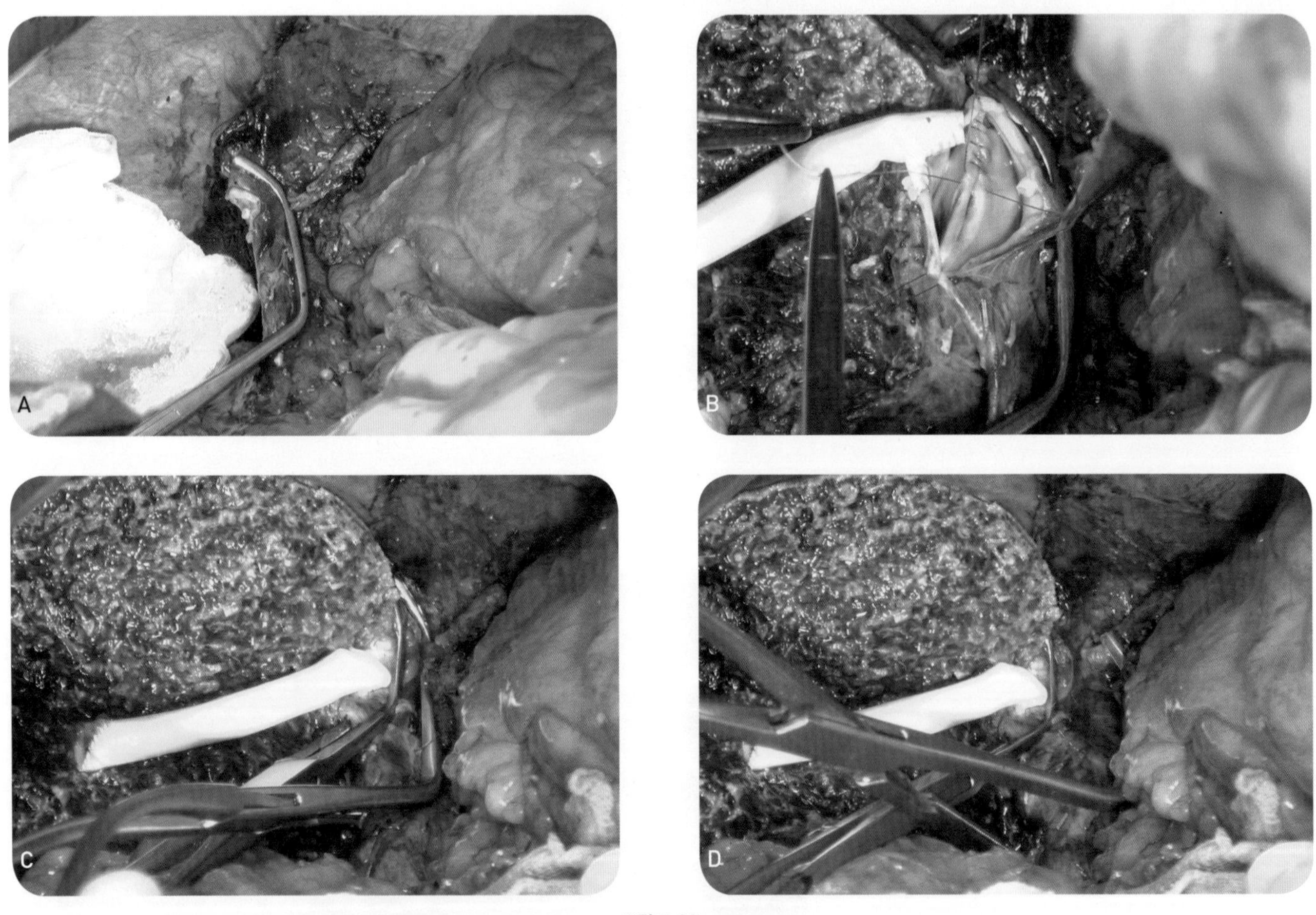

그림 7-39

TIP 11
수술필드에서 발생하는 일은 마취과에 항상 알려야 하며 하대정맥이 눌리거나, 혈관겸자를 적용하는 경우, 재관류 시점, 대량 출혈 등의 경우에 혈역학적 변화가 발생하게 되므로 이를 대비하고 대처하도록 한다. 카메라를 설치하여 수술장면을 볼 수 있게 할 수도 있다.

2) 부간정맥

같은 방식으로 작은 크기의 새틴스키형 혈관 겸자로 하대정맥 부위를 클램프하고 개구부를 만들어서 이식편의 우하 간정맥과 문합한다.

3) 간문맥

(그림 7-40A) 수혜자 간문맥을 당겨 보아서 문합후 간문맥이 너무 길어지지 않도록 절제한 후에 문합을 시작한다. 문합 후에 협착이 발생하지 않도록 성장인자(growth factor)를 줄 수도 있다.

(그림 7-40B, C) 문맥 문합이 끝날 즈음 혈관클램프를 풀어 혈전 형성 여부 및 혈류를 확인한다. 다시 클램프를 적용하고 문합 부위에 헤파린을 투여한다.

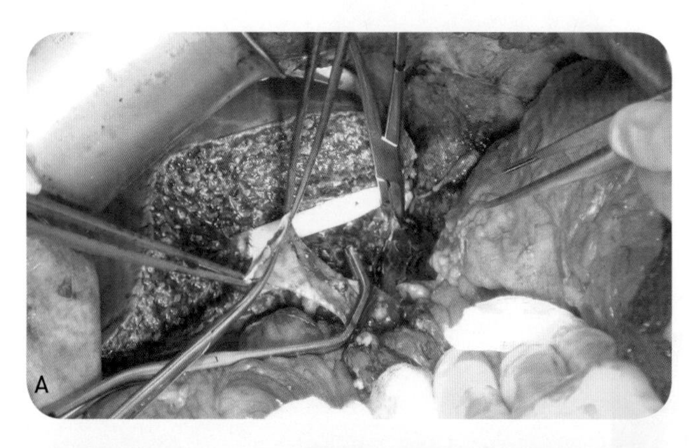

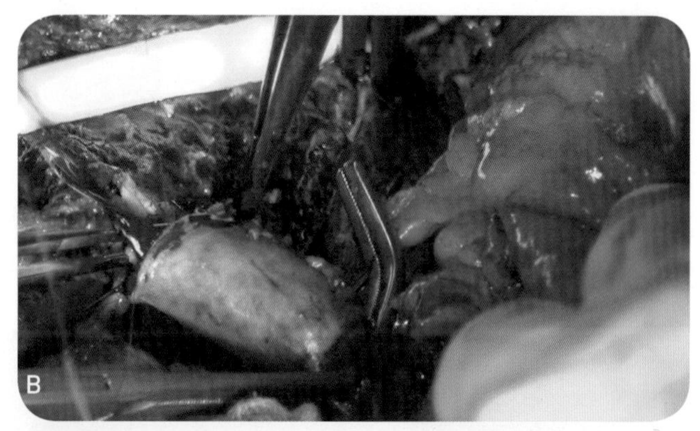

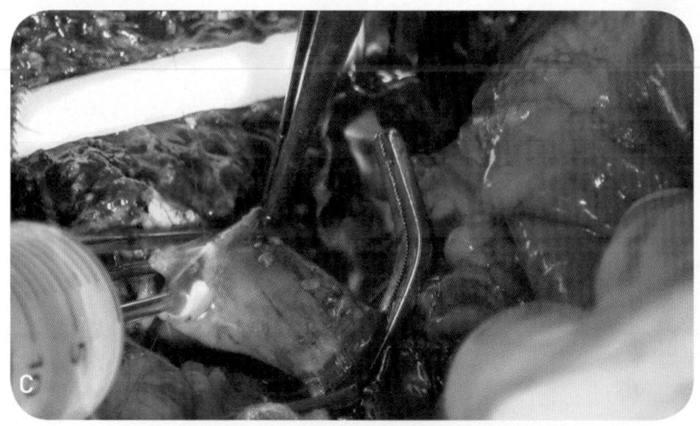

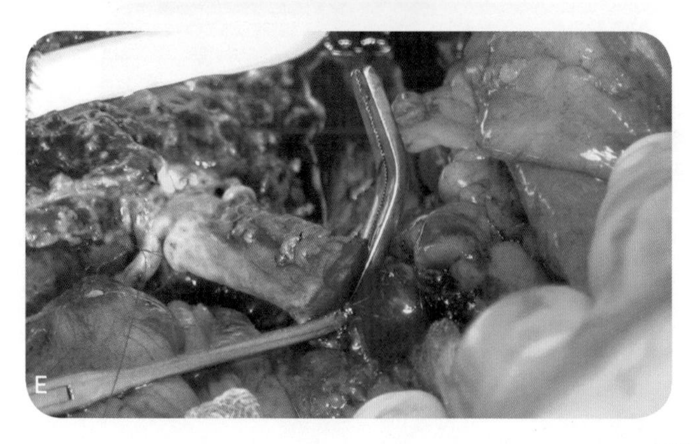

TIP 12
(그림 7-40D, E) 문합 시에 혈관의 양 끝을 당겨서 혈관이 좁아지지 않도록 하고 혈관 문합 마지막에는 봉합사 매듭을 만들 때 혈관과 매듭사이에 충분한 공간을 확보하는 성장인자를 준다. 마취과에 재관류 시점을 미리 알려 주어 준비를 할 수 있도록 한다.

그림 7-40

4) 재관류

(그림 7-41A, B, C) 간을 따뜻한 생리식염수로 세척한다. 이후에 간정맥의 혈관클램프를 풀고 다시 간문맥의 혈관클램프를 풀어준다. 활력 징후가 안정적이면 초음파로 간문맥 및 간정맥의 개통성을 파악한다.

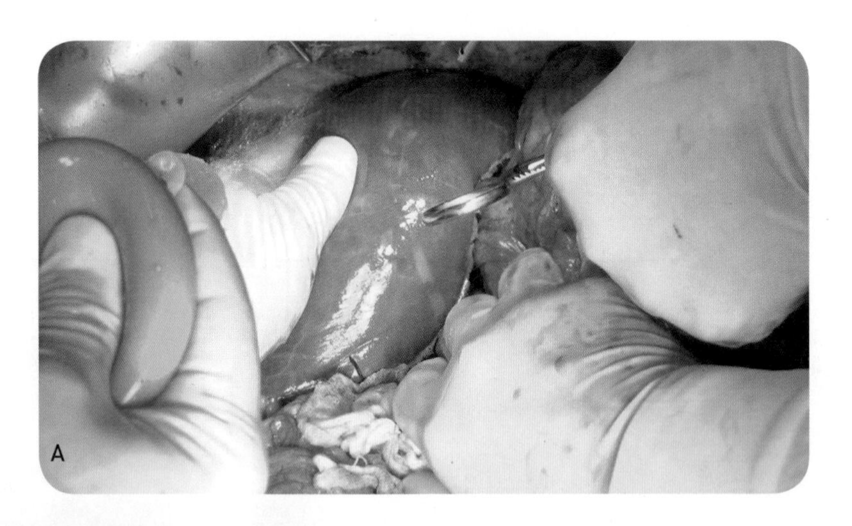

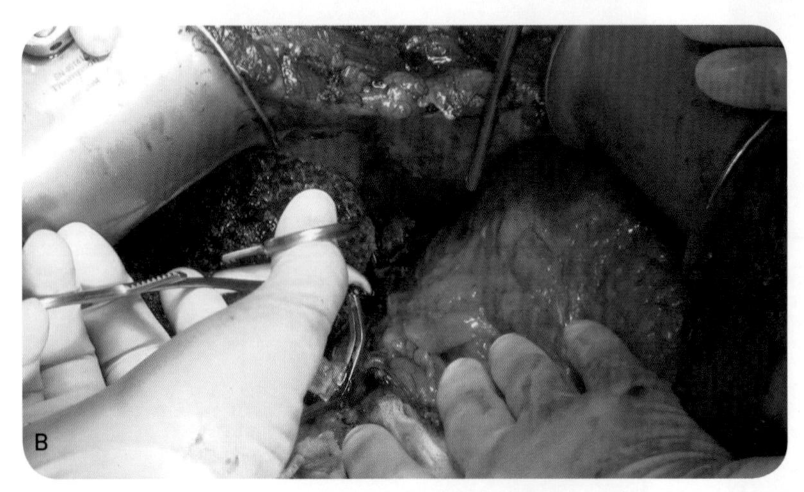

TIP 13
재관류를 시행한 경우 문제가 없으면 이식편 측의 간동맥에서 피가 흘러나오는 것을 볼 수 있다. 동맥 문합까지는 시간이 필요하므로 헤파린을 투여하여 혈전생성을 막고 작은 동맥용 혈관 겸자를 물어 둔다.

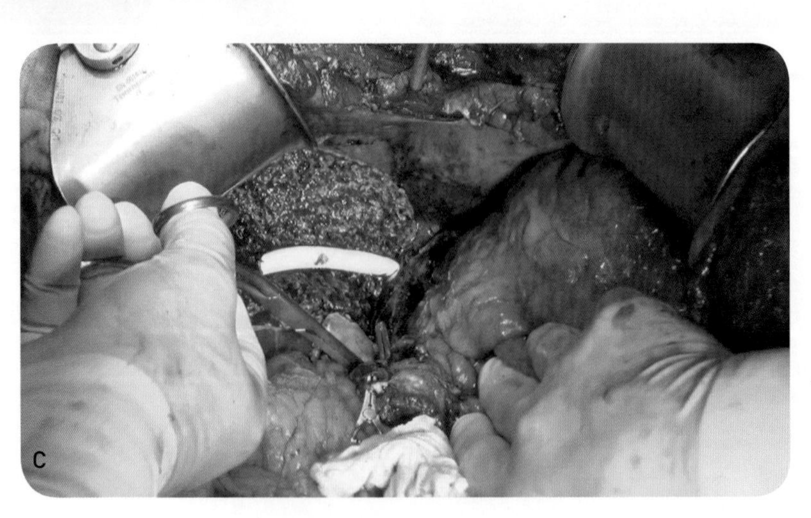

그림 7-41

5) 동맥

(그림 7-42A) 이식편 간동맥과(그림 7-42B) 수혜자의 간동맥을 연결하기 좋도록 준비한다. 특히 동맥 주변 조직을 깨끗하게 정리하지 않아서 문합시에 혈관내로 말려 들어가서 혈전생성의 원인이 되지 않도록 주의한다.

(그림 7-42C) 연결은 대부분 8-0nylon으로 단절 봉합(interrupted suture)을 시행한다. 혈관 직경에 따라서 9-0 size를 사용하기도 한다.

간동맥 문합 후 간도플러 초음파기계로 혈관 및 혈류의 개통성과 혈류를 파악한다.

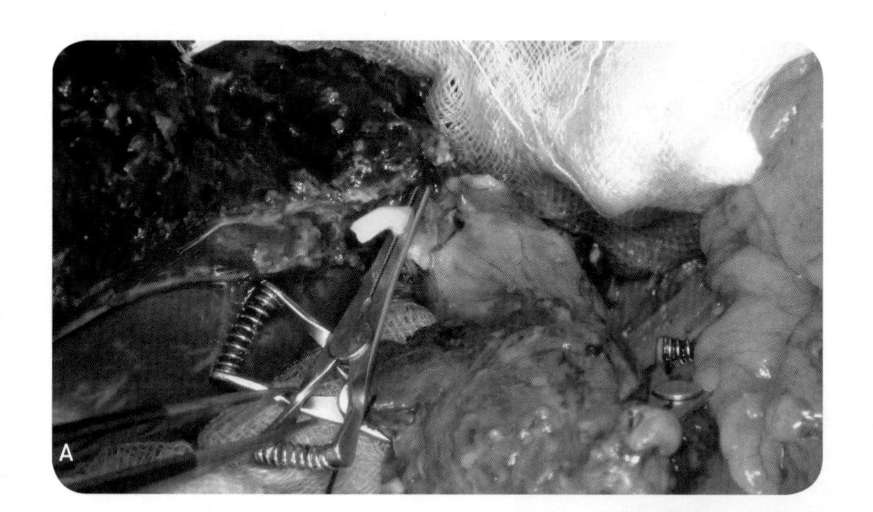

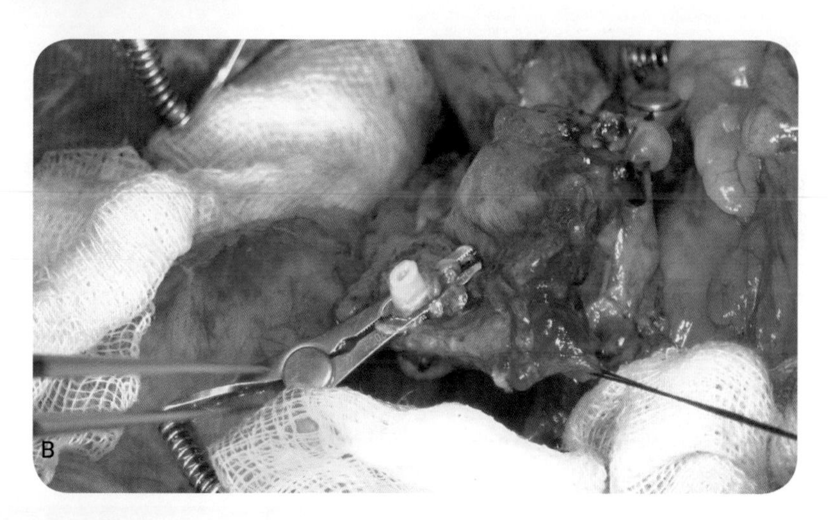

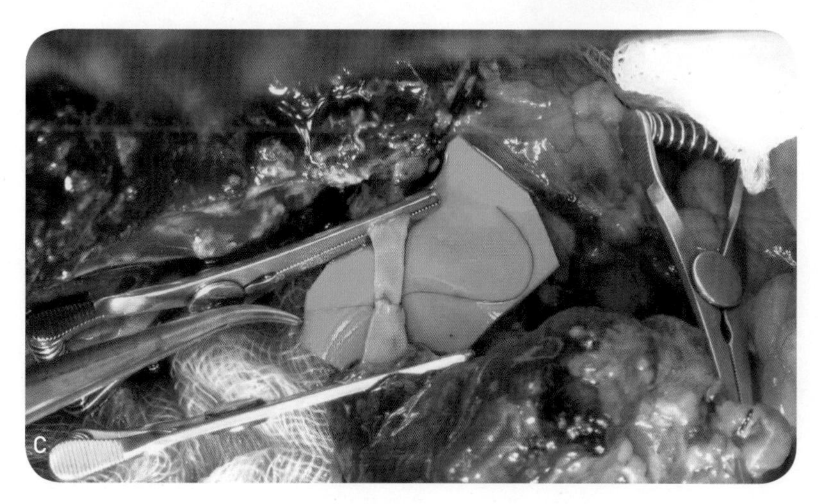

그림 7-42

6) 담관

(그림 7-43) 담관은 이식 후 합병증이 많이 발생하며 해결이 쉽지 않다. 담관 주변의 혈관 손상으로 인한 담관 손상이 주요 원인으로 알려져 있으므로 담관 주변 조직을 최대한 보존하는 수술을 해야 한다. 일반적으로 담관 크기가 크고 문합부위에 압력이 걸리지 않는 경우 단단 문합이 주로 이뤄지고 있으나 담관의 해부학적 변이로 인해 개구부가 여러 개이거나 문합부위 장력이 걸려서 단단 문합이 어려운 경우에서 소장을 이용한 담관-소장 문합을 하기도 담도 크기가 작은 경우 담도협착을 막기 위해 internal stent 혹은 external stent를 담도 안쪽에 삽입하기도 한다.

7. 지혈

(그림 7-44) 하대정맥, 특히 단간정맥 부분과 부신 주변에서 수술 후에 재출혈이 빈번히 발생하므로 출혈 가능성이 있는지 확인해야 하며, 출혈 가능성이 있는 부분에 대해서는 철저히 봉합으로 해결을 해야 한다. 횡경막 부위와 간낫인대, 관상인대 부위도 출혈부위 봉합으로 출혈을 예방한다. 담즙 누출 여부 등을 확인해야 한다.

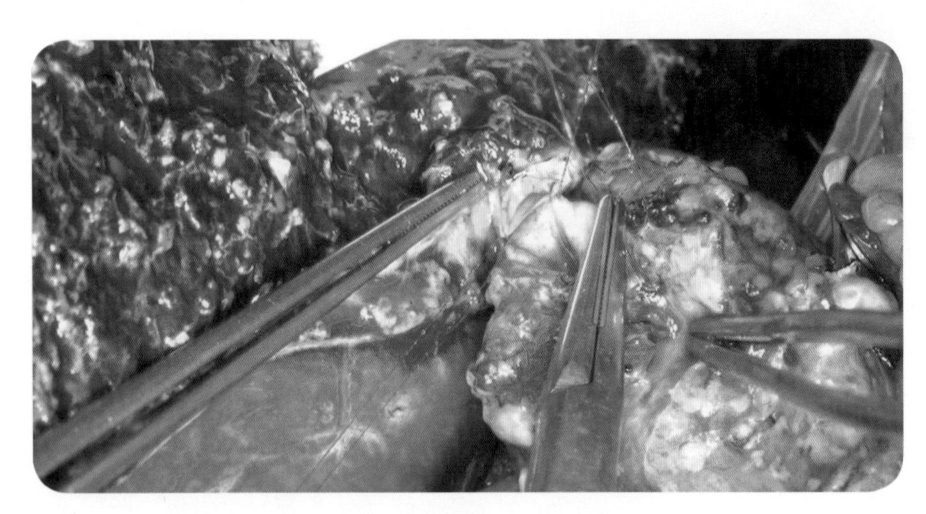

그림 7-43

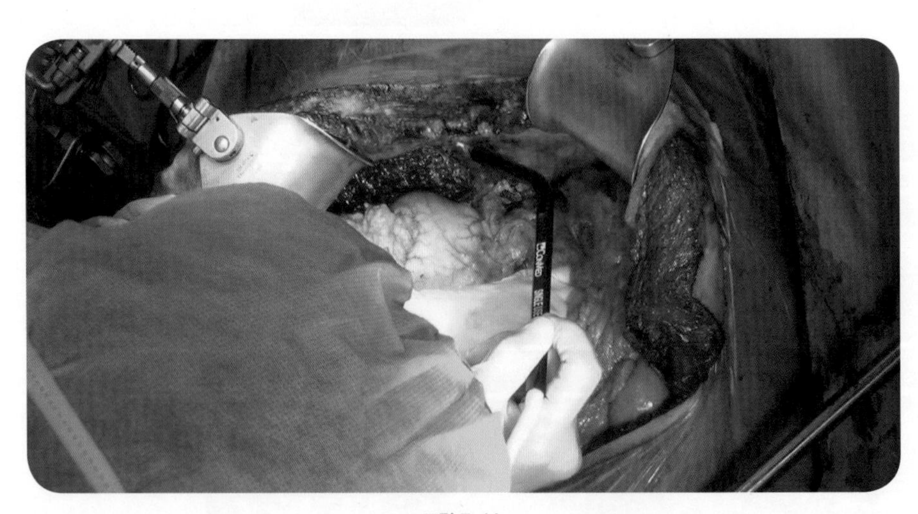

그림 7-44

CHAPTER 8

소아 간이식: 기증자 수술 및 수혜자 수술

Donor hepatectomy & liver transplantation for children

1. 서론

소아 영역에서 간이식은 면역억제제, 수술 수기, 수술 전후 관리의 눈부신 발전으로 이식편과 환자 생존율이 모두 향상되었고, 소아외과 영역에서 난치성 간질환들이 해결되었다. 그러나 소아 수혜자는 체격이 작아 성인과는 다른 수술 방법이 필요한 경우가 많다. 특히 체중이 30 kg 이하인 경우 국내 실정상 소아 수혜자가 연령이나 이식편의 크기가 적합한 뇌사 공여자로부터 전간을 받을 기회가 매우 드물다. 성인공여자의 이식편이 지나치게 큰 경우 이식편 크기를 조정해야 하고, 수술 후 성장에 따른 이식편과 혈관의 성장도 고려하여야 한다.

90%의 수혜자는 뇌사 혹은 생체 성인 공여자로부터 부분간을 이식 받아야 하고, 50% 정도의 환자가 과거에 Kasai술식과 같은 복잡한 수술 기왕력을 가지고 있으며, 성인 공여자의 이식편은 복강 내 공간 대비 크고, 수혜자의 혈관이 작아서 문합 술기 자체의 어려움이 있다. 또한 동반된 선천성 질환, 대사 질환으로 인한 전신 합병증의 관리, 성장과 발달의 지지 등 이식 후 관리에 있어서도 경험과 요령이 필요하다.

2. 적응증 및 대기 순위

간이식의 적응증과 금기증은 성인의 경우와 크게 다르지 않지만, 추가로 영양 결핍과 성장 지체가 이식의 적응증이 된다. 질환에 따라서는 선천성(신생아담도폐쇄증, 알라질증후군 등) 및 대사성 질환(윌슨병, 당원축적병, 고옥살산증, 비정형용혈성요독성증후군, 메틸말론산증 등)이 소아 특유의 적응증이 된다. 간 내 종양으로는 간세포암은 드물고, 간모세포종이 적응증이 된다. 영아기 이전의 적응증은 신생아 담도폐쇄증과 대사질환 등이 대부분이고, 학동기 이후에는 전격성 간부전, 윌슨병 등이 적응증이 된다.

간이식의 시기의 결정은 Pediatric End-Stage Liver Disease (PELD, 펠드) 점수로 구체화할 수 있다. 펠드 점수의 적용은 만 12세 미만의 소아에 해당하며, 12세 이상 18세 미만 청소년은 성인과 같은 멜드 점수를 적용한다. 펠드 점수의 계산식은 다음과 같다.

PELD score = [0.480 x Loge (bilirubin mg/dL) + 1.857 x Loge (INR)- 0.687x Loge (albumin g/dL) + 0.436 (age score) + 0.667 (growth failure (≤ 2 standard deviation)] x 10

- INR, International normalized ratio
- age: 등록 시점 1세 미만인 경우 score 1, 1세 이상인 경우 0으로 계산되며, 1세 이전에 등록한 환아의 경우 24개월까지 1세 미만(score=1)에 포함. 12세 미만의 환자에 적용
- growth failure: 2007년 질병관리본부 성장도표 신장, 체중 5번째 백분위수(-2 표준편차)보다 아래면 1로 자동 계산되며, 그 외는 0
- 펠드(멜드)점수 40점 이상은 40점으로 간주

응급도는 1부터 5까지 구분되는데, 잠재뇌사자 권역 및 전국 배분에 있어서 응급도 1은 전국에서 대상자를 선정하며, 응급도 2는 각각 펠드(멜드) 점수마다 권역에 우선권을 준 후 전국으로 배분하고, 이하 각 응급도는 해당 펠드(멜드) 점수군에서 권역에 우선권을 준 후 전국으로 배분한다. 소아에서는 적절한 연령대의 공여자가 극히 드물기 때문에 성인 뇌사 공여자에서 분할된 간의 좌외측구역(left lateral section)을 받을 수 있는데, 분할 간이식 대기자 등록 조건은, 연령이 15세 이하이면서 체중이 30 kg 이하, 이식편의 좌외측구역에 국한하여 이식하는 경우이다.

3. 공여자 선정 및 준비

뇌사 및 생체 공여자의 준비 과정은 성인 간이식과 다르지 않다. 공여간이 제대로 기능하기 위해서 적절한 크기의 간실질 분절이 공여되어야 한다. 적절한 이식편의 용적을 결정하기 위해서 이식편 대 수혜자 무게 비(graft versus recipient weight ratio, GRWR (%))를 이용할 수 있는데, GRWR 0.8~3.5% 정도가 적절하다. 그러나 GRWR의 선정은 단순한 수의 개념이 아니라, 상대적으로 수혜자의 복강 내 용적을 결정하는 복수 여부, 간과 비장의 비대, 정맥류 및 부대혈관 발달 등을 같이 고려하여야 한다. 이러한 이유로 신생아나 작은 영아, 특히 급성 전격성 간부전 환아나 대사 장애 환아와 같이 간이나 비장 종대가 없거나, 복수나 부대혈관 발달이 없고, 상대적인 복강 용적이 작은 경우, 거대이식편증후군(large-for-size syndrome)이 발생할 수 있다. 거대이식편증후군이란, 이식편 크기가 수혜자 복강내 용적 대비 지나치게 큰 경우, 복강 내압이 증가하고, 이식편으로의 혈류가 부족하게 되고, 결국 이식편 소실과 환자 사망을 포함한 이식 후 합병증을 일컫는다.

최근에는 수술 전후 중환자 관리 기술과 다양한 술기의 발전으로 초경량 환아 혹은 신생아에서 성공적인 간이식 예가 보고 되고 있다.

공여자와 수혜자 모두에서 수술 전 조영증강 컴퓨터단층촬영이나 자기공명영상검사를 통해 간의 해부학적 구조와 간의 용적, 부대 혈류 유무를 파악하는 것이 중요하다. 다만, 간분할 뇌사 공여자의 경우 수술 전 조영증강 영상 검사를 시행하는 것이 대개 불가능하기 때문에 수술 중 초음파를 이용한 혈류 검사와 이식편을 수혜자의 복강내 용적에 맞게 조정하는 술기가 필요하다.

4. 공여자 수술

1) 마취

전신마취

2) 환자자세

Supine position

3) 소아 공여자의 전간적출술

전간 적출과 이식술은 일반적인 성인 수술과 다르지 않다. 그러나, 소아 공여자는 정상적으로 성인에 비해 맥박이 빠르고 혈압이 낮기 때문에 간동맥 변이가 있는지 면밀히 관찰한 후 박리에 주의하여야 한다. 수술 전 조영증강 복부컴퓨터단층촬영을 통해 간동맥 변이를 확인하거나, 수술 중 일시적인 혈류 차단 후 도플러 초음파를 이용해 좌우간동맥의 간내 유입 여부를 확인하는 것도 실수를 줄이는 방법이다. 이를 통해 상장간동맥이나 위십이지장동맥에서 분지되는 우간동맥이나 우후간동맥 등의 흔한 간동맥 변이의 손상을 줄일 수 있다.
대동맥 관류를 준비할 때는, 장골동맥 상부부터 신장동맥까지의 대동맥 길이가 짧으므로 관류 카테터 삽관을 짧게 하여 신동맥 혹은 상장간동맥을 지나지 않도록 주의한다. 대동맥 삽관 대신 좌우 장골동맥에 카테터를 삽관할 수 있는데, 이때 요관 손상에 유의한다. 장간막정맥이나 비장정맥이 가늘어 문맥 관류를 위한 카테터 삽관이 어려운 경우, 이식편 적출 후 문맥에 직접 관류액을 넣을 수 있다. 관류액 주입 압력이 지나치게 높아 동맥 손상을 일으키지 않도록 유의한다.

4) 부분간 공여자 수술

간의 해부학적인 구조와 크기를 파악할 수 있도록 조영증강 복부 컴퓨터단층촬영, 조영증강 간 자기공명영상검사, 수술 중 혹은 벤치 담도조영술 및 도플러초음파 등의 활용이 도움이 된다.
간절리 중 출혈량이 최소화되도록 중심정맥압을 적절히 유지하고, 필요한 경우 선택적-간헐적 Pringle 술기를 사용할 수 있다. 간절리의 편의를 위해 견인기, Kelly 감자나 절리 기구, 다양한 현수기법을 이용할 수 있다. 소아에서는 주로 좌측간을 사용하게 되는데, 확대좌간(extended left liver), 확대좌외구역(extended left lateral section), 좌외구역, 단분절(monosegment), 축소 간절제술에 대해 기술하고자 한다.

(1) 확대좌간절제술

(그림 8-1) 중간정맥을 포함한 좌측간 전체를 절제한다. 이식편에는 중간정맥과 좌간정맥이 포함되기 때문에 상대적으로 크기가 크고 혈액 유출입에 문제가 없는 이식편을 사용할 수 있어, 주로 학동기 이후 수혜자에게 적용된다. 반면 공여자에서는 우전구역에 울혈이 유발될 수 있어 주의를 요한다.

(2) 확대좌외구역절제술

(그림 8-1) 중간정맥을 제외한 좌측간을 온전하게 절제한다. 중간정맥이 공여자의 우전구역 대부분 유출을 담당하여 공여자의 안전이 우려되거나 중간정맥과 좌간정맥 사이에 4분절 유출을 담당하는 단열정맥(scissural vein)이 있는 경우 시행할 수 있다.

(3) 좌외구역절제술

(그림 8-1) 일반적인 좌외구역절제술은 2, 3분절 글리슨지 좌외구역 실질에서 결찰-절리한다. 그러나 부분 간이식을 위한 공여자 간적출

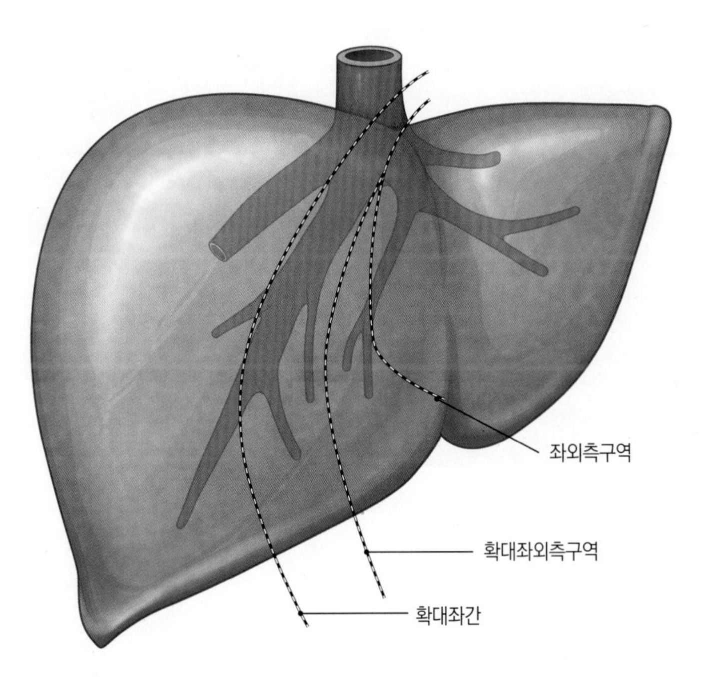

그림 8-1 좌측 부분 간이식편의 종류

시에는 4분절(좌내구역)에서 간실질을 절리하고, 좌간문맥과 좌간동맥, 좌측담도는 간문부에서 절리한다. 따라서 생체공여자나 분할간이식편 중 우측에 남는 4분절은 허혈성 위축이 발생하게 된다.

중간간동맥이 간 외에서 따로 분지되는 경우, 수술 전 검사로 중간간동맥이 명확히 4분절만을 공급하는 것인 확인된다면 반드시 구득하지 않아도 된다. 그러나 뇌사자 분할간이식에서 수술 전 공여자 간해부학에 관한 정보가 없는 경우, 가능한 중간간동맥은 좌외구역 이식편에 포함시켜 구득한다. 드물지만 좌외구역 분절동맥이 중간동맥에서 분지되기도 한다.

수술 전이나 수술 중 담도 해부학이 명확하지 않은 뇌사자 분할 간이식의 경우에는 담도 변이에 유의해야 한다. 좌측담도로 우후구역담도가 유입하는 경우를 제외하고, 가능한 4분절담도가 좌외측구역에 포함되도록 구득한다. 드물지만 2 혹은 3분절담도가 4분절담도로 유입하는 변이가 있다. 2, 3분절담도가 각각 분지부로 따로 유입되는 경우 1분절담도로 오인하여 결찰 절리하는 경우가 있으므로 유의한다.

(4) 단분절절제술

주로 7 kg 미만의 소아나 신생아, 전격성 간부전 환에서는 상대적인 복강 내 용적이 작기 때문에 좌외구역보다 작은 이식편이 필요하다. 이를 위해서는 2 혹은 3분절을 이식편으로 이용할 수 있다.

(그림 8-2) 술기의 편의성을 고려하여 단분절이식편은 3분절이 선호되어 왔다.

(그림 8-3) 복강 내 용적이 매우 작고 특히 복강의 전후방 길이가 짧은 경우, 2분절 이식편을 고려한다. 이는 2분절의 두께(전후방 길이)가 3분절에 비하여 납작하기 때문이다.

(5) 좌외구역 축소절제술

단분절 이식편과 같이 해부학적인 절제가 아니더라도 좌외구역 단순 축소가 필요하거나 공여자의 해부학적인 변이에 관한 정보가 부족한 뇌사자 분할간이식의 경우에는 좌외측구역의 실질만을 비해부학적으로 축소하는 수술을 할 수 있다. 이런 경우에는 간실질 끝단을 줄이게 된다(그림 8-4). 이식편 축소는 공여자 수술 중 시행하거나 벤치 수술 중 시행하기도 하지만, 폐복으로 인해 복압이 증가하는 경우 추가적으로 실시할 수 있다.

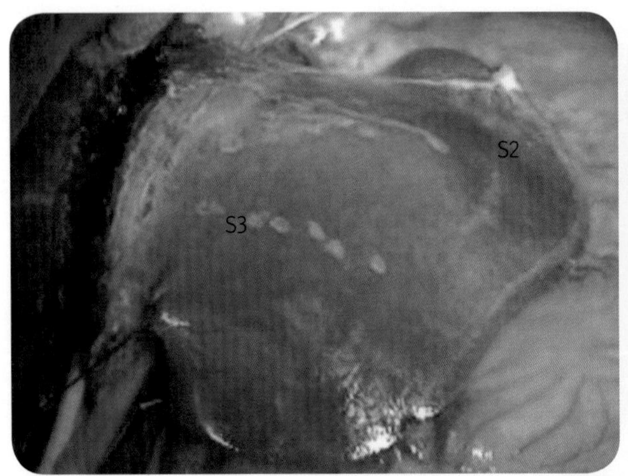

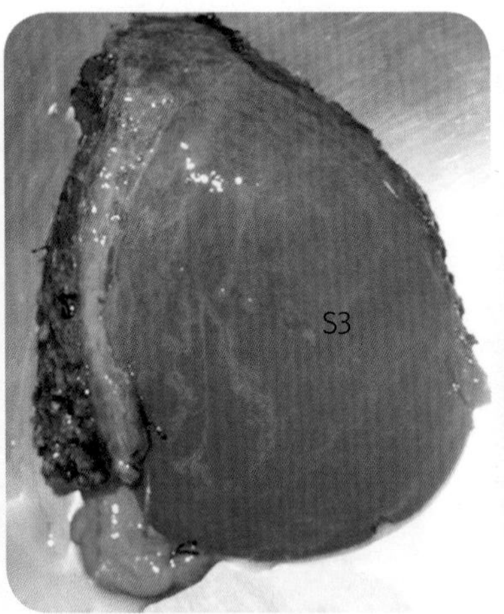

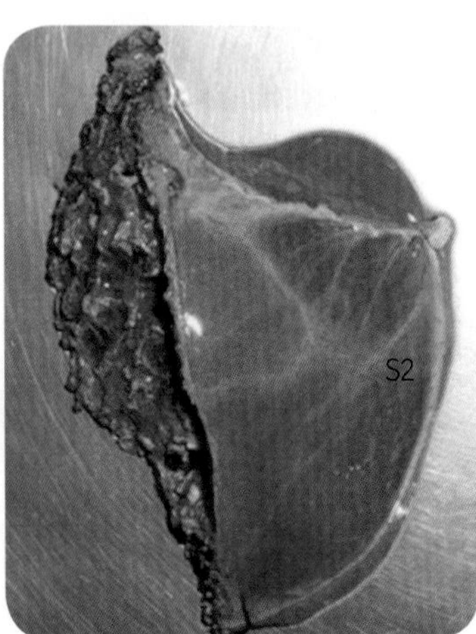

그림 8-2 3분절이식편
S: segment

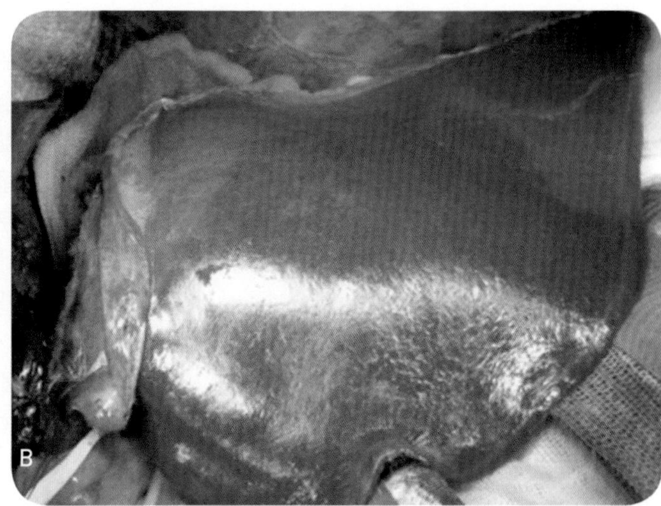

그림 8-3 2분절 이식편(Sakamoto 등, 2014)
A. 3분절 글리슨지 구분
B. 3분절 허혈 경계선 구분(3분절 글리슨지를 결찰하여 3분절과 2분절 사이의 허혈성 경계선을 만든다)
C. 구득된 2분절 이식편(3분절을 in situ 절제한 후 구득한 2분절 이식편이다)

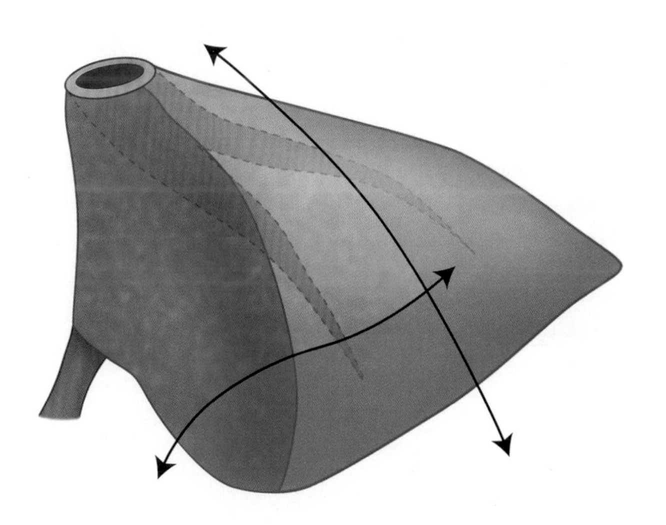

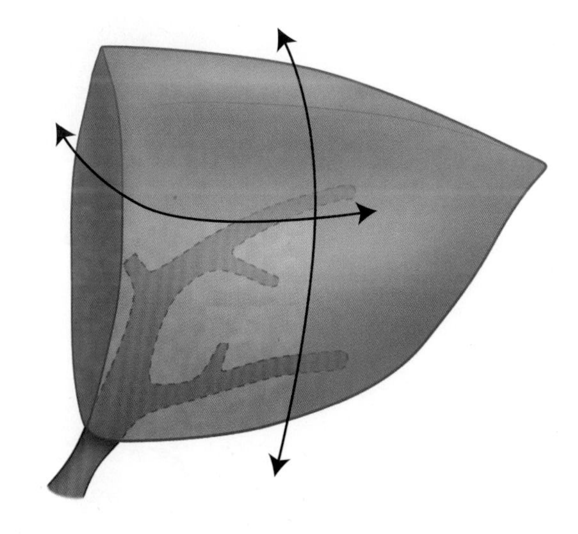

그림 8-4 좌외구역 축소절제술

(6) 생체간이식 공여자에서의 최소절개법

생체간이식술 후 공여자의 삶의 질에 관여하는 주요한 인자 중 하나는 창상이다. 이러한 이유로 생체 공여자 수술 후 미용적인 측면을 향상시키는 목적으로 중앙절개 등 창상을 줄이거나 복강경을 이용한 최소절개법을 시행할 수 있다.

5. 수혜자 수술

1) 전간이식

수혜자에서 간적출 시 주의점은 성인과 같다. 소아에서는 하대정맥치환술을 하더라도 적절한 수액요법으로 지지하면 정맥우회술(veno-veno bypass)이 반드시 필요하지 않다. 그러나 대사성 질환이나 전격성간부전 등 부대정맥이 발달하지 않아서 무간기에 장이 심하게 붓고 혈역학적으로 불안정한 경우에는, 일시적인 문맥-대정맥 단락술(portocaval shunt)을 이용하거나 문맥을 미리 절리하지 않고 보존하는 것이 유용하다. 복강 내 유착이 심한 경우에는 먼저 간문부 우외측 접근하여 유입혈류를 차단하고 적출하는 것이 수술 중 손상을 줄일 수 있다.

이식술은 간정맥, 간문맥, 간동맥, 담도 순으로 재건하며 성인에서와 유사하다. 다만, 담도-담도 문합술은 담도 합병증 발생률이 높아서 6세 이하에서는 주로 담도공장문합술을 사용한다. 담도공장문합술 시 Roux-en-Y limb 길이가 40~60 cm 정도로 충분해야 역행성 담도염을 예방할 수 있다.

2) 부분간이식 종류

(1) 축소간이식

성인 뇌사 공여자로부터 전간을 적출하여 벤치 수술 중 소아수혜자의 복강 크기에 맞게 줄이는 방법으로 처음 고안되었으나, 현재는 이식편이 커서 거대이식편증후군이 예상되거나 폐복이 어려운 경우 선택적으로 시행된다.

(2) 생체부분간이식

좌간 이상의 이식술은 성인 수술에 준하며, 좌외구역 이하의 이식술은 대개 소아에서 이용된다(그림 8-5).

(3) 뇌사자 분할 간이식

소아 수혜자의 대기 중 사망률을 줄이면서 동시에 성인 수혜자도 동시에 이식 받을 수 있다는 점에서 이상적인 수술법이다. 성인 뇌사공여자로부터 전간을 적출하여 벤치 수술 중 ex vivo 기법으로 나누거나, 생체 간이식에서와 같이 in situ 방법으로 이식편을 절리하는 방법이 있다. 최근에는 분할 간이식 성적이 좋아지고 기증 장기 부족 문제가 심각해지면서 좌외측구역뿐 아니라 좌간(제 2-4구역, 제 1구역)과 우간(제 5-8구역, 제 1구역)으로 나누어 성공적으로 이식한 예들이 보고되고 있다.

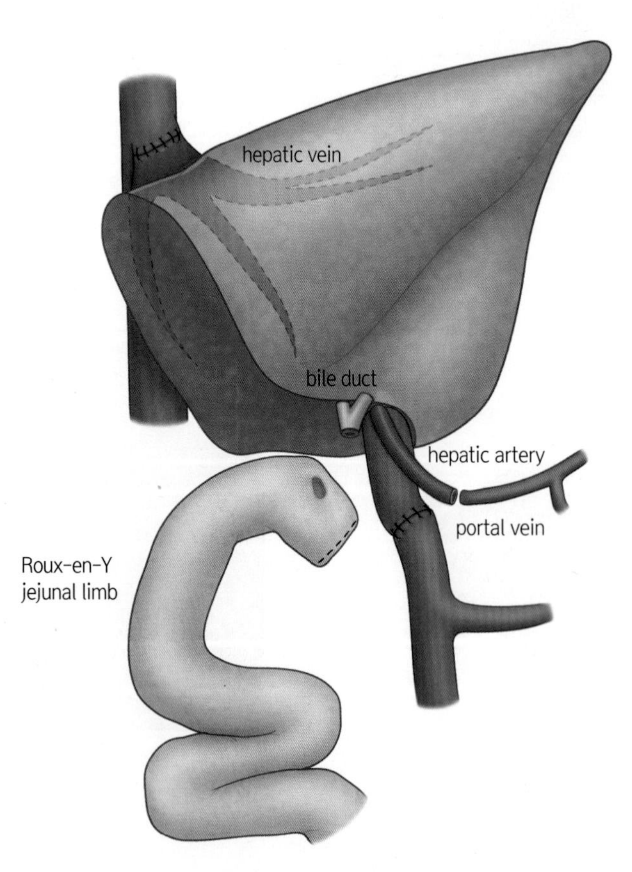

그림 8-5 좌외구역을 이용한 간이식

(그림 8-6A) 고전적인 분할 간이식은 좌외구역 이식편에 좌간정맥, 좌간문맥, 좌측 담도를 분배하고 간동맥은 대동맥 패치를 이식편으로 가져온다.
(그림 8-6B) 생체 간이식처럼 뇌사 공여자의 좌외구역을 우선 적출하기도 하는데, 이는 이식편 적출시간 예측이 가능하고 냉허혈시간을 단축하는 장점이 있으나, 이식편 혈관이나 담도가 짧고 작은 단점이 있다.

3) 좌외구역 이식술기

단분절 및 축소간이식방법은 문합혈관과 담도의 모양은 좌외구역과 같으므로 술식에 큰 차이는 없다.

(1) 수혜자 간적출술

일반적인 전간 이식술에서와 다르지 않지만 하대정맥을 보존하여야 한다. 유착이 심하거나 종양절제를 위해 하대정맥을 제거하는 경우 간실질과 동반절제 후 하대정맥을 박리하여 단단문합하거나 절제 길이가 긴 경우에는 간치혈관으로 하대정맥을 복원한다.

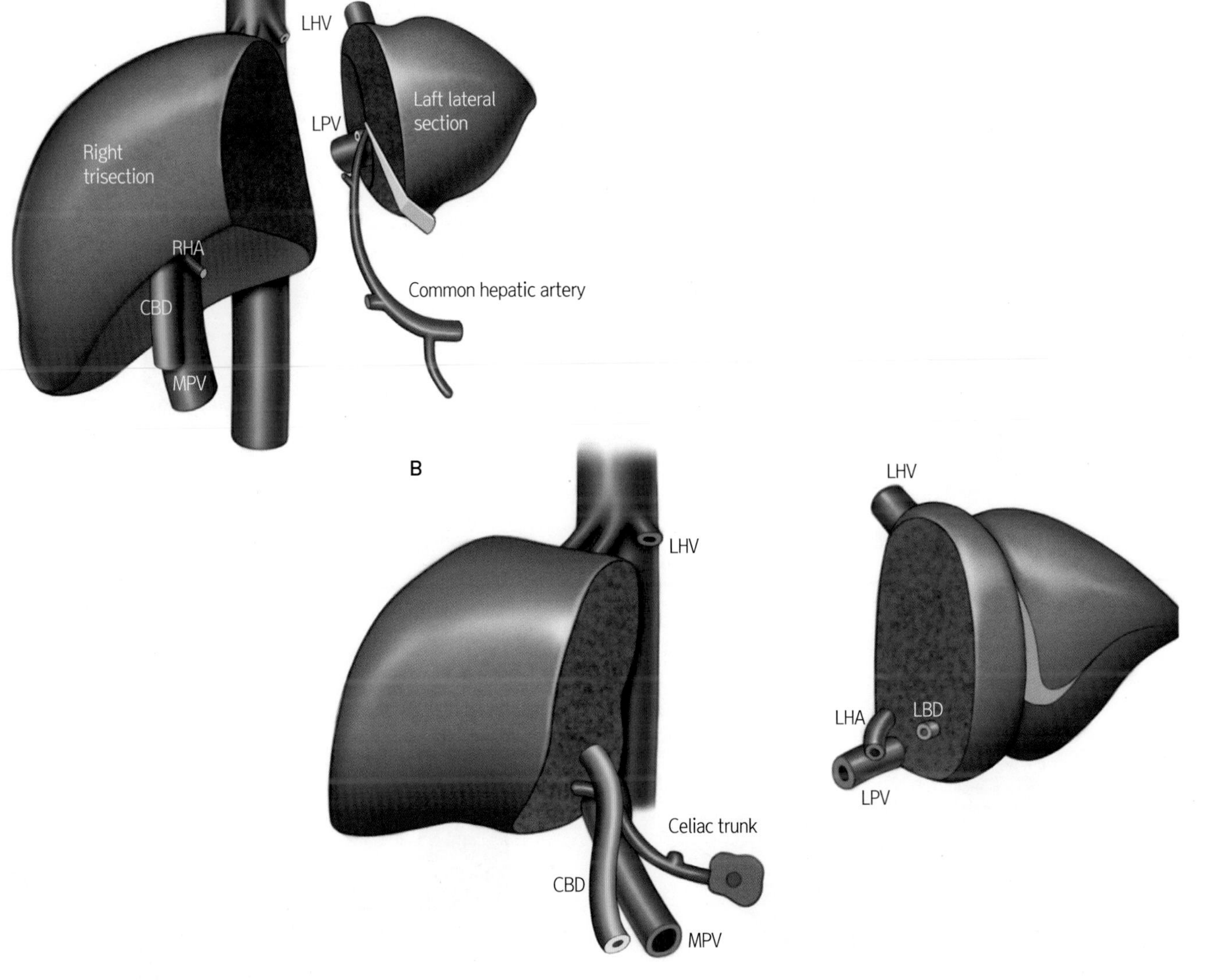

그림 8-6 분할 간이식
A. 고전적인 분할 간이식, B. 생체 간이식과 동일한 좌외구역을 구득하는 분할 간이식
LHV: left hepatic vein, LPV: left portal vein, CBD: common bile duct, LBD: left bile duct, MPV: main portal vein, RHA: right hepatic artery

(2) 간정맥 문합술

이식편의 좌간정맥은 수혜자의 좌간정맥이나 하대정맥보다 큰 경우가 자주 있다. 하대정맥의 직경이 충분히 커서 이식편 유출구(좌간정맥 혹은 중간정맥과 좌간정맥)의 2/3 이상인 경우에는, 혈관 겸자를 이용하여 일시적으로 하대정맥을 혈류를 차단하고, 3개의 간정맥 자연개구부를 하대정맥에 연장하여 크게 연 후 하대정맥의 중앙부에 문합한다(그림 8-7).

(그림 8-7A) 중간정맥과 좌간정맥 단단을 열어 하나의 개구부를 만든다.

(그림 8-7B) 우간정맥 단단을 하대정맥을 포함하여 개구하여 3개의 간정맥이 하나의 구멍이 되도록 한다.

(그림 8-7C) 3개 정맥 분지부 사이를 재봉합한다.

하대정맥의 직경이 작은 경우에는, 좌측간정맥은 봉합한 후, 혈관 겸자를 이용하여 일시적으로 하대정맥을 혈류를 차단하고, 하대정맥을 신체장축(cephalocaudal axis)으로 길게 열어서 사용한다(그림 8-8). 이때 이식편은 하대정맥에 직각이 아니라 우하위 방향으로 기울어져 봉합하게 된다.

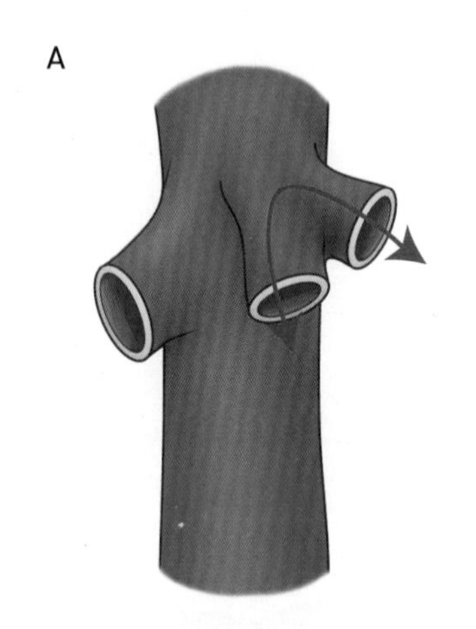

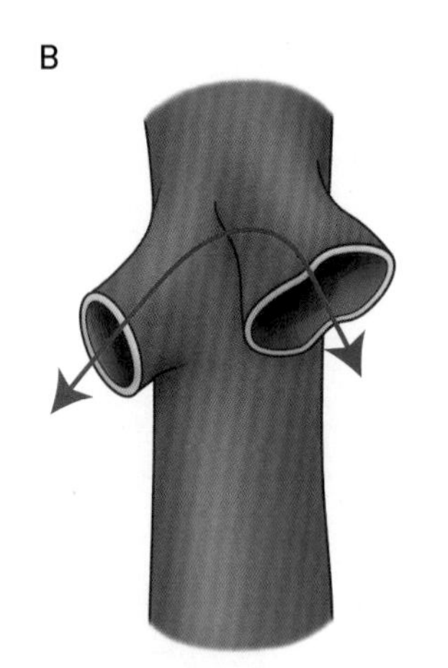

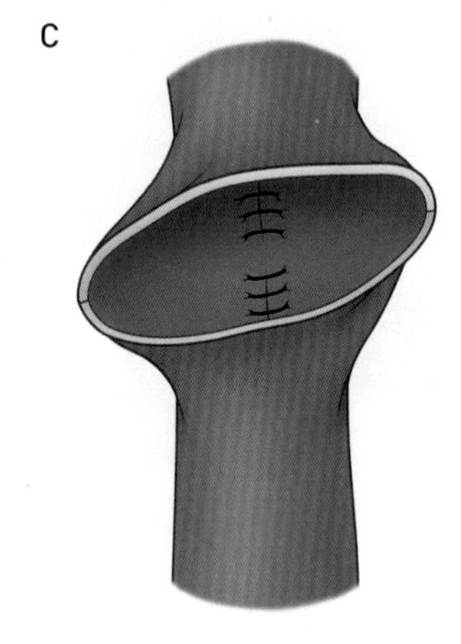

그림 8-7 수혜자의 하대정맥 성형술

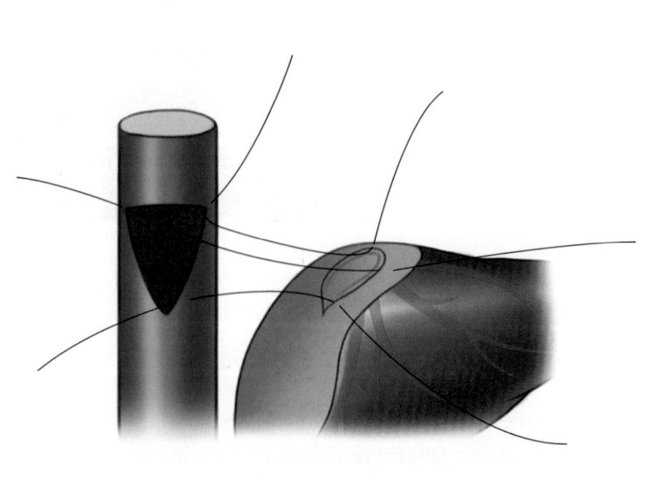

그림 8-8 수혜자의 하대정맥 종적 확대 및 이식편 간정맥 성형술

이식편 간정맥과 수혜자의 간정맥 크기가 맞지 않거나 복잡한 경우 혈관성형술을 시행한다. 인접한 이식편 간정맥 개구부는 융합성형술을 시행한다.
(그림 8-9A) 서로 마주보는 쪽에 절개선을 넣는다.
(그림 8-9B) 양측절개부를 연속 혹은 단속봉합한다. 두 개의 정맥 사이에 간실질이 봉합에 방해가 되는 경우 간질실 일부를 제거한다.
멀리 떨어진 이식편의 간정맥 개구부는 단순 융합술이 어렵거나 크기가 커서 적절한 문합이 어려울 수 있다. 이런 경우 간치혈관성형술을 하여 하나의 문합부를 만들 수 있다(그림 8-10).
간정맥 문합 후 이식편은 원래 위치보다 환자의 우측으로 이동하게 되고, 간문부는 우후측으로 이동하게 된다. 문합부가 좁아지는 것을 예방하기 위해 흡수성 봉합사를 이용하고, 문합전방 혹은 전후방 첨판 전체를 불연속문합을 시행할 수 있다. 간정맥 문합은 출혈을 조절하기 어려우므로 혈관봉합에 성장인자를 두지 않는다. 문맥 봉합을 시작하기 전에 하대정맥 혈관 겸자를 간정맥 혈관 겸자로 바꾸고, 문맥 봉합이 끝날 때 유지한다.

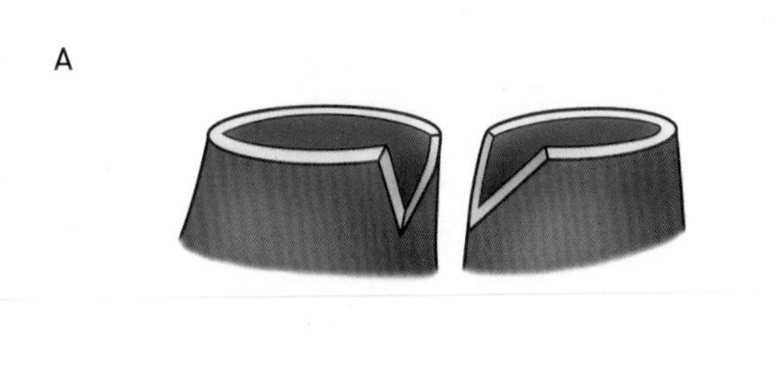

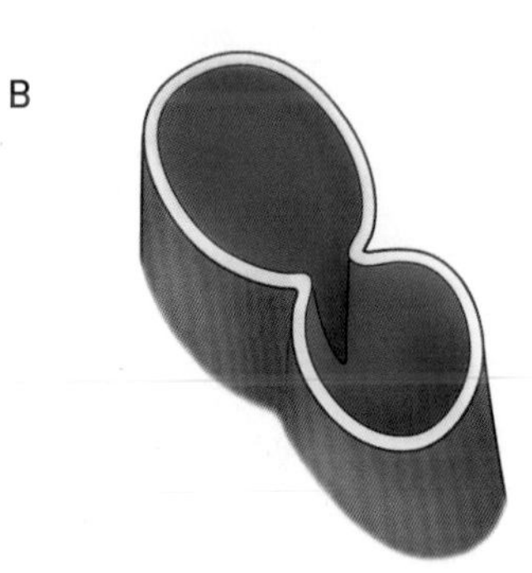

그림 8-9 인접한 2개의 간정맥 융합성형술

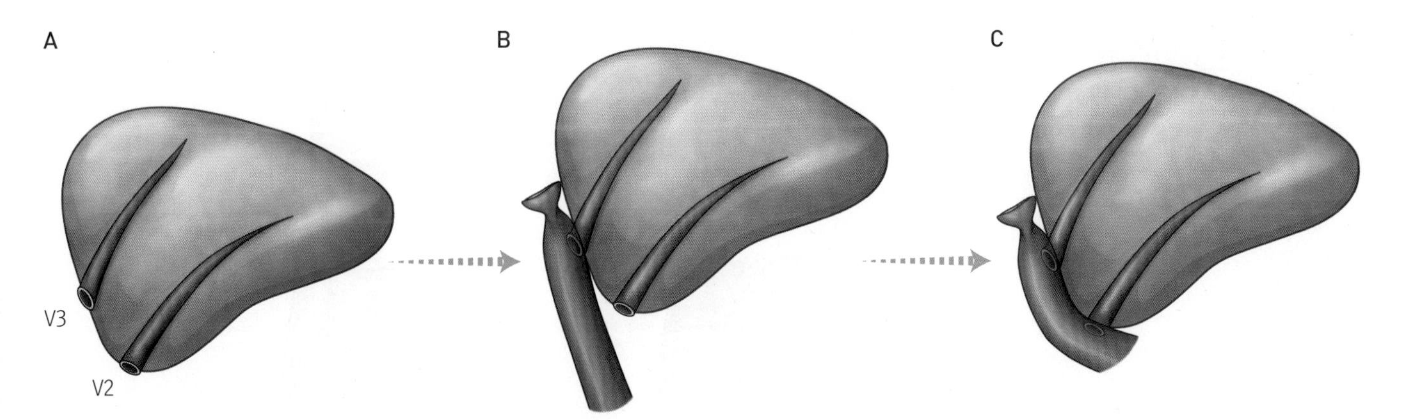

그림 8-10 멀리 떨어진 2개의 간정맥에 대한 간치혈관을 이용한 융합성형술

(3) 간문맥 문합술

전간이식술과 다르지 않지만, 이식편 문맥이 짧고, 이식편의 간문부가 우후측으로 돌아가서 이식편의 좌간 문맥과 수혜자의 문맥은 거의 직각을 이루기 때문에 문합 시 문맥 비틀림 현상에 주의한다. 이식편 문맥가지와 수혜자의 문맥 직경에 차이가 나서 발생하는 문맥혈와류나 문맥문합부가 장기적으로 좁아지는 것을 예방하기 위해 흡수성 문합사를 이용하고, 문맥지 전방 첨판 혹은 전후방 전체를 불연속문합을 시행할 수 있다. 문맥혈류를 증가시키기 위하여 부대혈관을 꼼꼼히 결찰한다.

- **수혜자 문맥이 5 mm 이상인 경우**

(그림 8-11A) 수혜자 문맥 직경이 5 mm 이상이고 길이가 충분한 경우 분지부 패치를 이용한다.

(그림 8-11B) 수혜자 문맥의 길이가 약간 짧은 경우에는 분지부 혈관판 성형을 하여 길이를 연장할 수 있다.

- **수혜자 문맥이 4 mm 이하인 경우**

수혜자 문맥의 질이 좋지 않거나 문맥형성저하증이 있어 직경이 4 mm 이하인 경우에는 문맥성형술이 필요하다. 문맥성형술을 위한 간치혈관을 사용하는 경우, 냉동보존혈관이나 인조혈관보다는 수혜자 혹은 기증자의 혈관을 이용하는 것이 장기 성적을 향상시킬 수 있다. 원형의 혈관을 구하지 못하는 경우에는 공여자 대복재 정맥 등을 6~10 cm 정도 구득하여 나선형으로 말아서 큰 구경의 혈관을 만들어 사용할 수 있다. 적출된 수혜자의 간에서 실질내 간정맥이나 문맥을 박리하여 사용할 수 있으나 미세 정맥 구멍이 많으므로 내강 쪽에서 확인하여 작은 혈관 구멍은 폐쇄하여야 한다.

(그림 8-12A) 문맥혈관이 질이 괜찮고 길이는 충분하지만 직경만 좁은 경우에는 문맥을 췌장 쪽으로 충분히 박리하여 상장간정맥과 비장정맥을 노출시키고 혈관 겸자로 잡는다.

(그림 8-12B) 문맥을 종으로 열고 상장간정맥과 비장 교차부는 횡으로 문맥을 넓힌다.

(그림 8-12C) 간치혈관을 넣어 확장성형술을 할 때는 연속 봉합 중간에 단속봉합을 해 주어 문합에 의해 줄어드는 효과를 방지한다.

- **문맥이 경화성 변화가 있고 길이와 직경도 충분하지 않은 경우**

(그림 8-13A) 문맥을 종절개한 후 원형의 간치혈관을 넣어 주며, 간치혈관의 원위부 끝을 비스듬히 잘라서 봉합면적을 충분히 넓힌다.

(그림 8-13B) 종절개를 가하고 수혜자 문맥 원위부와 문합한다.

문맥 원위부가 충분히 넓지 않은 경우에는 비장정맥 근위부나 정맥류로 발달된 좌위정맥 기시부까지 절개를 가해 넓은 문합부를 확보할 수 있다.

봉합을 마치기 전 이식편 문맥을 막은 상태에서 수혜자 문맥을 열어 혈류를 버리고 헤파린

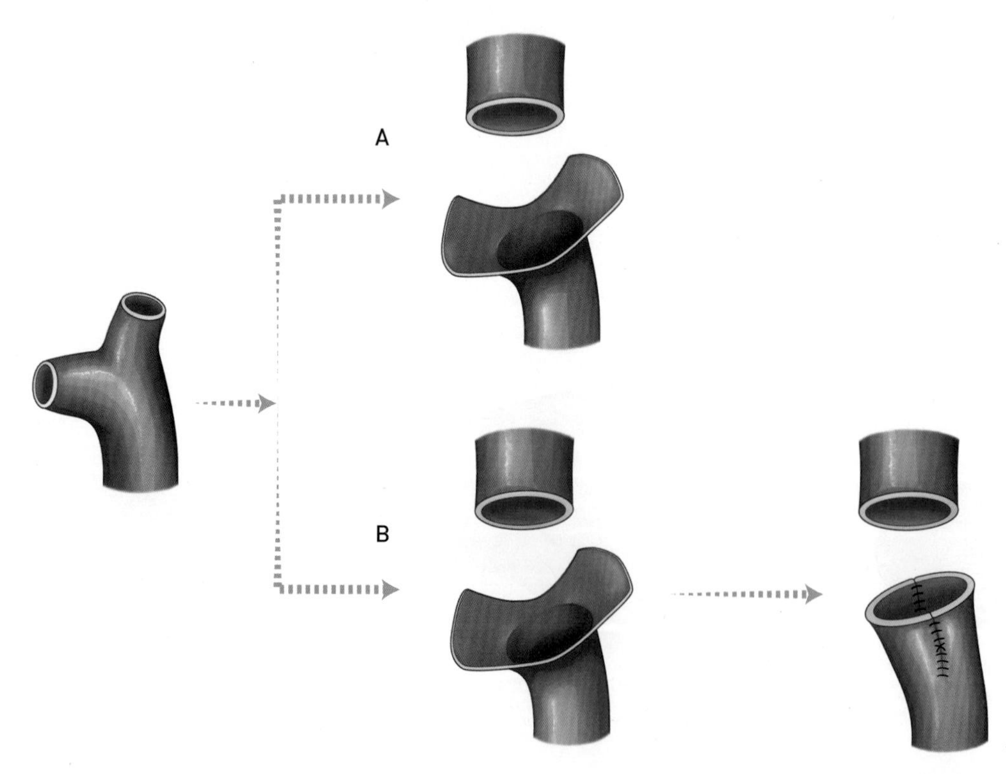

그림 8-11 분지부 패치를 이용한 수혜자 문맥의 준비

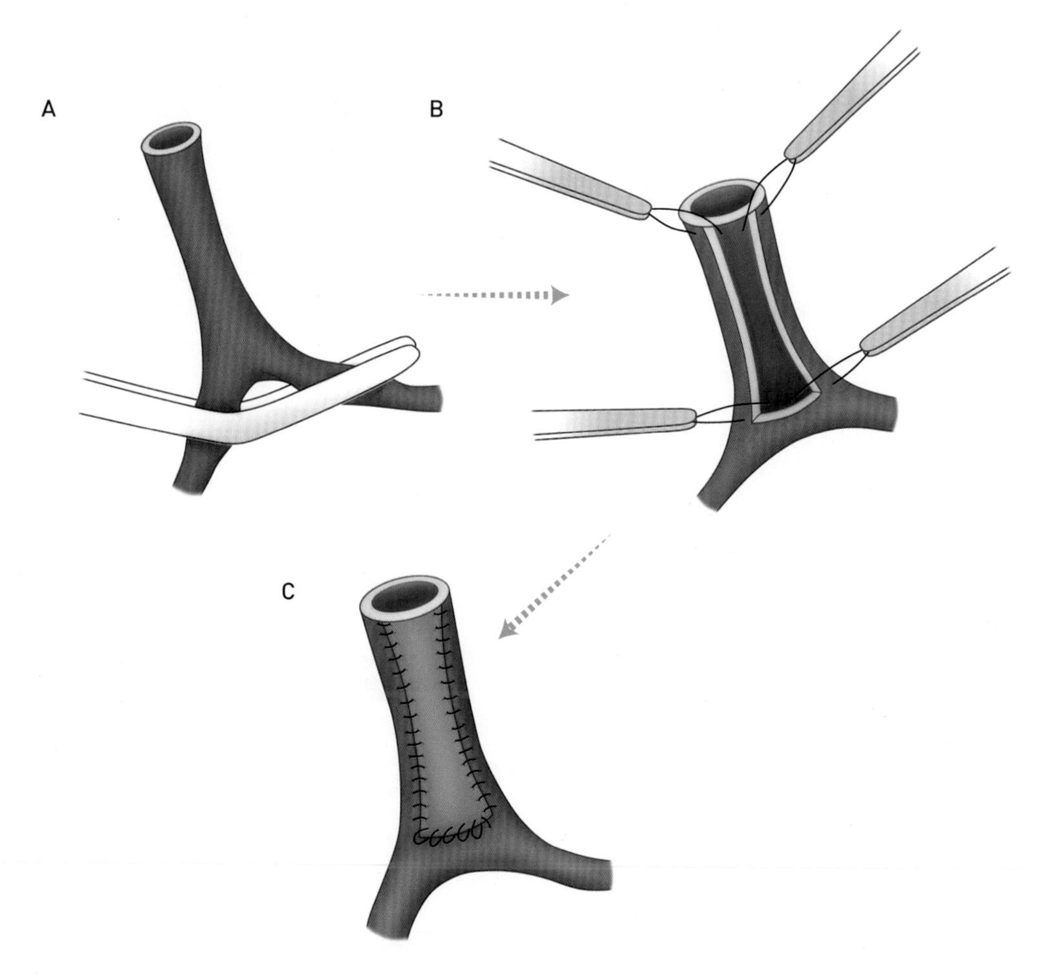

그림 8-12 간치혈관을 이용한 문맥확장성형술

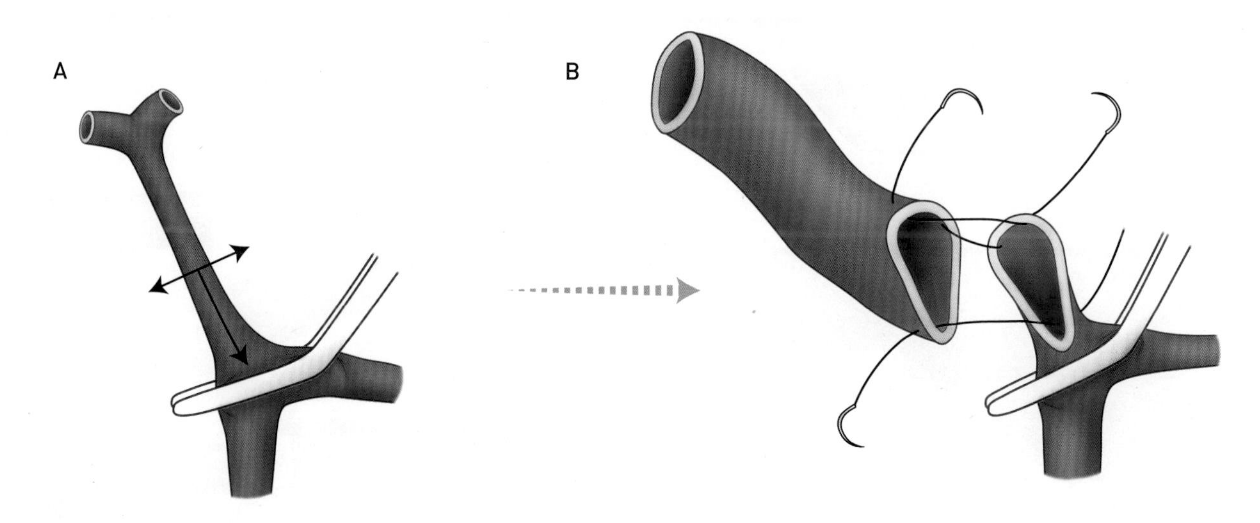

그림 8-13 수혜자 문맥에 대한 혈관간치술

용액을 채워 놓은 후 봉합을 마무리한다. 문맥 문합 시에는 혈관 성장인자를 주어서 혈류 개통 이후 혈관이 좁아지는 것을 예방한다. 간정맥 혈관 겸자를 풀고 더운 물로 씻어 준 후 문맥 혈관 겸자를 열어 재관류를 시킨다.

(4) 간동맥 문합술

미세현미경 하에서 이식편의 동맥을 수혜자의 간동맥에 단단 문합하게 된다. 전간이식술과 달리 동맥이 짧고 가늘기 때문에 외번문합술(eversion anastomosis)이 어려우므로, 간동맥의 끝단 3 mm 정도를 외막절제하여 문합한다. 간동맥의 내경이 어느 쪽이라도 2 mm 이하인 경우에는 단속 문합을 한다.

(그림 8-14A) 이식편 동맥과 수혜자 동맥 내경의 차이가 2배 이하인 경우에는 내경을 기계적으로 넓혀주고 이을 수 있다.

(그림 8-14B) 내경의 차이가 2배를 넘는 경우에는 내경이 좁은 쪽에 종절개를 넣고 이을 수 있다.

(그림 8-14C) 내경의 차이가 2배를 넘는 경우에는 내경이 좁은 쪽을 비스듬히 잘라서 문합한다.

(그림 8-14D) 내경이 3배 이상 차이가 나는 경우에는 직경이 큰 쪽의 여분을 연속봉합으로 결찰한다.

(그림 8-14E) 내경이 3배 이상 차이가 나는 경우에는 직경이 큰 쪽의 여분을 연속 봉합할 때 와류를 줄이기 위해 경사면을 만들 수 있다.

(그림 8-14F) 내경이 작은 혈관에 분지가 있는 경우에는 분지패치를 이용하여 연결할 수 있다.

두 개 이상의 이식편 간동맥이 있는 경우에는 우선적으로 직경이 큰 것을 연결하고 다른 동맥에서 역류성 동맥혈류가 확인되고 수술 중 도플러 초음파로 간구역 별 간동맥 혈류를 확인한 후 추가 동맥 문합은 생략할 수 있다.

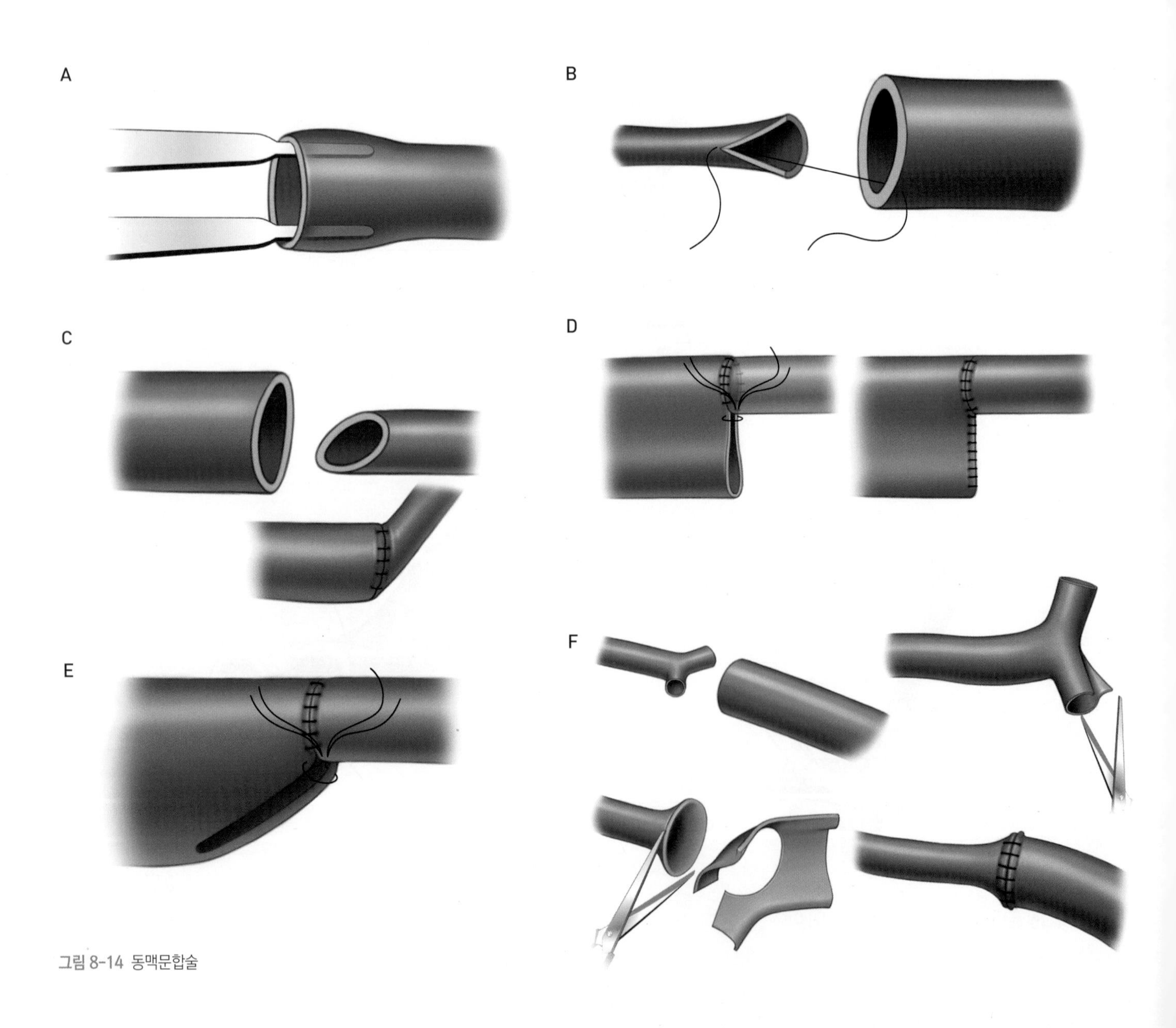

그림 8-14 동맥문합술

(5) 담도문합술

담도공장문합술을 시행하는데 단속 혹은 연속 봉합을 시행할 수 있다. Roux-limb의 길이는 역류성 담도염 예방을 위해 40~60 cm 정도 둔다.

4) 보조간이식

(그림 8-15) 전격성 간부전 혹은 이식 후 거부반응, 일차성 기능부전 등 간기능이 일시적으로 나빠졌거나, 대사성 질환으로 이식편 일부만 필요한 경우 수혜자의 간을 남기고 이식편을 심을 수 있다. 수혜자 간의 일부를 절제하고 원래 간의 위치에 이식하는 동소성 부분보조간이식과 수혜자 간 전체를 남기고 다른 곳에 이식하는 이소성 보조간이식으로 구분할 수 있다. 동소성 보조간이식을 위해서는 주로 좌외측구역 혹은 좌간 이식편을 사용하게 된다. 이식편의 간동맥, 문맥, 담도의 길이가 짧고 수혜자의 좌측 혈관과 담도의 길이가 짧기 때문에 수혜자 간절리 및 적출 시부터 주의해야 한다. 이식 방법은 좌간 혹은 좌외구역 이식술과 같다.

6. 폐복

좌외구역의 경우 우간이식과 달리 하대정맥 위에 현수되기 때문에 폐복 시 혹은 간재생이 일어나면서 이식편이 복강내 우후측으로 비틀림 현상이 일어날 수 있다. 따라서 혈관 문합이 끝난 후와 폐복 전에 혈류 장애 여부를 확인하기 위해 도플러 초음파 검사를 시행한다. 적절한 위치에 혈류개통을 확인하고 이식편을 복막에 고정하도록 한다. 거대이식편증후군 예방을 위해서 앞서 말한 이식편 축소술을 이용하거나, 단계적 폐복을 고려한다. 반복적인 수술로 근막층 손상이 있어 폐복이 어렵거나 복강내압 증가가 우려되면 인조 근막 혹은 공여자의 근막을 이용하여 폐복을 도울 수 있다.

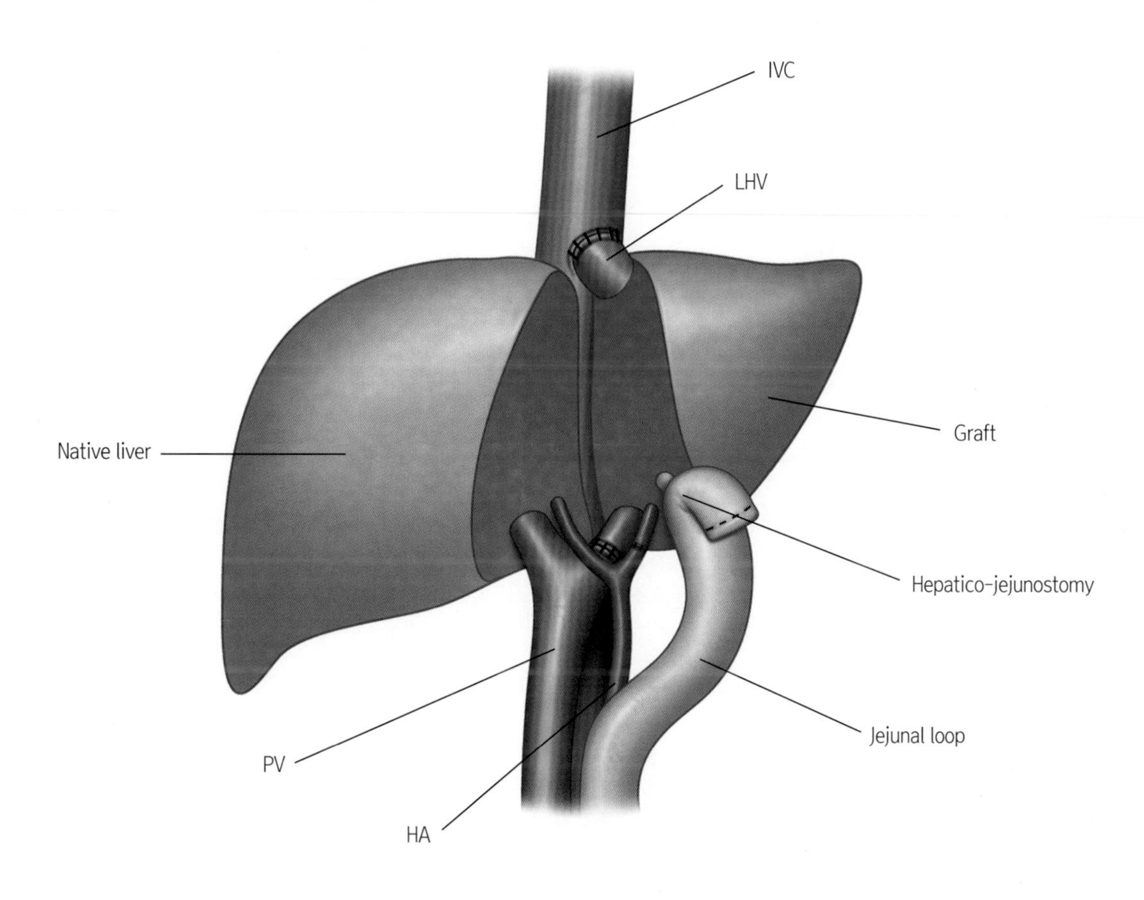

그림 8-15 동소성 보조간이식
IVC: inferior vena cava, LHV: left hepatic vein, PV: portal vein, HA: hepatic artery

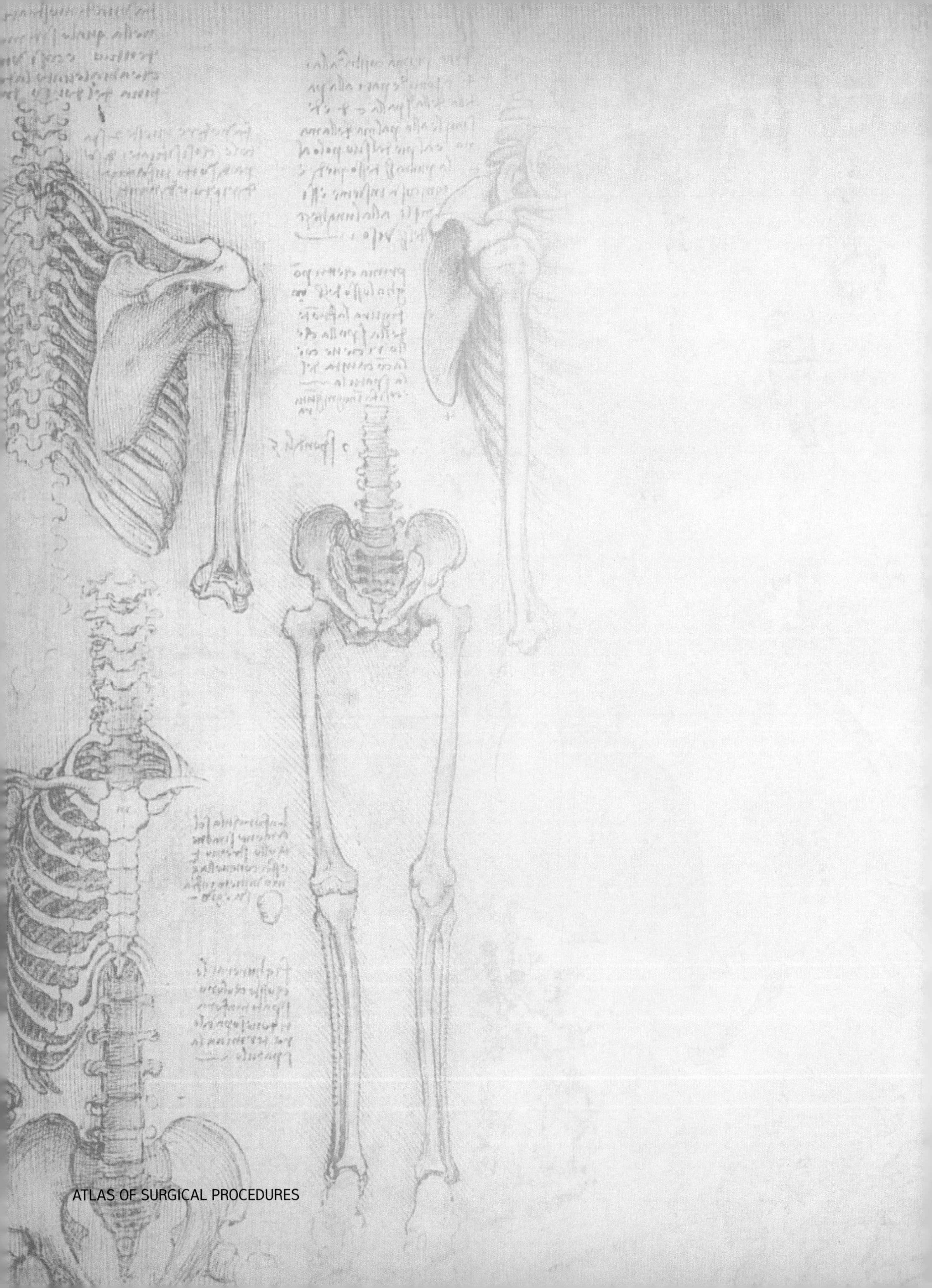
ATLAS OF SURGICAL PROCEDURES

생체간이식에서의 벤치수술 (간우엽 이식편 기준)

Bench surgery in living donor liver transplantation

1. 적응증

생체간이식에서 간우엽을 사용하는 경우 주로 변형간우엽절제술(modified right lobe graft)을 사용한다. 이 경우, 이식편에는 중간정맥(middle hepatic vein)이 없어 이식편의 5번 구역과 8번 구역의 정맥 유출로를 재건해 주어야 한다.

2. 수술 전 준비

벤치수술을 시행하기 전에 이식편의 관류를 우선 시행해야 한다. 섭씨 4℃ 이하를 유지하기 위해 얼음이 담긴 넓은 통에 간을 담을 멸균 방수비닐을 넣어 둔다. 기증자로부터 구득한 간이 벤치에 도착하면 간문맥에 정맥관을 넣어 HTK 용액을 이용한 관류를 시작한다. 관류는 간정맥으로 나오는 관류액이 깨끗해질 때까지 시행하는데, 간 우엽을 이용한 생체간이식 시에는 보통 1-2 L 정도가 필요하다. 벤치 위에는 봉합사, 미세수술장비, 냉동보관된 동종혈관이나 인조혈관이 필요하다(그림 9-1, 2).

3. 수술 과정

1) 재건할 정맥의 결정

5번과 8번 구역의 정맥 유출로를 위한 중간정맥과 하간정맥의 크기를 확인하고, 관류 시에 나오는 관류액의 양을 보고 어떤 혈관을 문합하고 어떤 혈관을 결찰할지 결정해야 한다. 대개 직경 5 mm 이상의 혈관은 연결하는 것이 이식편의 울혈을 막는데 도움이 된다.

2) 중간정맥의 재건

중간정맥은 뇌사자로부터 구득하여 냉동 보관 되었던 동종혈관(장골동맥 또는 장골정맥), 또는 자가혈관(대복재정맥)을 사용하거나, 인조혈관(PTFE graft) 등을 사용할 수 있다. 혈관 문합에 있어서는 최대한 유출로를 넓게 확장하는 것이 중요하다. 가능하다면 5번 및 8번 구역의 정맥가지를 최대한 넓게 확장하여 문합을 시행한다. 재건된 중간정맥은 우간정맥과 다시 문합하여 하나의 정맥 유출로를 만들어 수혜자의 하대정맥에 넓게 문합하게 할 수도 있도, 별도로 수혜자의 중간정맥에 문합하도록 할 수도 있다(그림 9-3~6).

3) 하간정맥(Inferior hepatic vein)의 문합

하간정맥이 여러 개인 경우, 각각의 가지를 별개로 문합하기에 어려운 경우가 발생할 수 있다. 이러한 경우에는, 벤치수술에서 자가혈관이나 동종혈관, 혹은 인조혈관을 이용하여 하나로 결합하는 것이 온허혈시간(warm ischemia time)을 줄이는데 도움이 될 수 있다.

4) 그 외 술식

벤치에서는 이식편의 문합을 쉽게 하기 위한 여러가지 술식을 진행할 수 있다. 특히, 여러 개의 혈관이나 담도가 나온 경우, 벤치에서 이들을 성형하여 하나로 만드는 것은 온허혈시간을 줄이고 이식 술기를 간단히 하는데 매우 도움이 된다. 예를 들면, 간문맥이 2개인 경우, 이를 하나로 만들거나, 2개 이상의 담도를 하나로 만들 수도 있다. 무엇보다 중요한 것은 이러한 술기를 진행하기 전, 디자인이 매우 중요하면, 이식편을 수혜자의 복강에 넣고 문합할 위치를 고려하여 혈관의 축이 꼬이거나 꺾이지 않도록 주의를 기울여야 한다.

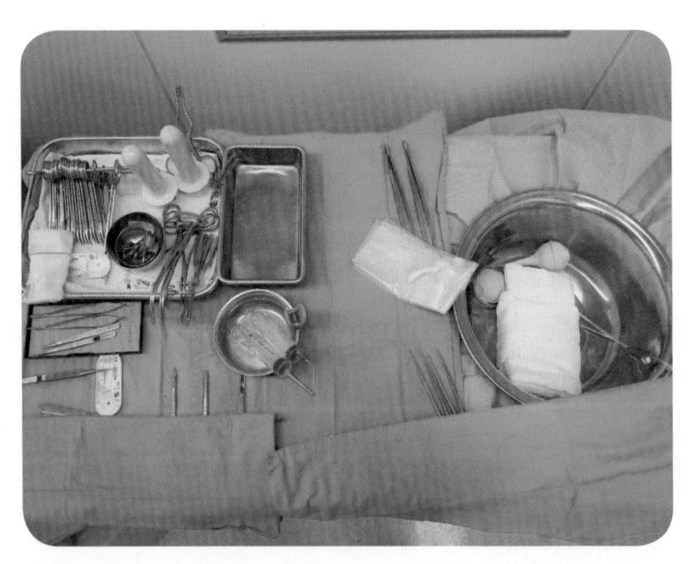

그림 9-1 벤치수술의 준비

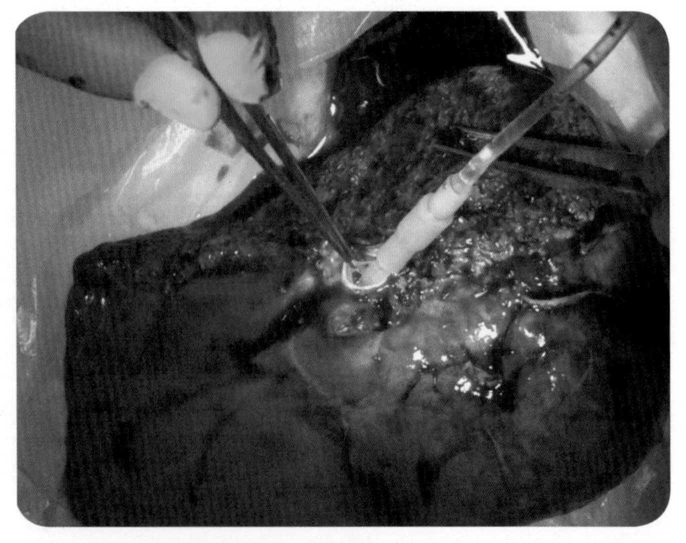

그림 9-2 이식편 관류. 간문맥을 통해 보존액 (HTK solution)을 주입하여 이식편을 충분히 관류 시킨다.

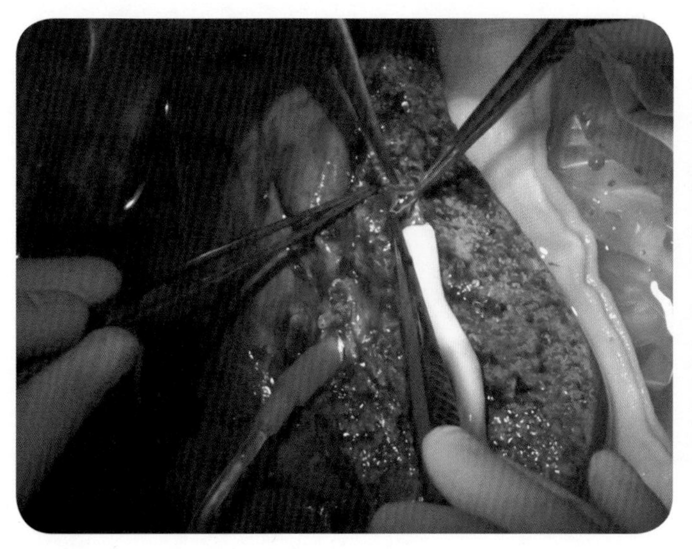

그림 9-3 5구역 정맥 재건

그림 9-4 8구역 정맥 재건

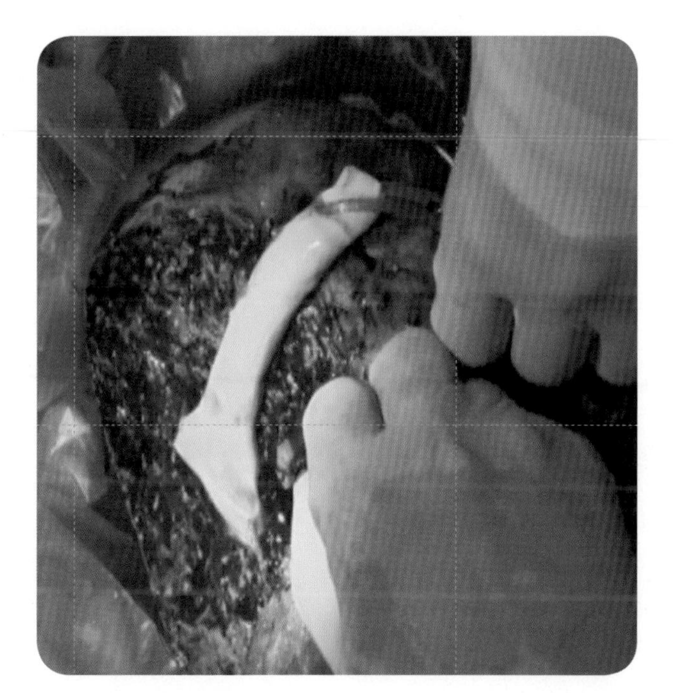

그림 9-5 중간정맥 재건 후의 모습

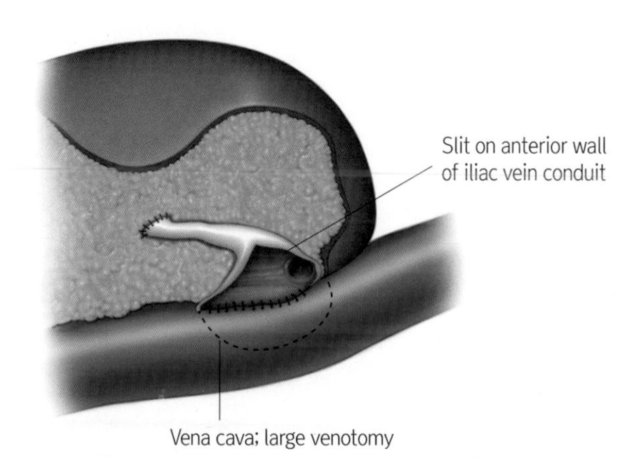

그림 9-6 중간정맥과 우간정맥의 공통 정맥유출로 만들기

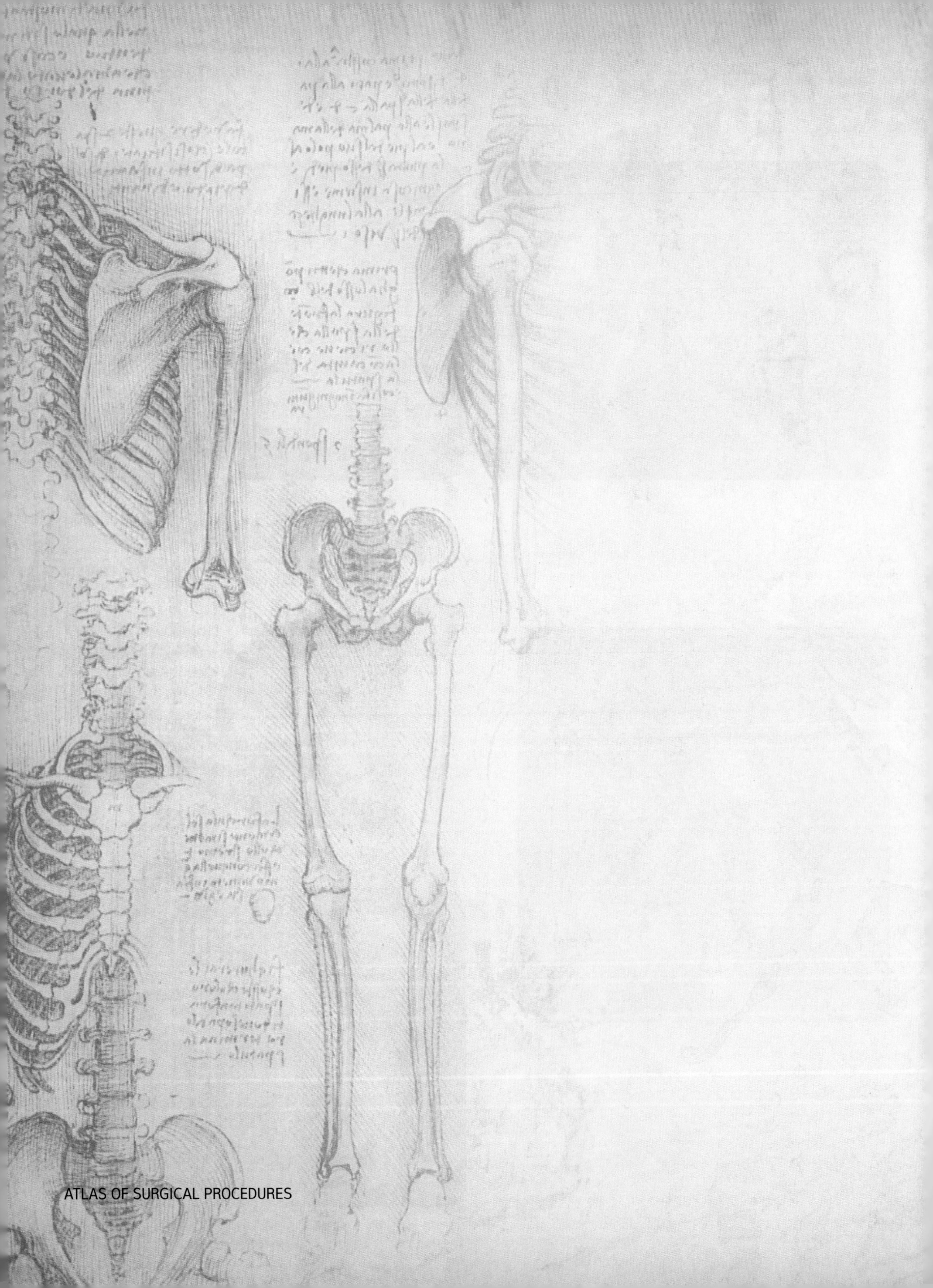

ATLAS OF SURGICAL PROCEDURES

SECTION **8**

유방
Breast

Chapter Outline

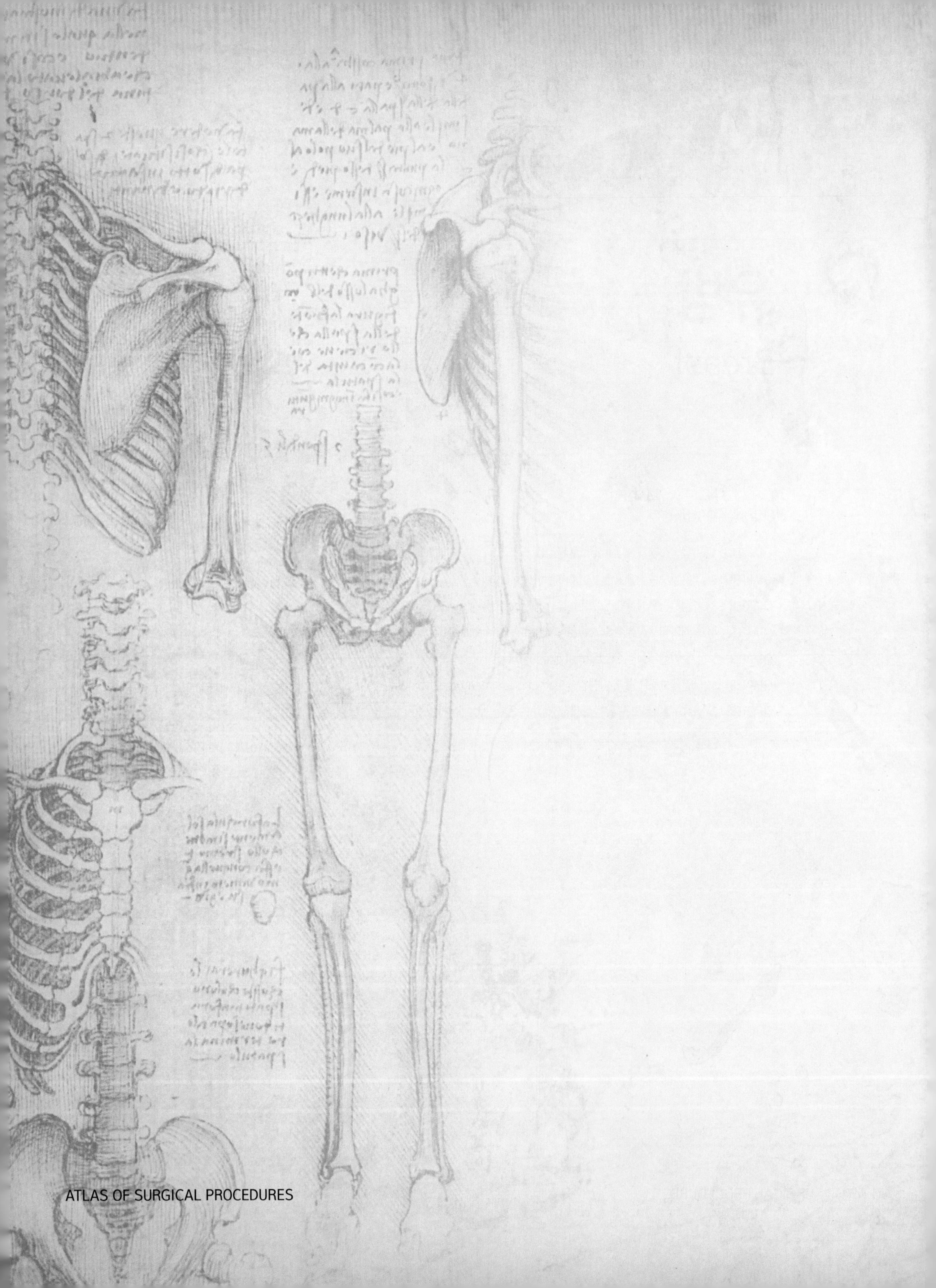

ATLAS OF SURGICAL PROCEDURES

CHAPTER 1

유방전절제술

Total mastectomy

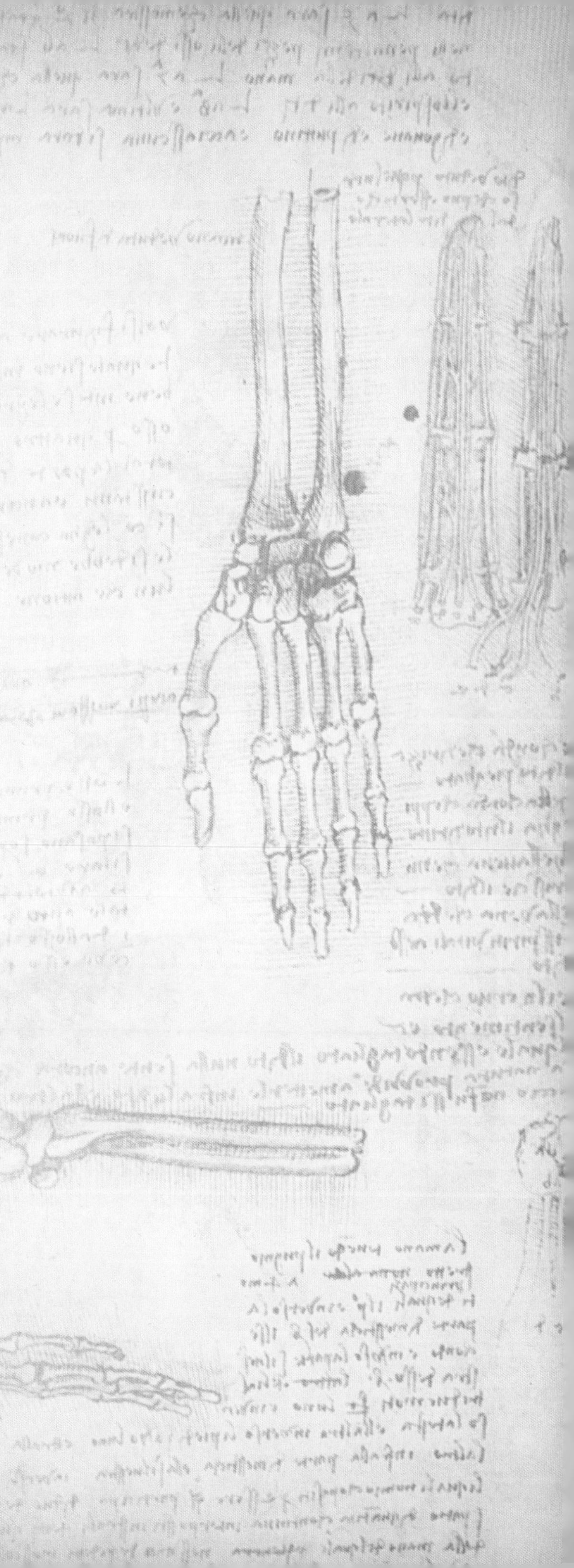

유방암 수술은 유방자체에 대한 수술과 동측 액와림프절에 대한 수술로 이루어진다. 1894년 Halsted에 의해 유방 조직, 대흉근, 소흉근 및 level I~III의 액와림프절을 모두 제거하는 근치적 유방절제술(Radical mastectomy)이 처음으로 시행되었다. 이후 Murphy에 의해 흉근을 보존하면서 유방을 절제하는 수술이 시도된 이후로 모든 유방 조직과 피부를 포함한 유두-유륜 복합체 및 Level I~II의 액와림프절을 제거하는 변형 근치적 유방절제술(modifiend radical mastectomy)로 발전하게 되었다.
변형 근치적 유방절제술 중 Auchincloss의 방식은 소흉근을 제거하지 않고 Level 2 액와림프절의 절제를 위해 소흉근을 안쪽으로 당기는 방식이며, Patey 방식은 Level 3 림프절을 제거하기 위해 소흉근을 제거하는 방식인데, 최근에는 Auchincloss의 방식이 널리 사용되고 있다. 근치적 유방절제술 및 변형 근치적 유방절제술은 유방자체에 대한 수술과 동측 액와림프절에 대한 수술을 모두 포함하는 개념이다. 반면, 유방전절제술(total mastectomy)은 동측 액와림프절에 대한 수술과는 별개로, 흉근은 보존하면서 유두-유륜 복합체 및 피부 일부를 포함한 전체 유방 조직을 절제하는 것을 의미한다.

1. 적응증

- 다발성 병변인 경우(multicentric cancer)
- 악성으로 의심되는 병변 및 미세 석회가 광범위한 경우
- 유두-유륜 복합체의 침범이 있는 경우
- 유방 보존술 후 방사선 치료로 인한 합병증이 예상되는 경우
- 유방 보존술로 원하는 미용 효과를 얻을 수 없는 경우
- 환자가 유방 보존술을 원하지 않는 경우

2. 수술 전 처치

수술 전일 저녁식사 후 금식 상태를 유지한다. 전기 면도기로 액와를 포함한 수술부위를 면도한다. 예방적 항생제를 수술 직전에 투여한다.

3. 마취

기관 삽관을 이용한 전신마취를 한다.

4. 환자 자세

앙와위 자세(Supine position)로, 환자의 팔은 외전(abduction)시킨다(그림 1-1).

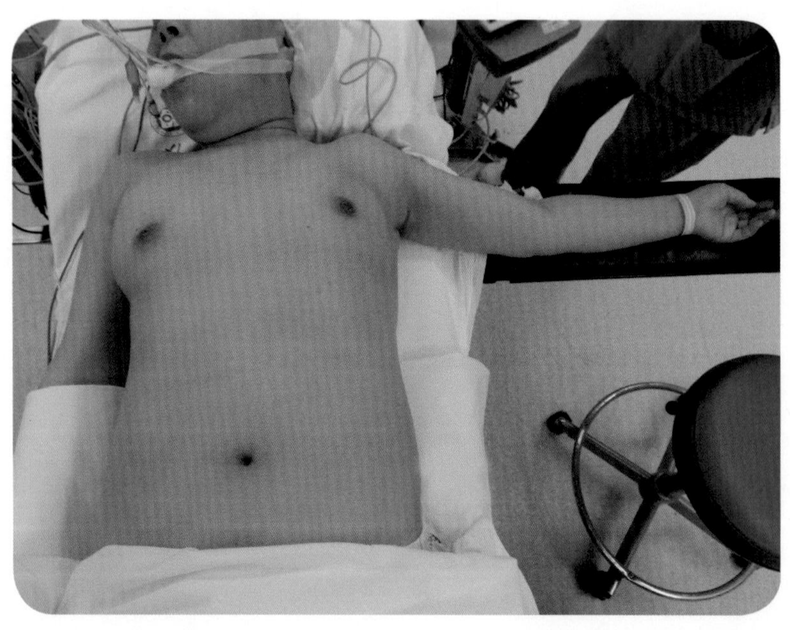

그림 1-1 환자 준비 자세

5. 수술 준비

어깨 및 반대편 가슴과 목 하부를 포함하여, 유방 및 액와, 흉골 및 쇄골 상부에서 복직근(rectus abdominis)의 상부까지 멸균 상태로 소독한다. 환자의 팔은 스토키네트(stockinette)를 이용하여 멸균포로 감싼다(그림 1-2). 이렇게 하면 수술필드에서 환자의 팔을 자유롭게 움직일 수 있다.

6. 수술 절개

피부 절개는 유두-유륜 복합체 및 가능한 원발 병소 및 조직검사 부위를 포함하여 타원형으로 표시 후 절개한다(그림 1-3). 동측 액와림프절 절제술을 위해 경우에 따라서 외측으로 절개선을 연장하기도 한다. 10번 메스를 이용하여 절개선을 넣은 후 피판(skin flap)을 만드는데, 보통 상부 → 하부 → 내측 → 외측의 순서로 한다. 피판 박리과정에는 전기 소작기를 이용하며, 두께는 7~8 mm가 적당하나 환자의 체형에 따라 다르게 한다. 이때, 피판이 너무 얇으면 수술 후 피부 괴사가 발생할 수 있어 주의한다. 유방전절제 시에 경계가 되는 부위는 위쪽 경계는 쇄골의 아래 경계, 바깥 경계는 광배근(latissimus dorsi)의 앞쪽 경계, 안쪽 경계는 흉골의 중앙선, 아래쪽 경계는 복직근건(rectus abdominis tendon)의 건막(aponeurosis)의 연장선에 있는 유방 밑 주름(inframammary fold)이다.

피판 박리 시에는 피하 조직에서 출혈을 최소화하는 면을 찾아 박리해야 한다(그림 1-4~6).

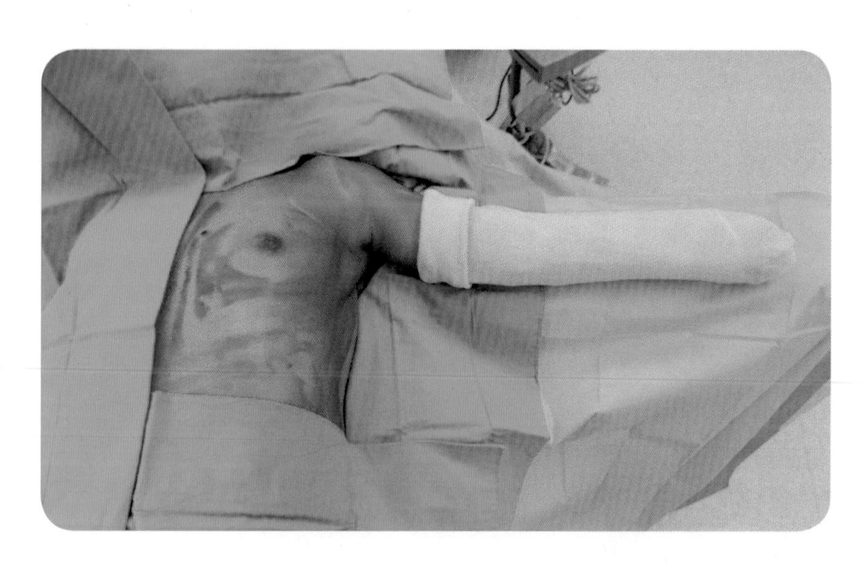

그림 1-2 수술 부위 소독 방법

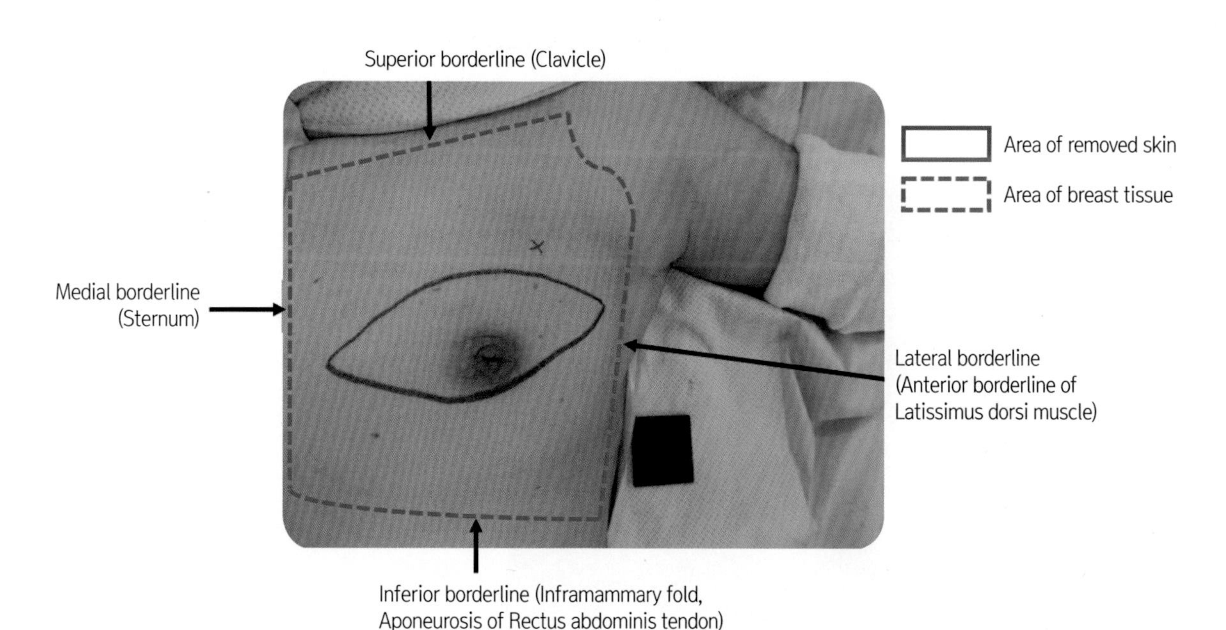

그림 1-3 피부 절개

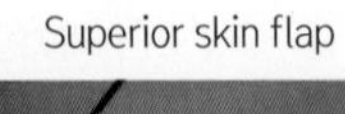

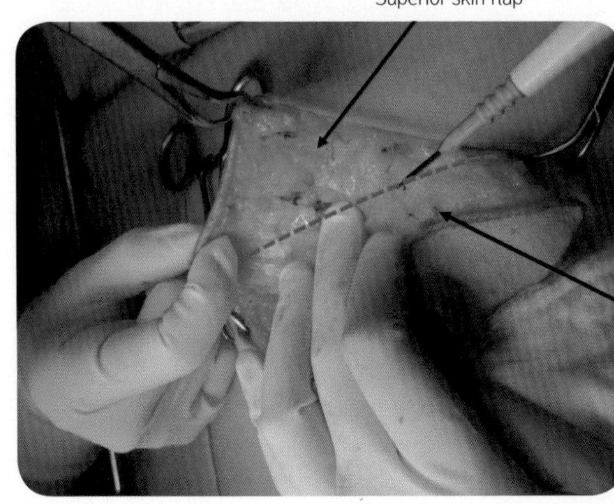

그림 1-4 상부 피판 박리

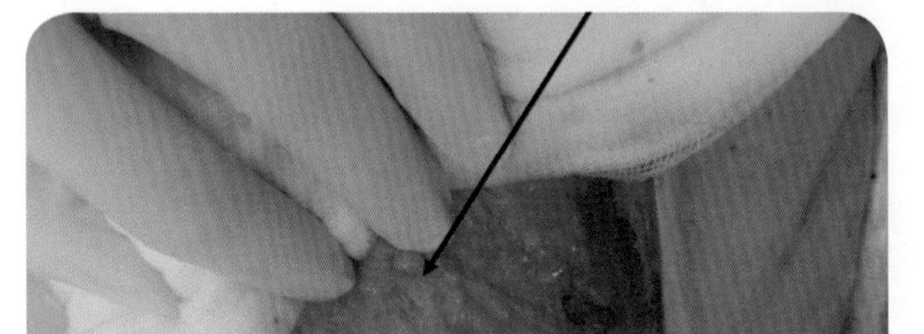

그림 1-5 하부 피판 박리

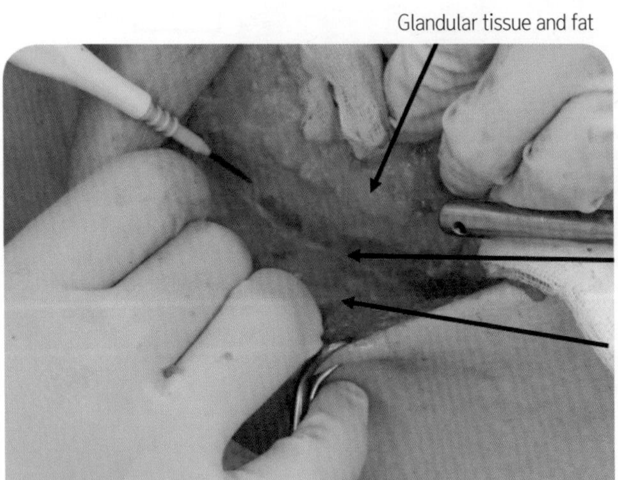

그림 1-6 내측 피판 박리

박리 시에 출혈이 많이 발생한다면 피판이 너무 얇거나 너무 두꺼운 경우이다. 피판이 너무 두꺼운 경우에는 메스나 가위로 조직을 더 절제 해야 한다. 내측 피판 박리 시에는 관통 혈관(perforator vessel)들에 유의해야 한다. 이러한 관통 혈관들은 내흉동맥(internal mammary artery) 및 전방 늑간 동맥(anterior intercostal artery)의 가지들로 박리 시에 절단 후 결찰해야 한다. 외측 피판은 두께를 약 1 cm 정도로 두껍게 하며, 광배근의 앞쪽 경계까지 내려간다. 광배근 외측에는 추가로 절제해야 하는 림프절도 없으며, 불필요하게 절제 시 피판만 얇아질 수 있다. 또한, 피판이 얇아지면 장액종의 위험성도 증가한다. 피판 박리 후에는 대흉근의 근막을 포함해서 유방 조직을 대흉근으로부터 박리해서 제거하는데, 주로 쇄골의 근방에서 시작해 흉골의 중간 부위까지 아래쪽으로 진행한다. 이 과정에서 발견되는 관통 혈관들은 내흉동맥 및 전방 늑간 동맥의 가지들로 모두 박리하여 절단 후 결찰한다(그림 1-7).

유방암이 근막을 뚫고 대흉근을 침범한 경우에는 유방 조직과 함께 한꺼번에 대흉근의 일부를 제거해야 한다.

유방 조직을 전거근 및 광배근으로부터 분리시켜 절제를 마무리하며 이때 출혈이 있는지 수술 부위를 면밀히 확인 후 지혈해야 한다(그림 1-8). 봉합 전에 식염수로 세척 후 다시 한번 지혈 부위를 확인하며, 두개의 흡입 배액관(suction drainage)을 아래쪽 피판의 뒤쪽에 각각 구멍을 뚫어 하나는 액와에, 또다른 하나는 대흉근의 앞쪽에 거치시킨다(그림 1-9). 배액관은 피부에 비흡수사로 고정한다. 피부 봉합 후(그림 1-10)에는 플로피 거즈나 수술 브라(surgical bra)를 이용해 피판을 잘 압박해야 한다.

7. 수술 후 관리

창상 부위를 비흡수사로 봉합한 경우, 수술 부위 감염이 없다면 수술 후 7일째에 제거하면 된다. 흡입 배액관은 수술 후 7일째에 나오는 양이 하루에 30 ml 이하면 제거할 수 있다. 배액관을 제거 후에 체액이 고이면 주사기로 뽑아준다. 유방전절제술의 가장 흔한 합병증은 장액종이며, 피판의 괴사와 창상 감염도 드물게 발생한다. 수술 후 출혈이 지속되는 경우에는 창상을 열어서 혈종을 제거하고 지혈하는 것이 좋다.

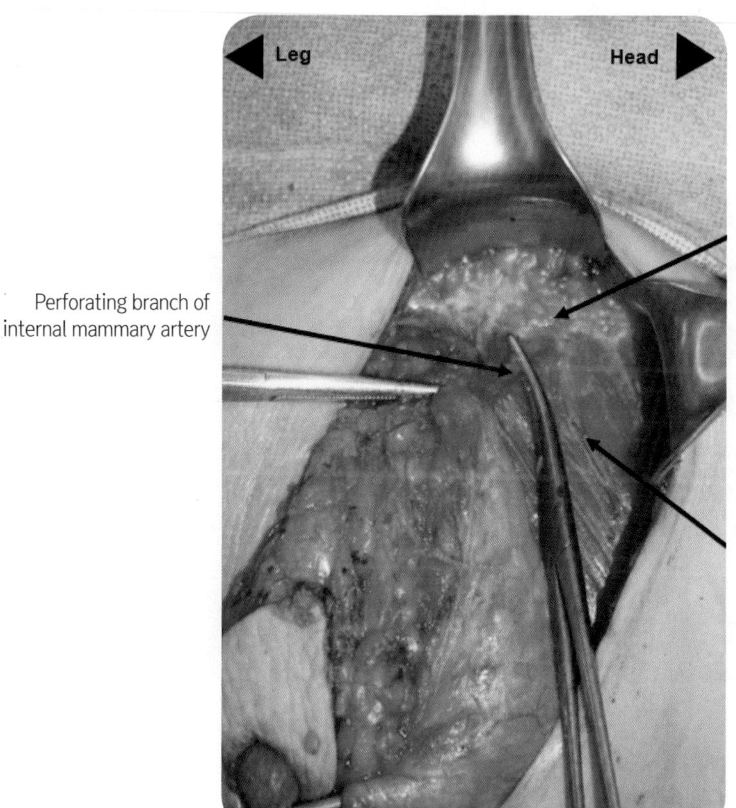

그림 1-7 내흉동맥으로부터의 관통 혈관 결찰

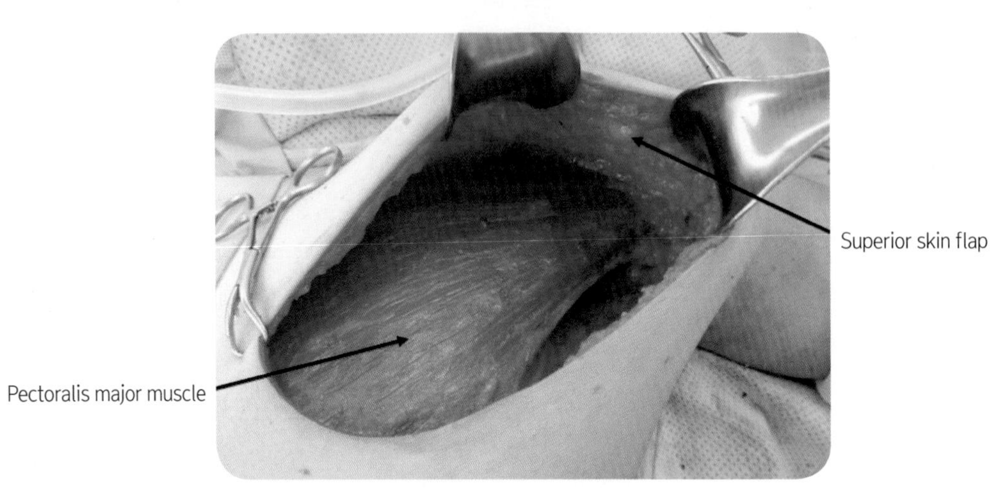

그림 1-8 유방 조직이 제거된 모습

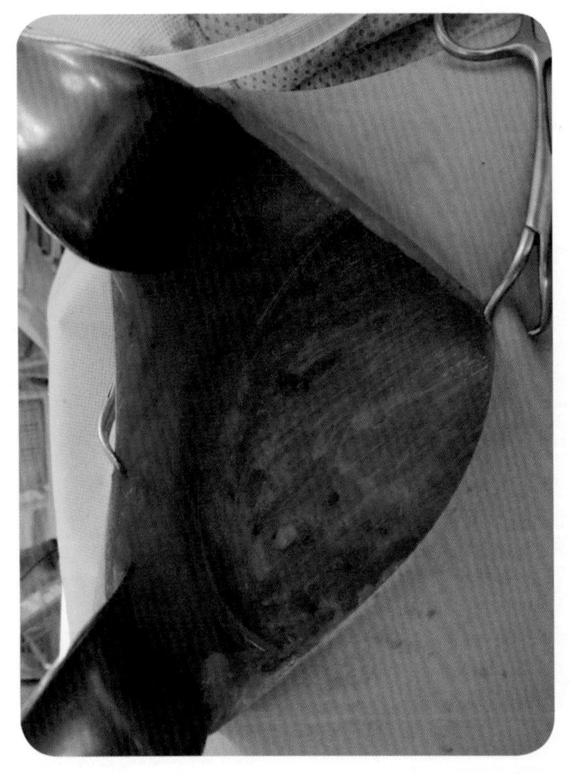

그림 1-9 배액관 거치

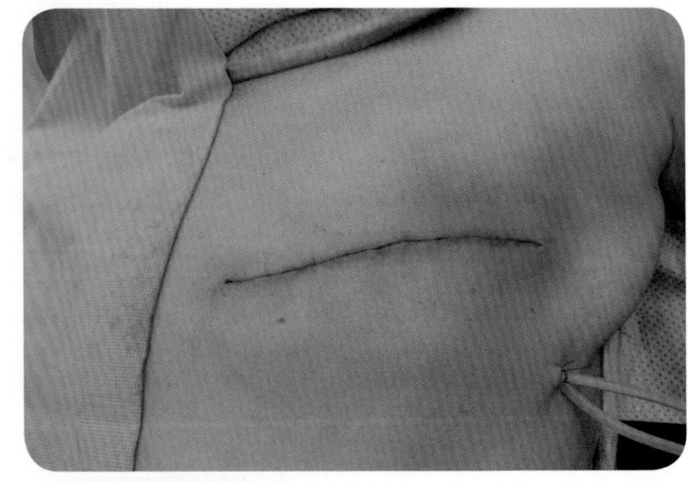

그림 1-10 수술 종료 후 모습

CHAPTER 2

유방보존수술

Breast conserving surgery

1. 적응증

유방보존수술은 초기에는 국소적인 범위의 조기유방암에서 주로 시행하였으나 넓은 범위를 절제하면서 미용적인 효과를 유지하는 종양성형수술 기법이 발달하면서 점점 적응증이 넓어지고 있다. 병변의 범위와 유방의 비율, 유방 내에서의 병소의 위치 등을 고려하여 병소를 모두 절제하였을 때 최종적인 미용적인 결과를 예상하면서 유방보존수술 적응을 고려하여야 한다. 진행성유방암이 절대적 비적응증은 아니며, 선행항암요법을 시행한 이후 병변의 범위가 부분절제가 가능할 정도로 줄어들었다고 판단될 때에서도 유방보존수술을 시행할 수 있다.

2. 비적응증

- 광범위한 악성 미세석회화가 존재하는 경우
- 적절하게 절제하였음에도 불구하고 병리학적으로 절제연에서 계속 악성 세포가 확인되는 경우
- 방사선치료를 이미 시행받아서 다시 방사선치료를 시행하기 어려운 경우
- 임신한 여성의 경우, 태아를 가진 상태에서 방사선치료를 시행할 수는 없으므로 유방보존수술의 비적응증이 되지만, 선행항암치료 시행 후 출산을 한 뒤 유방보존수술을 하는 경우에는 방사선치료를 시행할 수 있으므로 임신을 했다고 해서 반드시 유방전절제술을 시행해야 하는 것은 아니다.
- 다른 분역에 두 개 이상의 다발성의 종양이 있는 경우는 일반적으로 비적응증이나, 두 개의 국한된 병소가 존재할 때는 병변과 유방의 비율을 고려하여 두 개의 부분절제술 이후 미용적으로 양호한 결과가 예상될 때 유방보존수술을 시도해 볼 수 있다는 견해도 있다.
- 결합조직 질환의 기왕력이 있어 방사선치료를 하기 어려운 경우에는 일반적으로 유방보존수술을 권하지 않으나, 최근에는 총 방사선량을 줄이면서 비슷한 국소재발 억제효과를 보이는 방사선치료기법이 발달하고 있으므로 절대적인 비적응증은 아닐 수도 있다.

3. 마취

통상 전신 마취 하에 기도 확보를 한 상태에서 수술을 시행한다. 매우 드문 경우지만 전신상태가 전신마취를 시행하기조차 어려운 상황인데 종양을 절제해야 한다면 수면 마취와 국소 마취를 함께 시행하면서 부분절제수술을 시도할 수도 있다.

4. 환자 자세

유방전절제술을 시행할 때와 같다. 팔을 옆으로 벌려서 준비할 때는 팔을 따로 무균적으로 감싸도록 한다(그림 2-1, 2).

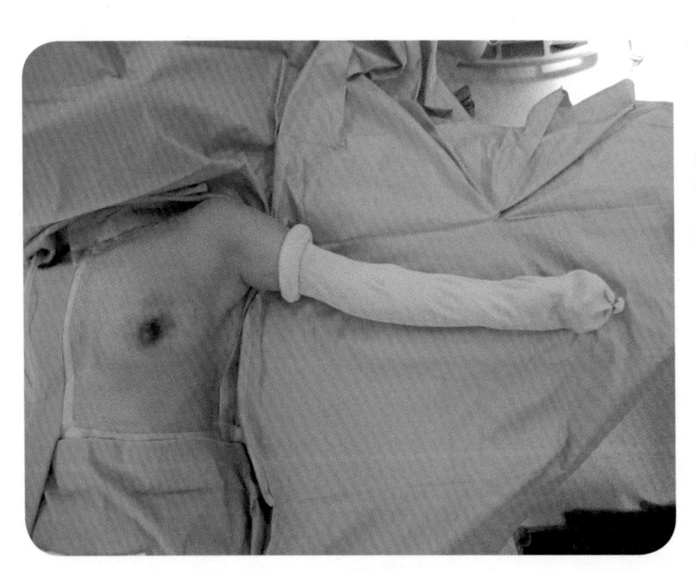

그림 2-1

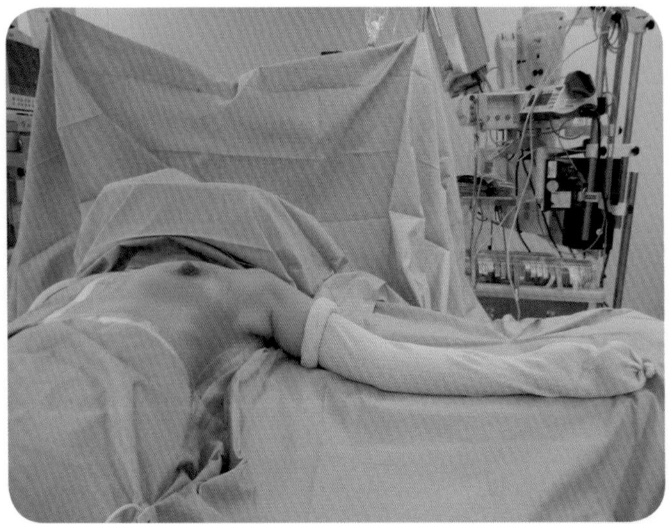

그림 2-2

다른 방법으로는 팔걸이를 이용하여 팔을 비스듬히 위로 고정하는 방법이 있는데 액와부의 시야가 좋아진다는 장점이 있으나 고정을 할 때는 신경이 지나가는 부위를 세게 압박하지 않도록 주의하여야 한다(그림 2-3, 4).

5. 수술 준비

유방의 병변이 촉진으로 확실하지 않을 때는 수술 전 유방촬영술을 시행하면서 와이어 위치선정법(wire localization)을 시행하거나 초음파 유도 하에 병변에 대한 참숯현탁액을 이용한 문신(tattoo)을 시행하여 위치를 미리 표시하는 것이 좋다.

6. 수술 과정

1) 피부 절개

수술 전에 미리 종괴의 위치를 확인하고 어느 선으로 절개를 할 것인지 미리 계획을 세우는 것이 좋다. 이때 특히 유방이 큰 경우에는 앉거나 서 있을 때의 유방의 모습과 수술침대에 누웠을 때의 유방의 모습이 차이가 크다는 것을 이해해야 한다. 즉, 앉거나 서 있을 때의 유방의 모양과 병변의 위치 등을 고려하여 피부 주름이 자연스러운 절개선을 따라 절개하는 것이 좋고, 종양성형수술 기법을 적용하는 경우에는 수술 후 최종적인 모양을 고려하여 절개선을 디자인하는 것이 좋다. 단, 피부와 매우 가까운 경우에는 피부의 일부를 포함하여 종괴를 절제하는 것이 더 안전할 수 있으므로 피부와 종양과의 거리, 가동성 등을 고려하여 절개선을 디자인하여야 한다. 그리고, 개인적인 견해일 수도 있으나, 유륜 가장자리를 따라 곡선으로 절개하는 방법은 미용적인 결과가 뛰어나기 때문에 양성종양을 수술하는 경우에는 종종 사용하지만, 악성 종양을 깨끗이 절제하지 못한 경우에는 절개창을 이용하여 다시 부분절제술을 시행하기가 곤란한 경우가 있으므로 악성종양이 의심되어 절개생검을 시행하는 경우에는 일차적으로 고려하지는 않는다.

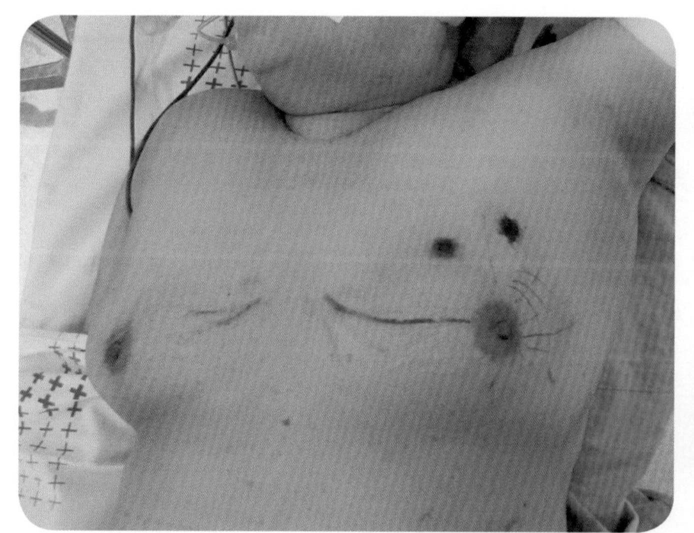

그림 2-3

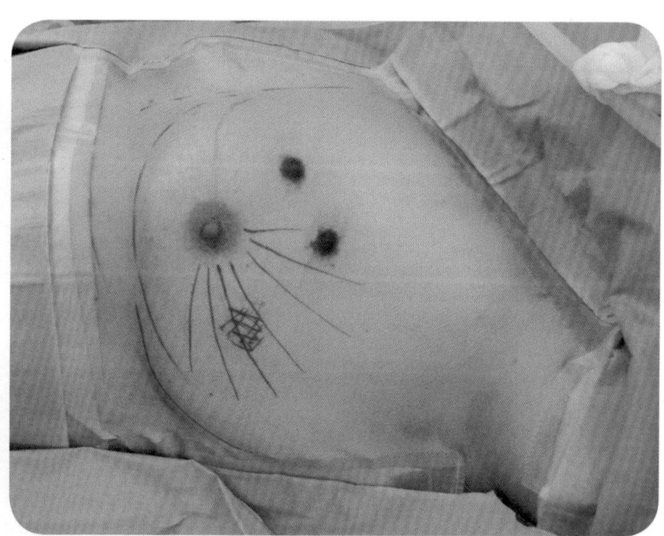

그림 2-4

2) 종양 절제

미리 계획된 절개선을 따라 피부절개를 시행하는데, 곡선이 심한 경우에는 보통은 15번 나이프 정도를 사용하여 절개를 시행한다(그림 2-5, 6). 피하지방조직과 대흉근 근막 상부 유선하지방조직은 항상 절제해야 하는 것은 아니나 종양의 깊이에 따라 적절하게 절제범위에 포함시키는 것이 필요하다. 즉, 경우에 따라서는 얕은 쪽으로는 피부의 일부를 포함하여 피하지방조직을 절제하기도 하며, 깊은 쪽으로는 대흉근 근막을 포함하여 절제하기도 한다.

보통은 촉각에 의존하여 수술을 진행하며 이 경우에는 전기소작기나 다른 절제를 위한 기구를 들지 않은 손의 손가락 끝을 이용하여 종양의 크기와 범위를 판단해 가면서 적당한 절제연을 유지하며 종양을 절제한다(그림 2-7, 8). 아직은 드물지만 내시경수술이나 로봇수술 등 시각에 의존하는 유방보존수술을 진행할 때에는 미리 표시해 놓은 잉크를 기준을 삼아 절제범위를 정해야 한다.

전기소작기를 이용한 종양 절제를 시행하는 동안에는 전기소작기의 절단모드(cutting mode)와 소작모드(coagulation mode)를

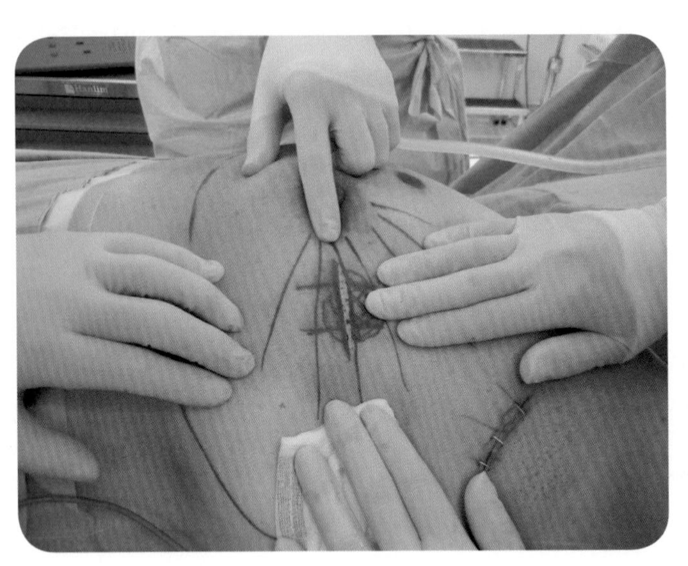

그림 2-5

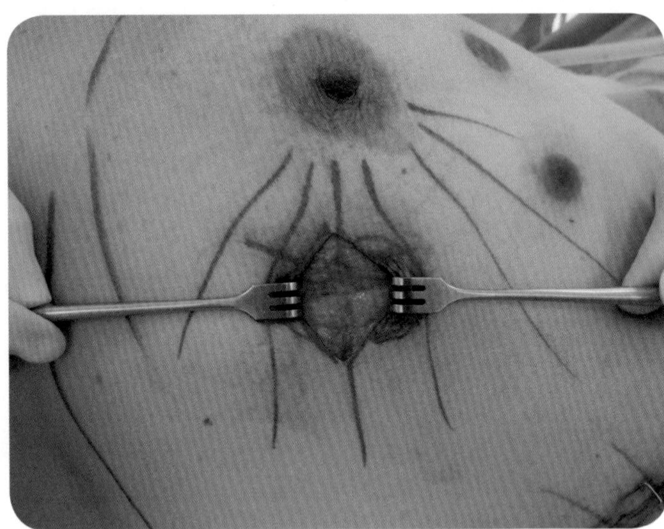

그림 2-6

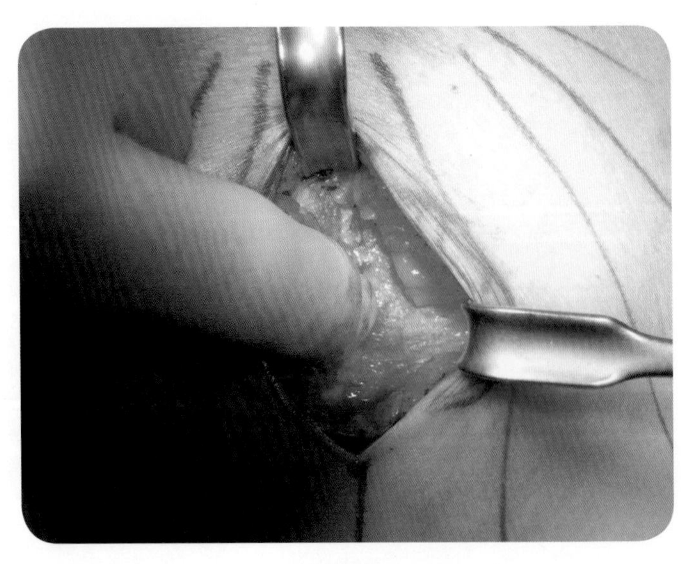

그림 2-7

적절하게 섞어서 사용하는 것이 도움이 된다. 특히 유선조직이 매우 질기고 단단하여 소작 모드로 절제가 잘 되지 않는 경우에는 절단모드를 이용하는 것이 마음먹은 범위를 절제하는 데 도움이 되는데, 이 경우는 절제 후 유선의 절단면에 대한 지혈에 주의를 더 기울이는 것이 좋다(그림 2-9, 10, 11).

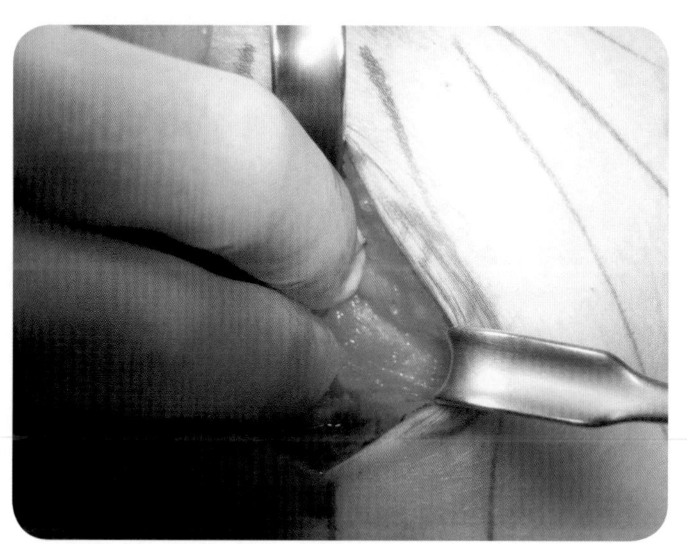

그림 2-8

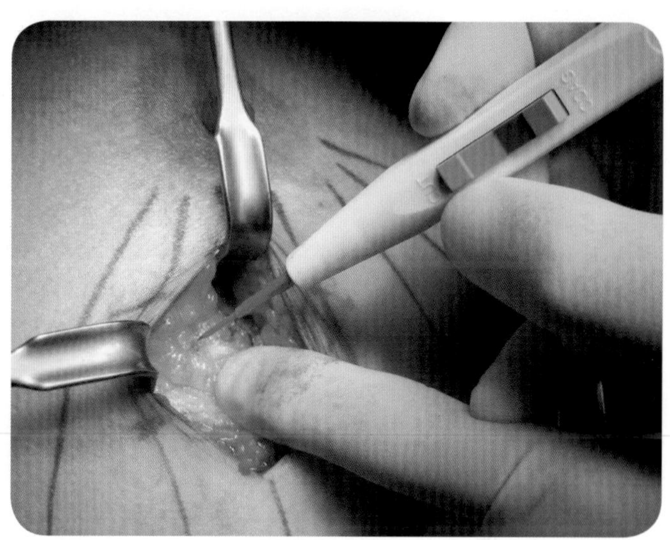

그림 2-9

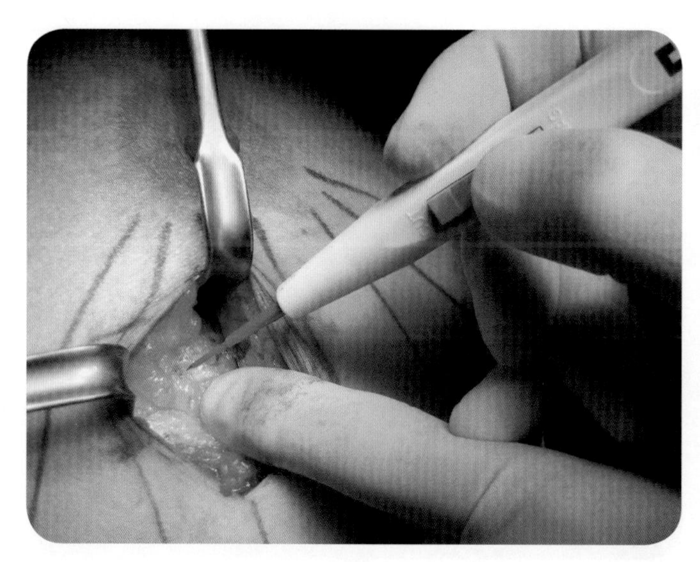

그림 2-10

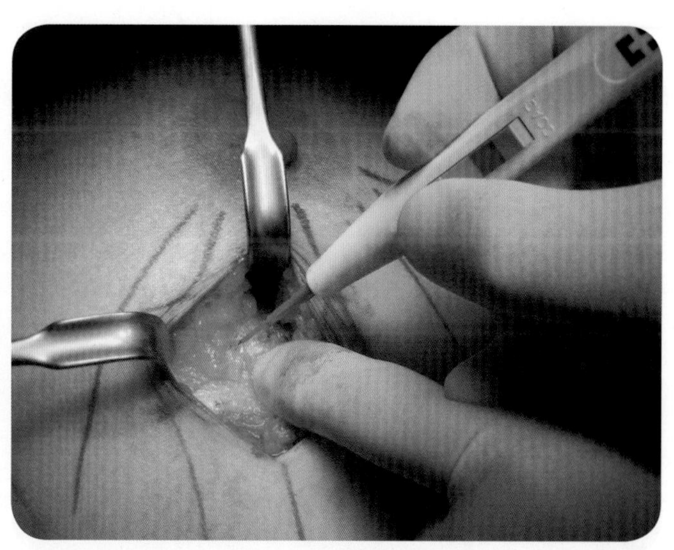

그림 2-11

종양주위 정상조직을 일부 포함하여 깨끗하게 종양을 절제하는 것이 좋으며, 절제연에 종양세포가 존재하지 않는 상태를 절제연 음성으로 판단한다. 수술 중 동결절편검사를 반드시 시행할 필요는 없으나 도움이 될 수도 있다. 단, 비정형유관증식과 저등급제자리암의 구별, 선행항암요법 시행 후 완전관해 여부 등은 수술실에서 동결절편검사로 판단하기에는 어려움이 따르기 때문에 수술의 범위를 결정할 때는 이를 적절히 고려할 필요가 있다.

절제연을 떼어서 병리과에 의뢰할 때는 절제한 조직에서 의심되는 절제연을 잉크로 표시한 후 이를 떼어서 잉크로 표시한 면을 검사하여 달라고 의뢰한다(그림 2-12, 13). 만약 절제연이 가까울 것 같아서 절제한 조직에서 떼어내는 것이 어렵다면 남아 있는 유방 조직의 의심스러운 면에 잉크를 칠한 후 유선 조직의 일부를 떼어 보내면서 잉크를 칠하지 않은 면을 보아 달라고 의뢰할 수도 있다(그림 2-14A, B).

종양을 절제한 다음에는 방향을 식별할 수 있도록 표시를 하여 병리과로 보낸다. 영어권에

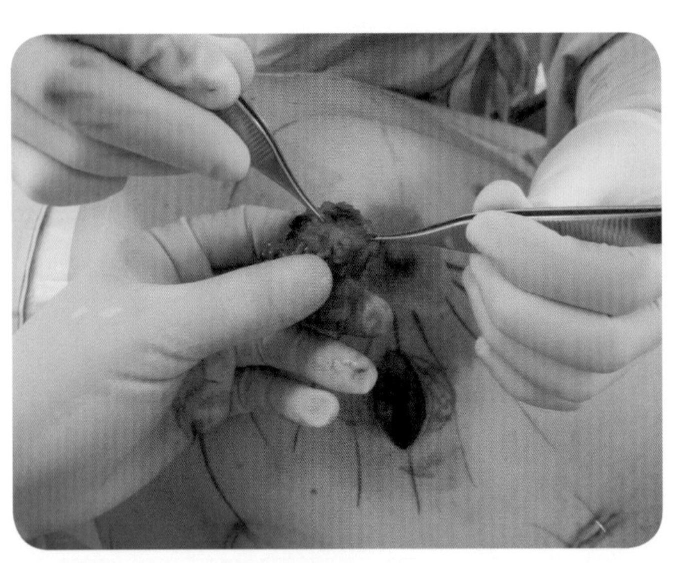

그림 2-12

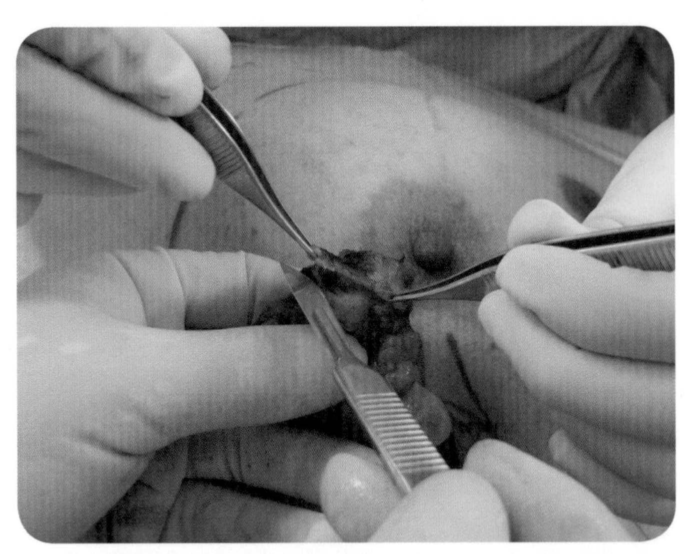

그림 2-13

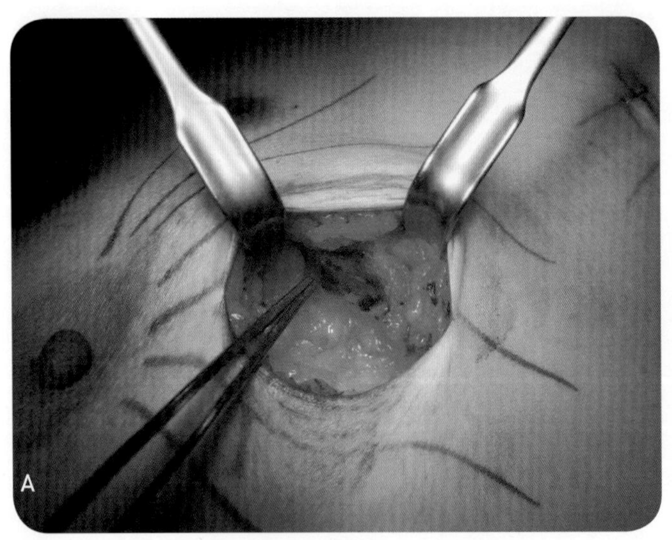

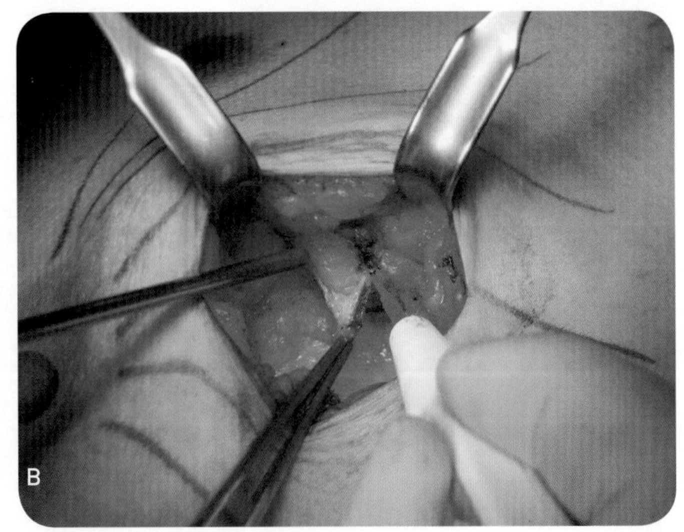

그림 2-14

서 발간한 책에는 상부(superior) 절단면은 짧은(short) 봉합사로, 외측(lateral) 절단면은 긴(long) 봉합사로 표시하는데, 필자의 경우에는 종양이 유선을 따라 퍼져 있을 가능성이 있는 유두쪽을 길고 짧게, 상부 또는 하부를 길게, 내측 또는 외측을 짧게 표시하고 피부쪽이나 대흉근의 근막 쪽을 잉크로 표시하는 방법을 쓴다(그림 2-15). 절제한 조직이 복잡한 형태로 구성된 경우에는 코르크판 위에 유방의 형태를 그린 종이를 놓고, 그 위에 얹은 조직을 핀으로 고정하여 병리과로 보내기도 한다(그림 2-16).

종양을 절제한 이후 유방조직의 결손을 어떻게 처리할 것인가는 상처가 낫고 방사선치료를 시행한 뒤 유방의 모양이 어떻게 될 것인가에 많은 영향을 주기 때문에 많은 주의를 기울여야 한다. 종양성형수술과 관련된 매우 많은 방법이 있으므로 제한된 지면에서 이에 대해 자세히 기술하기는 어려우나, 유선 조직을 서로 당겨서 단단 봉합하는 것은 별로 충분하지 않거나 미용상 좋지 않은 경우가 많으므로 지양하는 것이 좋을 것 같다. 유방의 크기에 비해 절제한 범위가 작다면 굳이 종양성형수술기법을 적용할 필요 없이 피하지방층을 잘 봉합하고 피부봉합을 하는 것으로 충분하다.

범위가 커지면 유방보존수술을 시행하고 남은 유선조직을 이용하여 결손 부위를 충전하는 종양성형수술을 시행하게 되는데, 결손부위의 범위에 따라 단순한 종양성형수술기법에서부터 복잡한 종양성형수술기법을 적용하게 된다. 이때, 우리나라를 비롯한 아시아 여성들은 백인 여성의 경우에 비하여 유방의 크기도 비교적 작은 경우가 많고, 피부의 반흔이 두드러지게 남는 경우가 좀 더 흔하기 때문에 백인 여성을 대상으로 하여 서구 의사들이 제안한 대로의 길다란 절개를 이용한 광범위한 국소피판술을 우리나라 여성에게 그대로 적용하는 것은 무리가 있다고 보인다. 이런 점들을 고려하여 어느 정도의 범위를 절제할 것인지와 아울러 어떤 식으로 결손부위를 메울 것인지에 대한 한두 가지 계획은 미리 염두에 두고 유방보존수술을 시행하는 것이 좋다. 한편, 바이크릴 메쉬(Vicryl mesh) 또는 전처리된 결체조직을 이용한 결손부위의 충전은 수술 후 감염률이 높아진다는 보고가 있기도 하고 수 개월에 걸쳐 녹아 없어지면서 결국 결손부위가 두드러지거나 혹은 주위 조직과의 반응을 일으켜 단단하게 만져질 수도 있어서 아직 보편적으로 쓸 수 있는 방법은 아닌 듯하다.

필요한 경우 유방 내에 흡입배액관을 삽입하고, 경우에 따라 피하지방층의 얕은근막(superficial fascia)을 봉합한 이후 피부봉합을 시행한다.

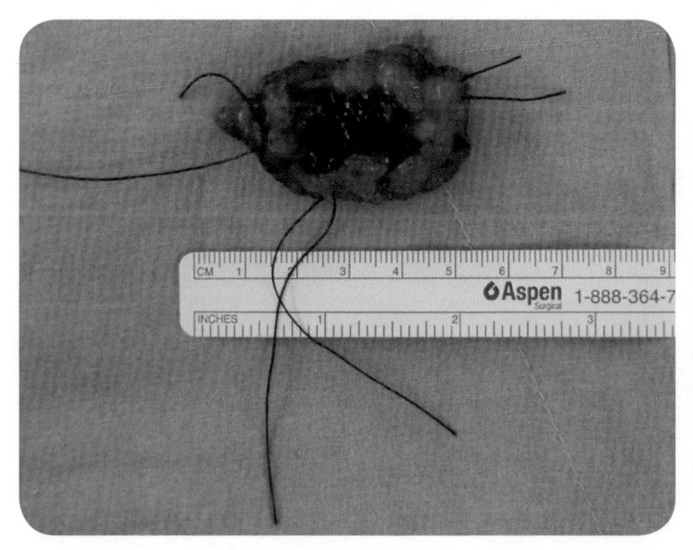

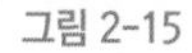
그림 2-15

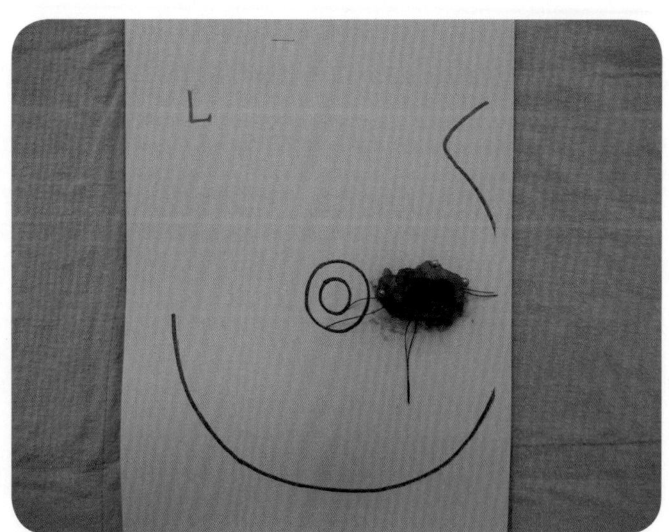

그림 2-16

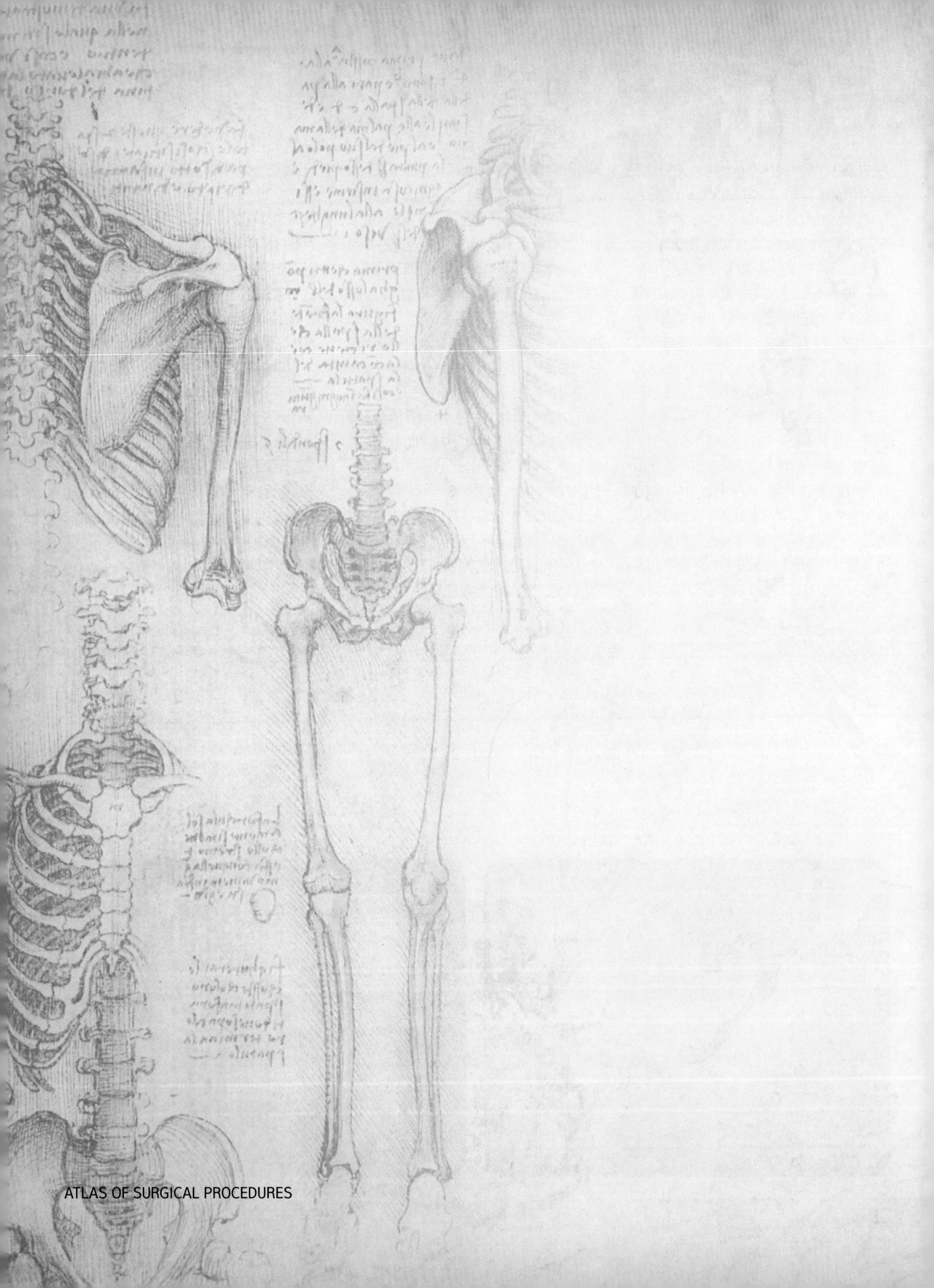

ATLAS OF SURGICAL PROCEDURES

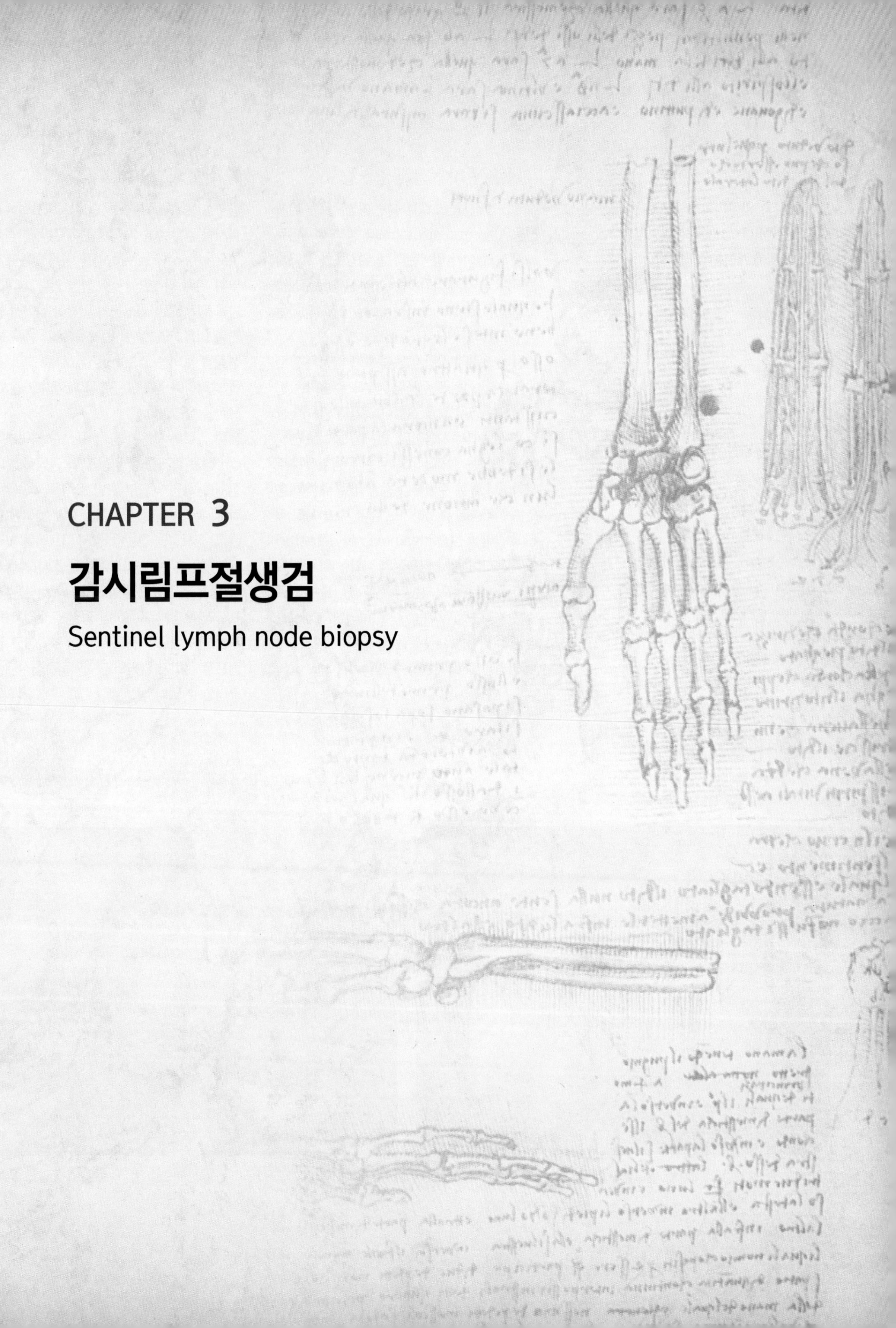

CHAPTER 3

감시림프절생검

Sentinel lymph node biopsy

1. 적응증

신체 검사와 영상의학적 검사에서 임상적으로 림프절전이가 없는 조기 유방암
유방전절제를 계획한 상피내암

2. 비적응증

- 종양의 크기가 5 cm 이상인 경우나 염증성 유방암
- 전이가 의심되는 액와림프절이 만져지는 경우
- 임신 중 유방암 환자
- 유방전절제술이 필요 없는 관상피내암

3. 환자 자세

(그림 3-1) 환자는 수술대 위에 팔을 펴고 액와부위는 면도된 상태로 자세를 잡는다. 수술할 쪽 어깨와 등에 베개를 놓고 잘 고정하도록 한다.

4. 수술 준비 - 절개 및 노출

(그림 3-2) 감시림프절을 찾는 방법으로는 방사선동위원소(radioisotope)나 청색 생체염료(그림 3-3A, B)가 이용된다. 동위원소를 사용하는 경우 술자에 따라서는 수술 전 림프관섬광조영술(lymphoscintigraphy)을 시행하는 경우도 있다.
입자의 크기에 따라 이동 속도가 결정되기 때문에 수술 전날에 주사할 경우와 수술하는 날 주사하는 경우 각각 적절한 크기의 방사성 물질을 선택해서 사용한다. 방사성 물질은 원발성 종양 또는 절제 생검한 주위 유방실질에 주사하거나 유륜 주변부나 종양 바로 위 피하층 또는 진피층에 주사하기도 한다. 수술 시작 직전에 감마선 검출기(gamma ray detector)를 이용하여 감시 림프절의 정확한 위치를 확인하고 피부에 표시한다(그림 3-4). 생체 염료를 사용하는 경우에는 3~5 ml의생체 염료를 종양 주위나, 유륜 주위 진피층에 주사한다. 두 방법을 함께 시행할 수 있다(그림 3-5).

7. 수술 과정

방사성 동위원소를 이용한 감시림프절생검을 실시할 경우 수술 시작 직전에 감마선 검출기(gamma ray detector)를 이용하여 표시된 부위 위에 최소한의 절개창을 만들고 피하지방을 절개하고 액와 근막을 찾아 감마선 검출기를 이용하여 주위 방사선량보다 높은 방사선량을 보이는 열소(hot spot)를 찾아 조직을 박리하여 림프절 구조를 확인하고 감시 림프절을 절제한다.
생체 염료를 사용한 경우, 표시한 액와부에 2 cm 정도 절개를 한 다음 액와 근막을 찾아서 절제를 하면 액와부 지방 조직을 찾을 수 있다. 대흉근 변연을 따라서 파랗게 염색된 림프관 및 림프절을 찾는다. 감시 림프절을 찾아서 제거 한 후 주변 액와부를 잘 조사해 촉지되는 림프절이 있으면 반드시 제거하여 감시림프절에 포함시켜야 하며 동결 조직검사 등을 시행하여 림프절 전이 유무를 확인하고 감시 림프절 전이가 발견되면 액와림프절절제술을 고려할 수 있다.

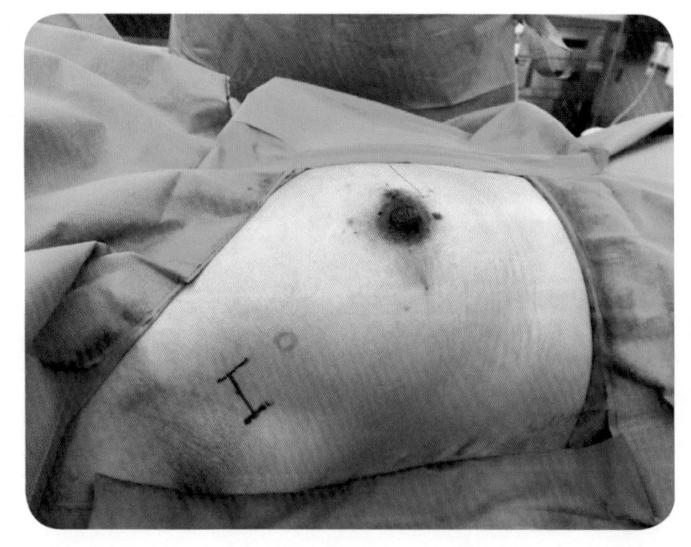

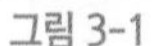
그림 3-1

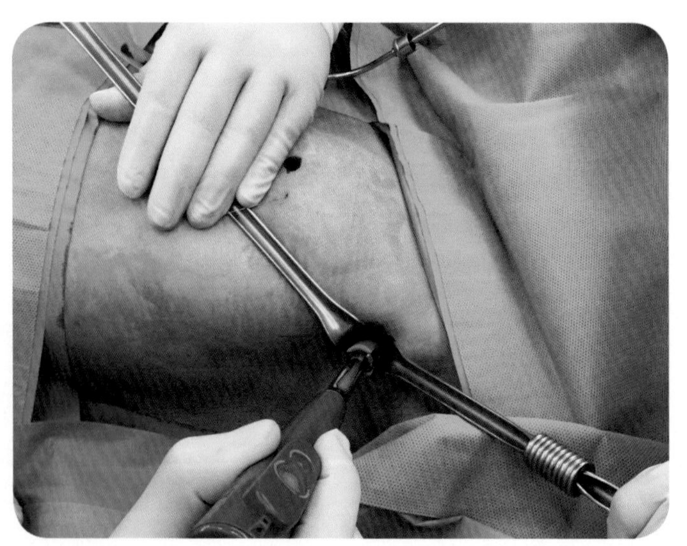

그림 3-2

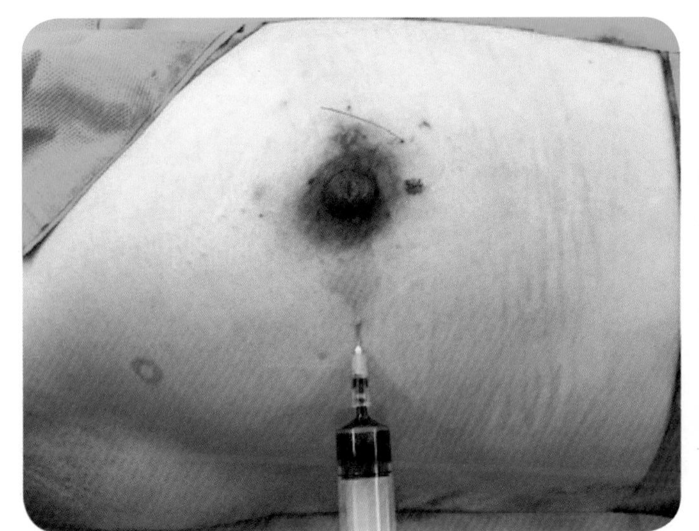

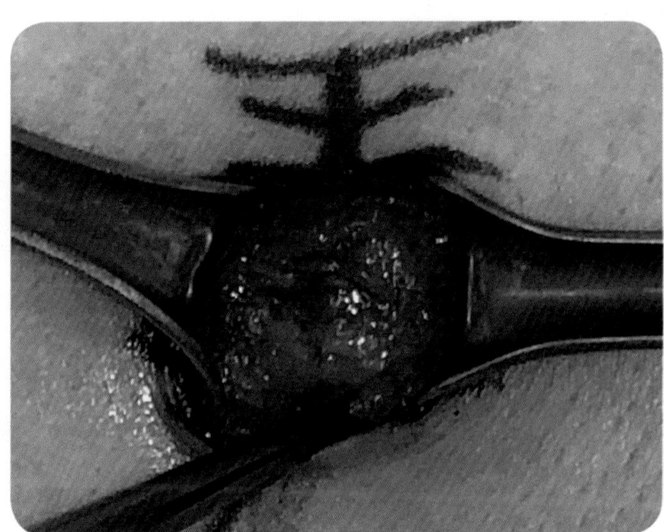

그림 3-3

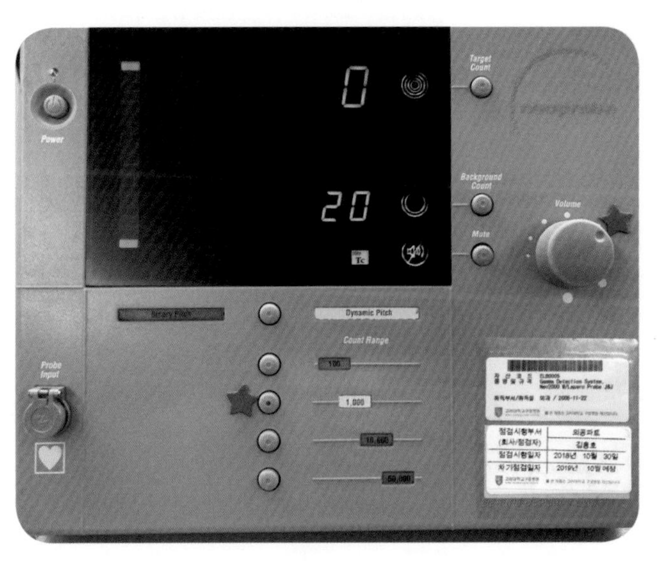

그림 3-4

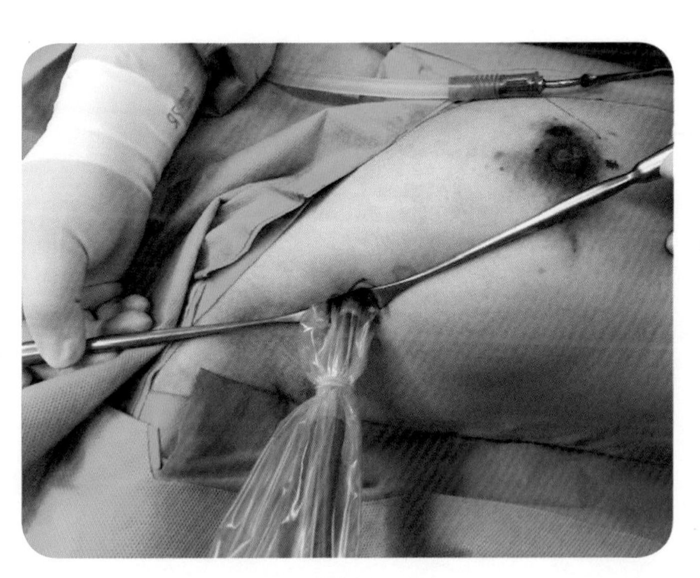

그림 3-5

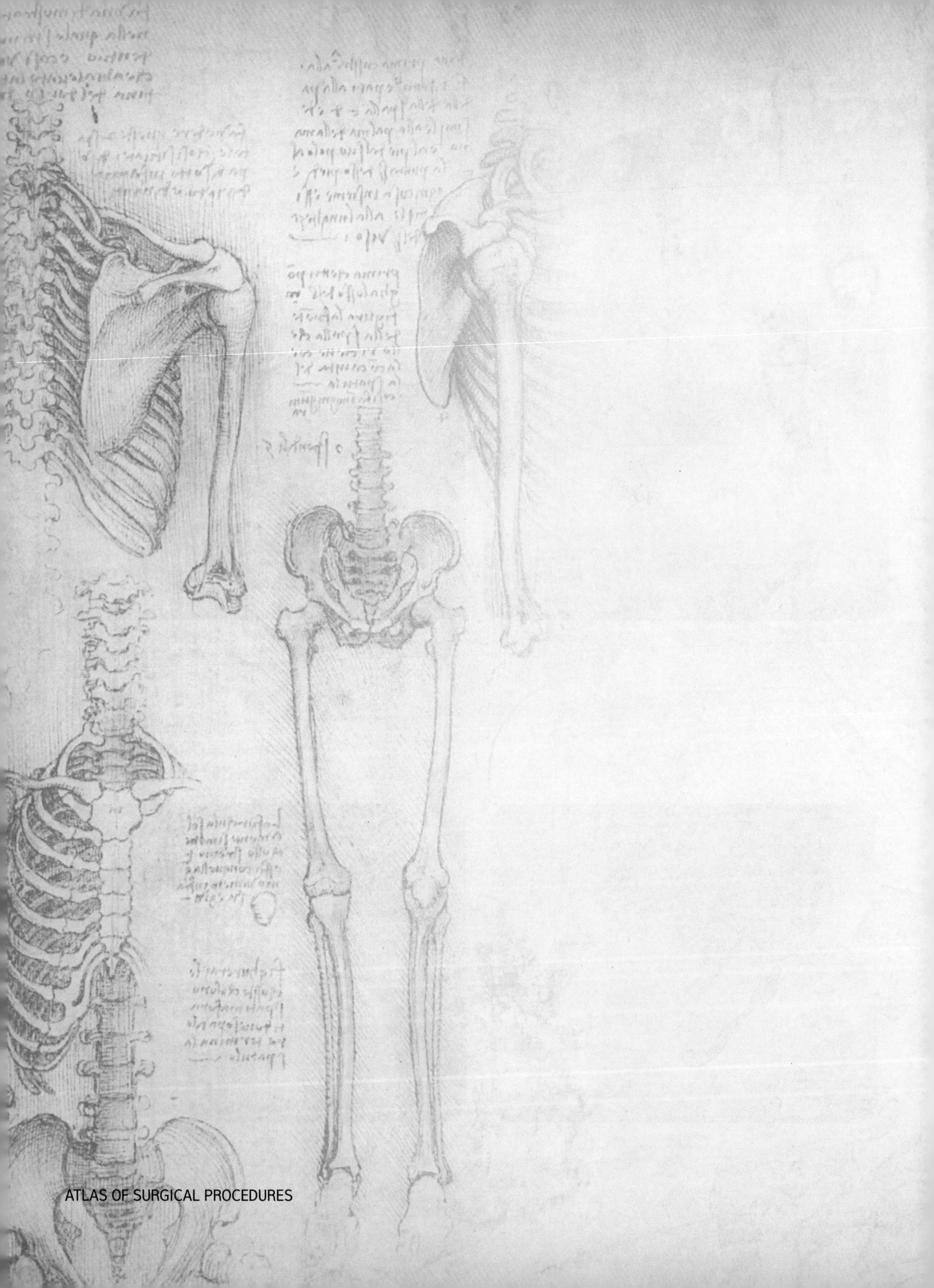

ATLAS OF SURGICAL PROCEDURES

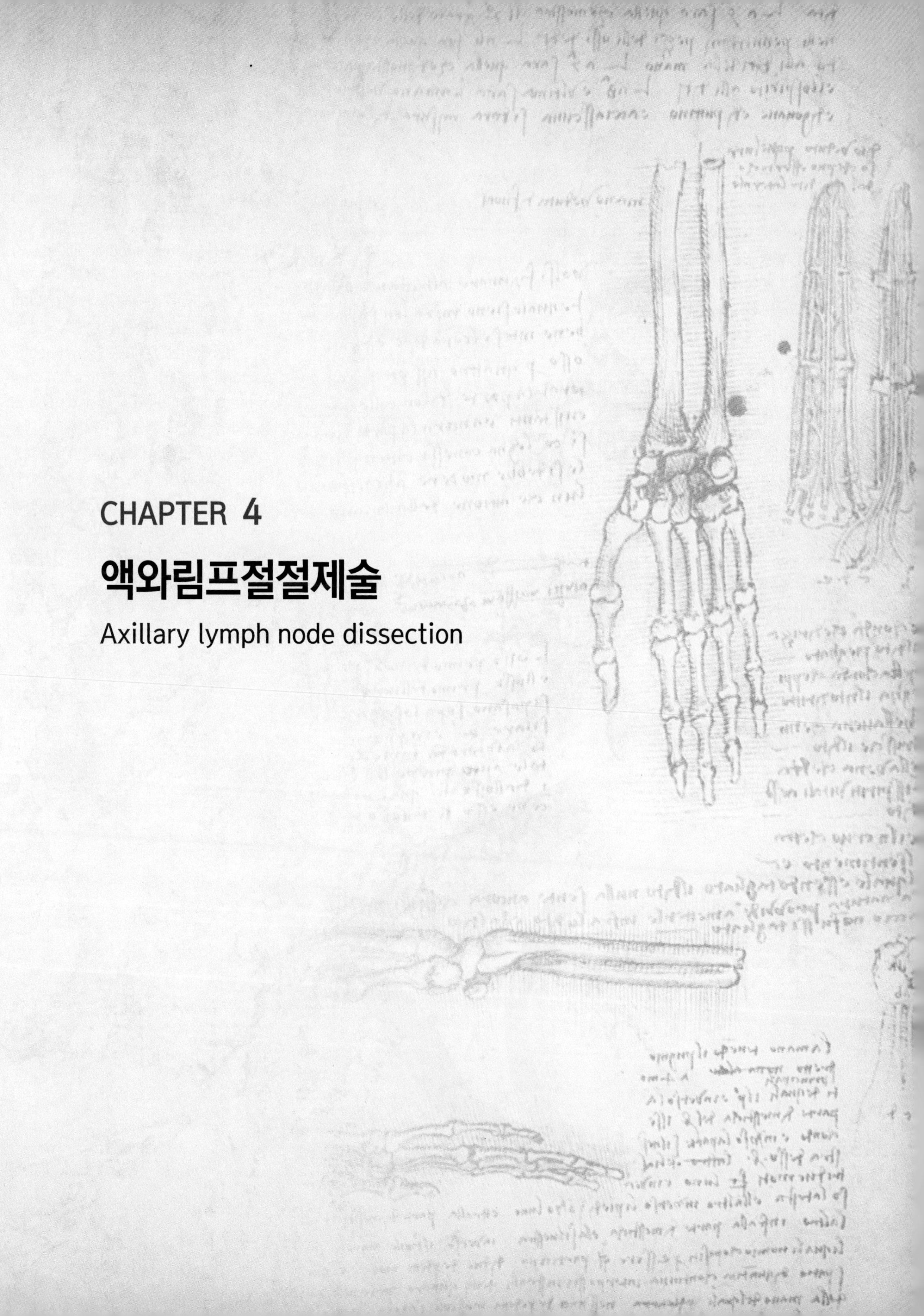

CHAPTER 4

액와림프절절제술

Axillary lymph node dissection

1. 서론, 적응증

액와림프절 수술은 Halsted의 radical mastectomy로부터 시작되어, 유방암 치료의 필수적인 부분으로 수행되어 왔다. 또한 액와림프절 병기는 예후 예측에 가장 중요한 인자로서, 액와림프절 전이 상태를 정확하게 평가하기 위해서도 액와림프절 수술이 필요하다. 2000년대에 들어서는 조기유방암에서 기능을 보존하기 위한 감시림프절생검술이 표준 수술로 확립되어, 액와림프절 절제술의 시행은 많이 감소되었으나, 현재에도 액와림프절에 임상적으로 전이가 있는 환자, 감시림프절에서 전이가 확인된 환자, 액와림프절에 재발한 환자, 염증성 유방암, 감시림프절 확인에 실패한 환자 등에서 액와림프절 절제술이 필요하다. 수술 후 가장 심각한 합병증으로 동측 팔의 림프부종이 20-40%의 환자에서 발생하기 때문에 이를 줄이려는 노력이 진행 중이다.

2. 액와구조

액와는 팔과 흉부 흉벽 사이에 존재하는 피라미드 모양의 공간으로 상방은 액와정맥, 전방으로는 대흉근과 소흉근, 후방으로는 견갑하근(subscapularis), 큰원근(teres major), 광배근(latissimus dorsi muscle)의 견갑골 삽입부, 측면으로는 광배근, 내측으로는 전거근(serratus anterior muscle)과 흉벽으로 둘러싸여 있다(그림 4-1). 삼각의 정점(액와림프절 절제술시 가장 높은 부위)는 costoclavicular ligament 나 Halsted ligament이다.

장흉신경(long thoracic nerve)은 C5-7에서 기시하여 전거근의 측 표면의 하방으로 주행한다. 일반적을 흉벽에서 1 cm 이내에서 관찰되며 손상 시 날개견갑골(“winged scapula”)이 발생한다. 흉배신경(thoracodorsal nerve)은 C6-8에서 기시하여 후방 액와벽에 측하방으로 주행하여 광배근을 지배한다. 광배근으로 가는 혈관과 번들을 이루어 액와 수술 시 쉽게 발견할 수 있다. 손상 시 명백한 기능의 결손은 보통 두드러지지 않는다.

늑간상완신경(intercostobrachial nerve)은 두 번째 늑간 공간에서 나와 액와를 가로질러 가로축으로 주행하며 액와와 상완의 피부의 감각을 담당하여 수술 중 손상되면 이상 감각을 유발한다. 내측흉근신경(medial pectoral nerve)은 C8, T1(medial cord of the brachial plexus) 에서 기시하여 소흉근의 깊은 면으로 들어가 소흉근과 대흉근의 측면에 신경 자극을 전달한다. 소흉근의 측면에서 발견할 수 있으며 손상 시 근위축을 유발할 수 있다. 외측흉근신경(lateral pectoral nerve)은 C5-7(lateral cord of the brachial plexus)에서 기시하여 대흉근에 신경 자극을 전달한다. 이 신경은 소흉근과 내측 가슴신경의 내측에서 관찰되며 손상 시 심각한 대흉근의 근위축을 유발한다.

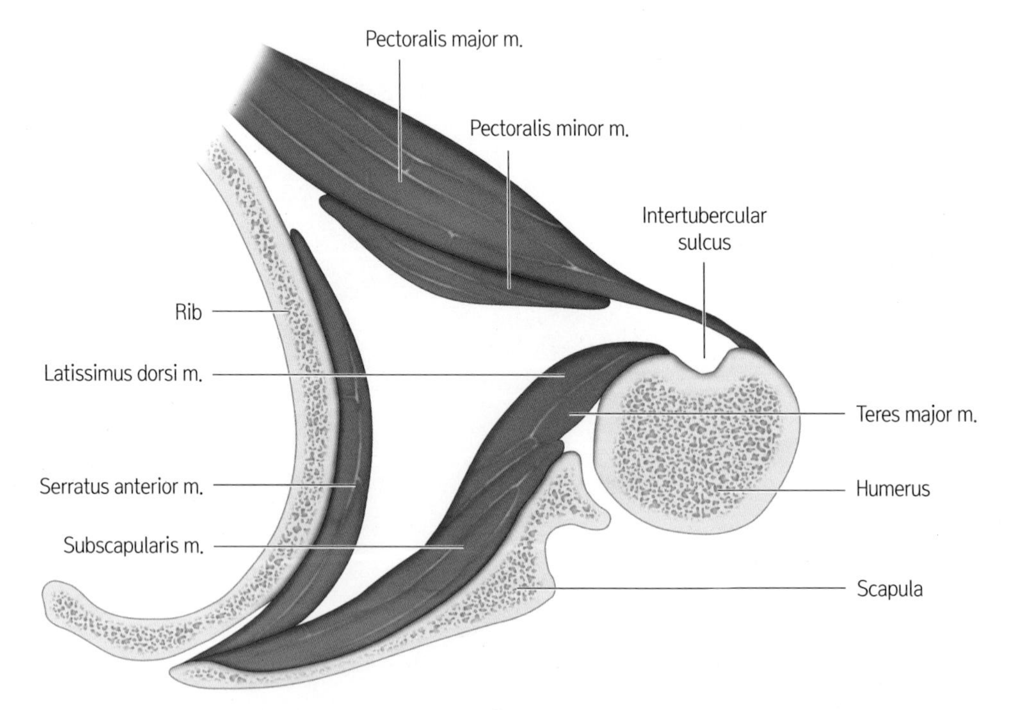

그림 4-1

액와동맥은 소흉근의 내측에서부터 나와 액와를 가로지르며 주행한다. 소흉근의 후방에 있는 액와동맥의 두 번째 부분에는 액와림프절 절제술을 하는 동안 흉견봉동맥(thoracoacromial artery)과 장흉동맥(long thoracic artery)이 관찰되는데 이는 흉배동맥(thoracodorsal artery)에서 기시하여 하방에서 흉배신경과 만나게 된다. 액와정맥은 액와동맥과 평행하게 주행한다(그림 4-2).

A

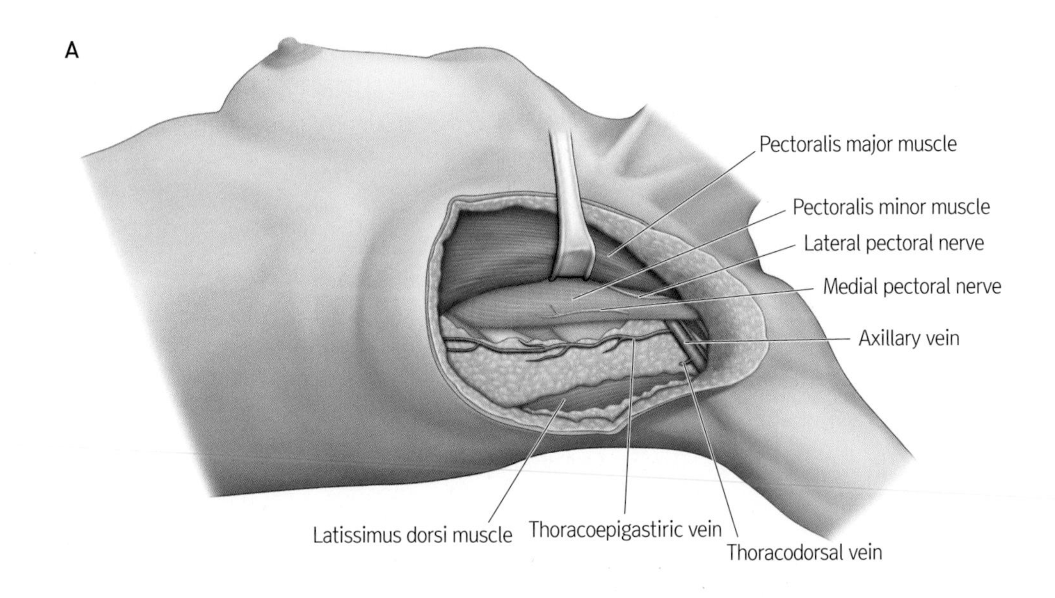

B

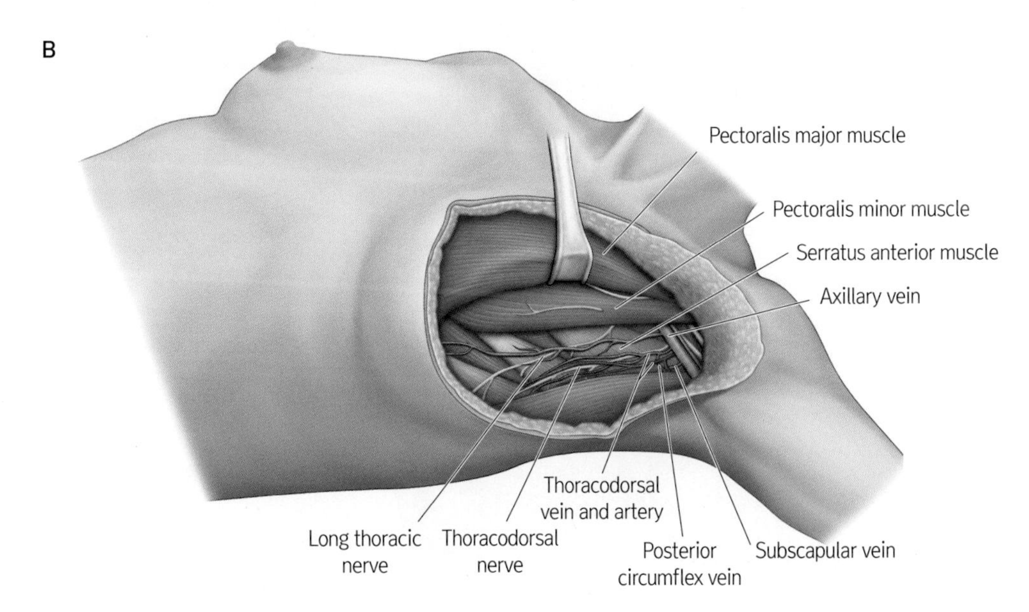

그림 4-2

3. 액와림프절 레벨

액와림프절은 소흉근과의 위치 관계에 따라 3가지로 나눌 수 있다. Level I 림프절은 소흉근의 측면에 Level II는 소흉근의 후방에, Level III 는 소흉근 내측, 흉벽 위에 존재한다. Rotter's node는 대흉근과 소흉근 사이의 공간에 존재한다(그림 4-3).

4. 수술 전 처치

- 수술 할 부위에 염증 소견이 있는지 확인한다.
- 전기 면도기(clipper)나 제모제를 이용하여 액와를 제모한다.
- 수술 전 예방적 항생제를 투여한다.

5. 마취

기관 삽관을 통한 전신 마취 하에 수술을 시행한다.

6. 환자 자세

환자는 앙와위 자세에서 동측 팔을 벌려 팔걸이에 얹은 것이 기본 자세이다(그림 4-4). 이때, 팔과 몸의 각도가 90° 이상 hyperabduction 되지 않도록 주의한다. 팔까지 같이 소독하고 스토키네트(stockinette)를 이용해 드랩하여 수술 중 팔의 움직임을 자유롭게 하여 수술 시야를 더 좋게 할 수 있다. 수술 전 U자형 또는 ㄱ자형 ether screen을 수술 테이블에 부착하여 수술 하는 동안 환자의 팔을 환자의 앞쪽으로 위치 시킬 수도 있다(그림 4-5). 팔을 테이블 위로 팔을 테이블 위로 90° 각도로 배치하면 가슴 근육이 이완되고 액와의 내측에 더 잘 접근할 수 있다. 제1조수는 수술 동측의 어깨 위쪽에 위치하여 수술을 시행한다.

환자의 평소 서 있는 자세를 고려하여 어깨가 둥글고 굽어있는 환자라면 어깨 뒤쪽으로 소방포를 받쳐두기도 한다. 어깨 뒤로 소방포를 받쳐두었다면 팔걸이에도 추가 패딩을 하여 어깨와 팔을 같은 선상에 위치 시켜야 팔신경얼기신경을 따라 당기는 것을 방지하여 수술 후 신경병증(plexopathy)을 예방할 수 있다(그림 4-4).

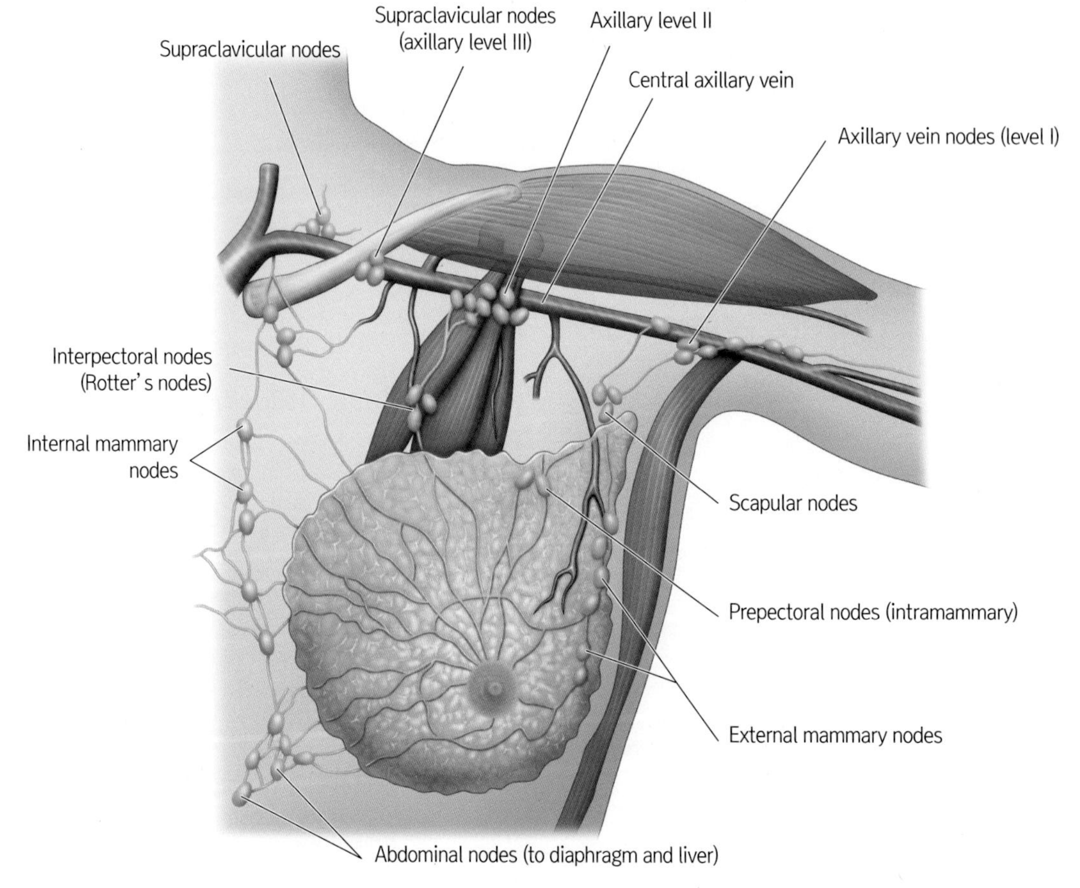

그림 4-3 Axilla level

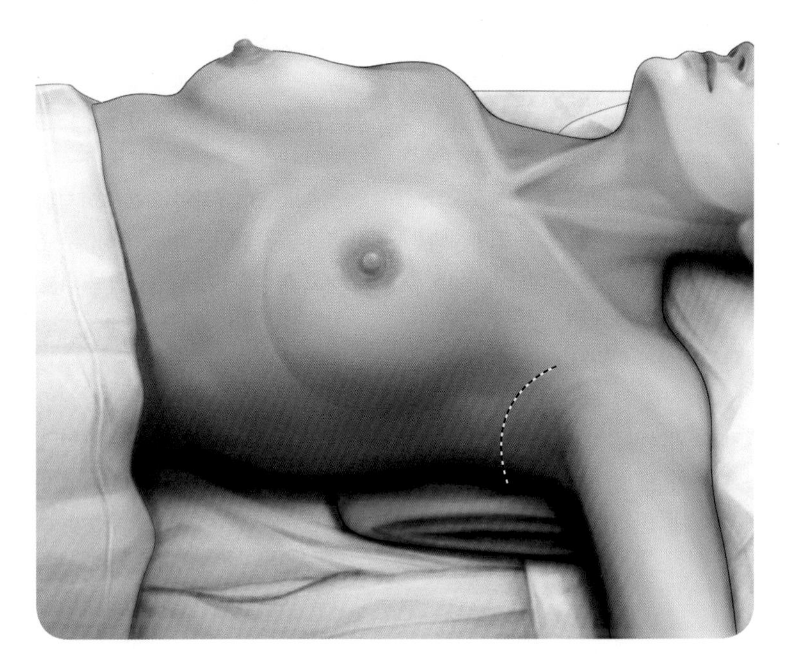

그림 4-4

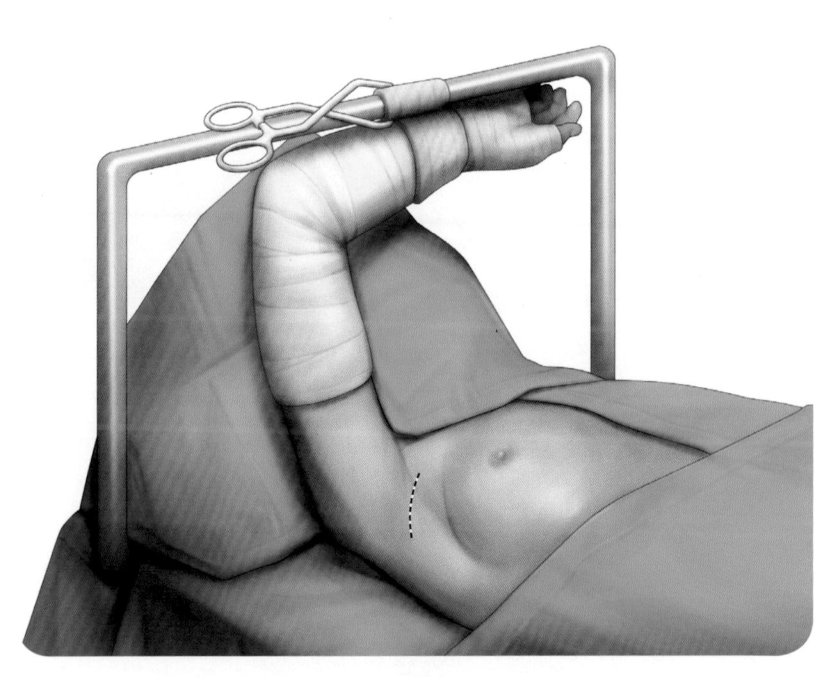

그림 4-5

7. 수술준비

유방, 액와, 흉골, 쇄골 상부, 어깨, 반대편 가슴, 목 하부, 복직근(rectus abdominis muscle)의 상부까지 소독한다.

8. 수술과정

액와림프절 절제술은 수술 계획에 따라 처음부터 유방전절제술 또는 부분절제술과 동시에 시행될 수 있고, 또는 감시 림프절 생검술 후 시행될 수 있다. 유방 전절제술이 시행되는 경우 액와림프절 절제술은 보통 유방 절제술 절개를 통해 시행된다. 부분절제술이나 피부보존 유방절제술을 하는 경우, 별개의 절개를 할 수 있다. 별개의 절개를 하는 경우에는 헤어라인이나 그 아래에 곡선이나 직선으로 절개를 한다. 액와림프절 절제술 시 시야 확보를 위하여 충분히 절개하는 것이 좋으나, 대흉근 라인보다 더 앞으로 절개선을 확장할 필요는 없으며, 그런 경우 나중에 흉터가 눈이 띄게 된다.

(그림 4-2) 수술 하기에 앞서 액와 경계와 주의해야 하는 구조물들과의 위치 관계를 상기시키는 것이 중요하다. 상방으로는 액와정맥, 내측으로 전거근, 외측으로 광배근이 존재하며 하방으로는 장흉신경이 전거근으로 들어가는 4~5번째 갈비뼈 부위까지 림프절이 절제되어야 한다. 장흉신경, 흉배혈관신경다발, 늑간상완신경, 내측가슴신경이 손상되지 않도록 주의해야 할 것이다.

술자에 따라 내측 또는 외측으로 접근하여 액와 박리를 시작한다. 상완골(humerus)에 붙는 광배근의 힘줄이 액와정맥의 후방으로 들어가므로 외측 접근법의 중요한 지표가 된다. 팔을 외전시킨 상태에서 이두근(biceps)과 삼두근(triceps) 사이의 골을 따라 대흉근로 가는 선상에 액와정맥이 주행하므로 액와정맥의 내측을 찾을 수 있다.

(그림 4-6) 대흉근의 외측 경계부위를 따라 쇄골흉부근막(Clavipectoral fascia)을 절개하고 박리하면서 대흉근으로 가는 내측, 외측 가슴신경이 손상되지 않도록 조심한다. 액와정맥의 내측 하방, 흉벽에서 1~1.5 cm 떨어진 위치에 일반적으로 장흉신경이 관찰되며 전거근의 근막 전방으로 주행한다. 액와 조직과 흉벽 사이를 무딘박리(blunt dissection)를 통해 장흉신경이 있는 깊이까지 조심스레 박리하여 장흉신경이 손상되지 않도록 한다.

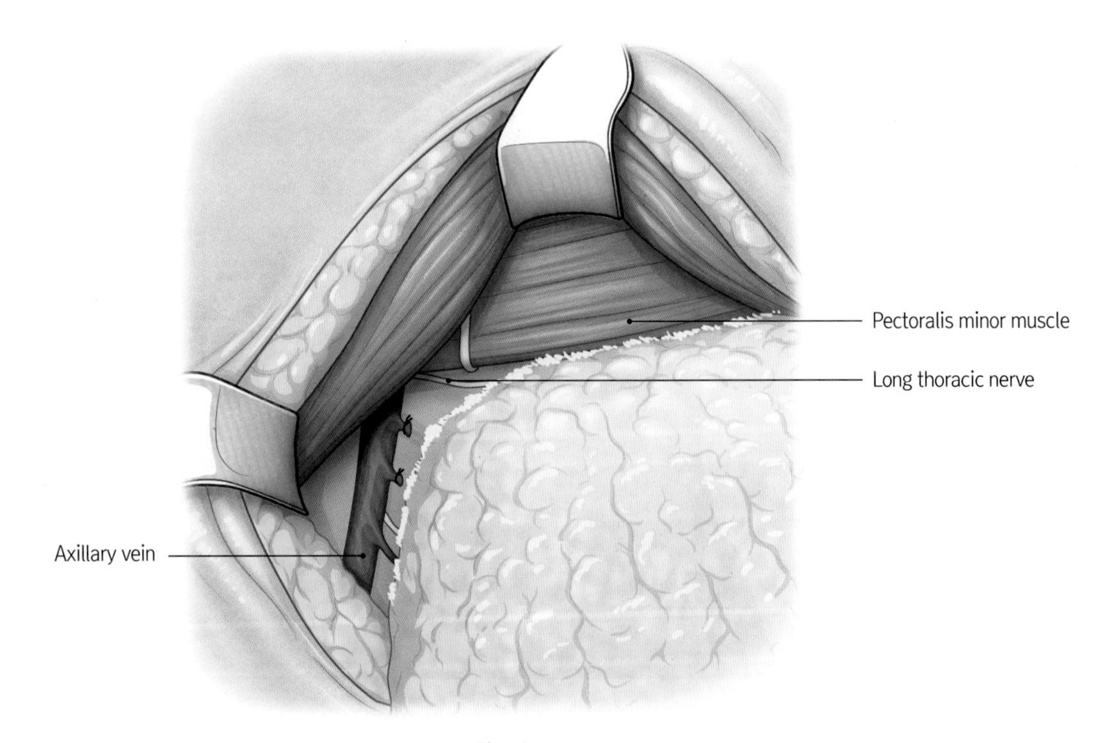

그림 4-6

(그림 4-7, 8) 액와정맥에서는 여러 개의 정맥분지가 있는데 흉배혈관신경다발은 액와정맥에서 흉강정맥보다 후에 분지되며 액와정맥의 하방을 조심스레 박리하여 찾는다. 흉배혈관과 그 하방으로 보이는 흉배신경을 확인하고 흉강정맥을 결찰 하는 것이 좋다. 흉배신경과 광배근 사이에 존재하는 액와조직은 무딘박리를 통해 조심스레 절제한다.

액와정맥, 장흉신경, 흉배신경의 위치관계가 확인되면 액와조직을 아래 바깥방향으로 당기면서 갈비뼈 4~5번째 부위까지 박리하여 액와조직을 절제한다. 늑간상완신경은 액와림프절 절제술을 하는데 방해가 되지 않는다면 가능한 보존한다.

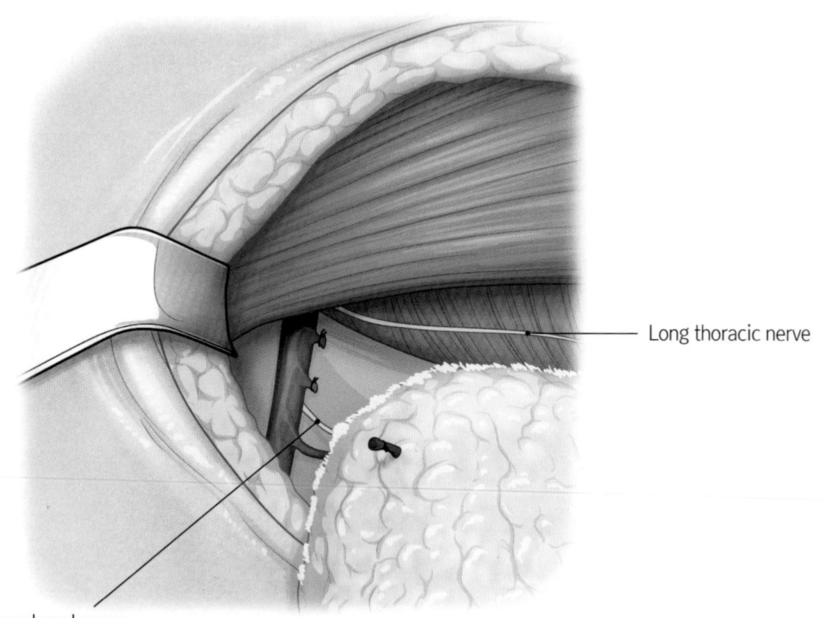

그림 4-7

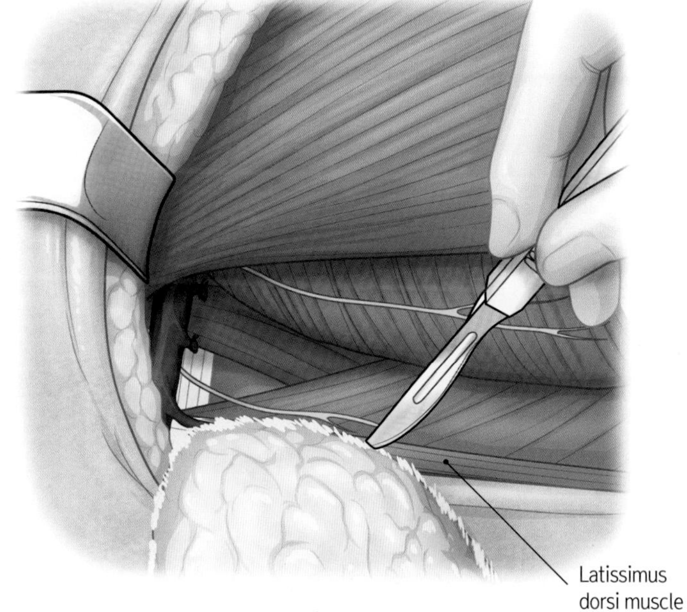

그림 4-8

Retractor를 이용하여 대흉근과 소흉근을 내측으로 당겨 Level II, III 림프절에 접근한다. 이때 90° 위치에 있던 팔을 환자의 앞으로 이동시켜 에테르 스크린에 고정하거나 보조의사가 잡고 있는다면 대흉근이 이완되어 림프절 박리를 더 수월하게 도와준다.

(그림 4-9) 소흉근은 환자의 상태에 따라 보존하거나 제거할 수도 있지만 만약 절제가 필요하다면 내외흉근 신경도 같이 절단해야 한다. 소흉근을 제거한다면 Level III에 있는 림프절 절제가 용이하며 액와정맥의 주행 경로를 더 정확하게 알 수 있다. 마지막으로 대흉근과 소흉근 사이를 박리하여 촉지되는 림프절(Rotter's node)이 있는지 확인하고 절제한다.

대부분의 환자의 경우 Level I, Level II 림프절을 절제하는 것만으로 액와병기를 판단할 수 있다. 1% 미만에서 Level II 림프절 전이가 없는 Level III 림프절 전이가 발견되었고, 3개 미만의 림프절 전이가 있는 환자에서 오직 2%만이 Level III 림프절 전이가 확인되었고, 4~8개 림프절 전이가 있는 환자에서는 19%에서 확인되었다. 그러므로 Level III 부위나 Rotter 공간에 촉지 되는 림프절이 있는 것이 아니라면 Level I, II 박리만으로 충분하다.

수술 과정에서 큰 정맥과 림프관은 신중히 살펴보고 결찰하고, 액와정맥, 신경 주위를 박리할 시에는 손상을 방지하기 위해 전기소작기보다는 무딘박리를 시행하는 것이 좋다. 수술 부위는 반복하여 출혈 부위가 있는지 확인 후 출혈 부위가 있다면 결찰하거나 소작하여 지혈한다. 따뜻한 식염수로 수술 부위를 세척 후 다시 한번 출혈 여부를 확인한다. 속옷으로 가려지는 액와 아래쪽 부위로 배액관을 거치하고 피부는 2층으로 봉합한다.

9. 수술 후 관리

배액관은 30~35 cc/일 이하가 될 때까지 유지하고 환자에게 수술 후 팔 운동 범위를 점차 늘려가면서 운동을 지속하도록 교육한다.

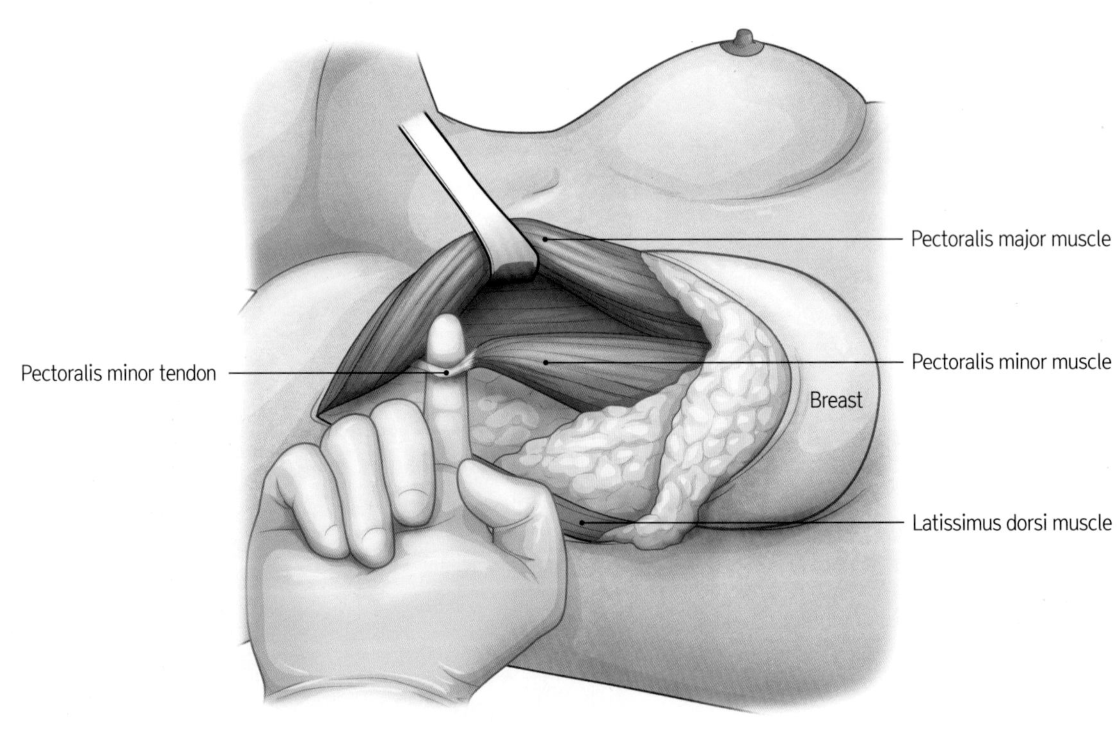

그림 4-9

CHAPTER 5

유방절제생검

Excisional breast biopsy

I. 촉지 가능한 유방병변의 절제생검(Excisional biopsy of palpable breast lesions)

1. 서론과 적응증

유방 영상검사와 영상유도 유방 침생검(core needle biopsy, CNB)과 진공보조흡입 유방생검술(vacuum assisted breast biopsy, VABB)과 같은 경피적 유방생검술(percutaneous breast biopsy, PBB)의 발전으로 진단을 목적으로 절제생검을 시행하는 빈도는 줄어 들었으나 다음과 같은 경우에는 병변의 절제가 필요하다.

1) 유방영상검사의 소견과 PBB의 병리소견이 일치하지 않는 경우(영상-병리 불일치)
2) PBB의 병리결과가 불충분하거나 불확실한 경우
3) PBB 장비가 없거나 병변의 위치나 환자의 상태가 PBB를 시행하기에 기술적으로 어려운 경우
4) PBB에서 비정형증식증과 같은 고위험 병변으로 진단된 경우
5) 양성으로 진단되었으나 추적 관찰 중에 크기나 형태의 변화 등 악성이 의심스러운 소견이 관찰되는 경우
6) CNB에서 섬유선종이나 엽상종과 같은 섬유상피병변(fibroepithelia tumor)인 양성종양의 완전 제거가 목적인 경우

이러한 경우들에서는 병변을 주위유방조직과 함께, 또는 병변 만을 완전히 제거하는 절제 생검을 시행하게 된다. 대부분의 절제 생검은 결국 양성으로 진단되는 경우가 많으므로 수술 시에는 흉터와 유방의 모양 등 미용적인 측면을 고려하여야 한다.

2. 수술 전 처치

만져지는 병변의 경우 마취 전 병변의 위치를 반드시 환자와 함께 확인하도록 한다.
일반적으로 예방적 항생제의 투여는 불필요하다.

3. 환자의 자세

환자는 바로 누운 자세에서 동측 팔을 90° 정도 벌려서 유방을 평편하게 한다(그림 5-1).

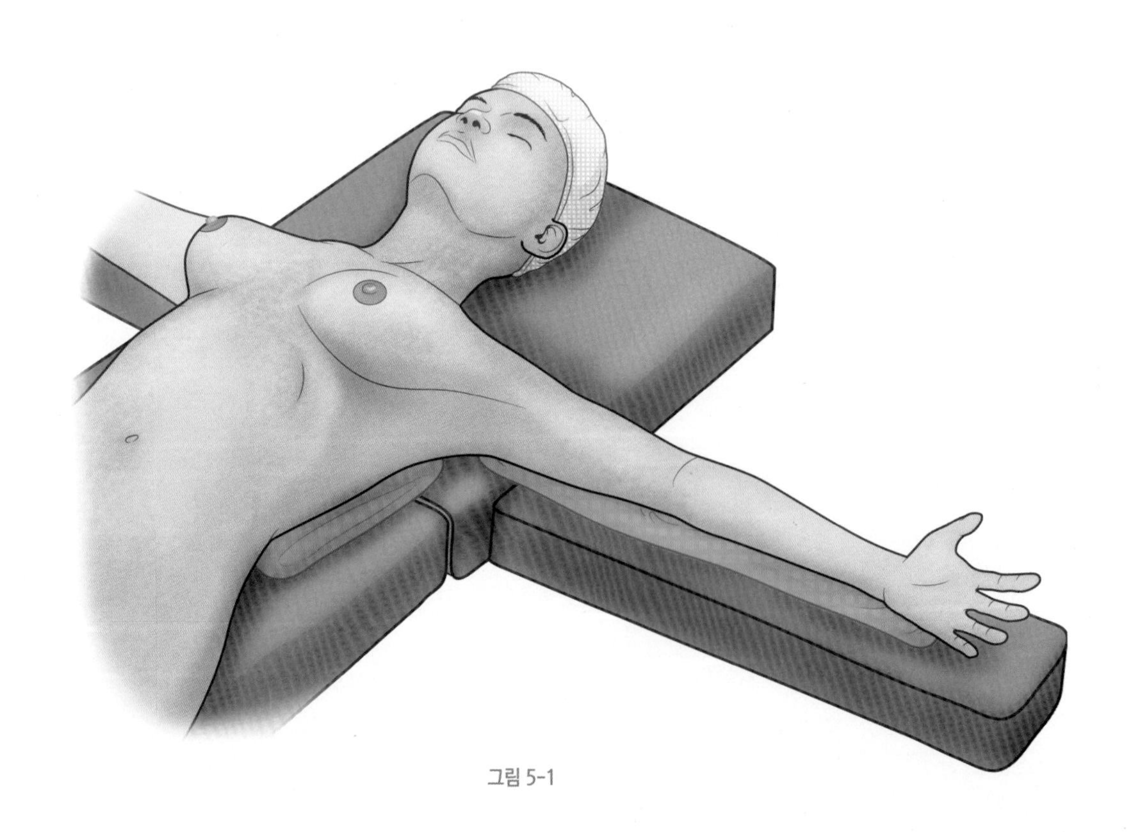

그림 5-1

4. 마취

1) 국소마취로 대부분의 유방 절제 생검은 가능하고, 필요에 따라 진정제를 투여할 수 있다. 하지만 병변이 크기가 크거나, 개수가 많은 경우, 그리고 환자의 상태와 선호에 따라서는 전신마취를 하기도 한다.

2) 국소마취제를 투여하기 전에 반드시 만져지는 병변의 위치와 절개선을 피부에 표시한다. 종괴가 작은 경우에는 국소 마취제 투여 이후 위치가 변하거나 잘 만져지지 않을 수 있으므로 국소마취 전에 위치를 확실히 파악하고 표시해 두어야 한다.

3) 국소마취는 주로 1% 리도카인(lidocaine)을 사용하여 절개선과 병변 주변에 투여한다. 리도카인과 에피네프린 혼합하여 사용할 경우, 일시적으로 혈관을 수축시켜 지혈이 된 것처럼 보이게 하나 수술 후 재출혈의 위험성을 높일 수 있으므로 사용하지 않는 것이 좋다.

5. 피부절개 및 노출

1) 피부 절개 시 고려할 사항

피부절개는 병소의 위치, 크기, 개수 그리고 이전 총 생검의 병리 소견 등을 고려하여 결정한다.
기본적인 피부절개선의 방향은 유방의 랑거 선(Langer's line)이나 피부긴장풀림선(relaxed skin tension line, RSTL)과 일치하는 방향으로 한다(그림 5-2).

2) 유방 병변의 위치에 따른 피부절개

(1) 유방의 상부병변

유방의 랑거 선이나 RSTL를 따라서 절개를 넣는다.

(2) 유방의 중앙부

유두-유륜부에 인접한 병변의 경우 유륜환상 절개(circumareolar incision)을 이용한다.

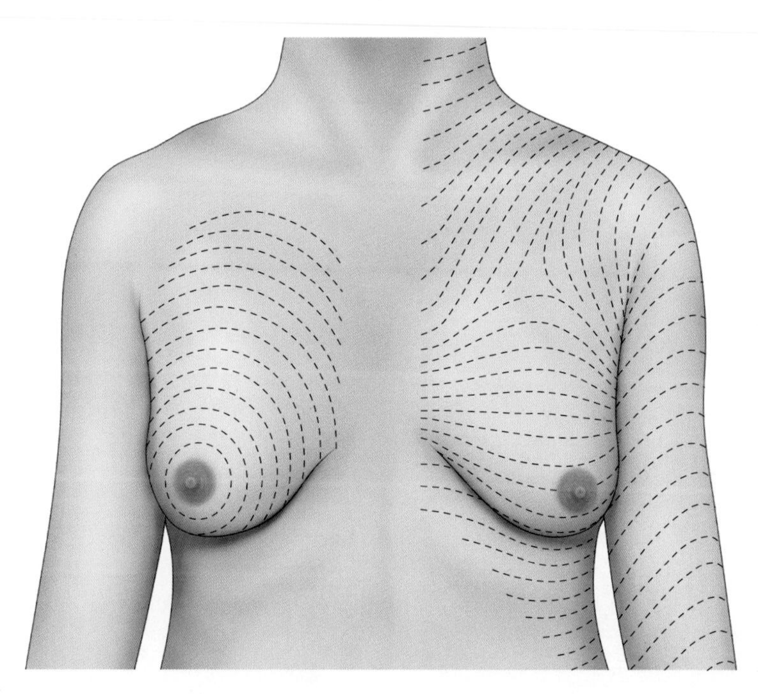

그림 5-2

(3) 유방의 하부

랑거선이나 피부긴장풀림선을 이용하거나 절제 범위가 큰 경우에는 유방의 변형이 생길 수도 있어서 방사형으로 피부절개를 넣기도 한다(그림 5-3).

3) 영상소견이나 이전 조직검사 결과에 다른 피부절개

(1) 섬유선종에 합당한 경우

주변조직을 포함하지 않고 종괴만 제거(enucleation)하면 되므로 대부분의 섬유선종의 경우 유륜환상절개를 통해서 절제가 가능하다.

크기가 큰 섬유선종은 위치에 따라서는 액와(transaxillary incision)나 유방밑주름(inframammary fold incision)를 이용한 절개를 하기도 한다.

(2) 섬유선종이 아닌 정확한 진단이 필요한 병변

피부절개는 가능한 병변의 위치 위에 하고 피부 밑에 터널링(tunneling) 하지 않도록 한다. 악성이 의심되는 경우에는 향후 이차적인 암 수술 가능성도 고려하여 피부 절개선을 선택해야 한다.

흉골 주위의 절개는 비후성 반흔을 남기는 경우가 많으므로 피하도록 한다.

4) 유방실질의 절개

많은 유방의 병변들이 유방의 유관계를 따라 발생하고 이러한 유관계는 유두를 중심으로 방사형을 이루고 있다. 그러므로 유방 실질을 절제 시에도 이에 따라 가급적 유관계의 모양을 따라 유관계 방사선 절개로 방향으로 절제한다(그림 5-4).

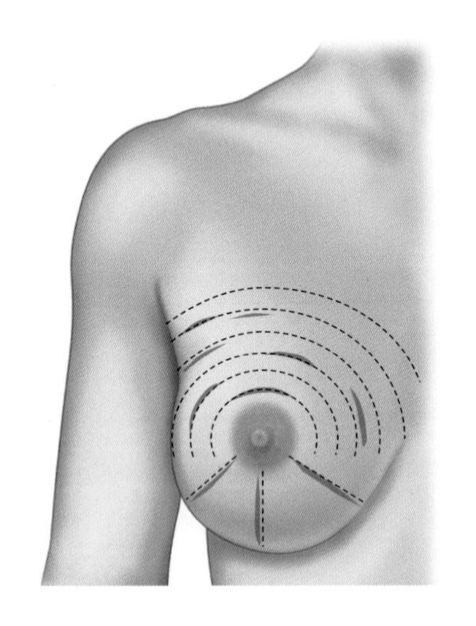
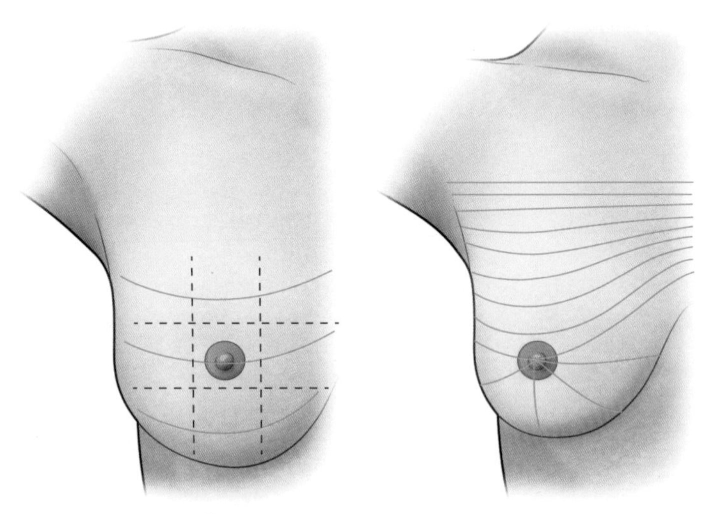

그림 5-3

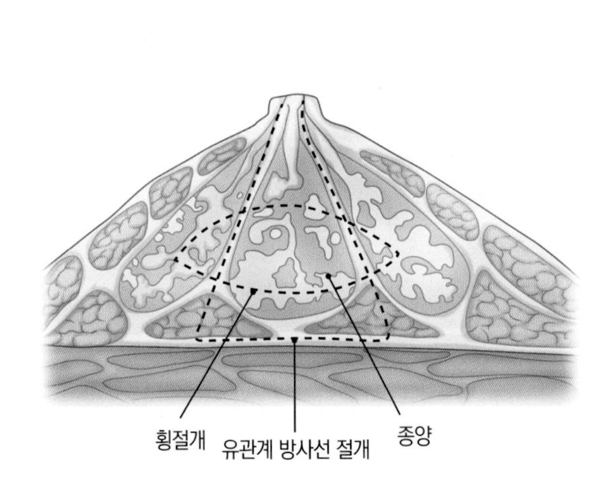

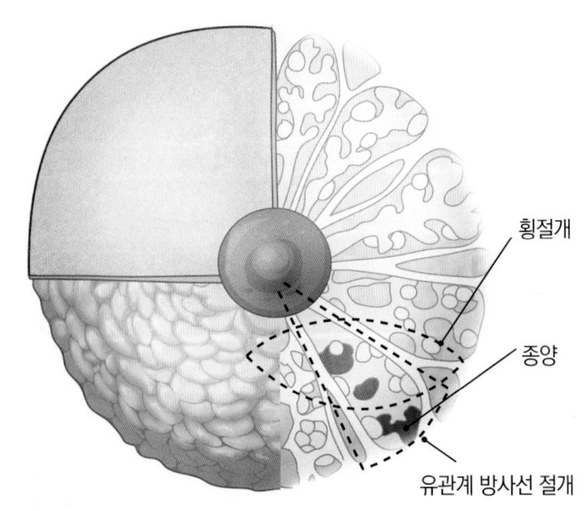

그림 5-4

6. 수술 과정

1) 마취가 된 것을 확인한 후 15번 메스를 이용하여 피부를 절개한다. 전기소작기를 이용하여 지혈하며 피하지방층을 절개하며 유방실질까지 내려간다(그림 5-5, 6, 7).

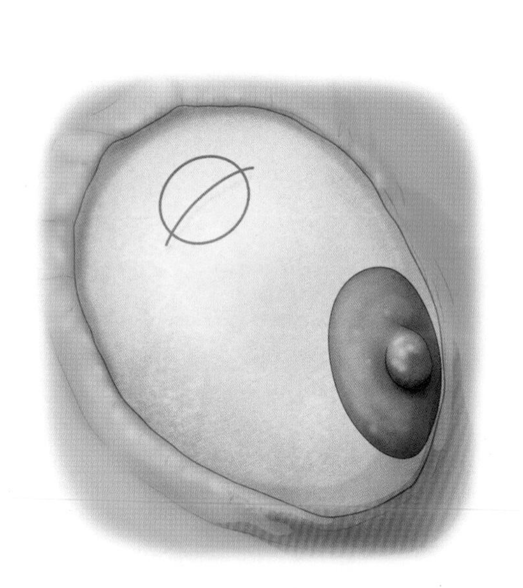

그림 5-5

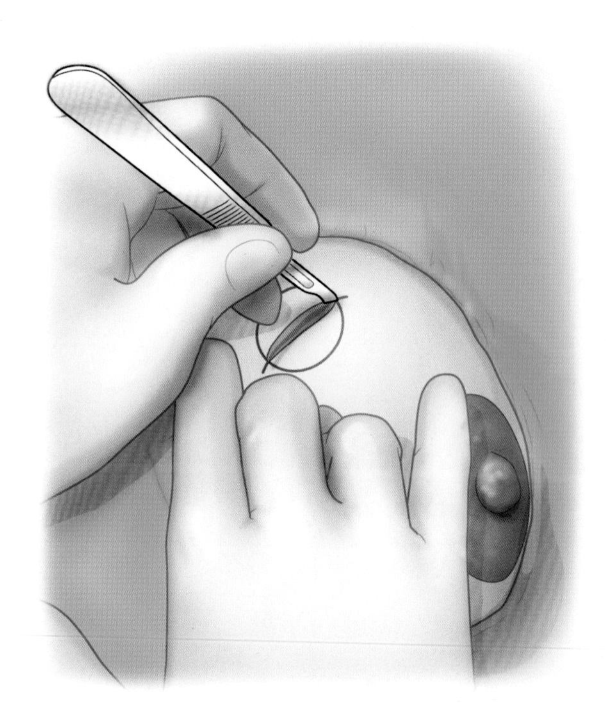

그림 5-6

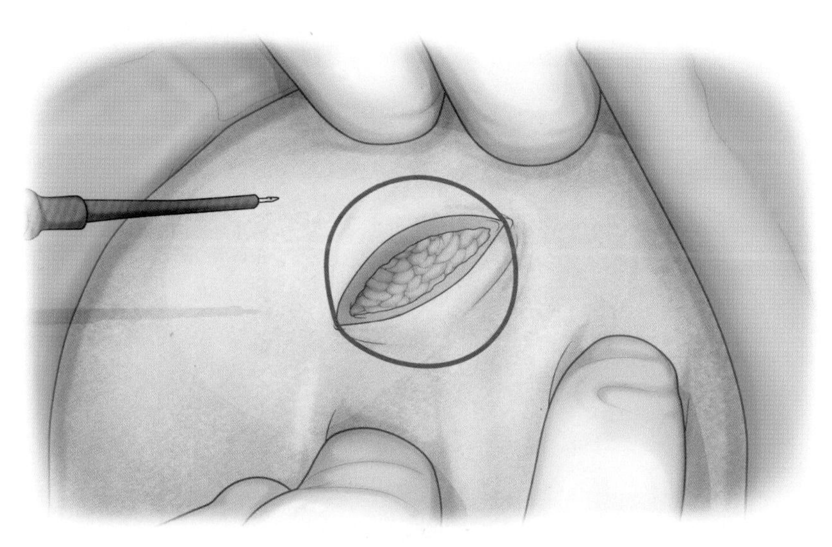

그림 5-7

2) 병변이 촉지되는 방향을 따라 아래로 박리하여 유방실질을 절개하여 병변을 노출시킨다(그림 5-8).
피부와 가까운 병변의 경우에는 가능한 피하지방층을 보존해야 좋은 미용적 효과를 얻을 수 있다.

3) 절개창 길이에 맞는 적절한 견인기를 사용하여 유방실질을 벌리면서 종괴까지 박리를 진행한다.

4) 병변 주변의 박리와 절제 범위

(1) 섬유선종에 합당한 경우

① 주변조직을 포함하지 않고 종괴만 제거(enucleation) 하면 되고 정상조직을 포함할 필요가 없다.

② Tenaculum clamp나 silk stich로 종괴를 견인하면서 주위 정상 조직과 완전히 분리한다. 이때 종괴가 파열되지 않도록 유의한다(그림 5-9).

③ 섬유선종은 주변조직을 밀면서 자라기 때문에 절제 후 빈 공간에 대한 유방실질의 봉합이 필요하지 않다.

(2) 섬유선종이 아닌 정확한 진단이 필요한 병변

① 병변 주변을 전기소작기를 이용하여 절제 시에는 열로 인한 조직손상은 병리조직학적 판단, 특히 절제연 판단, 을 어렵게 할 수 있으므로 가급적 메스나 수술용 가위를 사용을 권고한다.

② Tenaculum clamp를 이용하여 병변 주변 유방조직을 견인하면서 주위 정상 조직과 분리한다. 이때는 병변 부위를 직접 clamp로 잡지 않도록 주의한다(그림 5-10).

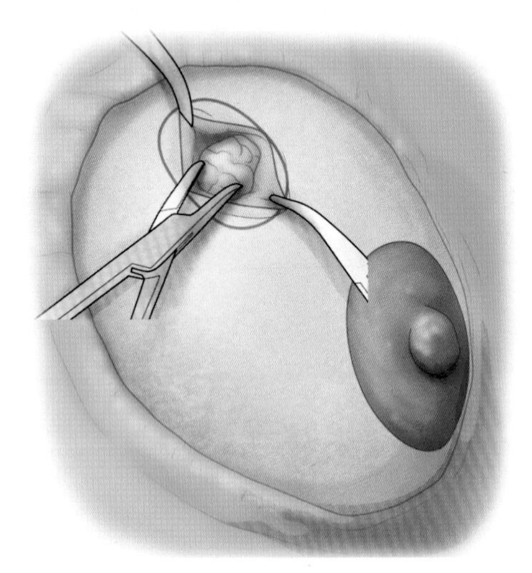

그림 5-8

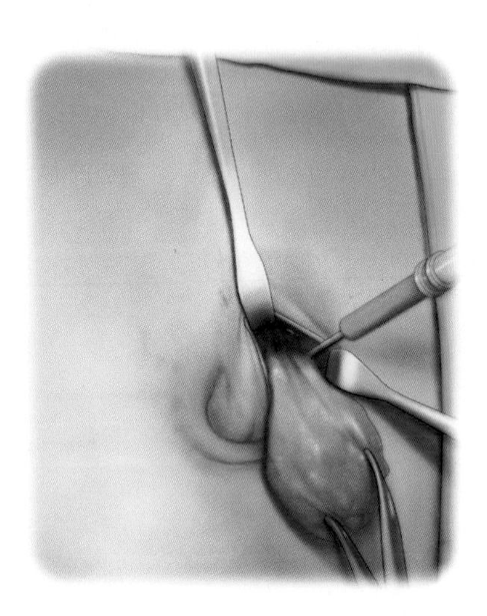

그림 5-9

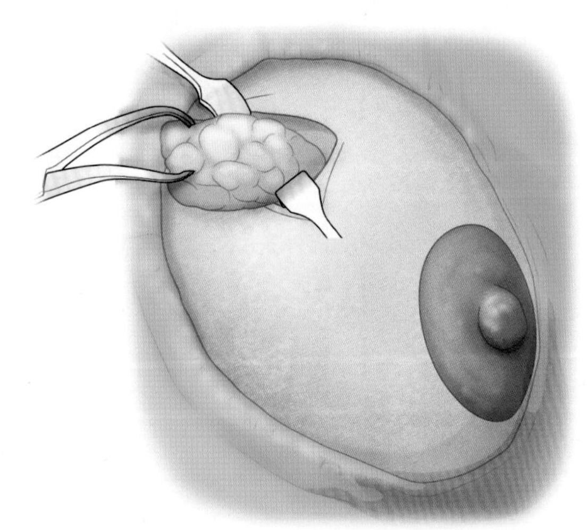

그림 5-10

③ 악성이 의심스러운 병변이면 주위 정상 조직을 1 cm 가량 포함하여 종양을 절제한다.

④ 절제된 검체는 병리조직검사에서 구분이 용이하도록 최소 2군데에 봉합사를 이용하여 검체의 방향을 표시한다. 상부는 짧은 봉합사(Superior-Short, SS)로, 외측은 긴 봉합사(Lateral-Long, LL)으로 표기하기도 한다(그림 5-11).

⑤ 병변이 제거한 후 전기소작기를 이용하여 완벽하게 지혈하고 제거된 부위는 혹시 다른 병변이 남아있는지 확인한다. 적절한 지혈이 이루어졌다면 일반적으로 배액관 삽입은 필요하지 않다(그림 5-12).

⑥ 대부분의 경우 유방실질의 봉합은 필요하지 않지만, 절제된 조직이 많아 피부함몰이나 유방의 변형이 예상이 될 경우 유방 결손부위를 봉합한다.

5) 절개창은 단일 흡수성 봉합사를 이용하여 피부밑봉합(subcuticular interrupted or running s suture)을 시행한다. 절개창이 클 경우 2중으로 봉합한다. 피부는 피부 접합용 테이프나 봉합용 피부접착제를 이용하여 접합시킨 후 수술 부위를 드레싱을 시행하고 수술을 종료한다(그림 5-13, 14, 15).

7. 수술 후 관리

수술 후 합병증으로 혈종, 장액종, 감염 등이 생길 수 있다.

수술 후 통증 조절을 위해 진통제 처방이 필요하고 충분한 압박으로 유방을 지지해주는 스포츠 브라 또는 외과용 브라(surgi bra) 착용이 통증에 도움을 줄 수 있다.

병리결과를 반드시 확인하여 추후 치료방향을 결정해야 하며, 3~6개월 후에 영상검사를 시행하여 잔여 병소나 재발 여부를 확인한다.

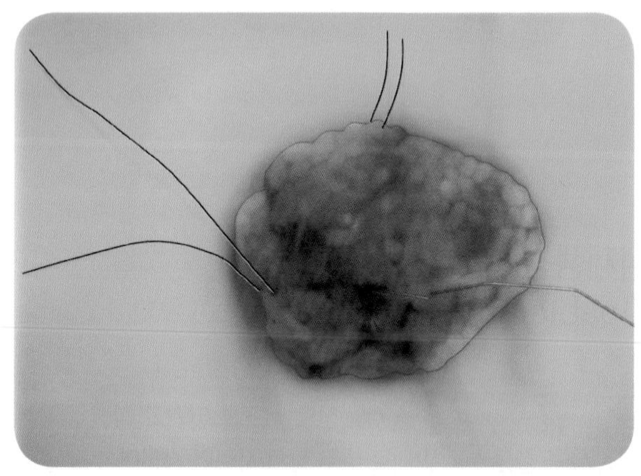

그림 5-11 절제 생검 검체의 방향 표시 사진(바늘위치결정술을 이용한 절제생검). 다양한 방법으로 방향을 표시할 수 있으나 위의 경우는 상부는 짧은 봉합사(Superior-Short, SS)로, 외측은 긴 봉합사(Lateral-Long, LL)로 표기하였다.

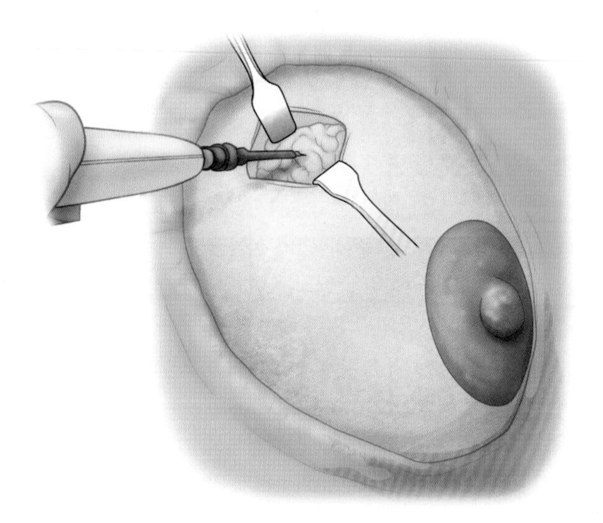

그림 5-12

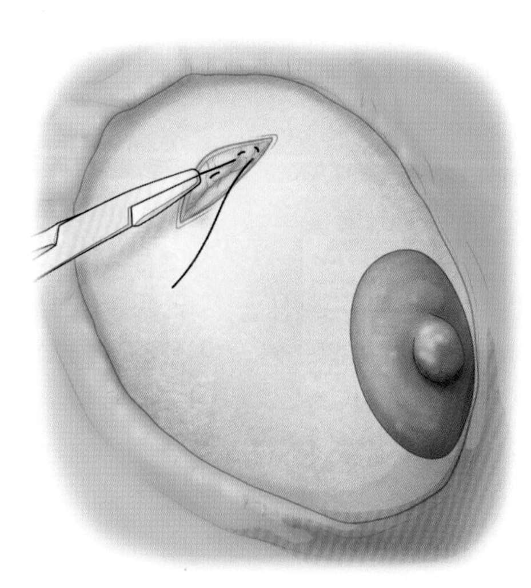

그림 5-13

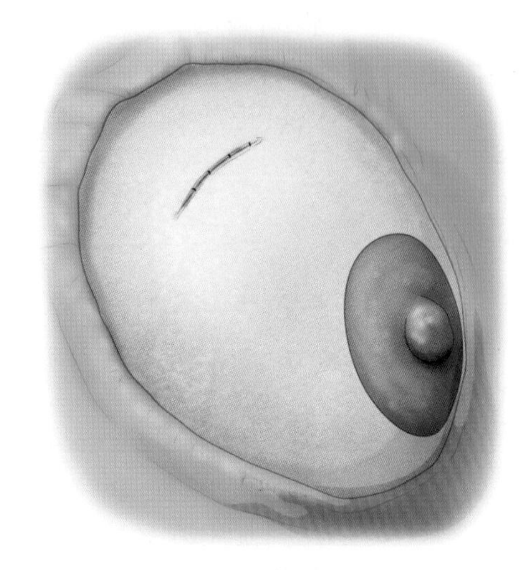

그림 5-14

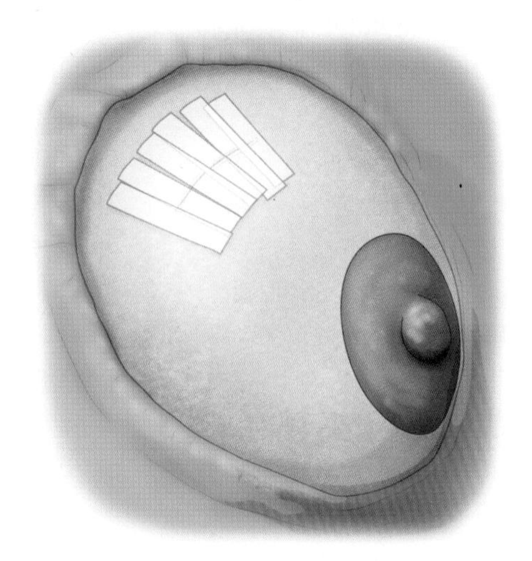

그림 5-15

II. 촉지되지 않는 유방병변의 바늘위치결정술을 이용한 절제생검 (Needle localization excisional biopsy of non-palpable breast lesions)

1. 적응증

촉지가 되지 않는 유방병변 절제생검의 적응증은 병변이 만져지지 않아서 바늘위치결정술이 필요할 뿐 촉지되는 유방병변의 적응증과 동일하다. 주로는 악성이 의심되는 미세석회소견이나 만져지지 않는 의심스러운 병변이 피부에 너무 가깝거나, 흉벽에 가깝게 위치하여 정위입체적 생검(Sterotactic biopsy)이나 PBB가 어려운 경우, 그리고 정위입체적 생검이나 PBB 설비 등의 문제로 가능하지 않은 경우에 시행하게 된다.

2. 수술 전 처치

수술 전 국소 마취 하에 영상검사(유방촬영술 또는 유방초음파)를 유도하 병소에 대해 바늘위치결정술이 필요하다.

바늘위치결정술에는 바늘 Needle, 유구 강선 hook wire, 그리고 가역성 만곡강선 curved retractable wire가 주로 사용된다.

영상의학과 의사와 외과의사는 수술방법, 절개선, 그리고 추후 추가적인 수술적 치료 여부 등에 대해 충분한 논의가 있어야 한다.

외과의사는 수술 전 강선의 피부통과 지점, 병변의 위치, 그리고 강선 끝부분의 위치에 대한 충분한 이해와 확인이 필요하다.

강선이 수술 전에 빠지지 않도록 skin tape나 전용 고정장치 등을 이용하여 강선을 잘 고정해야 한다(그림 5-16).

Drape 전에 강선 주변의 고정장치와 드레싱을 제거한다. 강선이 너무 길게 남아 있으면 drape 중 빠질 위험이 있으므로 피부 위로 3~4 cm 정도 남도록 남기고 강선을 자른다. 반대로 너무 짧게 자르면 강선이 수술 도중 유방조직 내로 말려 들어가서 찾기 어려울 수 있으므로 유의한다. 강선이 빠지지 않도록 주의하여 drape을 시행한다.

3. 마취와 환자 자세

촉지 가능한 병변의 절제생검과 동일함.

4. 절개 및 노출

피부절개는 기본적으로 촉지되는 병변의 절제 생검의 원칙과 동일하다.

다만 피부의 절개선 위치는 강선의 피부통과 지점이 아닌 병소의 위치를 기준으로 하며 미용적인 측면을 고려하여 결정한다(그림 5-17).

5. 수술과정

1) 수술과정은 기본적으로 절제생검과 동일하다.

2) 피부절개 후 강선의 피부통과 지점을 향해 피하지방층과 유방조직 사이를 박리하여 강선이 피부를 통과하여 유방조직으로 들어가는 것을 확인한다(그림 5-18).

3) 강선을 확인한 후 유방조직으로 들어가는 강선부위가 빠지지 않게 고정한 후 피부 밖의 강선을 수술 부위 안쪽으로 빼어 낸다(그림 5-19).

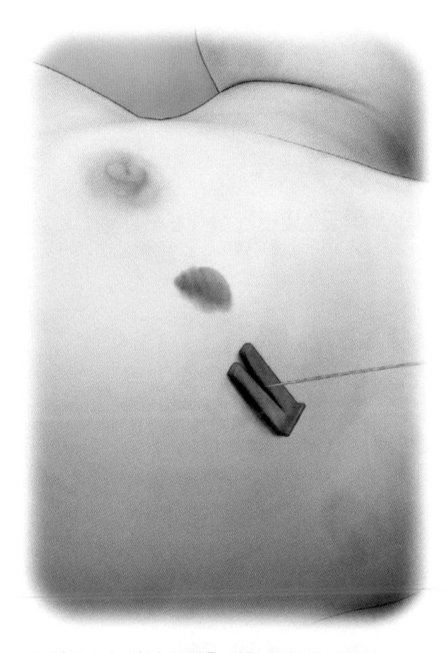

그림 5-16 강선 고정을 의한 전용 고정장치

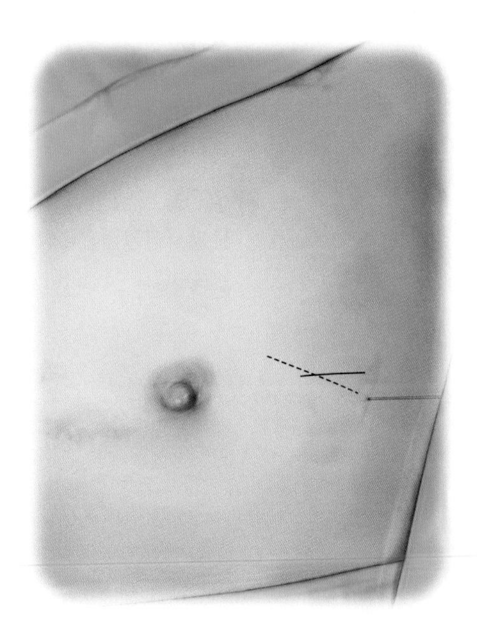

그림 5-17 바늘위치결정술을 이용한 절제생검에서 피부절개선. 실선은 병소의 위치에 따른 피부절개선, 점선은 강선의 방향을 표시한다.

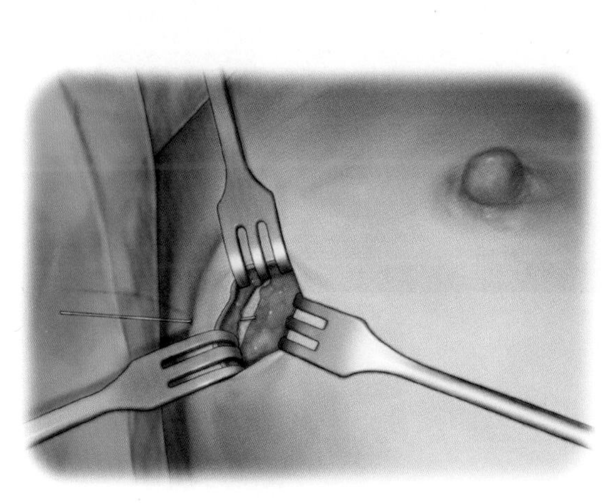

그림 5-18

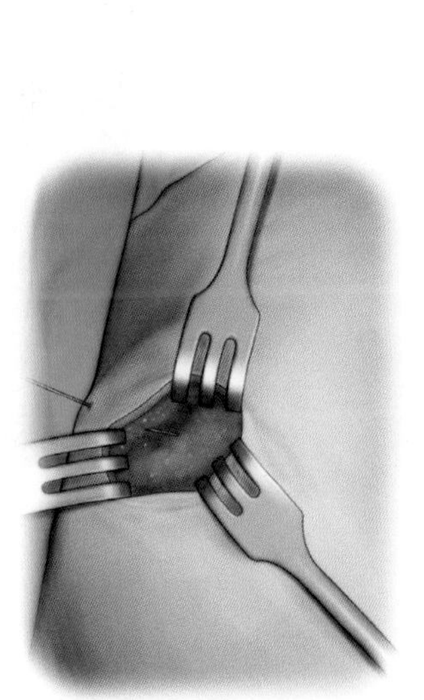

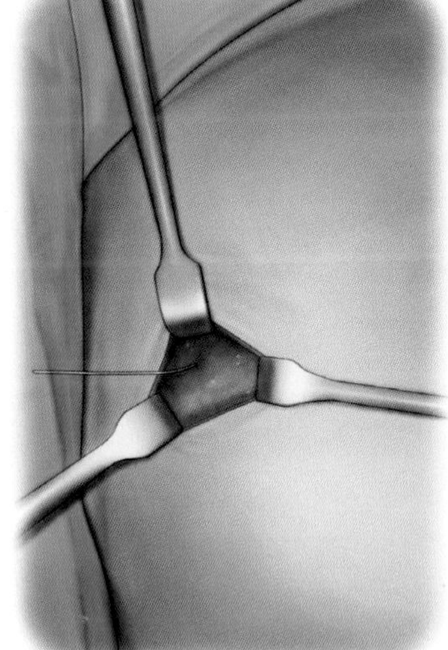

그림 5-19

4) 주변을 박리하여 강선이 유방조직으로 들어가는 부위가 수술창의 중앙부위에 오도록 한다.

5) 강선과 주변유방조직 일부를 포함하여 조심스럽게 Allis clamp를 이용하여 잡는다 이때 강선만 잡거나 주변유방조직만 잡을 경우 유방조직을 견인 시에 강선이 빠질 수 있다.

6) 병소를 중심으로 대략 1 cm 정도의 절제연을 두고 박리를 하되 강선을 중심으로 원통형으로 절제하는 것이 절제된 검체 내부에 병소가 포함되지 않거나 불완전하게 제거되는 것을 피할 수 있다. 강선의 끝으로 갈수록 조직의 양이 적어지는 원뿔형으로 절제할 경우 병소가 포함되지 않을 가능성이 높아짐으로 유의한다(그림 5-20).

7) 원통형으로 절제된 조직을 들어올리면서 강선을 중심으로 병소 주변을 박리하며 내려간다. 중간중간 조직을 만져보면서 박리하는 사이에 강선이 밖으로 노출되지 않도록 주의한다.
병소가 여유있게 포함될 수 있도록 강선의 끝이 포함되도록 제거한다.

8) 절제된 검체는 최소 2 방향에 봉합 또는 클립으로 검체의 방향을 표시한다.

9) 강선을 그냥 둔 채로 검체유방촬영술 표본방사선촬영술(specimen mammography)을 시행하여 수술 전 영상 검사와 비교하여 병소가 떼어낸 조직에 포함되었는지, 적절한 절제연이 확보되었는지 확인한다(그림 5-21).

10) 병소가 악성이 의심되는 상황이라면 추후 방사선치료 등을 고려하여 수술부위에 클립으로 표시한다.

7. 봉합

촉지 가능한 병변의 절제생검과 동일함.

8. 수술 후 관리

촉지 가능한 병변의 절제생검과 동일함.

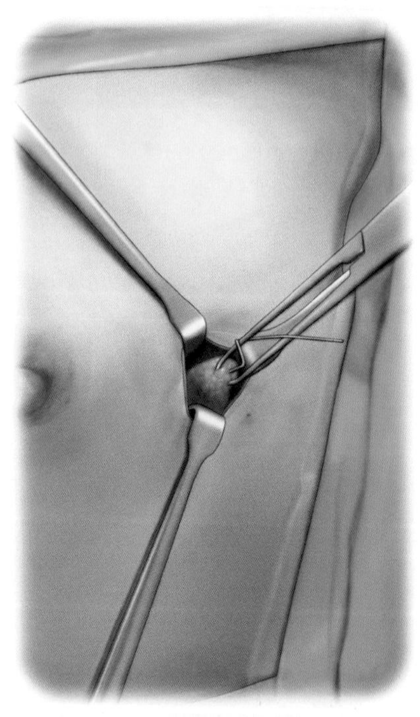

그림 5-20

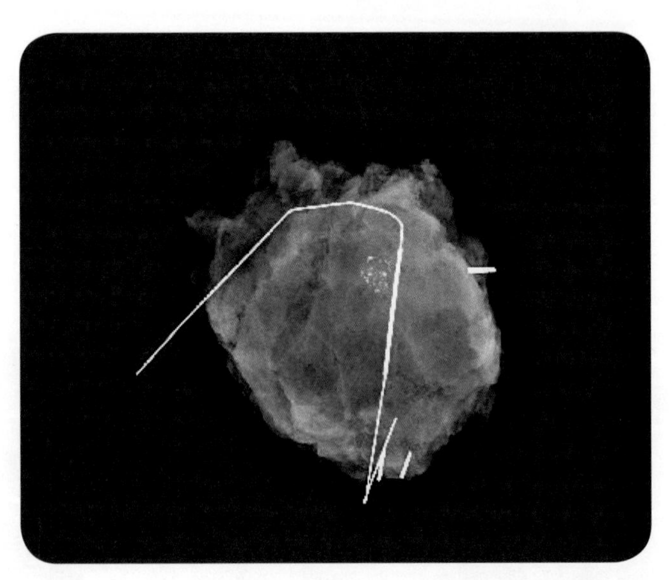

그림 5-21

III. 미세유관 절제술(Microdochectomy)

1. 적응증

병적 유두 분비물(편측, 단일유두관, 자발적이고 지속적인, 혈성 또는 장액성 분비물)이 있는 환자에서 진단적 그리고 치료적 목적으로 시행될 수 있다.

임산부나 수유기 여성의 유즙 분비나 비수유기 여성의 생리적 유두분비물의 경우는 적응이 되지 않는다. 약물복용이나 고프로락틴혈증, 갑상선기능저하증 등으로 인한 젖흐름증, 유즙분비증(galactorrhea)의 경우에도 적응이 되지 않는다. 이미 유방암으로 진단된 경우의 병적 유두 분비물도 적응이 되지 않는다.

미세유관 절제술은 최소한의 병변 만을 절제하여, 특히 젊은 가임기 여성에서 추후 수유가 가능할 수 있게 한다는 장점이 있다. 만약 분비물이 나오는 유관을 찾을 수 없거나 여러 유두관에서 분비물이 있는 경우에는 정확한 진단과 치료를 위해 완전 유관절제술(total duct excision)을 시행하기도 한다.

2. 수술 전 처치

영상검사 특히 유방초음파를 통해 확장된 유관과 유관내 병변의 위치와 방향을 확인한다.

3. 마취와 환자 자세

촉지 가능한 병변의 절제생검과 동일함

4. 수술 준비

분비물이 나오는 유관을 확인하기 위해 유관소식자(lacrimal dilator), 24G 또는 26G IV 카테터 그리고 생체 염료(메틸렌 블루, 인디고 카르민 등)를 준비한다.

5. 절개 및 노출

1) 유방의 말초부위에서 유두방향으로 천천히 압박하여 분비물이 나오는 유두관을 확인한다. 단일 유두관을 확인하면 가장 가는 유관소식자를 유두관에 탐침한다(그림 5-22).

그림 5-22

소식자를 탐침하는 이유는 유두관 개구부를 확장시켜서 생체염료의 주입을 용이하게 하고 병변부의 유선관의 방향을 확인하기 위해서이다. 가장 가느다란 유관소식자부터 시작해서 점차 굵은 소식자를 탐침하여 유두관의 개구부를 확장시킨다. 개구부의 확장을 목적으로 탐침할 때는 소식자를 너무 깊이 전진시키지 않아야 하며, 유관이 손상되지 않게 조심스럽게 확장시켜야 한다(그림 5-23).

2) 소식자를 제거한 후에 24-26G IV 카테터를 연결된 주사기를 이용하여 생체염료를 1~2 cc 정도 유관 내로 천천히 주사한다. 이때 염료를 너무 많이 또는 세게 주입하면 유관이 손상되어 주변 유방조직으로 누출이 되고 병변이 있는 유관을 구별하기 어렵게 되므로 주의해야 한다(그림 5-24).

3) 적정량의 생체염료를 주입하고 난 후에는 유두를 잡은 상태로 가볍게 당겨서 마사지하여 염료가 유관에 잘 착생되고 말초부위로 퍼져갈 수 있게 한다.

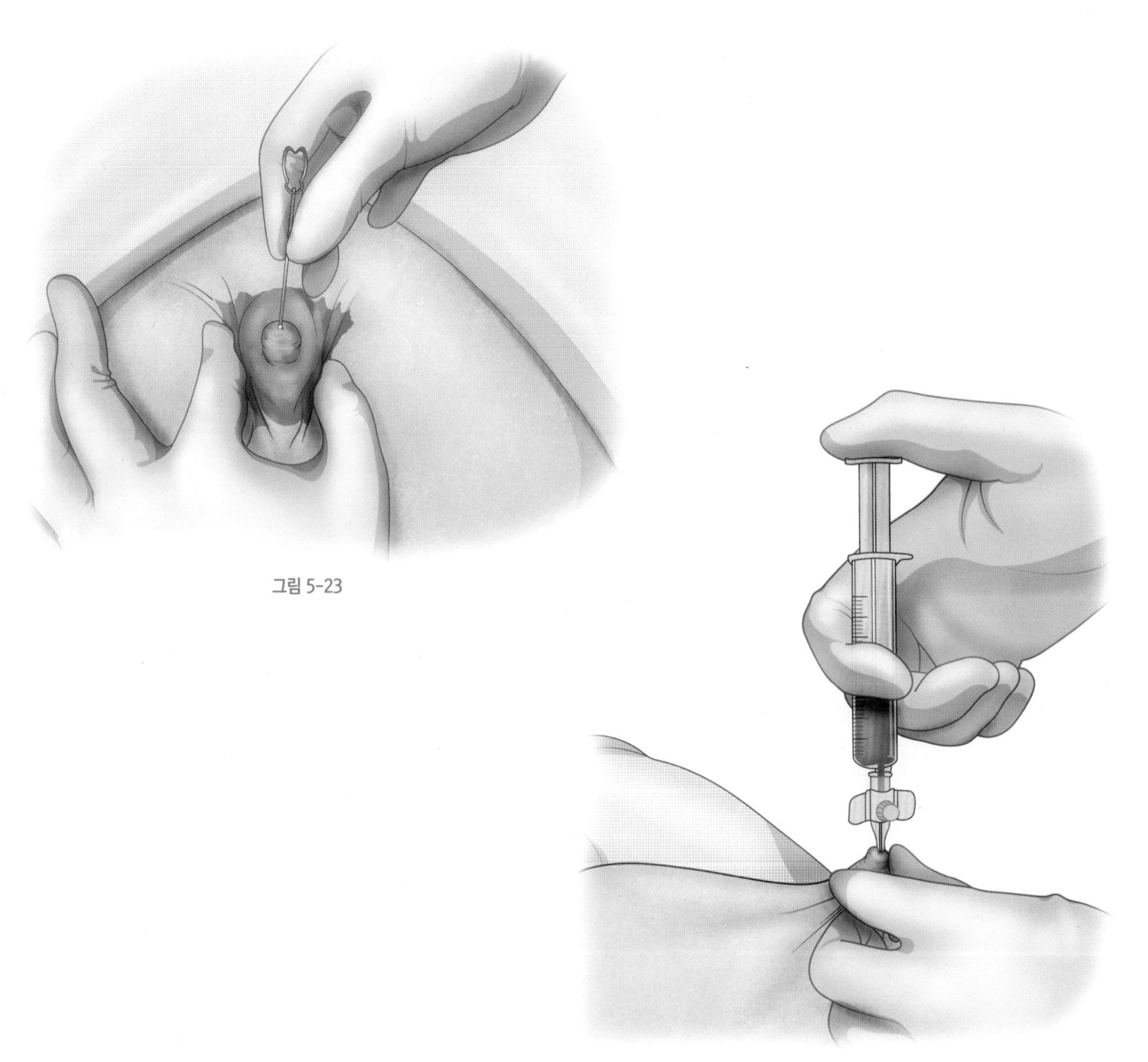

그림 5-23

그림 5-24

4) 병변이 있는 유관의 위치와 방향을 고려하여 해당 방향으로 유륜 주위 피부를 절개한다. 이때 가장 가느다란 소식자를 다시 삽입하여 유관의 방향을 확인하는 것이 도움이 된다(그림 5-25).

5) 피부견인기를 이용하여 유륜하 피부 피판을 들어올리고 유두방향으로 박리하여 생체 염료로 착생된 유관을 확인한다. 착생된 유관 주위를 박리하여 분리할 때는 유관과 평행한 방향으로 박리여 주변 유관과 혈관 손상을 피하도록 한다(그림 5-26).

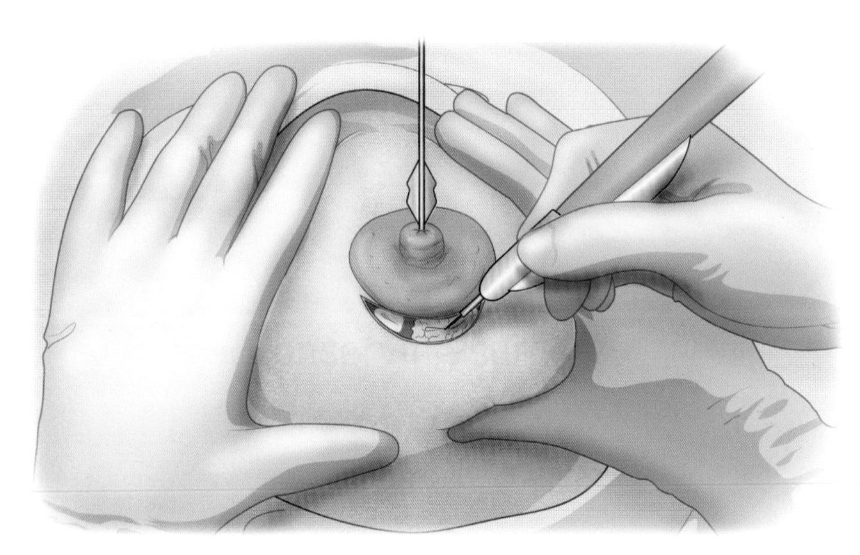

그림 5-25

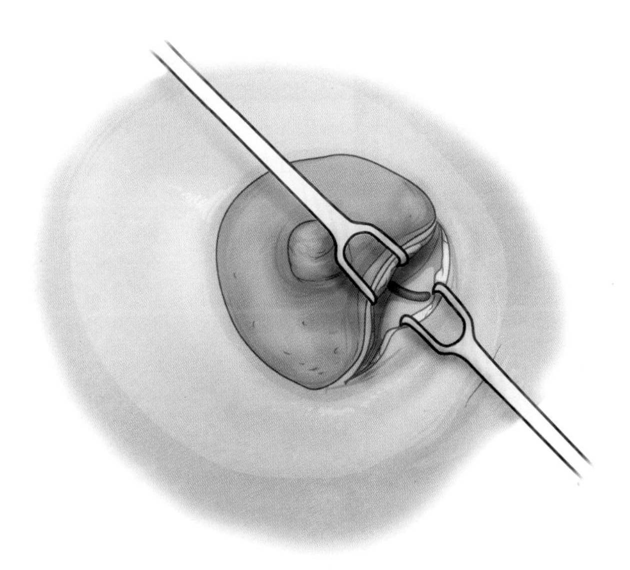

그림 5-26

유두 아래 인접한 부위에서 착색된 유관을 완전히 분리하고 근위부에서 결찰하고 절제한다(그림 5-27).

6) 착색된 유관을 잡고 당기면서 원위부 방향으로 유관을 중심으로 주변 유방조직을 포함하여 5~6 cm 정도 박리한 후에 절제한다(그림 5-28).

7) 병변을 제거한 후 유두와 유륜 주위를 눌러서 분비물이 나오지 않는 것을 확인한다. 절제된 조직은 병리검사를 위해 실을 이용해 방향을 표시한다.

8) 수술 부위는 세심하게 지혈하고 세척한다. 유방조직의 봉합은 필요하지 않은 경우 대부분이나 절제된 조직이 많아 유방의 변형이 예상이 되거나 유두의 함몰이 우려될 경우에는 유방실질의 결손부위를 봉합한다.

6. 봉합

촉지 가능한 병변의 절제생검과 동일함.

7. 수술 후 관리

촉지 가능한 병변의 절제생검과 동일함.

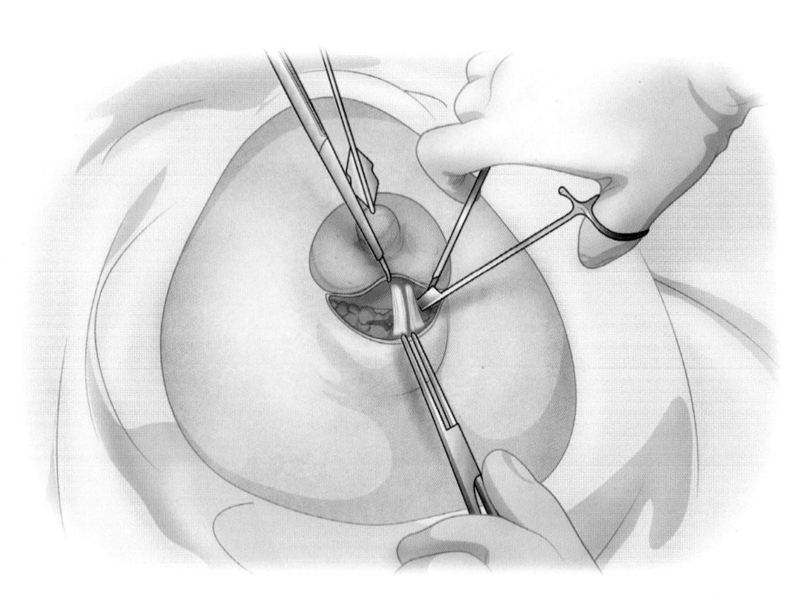

그림 5-27

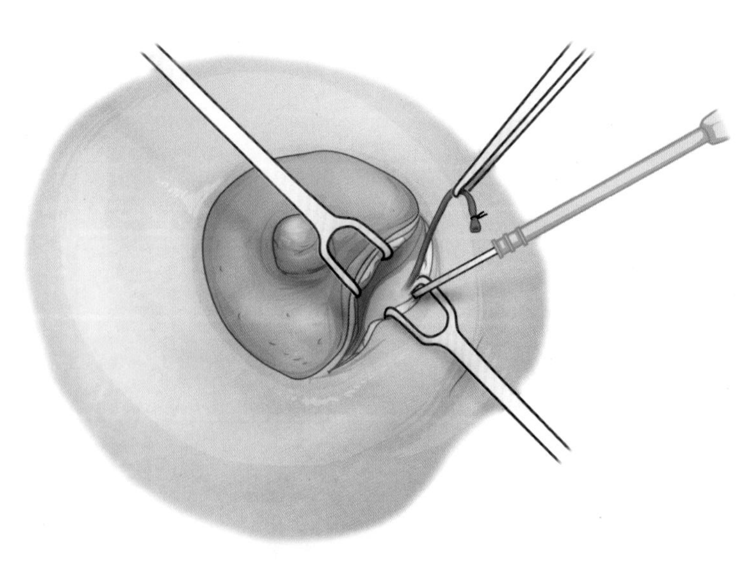

그림 5-28

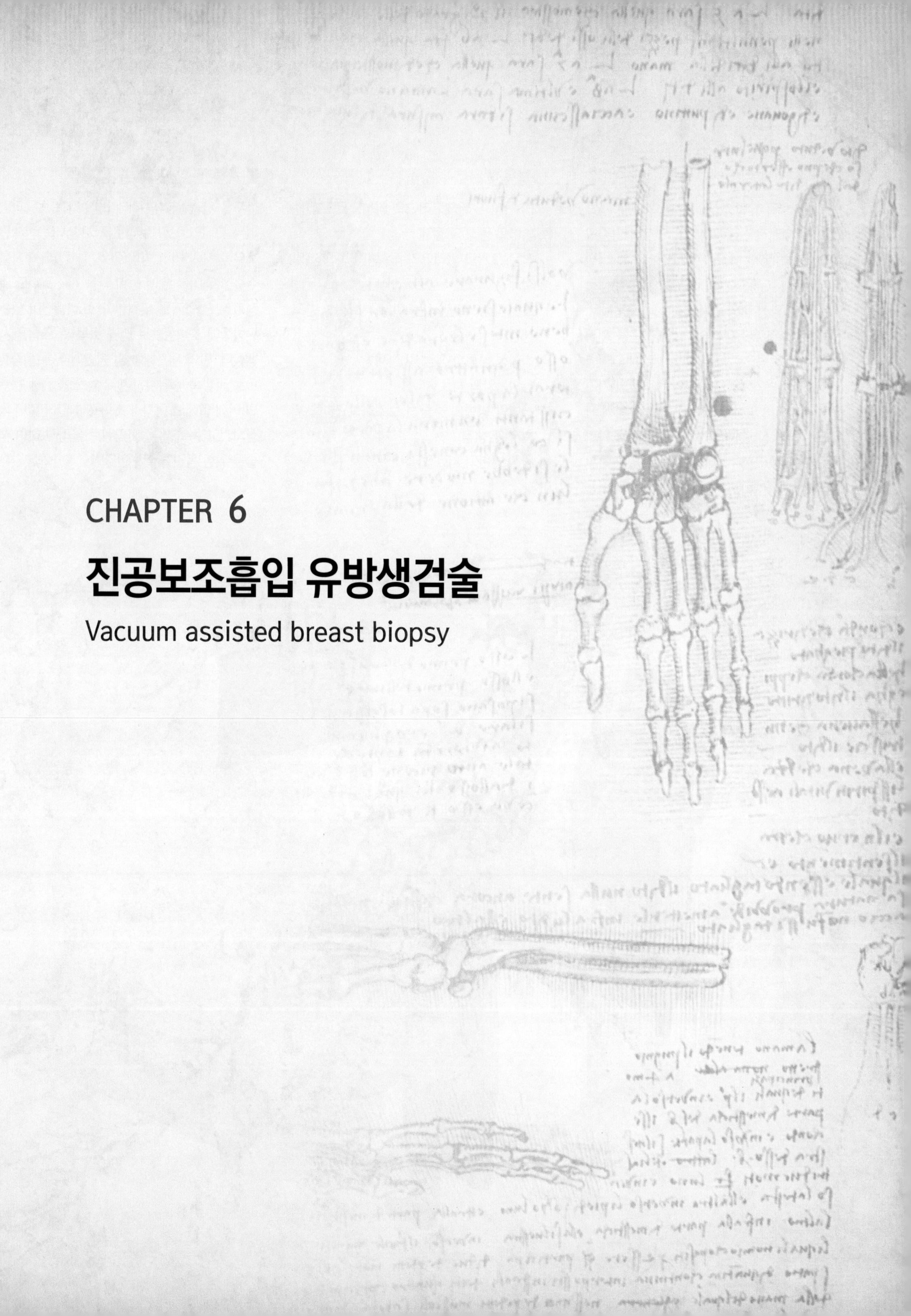

CHAPTER 6

진공보조흡입 유방생검술

Vacuum assisted breast biopsy

1. 서론

진공보조흡입 유방생검술은 1990년대 개발되어 전 세계적으로 시행되고 있으며 기존의 중심생검술(core biopsy)에 비해 더 큰 바늘(7G, 8G, 11G)을 사용하여 유방 병변의 생검 또는 작은 양성 종양을 제거하는데 사용된다. 진공보조흡입 유방생검술은 섬유선종을 제거하기 위한 목적으로 FDA (미국) 및 NICE (영국)에 의해 승인되었으며 다양한 종류의 기기들이 개발되어 임상에 사용되고 있다. 함께 사용되는 영상 장비에 따라 정위 생검용, 초음파 유도하, 자기공명 유도하 장비 등이 있으며 본 챕터에서는 맘모톰(Mammotome)을 이용한 초음파 유도하 진공보조흡입 유방생검술에 대해 서술할 예정이다.

2. 적응증

- BI-RADS 카테고리 3의 양성으로 보이는 병변의 생검 및 절제
- 작은 크기의 카테고리 4a 병변의 생검 및 절제
- 초음파상 확인되는 미세석회화병변의 생검
- 복합성 낭종의 생검 및 절제
- 유방농양의 치료
- 유방암 병변의 수술전 보조화학요법을 위한 절개 생검
- 양성 병변의 치료적 절제

3. 환자자세 및 수술 전 처치

환자를 시술 테이블 위에 눕힌 다음 초음파기기는 모니터가 잘 보이도록 시술자의 반대편 혹은 환자의 머리 방향에 위치시킨다. 환자를 수술실 테이블 위에 눕힌 다음 산소포화도 측정기 및 혈압기를 부착한다. 표적병변이 있는 유방쪽에 포비돈으로 멸균 소독 후 드랩을 시행한다. 만약 제거해야 할 병변이 유두를 중심으로 바깥쪽에 위치하면 수술 드랩 전에 동측의 어깨 밑에 스펀지나 소독포를 말아 넣어 거상시키고 동측 팔을 머리위로 올리게 하여 시술을 위한 동간을 확보한다(그림 6-1).

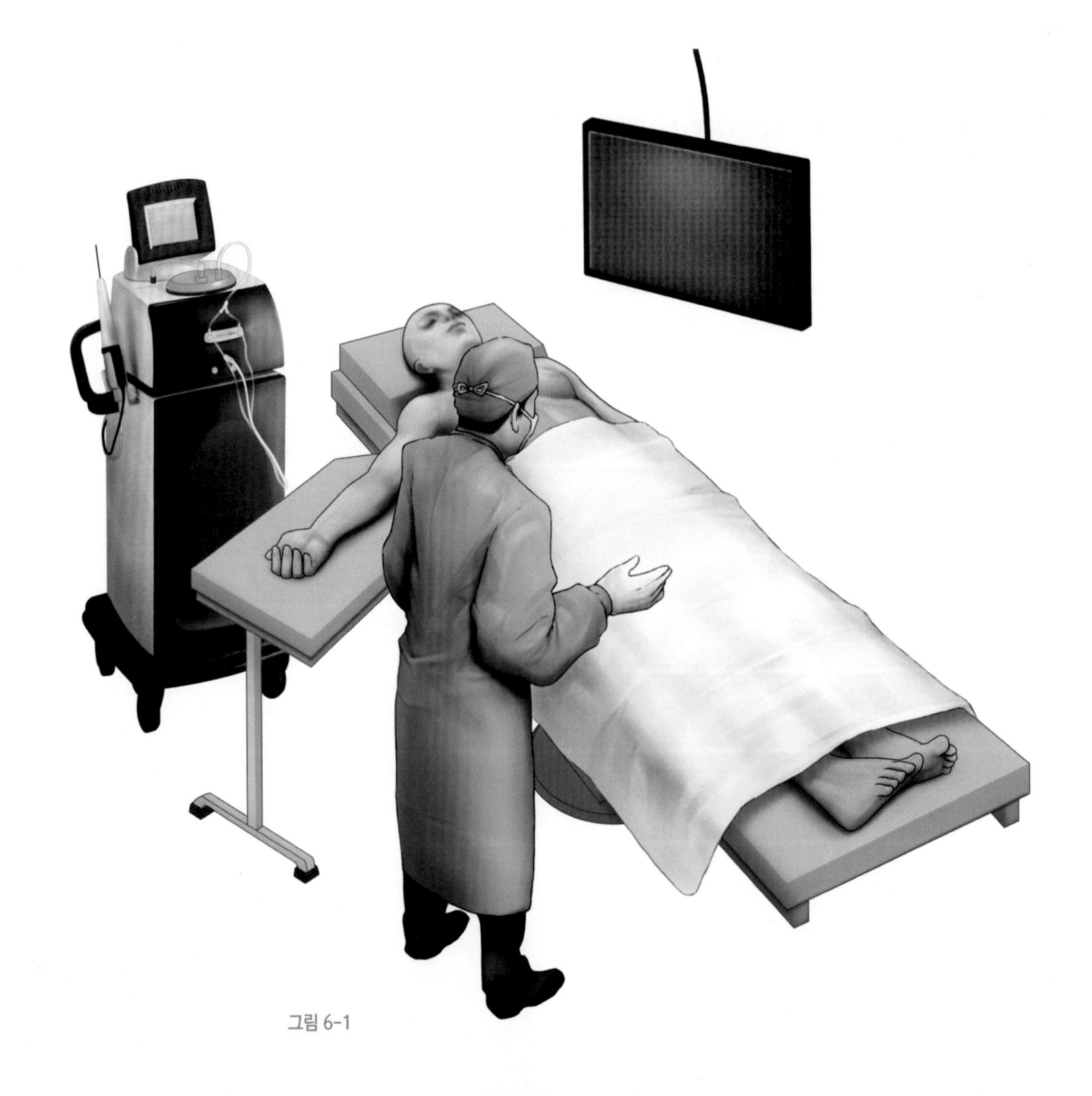

그림 6-1

초음파 탐촉자선과 맘모톰 케이블을 소독된 비닐로 씌운 후 의료기구용 멸균 콘돔으로 탐침의 손잡이와 홀스터를 씌워 고정한다(그림 6-2).

진공보조흡입 유방생검술을 시행하기 전 충분한 진공상태가 작동 되는지를 확인하기 위해 진공 공급원을 확인한다.

회전칼은 개구부를 지나 앞쪽으로 전진시켜 보고 다시 뒤로 표본 채집 방으로 빼내는 행위를 몇 차례 반복하며 테스트한다. 회전칼을 앞으로 전진시켜 개구부를 닫힌 상태로 유지하면 탐침바늘의 준비가 끝난다.

4. 마취

선형 초음파 probe (최소 10 MHz)로 병변의 위치를 확인 후 탐침이 들어갈 자리를 정한 후 피부에 국소마취를 진행한다. 피부에는 피부 괴사를 예방하기 위해 에피네프린이 없는 국소 마취제(1% 리도카인)를 사용한다. 이후 탐침이 삽입될 진행방향을 따라 에피네프린(2%)이 혼합된 국소 마취제를 주입하는데 이를 통해 국소마취제가 더 오래 작용하고 출혈을 최소화할 수 있다. 초음파 가이드 하에 병변 주변에 마취제를 주사하고 마지막으로 병변의 후방에 집중적으로 마취제를 투여한다(그림 6-3). 병변이 흉근과 근접한 경우 충분한 양의 국소마취제를 병변과 흉근 사이의 공간에 잘 주사하게 되면 병변이 앞쪽으로 떠오르는 결과를 가져와 탐침이 삽입될 때 흉근의 손상이 없이 병변의 후방에 정확히 놓여질 수 있으며 완전 절제의 가능성을 높인다. 작은 병변에 대해 너무 많은 마취제를 주사하게 되면 병변의 경계가 불분명해져 절제범위를 정하는데 어려울 수 있으며 추후 불완전 절제에 의한 잔류 조직의 발생가능성이 있다.

표면 마취와 심부 마취에 약 10 ml를 사용하며 초음파 시야를 방해 할 수 있으므로 공기 주입을 피해야 한다.

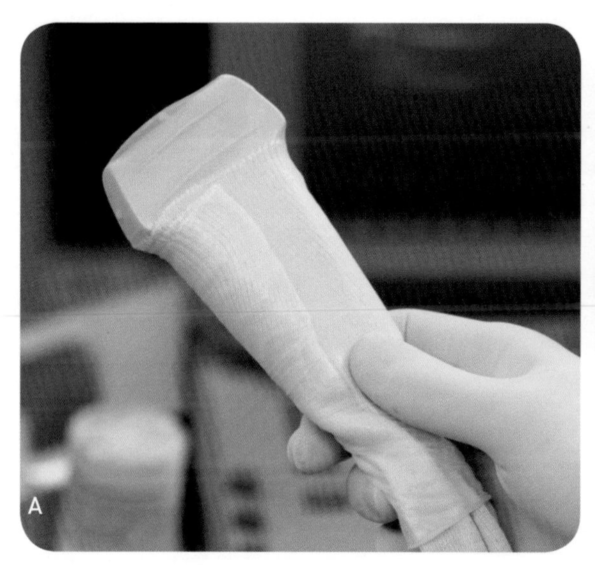

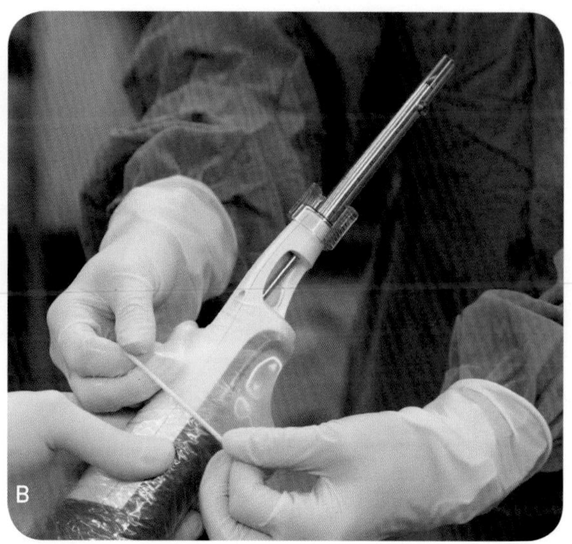

그림 6-2

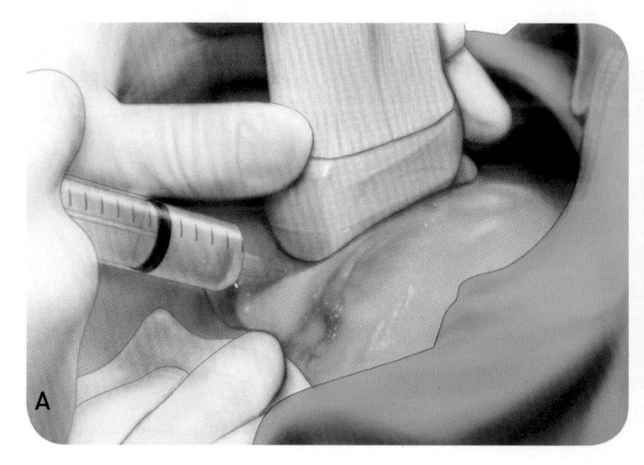

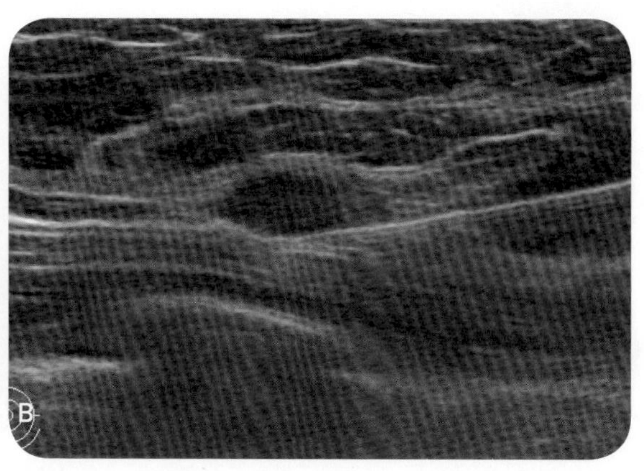

그림 6-3

5. 수술과정

초음파 탐촉자와 1~2 cm 떨어진 피부에 0.5 cm 정도의 절개를 가한다(그림 6-4). 병변이 피부에서 가까울수록 탐촉자 가까이에 절개를 시행하고 심부에 위치할수록 탐촉자와 거리를 두는 것이 탐침의 진행을 초음파로 확인하기에 용이하다. 피부절개는 0.5 cm 이하로 가능하면 작은 것이 좋으나 너무 절개를 작게 하면 탐침이 삽입되면서 피부 의 손상을 초래할 수 있다.

탐촉자를 잡은 반대쪽 손으로 맘모톰을 잡고 위치(positioning) 모드에서 회전칼을 앞으로 전진시켜 개구부가 완전히 덮여 있음을 확인한 다음 초음파 탐촉자와 평행한 상태로 피부 절개부를 통해 유방조직 내로 전진 시킨다(그림 6-5). 이때 초음파를 통해 탐침의 끝을 실시간으로 확인하여야 하며 탐침이 병변의 직후방에 정확히 위치하도록 하여야 한다. 이렇게 해야만 탐침이 병변을 가리지 않게 되고 흉벽 손상의 위험을 피할 수 있으며 병변 제거과정을 실시간으로 확인할 수 있게 되므로 시술과정에서 가장 중요한 유의사항이라 할 수 있다.

또한 초음파 탐촉자와 맘모톰 탐침의 간격을 평행하게 유지시키면서 병변과 맘모톰 탐침을 초음파 화면에 동시에 보이도록 시술 과정 동안 유의한다.

탐침의 구조상 병변을 절제해내는 개구부의 원위부 와 팁과의 거리가 약 1.5~2 cm 정도 되므로 병변이 개구부 의 중앙에 위치하도록 하기 위해서는 탐침의 끝이 병 변을 지나 약 2 cm 이상 앞으로 더 전진해야 한다.

병변이 탐침의 개구부 위쪽에 잘 올려져 있는 상태가 되면 표본추출(sampling) 모드로 전환한다. 이때 절단기는 자동으로 후방으로 후퇴하게 되고 진공에 의해 병변이 개구부로 빨려 들어오게 된다.

조직 채취를 시작하면 진공상태에서 조직을 회전 절단 바늘로 흡입하고 절단 조직은 보관

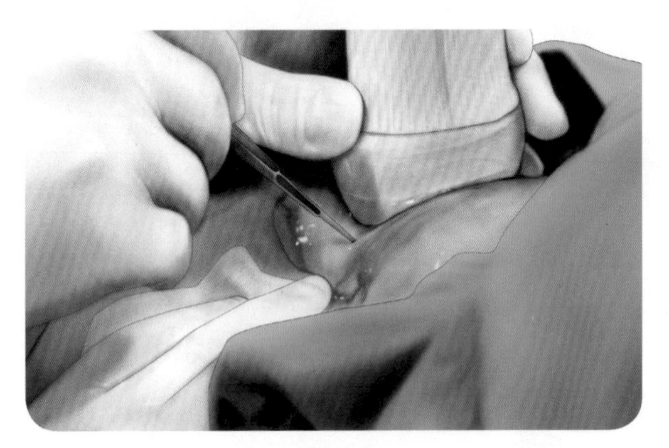

그림 6-4

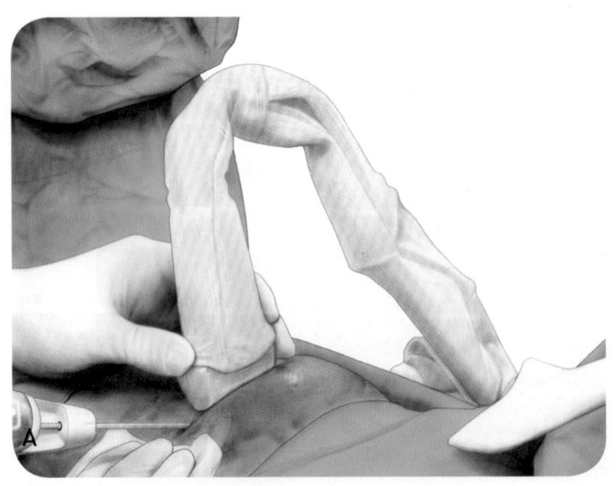

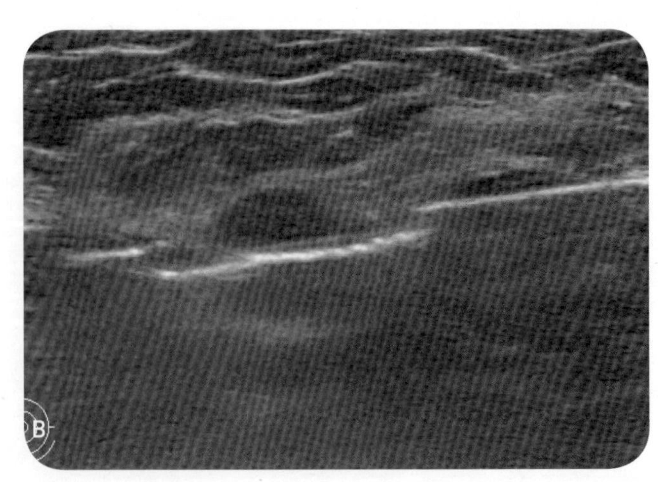

그림 6-5

실로 빠져나온다. 샘플링이 진행됨에 따라 병변이 실시간으로 축소되는 것을 볼 수 있다. 조직 획득은 9시 방향에서 12시 방향을 지나서 3시 방향 사 이에서 이루어지게 되므로 탐침과 초음파 탐촉자를 같은 방향으로 조금씩 회전 시켜 초음파 화면에서 병변이 완전히 사라질 때까지 조직 채취를 시행한다.

6. 수술 후 관리

수술 후에는 지혈을 위해 일정 시간 압박을 시행한다, 탐침이 들어간 피부 절개부보다는 절제된 표적 병변 공간을 압박하여야 하며 절제 부위는 손가락으로 눌러보면 피부가 함몰 되는 곳을 쉽게 찾을 수 있다(그림 6-6).

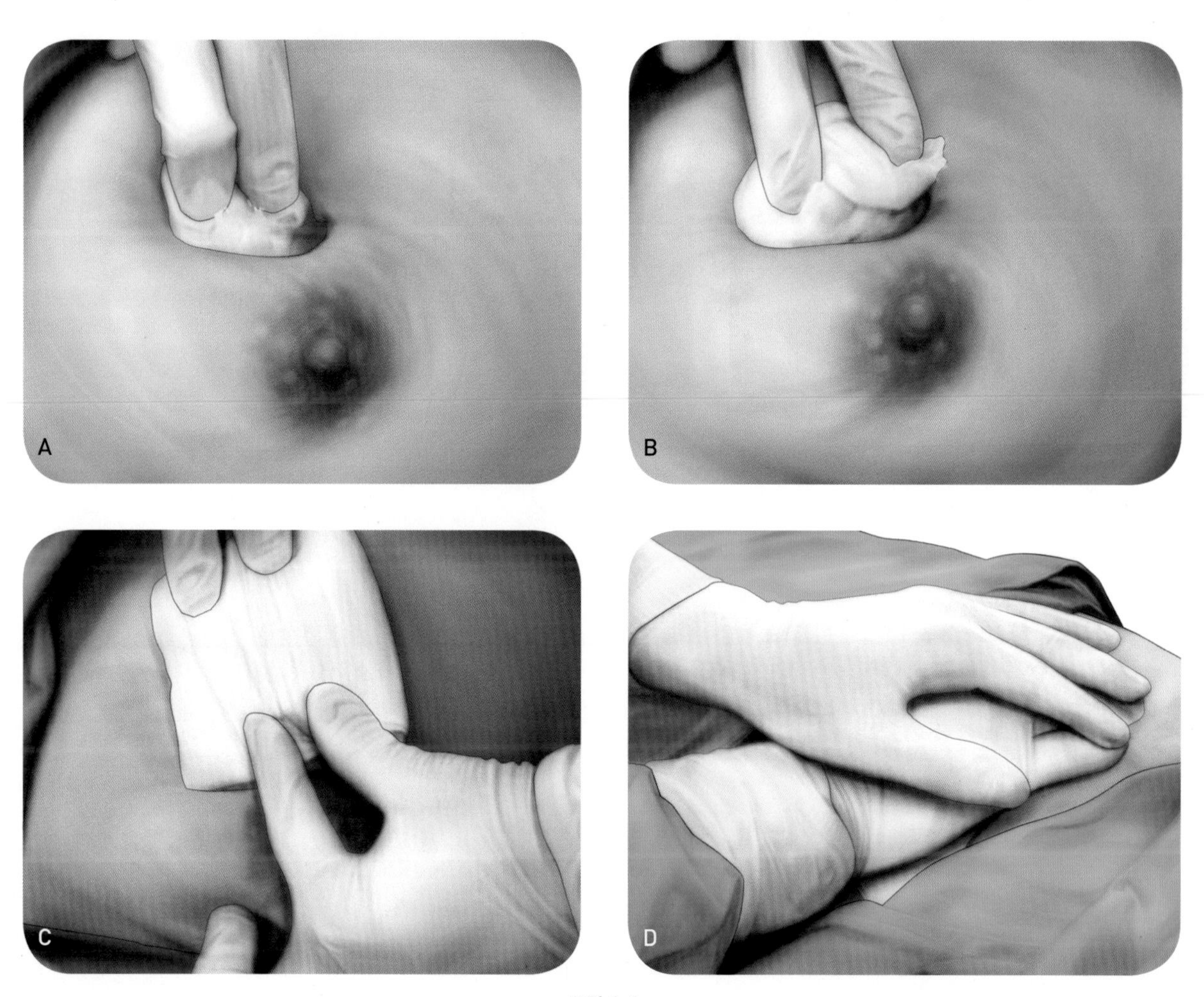

그림 6-6

4×4 거즈를 풀어 공처럼 둥글게 만든 다음 지혈점 크기에 잘 맞게 조정하여 생검 혹은 절제 공간의 내벽 및 흉근이 잘 압박될 수 있도록 한 후 양손을 겹쳐서 손바닥으로 수술부위를 적당한 압력으로 누른다. 5~10분간 손으로 압박을 가한 후에 지혈이 되었다고 판단되면 유방을 깨끗하게 닦아내고 작은 피부 절개는 피부 봉합 접착제(steri-strip)를 이용하여 봉합 하기도 한다. 4×4 거즈를 반으로 접은 다음 맘모톰에 의해 생긴 공간 위에 압박하기 충분 할 만큼의 두께 만든 다음 시술 부위에 덮고 접착용 탄력붕대를 이용하여 단단하게 고정시킨다(그림 6-7). 환자에게 적어도 24시간 동안 붕대를 하고 있고 격렬한 상체 움직임을 피하도록 지시한다.

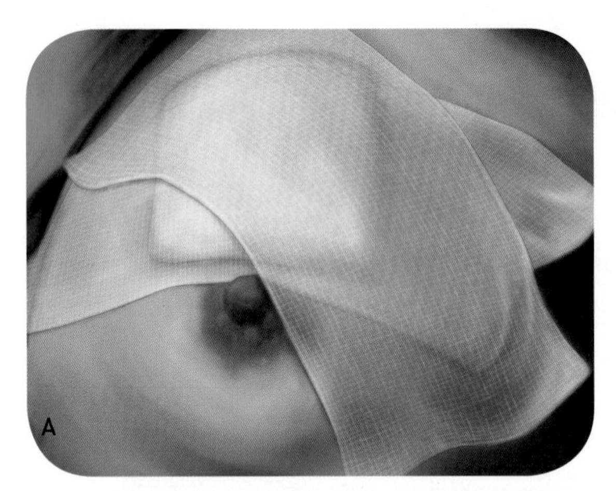

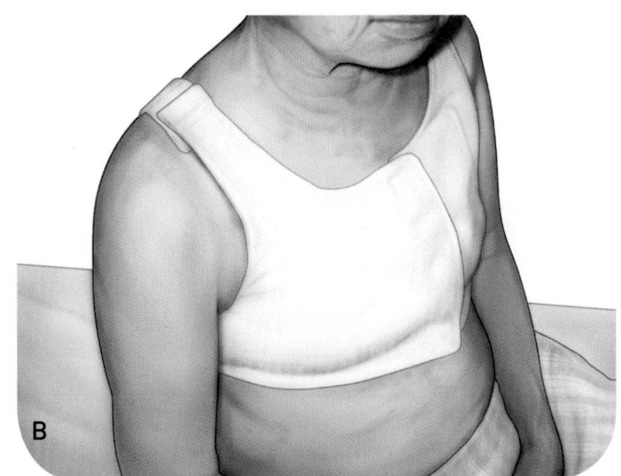

그림 6-7

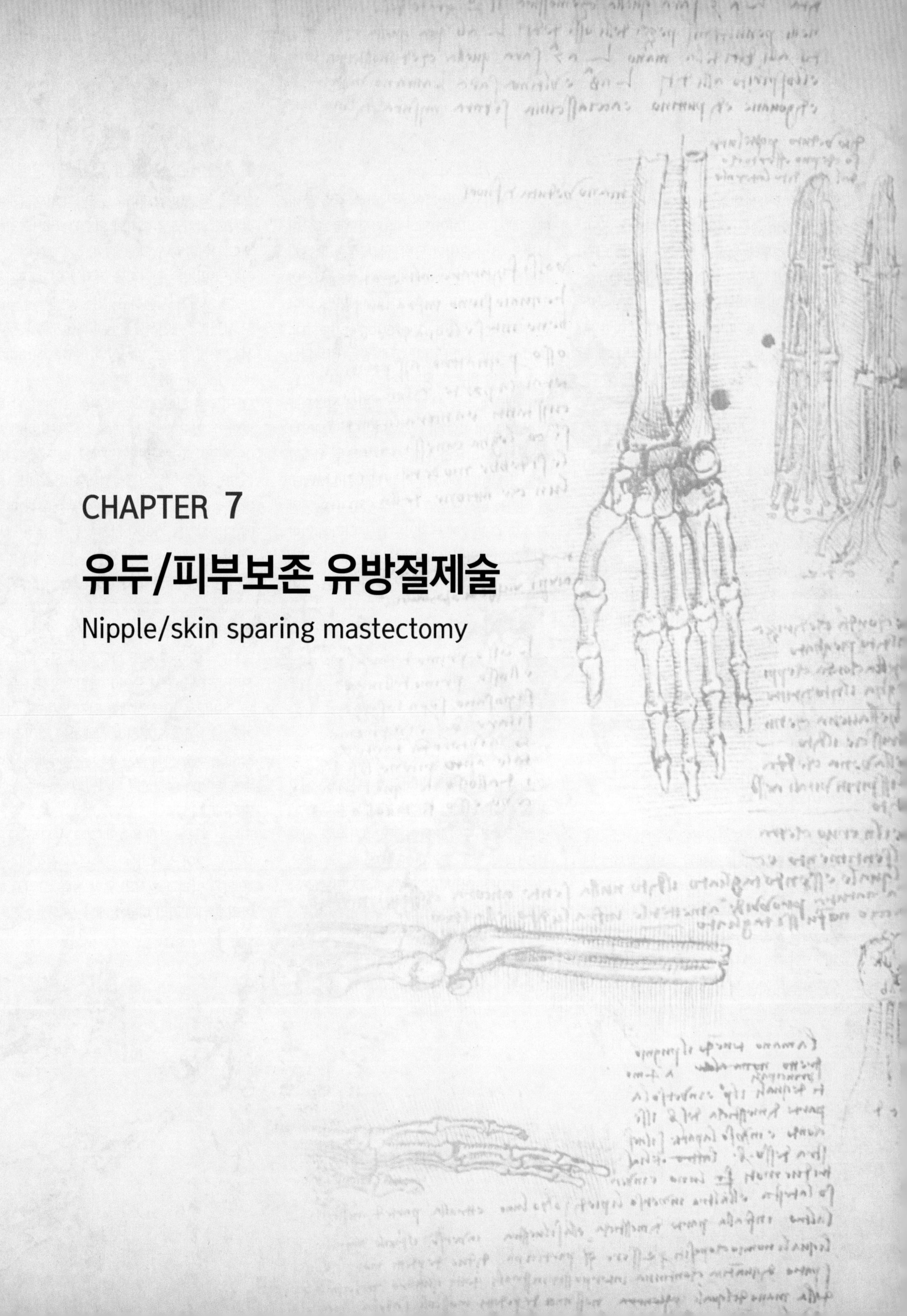

CHAPTER 7

유두/피부보존 유방절제술

Nipple/skin sparing mastectomy

1. 서론

유두보존유방절제수술(nipple-sparing mastectomy)은 수술 후 유방복원을 같이 시행하는 경우에 기존의 유두와 피부를 타원형으로 넓게 절제하는 일반적인 유방절제술과 달리 유방의 피부와 유두를 보존함으로써 유방복원 수술 후 피부절개 흉터를 줄이고 본인의 유두를 보존하여 자연스러운 미용효과를 좋게 할 수 있는 수술방법이다.

2. 적응증

유방보존수술이 어렵거나 전절제가 필요한 경우 예를 들면, 유방에 다발성 암, 혹은 악성 미세석회화가 유방에 넓게 흩어져 있고 수술 후 동시 복원을 원하는 경우에 적절한 적응증이 된다. 유두보존유방절제수술의 경우는 유방촬영술, 초음파, 혹은 자기공명영상 (MRI)에서 암이 유두 침범의 소견이 없어야 하고, 암이 유두에 침범되어 있거나 의심되는 경우 예를 들면, 중심부 암인 경우에는 유두와 유륜은 제거하고 유방 피부를 보존하는 피부보존유방절제술(skin-sparing mastectomy)이 적합하다.

3. 비적응증

일반적으로 유두보존유방절제수술은 조기유방암에서 적합하다. 진행된 유방암에서는 선행항암화학요법 후 시행할 수도 있다. 염증성 유방암이나 암이 피부를 침범한 진행성 유방암에서는 유두보존유방절제수술은 적절하지 않다. 수술 후 방사선치료가 계획된 경우에 수술은 가능하지만 복원 조직의 섬유화 등의 부작용이 있을 수 있음을 고려할 필요가 있다.

4. 수술 전 처치

수술전처치는 일반적인 전신마취 수술 준비에 준해서 준비하면 된다. 추가적으로 중요한 부분은 암 수술이고 유방전절제수술과 동시 복원을 이어서 진행하기 때문에 수술 시간이 길고 유리횡복직근(free TRAM) 피판술이나 심하복부천공지(Deep inferior epigastric perforator, DIEP) 피판술과 같은 미세혈관 접합수술을 하는 경우는 수술시간이 더 소요되기 때문에 수술 전 폐기능 관리와 심부정맥혈전 예방이 필요하다. 수술 전 날 인센티브 폐활량계를 이용하여 폐 호흡 훈련을 시키고 수술 당일 아침에 저분자량 헤파린(LMWH)을 예방적 목적으로 주사할 수 있고 수술 동안과 수술 후 병상에 누워있는 동안 다리에 압박스타킹이나 압박기기를 착용하는 것이 좋다. 수술 후 가능한 빨리 걷기를 시작하는 것이 좋다.

5. 마취

전신마취

6. 환자자세

환자는 수술대 위에서 바로 누운자세로 하고 양팔은 90° 이하로 벌린다. 동시복원 수술 시 양측 유방의 모양과 균형을 맞추기 위해 상체를 거상할 것을 고려하여 환자의 몸과 얼굴, 그리고 마취 삽관이 안전하게 유지되도록 유의하도록 한다.

7. Approach (절개 및 노출)

유두보존 유방절제수술의 경우 피부절개는 종양의 위치와 수술자의 의도에 따라 다양하게 디자인할 수 있다(그림 7-1).

각각의 방법은 장단점을 가지고 있고 여기서는 본 저자가 시행하고 있는 방법을 설명하고 자 한다. 개인적으로는 피부절개를 유두에서 외측 방향으로 방사상의 피부절개(radial skin incision)를 선호 한다(그림 7-2).

그 이유는 하나의 피부절개로 시야를 잘 확보할 수 있고 수술 시 내측 깊은 부위까지 시야 접근이 가능하며, 액와 감시림프절생검술(SNB) 혹은 액와림프절절제술(ALND)도 용이하게 시행할 수 있다. 또한, 유두 유륜 부위에 피부절개를 가하지 않기 때문에 유두 괴사(nipple necrosis)의 위험을 줄일 수 있다. 단점은 피부 주름과 다른 방향의 절개선이기 때문에 수술 후 흉터가 두드러지게 나는 환자의 경우 미용적으로 덜 효과적일 수 있다. 그렇지만 흉터는 환자의 체질, 수술 도중의 피부 장력 등 여러 가지 요인이 복합적으로 작용하는 것이므로 피부 절개를 디자인 할 때 여러 가지 요소들을 고려하여 선택하는 것이 바람직하다. 수술 전에 환자가 앉은 자세에서 미리 수술 부위와 절개선을 디자인해 두면 수술 시 편리하다(그림 7-3).

피부보존유방절제수술의 경우는 유두 혹은 유륜을 같이 절제하는 경우로서 전절제수술 후 복원 방법과 환자의 유방 볼륨, 그리고 병변의 범위에 따라 피부 절개를 선택할 수 있다(그림 7-4).

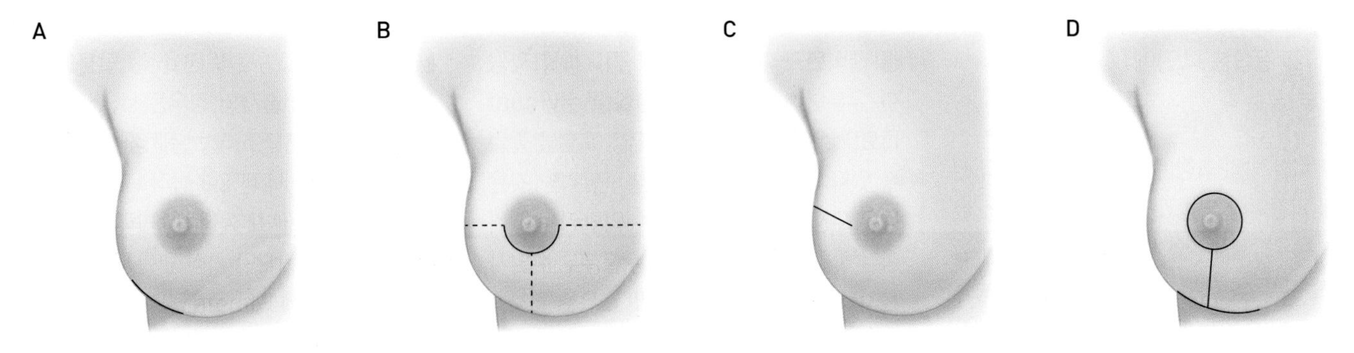

그림 7-1 유두보존유방절제수술의 다양한 피부절개 방법
A. Inframammary fold incision, B. Periarola incision, C. Radial incision, D. Reduction mastopexy incision.

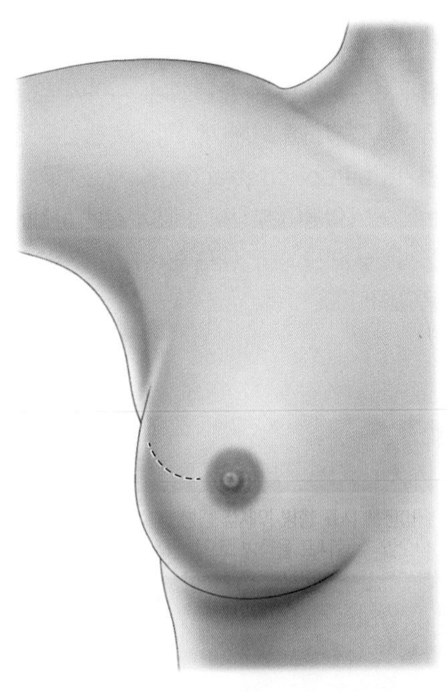

그림 7-2 Radial skin incision for Nipple-sparing mastectomy

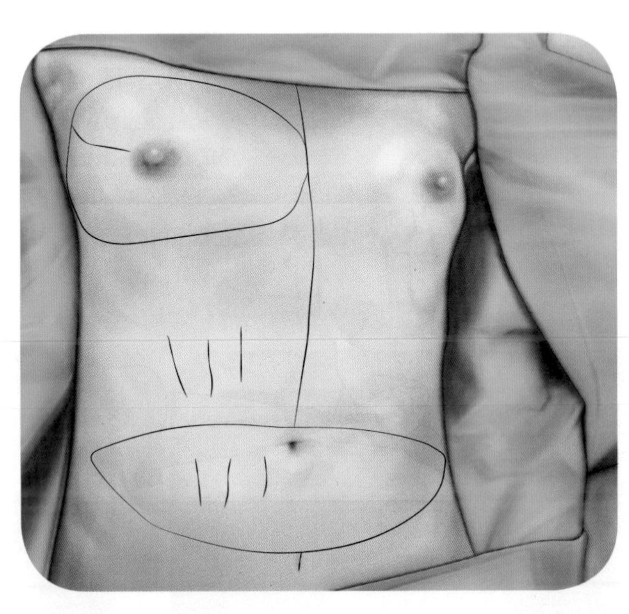

그림 7-3 Preoperative skin design for Nipple-sparing mastectomy and TRAM reconstruction.

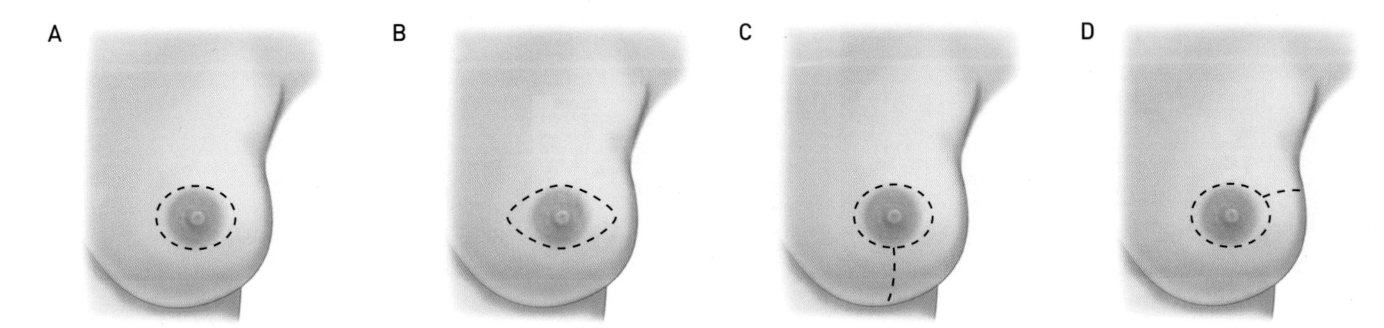

그림 7-4 피부보존유방절제수술의 피부 절개 방법
A. Periareola incision, B. Small elliptical incision, C. Periareola with inferior extension, D. Periareola with lateral extension.

8. 수술과정

1) 피부 피판 박리 (Skin flap dissection)

피부 피판 박리 과정은 기본적으로 기존의 전절제 과정이나 방법과 크게 다르지 않다. 유두보존 유방절제수술 시 좀더 신경을 써야 할 부분은 유두와 대부분의 환자의 피부를 보존하기 때문에 유두괴사나 피부괴사가 발생하지 않도록 유의하여야 한다. 이를 위해서 가장 중요한 부분은 피부 피판 박리를 할 때 피판 박리를 균일하게 하고 해부학적인 박리면(dissection plan)을 잘 유지하여 피하층(subcutaneous layer)의 미세혈관구조(micro-vascular plexus)들이 손상을 받지 않도록 하여야 하는 것이다. 그리고, 유방 피부로 가는 주요 혈관들을 절단하지 말고 최대한 보존하는 것이 좋다.

마지막으로 유두밑(subareola 혹은 retro-areola)의 피판을 박리하는 동안 전기소작기를 과다하게 사용하기보다는 가능한 소작을 줄이면서 세심한 박리가 필요하고 가능한 유두아래 유관들만을 결찰(individual ligation)하는 것이 유두 괴사의 위험을 줄일 수 있다. 유두아래 조직을 많이 남기는 것은 유두 재발의 위험이 증가할 수 있고 재발의 위험을 줄이기 위하여 수술 후 유두부위에 방사선치료를 시행하는 경우도 있다. 유두 괴사는 약 0~28% 정도로 발생한다.

(1) 유방 상부 피판 박리

먼저 유방 상부의 피부 피판 박리를 하도록 한다. 술자의 경우는 수술 전에 미리 피부 절개 라인과 유방조직 박리 범위를 마킹펜으로 디자인을 하고 있으며 조직 박리하는 가장자리를 따라 젤리를 섞은 blue dye를 주입하여 수술 시 불필요하게 경계를 넘어 진행되지 않도록 하고 있다(그림 7-5A).

전기소작기를 이용하여 피부 피판을 박리하고 피판의 두께는 환자의 피하지방층의 두께에 따라 다를 수 있다. 박리 시 피부 피판을 적절하게 당겨 박리 면을 잘 만들어 주는 것이 좋은데 술자의 경우는 skin-hook retractors를 사용하여 보조자가 당겨준다. 피부 피판 박리 시 정확한 박리 면을 찾는 것이 출혈을 줄이고 해부학적인 박리를 위해서 필요하다. 해부학적인 박리 면은 피하지방과 유방 실질 사이에 있는 표재근막(superficial fascia)층으로 박리하는 것인데 환자에 따라 잘 보이는 경우도 있고 분명하지 않은 경우도 있지만 이 근막층을 찾아 박리하려는 노력을 하는 것이 출혈을 줄이고 피판의 두께를 고르게 하여 수술 후 피판 괴사(flap necrosis)의 위험을 줄일 수 있다(그림 7-5B).

유두보존유방절제수술은 수술 시야가 깊고 좁아 시야확보를 위해 개인적으로 광섬유 견인기(fiberoptic retractor)를 사용하고 있는데 광케이블이 부착되어 있어 같은 공간에도 수술시야를 밝게 유지 할 수 있어 수술이 용이 하다(그림 7-5C).

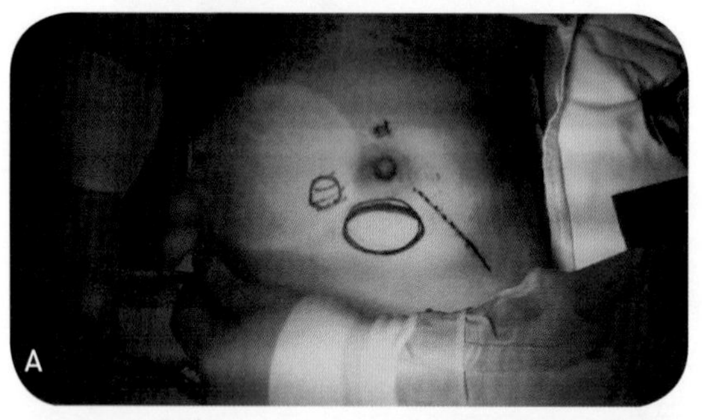

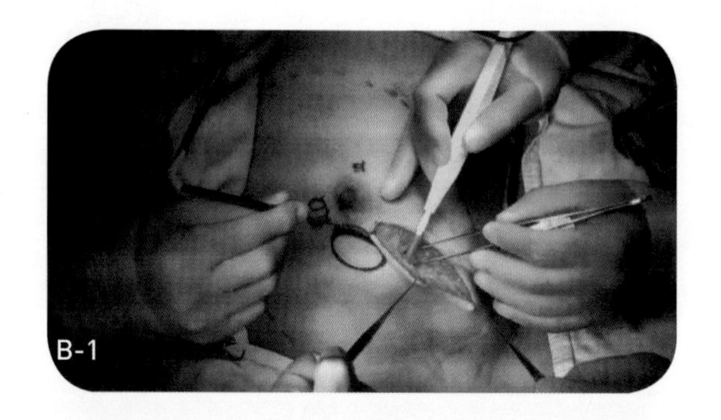

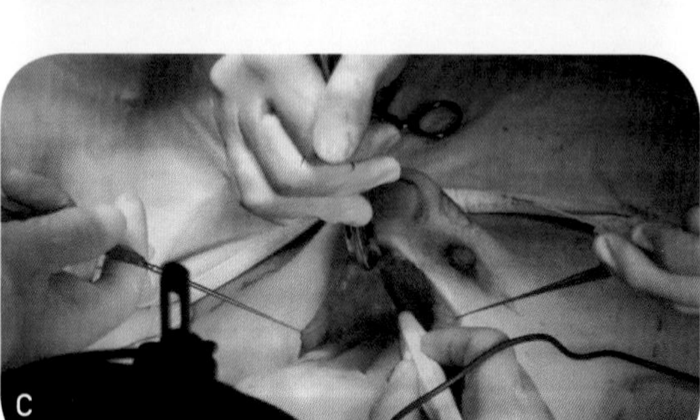

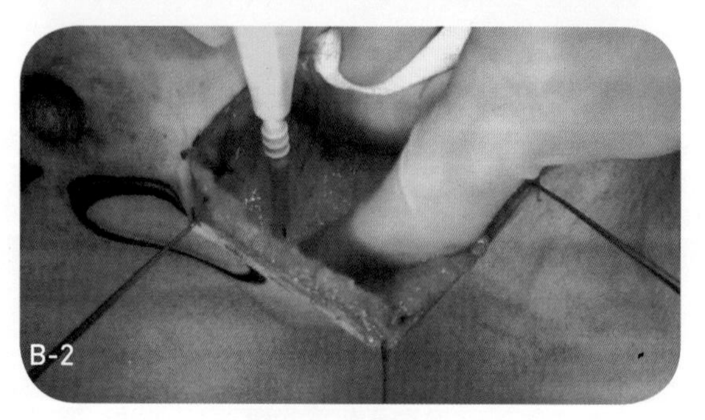

그림 7-5 유방 상부 피판 박리 과정

A. 수술 시작 전 수술부위 디자인 및 경계부위에 blue dye 주입하면 수술 시 불필요하게 경계를 넘어 진행되지 않도록 할 수 있다.

B. 피부 피판 박리는 피판괴사를 예방하기 위해서는 피판을 균일하게 하고 표재근막(superficial fascia)층으로 박리하는 것이 출혈을 피하고 피하층(subcutaneous layer)의 미세혈관구조 micro-vascular plexus)들이 손상을 받지 않도록 할 수 있다.

C. 광섬유 견인기(fiberoptic retractor)를 사용하면 시야가 밝아서 깊은 부위의 박리를 쉽게 할 수 있다.

피부 피판 박리를 위쪽으로 계속 진행하여 상부 안쪽은 흉골 경계부분까지 위쪽은 쇄골 하방 부근까지, 바깥쪽은 액와와 어깨 삼각근(deltoid muscle) 경계 부근까지 이르게 되면 표재근막(superficial fascia)의 심부층(deep layer)과 표층(superficial layer)가 만나는 부분이 되고 유방조직이 더 이상 없어 박리를 끝낼 수 있다.

이 부분에서 유의할 점은 안쪽 부분에서는 주로 늑골사이 공간(intercostal space)에서 올라오는 큰 혈관인 내흉혈관(internal mammary vessels)의 천공지(perforators)가 있는데 두 번째 늑골간에서 올라오는 혈관이 가장 크고 가급적이면 안전하게 결찰하여 분리하는 것이 바람직하고 혈관이 작다면 에너지 디바이스로 처리할 수 있겠다. 넓은 유방 피부와 유두를 보존하여야 하기 때문에 원활한 혈액공급을 위해 피부 피판으로 가는 혈관은 최대한 보존하는 것이 중요하다.

(2) 유방 하부 피판 박리

상부의 유방 피부 피판 박리가 끝났으면 이제는 유방 하부의 피부 피판 박리를 진행하도록 한다. 하부의 유방 피부는 상부의 피부에 비해 상대적으로 다소 두께가 얇은 경향이 있어 피부 피판 두께를 균등하게 박리를 하는 것 외에는 특별히 주의할 점이 없다(그림 7-6A).

다만, 아래쪽으로 박리를 너무 진행하여 유방밑주름(inframammary fold)을 손상하지 않도록 하여 주름 라인을 자연스럽게 보존하는 것이 바람직하지만 혹시 손상이 있더라도 봉합을 통해 재건할 수 있다. 하부 피부 피판 박리는 내측은 흉골의 경계 부근까지인데 피부로 가는 혈관은 가능한 보존하도록 하기 위해서 혈관이 유방과 피부로 분지하는 지점까지 박리를 하면 된다. 아래쪽은 유방밑주름 부근까지 박리를 하고 상부 피부 피판 박리에서와 마찬가지로 표재근막의 심부층(deep layer)과 표층(superficial layer)이 만나는 부분에서 박리를 끝내면 되겠다(그림 7-6B).

바깥쪽 피부 피판 박리는 광배근(Latissimus dorsi)의 안쪽 부분 흉벽라인 지점까지인데 유방밑주름이 바깥쪽으로 이어지는 라인으로 연결된다. 액와 부분의 피부 피판 박리를 할 때 해부학적인 박리 면을 잘 찾지 못해 헤매는 경우가 종종 발생할 수 있는데 피판 형성이 자연스럽게 되도록 근막을 따라 박리하면 상부 유방 피부 피판 박리한 라인과 연결되면서 어렵지 않게 박리를 할 수 있다(그림 7-6C).

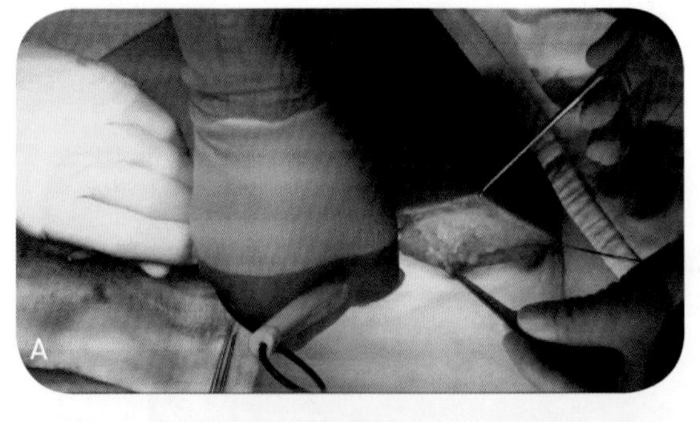

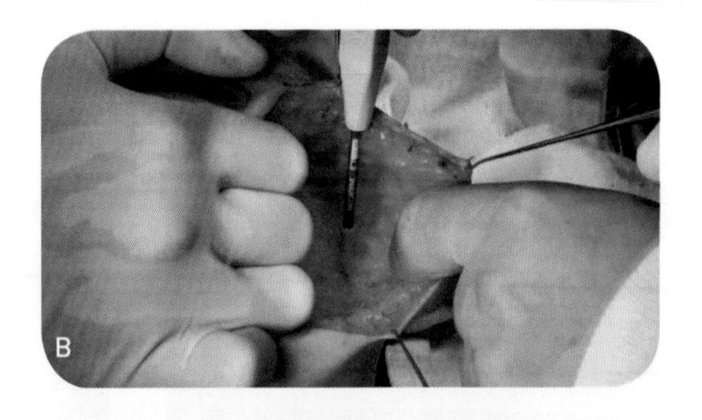

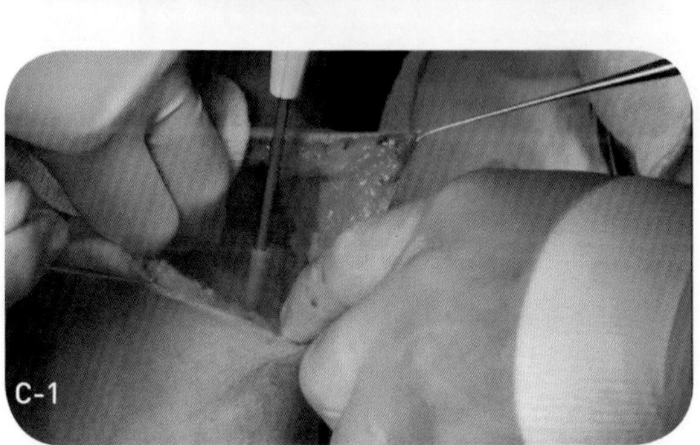

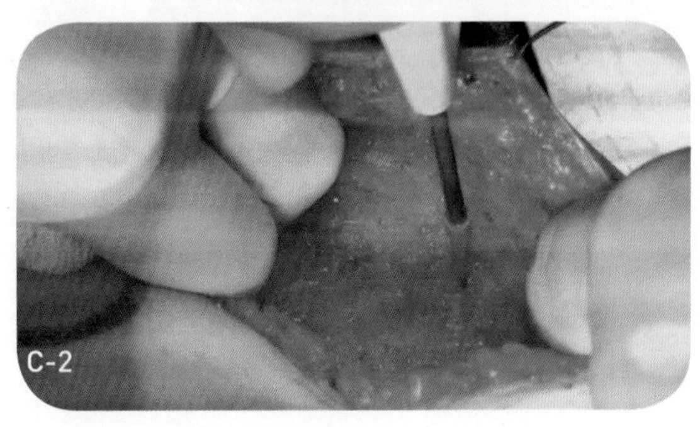

그림 7-6 유방 하부 피판 박리 과정
A. 유방 하부 피부 피판 박리도 피판을 균일하게 하고 표재근막층으로 박리하는 것이 출혈을 피하고 피하층의 미세혈관구조들이 손상을 받지 않도록 할 수 있다.
B. 아래쪽 피판 박리는 유방밑주름 부근까지 가서 표재근막의 심부층과 표층이 만나는 부분에서 박리를 끝내면 된다.
C. 액와 부분에서는 피판 형성이 자연스럽게 되도록 근막을 따라 박리하면 상부 유방 피부 피판 박리한 라인과 바깥쪽 피부 피판 박리의 광배근의 안쪽 부분 흉벽라인과 연결되면서 자연스럽게 박리를 할 수 있다.

2) 감시림프절 생검술(SNB) 혹은 액와림프절절제술(ALND)

감시림프절 생검술 혹은 액와림프절곽청술은 어렵지 않고 일반적인 술식을 따라 하면 되기 때문에 이 책의 SNB/ALND부분을 참조하도록 하고 여기에서는 설명을 생략하도록 하겠다. 술자의 경우는 방사성동위원소를 사용하여 SNB를 하는데 상부 유방 피부 피판 박리와 하부 피부 피판 박리의 바깥측과 액와 부분의 박리를 먼저하고 SNB를 하고 있는데 SNB 시 시야확보가 잘 되고 SNB 후 제거된 림프절을 동결절편 검사를 보내어 결과를 기다리는 동안 나머지 수술 단계를 진행할 수 있어 좋다(그림 7-7).

감시림프절생검술에서 림프절전이가 있거나 액와림프절절제술이 계획된 경우에는 피부 피판 박리를 다 마친 후에 진행한다.

3) 유두밑 절제연 검사 (Subareola margin evaluation)

유두보존유방절제수술을 하는 경우에는 유두-유륜 보존 여부가 중요하다. 유두에 암이 침범되어 있는 지를 수술 전 유방초음파, 유방촬영술, 자기공명영상 등으로 미리 검사를 할 수 있지만 최종적으로는 수술중 유두밑 절제연을 검사하여 확인하는 것이 필수 적이다. 술자의 경우는 유두밑의 조직을 최대한 얇게 박리하여 유방조직이 최대한 작게 남도록 하고 유관들을 구별한 다음 유관을 유두 근처에서 잘라 조직을 동결절편검사를 보내 암의 유무를 확인하고 암이 없는 경우에 유두를 보존하고 암에 있으면 유두-유륜을 제거하고 있다(그림 7-8A, B, C).

유두하부의 조직을 얇게 남기게 되는 경우 유두 괴사의 위험이 있을 수 있기 때문에 과도한 전기소작기 사용은 줄이고 정교하고 섬세한 박리가 필요하다. 혹은 처음부터 유두-유륜 하부 조직을 여유 있게 남길 수도 있는데 이런 경우 남게 되는 유방조직에서 재발의 위험이 있을 수 있고, 아예 유두-유륜 밑 조직을 여유 있게 남기고 수술 후 방사선치료를 하는 경우도 있다. 유두 재발은 약 0~4.1%로 발생한다고 보고되고 있다. 유두 밑 절제연 조직을 떼어내어 암세포 존재 유무를 알기 위해 동결절편검사를 보낸 다음 유두를 지나 내측 유방 피판 박리를 계속하여 내측 경계까지 진행한다. 이 과정에서 광섬유 견인기(fiberoptic retractor)를 사용하면 시야 확보가 용이하고 박리를 쉽게 할 수 있다(그림 7-8D).

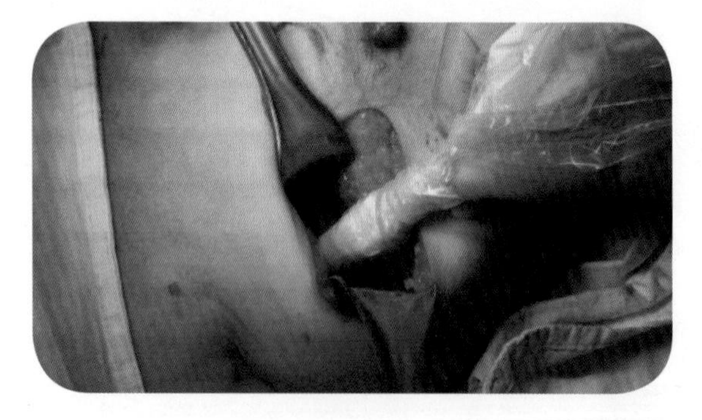
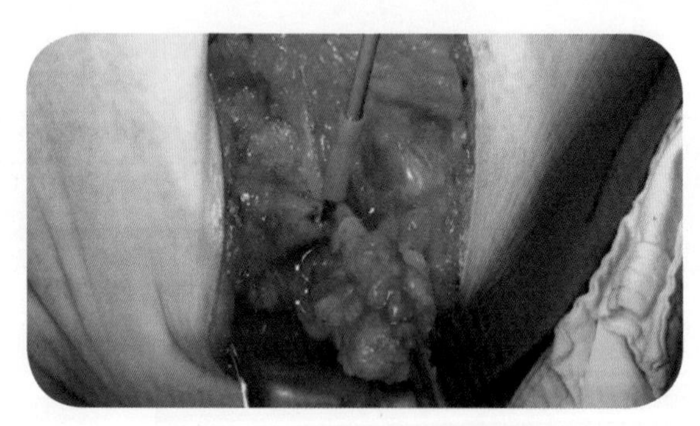

그림 7-7 상부 유방 피부 피판 박리와 하부 피부 피판 박리의 바깥측과 액와 부분의 박리를 먼저하고 SNB를 하면 시야확보가 잘 되고 감시림프절 절제를 쉽게 할 수 있다.

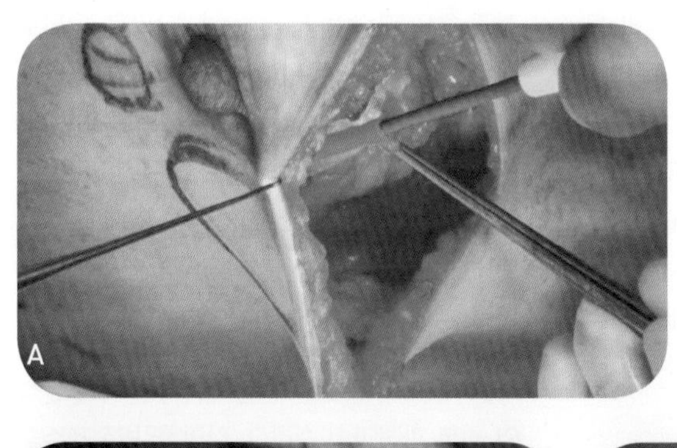

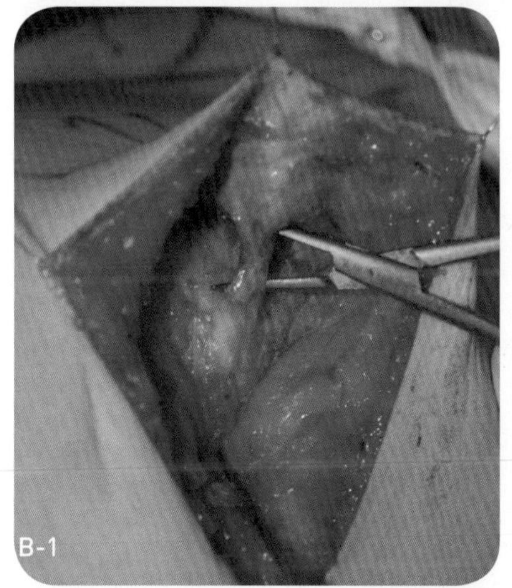

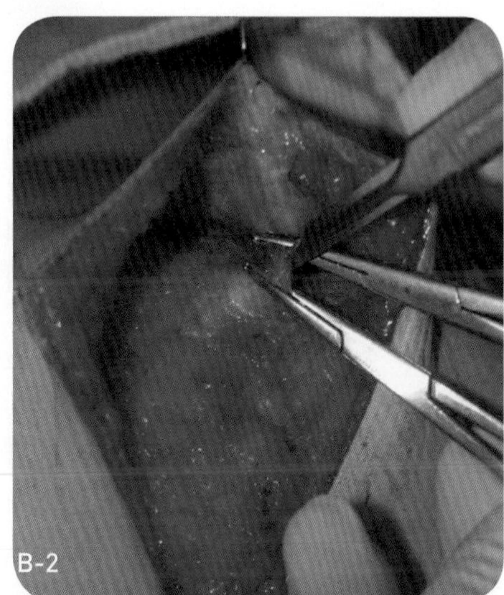

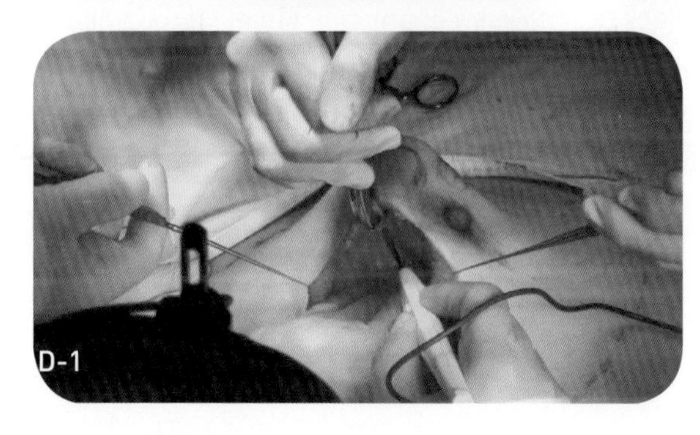

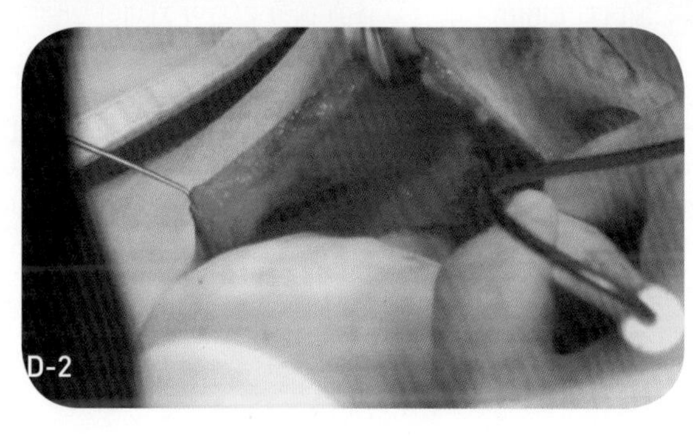

그림 7-8 유두밑 박리 및 절제연 검사 과정
A. 유두 근처 피판 박리는 피부가 얇기 때문에 전기소작기 사용을 섬세하게 하고 유두밑의 조직을 최대한 얇게 박리하여 유방조직이 최대한 작게 남도록 한다.
B. 유두밑 유관들을 구별한 다음 유관을 유두 근처에서 잘라 조직을 동결절편검사를 보내 암의 유무를 확인한다.
C. 유두밑 조직을 최대한 유두 근처에서 제거하고 유두밑 유관을 매듭으로 결찰하여 처리한 모습.
D. 유두를 지나 내측 유방 피판 박리를 광섬유 견인기(fiberoptic retractor)를 사용면 시야 확보가 용이하고 내측 경계까지 박리를 쉽게 할 수 있다.

4) 흉근막 박리 (Pectoral fascia dissection)

이제 유방조직을 흉근으로부터 박리하는 단계이다. 술자가 시행하고 있는 방법대로 소개하고자 한다. 상부 유방 피부 박리로 분리된 유방조직을 켈리로 잡고 약 30° 정도 경사로 위로 당기면서 유방조직을 흉근으로부터 분리할 수 있는 공간을 확보하면서 전기소작기로 박리를 하기 시작한다. 유두보존유방절제수술은 수술 시야가 깊고 좁아 시야확보를 위해 개인적으로 광섬유 견인기(fiberoptic retractor)를 사용하고 있고 광케이블이 부착되어 있어 같은 공간에도 수술시야를 밝게 유지할 수 있어 수술이 용이하다(그림 7-9A, B). 해부학적 박리 면은 흉근을 싸고 있는 흉근막을 흉근으로부터 박리하면서 가능한 유방조직과 유방뒤의(retromammary) 조직 전체를 제거하는 것이다. 박리도중에 흉근에서 분지하는 작은 혈관들은 전기소작기나 biopolar로 처리하면 된다. 흉벽의 내측에는 늑간 사이에서 올라오는 천공지(perforators) 혈관들이 있는데 두 번째 늑간 사이에서 올라오는 혈관이 가장 크며 이들 혈관들은 가능한 매듭으로 결찰하고 혈관이 작은 경우는 bipolar 혹은 에너지 디바이스로 처리할 수 있다(그림 7-9C).

박리하는 순서는 상부 외측부터 시작하여 내측으로 흉근의 결을 따라 박리를 하부로 진행하고 내측 하부를 박리한 다음 아래 측을 지나 바깥 측을 박리하고 마지막에 액와 부분에서 근막을 같이 박리하면 유방조직을 완전히 몸으로부터 제거할 수 있다(그림 7-9D, E).

만약 추가로 액와림프절절제을 시행하게 되는 경우는 술자는 유방조직을 따로 제거하지 않고 림프절조직들과 한 덩어리(en block)로 제거한다. 피부보존유방절제술을 시행하는 경우는 유두-유륜이 같이 제거되기 때문에 수술 시야가 더 넓어 수술 진행이 쉬울 수 있다.

5) 복원 수술

유두보존유방절제수술 후 동시에 시행하는 유방복원 수술은 일반적으로 성형외과와 협진을 하게 되며 병원에 따라서는 외과에서 같이 진행하기도 한다. 유방복원의 방법은 크게 자가조직을 이용하는 방법과 임플란트 보형물을 이용하는 방법이 있다.

자가조직 방법은 횡복직근피판술(유경 혹은 유리), 심하복부천공지피판술, 광배근피판술 등이 있고, 보형물을 넣는 방법은 임플란트를 바로 넣거나 피부가 부족한 경우 우선 조직확장기를 넣어 피부를 조금씩 확장한 다음 나중에 임플란트로 교체하는 방법이 있다. 복원 수술에 대한 각각의 자세한 방법과 적응증에 대한 내용은 본 아틀라스의 범위를 넘어서기 때문에 생략하기로 한다. 복원 수술에 관련된 다른 아틀라스 책을 참조하기 바란다. 아래 사진은 술자가 시행한 유두보존유방절제수술 및 동시 심하복부천공지피판(DIEP) 복원 수술 전과 후의 모습이다(그림 7-10). 그리고, 유두보존유방절제술과 동시 횡복직근피판 복원, 피부보존유방절제수술과 동시 횡복직근피판 복원 수술 후 유두재건을 한 모습 사진이다(그림 7-11).

9. 수술 후 관리

수술 후 회복 관리는 전신마취 수술의 일반적인 회복 과정과 비슷하다. 다만, 유방절제수술 및 동시 복원 수술로 수술시간이 길고 특히 횡복직근피판술, 심하복부천공지피판술과 같이 복부 조직을 이용하여 수술한 경우는 호흡 시 복부가 당기고 자극이 되어 숨을 깊이 들이 쉬기가 어려워 무기폐 합병증으로 인해 수술 후 열이 날 수 있다. 그러므로, 병실에 오게 되면 환자분에게 심호흡과 인센티브 폐활량기로 호흡운동을 격려하는 것이 필요하다. 그리고, 오랫동안 움직이지 않고 침대에 누워 있게 되어 운동이 가능할 때까지 침대에 누워 있더라고 다리 운동을 시켜 주는 것이 심부정맥혈전이나 폐동맥혈전 같은 합병증을 예방할 수 있다. 가능한 빨리 움직이는 것이 회복과 합병증 예방에 도움이 된다. 복원한 부분의 관리는 다른 유방복원 아틀라스를 참고하도록 하고 여기서는 언급하지 않겠다.

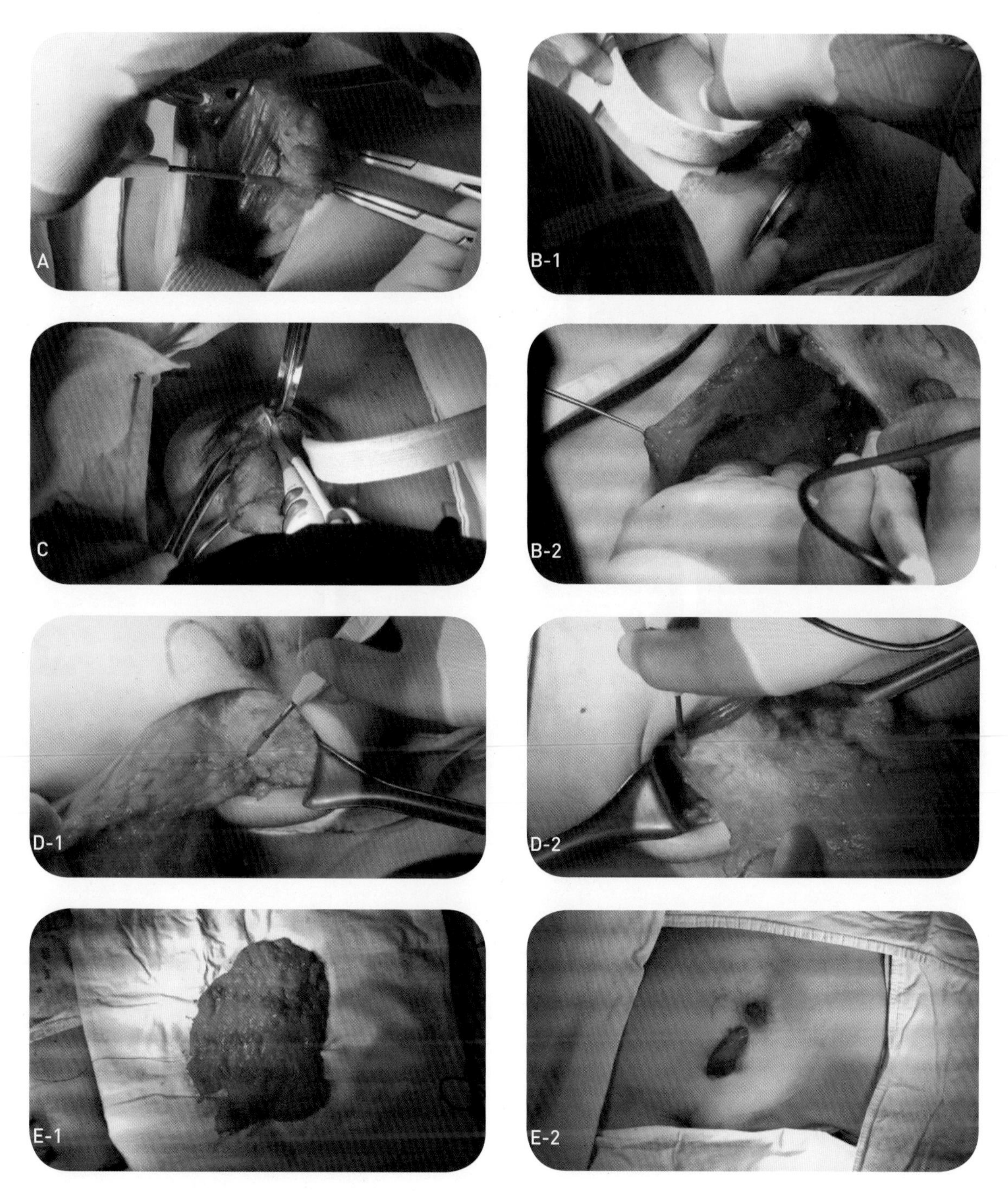

그림 7-9 유방조직을 흉근막으로부터 박리하는 과정

A. 상부 유방 피부 박리로 분리된 유방조직을 켈리로 잡고 약 30도 정도 경사로 위로 당기면서 유방조직을 흉근으로부터 분리할 수 있는 공간을 확보하면서 전기소작기로 박리를 하기 시작한다.

B. 광섬유 견인기(fiberoptic retractor)를 사용하여 수술시야를 밝게 유지 할 수 있어 내측부분의 깊은 부분의 박리가 용이 하다.

C. 흉벽의 내측 두 번째 늑간 사이에서 올라오는 혈관이 가장 크며 이들 혈관들은 가능한 매듭으로 결찰하고 혈관이 작은 경우는 bipolar 혹은 에너지 디바이스로 처리할 수 있다.

D. 흉근으로부터 유방조직 박리 후 측면에서부터는 복직근막은 남기고 유방뒤의 (retromammary) 조직을 깨끗하게 걷어내도록 한다. 마지막에 액와 부분에서 근막을 같이 박리하면 유방조직을 완전히 몸으로부터 제거할 수 있다.

E. 제거된 유방조직과 수술 후의 모습.

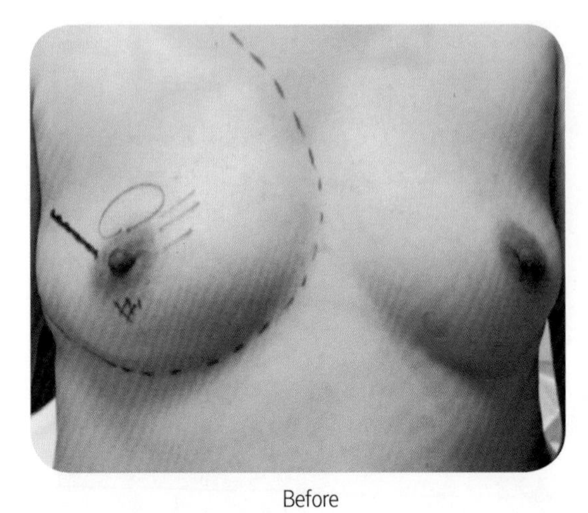

Before

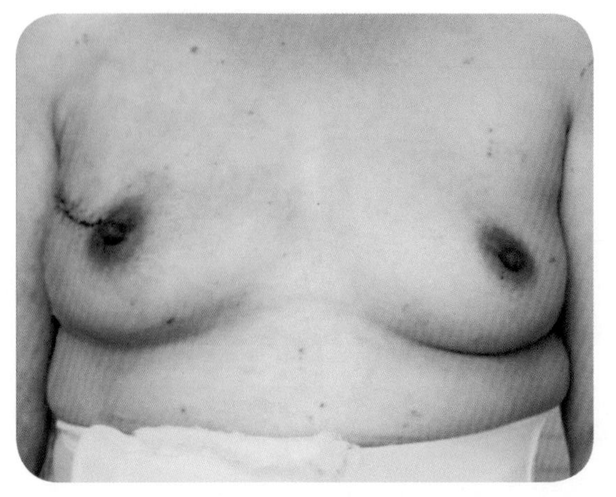

After

그림 7-10 유두보존유방절제수술 및 동시 심하복부천공지피판(DIEP) 복원 수술 전과 후의 모습

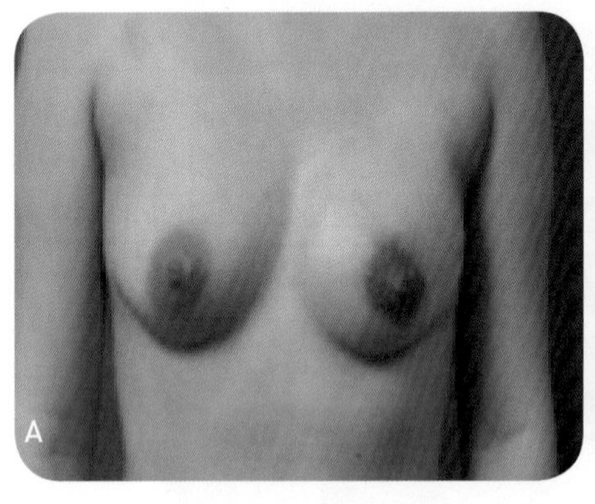

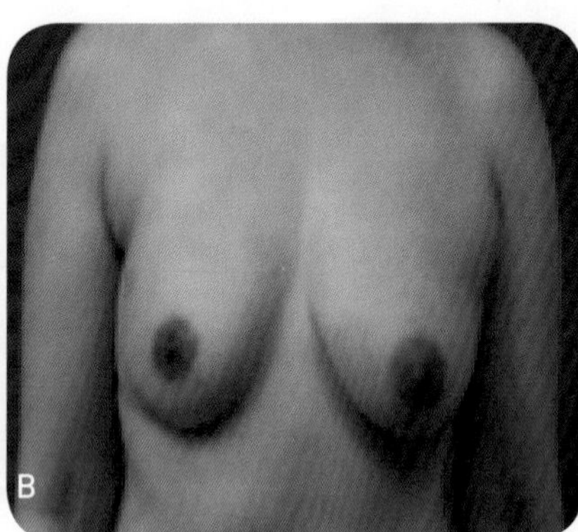

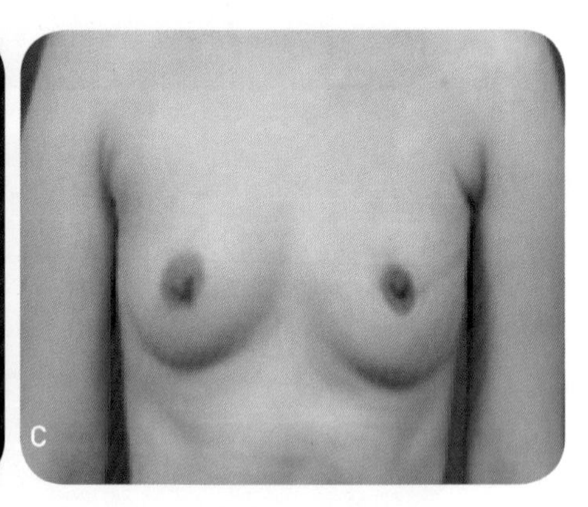

그림 7-11
A. NSM with periareola and lateral skin incision
B. NSM with lateral skin incision
C. SSM with circumareola and lateral skin incision.

SECTION 9

혈관, 림프관
Vascular, Lymphatics

Chapter Outline

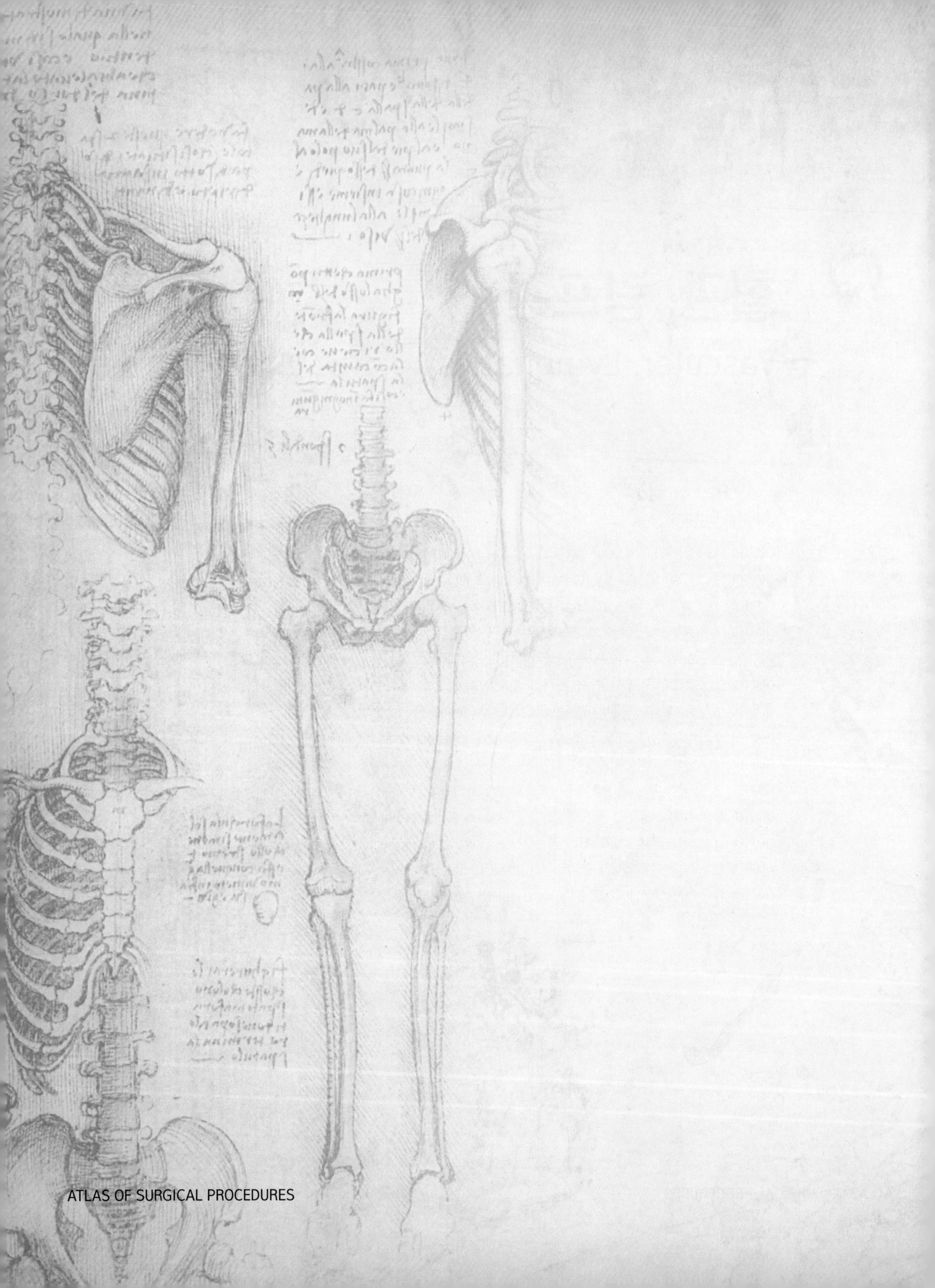

ATLAS OF SURGICAL PROCEDURES

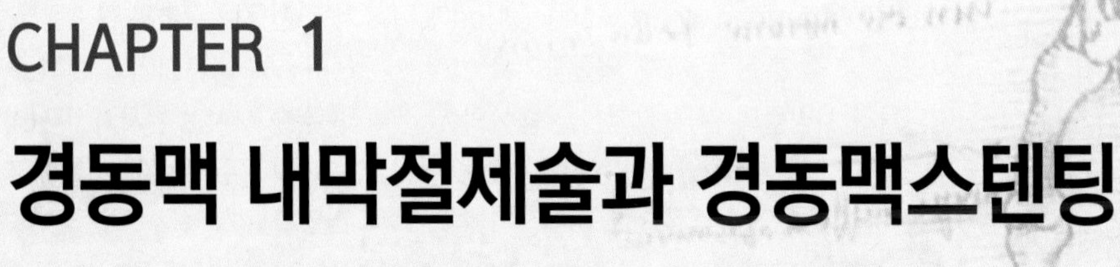

CHAPTER 1

경동맥 내막절제술과 경동맥스텐팅

Carotid endarterectomy and carotid artery stenting

I. 경동맥 내막절제술(Carotid endarterectomy)

1. 서론

1954년 Eastcott 등이 경동맥 협착증으로 인하여 일과성 허혈 증상(transient ischemic attacks, TIAs)을 보이던 여자 환자에서 성공적인 수술 시행의 증례를 보고한 이후로 내경동맥 협착에 의한 허혈성 뇌졸중 예방의 합리적인 치료 방법으로서 경동맥내막절제술이 활발히 시행되어 왔다. 이후 수 차례에 걸쳐 경동맥내막절제술의 효과에 대한 여러 전향적인 임상 연구들이 시행되었으나 그 효과를 증명하지는 못했었다. 그러나 내경동맥 협착으로 인한 뇌졸중 환자에서 경동맥 내막절제술을 통한 뇌졸중 발생의 예방 혹은 증상의 호전이 일부에서 지속적으로 경험되었고 따라서 계속하여 경동맥 내막절제술이 시행되어 점점 더 낮은 합병률의 발생을 보고하게 되었다.

미국에서의 예를 보면 수술 효과의 불확실성에도 불구하고 1971년에 15,000예의 경동맥내막절제술이 시행되었으나 1985년에는 시행 예가 107,000예로 증가하였고 1990년대에 이르러서 무작위 추출에 의한 전향적인 연구 결과들이 보고되면서 경동맥 협착증으로 인한 허혈성 뇌졸중 환자들에서 경동맥내막절제술의 효과가 인정되게 되었다.

뇌졸중의 발생을 예방하기 위한 경동맥 협착증의 치료로서 경동맥내막절제술의 효과에 대해서는 여러 전향적인 연구들을 통하여 입증되었고 수술의 적응증에 대해서도 보고되었다. 뇌졸중의 증상이 있는 환자들을 대상으로 한 NASCET study에 의하면 70% 이상의 심한 내경동맥 직경의 감소를 보이는 뇌졸중 환자들 중 331명에서 내과적 치료를, 328명에서 경동맥내막절제술을 시행하여 비교한 결과, 2년간의 생명표 방법에 따른 동측 뇌졸중 발생의 위험이 각각 26%와 9%로 나타나 절대적 위험 감소율이 17%, 주 혹은 치명적인 동측 뇌졸중 발생은 13.1%와 2.5%로 10.6%의 절대적 위험 감소율을 보고하였다. 또한 ECST study 등에서도 경동맥내막절제술의 뇌졸중 예방 효과에 대하여 같은 결과를 보고한 바 있다. 경동맥 협착 환자에서 경동맥 내막절제술을 시행하는 경우 수술과 관련되어 발생하는 뇌졸중으로 인한 이환율과 사망률은 항상 수술의 효과를 평가하고 합리화하는 중요한 지표가 되어 왔다.

1989년 American Heart Association에서의 수술 중 혹은 수술 후 뇌졸중으로 인한 이환율과 사망률의 발생 상한선을 증상의 유무, 경중에 따라서 증상이 없는 경우 〈 3%, 일과성 허혈 증상의 경우 〈 5%, 허혈성 뇌졸중 〈 7%, 경동맥 내막절제술 후 동측 동맥에 재발한 경우 〈 10%로 제시한 바 있다. 또한 경동맥내막절제술의 수술 성적을 결정하는 중요한 요인의 하나로 환자들이 지니고 있는 위험 인자가 수술의 적응증 결정에 논란의 대상이 되어왔는데 SAPPHIRE (Stenting and angioplasty with Protection in Patients at High Risk for Endarterectomy) trial에서의 고위험군 환자의 정의에 따르면 고위험군 환자는 울혈성 심장부전(New York Heart Association class III/IV) 혹은 알려져 있는 중증의 좌심실 기능 장애가 있는 경우, 6주 이내에 심장 수술을 받은 경우, 최근에 심근 경색이 발생한 경우, 불안정성 협심증(Canadian Cardiovascular Society class III/IV)이 있는 경우 혹은 심한 폐질환이 있는 경우 등의 내과질환 중 하나 이상을 지니고 있는 경우로 정의하였고 수술 시 세심한 주의를 권고하고 있다.

이러한 여러 전향적인 연구들을 통하여 최근에는 2009년 ESVS (European Society for Vascular Surgery)와 2011년 미국 뇌졸중 학회에서 경동맥내막절제술에 대한 치료 지침을 제안하였고 2009년에 보고된 ESVS Guidelines에 따르면 경동맥 협착증 환자에서 경동맥내막절제술의 적응증은 뇌졸중의 증상이 있는 환자에서는 NASCET 기준으로 70% 이상의 경동맥 협착증이 있는 환자에서 절대적 수술 적응증이 되며 50% 이상의 경동맥 협착증의 경우에도 수술이 가능하다고 권고하고 있다. 그러나 이러한 적응증의 전제 조건으로 수술과 연관된 뇌졸중/사망의 발생이 6% 미만이어야 한다고 제안하고 있으며 수술 시기는 환자가 마지막 뇌졸중 증상을 보인 후 2주 이내에 시행해야 한다고 권고하고 있다.

증상이 없는 경동맥 협착증 환자에서는 수술과 연관된 뇌졸중/사망의 발생이 3% 미만이고 나이가 75세 이하의 남자 환자라면 70~99%의 협착증에서 경동맥내막절제술의 적응증이 된다고 제안하고 있다. 다만 증상이 없는 여자 환자의 경우에는 경동맥내막절제술의 효과가 의미 있게 줄기 때문에 환자의 선택에 주의를 요한다고 권고한다. 앞서 기술한 고위험군의 환자들에서도 경동맥 내막절제술을 심장 합병증, 뇌졸중, 사망 발생 등의 증가 없이 시행할 수 있다고 하였으나(동시에 여러 가지의 위험인자를 지니고 있는) 극도의 고위험군의 경우에서는 최상의 내과적인 치료를 시행할 것을 권고하고 있다.

2011년 미국 뇌졸중 학회에서 제안한 경동맥 내막절제술에 대한 치료 지침도 ESVS guideline과 큰 차이는 없다.

경동맥의 심한 협착 환자들에서 경동맥내막절제술이 향후 뇌졸중의 발생을 예방하는데 안전하고 효과적인 치료 방법이라는 것에 대해서는 이미 여러 전향적인 임상 연구 결과들을 통하여 증명된 바 있다. 그러나 경동맥내막절제술의 시행 목적이 향후 뇌졸중의 발생을 예방하는 것이므로 전향적인 여러 임상 연구들에서 제시된 수술의 적응증, 수술 방법 및 시기, 수술과 관련된 합병증의 발생에 대한 엄격한 권고 기준에 따라 시행되어야 한다.
(그림 1-1) 다양한 모양의 죽상경화성 플라크 (Atheromatous plaque)

2. 적응증

- 신경학적 증상이 있는 환자의 경우
  내경동맥의 협착이 70% 이상(NASCET criteria)인 경우 절대적인 수술의 적응증
  내경동맥의 협착이 50% 이상(NASCET criteria)인 경우 상대적인 수술의 적응증
  (수술과 관련된 뇌졸중, 사망의 발생률이 6% 미만)
  (환자의 마지막 신경학적 증상 발생 후 2주 이내에 수술의 시행을 권고)
- 신경학적 증상이 없는 환자의 경우
  내경동맥의 협착이 70~99%(NASCET criteria)인 경우 수술의 적응증
  (수술과 관련된 뇌졸중, 사망의 발생률이 3% 미만)
  (환자의 나이가 75세 이하, 성별이 남자인 경우에 권고)

3. 비적응증

- 앞으로 기대 여명이 5년 이내인 경우
- 의식이 혼수 상태인 환자
- 뇌출혈이 동반된 환자
- 허혈성 뇌졸중의 병변 범위가 중뇌동맥 분포 부위의 1/3 이상인 경우

4. 수술 전 처치

- 자기공명 영상촬영 혹은 전산화 단층 촬영 등을 통하여 내경동맥의 협착 정도와 뇌졸중의 범위, 뇌 내 동맥 상태 등의 확인이 필요
- 경동맥 이중주사 초음파(Carotid Duplex Ultrasonography) 검사가 내경동맥의 협착 정도와 추적 검사에 유용
  다른 동맥 질환과 마찬가지로 대부분의 경동맥 협착은 죽상경화증에 의해서 발병되므로 심장과 그 외의 전신 상태에 대한 면밀한 검사가 필요

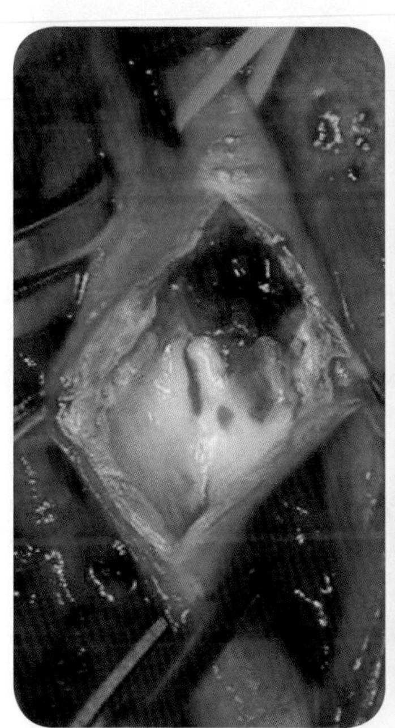
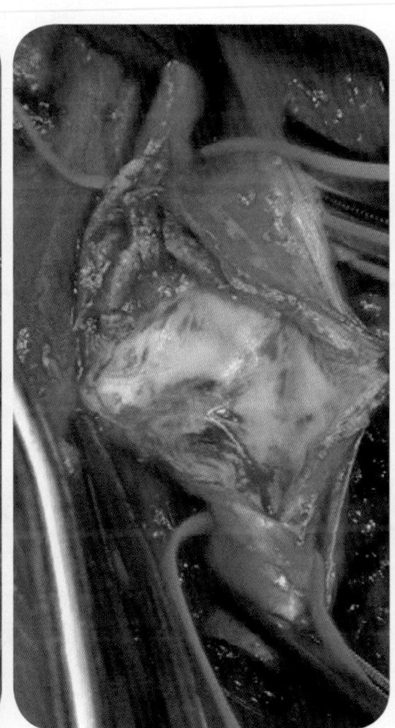
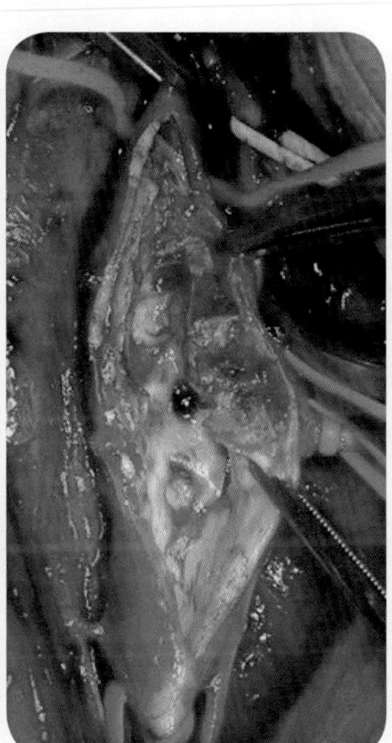
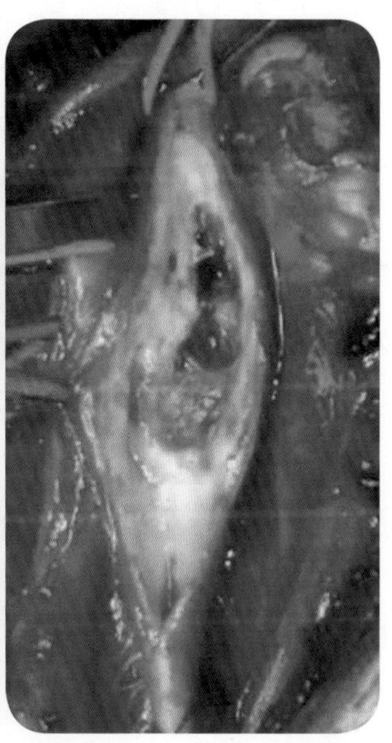

그림 1-1 다양한 모양의 죽상경화성 플라크

5. 마취

- 마취 방법은 전신 마취와 신경절 차단술을 포함한 부위 마취, 모두 가능
- 최근의 GALA (General Anesthesia versus Local Anesthesia) Trial에 따르면 마취 방법에 따른 합병증 발생 등의 수술 결과에는 차이가 없는 것으로 보고

6. 환자 자세

환자는 베개를 어깨에 받치고 누운 상태에서 턱을 수술 반대 방향으로 젖히고 목을 과신전시킨 자세

7. 수술 준비

- 수술 부위가 충분히 노출될 수 있도록 준비
- 위로는 하악골과 귓불의 일부가, 아래로는 쇄골의 일부가 노출될 수 있도록 하고 목의 중앙부위까지 노출될 수 있도록 수술 부위를 준비

8. 절개 및 노출

(그림 1-2) 피부 절개는 경동맥분기(carotid bifurcation) 혹은 내경동맥 협착 부위의 수준에 따라서 차이가 있을 수 있으나 일반적으로는 흉쇄유돌근(목빗근)의 앞쪽 경계면을 따라서 상부 2/3 정도에 시행한다. 피부 절개 후 피하 지방과 활경근(넓은목근)을 분리하고 흉쇄유돌근의 앞쪽 경계면을 따라서 박리를 계속한다.

(그림 1-3) 흉쇄유돌근의 아래쪽에 내경정맥(internal jugular vein)이 있고 내경정맥의 내측에 경동맥이 박동하는 것을 확인 할 수 있다. 대부분의 경우에 경동맥 위로 내경정맥에서 분지되는 총안면정맥(common facial vein)이 가로질러 주행하고 있고 경동맥의 노출을 위해서는 총안면정맥을 결찰, 절제하고 당김기(retractor)를 이용하여 내경정맥을 외측으로 이동시켜야 한다. 경동맥을 싸고 있는 경동맥초(carotid sheath)를 조심스럽게 박리하면 경동맥이 노출되게 된다.

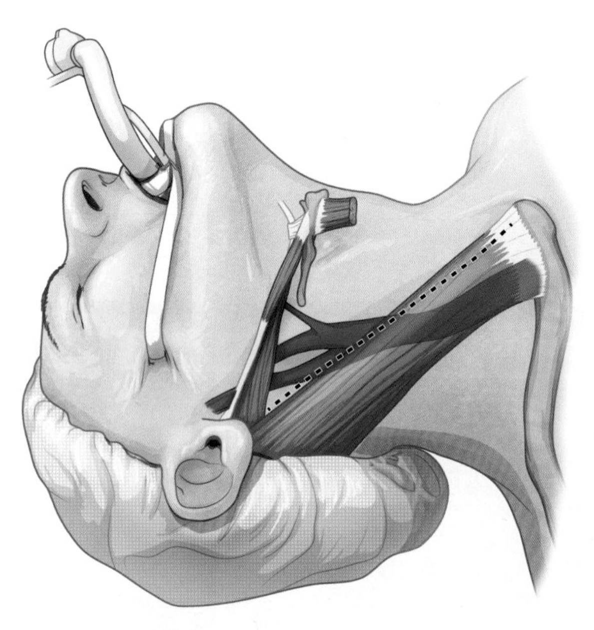

그림 1-2 환자의 자세와 피부 절개

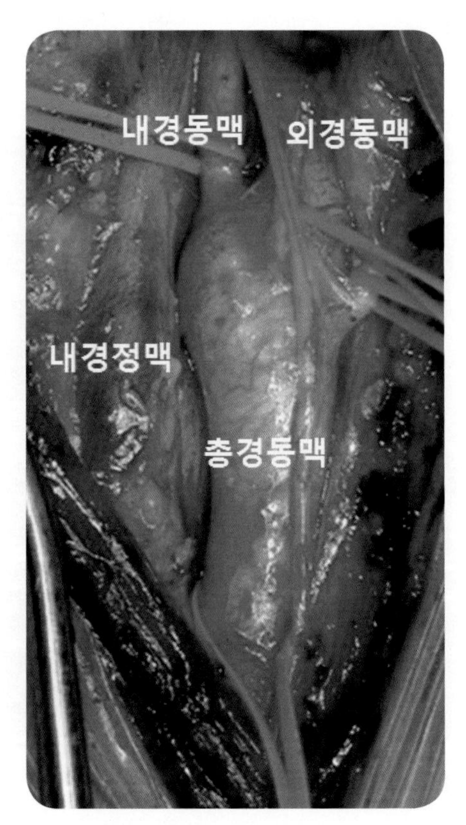

그림 1-3 경동맥과 주변의 해부학적 구조

TIP 1

동맥의 박리와 동맥겸자를 이용한 클램핑 과정에서 색전증으로 인한 신경학적 증상의 발생 가능성이 높으므로 세심한 주의를 요하며 특히 수술 전 영상의학적 검사 혹은 수술 소견에서 죽상경화성 변화가 의심되는 경동맥분기부와 내경동맥의 근위부는 가능하면 박리하지 않도록 하고 죽상경화성 변화가 없는 부위를 박리하여 동맥겸자로 클램핑하여야 한다.

TIP 2

내경동맥은 내경정맥의 바로 옆에 위치하지만 드물게 죽상경화성 변화가 심하여 동맥이 심하게 구불 구불해져 있는 경우에는 내경동맥과 외경동맥의 구분이 어려운 경우가 있다. 이런 경우에는 목 부분에서 내경동맥은 가지(Branch)가 없고 외경동맥은 상갑상선동맥을 분지하므로 이를 확인하여 쉽게 구분할 수 있다.

TIP 3

경부에서 경동맥분지부가 너무 높거나 죽상경화성 병변의 위치가 너무 높은 경우에는 수술 중 뇌졸중의 발생이나 뇌신경의 손상 위험성이 높아진다. 이런 경우에는 코기관내 삽관(nasotracheal intubation)을 시행하거나 이복근(digastric muscle)의 분리, 경상돌기의 절제, 하악골의 전방 부분탈구 등의 방법을 통하여 수술을 원활하게 진행할 수 있다. 그러나 현재에는 경동맥 스텐팅의 발달로 이런 경우에는 경동맥 내막절제술 보다는 경동맥 스텐팅의 적응증이 된다고 할 수 있다.

9. 수술 과정

총경동맥, 내경동맥, 외경동맥이 모두 노출된 후에는 내막절제술을 진행하기 위하여 각각의 동맥들에 동맥겸자(vascular clamp)를 이용하여 혈류를 차단시켜야 하므로 박리를 진행한다. 박리가 모두 끝난 후에는 헤파린㈜을 환자 몸무게에 따라서 Kg당 100 I.U. 정맥주사하고 5분 정도 경과한 후에 각각의 동맥들을 동맥겸자를 이용하여 클램핑한다. 동맥을 클램핑하는 순서는 내경동맥을 통한 뇌로의 색전증 발생을 예방하기 위해서 내경동맥 → 총경동맥 → 외경동맥의 순서로 한다.

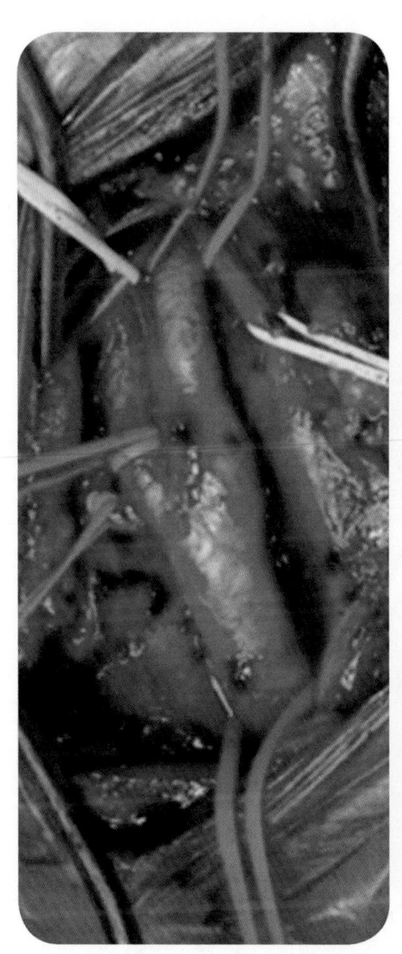
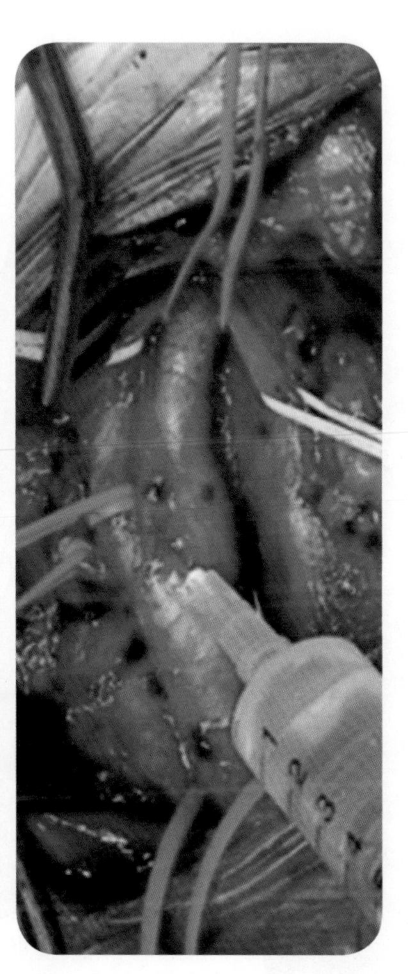
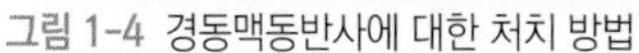
그림 1-4 경동맥동반사에 대한 처치 방법

TIP 4
(그림 1-4) 경동맥의 박리 혹은 수술 중에 경동맥분지부의 동맥 근육층 바깥쪽에 위치한 경동맥동압수용체(carotid sinus baroreceptor)의 자극에 의한 경동맥동반사(sinus reaction)로 서맥(느린맥)과 저혈압이 발생하는 경우가 있다. 이런 경우에는 희석한 국소 마취제를 경동맥분지부에 침윤하여 해결할 수 있다.

(그림 1-5) 내경동맥, 총경동맥, 외경동맥의 순서로 동맥들을 클램핑한 후에는 종으로 경동맥 절개(arteriotomy)를 시행하는데 동맥 절개의 방향은 병변이 의심되는 부분의 근위부, 총경동맥에서 시작하여 내경동맥의 병변이 없는 건강한 부위까지 절개를 시행한다.

(그림 1-6) 수술 도중에 경동맥 클램핑으로 인하여 뇌허혈이 의심되는 경우에는 일시적으로 션트(temporary shunt)를 삽입한다. 부위 마취의 경우에는 내경동맥 클램핑 후 환자의 의식 상태, 운동 능력의 변화 등을 평가하여 션트의 삽입을 결정하며 전신 마취의 경우에는 여러 가지 수술 중 뇌 감시 검사 결과에 따라서 션트의 삽입을 결정한다. 션트의 종류에는 USCI Javid carotid Bypass shunt(그림 1-6A)와 Pruitt-Inahara carotid shunt(그림 1-6B)가 있다.

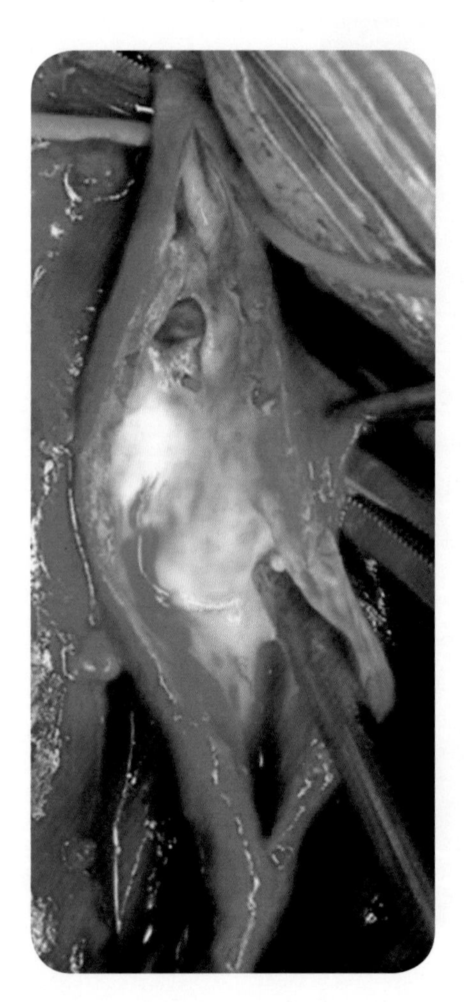

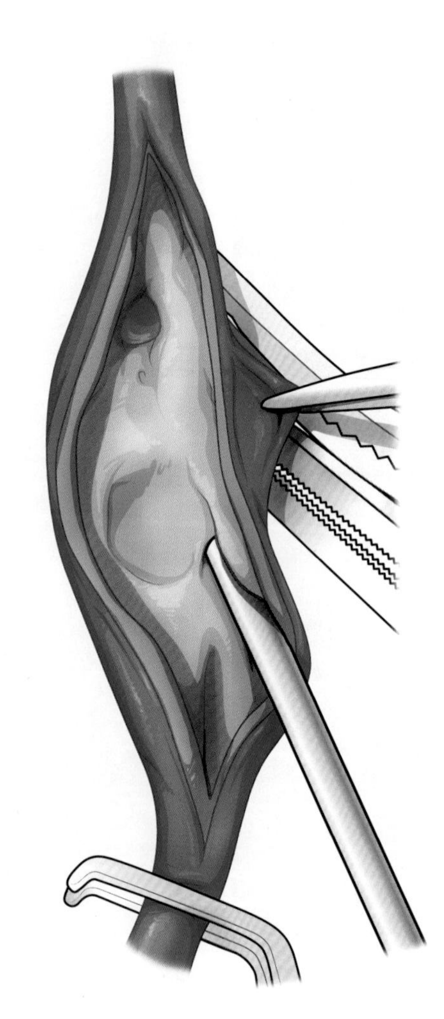

그림 1-5 경동맥 절개

A

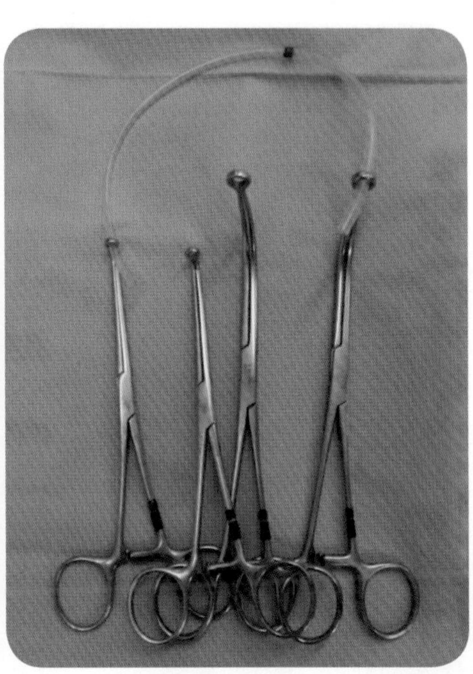

USCI Javid carotid bypass shunt

B

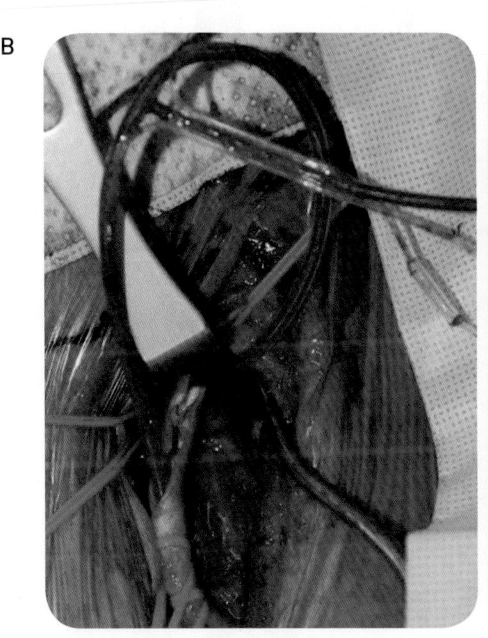

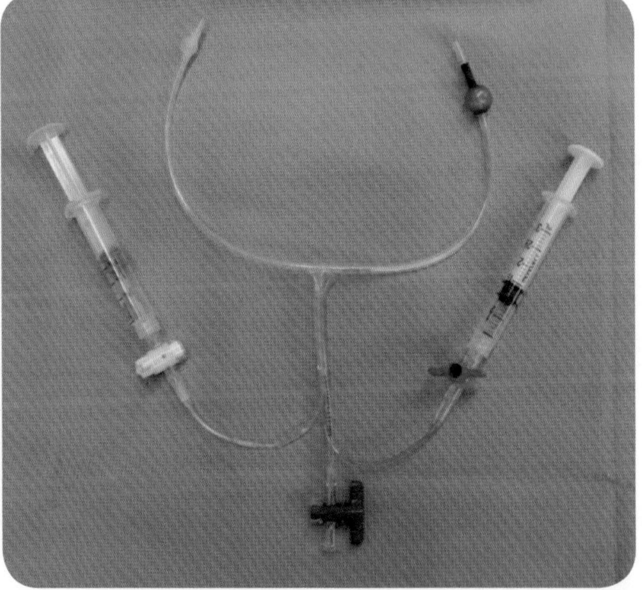

Pruitt-Inahara carotid shunt

그림 1-6 경동맥 내막절제술 중 사용되는 션트의 종류

(그림 1-7) 션트의 삽입은 내경동맥에 먼저 삽입하여 공기 등이 배기되도록 혈액이 충분히 역류(back bleeding)되는 것을 확인한 후 총경동맥에 삽입한다.

(그림 1-8) 내막절제술은 죽상경화성 플라크의 형성이 가장 심한 부위가 절제면이 가장 쉽게 나오므로 죽상경화성 플라크의 형성이 가장 심한 부위부터 시작한다. 플라크 밑으로, 중막과 외막 사이의 면을 따라서 내막절제 스파튜라(endarterectomy spatula)를 이용하여 근위부로는 총경동맥, 원위부로는 내경동맥으로 건강한 내막과 매끈한 이행부위(smooth transition)가 나올 때까지 내막절제술을 진행한다. 외경동맥은 외번(뒤집기) 내막절제술(eversion endarterectomy) 방법으로 내막절제술을 시행한다.

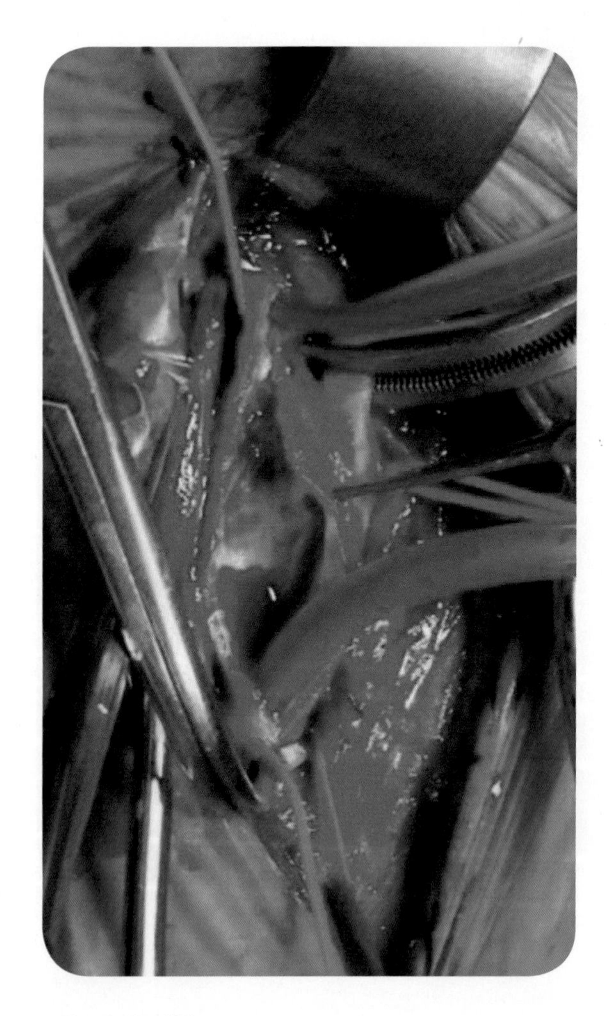

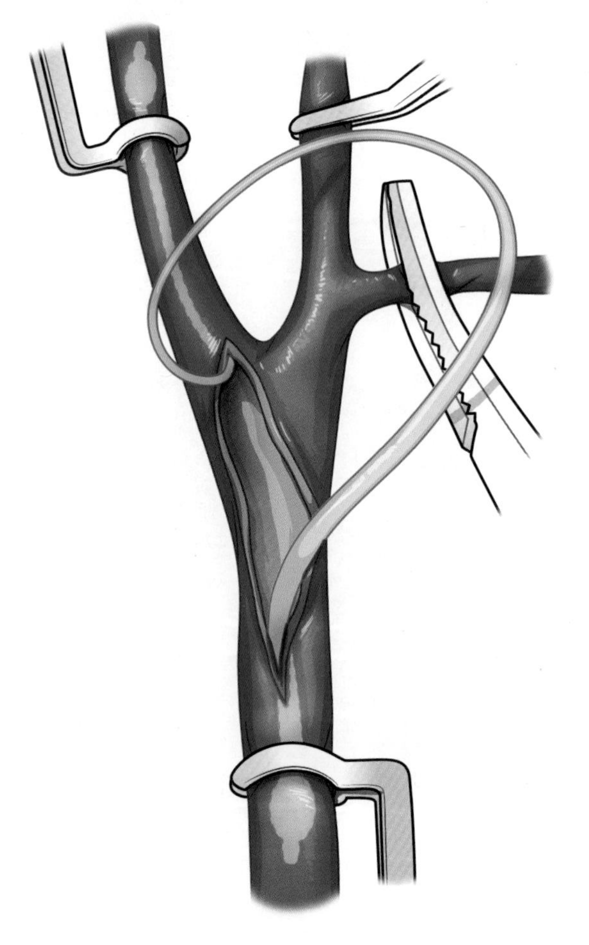

그림 1-7 션트 삽입

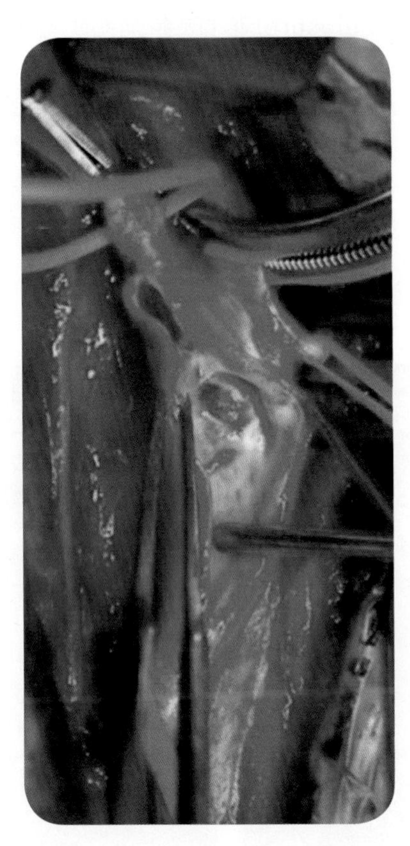

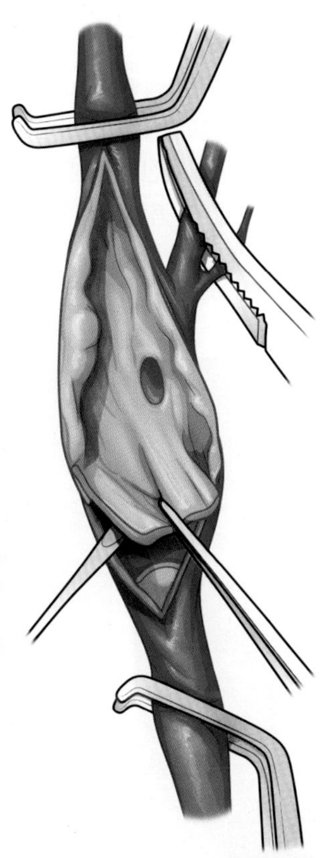

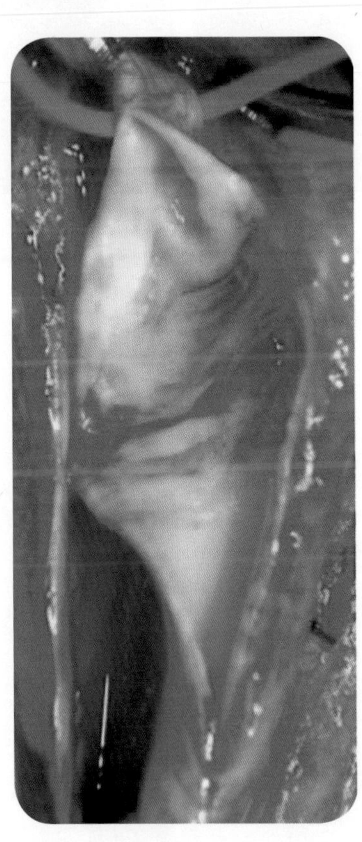

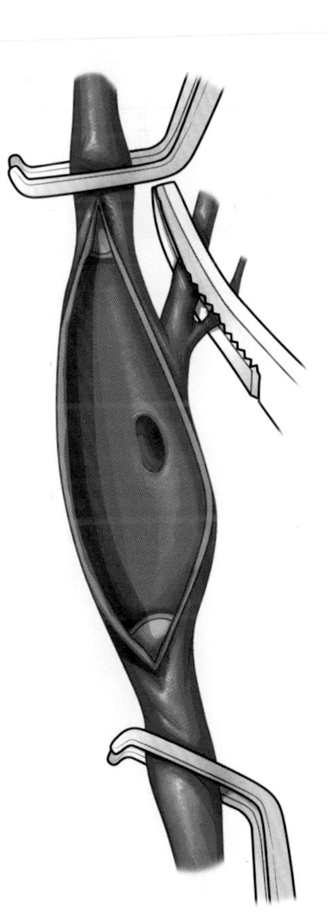

TIP 5

죽상경화성 플라크는 제거되었으나 매끈한 이행부위가 나오지 않고 더 이상 내막절제술을 진행하기 어려운 경우에는 혈류 개통 시 혈류에 의해 내막판(intimal flap)이 생겨 혈전 형성, 혈류 장애 등이 발생할 수 있으므로 이행부위에 tacking suture를 시행하여 내막판이 생기는 것을 예방한다.

그림 1-8 내막절제술

(그림 1-9) 죽상경화성 변화가 심하여 내경동맥이 심하게 구불 구불해져 있는 경우에는 내막절제술 후에 혈전 형성, 경동맥 폐쇄 등의 위험성이 높아지므로 추가로 주름잡기술(plication technique)이 필요할 수 있다. 주름잡기술은 내경동맥의 일부에 주름을 만들어서 내경동맥을 곧게, 일직선으로 만들어주는 방법이다.

(그림 1-10) 주름잡기술의 시행 예와 수술 전, 후 자기공명 영상촬영 결과

(그림 1-11) 내막절제술을 마친 후 경동맥 절개의 봉합 방법에는 단순 봉합술(primary closure)과 첩포를 이용한 첩포성형술(patch angioplasty)이 사용될 수 있다. 여러 전향적인 연구 결과들에서는 첩포 성형술이 단순 봉합술에 비하여 수술 후 경동맥 폐쇄, 재협착 등의 발생이 적고 수술과 관련된 뇌졸중 혹은 사망의 위험성도 적은 것

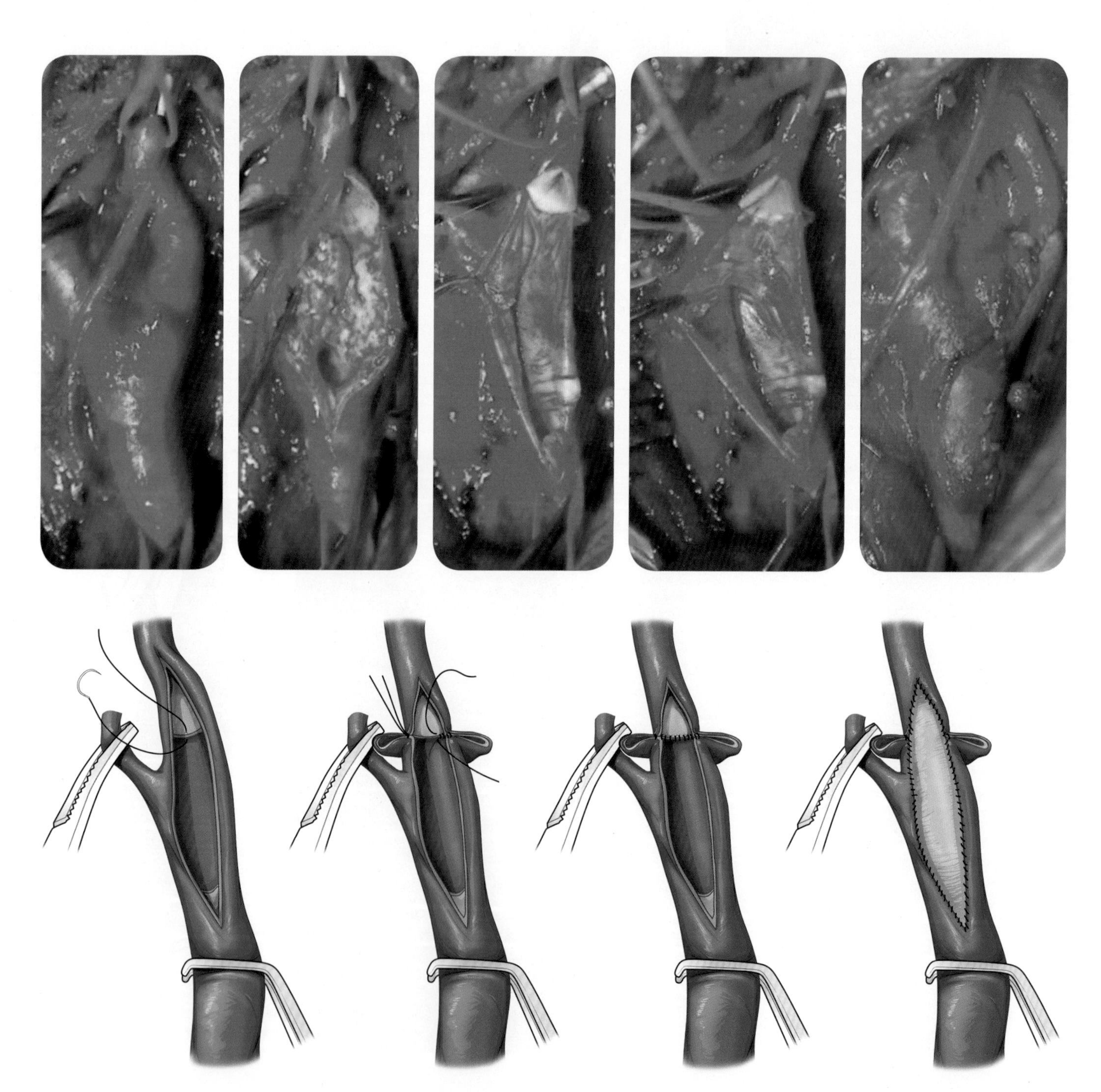

그림 1-9 주름잡기술의 과정

으로 보고하고 있고 사용되는 첩포에는 복재정맥, 외경정맥, 총안면정맥 등의 자가 정맥과 합성(synthetic) 첩포, 소의 심낭막(bovine pericardium)을 이용한 생합성(biosynthetic) 첩포 등이 있다.

(그림 1-12) 경동맥 내막절제술의 다른 방법으로는 외번(뒤집기) 내막절제술(eversion endarterectomy)이 있다. 외번술은 총경동맥이 내경동맥과 외경동맥으로 분기하는 분기부에서 내경동맥(★)을 비스듬하게 잘라낸 후 죽상경화성 플라크를 제거하고 다시 문합해 주는 방법이다. 외번술은 내경동맥 방향으로의 종 절개가 필요 없어 경동맥 절개 부위의 봉합과 관련된 문제가 없고 수술이 비교적 간단하고 내경동맥이 죽상 경화성 변화로 인하

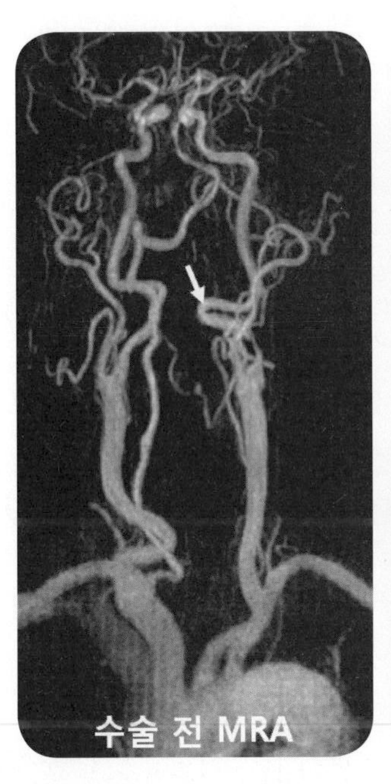

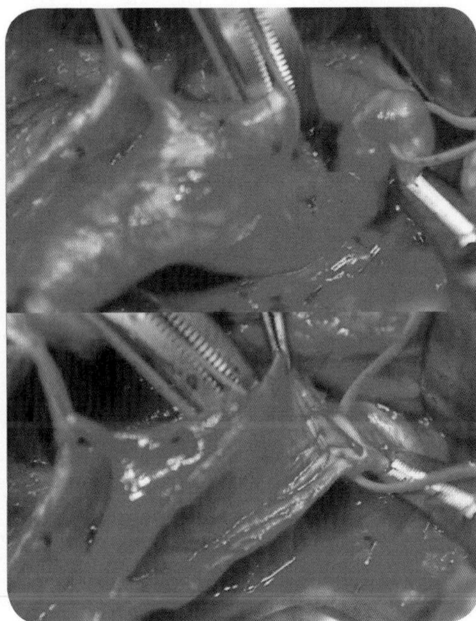

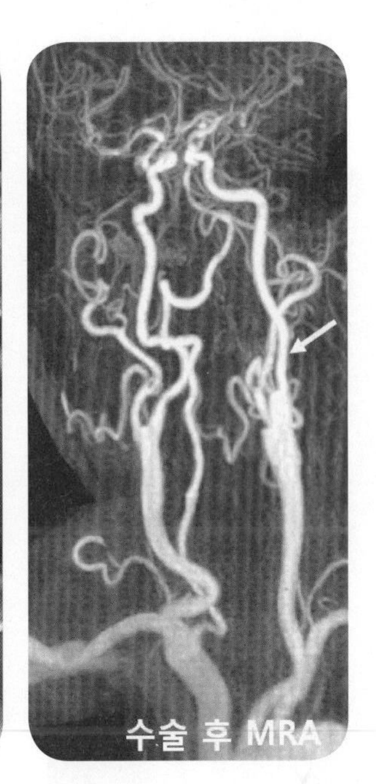

그림 1-10 주름잡기술의 시행 예와 수술 전, 후 자기공명 영상촬영 결과

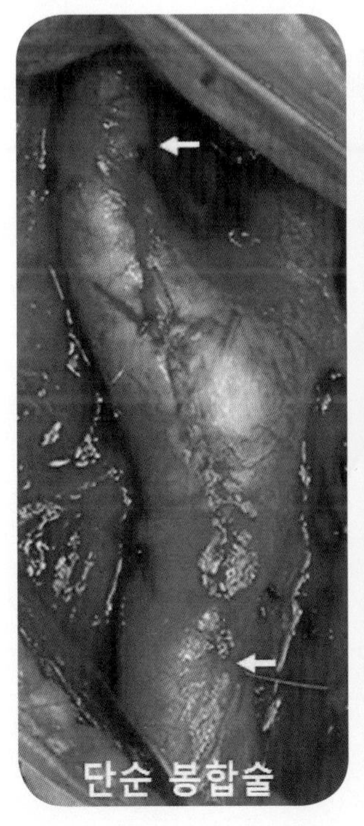

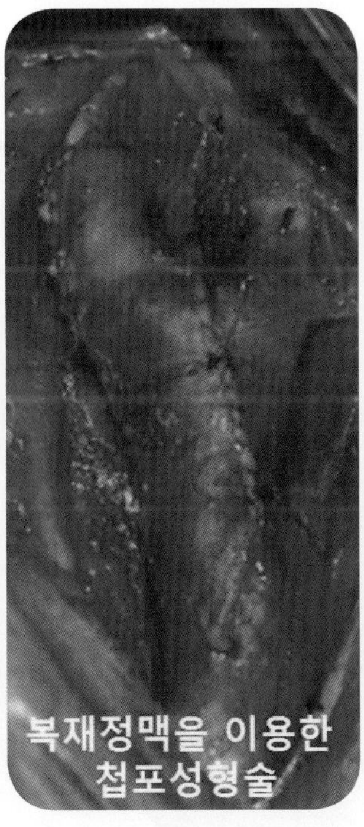

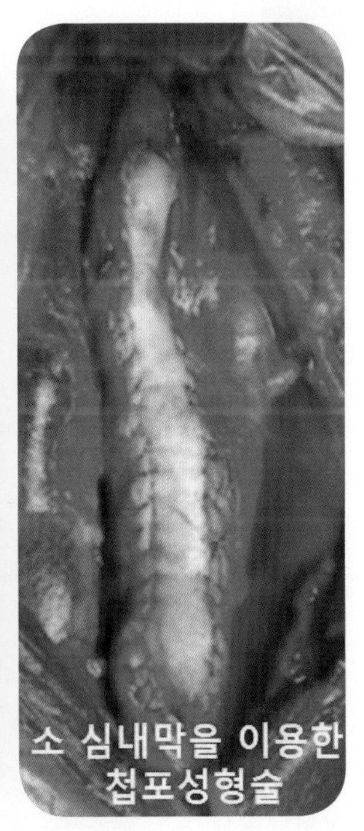

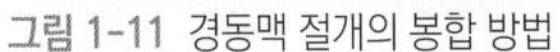

그림 1-11 경동맥 절개의 봉합 방법

여 길이가 늘어나 있는 경우에도 총경동맥의 근위부에 재문합을 시행하여 수술 후 내경동맥의 꼬임 현상을 예방할 수 있다는 장점이 있다. 그러나 내경동맥의 죽상경화성 변화가 원위부까지 광범위하게 진행되어 있는 경우나 내경동맥의 클램핑 후에 뇌 허혈의 증거가 있어 일시적으로 션트(temporary shunting)의 삽입이 필요한 경우에 어려움이 있을 수 있다. 고식적인 내막절제술과의 비교에서는 수술 후 경과에 큰 차이는 없는 것으로 보고되고 있다.

10. 수술 후 관리

- 수술 직후 신경학적 검사를 시행하고 엄격한 혈압 관리와 수술 부위 출혈 유무의 확인: 가능하면 24시간 정도 중환자실에서 집중 관찰을 권고
- 이중 항혈소판 제제의 복용: 환자의 동반된 심혈관계 질환 유무와 정도에 따라서 추적 관찰 후 단독 항혈소판 제제를 사용할 수 있다.
- 스타틴 제제 복용
- 죽상경화증의 위험인자 관리

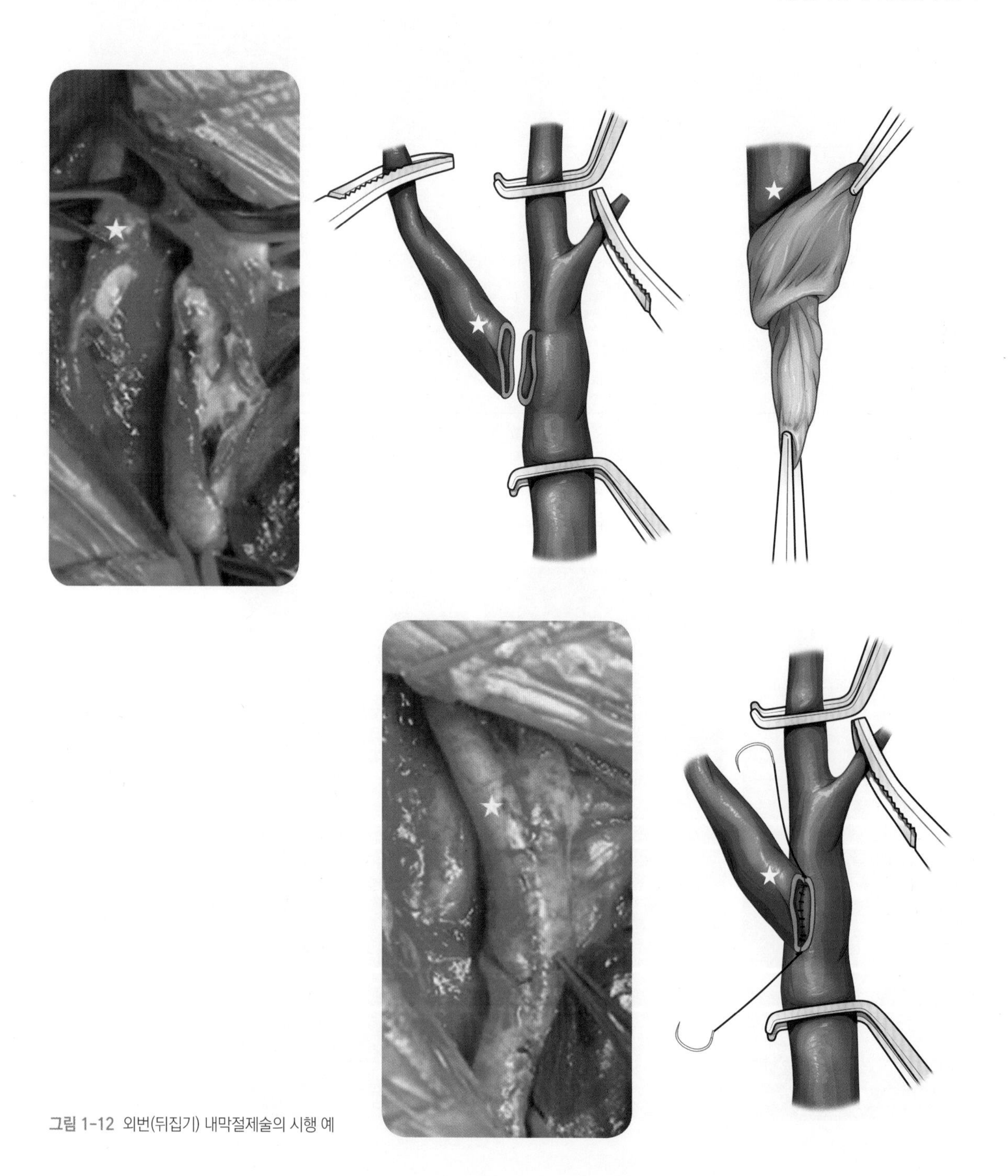

그림 1-12 외번(뒤집기) 내막절제술의 시행 예

II. 경동맥스텐팅(Carotid artery stenting)

1. 적응증

경동맥내막절제술과 동일

2. 비적응증

1) 경동맥내막절제술과 동일

2) 경동맥내막절제술이 선호되는 경우

(1) 전신 상태

- 고령의 환자(80세 이상)
- 항혈소판 제제의 사용이 곤란한 환자
- 심한 신장 기능 장애가 있는 환자

(2) 해부학적 구조

- Shaggy aorta, eggshell aorta 등 대동맥 질환이 있는 환자
- 대동맥 궁에 심한 굴곡을 보이는 환자(type III aortic arch)
- 대동맥-장골동맥 폐쇄성 질환이 있는 환자
- 경동맥에 심한 석회화(heavy calcification)가 있는 환자
- 경동맥에 심한 꼬부라짐(severe tortuosity)이 있는 환자
- 경동맥에 string sign을 보이는 환자
- 경동맥에 신선 혈전(fresh thrombus)이 있는 환자
- 불안정 플라크(unstable plaque)에 의해서 경동맥이 좁아진 환자

3) 경동맥스텐팅이 선호되는 경우

(1) 전신 상태

- 만성폐쇄성 폐질환 환자
- 1달 이내에 관상동맥질환, 불안정협심증, 심근경색의 병력이 있는 환자
- 심장판막질환
- 심박출률(ejection fraction)이 30% 이하인 울혈성심부전 환자
- 반대측 순환형 후두신경(recurrent laryngeal nerve) 기능장애가 있는 환자
- 고도 비만(severe obesity) 환자

(2) 해부학적 구조

- 경부 방사선 치료(neck irradiation)의 과거력이 있는 환자
- 근치적 경부 수술(radical neck surgery)의 과거력이 있는 환자
- 목이 고정되어있는(neck immobility) 환자
- 재발성 경동맥 협착(recurrent stenosis) 환자
- 경동맥 협착 부위가 높은(high lesions, above C2) 환자
- 반대측 경동맥이 폐쇄된(contralateral carotid occlusion) 환자

3. 시술 전 처치

- 자기공명 영상촬영(그림 1-13A) 혹은 전산화 단층 촬영 등을 통하여 내경동맥의 협착 정도와 뇌졸중의 범위, 뇌 내 동맥 상태 등의 확인이 필요
- 경동맥 이중주사 초음파 검사(그림 1-13B)가 시술 전 내경동맥의 협착 정도와 플라크의 특징, 시술 후 추적 검사에 유용
- 시술 전 항혈소판 제제, 항고혈압 제제, 스타틴 투약

(그림 1-13A) 자기공명 영상촬영 혈관조영술 검사에서 좌측 내경동맥 근위부 협착이 분절형으로 보이며, 병변이 다소 높게 위치하는 것이 확인됨
(그림 1-13B) 경동맥 이중주사 초음파 검사상 혈류 증가와 증가된 에코상을 보이는 플라크 관찰됨

4. 일반적인 시술 준비

- 7-Fr. sheath
- 6~8-Fr. supporting guiding catheter 100 cm
- distal filter-type protection device
- 4- or 5-mm balloon catheter
- self-expanding stent tubular type matching the diameter of the proximal landing segment

5. 시술 과정

- 서혜부 대퇴동맥을 천자하여 시술을 진행함.
- 디지탈감산혈관조영(digital subtraction angiography, DSA)을 통하여 협착 부위 확인(그림 1-14).

(그림 1-14A) 석회화된 플라크 양상(화살표)을 보이고 있고, 하단에 시술을 위해 삽입한 유도도관 끝이 관찰됨
(그림 1-14B) 디지탈감산혈관조영에서 협착 양상이 잘 보이고 있고 가장 심한 부위에서 80% 이상의 협착이 관찰되며(화살표), 분지부위도 좁아져 있음

TIP 1
경동맥내막절제술과 경동맥스텐팅 모두 심한 내경동맥 협착에 의한 허혈성 뇌졸중 예방의 합리적인 치료 방법으로 증명되었고 환자의 전신 상태와 해부학적 구조에 따라서 최상의 방법을 적절히 선택하는 것이 중요

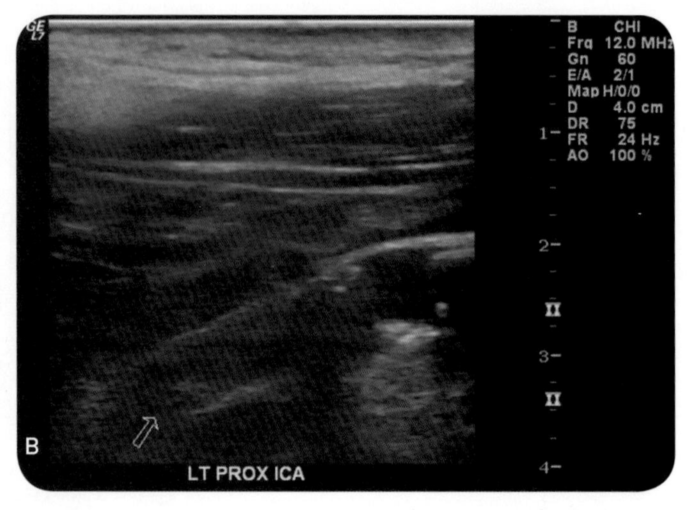

그림 1-13 경동맥 스텐팅 시행 전 자기공명 영상촬영 혈관조영술과 경동맥 이중주사 초음파 시행

TIP 2
시술 중 색전 발생 방지 방법
- 원위부 풍선폐쇄술 혹은 필터 설치 (distal protection with balloon occlusion or filtering)
- 근위부 혈류 차단 혹은 혈류 전환 (proximal flow arrest or flow reversal)

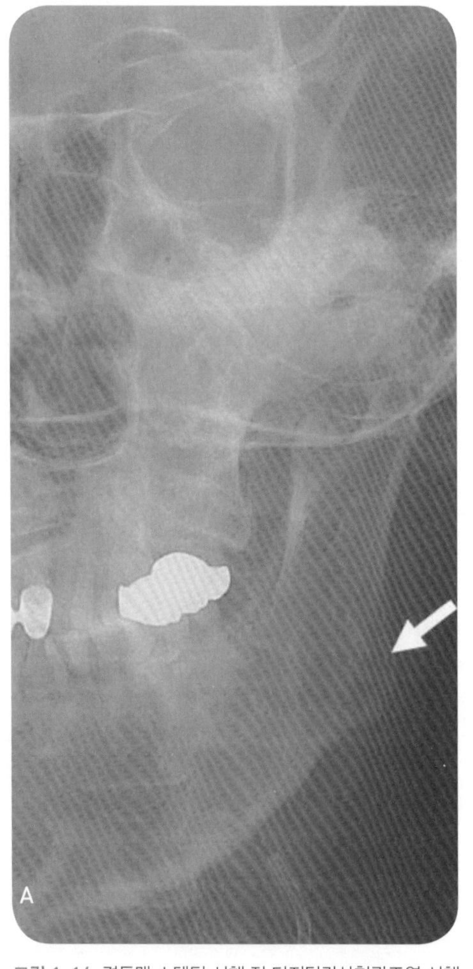

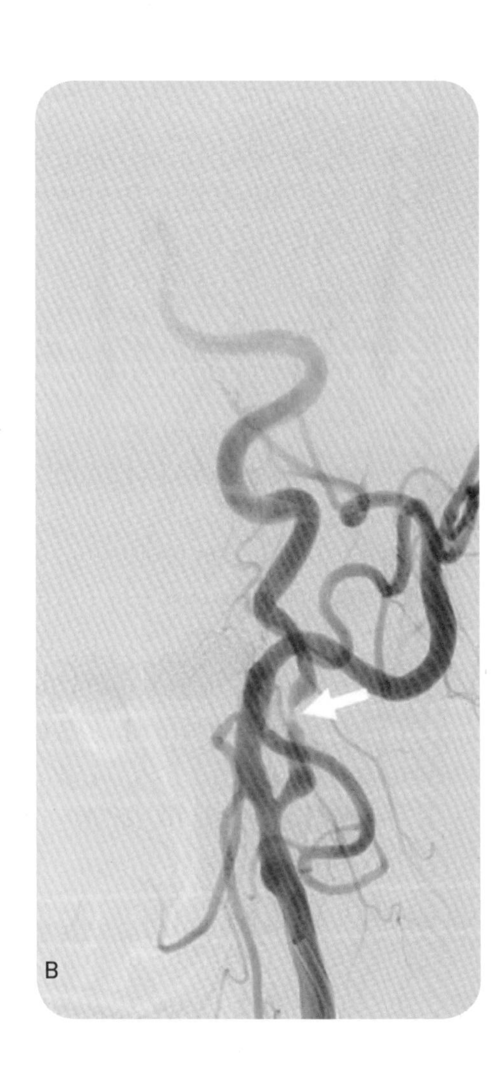

그림 1-14 경동맥 스텐팅 시행 전 디지털감산혈관조영 시행

- 색전방지용 필터(embolic protection device, 그림 1-15) 설치 및 시술 진행(그림 1-16)

(그림 1-15A) 시술 중 색전 발생 방지 방법의 발달

(그림 1-15B) 원위부 색전 방지용 필터를 통해 확인된 플라크 조각

(그림 1-16A) 협착 원위부에 색전 방지용 필터(화살표)를 설치함

(그림 1-16B) 혈관성형용 풍선도관(직경 4 mm, 길이 40 mm)을 이용하여 협착 부위를 확장하고 있음. 목표 기압인 10기압까지 확장하여 잔여 협착이 없는 것을 확인함

(그림 1-16C) 풍선확장술 결과를 확인하였을 때, 협착이 현저한 호전을 보이나 여전히 내강이 불규칙한 양상 남아 있음이 확인됨

(그림 1-16D) 스텐트 전달장치(stent delivery system)를 목표 위치에 삽입함

(그림 1-16E) 투시(fluoroscopy) 모니터링 하에 전달장치의 피포(sheath)를 벗겨내는 방식으로 자기팽창형스텐트(self-expanding stent, 1~2 mm oversizing)를 원하는 위치에 펼침

(그림 1-16F) 스텐트가 혈관 벽에 잘 밀착되어 설치된 것이 확인됨

(그림 1-16G) 최종 혈관조영술을 통하여 잔여 협착 여부 확인하고 색전 방지용 필터를 제거함

(그림 1-17) 경동맥스텐팅의 시행 예(연속사진)

(그림 1-17A) 디지탈감산혈관조영을 통하여 협착 부위 확인

(그림 1-17B) 색전방지용 필터(화살표) 설치

(그림 1-17C) 협착 부위에 시술 전 풍선 확장술(pre-dilatation)

(그림 1-17D) 설치스텐트 전달장치를 목표 위치에 삽입하고 자기팽창형스텐트를 원하는 위치에 펼침

(그림 1-17E) 잔여 협착에 대해 시술 후 풍선 확장술(post-dilatation)

(그림 1-17F) 최종 혈관조영술을 통하여 잔여 협착 여부 확인

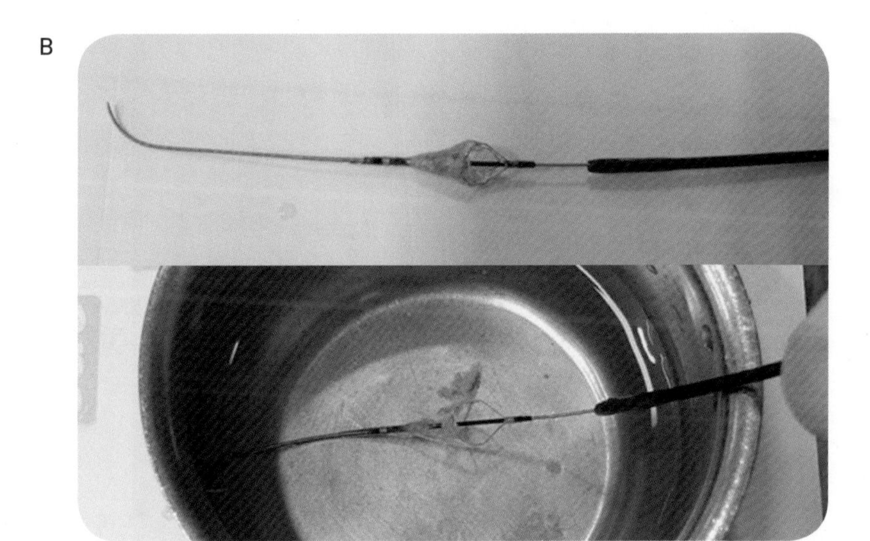

그림 1-15 시술 중 색전 발생 방지 방법의 발달과 원위부 색전 방지용 필터를 통해 확인된 플라크 조각

TIP 3
협착 부위 확장 과정에서 경동맥동반사로 인하여 서맥(느린맥)과 저혈압이 발생하는 경우, 즉시 확장을 중단하고 아트로핀 사용 후 확장을 진행한다.

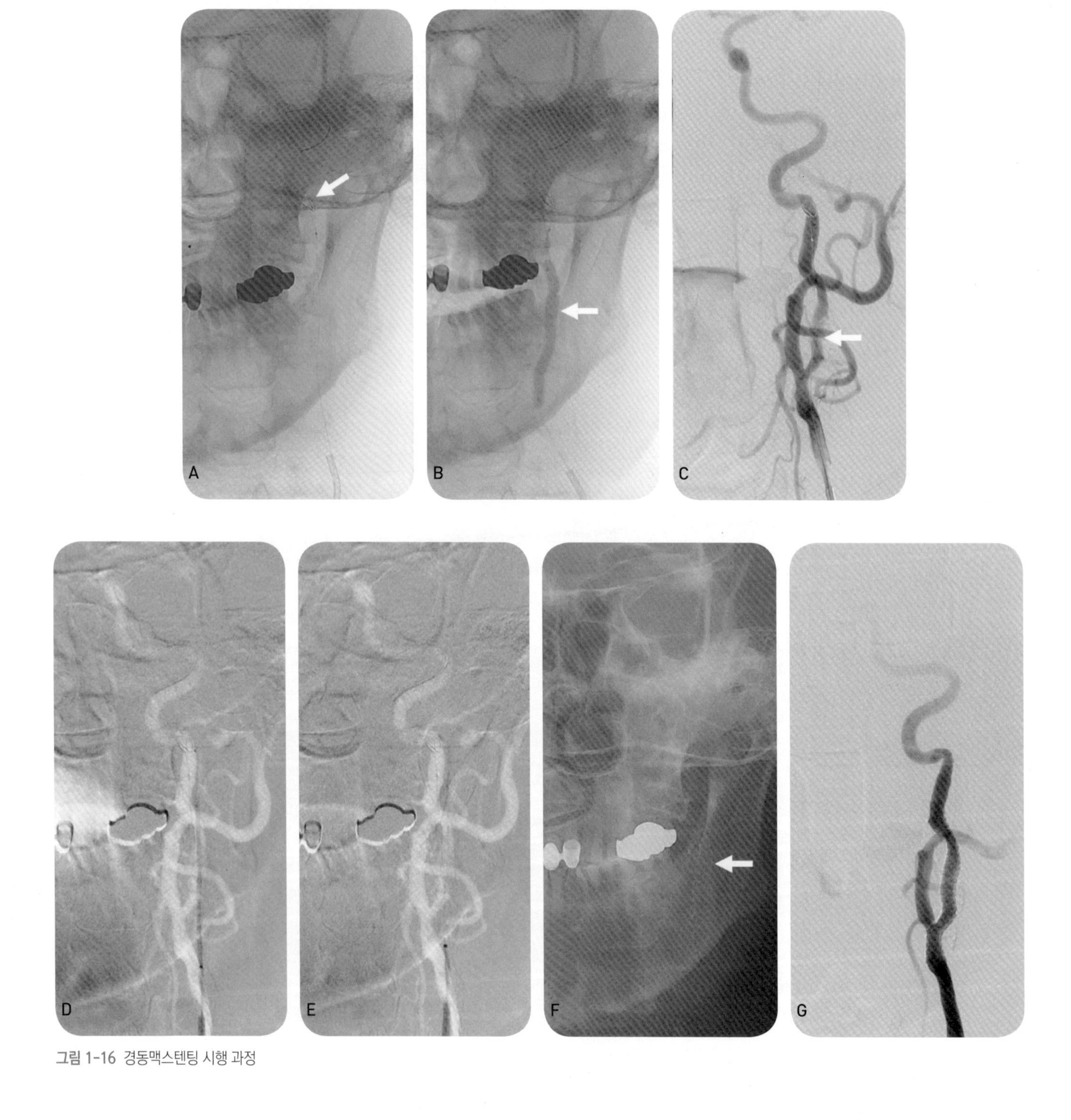

그림 1-16 경동맥스텐팅 시행 과정

TIP 4
스텐트 삽입 후에도 잔여 협착이 유의한 경우, 재차 풍선 확장술을 시행할 수 있음

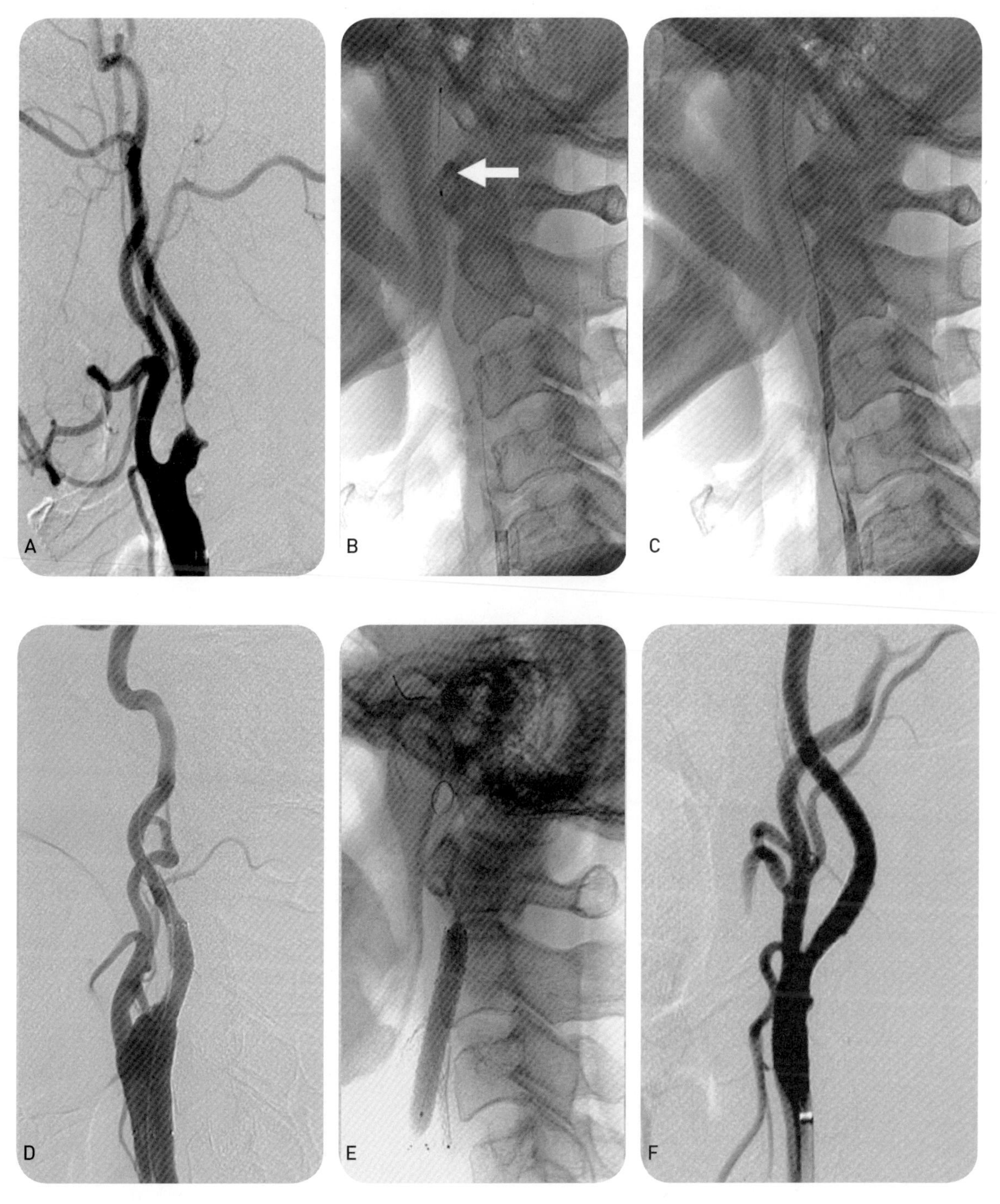

그림 1-17 경동맥스텐팅 시행 예의 연속 사진

감사의 글: 경동막 스텐팅 관련 자료는 이덕희(울산의대 서울아산병원 영상의학과) 교수님과 전평(성균관의대 삼성서울병원 영상의학과) 교수님께서 제공하여 주셨습니다.

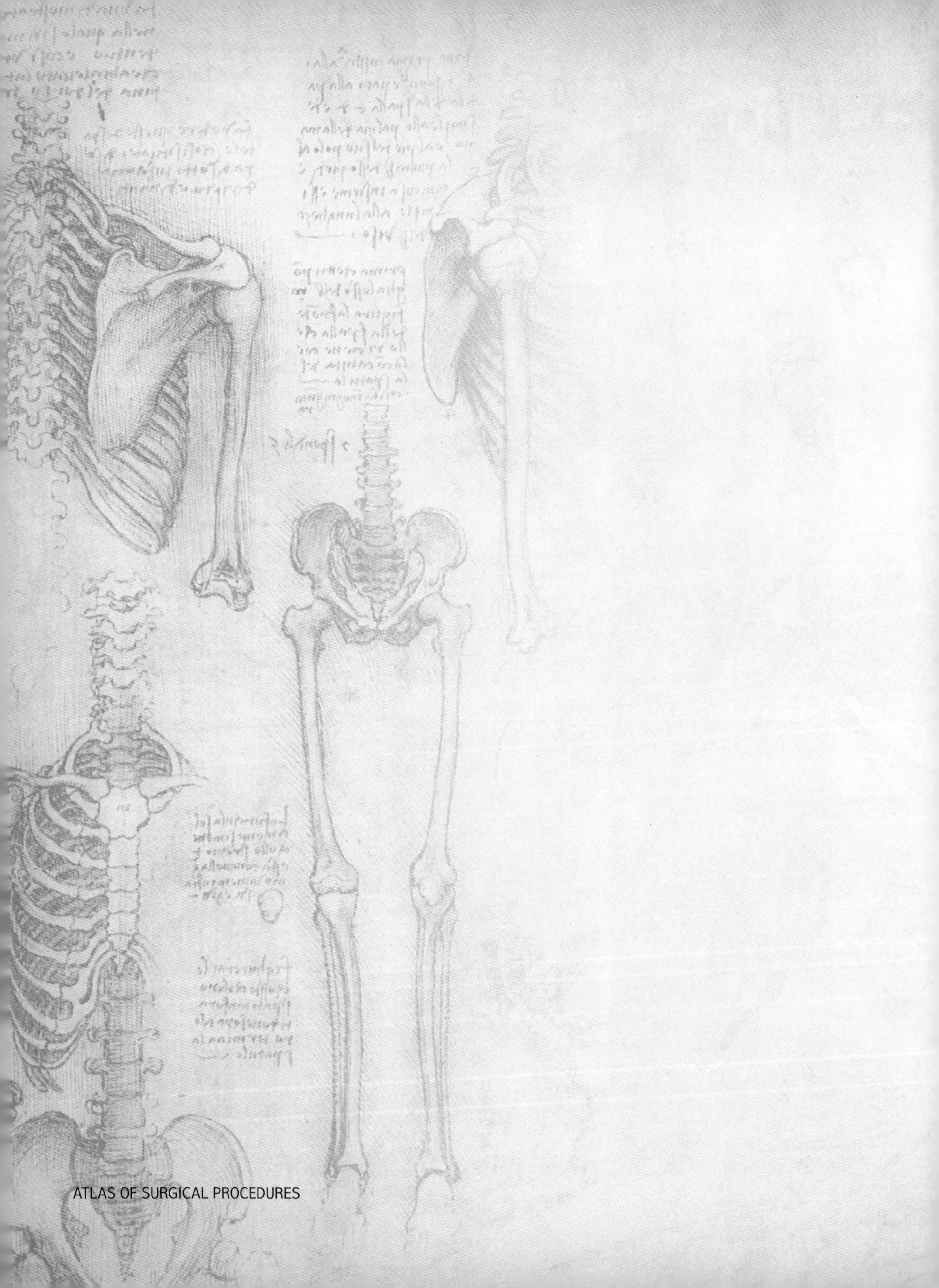

ATLAS OF SURGICAL PROCEDURES

CHAPTER 2

복부대동맥류의 수술적 치료

Open surgical repair of the abdominal aortic aneurysm

1. 적응증

파열이 없는 복부대동맥류 치료의 목적은 대동맥류 파열로 인한 사망을 미리 예방하기 위함이다. 복부대동맥류의 파열은 동맥류의 크기가 클수록 더 높은 빈도로 발생하므로 대동맥류의 치료 적응을 정할 때 대동맥류의 최대 직경을 기준으로 하는 것이 보편적이다.

한국인에서는 복부대동맥류의 최대 직경이 5 cm 이상인 경우 치료의 적응이 되고 있으며, 서양인에서는 남자 환자에서는 5.5 cm, 여자 환자에서는 직경이 5 cm 이상인 경우 치료의 적응이 되고 있다. 그리고 대동맥류 직경의 증가 속도(growth rate)가 빠른 환자에서도 치료의 적응이 된다. 정기적인 대동맥류 직경 계측에서 6개월간 0.5 cm, 즉 1년간 1 cm 이상 직경이 늘어난 환자에서는 대동맥류 치료의 적응이 된다. 그 외에도 대동맥류 파열의 전구 증상인 통증 등의 증상을 가진 환자, 원위 동맥의 색전증을 야기하는 대동맥류, 감염성 대동맥(infected aneurysm)을 의심할 만한 낭성 동맥류(saccular aneurysm) 혹은 가성동맥류(pseudoaneurysm) 등에서는 파열의 가능성이 높으므로 동맥류의 직경과 무관하게 조기 치료를 권한다.

의료 기관마다 차이가 있지만 신하부 복부대동맥류(infrarenal abdominal aortic aneurysm)의 치료는 70~80%가 혈관내치료(endovascular treatment) 즉 endovascular aortic aneurysm repair (EVAR)가 일차적 치료로 이용되고 있다. 수술적 치료(open surgical repair, OSR)는 주로 해부학적으로 EVAR 시술이 어렵다고 판단되거나, 혈관조영제 사용이 어려운 환자, EVAR 시술에 실패한 환자 등에서 수술적 치료가 추천되고 있다. 그 외에도 나이가 젊은 환자, 감염성 대동맥류, Marfan 증후군과 같은 결체조직병(connective tissue disease)에 의한 대동맥류 환자에서는 EVAR보다는 수술적 치료를 권하고 있다.

2. 수술 전 검사

복부대동맥류 수술 전 검사는 동반질환 및 마취나 수술의 위험성을 평가하기 위한 검사와 대동맥류 수술 시 필요한 대동맥 병변 및 주변 장기에 대한 영상적 검사로 나눌 수 있다.

1) 동반질환 및 수술의 위험성 평가를 위한 검사

복부대동맥류와 흔히 동반되기 쉬운 질환은 여러 가지가 있지만 그 중 가장 중요한 동반질환으로 관상동맥질환을 들 수 있다. 따라서 관상동맥 질환 유무에 대한 검사는 수술 전 수술 위험 인자에 대한 검사로서 중요하다. 복부대동맥류는 대개 고령환자에서 빈번히 나타나고, 이들 중 많은 예에서 허혈성 심장질환(ischemic heart disease)을 동반하기 때문이다.

과거 Cleveland clinic에서 복부대동맥류 환자를 대상으로 시행한 관상 동맥조영술 결과에 의하면 31%는 중재시술이 필요한 중증 관상동맥 질환을 동반하고 있었다고 보고하였다. 한국인에서 관상동맥 질환의 발생 빈도가 서양인에서와 차이가 있다. 국내에서 복부대동맥류 환자를 대상으로 시행한 연구에서 복부대동맥류 수술 후 증상을 동반한 급성심근경색 발생률은 3.8%(open repair, 5.4%; EVAR, 1.3%)로 보고되어 있다. 실제 복부대동맥류 환자의 계획수술 후 사망의 가장 빈번한 원인은 허혈성 심장질환에 의한 심장사라고 알려져 있다.

일차적 수술 전 검사로서는 기본적인 혈액검사, 흉부 X- 선 촬영, 심전도, NT-proBNP, 심장 초음파 검사 등을 시행한다.

그 외에도 신동맥 협착, 경동맥 협착 등 동맥경화증에 의한 동맥 병변을 흔히 동반할 수 있다. 그리고 부정맥, 만성 폐쇄성 폐질환, 신기능 저하, 고혈압 등이 잘 동반될 수 있으므로 이에 대한 검사를 요한다.

혈관조영제를 이용한 영상 검사는 신기능 저하를 초래할 수 있으므로 대동맥 수술 직전 사용을 가능한 제한하는 것이 좋다고 생각한다.

2) 대동맥 병변에 대한 검사

대동맥 병변을 확실하게 평가하기 위해서는 심장의 대동맥 기시부부터 대동맥이 끝나는 부위 그리고 장골동맥, 총 대퇴 동맥까지의 병변 유무를 확인해야 하는 것이 원칙이다. 이를 위해서는 보통 조영 증강 CT 검사가 흔히 사용된다. 이 검사는 동맥내 치료(endovascular therapy, EVAR)를 시행할 것인가 아니면 수술적 치료(open surgical repair)를 시행할 것인가를 결정하기 위해 이미 시행되어 있으므로 추가적 CT 검사를 시행할 필요는 없다.

조영증강 CT 영상에서 대동맥의 직경, 굽은 각도, 대동맥 벽의 석회화, 혈전 및 죽상편(atheromatous plaque) 유무 및 위치, 대동맥 분지동맥(상장간막 동맥, 양측 신동맥, 하장간막 동맥)의 위치 및 병변 유무도 함께 확인하는 것이 보통이다.

수술적 치료를 위해서는 대동맥 차단을 시행할 부위의 석회화 유무, 동맥류 침범여부, 내벽의 혈전 혹은 죽상 경화 병변 유무를 수술 전에 미리 알아두는 것이 좋다.

복부대동맥류 수술 시 주의해야 할 해부학적 구조물(예: 요관) 혹은 정맥 기형(예: 신정맥 혹은 하대정맥 기형)은 대부분 수술 전 시행한 조영증강 CT 영상에서 잘 나타난다. 이들을 수술 전에 미리 알고 수술에 임하므로 수술 방법을 미리 계획할 수 있고, 수술 중 예기치 못한 손상을 피할 수 있다.

3. 수술 계획수립

복부대동맥 수술을 요하는 환자에서 수술 전 대동맥과 복강 내 대동맥 분지의 병변을 미리 파악하는 것은 수술 전 수술 계획을 세우는데 중요하다. 이들 중 특히 수술계획에 영향을 줄 수 있는 해부학적 요인은 대동맥류의 침범 범위, 좌측 대장의 혈류 공급을 담당하는 동맥 혈행의 폐쇄 유무(예, 대장절제술의 과거력, 상장간막 동맥 협착 혹은 폐쇄), 내장골 동맥 폐쇄, 마제신(horseshoe kidney)같은 신장 기형 그리고 하대정맥과 좌신 정맥의 기형의 동반 유무 등이다. 이들에 대한 수술은 따로 기술할 것이다.

4. 수술 전 처치 및 마취

수술 전 처치로는 다른 복부 수술 또는 혈관 수술과 비슷하다고 보면 된다. 동반 질환 중 심한 허혈성 심장병, 만성 신장질환, 만성 폐질환이 있는 환자에서는 수술 전 전문가에게 조언을 구하고 수술 전 후 협조를 받는 것이 좋다.

수술 전날 관장을 함으로 대장 특히 좌측 대장을 비우는 것이 수술 시야 확보에 유리하며, 수술 전일 자정부터 금식을 시키고, 비위관(naso-gastric tube) 삽관은 특수한 경우를 제외하고는 하지 않고 수술을 시행한다. 만약 수술 중 위 팽만(gastric distension)이 심하여 위장관 내 공기를 뽑아낼 목적으로 비위관을 삽관한 경우에는 수술이 끝난 직후 이 관을 제거할 수도 있다.

평소 사용하던 약물 특히 항 혈소판 제재는 수술 전 1주일에 중단하게 하지만 과거에 관상동맥 stent 삽입술 등으로 인해 항혈소판 제재 중단이 어려운 환자에서는 이중 항혈소판 제재(dual antiplatelet agents) 사용하던 환자에서는 단일 항혈소판 제재(single antiplatelet agent)만을 투여하면서 수술을 진행한다. 평소 베타 차단제를 사용해 왔던 환자에서는 이 약재를 중단하지 말고 수술 하기를 권하지만 수술 전일 베타 차단제를 새로 시작하는 것은 바람직하지 않다고 한다.

마취 후 도뇨관 삽관, 심혈관 monitoring을 위한 동맥관 삽관, 중심 정맥관 혹은 필요에 따라 Swan-Ganz catheter를 꽂기도 한다. 수술 중 저체온증은 응고장애, 부정맥, 산혈증과 같은 여러 가지 다른 부작용을 초래할 수 있으므로 미리 방지하는 것이 중요하다. 이를 위해 수술 중 지속적인 체온 측정을 목적으로 식도 내 체온 측정 프로브를 넣고, warm air blanket 등을 준비해 두는 것이 좋다. 모든 대동맥 수술에서는 만약의 경우 발생할 수 있는 대량 출혈에 대비하여 충분한 크기의 정맥관 삽관과 대량수혈에 대한 준비도 필수적이다.

인조혈관 이식편(prosthetic graft)을 사용하는 환자에서는 항상 이식편 감염증(graft infection) 예방을 위해 수술 전 인체 다른 부위에 세균 감염원이 있는지를 확인해야 하고, 특히 피부 절개부위의 피부 손상이나 염증 유무를 확인해야 한다. 복부나 서혜부의 제모는 수술 직전에 시행하며, 면도칼보다는 피부 손상의 위험이 적은 전기면도기 등을 이용하여 미세한 피부 손상도 주지 않도록 주의를 요한다. 이 같은 조치는 모두 차후 인조혈관의세균 감염증 예방의 일환이다. 감염 예방목적의 항생제는 1세대 cephalosporin 항생제를 피부절개 직전에 정맥 투여하고, 수술 중 혈중 항생제 농도를 유지할 수 있도록 해야 한다.

복부 대동맥류 수술을 위한 마취는 전신마취 하에서 이루어지며 가능하면 심혈관계 마취에 경험이 있는 마취과 의사에 의해 시행되는 것이 바람직하며, 수술 중 마취과 의사와 외과 의사의 의사 소통이 중요하다.

5. 환자 자세 및 대동맥 병변부 노출

복부 대동맥류 수술 시 대동맥을 노출 시키는 방법은 경복막접근법(Transperiotneal approach)과 후복막접근법(retroperitoneal approach) 두 가지 방법이 있다. 이중 신하부 복부대동맥류(infrarenal abdominal aorta) 수술 시에는 경복막접근이 보다 널리 이용되고 있으며, 신근접 복부대동맥류(juxtarenal AAA)에서는 경복막 접근법과 후복막 접근법이 모두 사용될 수 있고, 신상부 복부대동맥류(suprarenal AAA) 수술 시에는 후복막 접근법이 흔히 추천된다. 수술의 접근법에 따라 수술 시 환자의 자세가 다르다. 경복막접근 시에는 일반적인 복부 수술과 같이 앙와위(supine position)에서 흉부와 복부 그리고 양측 서혜부까지 피부 소독한 후 수술을 진행한다.

후복막접근 시에는 환자의 자세가 수술 시야 확보에 아주 중요하다. 전신마취 후 환자의 좌측 상체를 약 45~60° 정도 높이고, 골반은 비교적 평평하게 위치시키고, 수술대 중간의 접히는 부분을 꺾어서(flexion) 환자의 좌측 늑골 하연과 좌측 장골(left iliac crest) 간의 간격을 최대한 벌어진 상태로 자세를 잡고 (그림 2-1), surgical beanbag positioner를 이용하여 수술 중에도 이 자세가 그대로 유지할 수 있도록 한다. 이때 환자의 좌측 팔이나 다리는 무리하게 견인되거나 압박되지 않도록 위치시키고, 장시간의 수술 중 팔이나 액와부의 신경이나 연부 조직이 압박되지 않도록 부드러운 패드 등을 이용하여 압박을 방지하는 것이 중요하다.

피부 소독은 흉부, 복부와 함께 필요시 대퇴동맥 접근이 언제나 가능하도록 양측 서혜부까지 넓게 해두는 것이 좋다.

6. 수술 과정

저자는 여기에서 전형적인 비파열성 복부대동맥류(Non-ruptured AAA)의 계획수술에 관해 기술하고자 한다.

1) 경복막접근법 (Transperiotneal approach)

경복막접근법은 복부 정중절개를 이용해 시행되며, 과거 atlas에서는 xypho-pubic incision을 사용하라고 하지만 실제 그같이 긴 복부절개가 필요한 경우는 거의 없고 환자의 머리 쪽으로는 간의 일부가 노출될 정도, 다리 쪽으로는 장골동맥 침범 유무에 따라 복부 절개의 길이를 정한다.

복부 대동맥은 후복막강에 위치하므로 복강 내에 있는 위장관들이 수술시야를 가리지 않아야 원활한 대동맥 수술을 할 수 있으므로 특수한 비닐 주머니 등을 이용하여 소장을 복강 밖에 위치시키고 수술을 진행하거나, 복강이 비교적 큰 사람에서는 소장을 우측 복강 내로 밀어 넣은 상태에서 복부대동맥 수술을 하기도 한다. 아무튼 좋은 수술 시야는 안전한 수술의 필수요건이다.

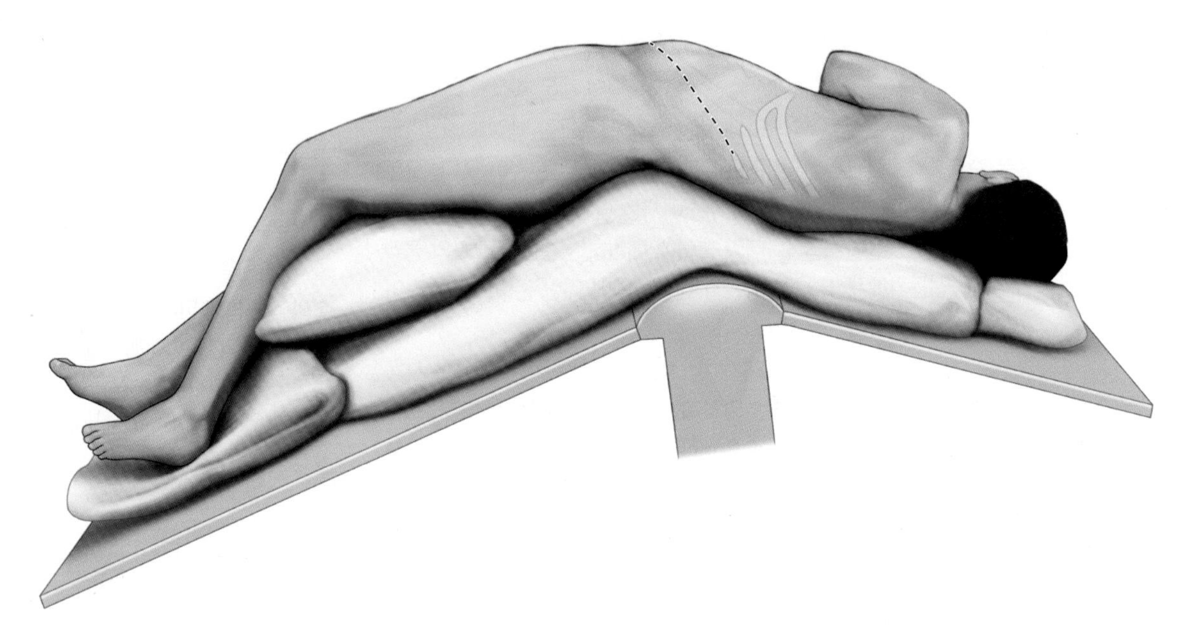

그림 2-1 복부대동맥류 환자의 수술 시 후복막 접근(retroperitoneal approach)을 위한 환자의 자세
좌측 상반신은 45° 정도 elevation, hip은 가능한한 flat하게 그리고 수술대 중간을 flexion시켜서 환자의 좌측 늑골연과 iliac crest간의 거리가 최대한 벌어지게 환자를 위치시킨다.

그리고 대동맥 수술 시에는 수술시야를 확보를 위해 자가 견인기(self retaining retractor)를 흔히 사용한다. 복부대동맥 수술 시 사용되는 자가 견인기는 Bookwalter retractor 혹은 Omni retractor가 흔히 사용된다.

경복막 접근법으로 신하부 복부대동맥류를 노출시키기 위해서는 먼저 횡행 결장은 머리쪽으로 들어올리고, 소장은 우측으로 젖히고 십이지장과 대동맥 사이를 따라 후복막 박리를 시작한다(그림 2-2A). 신하부 복부대동맥 수술을 위해서는 일반적으로 좌측 신정맥(left renal vein)으로부터 양측 총장골 동맥 분지부(common iliac artery bifurcation)까지의 대동맥과 총장골 동맥을 노출시킨다(그림 2-2B). 복부대동맥류를 노출시킨 후 헤파린을 정맥 주입하여 대동맥을 차단하는 동안 차단된 대동맥의 근위부(proximal) 혹은 원위부(distal)에서 혈전형성(thrombus formation)이 되는 것을 방지한다.

대동맥 차단 시에는 대동맥 겸자(aortic clamp)로 인해 대동맥벽의 부스러기가 떨어져 나와 하지 동맥 색전증(leg artery embolism)이 발생하는 것을 막기 위해 장골동맥(iliac artery) 차단을 먼저 하고, 대동맥 차단을 하는 것이 일반적인 순서이며 가능한 한 병변이 없는 대동맥에 겸자를 사용하는 것이 좋다. 대동맥 겸자는 여러 가지 모양과 종류가 있지만 저자의 경험에 의하면 수술 중 겸자가 풀어지므로 생길 수 있는 출혈사고를 고려하여 겸자의 손잡이가 수술 시야에 방해를 주지 않도록 하는 것이 좋고, 대동맥과 인조혈관의 근위 문합술(proximal anastomosis)을 용이하게 하기 위하여 대동맥을 전-후방향 차단(anterior-to-posterior clamping)하는 것이 문합술을 더 용이하게 할 수 있다(그림 2-2C).

대동맥 차단을 한 후 혈압변동이 없는지를 확인하고 특별한 혈압 변동이 없으면 대동맥류 전벽에 종절개(longitudinal incision)를 한다. 복부대동맥류 절개를 할 때 주의할 점은 복부대동맥과 좌측 총장골동맥의 전벽을 따라 주행하는 자율신경(autonomic nerve plexus; intermesenteric nerve plexus & superior hypogastric nerve plexus)의 손상을 주지 않도록 하기 위해 정중앙보다는 약간 우측에서 대동맥류 전벽을 따라 절개를 가하고, 특히 하장간동맥 기시부 주위와 좌측 총장골 앞을 통해 골반으로 들어가는 superior hypogastric nerve plexus의 손상을 주지 않도록 조심한다. 만약 이 자율신경총 손상이 발생하면 남자 환자에서 역사정(retrograde ejaculation)을 초래할 수 있으므로 특히 젊은 남자 환자에서는 각별한 주의를 요한다. 대동맥류를 열고 동맥류 벽에 붙어있는 혈전을 제거하면 여러 개의 요추동맥(lumbar artery)과 하장간막동맥(inferior mesenteric artery)으로 부터의 출혈을 볼 수 있다. 이들 혈관을 동맥류 내에서 봉합 결찰해야 한다(그림 2-2D). 만약 대동맥벽 석회화 때문에 봉합 결찰이 어려운 경우에는 석회층을 제거한 후 출혈점을 정확하게 찾아서 봉합 결찰하는 것이 중요하다.

대동맥 재건술에 이용되는 인조혈관은 polyester (dacron®) graft가 주로 이용되며 인조혈관과 대동맥의 문합은 비흡수성 단섬유 봉합사(non-absorbable, monofilament suture material)를 이용하여 연속봉합(continuous running suture) 방법으로 봉합한다. 이때 주의할 점은 대동맥벽 전층을 충분하게 포함시켜야 나중에 발생할 수 있는 문합부 출혈 및 문합부의 가성동맥류(pseudoaneurysm) 발생을 예방할 수 있다. 문합부에 발생할 수 있는 협착(hour glass narrowing)이 발생하지 않도록 주의를 요하며 인조혈관 이식편 크기는 대동맥 직경에 맞추어서 너무 작거나 크기 않도록 해야 한다.

근위부 문합술이 끝난 후 대동맥 겸자를 풀어서 문합부에 출혈이 있는지를 확인하고 만약 문합부 출혈이 있다면 추가적인 봉합으로 문합부 출혈이 없는 것을 확인한 후 다음 단계의 수술을 진행해야한다.

원위부 문합(distal anastomosis)은 장골 동맥류나 장골동맥의 폐쇄성 병변이 심하지 않으면 대동맥 분지부 직상방에서 시행할 수도 있다(그림 3-2E). 그러나 많은 환자에서 총장골동맥류(common iliac artery aneurysm)를 동반하고 있으므로 대동맥-장골동맥 재건술을 함께 시행하는 경우가 더 빈번하다. 대동맥-장골동맥 재건술을 시행할 때 좌측 총장골동맥 전벽을 따라 골반내로 주행하는 자율신경 손상을 막기 위해 좌측 총장골동맥은 종절개를 하지 않고 장골동맥 분지부에 횡절개를 가하여 인조혈관 이식편을 좌측 총장골동맥 내로 통과시킨 후 원위문합부까지 오게 함으로 자율신경 손상을 피할 수도 있다(그림 2-2F).

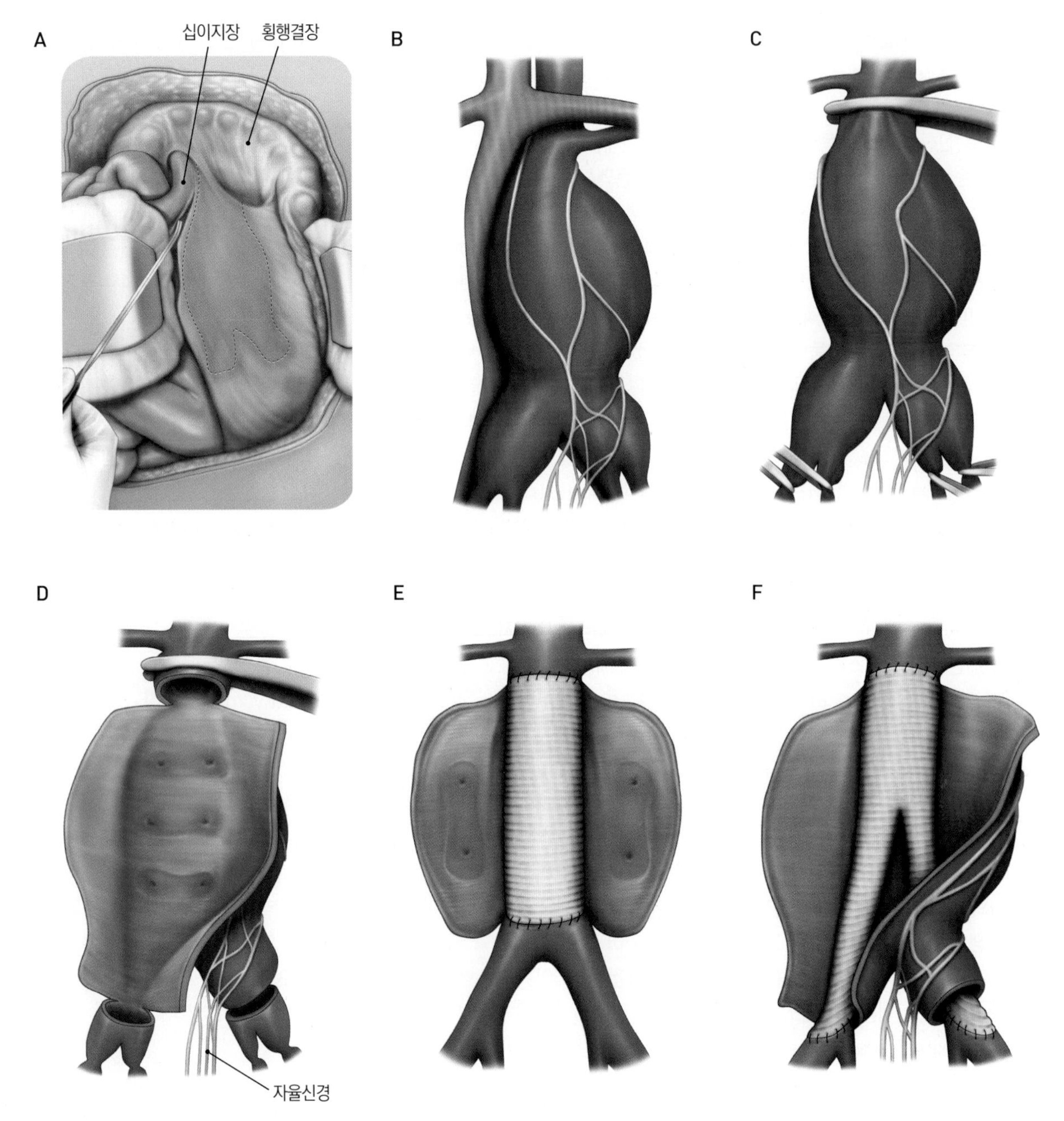

그림 2-2 신동맥 하부 복부대동맥류(infrarenal abdominal aortic aneurysm)의 경복막 접근을 통한 수술 과정 도식
A. 복부대동맥류 노출
B. 복부대동맥류 노출: 복부대동맥 전벽을 따라 자율신경이 주행한다.
C. 혈관 겸자를 이용한 신동맥하 복부대동맥 및 양측 장골동맥 차단: 일반적으로 장골 동맥 차단을 먼저 시행한다.
D. 복부대동맥류 절개 후 요추동맥 및 하장간막 동맥으로 부터의 출혈을 봉합결찰한다.
E. Tube graft를 이용한 복부대동맥 재건술 후 모습
F. Bifurcated graft를 이용한 복부대동맥, 양측 장골 동맥 재건술 후 모습: 이때 대동맥 벽에 붙어서 주행하는 자율신경을 보존하는 것이 중요하다.

분지형 인조혈관(bifurcated aortic graft) 사용 시 주의할 점은 인조혈관의 몸통부분이 너무 길지 않도록 해야 한다. 만약 인조혈관의 몸통부분을 너무 길게 하면 복부대동맥류 내에서 인조혈관 분지가 꺽어지는 현상이 생길 수 있기 때문이다(그림 2-3).

대동맥류의 병리학적 특징의 하나로 대동맥벽에 신생혈관 형성(neovascularization)이 많은 것이 특징이다. 따라서 대동맥류 절개부위의 작은 혈관들로부터 지속적인 출혈이 생길 수 있으므로 전기 소작기, 봉합결찰 등을 이용해 철저한 지혈을 요한다.

모든 동맥 재건수술에서는 문합술을 끝내기 전에 수술 과정 중 발생할 수 있는 혈전, 혈관벽 부스러기 혹은 공기를 혈관 밖으로 배출시키는 과정이 필요하다. 이것은 원위부 동맥은 차단한 상태에서 근위부 혈관겸자를 잠시 풀어서 문합부를 통해 소량의 동맥 출혈을 시켜봄으로 혈관 내 이 같은 물질이 하지동맥으로 유입되지 않고 체외로 빠져나가게 한다.

대동맥 재건수술을 마친 후 대동맥 겸자를 제거할 때에 주의해야 할 사항은 갑작스런 혈압강하이다. 대동맥 재건술 후 대동맥 겸자를 제거하면 골반이나 양측 하지로 갑작스러운 동맥 혈행이 재개되고, 대동맥 차단 중 하지나 골반에 생길 수 있는 조직허혈증에 의한 대사산물이 갑자기 전신 혈행으로 유입될 때 심한 혈압강하를 초래할 수 있다. 심한 경우 쇼크(shock)를 초래할 수도 있는데 이것을 "declamping shock"이라고 한다. 허혈성 심장 질환이 동반된 환자에서 이 같은 저혈압은 수술 중 부정맥 혹은 심정지(cardiac arrest) 등의 위험을 초래할 수 있으므로 가능한 한 갑작스러운 혈압변화를 최소화해야 한다. 따라서 이 같은 갑작스러운 혈역학 변화에 대처하기 위해서 대동맥 겸자를 제거하기 수분 전에 마취과 의사에게 이를 미리 통보해 줌으로 이에 대한 대비할 수 있는 시간을 주는 것이 중요하고, 갑작스런 혈압 강하를 막는 또 한가지 실제적인 방법은 대동맥 겸자를 아주 서서히 제거함으로 인체가 갑작스런 혈역학 변화에 적응하도록 만들어 주는 것이다.

실제 수술 집도의가 환자의 혈압을 직접 확인하면서 수축기 혈압이 90 mmHg 이하가 되지 않도록 서서히 혈관 겸자를 제거하는 것이 최선의 방법이다. 만약 declamping shock이 발생했을 때 이의 치료를 위해 대량의 수액을 정맥 주입하면 울혈성 심부전증(congestive heart failure), 심한 장부종(bowel edema)을 초래할 수도 있으므로 그렇게 하기보다는 대동맥 차단을 다시 시행한 후 혈압이 안정되기를 기다려서 그 후 겸자를 서서히 제거하는 것이 더 안전한 방법이다.

이 때는 수술 집도의와 마취의사간의 소통이

A

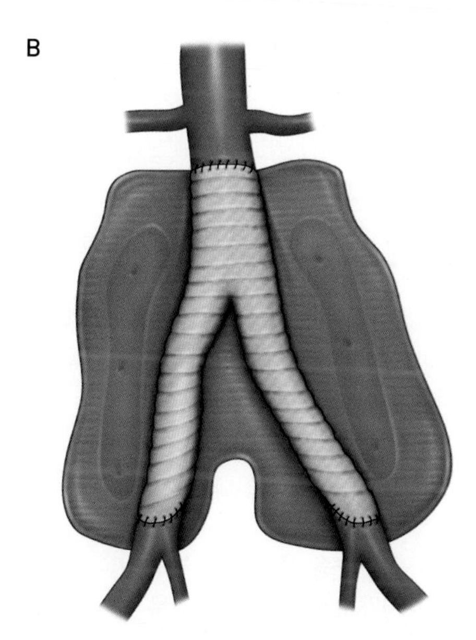

그림 2-3 분지형 대동맥 인조혈관(bifurcated aortic graft)
A. 인조혈관의 몸통부분이 너무 길어서 인공혈관 분지부가 꺽여진 모양(화살표)
B. 인조혈관 몸통의 길이를 짧게하므로 정상적으로 잘 위치한 인조혈관의 모양

중요하다.

인조혈관을 이용한 대동맥 재건술 후 남아있는 대동맥벽을 이용해 인조혈관을 감싸주므로 인조혈관이나 혈관 문합부에 주변의 창자가 직접 닿아 반복적인 마찰에 의한 대동맥-장 누공(aorto-enteric fistula)이 생기는 것을 방지하는 것이 중요하다. 대동맥 근위 문합부는 십이지장 제3부 가까이에 위치하므로 특별한 주의를 요한다.

인조혈관을 이용한 동맥 재건수술을 시행할 때 인조혈관의 길이가 너무 길면 인조혈관의 angulation 혹은 kinking을 초래할 수 있고, 너무 짧으면 문합부에 장력(tension)이 걸려서 문합부 파열을 초래할 수 있으므로 이 같은 현상이 생기지 않도록 주의를 요한다.

대동맥 재건수술이 끝나면 후복막을 봉합하여 대동맥 이식편을 후복막강에 위치시켜 복강 내에서 보이지 않도록 한다.

대동맥 장골동맥 재건술 시에는 총장골동맥 분지부에 인조혈관 문합을 시행함으로 내장골동맥(hypogastric artery) 혈행을 보존시키는 것을 원칙으로 한다. 만약 내장골 동맥병변(예, 동맥류, 폐쇄)이 동반된 경우에는 두 개의 내장골동맥 중 적어도 한쪽 내장골동맥은 반드시 보존해야하고, 양측 내장골 동맥 폐쇄 혹은 동맥류가 있는 경우에는 한쪽 내장골 동맥은 인조혈관을 이용해 재건 수술을 시행하는 것이 바람직하다. 이같이 내장골 동맥 혈행을 유지시키려는 목적은 수술 후 나타날 수 있는 좌측 결장 괴사(left colon ischemic gangrene), 골반내 허혈증(pelvic ischemia), 둔부 파행증(buttock claudication), 희귀하게는 척수 말단부의 허혈증을 막기 위함이다.

그 외에도 복부 대동맥 수술 중에 cisterna chyli의 손상을 주면 수술 후 임파성 복수(chylous ascites)가 발생할 수 있고, 좌우측 뇨관(ureter) 손상이나 압박은 수신증과 같은 합병증을 초래할 수 있으므로 주의를 요한다. 이 같은 대동맥 주변 조직 손상은 파열 대동맥류 수술 시 후복막 출혈로 인해 해부학적 구조가 불명확한 상황에서 더 빈번히 발생할 수 있다.

저자는 복부 대동맥류 수술 시 다음 세가지를 확인하고 수술을 종료한다. 먼저 양측 대퇴동맥 맥박이 만져지는지를 확인하고, 좌측 결장의 허혈증이 없는지를 좌측 결장 색깔이나 marginal artery를 도플러로 확인하고, 마지막으로 도플러를 이용해 동맥혈류가 발목동맥까지 원활하게 오는지를 확인한다. 이렇게 함으로 수술 중 발생할 가능성이 있는 좌측 결장 허혈증(left colon ischemia), 혹은 장골동맥이나 하지동맥 색전증을 수술실에서 확인할 수 있다.

이상에서 복부 대동맥류 수술 중 기본적인 신하부 복부대동맥류 수술에 관해 기술하였다. 흔치는 않지만 신근접 복부대동맥류(juxtarenal AAA) 혹은 신상부 복부대동맥류(suprarenal AAA)의 경우에는 신동맥 상부 대동맥을 차단해야 한다. 이때에는 좌측 신정맥(left renal vein)을 절단하는 경우도 있다. 이때 절리한 좌신정맥은 보통 재건하지 않는다. 그 이유는 생식정맥(gonadal vein)이나 좌 부신정맥(left adrenal vein)을 통해 신혈류가 배출될 수 있기 때문이다.

복부대동맥 수술과 함께 신동맥, 상장장간막동맥(superior mesenteric artery) 재건수술을 함께 시행해야 하는 경우도 있다. 이 같은 경우에는 수술이 좀 더 복잡해지고 수술 중 신장과 장허혈증을 방지하기 위한 특별한 조치를 필요로 한다.

2) 후복막 접근법 (Retroperitoneal approach)

전술한 바와 같이 후복막 접근법은 주로 신근접 혹은 신상부 복부대동맥류 환자에서 이용되며, 피부절개는 병변이 있는 대동맥 부위에 따라 다소 달라질 수도 있지만 보통 복부에서는 좌측 직복근(left rectus abdominis muscle)의 외연을 따라와서 배꼽 부위까지 그리고 제10 혹은 11 늑간(intercostal space)을 따라 절개를 연장한다(그림 2-4A).

피부와 피하조직을 절개한 후 전기 소작기를 이용하여 외사근(external oblique muscle)의 근막을 노출시키고, 외사근, 내사근(internal oblique muscle), 횡복근(transversus abdominis muscle)을 차례로 절개한 후 복막을 노출시킨다. 이때 복막의 손상을 주지 않도록 주의를 요한다. Blunt dissection을 이용하여 복막을 복벽과 횡격막으로부터 조심스럽게 박리하고, psoas muscle 전면을 따라 환자의 머리 쪽으로 박리를 계속하면 후복막강이 횡격막 부위까지 노출된다. 이렇게 하여 복부대동맥 전장을 노출시킬 수 있다. 후복막강 박리 시 복벽 자가견인기를 사용하여 복부 장기가 수술 시야를 방해하지 않도록 할 수 있다. 이 방법은 경복막접근 후 좌측 결장, 비장, 췌장, 위장, 간좌엽을 박리하여 내측으로 견인하는 방법보다 박리가 쉽고 장기 손상의 위험이 낮다고 본다.

좌측 후복막강 박리 시 주의할 해부학적 구조물은 좌측 요관(left ureter), 좌측 신정맥(left renal vein), 좌측 생식정맥(left gonadal vein), lumbosacral nerve flexus 등이 있다. 좌측 신장을 제 위치에 둔 채 대동맥 수술이 가능하다면 원위치에 두고 대동맥 수술을 진행하는 것이 좋고(그림 2-4B), 복부대동맥 부위중 visceral segment 병변을 수술하기 위해서는 복강동맥 상부 대동맥(supraceliac aorta)까지의 노출이 필요하다. 복강동맥 상부 대동맥을 노출시키기 위해서는 횡격막 left crus를 잘라야 한다. 이를 위해 대동맥을 blunt dissection하는 중 대동맥 분지인 좌측 신혈관(left renal artery and vein), 요추동맥(lumbar artery)의 손상을 주지 않도록 조심하면서 좌측 신장을 후복막에서 박리하여 우측으로 견인해야 한다(그림 2-4C).

이때 좌측신장은 대동맥 박리가 끝날 때까지 원래 위치에 두는 것이 바람직하다. 왜냐하면

A

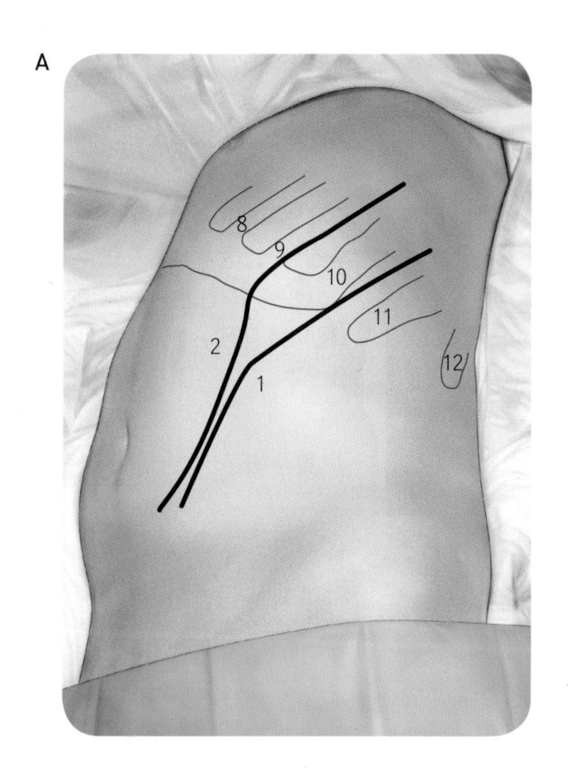

B

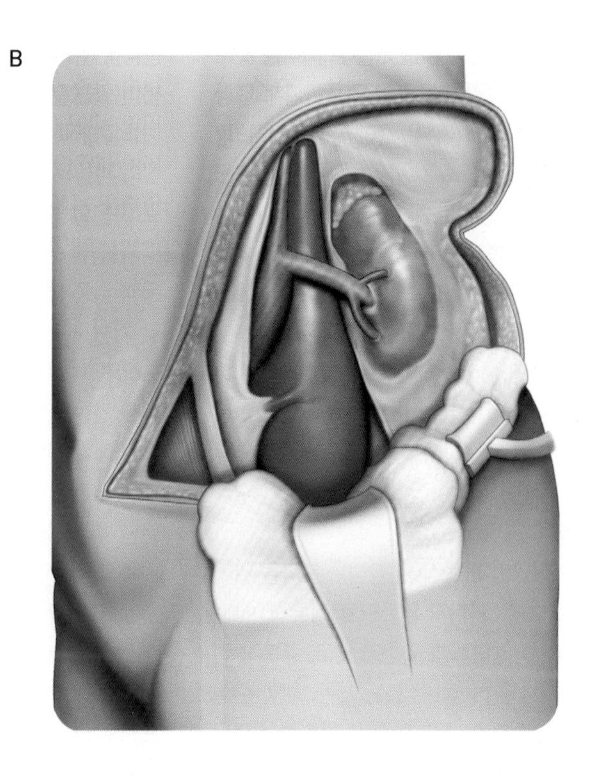

C

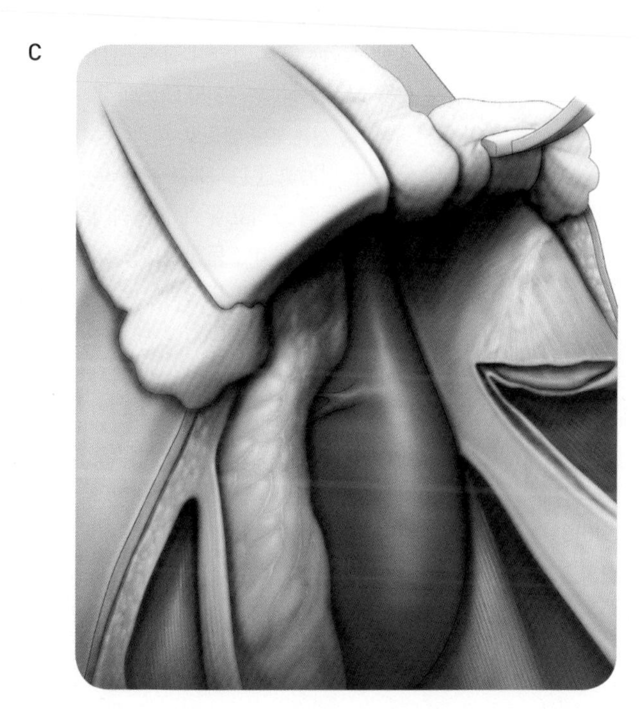

그림 2-4 후복막 접근을 통한 복부대동맥류 수술 도식

자가 견인기에 의해 신장, 신동맥, 신정맥이 장시간 압박되면 수술 후 신기능 이상을 초래할 수 있기 때문에 그 시간을 최소화하는 것이 바람직하다. 그리고 횡격막 가까이에서 대동맥 차단을 해야 할 경우 주변에 위치한 식도, 하대정맥, cisterna chyli 손상을 주지 않도록 각별한 조심을 요한다.

후복막 접근법이 경복막 접근 수술에 비해 유리한 경우는 과거 여러 번의 복강 수술로 인해 심한 장유착, 장루 등을 가진 hostile abdomen 환자, 마제신(horseshoe kidney), 염증성 복부대동맥류(inflammatory aneurysm), 비만 환자에서 유용하며 특히 신근접 juxtarenal 혹은 신상부 suprarenal 대동맥 수술에서 유용하다.

후복막 접근법의 또 다른 장점은 복막을 열거나 장을 노출 시키지 않으므로 장유착, 장손상, 수술 후 장마비의 위험이 낮고, 경복막 접근 수술 시 흔히 볼 수 있는 체온, 체액 손실에 따른 저체온증, 핍뇨의 발생 위험성이 낮으며, 수술 후 통증, 폐합병증의 위험성이 적고, 입원 기간도 경복막 접근 대동맥 수술보다 짧다는 장점이 있다. 그러나 후복막 접근법의 단점으로는 수술 중 복강 내 장기의 이상 유무를 확인할 수 없고, 우측 신동맥, 우측 장골동맥의 접근이 어렵다는 단점이 있으며, 하대정맥 기형 중 좌측 하대정맥(left sided IVC)이 있는 환자에서는 이 후복막 접근법은 추천되지 않는 방법이다.

제4형 흉복부 대동맥류(type IV thoracoabdominal aneurysm)는 횡격막 이하부의 복부대동맥 전체를 침범하는 대동맥류이다. 제4형 흉복부 대동맥류 수술에서 대동맥 재건술은 복부 장기로 가는 동맥(복강동맥, 상장간막 동맥, 양측 신동맥) 재건술이 병행되어야 하므로 신하부 대동맥 수술에 비해 복잡하고, 복강동맥 근위부 대동맥 차단(supraceliac aortic clamping) 시에는 복부장기의 허혈증이 불가피하다. 그러므로 이 수술에서는 더 신속하고 정확한 수술 술기를 요한다.

제4형 흉복부 대동맥류 수술을 예로 들면 병변이 있는 복부 대동맥을 완전히 노출시킨 후 이들 대동맥 분지(복강동맥, 상장간동맥, 양측 신동맥)들의 근위부도 silastic vessel loop로 차단할 준비를 한다. 그리고 헤파린 정맥주사를 한 다음 원위부 대동맥 그리고 복강동맥 위쪽 병변이 없는 대동맥을 대동맥 겸자로 차단하고, 이들 대동맥 분지들도 silastic loop를 이용하여 차단한 후 대동맥류에 종절개를 가한다. 대동맥에 종절개를 가하면 동맥류 벽에 혈전이 쌓여 있는 것을 볼 수 있다. 이 혈전은 제거하되 가능하면 근위부 문합술이 끝난 후 제거하는 것이 좋다. 만약 복강동맥 위쪽의 대동맥 차단을 한 상태에서 대동맥벽 혈전을 먼저 제거하면 요추동맥에서 나오는 back bleeding을 지혈하는데 시간을 빼앗기므로 장기의 허혈시간이 연장될 위험이 있으므로 근위부 대동맥 문술이 끝난 후 혈전제거를 할 것을 권하고 있다.

대동맥에 종절개 후 좌측 신동맥은 기시부를 통해 4℃ 한랭 식염수를 주입하여 좌측 신장의 허혈손상을 최소화 한다. 근위부 대동맥 문합이 끝난 후 좌측 신동맥은 별도로 재건술을 시행한다. 근위부 대동맥 문합시에는 보통 복강동맥, 상장간막 동맥 그리고 우측 신동맥이 기시하는 대동맥 부위를 비스듬히 절단하여 이들을 한꺼번에 인조혈관과 문합함으로 근위 문합술의 시간을 줄일 수 있다(그림 2-5A). 이 근위부 대동맥 문합이 끝나면 대동맥 겸자를 풀어 줌으로 복부 장기의 혈행 재개를 시킨 후 좌측 신동맥은 대동맥 인조혈관에 직접(혹은 인조혈관을 이용하여) 재건술을 시행한다(그림 2-5B). 이 같은 수술은 체외 순환기 없이 시행되기도 하지만 장기 허혈시간이 길어 질 것으로 예상되는 환자에서는 체외순환기를 사용하여 시행되기도 한다.

원위부 대동맥 문합은 신하부 대동맥류 수술(infrarenal AAA repair)과 동일하다. 이때 주의할 사항은 근위부 대동맥 문합이 끝난 후 대동맥 겸자를 풀어줌으로 가능한 한 복부장기의 허혈 시간을 최소화하여야 하고, 혈행 재개 시 대동맥내의 부스러기가 장기 내로 유입되지 않도록 주의를 요한다. 후복막 접근수술 후 창상 봉합은 꺾여져 있던 수술대를 다시 평평하게 위치시킨 후 시행해야 하고 이때 좌측 요관이나 대장 손상이 생기지 않도록 주의를 요한다.

7. 특수한 상황에서의 복부대동맥류 수술

1) 상장간막 동맥 및 내장골동맥 폐색을 동반한 복부대동맥류 수술

만약 하장간막 동맥이 이미 막혀 있으면서 별다른 복부 증상이 없었다면 복부대동맥 수술 시 이 동맥에는 신경을 쓸 필요가 없다. 그러나 만약 상장간막 동맥의 심한 협착이 있고, 좌측 대장의 측부혈행(collateral circulation)을 담당하는 내장골동맥(hypogastric artery)도 막혀 있고, 수술 전 CT 영상에서 하장간막 동맥이 굵어져 있는 소견을 보이거나 혹은 과거 대장절제술로 인해 변연동맥(marginal artery of Drummond)과 arc of Riolan 측부혈행이 작동할 수 없는 환자에서는 대동맥수술 시 하장간막 동맥을 결찰할 경우 대장 허혈(colonic ischemia)이 발생할 가능성이 높다. 이같은 환자에서는 수술 후 대장 허혈을 피하기 위해 복부대동맥 수술 시 하장간막 동맥재건술을 시행하기도 한다.

하장간막 동맥 재건을 술 하장간막 동맥을 대동맥 인조혈관 이식편에 재접합(IMA reimplantation, 그림 2-6)시키거나, 대동맥 이식편(aortic graft)과 하장간막 동맥 간 인조혈관을 이용한 재건술을 시행할 수도 있다.

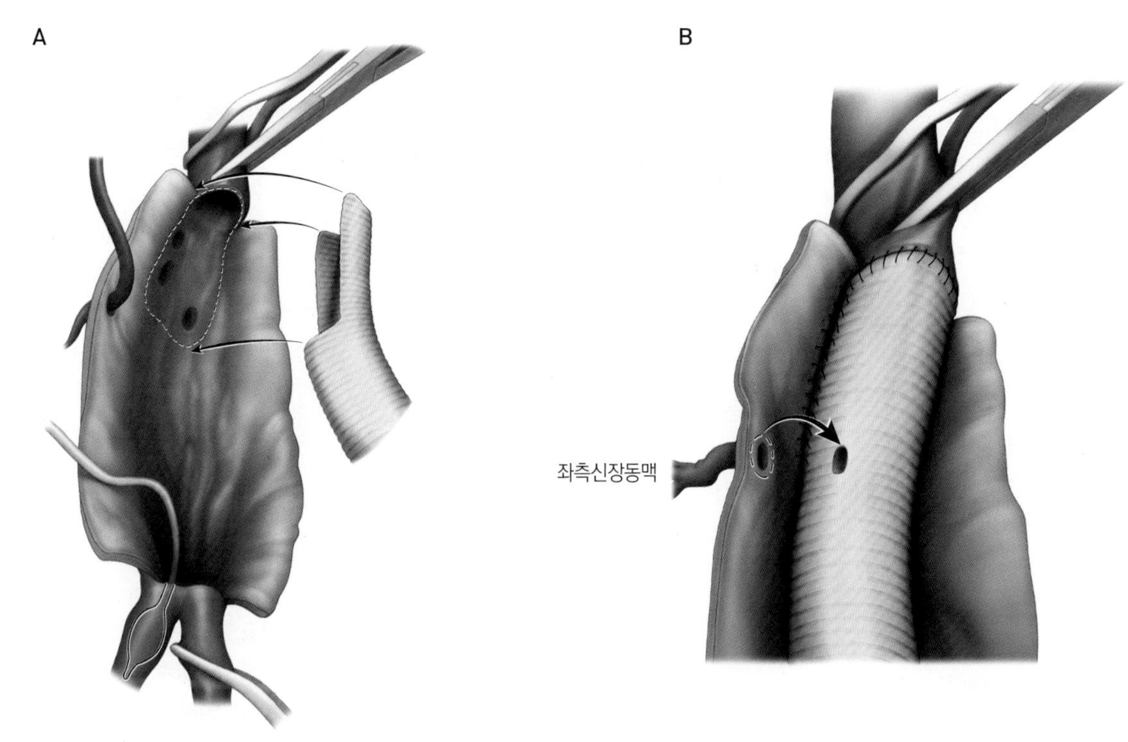

그림 2-5 신상부 복부대동맥류 혹은 제4형 흉복부대동맥류 수술 시 대동맥 재건술 모식도
A. 근위부 대동맥, 복강동맥, 상장간막 동맥 그리고 우측 신동맥을 한꺼번에 인조혈관과 문합을 시행한다. 이때 좌신 동맥을 통해 한랭 식염수를 주입하여 좌측신장의 허혈 손상을 줄인다.
B. 근위부 대동맥 겸자를 제거하여 복부 장기의 혈행을 재개시킨 후 좌측 신동맥은 대동맥 인조혈관에 문합한다.

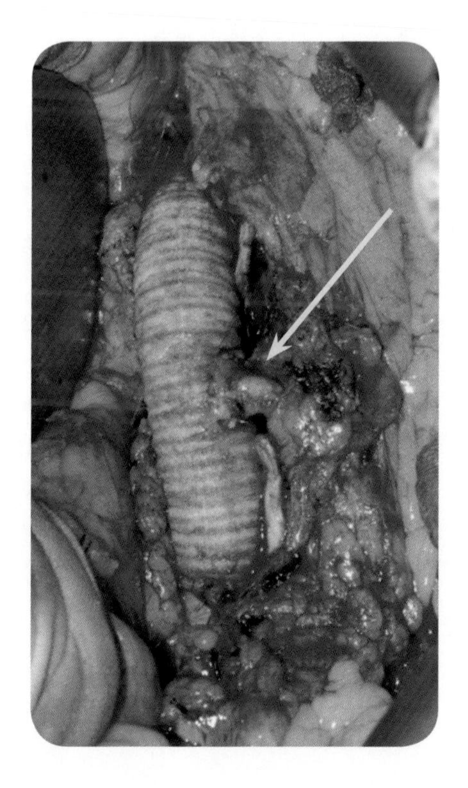

그림 2-6 대동맥 인저혈관에 하장간막동맥을 재접합(화살표)한 복부대동맥류 수술 사진: 이때는 하장간막 동맥은 대동맥벽과 함께 떼어내어 재접합을 용이하게 할 수 있다 한다.

2) 마제신(Horseshoe kidney) 동반한 경우

복부대동맥류 수술 환자에서 마제신(horseshoe kidney)과 같은 선천성 신장 기형을 동반한 경우는 아주 희귀하지만 대동맥 수술 자체를 복잡하게 만들 수 있으므로 이에 대한 지식을 필요로 한다. 마제신은 발생학적 기형으로 양측 신장이 함께 붙어서 마치 말발굽 모양이 되어 하장간막 동맥 부위에서 복부대동맥 앞을 가로 지르는 형태이다. 이 기형은 신동맥 기형, 신장결석, 요관 감염증, 요관기형 등을 동반되는 수가 흔하므로 양측신장의 연결부위인 신협부(renal isthmus)를 절리(division)하지 않고 보존해야 하는 경우가 대부분이다. 만약 이 같은 신장기형을 수술 전에 발견하지 못하고 대동맥 수술에 임하면 대동맥재건 수술이 기술적으로 대단히 어렵고, 신협부 손상에 따른 요누출, 대동맥 이식편 감염증 등의 위험 등이 따를 수 있다.

동반된 신동맥 기형(aberrant renal arteries) 처리를 위해 대동맥 차단 시간과 신허혈 시간이 길어지므로 수술 후 합병증 발생 위험이 높아진다.

만약 미제신이 수술 선 발견되면 신동맥 기형 유무, 신협부로의 혈류 공급 유무 그리고 요관의 위치 및 기형 유무를 미리 파악한 후 경복막 접근보다는 후복막 접근을 통해 마제신에 손상을 주지 않도록 하고 aberrant renal arteries가 막혀 있지 않다면 이들을 한꺼번에 인조혈관에 재접합(reimplantation)하는 것이 좋다.

3) 신정맥 혹은 하대정맥 기형 동반

신정맥 기형과 하대정맥 기형은 일반 성인에서 각각 1%와 10%의 빈도로 존재한다고 알려져 있다. 이들은 모두 발생학적인 혈관 기형으로 가장 흔한 기형은 retroaortic left renal vein, circum aortic left renal vein, left-sided IVC, duplicated IVC 등이 있다. 이들 정맥 기형은 대동맥 박리를 어렵게 할 수 있고, 수술 중 손상을 줄 경우 대량 출혈의 위험이 있으므로 수술 전 영상을 면밀히 보고 이들 정맥 기형을 수술 전 확인할 수 있어야 하고, 수술 시에는 이에 대한 대책을 가지고 수술에 임하는 것이 좋다.

8. 폐복 Abdominal closure

복부대동맥류 수술 후 배를 닫기 전에 흡입배액관(suction drain)을 설치하는 것이 보통이고 대개수술 후 24~48시간에 제거한다.

복부대동맥류 환자에서는 경복막접근 수술 후 복벽 반흔 탈장(ventral incisional hernia) 발생 빈도가 다른 복부 수술 환자에서보다 유의하게 높다고 알려져 있다. 따라서 복벽을 닫을 때도 더 많은 주의를 요한다. 복벽은 층층이 문합하고 특히 transversalis fascia를 확인하여 tension이 생기지 않도록 봉합함으로 복벽 반흔 탈장의 발생을 미리 예방하도록 해야 한다.

그리고 파열성 복부대동맥류 수술 시 대량 수액주사 및 수혈루 인해 장부종이 심한 상태에서 무리하게 복벽을 닫으면 복부 구획증후군(abdominal compartment syndrome)을 초래할 수 있지만 계획 수술환자에서는 이 같은 합병증은 잘 나타나지 않는다.

9. 술 후 합병증 및 수술 후 관리

복부대동맥류 수술은 여러 가지 술 후 합병증이 발생할 가능성이 높은 수술이다. 따라서 수술 후 혈압, 뇨량 측정과 함께 심초음파 검사가 상시로 가능한 집중치료실 치료가 좋고, 수술 직후에는 중환자의학과와 상의하여 환자를 치료하는 것이 수술 성적을 향상시킬 수 있다고 알려져 있다.

복부대동맥류 환자에서는 허혈성 심장질환의 동반 빈도는 같은 연령대의 복부대동맥류가 없는 환자에 비해 유의하게 높기 때문에 이에 대한 특별한 주의를 요한다. 외국보고에 따르면 수술 전 후 여러 가지 조치를 했음에도 불구하고 수술 후 심근경색의 발생 빈도가 10%까지 보고되어 있다. 따라서 복부대동맥류 수술 후 초기에는 troponin 등 혈중 cardiac enzyme 측정이 필요하며, 출혈이 없고, 수분 섭취가 가능하면 항혈소판제재를 경구투여하는 것이 일반적이다. 그 외에도 무기폐, 폐렴, 호흡부전증(respiratory failure) 등의 폐 합병증, 신동맥 색전증, 신부전증(renal failure)과 같은 신장 합병증, 하지동맥 색전증(leg artery embolism), 심부정맥 혈전증(deep venous thrombosis) 등이 발생할 수 있고, 흔치는 않지만 대장허혈증(colon ischemia), 척수 허혈증(spinal cord ischemia), 임파성 복수(chylous ascites), 남성에서 성기능장애 등의 합병증을 야기할 수도 있다.

그리고 몸 속에 인공물질을 삽입하는 수술의 공통된 합병증인 인조혈관 이식편 감염증은 수술 후 오랜 시간이 경과한 후에도 나타날 수 있는 합병증이므로 그 예방을 위해 환자 교육이 필요하다. 대동맥 수술 후 인체 타부위 감염증 혹은 균혈증(bacteremia)을 초래할 가능성이 있는 상황(예: 치과 치료, 시술, 수술 등)에서는 예방적 항생제 투여가 필요하다. 수술 후 회복기에는 조기 이상(early ambulation), 수액공급, 폐합병증 예방을 위한 물리치료 방법들이 다른 복부 수술에서와 같이 시행된다.

수술 후 감염의 위험이 없는 계획수술 환자에서 수술 직전에 투여된 예방적 항생제는 수술 후 1~2일간 사용 후 중단하는 것이 일반적이다.

복부대동맥류 스텐트 그라프트 삽입술

Endovascular aneurysmal repair (EVAR)

1. 서론

1991년 Parodi 등이 자체 제작한 tube endograft를 이용한 복부 대동맥류(Abdominal Aortic Aneurysm, AAA)의 치료 보고 이후, 수년 동안 여러 종류의 상업적인 제품으로 생산된 endograft가 출시되었다. 이에 대한 많은 임상 시험이 진행되었고 1999년 미국 정부의 승인을 받은 최초의 EVAR (endovascular aneurismal repair)용 endograft가 시장에 출시되었다. 그 동안 시행되었던 많은 임상 시험 결과 기존의 개복에 의한 수술보다 우수한 수술 전후의 주요 사망이나 유병률의 개선이 입증되어 눈부신 발전을 거듭하게 된다.

이후 2, 3세대의 새로운 endogtaft가 개발되고, 우려 되던 여러 문제점 등이 보완되어 현재에는 수술 전후의 안정성, 비침습적 술기의 이점 등이 더욱더 부가되어 AAA치료의 또 다른 수술방법으로 자리매김하게 되었고, 향후 기존의 개복에 의한 대동맥류 수술을 대체할 수 있는 새로운 술식으로 기대되고 있다.

2. Preoperative sizing and planning

성공적인 EVAR의 시행을 위하여서는 환자의 개별적인 해부학적 구조에 일치하는 endograft의 선택이 대단히 중요한데 이는 술 전 정확한 계측과 계획으로 가능하다.

1) Preoperative imaging

술 전 계측에 가장 유용한 검사는 컴퓨터 단층촬영(computed tomography, CT)이다. 3 mm 이하의 세분화 절단으로 기본 영상을 얻은 후 소프트웨어를 이용한 axial, coronal, sagittal 절단영상 그리고 3D 입체영상 등을 재구성하여 정확한 계측에 많은 도움을 얻을 수 있다. CT 촬영 시 조영제의 사용은 필수적이나, 신장기능의 손상으로 조영제의 사용이 제한되는 경우에는 혈관내 초음파 촬영, carbon dioxide나 gadolium 등의 사용을 고려해 볼만 하다.

2) Endograft sizing

(1) 대동맥류 직경의 측정

(그림 3-1) 복부대동맥류의 직경은 파열 위험도를 예측하고 치료계획을 세우며 치료 후 추적관찰을 하는데 가장 중요한 인자이므로 매 검사에서 동일한 부위에서 일관된 방법으로 직경을 측정하는 것이 바람직하다. 주로 CT 영상을 이용해 측정하며 단순히 axial 영상의 절단면에서 계측하는 것보단 대동맥의 중심축에 따른 절단면에서 계측이 일반적으로 더욱 정확한 대동맥직경의 측정이라 할 수 있다.

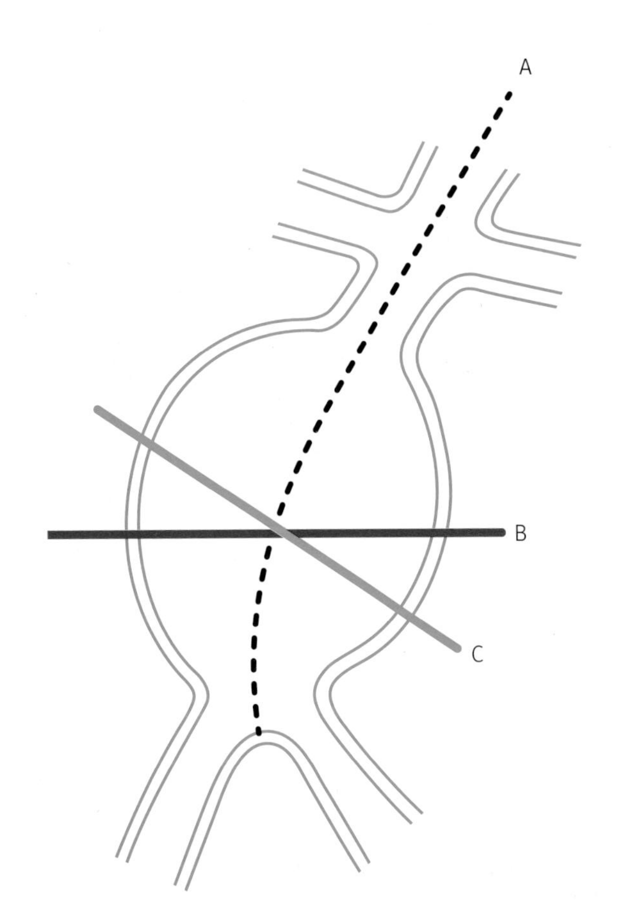

그림 3-1
A. 대동맥 중심축
B. CT axial view에서의 절단면
C. 대동맥 중심축에 따른 절단면

(2) 대동맥경(Aortic neck)의 측정

(그림 3-2) 대동맥경의 직경에 대한 측정은 신장동맥의 최하위부위와 그 이하 15 mm 지점까지 중앙선의 직각으로 하여야 한다. 대동맥의 굴곡에 따라 과대측정되지 않아야 하며, 일반적으로 endograft의 직경은 대동맥경의 직경보다 10~20% 더 크게 계획되어야만 한다. 즉 실제 대동맥경보다 3~4 mm 더 큰 직경을 가진 endograft가 선택되어야만 하고 현재 사용 가능한 endograft의 직경은 19~32 mm의 대동맥을 치료하기 위한 20~36 mm 직경의 endograft가 사용 가능하다. 정확한 대동맥 직경이 측정되지 않은 과대측정이나 과소 측정의 경우 endograft를 설치하는 과정 중 반드시 type I endoleak의 발생과 graft migration에 직접적으로 연관되어 치명적인 결과를 초래할 수 있으므로 술 전 정확한 측정이 반드시 필요하며, 이는 성공의 필수 요건이 되겠다.

원뿔형 대동맥경은 초기 15 mm 길이 이내에 2~3 mm 이상의 직경 변화가 있는 경우인데 이때의 endograft 선택은 최대 직경에 대한 최소 10%의 oversizing과 최소 직경에 대한 30% 이하의 oversizing으로 결정한다. 만일 이에 대한 endograft 선택이 용이 하지 않을 경우에는 EVAR를 시행할 수 없다. 즉 초기 15 mm 이내에 3~4 mm 이상의 직경변화가 있는 경우에는 EVAR의 시행이 불가능하다.

(3) 길이의 측정

원위부와 근위부 landing 부위에 사이의 길이 측정 또한 성공적인 EVAR시술을 위하여 반드시 필요하다. 컴퓨터 소프트웨어의 개발로 다양한 방향에서의 측정이 가능하여 정확한 기준에 따른 계측이 필요한데 일반적으로 축에 대한측정(axial measurement)은 소측정(underestimate)되며, 중앙선에 대한 측정(centerline calculation)은 과대측정(overestimate)되므로 이에 대한 보정이 필요하다.

(4) 장골동맥 및 대퇴동맥의 측정

① 총장골동맥

성공적인 EVAR시술을 위해선 stent graft와 접하는 총장골동맥길이가 15 mm 이상 되어야 하며 그렇지 못하는 경우엔 제1-b형 endoleak이 발생할 수 있다. 또한 복부대동맥류 환자의 20%에서 장골동맥류가 동반될 수 있는데 flare type iliac limb을 이용한 Bell-bottom, 내장골동맥 색전술 후 외장골동맥까지 limb extension 또는 iliac branched device를 이용한 방법이 모두 가능하다. 하지만 최근 연구에서 flared

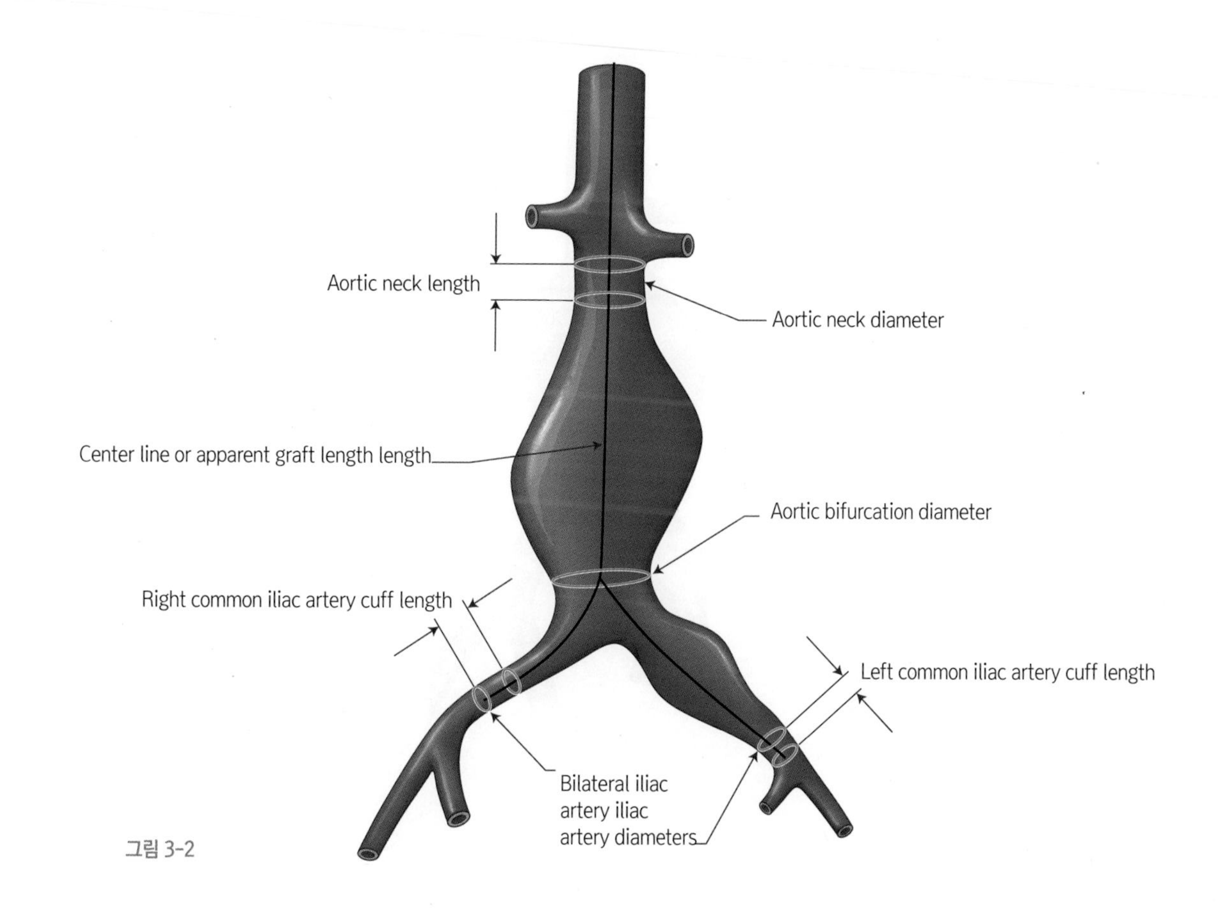

그림 3-2

type limb을 이용한 EVAR 시 제1-b형 endoleak 발생 빈도가 유의하게 높다는 보고가 있고 내장골동맥 색전술은 골반파행을 야기할 수 있어 시술방법의 적절하고 신중한 결정이 필요하다(그림 3-3).

② 외장골동맥의 측정

외장골동맥의 협착이나 비틀림(tortuorsity)이 90° 이상인 경우 device 진입에 어려움이 있을 수 있고 시술 중이나 후에 원위부 색전증, 급성동맥폐쇄, 동맥파열등의 원인이 될 수 있다. 따라서 외장골동맥은 최소 7 mm 이상의 직경이 확보되어야 하고. limb의 직경은 최소 축 직경(minor axis diameter)에 대하여 10~20% 큰 크기(약 1~3 mm)여야 한다.

3. Patient selection

EAVR 시행에 대한 결정에 있어 가장 중요한 것은 환자의 해부학적 요인이다. 특히 대동맥경의 구조 및 직경이 가장 중요하며, 길이(length), 각도(angulation) 등도 선택에 필요한 요인이다. 현재 생산되는 endograft는 아직 많은 한계점이 있어 모두 경우의 AAA 환자에 적용할 수 없는 제한이 있다. 대동맥경의 직경이 3.2 mm 이하이며, 길이가 15 mm 이상, 각도가 45~60° 미만의 경우에만 현재로서 EVAR 시술이 가능하다. 적절한 해부학구조를 가지지 않은 경우에 무리하게 시행된 경우 단 장기간의 경과에 분명히 부정적인 결과가 초래되므로 정확한 적응증을 유지하는 것이 무엇보다 중요하다.

4. Device selection

EVAR 시행이 증가하고 경험이 축적됨에 따라 시술 성공률을 높이기 위해 고려해야할 내용에 대한 많은 연구가 있다. 여러 종류의 endograft device는 각각의 장점과 취약점을 가지고 있고 환자의 정확한 해부학적 특징을 평가한 뒤 적절한 device를 선택하는 것은 시술의 결과나 환자 예후에 있어서 매우 중요하다. 따라서 각 device들의 장단점과 특징을 파악하고 있는 것이 매우 중요하며 현재 국내에서 사용 가능한 device 특징을 표 3-1에 정리하였다.

5. 환자 자세

(그림 3-4) 환자는 C-arm table 위에서 앙와위로 자세하며, 시술자와 보조자가 환자의 좌측 혹은 우측아래에 위치한다.

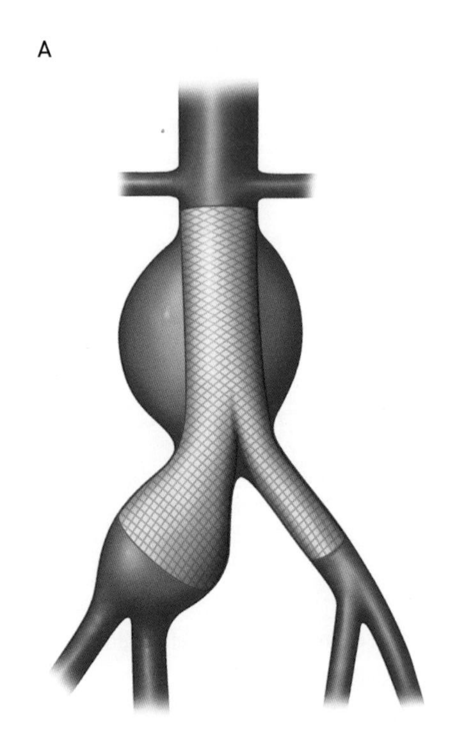

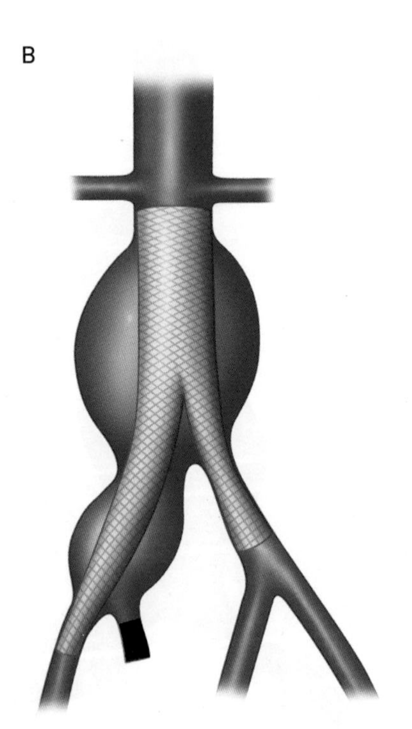

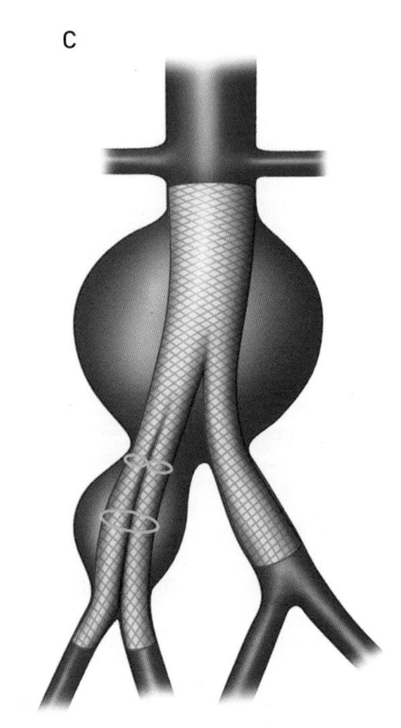

그림 3-3
A. Flared type
B. Limb extension with internal iliac artery embolization
C. Iliac branched device

표 3-1 현재 국내에서 사용 가능한 device 특징

	Endurant	Zenith	Incraft	Seal
Graft material	Polyester	Polyester	Polyester	Polyester
Stent material	Nitinol	Stainless steel	Nitinol	Nitinol
Fixation	Suprarenal	Suprarenal	Suprarenal	Suprarenal
Bifurcated graft				
Main body diameter (mm)	23-36	22-36	22-34	18-36
Length (mm)	103	82-149	94	50
Sheath outer diameter (F)	18, 20	18, 20, 22	14, 16	15, 18, 21
Limb graft				
Diameter (mm)	10-28	9-24	10-24	8-24
Length (mm)	82-199	61-144	82-138	60-120
Sheath outer diameter (F)	14, 16	14, 16	12, 13	15
Aortic extension				
Diameter (mm)	23-36	22-36	22-34	20-38
Length (mm)	49, 70	39-73	42	40
Sheath outer diameter (F)	18, 20	18, 20, 22	14, 16	15, 18
Treatment range				
Proximal neck diameter (mm)	19-32	18-32	17-31	16-32
Iliac artery diameter (mm)	8-25	7.5-20	7-22	10-22

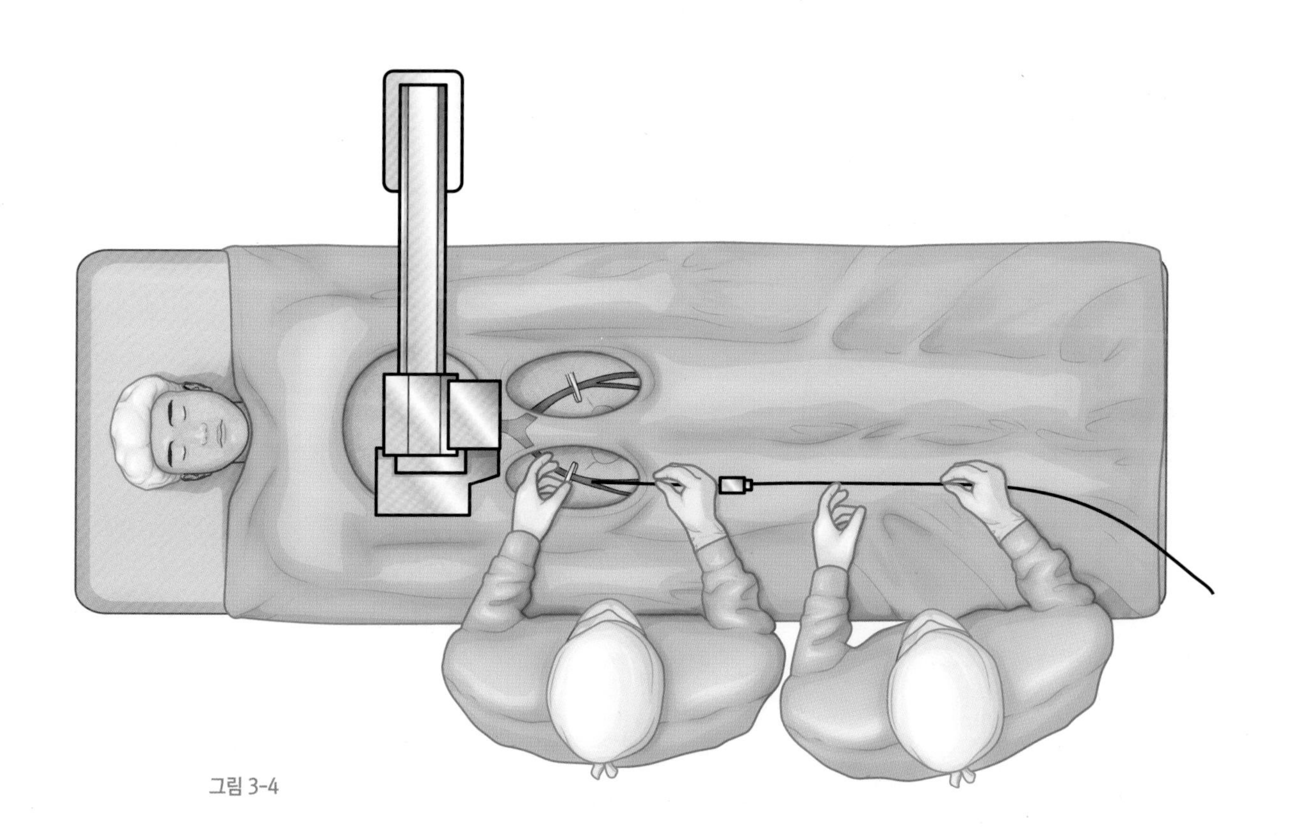

그림 3-4

6. 마취

마취의 선택은 환자의 전신상태에 따라 선택할 수 있다. 그러나 일반적으로 시술 중 환자의 호흡조절이 필요하며, 장시간의 시술이 필요한 경우 등이 있어 국소 마취보다는 전신 마취나, 척추 마취 등을 선호한다.

7. 수술 준비

중재적인 시술에 기초한 술기이므로 당연히 영상장비, 즉 고해상도의 fluoroscopy와 contrast injector 등 혈관조형술 장비가 준비되어야 한다. 15~16 inch의 intensifier를 가지는 contemporary fixed imaging unit를 선호하며, portable C-arm fluoroscopy를 사용하여 시술하기도 한다.

8. Vascular access

혈관접근은 개방 접근(open access)과 경피적 접근(percutaneous access)이 있다.

1) 개방 접근

(그림 3-5) vertical 또는 oblique skin incision을 사용할 수 있는데 상처의 합병증이 더 적은 oblique skin incision을 선호한다. 표피층의 지방을 절개 방향과 같이 oblique하게 접근하여 심층부가 노출되면 vertical하게 절개방향을 바꾸어 대퇴동맥을 노출시킨다. 시술이 끝나고 sheath가 제거된 이후 혈관 봉합사(polypropylene 등)를 이용하여 천자 부위를 봉합한다.

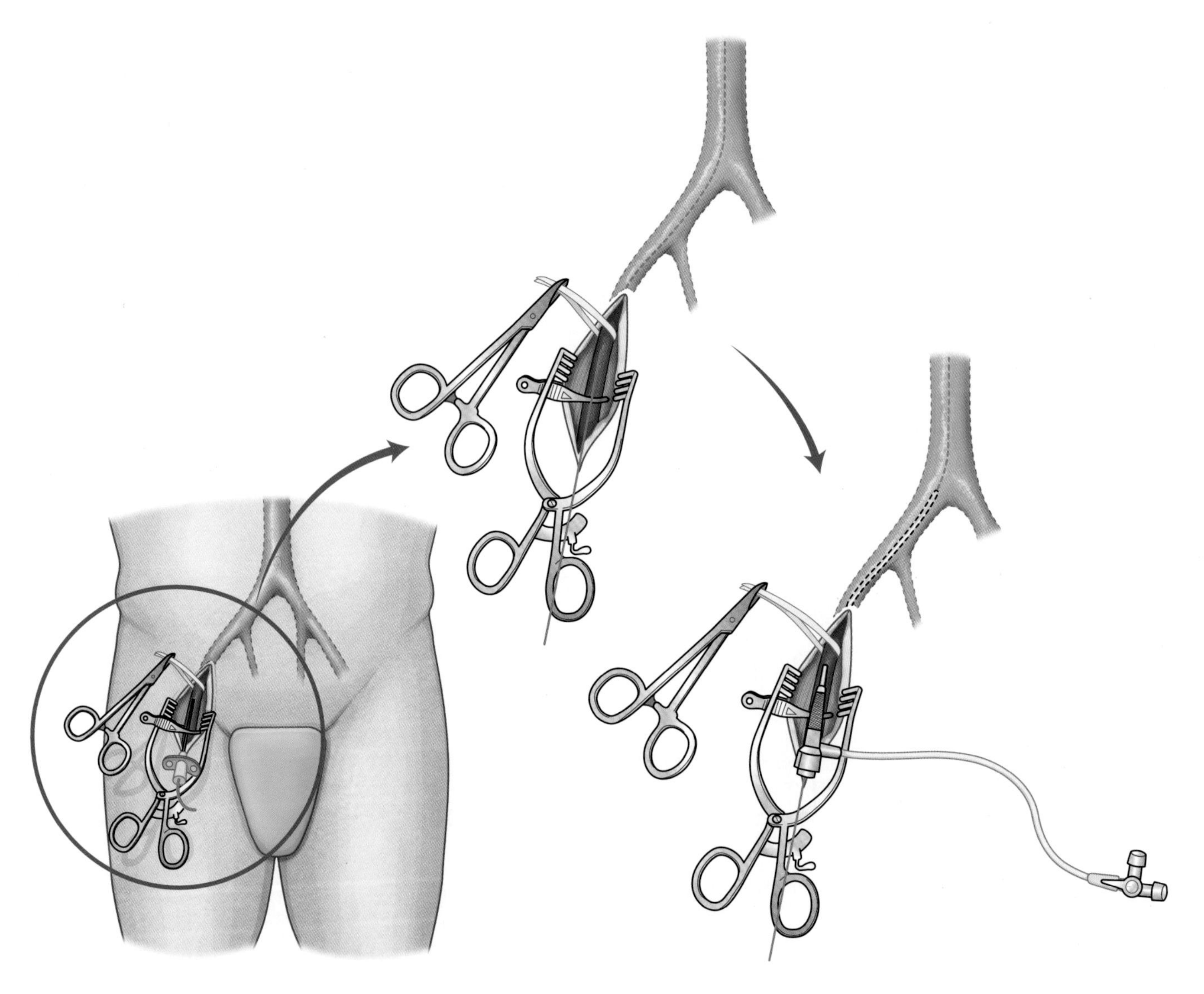

그림 3-5

2) 경피적 접근

(그림 3-6) 경피적 접근은 일반적인 중재적 시술 시 시행되는 방법을 따른다. EVAR 시술 시 경피적 접근은 24 Fr까지의 sheath가 사용 가능하며, 시술 이후 suture mediated closure system을 이용한 천자 부위의 지혈이 필요하다. 국내에서는 ProGlide® (Abbott)가 사용 가능하며 일반적으로 대퇴동맥 천자 후 각각 suture device를 거치 시킨 후 EVAR를 진행한다.

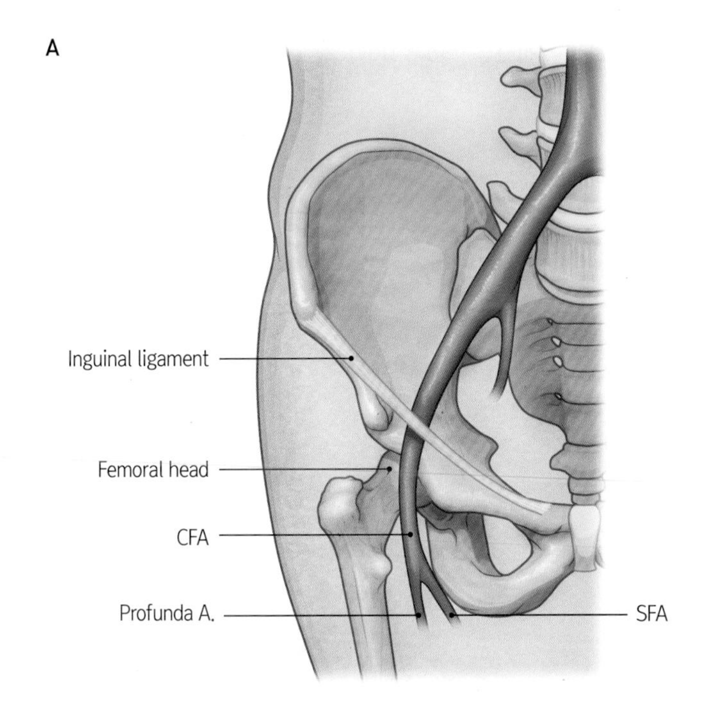

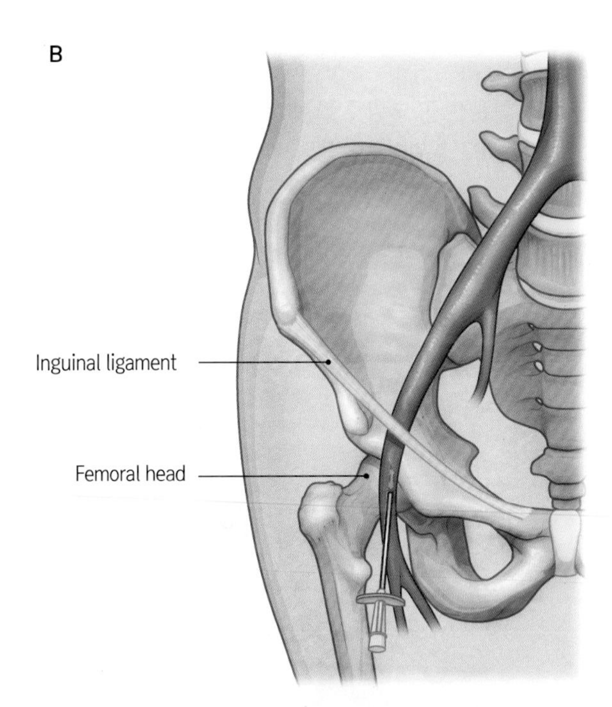

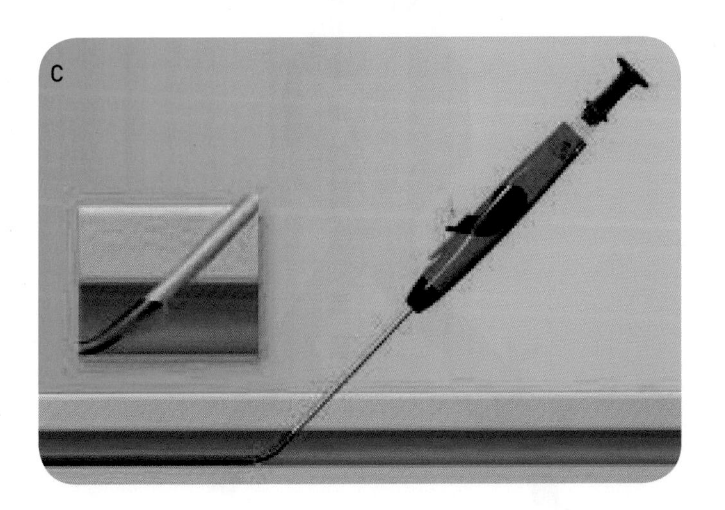

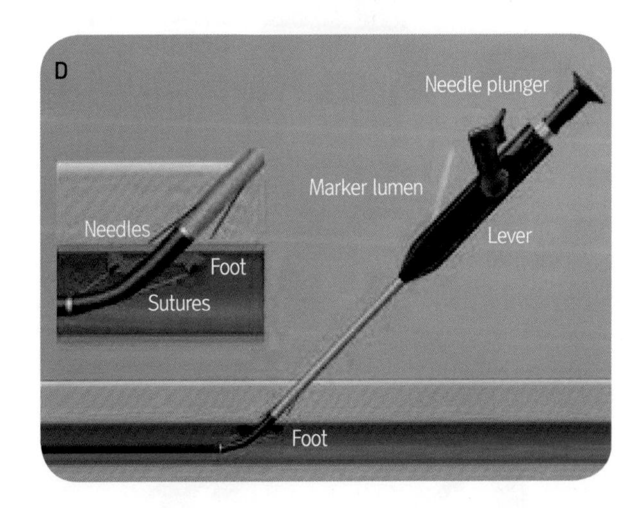

그림 3-6

9. EVAR deployment

1) Wire placement

양측 대퇴 부위의 혈관 접근이 확보된 후 floppy J-wire를 흉부 대동맥의 근위부에 위치시킨다. 이후 fluoroscopy 영상으로 확인하면서 J-wire를 stiff guide wire로 교체한다. 주로 사용되는 stiff guide wire로는 Lunderquist, Amplatz Super Stiff, Meier 등이 있으며, 대동맥궁 주위의 손상을 예방하기 위하여 반드시 영상 확인을 통하여 교체하여야 한다.

이후 반대편 혈관접근 부위로 pigtail catheter를 L1, L2 부위인 신장동맥 부근에 거치시킨다. 혈관조형술은 undeployed main component가 신장동맥 주위에 위치하면 pigtail catheter를 통하여 시행한다.

2) Delivery of main device

(그림 3-7) Main device의 반대편 gate나 limb의 표식자(marker)는 반드시 위치시키기 전에 fluoroscopy로 그 실체를 확인하여야 하며, 혈관 접근 부위에서 전진하면서 위치시킬 때도 device가 비뚤어지지 않도록 지속적으로 표식자의 위치를 확인하면서 거치시켜야 한다.

3) Proximal endograft deployment

(그림 3-8) Main device가 신동맥부위에 위치하고 반대편 gate나 limb이 원하는 자리에 위치한 것이 확인되면 혈관조형술을 시행하여 정확한 신동맥의 위치를 확인한다. 이때 fluoroscopy의 위치를 조절하여 신장동맥이 화면 중앙에 오도록 조정하여야 하며, 7~12 ml의 contrast material을 30 ml/sec의 injection rate로 contrast injector를 이용하여 주사하여 촬영한다.

이후 device의 특성에 맞게 endograft의 근위부 전개를 시작하며, 이상적인 전개지점

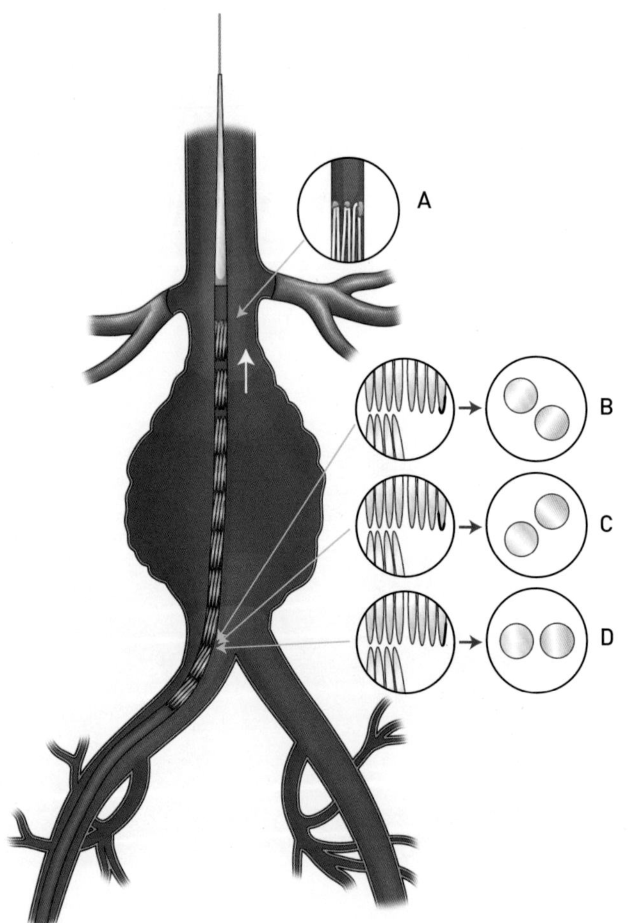

그림 3-7

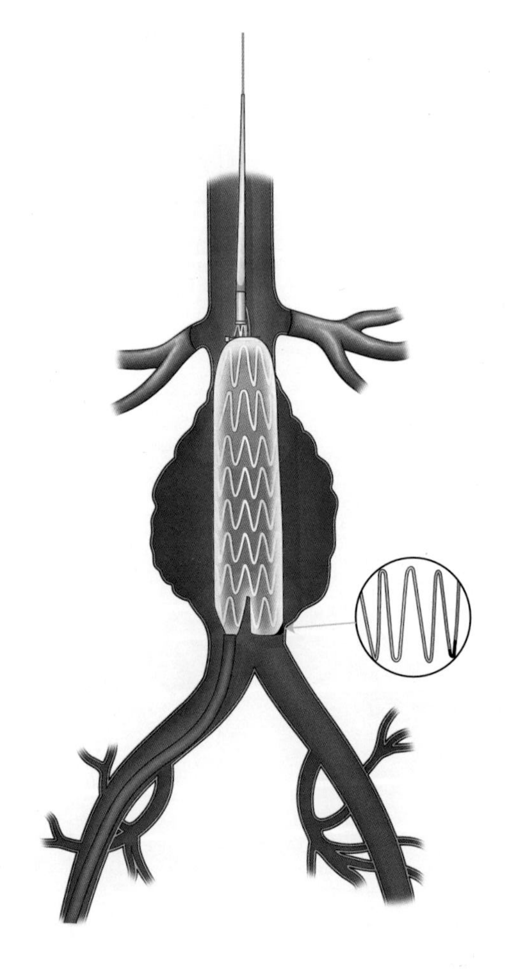

그림 3-8

은 신장동맥 최하위부의 2 mm 이내에 위치하여야만 대동맥경과 최상의 overlap zone을 형성하여 각종 문제점을 최소화할 수 있다. Zenith 등은 slow stepwise deployment 기구들로서 원하는 지점보다 1~2 cm 상방에서 천천히 전개를 시작하여야만 하며, 그 외의 제품들은 목표지점에서 위치 변화 없이 전개를 시작하면 된다. 근위부 landing zone의 전개가 완료되면 endograft의 전개를 계속 진행하여 반대편 limb의 gate가 전개되도록 한다.

4) Contralateral gate cannulation

(그림 3-9) Main device의 전개 이후 반대편 limb gate의 투관이 진행되는데 대다수의 경우 retrograde로 진행된다. 투관을 용이하게 진행시키기 위해서는 무엇보다도 gate를 예상하는 곳에 위치시키는 것이 중요하다. 일반적으로 장골동맥의 경로에 의하여 gate의 전개는 중앙선보다 앞쪽에 위치한다. 적절한 위치를 예상했다 하더라도 반대편 limb gate에 wire 투과가 용이하지 않을 수 있으며 이럴 경우 kumpe, cobra, headhunter, sidewinder 등의 다양한 모양의 selective catheter를 이용해 볼 수 있다. 반대편 gate의 투관 후에는 반드시 영상장비나 pigtail catheter를 이용한 위치 확인이 필요하다. 대동맥경 부위에 pigtail catheter를 삽입하여 회전시켜보면 만일 정확한 위치로 투관이 되지 않았다면 catheter가 자유롭게 회전되지 않는다. 이와 같은 위치확인 없이 진행하는 할 때에는 반대편 limb이 gate 밖에서 전개되어 술기가 실패할 수 있으므로 반드시 catheter 투관 여부를 확인하여야 한다. 경우에 따라 투관이 잘 진행이 되지 않을 때는 antegrade 진행을 고려해보기도 하며, 투관에 실패하는 경우 occluder로 반대편 limb을 막고 aorto-uniiliac configuration으로 진행 한 후 distal fem-fem bypass를 시행하는 경우도 있다(그림 3-10). 투관의 성공을 확인한 이후에는 제품에 따라 suprarenal bare stent가 있는 경우 이를 전개한다.

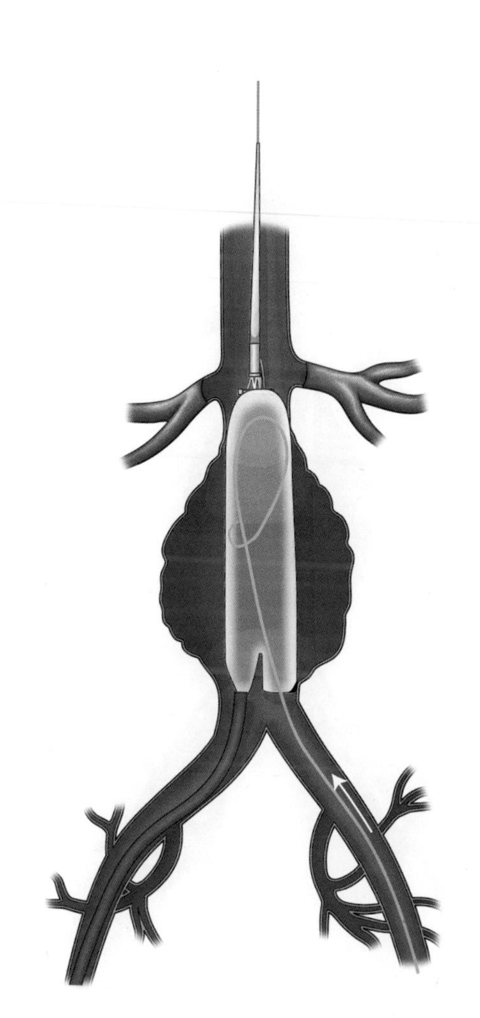

그림 3-9

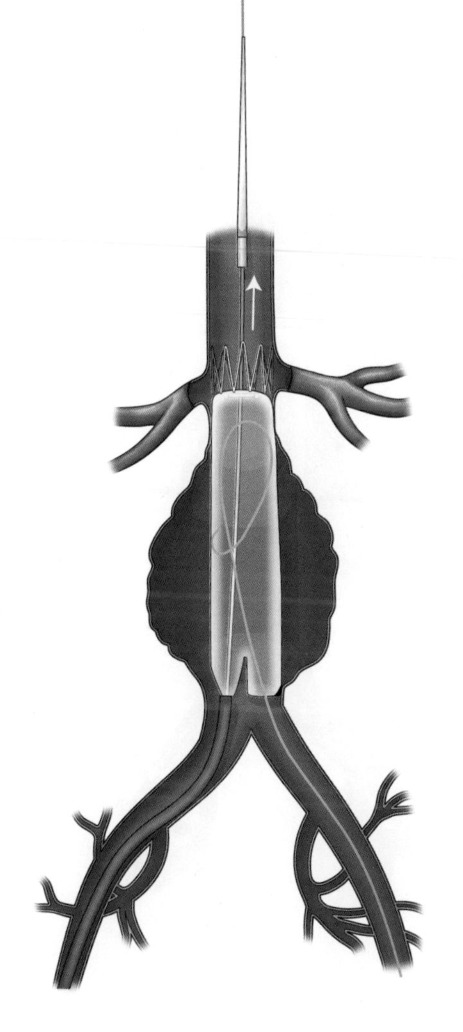

그림 3-10

5) Limb deployment

(그림 3-11, 12) 반대쪽 gate가 성공적으로 투관된 후 distal landing zone의 확인을 위하여 이미 설치되어 있는 iliac sheath를 통하여 역행 혈관조형술을 시행한다. 내장골동맥의 위치를 확인한 후 계획된 길이의 반대측 limb을 거치하여 전개한다(그림 3-13, 14). 이후 동측의 장골동맥에서도 역행 혈관조형술 이후 limb을 거치하여 전개를 진행한다. 동측 limb에서의 장골 중첩(iliac overlap)은 최소 2 cm 이상은 되어야 하며, 작은 중첩보다는 중첩의 길이가 길수록 유용한 경우가 많다. 동측 limb의 전개 이후 compliant molding balloon(Coda 또는 Reliant)을 이용하여 대동맥경 부위, 장골 gate부위, 원위부 장골 limb 부위 등을 ballooning해 준다.

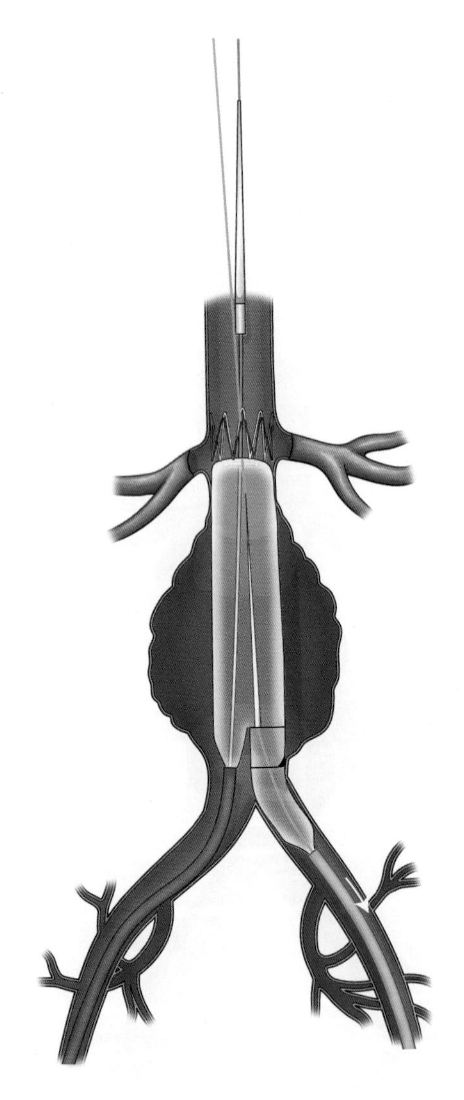

그림 3-11

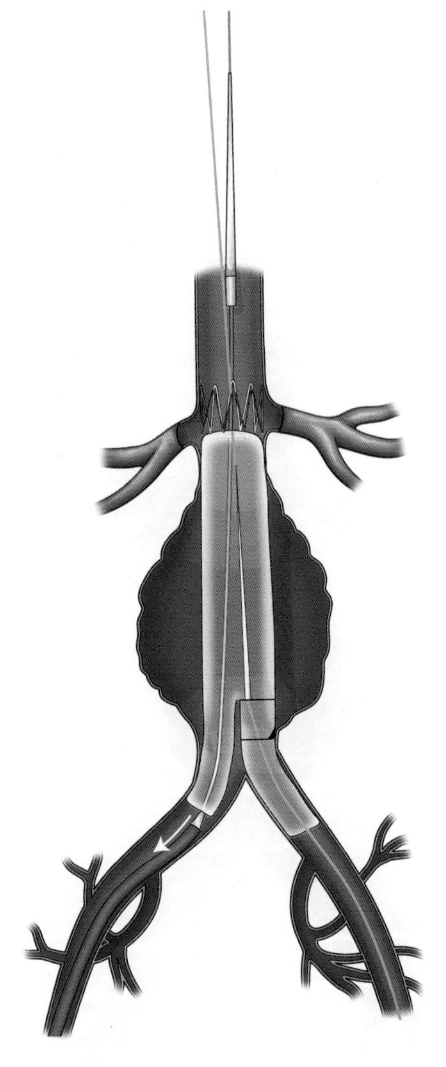

그림 3-12

10. Completion arteriography

시술을 마치기 전 마지막으로 completion angiography를 촬영하는 데 pigtail catheter를 이용하여 조영제를 주사하고 최소 5초 이상 영상을 주시하여 endoleak 발생 유무를 확인한다. 또한 신장, 내장골 및 외장골 동맥의 개존 상태, 원위 및 근위부 landing zone의 상태 등을 확인하고 필요시 cuff나 extension limb 등을 추가로 설치하여야 한다.

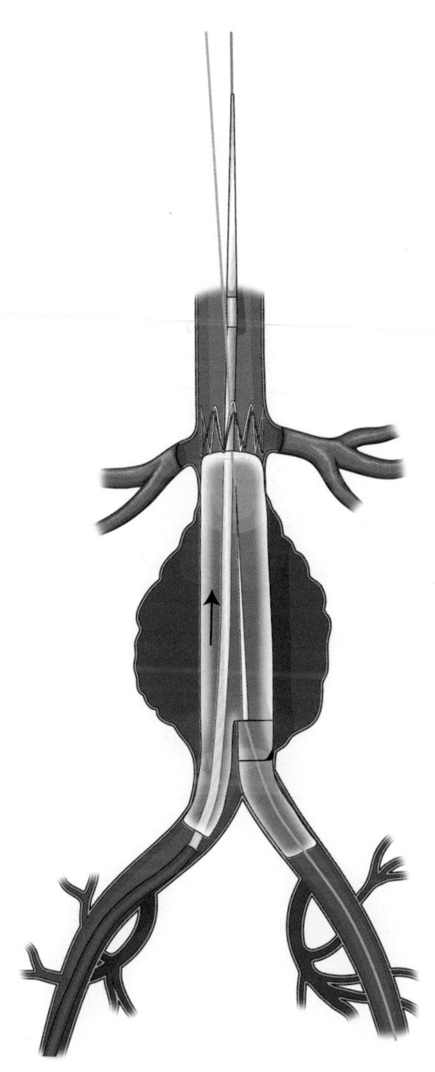

그림 3-13

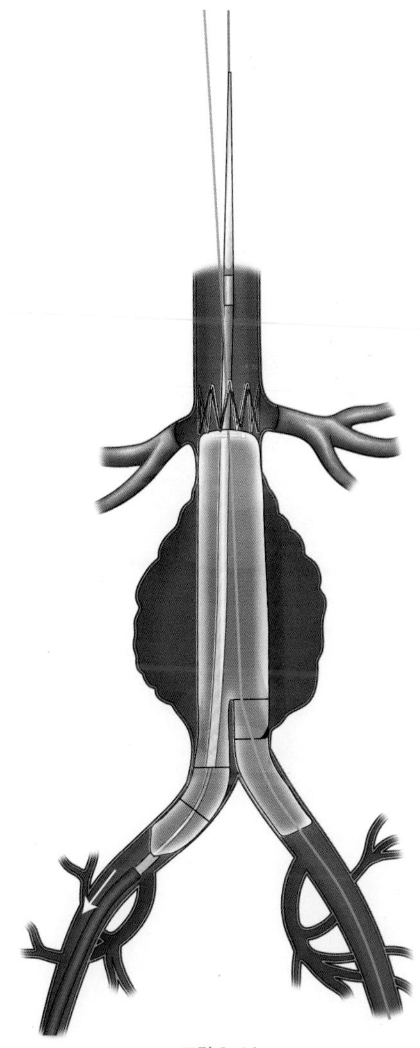

그림 3-14

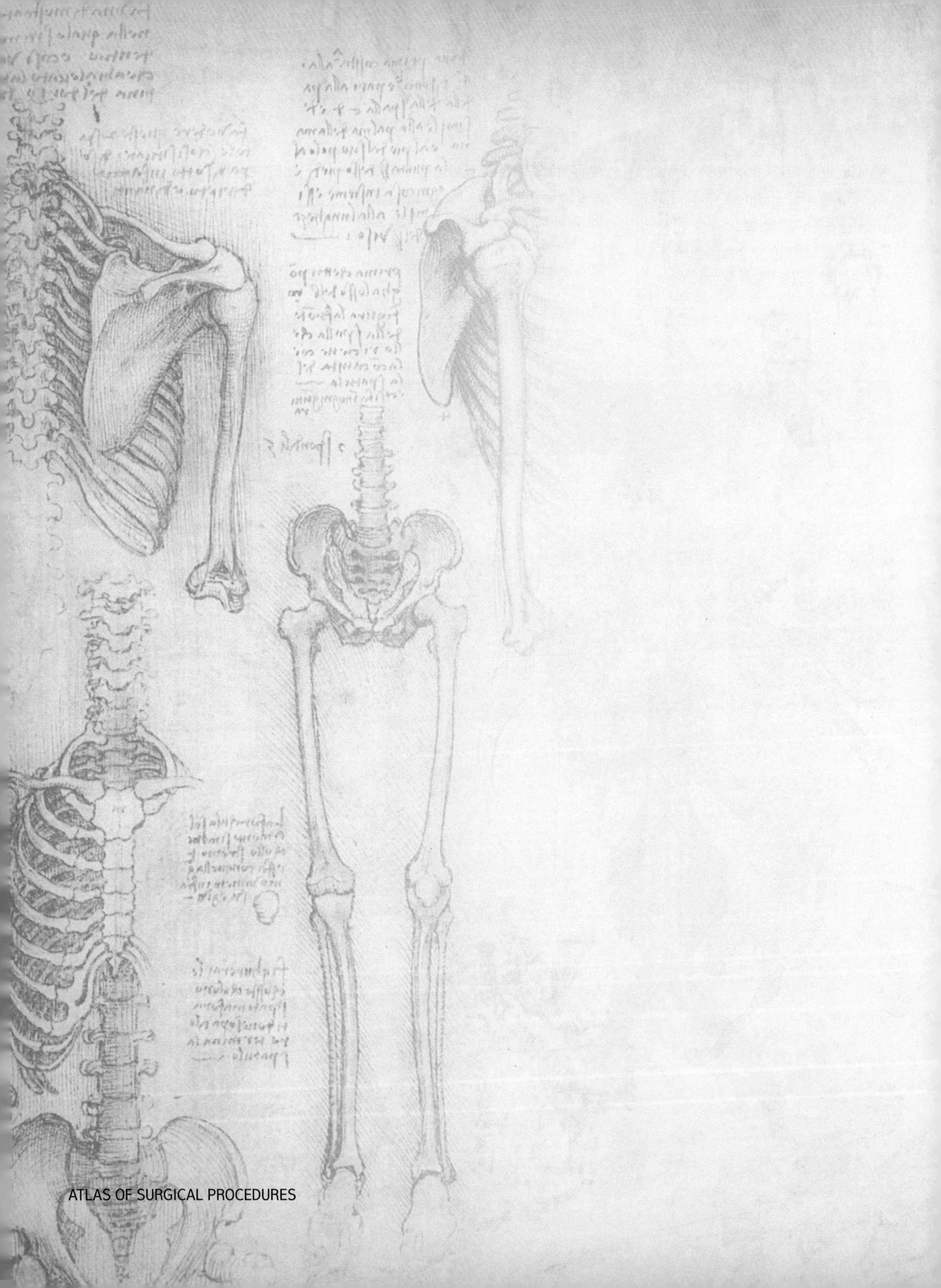

ATLAS OF SURGICAL PROCEDURES

CHAPTER 4

동맥폐색증: 대동맥양측대퇴동맥우회술 및 대퇴동맥대퇴동맥우회술

Arterial occlusive disease: Aortobifemoral bypass and femorofemoral bypass

I. 동맥폐색증: 대동맥양측대퇴동맥우회술(Aortobifemoral bypass)

1. 적응증

복부대동맥이나 장골동맥의 폐색으로 인한 대동맥장골동맥폐색증(aortoiliac occlusive disease, AIOD)에서 하지허혈증이나 발기부전과 같은 증상이 운동요법이나 약물요법을 이용한 보존적 치료로 개선되지 않고 일상생활에 지장을 주는 경우나 드물지만 하지에 허혈성 휴식통, 궤양, 괴저 등이 있어서 동맥재개통술(arterial revascularization)을 시행하지 않으면 하지절단의 위험이 있는 급박하지허혈증(threatened limb ischemia, critical limb ischemia)을 보이는 경우가 대동맥양측대퇴동맥우회술(aortobifemoral bypass, ABF)의 적응이 된다. 후자의 경우는 전신적인 죽상경화증(atherosclerosis)으로 대동맥이나 장골동맥뿐 아니라 하지동맥에도 폐색이 동반된 경우가 많으며, 이런 경우에는 ABF와 하지동맥재개통술을 순차적으로 또는 동시에 시행할 수 있다.

2. 비적응증

근래 수술기법 및 수술 전후 처치의 발달로 ABF에 따른 사망이나 합병증 발생이 감소하였으나, 여전히 다른 술식에 비하여 합병증 발생위험이 높으므로 심각한 전신질환이 동반된 환자의 경우에는 덜 침습적인 치료를 시행하는 것이 보다 적절한 선택이다. 또한 환자가 거의 침상 생활을 하고 있거나 기대여명이 길지 않은 경우에도 비적응증이 된다.

단순히 하지파행증을 호소하는 환자들에서는 환자가 호소하는 증상과 하지허혈의 정도가 직접적인 관련성이 있는 지를 감별하는 것이 중요하다. 고령의 환자들에서는 신경근육성 하지파행증이 흔히 동반될 수 있으므로 CT-동맥조영술과 같은 영상검사에서 동맥폐색이 관찰되더라도 발목동맥압지수 및 혈류파형검사를 시행하여 동맥폐색의 정도가 환자의 증상과 일치하는 지를 확인하는 것이 중요하다. 동맥우회로가 발달된 경우에는 영상검사에서 관찰되는 동맥폐색에 비하여 하지의 혈류장애는 경미할 수 있으므로 이런 경우에는 수술을 서둘러 시행할 필요가 없다.

3. 수술 전 처치

죽상경화성 동맥폐색증(atherosclerotic arterial occlusive disease)은 전신질환이며, 따라서 관상동맥(coronary artery) 협착으로 인한 심근경색증(myocardial infarction), 부정맥(arrythmia), 심부전(heart failure) 등의 심장병증이나 경동맥(carotid artery) 협착, 뇌졸중(stroke) 등의 뇌혈관질환에 대한 병력을 세밀히 살펴보아야 한다. 또한 수술 전 환자의 신체활동능력과 신부전증, 당뇨병, 간질환, 혈액응고장애와 같은 전신적인 질환 등은 수술 후 합병증 발생과 관련이 깊고, 폐질환이나 흡연은 전신마취 후 폐합병증의 빈도를 높일 수 있으므로 이에 대한 검사나 치료를 수술 전에 시행하여야 한다. 수술 후 발생하는 사망의 많은 부분이 급성심근경색증과 관련이 있으므로 이에 대한 검사 및 수술 전후 처치는 필수적이다. 동맥재개통술이 급하지 않고 심근경색증의 위험이 높은 환자들에서는 관상동맥재개통술을 우선적으로 고려하여야 한다.

4. 마취

전신마취 하에 기관지삽관 후 수술을 시행한다. 경막외 카테터를 이용한 통증조절은 수술 후 폐합병증의 발생을 감소시킬 수 있는 것으로 여겨지나, 항응고제 사용에 따른 출혈의 위험으로 실제 임상에서 일상적으로 시행하기는 어렵다. 근래에는 정맥주입형 통증조절장치를 이용하여 별다른 부작용 없이 수술 후 통증을 경감시키려 노력하고 있다.

5. 환자자세

수술은 대부분 바로누운자세에서 경복막접근법(transperitoneal approach)으로 시행되며, 드물지만 경우에 따라 후복막접근법(retroperitoneal approach)을 사용할 때에는 우측으로 비스듬히누운자세(semi-decubitus position)를 취하게 한다. 근래 AIOD 수술에서 후복막접근법을 사용하는 경우가 드물어서 본 장에서는 생략하도록 한다 (Chapter 3. 복부대동맥류 스텐트 그라프트 삽입술 참조).

6. 수술준비

수술 전 장세척(bowel preparation)은 위수술에 준하여 수술 전일에 시행하는 것으로 충분하며, 비위관은 마취 후에 삽관하며 수술 후 장기능이 회복될 때까지 유지한다.

AIOD 수술에서는 복부대동맥류 수술과 달리 대량 출혈의 위험이 크지 않으나, 동맥 수술 시에는 항상 예기치 않은 출혈이 있을 수 있고, 또한 심장기능이 좋지 않은 환자들에서는 갑작스러운 출혈로 수술 후 심장합병증이 증가할 수 있으므로 수혈을 위한 혈액을 준비하는 것이 안전하다.

7. 수술과정

1) 절개 및 노출(Incision and exposure)

(그림 4-1A) 피부절개는 양측 서혜부부터 시작해서 대퇴동맥의 주행방향을 따라 수직으로 시행한다. 서혜피부주름(inguinal skin crease)을 중심으로 총대퇴동맥(common femoral artery, CFA)이 천대퇴동맥(superficial femoral artery, SFA)과 심대퇴동맥(deep femoral artery, DFA)으로 분지되는 대퇴동맥갈림(femoral bifurcation)은 주름의 하방에 있고, CFA와 외장골동맥(external iliac artery, EIA)의 경계부는 주름의 직상방에 있으므로 피부절개는 이를 가로질러 그림과 같이 시행한다.

(그림 4-1B) 피하층을 종으로 절개하면 비스듬히 외측으로 가로지르는 대복재정맥(great saphenous vein, GSV)의 가지(lateral accessary saphenous vein)를 만나게 되는데 이를 결찰 후 분리하면 그 심부에서 원위부 CFA의 전면을 노출시킬 수 있다. 먼저 동맥의 전면부를 조심스럽게 박리하여 하방으로 진행하면 대퇴동맥갈림이 나타나게 되고 이후 근위부 SFA와 DFA를 조심스럽게 박리한다. 두 동맥에 병변이 없는 경우에는 근위부 1~2 cm 정도를 각각 박리하여 조심스럽게 혈관루프(vessel loop)를 걸어 둔다. 이때 대퇴동맥의 가지들, 특히 DFA의 가지들은 모두 조심스럽게 보존하여야 한다.

이 가지들은 향후 동맥폐색증이 진행되면 동맥우회로의 역할을 하게 된다. 이후 계속해서 상방으로 대퇴동맥의 전면부를 박리하면 서혜인대에 도달하게 되고 이 인대의 바로 밑 부분, 즉 EIA가 대퇴동맥으로 이행하는 부위에서 장골회선동맥(circumflex iliac artery)이 외상방으로, 그리고 하복벽동맥(inferior epigastric artery)이 내상방으로 주행한다. 이 가지들은 AIOD 환자에서 보다 중요한 동맥우회로이므로 손상에 주의하여야 한다. 대부분의 경우에서 혈관루프는 근위부 CFA에 걸어 두는 것으로 충분하다.

이후 이식편이 눌리는 것을 방지하기 위하여 서혜인대의 후방을 부분적으로 절개하여 한 손가락 또는 두 손가락 정도의 공간을 확보하여야 한다. 또한 추후 이식편을 복강에서 서혜부로 위치시키기 위하여 터널링을 시행하게 되는데, 이때 EIA와 CFA의 이행부위를 가로지르는 정맥(crossing vein)의 손상으로 뜻하지 않게 출혈이 발생할 수 있으므로 이 정맥을 미리 결찰하고 분리하여야 한다.

(그림 4-1A) 복부절개는 정중절개를 시행하며 명치 직하방에서 시작하여 배꼽 하방으로 3~5 cm정도 연장한다. AIOD 수술 시에는 복부대동맥류 수술처럼 정중절개를 치골까지 연장할 필요는 없다. 피부절개 후 피하층, 백색선(linea alba), 복막을 순차적으로 절개하고 복강 내로 진입한다.

(그림 4-1B) 복강 내 장기의 이상 유무를 확인 후 횡행결장을 상부로 견인하고 소장을 우측으로 밀면서 소장과 결장의 장간막을 분리하면 십이지장과 트라이츠인대(Treitz ligament)를 관찰할 수 있다. 이후 자가보전견인기(self-retaining retractor)를 설치하면 수술 시야를 보다 좋게 확보할 수 있다. 우측의 트라이츠인대와 좌측의 하장간막정맥(inferior mesenteric vein, IMV)을 기준으로 그 사이에 대동맥이 위치하고 있으므로 이를 확인 후 후복막을 절개하고 대동맥의 전면부를 노출시킨다.

이때 IMV와 주변의 림프관 손상을 방지하면서 좌측 결장의 장간막을 후복막강의 조직들과 함께 좌측으로 밀어 놓는다. 대동맥 전면부의 박리를 상방으로 진행하면 좌측 신장정맥(left renal vein, LRV)을 관찰할 수 있으며, 추후 진행될 대동맥 클램프 및 문합을 용이하게 하기 위하여 LRV를 조심스럽게 박리한다. 이후 대동맥의 후방까지 박리하여 LRV 후방에 위치하는 신장동맥을 확인한다. 이때 대동맥 클램프를 신장동맥보다 상방에서 시행해야 하는 신장동맥근접대동맥폐색증(juxtarenal aortic occlusion, JRAO)인 경우에는 양측 신장동맥을 조심스럽게 박리하여 혈관루프를 걸고 LRV를 하방으로 견인하면서 신장동맥상방복부대동맥(suprarenal abdominal aorta, SRAA)을 박리한다.

원위복부대동맥(distal abdominal aorta)은 하장간막동맥(inferior mesenteric artery, IMA) 기시부까지 박리하면 충분하나 IMA의 혈류를 보존해야 하는 경우라면 그 하방까지 박리하여 대동맥 클램프에 필요한 공간을 충분히 확보하여야 한다. 이때에는 IMA의 근위부를 박리하여 혈관루프를 걸어 놓는다. 만약 대동맥의 후방에서 쌍으로 분지하는 요동맥(lumbar artery)들이 개존되어 있다면 이들을 조심스럽게 박리하여 확보하여야 문합 시 불필요한 출혈을 예방할 수 있다.

A

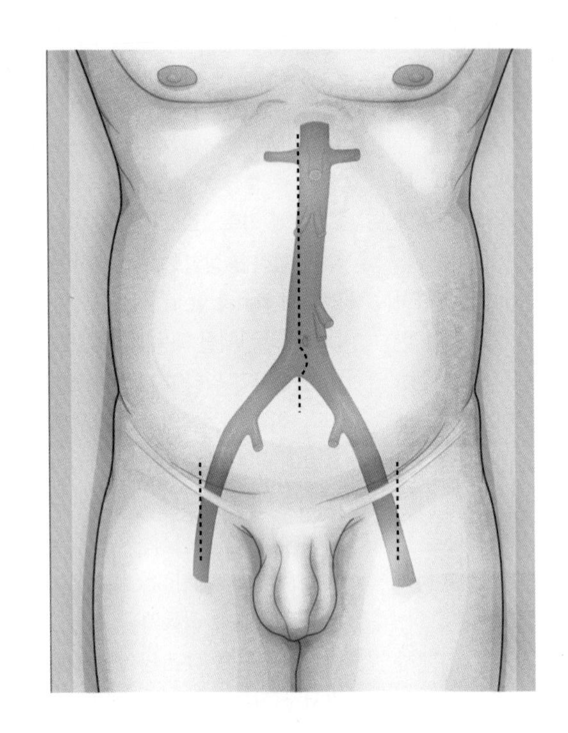

B

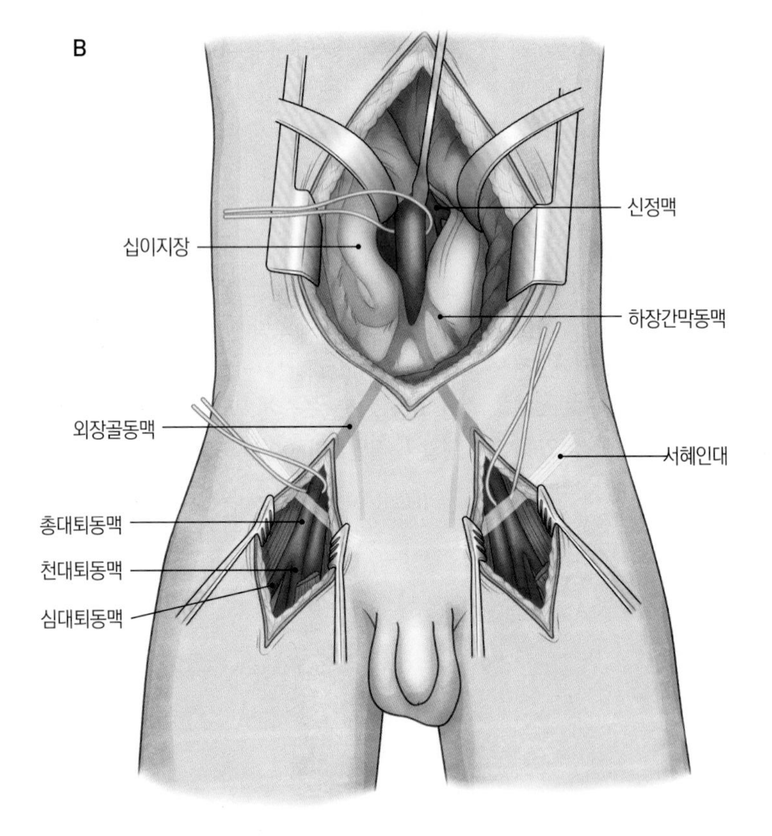

그림 4-1
A. 피부절개선, B. 절개 후 복강 내 혈관 노출 상태

TIP 1
AIOD 환자에서는 대퇴동맥의 맥박을 촉지하기가 어려우므로 정확한 피부절개를 위해서는 수술 전 도플러초음파(duplex ultrasound)를 이용하여 대퇴동맥의 정확한 주행 및 대퇴동맥갈림을 표시하는 것이 좋다. 이때 하지동맥우회술에 필수적인 자가정맥이식편을 보존하기 위하여 대퇴동맥의 내측에 위치하는 GSV을 같이 표시해 두면 수술 시 의도하지 않은 손상을 예방하는데 도움이 된다.

TIP 2
혈관루프가 의도하지 않게 당겨져서 동맥혈류가 정체되는 것을 방지하기 위하여 박리를 진행하는 동안에는 동맥에 단순히 걸어 놓기만 하고 동맥을 클램프하기 직전에 동맥을 한 바퀴 둘러서(encircling) 혈류를 차단한다.

TIP 3
추후 언급될 심대퇴동맥성형술(profundaplasty)을 시행할 경우에는 DFA의 이차 가지까지 박리해서 각각의 가지마다 혈관루프를 걸어 두는 것이 필요하다. 이때에는 DFA 주가지의 전면을 가로지르는 외대퇴회선정맥(lateral circumflex femoral vein)을 봉합결찰하고 분리하여야 한다.

TIP 3
수분 손실을 막고 수술시야를 확보하기 위해서 소장을 타올(large tap)로 덮어서 우측 복강 내에 밀어 넣으면 되나, 수술 전 장세척이 충분하지 못하고 복강 용적이 충분하지 못한 경우에는 소장을 비닐백에 넣고 복부 바깥에 놔두는 방법도 있다.

TIP 4
대동맥의 폐색부위가 원위복부대동맥이면 대동맥의 박동을 촉지할 수 있으므로 후복막을 절개하는 위치를 찾기가 쉬우나, 후복막이 두껍고 JRAO인 경우에는 대동맥의 박동을 촉지할 수 없다. 이런 경우에는 우측의 트라이츠인대와 좌측의 IMV 사이를 조심스럽게 촉지하면 폐색된 대동맥을 확인할 수 있다.

TIP 5
복부대동맥 수술 시 LRV는 해부학적 기준점(landmark)이 되며, 대동맥의 폐색 정도와 문합 위치에 따라 박리의 정도를 결정한다. 경우에 따라 해부학적 변이가 있을 수 있으므로 수술 전 영상검사에서 이를 확인하고 조심스럽게 접근하여야 한다. 신장동맥근접복부대동맥류(juxtarenal abdominal aortic aneurysm) 수술과 달리 수술시야 및 대동맥 문합부를 확보하기 위하여 LRV를 분리결찰해야 하는 경우는 드물다. 대부분의 경우에서 LRV 상방으로 유입되는 부신정맥(adrenal vein)과 하방으로 유입되는 생식선정맥(gonadal vein)을 분리결찰하고 LRV를 아래위로 견인하면 신장동맥 상방과 하방의 대동맥을 쉽게 확보할 수 있다. 만약 수술시야 확보를 위해서 LRV를 분리결찰해야 한다면 이때는 좌측 신장의 정맥혈류를 유지하기 위하여 부신정맥과 생식선정맥을 반드시 보존하여야 한다.

TIP 6
경우에 따라 IMV를 분리결찰하면 장간막을 보다 상방으로 견인할 수 있어서 SRAA를 보다 용이하게 확보할 수 있으나, 드물게 수술 후 좌측 결장의 울혈이 발생할 수 있고 주변 림프관의 손상으로 유미복강(chyloabdomen)이 유발될 수 있으므로 IMV와 주변 림프관들은 보존하는 것이 좋다. 또한 장간막을 상방으로 견인 시에 견인기에 의한 췌장 손상으로 수술 후 췌장효소의 상승 및 췌장염이 발생할 수 있으므로 주의를 요한다.

TIP 7
대동맥 박리는 가급적 제한되게 하고 IMA 하방을 박리할 시에는 대동맥의 좌측으로 주행하는 자율신경총(autonomic nerve plexus) 손상에 주의하여야 한다.

2) 대동맥 클램프(Aortic clamp)

(그림 4-2A) 대동맥 클램프 전에 동맥혈전을 예방하기 위하여 헤파린(70~100 units/kg)을 정주하고 활성혈액응고시간(activated clotting time, ACT)을 200~300초 정도 유지하는 것이 이상적이다. 헤파린 정주 후 3-5분 정도의 여유를 두고 혈액이 충분히 항응고 상태가 되면 양측 신장동맥 하방과 IMA 직상방에서 클램프를 시행한다. 대동맥 클램프 시에는 동맥벽 손상으로 인한 출혈을 예방하기 위해서 동맥벽의 석회화가 심한 부분은 가급적 피해야 한다. 석회화가 심해서 신장동맥 하방에 클램프를 시행할 수 없는 경우에는 석회화가 비교적 덜한 보다 상방의 대동맥에 클램프 후 수술을 진행하여야 한다.

(그림 4-2B) 대동맥 클램프는 대동맥을 가로 질러서 시행할 수도 있으나 그림과 같이 대동맥 전면에서 후면으로 수직으로 대동맥교차클램프(aortic cross clamp)를 시행할 수 있다. 수술 전 영상검사에서 죽상반(atheroma)이나 석회화 양상에 따라 클램프의 방향을 결정하는 것이 동맥벽의 손상을 줄일 수 있다.

(그림 4-2C) 원위대동맥은 그림 4-2B와 같이 봉합기(stapler)를 사용하여 봉합할 수 있으나 국내에서는 보험인정 문제가 있으므로 3-0 또는 4-0 폴리프로필렌(polypropylene)봉합사로 수기봉합(hand-sewing)한다.

A

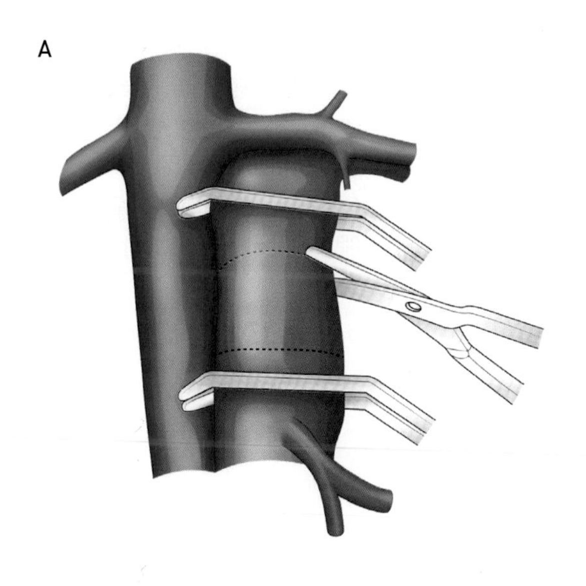

B

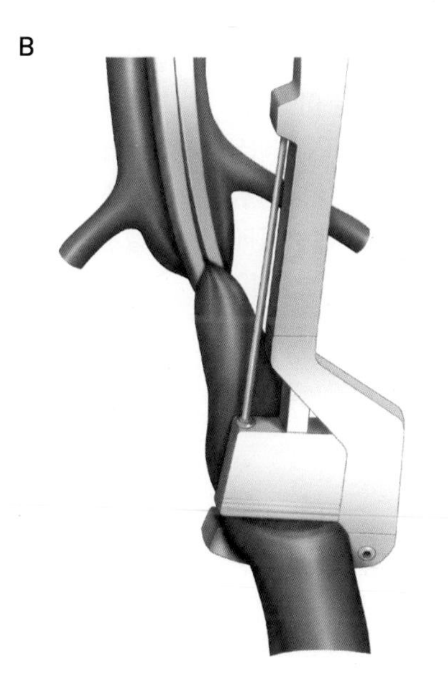

TIP 8

실제 임상에서 ACT 측정이 어려운 경우가 많고, 환자의 전신상태가 불량하거나, 특히 신장기능이 감소되어 있을 때는 헤파린 사용으로 출혈이 증가할 수 있다. AIOD 수술에서는 대동맥 클램프 시간이 길지 않으므로 필자의 경우에는 대개 3,000 units 이내의 헤파린을 사용한다.

TIP 9

대동맥을 가로 질러서 클램프할 경우에는 대동맥 후면에서 분지되는 요추동맥(lumbar artery)들의 손상에 주의하면서 대동맥 후면을 완전하게 박리하여 클램프가 통과할 수 있는 공간을 충분히 확보하여야 하는 단점이 있다. 반면 수직으로 클램프할 경우에는 대동맥의 양측 옆면만 박리해도 대동맥교차클램프가 가능하나 이때는 수술 도중에 클램프가 움직이지 않도록 보조자가 클램프를 단단히 고정시켜야 하는 번거로움이 있다.

TIP 10

원위대동맥 절단부는 대동맥 문합 전후에 시행할 수도 있으나, 하지의 동맥혈류 재개통 시간을 빠르게 하기 위해서 대퇴동맥 문합을 마치고 추후에 시행하여도 된다. 그림과 같이 가로 질러서 봉합할 수도 있으나 그림 4-3B와 같이 수직으로 봉합하는 것이 이식편이 튀어나오지 않고 대동맥과 같은 면에 위치할 수 있도록 공간을 확보하는데 용이하다.

C

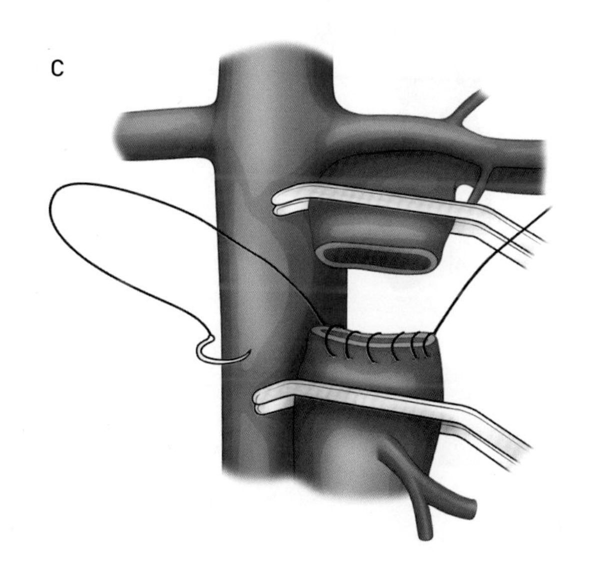

그림 4-2
A. 대동맥 클램프 및 절제, B. 대동맥 수직 클램프 및 봉합기를 이용한 원위대동맥 봉합, C. 대동맥 절제 및 원위대동맥 봉합

3) 인조혈관이식편(Artificial graft, prosthetic graft)

인조혈관이식편(artificial graft, prosthetic graft)은 술자에 따라 니트폴리에스터(knitted polyester, Dacron)나 폴리테트라플루오로에틸렌(polytetrafluoroethylene, PTFE) 재질로 만들어진 갈림형이식편(bifurcated graft)을 사용할 수 있다. 이전 Dacron이식편은 장기간 추적관찰 동안 이식편의 변형이 많고, PTFE이식편은 문합(anastomosis) 시 바늘구멍을 통한 출혈이 문제가 된다. 이러한 단점을 보완하기 위하여 현재 사용하는 폴리에스터이식편은 이중으로 짜여(double-veloured) 있으며, PTFE이식편 사용 시에는 바늘의 구경과 실의 굵기가 같게 제작되어 출혈을 감소시킬 수 있는 PTFE 봉합사를 사용할 수 있다. 근래에는 출혈이 적고 변형이 적은 우븐폴리에스터(woven polyester) 재질의 이식편이 선호되기도 한다. 이식편의 크기는 대동맥의 구경에 따라서 결정하며, 대개 16 x 8 mm 또는 14 x 7 mm 크기의 이식편을 많이 사용한다.

4) 문합(Anastomosis)

(1) 대동맥 문합(Aortic anastomosis)

① 단단문합(End-to-end anastomosis)

(그림 4-3A) 대동맥 문합을 위하여 클램프에서 최소한 2 cm 이상의 여유를 두고 대동맥을 절단하고 문합부의 죽상반과 동반된 혈전을 제거한다. 이 부위는 대부분 오래된 혈전으로 폐색되어 있어서 동맥벽의 손상 없이 비교적 손쉽게 이를 제거할 수 있다. 바늘이 들어가지 않을 정도의 석회화가 있는 부위는 피하는 것이 좋으나 불가피하면 이를 제거하거나 분절시켜 문합을 시행하여야 한다. 이때 동맥벽이 지나치게 얇아지는 것은 피하고 내막의 손상을 최소화하여야 하며 동맥벽의 전층을 모두 포함하여 두껍게 봉합하여야 문합 후 발생할 수 있는 출혈이나 동맥박리를 예방할 수 있다. (그림 4-3B) 대동맥 문합부가 비교적 깨끗하게 준비되면 적당한 크기의 이식편을 선택하고 갈림형 이식편의 몸통 부분을 절제된 대동맥 부위에 맞게 갈림 부위에서 2~3 cm 정도 남기고 제거한다. 3-0 또는 4-0 폴리프로필렌봉합사를 이용하여 대동맥과 이식편의 후면부터 봉합하기 시작해서 먼저 좌측 2/3를 연속봉합하고 이후 우측을 연속봉합하여 최종적으로 봉합사의 매듭을 봉합면의 좌측에 위치하게 하는 것이 봉합사 매듭이 향후 십이지장에 손상을 주어 대동맥십이지장루(aortoduodenal fistula)가 발생하는 것을 예방하는 일반적인 방법이다.

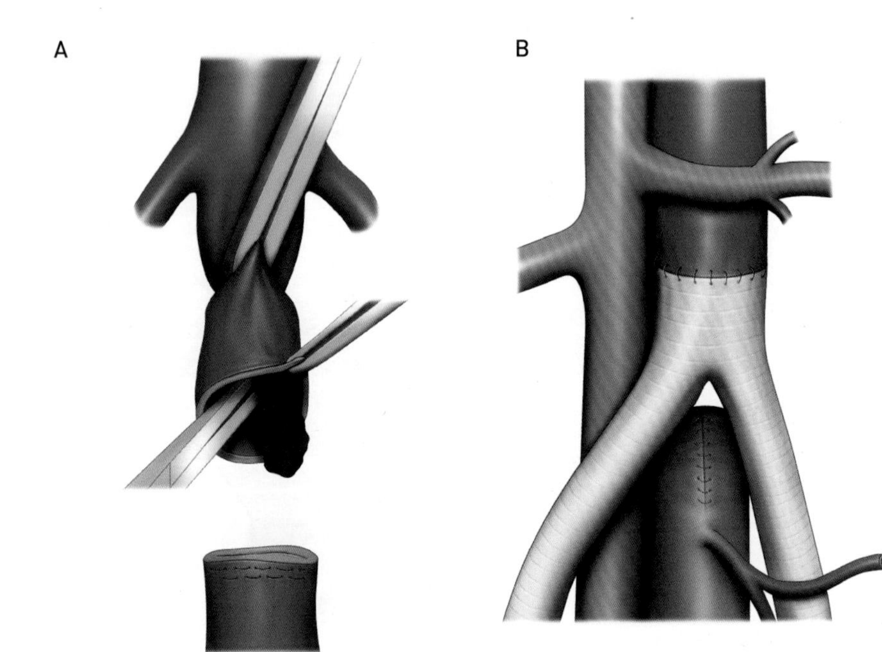

그림 4-3
A. 대동맥 문합부의 죽상반과 혈전 제거, B. 대동맥과 이식편의 단단문합

TIP 11
Dacron 이식편을 사용할 경우에는 폴리프로필렌봉합사를 사용하면 되나 PTFE 이식편을 사용할 시에는 바늘구멍에서 유발되는 출혈을 방지하기 위해서 바늘의 구경이 실의 굵기와 같게 제작된 PTFE 봉합사를 사용하는 것이 좋다.

TIP 12
이식편이 대동맥과 겹쳐져 불룩하게 튀어나오는 것을 방지하기 위해서 대동맥을 근위부 절단부부터 하방으로 IMA 기시부 상방까지 3-5 cm 정도 절제해야 이식편이 원래의 대동맥과 같은 위치에 알맞게 놓이게 된다. 이식편의 갈림부가 원위대동맥 절단부에 걸려서 혈류장애가 발생하지 않도록 대동맥을 충분히 절제하여야 한다. 또한 이식편의 몸통부위를 너무 길게 남기면 이러한 문제점을 예방하기 위하여 대동맥을 지나치게 많이 절제해야 되는 번거로움이 있으므로 이식편의 몸통부는 가능한 짧게 남기는 것이 좋다.

TIP 13
대동맥과 이식편의 크기에 차이가 있어서 봉합간격의 균일성을 유지하기 어렵다고 생각되면 대동맥과 이식편의 전면 중심부에 임시로 맹점봉합사(point suture)를 걸어 놓으면 이러한 문제를 해결할 수 있다.

TIP 14
봉합 후 얇아진 대동맥벽에서 출혈이 있으면 출혈부를 비교적 넓게 봉합해야 봉합사에 의한 동맥벽 찢김을 예방할 수 있고, 경우에 따라 플래짓(pledget)을 이용하여 봉합을 시행할 수도 있다.

봉합 시 동맥벽이 충분히 포함되도록 두껍게 봉합하여야 출혈이나 향후 봉합면에서 발생 가능한 가성동맥류(pseudoaneurysm)를 예방할 수 있다. 특히 석회화된 죽상반을 제거 후 동맥벽이 얇은 경우에는 동맥벽을 보다 충분히 포함시켜서 주름봉합(plication suture)하는 것이 좋다. 봉합이 끝나면 이식편 내로 헤파린용액(1:1,000 heparinized solution)을 통과시키고 이식편의 양 갈림 끝을 켈리클램프(Kelly clamp)로 잡은 후 대동맥 클램프를 해제한다. 이후 봉합면이나 바늘구멍에서 심한 출혈(definite bleeding)이 있으면 5-0 또는 6-0 폴리프로필렌봉합사로 강화봉합(reinforce suture)해서 출혈을 막는다. 출혈이 심하지 않고 스며나오는(oozing) 정도라면 트롬빈(thrombin)을 적신 젤폼(gellform), 응고거즈, 응고액 등을 사용하여 수술을 진행하는 동안 출혈을 멎게 할 수 있다.

② 측단문합(Side-to-end anastomosis)

(그림 4-4) 대동맥과 이식편의 측단문합은 대동맥의 부분적 폐색으로 IMA나 내장골동맥(internal iliac artery, IIA)이 열려 있어 좌측 및 에스결장이나 골반강 내 장기의 동맥혈류를 이들 동맥으로부터 유지할 필요가 있는 경우에 시행한다. 이식편의 몸통부를 갈림부부터 사선으로 절제하고 대동맥 클램프 후 동맥의 전면부에 3 cm 정도의 절개를 가하고 봉합을 준비한다. 대동맥에 측단문합을 시행할 경우에는 그림과 같이 원위대동맥 클램프를 IMA 하방에서 근위대동맥 클램프에 맞닿도록 비스듬히 시행하여야 혈류를 완전히 차단할 수 있다.

새틴스키클램프(Satinsky clamp)와 같은 측면물기클램프(side-bite clamp)는 동맥벽에 손상을 줄 수 있고, 문합 시 어려움이 있어 사용하지 않는 것이 좋다. 봉합은 대동맥 절개창의 근위끝단과 이식편 절제면의 몸통

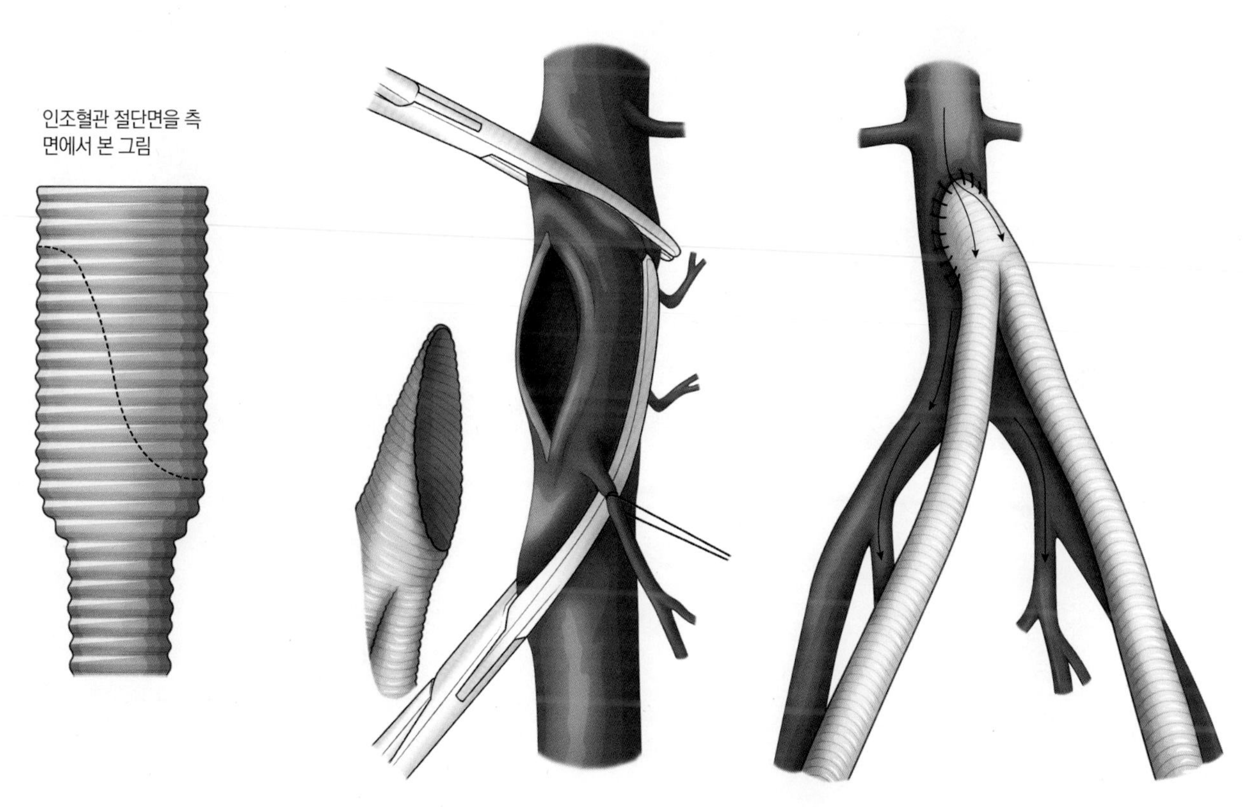

그림 4-4 대동맥과 이식편의 측단문합

TIP 15
골반강으로 이행하는 동맥혈류를 보존하기 위하여 측단문합이 필요하나 대동맥의 병변이나 해부학적 제한점으로 이 술식이 용이하지 않는 경우에는 대동맥을 단단문합 후 이식편에 IMA을 재이식(reimplantation)할 수도 있다.

TIP 16
대동맥벽과 이식편을 측단문합 후 후복막조직(retroperitoneal tissue)이 이식편을 덮기에 충분히 두껍지 않은 경우에는 대동맥 전면부로 이식편이 불거져 나와 향후 대동맥장관루(aortointestinal fistula)의 발생 위험이 있다. 이런 경우에는 이식편을 장관과 분리하기 위하여 대망전치술(omental transposition)을 시행하여 이식편을 대망으로 충분히 덮어서(omentopexy) 후복막을 재건하여야 한다.

부 끝단에 봉합사를 걸고 대동맥 절개창의 원위끝단과 이식편 절제면의 갈림부 끝단부터 연속봉합을 시행한다. 봉합부의 우측면부터 봉합하여 봉합사 매듭이 단단문합과 마찬가지로 봉합면의 좌측에 위치하게 하는 것이 좋다. 봉합이 끝난 후에는 혈류를 개통시키고 대퇴동맥 문합을 시행하기 전에 이식편이 대동맥 전면부에 불룩하게 튀어나오거나 접히지 않도록 이식편의 양쪽 갈림부를 적당히 당겨주는 것이 중요하다.

③ 신장동맥근접대동맥폐색증 (Juxtarenal aortic occlusion)

(그림 4-5) JRAO에서 대동맥문합을 시행하는 것은 일반적인 경우에 비하여 약간 복잡하다. 신장동맥 하방의 대동맥이 만성적으로 완전히 폐색되어 있으므로 신장의 허혈시간을 줄이기 위해서 먼저 신장동맥 하방으로 2 cm 정도 충분한 간격을 두고 대동맥을 절단한 후 이식편이 위치하기 알맞게 대동맥의 원위부를 IMA 기시부 상방까지 3~5 cm 정도 절제한다. 이때 요추동맥으로부터 출혈이 있으면 이들을 결찰봉합한다.

이후 걸어 놓았던 혈관루프를 둘러서 신장동맥의 혈류를 차단하고 수술 전 영상검사에서 죽상반과 혈전이 없거나 비교적 적은 신장동맥 상방에서 대동맥을 클램프한다. 문합부위를 확보하기 위해서 대동맥 절단부에서 상방으로 존재하는 죽상반과 혈전을 조심스럽게 제거한다. 폐색된 대동맥의 근위부 끝단은 비교적 부드러운 혈전으로 이루어져 있어 쉽게

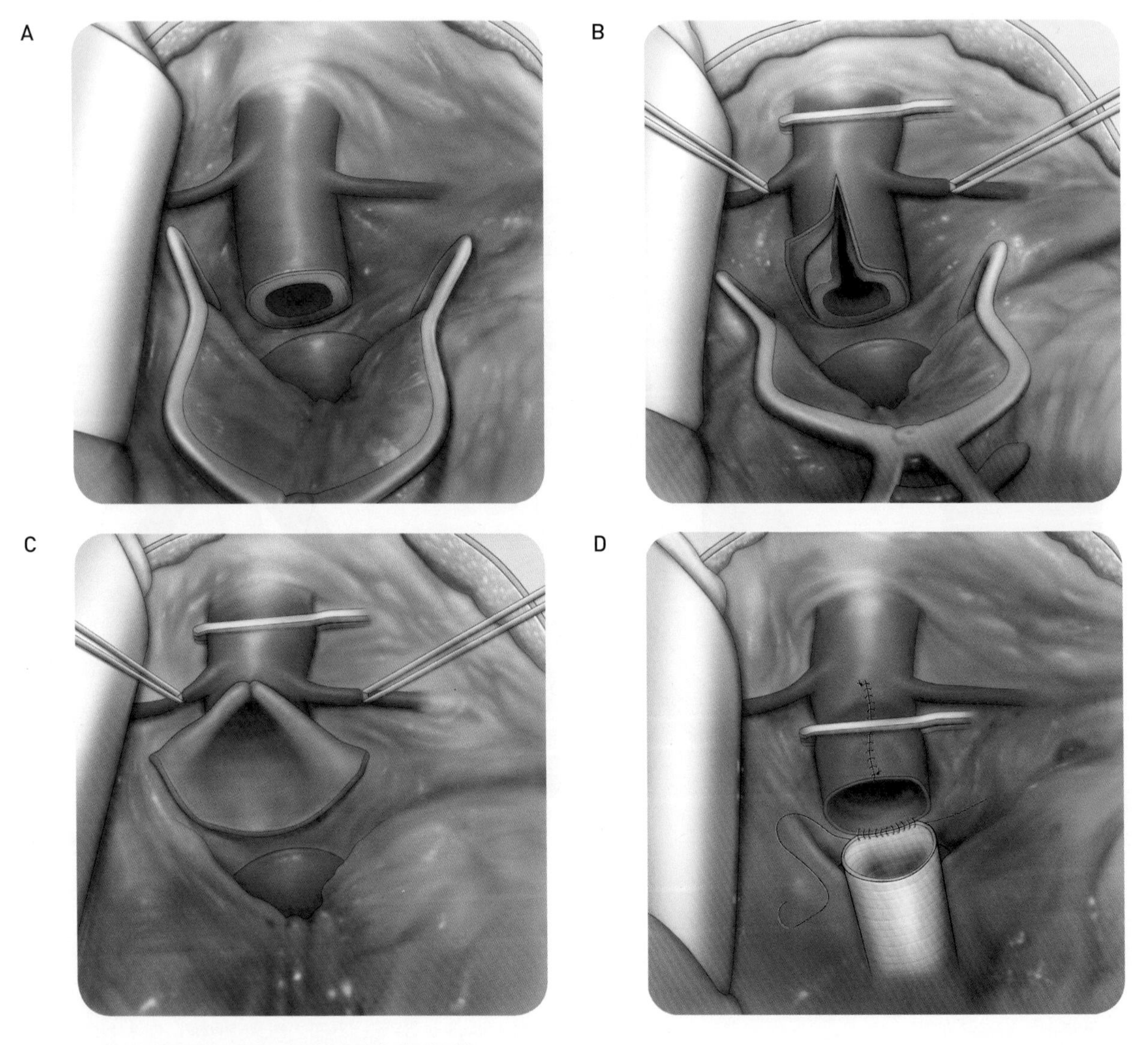

그림 4-5 신장동맥근접대동맥폐색증에서의 대동맥 문합

제거할 수 있다. 만약 죽상반이나 혈전이 쉽게 제거되지 않으면 대동맥 절단면에서 대동맥의 전면부에 신장동맥 상방으로 수직으로 절개를 가하여 이들을 제거한다. 죽상반과 혈전이 제거되고 문합부가 확보되면 대동맥 전면부의 절개면을 3-0 또는 4-0 폴리프로필렌 봉합사로 봉합하고 대동맥 클램프를 신장동맥 하방으로 이동하여 대동맥의 혈류를 차단한다.

이때 죽상반이나 혈전의 부스러기(debri)가 신장동맥색전증(renal artery embolism)을 일으키는 것을 예방하기 위하여 신장동맥 상방의 대동맥 클램프를 해제하여 혈액을 일부 누출시키고(gush out) 신장동맥 하방에서 대동맥을 클램프 한 후 신장동맥의 혈류를 재개통시켜야 한다. 이후의 과정은 전술한 일반적인 단단문합과 동일하다.

(2) 터널링(Tunnelling)

(그림 4-6) 이식편의 양쪽 갈림을 각각 대퇴부로 끌어내리기 위해서는 대퇴부에서 장골동맥을 따라 터널을 만들어 주어야 한다. 장골동맥은 해부학적으로 대동맥갈림에서 대퇴부로 곧게 주행하는 것이 아니라 골반골의 내측면을 따라 굴곡져 있으므로 터널링 시 이 굴곡을 따라 부드럽게 기구를 삽입해야 장골동맥, 장골정맥, 대정맥, 요관 등의 손상을 예방할 수 있다. 먼저 양쪽 손가락을 이용하여 터널링을 시행할 부위를 아래와 위에서 관통시켜서 공간을 확보하고, 이후 기구를 아래에서 삽입 후 이식편을 대퇴부로 끌어내린다. 이식편은 장골동맥의 외측 전면부를 따라 주행하게 하고, 반드시 요관의 후방에 위치하도록 한다. 이식편 손상을 방지하기 위하여 비교적 작은 클램프를 사용하여 이식편의 혈류를 복강 내에서 차단하고 이식편을 대퇴부로 끌어내린다.

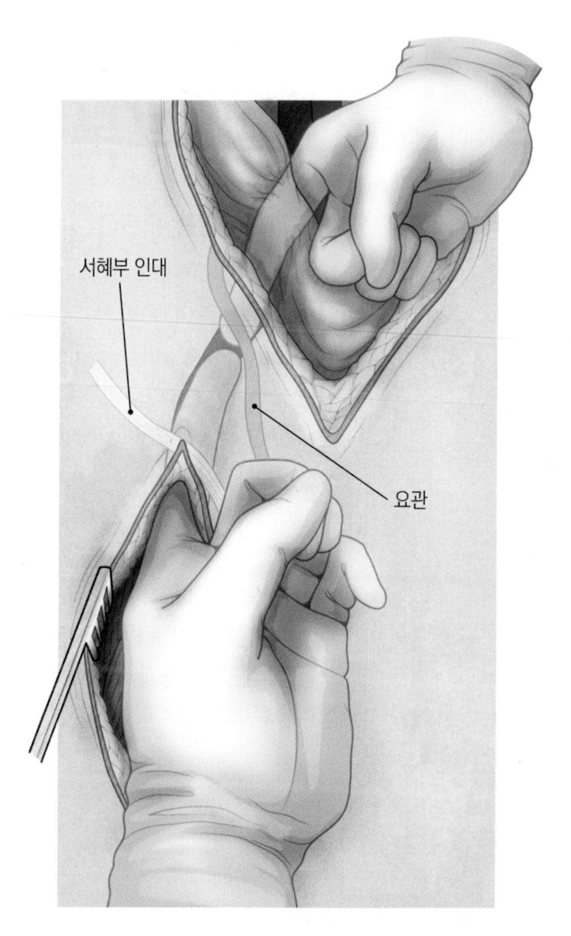

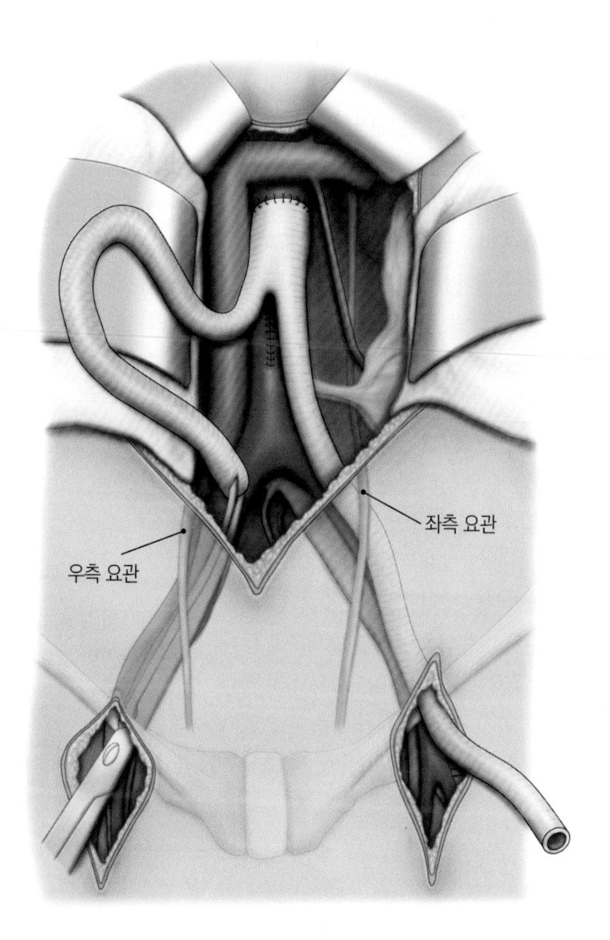

그림 4-6 터널링 및 이식편 설치

TIP 17

터널링 기구로 대동맥 클램프를 사용할 수도 있으나 필자는 혈액투석을 위한 동정맥루조성술에 사용되는 굴곡이 있는 터널러(tunneller)를 주로 사용한다. 터널러를 너무 깊숙이 넣게 되면 대정맥 손상의 위험이 있고 너무 얕게 삽입하면 요관의 전방에 위치하게 되어 요관폐색의 위험이 있으므로 반드시 터널러의 끝단을 복강 내에서 손가락으로 유도하여야 이러한 위험을 예방할 수 있다.

TIP 18

전술한 바와 같이 서혜인대의 후방을 절제하여 공간을 확보하여야 이식편의 눌림을 예방할 수 있고, EIA와 CFA 경계부를 가로지르는 정맥을 미리 분리결찰해야 터널링 시 불필요한 출혈이 발생하는 것을 방지할 수 있다.

(3) 대퇴동맥 문합(Femoral anastomosis)

① 총대퇴동맥에 문합하는 경우

(그림 4-7) 대퇴동맥의 병변이 비교적 적고 SFA와 DFA의 혈류가 원활한 경우에는 CFA에 원위부 문합을 시행할 수 있다. 걸어 놓았던 혈관루프나 작은 클램프를 이용하여 SFA와 DFA의 혈류를 차단하고 CFA의 근위부를 클램프한다. CFA의 전면부에 1.5~2 cm 정도 절개를 가하고 끌어내린 이식편을 동맥절개 길이에 맞게 사선으로 절제한다. 이식편을 절제하기 전에 원위부 동맥색전증을 방지하기 위해서 양쪽 갈림의 혈관클램프를 풀어서 혈액을 누출시키고 헤파린용액으로 이식편을 채운 후 대퇴부에서 다시 클램프한다. 이식편이 짧아서 당겨지거나 반대로 길어서 접히지 않도록 동맥혈류가 통한 상태에서 이식편의 길이를 문합에 맞게 조절한다.

클램프가 수술에 방해가 되면 복강 내의 이식편에 클램프 할 수 있다. 문합 전에 SFA와 DFA의 혈류차단을 일시적으로 해제하여 원위부 동맥으로부터의 혈액누출을 확인하여야 한다. 5-0 또는 6-0 폴리프로필렌봉합사를 이용하여 CFA 절개창이 근위부부터 시작하여 연속봉합한다. CFA 절개창의 원위부와 이식편의 끝단에 맹점봉합사를 걸어놓으면 봉합간격을 맞추는데 도움이 된다. 봉합을 마치기 전에 이식편의 클램프를 해제하여 혈액을 누출시키고 봉합사를 매듭한다. 이후 CFA, DFA, SFA 순으로 혈류차단을를 해제하고 문합부의 출혈 유무를 확인한다. 하지로 동맥혈류를 재관류하기 전에 마취과에게 이를 알려서 클램프 해제에 따르는 저혈압이나 쇼크(declamping hypotension or shock)에 대비하여야 한다.

② 심대퇴동맥성형술(Profundaplasty)을 동반하는 경우

(그림 4-8) 대퇴동맥에 병변이 있는 경우, 특히 SFA의 협착 또는 폐색으로 하지의 동맥혈류를 DFA가 주로 담당하는 경우에는 심대퇴동맥성형술을 동반하여야 한다. SFA의 부분 협착으로 DFA가 잘 발달된 경우에도 하지의 동맥혈류를 개선하고 유지하기 위해서 이 술식이 필요하다. DFA에 병변이 없는 경우에는 이식편의 끝단을 DFA의 근위부에 걸치는 정도의 심대퇴동맥성형술로 충분하나, DFA의 근위부에 죽상반이 있는 경우에는 전술한 바와 같이 DFA의 이차 가지까지 박리해서 병변이 없는 부위에 인조혈관을 문합하여야 한다. 대부분의 경우에서는 동맥내막절제술 없이 DFA의 일차 주가지에 문합을 시행할 수 있다. 문합방법은 전술한 CFA 문합과 동일하나 DFA는 구경이 작고 동맥벽이 얇으므로 6-0 폴리프로필렌봉합사로 보다 세밀하게 문합하여야 한다. 심대퇴동맥성형술을 시행한 경우에 혈류를 재개통시키는 순서는 이전 술식과 달리 CFA, SFA, DFA 순으로 시행하여야 한다.

5) 수술창 재건

모든 문합이 종료된 후 출혈 및 하지의 동맥혈류를 확인한 후에 수술창을 봉합하게 된다. 봉합은 서혜부 수술창부터 시작하며, 먼저 3-0 폴리디옥사논(polydioxanone)봉합사를 이용하여 대퇴동맥 전방의 연부조직을 두껍게 연속봉합하여 대퇴동맥 문합부를 완전하게 밀폐하여야 한다. 이때 이식편이 눌리지 않을 정도의 장력을 유지한다. 이후 3-0 또는 4-0 폴리글락틴(polyglactin)봉합사를 이용하여 다음 층의 연부조직을 연속봉합하고 피부는 술자의 선호도에 따라 여러 가지 방법으로 봉합할 수 있다.

후복막강 내 출혈과 좌측 및 에스결장의 허혈이 없는 것을 확인하고 후복막을 재건한다. 먼저 3-0 폴리디옥사논봉합사로 후복막조직을 두껍게 연속봉합하여 대동맥 문합부와 이식편을 완전히 밀폐하여야 한다. 이후 3-0 폴리글락틴봉합사로 트라이츠인대를 복원하고 장을 원래 위치에 놓은 후 전복막, 복벽, 피부를 일상적인 방법으로 봉합하면 된다.

9. 수술 후 관리

피부봉합 후 마취에서 회복하는 동안 반드시 하지의 동맥혈류를 다시 확인하고 하지의 동맥색전증이나 발의 미세혈전색전증(microthromboembolism)이 있는지 세밀히 관찰하여야 한다. 별다른 이상 소견이 없으면 수술장 내에서 발관(extubation)하고 환자를 중환자실로 이송한다. 신체의 활력징후, 소변량, 호흡상태, 산소포화도 등을 관찰하고, 일상적인 혈액검사와 더불어 흉부방사선촬영, 심전도, 심장효소 등을 검사하여 수술 전후에 발생할 수 있는 빈혈, 신장기능 이상, 폐합병증, 심근경색증과 부정맥을 비롯한 심장합병증 등에 대하여 확인하여야 한다.

TIP 19

동맥과 이식편을 문합할 때에는 바늘 방향이 반드시 동맥내막에서 외막을 향하게(in and out) 문합을 시행해야 바늘 손상으로 인한 동맥박리(arterial dissection)나 내막판(intimal flap)의 형성을 예방할 수 있다.

TIP 20

하지로 혈류를 재개통시킬 때 클램프나 혈관루프를 해제시키는 순서는 혈류역학적 중요도가 떨어지는 동맥부터 시행한다. 폐색된 동맥쪽부터 시작해서 열려 있는 동맥쪽으로 순차적으로 시행한다.

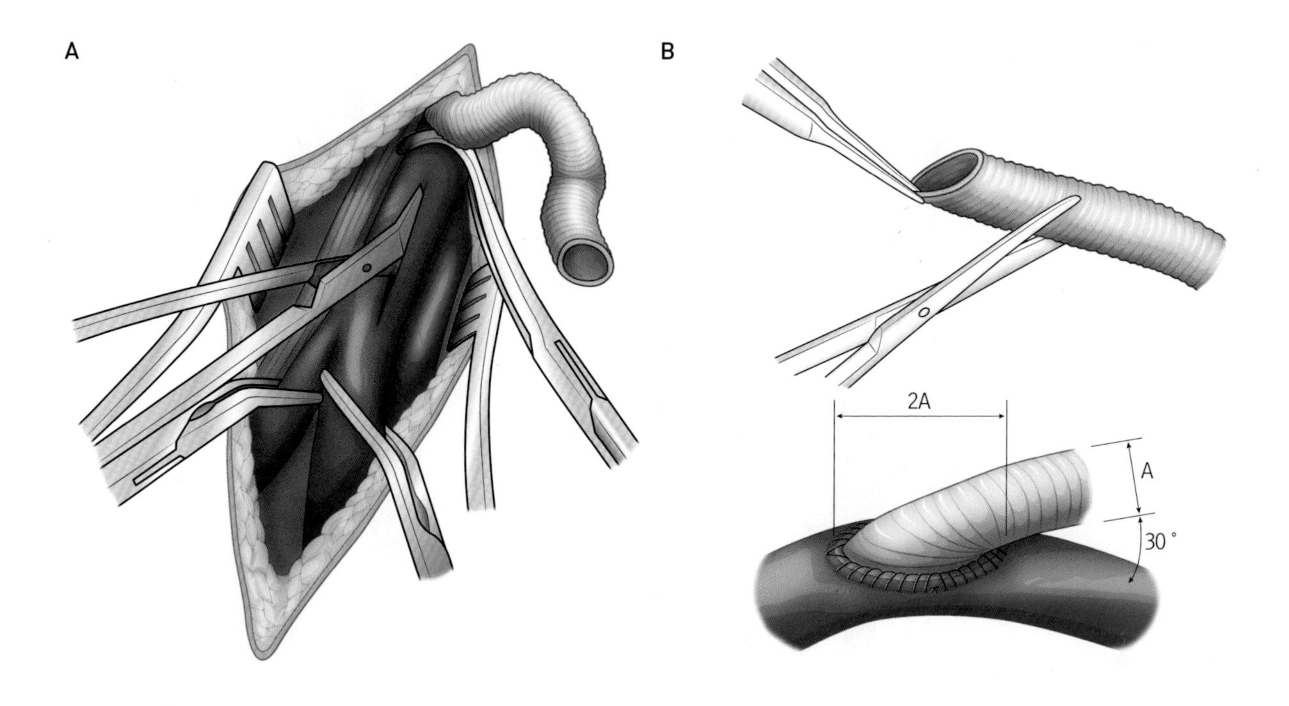

TIP 21
필자는 대퇴부 피부봉합 방법으로 5-0 폴리글락틴봉합사로 피하봉합(subcuticular suture) 후 상처봉합스트립(steri-strip)을 부착하는 방법을 일상적으로 시행한다. 그 외 나일론봉합사로 수직매트리스봉합(vertical mattress suture)하거나 피부봉합기(skin stapler)를 사용할 수도 있다.

TIP 22
하지의 동맥혈류 확인은 먼저 시진을 통해 발의 색조변화를 관찰하고, 발목관절부의 발등동맥(dosalis pedis artery)과 뒤정강동맥(posterior tibial artery)의 박동을 확인한다. 두 동맥의 박동이 불완전하면 소형도플러검사기(hand-held Doppler device)로 확인한다.

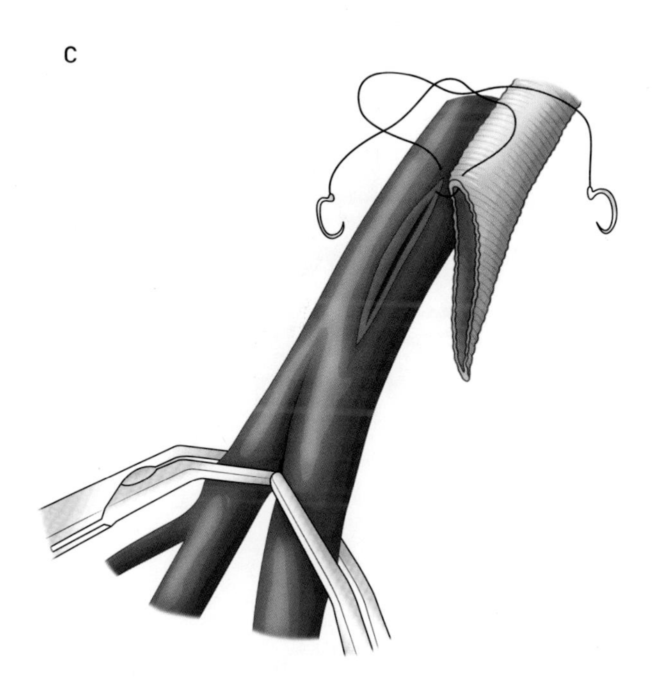

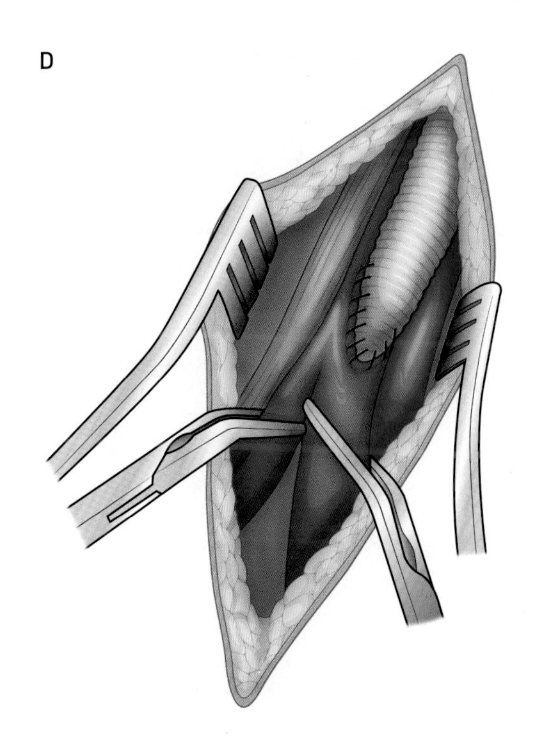

그림 4-7 총대퇴동맥과 이식편 문합

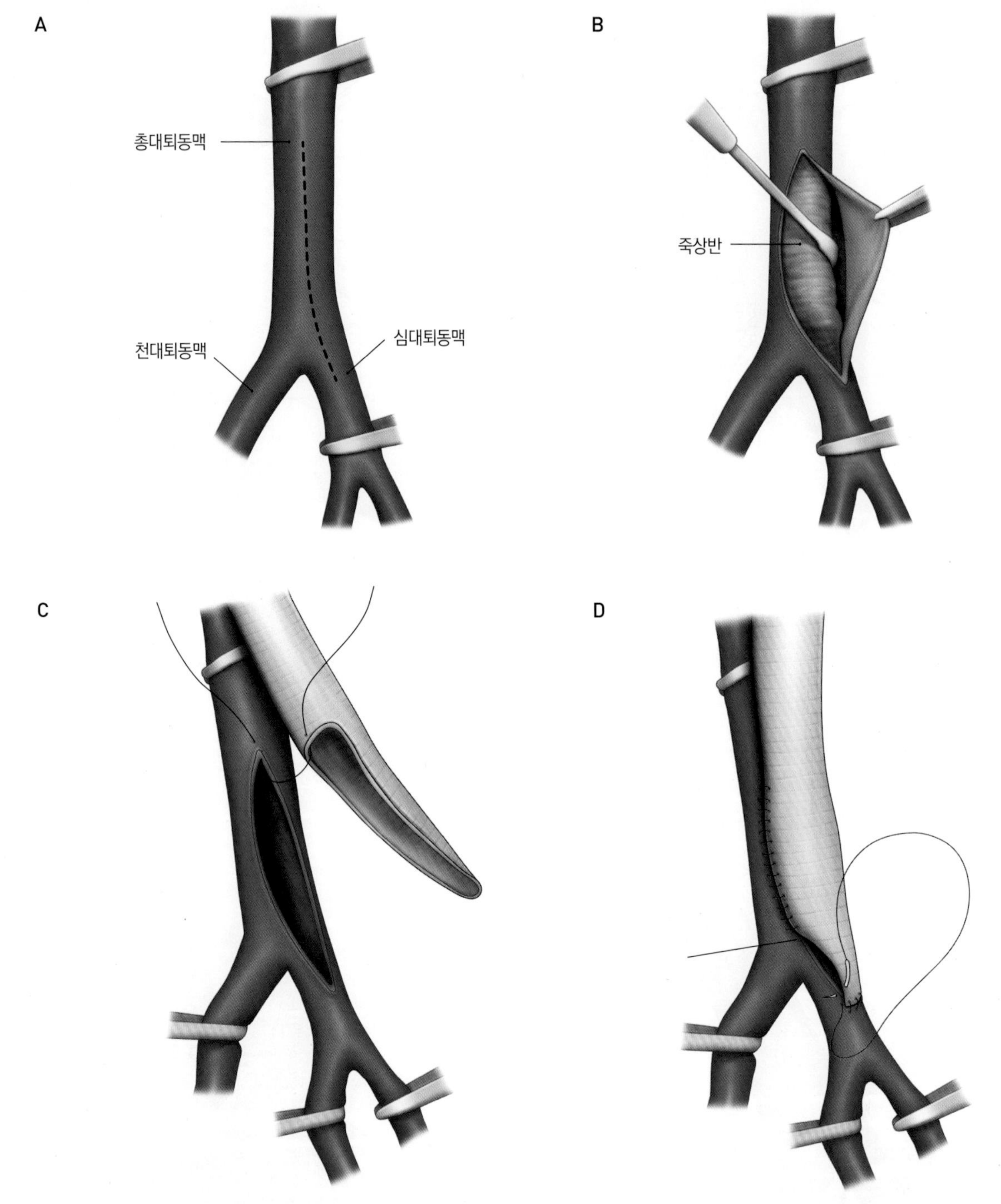

그림 4-8 심대퇴동맥성형술을 동반한 대퇴동맥과 이식편 문합

TIP 23

죽상경화성 동맥폐색증은 큰 동맥의 갈림부나 SFA가 슬와동맥(popliteal artery, PA)으로 이행하는 부위인 모음근관(adductor canal, Hunter canal)에 호발한다. 따라서 전신적인 죽상경화증이 있는 AIOD 환자에서는 SFA의 병변이 잘 동반되며, 이러한 상태에서는 DFA가 하지의 동맥우회로 역할을 담당하게 된다.

TIP 24

SFA가 폐색되어 있고 DFA에도 병변이 심한 경우에는 이 동맥이 동맥우회로의 역할을 수행할 수 있을지 수술 전 영상검사에서 세밀히 확인하여야 하며, 이차 분지 이하의 동맥이 동맥우회로로 충분하다고 판단되면 심대퇴동맥성형술을 시행할 수 있다. 이런 경우에는 이식편을 길게 문합하는 것 보다 DFA의 일차 분지와 양호한 이차 분지의 근위부까지 우형첩포(bovine patch)나 자가정맥첩포(autogenous vein patch)를 사용하여 내막절제술을 동반한 동맥성형술을 시행 후 첩포의 근위부에 이식편을 문합하는 것이 좋다. 드물지만 SFA와 DFA가 모두 폐색된 경우라면 추가적으로 대퇴동맥에서 열려 있는 하지동맥으로 동맥우회술을 고려하여야 한다.

II. 대퇴동맥대퇴동맥우회술(Femorofemoral bypass)

1. 적응증

대퇴동맥대퇴동맥우회술은 AIOD 환자에서 시행하는 대표적 비해부학적 동맥우회술(extra-anatomic bypass)이다. 한쪽 장골동맥이 완전히 폐색되고 이로 인한 하지허혈증의 증상이 심각할 경우 이 술식의 적응이 된다. 양측 장골동맥에 병변이 있는 경우에도 비교적 병변이 덜한 쪽은 스텐트삽입술과 같은 혈관내치료로 동맥혈류를 재개통시키고, 이를 유입동맥으로 사용하여 반대쪽으로 대퇴동맥대퇴동맥우회술을 시행하는 하이브리드수술(hybrid operation)을 시행하기도 한다.

2. 마취

마취는 경막외마취가 선호되나, 술자가 경험이 많거나 두 개의 수술팀이 양쪽에서 동시에 수술을 시행할 수 있으면 척수마취로도 충분하다.

3. 수술과정

(그림 4-9) 양측 서혜부에 대퇴동맥의 주행방향에 따라 수직으로 피부절개를 가하고 대동맥양측대퇴동맥우회술에서 전술한 바와 같이 총대퇴동맥, 천대퇴동맥, 심대퇴동맥을 박리한다. 박리를 마치면 터널링은 시행하기 전에 양측 손가락을 이용하여 인조혈관 이식편이 놓이게 될 공간을 만들고 터널러를 삽입한다. 터널링 시 발생할 수 있는 출혈을 감소시키기 위하여 헤파린은 이식편을 양측 서혜부 수술창으로 노출시킨 후 정주한다.

이식편을 사선으로 절제 후 장골동맥이 열려 있는 유입부부터 전술한 바와 같이 문합을 시작한다. 유입부 문합이 끝나면 혈류를 개통시킨 후 이식편이 길거나 짧지 않게 잡아당겨서 길이를 맞춘 후에 장골동맥이 막혀 있는 유출부 문합을 시행한다. 대퇴동맥의 병변 정도에 따라 총대퇴동맥에 이식편을 문합하거나 심대퇴동맥성형술을 동반하여 문합을 시행한다. 문합이 종료되고 혈류를 재개통시킨 후 출혈 유무와 양측 하지의 혈류를 확인 후 수술창을 봉합한다.

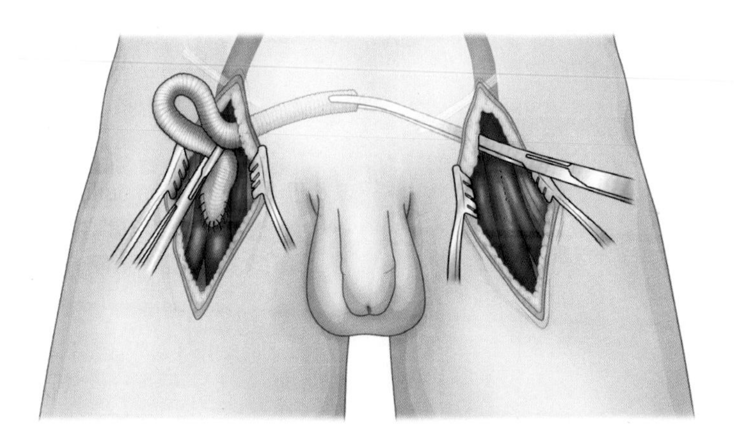

TIP 25
대동맥양측대퇴동맥우회술과 달리 이 술식에서는 대퇴동맥의 원위부를 문합부로 사용하기 때문에 문합에 필요한 정도로만 총대퇴동맥의 근위부를 박리하여 노출시키면 된다.

TIP 26
인조혈관 이식편은 PTFE 재질로 동맥의 크기에 따라 7 mm 또는 8 mm 구경의 두께가 얇은 이식편(thin-wall PTFE graft)이나 외부를 링으로 보강한 이식편(ringed PTFE graft)을 사용한다.

TIP 27
이식편은 하복부 근육층 전방의 피하에 놓이게 되며 아치형으로 위치시킨다. 피하지방층이 너무 얇은 경우에는 복직근 후방으로 터널링을 시행하고 이식편을 삽입하면 되나, 이때에는 복막 및 복강 내 장기 손상에 주의하여야 한다. 아치의 정상부가 치골에 너무 가깝거나 배꼽쪽으로 너무 치우치지 않게 모양을 잡아야 한다.

TIP 28
두 팀이 동시에 수술을 진행할 수 있으면 양측 문합을 동시에 시행할 수 있다. 이때는 이식편을 양측으로 충분히 당겨서 혈류 개통 후 이식편이 꼬이거나 접히지 않게 길이를 적절히 맞추어야 한다. 유출부 문합을 종료하기 전에 먼저 유입부 문합을 종료하여야 하며, 이후 유입부 혈류를 재개통시켜서 이식편 내 공기와 혈액을 배출시킨 후 유출부 문합을 종료하고 혈류를 재개통시킨다.

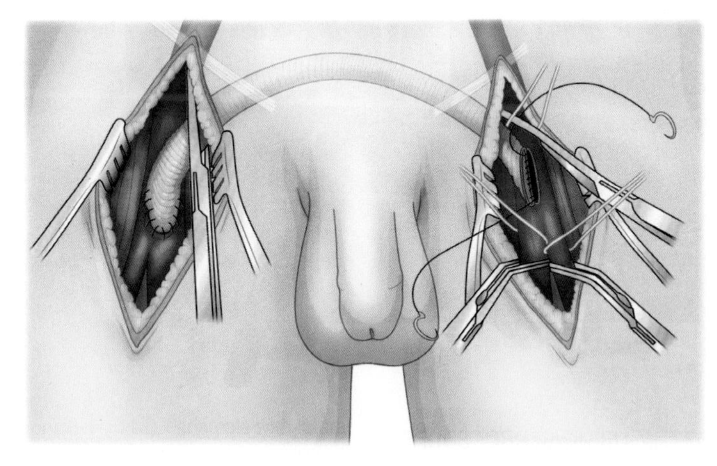

그림 4-9 대퇴동맥대퇴동맥우회술

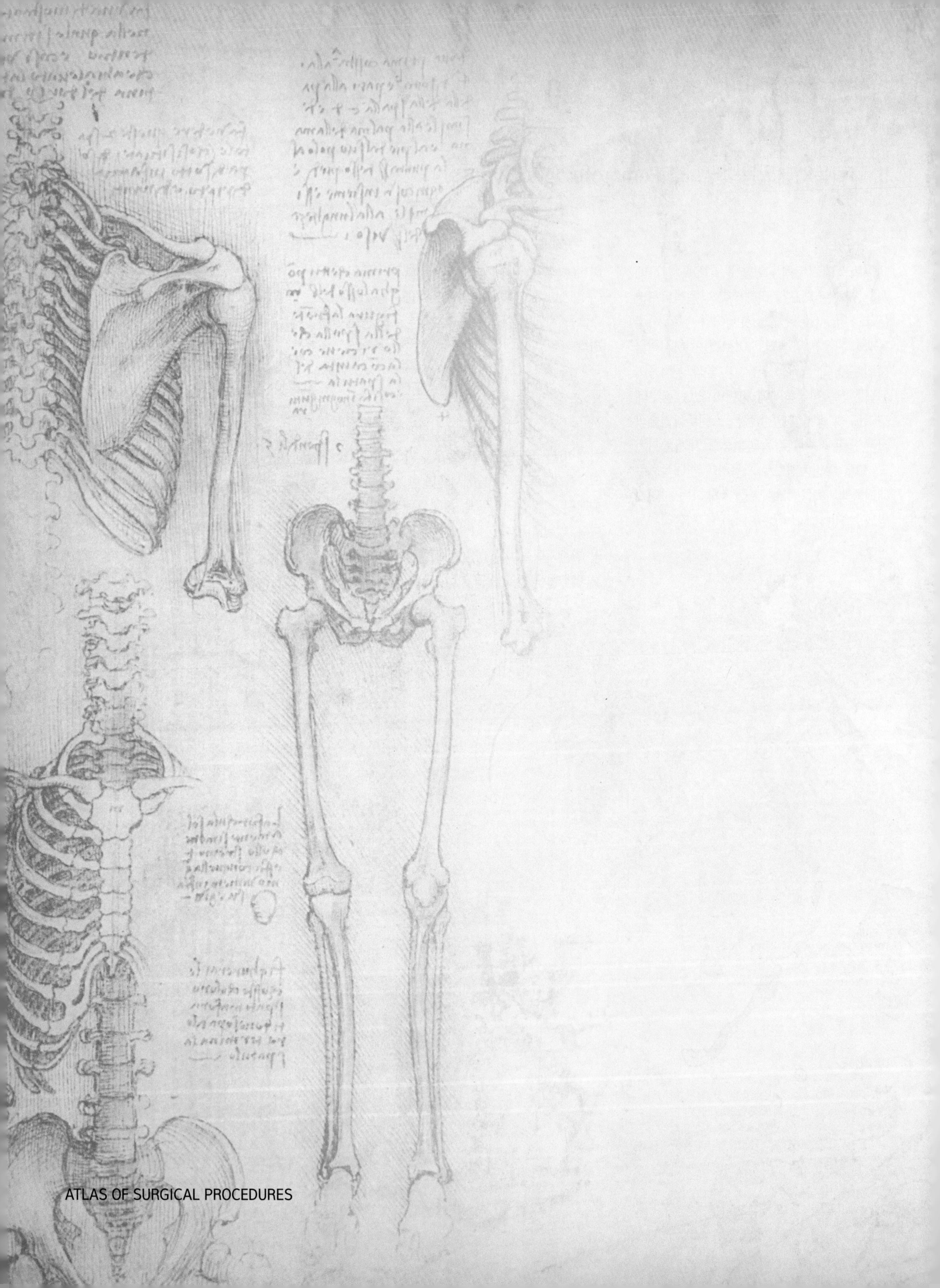

ATLAS OF SURGICAL PROCEDURES

CHAPTER 5

동맥폐색증: 대퇴동맥-슬동맥 우회술

Arterial occlusive disease: femoro-popliteal bypass

1. 적응증

중등도 이상의 하지파행증, 휴식 시 통증이나 조직소실을 동반한 위급 사지 허혈증

2. 수술 전 처치

전산화단층 혈관조영술(CT angiography) 또는 고식적인 혈관조영술로 유출로 혈관(runoff artery)을 확인하고 근위부 폐색성 병변 여부를 확인한다. 발목-상완지수(Ankle-Brachial Index) 또는 혈관초음파 등 비침습적인 검사를 하는 것이 환자 평가 및 치료 효과를 평가하는 기준치가 될 수 있다. 수술 전후 심혈관계위험도를 평가하고, 경동맥 폐색질환이나 신장, 폐질환 동반 여부를 확인한다.

3. 마취

전신마취, 경막외 마취 또는 척추 마취 모두 가능하며 집도의와 마취의의 경험과 선호도에 따라 결정할 수 있다. 중심정맥관과 동맥라인을 삽입하여 수술 중 지속적인 모니터링을 시행하며 유치 도뇨관으로 소변량을 측정한다. 출혈이나 불안정한 활력증후 상태 등의 상황에 대비하여 수술 전 충분한 정맥 라인을 확보하는 것이 중요하다.

4. 환자 자세

환자는 통상적으로 앙와위 자세로 고관절은 외전(external rotation) 시키고 슬관절은 약간 구부려서 수술대에 잘 고정한다. 수술자는 수술 절개 위치 및 부위, 시야 확보의 용이성 등에 따라 수술 과정 중 절개 및 박리 과정에서 환자의 오른쪽 또는 왼쪽에 위치하며, 제1 보조의는 수술자의 반대편에 위치한다.

5. 수술 준비

하복부와 서혜부 및 환측 다리의 피부 소독을 시행 후 수술포를 덮는다. 수술 부위 감염의 위험을 막기 위해 발과 회음부가 노출되지 않도록 수술포로 감싸도록 한다. 반대쪽 다리의 복재정맥을 사용하여 우회술을 시행할 경우에는 반대쪽 다리도 같은 방법으로 준비한다.

6. 절개 및 노출

(그림 5-1) 표준적인 피부절개는 서혜부 종절개(vertical femoral incision)이다. 일부 심한 비만 환자의 경우나 대퇴동맥 일부만의 노출이 필요한 경우 횡절개(transverse incision)을 사용하기도 한다.

일반적인 경우, 대퇴동맥의 맥박을 촉지할 수 있으나, 동맥폐색이 있거나 심한 석회화가 동반되어 있는 경우에는 반대측 대퇴동맥의 맥박이 촉지되는 위치를 참고하거나, 수술 전 초음파로 피부절개부위를 미리 표시한 주행을 따라서 수직으로 절개를 한다. 전산화단층 혈관조영술 또는 초음파로 병변부위나 대퇴동맥 분지부위를 확인하여 절개부위를 상하로 조정할 수 있으며 통상적으로 전체 절개 길이의 최소한 1/3 이상이 서혜부 피부 주름보다 위쪽에 위치하도록 절개 부위를 결정하는데,

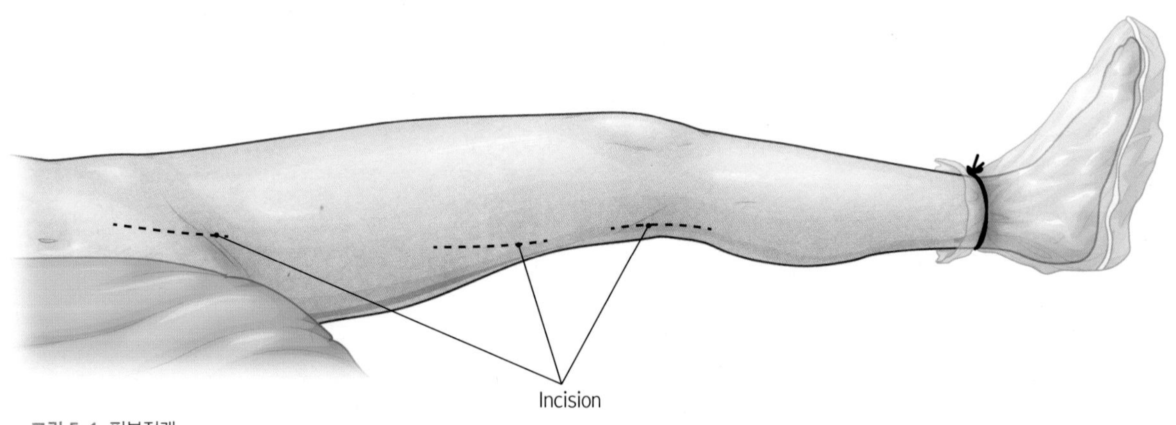

그림 5-1 피부절개

복부 비만 환자의 경우에는 서혜부 피부 주름보다 근위부 절개가 필요한 경우가 많다.
(그림 5-2) 총대퇴동맥, 심부대퇴동맥과 표재대퇴동맥을 각각 박리하여 테이프나 혈관걸이(sling)를 걸어 둔다. 박리할 때 대퇴동맥의 내하측으로 주행하는 대퇴정맥의 손상이 발생하지 않도록 주의한다. 대퇴 동맥을 노출하는 과정에서 혈관 주변의 미세한 림프관은 결찰하여서 림프낭종(lymphocele) 등이 발생하지 않도록 한다.

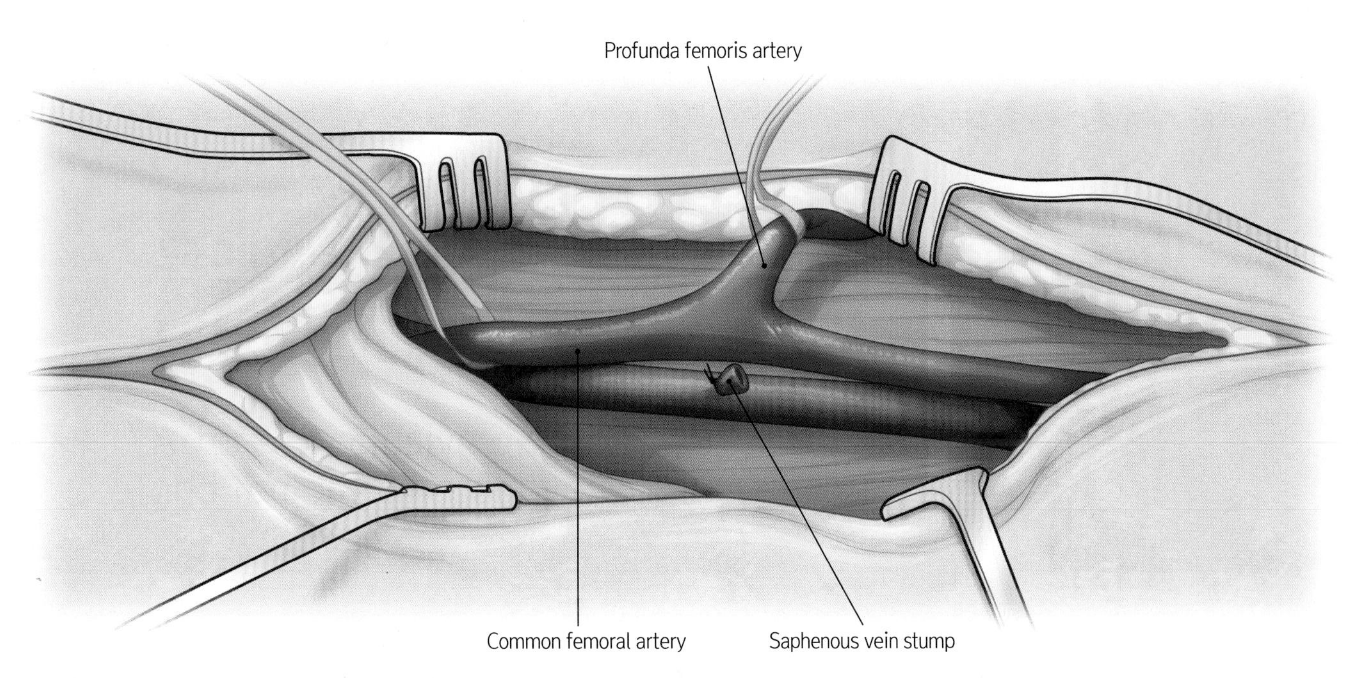

그림 5-2 대퇴동맥 노출

(그림 5-3A, B, C) 무릎 위쪽 슬동맥에 우회술을 시행하는 경우에는 환자 다리를 고관절은 외회전(external rotation), 슬관절은 굽힌 자세를 유지하고 수술포 등으로 종아리 외측 아래를 받힌다. 봉공근(sartorius muscle)과 내측 광근(vastus medialis muscle) 사이의 만져지는 경계를 따라 대퇴골 내측 관절돌기(medial femoral condyle)부터 내전근열공(adductor hiatus)까지 절개를 한다. 봉공근은 뒤쪽으로 견인하고 근막을 분리한다. 박리하는 과정에서 내전근열공에서 나와 하방으로 주행하는 대복재신경이 손상되지 않도록 주의한다. 손가락으로 촉지해서 슬동맥의 위치를 확인한다. 슬동맥 주변의 나란히 주행하는 작은 정맥들과 그 뒤쪽에 위치하는 슬정맥을 확인할 수 있다. 만약 박리한 슬동맥이 문합하기에 적절하지 않아 원위부 슬동맥의 노출이 필요할 경우 비복근(gastrocnemius muscle)의 내측두(medial head)를 절개하는 것이 도움이 된다.

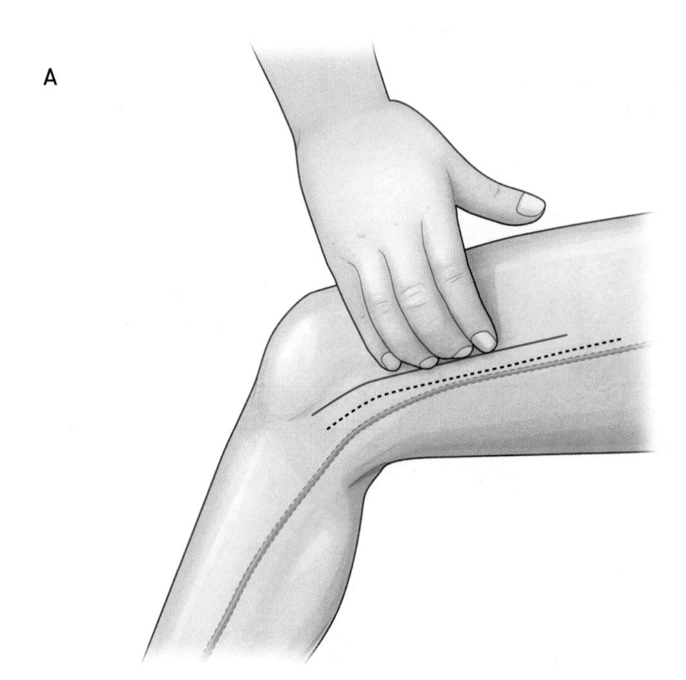

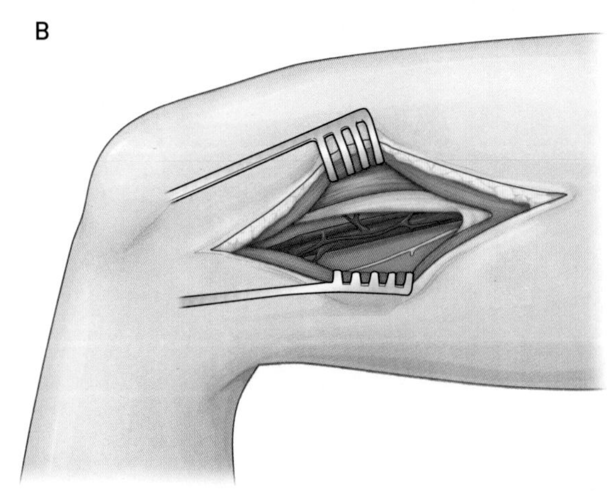

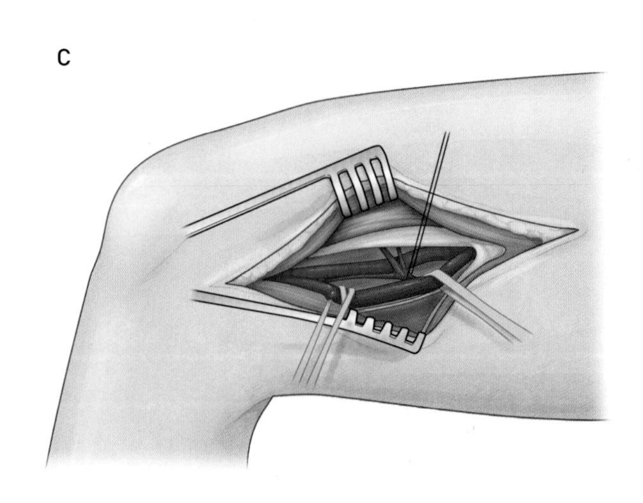

그림 5-3 슬와동맥 노출

(그림 5-4A, B, C) 무릎 아래쪽 슬동맥에 우회술을 시행하는 경우에는 환자 다리를 고관절은 외전, 슬관절은 굽힌 자세를 유지하고 수술포 등으로 대퇴부 원위부와 무릎의 바깥쪽을 받힌다. 경골 후면의 만져지는 경계에서 손가락 하나 너비 정도 후내측(posteromedial)을 따라서 절개 한다. 근막을 분리한 후, 비장근(soleus muscle)을 전기소작기를 이용하여 분리하고 비장근을 self retraining retractor를 사용하여 양측으로 벌린다. 근위부는 Richardson이나 Armynavy 등의 견인기를 사용하여 노출시키는 것이 도움이 된다. 슬정맥과 후경골신경의 내측으로 슬동맥이 위치한다. 전경골동맥 기시부를 확인하여 문합을 계획할 때는 슬정맥을 박리하여 아래쪽으로 내리며 이 경우에는 전경골정맥의 결찰과 분리가 필요하다. 경골비골동체(tibioperoneal trunk)를 확인하여 문합하고자 할 때는 슬정맥의 후면 가지들을 주의하며 박리하여 위쪽으로 견인한다. 슬동맥이 적어도 4~5 cm 이상의 길이가 유동적일 수 있도록 하고 근위부와 원위부에 각각 혈관걸이를 걸어 견인이 자유롭게 되도록 한다.

A

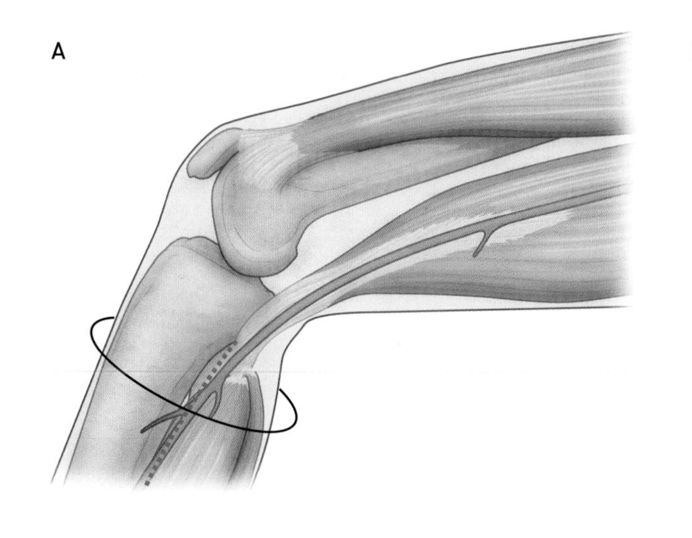

B

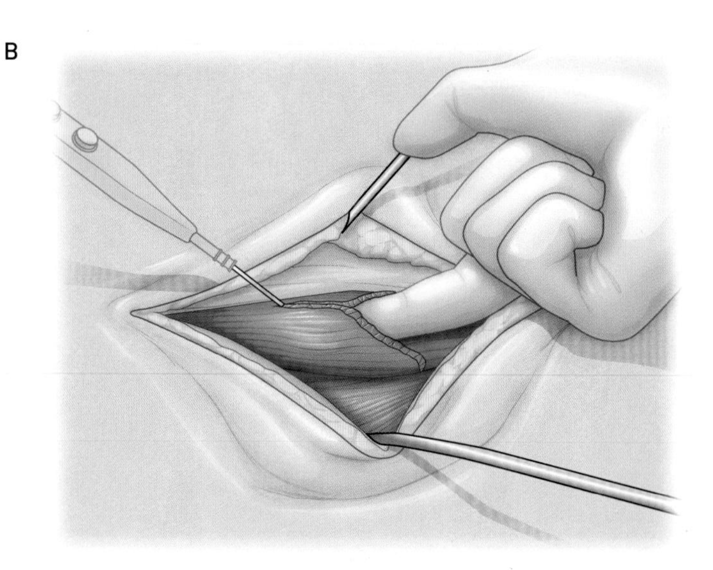

C

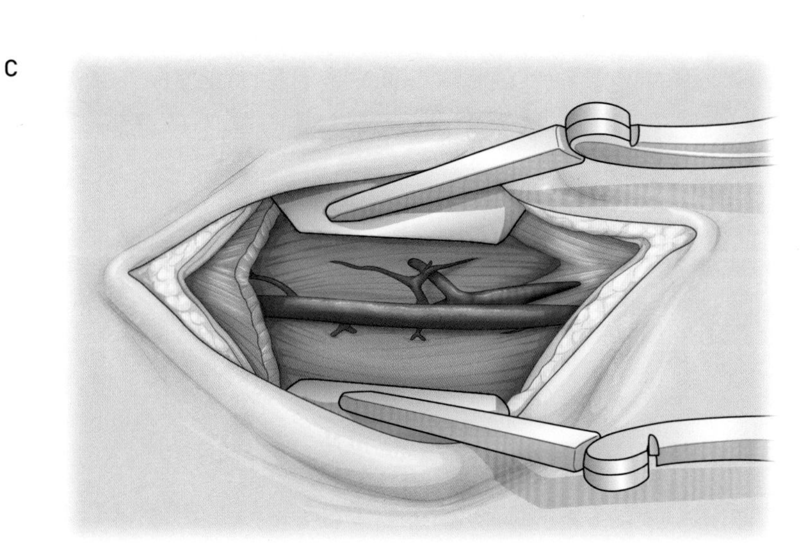

그림 5-4 슬와동맥 노출(무릎하)

7. 수술 과정

(그림 5-5) 대복재정맥을 사용하여 우회술을 시행할 경우, 대퇴 동맥 부위 절개를 대복재정맥 주행 방향을 따라 연장한다. 필요한 정맥 길이만큼 수직 방향의 연속적인 절개를 할 수도 있고, 비연속적으로 여러 개의 절개를 수직 방향으로 주행을 따라 넣을 수도 있다. 정맥 주행 직상방에 피부 절개를 하여서 피판을 만들지 않도록 한다. 피판을 크게 만드는 것은 피부 괴사를 유발할 수 있어 피하는 것이 좋다. 필요한 길이만큼 원위부 방향으로 주변 조직과 대복재정맥을 박리한다. 정맥은 습윤 상태를 유지할 수 있도록 습윤 거즈 등으로 덮어둔다. 박리 과정에서 정맥을 집게(forceps)로 세게 잡는 것은 피하고, 외막만 잡거나 혈관걸이를 이용하여 부드럽게 당기며 박리하는 것이 좋다.

(그림 5-6A, B, C, D) 필요한 길이의 대복재정맥을 노출시킨 후, 가지들은 근위부, 원위부를 각각 3-0 silk suture로 결찰하여 분리한다. 원위부는 클립을 사용하여 결찰할 수도 있다. 필요한 길이의 대복재정맥을 확보하고 가지들의 결찰과 분리가 끝나면, 양쪽 끝을 결찰하여 떼어낸다. 적출과정에서 정맥의 경련(spasm)을 방지하기 위해 피하로 헤파린이나 papaverine을 주사하는 경우도 있다. 떼어낸 정맥의 근위부를 Bulldog 클램프 등으로 혈류 차단한 상태에서 원위부 끝에 차가운 헤파린 용액을 주사기를 사용하여 주입하여 정맥을 부드럽게 확장시킨다. 이 과정에서 결찰한 가지 주변에서 유출이나 결찰 중 협착이 발생한 부위를 확인할 수 있다. 표시 펜을 이용하여 정맥의 앞쪽을 표시하면 터널링 시행할 때 방향을 확인하기 용이하여 정맥이 꼬이는 현상을 방지할 수 있다. 적출과정에서 간과된 분지는 가는 집게로 부드럽게 잡은 후 silk suture로 결찰을 시행한다.

(그림 5-7A, B, C) 대퇴 삼각에서부터 무릎 위 슬동맥까지는 봉공근 아래 면을 통해 이식편으로 사용할 대복재정맥이나 인조혈관을 관통시키다. 무릎 아래 슬동맥까지 우회술을 할 경우에는, 비복근의 내측두에서 근막하 경로를 통해 무릎 아래 슬동맥까지 이식편으로 사용할 대복재정맥을 관통시킨다. 손가락을 사용하여 무딘 박리를 하여 경로를 확보한 후, tunneling device 등의 기구를 사용하는 것이 좋다.

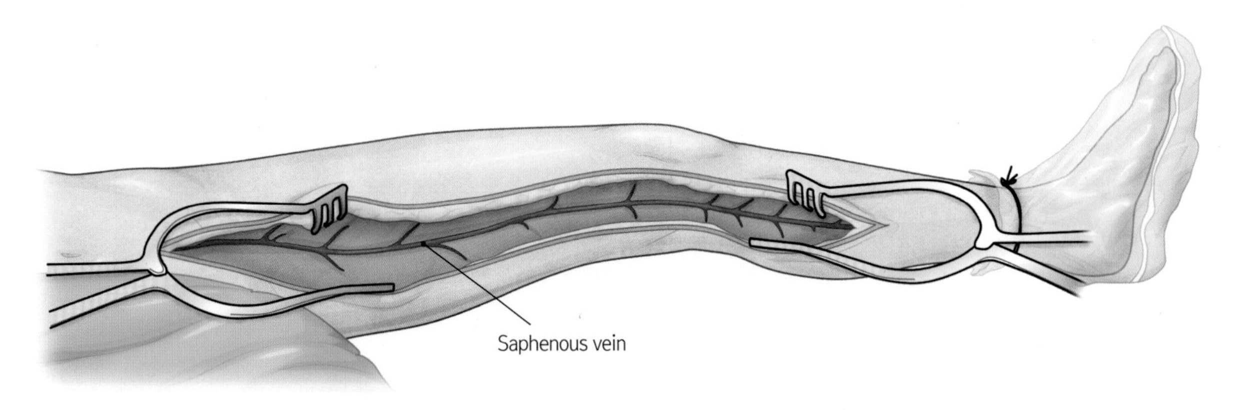

그림 5-5 대복재정맥 채취

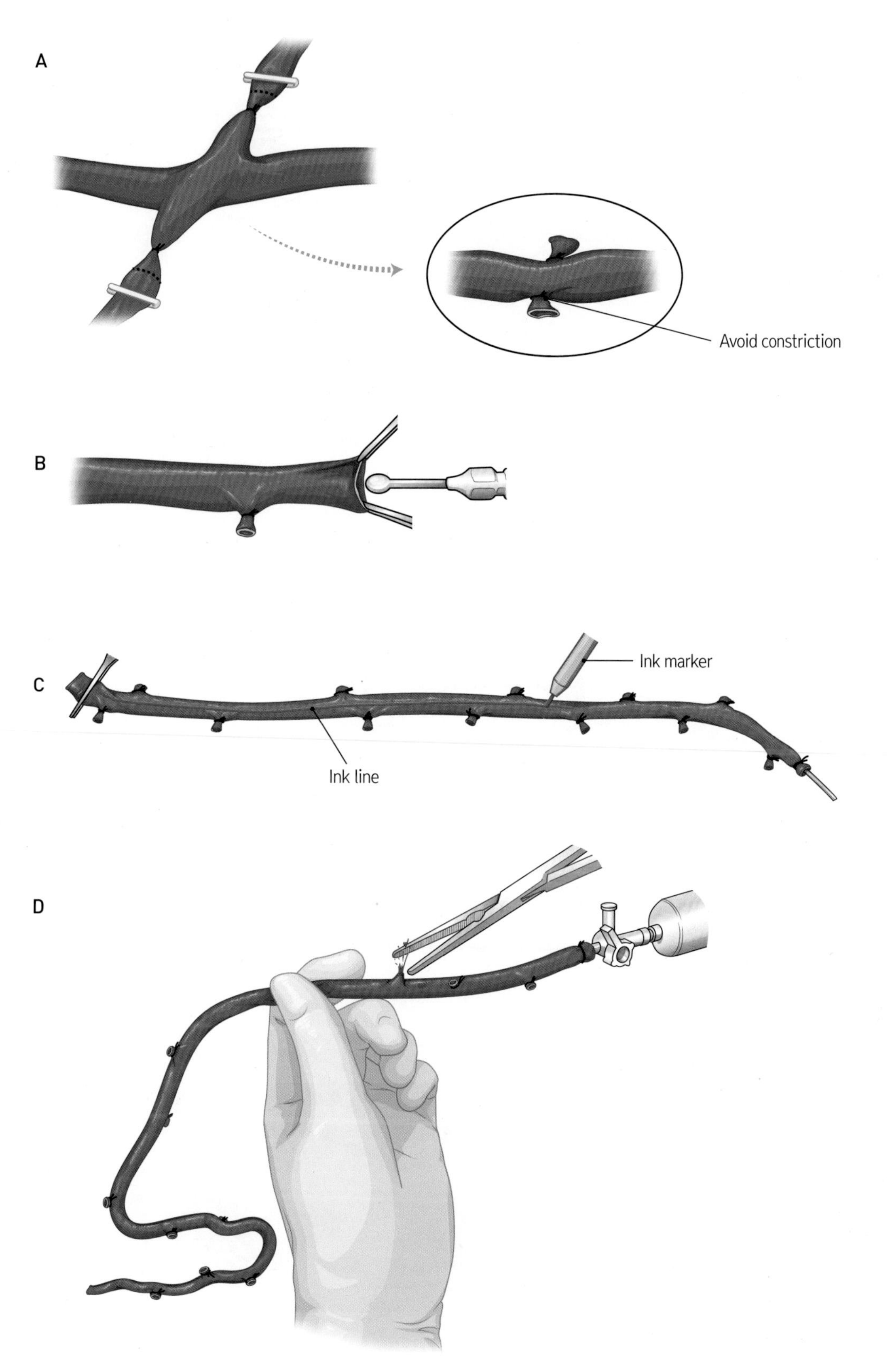

그림 5-6 복재정맥 준비과정

A

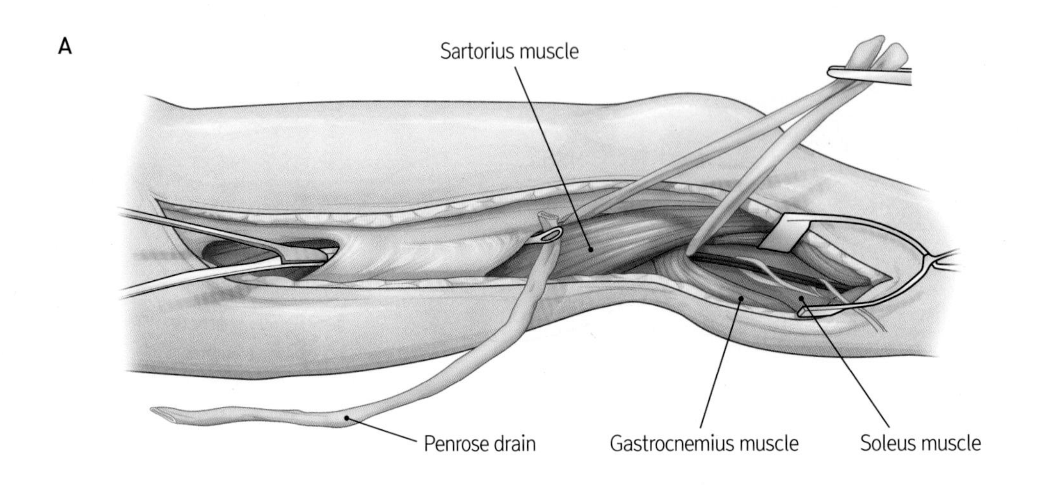

B

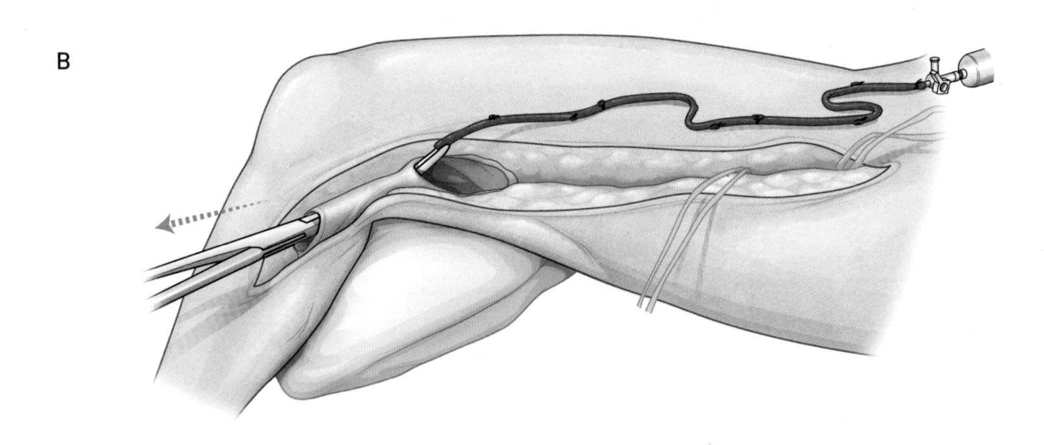

C

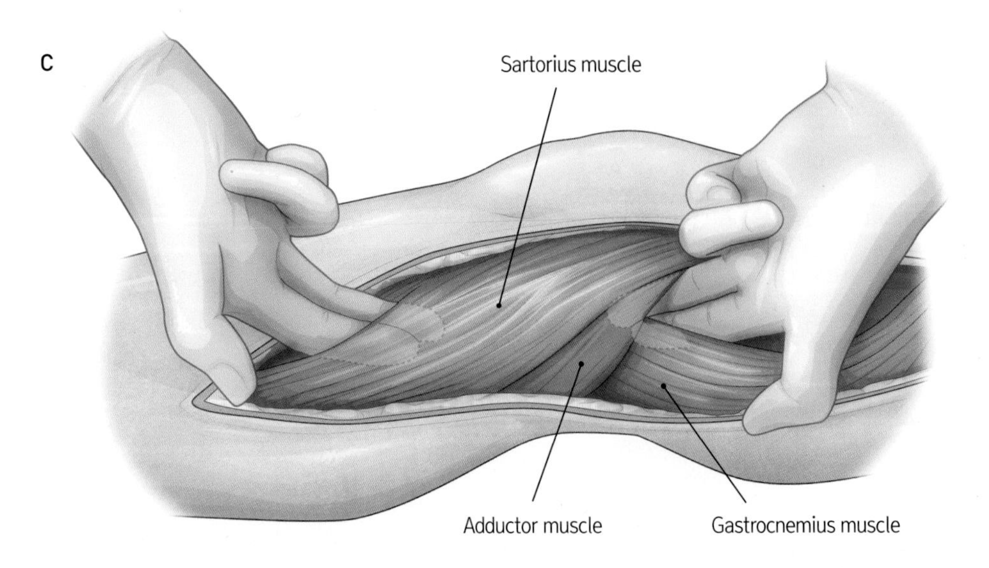

그림 5-7 Vein conduit 터널링 과정

(그림 5-8A, B, C, D) 전신적으로 정맥 내 헤파린 주입 후, 총대퇴동맥, 심부대퇴동맥과 표재대퇴동맥을 각각 혈관 겸자로 클램프한다. 근위부 문합할 위치를 결정한 후 11번 blade로 수직으로 동맥절개술을 시행 후, Potts scissor 등으로 절개창을 연장한다. 보관해 둔 복재정맥 원위부 끝의 한쪽을 수직 방향으로 절개하고 남은 부분을 다듬어서 'cobra-head' 모양을 만든다. 최근위절개면(Heal)부터, double-ended 6-0 polypropylene 사용하여 매트리스 봉합을 한다. 바늘은 정맥은 밖에서 안으로, 동맥은 안에서 밖으로 진행하도록 하여, 동맥 내막의 박리를 막는다. 최원위 절개면(Toe) 부위에 매트리스 봉합을 하여 문합부의 절반씩 연속봉합(running suture)을 진행한다. 중간 지점에서 만나서 결찰하여 문합을 끝내기 전, 혈관 겸자를 풀어서 flushing하고 개통 상태를 확인한다.

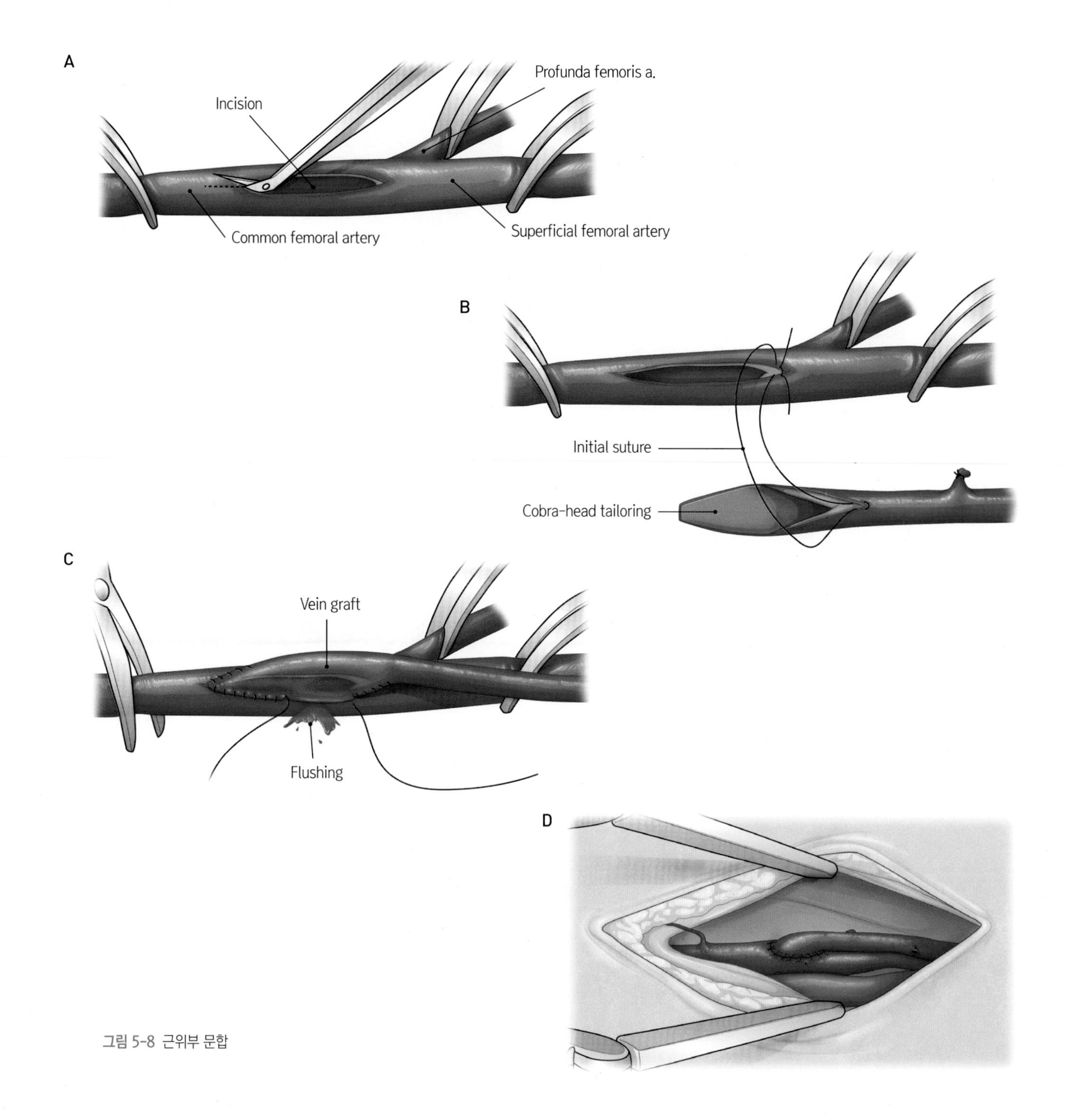

그림 5-8 근위부 문합

(그림 5-9A, B, C, D) 다리를 똑바로 펴서 원위부 문합을 하였을 때 긴장이 가해지거나 또는 복재정맥이 길어서 꼬이지 않도록 적절한 길이를 예측한다. 원위부 문합을 할 슬동맥 위치를 결정한 후, 근위부와 원위부를 혈관 겸자로 클램프한다. 11번 blade로 동맥절개술을 시행 후, Potts scissor로 절개를 연장한다. 이 때 석회화가 심하거나 동맥경화반이 있어 원위부 클램프가 힘든 경우에 포가티 카테터를 사용하여 원위부 혈관 개통 상태를 확인하거나 원위부 혈류를 차단 할 수도 있으나 자칫 혈관의 박리가 발생하지 않도록 각별한 주의가 필요하다. 문합방법은 근위부 문합과 같은 방법으로 시행할 수도 있고 슬동맥에 문합시 시야가 깊은 경우 낙하산 문합방법(parachute technique)을 사용할 수도 있다. 무릎 위 슬동맥에 원위부 문합을 할 경우에는 대복재정맥 대신 ePTFE (7~8 mm) 이식편 등의 인조

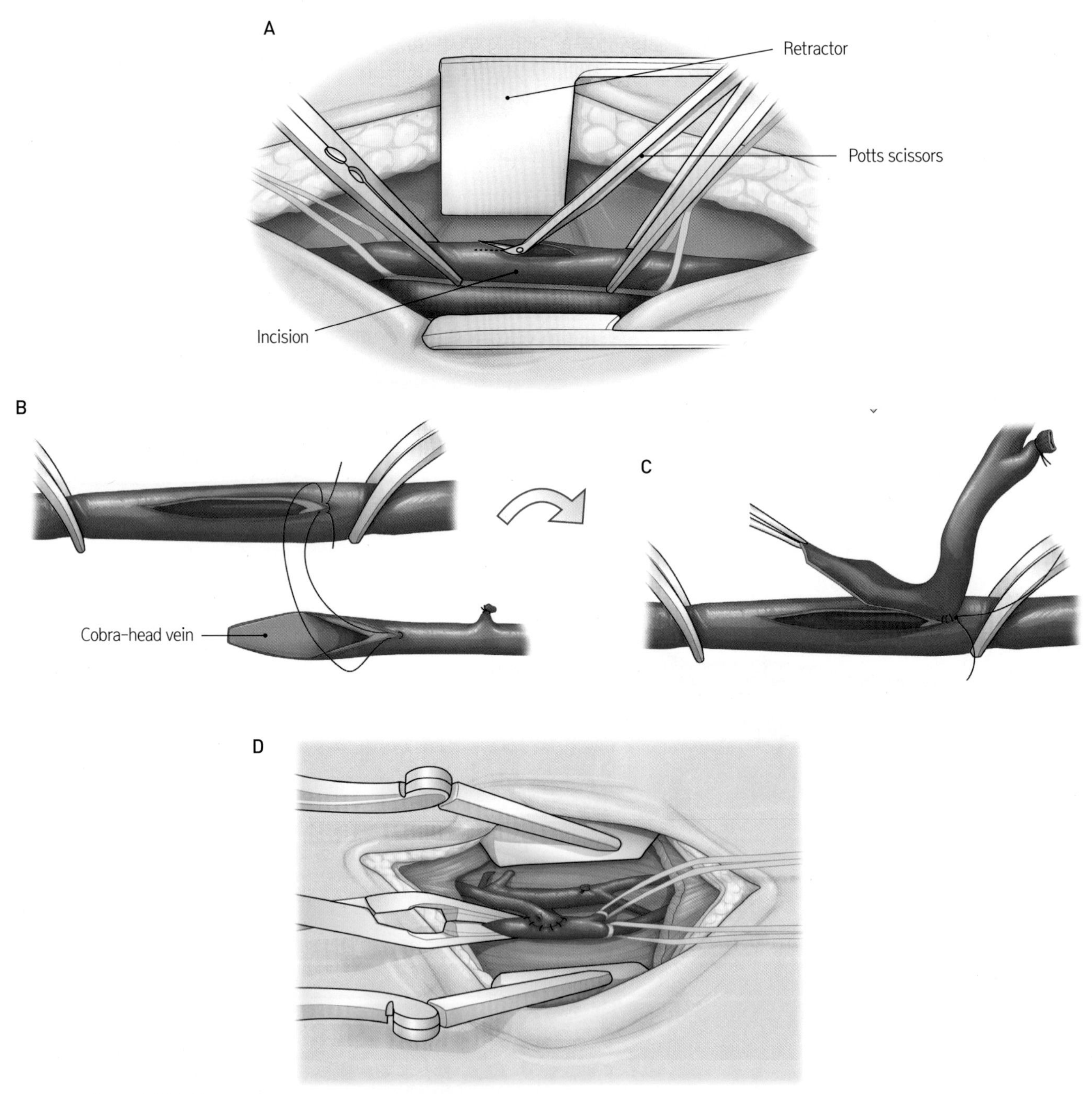

그림 5-9 원위부 문합

혈관을 사용할 수도 있다.

(그림 5-10) 원위부 문합 시행 후 도플러 초음파 등을 이용하여 원위동맥의 혈류상태를 확인한다. 원위부 혈류 상태의 확인이 어렵거나 혈관촬영 시설이 가능한 수술실에서는 20 ml 정도의 조영제로 수술 후 혈관조영술(Completion angiography)을 시행하여 원위부 혈류상태를 확인한다. 철저한 지혈 후 창상을 층으로 봉합하며 수술 후 발목-상완지수 등으로 혈류개선 효과를 판단한다.

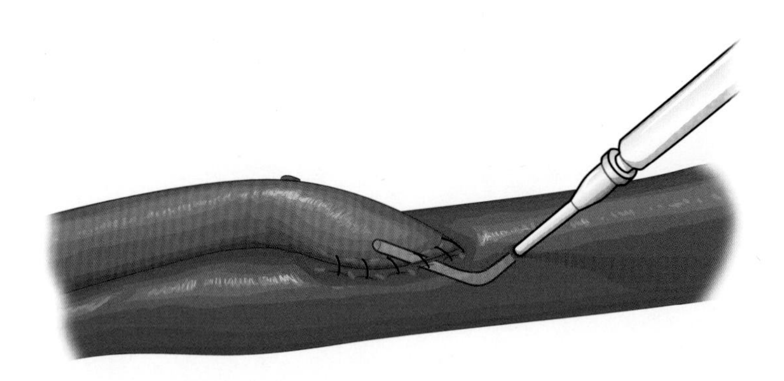

그림 5-10 Completion angiography

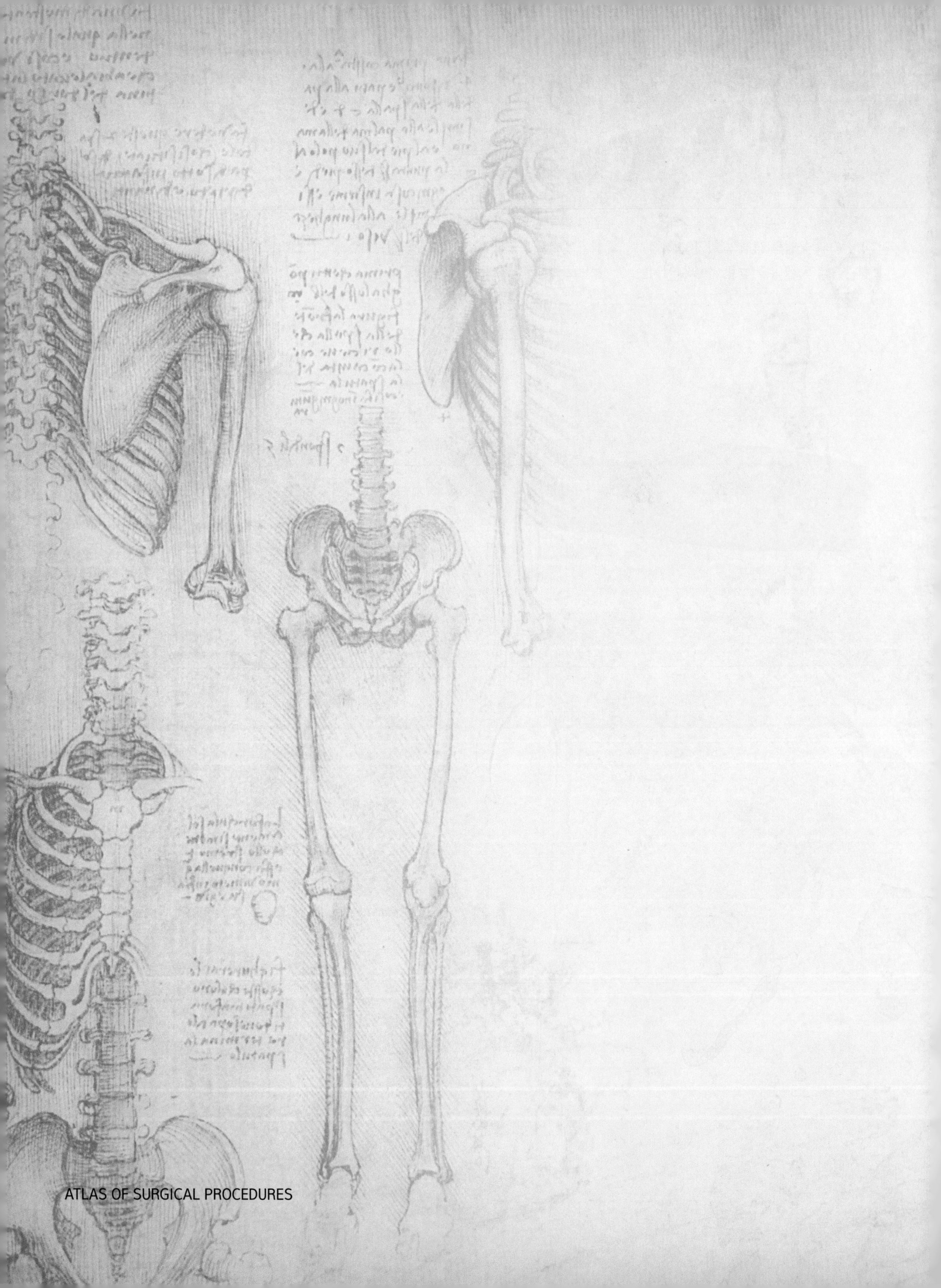

ATLAS OF SURGICAL PROCEDURES

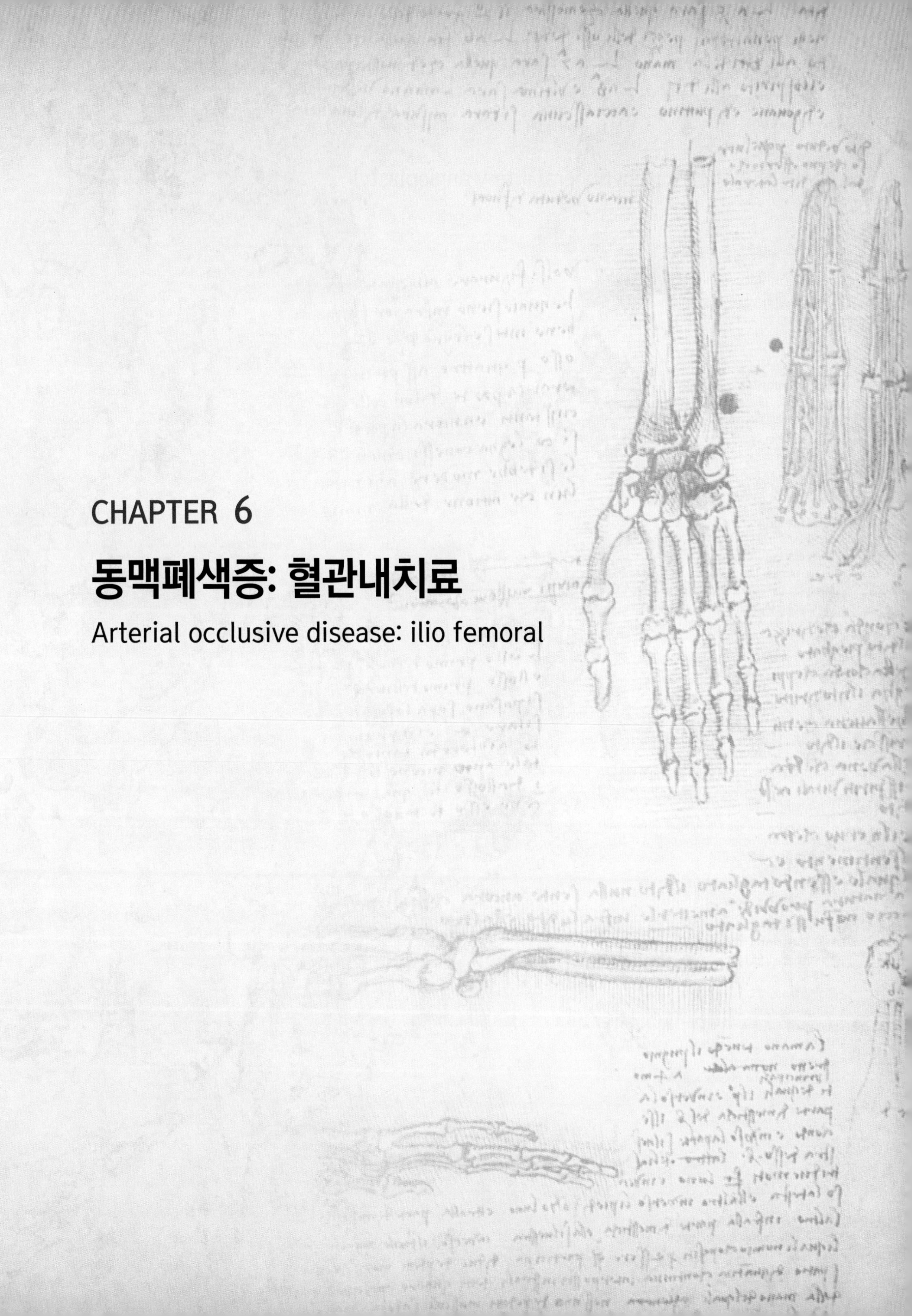

CHAPTER 6

동맥폐색증: 혈관내치료

Arterial occlusive disease: ilio femoral

I. 하지동맥 혈관 성형술(Pheripheral artery angioplasty)

1. 적응증(그림 6-1)

- 중증 하지허혈증(휴식기 통증, 궤양, 괴사)
- 생활을 제한하는 간헐적 파행

TASC A lesions
- Unilateral or bilateral CIA stenoses
- Unilateral or bilateral single short (≦ 3 cm) EIA stenosis

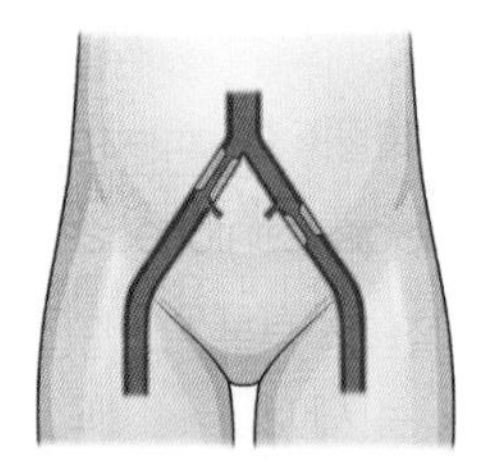

TASC B lesions
- Short (≦ 3 cm) stenoses of the infrarenal aorta
- Unilateral or CIA occlusion
- Single or multiple stenosis totaling 3 to 10 cm involving the EIA not extending into the CFA
- Unilateral EIA occlusion not involving the origins of the internal iliac or CFA

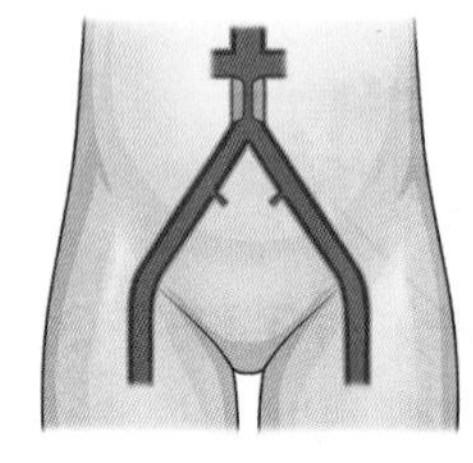
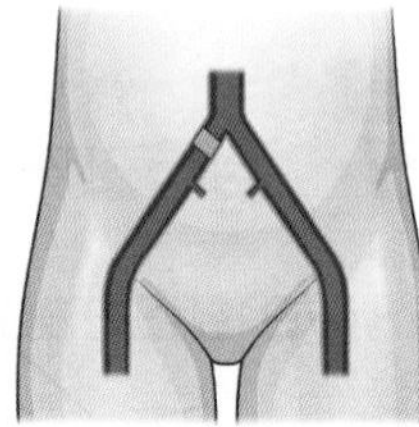
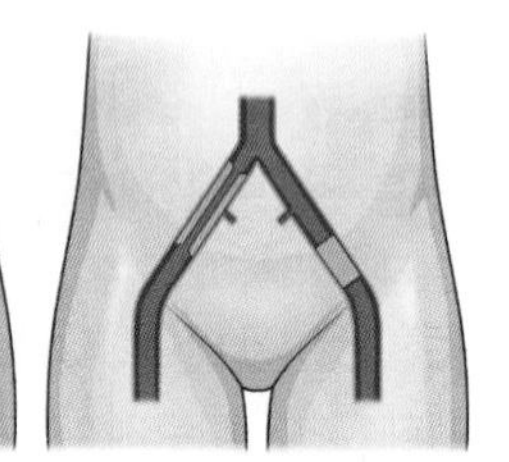

TASC C lesions
- Bilateral CIA occlusions
- Bilateral EIA stenoses 3 to 10 cm long not extending into the CFA
- Unilateral EIA stenosis extending into the CFA
- Unilateral EIA occlusion involving the origins of the internal iliac and/or CFA
- Heavily calcified unilateral EIA occlusion with or without involvement of the origins of the internal iliac and/or CFA

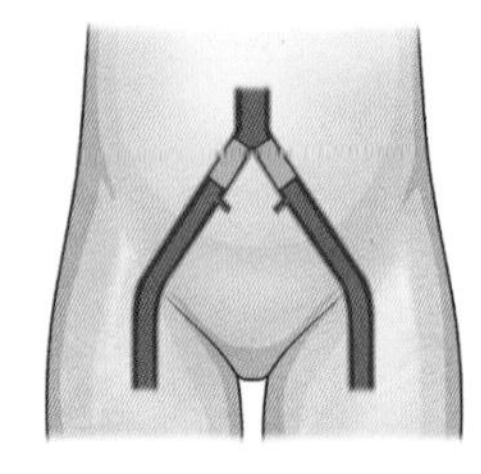
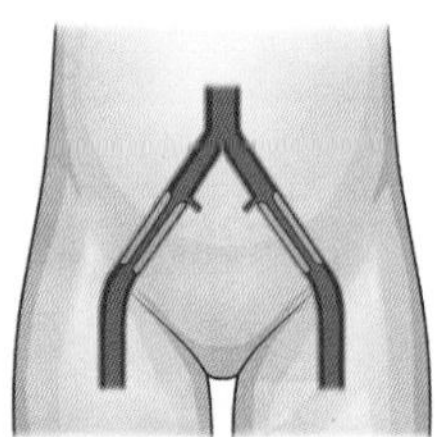
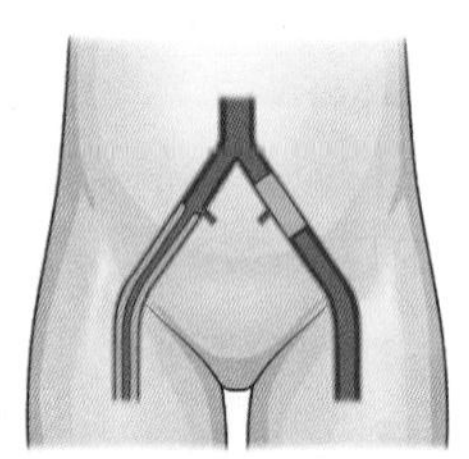

TASC D lesions
- Infrarenal aortoiliac occlusion
- Diffuse disease involving the aorta and both iliac arteries
- Diffuse multiple stenoses involving the unilateral CIA, EIA, and CFA
- Unilateral occlusions of both CIA and EIA
- Bilateral EIA occlusions
- Iliac stenoses in patients with AAA not amenable to endograft placement

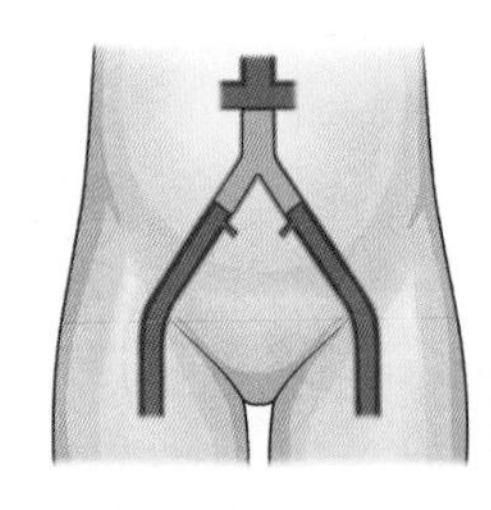
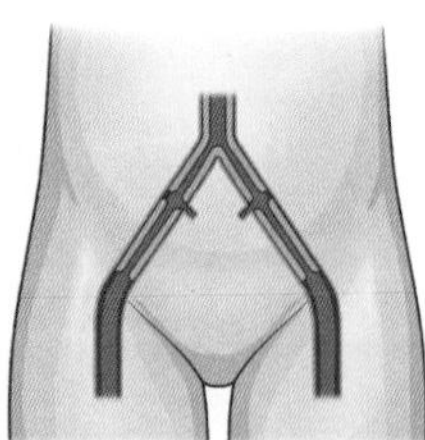
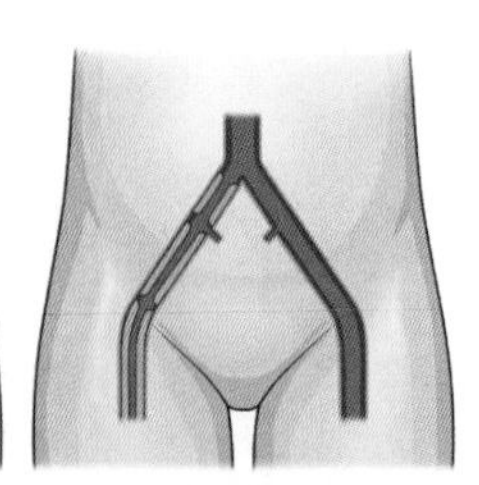
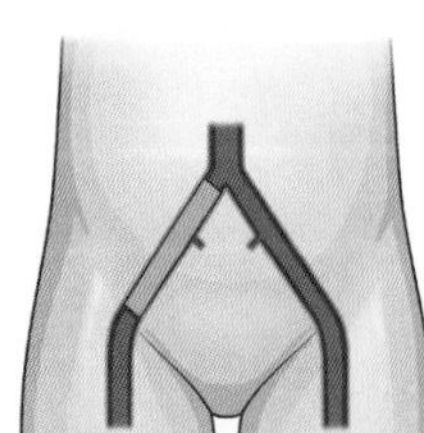
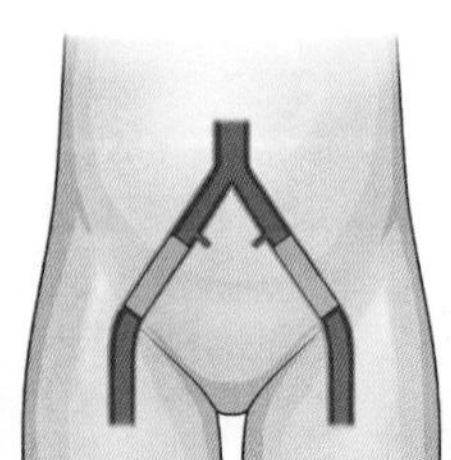
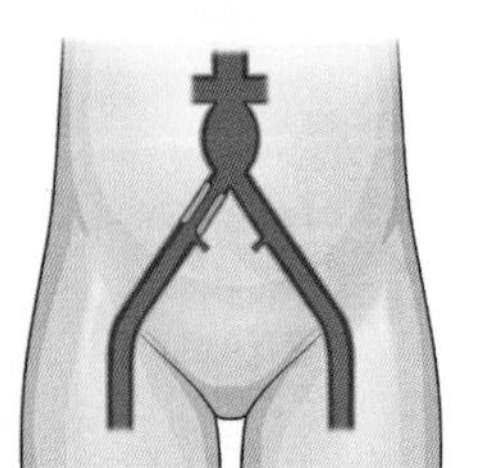

그림 6-1 TASC infrainguinal lesion

Type A lesions
- Single stenosis ≦ 10 cm in length
- Single occlusion ≦ 5 cm in length

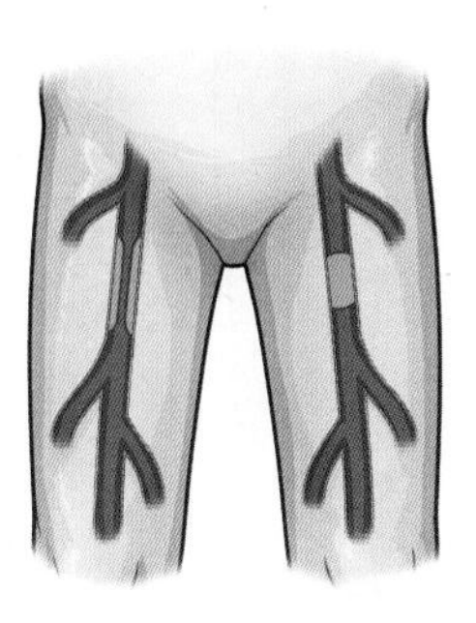

Type B lesions
- Multiple lesions (stenosis or α occulusion each ≦ 5 cm
- Single stenosis or occlusion ≦ 15 cm not involving the infrageniculate popliteal artrey
- Single or mulltiple lesions in the absence of continuous tibial vessels to lmprove inflow for a distal bypass
- Heavily calcified occlusion ≦ 5 cm in length
- Single popliteal stenosis

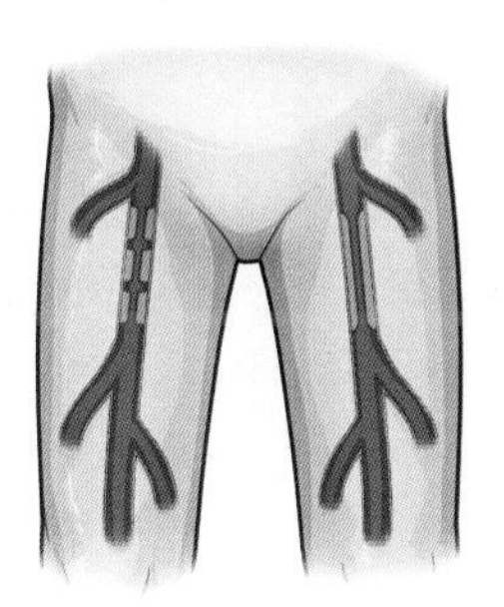

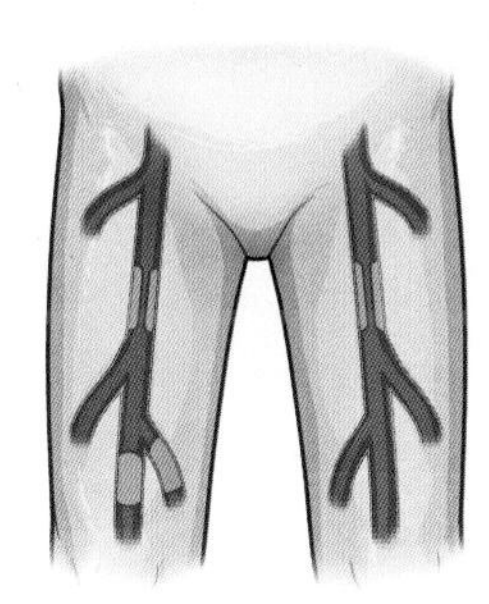

Type C lesions
- Multiple stenosis or occlusion totaling 〉15cm with or without heavy calcification
- Recurrent stenosis or occlusions that need treatment after two endovascular interventions

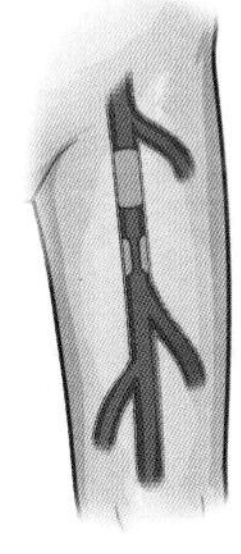

Type D lesions
- Chronic total occlusion of CFA or SFA (〉20 cm, involving the popliteal artery)
- Chronic total occlusion of popliteal artery and proximal trifurcation vessels

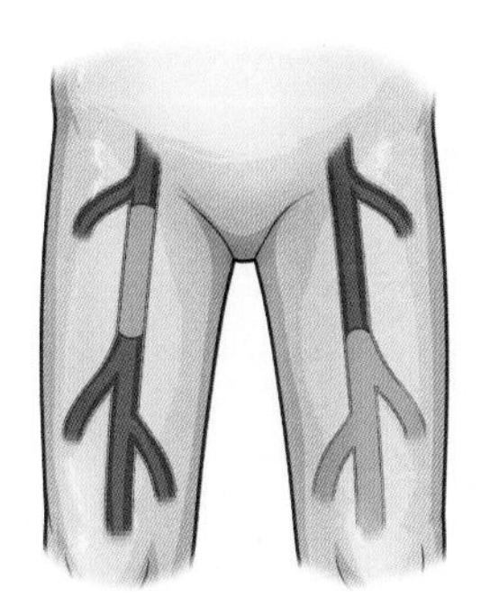

그림 6-1 계속

TASC A lesions
Single focal stenosis, ≦ 5 cm in length, in the target tibial artery with occlusion or stenosis of similar or worse severity in the other tibial arteries.

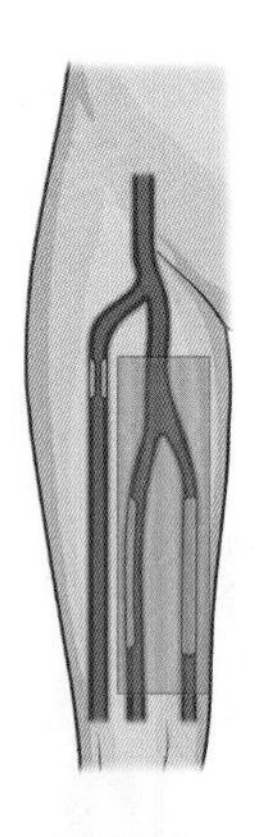

TASC B lesions
Multiple stenoses, each ≦ 5 cm in length, or total length ≦ 10 cm or single occlusion ≦ 3 cm in length, in the target tibial artery with occlusion or stenosis of similar or worse severity in the other tibial arteries.

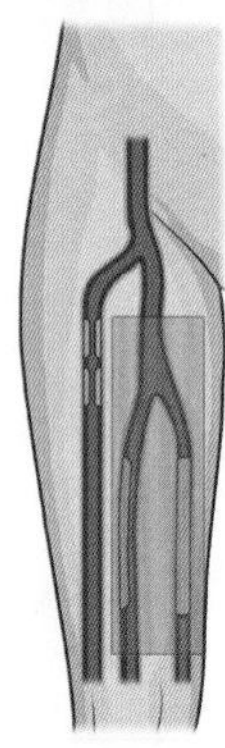

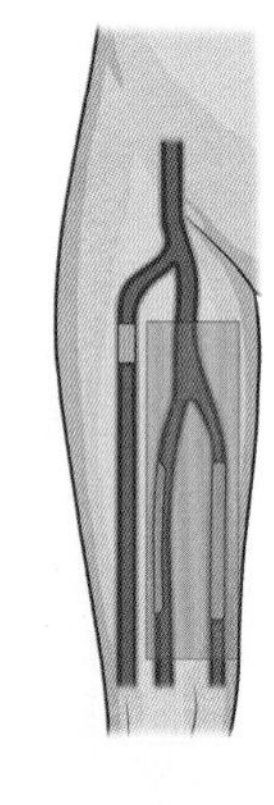

TASC C lesions
Multiple stenoses in the target tibial artery and/or single occlusion with total lesion length 〉10 cm with occlusion or stenosis of similar or worse severity in the other tibial arteries.

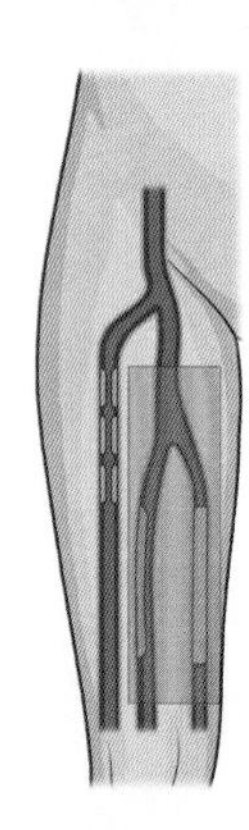

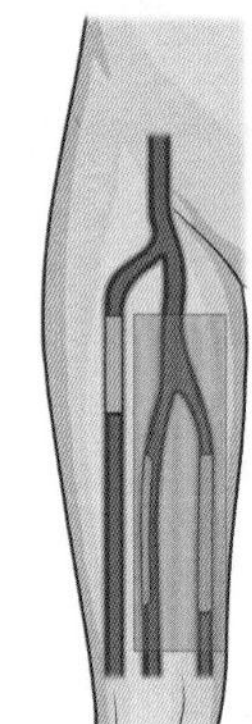

TASC D lesions
Multiple occlusions involving the target tibial artery with total lesion length 〉10 cm or dense lesion calcification or non-visualization of collaterals. The other tibial arteries occluded or dense calcification.

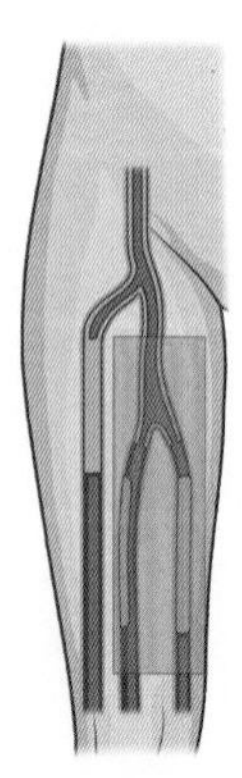

그림 6-1 계속

2. 비적응증

- Iodinated 조영제에 과민반응이 존재하는 자
- 신장기능저하자

3. 수술 전 처치

- 수술 1일 전에 충분한 수액(N/S 1L)과 N-acetyl cysteine 처방
- 음식물의 섭취는 수술 6시간 전으로 제한
- Micropuncture needle 또는 18Gauge cannulation을 말초정맥에 삽입한다.
- 만약, 환자가 와파린을 사용한 경우, 경피적 혈관성형술(percutaneous transluminal angioplasty, PTA)하기 72시간 전에 중단되어야 한다.
- 응급으로 PTA가 진행되는 경우, 비타민 K 또는 신선동결혈장을 투여하고 INR을 최소 2.5 이하로 유지하는 것이 안전하다.
- 만일 지속적인 항응고요법이 필요한 경우, 헤파린을 사용하며 PTA 전 active clotting Time (ACT) 파악하고 3시간 전에는 헤파린의 사용이 중단되어야 한다.

4. Equipment

- 18 Gauge 동맥천자 침
- Guidewire
  - 표준 0.035 -inch guidewire 260 cm, 260 cm Stiff guidewire
- Introducer Sheath 6-7 Fr
- Selective catheter→Kumpe or Berenstein, Cobra or Rim, Straight catheter
- Balloon-통상적으로 표재대퇴동맥은 5~6 mm지름으로 병변보다 1 mm 작은 크기의 balloon을 사용
- 약물 방출 풍선(Drug coated Balloon: DCB)은 병변과 같은 지름을 사용
- Indeflator - 풍선을 확장시키는 기구
- Self expandable stent-통상적으로 동맥크기보다 1 mm 이상 큰 스탠트을 사용
- Life stent, Luminexx Stent (Bard Angiomed), Smart stent (Cordis), Zilver stent (Cook), Absolute Stent (Abbott) 약물 방출 Stent-통상적으로 동맥크기보다 1 mm 이상 큰 스탠트을 사용

5. 마취

전신마취, 척추마취, 국소마취 등 수술자의 선호도와 환자의 상태에 따라 결정하고 마취 후에 예방적인 항생제를 투여한다.

6. 환자 자세

환자는 앙와위 자세에서 수술대에 잘 고정하도록 한다. 술자와 제2보조자는 우측에, 제1보조자는 좌측에 위치하고 Hybrid angio C-arm은 좌측에서 들어오도록 한다.

7. 수술 준비(그림 6-2)

- Hybrid angio C-arm: Digital Subtraction Angiography (DSA)가 가능한 C-arm
- 수술대-C-arm의 영상이 투과 가능한 수술대

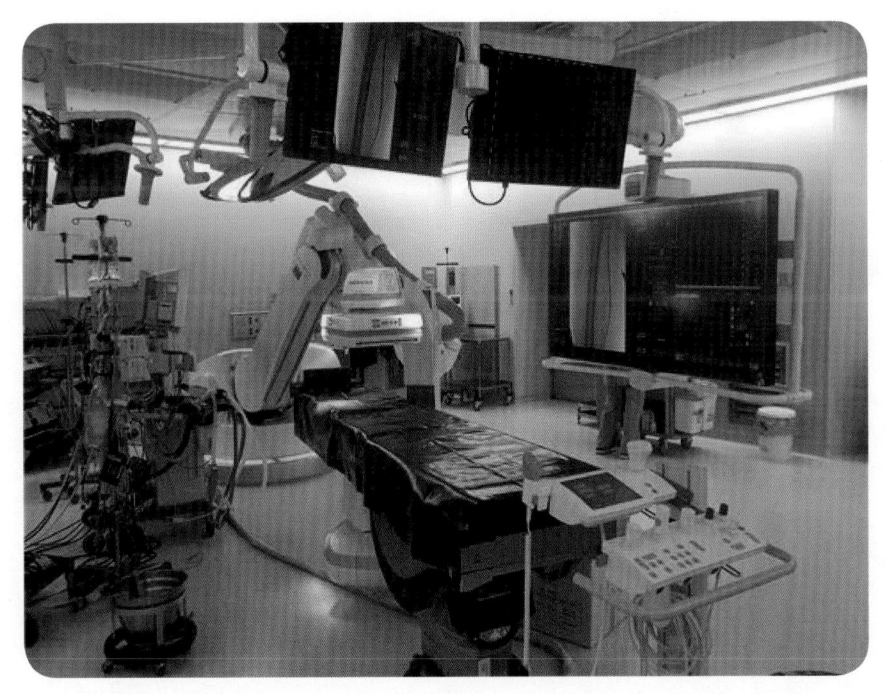

그림 6-2

8. 절개 및 노출

(그림 6-3, 4) 총대퇴동맥을 촉지한 후 동맥천자침으로 혈관을 천자하여 동맥혈을 출혈을 확인하고(그림 6-5) 0.035 inch의 guidewire, 또는 Mirco gudiewire를 삽입하여 표재대퇴동맥에 guidewire가 들어있음을 Hybrid angio C-arm을 통해 확인한다. 초음파를 이용하여 천자하면 혈관내 석회화와 대퇴동맥의 분지 부위를 잘 파악할 수 있어 이용되고 있다.

(그림 6-6) 천자침을 제거하고 wire가 빠지지 않도록 조심하면서 wire가 들어간 피부에 11번 칼로 뒤집어 절개하고(그림 6-7) Mosquito 겸자로 절개부위를 벌린 뒤 7Fr sheath를 삽입한다.

(그림 6-8) Sheath의 dilator를 wire가 빠지지 않도록 조심하면서 제거한 후 3 way-cock에 heparin이 혼합된 식염수로 혈액역류를 확인 하면서 공기를 제거하고 씻어 준다. 500~100 unit/kg의 헤파린을 정맥주사하고(그림 6-9) 희석된 조영제를 주입하여 혈관의 상태를 확인한다.

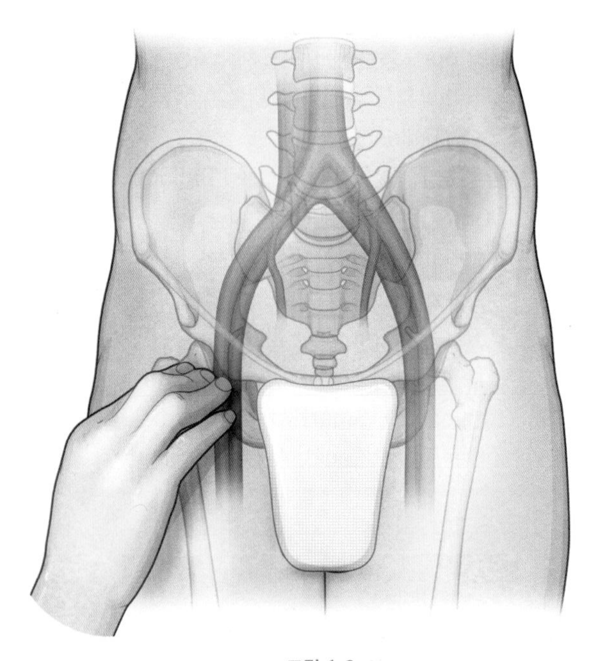

그림 6-3

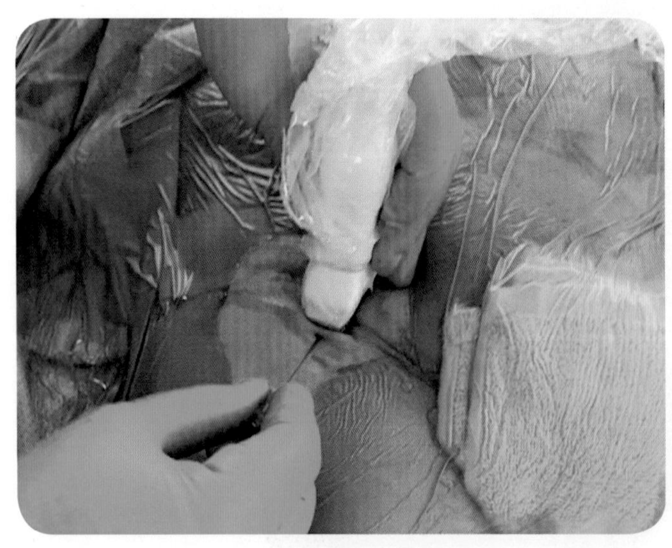

그림 6-4

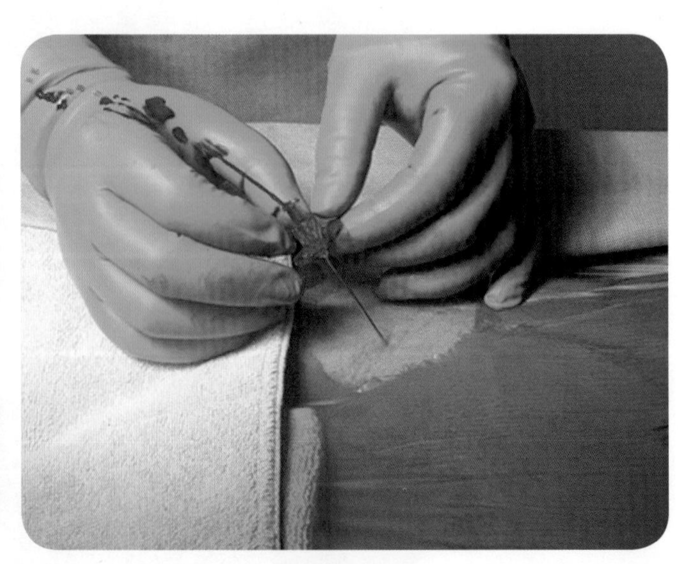

그림 6-5

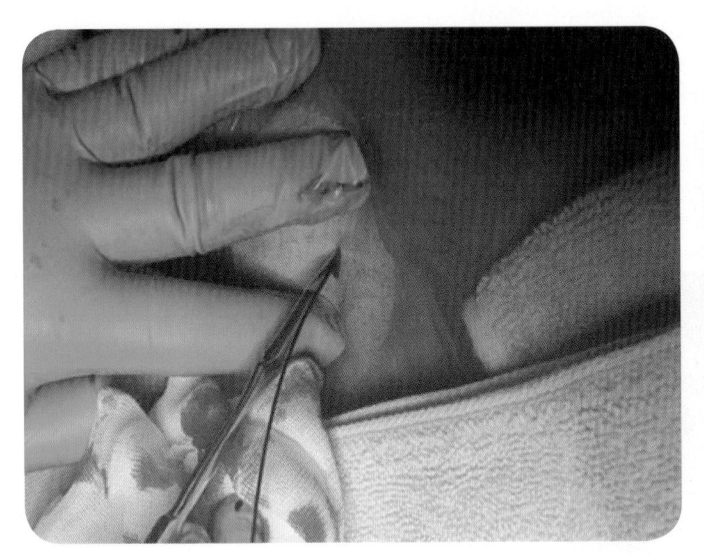
그림 6-6

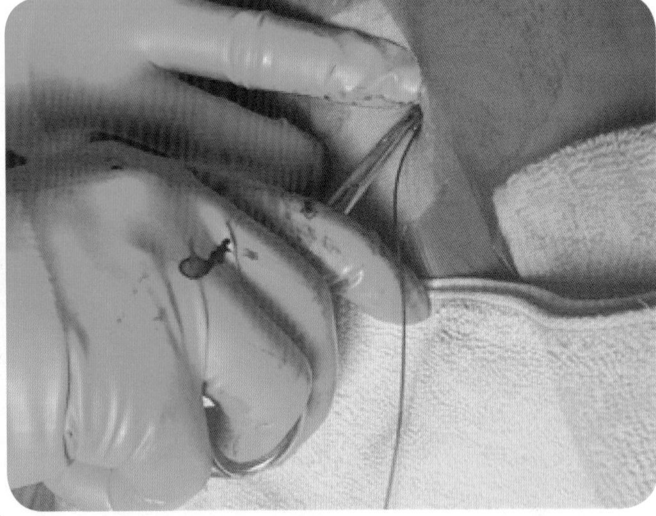
그림 6-7

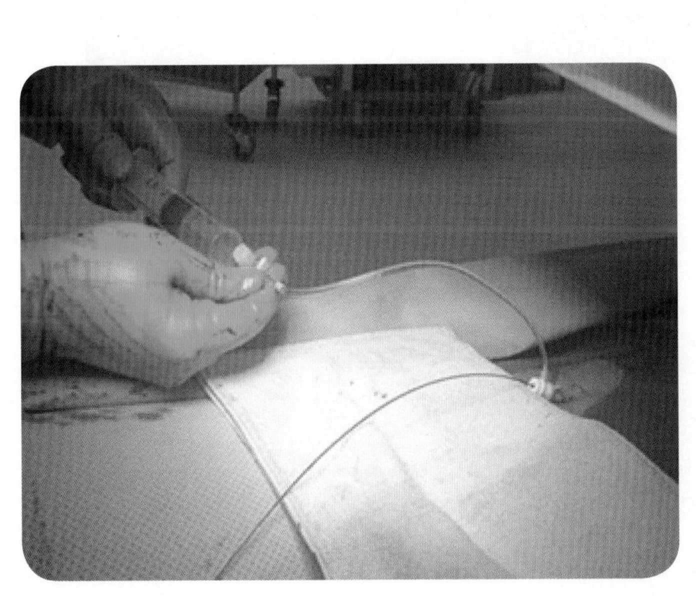
그림 6-8

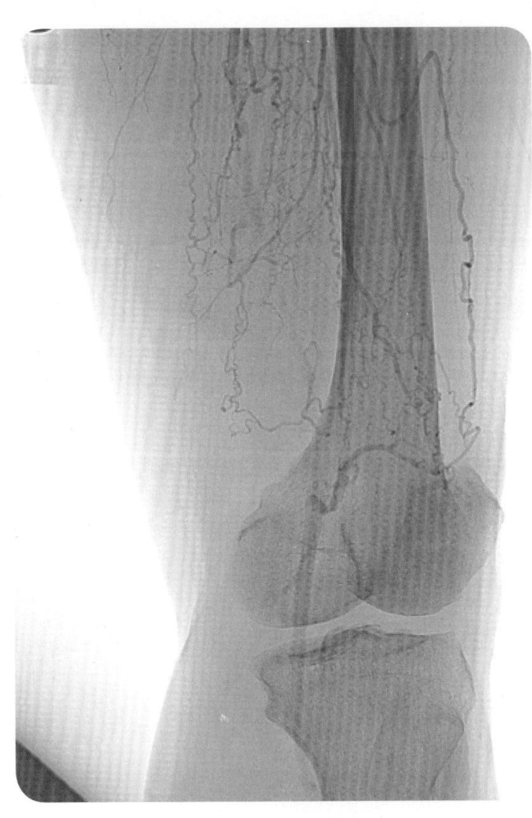
그림 6-9

TIP 1

서혜부를 절개하지 않은 경우에는 양측 대퇴동맥을 직접 천자하여 접근하는데, 2가지 방법이 있으며 대동맥 갈림을 넘어 가서 치료하는 역행성 접근과 혈관의 주행을 따라가는 순행성 방법이 있다(그림 6-10, 7-11). 통상적으로 역행성 접근을 더 선호하는 데 그 이유는 1) 접근이 용이하고, 2) 심부대퇴동맥으로 천자될 가능성이 없으며 3) 술자가 수술이 보다 용이하고 4) 수술 시 wire, 카테터나 풍선 등의 각종 설비 등의 오염을 순행성접근보다 쉽게 막을 수 있다 또한 환자가 비만이거나 표재대퇴동맥에 폐쇄 또는 석회화가 있는 경우, 해부학적으로 표재대퇴동맥의 분지점이 높이 있거나 과거에 고관절수술을 시행한 경우에도 순행성접근이 어렵다. 한국인들은 많이 비만하지 않아 순행성접근을 많이 하기도 한다. 본 환자는 순행성으로 접근하였다.

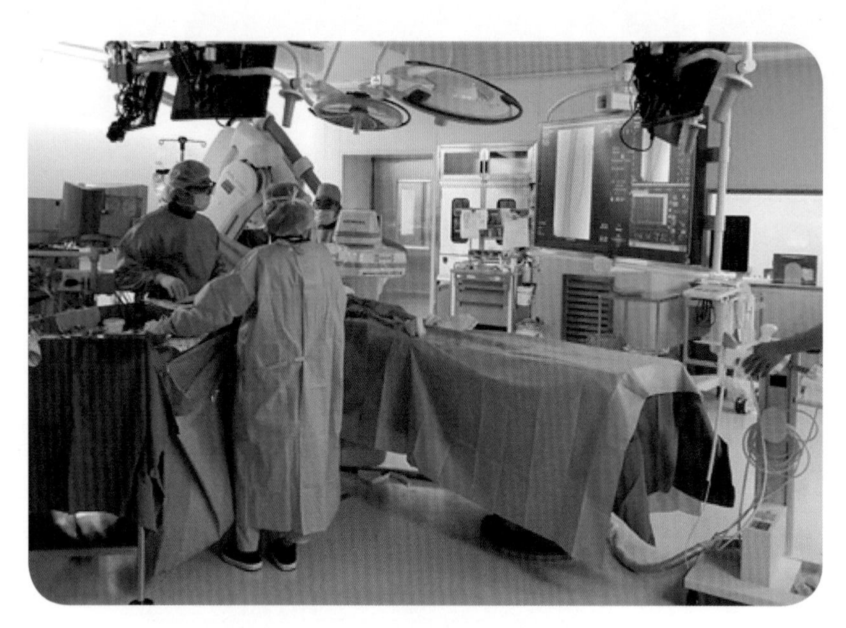

그림 6-10

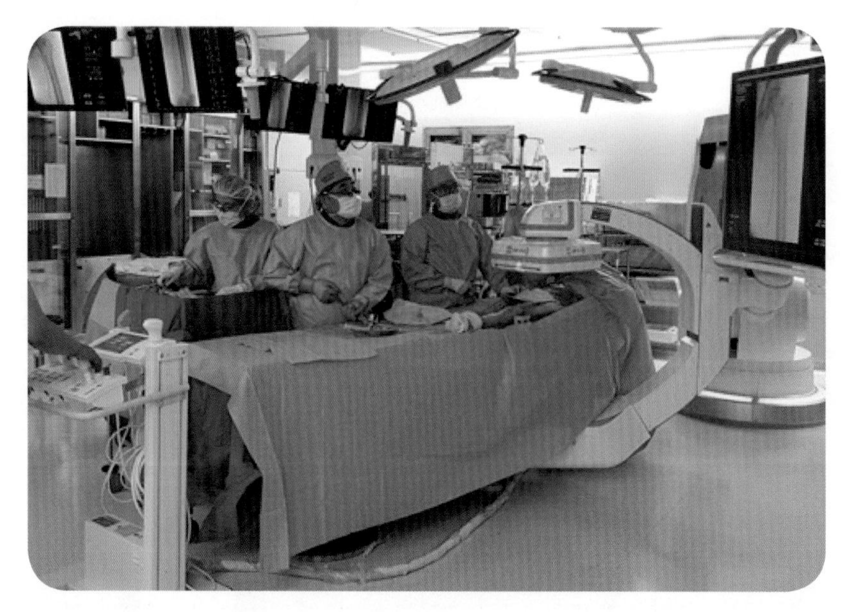

그림 6-11

9. 수술 과정

(그림 6-12) 이전에 찍은 사진을 Road-Map으로 하여 가상의 주행경로를 그리면서 Kumpe catheter을 지지대로 이용하여 0.035 guide wire를 조심스럽게 병변을 통과시키고. 일단 병변이 통과되면 서서히 catheter를 진입하여 정상정인 혈관 부위에 위치하고 약간의 조영제를 주입하여 혈관 내에 있음을 확인하고 난 후 catheter로 많은 조영제를 주입하여 혈관의 음영을 얻는다. 0.014 guide wire와 micro catheter를 이용하면 정상적인 혈관벽으로 가는 확률이 높다

(그림 6-13) Wire를 빠지지 않게 잘 잡고 catheter를 제거한다. Pre-balloon을 삽입하고 이전에 찍은 병변부위를 Road-map으로 협착부위부터 폐쇄부위까지 아래쪽에서부터 병변에 풍선확장술을 시행하였다.

TIP 2
제1조수자는 그림 6-11처럼 항상 sheath와 wire 기타 장비들이 혈관내에서 빠지지 않도록 항상 잘 잡고 있어야 한다. 수술 도중 sheath가 빠지면 다량의 출혈로 인한 혈종이 발생한다. Balloon angioplasty 후에 다시 혈관의 상태를 확인하는 혈관조영술을 시행하였다.

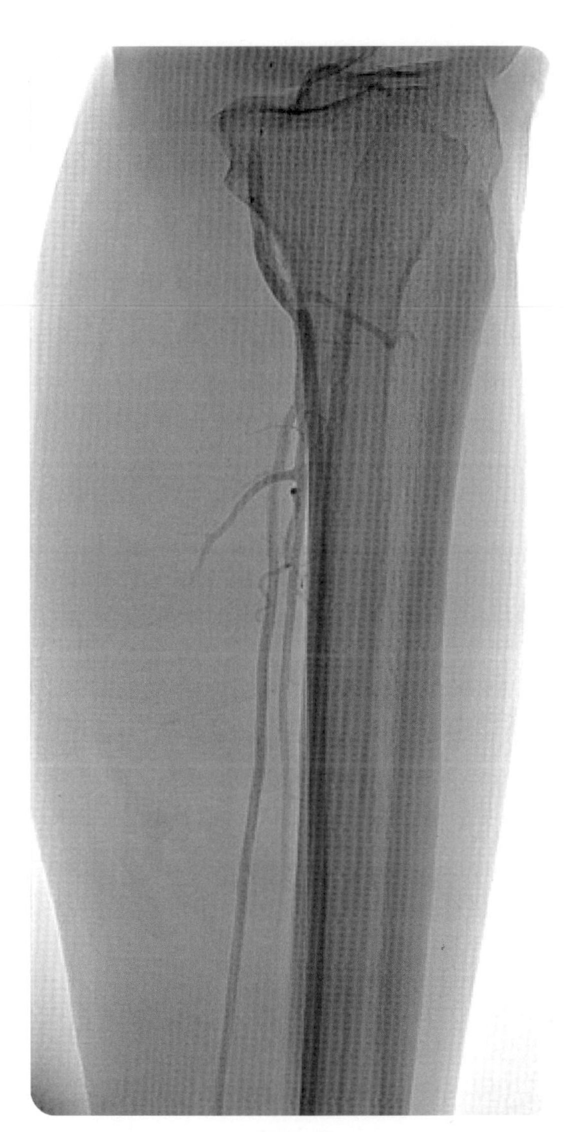
그림 6-12

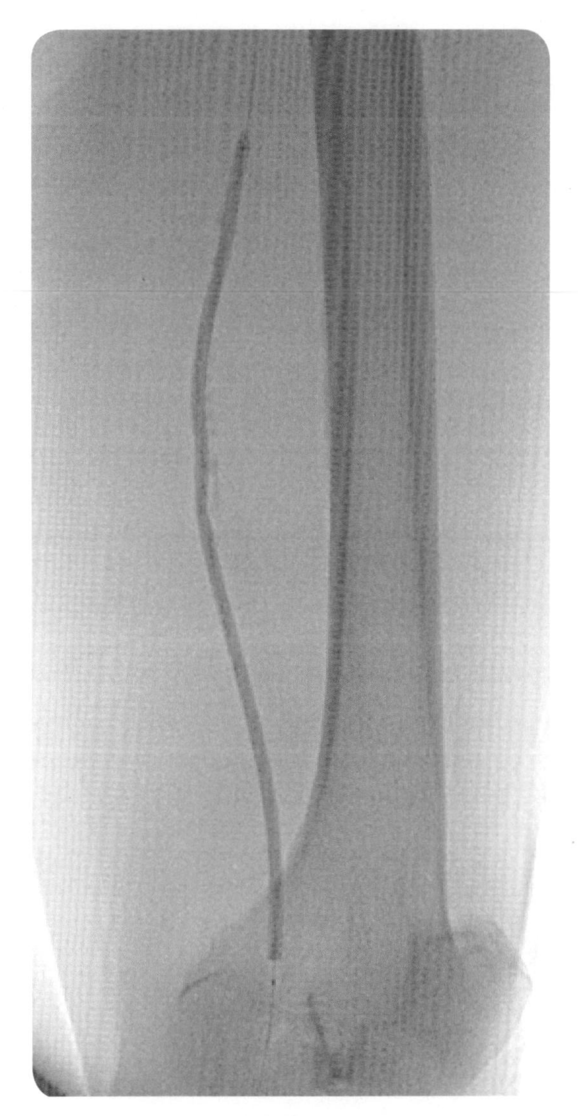
그림 6-13

(그림 6-14) Road-map으로 하여 혈관내에 Drug coated balloon, Drug coated stent 또는 self expandable stent를 정상적인 혈관을 포함하여 확장하거나 설치한다.

(그림 6-15) 최종수술결과를 얻은 혈관조영 영상을 촬영하였다.wire와 sheath를 조심스럽게 제거한 후 가상의 혈관천자부위를 아래쪽에 맥박을 촉지하면서 약 15~20분간 압박지혈 시행하였고 출혈이 없음을 확인한 후 수술을 마쳤다.

(그림 6-16) 복부대동맥과 장골동맥의 폐쇄에서 같은 방법으로 wire와 sheath를 넣고 술 전 혈관의 상태를 조영한다.

(그림 6-17) 병변을 통과한 후 혈관내 조영을 하여 wire와 catheter가 혈관내에 존재하는 것을 확인 한다.

(그림 6-18) 병변과 같거나 1~2 mm 작은 크기의 balloon으로 Preballoon 후 stent를 삽입한다.

(그림 6-19) Stent삽입 후 조영제를 이용하여 최종 혈관 촬영하여 확인 후 수술을 마친다.

(그림 6-20) 대동맥 분지 부위에 병변이 있는 경우는 양쪽에 같은 방법으로 혈관을 통과시키고 확인한 후 2개의 풍선을 같은 위치에 놓고 Kiss를 하듯이 풍선을 부풀려 혈관을 확보한다.

(그림 6-21) 같은 방법으로 Balloon expandable stent나 self epandable stent를 병변 상부부터 정상적인 혈관부위에 두고 Kiss를 하듯이 stent를 설치한다.

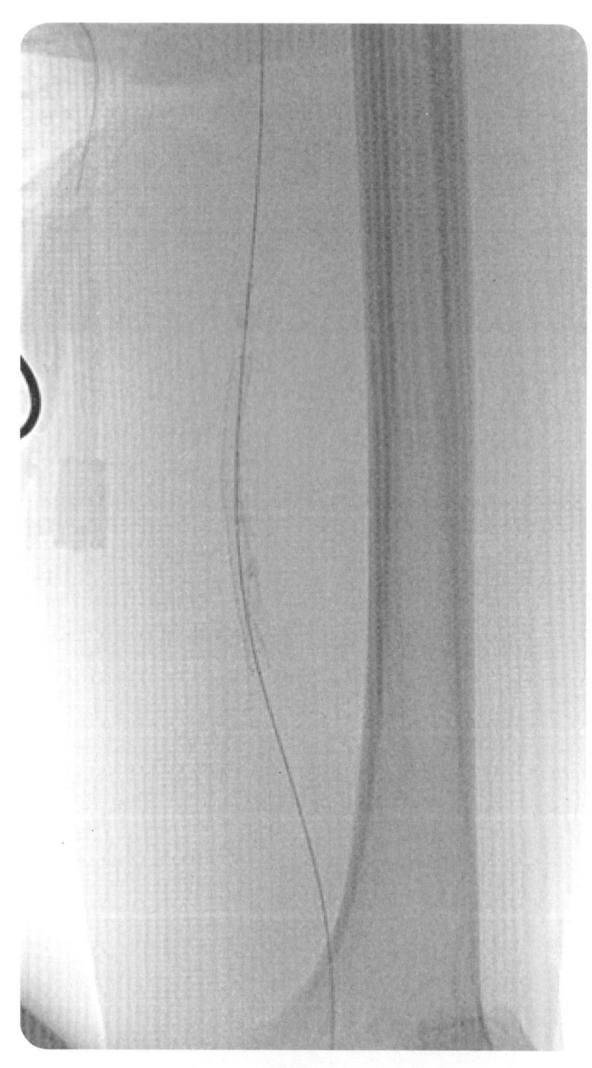

그림 6-14

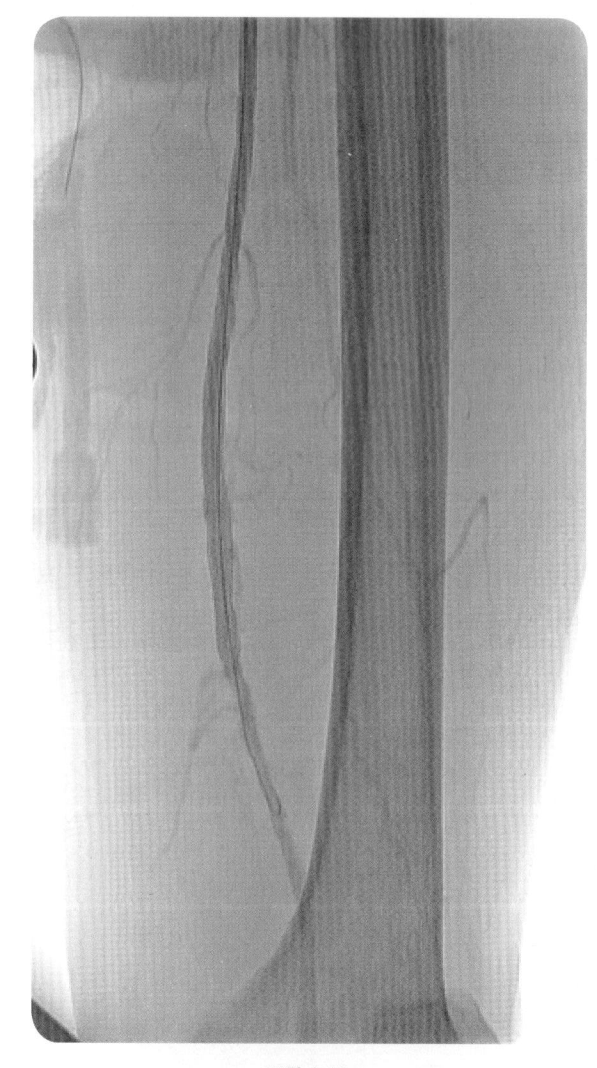

그림 6-15

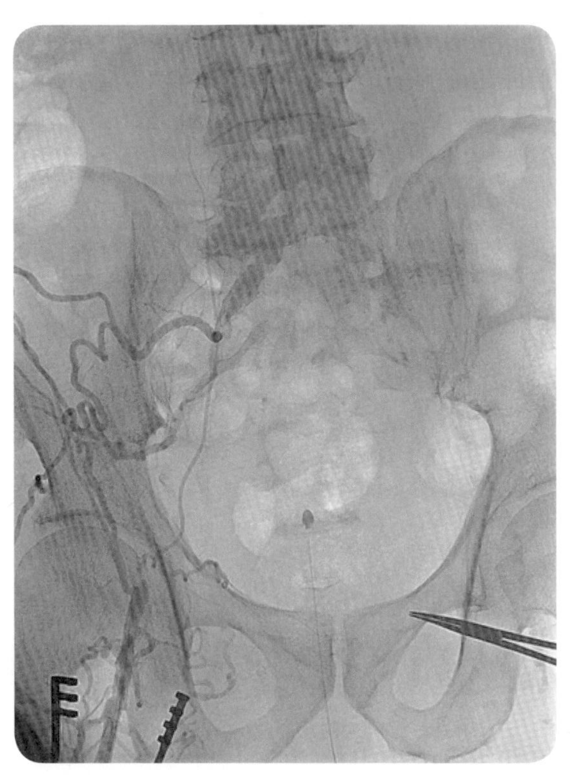

그림 6-16

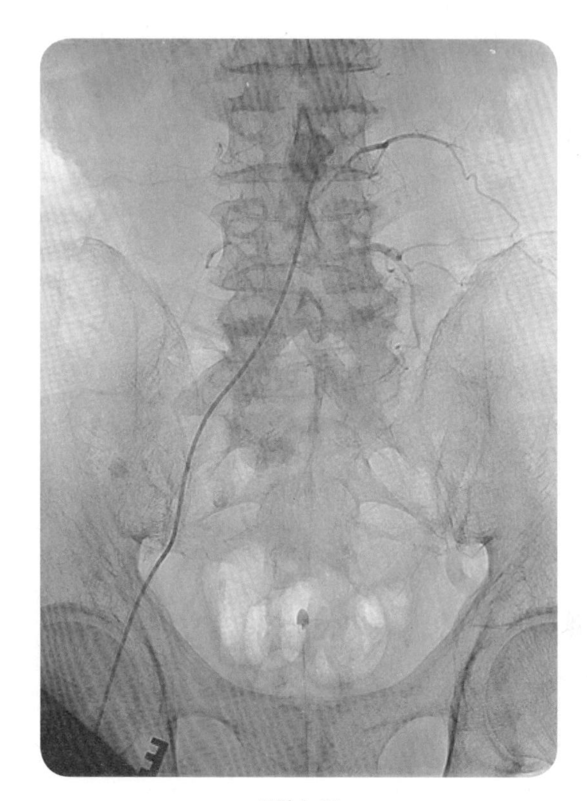

그림 6-17

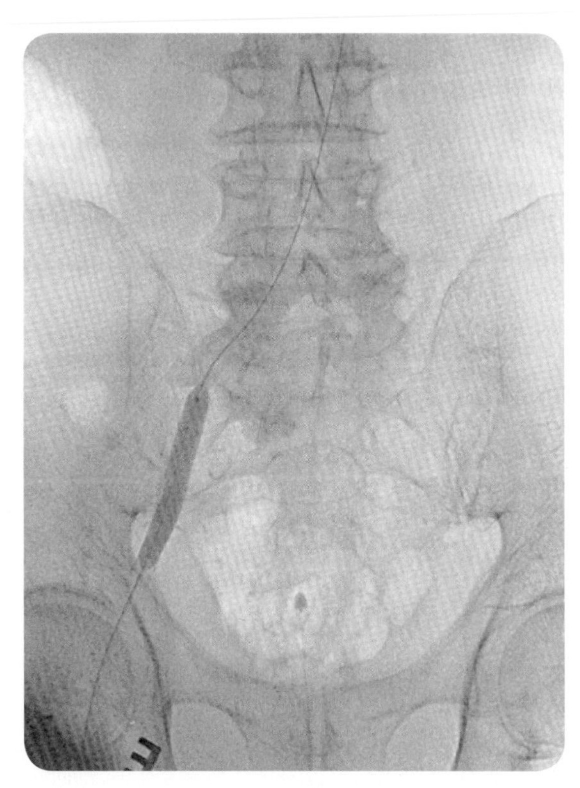

그림 6-18

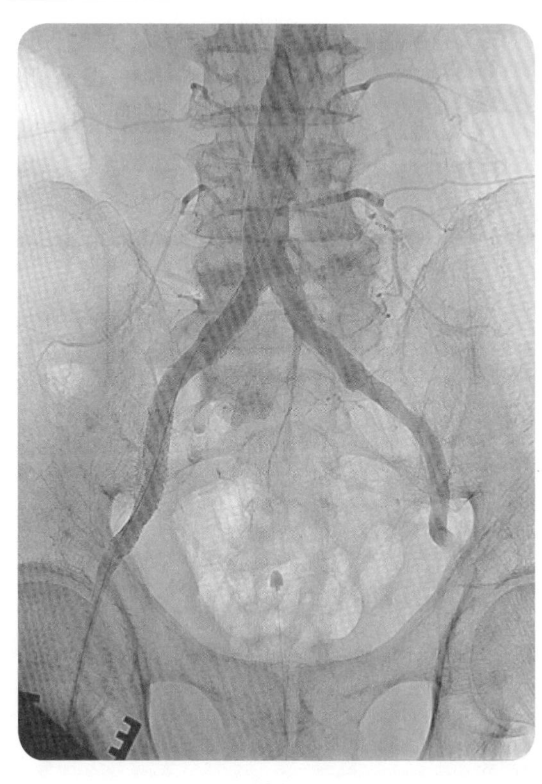

그림 6-19

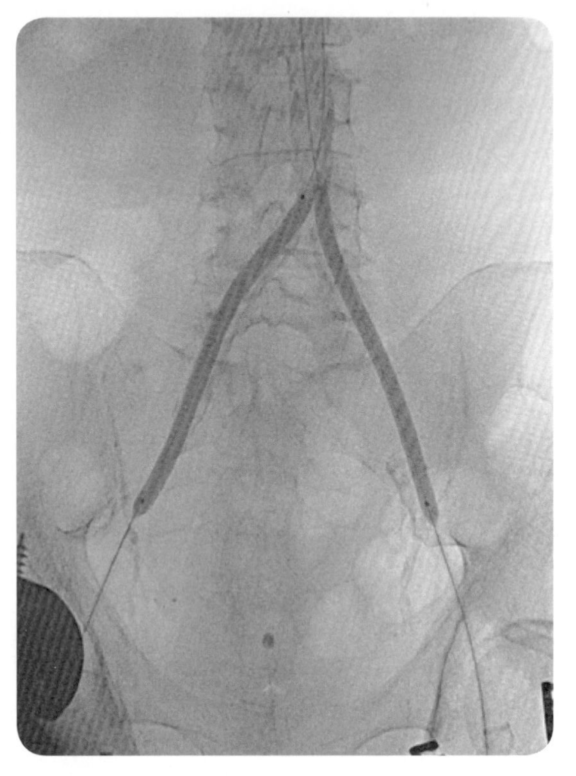
그림 6-20

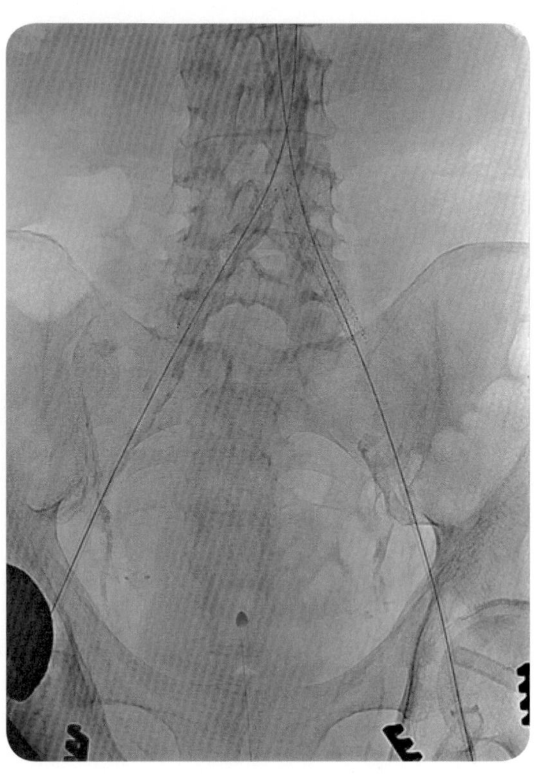
그림 6-21

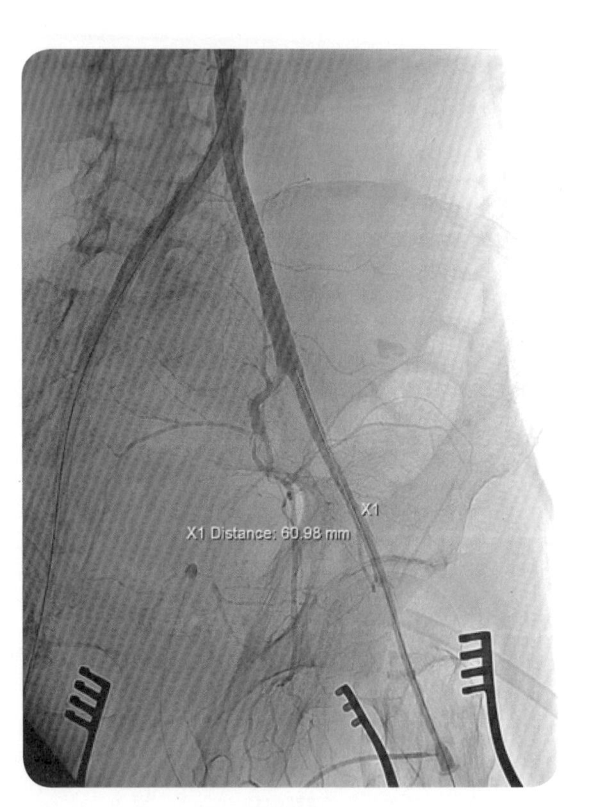

그림 6-22

TIP 3

조영제에 의한 신독성을 줄이기 위해서는 조영제의 사용량을 줄이는 것을 우선으로 해야 할 것이며 환자의 다리 굵기나 뼈의 사진에 따라 조영제를 5:5~7:3비율로 조절하여 사용하고, DSA를 이용하는 것도 조영제 사용을 줄일 수 있다. 또한 수술 전 12시간 동안, 수술 후 12시간 동안 생리 식염수를 1 ml/kg/hr로 투여하고, N-acetyl cysteine을 수술 전후 3일 동안 1,200 mg(Muteran 2T tid or 3T bid) 주는 것이 도움이 되며, isotonic, Non ionic iodine contrast인 Iodixanol의 사용이 신독성을 줄이는 데 도움이 된다.

TIP 4

병변이 아주 긴 TASC D에서는 정상적인 병변을 통과하지 못하고 내막하로 통과가 되는 경우도 있는 발목동맥에서 액으로 주행하여 양측에서 만나는 Rendezvous technique 을 하기도 하고, re-entery catheter를 이용한 내막하 혈관성형술(subintimal angioplasty)로 정상적인 통로를 찾아 Stent를 배치시키기도 한다. 가능하면 hunter canal 아래 쪽에는 stent를 배치하지 않는 것이 좋은 데 혈관의 꼬임, 굴곡과 신전이 반복되면서 stent의 골절이 발생하기 때문이다.

TIP 5

역행성 접근에서 대동맥 갈림의 통과는 때때로 어려움을 가진다. 0.035 guidwire를 대동맥으로 통과시키고 난 후 Omni SOS 또는 Rim 카테터를 이용하여 병변이 있는 다리로 넘어가게 되는 데 대퇴골두하방까지 wire와 카테터를 통과시키고 wire를 Stiff guidewire로 교체를 한 후 짧은 sheath를 remove하고 Balkin sheath로 교체한다(그림 6-15).

TIP 6

대동맥 갈림을 통과할 때 3가지 Tip이 있는데 1) Jiggling이 필요하다. 이는 손을 tremor가 있는 것처럼 가볍게 떨면서 대동맥 갈림을 넘어가는 것이고 2) jiggling을 해도 통과되지 않을 때에는 Balkin sheath에 있는 dilator를 조금 뺀 뒤에 통과시키면 들어가는 경우가 있다. 3) 1)~2)을 했는데도 통과되지 않는 시에는 stiff wire를 좀 더 깊이 넣은 후에 하면 들어 가는 경우도 있다. Balkin sheath를 넣을 경우, 제1 조수가 wire를 잘 잡고 있어야 하며 간혹 wire 너무 많이 딸려 들어가 혈관에 손상을 주거나, 많이 빠져 수술을 다시 하는 경우가 있으니 주의을 요한다.

II. 슬하동맥 중재시술

1. 환자의 선택

중증 하지 허혈을 동반한 무릎아래 병변에 대한 중재적치료의 적응증은 중증 하지 허혈 혹은 자가 정맥으로 혈관 우회로술이 불가능한 환자의 상태에서 주로 시행한다.

2. 혈관 접근로

무릎아래 병변 시술을 위한 대퇴부를 통한 접근로는 크게 3가지로 나눌 수 있는데, 동측 전형적 접근법(ipsilateral antegrade approach)과 반대측 접근로(contralateral crossover approach) 그리고, 동측 발에서 후향적 접근법이 있음.

1) 동측 전향적 접근법

- 주로 고립된 무릎아래 병변만 목표로 시술할 경우 우선적으로 선택
- 반대측 역방향 접근에 비해 카테터와 유도철사를 쉽고 정교하게 조작 가능
- 목표 병변까지 이르는 거리가 짧아 가이딩 카테터에 대한 지지력이 우월
- 가이딩 카테터의 직경도 상대적으로 가는 것 사용 가능
- 목표 병변 가까이에서 시술을 진행할 수 있어 조영제의 사용량도 적음
- X-선의 피폭량도 적음

2) 반대측 접근로

- 대퇴부 천자 부위의 합병증이 더 적음
- 반대편 쪽에서 시술하고 지혈하게 되므로, 지혈하는 쪽의 혈류 감소가 시술 결과에 별다른 영향을 미칠 요소가 없다고 생각하기 때문

3) 동측 발 부위 동맥이나 원위부 경골동맥에서 후향적 접근법

- 근위부 기시부가 전혀 실마리가 없거나, 내막하 시술 진행 중 가이드 와이어가 진강(TRUE LUMEN)내로 도저히 진입할 수 없는 경우 사용
- 주로 21G 천자 바늘, 미세천자 세트(micropuncture set, Cook사), 정맥주사용 플라스틱 바늘 등을 사용해 초음파 또는 방사선 투시 유도(fluoroscopy guide)하에 천자
- 발은 발등동맥 또는 전측 경골동맥으로 접근할 때 발바닥쪽 굽힘(plantar flexion) 상태를 유지해야 하며 원위 비골동맥으로 접근할 경우 내측으로 회전이 추가되어야 한다.
- 후경골동맥으로 접근시 발등쪽으로 굽힘(dorsi flexion) 상태로 천자(그림 6-23A)
- 천자가 어려울 경우 국소마취 후 수술적 접근 가능하며 유도초를 제거 후 혈관을 봉합해 주면 지혈을 할 수 있다(그림 6-23B).
- 0.014 또는 0.018 인치 가이드 와이어를 사용해 목표 병변에 후향적 방법으로 가이드 와이어의 통과를 성공적으로 시행하여 시술

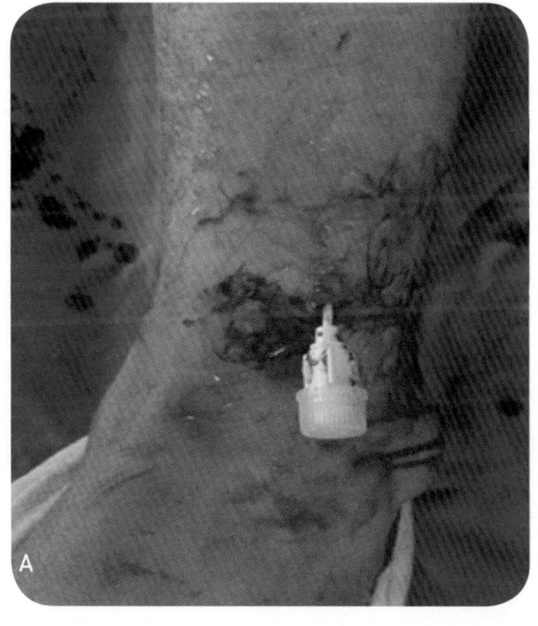

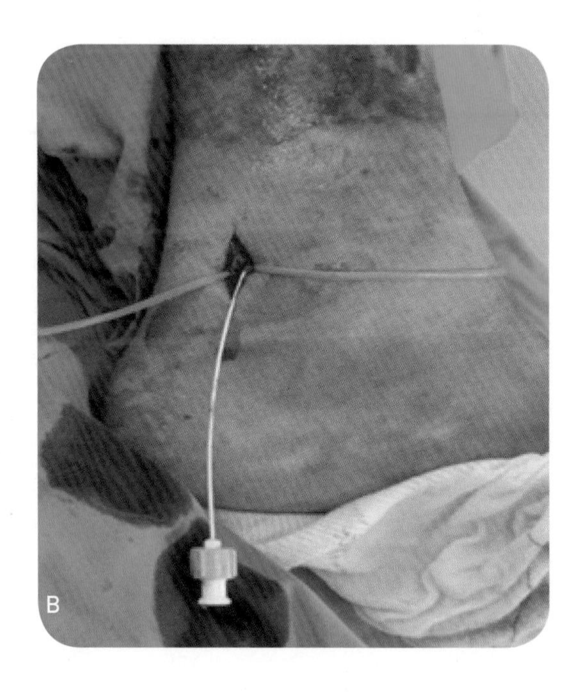

그림 6-23
A. 경피적 4Fr 유도초 삽입, B. 수술적 4Fr 유도초 삽입

3. 목표 혈관치료를 위한 가이딩 카테터(Guiding catheter)설치

1) 동측 전향적 접근법의 경우

(1) 5-6Fr Ansel 가이딩 유도초
(2) Shuttle® 가이딩 유도초(Cook 사)

2) 반대측 접근로의 경우

(1) 6-8Fr Balkin 유도초
(2) Ansel checkflo® 유도초
(3) Shuttle® 유도초

4. 가이드 와이어를 이용한 일차적 병변 통과

1) 진강 가이드 와이어 통과(Intraluminal wiring) 또는 내막하 가이드 와이어 통과(Subintimal wiring)를 선택

(1) 미세혈관 통로(Microchannel)가 관찰될 경우

0.014인치 부드러운 가이드 와이어를 통과시킨 후 풍선 혈관성형술 시행

(2) 만성 폐색 병변 (Chronic total occlusion, CTO)

① 병변의 길이가 상대적으로 짧고, 원위부 남은 부위(distal stump)가 분명하면 진강 가이드 와이어 통과를 우선적으로 시도
② Over-the-wire 풍선이나 마이크로 카테터 지지 하에 가이드 와이어 원위부 끈 부위의 구부러짐(wire distal tip bending)을 작게 할 수 있는 0.014 인치 부드러운 가이드 와이어인 Regalia, Journey, command ES 등을 이용해 루프 와이어 기법(loop wire technique)으로 발목아래 부위 병변에서 0.014 인치 내막하 혈관성형술(below ankle 014 subintimal angioplasty)을 시도
③ 말초동맥 만성 폐색 병변용 전용 가이드 와이어
- 0.014인치 가이드 와이어: Command ES, Winn 40, 80, 120, 200T(Abbott 사), Approach CTO 6, 12, 18, 25 g (Cook 사), Astato 20 g(Asahi 사)
- 0.018 인치 말초동맥 완전 폐색 병변 가이드 와이어: V-18/Victory (Boston Scientific 사), Connect Flex 12 g, Connect 250T (Abbott 사), Treasure 12 g, Astato 30 g (Asahi사)

(3) 완전 폐색 병변이 아닌 무릎아래 동맥 병변들을 위한 단순 가이드 와이어

말초동맥용 부드러운 0.014 인치 가이드 와이어들인 HydroST (Cook 사), Regalia (Asahi 사), Nitrex (EV3), Journey (Boston Scientific 사), Command (Abbott 사)

(4) 진강 가이드 와이어 통과를 할 때에는 지지용(Supporting) 마이크로 카테터

① 2.6Fr CXI® 018/CXC 014(Cook)
② Rubicon™ 014/018(Boston)
③ Trailblazer™ (Covidien)
④ 2.4Fr Renegade® STC 18(Boston Scientific)

(5)후향적 접근법

① 천자 바늘을 선택할 때에도 천자 부위에 따라 서로 다른 길이의 21G 천자 바늘을 사용하는 것이 편리
② 천자의 요령은 방사선 투시상 혈관과 일직선상에 바늘을 위치시켜 준비하고, 90° 다른 각도에서 깊이를 관찰하면서 시도
③ 전경골동맥은 골간막 앞쪽에 있으며, 접근은 전경골동맥의 근위부 1/3 지점에서 천자하는 것이 용이
④ 후경골동맥이나 비골동맥: 골간막 뒤쪽에 위치하며, 특히 후경골동맥은 원위부 발부위 접근로(distal pedal approach)가 상대적으로 용이하며 중간 경골 부위보다 근위부에서는 4Fr 유도초를 삽입하여 사용 하거나 유도초 없이(sheathless) 마이크로 카테터를 삽입하여 진행할 수 있다.
⑤ 지지용 카테터는 018 또는 014 CXI®, Rubicon™, Traiblazer™를 주로 사용
⑥ 후향적 가이드 와이어 접근법을 시행할 때 후향적 내막하 가이드 와이어 통과를 시도하여 전향적으로 진입한 가이드 와이어와 함께 가이드 와이어 마주침(wire kissing)을 시도
⑦ 가이드 와이어 마주침이 어려운 경우에는 후향적 풍선확장을 하고 전방 만성폐색병변용 가이드 와이어 통과를 시도하는 CART (controlled antegrade and retrograde subintimal tracking) 기법을 사용
⑧ 전방 부위 풍선(antegrade ballooning) 후 후향 만성 폐색 병변 가이드 와이어 통과를 시도하는 reverse CART 기법 사용
⑨ 전방과 후방에서 동시에 풍선(antegrade and retrograde double ballooning)을 한 후 가이드 와이어 통과를 진행하는 방법이 유용할 때도 있음
⑩ 일단, 후향적 가이드 와이어가 성공적으로 만성 폐색 병변을 통과하면, 전향적 접근로 에서 카테터나 유도초로 가이드 와이어를 바깥으로 꺼내는 것(wire externalization)을 시도하고, 그 이후 표준 풍선 혈관성형술을 시행(그림 6-24, 25).

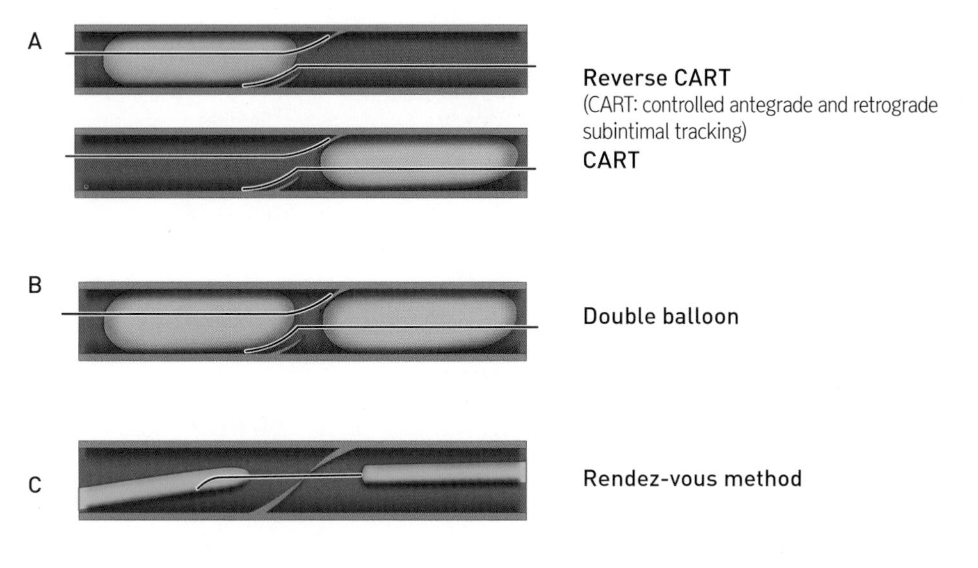

그림 6-24 다양한 만성혈관폐쇄에서 가이드 와이어 통과 시키는 방법

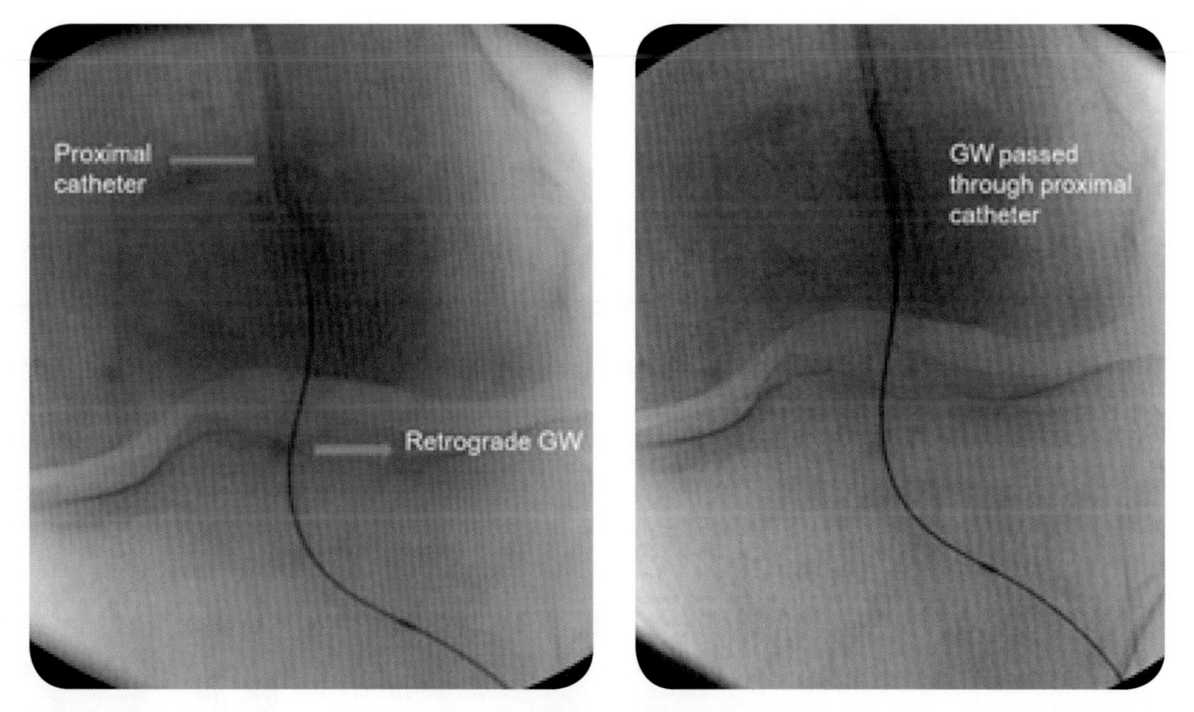

그림 6-25 Rendez-vous method : 후향적 가이드 와이어가 성공적으로 만성 폐색 병변을 통과하면, 전향적 접근로에서 카테터로 가이드 와이어를 바깥으로 꺼내는 것을 시도

5. 풍선 혈관성형술

1) 일단 가이드 와이어가 성공적으로 통과한 다음에는 적절한 풍선을 선택하여 표준 압력에서 풍선의 허리(waist)나 함몰 부위(indentation)가 충분히 다 펴지는지 관찰하고, 그렇지 않으면 더 높은 압력으로 풍선 혈관성형술을 진행

2) 일반적으로 풍선 확장 시간은 최소 2-3분 시행하고, 필요하다면 반복적으로 여러 차례 시행 가능

3) 우리나라 환자들에서는 근위부에서 중간부 경골동맥(proximal to mid tibial artery) 직경의 정도는 2.5~3.0 mm, 그 하방은 2 mm, 발목아래는 1.5 mm 정도가 평균

4) 원위부 경골동맥부터 발목아래 부위는 2.0/1.5 mm 혹은 2.5/2.0 mm 가늘어지는 풍선(tapered balloon)을 사용 할 수 있다.

5) 현재 국내에서 사용할 수 있는 무릎아래 병변용 풍선들은 표 6-1과 같다.

표 6-1 Balloon for BTK balloon

	014	018	035
Abbott	Armada 14	Fox cross	Armada 35
Boston	Coyote (M)	Sterling, ***Ranger (DCB)***	*Mustang (NC)*
Cook	Advance 14 (M)	Advance 18	Advance 35
Cordis	Sleek (M)	Savvy	PowerFlex
Medtronic	Amphirion (M)		***InPact (DCB)***
Covidien	Nanocross		Evercross
Biotronik	Passeo 14	Passeo 18 ***Passeo-19 Lux (DCB)***	Passeo 35 *Passeo 35-HP (NC)*
Bard			Rival, *Conquest (NC)* ***Lutonix (DCB)***

*M; monorail type available NC; Non-compliant balloon DEB; Drug-eluting balloon

6. 스텐트 설치술

적응증은 풍선 확장술 후 국소적 박리나 급성 폐쇄 또는 재수축(recoil) 발생 시 주로 사용 특히 무릎 병변 부근에 스텐트를 사용 한다면 현재는 골절률이 낮은 스텐트가 추천됨(그림 6-26).

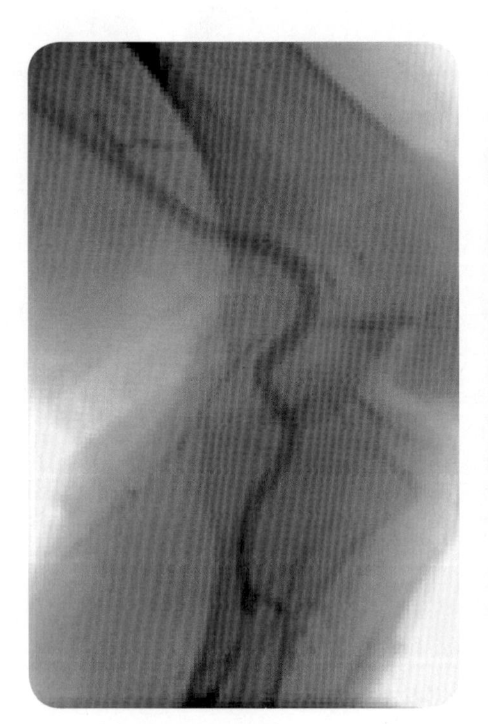

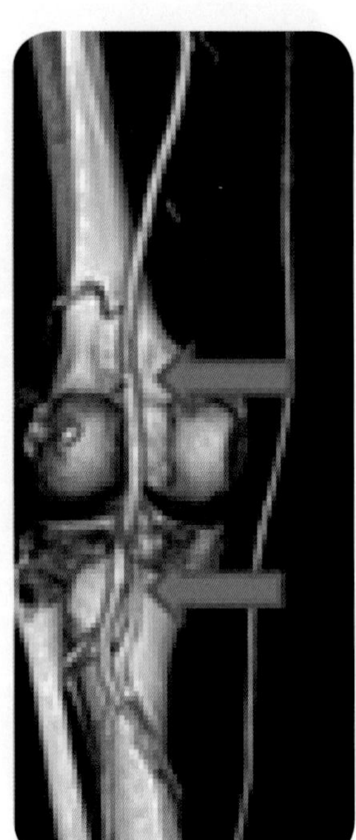

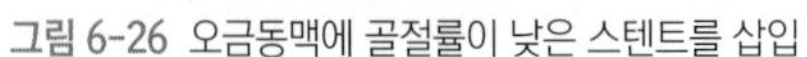

그림 6-26 오금동맥에 골절률이 낮은 스텐트를 삽입

CHAPTER 7

장혈관질환의 수술 및 혈관내 치료

Surgical and endovascular treatment of mesenteric arterial diseases

서론

장혈관은 복강내부의 장기로 혈류를 공급하는 혈관으로 3개의 혈관, 즉 복강동맥, 상장간막동맥, 하장간막동맥으로 이루어져 있다. 일반적으로 복강동맥과 상장간막동맥은 첫 번째 요추 높이에서 몇 센티 간격을 두고 대동맥의 앞 벽에서 분지하며, 하장간막동맥은 세 번째 요추높이에서 대동맥의 앞 벽에서 분지한다. 이 혈관들 사이에는 측부순환이 잘 이루어져 있어 하나 혹은 두 개의 장혈관이 점진적인 폐색이 진행될 경우에도 다른 장혈관의 측부 혈관이 발달하므로 장기의 허혈이나 괴사가 유발하지 않을 가능성이 높다.

그러나 급성 혈관 폐색은 장기 허혈을 일으켜 장기의 괴사를 유발하므로 막힌 혈관을 빨리 재개통 시켜야한다.

이와는 달리 만성적으로 세 혈관 모두 혹은 두 혈관의 폐색이 될 경우에 만성장간막허혈증이 발생하는데, 식후 15~30분 이내에 복통이 발생하며 이 통증은 5~6시간까지 지속된다. 이 때문에 음식 섭취를 꺼리게 되어 만성 장간막허혈증 환자들은 평균 10~15 kg의 체중 감소가 발생한다. 이러한 만성 장간막허혈증은 음식섭취 장애뿐만 아니라 장기괴사가 발생한 가능성 또한 높아 이에 대한 처치가 요구된다. 따라서 본 장에서는 급성 혈관 폐색이 가장 빈번하고 처치가 필요한 급성 상장간막동맥 폐색의 혈전 제거술과 만성장간막동맥 허혈증의 수술 및 혈관 내 치료을 기술하고자 한다.

I. 급성 상장간동맥 폐색의 혈전제거술

1. 적응증

상장간막동맥의 혈전에 의한 폐색으로 장의 허혈이 발생하여 장기의 괴사가 진행되었거나 진행될 가능성이 높은 경우 혈전 제거술을 시행한다.

2. 수술 전 처치

수술 전 항응고 요법을 시행하고 광범위 항생제를 투여하여야 한다.

또한 저혈량 쇼크가 올 수 있으므로 수액 공급 및 전해질 공급을 충분히 하여야 한다.

장마비에 의한 위장관에 내용물이 많을 시 필요에 따라 비위관 삽관을 한다.

3. 마취

전신마취를 한다.

4. 환자자세

Supine position

5. 절개 및 노출

검상돌기로부터 배꼽까지 정중선을 절개하고 견인기로 절개창을 확대한다.

6. 수술과정

상장간막동맥을 접근하는 방법은 주로 세 가지 접근법이 사용된다.

하나는 횡행결장의 장간막 기저부를 통한 전방 접근법, 또 하나는 소장을 우측으로 이동시키고 상잔간막 동맥의 좌측으로 접근하는 측방 접근법, 다른 하나는 췌장 하부를 통한 접근법이 있다.

일반적으로 빠르게 상장간막동맥을 접근하기 위해서는 주로 전방 접근법과 측방 접근법이 많이 사용된다.

1) 전방 접근법

개복 후 위와 횡행결장, 대망을 상방으로 견인하고 소장을 하방으로 견인하여 횡행결장의 장간막 하부를 노출시킨다.

장간막하부의 복막을 공장 기시부에서부터 우측으로 가로 절개한 후 중결장동맥를 찾아 동맥의 근위부로 따라 올라가 상장간막동맥을 찾는다(그림 7-1).

2) 측방 접근법

개복 후 위와 횡행결장, 대망을 상방으로 견인하고 공장 기시부를 우측으로 견인 후 십이지장 네 번째 부위를 고정하고 있는 트라이츠 인대와 복막에서 십이지장을 박리하여 상장간막 동맥을 찾는다(그림 7-2).

3) 췌장 하부를 통한 접근법

개복 후 소망낭를 열고 위는 상부로 소장은 하부로 견인한다. 췌장이 관찰되면 췌장 하부의 후복강을 세로로 절개한 후 상장간막 동맥을 박리한다(그림 7-3).

위와 같은 방법으로 상장간막 동맥을 찾을 수 있으며 대부분 촉지를 통해 동맥의 대략적인 위치를 확인할 수 있다. 박리하는 과정에서 상장간막정맥이 손상되지 않도록 주의한다.

상장간동맥을 찾았으면 중결장동맥과 우결장동맥 분지 사이를 조심스럽게 박리하여 동맥을 노출 시킨다.

박리된 동맥의 근위부와 원위부 와 이 구간에서 분지하는 동맥들도 각각 박리하여 혈관 루프를 이용하여 조심스럽게 혈류를 차단한다.

11번 칼날를 이용하여 상간막동맥을 가로방향으로 2~3 mm 절개 후 pott scissors를 이용하여 혈전이 나올 수 있는 크기로 절개창을 확대한다.

3번 포가티 풍선 카테터를 이용하여 혈전을

제거한다. 풍선을 조금이라도 과도하게 확장하면 동맥 파열의 가능성이 있기 때문에 적절한 압력을 주면서 혈전제거를 시행한다. 혈전이 제거되면 단섬유, 비흡수 봉합사(6-0, 7-0)를 이용하여 혈관 봉합을 시행한다(그림 7-4).

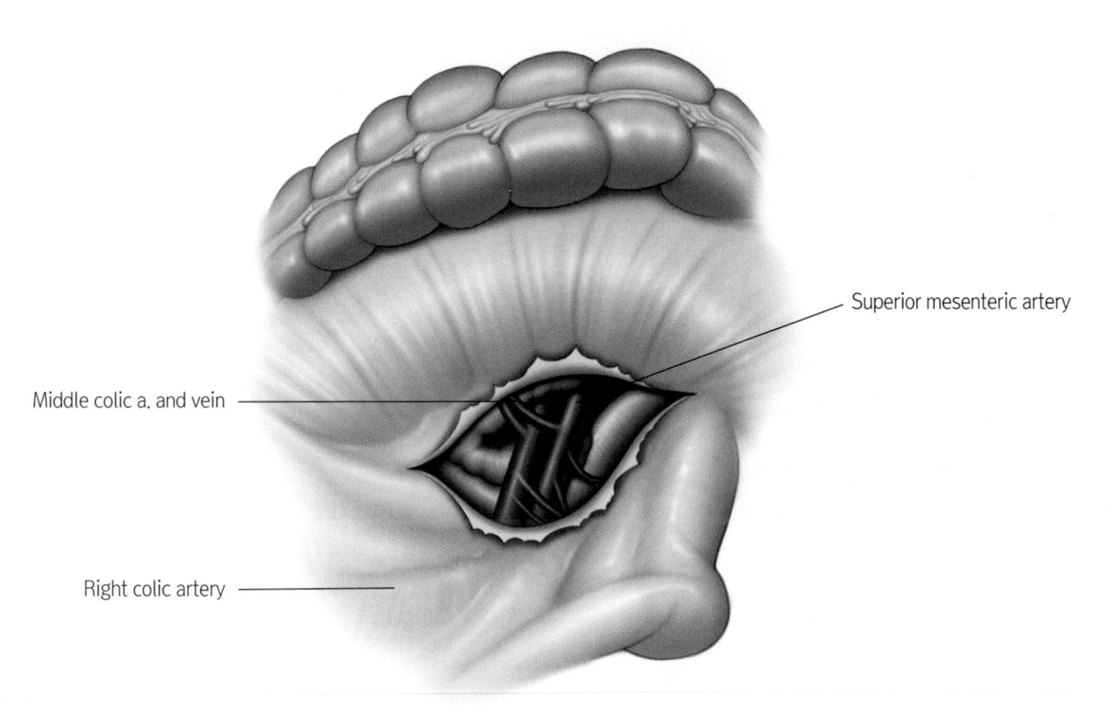

그림 7-1 횡행결장의 장간막 기저부를 통한 전방 접근법

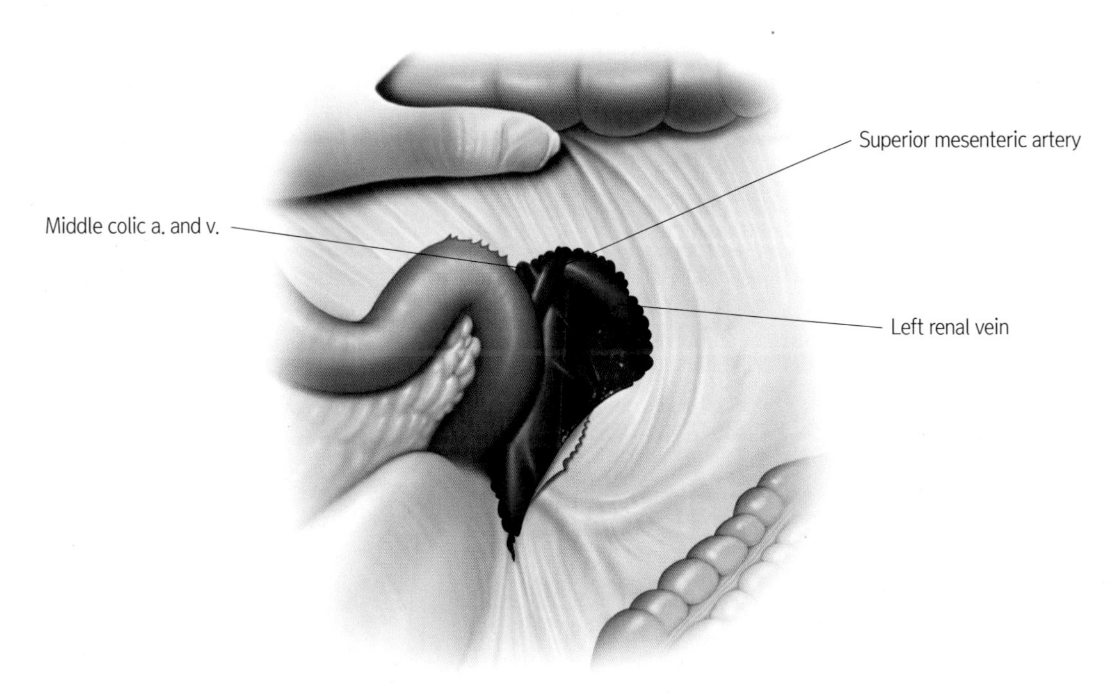

그림 7-2 상장간막 동맥의 좌측으로 접근하는 측방 접근법

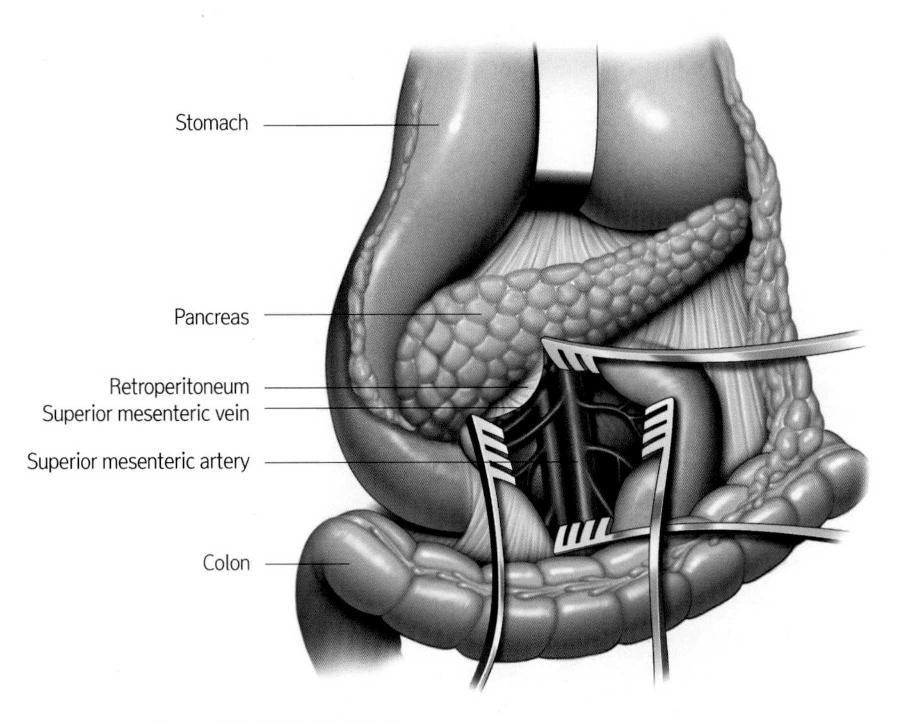

그림 7-3 췌장 하부를 통한 접근법

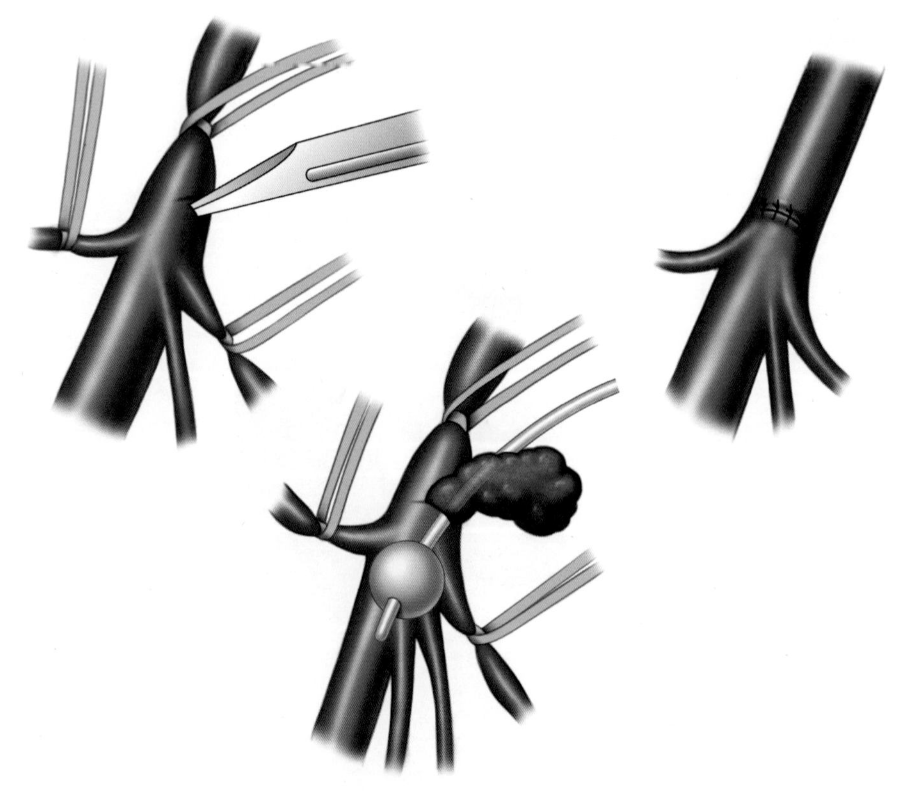

그림 7-4 동맥절개, 포가티풍선 카테터를 이용한 혈전제거, 혈관 봉합

II. 장간막동맥 우회술

1. 적응증

상장간동맥이나 복강동맥이 동맥경화 등의 원인으로 협착이 생겨 발생한 혈전이 발생한 경우나, 두 개이상의 장혈관 폐색으로 만성장간막허혈증이 발생한 경우 복강동맥이나 장간막동맥 우회술을 시행한다.

2.마취

전신마취를 한다.

3. 환자자세

Supine Position

4. 절개 및 노출

검상돌기로부터 배꼽까지 정중선을 절개하고 견인기로 절개창을 확대한다.

5.수술 과정

유입혈관의 선택에 따라 전향성 우회술과 후향성 우회술을 시행할 수 있다.

1) 선행 우회술

복강동맥 상부와 복강동맥 박리를 위해 간의 좌측 삼각인대를 절개한다. 좌측인대를 절개하면서 우측으로 전개할 때 대정맥과 간정맥이 손상되지 않도록 조심스럽게 박리한다.

이렇게 해서 간의 좌엽이 분리되면 좌엽을 아래로 접고 우측으로 젖힌다. 이때 역트렌델렌부르크 자세를 취하면 수술 시야가 좀 더 확보될 수 있다. 그 후 위간인대를 절개한다. 이때 좌간동맥에서 나온 좌위 동맥이 위간인대를 통과하여 지나갈 수 있으니 주의한다.

인대가 절개되면 식도와 위를 좌측으로 밀어낸다. 비위관이 삽입되었다면 쉽게 식도를 확인할 수 있다.

정중활꼴인대를 대동맥주행 방향을 따라 절개하고 횡격막의 측부다리를 가로로 절개한다. 이 때 흉강이 열리는 경우가 종종 있으므로 수술 직후 흉부 X-ray를 반드시 시행한다. 이후 후복막을 절개하면 대동맥이 나타난다. 복강동맥 분지 상부의 대동맥을 약 6 cm 정도 박리하여 상부 문합부위를 확보한다(그림 7-5).

복강축은 박리 후 남아있는 횡경막 섬유와 celiac ganglion 같은 신경섬유가 둘러싸고 있으므로 이를 조심스럽게 박리하고 약 복강동맥분지에서 3 cm 정도의 문합부위를 확보한다. 문합부위의 확보가 어려울 시 비장동맥와 좌위동맥의 분지를 결찰할 수도 있다.

상장간막동맥 박리는 전장에 기술되어 있으며 우회술에서는 일반적으로 췌장하부를 통한 접근법이 주로 사용된다. 문합을 위해서는 약 2 cm 정도의 동맥을 확보한다(그림 7-3).

우회술에 이용할 혈관으로는 자가정맥이나 인조혈관을 이용하며, 자가혈관의 경우 장이 내려가면서 꺾이는 현상이 발생할 가능성이 있어 복강내 감염이 없다면 인조혈관을 더 추천한다.

인조혈관으로는 12 mm x 7 mm, 12 mm x 6 mm의 분지된 데이크론을 주로 사용하나 ePTFE나 자가대퇴 정맥을 사용할 수 있다. 여기서는 분지된 데이크론를 이용한 방법을 설명하고자한다.

박리된 복강동맥상부에 인조혈관의 상부를 위치하고 인조혈관의 한쪽다리는 복강동맥에 다른 한쪽 다리는 췌장의 뒤로 터널링하여 상장간막 동맥에 위치한다. 터널링 시 상장간막정맥이나 비장정맥이 손상되지 않도록 주의한다.

상부문합 시 복강동맥까지의 거리가 짧기 때문에 인조혈관의 몸체(body)는 가능한 짧게 한다. 대동맥 문합은 단섬유, 비흡수 봉합사(3-0)를 이용하며 side to end로 하부의 복강동맥은 5-0를 이용하여 단단문합을 하고, 상장간막 동맥은 복강동맥은 비흡수 봉합사(5-0)를 이용하여 단측문합을 한다(그림 7-6).

문합이 완료되면 상장간막동맥 문합부위의 열린 후복막을 다시 닫아주어 장에 닿지 않도록 하며 상부는 닫아주지 않아도 된다.

2) 역행 우회술

유입혈관으로는 신장동맥분지 하부 대동맥 혹은 우측이나 좌측 총장골동맥을 사용할 수 있다. 가능한 동맥경화가 덜된 곳을 선택하여야 한다. 일반적으로 상장간막동맥이나 복강동맥 하나만 연결할 시 선행 우회술보다 수술이 더 쉽다.

신장동맥 기지부 하방의 대동맥앞에 있는 후복강을 대동맥 주행을 따라 절개하여 총장골돔맥분지까지 대동맥을 박리한다. 상장간막동맥 박리는 측방접근법을 이용한다.

(그림 7-6)과 같이 대동맥과 상장간막동맥의 가까운 부위에 우회술을 시행할 수 있다(그림 7-7). 이 경우는 수술이 비교적 간단하나 수술 후 장이 내려오면 문합부위가 꺾이는 단점이 있어 추천되지는 않고 뒤집힌 C-loop 형태의 우회술을 추천한다. 이식편은 6, 7 mm ePTFE나 데이크론을 선택한다(그림 7-8).

터널링 시 아래에서 위로 뒤로 갔다 앞으로 오는 뒤집힌 C-loop 모양을 만들고 장이 내려오더라도 이식편이 꺾이지 않도록 한다. 장골동맥 문합부위는 앞, 위쪽으로 상장간막동맥은 앞 좌측으로 문합부위를 형성한다. 문합이 끝나면 열린 후복막은 다시 닫아주어 장에 닿지 않도록 한다.

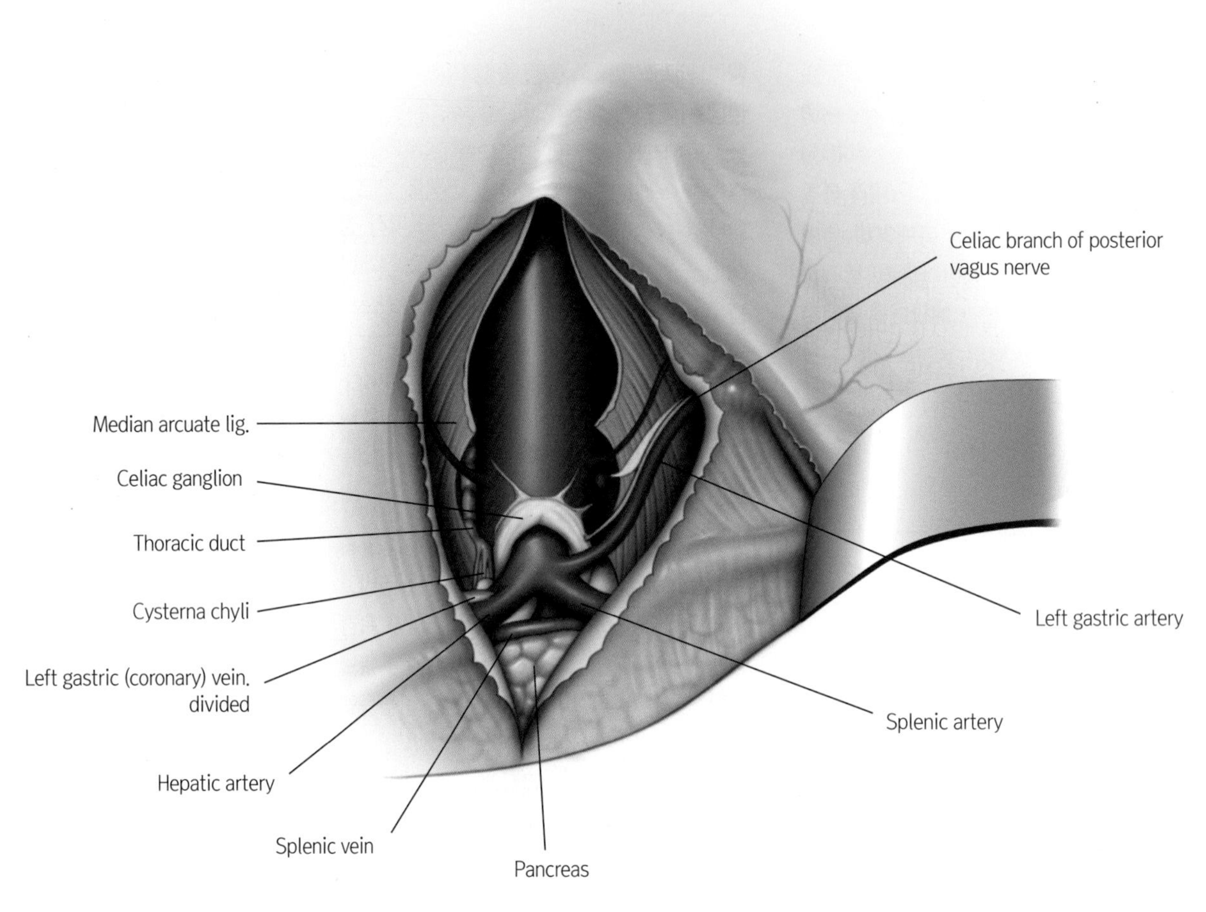

그림 7-5 정중활꼴인대와 후복막을 열어 복강동맥과 상부 대동맥을 노출시킨다.

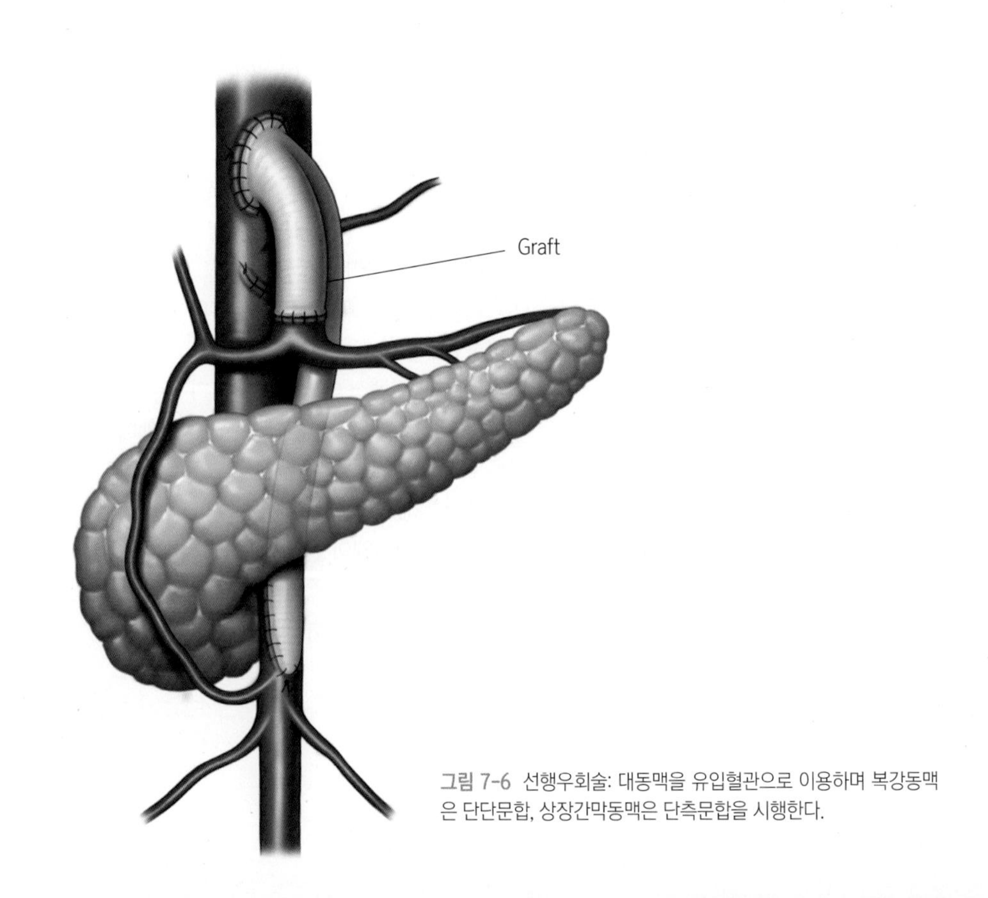

그림 7-6 선행우회술: 대동맥을 유입혈관으로 이용하며 복강동맥은 단단문합, 상장간막동맥은 단측문합을 시행한다.

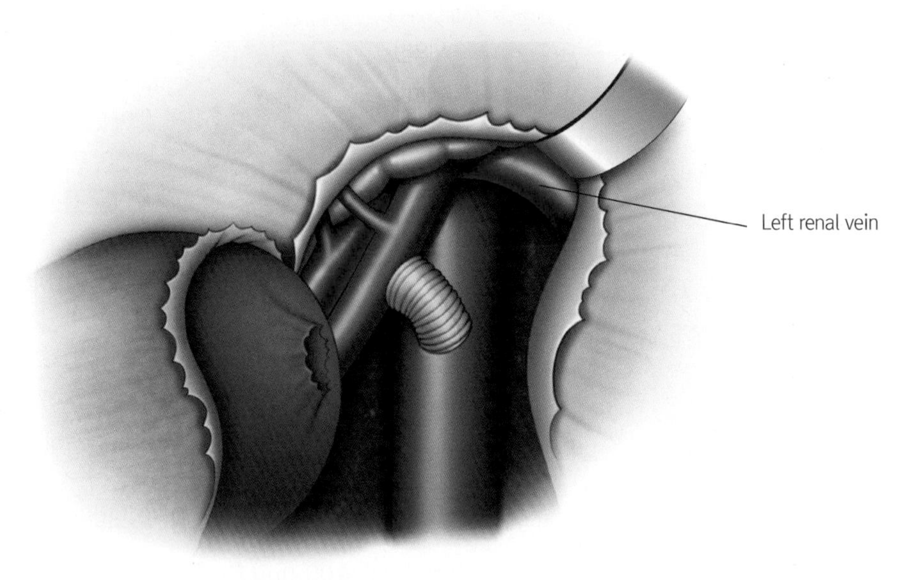

그림 7-7 대동맥과 상장간동맥을 짧게 연결하는 역행우행술

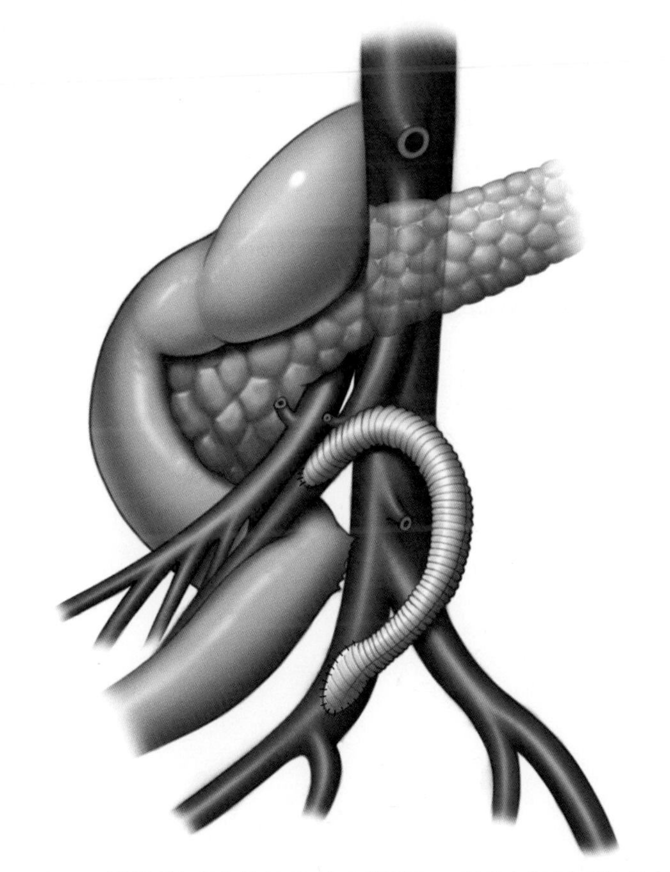

그림 7-8 C-loop 역행우행술: 우측 총장골동맥을 유입혈관으로 이용하여 상장간동맥을 측단문합한다.

III. 혈관내 치료

1. 적응증

상장간동맥이나 복강동맥이 동맥경화에 의한 협착 등에 의하여 혈전이 발생하거나 두 개 이상의 장혈관 폐색으로 만성 장간막 허혈증이 관찰되지만 장괴사가 발생하지 않은 경우, 복강동맥이나 장간막동맥에 혈관내 치료를 시행할 수 있다. 일반적으로 장간막동맥을 재개통을 주목적으로 한다.

2. 수술 전 유의 사항

예방적 항생제를 사용한다.

상장간막동맥의 협착이나 폐색은 대부분 기시부에서 몇 센티 내에 존재하여, 특히 기시부가 막혀 있을 경우 혈관 내 진입이 쉽지 않다. 또한 혈관이 작아 시술 중 혈관 박리, 색전, 혈관 파열의 위험성이 있어 응급 개복수술을 미리 준비하여야 한다.

3. 마취

천자 부위만 국소 마취를 한다.

4. 환자 자세

Supine position

5. 시술

대부분은 총대퇴동맥을 통하여 후향성 접근을 하지만 총대퇴동맥으로 접근이 어려울 경우나 장혈관으로 진입이 어려울 경우 , 좌측 상완동맥을 통하여 전향성 접근을 시행할 수 있다.

5Fr introducer sheath를 삽입 후 pig tail을 이용하여 동맥조영술을 시행한다. lateral view를 이용하여 복강동맥과 상장간막 동맥의 기시부를 확인하고 anteroposterior view를 통하여 측부 혈관의 혈류를 확인한다. 혈관내 치료가 가능하다 판단되면 6 Fr sheath로 교체한 후 헤파린을 80~100 unit/kg를 정맥 투여한다. 대퇴동맥에서 접근할 때는 hydrophilic 0.035 inch angled wire와 끝 부위가 휘어져 있는 카테터(예를 들면 cobra2)를 이용하면 장혈관에 wire를 삽입할 수 있다. 0.35 inch wire가 들어가지 않을 경우 0.018이나 0.014 inch wire 도 사용할 수 있다. wire가 협착이나 폐색 부위를 통과하면 카테터를 넘긴 후 혈관 조영술을 시행하여 혈관내로 잘 진입했는지, 색전 발생유무, 다른 협착 부위유무, 동맥 박리들을 확인한다(그림 7-9). 병변이 애매할 경우 병변 전후의 혈압차를 측정하여 10 mmHg 이상 된다면 이상이 있는 병변으로 판단한다.

병변이 거의 막혔을 경우 1.5~2.5 mm 관상동맥용 풍선을 이용하여 pre dilatation을 해준다. 구경이 큰 풍선과 스텐트를 삽입하기 위해 stiff wire로 교체한다.

석회화가 심하거나 막힌 경우, 박리가 있는 경우는 일차적으로 스텐트를 삽입하고, 기시부에 병변이 있는 경우 5-7 mm balloon expandable stent를 대동맥으로 1-2 mm 정도 나오게 삽입한다(그림 7-10).

그 외의 경우는 풍선확장술를 시행한다.

풍선확장술을 시행한 후에도 30% 이상 협착이 남아있거나 병변 전후 혈압차가 10 mmHg 이상 남아있는 경우 stent를 삽입한다. 시술 후 측부, 앞뒤로 동맥조영술을 시행하여 시술부위를 최종 확인한다.

와이어 나 카테터의 자극으로 동맥경련이 발생한 경우 동맥 내로 니트로글리세린 20 mcg 나 파파베린 30 mg를 투여한다.

혈전이 발생한 경우는 catheter로 흡인을 하고 혈전이 남아있다면 혈전 용해술을 시행하며, 만약 장허혈이 진행되면 개복하여 혈전제거를 시행한다.

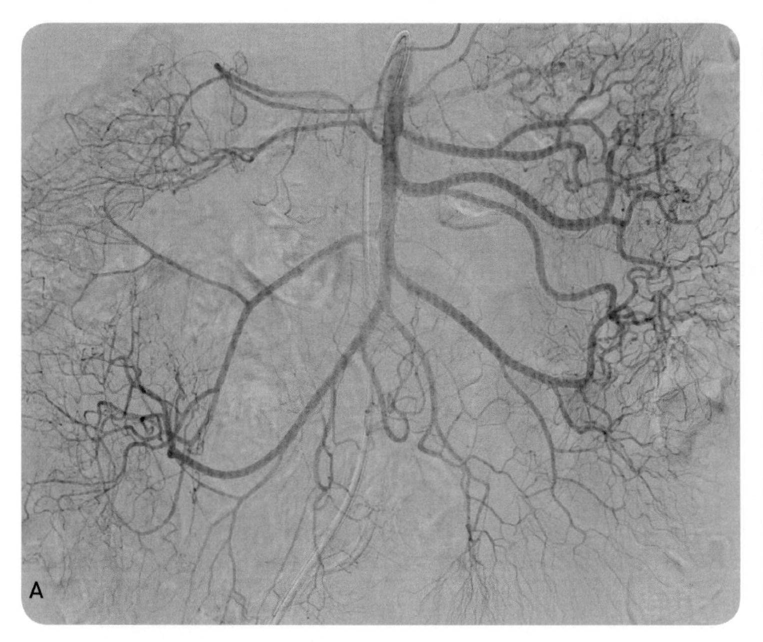

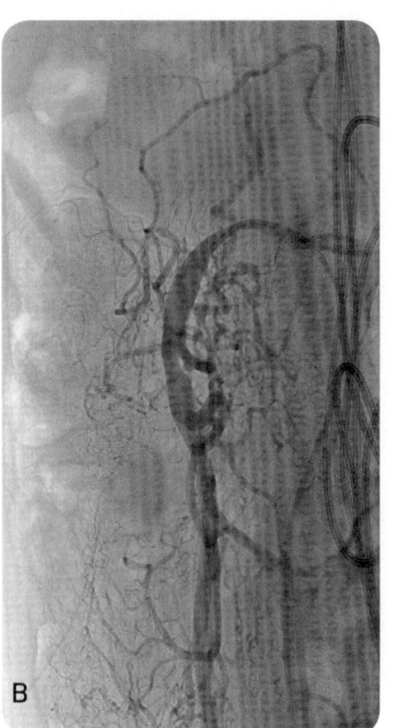

그림 7-9 상장간막 동맥기시부에 카테터 삽입 후 혈관조영술을 시행하여 협착부위를 확인한다.

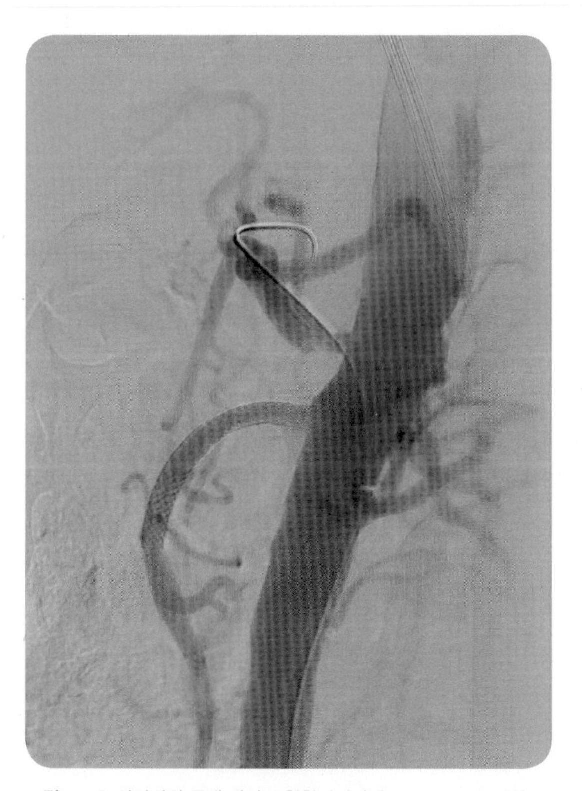

그림 7-10 상장간막 동맥 기시부 협착변병변에 6 mm stent 삽입

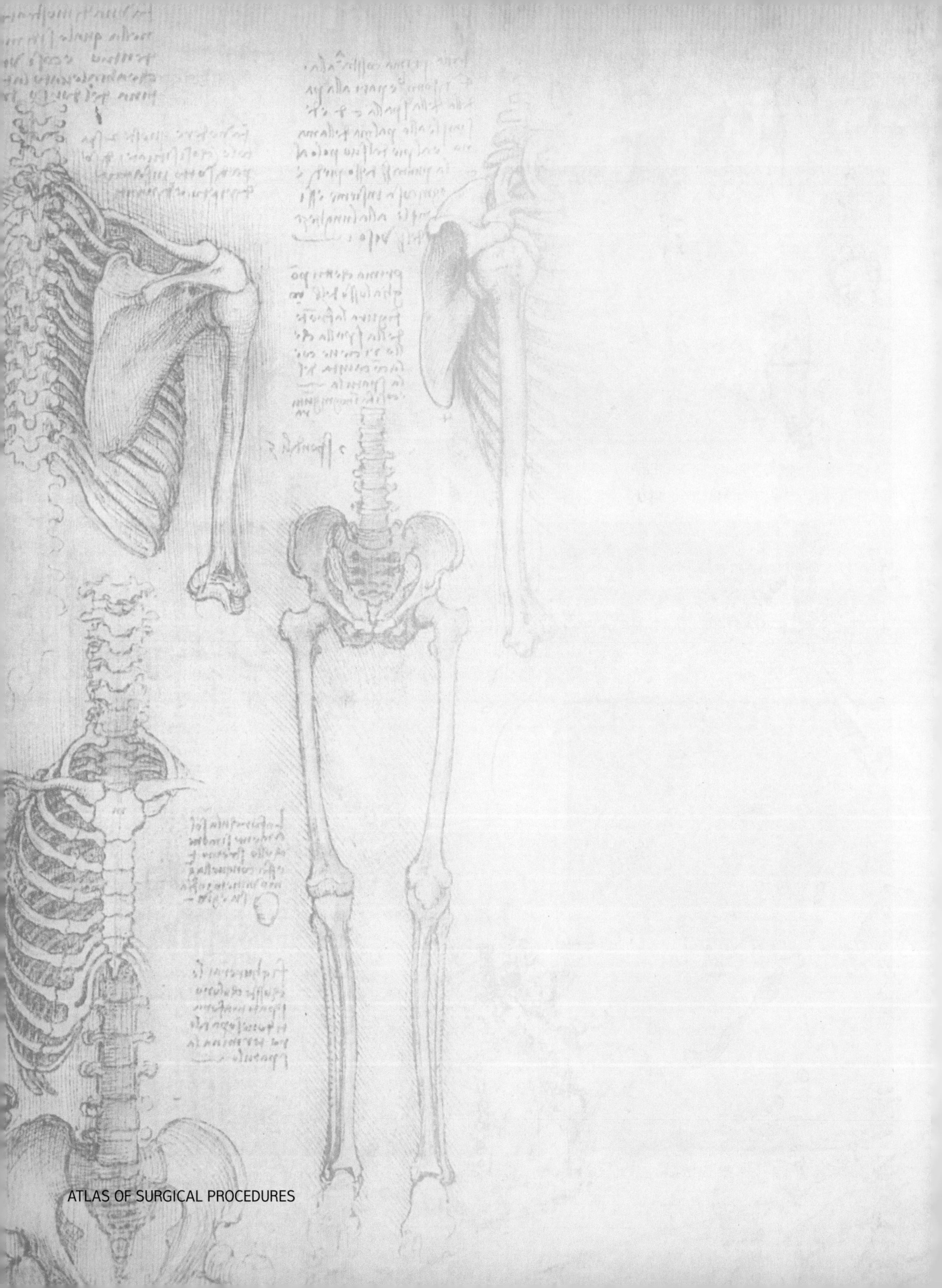

ATLAS OF SURGICAL PROCEDURES

CHAPTER 8

급성 동맥폐색증: 수술 및 혈관내치료

Acute limb ischemia: surgical and endovascular treatment

1. 적응증

상하지 동맥의 급성 색전증 또는 혈전성 폐색에서 시행된다.

2. 비적응증

하지 허혈증의 정도를 Rutherford 분류(표 8-1)로 구분했을 때 3기의 경우는 이미 하지의 허혈정도가 심하여 혈관 재개통술을 시행하더라도 하지의 구제가 힘든 상황이고 재관류 손상으로 인해 합병증이 호발 함으로 이러한 경우는 하지 혈관 재개통술은 시행하지 않고 일차적 절단을 고려한다. 혈관내 치료 시 혈전용해제를 사용하는 경우 출혈의 위험성이 증가함으로 최근 3개월 내의 뇌출혈, 신경외과적 수술 및 머리뇌 외상 또는 출혈성 소인 및 진행 중인 내장출혈이 있는 경우에는 금기이다.

3. 수술 전 처치

급성 동맥폐색증의 일차적 치료 목표는 혈전의 파급을 막아 상하지 허혈증의 진행을 막는 것이므로 헤파린을 이용한 항응고요법을 진단 즉시 가급적 빨리 사용한다. 급성 동맥폐색증의 일반적인 항응고요법은 비분획헤파린의 정맥주사를 사용한다.

4. 마취

전신마취 또는 국소/수면마취 가능

5. 환자자세

급성 하지동맥폐색증의 경우 서혜부 대퇴동맥을 통한 접근이 주로 사용되므로 앙아위에서 고관절은 약간 굽히고 외회전된 자세로 수술을 시행한다. 급성 상지동맥폐색증의 경우 팔꿈치 부위의 위팔동맥을 통한 접근이 주로 사용되므로 팔을 벌린 상태에서 수술을 시행한다.

6. 수술준비

수술 전 환자의 심장질환의 과거력, 하지파행증의 유무 및 심전도에서 심방세동의 유무를 확인하여 환자의 증상이 급성 색전증 또는 혈전증에 의한 것임을 감별하는 것이 중요하다. 시간적인 여유가 있는 경우 전산화단층혈관조영술을 통하여 폐색부위 및 길이를 확인하고 색전증과 혈전증의 감별이 수술을 계획하는 데 도움을 줄 수 있다. 정맥편의 이식이 필요할 것으로 예상되는 경우 술 전 또는 마취 중 대복재정맥의 지도화(mapping)를 시행한다. 최근 수술 후 혈관조영술이 보편화되고 있으며 여러 가이드라인에서 권장하고 있어 수술 후 mobile C-arm 등을 이용한 혈관조영술을 준비한다.

표 8-1 Separation of threatened from viable extremities

Category	*Description/ prognosis*	*Findings*		*Doppler signals*[†]	
		Sensory loss	*Muscle weakness*	*Arterial*	*Venous*
I. Viable	Not immediately threatened	None	None	Audible	Audible
II. Threatened					
a. Marginal	Salvageable if promptly treated	Minimal (toes) or none	None	(Often) inaudible	Audible
b. Immediate	Salvageable with immediate revascularization	More than toes, associated with rest pain	Mild, moderate	(Usually) inaudible	Audible
III. Irreversible	Major tissue loss or permanent nerve damage inevitable	Profound, anesthetic	Profound, paralysis (rigor)	Inaudible	Inaudible

[†]Obtaining an ankle pressure is very important. However, in severe ALI, blood flow velocity in the affected arteries may be so low that Doppler signals are absent. Differentiating between arterial and venous flow signals is vital: arterial flow signals will have a rhythmic sound (synchronous with cardiac rhythm) whereas venous signals are more constant and may be affected by respiratory movements or be augmented by distal compression (caution needs to be taken not to compress the vessels with the transducer). Reproduced with permission from Rutherford RB *et al. J Vasc Surg* 1997;26(3):517-538.

7. 수술과정

1) 수술적 치료–혈전, 색전제거술 (Fogarty thromboembolectomy)

(1) 절개 및 노출

(그림 8-1) 하지동맥 혈전제거술의 표준적인 피부절개는 서혜부 종절개(vertical femoral incision)를 사용한다. 일부 심한 비만환자의 경우나 대퇴동맥 일부만의 노출이 필요할 경우는 횡절개(transverse incision)을 사용하기도 한다. 일반적으로 온대퇴동맥의 전장을 확보하기 위해서는 종절개의 경우 절개선의 1/3은 서혜부주름 위쪽, 2/3는 서혜부주름의 아래에 위치하게 종절개를 가한다. 혈전색전증이 서혜부 이하의 동맥을 침범한 경우 대퇴동맥의 맥박을 촉지할 수 있으므로 촉지되는 경로를 따라 종절개를 가하면 된다. 하지만, 동맥폐색이 대퇴동맥 상부를 침범하여 맥박을 촉지할 수 없는 경우 반대측 대퇴동맥의 맥박이 촉지되는 부위를 참고하거나, 주변의 해부학적 구조 및 촉지 시 혈전으로 인해 단단하게 동맥이 만져지는 경우 이를 이용하여 절개를 결정한다(그림 8-2). 대개의 경우 대퇴동맥은 pubic tubercle을 기준으로 손가락 두 개 가량 너비로 외측에 위치함으로 서혜부 피부주름부터 아래로 무릎 내측을 향해 피부절개를 시행한다. 또한 술 전 초음파를 사용할 수 있는 경우 초음파를 이용해 미리 동맥의 위치를 표시하는 것도 불필요한 절개 및 피하조직의 박리를 줄이는 방법이 된다. 대퇴동맥을 노출시킨 후 병변의 범위 및 필요에 따라 위쪽 또는 아래쪽으로 추가적인 피부절개를 시행하는 것이 불필요한 피부절개를 최소화하는 방법이다.

(그림 8-3) 피부와 얕은근막(superficial fascia)을 절개하고 난 후 가장 먼저 나타나는 구조물은 대복재정맥(great saphenous vein)의 외측 분지들이다. 대개 한 개 내지 두 개의 분지를 결찰한 후 피부절개를 따라 대퇴동맥을 간간히 촉지하면서 정확한 절개면을 찾아가는 것이 중요하다. 경우에 따라 박리 도중 림프절이 발견되는 경우가 있는데, 이러한 경우 가능하면 림프절의 외측을 절개해 나가면서 림프관을 결찰 및 분할하는 것이 수술 후 발생할 수 있는 림프유출(lymphorrhea) 및 림프류(lymphocele)를 최소화할 수 있다. 수술 시 Weitlaner retractor를 이용하여 절개부를 차츰 벌려가면서 수술을 진행하면 정확한 박리 및 수술시야 확보에 많은 도움이 된다.

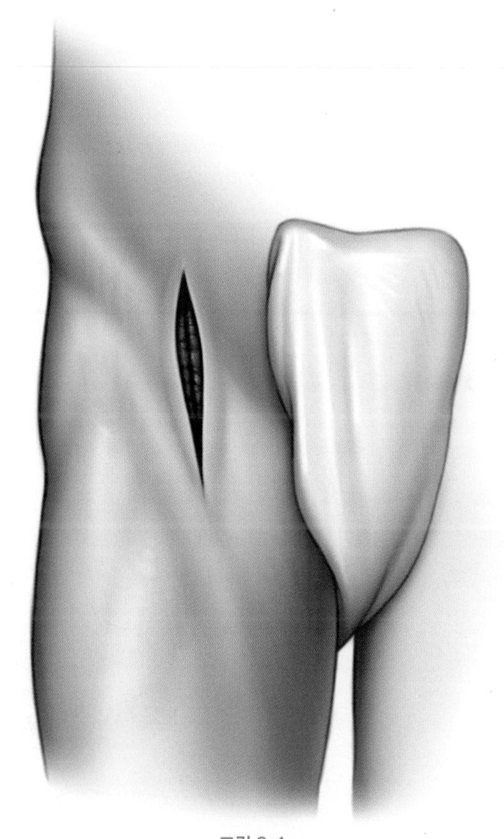

그림 8-1

TIP 1
술 전 초음파를 사용할 수 있는 경우 미리 동맥의 위치를 표시하는 것이 불필요한 절개를 줄일 수 있다.

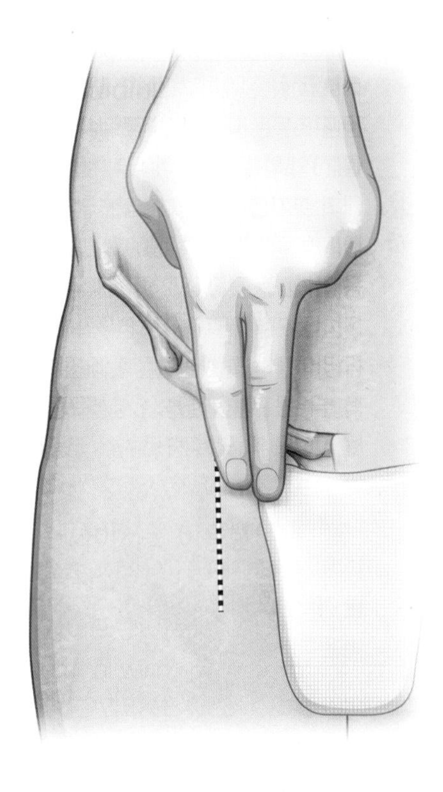

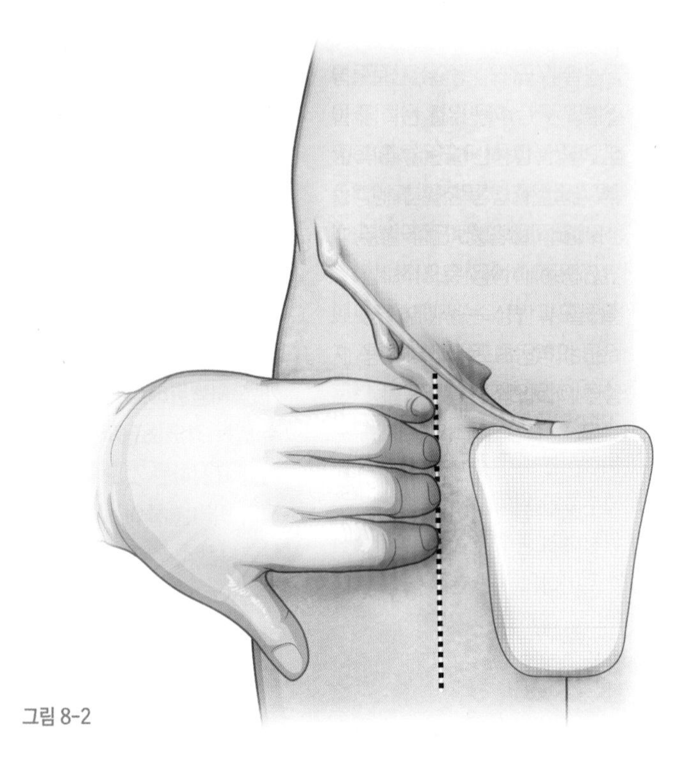

그림 8-2

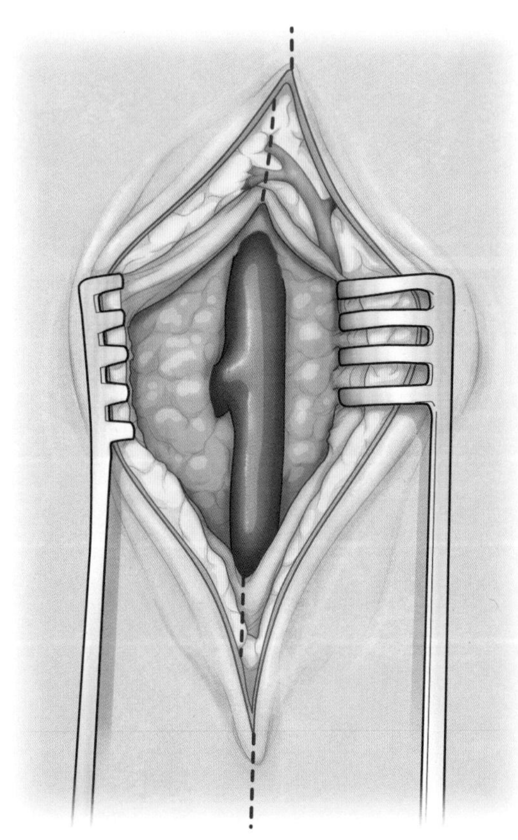

TIP 2
박리도중 림프절이 발견되는 경우가 있는데, 이러한 경우 림프절의 외측을 절개해 나가면서 림프관을 결찰 및 분할하는 것이 수술 후 림프유출 및 림프류를 최소화할 수 있다.

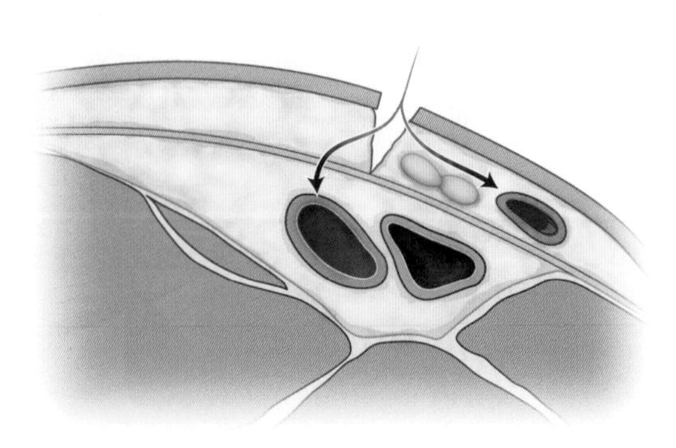

그림 8-3

(그림 8-4A) 피하조직을 정확히 박리해서 깊이 들어가면 대퇴근막이 나타난다. 대퇴근막 안쪽의 대퇴동맥을 촉지한 후 넙다리빗근(sartorius muscle)의 안쪽 경계를 따라 대퇴근막을 절개하고 넙다리빗근을 외측으로 당기면 대퇴삼각(femoral triangle) 및 대퇴동맥을 덮고 있는 깔때기 모양의 대퇴집(femoral sheath)을 확인할 수 있다(그림 8-4B).

A

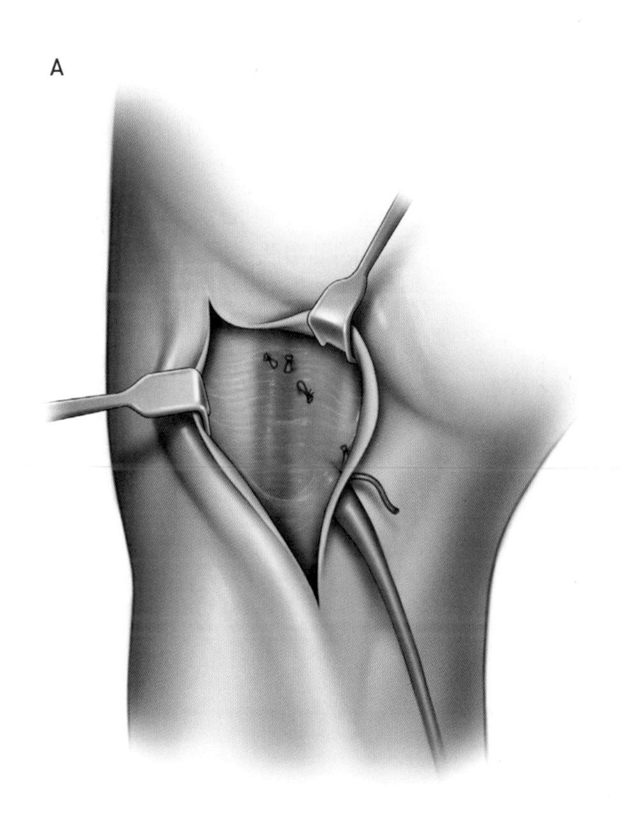

B

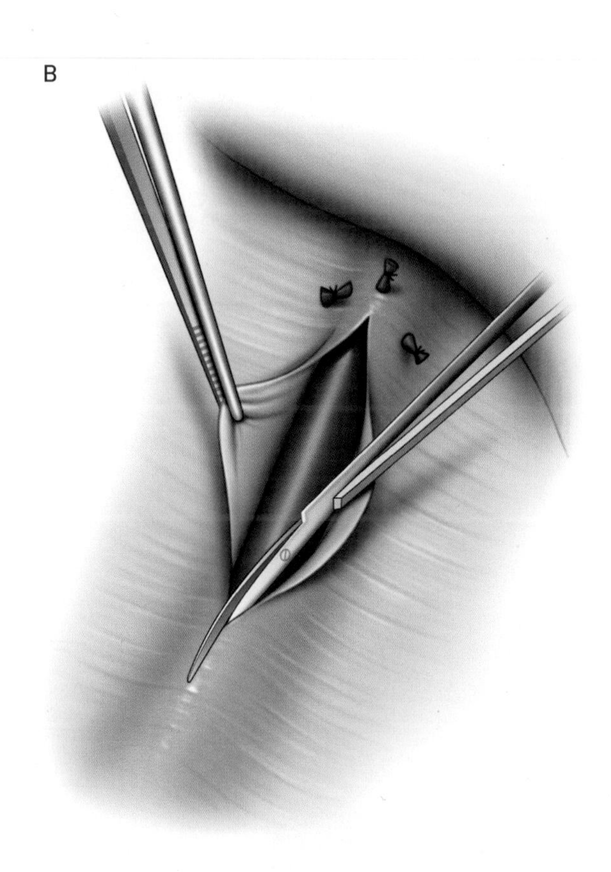

그림 8-4

이 대퇴집에 metzenbaum을 이용하여 종절개를 가하면 아래에 성근조직(areolar tissue)과 함께 대퇴동맥을 확인할 수 있다. 혈관절개 시 혈류차단을 위하여 right-angle Clamp Forceps으로 혈관루프(vessel loop)를 이용하여 혈관을 이중으로 감싼다(그림 8-5).

대퇴동맥 분지부를 중심으로 온대퇴동맥과 대퇴동맥을 먼저 혈관루프로 감싼 이후에 견인을 하면서 깊은대퇴동맥 주위로 혈관루프를 적용하면 좀 더 원활히 할 수 있다. 이렇게 함으로써 깊은대퇴동맥을 가로지르는 lateral femoral circumflex vein의 손상을 최소화할 수 있다. 박리의 범위는 혈전색전증의 침범부위에 따라 다르며, 혈전색전증이 온대퇴동맥이상의 근위부를 침범한 경우 온대퇴동맥, 대퇴동맥 및 깊은대퇴동맥의 박리가 필요하다. 하지만 혈전색전증이 대퇴동맥 이하를 침범한 경우 근위부 대퇴동맥만 박리를 하더라도 수술에는 충분하다. 따라서 술 전 전산화단층혈관조영술을 잘 확인하고 혈전색전증의 침범부위를 파악하여 절개의 범위를 줄이는 것이 필요하다.

(2) 수술과정

(그림 8-6) 일반적으로 색전 또는 혈전 제거술은 Fogarty 풍선카테터를 이용하여 시행한다. Fogarty 풍선카테터의 원리는 동맥 절개를 통해 카테터를 혈전으로 막힌 동맥을 가로질러 위치시킨 후 서서히 풍선을 확장하면서 카테터를 당겨 혈관 내 혈전을 절개한 동맥 밖으로 제거해 내는 것으로, 이론적 원리는 간단하지만 혈관손상을 주지 않고 성공적인 혈전 제거를 위해서 몇 가지 주의를 요한다.

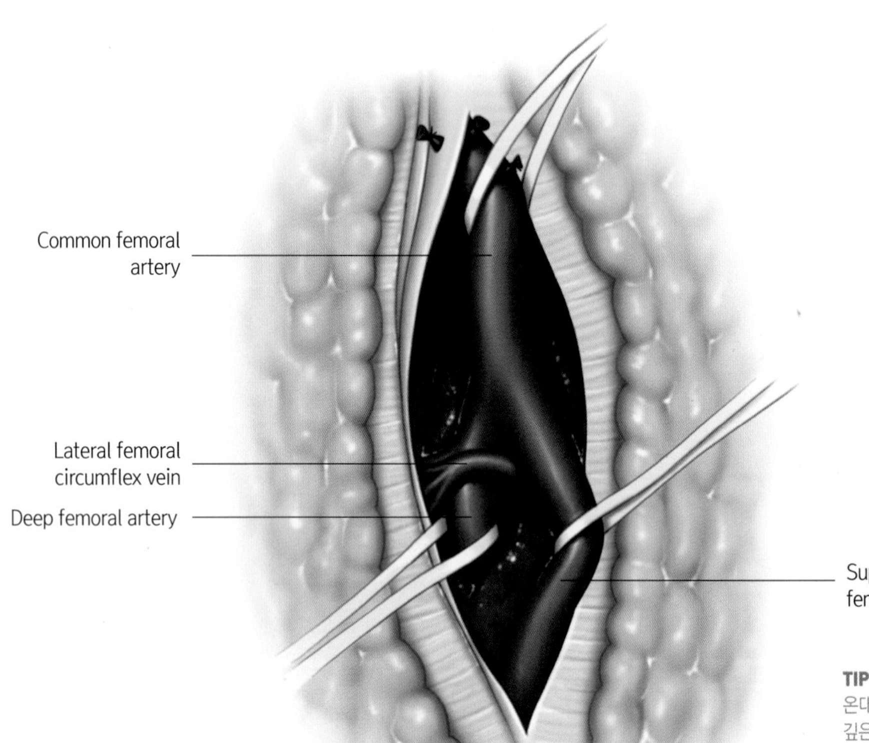

그림 8-5

TIP 3
온대퇴동맥과 대퇴동맥을 먼저 혈관루프로 감싼 후 견인하면서 깊은대퇴동맥 주위로 혈관루프를 적용하면 깊은대퇴동맥을 가로지르는 정맥의 손상을 최소화할 수 있다.

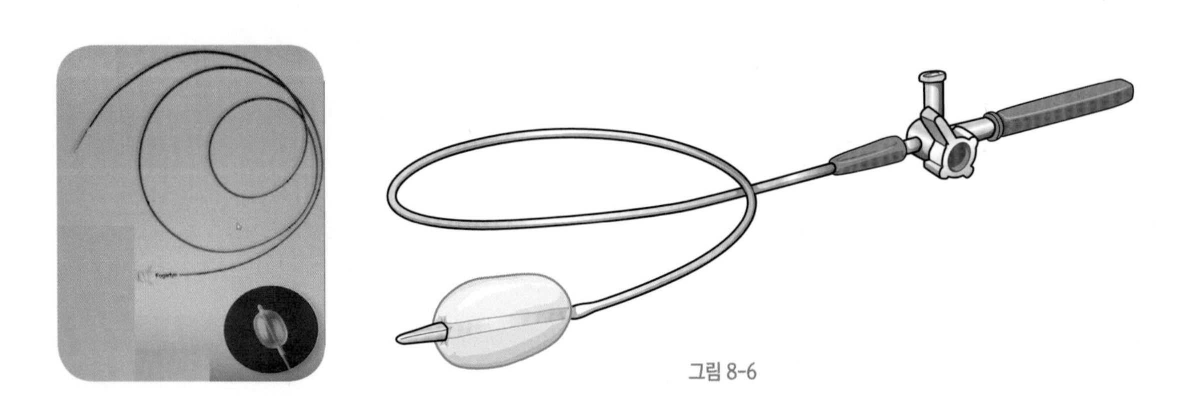

그림 8-6

Fogarty 풍선카테터는 적용하는 혈관의 직경에 따라 풍선의 크기가 다른 카테터를 사용해야 한다. 일반적으로 대동맥 및 장골동맥의 경우 5~6Fr, 대퇴-오금동맥은 3~4Fr, 그 이하의 작은 동맥은 2~3Fr 카테터를 사용한다. 상지의 혈전색전증의 경우 액와 및 상완동맥의 경우 3~4Fr, 노동맥 및 자동맥의 경우 2~3Fr의 카테터를 사용한다. 또한 카테터의 종류에 따라 사용하는 syringe의 종류와 채워 넣는 생리 식염수의 양이 정해져 있으므로 반드시 정해진 양만 사용하여 풍선을 확장시키는 것이 혈관손상을 막을 수 있는 방법이다. 또한 카테터와 syringe, 또는 경우에 따라 사용하는 3-way 커넥터 사이의 연결부위에서 생리 식염수가 새지 않는지 미리 확인하고, 풍선이 한쪽으로 치우치지 않고 균일하게 확장되는 지도 반드시 사전에 확인한 후 사용해야 한다.

(그림 8-7) 동맥절개는 대퇴동맥 분지부 주위에 횡절개(transverse incision)를 하는 것이 원칙이나, 혈관우회로술의 가능성이 있는 경우에는 종절개(longitudinal incision)를 하여 만약 Fogarty 풍선카테터를 이용한 혈전제거술이 실패한 경우 이 종절개 부위를 혈관우회로술의 문합부로 사용할 수 있다. 동맥절개의 위치는 장골동맥 및 온대퇴동맥, 깊은 대퇴동맥을 혈전이 침범한 경우 온대퇴동맥에 동맥절개를 시행해야 침범된 혈전을 모두 제거할 수 있다. 하지만 혈전의 침범부위가 대퇴동맥 이하인 경우 근위부 대퇴동맥만 혈관루프를 적용하고 동맥절개를 가하면 깊은 대퇴동맥을 통한 하지로의 혈류를 보존하면서 수술을 진행할 수 있다.

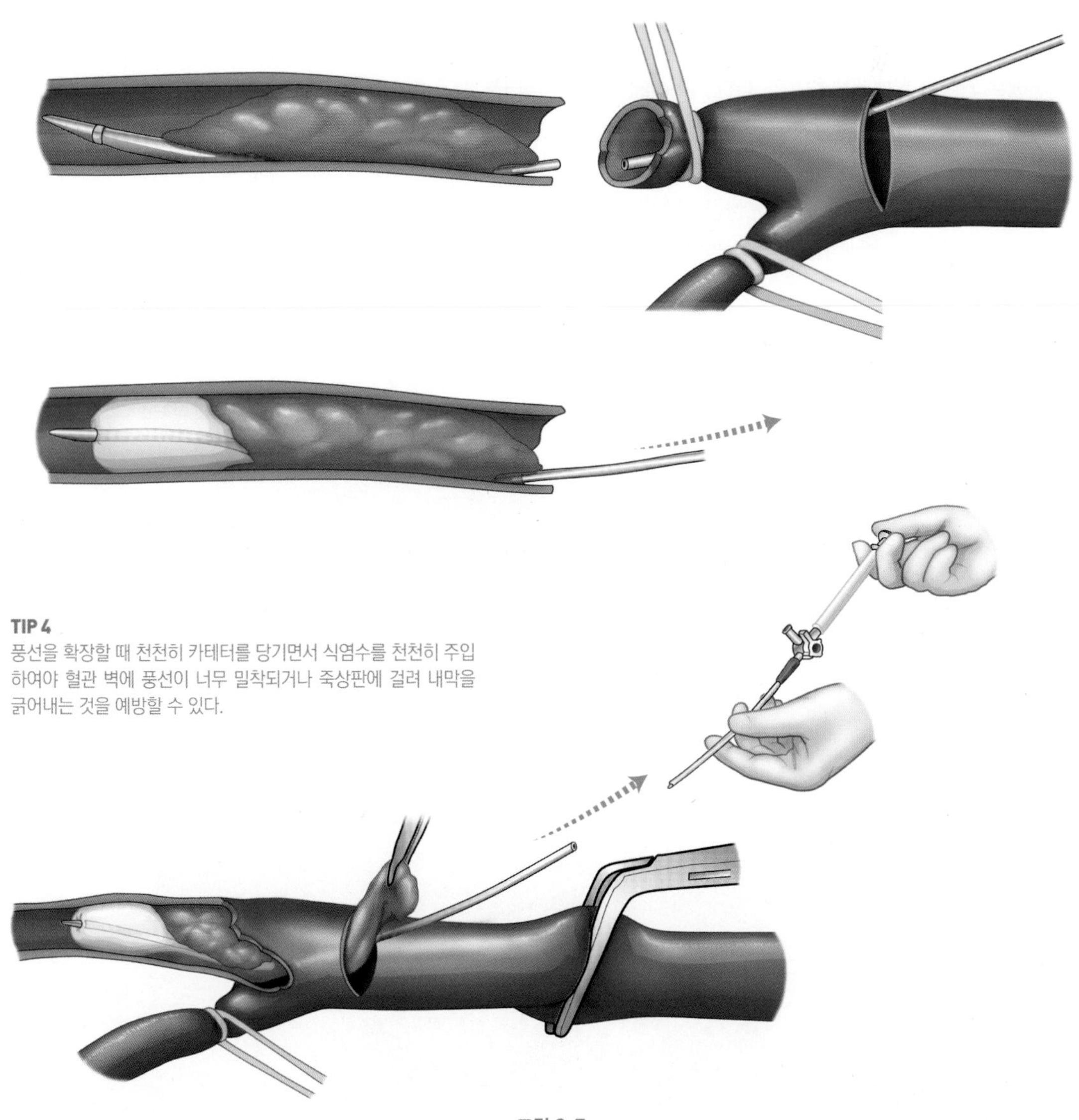

TIP 4
풍선을 확장할 때 천천히 카테터를 당기면서 식염수를 천천히 주입하여야 혈관 벽에 풍선이 너무 밀착되거나 죽상판에 걸려 내막을 긁어내는 것을 예방할 수 있다.

그림 8-7

Fogarty 풍선카테터를 이용하여 혈전제거술을 시행할 때는 혈관절개부의 근위부와 원위부를 모두 시행하여 혈전의 유무를 확인해야 하며, 혈전의 위치에 따라 대략적인 카테터 삽입 길이를 정하기 위해서는 대표적인 해부학적 위치를 미리 알고 있는 것이 수술에 도움이 된다. 예를 들어, 온대퇴동맥 절개부에서 대동맥 분지까지는 20~25 cm, 오금동맥 분지부까지는 40~45 cm, 발목까지는 65~70 cm 가량 된다.

수술과정은 젖은 거즈로 카테터 전체를 충분히 적신 후에 동맥절개부를 통해 카테터를 천천히 삽입한다. 혈전의 위치를 지나 미리 정해놓은 위치에 카테터 끝을 위치시킨다. 만약에 삽입 도중에 강한 저항을 느끼거나 더 이상 삽입이 되지 않을 경우에는 기존의 동맥폐색 병변이 있거나, 다른 작은 분지로 카테터가 잘못 들어갔을 가능성이 있으므로 무리해서 삽입해서는 안된다. 반복적으로 동일한 저항 이 느껴지거나 삽입이 되지 않을 경우는 카테터를 조금 후퇴시킨 후 저항이 느껴지지 않는지 확인하며 조심스럽게 풍선을 확장시키면서 카테터 전체를 당겨 혈전의 일부가 따라서 나오는 지를 확인해 본다. 이렇게 혈전의 일부를 제거 후 다시 카테터를 삽입하여 저항이 있는 부위를 통과하는 지 확인한다.

만약, 반복적으로 시행하여 혈전제거가 실패한 경우는 조영제와 투시장비를 이용하여 혈관조영술을 시행하면서 Fogarty 풍선카테터가 정확한 위치로 진입하는 지를 확인해야 하며 유도선(guidewire)을 이용하여 병변을 통과시킨 후 OTW (over-the-wire) Fogarty 풍선카테터를 이용하는 방법을 사용해야 한다(그림 8-8).

이 그림은 급성 장골동맥 폐색증 환자에서 OTW Fogarty 풍선카테터를 사용하여 혈전제거술 후 장골동맥의 협착소견을 보여 스텐트 삽입술을 시행한 예이다.

생긴 지 얼마 되지 않은 혈전이나 색전, 기존의 동맥폐색 병변이 없는 경우에는 비교적 쉽게 혈전 위치를 지나 카테터를 삽입할 수 있다. 하지만 오금동맥 분지부 주변으로 혈전이 있어 이 부위를 지나 카테터를 삽입하는 경우 혈관의 주행 경로상 대부분의 경우 카테터는 비골동맥(peroneal artery)으로 들어가게 된다.

이 경우 혈관의 크기가 매우 작으므로 2Fr 카테터를 사용하는 것이 좋고 풍선을 확장할 때는 천천히 카테터를 당기면서 식염수를 천천히 주입하여 혈관 벽에 풍선이 너무 밀착되거나 죽상판에 걸려 내막을 긁어내지 않도록 하여야만 혈관 손상을 예방할 수 있고 수술 후 내막 손상으로 인한 혈전의 재발을 막을 수 있으므로 주의해야 한다. 따라서 Fogarty 풍선카테터의 조작에 있어 한 손으로는 카테터를 서서히 당기면서 다른 한손으로는 syringe로 주입하는 식염수의 양을 조절하면서 혈관벽에 닿는 저항을 세심하게 느끼면서 수술을 하는 것이 중요하다. 만약 오금동맥 분지부의 혈전을 제거 후 후경골동맥(posterior tibial

TIP 5
카테터 풍선에 걸려 혈전이 절개부위를 따라 나오는 경우 suction tip으로 흡입해서는 안 되고, 온전한 혈전의 성상과 원위부 끝의 모양 등을 확인하여 조직학적 검사 또는 미생물 배양검사를 위한 검체를 확보한다.

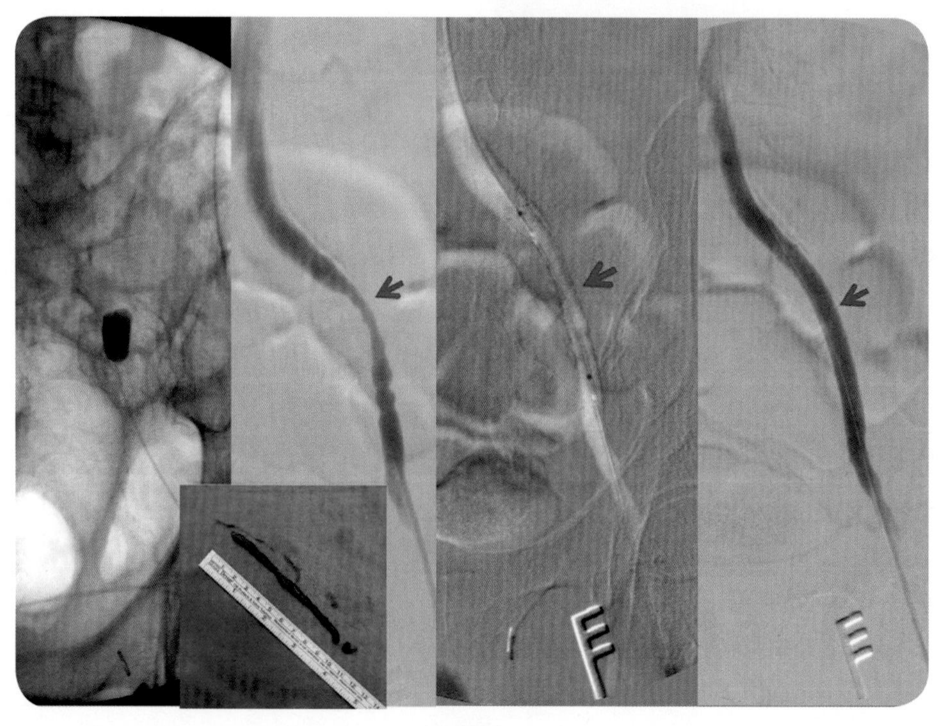

그림 8-8

artery)이나 전경골동맥(anterior tibial artery)의 혈전이 남아있는 경우 과거에는 무릎 아래 피부절개를 통해 직접 오금동맥을 노출 및 절개하여 혈전을 제거하였으나 최근 수술실 내 투시장비의 보편화로 인해 유도선을 이용하는 OTW Fogarty 풍선카테터를 후경골동맥 및 전경골동맥으로 진입 후 혈전을 제거하는 것이 보편적이며 절개창의 수를 줄일 수 있다.

카테터 풍선에 걸려 혈전이 절개부위를 따라 나오는 경우 절대 suction tip으로 흡입해서는 안 되고, 완전히 제거되어 역류되는 혈류에 의해 혈관 밖으로 저절로 나올 때가지 기다려서 온전한 혈전의 성상과 원위부 끝의 모양 등을 확인하여 조직학적 검사 또는 미생물 배양검사를 위한 검체를 확보하는 것이 중요하다. 두세 차례 시술을 반복하여 더 이상 혈전이 나오지 않고 역류되는 혈류를 확인하면 성공적인 혈전제거술의 가능성이 높으나, 가능하다면 투시장비를 이용하여 시술 후 혈관조영술을 시행하여 남아있는 혈전을 유무를 확인하는 것이 좋다. 만약 반복적인 혈전제거술 후에도 혈전이 남아 있는 경우에는 혈전용해제를 동맥 내로 지속 주입 후 혈전의 용해 유무를 투시장비를 통해 확인해 보는 것도 방법이다. 하지만 혈전제거가 불완전 하다면 기존의 동맥경화성 폐색병변 또는 기질화혈전(organized thrombus)이 있는 경우가 대부분이고 이러한 경우 유출동맥의 개존이 확보가 되지 않으므로 술 후 다시 혈전성 폐색이 발생하는 경우가 빈번하다. 따라서 혈전제거가 불완전 하다면 직접 무릎 아래 피부절개를 통해 오금동맥 및 그 이하부위를 노출 후 혈전 또는 죽상판을 제거하거나 정맥이식편을 이용한 동맥 우회술이 필요할 수 있다.

2) 혈관내 치료 (Endovascular treatment)

(1) 절개 및 노출

혈관내 치료는 통상적으로 피부를 절개하지 않고 동맥 천자 후 sheath를 삽입하여 치료를 시행함으로 이전 section에서 다루었던 바와 같이 동맥 천자를 시행한다(그림 8-9).

온대퇴동맥을 천자하여 접근하는 방법은 역행성 접근과 순행성 접근이 있으며, 장골동맥의 폐색이 있는 경우 반대편 대퇴동맥을 천자하여 대동맥 갈림을 지나 접근하는 방법이 주로 사용되며, 대퇴-오금동맥의 폐색이 있는 경우 반대편 또는 동측 온대퇴동맥을 천자하여 접근하는 방법이 모두 사용될 수 있다.

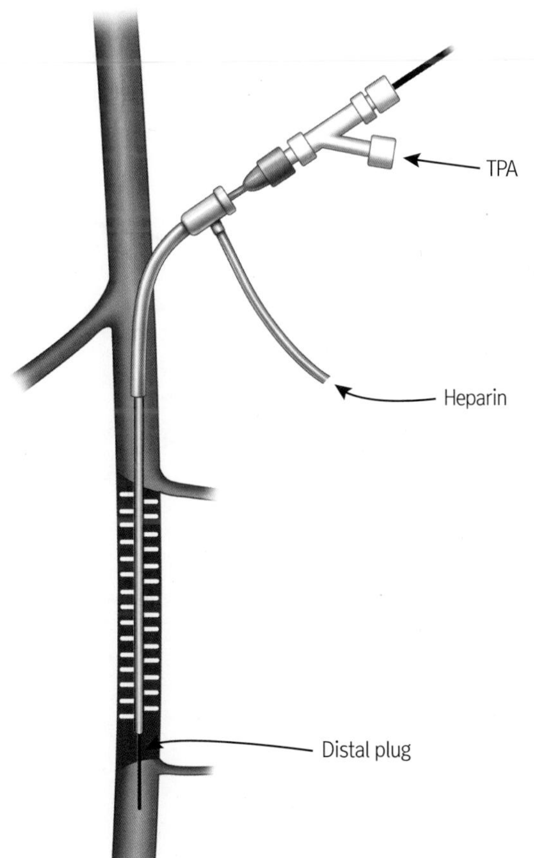

그림 8-9

TIP 6

혈관이 폐쇄된 부위를 유도철사를 이용하여 통과시킨 후 카테터를 진행하여 카테터의 끝이 혈전 끝의 상부 1~2 cm에 위치하도록 한다. 이렇게 혈전의 하방 끝을 남겨 놓으면 상부 혈전이 용해될 때 하방으로의 원위부 색전을 막을 수 있다.

(2) 시술 과정

급성 하지동맥폐색증의 혈관내 치료는 크게 약물을 이용한 혈전용해술과 혈관내 혈전을 직접 제거하는 기계적 혈전제거술로 나눌 수 있다. 약물을 이용한 혈전용해술은 혈관 내 혈전 제거에 효과적인 반면 약물 주입 시간이 길어 혈류를 빨리 재개통해야하는 경우 적용이 어렵다는 점, 약물의 전신적 효과로 인한 출혈의 위험성 및 장기간에 걸쳐 안정해야 함으로 환자의 고통이 증가하고 입원기간이 길어진다는 점 등의 단점이 있다.

기계적 혈전제거술은 이러한 단점을 해결하기 위해 고안된 방법으로 혈관 내 혈전을 녹이거나 조각낸 뒤 흡인하여 더 빨리 혈전을 제거하고 단기간에 혈류를 개선할 수 있으며, 약물에 녹지 않는 혈전도 제거할 수 있고 용해제를 가급적 적게 사용함으로 용해제의 합병증을 예방할 수 있다.

혈전용해술은 infusion thrombolysis와 pulse spray pharmacomechanical thrombolysis (PSPMT)로 나눌 수 있으며, 많이 사용되는 PSPMT에 대해 설명하겠다. PSPMT는 혈전용해제를 강한 압력으로 혈전 내부에 직접 주입하는 방법으로 혈전용해에 효과적인 것으로 증명되었다(그림 8-9).

혈관이 폐쇄된 부위를 유도철사를 이용하여 통과시킨 후 유도철사를 따라 카테터를 진행하여 카테터의 끝이 혈전을 지나 혈전 내부 끝의 상부 1~2 cm에 위치하도록 한다. 카테터는 McNamara catheter 또는 Katzen catheter 등의 여러 개의 곁구멍(side hole)이 있는 카테터를 사용한다. 이렇게 혈전의 하방 끝을 남겨 놓으면 상부 혈전이 용해될 때 하방으로 혈전이 탈락되어 원위부 색전이 발생하는 것을 막을 수 있다(그림 8-9).

혈전용해제를 포함한 용해제가 담긴 10~20 cc의 주사기와 tuberculin 주사기를 3-way 커넥터에 연결한 다음 0.2~0.3 cc 정도의 혈전용해제를 tuberculin 주사기에 옮겨 20~30초 간격으로 힘차게 밀어 넣는다(그림 8-10).

카테터를 고정한 상태에서 시술 중간중간에 혈관조영술을 시행하여 혈전의 용해 정도를 확인하고 혈전의 하방 끝을 제외한 부위의 혈전이 녹았을 경우 카테터를 전진하여 하방 끝의 혈전도 마저 용해시킨다(그림 8-11).

시술 후 혈관조영술에서 비정상적인 협착 또는 혈전의 소견이 보이는 경우 기질화혈전 또는 죽상판에 의한 협착일 가능성이 높으므로 풍선혈관성형술 또는 스텐트 삽입술을 추가적으로 시행해야 한다. 이 때 원위부 색전의 발생 가능성이 높으므로 주의를 요하며 발생한 경우 혈전을 흡인하여 제거(aspiration thrombectomy) 또는 수술적인 제거가 필

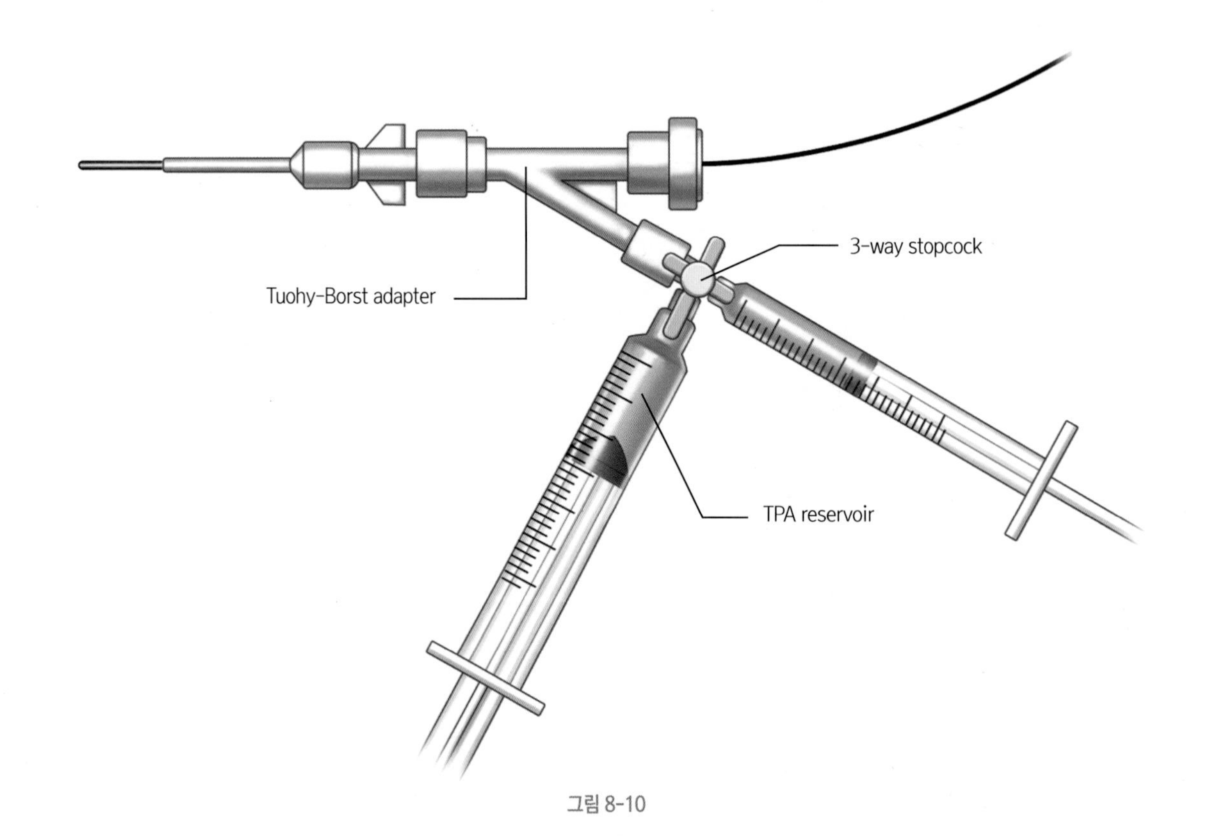

그림 8-10

요할 수 있다.

기계적 혈전제거술은 흡인 혈전제거술(aspiration thrombectomy)과 혈전제거를 위해 만들어진 전용 카테터를 사용하는 rheolytic thrombectomy 및 mechanical thrombectomy로 나눌 수 있다. 흡인 혈전제거술는 실제 임상에서 가장 저렴하고 손쉽게 사용할 수 있는 방법으로 막힌 혈관의 직경에 따라 5~9Fr의 카테터를 선택하여 사용한다.

흡인 혈전제거술은 주로 급성기의 혈전에 효과적이고 만성인 경우에는 혈전용해술 도중 또는 후에 부분적으로 용해된 혈전을 제거하거나 시술 도중 원위부로 떨어진 색전을 치료하는 데 유용하다. 먼저 가급적이면 긴 sheath를 사용하여 혈전으로 인한 폐색부위 가까이 sheath를 위치시킨다. 흡인 시 sheath의 밸브에 걸려 흡인된 혈전이 sheath 내에 위치하는 것을 방지하기 위해 가급적 제거 가능한 밸브를 가진 sheath를 사용한다. 흡인을 위한 카테터에 희석시킨 조영제를 채운 20 cc 또는 50 cc의 syringe를 연결한 후 sheath를 통하여 카테터를 혈전쪽으로 전진하면서 조영제를 사용하여 혈전을 위치를 확인한다. 카테터를 혈전에 위치시킨 후 50 cc의 주사기를 카테터에 연결하고 음압을 준 상태로 뽑아내어 혈관을 재개통 시킨다(그림 8-12).

이 환자는 죽종제거술 시 원위부 색전이 슬와동맥의 원위부에 발생하여 7Fr shuttle sheath를 삽입 후 5Fr Penumbra 카테터를 사용하여 원위부 색전을 제거하였으며 재개통된 혈관을 보여주고 있다.

Rheolytic thrombectomy는 카테터 끝부분에 있는 미세관을 통해 고압 및 고속의 생리식염수를 분사하여 혈전을 깨는 동시에 주변 액체에 대한 음압을 발생시켜 혈전을 카테터의 배출구 내부로 빨아내는 방법이다(그림 8-13).

이 환자는 2주 전 갑자기 발생한 좌측 하지파행증으로 내원한 환자로 시행한 초음파 검사에서 좌측 대퇴동맥 및 상부 슬와동맥의 폐색을 보여주고 있다. 먼저 유도철선으로 병변을 통과한 후 rheolytic thrombectomy를 위한 Angiojet 카테터를 삽입 후 유로키나제 80,000 unit를 카테터를 통해 주입한 후 20분간 혈전이 어느 정도 용해될 때까지 기다린다. 이후 angiojet 카테터로 혈전 제거를 시행한 후 남아 있는 협착병변에 대해 스텐트삽입술을 시행한 후 시술을 종료한 사진으로 성공적인 결과를 보여주고 있다.

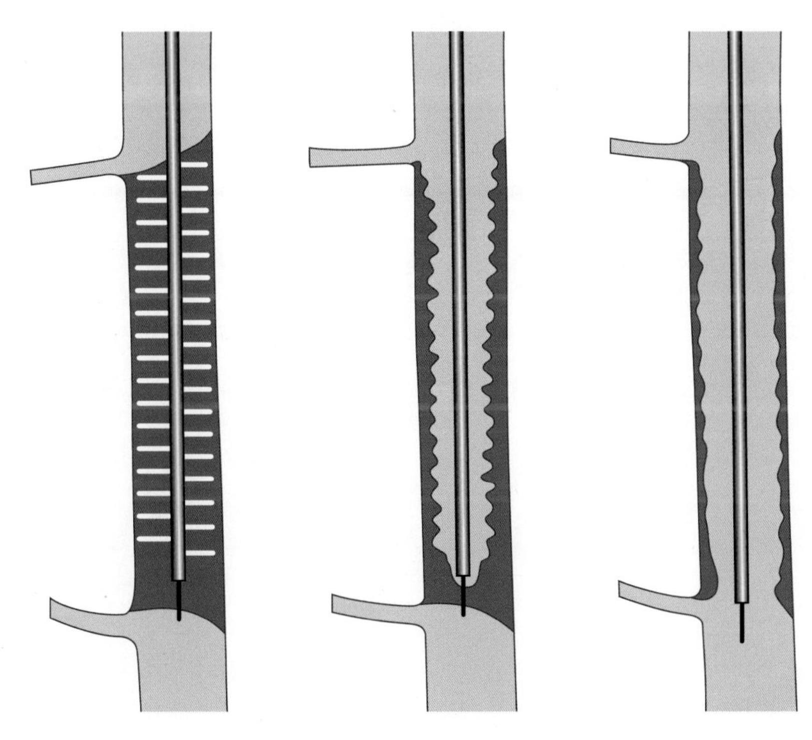

그림 8-11

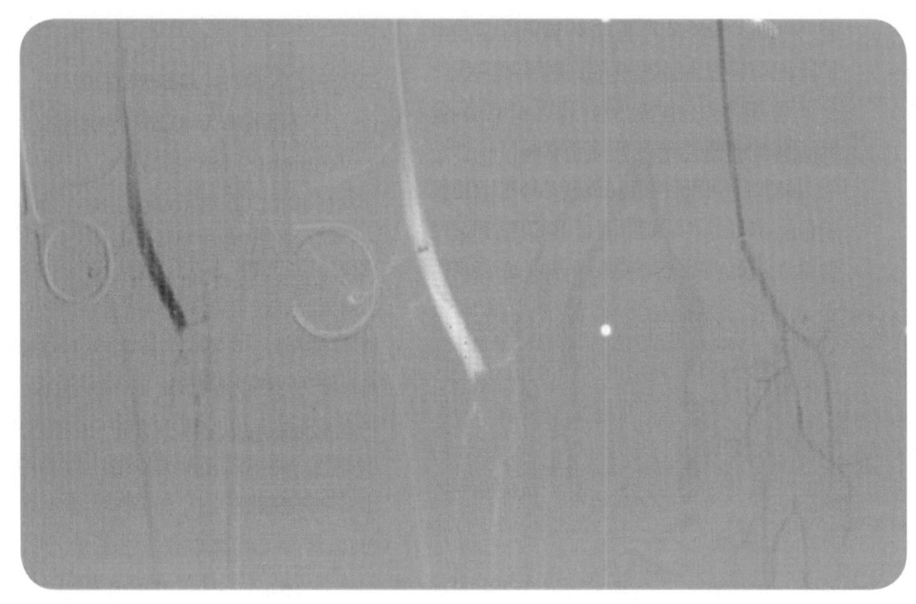

그림 8-12

TIP 7
혈전용해술 및 흡인 혈전제거술의 경우 원위부 색전의 가능성이 있으므로 주의를 요하며 시술 후 혈관조영술을 시행하여 원위부 색전의 유무를 확인하고 발생한 경우 혈전을 흡인하여 제거 또는 수술적인 제거가 필요할 수 있다.

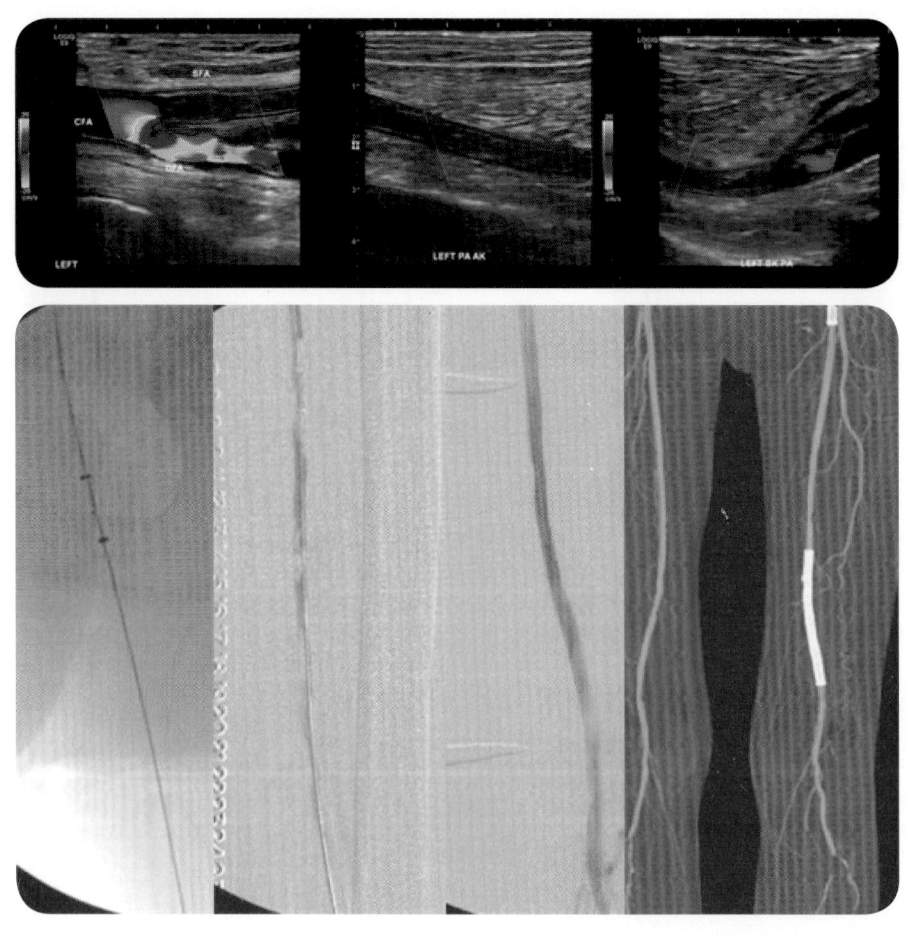

그림 8-13

CHAPTER 9

급성 심부정맥혈전증: 혈관내 치료 및 수술

Endovascular treatment and surgical thromebectomy

I. 혈관내 치료(Endovascular treatment)

1. 서론

심부정맥혈전증은 혈전증후군의 발생빈도를 낮추기 위해서 조기진단과 적극적인 치료가 권장되어 왔다. 치료 방법으로는 항응고제의 경구 투여, 전신적 혈전용해제 정주하는 방법, 도관혈전용해술(catheter directed thrombolysis, CDT), 혈전용해제와 함께 기계적으로 혈전을 분쇄/흡인하는 방법(pharmaco mechanical thrombolysis, PMT) 등 다양한 방법들이 개발되고 시도되어 왔다.

도관혈전용해술은 도관를 이용해 혈전내에 혈전용해제를 직접 주입하는 방법이다. 저용량의 혈전용해제로 용해율을 높이고, 조기 개통으로 정맥판막 기능을 보존하여 혈전증후군의 빈도를 낮추고, 치명적인 출혈 합병증을 낮출 수 있게 하였다. 또한 시술 후 발견되는 정맥내 협착이나 폐색부위를 풍선혈관확장술 및 스텐트삽입술로 교정함으로써 재발의 원인도 제거할 수 있었다.

최근에 소개된 PMT는 혈전용해제 투여시간을 더욱 단축시켜 효율을 높이기 위한 방법이다. 대표적으로 회전자나 수력등을 이용하여 혈전을 분쇄하고 혈전용해제로 반응시킨 후, 흡입기구들(Helix Clot Buster; microvena, white bear lake, MN/AngioJet Rheoly-tic Thrombectomy System; Posis Medical, Minneapolis, MN)을 이용하여 혈전을 제거하는 방법 들이다. 출혈의 위험을 보다 낮춤으로써 혈전용해술을 적용할 수 없는 환자에서도 사용할 수도 있다. 하지만 시술 조작 시간이 길어질 수 있는 단점이 있다. 저자는 CDT에 필요한 술기와 더불어 PMT에서 필요한 가장 기본적인 술기에 대한 설명을 하고자 한다.

2. 적응증

- 2주 이내 발생된 근위부(대퇴-장골정맥)의 대량 급성혈전증
- 청색고종(phlegmasia cerulea dolens) 등 중증 증상을 동반하는 경우

3. 비적응증

혈전용해제의 금기 환자: 위장관 출혈환자, 뇌나 척추수술환자, 뇌출혈 기왕력이 있는 환자 등

4. 수술 전 처치

헤파린 투여

5. 마취

국소마취

6. 환자 자세

장골정맥 국한된 혈전증인 경우는 총대퇴정맥 천자를 앙와위 상태로 하고, 장골 및 대퇴정맥혈전증 경우에는 오금정맥 천자를 위해 복와위로 한다.

7. 수술준비

준비물

듀플렉스 초음파, Micropuncture® Access Set (Cook, Bloomington, Ind), 8F Percutaneous Sheath Introducer Set, 0.035 inch hydrophilic guidewire (Terumo Co Ltd, Tokyo, Japan), MP catheter, Multiside hole infusion catheter, 50 cc Luer Lock Syringe, 9F Large bore catheter (Super Arrow-Flex Sheaths or Vista Brite Tip Guiding Catheter; Johnson & Johnson, Miami, Fla), WALLSTENT™ Endo prosthesis, Hartmann solution

8. 수술 과정

1) 하대정맥 필터 설치

듀플렉스 초음파를 이용하여 목정맥이나 대퇴정맥을 통해 경피적으로 삽입한다. 필터의 적응증은 항응고제 치료가 금기 경우, 항응고제 치료에 실패한 경우, 경피적 기계적인 혈전제거술을 실시하기 직전 등이고, 혈전제거술을 위한 경우에는 제거 가능한 한시적 필터를 설치한다.

2) 혈관내 치료 (endovascular treatment)

정확한 시술을 위해서는 해부학적 구조에 대한 이해가 필수이다(그림 9-1A~C). 혈전 범위에 따라 장골정맥에 근위부에 국한된 혈전증인 경우는 앙와위에서 총대퇴정맥을(그림 9-1A), 장골 및 대퇴정맥등에 광범위 혈전증인 경우는 복와위에서 오금정맥을(그림 9-1B, C) 초음파 유도하에 4F microset needle을 이용하여 Seldinger or real time image guided technique으로 천자한다.

정맥 천자가 올바로 이루어지면 8F sheath로 바꾸어 넣는다.

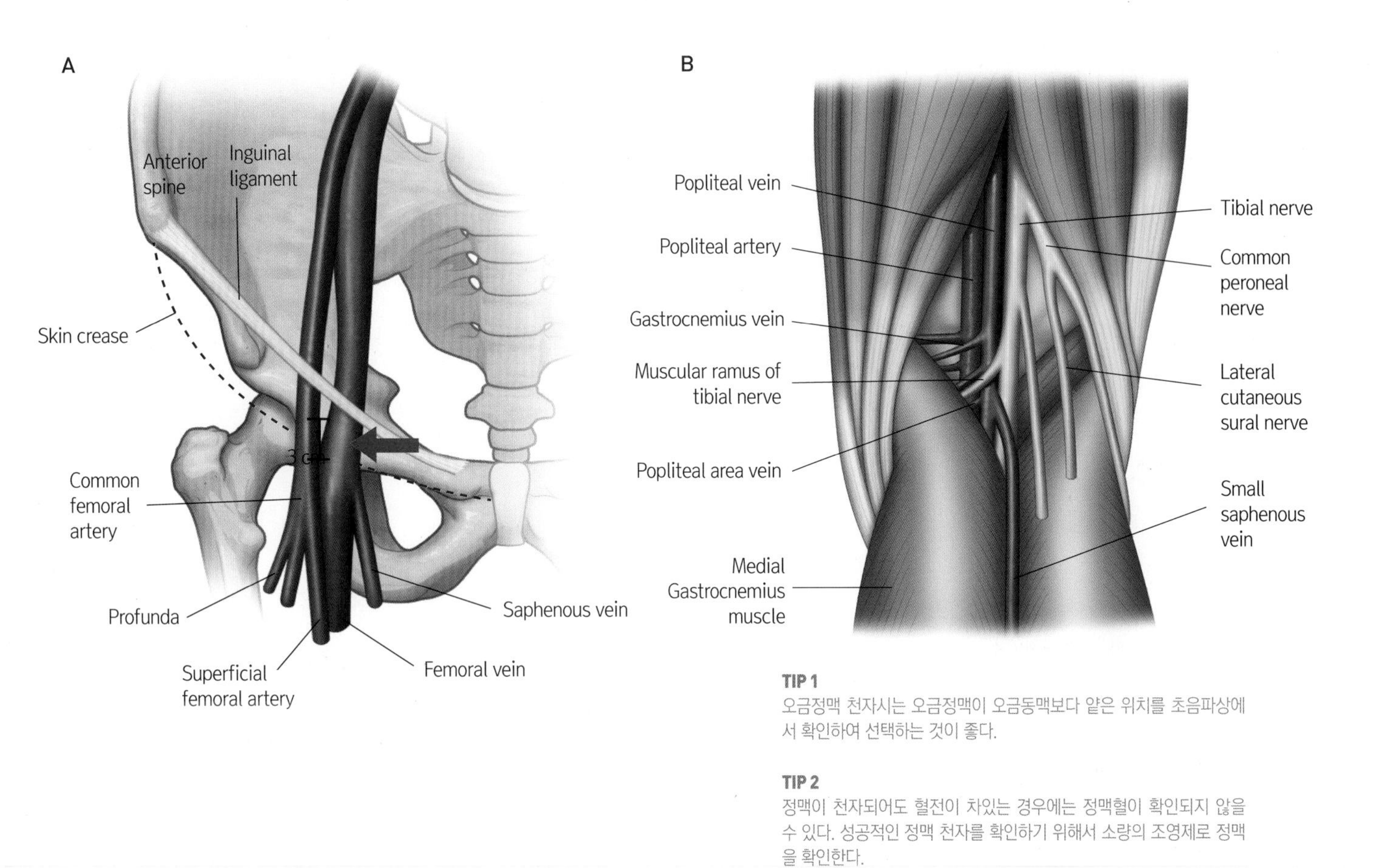

TIP 1
오금정맥 천자시는 오금정맥이 오금동맥보다 얕은 위치를 초음파상에서 확인하여 선택하는 것이 좋다.

TIP 2
정맥이 천자되어도 혈전이 차있는 경우에는 정맥혈이 확인되지 않을 수 있다. 성공적인 정맥 천자를 확인하기 위해서 소량의 조영제로 정맥을 확인한다.

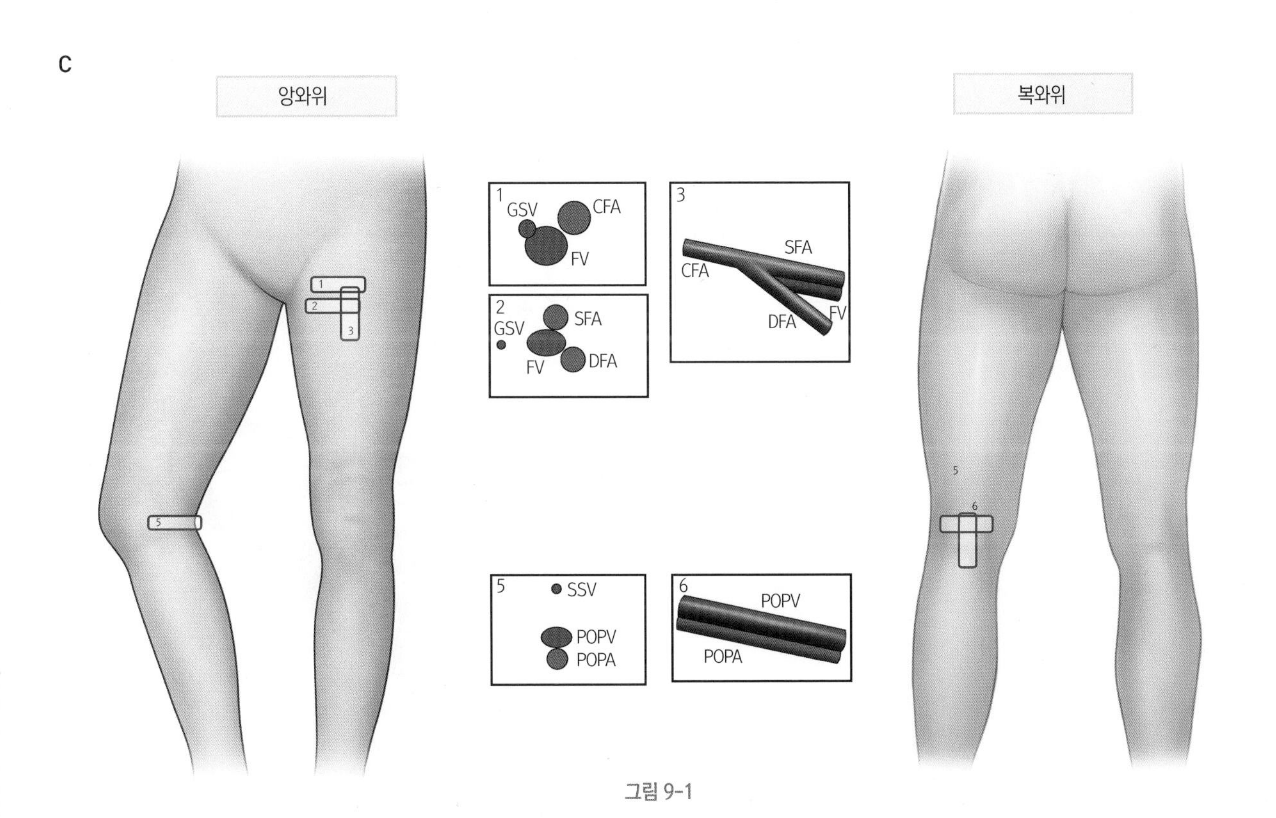

그림 9-1

(그림 9-2A, B) Sheath 삽입 후 체중 당 5,000 U heparin을 정주한다. 시술 동안에는 시간당 1,000 U를 추가로 투여한다.
035 soft curved 유도철사를 MP catheter 지지하에 정맥주행에 따라 하대정맥에 이르게 한다.
혈전의 기계적인 파쇄를 위하여 Pig tail catheter를 유도철사를 따라 진입시키고 유도철사를 빼고 혈전내에서 상하로 움직이면서 회전시켜 혈전을 잘게 부순다.

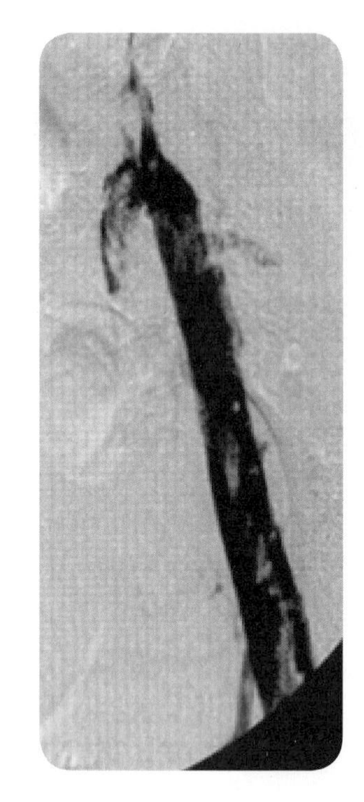

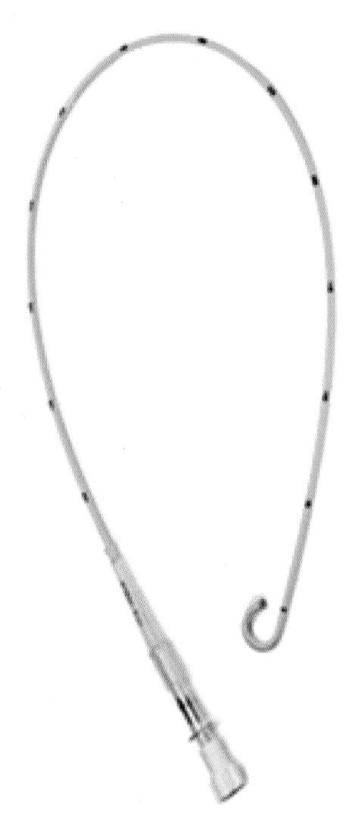

TIP 3
이 과정에서 정맥조영은 필요에 따라 추가적으로 실시한다.

TIP 4
유도철사의 진행은 혈전에 경도에 따라서 다소의 저항이 있을 수 있으며, May-Thurner 등과 같은 해부학적 이상이 있는 경우에는 정맥 파열 등의 손상을 피하기 위해 주의하면서 진행시켜야 한다.

TIP 5
보다 개선된 방법으로 회전자나 수력 등을 이용하여 혈전을 잘게 분쇄하고 혈전용해제로 반응시킨 후, 흡입기구들(AngioJet Rheolytic Thrombectomy System; Posis Medical, Minneapolis, MN, Helix Clot Buster; microvena, white bear lake, MN)을 이용하여 혈전을 흡인/제거하는 방법 들을 사용한다.

B

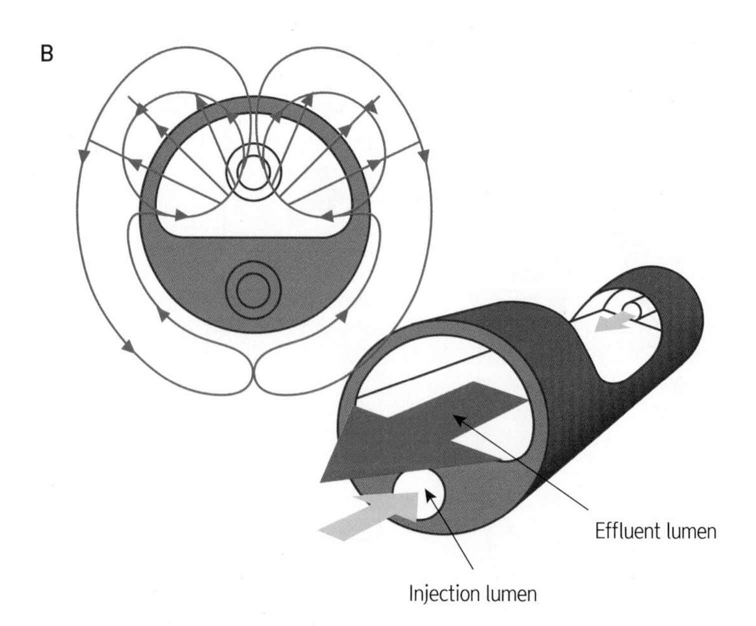

그림 9-2

(그림 9-3A~C) Multiside hole infusion catheter로 바꾸어 혈전용해제를 20~40만 단위의 UK를 pulse spray 모드로 주입시킨 후 5~10분간 더 반응시킨다.

(그림 9-4) sheath와 빼고 내경이 큰 catheter를(8F Hoffman sheath(그림 9-4A), 혹은 9F Guiding catheter, 혹은 11F arrow sheath) 50cc Luer Lock Syringe(그림 9-4B)에 결합하여 음압을 유지하면서 혈전을 흡입하여 제거한다(Aspiration thrombectomy).

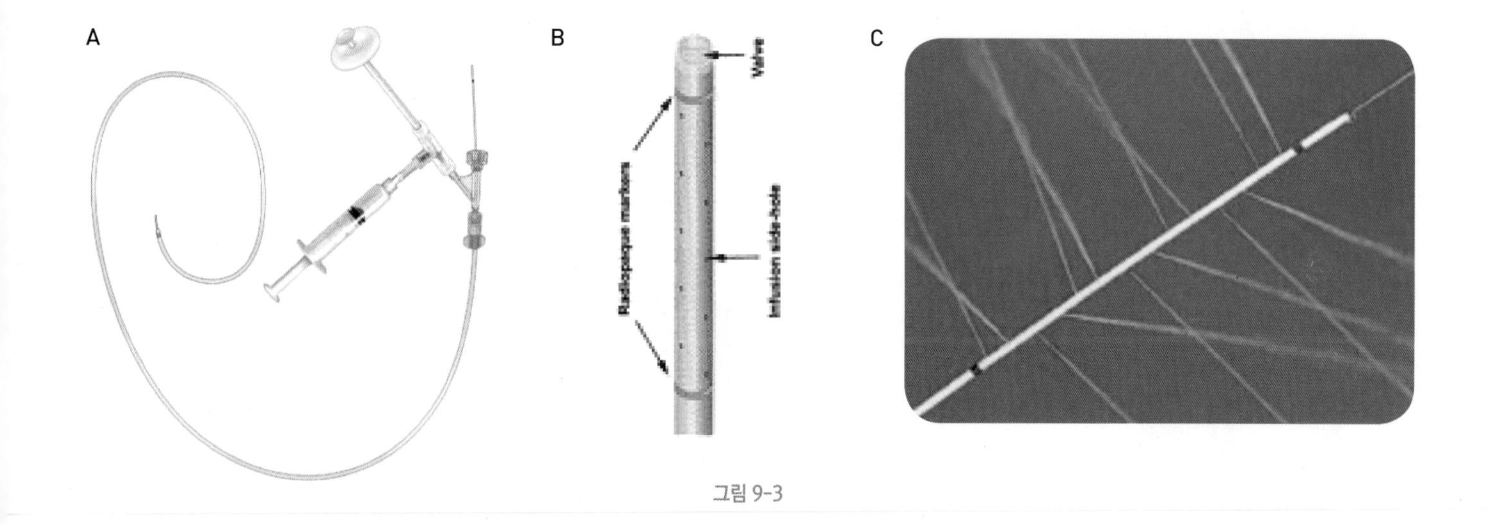

그림 9-3

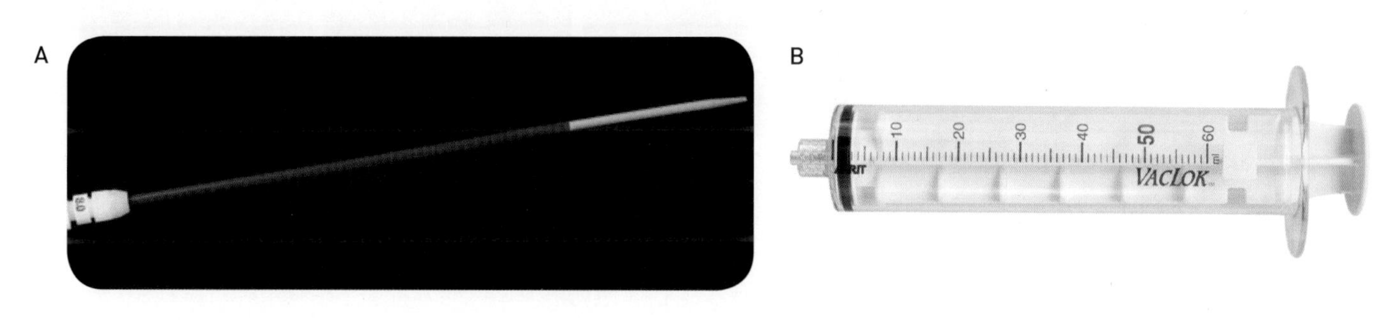

그림 9-4

TIP 6
흡입되는 혈액량만큼을 하트만액으로 보충하면서 흡입을 진행하다.

TIP 7
중간에 정맥조영술을 실시하여 제거되기 않은 혈전 부위를 중점적으로 시술을 추가 시행한다.

(그림 9-5) 제거되지 않는 잔존혈전이 많은 경우에는 Multiside hole infusion catheter를 거치하여 UK를 생리식염수에 희석하여 시간당 5만 단위가 100cc 양의 속도로 주입되도록 한다.

(그림 9-6) 혈전이 90% 이상 충분하게 제거된 후 May-Thurner 등과 같은 해부학적 이상이 있는 경우에는 순차적으로 큰 balloon을 이용해 balloon angioplasty를 실시한다. Angioplasty 후에 recoil이 있거나, 50% 이상의 협착이 있으면 stent를 설치한다. 이 사진은 wall stent를 설치 후의 사진이다.

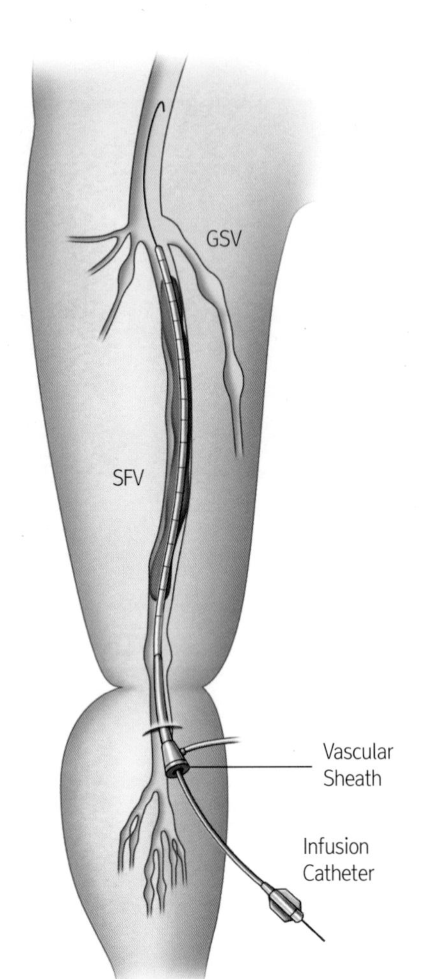

그림 9-5

TIP 8

혈전용해제의 투여량에 대하여는 표준화된 지침이 없으나 UK는 초기에는 고용량용법으로 4,000 units/min으로 시작하여 개통이 시작되면 잔존혈전양에 따라서 1,000~2,000 units/min을 투여하다가, 12~16시간 평가에도 잔존혈전이 있는 경우는 저용량용법인 30,000~50,000 units/h으로 전환하는 방법도 소개되어 있다. 시술 중 혈관조영술을 이용한 추적검사는 고용량용법 시는 30분~2시간 간격으로, 저용량용법 시는 환자의 상태에 따라 24시간까지 늘려서 실시한다. 혈전용해제가 최근에는 rtPA로 바뀌는 추세이어서 새로운 가이드라인의 확립이 필요하다.

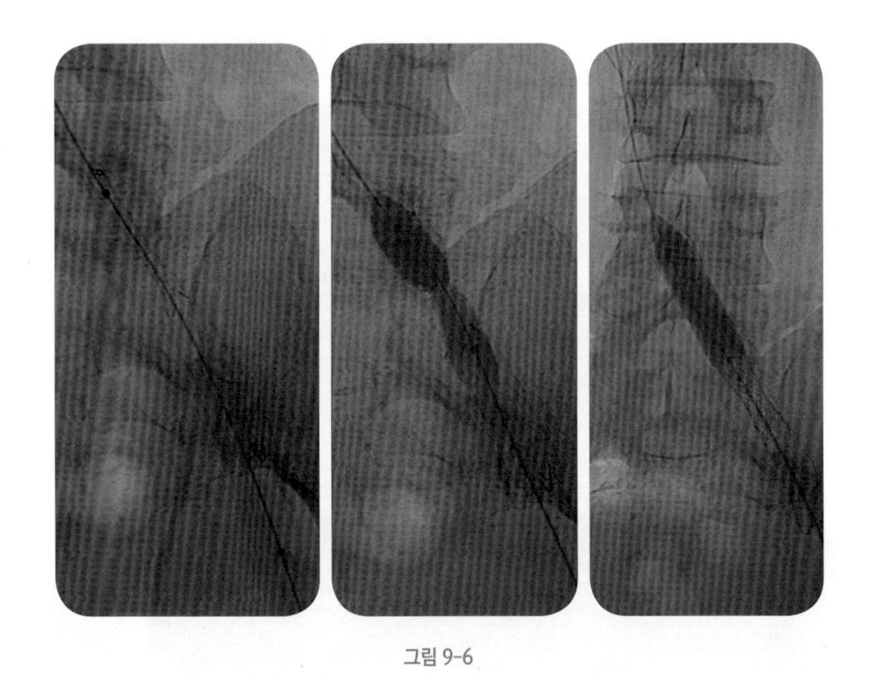

그림 9-6

TIP 9

혈전제거가 끝난 다음 정맥내 협착 여부를 확인한다. 일차적으로 혈관성형술을 실시한 후, 협착부위가 제대로 확장되지 않거나, recoil이 일어나면 외장골정맥에는 12~1 4mm, 총장골정맥에는 14~18 mm 스텐트를 설치한다.

TIP 10

정맥에만 전용하는 스텐트가 필요한데, 이들은 보다 강력한 radial force를 갖고, 유연성이 필요하다. 출시되어 있는 스텐트로는 sinus-Venous stent and sinus-Obliquus stent (OptiMed, Ettlingen, Germany), Zilver Vena (Cook Medical, \Bloomington, Ind), Vici Venous Stent (Veniti Inc, St. Louis, Mo), Venovo (Bard, Tempe, Ariz), and Blueflow Venous Stent (Plusmedica GmbH & Co KG, Dusseldorf, Germany) 등이 있다.

TIP 11

보통 정맥 천자시는 별도의 closing device를 이용하지 않는다.

II. 수술적 혈전제거술(Surgical thrombectomy)

1. 서론

근위부 심부정맥혈전증(DVT) 환자에서 뇌출혈이나 최근의 대수술 등으로 항혈전제나 혈전용해술이 금기인 경우에서 청색통증다리염나 정맥울혈성괴저가 임박한 경우에는 하지구제를 위해서 수술적 혈전제거술을 시행해야 한다.

혈전제거술의 결과는 보고자에 따라서 결과가 상이하지만, 폐색전증 합병률 20%, 수술 사망률 1%, 혈전제거실패율은 12%정도로 보고되고 있다.

일시적 동정맥루를 조성 후 장골정맥개존률이 많이 개선되어 조기 개존률은 80~96%(평균 88%), 2년 이상 개존율은 77~88%(평균82%)로 보고되고 있다.

2. 적응증

근위부 DVT환자에서 뇌출혈이나 최근의 대수술 등으로 항응고제나 혈전용해술이 금기인 경우에서 청색통증다리염나 정맥울혈성괴저가 임박한 경우

3. 비적응증

4. 수술전 처치

헤파린 투여

5. 마취

전신마취가 선호된다

6. 환자 자세

앙와위

7. 수술 과정

(그림 9-7) 서혜부의 종피부절개 통해 총대퇴정맥과 대퇴정맥, 심부대퇴정맥을 포함한 모든 정맥분지를 노출시켜 vessel loop 등으로 출혈을 방지해야 한다. 많은 양의 실혈을 막는 중요 방법이다.

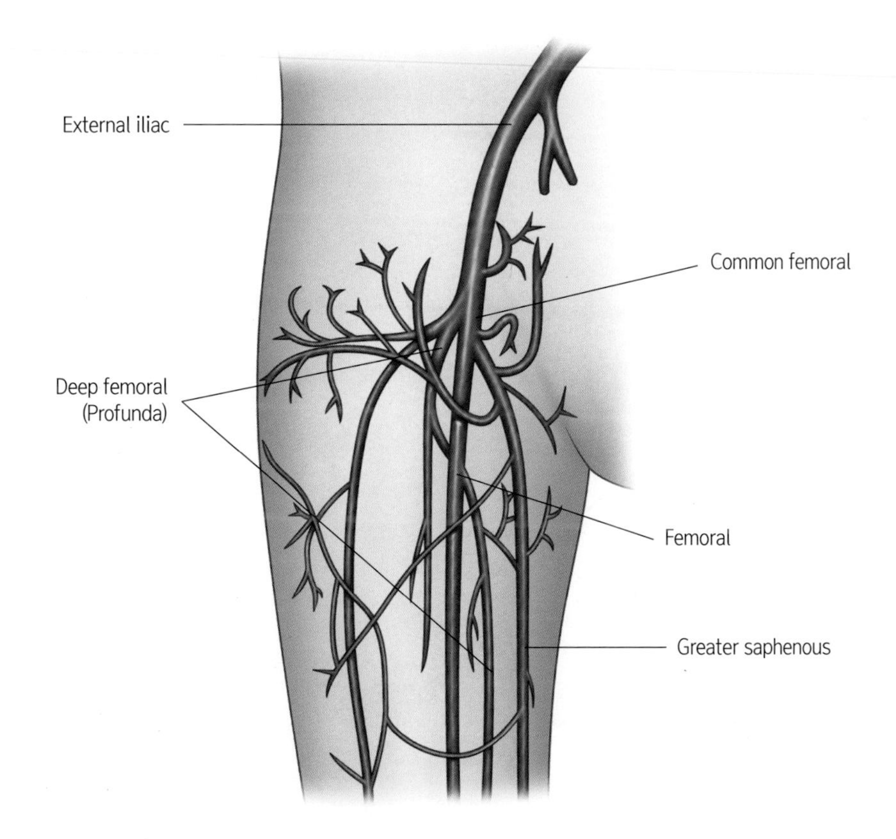

그림 9-7

(그림 9-8) 총대퇴정맥을 횡 혹은 종절개를 한다. 정확한 위치는 혈전의 위치와 양에 의해서 결정한다. 일반적으로 보통 종 절개해도 정맥의 협착없이 봉합이 가능하다. 원위부 정맥 내 혈전의 제거를 위해서 하지를 거상시키고 dorsiflexion 하면서 발쪽부터 서혜부쪽으로 탄력고무밴드 등으로 압박을 가하여 혈전을 밀어내는 방법 milking thrombectomy를 사용한다. 수차례 실시하면 종아리 부분의 혈전이 대부분 제거될 수 있게 된다.

(그림 9-9) 무릎하방의 전경골정맥 혹은 후경골정맥 절개를 통하여 순방향으로(하방에서 상방으로) 0.035 inch hydrophilic 유도 철사를 진입시켜, 서혜부의 총대퇴정맥 절개창으로 나오게 한다.

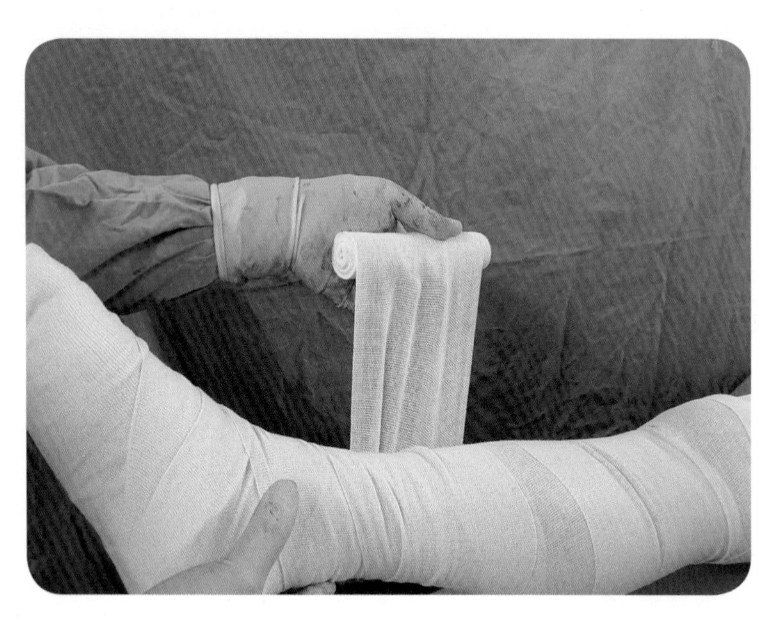

그림 9-8

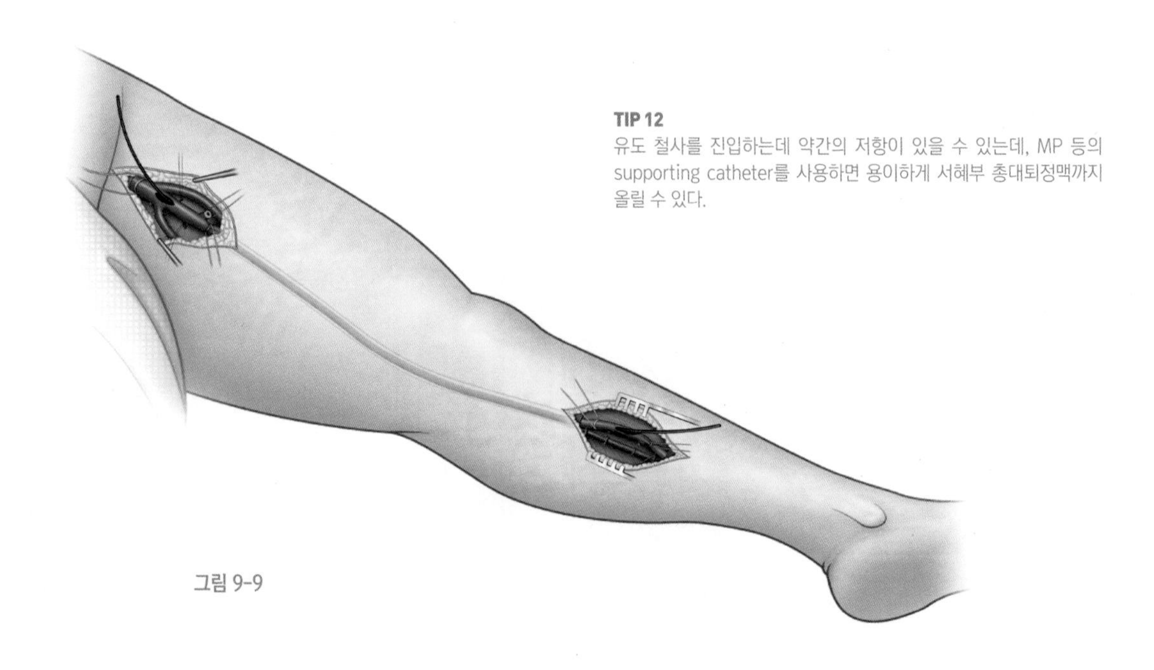

TIP 12
유도 철사를 진입하는데 약간의 저항이 있을 수 있는데, MP 등의 supporting catheter를 사용하면 용이하게 서혜부 총대퇴정맥까지 올릴 수 있다.

그림 9-9

(그림 9-10A, B) Fogarty catheter (Over the wire)를 유도철사를 따라 서혜부에서 족부쪽으로 넣은 후, 순방향(족부쪽에서 서혜부쪽으로)으로 수차례 혈전제거술을 실시한다. 보통 경골정맥에는 3F, 슬와정맥에는 4F 이상의 크기 balloon을 선택한다.

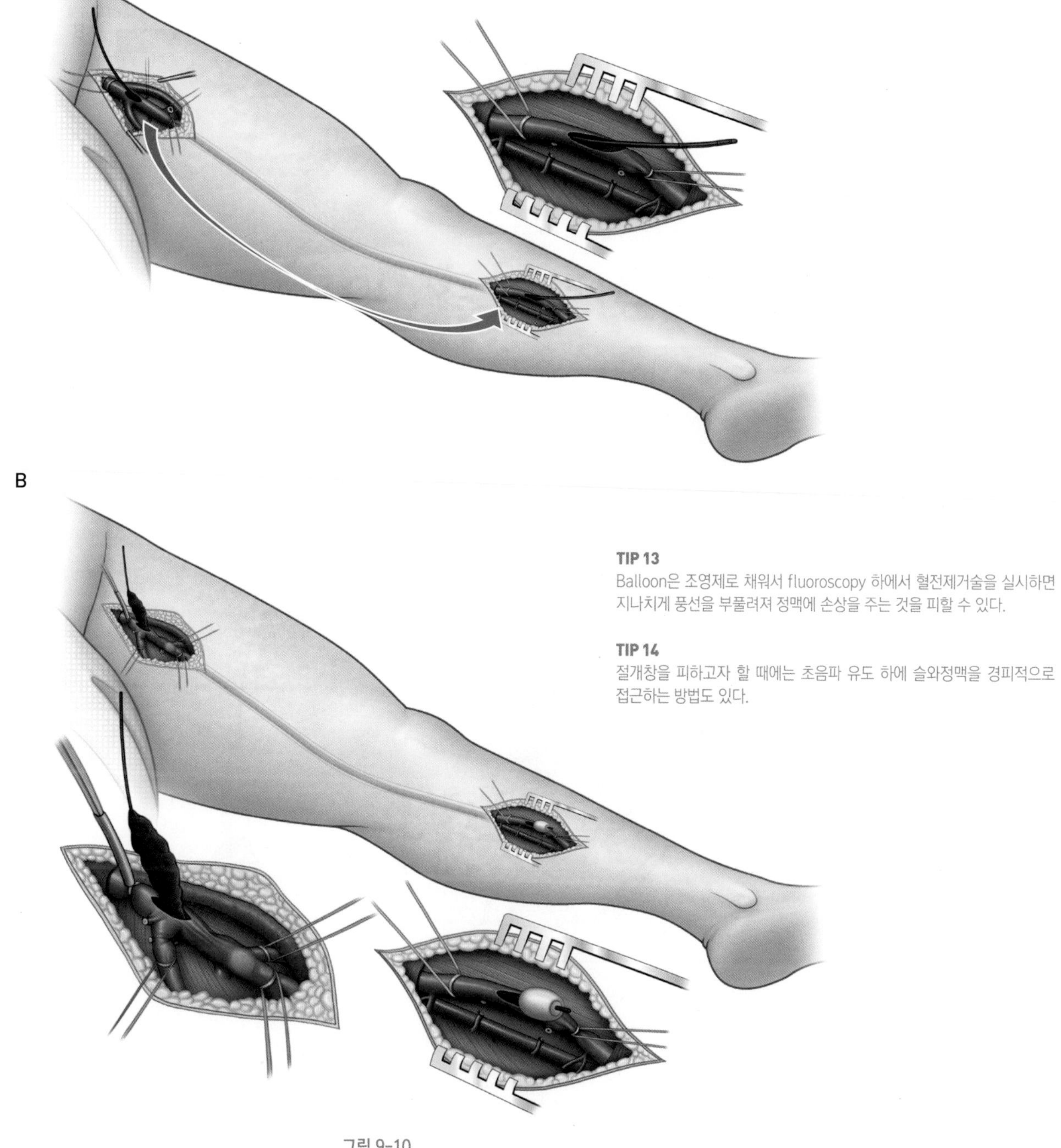

TIP 13
Balloon은 조영제로 채워서 fluoroscopy 하에서 혈전제거술을 실시하면 지나치게 풍선을 부풀려져 정맥에 손상을 주는 것을 피할 수 있다.

TIP 14
절개창을 피하고자 할 때에는 초음파 유도 하에 슬와정맥을 경피적으로 접근하는 방법도 있다.

그림 9-10

(그림 9-11) balloon catheter thrombectomy후에 경골정맥내에 large bore catheter를 넣고 heparin-saline solution으로 수차례 flushing해서 잔존혈전을 제거한다. 이후 정맥내에 UK 혹은 rtPA solution을 채워두고 혈액감자로 지혈시켜 두고 근위부의 장골정맥내 혈전제거술을 실시한다.

상부 혈전을 제거하기 위해서는 8F or 10F venous thrombectomy catheter를 사용한다. 혈전제거 방향은 위에서 아래방향으로 단계적으로 실시하고, IVC filter를 넣지 않은 경우에는 하대정맥 내에 혈전제거술을 실시할 때는 반대편 쪽으로 thrombus 상방에 protective balloon catheter를 설치 후에 실시해야 한다.

(그림 9-12) 혈전제거가 끝난 다음 정맥내 협착이 확인되면 스텐트를 설치한다. 혈전제거 후 총대퇴정맥은 fine monofilament suture로 절개 부위를 봉합하고, 대복재정맥 혹은 대복재정맥의 분지와 대퇴동맥을 단측문합하여 일시적인 동정맥루를 조성한다.

(그림 9-13) 경골 정맥절개부위는 결찰하고 정맥절개 부위를 통해서 infusion catheter를 넣어서, 수술 후에 heparin투여와 퇴원 전 정맥촬영을 하는데 이용한다.

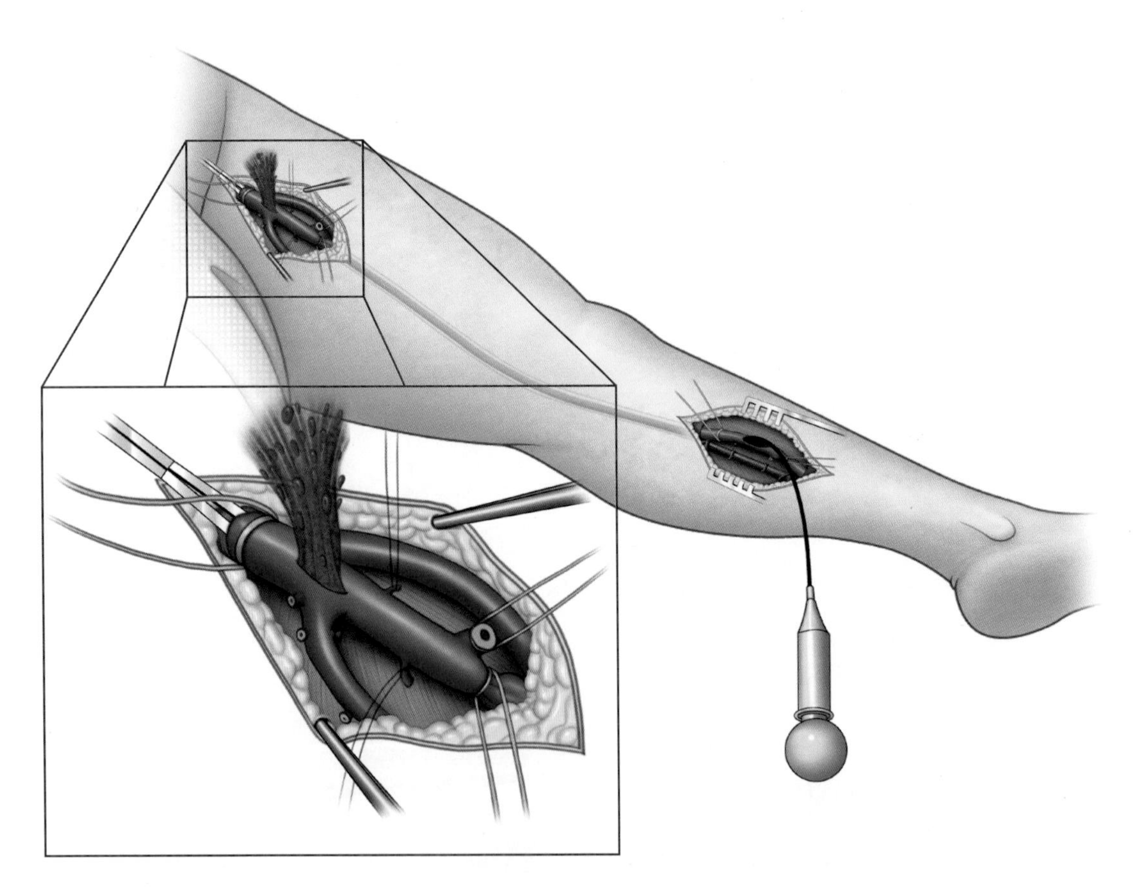

그림 9-11

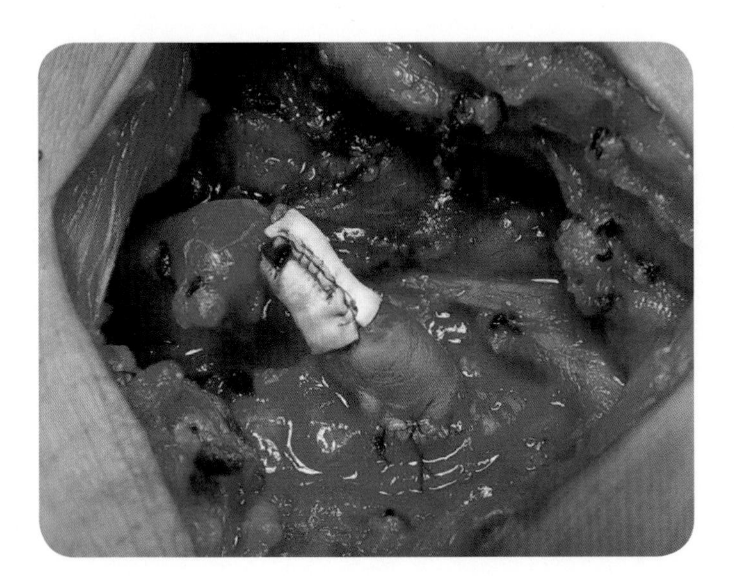

그림 9-12

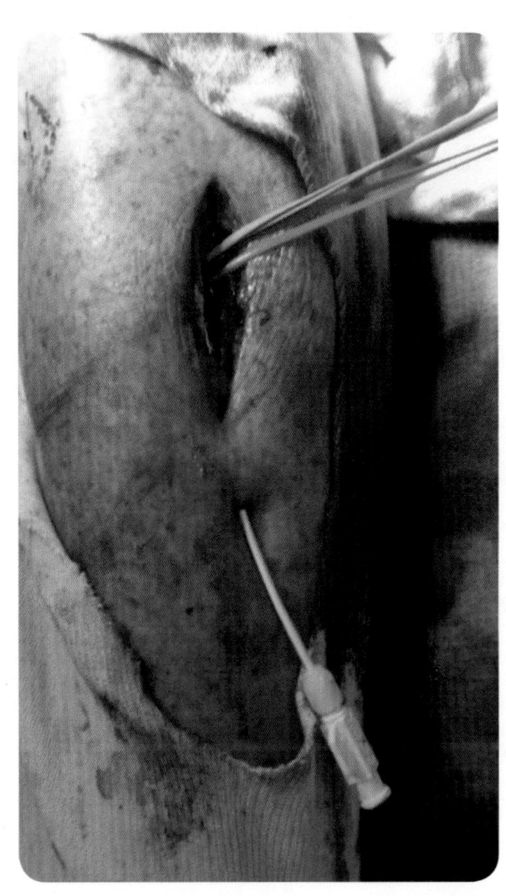

그림 9-13

TIP 15
하대정맥에 이르기 전에 여러차례 혈전을 제거하면 출혈량을 최소화 할 수 있다.

TIP 16
동정맥루의 크기는 3.5~4 mm로 제한해야 한다. 지나치게 크게 조성된 경우는 Goretex cuff를 이용해서 직경 4 mm정도로 조절할 수 있다. 일시적 동정맥루의 목적은 혈류를 증가시켜 혈전의 조기재발을 방지하고, 혈관내피세포의 재건에 도움을 주고, 측부혈관의 발달을 증가시키기 위해서이다.

TIP 17
동정맥루는 수술 후 6주경에 수술적 혹은 경피적혈관내 색전술로 막을 수 있다.

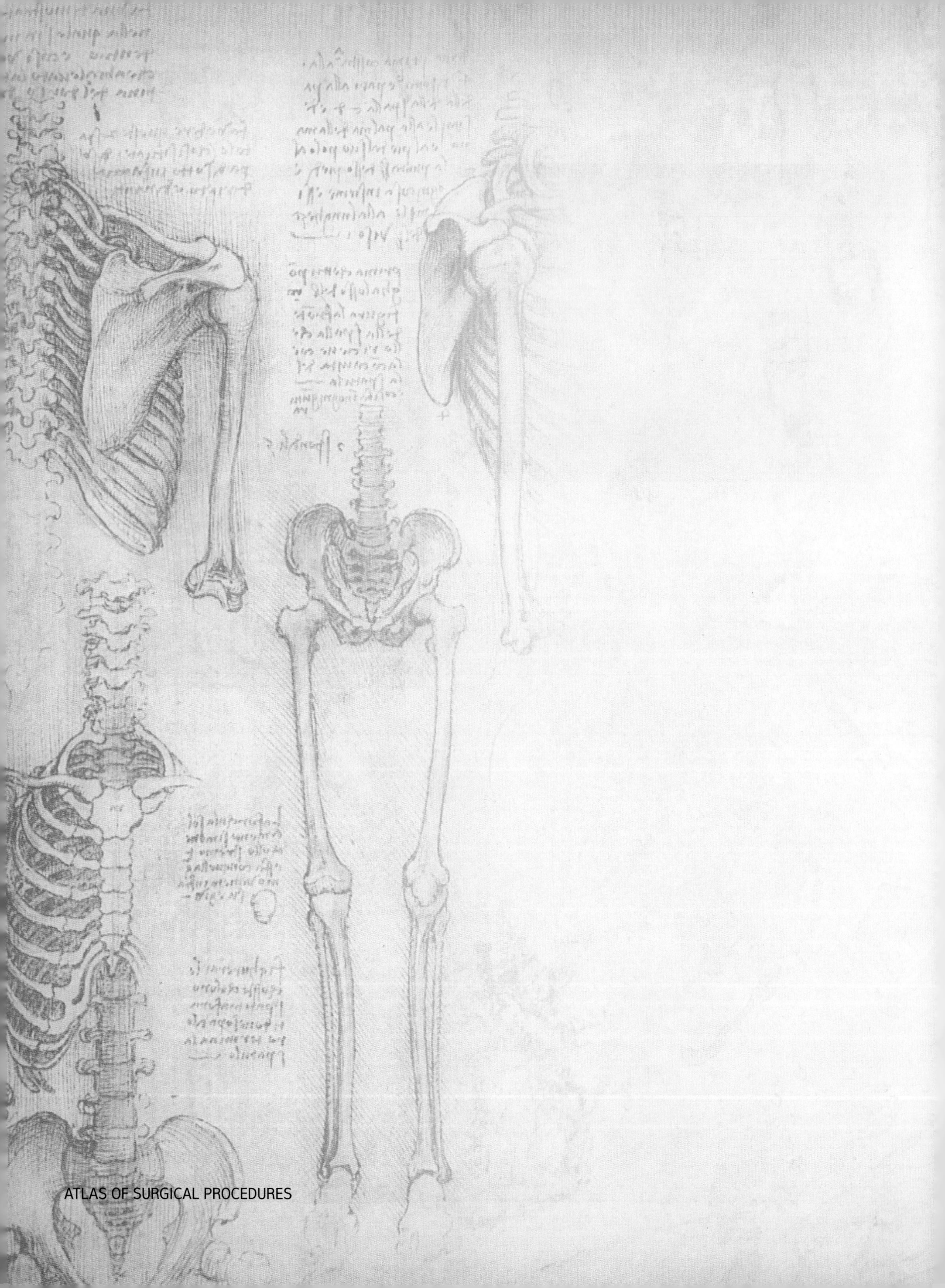

ATLAS OF SURGICAL PROCEDURES

CHAPTER 10

혈액투석을 위한 동정맥루 조성술

Arteriovenous fistula formation for hemodialysis

1. 적응증

신대체요법이 필요한 말기신부전 환자 중 장기간 혈액투석이 필요한 환자

2. 비적응증

- 정맥 천자등의 이유로 정맥이 동정맥루를 만들기 부적합한 경우
- 동정맥루를 만들고자하는 쪽 팔의 중심정맥협착증
- 동맥경화에 의해 동맥혈류가 충분치 않거나 동맥의 석회화가 심해 기술적으로 불가능한 경우
- 소아 등과 같이 혈액투석을 위한 투석접근로 수술이 어려운 환자
- 심혈관질환으로 혈액투석 시 혈류역학적 불안정이 예상되는 경우

3. 수술 전 처치

투석접근로를 장기간 사용하기 위해서는 수술의 시기 위치, 방법 등을 종합하여 수술 전 계획을 세워야 한다. 이를 위해서는 자세한 문진 및 신체검사가 필요하며, 수술 전 초음파검사 또한 매우 유용하다. 투석접근로를 형성할 때 기본적인 원칙들이 몇 가지 있으며, 이러한 원칙을 잘 지켜야 효과적이고 장기적 상용 가능한 투석접근로를 만들 수 있다. 동정맥루를 만드는 위치는 다리보다는 팔에 만드는 것이 감염이나 동맥 합병증이 적으며, 가능한 한 원위부 혈관부터 선택하여야 추후 접근로를 새로 조성해야 할 때 유리하다. 양쪽 팔에서 조건이 같다면 주로 사용하지 않는 팔을 선택하는 것이 유리하다.

일반적으로 자가혈관 동정맥루를 만드는 위치는 손목에서 노동맥-노쪽피부정맥 동정맥루(radiocephalic arteriovenous fistula)를 우선적으로 고려하며, 적당한 정맥이 없거나 기타 이유로 손목에 만들기 어렵다면 다음으로 고려할 부위는 팔오금(cubital fossa)에서 위팔동맥-노쪽피부정맥 동정맥루(brachiocephalic arteriovenous fistula)를 고려할 수 있다. 인조혈관을 이용한 동정맥루는 이런 순서로 자가 동정맥루를 시도한 후에 만들 수 있는 곳이 없는 경우에만 고려해야 한다. 투석이 용이하기 위해서는 천자할 정맥이 피부에서 6 mm 이내의 깊이에 위치하고 있어야 한다. 위팔동맥-노쪽피부정맥 동정맥루는 손목에 동정맥루를 만들 때보다 미용적인 장점이 있다.

중심정맥관을 삽입한 과거력이 있으면 팔의 부종이나 어깨와 목의 정맥이 확장되어 있지 않는지 확인하고 중심정맥협착증이 의심이 되면 도플러 초음파나 정맥조영술을 시행하여 확인하여야 한다. 손으로 가는 혈류가 충분한가를 확인하기 위하여 알렌검사(Allen test)를 반드시 시행하여야 한다. 양팔의 혈압을 모두 측정하여 차이가 있는지도 확인한다. 수술에 적합한 정맥을 선택하기 위해서는 따뜻한 장소에서 환자의 상체를 높이고 팔에 압박대를 감아 정맥을 촉진한다.

적절한 정맥이 발견되지 않는 경우 정맥조영술이나 도플러 초음파를 시행하여 적합한 동맥과 정맥을 찾는다. 성공적인 노동맥-노쪽피부정맥을 위해서는 도플러 초음파에서 정맥의 직경이 2.5 mm 이상이 되어야 하며, 노동맥의 직경은 2.0 mm 이상이 일반적으로 받아들여지고 있다.

4. 마취

동정맥루 수술은 일반적으로 국소 마취하에서 시행되는 경우가 많으며, 마취제는 epinephrine을 섞지 않은 2% lidocaine을 사용한다. 액와신경차단하에 수술할 수도 있으며, 마취와 동시에 혈관확장이라는 부가적인 장점이 있다. 협조가 되지 않는 환자나 소아의 경우에는 안정적인 수술을 위해 전신마취를 시행하기도 한다.

5. 환자 자세

앙와위 자세에서 동정맥루를 만들고자 하는 쪽 팔을 손 수술대(hand table) 위에 90°로 벌려 위치시킨다. 수술자는 환자의 겨드랑이 쪽에 위치하며 보조자가 환자의 어깨쪽에 위치한다. 동정맥루 수술은 충분한 조명 하에서 시행되어야 하며, 수술자에게 전달되는 몸의 진동을 방지하기 위해 편안한 의자에 앉아서 시행되어야 한다. 정교한 동맥-정맥 문합을 위해 확대경 시야에서 시행하는 것이 좋다.

6. 수술 준비

손 수술대(hand table), 혈관수술 기구(vascular instrument)

7. 절개 및 노출

(그림 10-1) 일반적으로 많이 시행되는 노동맥-노쪽피부정맥 동정맥루 조성을 먼저 기술하고, 위팔동맥-노쪽피부정맥 동정맥루에 대해서는 간략히 기술하기로 한다. 수술이 근위부로 확장될 것이 대비하여 액와부위를 포함하여 수술하기로 선택한 팔을 소독한 후 수술포를 덮는다. 수술 중 환자의 팔이 움직이는 것을 방지하기 위해서 소독포를 접거나 수술복을 접어 수술자의 반대편에 위치시키면 편리하다. 넬라톤카테터를 환자의 위팔에 감고 겸자로 물어 수술전 선택한 정맥의 위치를 확인한 후 노쪽피부정맥과 주된 분지들을 표시한다. 노동맥의 위치를 촉지하여 맥박이 느껴지는 선을 따라 표시한다. 노동맥과 노쪽피부정맥의 중간정도 위치에서 세로로 피부절개를 한다. 이때 노동맥에 가깝게 피부절개를 하는 것이 나중 문합 시에 시야 확보에 유리하다.

(그림 10-2) 피하조직을 절개한 후 정맥쪽 피부를 견인하여 피하조직을 박리한다. 노쪽피부정맥의 위치가 확인되면, 정맥의 손상을 줄이기 위해 실라스틱 고리를 걸어 견인하면서 약 5 cm 길이를 박리한다. 박리 중 발견되는 정맥의 분지는 결찰하고 절단한다. 이때 노쪽피부정맥의 배측분지를 문합할 때 첩포로 사용할 예정이 아니라면, 추후 정맥 성숙을 촉진시키고 손의 정맥성 고혈압을 방지하기 위해서 결찰하는 경우가 많다.

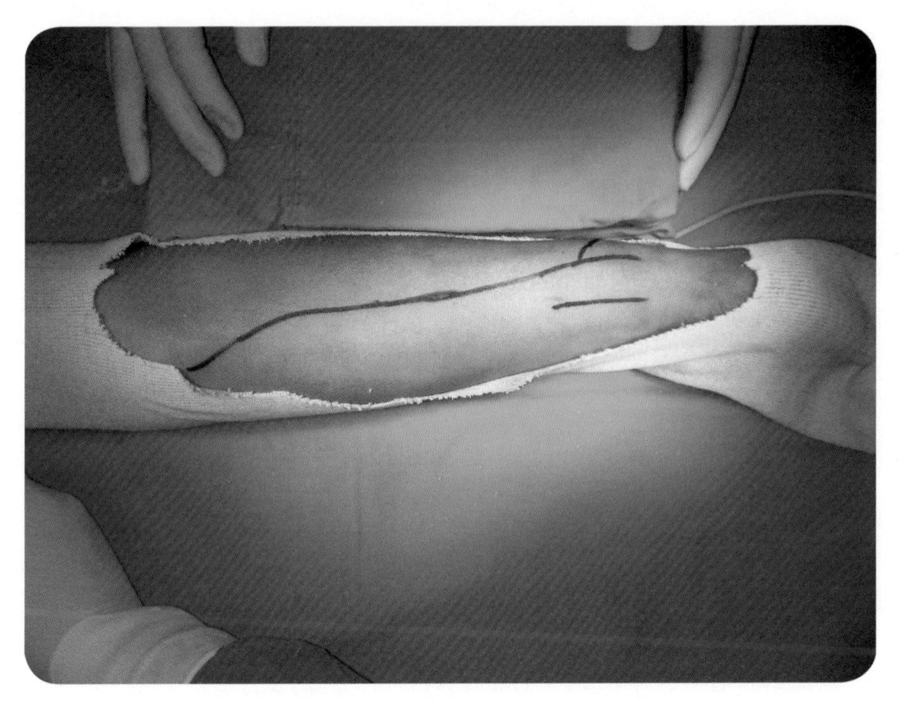

그림 10-1

TIP 1
정맥과 동맥을 박리할 때 주변을 지나가는 감각신경을 다치지 않도록 조심해야 한다. 수술 후 엄지손가락에 감각이상이 발생할 수 있으며, 신경혈관(vasa neurium)에서 귀찮은 출혈이 발생할 수도 있으며, 지혈과정에서 신경손상이 확대되기도 한다.

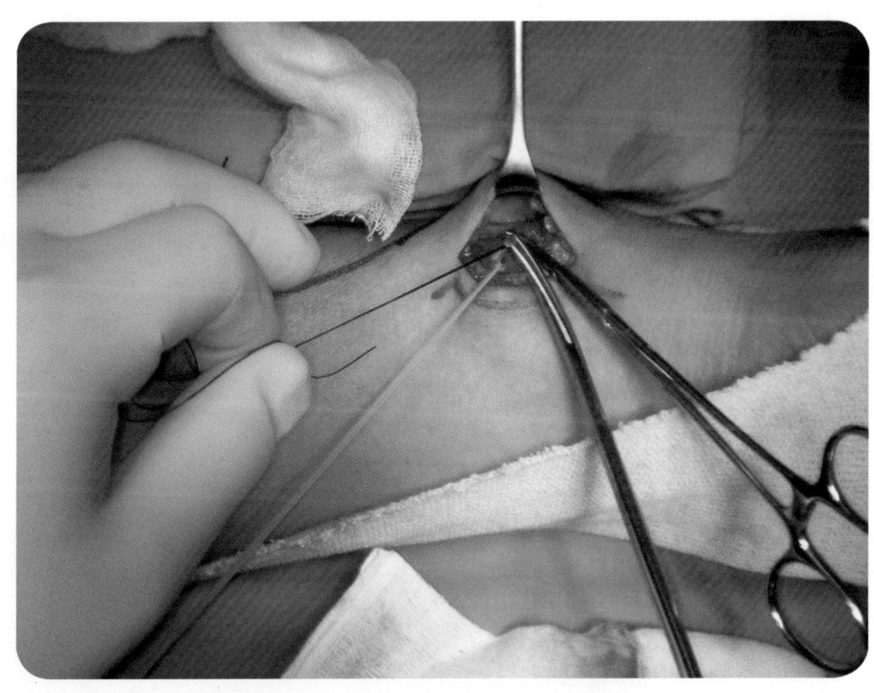

그림 10-2

(그림 10-3) 노동맥의 박리를 위해서는 피하조직을 조금 더 절개하여 근막을 노출시킨다. 근막은 혈관이 없어서 가위를 이용하여 절개할 수 있다. 단 드물게 노동맥의 분지가 근막을 뚫고 나오는 경우가 있어서 조심해야한다. 근막을 절개하면 두개의 양측 수반정맥과 노동맥이 얇은 막에 싸여있는 것을 볼 수 있다. 노동맥만 분리하여 실라스틱 고리를 걸고 조심해서 견인하면서 수반정맥으로부터 분리한다. 노동맥으로부터 근육으로 가는 분지들을 결찰하거나 작은 분지들을 가는 끝을 가진 집게(microforcep)로 노동맥벽에서 2~3 mm 떨어진 부분을 잡은 뒤 노동맥에 열에 의한 손상을 주지 않도록 조심해서 소작한다.

이 분지들이 부주의로 찢어지면 노동맥의 외막밑에서 출혈하여 혈종에 의한 혈류장애를 일으킬 수 있으므로 주의하여야 한다. 혈종이 생기면 일단 거즈로 살짝 압박해서 지혈시킨 후 외막을 절제하여 혈종을 제거한다. 동맥과 정맥을 거칠게 박리하면 경련(spasm)이 발생할 수 있으므로 조심해서 다루는 것이 필수적이다. 만약 노동맥에 경련이 발생했을 경우에는 박리하기 전에 동맥주위초에 papaverin을 국소주사해 볼 수도 있다.

(그림 10-4) 손목에서 동정맥루를 조성하는 것이 불가능하다면, 노쪽피부정맥과 위팔동맥을 팔오금에서 문합하여 혈관통로를 만들 수 있다. 팔오금의 피부선을 피하여 원위부에 종절개를 한다. 노쪽피부정맥은 위팔동맥과 거리가 멀어 주로 오금정맥(antecubital vein) 또는 관통정맥(communicating vein)을 문합에 이용한다. 오금정맥이 정맥천자 등의 이유로 폐색되어 있는 경우에는 팔오금 근위부에 횡절개하여 노쪽피부정맥을 길게 박리하거나, 별도의 피부절개를 통하여 정맥을 박리한 후 피하통로를 통하여 위팔동맥으로 이동시켜 문합하게 된다. 이때 꺽이거나 회전되지 않도록 주의하여야 한다. 정중신경이 오금정맥에 대하여 내측후방에 위치하며 조심해서 보호해야한다. 동맥의 노출을 위해서는 이두근 건막을 부분적으로 절단한 후 상완동맥을 노동맥과 자동맥의 근위부까지 박리하여 각각 실라스틱 고리를 걸어둔다.

8. 수술 과정

(그림 10-5) 노동맥의 박리가 끝나면, 노쪽피부정맥을 문합 후 긴장이 생기지 않을 위치에서 결찰 절단한다. 정맥 근위부의 협착이나 폐색 여부를 확인하기 위하여 정맥 개구부를 통하여 헤파린식염수를 신속히 주사하여 저항이 없음을 확인한다. 관상동맥확장기(coronary dilator)나 포가티풍선카테터를 근위부 정맥으로 통과시켜 근위부정맥을 확인할 수도 있으나, 무리한 힘을 가하여 정맥 내막 손상을 일으키지 않도록 주의하여야 한다. 저자의 생각으로는 헤파린식염수 주사 시 저항이 있는 경우에만 선택적으로 포가티카테터를 이용하는 것이 좋을 것으로 보인다. 수술 전 이중주사 초음파검사를 시행하여 정확한 정맥 지도를 작성한 후 적절한 수술 부위를 결정하는 것이 권장된다. 주사 후 정맥에서 역류를 보이면, 압력이 낮은 혈관겸자로 혈류를 차단한다.

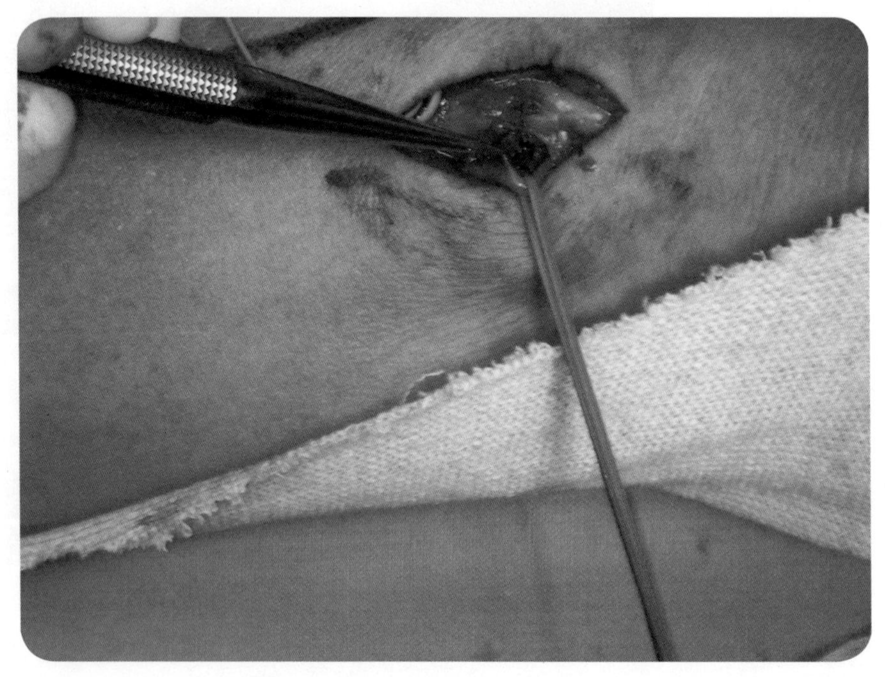

그림 9-3

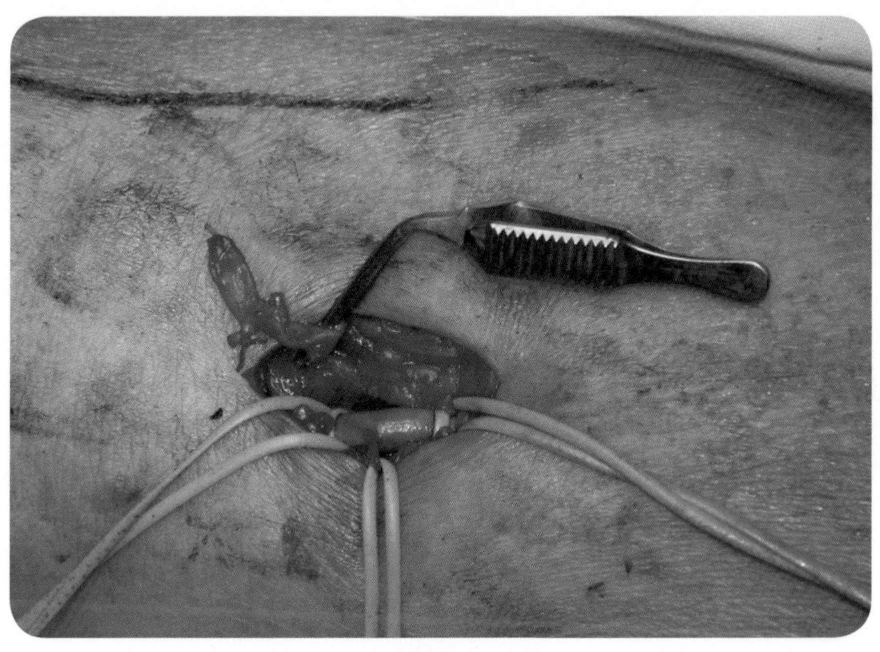

그림 9-4

TIP 2
위팔동맥의 맥박을 촉지하여 전주와의 하방에서 노동맥과 자동맥으로 나뉘는 부위를 확인하다. 이때 위팔동맥의 맥박이 갑자기 약해지는 부위가 동맥이 분지하는 위치이다.

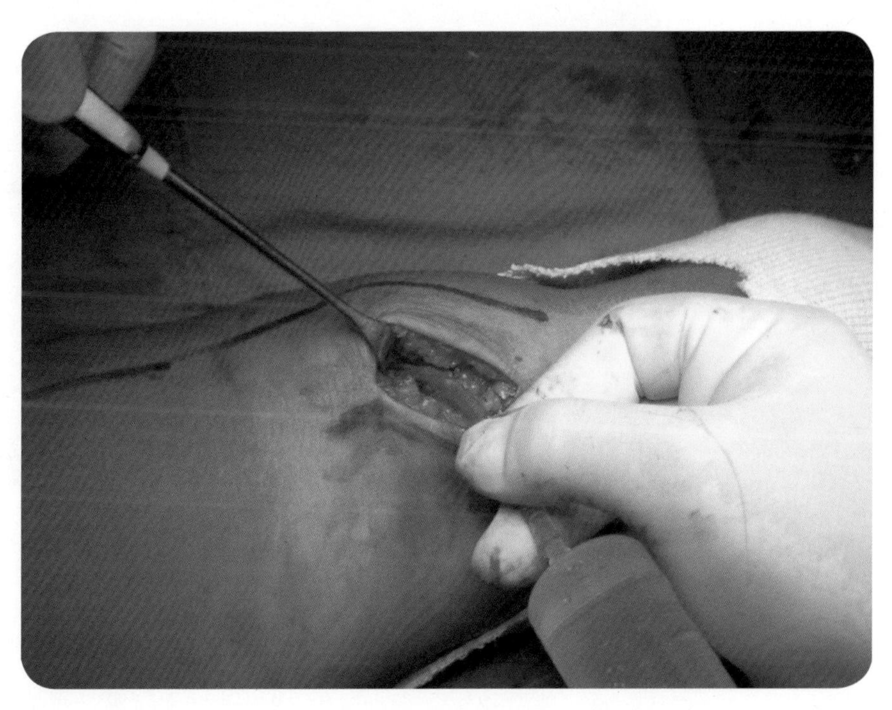

그림 9-5

TIP 3
노쪽피부정맥을 박리한 부위와 박리되지 않은 근위부의 사이에서 꺾임이 자주 발생하여 혈류장애의 원인이 된다. 문합 후 혈류 재개 시 정맥이 주행할 경로를 예상하여 꺾임이 발생하지않도록 주의한다.

(그림 10-6) 정맥을 문합할 쪽 벽을 절개하고 양쪽 귀를 절제하여 문합할 준비를 한다. 이중 고리를 노동맥의 근위부와 원위부에 위치시키고 적절한 견인하고 고정하여 혈류를 차단한다. 동맥경화가 진행된 경우에는 이중 고리로 혈류 차단이 어려워 불독겸자 같은 혈관겸자를 이용하여 혈류를 차단시킬 수도 있는데 이때에는 겸자의 손잡이 위에 젖은 거즈를 덮어 봉합사가 걸리는 것을 방지하는 것이 좋다. 8~12 mm의 동맥절개를 한 후 정맥과 문합을 시작한다.

(그림 10-7) 동맥과 정맥 절개창의 양쪽 끝에 양측에 바늘이 달린 7-0 polypropylene 봉합사를 사용하여 봉합한 후 결찰한다. 결찰한 실 중 하나를 가지고 수술자가 앉아 있는 반대쪽 면을 먼저 봉합한다. 봉합 중인 실을 제외하고 나머지 실들은 고무를 씌운 겸자를 물어 실이 엉키는 것을 방지한다. 봉합은 동맥과 정맥의 바깥쪽에서 연속봉합으로 진행한다. 문합부의 중간 정도까지 갔으면, 반대쪽 끝에 결찰한 봉합사 중 하나를 가지고 반대쪽에서 진행한다. 동맥의 직경이 3 mm 이상이면 문합부의 안쪽에서 봉합할 수도 있다. 이때 동맥과 정맥의 전층이 봉합에 포함되도록 하며, 반대쪽 벽을 뜻하지 않게 봉합하는 것을 방지하기 위하여 보조자에게 집게로 봉합 중인 쪽의 반대쪽 정맥의 외막을 견인하도록 하면 편리하다.

(그림 10-8) 문합이 끝나면, 이중 고리를 살짝 이완시켜 동맥 혈류가 유입되도록 하면서 문합부 출혈 부위를 관찰한다. 대부분의 경우 거즈로 문합선을 따라 가볍게 눌러주면 지혈된다. 봉합 간격이 일정하지 않으면 출혈이 발생할 가능성이 높아진다. 출혈이 심하면 추가로 봉합할 수도 있는데 이때 문합부 협착이 발생하지 않도록 주의하여야 한다. 문합부가 지혈된 후에는 정맥이 꺾이거나 주위 조직에 의해 눌리는 부분이 없는지 확인한다.

(그림 10-9) 위팔동맥-노쪽피부정맥 동정맥루 조성하는 경우 동맥 혈류차단은 이중고리를 사용할 수도 있지만 동맥의 직경이 크고 혈류가 많아 이중고리로 세게 잡아 당길 경우 동맥내막의 손상이 발생할 가능성이 있으

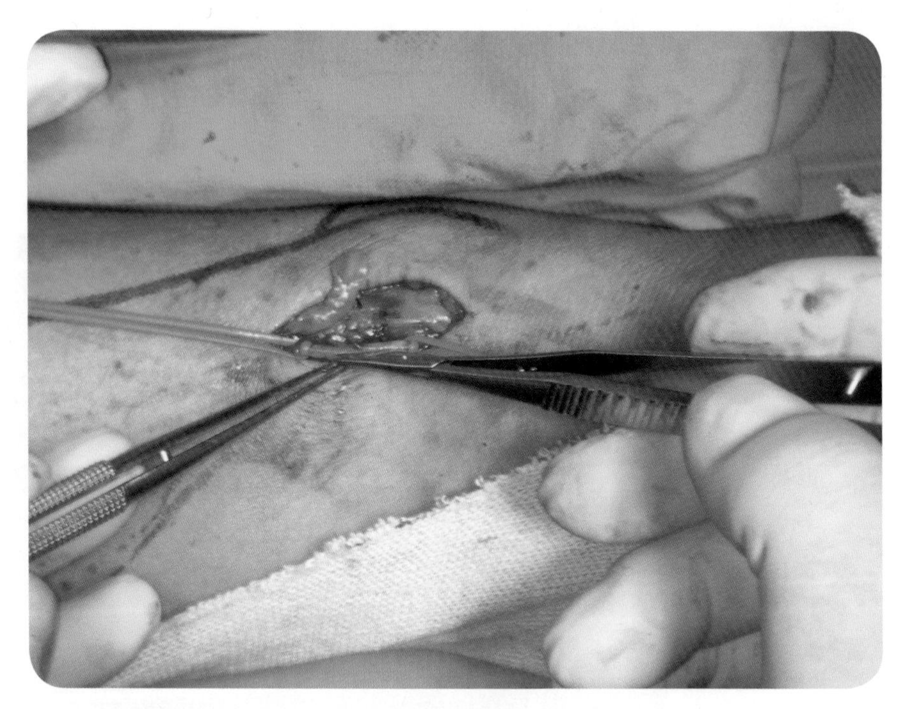

그림 10-6

TIP 4

문합할 부위 정맥 내벽에 판막이 있는 경우 절제하는 것이 문합 시 뜻하지 않게 바늘에 걸리는 경우를 예방할 수 있어 안쪽에서 절제하는 것이 안전하다. 정맥 분지의 크기와 위치가 적절하면 첩포(patch)로 사용하여 이상적인 문합결과를 얻을 수 있는데 정맥이 분지하는 부위에는 판막이 있는 경우가 많으므로 주의해서 절제한 후 문합한다.

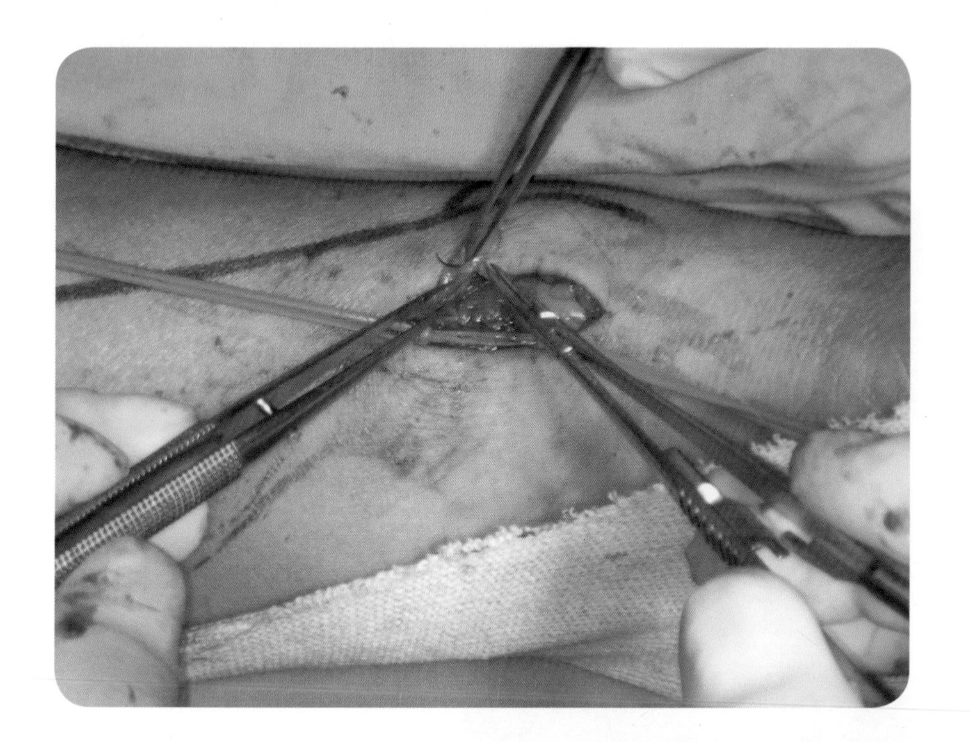

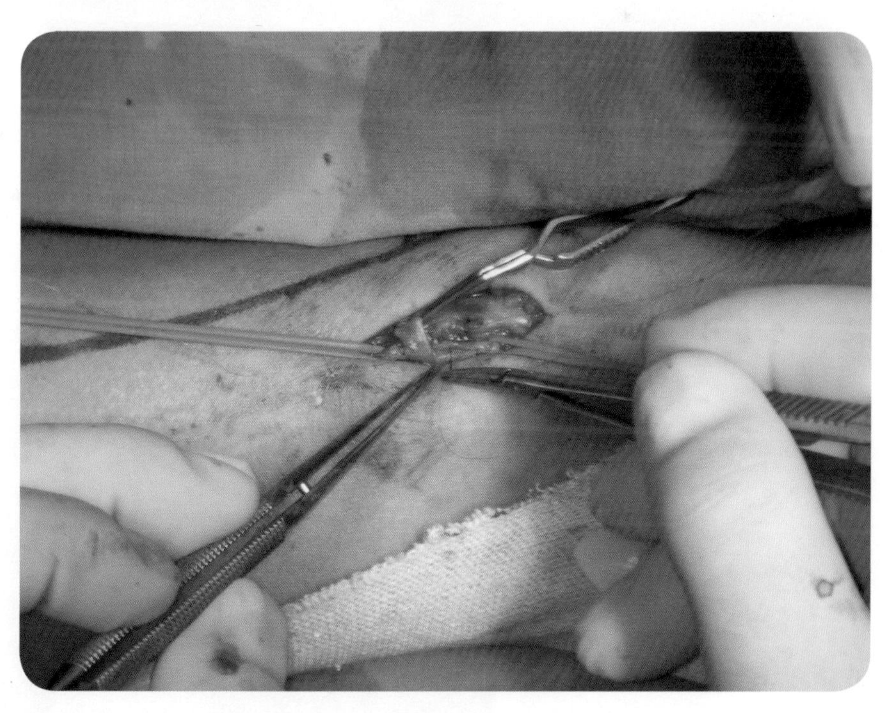

그림 10-7

므로 불독 겸자를 이용하는 것이 안전하다. 문합은 노동맥-노쪽피부정맥 동정맥루에서 기술한 것과 유사하지만, 도류증후군(steal syndrome)의 발생을 최소화하기 위해 동맥 절개를 약 4~6 mm로 제한하여야 한다. 동맥의 직경이 충분히 크므로 수술자의 반대쪽면을 봉합할 때 문합부의 안쪽에서 봉합을 진행할 수 있어 편리하다.

(그림 10-10) 동정맥루의 근위부에서 촉지하여 노쪽피부정맥 전장에서 정상적인 떨림이 관찰되는지를 확인한다. 피하조직은 흡수봉합사를 이용하여 knot-buried 봉합하고, 피부는 Nylon으로 봉합하거나 Steri-strip 또는 피부접착제(skin adhesive)를 사용할 수도 있다. 수술 후에는 부종의 예방을 위해 손을 올리고 있게 하면 되고 탄력붕대를 감을 필요는 없다. 절개창은 가볍게 드레싱한다. 혈압측정은 반대 팔에서 하여야 한다.

(그림 10-11) 인조혈관 동정맥루 중 가장 많이 사용하는 술식은 인조혈관 위팔동맥-팔오금정맥 루프형 동정맥루(Brachio-

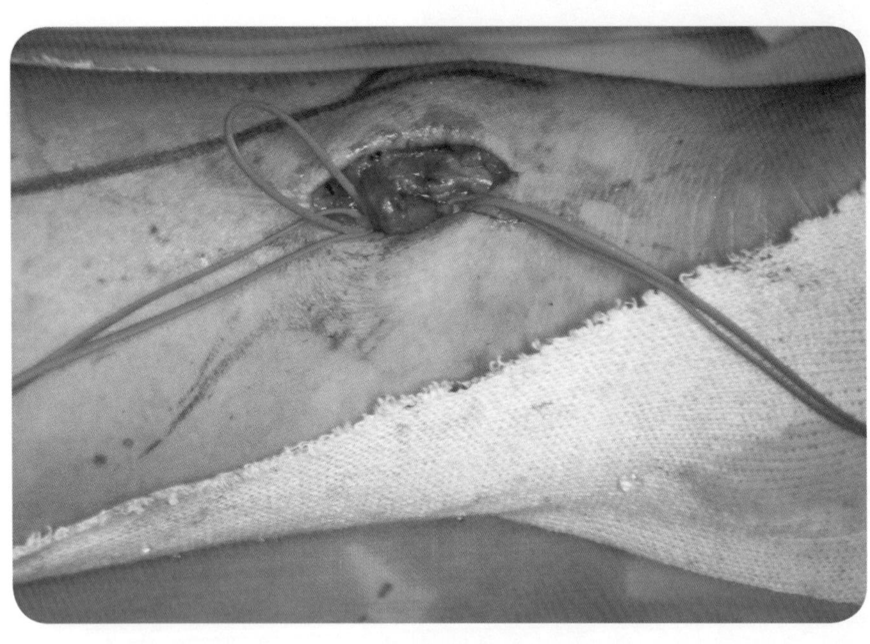

그림 10-8

TIP 5
정맥 분지를 결찰하면서 정맥 외막의 일부가 같이 결찰된 곳과 정맥을 박리한 가장 근위부에서 꺾임이 발생하는 경우가 많으므로 반드시 확인하여야 한다.

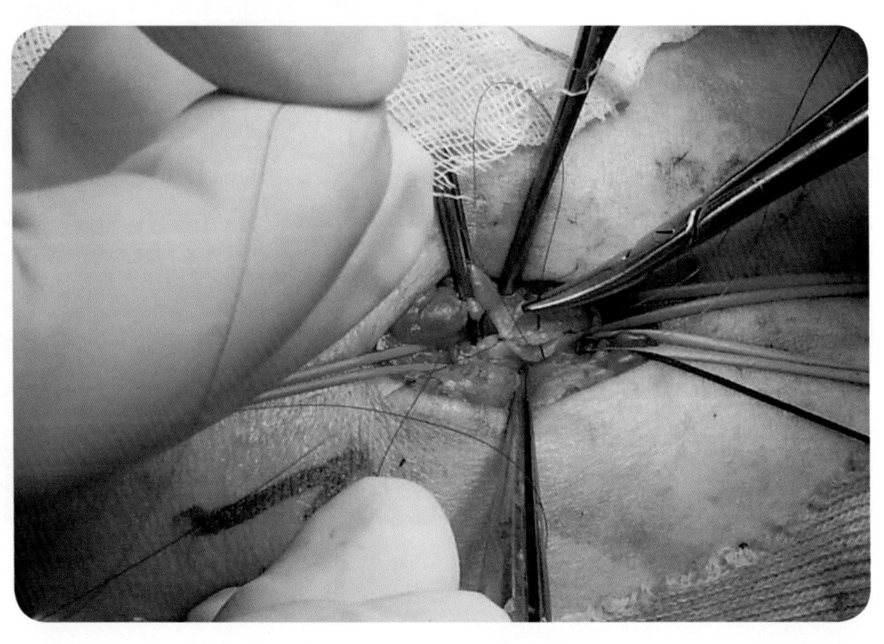

그림 10-9

antecubital loop arteriovenous graft)이다. 주로 팔오금에 횡절개를 가하여 정맥문합에 사용될 정맥을 노출시키고 동맥을 박리하나, 정맥과 동맥의 위치가 멀리 떨어져 있는 경우에는 별도의 피부절개를 시행할 수 있다. 팔오금정맥이 유출정맥으로 적절치 못한 경우, 팔오금 주변의 노쪽 혹은 자쪽 피부정맥도 유출정맥으로 사용할 수 있다. 피부정맥이 모두 유출정맥으로 부적절하다면 심부정맥도 사용할 수 있으며, 이때 인조혈관이 팔오금 관절을 지나 위팔부위의 피부정맥이나 심부정맥을 유출정맥으로 사용할 수도 있으며, 이 경우 인조혈관의 꺾임이 발생하지 않도록 주의하여야 한다.

인조혈관을 피하지방층에 너무 깊게 위치시키면 투석 시 주사하기가 어렵고 너무 얕게 위치시키면 인조혈관이 노출되거나 감염의 위험이 있으므로 적절한 깊이에 위치시키는 것이 중요하다.

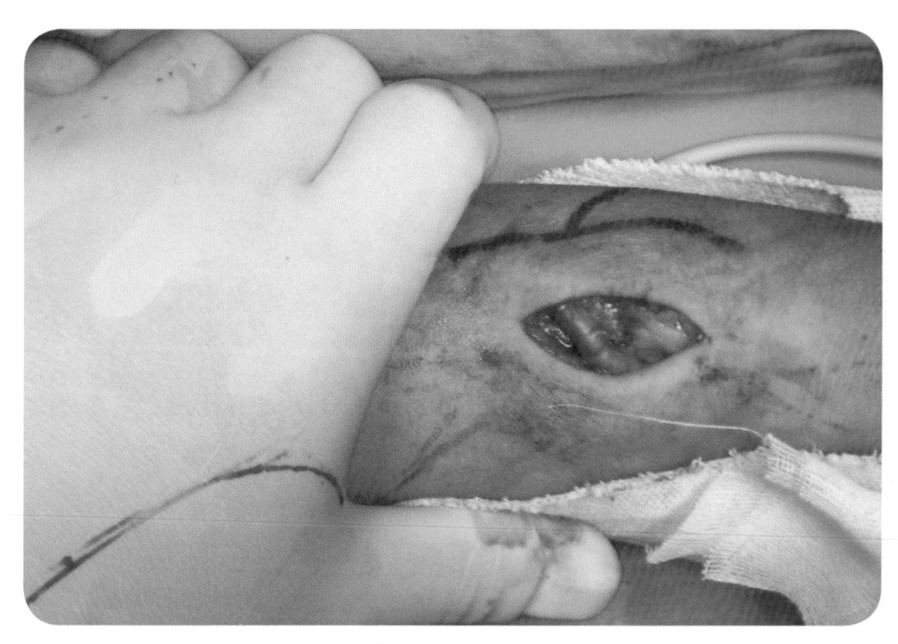

그림 10-10

TIP 6
문합부 근처에서 맥박이 촉지되면서 떨림이 없다면, 근위부 협착이나 폐색을 의심해야 한다. 결찰한 정맥 분지가 큰 경우에는 분지를 열거나, 적당한 정맥 분지가 없으면 문합부 근처의 정맥을 절개하여 협착부위를 찾는다. 관상동맥 확장기를 정맥쪽으로 넣어 보면, 협착부위를 찾을 수 있다. 조심해서 확장을 시도해 보고, 조영제 사용이 가능하면 정맥조영술을 시행하여 수술 중 풍선성형술을 시도해 볼 수도 있다. 드물게는 그 정맥을 포기하고 다른 정맥을 사용하거나 다른 부위에 새로운 동정맥루를 만들어야 하는 경우도 있다.

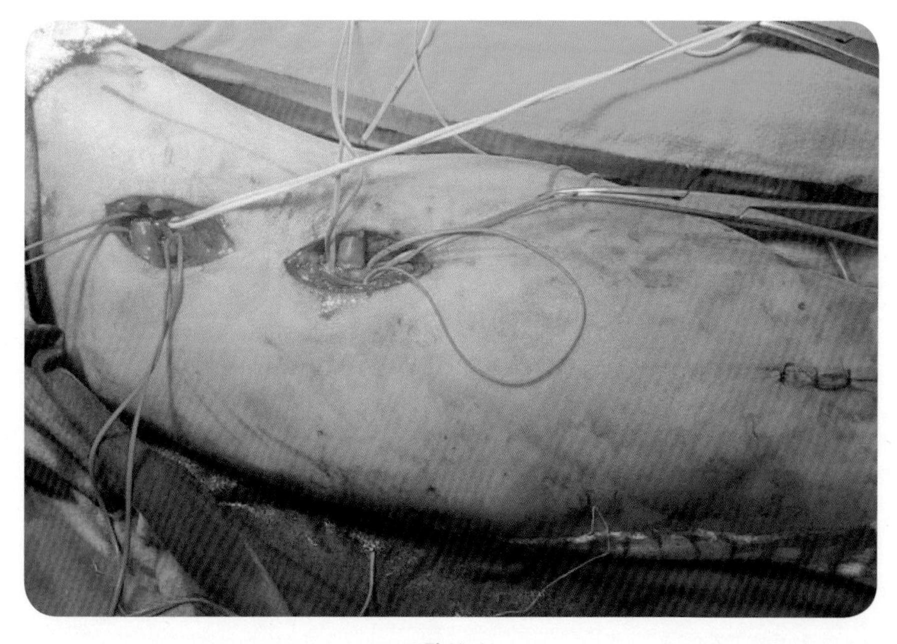

그림 10-11

TIP 7
문합 후 인조혈관 위에서는 떨림이 느껴지지 않는 경우가 흔하다. 성공적인 수술의 확인은 유출정맥에서 정상적인 떨림이 느껴지는가를 확인하여야 한다.

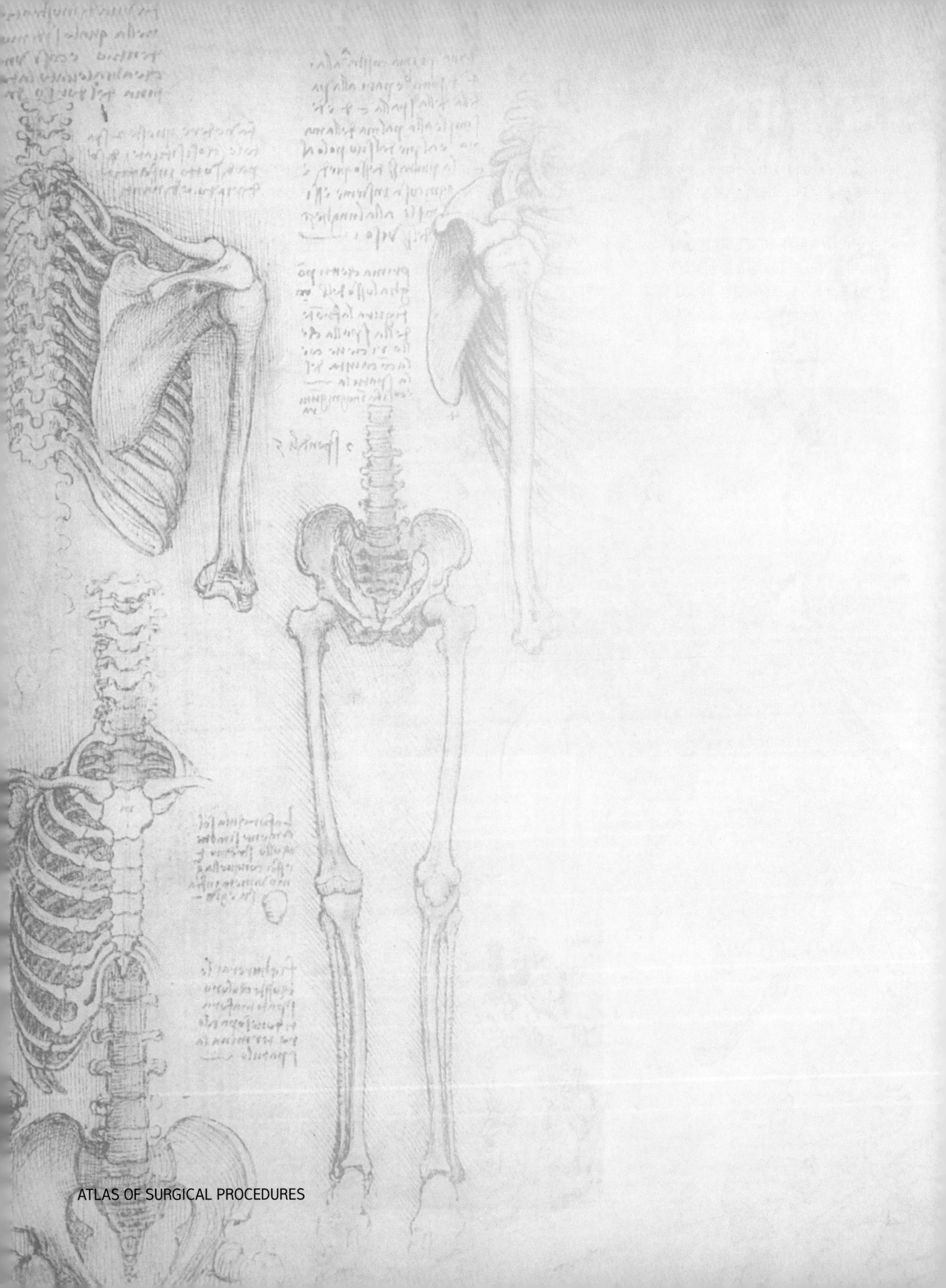

ATLAS OF SURGICAL PROCEDURES

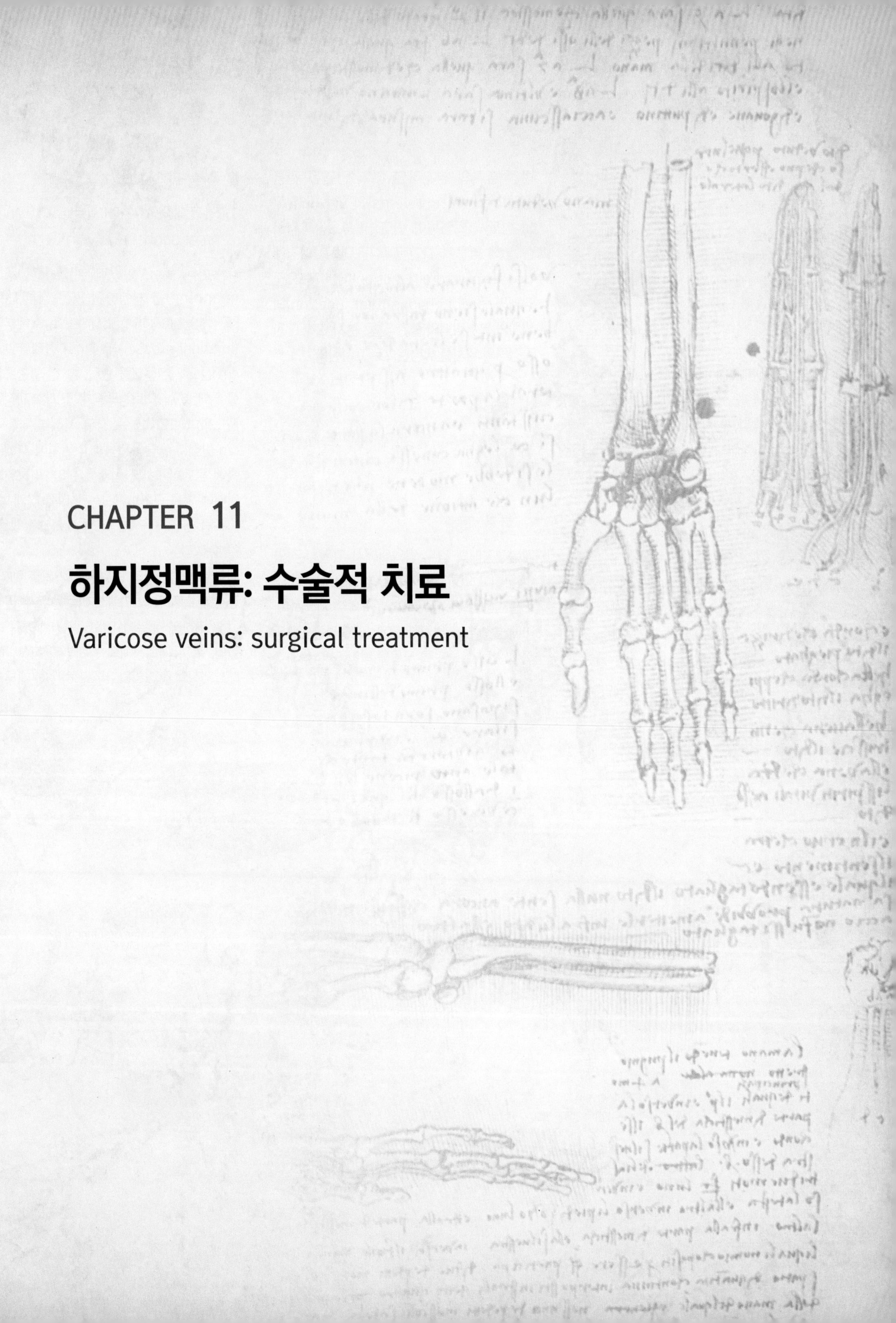

CHAPTER 11

하지정맥류: 수술적 치료

Varicose veins: surgical treatment

1. 적응증

하지 표재정맥부전 및 이로 인한 증상이나 징후(동통, 피로감, 무게감, 부종, 표재정맥염, 정체피부염, 정맥궤양 등)가 있는 경우와 미용상의 목적으로 시행한다.

2. 비적응증

심부정맥의 폐색이 동반되어 표재정맥 계통이 우회로 역할을 하며 정맥의 흐름을 유지하고 있는 경우나, 임신, 말초동맥폐색질환, 심각한 심폐질환이나 혈역동적으로 불안정한 환자 및 혈관기형이 동반된 환자에서는 시행하지 않는다.

3. 수술 전 처치

수술 전 혈관초음파검사(duplex ultrasound)를 시행하여 혈관의 전반적인 상태를 확인하는 것이 필요하다. 복재정맥의 역류뿐만 아니라 심부정맥의 역류나 혈전의 유무도 확인해야 한다. 특히 정맥궤양이 동반된 환자의 경우라면 이와 연관된 관통정맥(perforating veins)의 역류의 유무도 반드시 확인해야 한다. 혈관초음파검사를 통해 역류가 확인된 복재-대퇴정맥경계(saphenofemoral junction)나 복재-오금정맥경계(saphenopopliteal junction)의 위치와 복재정맥의 줄기 및 큰 분지 그리고 관통정맥의 위치를 유성펜으로 표시한다.

4. 마취

전신마취, 척추마취, 경막외마취, 부위마취 등이 가능하다.

5. 환자 자세

대복재정맥의 경우 앙와위에서 고관절은 약간 굽히고 외회전된 자세로 수술을 시행한다. 소복재정맥의 경우 복와위 자세로 시행하며, 이때 슬와부에 위치한 혈관 및 신경구조물들이 이완될 수 있도록 무릎을 약간 굽힌 상태로 수술을 시행한다.

6. 수술 과정

1) 대복재정맥 수술(Surgery for the great saphenous vein)

(그림 11-1) 술 전 혈관초음파를 통해 지도화(mapping)를 시행하지 않은 경우 대퇴동맥 맥박을 촉지하여 그 내측으로 서혜부주름(inguinal crease) 약 1 cm 아래부위에 3 cm 정도 사선절개를 한다. 술 전 혈관초음파를 통해 복재-대퇴정맥경계 및 대복재정맥을 지도화하여 그려놓은 경우 서혜부주름 약 1 cm 아래부위 대복재정맥의 위치에 서혜부주름에 평행하게 사선절개를 한다. 피하지방층 아래에 얕은근막이 나오는데 이를 절개 후 조심스럽게 조직을 박리하면 대복재정맥을 찾을 수 있다.

대복재정맥을 따라 근위부로 박리를 해 나가면 여러 분지가 나오는데, 이들을 모두 결찰하고 분리하면서 복재-대퇴정맥경계까지 박리한다. 복재-대퇴정맥의 경계부위 직하방에서 대복재정맥을 결찰하고 절단하는데 대복재정

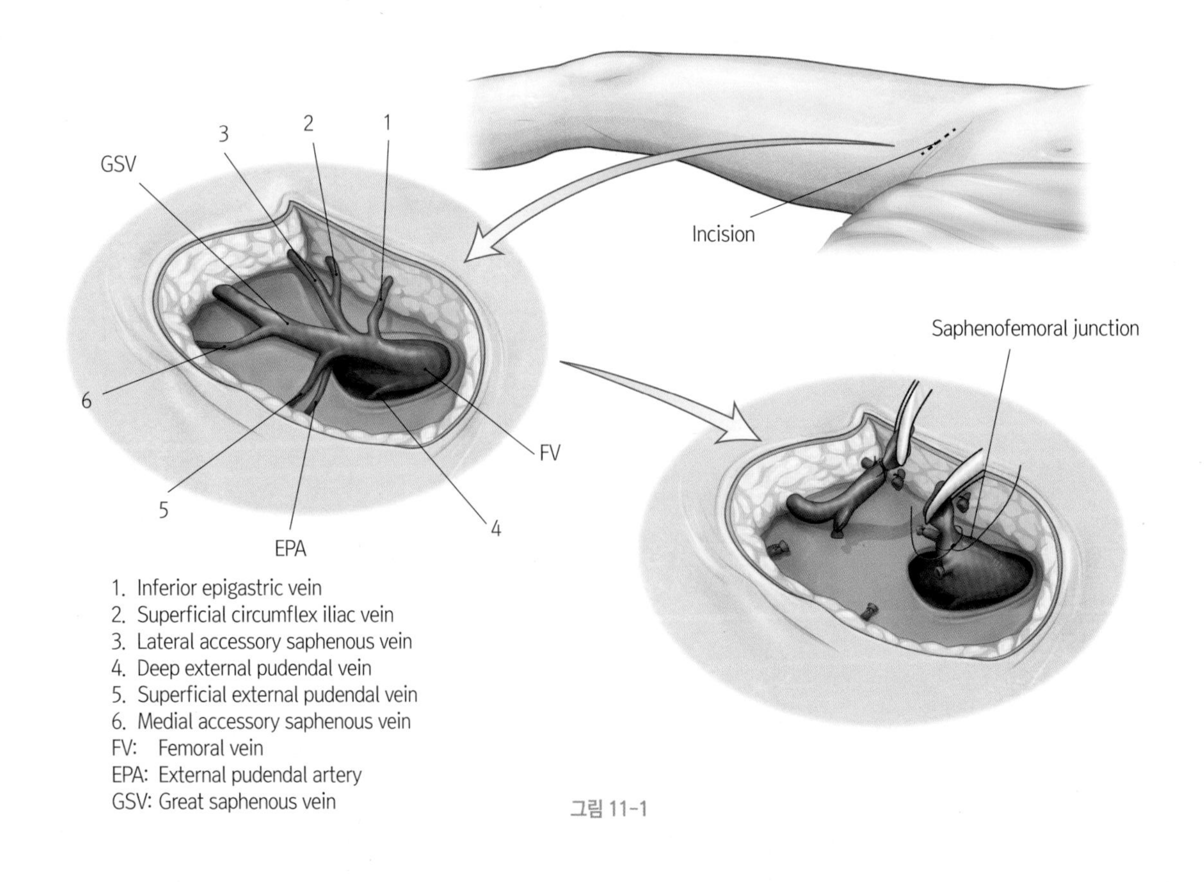

그림 11-1

맥을 많이 남길 경우 그곳에 혈전이 생길 수 있으므로 남기지 않도록 한다. 대복재정맥 결찰 시 일반적으로 일차 결찰 후 추가로 봉합결찰(suture ligation)을 시행하여 2회 결찰한다. 고위결찰술 후 분리된 원위부 대복재정맥은 서혜부 절개창을 통해 아래쪽으로 박리가 가능한 부위까지 박리한다. 이때에도 대복재정맥 분지가 있을 경우 결찰하고 분리한다. (그림 11-2) 남은 대복재정맥은 발거술(stripping)로 제거하는데 복재신경(saphenous nerve)손상의 위험성이 높아 발목까지 전체 대복재정맥을 발거하지 않으며, 일반적으로 무릎 바로 아래부위 까지만 시행한다. 미리 표시된 무릎 근처 대복재정맥 위치 피부에 작은 횡절개창을 만들고, 대복재정맥을 박리하여 아래쪽은 결찰하고 절단 후 위쪽을 통해 스트리퍼(stripper)를 대복재정맥내로 삽입한다. 대복재정맥이 깊이 위치하여 찾기가 어려운 경우, 서혜부 절개창에 박리된 대복재정맥을 통해 역방향으로 스트리퍼를 넣어 볼 수 있는데, 대개 정맥내 밸브가 망가진 상태이므로 어

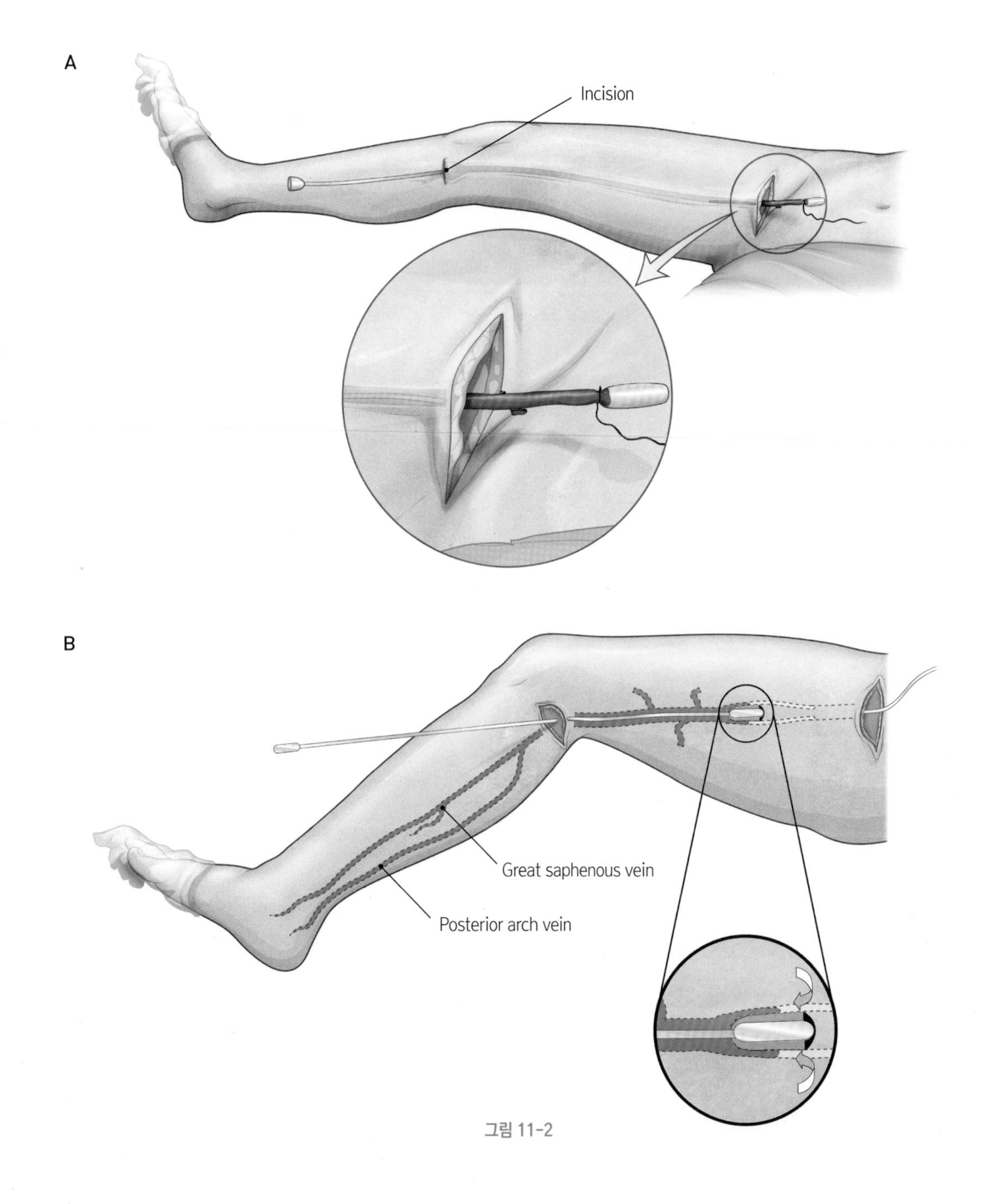

그림 11-2

렵지 않게 통과된다.

스트리퍼를 무릎부위 절개창 하방까지 넣어놓으면 딱딱하게 만져져서 대복재정맥을 좀 더 쉽게 찾을 수 있다. 발거방향은 위에서 아래방향 또는 아래에서 위방향, 양방향으로 모두 시행할 수 있으나 위에서 아래방향으로 시행하는 것이 분지들이 더 쉽게 결출(avulsion)되고 복재신경손상도 적으므로 가급적 위에서 아래방향으로 시행하는 것이 좋다. 요즘은 도토리모양의 큰 머리를 가진 고전적 스트리퍼보다는 조직손상이 적고 머리를 따로 분리할 필요없는 함입 스트리퍼(invagination stripper)를 많이 사용하는데, 아래에서 위로 스트리퍼를 통과시킨 후 대복재정맥의 말단 부위를 스트리퍼 머리 바로 아래서 묶는다. 이후 아래쪽에서 스트리퍼를 천천히 잡아당기면서 발거한다.

발거한 부위는 압박하여 끊어진 분지부위가 지혈될 수 있도록 한다. 충분한 지혈이 되었다고 판단되면, 대복재정맥 경로에 있는 혈종을 위로 짜서 제거하고 절개창을 확인 후 봉합한다. 서혜부 절개는 근막을 먼저 봉합후 피부봉합을 시행하며, 일반적으로 피부밑봉합(subcuticular suture)을 시행한다. 아래쪽 절개창의 경우 같은 피부밑봉합을 시행하나, 그 크기가 작을 경우 봉합테이프 만으로도 충분하다.

2) 소복재정맥 수술(Surgery for the small saphenous vein)

(그림 11-3) 방법은 대복재정맥과 비슷하다. 복재-오금정맥경계의 위치는 매우 다양하며 변형이 있을 수 있으므로 반드시 술 전 혈관초음파를 통해 확인하여야 하며, 복재-오금정맥경계의 약 2 cm 하방에 횡절개를 시행하고 근막 아래에 위치한 소복재정맥을 찾아 박리한다. 소복재정맥을 살짝 당기면서 위쪽으로 박리하여 복재-오금정맥경계를 확인한다. 이때, 온종아리신경(common peroneal nerve)이나 장딴지신경(sural nerve)이 근접해 있으므로 이들에 손상을 주지 않도록 주의해야 한다.

복재정맥간정맥(intersaphenous vein)이나 장딴지정맥(gastrocnemius vein)이 소복재정맥과 만나는 형태인 경우 이들을 결찰하고 그 상부, 복재-오금정맥경계 바로 아래에서 소복재정맥을 결찰한다. 이때도 결찰을 2회 시행한다. 소복재정맥은 장딴지신경 손상의 위험성으로 역시 발목부위까지 전체를 발거하지 않으며, 대개 장딴지의 상부 1/2 지점 정도까지만 발거한다. 술자에 따라서는 스트리퍼를 사용하지 않고 결출하는 방식으로 소복재정맥 상부 약 10 cm 정도만을 제거하는 경우도 있다.

3) 국소정맥절제술 (Excision of local varicosities, ambulatory phlebectomy)

대/소복재정맥 고위결찰술 및 발거술을 통해 종적역류(axial reflux)는 제거하였더라도 표

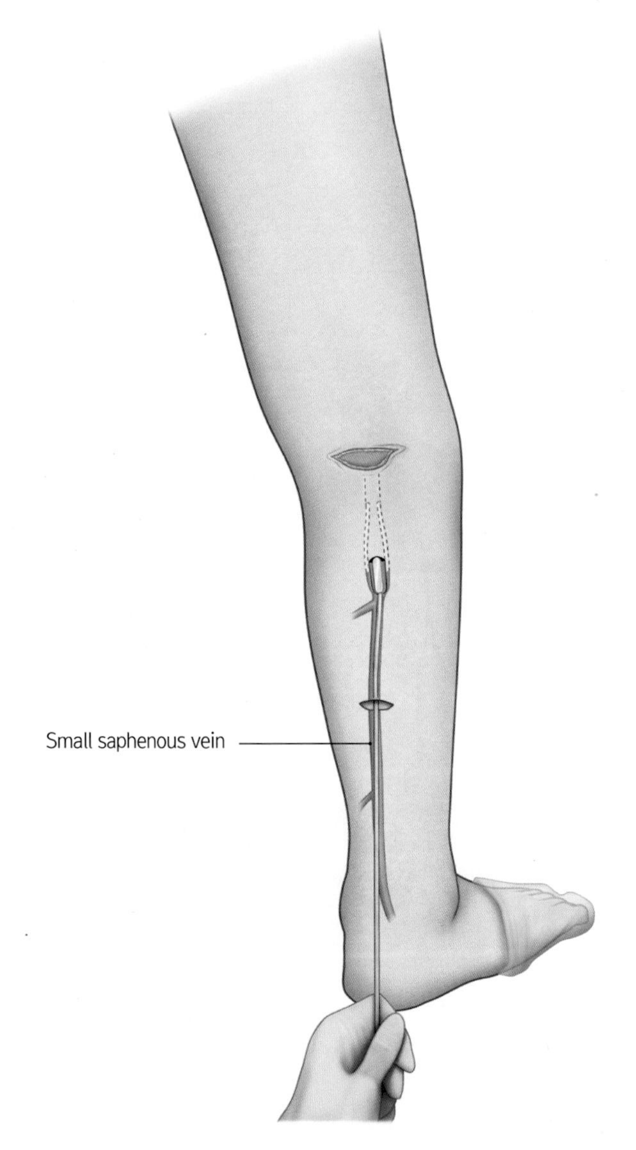

그림 11-3

재정맥류(superficial varicosities)가 남아 있는 경우 이들이 복재정맥외 다른 통로와 연결되면서, 증상이 남게되거나 미용적으로도 불만족을 줄 수 있으므로, 만일 이들이 존재하는 경우 복재정맥 수술과 동시에 제거해준다. 뿐만 아니라, 치료가 필요한 관통정맥의 경우도 같은 방법으로 제거할 수 있다.

(그림 11-4) 정맥류의 크기에 따라 절개창 크기를 달리해야 하지만 일반적으로 1~3 mm 정도의 절개창을 만들며, 11번 칼날을 이용할 수도 있으며, 18G 바늘로 피부를 살짝 찔러 절개창을 만들 수도 있다. 피부절개후 훅(hooks)이나 끝이 작은 겸자(clamps)를 이용하여 정맥을 피부 밖으로 끌어올린 후 정맥에 붙어있는 지방을 포함한 연부조직을 박리하고 양쪽을 겸자한 후 분리한다. 그리고 한방향씩 천천히 당겨서 수 cm정도 빼낸다. 일반적으로 정맥류와 연결되어 있던 역류가 있는 복재정맥이 다 제거된 상태라면 이들을 반드시 결찰할 필요는 없다.

7. 수술 후 관리

상처드레싱 후 수술한 다리에 압박붕대를 감아주며, 압박붕대 대신 압박스타킹을 착용할 수 있다. 압박스타킹은 1~4주간 착용한다.

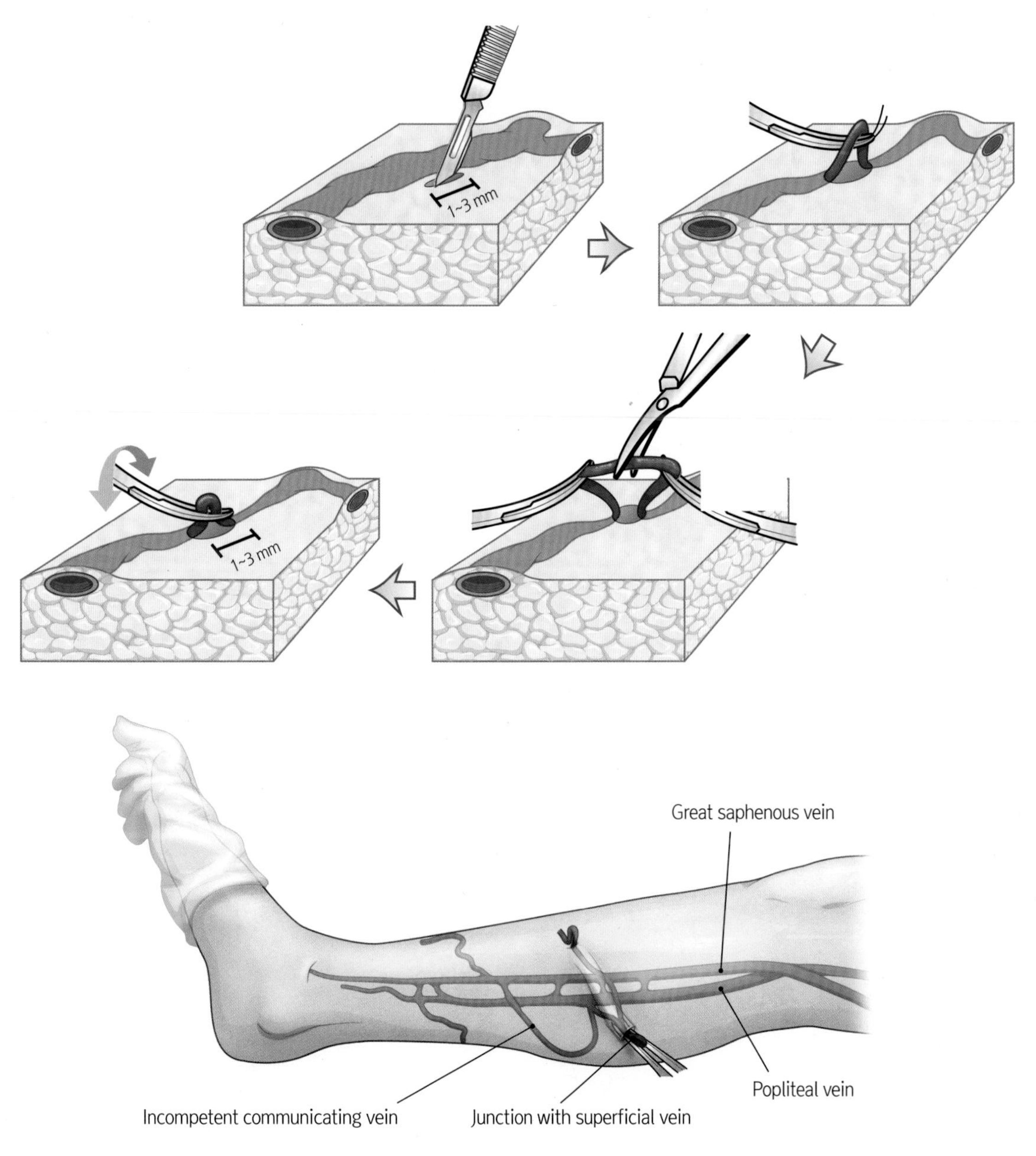

그림 11-4

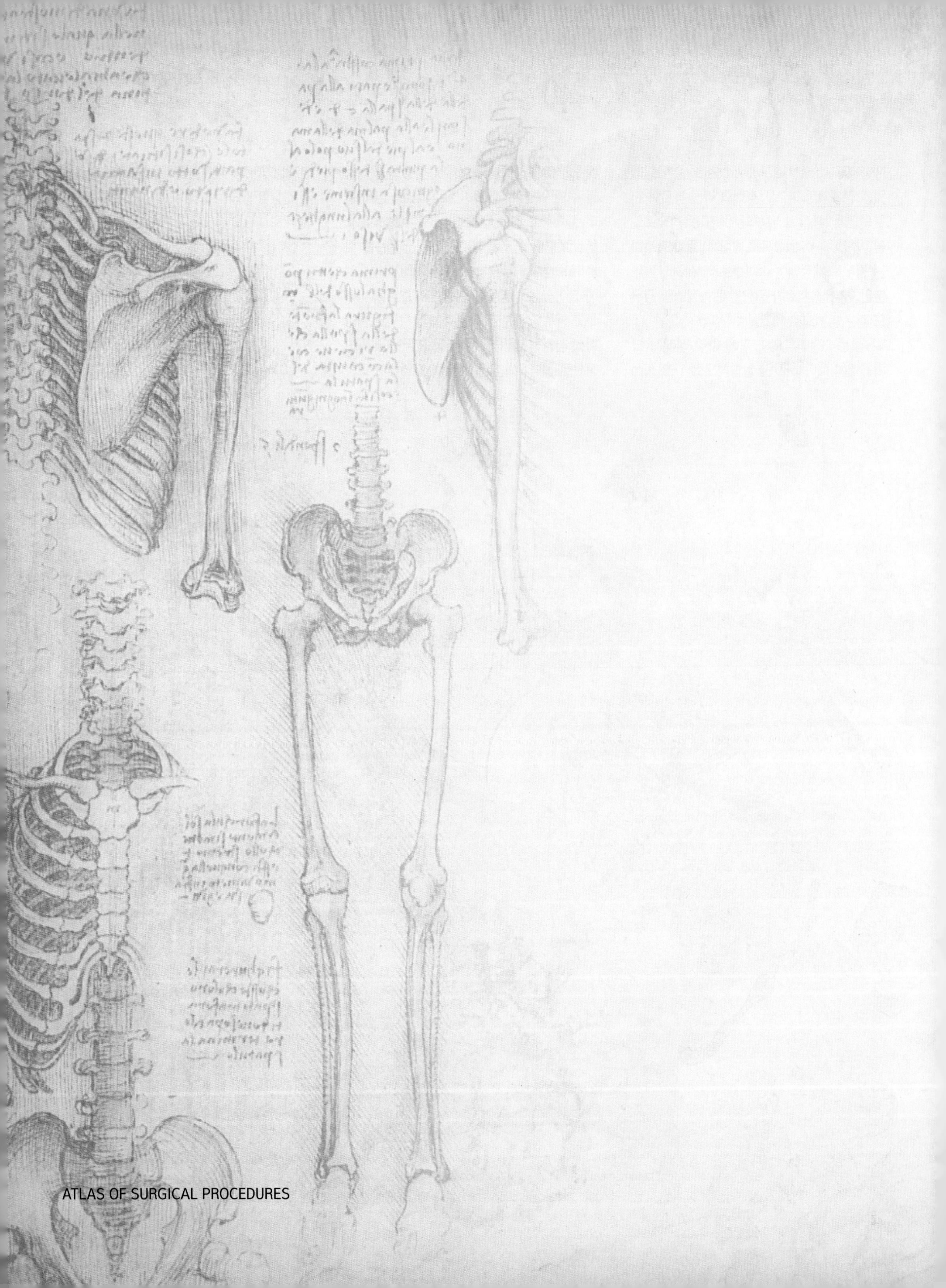
ATLAS OF SURGICAL PROCEDURES

CHAPTER 12

하지정맥류: 레이저, 고주파, 경화요법

Varicose veins: thermal ablation & sclerotherapy

1. 적응증

레이저치료법이나 고주파치료법의 적응증은 CEAP 분류상 C2~C6의 정맥질환 중 압박요법, 운동, 체중감소 등의 보존적 치료에도 호전되지 않는 경우이다. 또한 반복적인 표재정맥염과 출혈성 정맥류도 치료 적응증에 해당된다. 경화요법은 주로 모세혈관확장증(telangiectasia)이나 망상정맥(reticular vein)의 치료에 추천되지만, 초음파유도 하에 복재정맥이나 복재정맥 분지의 정맥류뿐만 아니라 관통정맥의 치료에도 이용될 수 있다.

2. 수술 전 처치

수술 전 표재정맥, 관통정맥, 및 심부정맥에 대한 초음파검사는 필수적이다. 일어선 자세에서 초음파의 B모드들 이용하여 하지 주요 정맥의 압박여부(compressibility), 직경, 혈전증 여부 등을 평가해야 한다. 또한 도플러 초음파를 이용하여 역류유무를 평가해야 한다. 역류여부는 원위부 압박법이나 자동압박 펌프를 이용하여 0.5초 이상의 역류소견이 있으면 병적 역류(pathologic reflux)로 평가한다. 관통정맥은 근막 위치에서의 직경, 위치, 역류여부를 확인해야 한다. 치료할 정맥을 초음파로 확인한 후 지워지지 않는 펜을 이용하여 표시해야 한다. 이때 정맥의 직경 및 피부로부터의 깊이도 표시하면 치료에 도움이 된다. 펜으로 표시한 후 치료할 하지를(그림 13-1) 촬영을 하여 기록해 두면 수술 전후를 비교할 수 있다.

혈전증 가족력, 혈전성향성(thrombophilia) 등의 혈전 위험성에 대해 확인이 필요하고, 수술 1~2시간 전에 예방적 항생제를 투여한다. 혈전증 고위험군에 대해서는 저분자량 헤파린(low molecular weight heparin)을 수술 1~2시간 전에 투여한다. 수술 후 착용할 압박스타킹을 준비한다.

경화요법을 위해서는 치료할 정맥에 따라 희석 정도가 다른 경화제를 준비해야 한다. 치료할 정맥 및 정맥의 직경에 따라 일반적으로 추천되는 경화제의 희석 정도는 표 13-1와 같다.

3. 마취

레이저치료나 고주파치료를 위해서 마취는 국소마취, 부위마취, 척추마취, 전신마취를 할 수 있지만, 외래기반으로 시행된다면 국소마취를 시행한다. 국소마취는 천자를 위한 마취와 치료할 정맥 부위를 따라 시행하는 팽윤마취(tumescent anesthesia)로 구분할 수 있다. 천자부위 마취는 2% Lidocaine을 주입하여 천자를 하고, 팽윤마취는 2% lidocaine 20 ml, 생리식염수 500 ml, sodium bicarbonate 2.5 ml를 혼합하여 사용한다. 팽윤마취는 초음파 유도 하에 정맥주위가 충분히 채워질 정도로 1 cm 당 10 ml 정도를 주입한다. 경화요법을 위해서는 특별한 마취가 필요하지 않는다.

4. 환자 자세

레이저치료나 고주파치료를 위해서 환자의 자세는 치료할 정맥에 따라 달라진다. 대복재정맥이나 부복재정맥을 치료할 때에는 앙와위 자세로 천자한 후 치료를 진행한다. 소복재정맥을 치료할 때에는 복와위 자세에서 진행한다. 만약 대복재정맥과 소복재정맥을 동시에 치료할 때에는 앙와위 자세에서 대복재정맥이나 부복재정맥을 천자하여 치료하고, 소복재정맥은 환자의 다리를 외회전(external rotation)시켜 개구리다리자세(Frog-leg position)를 취하고 천자한다(그림 12-1). 만약 이 자세에서 천자가 어려운 경우에는 측와위 자세나 복와위 자세로 변경하여 천자한다. 경화요법을 위해서는 치료자가 혈관천자를 편하게 할 수 있는 자세로 변경하여 천자하면 된다.

표 12-1 치료할 정맥에 따라 추천되는 경화제의 희석 정도

Vein	Concentration (%), Technique
Great saphenous vein	3.0, foam
Small or accessory saphenous veins	1.0, foam
Tributary vein	1.0, foam
Perforator vein	1.0, foam
Localized 7~10 mm diameter	0.5-1.0, foam
Localized 3~7 mm diameter	0.25-0.50, foam
Reticular varicosity	0.25, liquid
Telangiectasia	0.25, liquid

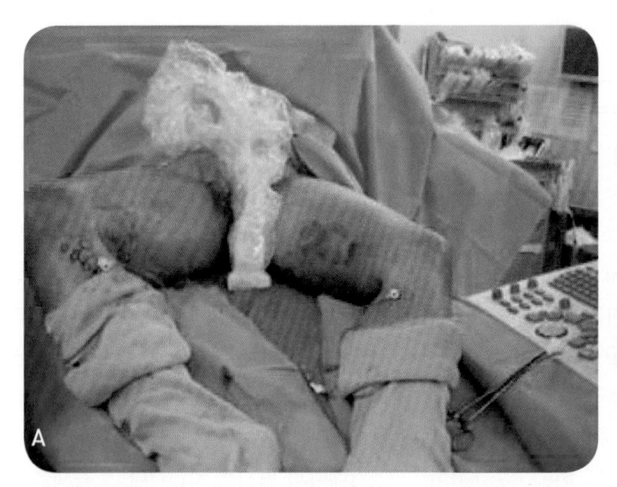

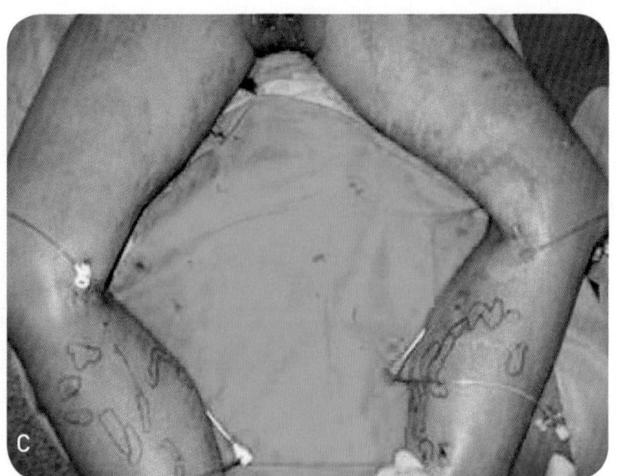

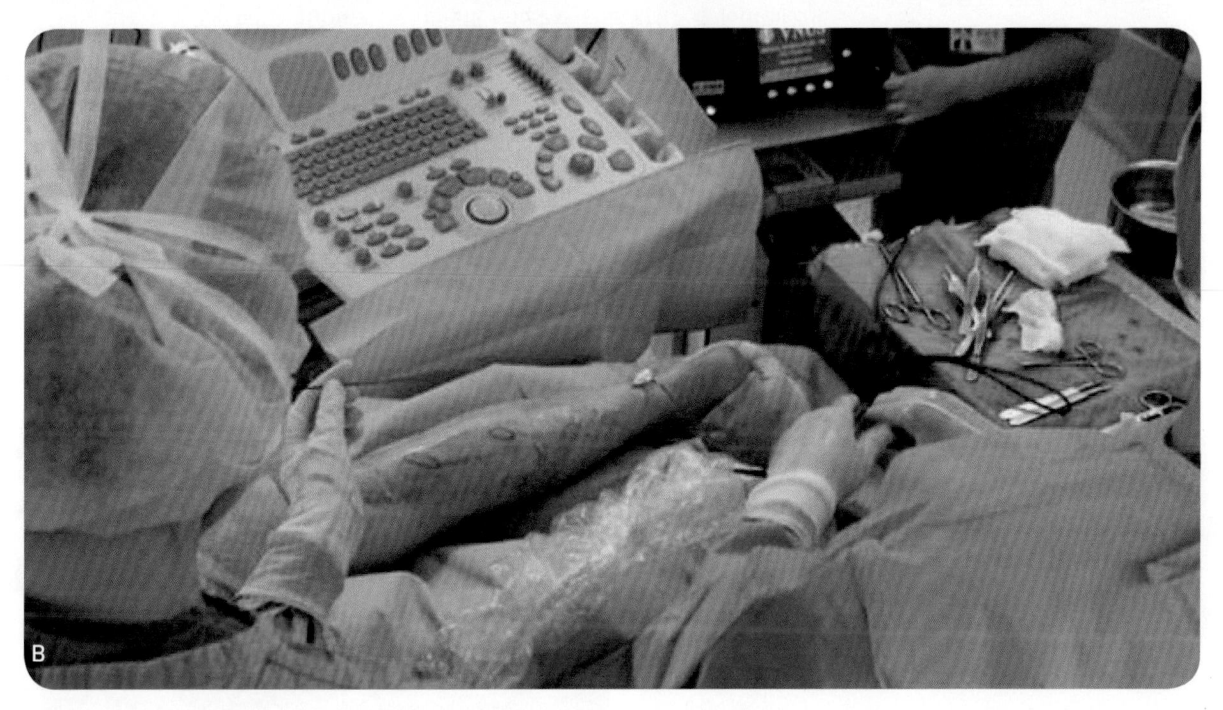

그림 12-1 하지정맥류의 레이저치료나 고주파치료를 위한 환자의 자세
A. 대복재정맥을 치료하기 위한 앙와위 자세
B. 소복재정맥을 치료하기 위한 복와위 자세
C. 대복재정맥과 소복재정맥을 동시에 치료할 때에는 앙와위 자세에서 대복재정맥 천자하여 치료하고, 소복재정맥은 환자의 다리를 외회전시켜 개구리다리자세를 취한다.

5. 절개 및 노출

레이저치료나 고주파치료, 경화요법을 위해서 피부절개는 따로 필요하지 않고, 혈관천자를 통해 시술이 이루어진다. 천자방법은 크게 두 가지로 구분할 수 있다. 천자침을 피부에 가까운 혈관벽만 천자하는 전벽천자(anterior wall puncture) 혹은 단벽천자(single wall puncture) 방법과 혈관전체를 관통한 후 천천히 천자침을 피부방향으로 당기면서 시행하는 이중벽천자(double wall puncture) 방법이 있다. 정맥을 천자할 때에는 초음파 감시하에 이중벽천자가 유리하다. 경화요법을 시행할 때에도 이중벽천자가 유리하지만, 1 mm 이하의 가는 정맥을 천자할 때에는 피부 안쪽으로 천자침을 삽입한 후 주사기를 당기면서 단벽천자를 할 수도 있다.

6. 수술과정

1) 레이저 및 고주파 치료법

경피적 접근으로 정맥내에 삽입된 레이저나 고주파 카테타에서 발생되는 고열을 이용하여 정맥을 폐쇄시키는 방법이다. 카테타에서 발생된 열로 정맥내막을 손상시키고 이로 인해 정맥벽에 있는 콜라겐변성을 유도하여 결과적으로 정맥의 섬유화 및 혈전성 폐쇄를 만든다. 전통적으로 시행되었던 스트립핑법과 비교하여 회복기간이 빠르고, 통증이 적으며, 절개에 따른 신혈관형성을 줄일 수 있는 장점이 있다.

레이저치료는 혈액에 직접적으로 열이 전달되면서 70~80℃에서 혈액을 응고시키고, 100℃에서는 증기거품을 만들어내며 200~300℃에서는 응고물의 탄화를 추가적으로 유발한다. 현재 쓰이고 있는 레이저섬유는 발생 에너지가 혈액내 헤모글로빈에 주로 흡수되는 파장군(810, 940, 980 nm)과 정맥벽의 물성분에 주로 흡수되는 파장군(1319, 1320, 1470, 1940 nm)으로 나눌 수 있다. 고주파 열치료는 치료부위에 120℃ 열을 20초간 유지하여 치료한다.

레이저치료와 고주파치료의 술기는 동일하다. 대복재정맥을 치료할 경우 먼저 역 트렌델렌버그 자세를 취한 후 초음파감시하에 무릎관절 주변의 대복재정맥을 천자한 후(그림 12-2), 혈관 유도관을 삽입하고 레이저 카테타나 고주파 카테타를 유도관 내로 삽입한다. 카테타 끝은 총대퇴정맥 연결부 2 cm 하방, 혹은 얕은배벽정맥(superficial epigastric vein) 연결부의 1 cm 하방에 위치시킨다. 카테타가 위치되면 환자를 트렌델렌버그 자세로 전환하여 정맥내 혈액을 배출시킨다.

이후 초음파감시 하에 복재구획(saphenous compartment)에 팽윤마취 용액을 주사한다(그림 12-3). 이때 팽윤마취 용액이 치료할 정맥 주위로 충분히 채워지게 주사해야 신경손상이나 피부화상을 피할 수 있다. 카테타를 통한 열치료 전에 다시 한번 초음파를 이용하여 카네타의 위치를 확인하다. 소복재정맥의 치료방법도 대복재정맥의 치료방법과 비슷하다. 종아리 중간이나 더 근위부에서 정맥을 천자하여 슬와대퇴정맥 합류부 1~2 cm 하방까지 삽입한 후 치료한다.

카테타가 정확한 부위에 위치하고, 팽윤마취가 완성되면 카테타를 정해진 권고사항과 같이 당기면서 치료한다. 레이저치료 시 레이저

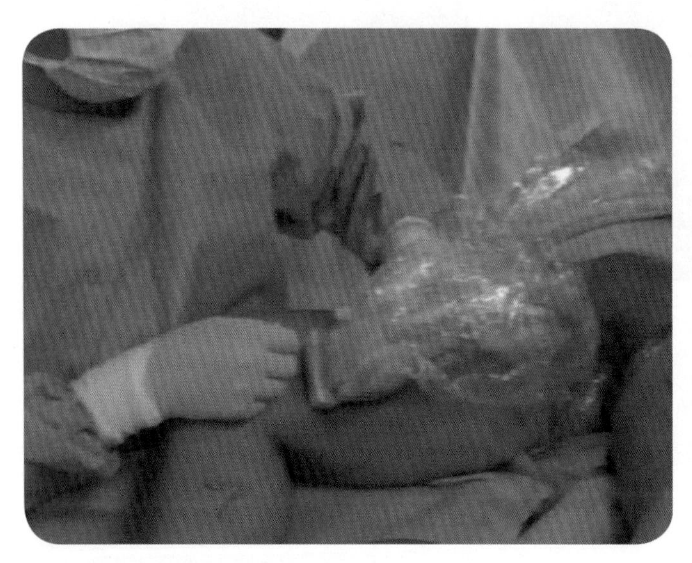

그림 12-2 초음파감시하에 대복재정맥 천자

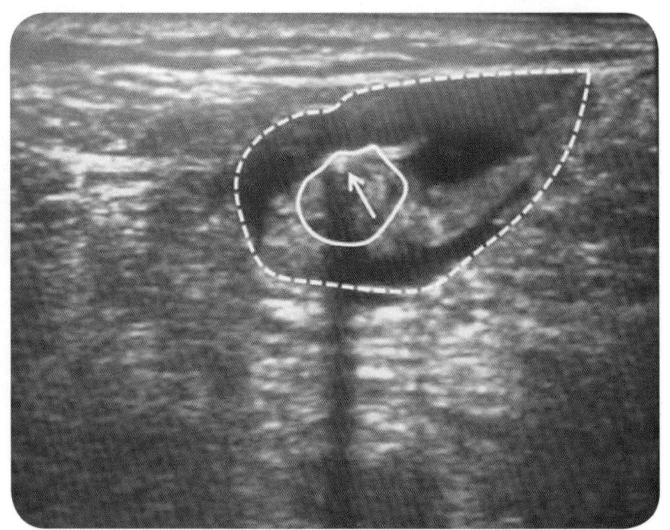

그림 12-3 복재구획에 주입된 팽윤마취액
주입된 팽윤마취 용액에 의해 고주파 카테타(화살표)가 삽입된 정맥이 눌려있고(안쪽 실선), 복재구획에 주입된 팽윤마취 용액이 복재정맥을 둘러쌓고 있다(바깥쪽 점선으로 표시).

섬유도관은 약 1~2 mm/sec의 속도로 천천히 당기면서 치료하는데, 정맥 길이당 50~80 J/cm의 에너지를 사용한다. 고주파치료는 열이 발생하는 7 cm를 20초간 유지하고, 치료가 종료되면 카테타를 6.5 cm 간격으로 표시된 눈금까지 당기면서 치료한다. 치료가 종료되면 카테타를 제거한다.

2) 경화요법

국소 정맥류나 망상정맥을 치료할 때에는 27G 나비바늘을 사용한다. 치료할 정맥에 나비바늘을 삽입하고, 바늘에 혈액이 보이면 정맥에 경화제를 주입한다. 경화제를 주입하면 정맥내로 경화제가 채워지면서 창백하게 바뀌게 된다(그림 12-4). 한 부위를 치료할 때 경화제는 0.5 ml가 넘지 않게 주입한다. 모세혈관확장증을 치료할 때에는 30G 바늘을 사용하여 동일하게 치료한다.

복재정맥을 치료할 때에는 초음파 감사 하에 시행한다. 레이저치료나 고주파치료법과 같이 치료할 정맥을 천자하고, 경화제를 주입할 카테타를 대퇴정맥이나 슬와정맥과 합류

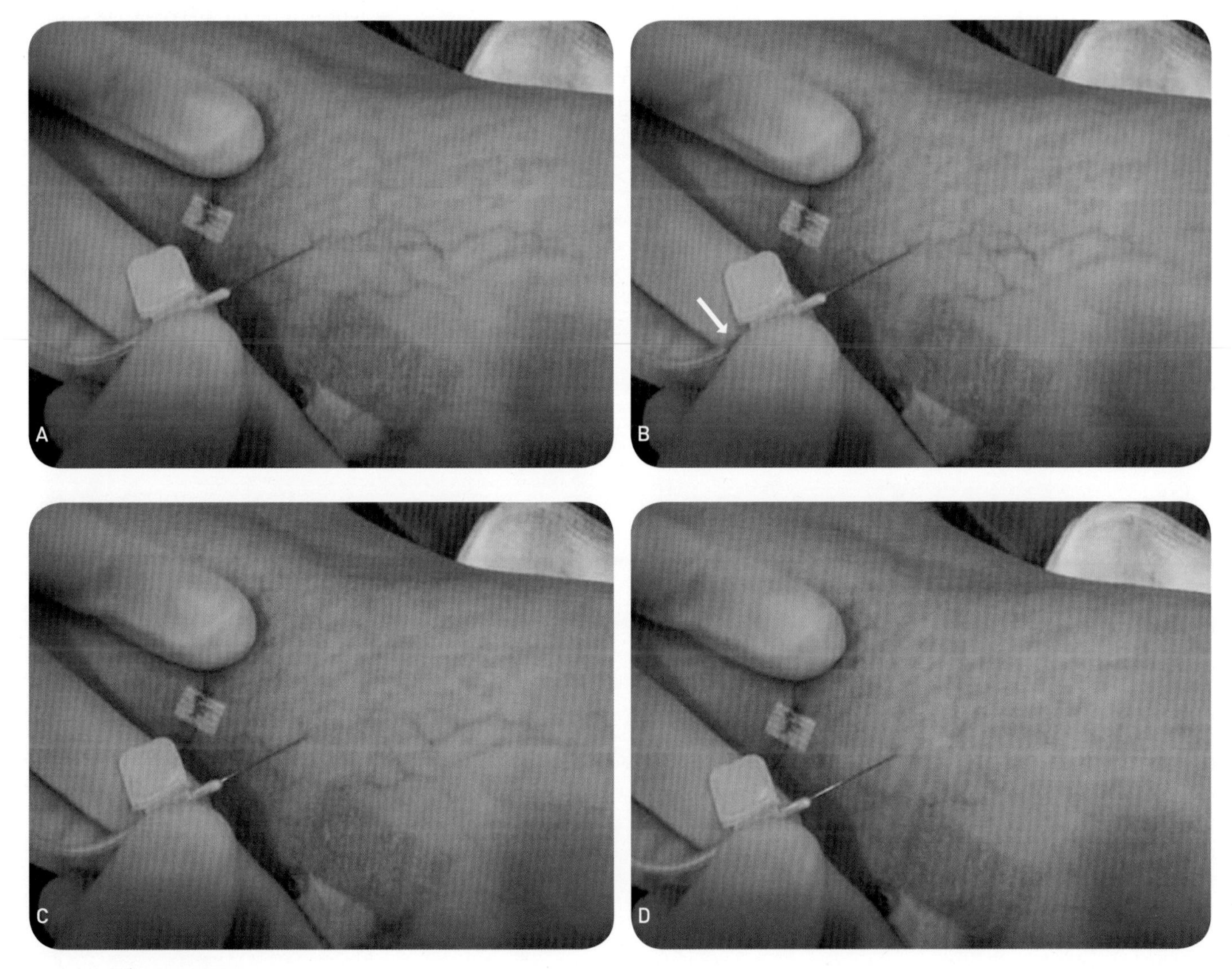

그림 12-4 경화요법의 단계
A. 나비바늘을 정맥내에 삽입한다.
B. 주사기를 당겨 혈액을 확인한다(화살표).
C. 경화제를 주입한다.
D. 경화제 주입 후 사라진 모세혈관확장증 모습

하는 부위보다 1 cm 하방에 카테타를 위치시키고, 환자를 트렌델렌버그 자세를 취한다. 경화제 1 ml를 공기 4 ml와 1:4로 혼합하는 Tessari 방법을 이용하여 거품경화제를 만든 후 초음파 감사 하에 거품경화제를 주입한다. 거품경화제를 주입하면 초음파상 고에코로 보여 주입되는 경화제를 확인할 수 있다. 관통정맥을 치료할 때에도 동일하게 초음파감시하에 카테타 삽입없이 경화제를 직접 주사하여 치료한다.

7. 폐복

레이저치료이나 고주파치료 후에 천자부위는 봉합띠(Steri-strip)를 이용하거나 피부접착제(skin adhesive)를 사용하여 봉합한다. 경화요법 후 천자부위는 압박이 필요하므로 솜뭉치를 천자부위에 올리고, 반창고를 이용하여 압박한다.

8. 수술 후 관리

레이저치료이나 고주파치료 후 천자부위는 봉합띠나 Tegaderm과 같은 방수 부착포를 이용하여 드레싱하고 탄력붕대나 압박스타킹을 이용하여 압박한다. 압박요법 기간에 대해 논쟁의 여지는 있지만, 1~3주간 압박을 유지하는 것이 추천되고 있다. 수술 후 통증관리를 위해 Acetaminophen이나 비스테로이드 항염증제(nonsteroidal antiinflammatory agent)를 사용한다. 수술 후 보행 및 일상적인 활동은 가능하고, 고강도의 운동은 부종이나 멍드는 것을 줄이기 위해 1~2주 정도 피하는 것이 좋다. 수술 후 초음파검사는 보통 24~48시간에 시행하는 것이 추천되지만, 병원 프로토콜에 맞게 1주 전후로 시행한다. 초음파검사를 통해 정맥폐쇄여부, 혈전증 발생여부 등을 검사한다.

경화요법으로 치료한 하지는 치료 직후에 다리를 들어올려 5~10분간 유지한다. 다리를 올리면 거품이나 경화제가 심장방향으로 유입되는 것을 막을 수 있다. 다리를 들어올린 후 증상이 없으면 압박스타킹이나 탄력붕대를 감는다. 경화요법 후 압박유지는 치료효과를 높일 뿐만 아니라 심부정맥혈전증을 예방하는데 도움이 된다. 압박요법 기간은 다소 의견의 차이는 있지만, 20~30 mmHg 압박스타킹을 1주일간 유지하는 것이 추천되고 있다.

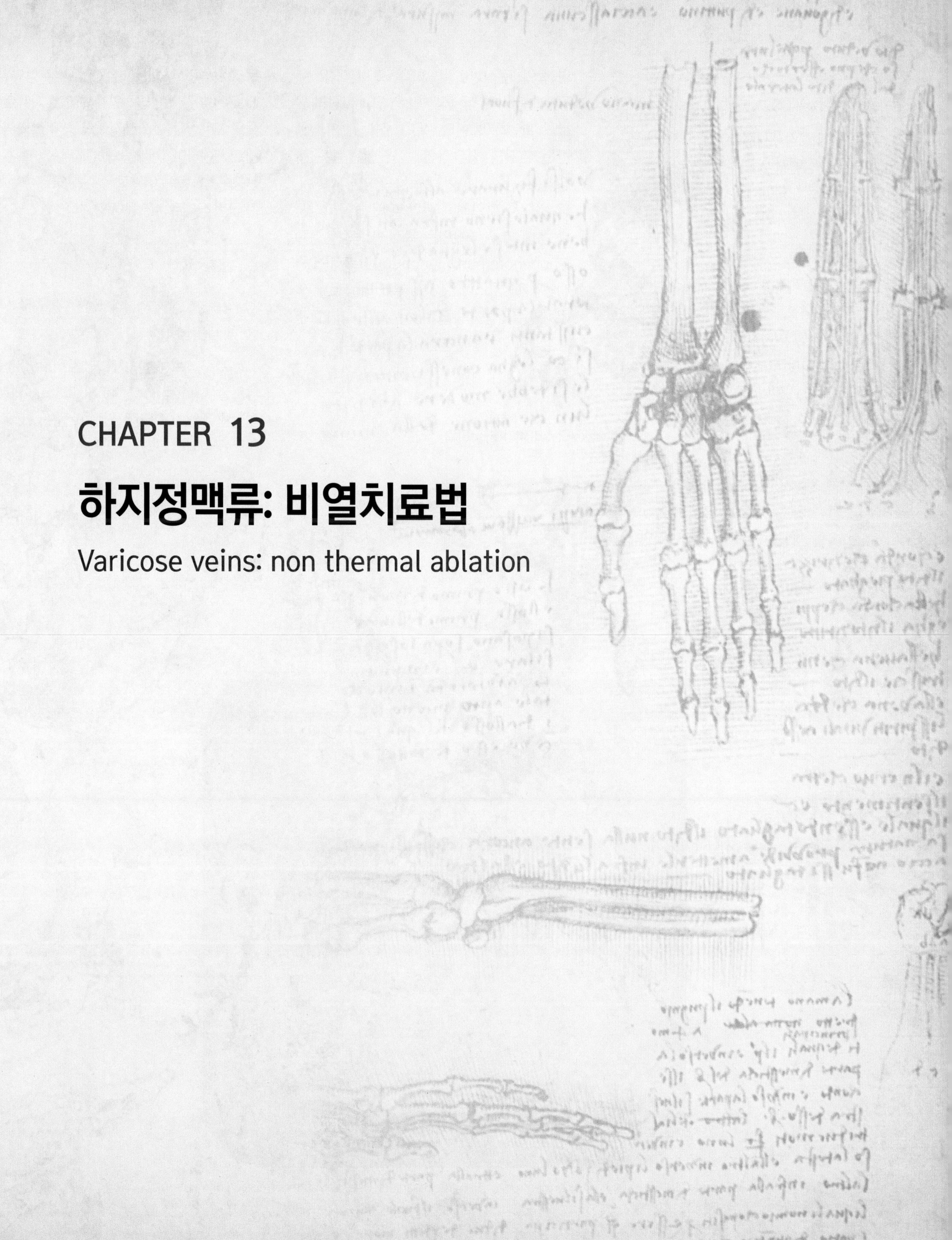

CHAPTER 13

하지정맥류: 비열치료법

Varicose veins: non thermal ablation

1. 적응증

하지 표재정맥부전 및 이로 인한 증상이나 징후(동통, 피로감, 무게감, 부종, 표재정맥염, 정체피부염, 정맥궤양 등)가 있는 경우와 미용상의 목적으로 시행한다.

2. 비적응증

심부정맥의 폐색이 동반되어 표재정맥 계통이 우회로 역할을 하며 정맥의 흐름을 유지하고 있는 경우나, 임신, 말초동맥폐색질환, 심각한 심폐질환이나 혈역동적으로 불안정한 환자 및 혈관기형이 동반된 환자에서는 시행하지 않는다.

3. 수술 전 처치

수술 전 혈관초음파검사(Duplex ultrasound)를 시행하여 혈관의 전반적인 상태를 확인하는 것이 필요하다. 복재정맥의 역류뿐만 아니라 심부정맥의 역류나 혈전의 유무도 확인해야 한다. 특히, 정맥궤양이 동반된 환자의 경우라면 이와 연관된 관통정맥(perforating veins)의 역류의 유무도 반드시 확인해야 한다. 혈관초음파검사를 통해 역류가 확인된 복재-대퇴정맥경계(saphenofemoral junction)나 복재-오금정맥경계(saphenopopliteal junction)의 위치와 복재정맥의 줄기 및 큰 분지 그리고 관통정맥의 위치를 유성펜으로 표시한다.

4. 마취

국소마취가 가능하다.

5. 환자 자세

먼저 사타구니를 포함한 다리를 소독한 후 소독포로 덮는다. 대복재정맥의 경우 앙와위에서 고관절은 약간 굽히고 외회전된 자세로 수술을 시행한다. 소복재정맥의 경우 복와위 자세로 시행하며, 이때 슬와부에 위치한 혈관 및 신경구조물들이 이완될 수 있도록 무릎을 약간 굽힌 상태로 수술을 시행한다.

6. 시술 과정

1) 의료용 접착제를 사용한 복재정맥 폐쇄술

(그림 13-1) 의료용 접착제(히스토아크릴), J tip 유도철선, introducer and dilator, 의료용 접착제 주입기, 마커가 있는 도관, 3 cc 주사기로 구성되어 있다.

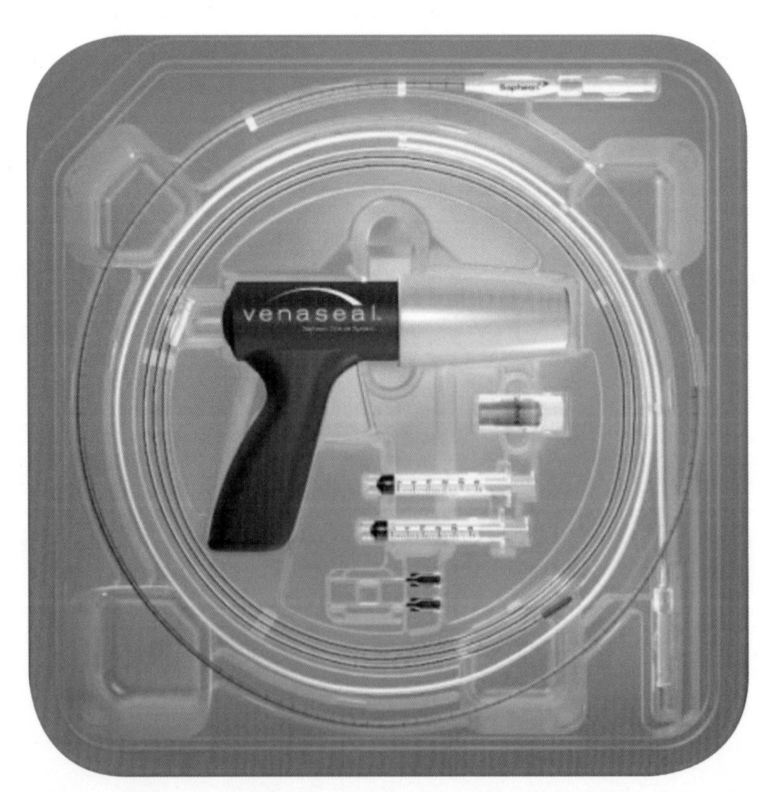

그림 13-1 (출처: ©2020 Medtronic. All rights reserved. Used with the permission of Medtronic)

(그림 13-2) 무릎 아래에 위치한 대복재정맥을 초음파를 사용하여 천자한 후 유도철선을 복재정맥을 따라서 삽입한다.
의료용 접착제를 주사기에 담은 후 마커가 있는 도관과 연결하고 다시 의료용 접착제 주입기와 결합한다. 의료용 접착제를 도관 끝까지 위치시킨다.
(그림 13-3) Introducer와 dilator를 복재-대퇴정맥경계(saphenofemoral junction)에서 5 cm 하방에 위치시키고, 결합된 주입기를 삽입한다.
(그림 13-4) 의료용접착제를 복재-대퇴정맥경계 5 cm 아래에서 0.1 cc 주입하고 1 cm 아래에서 0.1 cc 주입한다. 이후 도관을 3 cm 아래로 내린다.

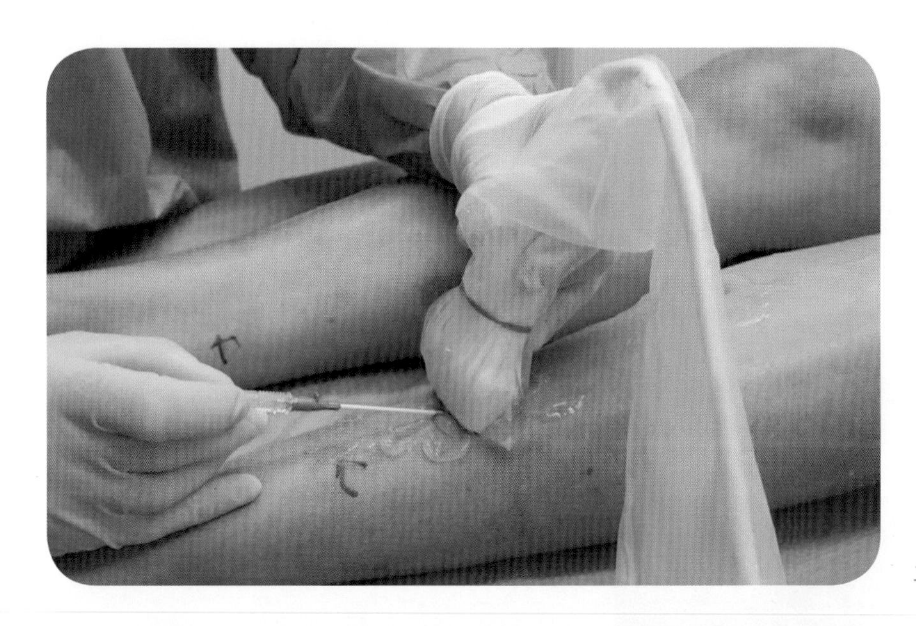

그림 13-2 (출처: www.theveincarecentre.co.uk)

그림 13-3 (출처: ©2020 Medtronic. All rights reserved. Used with the permission of Medtronic)

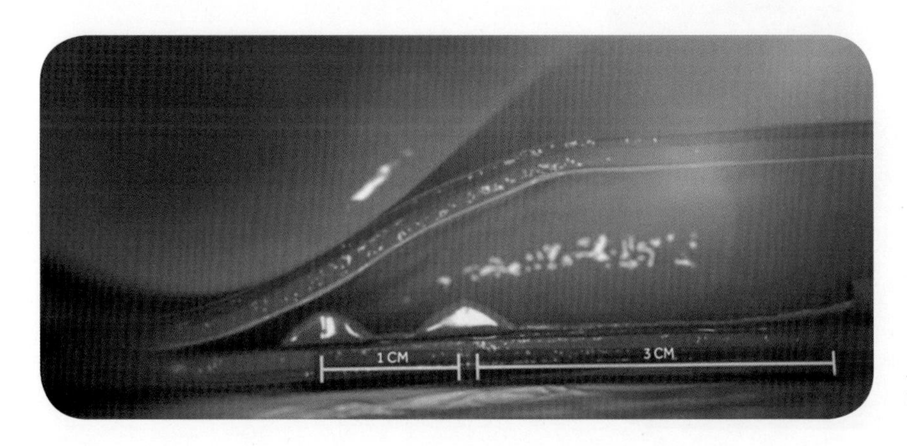

그림 13-4 (출처: ©2020 Medtronic. All rights reserved. Used with the permission of Medtronic)

(그림 13-5) 의료용 접착제를 주입한 위 부분은 초음파 탐촉자로 주입부분은 손으로 3분 동안 압박한다.

(그림 13-6) 이후 원하는 부위까지 0.10 cc 의료용 접착제를 3 cm 간격으로 주입하고 30초간 압박한다. 의료용 접착제를 사용한 복재정맥 폐쇄술 후에는 따로 압박스타킹을 착용하지 않는다. 국소정맥제거술을 동시에 시행한 경우에는 지혈을 위해 압박스타킹을 착용할 수 있다.

2) 경화제를 사용한 기계화학적인 복재정맥 폐쇄술

(그림 13-7) Catheter assembly, Motor drive unit, Check valve, 5cc 주사기로 구성되어 있다.

1.5% sodium tetradecyl sulfate (STS) 또는 1.5% polidocanol을 사용한다. 1.5% 경화제를 5 cc 주사기에 장전한다.

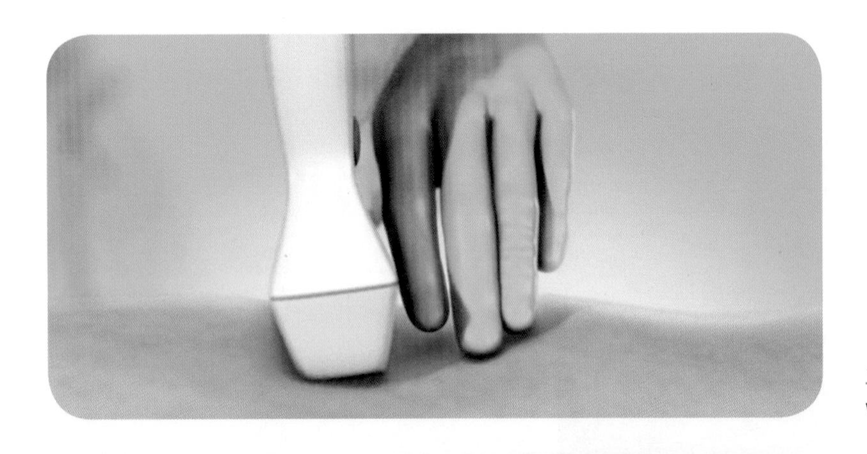

그림 13-5 (출처: ©2020 Medtronic. All rights reserved. Used with the permission of Medtronic)

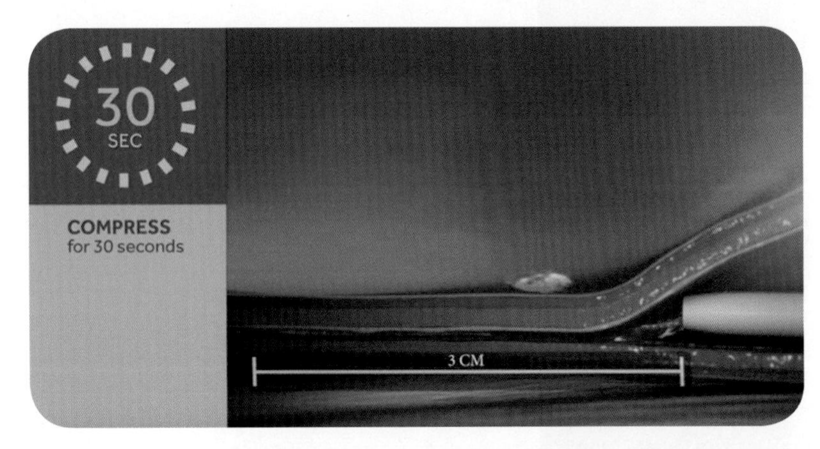

그림 13-6 (출처: ©2020 Medtronic. All rights reserved. Used with the permission of Medtronic)

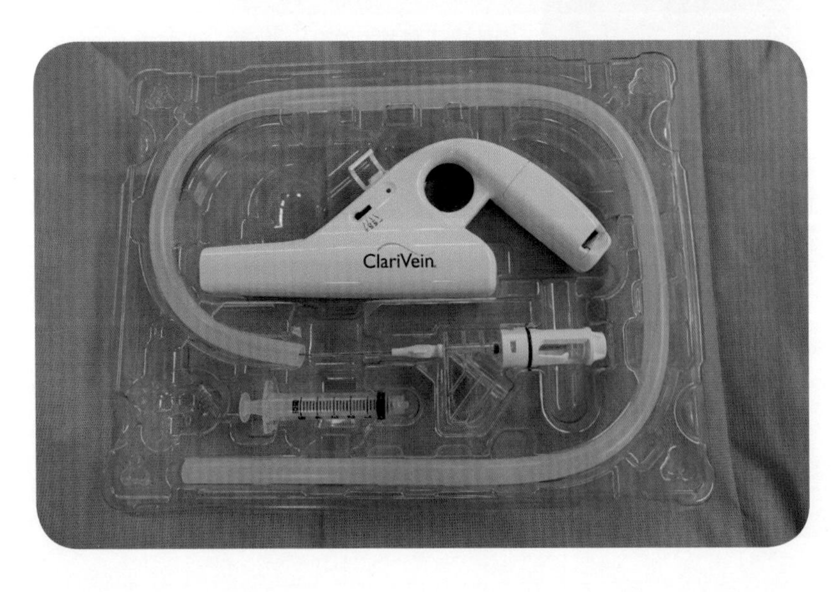

그림 13-7 (출처: Merit Medical)

(그림 13-9) 무릎 아래에 위치한 대복재정맥을 초음파를 사용하여 천자한 후 유도철선을 복재정맥을 따라서 삽입한다.
(그림 13-10) Catheter assembly의 도관을 복재-대퇴정맥경계에 위치시키고 check valve와 주사기를 연결한 후에 Motor drive unit에 결합한다. 이후 catheter assembly의 도관 끝을 복재-대퇴정맥경계 2 cm 하방에 위치시키고 경화제 주입없이 10초 동안 기계적인 폐쇄술을 시행한다.
(그림 13-11) 이후 Catheter assembly의 도관으로 기계적인 폐쇄술을 시행하면서, 도관을 1 cm/7sec로 당기면서 동시에 1.5% 경화제를 0.2 cc/cm 주입한다. 일반적으로 경화제는 10 cc 이상을 주입하지 않는다. 경화제를 사용한 기계화학적인 복재정맥 폐쇄술 후에는 2~3일 정도 압박스타킹을 착용해야 한다.

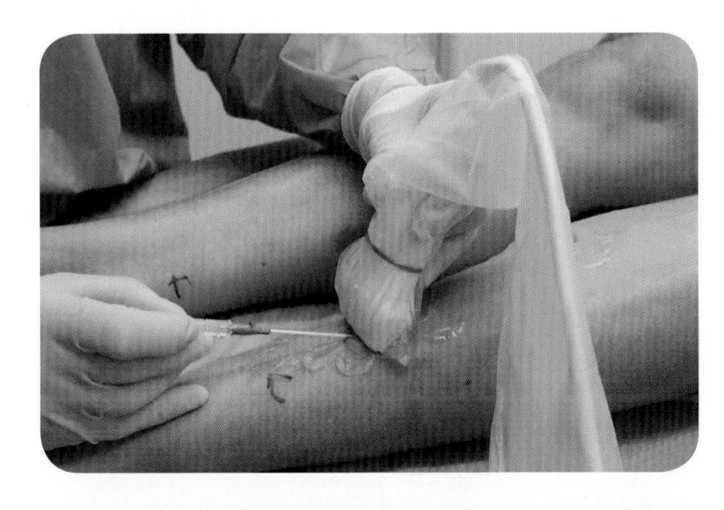
그림 13-2 (출처: www.theveincarecentre.co.uk)

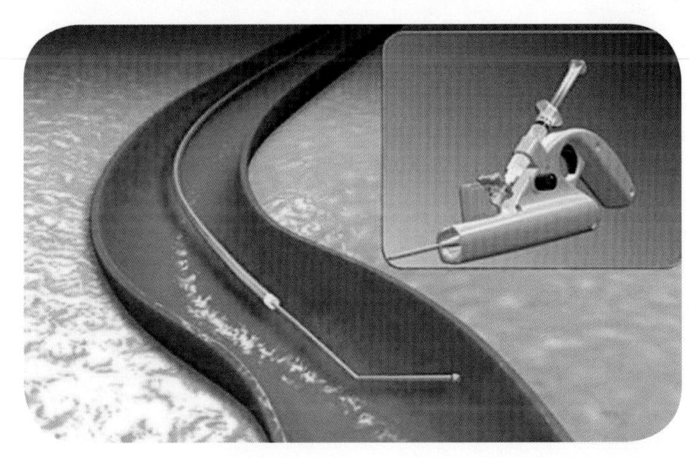
그림 13-10 (출처: Merit Medical)

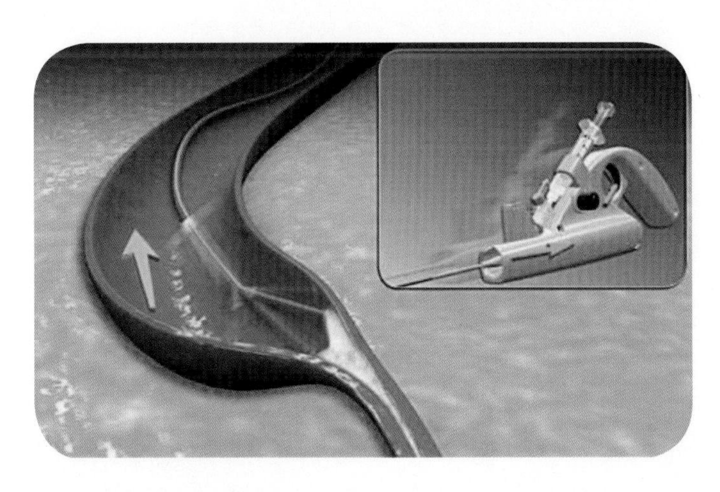
그림 13-11 (출처: Merit Medical)

ATLAS OF SURGICAL PROCEDURES

SECTION 10

내분비

Endocrine

Chapter Outline

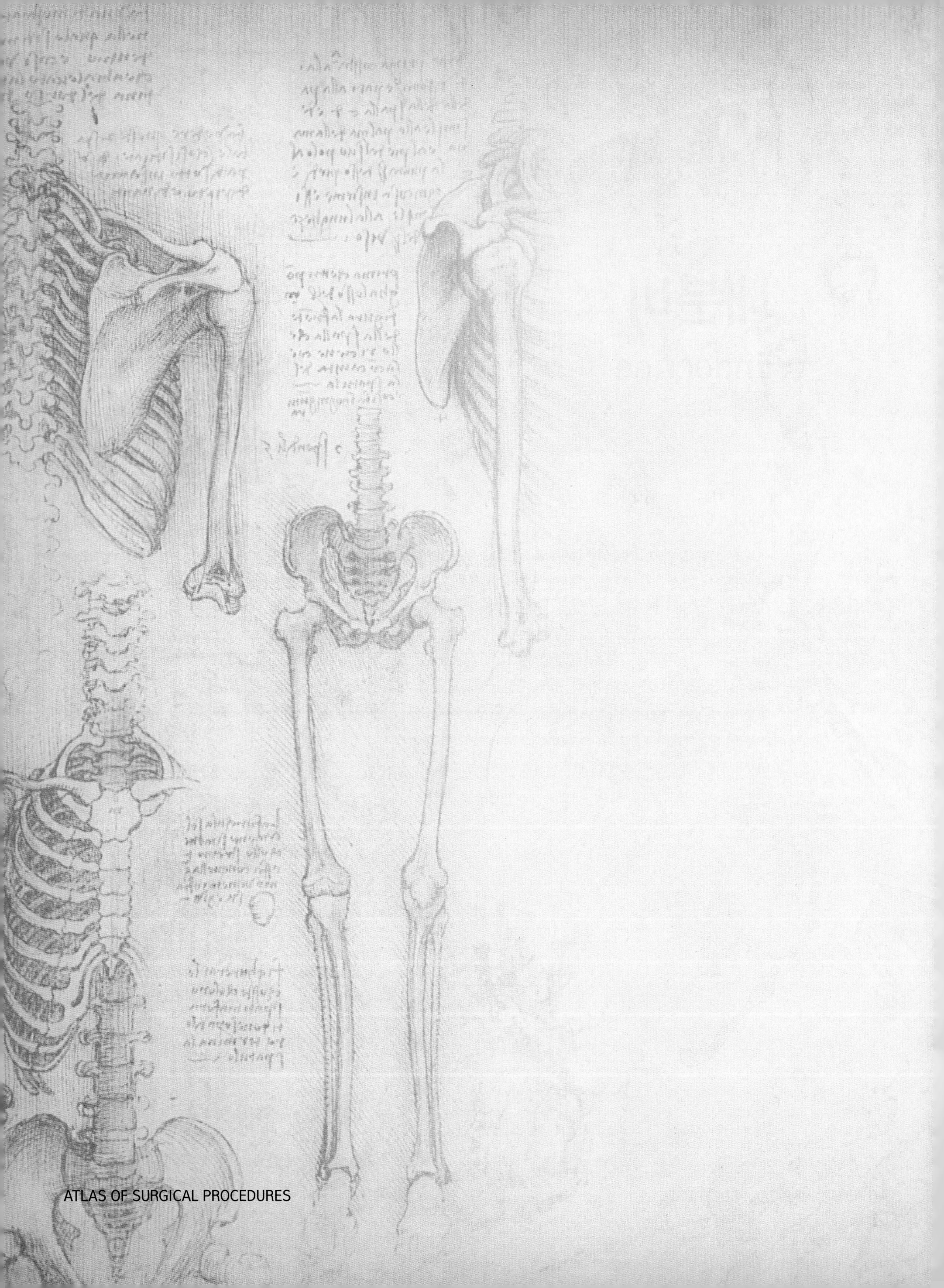

ATLAS OF SURGICAL PROCEDURES

CHAPTER 1

갑상선전절제술 및 중앙경부 림프절절제술

Total thyroidectomy with central neck dissection

1. 서론

갑상선절제술은 전통적으로 1900년대 초부터 Theodor Kocher가 갑상선 전절제술을 정착시키고 비교적 안전하게 시행한 후 큰 변화없이 최근까지도 시행되고 있으며 1990년 말과 2000년 초에 최소침습 갑상선절제술이 개발되고 현재는 로봇수술까지도 갑상선절제술에 도입되어서 많이 시행되고 있는 실정이다. 그러나 기본적인 절개를 통한 갑상선 절제술이 그 기본이 된다고 말할 수 있으며 조기진단에 따르는 초기 갑상선암에 대하여는 여러 나라의 임상지침에서 단순히 엽절제술로도 충분하다고 하였으나 실제 수술현장에서 나타날 수 있는 국소진행성 갑상선암 또는 소수의 양성 종양환자에서는 아직도 전절제술이 시행되고 있다.

2. 적응증

갑상선절제술은 그 절제 범위에 따라 부분절제술, 엽절제술, 전절제술로 분류할 수 있으며 갑상선 전절제술의 적응증은 갑상선암의 경부림프절 전이, 주위조직 침범과 같이 진행된 갑상선암, 양측성, 다발성, 가족력, 경부방사선 조사경력이 있는 갑상선암과 갑상선 기능항진증이나 양측성 거대 양성종양의 경우가 갑상선 전절제술의 적응증이며 수질암은 종양크기가 1 cm 이상인 경우 전절제술을 시행하며, 여포암인 경우에는 종양이 광범위침습인 경우 전절제술을 시행한다.

중앙경부 림프절절제술 혹은 중앙구획 림프절절제술은 유두암인 경우 통상적으로 기도 양측의 림프절을 예방적 또는 치료적으로 림프절제술을 시행하나 1 cm 이하인 경우 병변측만 예방적으로 시행할 수도 있다. 수질암의 경우에는 통상적으로 중앙구획 림프절절제술을 시행한다. 여포암의 경우에는 일반적으로 림프절 전이가 의심되는 경우가 아니면 중앙경부 림프절절제술은 시행하지 않는다.

3. 수술 전 처치

응급상황이 아니면 갑상선 기능이 정상인 경우에 시행하여야 하며 수술 전 혈액응고를 지연시키는 약제나 식품을 섭취하고 있는지 확인하는 것이 중요하다. 기능항진증 환자의 경우에는 항갑상선제, 베타차단제, SSKI 나 Lugol 용액으로 수술 전 처치를 하여 정상기능을 유지한 후 수술에 임하도록 한다.

4. 환자 자세

(그림 1-1) 전체적으로 머리쪽을 다리보다 높게 위치시키며 어깨받침을 어깨 밑에 넣어서 머리를 최대한 편안한 상태에서 젖히도록 한다. 이때 머리와 목이 전체적으로 중앙에 위치하여야 대칭적인 절개창을 만들 수 있다. 또한 일엽이 반대엽에 비하여 비대칭적으로 비대하게 큰 경우에도 중심을 잘 잡아서 수술 후 대칭적인 절개선이 되도록 힘쓴다.

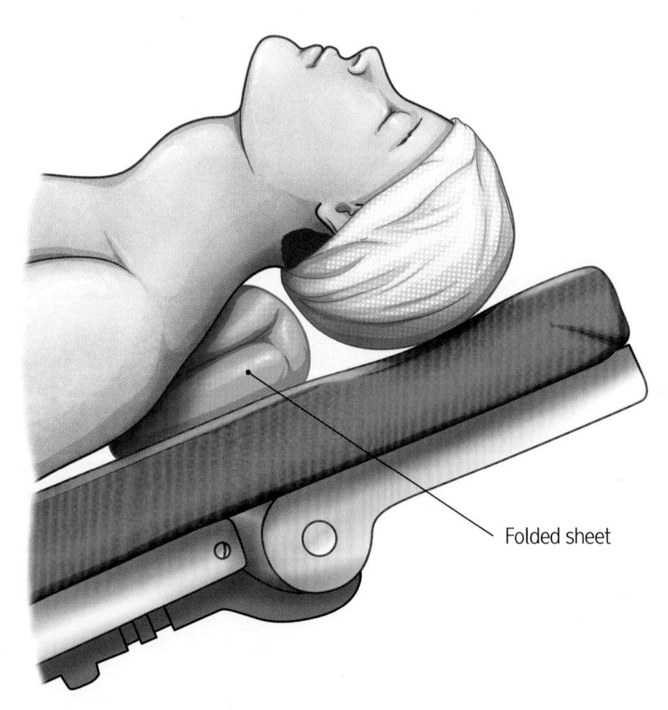

그림 1-1

5. 수술 준비

환자의 머리는 수술용 모자로 싸고, 턱과 목, 어깨와 상부가슴에 통상적인 피부 소독을 포타딘용액으로 실시한다. 이후 일반적인 일회용 소독포를 이용하여 수술부위만을 노출시키고 무균환경을 유지하도록 한다. 환자의 머리는 수술과정에 따라 자유롭게 움직일 수 있도록 한다.

6. 절개 및 노출

(그림 1-2) 외과의는 환자의 우측에 위치한다. 절개를 넣기 전 실이나 수술용 펜을 이용하여 절개선을 표시하며, 절개 중앙부위에 교차절개를 넣으면 나중에 봉합할 때 중심을 확인하는데 수월하다. 통상 절개는 쇄골에서 1~2 손가락 넓이 상방에 약 5 cm 정도의 길이로 넣고, 될 수 있는 한 자연적 피부주름을 이용한다. 상부 절개선일수록 수술 후 반흔이 적다고 하나 너무 상부로 절개선이 이루어지면 중앙부 림프절절제술이 어렵게 되므로 이를 고려하여 절개선을 만들도록 한다.

(그림 1-3) 넓은목근(platysma muscle)의 바로 아래쪽까지 절개한 후 이 근육의 아래를 박리해 피부판을 만들어 나간다. 앞목정맥을 다치지 않도록 정맥 위로 박리하나 때로는 이 정맥을 자를 수도 있다. 상부 쪽으로는 갑상연골의 상단까지 올라가고 하부로는 흉골상절흔(suprasternal notch)까지 내려간다. 그 후 띠근육의 중앙백선(linea alba)을 절개하여 갑상선의 협부를 노출시킨다.

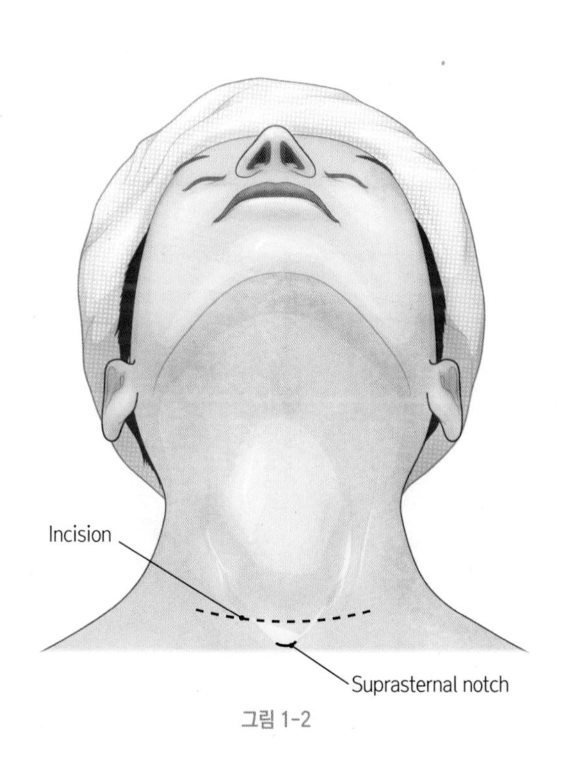

그림 1-2

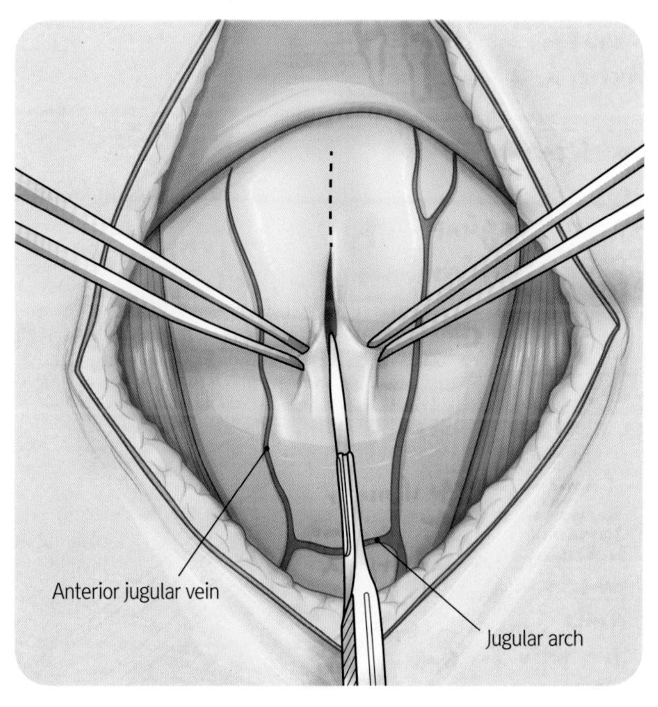

그림 1-3

7. 수술 과정

1) 갑상선 전절제술

(그림 1-4) 흉갑상근(sternothyroid muscle)은 외측으로 갑상선엽은 내측으로 견인하면서 이 근육과 갑상선 사이의 성긴 근막을 박리하여 갑상선의 외측 뒤 부분까지 박리해 나가면 어느 정도 갑상선을 밖으로 노출시킬 수 있다.

(그림 1-5) 갑상선 종양이 아주 크거나 띠근육 및 주위 조직에 유착이 심한 경우에는 갑상선의 노출을 쉽게 하기 위해 이 띠근육의 상부 1/3(띠근육의 운동신경 손상을 피하기 위해) 위치에서 근육을 절단한다.

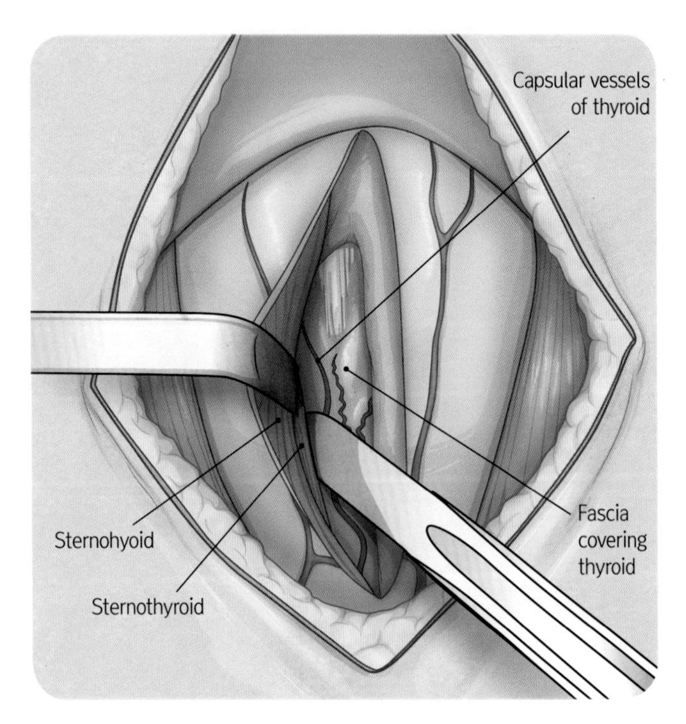

그림 1-4

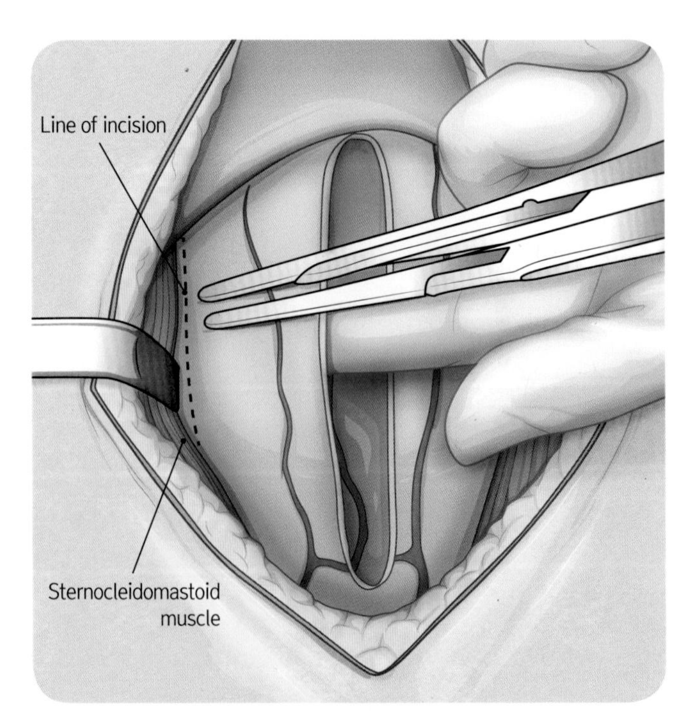

그림 1-5

(그림 1-6) 술자에 따라 갑상선 상단부터 박리를 시작하기도 한다. 갑상선을 아래로 당길 때에 갑상선염이 심한 경우에는 지혈겸자를 사용하는 것이 Allis 겸자보다 갑상선의 손상 출혈이 적다. 상단의 박리는 우선 갑상선 상단의 내측과 후두 사이의 걸이인대 박리부터 시작한다. 이 인대를 박리하면 상갑상선 혈관들이 잘 보이게 되고 갑상선을 아래로 당기면서 약간 팽팽해져 있는 상갑상선 혈관들을 내측부터 혈관의 가지를 분리하여 가능한대로 갑상선 가까운 위치에서 각각 결찰하거나 작은 클립 또는 초음파소작기로 처리한다. 이는 상후두신경의 외측 가지를 보존하기 위함이다. 상후두신경의 외측 가지를 일부러 찾기 위해 상갑상선 혈관 사이나, 인두수측근을 박리 할 필요는 없다. 갑상선의 상단이 아주 높이 위치하는 경우에는 견인기를 이용하여 후두부위를 내측으로 띠근육은 외측으로 당기면 비교적 쉽게 갑상선의 상단이 노출된다.

(그림 1-7) 상갑상선혈관들을 어느 정도 처리하면 갑상선 상부를 환자의 앞쪽, 내측으로 당기며 노출시킨다. 이때 중간갑상선정맥을 찾아 결찰 분리하면 갑상선이 더 쉽게 노출된다. 상 부갑상선을 찾아 보전하기 위해서는 상방에서 보는 것보다는 갑상선을 Allis 겸자로 잡은 후 내측으로 견인하면서 측면에서 상 부갑상선을 확인한다. 상 부갑상선은 하 부갑상선보다는 발생학적 이유로 위치 변동이 적어서 발견하여 보존하기가 수월하나 부갑상선으로 가는 혈관을 보전하기 위해 갑상선에 최대한 가까이에서 혈관을 결찰하며 박리한다. 상 부갑상선은 주로 하갑상선동맥에서 혈류를 공급받으나 간혹 상갑상선동맥에 연결되는 경우도 있다. 여기에는 여러 가지 동맥과 상 부갑상선과 연결의 종류가 많으므로 세심한 보존이 필요하다. 혈류공급을 원활히 하기 위하여 동맥뿐 아니라 정맥도 가능한 한 보존하여야 남겨놓은 부갑상선의 기능이 유지된다 (그림 1-8).

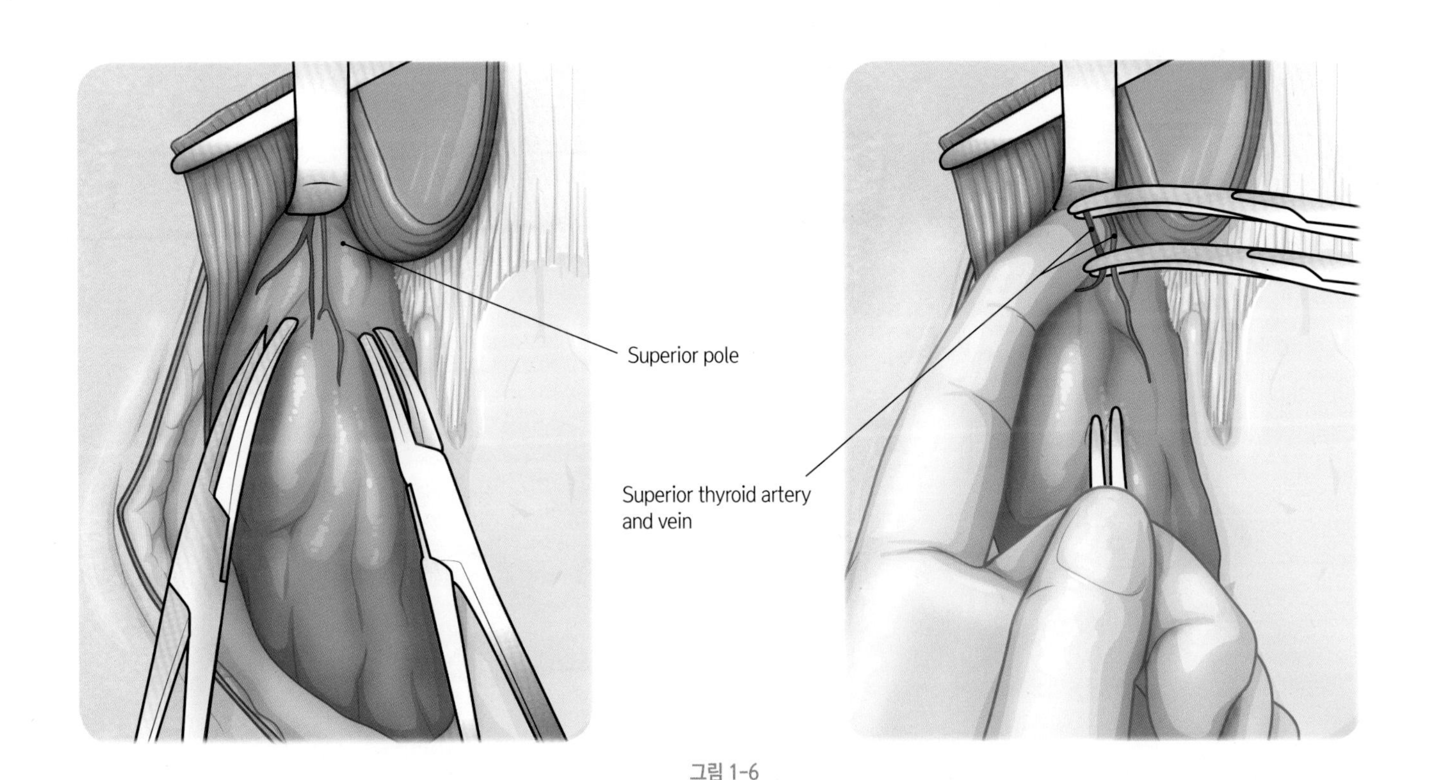

그림 1-6

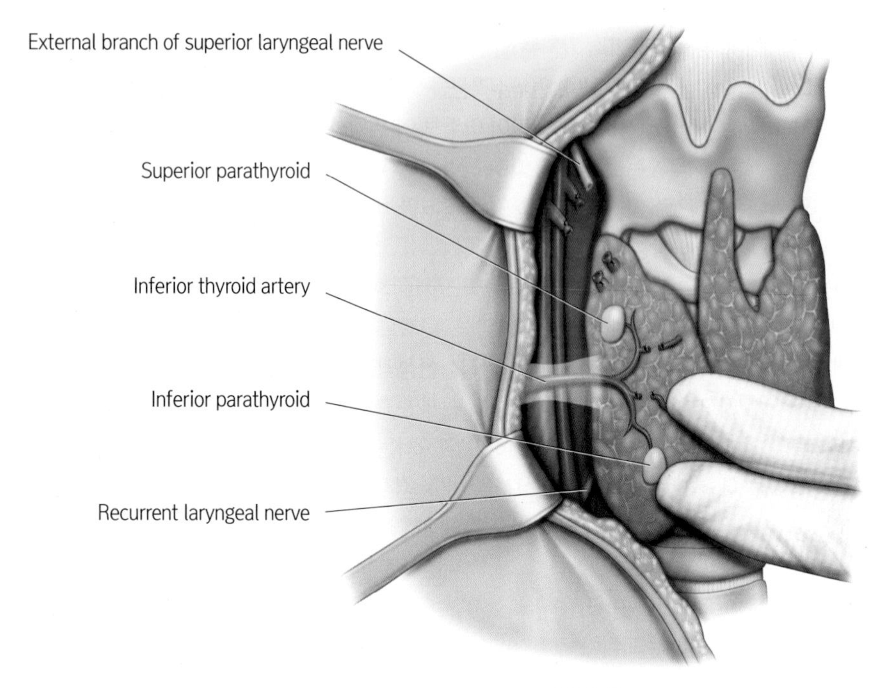

그림 1-7

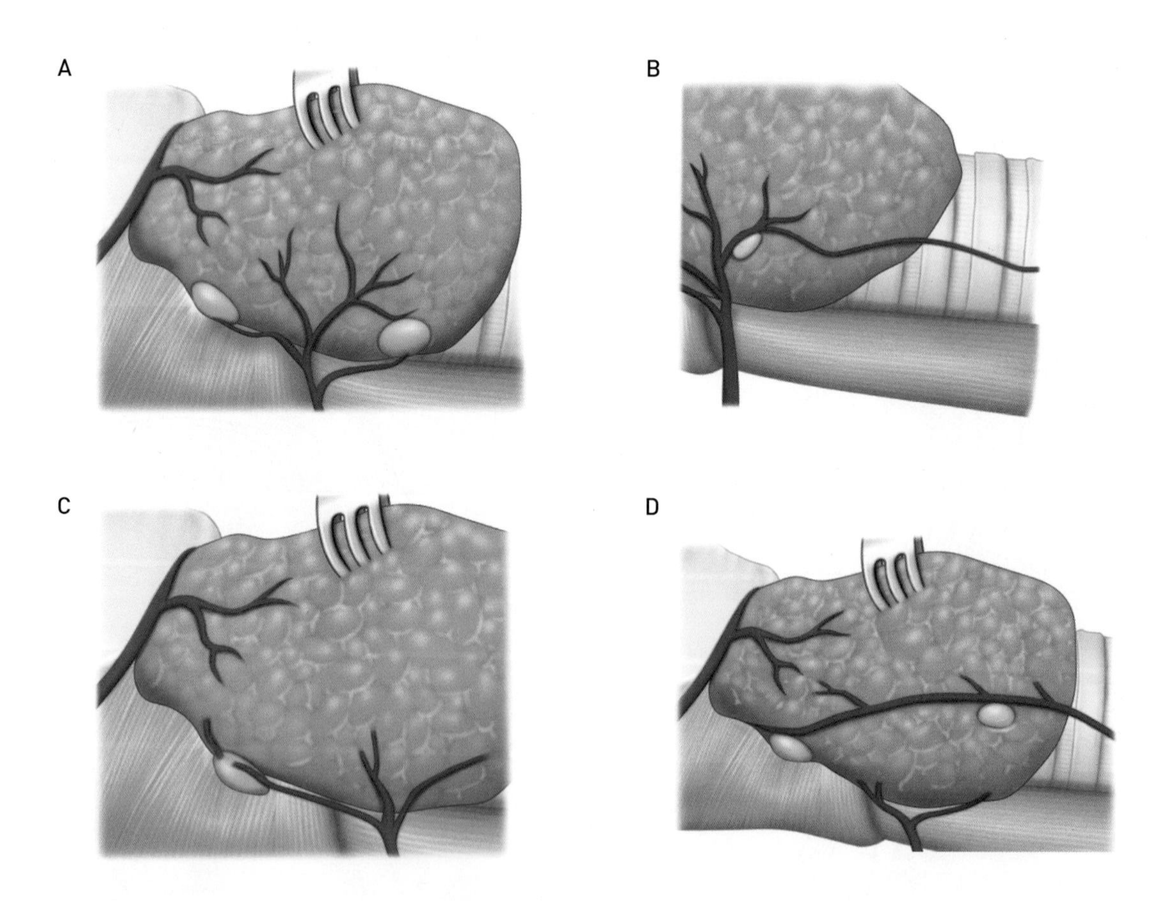

그림 1-8 Various vascular structures around the parathyroid gland

갑상선의 아래쪽을 박리하기 위해서는 갑상선을 내측 앞쪽으로 당긴 후, 먼저 하 부갑상선의 존재를 면밀히 살핀다. 만약 하 부갑상선이 쉽게 찾아지면 하 부갑상선으로 가는 혈관을 보존하면서 박리해 나가기 시작하며, 만약 하 부갑상선이 보이지 않는 경우에는 혈관 가지 하나하나를 갑상선 가까이에서 박리 결찰해 나간다. 갑상선의 외측으로부터 뒤쪽으로 서서히 박리해 나가되 항상 되돌이후두신경의 존재를 염두에 두어야 한다. 갑상선 중하부에서 어느 정도 박리가 진행되면 하갑상선동맥의 분지를 만나게 된다. 대부분 되돌이후두신경은 이 동맥의 분지 사이를 통과하지만 드물지 않게 신경이 동맥의 바깥쪽이나 안쪽을 지나기 때문에 주의하여야 한다. 하갑상선동맥과 되돌이후두신경의 해부학적 관계에 대해서는 많은 변형들이 있으므로 각 혈관을 박리 확인 후 결찰하는 주의가 필요하다(그림 1-9). 되돌이후두신경도 하인두수축근으로 들어가기 전에 여러 가지로 분지하는 경우도 많아서 주의가 필요하다.

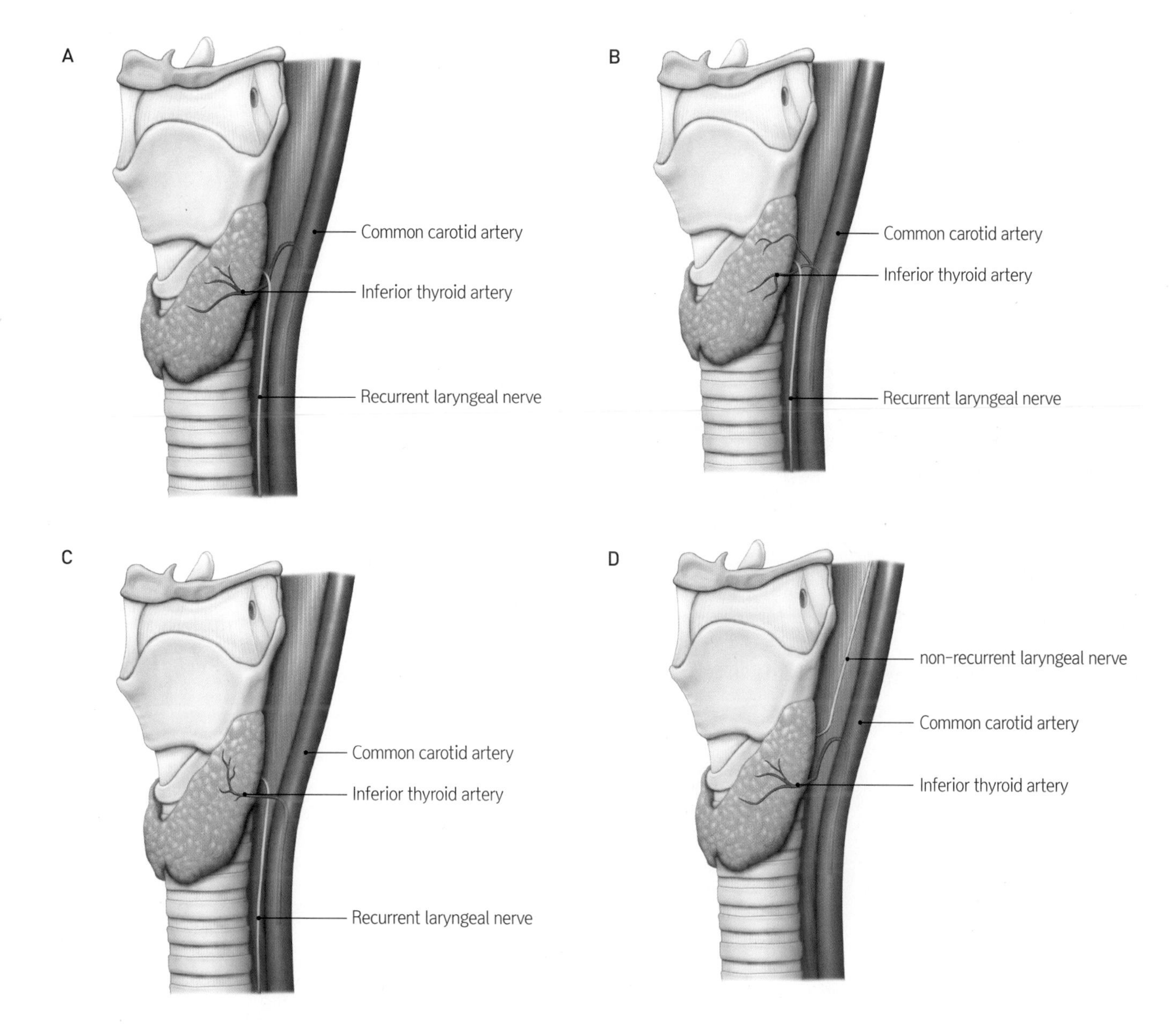

그림 1-9 되돌이후두신경 주행 변이: 하갑상선동맥과의 관계
A. RLN anterior to ITA : 20.95%, B. RLN between ITA : 28.10%, C. ITA anterior to RLN : 50.95%, D. Nonrecurrent laryngeal nerve : 0.57%
RLN : recurrent laryngeal nerve, ITA : inferior thyroid artery

일단 되돌이후두신경이 발견되면 이 신경을 아래로 위치시키면서 윤상연골 방향으로 최대한 박리하면 신경의 손상을 방지할 수 있다. 이 신경을 될 수 있는 한 아래쪽으로 위치시키면서 혈관들을 갑상선 가까이에서 결찰하면 Berry 인대를 향하여 비교적 쉽고 빠르게 갑상선을 박리해 나갈 수 있다.

그 후 갑상선의 상단과 하단을 각각 겸자로 잡고 갑상선을 내측으로 당기면 Berry 인대만 남게 되는데, 되돌이후두신경의 손상이 제일 많이 일어나는 위치이므로, Berry 인대를 박리하기 전에, 먼저 되돌이후두신경이 하인두수축근으로 들어가는 것을 끝까지 확인해야 한다. 되돌이후두신경은 다양한 변형이 있으므로 모든 신경 가지들을 보존하여야 한다. 신경 가지들을 보전하면서 Berry 인대와 그 부근을 조심스럽게 박리해 나간다. 신경이 분지되어 진행하는 경우에는 특히 전방에 위치한 신경 분지를 보존하는데 노력하여야 한다(그림 1-10). 이는 전방 분지가 대개 성대 근육의 운동신경의 역할을 주로 하기 때문이다. 어느 정도 기도로부터 갑상선이 벗겨지면 이후에는 비교적 수월히 갑상선을 기도로부터 협부 쪽으로 박리해 나갈 수 있다(그림 1-10).

반대엽의 절제도 동일한 방법으로 시행한다. 피라미드엽은 60~80%에서 발견되는데, 피라미드엽의 박리는 양측 갑상선을 자유롭게 완전히 박리한 후에 하면 수월하다. 갑상선의 협부부터 박리를 하는 경우에는 협부박리와 함께 절제하기도 한다. 띠근육을 양쪽에서 외측 상방으로 벌린 후 피라미드엽으로 들어가는 상갑상선혈관의 분지를 결찰 분리한 후 피라미드엽을 설골까지 박리하여 절제한다.

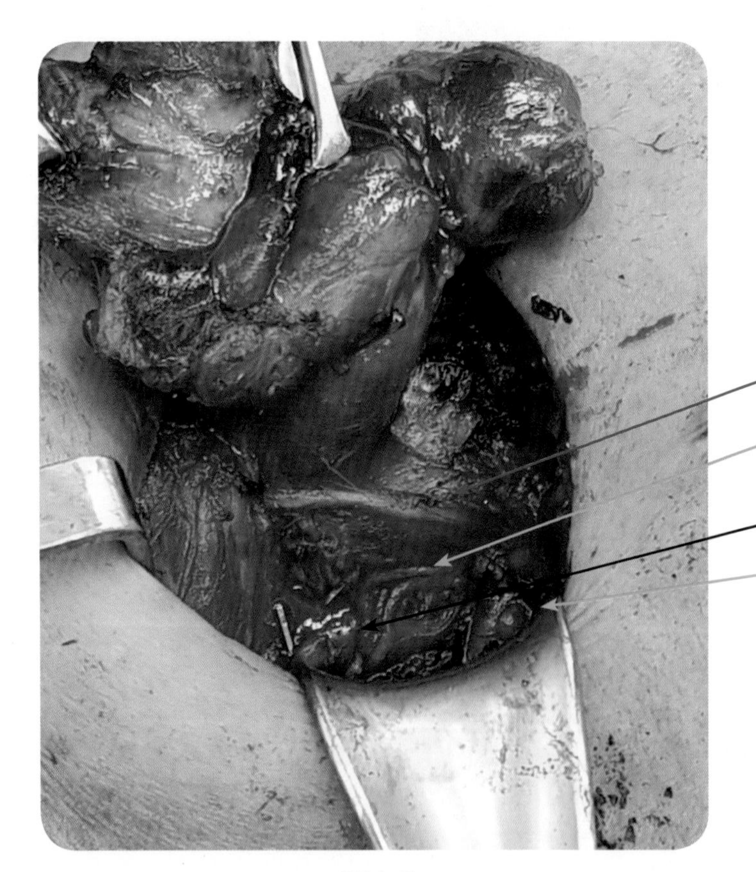

그림 1-10

2) 중앙경부 림프절절제술 (Central compartment neck dissection, 제 6, 7구역 절제술)

중앙경부 림프절절제술을 갑상선절제와 동시에 하기도 하지만, 갑상선전절제술을 마친 후 별도로 시행하는 것이 더 안전하고 철저한 림프절제가 가능한 것 같다. 중앙경부 림프절 절제 범위는 위로는 설골, 옆으로는 경동맥, 아래로는 우측은 무명동맥 좌측은 이에 상응하는 부위이며, 환자의 앞쪽은 목근막(deep cervical fascia)의 얕은 근막(superficial layer), 뒤쪽은 목근막의 깊은 근막(deep layer)이 경계를 이루고 있다. 중앙경부 림프절은 후두앞 림프절(Delphian 림프절), 갑상선주위림프절, 기도옆림프절, 기도앞림프절과 되돌이후두신경주위 림프절 및 상부 앞쪽 종격동(superior anterior mediastinum) 림프절 등으로 나누어 진다. 이 중 후두앞 림프절은 갑상선 협부와 피라미드엽을 박리할 때 쉽게 할 수 있다.

우선 양쪽 띠근육을 흉골상절흔까지 충분히 벌린 후, 일측 띠근육으로부터 섬유지방조직을 박리해 나간다. 이때 하 부갑상선을 공급하는 혈관이 다치지 않도록 조심하면서 경동맥의 앞쪽과 내측으로부터 섬유지방조직들을 벗겨내어 내측으로는 기도를 향하여 뒤쪽으로는 척추앞근막쪽으로 박리해 나간다. 통상 아래쪽의 가슴샘은 보존하는데, 간혹 하 부갑상선이 가슴샘에 묻혀 있는 경우가 있기 때문이다. 박리가 더 진행되기 전, 되돌이후두신경의 위치를 항상 염두에 두어야 한다. 따라서 중앙부림프절 절제를 시작하기 전에 확인되었던 되돌이후두신경을 따라서 박리하면서 전체 신경의 경로를 확인한 후에 림프절절제술을 시작하는 것이 안전하다.

(그림 1-11) 내측으로는 기도를 향하여 아래쪽으로는 상부종격동쪽으로 박리를 계속한다. 갑상선 절제 시 결찰 분리하였던 혈관들 특히 하갑상선혈관 등을 만나게 되는데 한 번 더 근위부에서 결찰 박리한다. 우측 갑상선암의 경우 되돌이후두신경의 뒤쪽에 있는 림프절과 식도옆 림프절의 박리가 중요한데 이때는 기도를 내측으로 밀면서 되돌이후두 신경과 간격을 벌린 후 시행하면 안전하게 할 수 있다. 아래쪽의 상부종격동에 있는 섬유지방조직을 제거할 때에는 좀더 기도를 내측으로 밀고 경동맥은 외측으로 견인하면서, 박리한 조직들을 위쪽으로 잡아당기면서 박리하되 되돌이후두신경의 손상에 더욱 조심하여야 한다. 우측 상부 앞쪽 종격동의 림프절을 박리할 때는 더욱 되돌이후두신경의 손상에 주의하여야 하는데 이는 우측은 경동맥이 기도에 가깝고, 되돌이후두신경이 경동맥의 내측 뒤쪽에 위치하기 때문이다. 우측은 무명동맥의 뒤쪽까지 박리를 진행하고, 좌측은 우측의 무명동맥에 상응하는 부위까지 박리를 시행한다.

기도옆림프절과 되돌이후두신경주위의 림프절, 위종격에 있는 조직들의 박리가 끝나면 기도로부터 성근 조직들을 박리하며 기도앞쪽으로 나아간다. 기도앞림프절의 절제는 비교적 용이하다. 아래로는 상완두동맥간까지 내려가 박리한다.

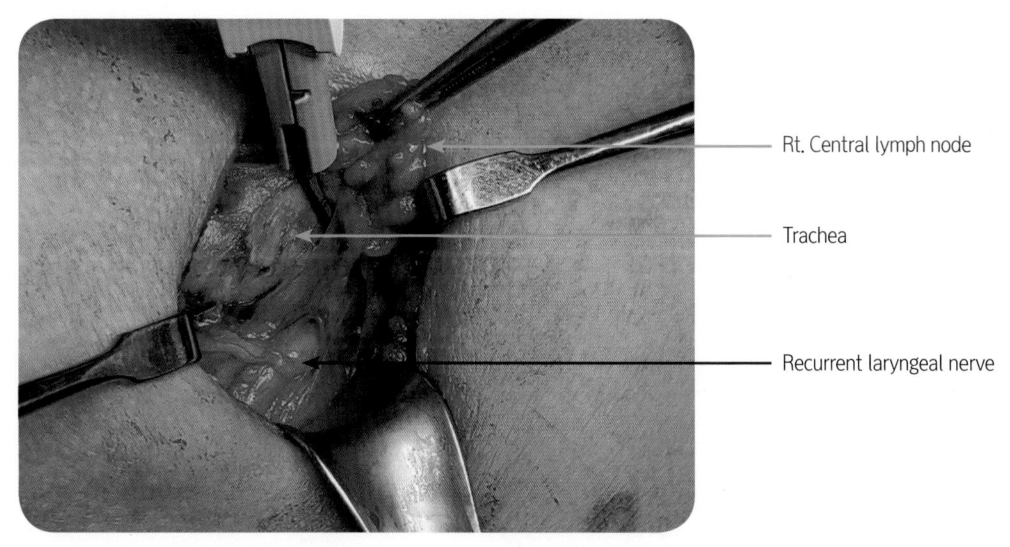

그림 1-11

8. 봉합

갑상선전절제술과 중앙경부 림프절절제술이 끝나게 되면 충분한 양의 식염수로 수술부위를 세척한 후 철저하고 세심한 지혈을 시행한다. 특히 Berry 인대부분, 상갑상선 혈관 결찰부위, 띠근육 안쪽, 그 외 출혈 가능성이 있는 부분을 확인하도록 한다. 또한 부갑상선의 색깔을 확인하여 부갑상선의 혈액 공급이 완전 차단되어 검은 색으로 변한 경우에는 부갑상선을 절제한 뒤에 1 mm 정도보다 작게 썰은 후 흉쇄유돌근에 심어준다(부갑상선 자가이식).

(그림 1-12) 전체적 수술과정이 끝나게 되면 상황에 따라 지혈제나 유착방지제등을 사용하기도 하며 봉합하기 전에 통상 작은 폐쇄식 silastic 흡인관을 넣는다. 흡인관은 절개부위로 뽑거나 따로 절개부위 아래로 뽑기도 한다. 봉합은 우선 환자의 머리를 약간 숙이게 한 후 띠근육의 봉합부터 시작한다. 그 후 넓은목근과 피하조직 일부를 포함하여 봉합한다. 피부는 흡수사를 이용하여 피부밑봉합을 시행하며 피부 tape이나 액체형 bond로 마무리한다.

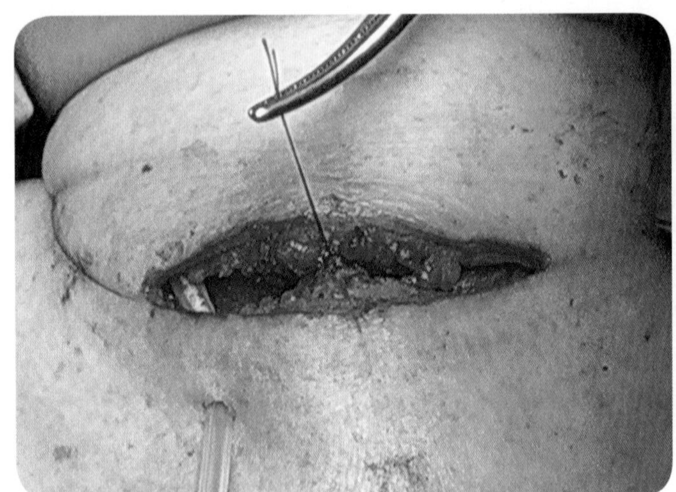

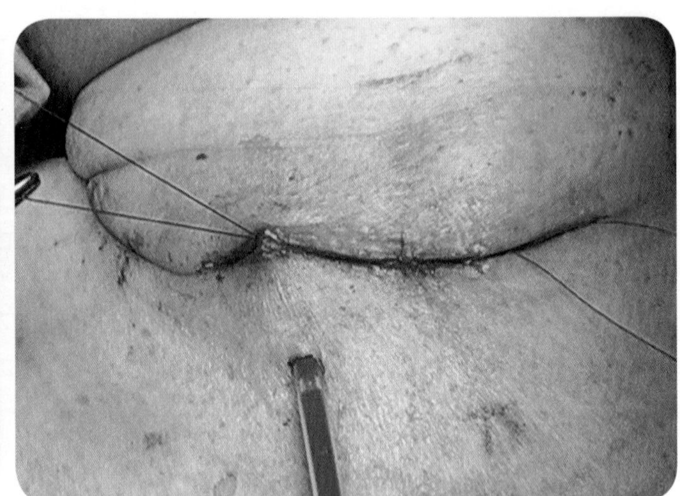

그림 1-12

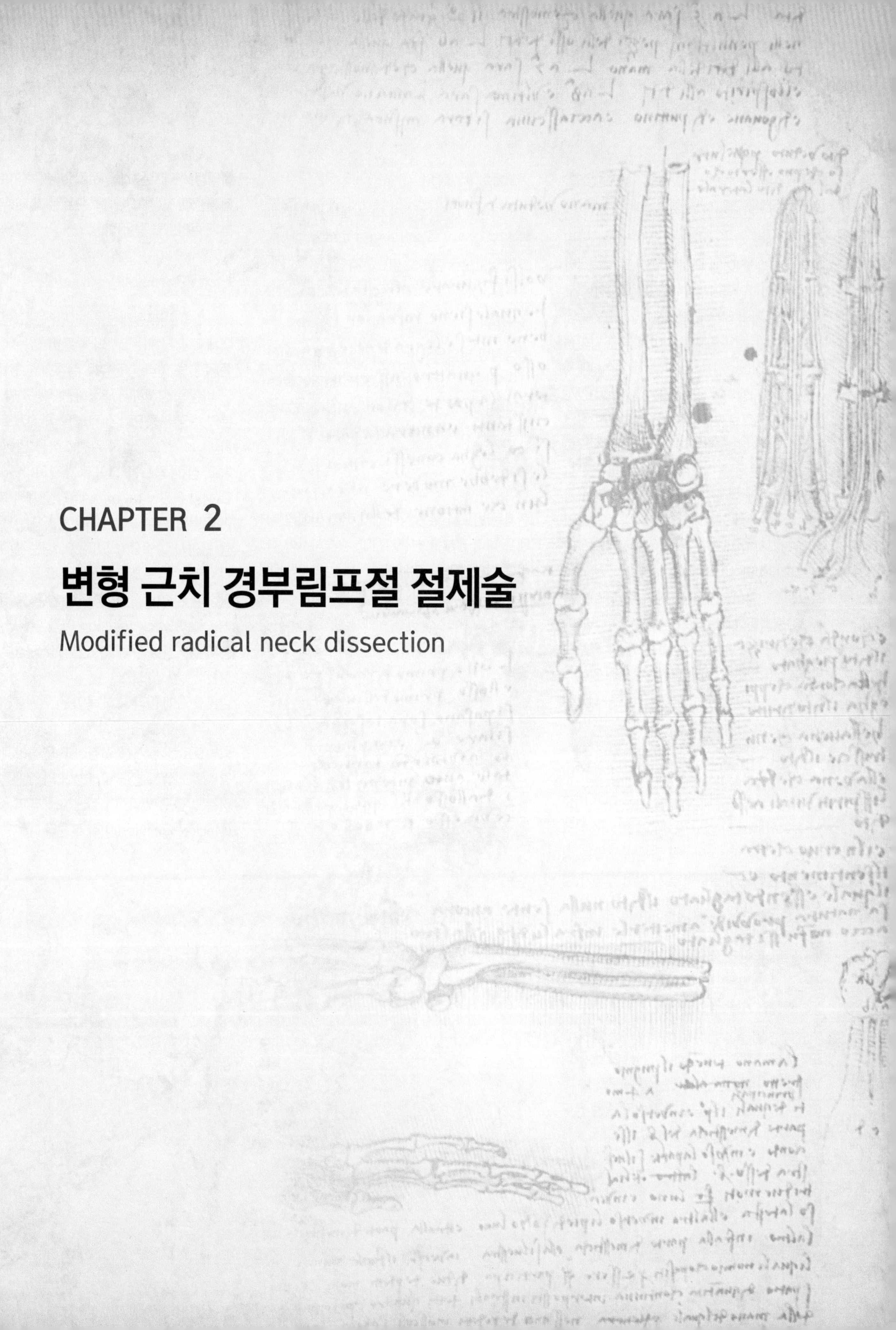

CHAPTER 2

변형 근치 경부림프절 절제술

Modified radical neck dissection

1. 적응증

변형 근치 경부림프절 절제술(modified radical neck dissection, MRND)은 암의 경부 림프절 전이에 대하여 적용되는 술식이다. 현재 외과영역에서 본 술식의 대상이 되고 있는 암은 거의 대부분 갑상선암이며, 그 중에서도 빈도가 높고 림프절 전이가 흔한 갑상선유두암(papillary thyroid carcinoma)에서 가장 많이 시행되고 있다. 갑상선유두암 환자에서 임상적으로 림프절 전이가 확실히 진단된 경우에만 본 술식을 시행하고 예방적으로는 하지 않는 것이 일반적이다. 그 이유는 갑상선유두암에서 림프절 전이는 매우 빈도가 높은 것은 사실이나 임상적으로 발견되지 않은 현미경적 미세 전이는 생존율에 큰 영향이 없기 때문이다.

갑상선수질암(medullary carcinoma)에서는 림프절 전이가 빈도가 높을 뿐 아니라 예후에도 영향을 미치고, 수술 후 혈중 칼시토닌(calcitonin)을 최대한 낮추기 위해 임상적 림프절 전이가 없어도 예방적 경부림프절 절제술을 많이 시행하고 있다.

갑상선유두암에서 근치 경부림프절 절제술(radical neck dissection)을 하지 않고 변형 근치 경부림프절 절제술을 하는 것은 비교적 진행이 빠르지 않고 흉쇄유돌근, 내경정맥(interal jugular vein)과 같은 구조물을 희생하지 않아도 재발률이 높지 않고 결과가 양호하기 때문이다. 그러나 림프절 전이가 많이 진행되어 이러한 구조물에 침윤이 있는 경우에는 불가피하게 절제를 하여야 한다.

림프절 절제범위도 과거와 같이 측경부의 모든 구역(II~V)을 수술하지 않고 구역 V는 제외하는 것이 일반적으로 구역 V에는 전이 빈도가 낮기 때문이다. 그러나 임상적으로 구역 V에 전이가 확인된 경우에는 물론, 구역 II~IV에 전반적으로 심한 림프절 전이가 있는 경우에도 구역 V를 수술범위에 포함시킨다.

2. 수술 전 처치

일반적으로 다른 수술과 다른 특별한 전처치는 필요 없으며 수술범위 안의 피부에 모발도 거의 없으므로 면도도 필요하지 않다.

3. 마취

통상적인 방법으로 마취를 하되 경부를 신전해야 하기 때문에 기관내삽입관(endotracheal tube)은 유연하고 꺾이지 않는 유연관(flexible tube)을 사용해야 한다.

4. 환자 자세

환자는 반드시 누운 상태에서 어깨 밑에 받침대를 넣어 경부를 신전시킨다. 수술시간이 길 것으로 예상되는 경우에는 어깨 밑의 받침대를 실리콘과 같은 탄력있는 것으로 하는 것이 좋으며 발뒤꿈치도 수술대에 오래 눌려 있지 않도록 종아리 밑에 받침대를 넣어 두는 것이 좋다.

5. 수술 준비

환자의 머리카락이 수술시야에 넘어오지 않도록 잘 싸서 모자 안에 넣고 플라스틱 테이프로 가장자리를 밀봉한다. 피부에 대한 처치는 통상적인 방법으로 한다. 소독포는 위로는 하악선, 아래로는 쇄골(clavicle), 측면으로는 어깨선과 경부후면, 내측으로는 반대측의 경부가 보이도록 덮는다.

6. 절개 및 노출

(그림 2-1) 피부절개선을 보여주는 그림이다. 대체로 경부에는 2개의 주름이 있는데 아래쪽 주름을 따라 측경부로 절개선을 흉쇄유돌근 바깥쪽 경계까지 연장하면 적당하다. 대부분의 측경부 림프절 절제술은 이 절개로 충분하다(그림 2-1A). 암이 주변조직을 많이 침범하고 심한 림프절 전이로 혈관이나 경부 주요 생명 기관(vital organs)의 절제와 복원술이 동반된 큰 수술이 필요한 경우에는 절개선을 변형시킬 필요가 있다. 이 때는 절개선을 목 아래쪽 주름에서 시작하되 목의 상부로 연장하여 계획한다. 이 경우 하키 스틱 절개선(Hockey Stick Incision)이라 부른다. 보통 흉쇄유돌근 바깥쪽 경계면을 따라 상부로 연장한다(그림 2-1B).

물론 환자에 따라 특히 목이 긴 환자에서는 절개창의 길이를 좀더 길게 할 수 있다. 또다른 방법으로는 절개창의 길이를 연장하지 않고 경부의 윗쪽 주름을 따라 별도의 절개를 추가하는 방법도 있다. 이 절개선을 맥피 절개선(MacFee Incision)이라 부른다(그림 2-1C).

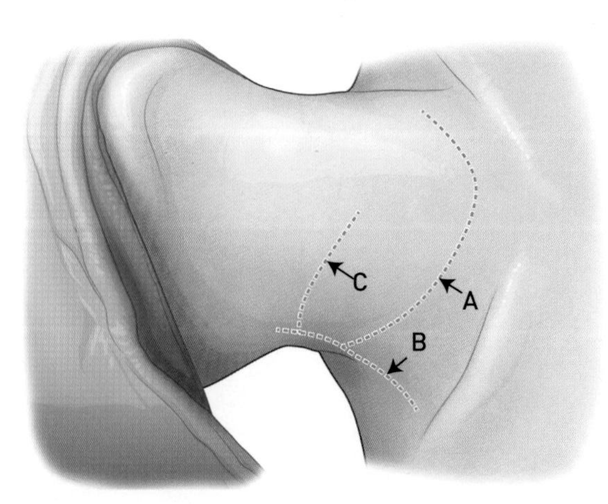

그림 2-1

7. 수술 과정

피부를 절개 한 후 넓은목근까지 절개해 들어간다. 절개면을 겸자로 잡아 전방으로 견인하면서 넓은목근의 후면을 따라 박리하여 상하 피부판을 만들어 나간다.

(그림 2-2) 박리해 들어가는 상한선은 위로는 턱밑샘(submandibular gland)과 설골까지, 아래로는 쇄골까지이다. 피부판을 만들고 나면 수술시야에 흉쇄유돌근과 흉골설근(sternohyoid muscle)이 노출되게 된다. 흉쇄유돌근의 전연을 따라 근막을 절개하고 근육을 측방으로 견인하면서 박리하면 경정맥, 경동맥과 주위의 림프절을 포함하고 있는 연부조직이 노출되게 된다. 측후방으로 박리해 들어가는 한계는 흉쇄유돌근의 후연까지면 충분하며 만일 구역 V 림프절까지 수술범위에 포함시켜야 한다면 승모근(trapezius muscle)의 전연까지 박리하도록 한다.

(그림 2-3) 견갑설골근(omohyoid muscle)을 흉쇄유돌근 바깥쪽 경계부근에서 절단하여 4, 5번 구획(level 4, 5) 림프절 노출을 증대시킨다. 이후 흉골설근 바깥쪽 경계면에서 한번 더 절단하여 근처 림프절 절제를 용이하게 할 수도 있다.

(그림 2-4) 총경동맥과 내경정맥의 전방을 가로지르며 흉쇄유돌근에 분포하는 혈관과 혀밑고리신경(ansa hypoglossi nerve)에서 견갑설골근에 분포하는 신경등을 절단하고 결찰한다. 그리고 내경정맥의 전방에 구역 III에 속하는 림프절이 포함된 연부조직이 있으므로 이것을 내경정맥으로부터 박리하여 측후방으로 밀어낸다. 그리고 나면 내경정맥이 깨끗이 노출되면서 내경정맥을 전방으로 견인하면 내경정맥의 측후방에 위치한 구역 III, IV 림프절을 포함하는 연부조직이 보이게 된다.

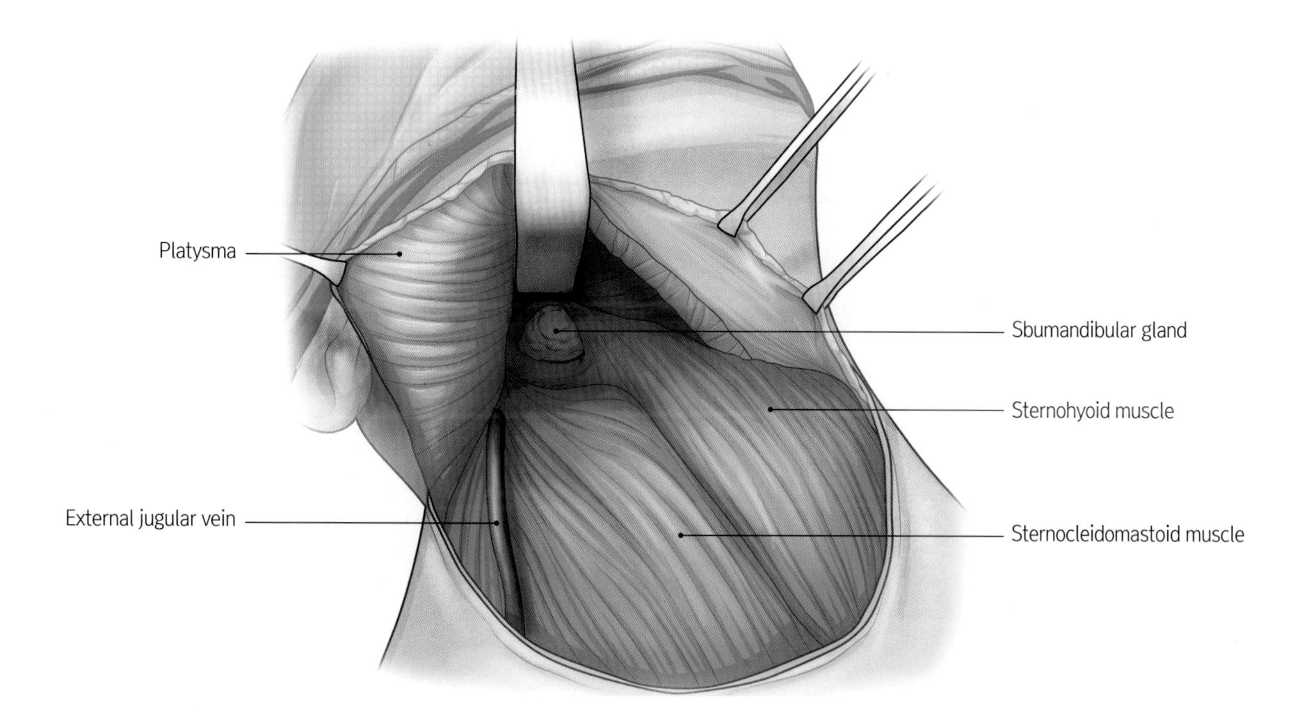

그림 2-2

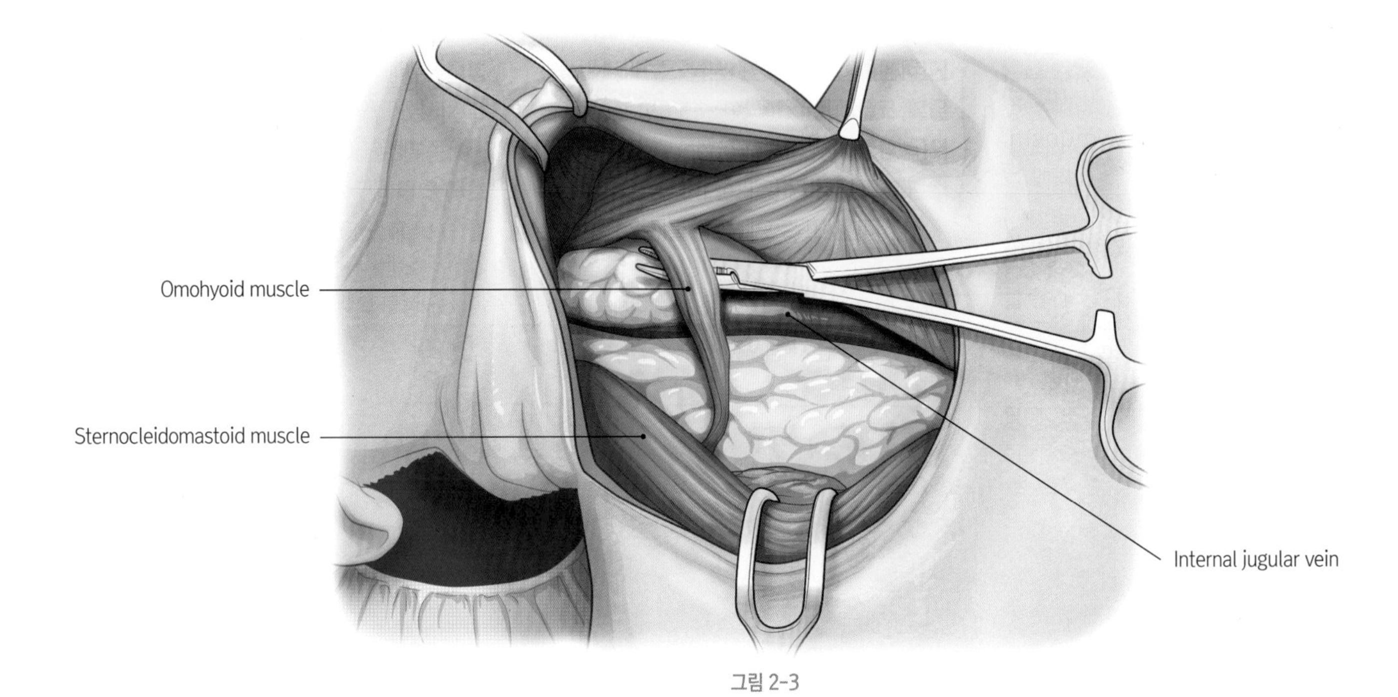
Omohyoid muscle
Sternocleidomastoid muscle
Internal jugular vein

그림 2-3

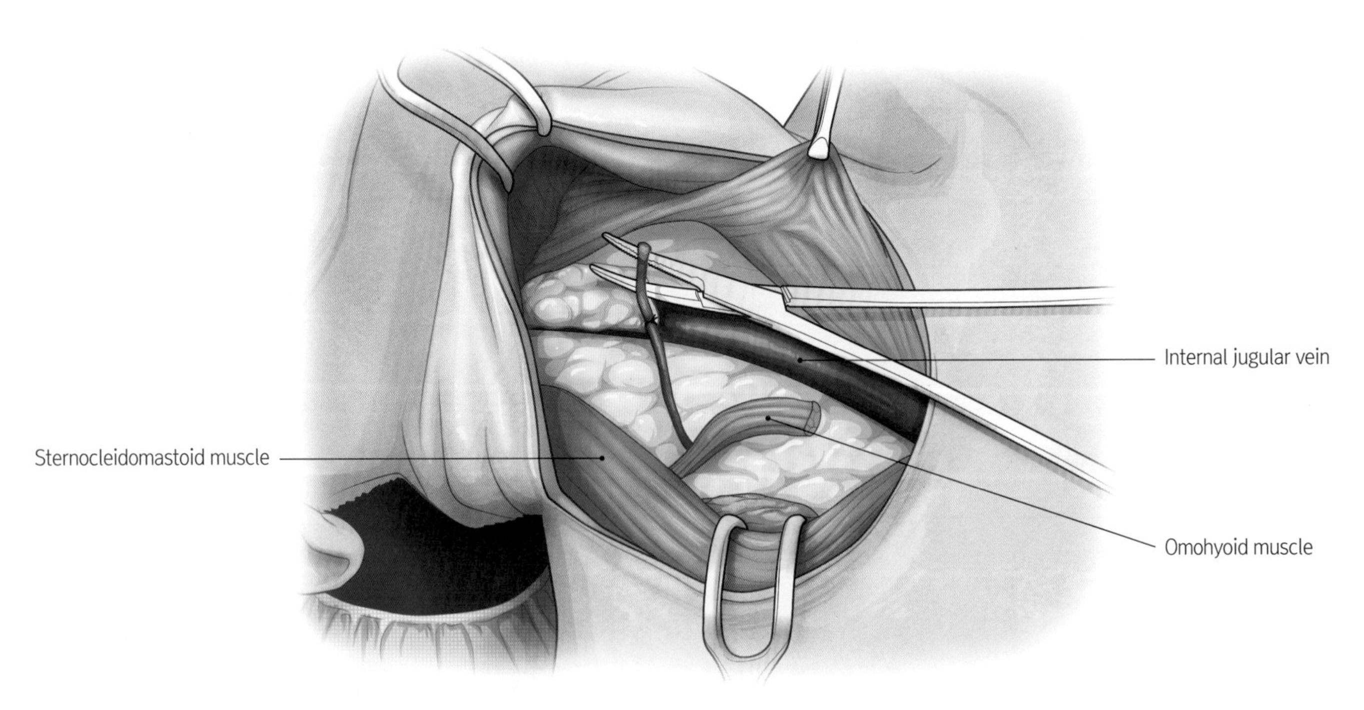
Internal jugular vein
Sternocleidomastoid muscle
Omohyoid muscle

그림 2-4

(그림 2-5) 내경정맥을 전방으로 견인하면서 내경정맥 후방에 위치한 림프절을 포함한 연부조직을 박리하면 내경정맥 후방에 총경동맥과 나란히 주행하는 미주신경이 나타나게 된다. 림프절을 포함한 연부조직을 측후방으로 견인하면서 후방으로 박리를 계속해 나가면 혀밑고리신경, 횡격막신경(phrenic nerve), 가로목동맥(transverse cervical artery)이 순서대로 나타난다. 후방으로의 박리는 팔신경얼기(brachial plexus)를 넘어서까지 진행할 필요는 없다. 혀밑고리신경과 가로목동맥은 불가피하면 희생하여도 무방하나 횡격막신경은 보존하도록 한다.

전이 림프절이 횡격막신경을 침윤한 경우는 그리 흔하지 않고 횡격막신경이 사각근(scalene muscle)의 근막에 가까이 위치하고 있어 수술시 손상되는 경우가 많지 않으나 전이 림프절이 크고 신경에 유착이 있는 경우에는 수술시 횡격막신경이 림프절과 같이 견인 되어 올라와 절단되는 사고가 있을 수 있으므로 주의하여야 한다.

(그림 2-6) 후방으로의 박리가 충분히 되었으면 방향을 바꿔 하방의 림프절을 박리한다. 우선 쇄골 머리의 상부에 위치한 림프절부터 박리하기 시작하여 점차 측후방으로 진행해 나간다. 쇄골 머리의 상부에는 림프절이 많지 않고 전이가 되는 빈도도 많지 않은 곳이어서 통상적으로 박리하지 않아도 되나 림프절 전이가 심한 경우 이곳을 수술하지 않았을 때 재발하는 경우가 간혹 있으므로 가급적 1차 수술 시 이 부분도 수술하는 것이 바람직하다.

이어서 쇄골하정맥(subclavian vein) 상방의 림프절(구역 IV)을 박리해 나가는데 이때 유의해야 할 점은 정맥에 연결되는 림프관을 주의 깊게 모두 결찰하여야 한다. 우측경부에서도 간혹 암죽샛길(chylous fistula)이 발생하는 경우가 있으며 림프관을 잘 결찰하면 수술 후 배액관으로 나오는 분비량도 적게할 수 있다. 또 하나 유의할 점은 간혹 이부분은 수술할 때 늑막에 천공이 일어나 기흉이 발생할 수 있으므로 늑막이 손상되지 않도록 주의하여야 한다.

(그림 2-7) 구역 IV 림프절의 박리도 후방으로 팔신경얼기 넘어서까지 진행할 필요는 없으며 이 근처에서 내경정맥이 쇄골하정맥에 연결되는 부위까지 박리되었으면 방향을 상방으로 바꿔 진행해 나간다.

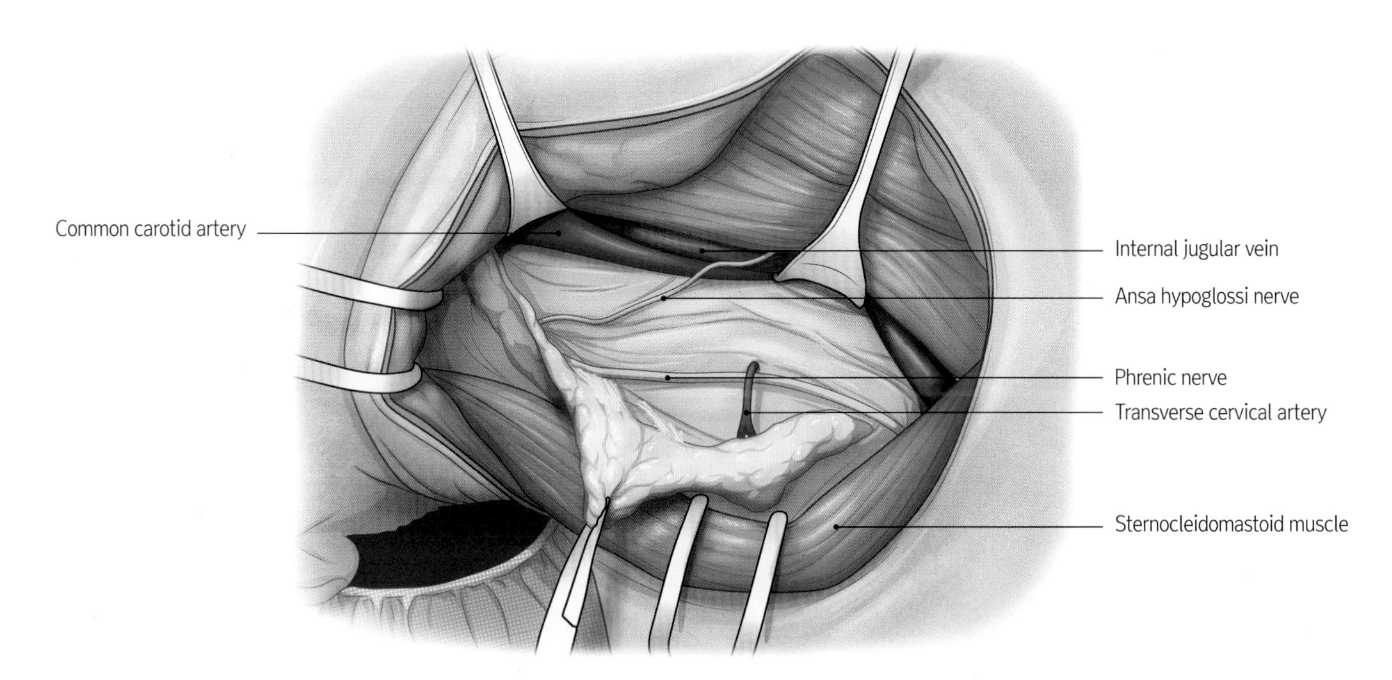

그림 2-5

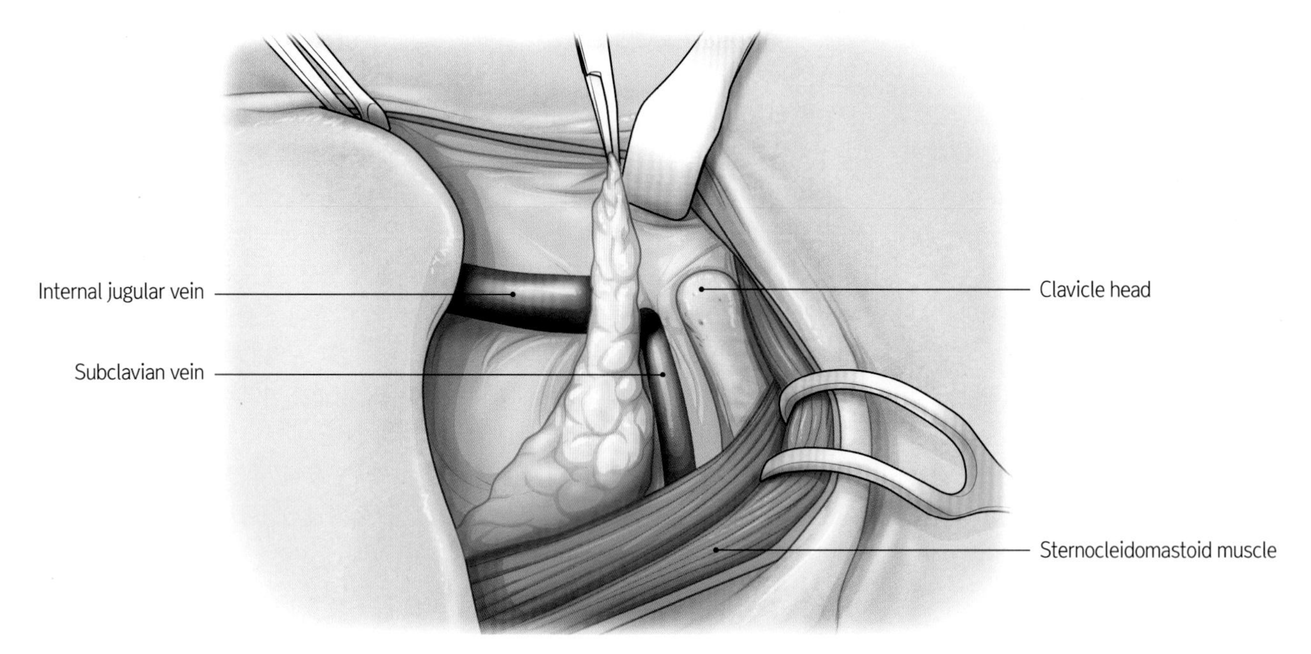
Internal jugular vein
Subclavian vein
Clavicle head
Sternocleidomastoid muscle

그림 2-6

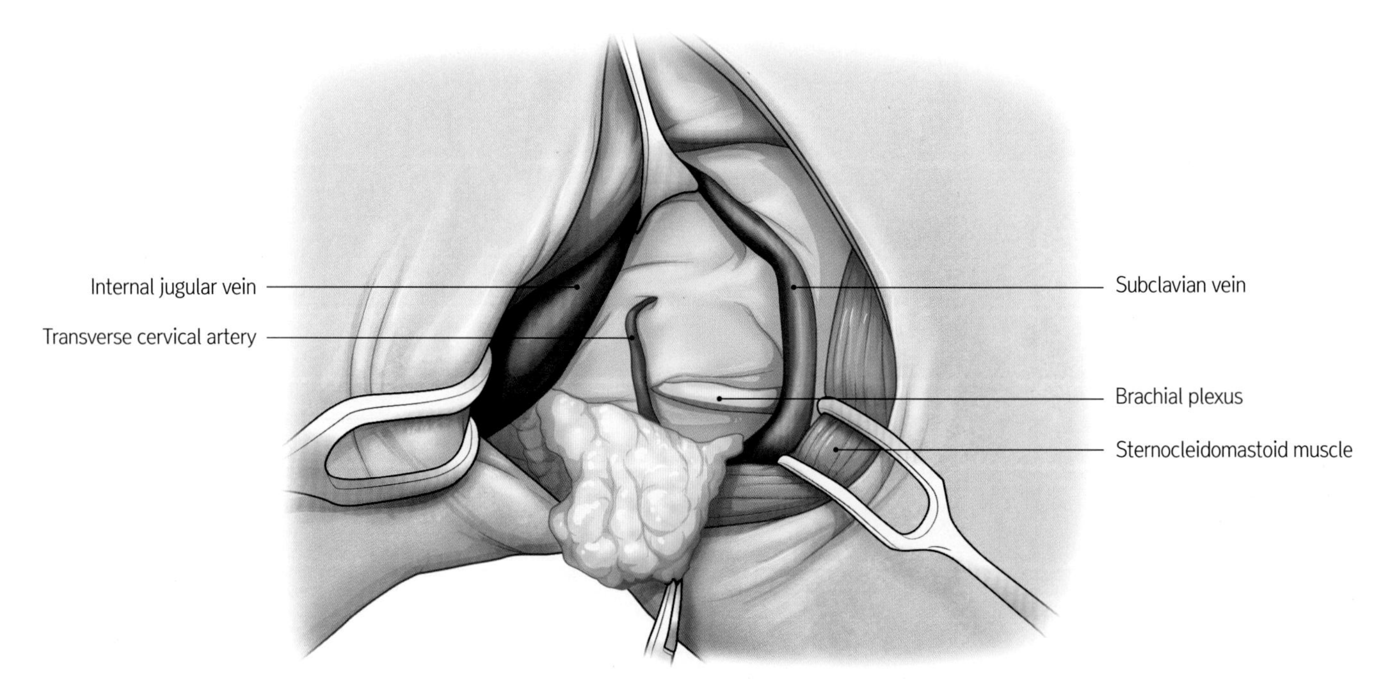
Internal jugular vein
Transverse cervical artery
Subclavian vein
Brachial plexus
Sternocleidomastoid muscle

그림 2-7

(그림 2-8) 흉쇄유돌근의 후면을 따라 외경정맥(external jugular vein)과 평행하게 연부조직을 박리하면서 진행하다 보면 견갑설골근을 만나게 된다.

(그림 2-9) 이를 절단하고 계속 상방으로 진행하면 도중에 감각 신경들을 만나게 되는데 가급적 절단하지 말고 보존하도록 한다.

(그림 2-10) 이제 구역 III, IV 림프절의 박리는 완료되었으며 구역 II 림프절의 절제로 진행하게 되는데 상방으로의 박리의 한계는 이복근(digastric muscle)의 뒤힘살(posterior belly)이다. 이복근 하방의 내경정맥 전방과 측후방으로 구역 II 림프절들이 있으며 이를 박리하여 후하방으로 끌어낸다. 이 부분은 수술시야가 좁고 깊어서 조심스럽게 수술을 진행하여야 하며 경동맥으로부터 나오는 혈관이 있어 주의깊게 확인하고 결찰하여야 출혈을 예방할 수 있다.

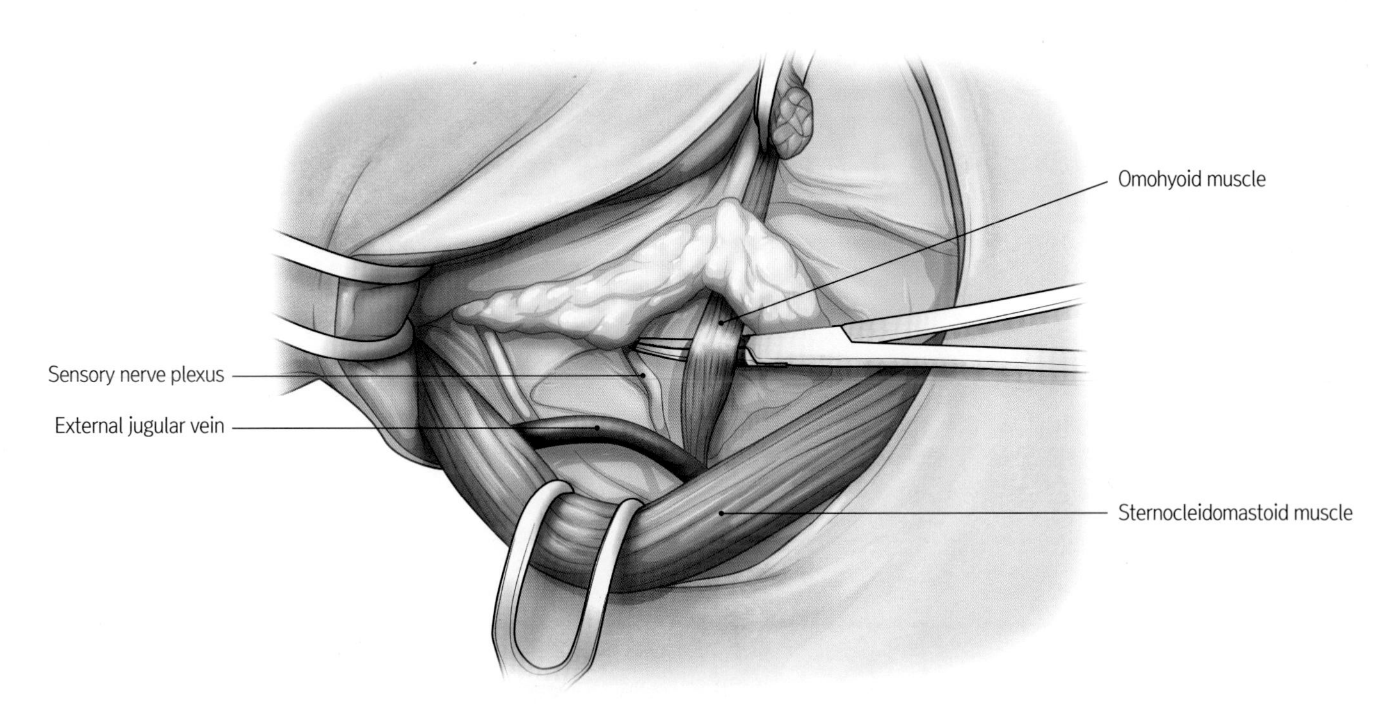

그림 2-8

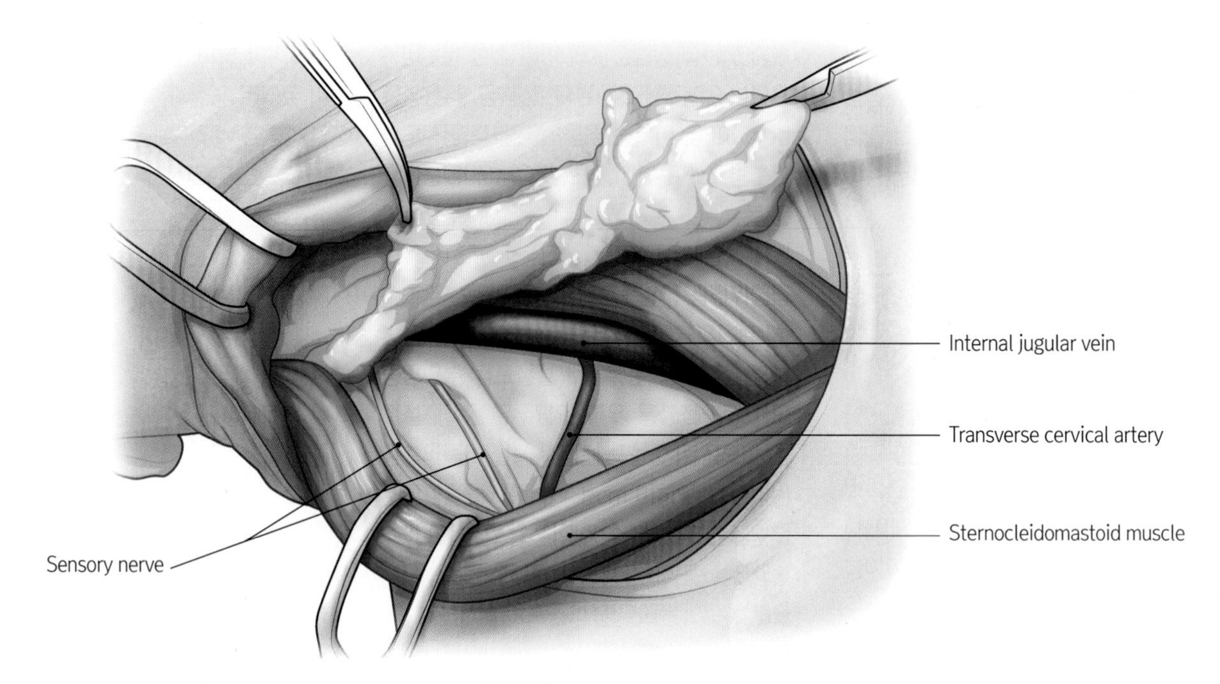
Internal jugular vein
Transverse cervical artery
Sternocleidomastoid muscle
Sensory nerve

그림 2-9

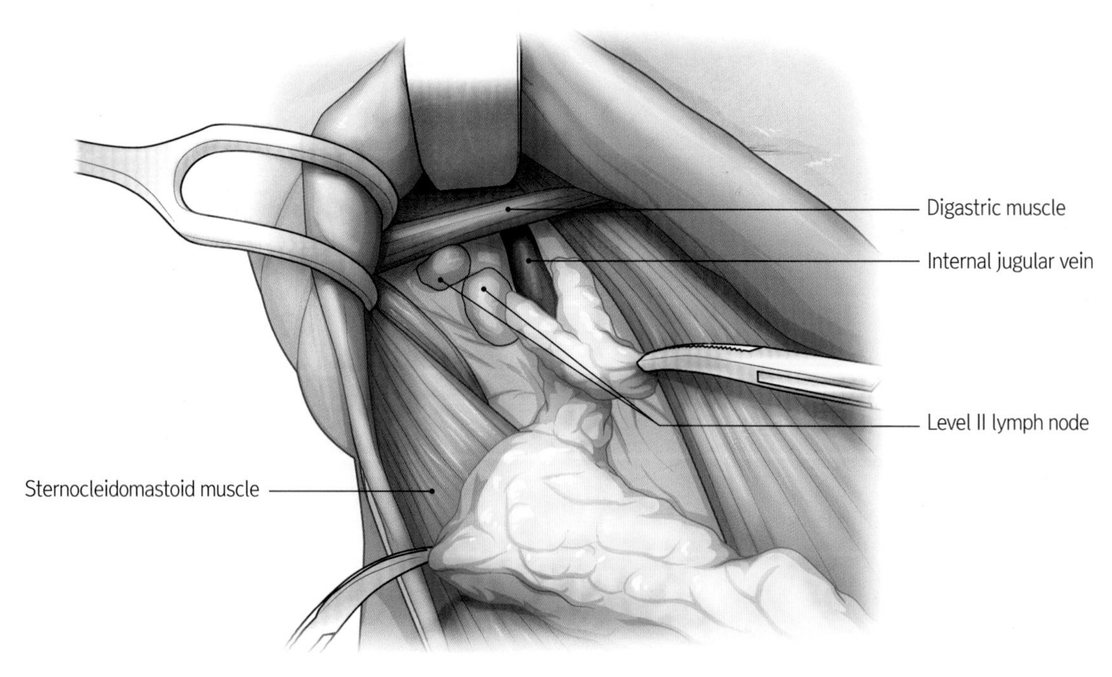
Digastric muscle
Internal jugular vein
Level II lymph node
Sternocleidomastoid muscle

그림 2-10

(그림 2-11) 박리를 후방으로 진행하다보면 흉쇄유돌근 상방의 후연에서 상방으로 주행하는 척수부신경(spinal accessory nerve)이 보이게 된다. 손상되지 않도록 주의를 기울여야 하며 비교적 굵은 신경이여서 확인하기 어렵지 않으나 잘 확인되지 않을 때에는 전기자극을 가하여 승모근의 수축 반응을 보아 신경의 위치를 확인 할 수도 있다. 또한 신경과 나란히 가는 혈관이 주행하므로 이 혈관으로도 신경을 확인하는데 지침이 될 수 있다.

척수부신경 후방으로도 림프절이 존재하나 이 림프절에 전이되는 경우는 드물어서 임상적으로 림프절 전이가 없으면 반드시 절제할 필요는 없다.

(그림 2-12) 림프절절제술을 마친 후의 그림이다. 경부내측으로 경동맥, 경정맥, 미주신경이 보이고 측면으로 감각신경들이 보이며 하방으로 쇄골하정맥과 그에 연결되었던 림프관을 결찰한 모습이 보이고 있다. 출혈부위가 없는지 잘 관찰하고 지혈한 후 배액관을 삽입한다.

(그림 2-13) 좌측경부의 림프절 청소술 중 구역 IV 림프절을 박리하고 있는 그림이다.

좌측과 우측경부의 림프절 청소술은 해부나 술기가 대동소이하나 가장 큰 차이점은 좌측경부하부에는 가슴림프관(thoracic duct)이 있는 점이다. 구역 IV 림프절에서 가슴림프관으로 림프관이 연결되며 림프절 박리 시 림프관을 잘 결찰하지 못하거나 가슴림프관을 손상하면 암죽(chyle)이 가슴림프관으로부터 유출되는 암죽샛길이 발생하게 된다. 가슴림프관에 연결되는 림프관이나 가슴림프관 자체의 벽이 아주 약하므로 세심하게 결찰하여야 하고 수술이 종료된 후 다시 한번 암죽의 유출이 있지 않은지 잘 관찰하여야 한다. 암죽의 유출이 있으면 유출되는 곳을 잘 찾아서 결찰을 시도하나 잘 되지 않으면 가슴림프관 자체를 봉합결찰 하여야 한다.

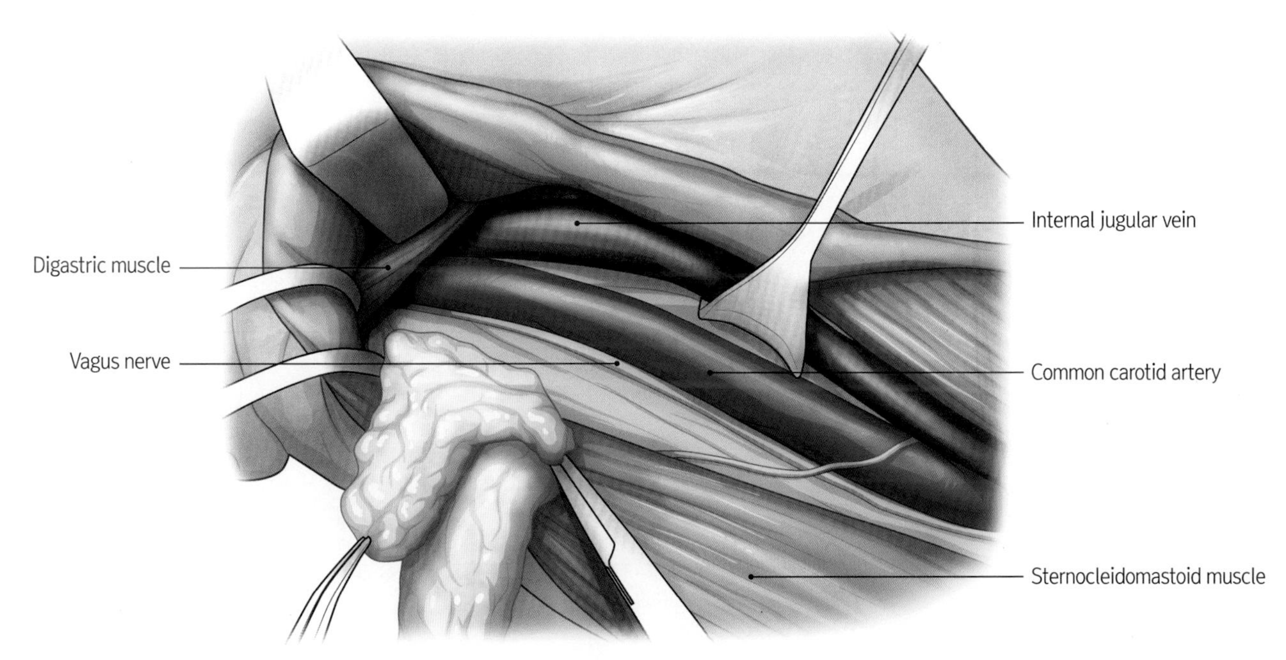

그림 2-11

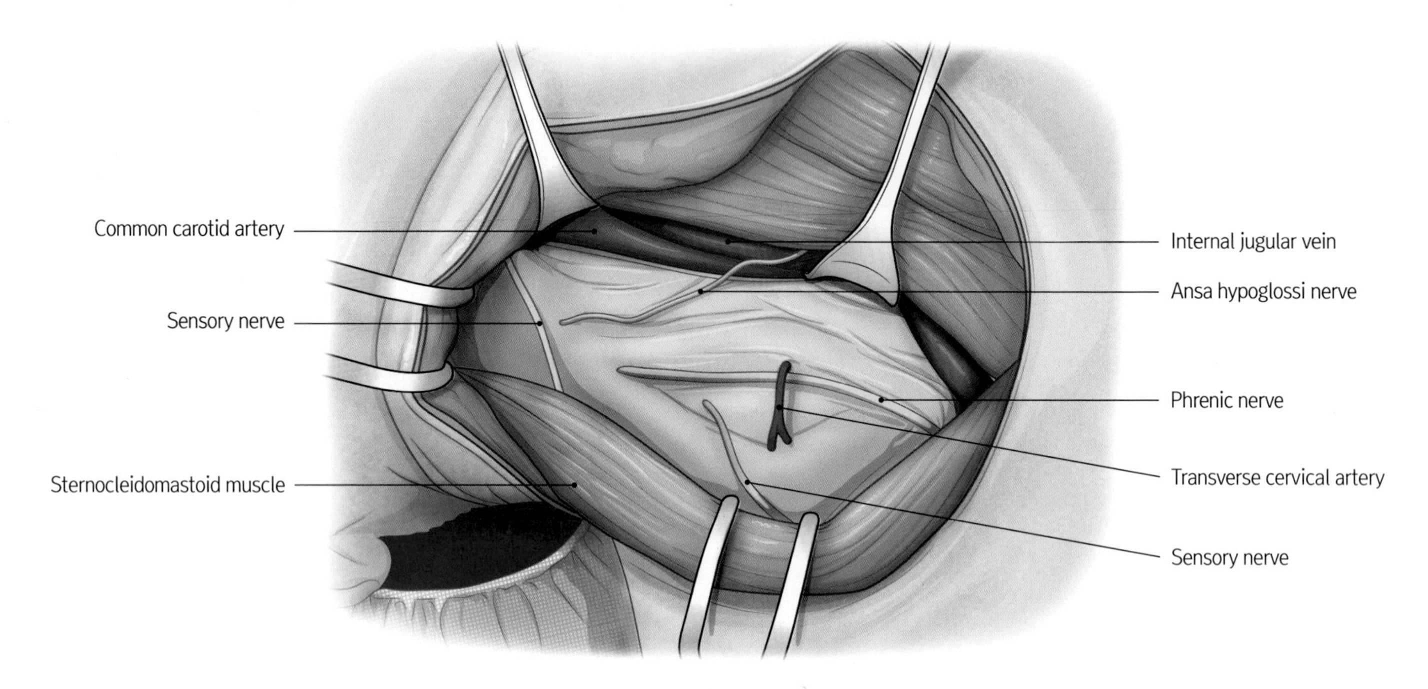
Common carotid artery
Internal jugular vein
Ansa hypoglossi nerve
Sensory nerve
Phrenic nerve
Transverse cervical artery
Sternocleidomastoid muscle
Sensory nerve

그림 2-12

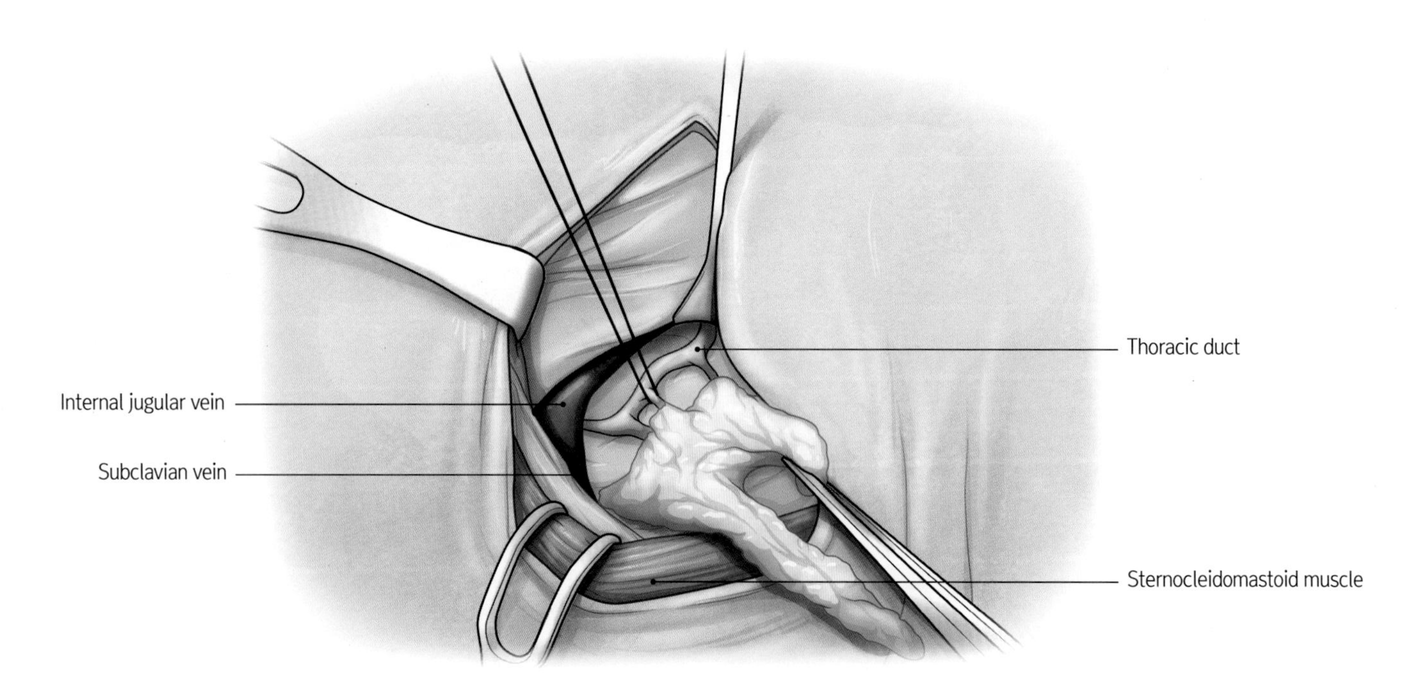
Thoracic duct
Internal jugular vein
Subclavian vein
Sternocleidomastoid muscle

그림 2-13

CHAPTER 3

양측 겨드랑이-유방 접근 내시경/로봇 갑상선 절제술

Endoscopic/robotic thyroidectomy, bilateral axillo-breast approach (BABA)

I. 서론

2017년 국가암등록통계에 의하면 갑상선암은 연간 발생자 수가 26,170명, 발생분율 11.3%으로 위암, 대장암, 폐암 다음으로 발생률이 높은 질환이다. 15~34세 연령군의 여성환자에서 암발생분율이 54.1%로 1위인 암이며, 35~64세 연령군의 여성환자에서 암발생분율이 24.3%로 2위인 암이다. 2013년부터 2017년까지의 5년 생존율은 100.1%이고 진단 후 유병자 수는 405,032명으로 모든 암중 1위를 차지한다. 따라서 갑상선암은 수술 후 삶의 질이 매우 중요한 질환이다.

II. 양측 겨드랑이-유방 접근 내시경 갑상선 절제술 (Endoscopic thyroidectomy, bilateral axillo-breast approach, BABA)

수술 후 삶의 질에 관여 하는 요소 중 미용적인 측면은 무시할 수 없을 정도로 크며, 특히 황인종은 백인종과 달리 비후성 반흔(hypertrophic scar)이 발생할 가능성이 높아 무흉터 수술(scarless operation)의 개발이 필수불가결하다. 1997년 Hüscher에 의해 내시경 갑상선 우엽절제술이 성공적으로 보고가 되면서 내분비외과 영역에서 본격적으로 최소침습 수술이 시작되었다. 한국에서는 박용래 등에 의해 1998년 12월부터 시작되었으며 독자적인 방법을 고안하여 여러 기관에서 시행되었다.

2004년 서울대병원 갑상선외과에서 양측 겨드랑이-유방 접근(Bilateral Axillo-Breast Approach, BABA) 내시경 절제술을 최초로 시작하였다. 이 술기는 육안 상으로 보이는 흉터가 전혀 없는 술기로, 2007년의 보고에 따르면 102명을 이 술기로 수술한 결과 비후성 반흔이 생긴 환자가 없었으며, 환자들의 미용적 만족도가 아주 우수하였다. 양측 겨드랑이-유방 접근(BABA) 내시경 절제술은 미용적 우수함뿐 아니라 수술 시야가 기존의 절개 갑상선절제술(open thyroidectomy)과 같다는 장점이 있고 수술 중 양측 갑상선엽의 주요 구조물을 대칭적으로 볼 수 있다는 장점이 있어 전세계적으로 널리 시행 되고 있다. 또한 확대된 시야를 바탕으로 수술을 진행하게 되어 부갑상선, 되돌이후두신경, 상부후두신경 등의 주요 구조물을 보존하는데 용이해서 수술 후 합병증의 발생률이 낮고, 수술 후 환자의 삶의 질이 좋다는 장점이 있다.

1. 적응증

(표 3-1) 재발의 위험성이 낮은 분화갑상선암인 경우, 직경 5 cm 이하의 양성 갑상선 결절, 여포성 또는 허들세포 갑상선종양인 경우, 또는 진단적 내시경 갑상선엽절제술 후 최종 석으로 암으로 진단되어 완결 갑상선 절제술(completion thyroidectomy)을 시행하는 경우 양측 겨드랑이-유방 접근(BABA) 내시경 갑상선 수술을 고려할 수 있다.

2. 비적응증

(표 3-2) 갑상선암 환자 중 종괴의 위치가 뒤쪽으로 위치하여 기관-식도고랑(tracheoesophageal groove) 침범이 의심되거나 근접한 경우, 양성 갑상선종양 환자 중 종괴의 크기가 5 cm보다 큰 경우, 이전에 경부 수술을 받은 과거력이 있는 환자의 경우에는 양측 겨드랑이-유방 접근(BABA) 내시경 갑상선 수술보다 절개방식 혹은 로봇수술을 고려하는 것이 적합하다.

표 3-1 양측 겨드랑이-유방 접근(BABA) 내시경 갑상선 수술의 적응증

- 재발의 위험성이 낮은 분화갑상선암
- 직경 5 cm 이하의 양성 갑상선 결절
- 여포성 또는 허들 세포 갑상선종양
- 진단적 내시경 갑상선엽절제술 후 암으로 확인되어 완결갑상선절제술(completion thyroidectomy)을 시행하는 경우

표 3-2 양측 겨드랑이-유방 접근(BABA) 내시경 갑상선 수술의 비적응증

- 기관-식도고랑(tracheoesophageal groove) 침범이 의심되거나 근접한 갑상선암
- 5 cm 보다 큰 양성갑상선종양
- 이전 경부 수술 과거력

3. 수술 전 처치 및 마취

수술 전 준비는 일반적인 전신마취 수술 전 준비에 준해서 시행한다. 전신마취 하에 수술을 시행하며, 경부 신전(neck extension)이 필요하므로 삽관에 쓰이는 튜브(endotracheal tube)는 reinforced endotracheal tube를 사용한다.

4. 환자 자세

(그림 3-1) 누운 자세로 융포나 갑상선 전용 베개(Q-pillow®)를 환자의 상체와 어깨에 받쳐 환자의 목과 머리를 신전시키고 양팔은 상체에 붙이되 트로카 삽입을 위하여 양측 겨드랑이를 약간 벌린다. 베타딘 용액을 사용하여 위로는 환자의 턱, 아래로는 유방하 주름(inframammary fold) 아래 5 cm, 외측으로는 양측 겨드랑이와 상완을 소독한다.

5. 수술 준비

5 mm 30° 내시경(복강경), 트로카(Trocar), 비디오시스템, 초음파 절삭기, endo-clinch, snake retractor, 그 외 grasper 등 내시경 수술장비

6. 절개 및 노출

(그림 3-2) 목과 가슴에 해부학적 기준(흉골상 절흔, 쇄골의 상부 경계, 윤상연골, 갑상연골, 흉쇄유돌근의 전방 경계)과 절개창을 낼 양측 겨드랑이의 피부주름, 유륜부근 및 기구의 경로(trajectory line)와 작업 공간을 그린다. 1:200,000으로 희석된 에피네프린 용액을 작업 공간의 박리 중 출혈의 예방 및 수력박리술(hydrodissection)을 위하여 작업 공간(양측 겨드랑이와 유방 및 넓은 목근판 아래)에 21G 척추 천자침(spinal needle)을 이용하여 피하주사한다.

양측 겨드랑이의 피부주름을 따라 병변 쪽에 12 mm, 병변 반대쪽에 5 mm를 절개하고, straight mosquito hemostats를 이용하여 절개창을 넓힌 후 12 mm 절개창으로 vascular tunneler (GORE Tunneler, Gore & Associates, Inc., USA)를 이용하여 작업 공간의 피하 및 넓은목근판 아래 부위를 비절개박리(blunt dissection)한다(그림 3-3).
양측 겨드랑이에 각각 12 mm와 5 mm 트로카를 삽입하고 12 mm 트로카로 6~8 mmHg의 CO_2를 주입하여 공간을 유지한다. 한쪽 트로카로 내시경을 넣고 반대쪽 트로카를 통해 초음파 절삭기를 넣어 비절개박리 후 남은 trabecula를 자른다.
전흉부(anterior chest, area 2)의 공간이 확보되면 양측 유륜 상부를 5 mm 절개하고 트로카를 삽입한다. 이후 내시경을 좌측 유방 트로카로 넣고 수술자는 우측 유방과 우측 겨드랑이의 트로카를 이용해 전경부(anterior neck, area 1) 피판을 완성한다.

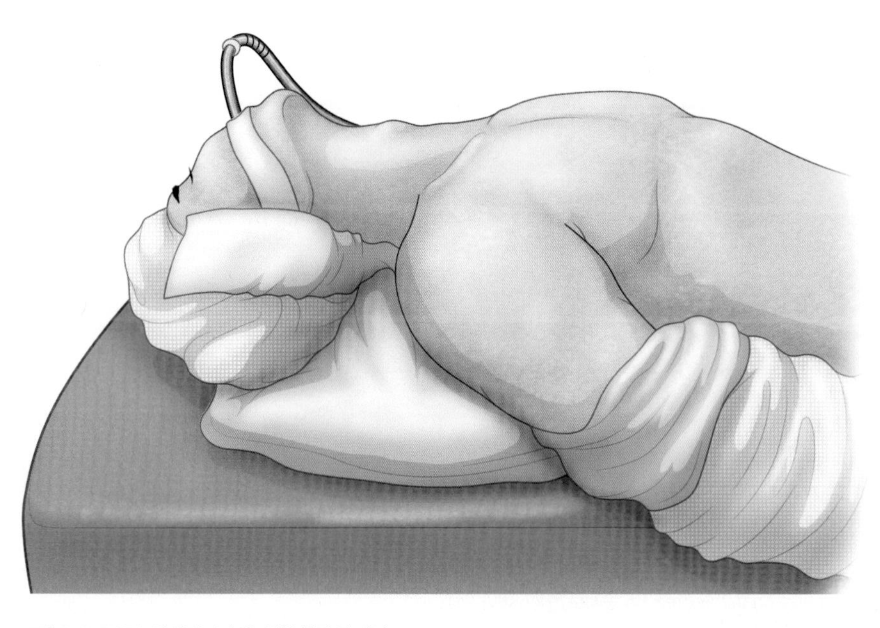

그림 3-1 BABA 내시경 수술을 위한 환자의 자세

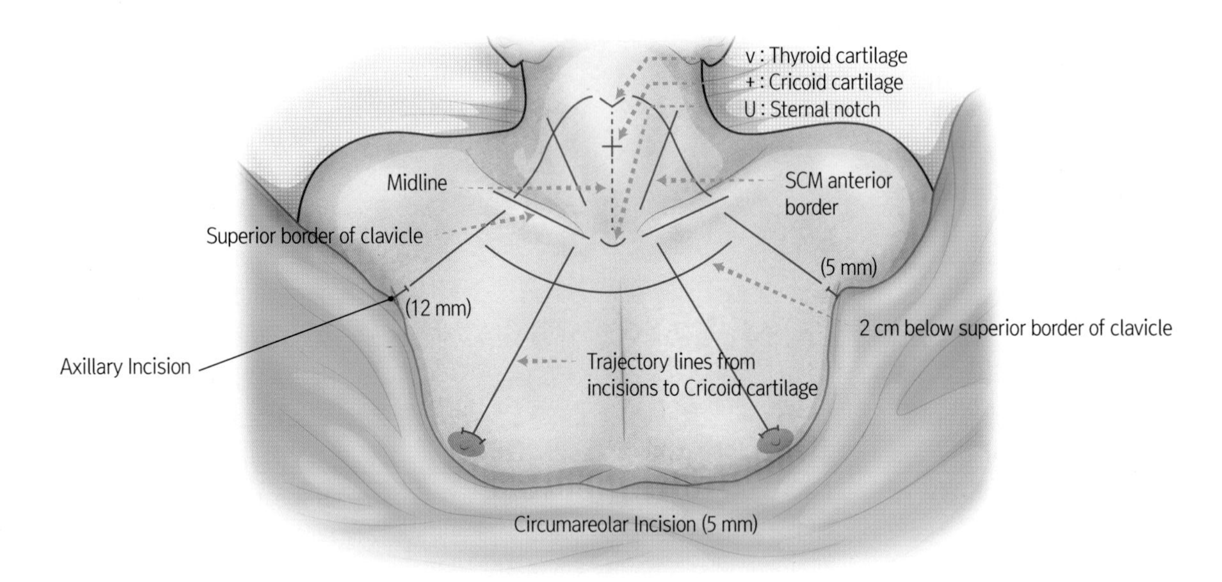

그림 3-2 BABA 내시경 갑상선절제술을 위한 밑그림

TIP 1
희석된 에피네프린을 주사할 때 주사기를 흡인하여 혈관 천자 여부 및 공기 누출(air leakage)이 있는지 확인하도록 한다.

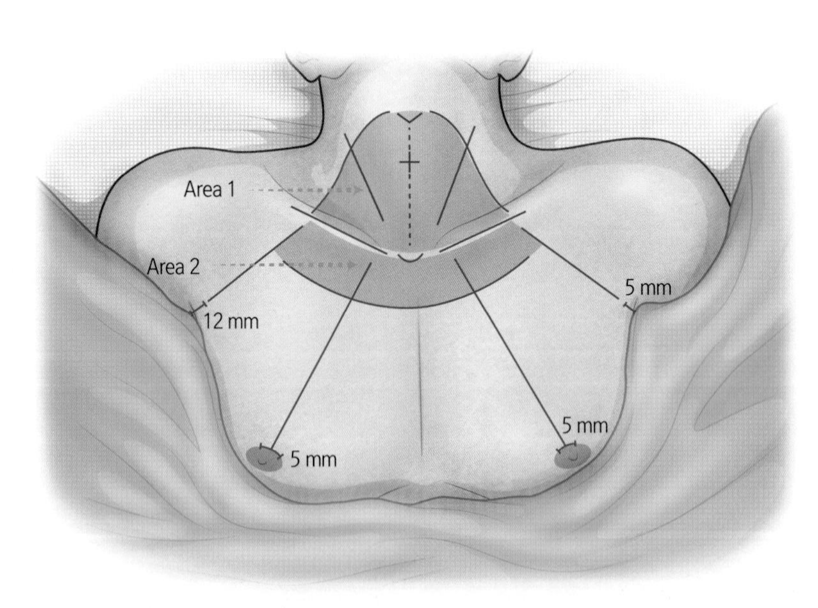

그림 3-3 피판의 완성
피판은 Area 2 → Area 1의 순서로 완성하여야 한다.

7. 수술 과정

좌우측의 띠근육(strap muscle)이 합류하는 정중선을 전기소작기(monopolar cautery)를 이용하여 분리한다(그림 3-4).

정중선 절개 후 갑상선 아래부위를 박리해 기관을 찾은 후 갑상선의 협부를 초음파 절삭기로 절개한다. 협부절개 후 수술자는 겨드랑이 트로카를 통해 endo-clinch를 넣어 갑상선의 협부를 잡고 내측으로 갑상선엽을 견인한다(그림 3-5).

제1조수는 반대측 겨드랑이를 통해 snake retractor를 넣고 띠근육을 외측으로 견인한다. 초음파 절삭기로 갑상선의 외측을 따라 박리하고 중간갑상선정맥을 발견하여 결찰한다. 하갑상선동맥은 갑상선 아래 2/3 부근에서 확인 가능하며, 하갑상선동맥이 갑상선으로 들어가기 전 되돌이후두신경 바로 위나 아래로 주행하게 되므로 이 혈관을 되돌이후두신경의 길잡이로 사용한다. 되돌이후두신경을 발견하면 조심스럽게 상방으로 비절개박리하며 따라 올라간다. 되돌이후두신경과 하갑상선동맥이 만나는 위치에서 하 부갑상선을 발견하여 보존하여야 하고 보존이 힘든 경우 보관하였다가 대흉근(pectoralis major)에 자가이식하도록 한다.

제1조수가 snake retractor로 띠근육을 더욱 외측으로 견인하도록 한 후 수술자는 갑상

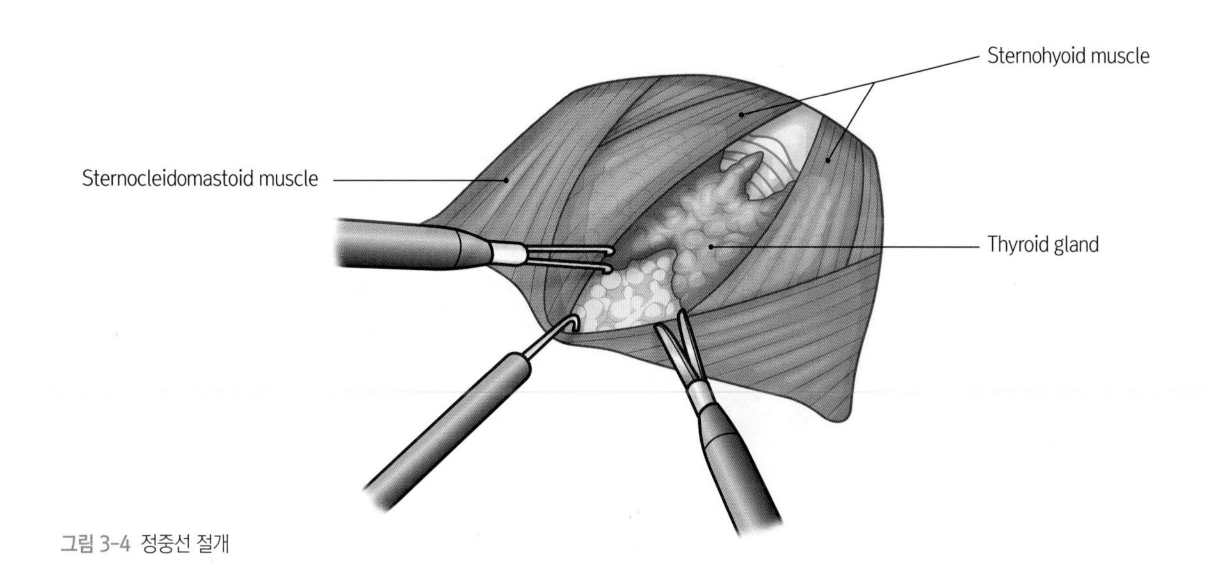

그림 3-4 정중선 절개

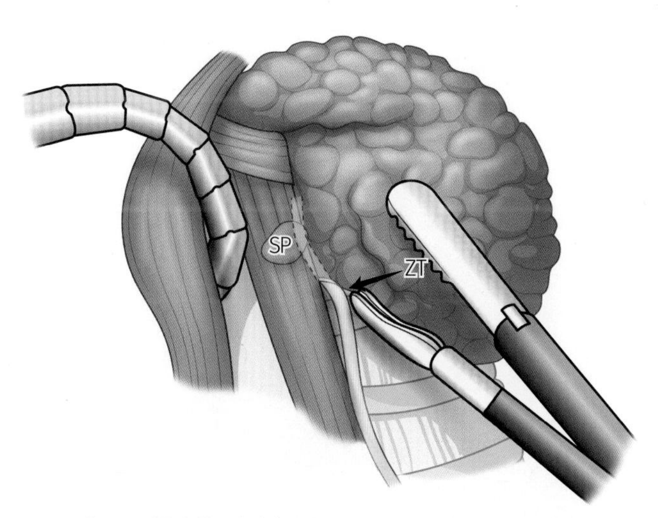

TIP 2
상갑상선동맥을 결찰할 때 상후두신경(superior laryngeal nerve)의 외측분지가 손상받지 않도록 주의하며 갑상선쪽으로 최대한 붙여서 결찰한다.

그림 3-5 되돌이 후두신경의 박리
화살표로 표시된 부위의 공간(post-Zuckerkandl space)을 넓혀가며 신경을 박리해 올라가야 한다. SP, 상 부갑상선; ZT, Zuckerkandl 결절

선과 띠근육을 분리하여 상갑상선동맥을 노출시키고 초음파 절삭기로 결찰한다. 상후두신경보존을 위해 최대한 갑상선쪽으로 붙여서 상갑상선동맥을 결찰하거나, 상후두신경의 주행을 확인한 뒤 상갑상선동맥을 결찰하여야 한다.(그림 3-6).

병변쪽 갑상선엽절제술이 끝나면 병변쪽 12 mm 겨드랑이 트로카를 통해 비닐백(Lap Bag)을 넣어 검체를 제거한다. 필요한 경우 동결절편검사를 의뢰한다. 세척 및 지혈을 시행한 후 다음의 과정을 거쳐 만들어진 피판을 닫는다.

1) 정중선 봉합

트로카를 통하여 endo-needle holder를 넣고 흡수봉합사를 이용하여 분리된 띠근육을 봉합한다.

2) 배액관 삽입

1개의 J-P 배액관을 겨드랑이를 통해 띠근육 아래로 삽입한다.

3) 피부 봉합

출혈이 없음을 내시경으로 확인한 뒤 트로카를 제거한다. 양측 유륜과 겨드랑이를 흡수봉합사를 이용하여 매듭숨김 봉합(knot-burying suture)을 시행하고 Steri-Strip® 을 붙인다.

4) 수술환자용 압박브라 (Robo-bra®)를 이용한 압박드레싱 (Compressive dressing)

(그림 3-7) 외과용 패드를 비절개박리(blunt dissection)를 시행한 전흉부(anterior chest, area 2)의 공간에 놓고 수술환자용 압박브라(Robo-bra®)를 이용하여 압박 드레싱을 시행한다.

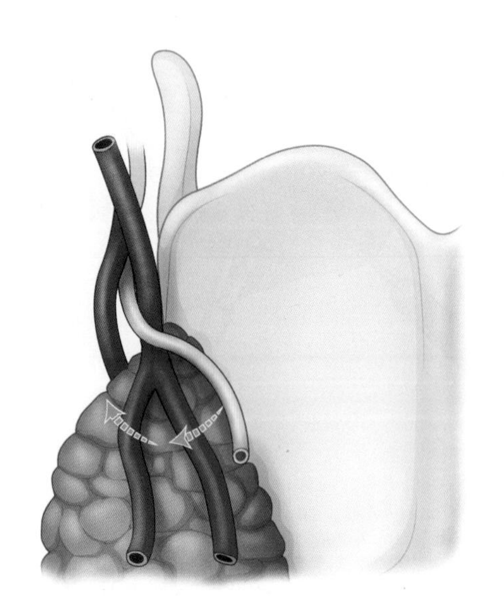

그림 3-6 상후두신경과 상갑상선동맥의 관계

TIP 3
상갑상선동맥을 결찰할 때 상후두신경(Superior laryngeal nerve)의 외측분지가 손상받지 않도록 주의하며 갑상선쪽으로 최대한 붙여서 결찰한다.

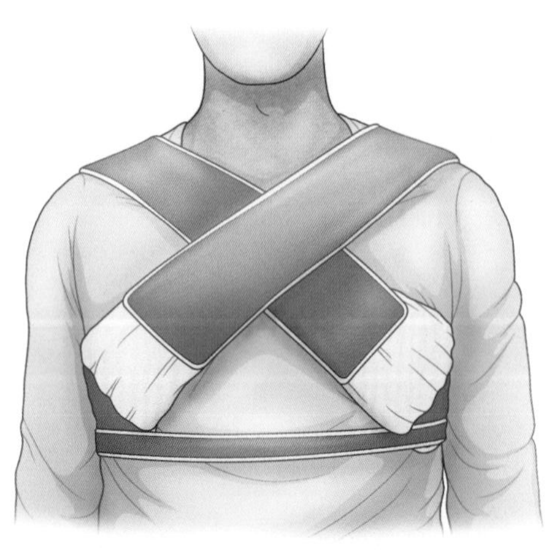

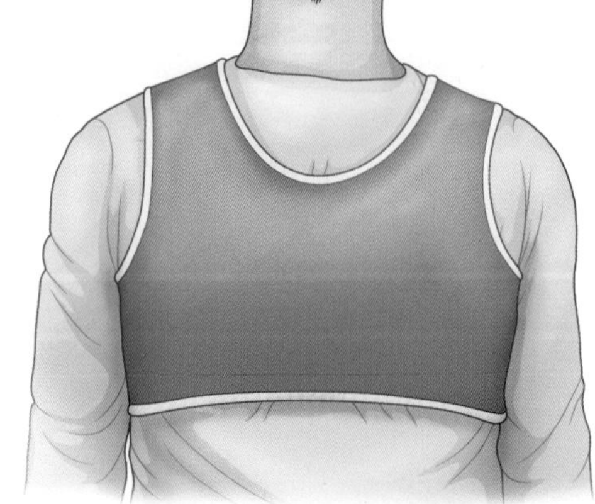

그림 3-7 로보브라(robo-bra®)를 착용한 모습

III. 양측 겨드랑이-유방 접근 로봇 갑상선 절제술 (Robotic thyroidectomy, bilateral axillo-breast approach, BABA)

da Vinci 로봇 시스템은 3차원 확대 영상 카메라 구현, 손떨림 방지, 기구의 관절운동기능(EndoWrist function) 등과 같은 최첨단 기능을 가지고 있어, 로봇 시스템을 갑상선 수술에 적용시켜 내시경 수술의 한계점을 해결할 수 있게 되었다. 현재 다양한 접근법의 로봇 갑상선 절제술이 고안되어 수술 필드에서 시행되고 있으며, 대표적으로 양측 겨드랑이-유방 접근법, 겨드랑이 접근법, 경구 접근법 등의 술기가 시행되고 있다.

양측 겨드랑이-유방 접근(BABA) 로봇 갑상선 절제술은 2008년 서울대병원에서 처음으로 시작되었다. 여러 연구를 통해 양측 겨드랑이-유방 접근(BABA) 로봇 갑상선 절제술은 훌륭한 미용적인 효과를 보여주었으며, 종양학적 안정성과 수술적 완전성에서도 그 장점을 보여주었다.

1. 적응증

(표 3-3) 양측 겨드랑이-유방 접근(BABA) 로봇 갑상선 수술의 적응증은 2008년 처음 시작된 이래로 많은 경험이 쌓이면서 현재 측경부 림프절 전이가 있는 분화갑상선암 환자에서도 시행될 정도로 그 범위가 넓어지고 있다. 현재는 세포흡인검사에서 확인된 분화갑상선암(유두암, 여포암) 환자, 그레이브씨병 환자, 그리고 5 cm 이상의 갑상선 결절의 경우 환자의 선호도에 따라 적극적으로 양측 겨드랑이-유방 접근(BABA) 로봇 갑상선 수술을 시행한다. 그리고 로봇팔 기구의 관절 운동을 통해 남성 환자에서도 어려움 없이 수술을 할 수 있게 되었다.

2. 비적응증

(표 3-4) 미분화암의 환자, 되돌이 후두신경과 매우 인접한 악성종괴, 그리고 이전 절개방식의 경부수술 기왕력을 가지고 있는 경우에는 양측 겨드랑이-유방 접근(BABA) 로봇 갑상선 수술의 절대 비적응증으로 생각하여 절개방식의 수술을 고려한다. 또한 8 cm 이상의 갑상선 결절의 환자와 흉골하 갑상선종 환자의 경우는 양측 겨드랑이-유방 접근(BABA) 로봇 갑상선 수술 방식을 고려할 때 신중을 기하도록 한다.

3. 수술 전 처치 및 마취

수술 전 준비는 일반적인 전신마취 수술 전 준비에 준해서 시행한다. 전신마취 하에 수술을 시행하며, 경부 신전이 필요하므로 삽관에 쓰이는 튜브는 reinforced endotracheal tube를 사용한다.

표 3-3 양측 겨드랑이-유방 접근(BABA) 로봇 갑상선 수술의 적응증

• 분화갑상선암(유두암, 여포암)
• 그레이브씨병
• 양성갑상설 결절(5 cm 이상인 경우, 환자 선호도에 따라 결정)

표 3-4 양측 겨드랑이-유방 접근(BABA) 로봇 갑상선 수술의 절대 비적응증

• 미분화암, 역형성암
• 되돌이 후두신경과 매우 인접한 악성종괴
• 이전 절개방식의 경부수술 기왕력
• 8 cm 이상의 갑상선 결절
• 흉골하 갑상선종

TIP 4
이전에 유방수술을 받았거나 유방 보형물을 삽입한 경우에도 그 흉터를 이용해 양측 겨드랑이-유방 접근(BABA) 내시경 갑상선수술이 가능하다.

4. 환자 자세

(그림 3-8) 누운 자세로 융포나 갑상선 전용 베개(Q-pillow®)를 환자의 상체와 어깨에 받쳐 환자의 목과 머리를 신전시키고 양팔은 상체에 붙이되 트로카 삽입을 위하여 양측 겨드랑이를 약간 벌린다. 베타딘 용액을 사용하여 위로는 환자의 턱, 아래로는 유방하 주름 아래 5 cm, 외측으로는 양측 겨드랑이와 상완을 소독한다.

5. 수술 준비

- 혈관용 tunneler (Gore-Tex), 로봇용 카메라, 트로카, 비디오시스템, 초음파 절삭기, 그 외 grasper 등 내시경 수술장비(표 3-5)
- 로봇시스템(da Vinci Si 시스템 혹은 da Vinci Xi 시스템)(그림 3-9)
- 로봇팔 기구(그림 3-10)
  ① da Vinci Si 시스템: 단극형 Hook 전기소작기(Permanent Monopolar Cautery Hook), 박리용 겸자(PK

A

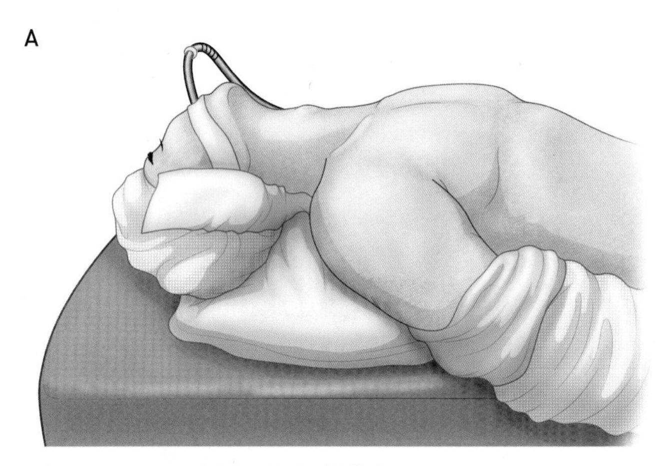

B

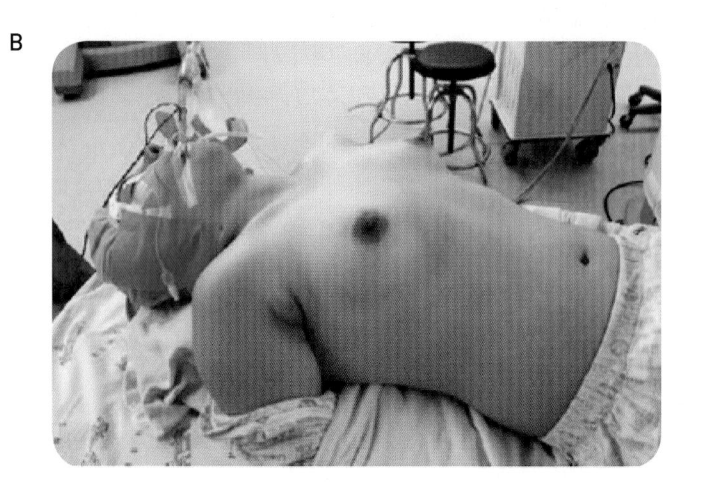

그림 3-8 BABA 로봇 갑상선절제술을 위한 환자의 자세
A. 도해, B. 사진

표 3-5 내시경 수술장비

수술 도구	Si 시스템	Xi 시스템
로봇용 카메라	10 mm 30° 로봇 카메라	8 mm 30° 로봇 카메라
트로카(Trocar)	8 mm 3개 + 12 mm 1개	8 mm 4개

A

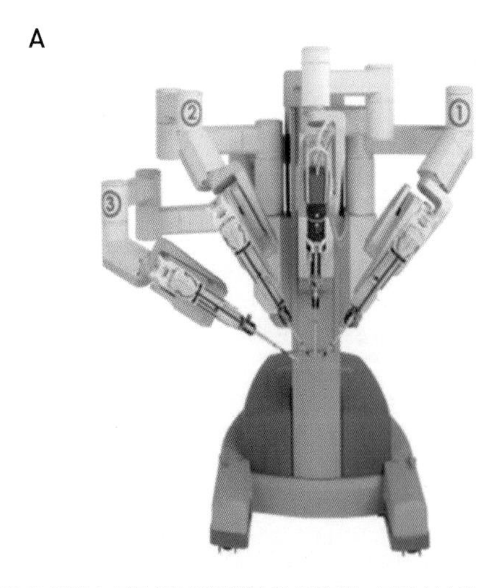

B

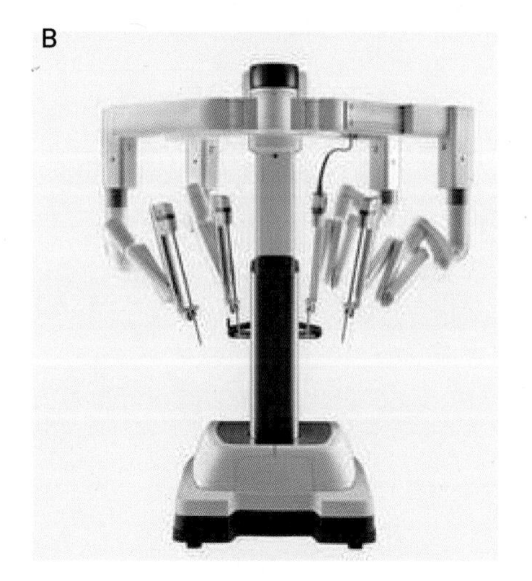

그림 3-9 BABA 로봇 갑상선절제술에 사용하는 로봇 시스템
A. Si 시스템 , B. Xi 시스템(출처. https://www.davincisurgery.com/da-vinci-systems/about-da-vinci-systems)

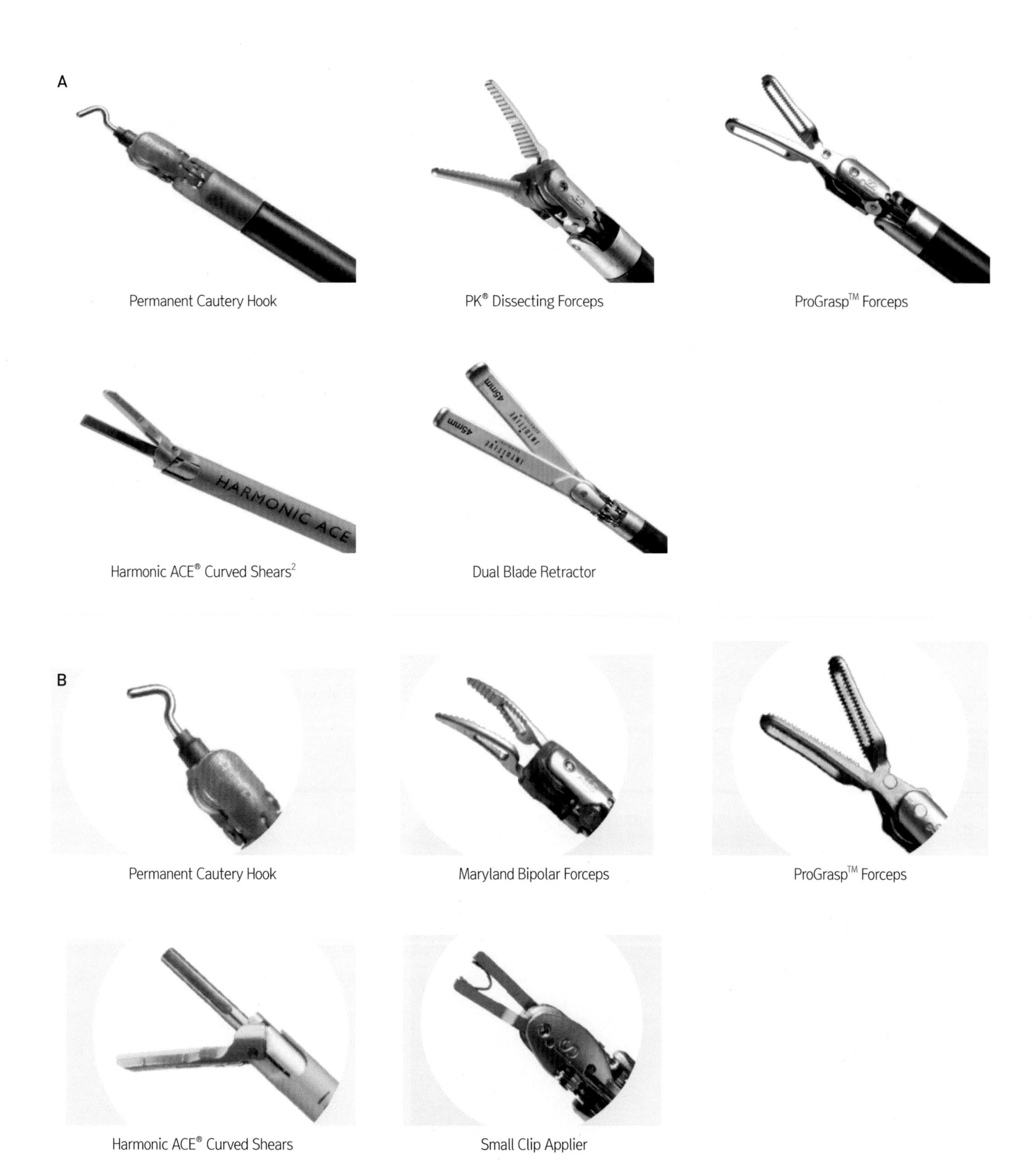

그림 3-10 BABA 로봇 갑상선절제술에 사용하는 로봇팔 기구
A. Si 시스템 , B. Xi 시스템

dissecting Forceps), Prograsp™ 포셉(Prograsp Forceps), 초음파 절삭기(Harmonic ACE), 양날형 견인기구(Dual Blade Retractor), 바늘드라이버(Needle Driver)

② da Vinci Xi 시스템: 단극형 Hook 전기소작기(Permanent Monopolar Cautery Hook), 양극형 그래스퍼(Long Bipolar Grasper), Prograsp™ 포셉(Prograsp Forceps), 초음파 절삭기(Harmonic Ace Curved Shears), 소형클립기구(Small Clip Applier), 바늘드라이버(Needle Driver)

6. 절개 및 노출

(그림 3-11) 목과 가슴에 해부학적 기준(흉골상 절흔, 쇄골의 상부 경계, 윤상연골, 갑상연골, 흉쇄유돌근의 전방 경계)과 절개창을 낼 양측 겨드랑이의 피부주름, 유륜부근 및 기구의 경로(trajectory line)와 작업 공간을 그린다. 1:200,000으로 희석된 에피네프린 용액을 작업 공간의 박리 중 출혈의 예방 및 수력박리술(hydrodissection)을 위하여 작업 공간(양측 겨드랑이와 유방 및 넓은 목근판 아래)에 21G 척추 천자침을 이용하여 피하주사한다.

양측 유륜 상부에 절개하고, straight mosquito hemostats, long Kelly clamp를 이

A

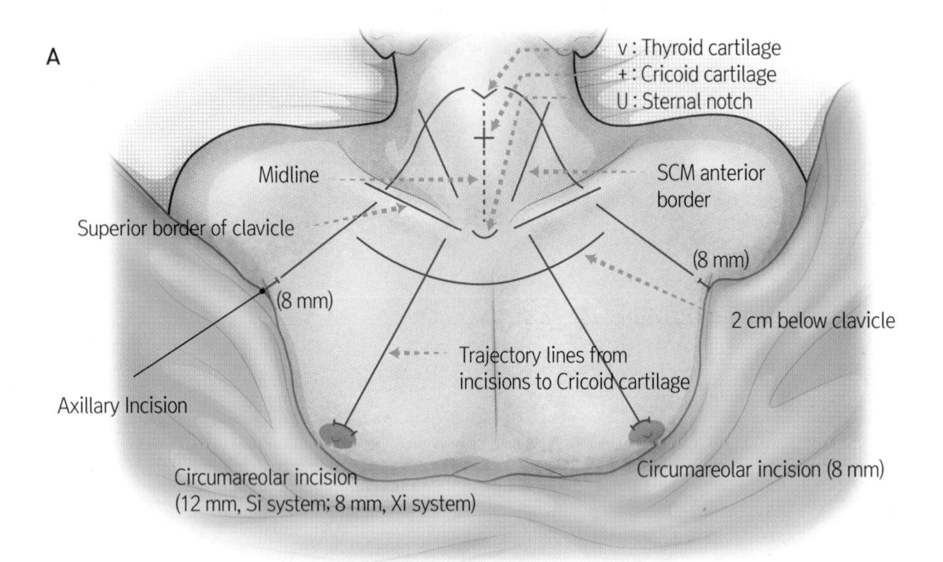

B

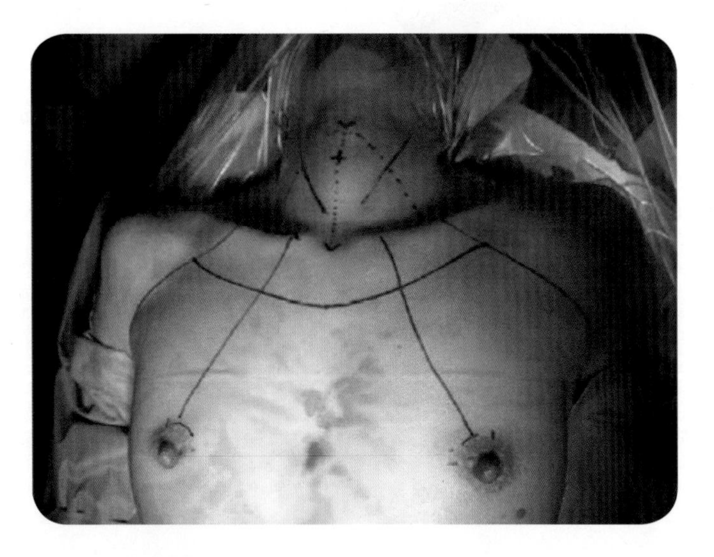

그림 3-11 BABA 로봇 갑상선절제술을 위한 밑그림
A. 도해, B. 사진

TIP 5
희석된 에피네프린을 주사할 때 주사기를 흡인하여 혈관 천자 여부 및 공기 누출(air leakage)이 있는지 확인하도록 한다.

용하여 절개창을 넓힌 후 vascular tunneler (GORE Tunneler, Gore & Associates, Inc., USA)를 이용하여 작업 공간의 피하 및 넓은목근판 아래 부위를 비절개박리한다.

피판을 박리한 뒤 절개창을 통해 트로카를 삽입한다(그림 3-12). 이때 da Vinci Si 시스템은 카메라 트로카 용도로 12 mm의 트로카가 필요하고 da Vinci Xi 시스템은 8 mm의 트로카가 필요하다. 따라서 da Vinci Si 시스템을 이용할 때는 우측 유륜에 12 mm 트로카, 좌측 유륜에 8 mm 트로카를 삽입하고, da Vinci Xi 시스템을 이용할 때는 양측 유륜에 8 mm 트로카를 삽입한다. 우측 유륜의 트로카를 통해 이산화탄소 가스를 5~6 mmHg 압력으로 주입시켜 수술 공간을 확보한다.

우측 트로카로 내시경을 넣고 좌측 트로카를 통해 초음파 절삭기를 넣어 trabecula를 자른다(그림 3-13). 전흉부(anterior chest, area 2)의 공간을 확보한 뒤 양측 겨드랑이의 피부주름을 따라 8 mm를 절개하고 8 mm 트로카를 각각 삽입한다. 이후 박리의 방향을 전경부(anterior neck, area 1)의 공간으로 진행한다.

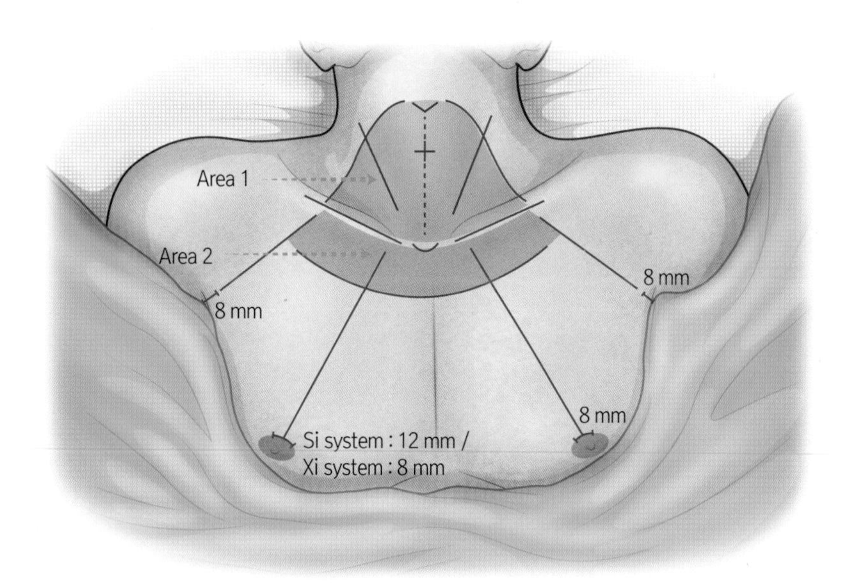

그림 3-12 피판의 완성 및 트로카의 크기

TIP 6
da Vinci Xi 시스템을 이용할 때는 로봇용 카메라가 8 mm 트로카로 들어갈 수 있기 때문에 모든 트로카로 로봇용 카메라를 삽입할 수 있다.

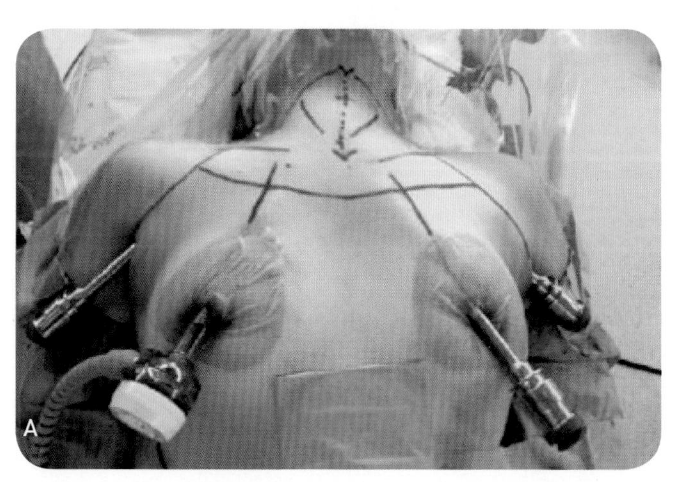

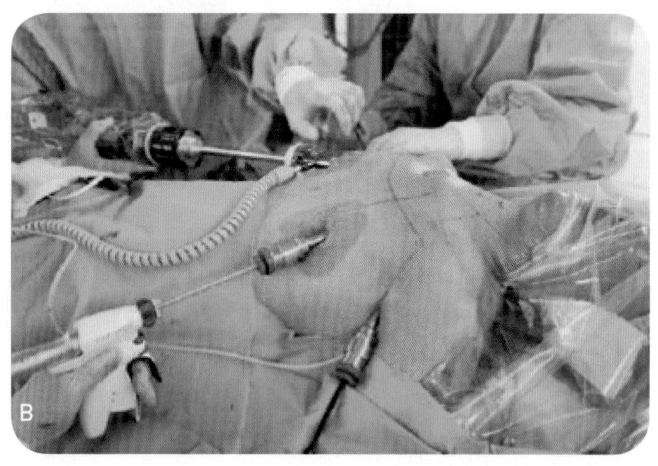

그림 3-13 A. 트로카 삽입 완성과 B. 초음파절삭기를 이용한 박리과정(da Vinci Si 시스템 예시)

7. 수술 과정

갑상선 절제술을 위한 피판형성이 완성되면 로봇시스템을 도킹하고 로봇기구들을 각 팔에 위치시켜 수술준비를 한다(그림 3-14).

좌우측의 띠근육이 합류하는 정중선을 단극형 Hook 전기소작기와 초음파 절삭기를 이용하여 분리한다(그림 3-15). 정중선 절개 후 갑상선 아래부위를 박리해 기관을 찾은 후 갑상선의 협부를 초음파 절삭기로 절개한다.

협부절개 후 Prograsp™ 포셉으로 갑상선을 내측으로 견인하고 박리용 겸자(Si 시스템) 혹은 양극형 그래스퍼(Xi 시스템)를 이용하여 띠근육을 외측으로 견인한다(그림 3-16). 갑상선막(capsule of the thyroid gland)에 붙어있는 띠근육을 분리한 뒤 switching motion으로 갑상선을 내측으로 더 많이 견인한다.

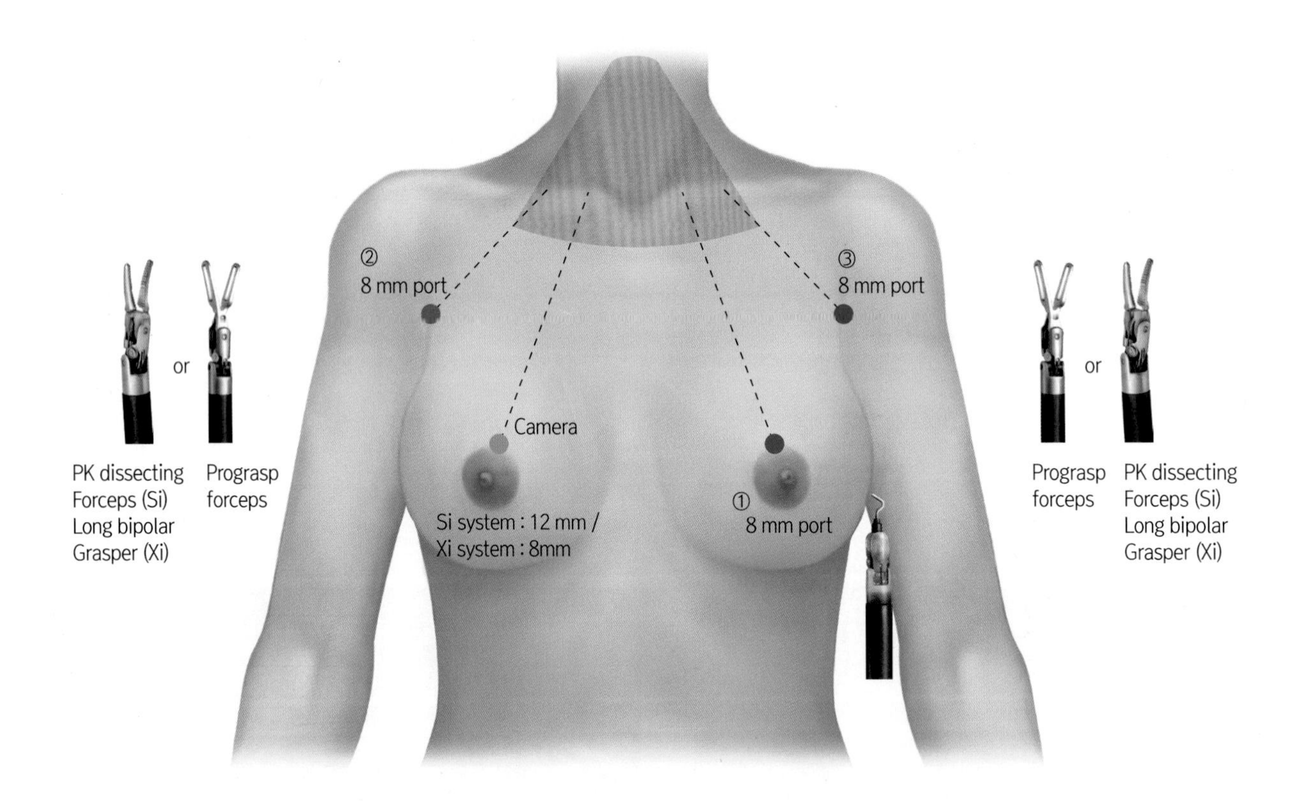

da Vinci camera port : 12 mm (Si system) or 8 mm (Xi system) camera port
da Vinci instrument arm ① port: 8 mm (*blue*) instrumental port
da Vinci instrument arm ② port: 8 mm (*red*) instrumental port
da Vinci instrument arm ③ port: 8 mm (*purple*) instrumental port

그림 3-14 로봇기구의 위치

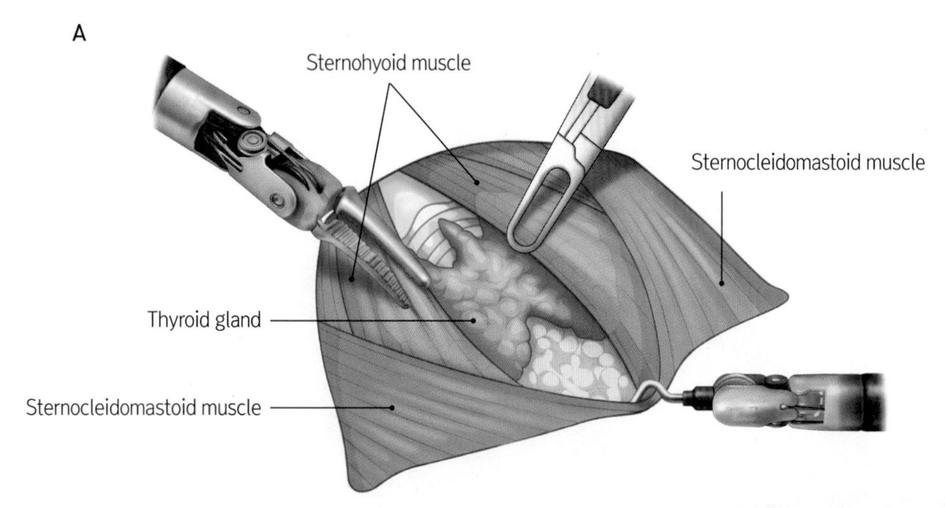

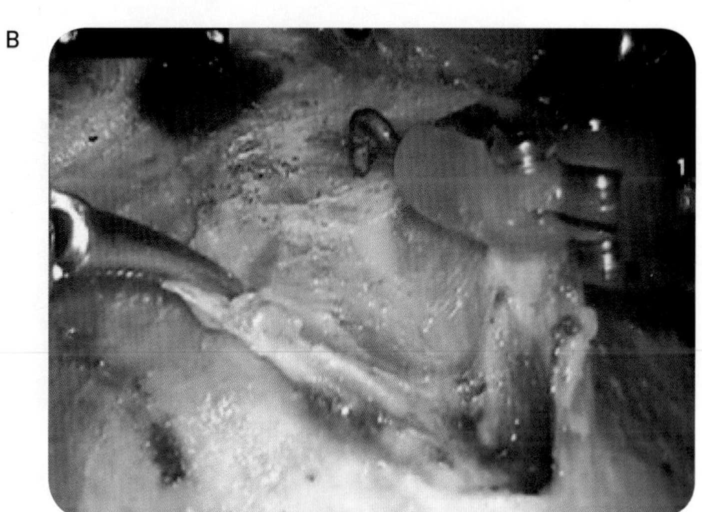

그림 3-15 정중선 절개

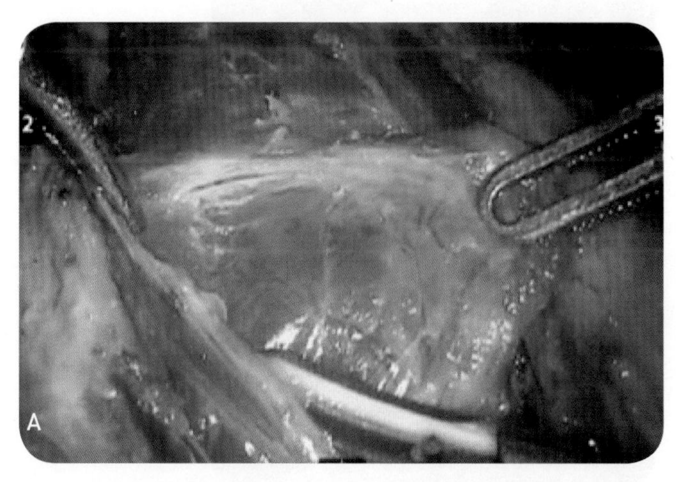

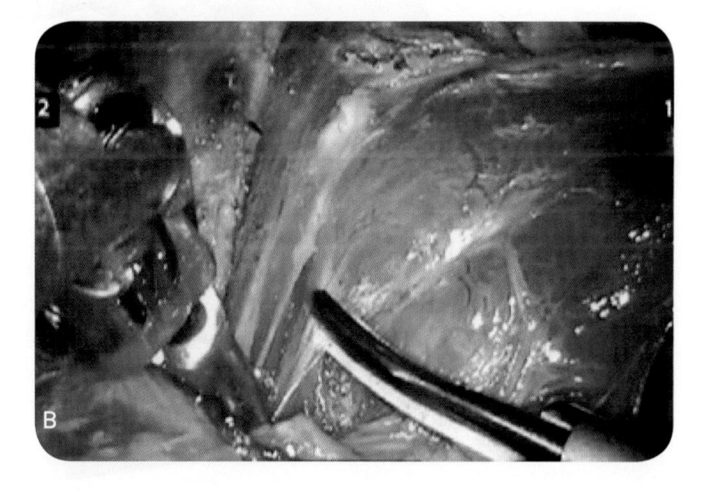

그림 3-16 갑상선 외측 박리

스위칭 모션(Switching motion)(그림 3-17)

스텝 1: 단극형 Hook 전기소작기 혹은 초음파 절삭기를 이용하여 갑상선의 하외측을 상내측방향으로 밀어내듯이 견인한다.

스텝 2: Prograsp™ 포셉을 단극형 Hook 전기소작기 혹은 초음파 절삭기 아래로 움직여 갑상선의 하외측에 위치시킨다.

스텝 3: 단극형 Hook 전기소작기 혹은 초음파 절삭기를 갑상선에서 떨어뜨린다.

스텝 4: Prograsp™ 포셉을 이용하여 갑상선의 하외측을 상내측방향으로 밀어내듯이 견인한다.

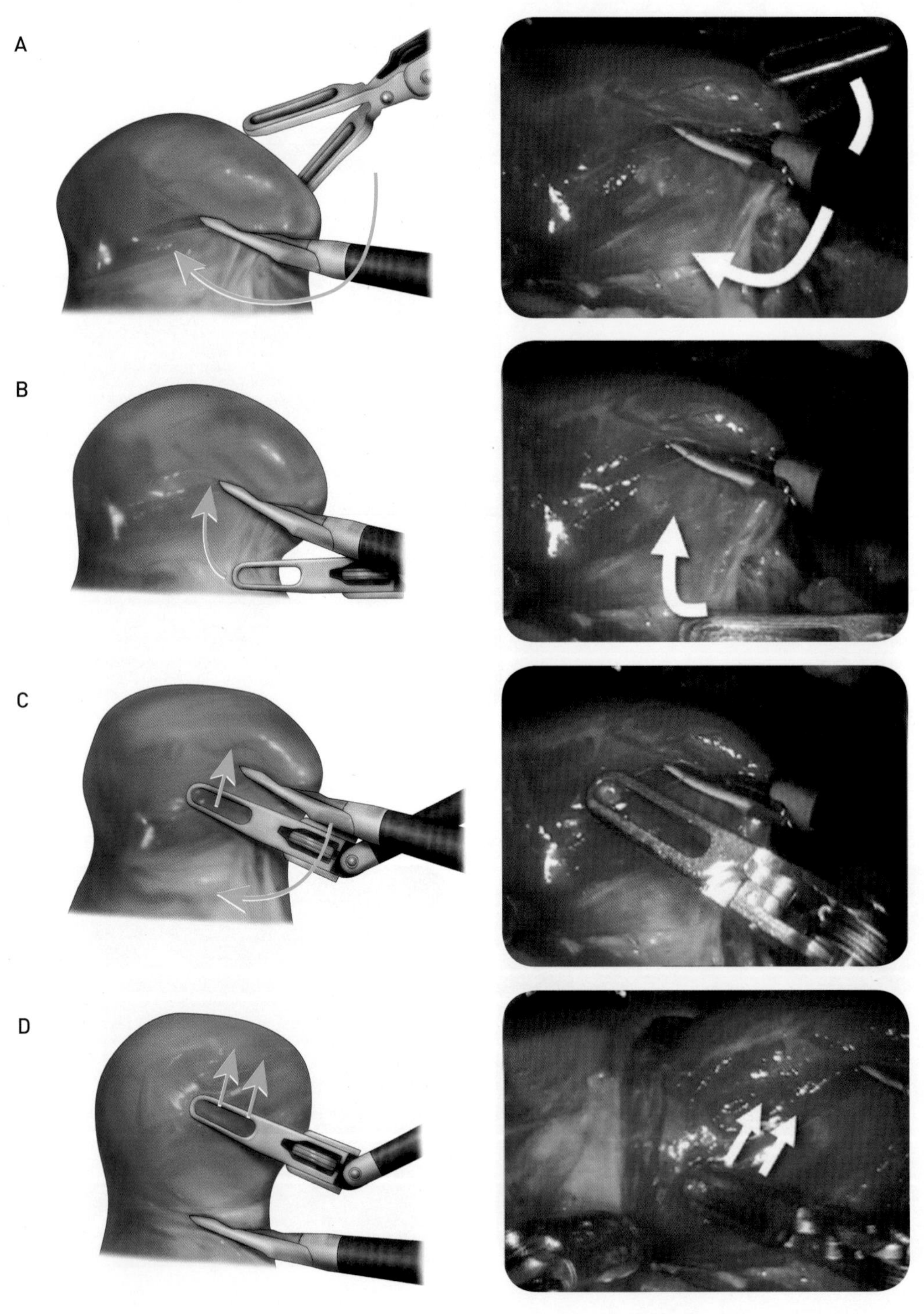

그림 3-17 스위칭 모션(Switching motion)

초음파 절삭기로 갑상선의 외측을 따라 박리하고 중간갑상선정맥을 발견하여 결찰한다. 하갑상선동맥은 갑상선 아래 2/3 부근에서 확인 가능하며, 하갑상선동맥이 갑상선으로 들어가기 전 되돌이후두신경 바로 위나 아래로 주행하게 되므로 이 혈관을 되돌이후두신경의 길잡이로 사용한다. 되돌이후두신경을 발견하면 조심스럽게 상방으로 비절개박리하며 따라 올라간다. 되돌이후두신경과 하갑상선동맥이 만나는 위치에서 하 부갑상선을 발견하여 보존하여야 하고 보존이 힘든 경우 보관하였다가 대흉근에 자가이식하도록 한다. 갑상선 수술 후에 일과성 되돌이후두신경 마비가 오는 경우는 2~8%, 영구적 되돌이후두신경 마비가 오는 경우는 0.5~3.0% 된다고 보고되고 있다. 수술 중 신경모니터링을 사용하여 되돌이후두신경 및 상후두신경의 주행을 확인 후 수술을 진행할 시, 신경 손상을 줄이고 음성관련 합병증을 줄일 수 있다. (그림 3-18). 아직 모든 환자에게 적용하기엔 연구가 더 많이 필요하지만, 재수술의 경우, 크기가 큰 갑상선 결절의 경우, 되돌이 후두신경의 근처에 종괴가 위치한 경우나, 부갑상선이나 중앙경부 림프절에 병변이 있는 경우에는 신경손상을 줄이는데 도움이 될 것이라 생각이 된다.

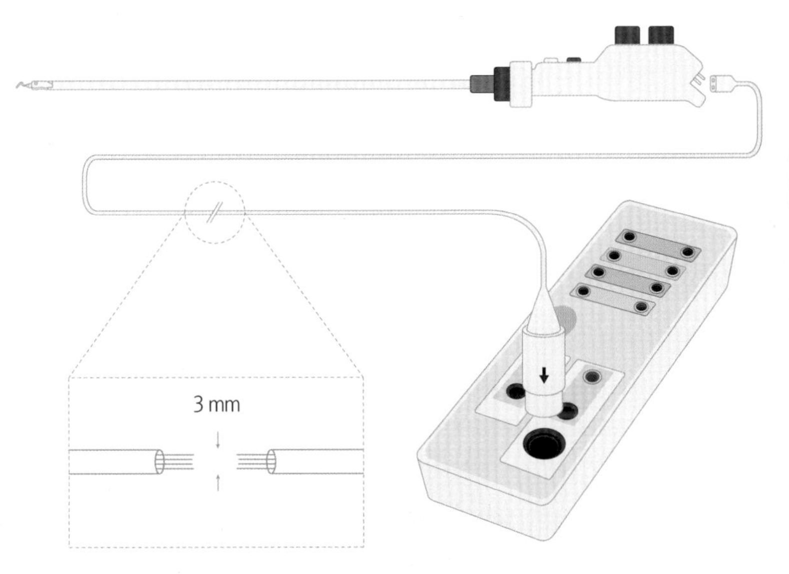

검은색 화살표-우측 되돌이후두신경
파란색 화살표-신경모니터 연결 중인 단극형 Hook 전기소작기
노란색 화살표-갑상선 우엽

그림 3-18 수술 중 신경 모니터링 도식도

박리용 겸자(Si 시스템) 혹은 양극형 그래스퍼(Xi 시스템)로 띠근육을 더욱 외측으로 견인하도록 한 후 갑상선 상부의 내측과 외측을 번갈아 가며 절개한다(그림 3-19). 갑상선 상부를 절개하면서 상갑성선동맥을을 노출시키고 초음파 절삭기로 결찰한다(그림 3-20). 상후두신경 보존을 위해 최대한 갑상선쪽으로 붙여서 상갑상선동맥을 결찰하거나, 상후두신경의 주행을 확인한 뒤 상갑상선동맥을 결찰하여야 한다.

병변쪽 갑상선엽절제술이 끝나면 좌측 겨드랑이 트로카를 통해 비닐백(Lap Bag)을 넣어 검체를 제거한다. 필요한 경우 동결절편검사를 의뢰한다. 세척 및 지혈을 시행한 후 다음의 과정을 거쳐 만들어진 피판을 닫는다.

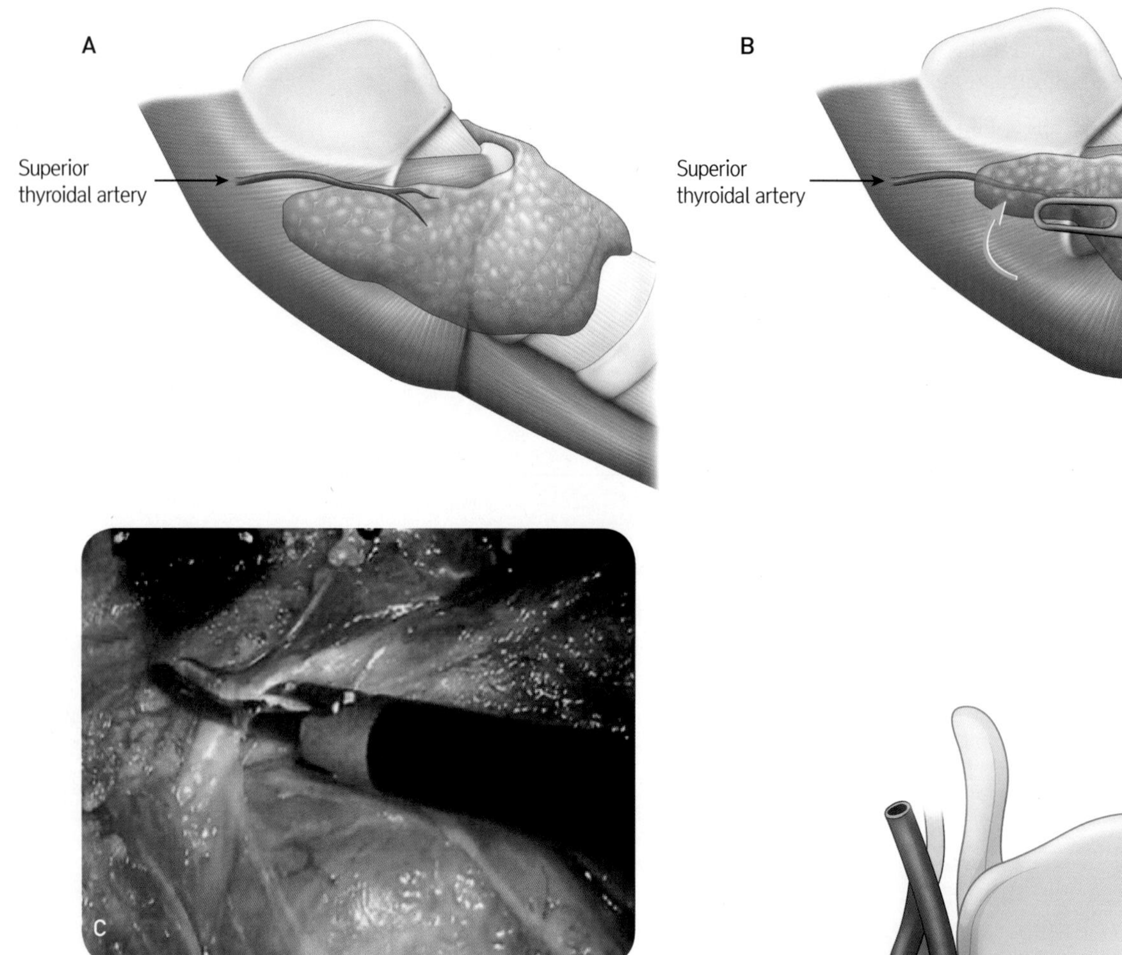

그림 3-19 갑상선 상엽 박리

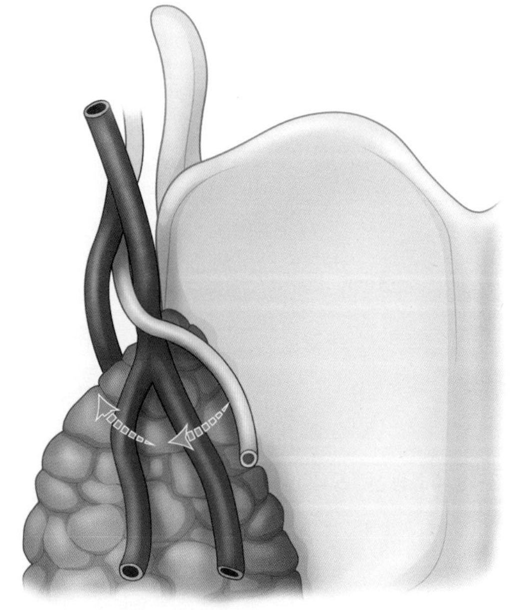

그림 3-20 상후두신경과 상갑상선동맥의 관계

TIP 7
상갑상선동맥을 결찰할 때 상후두신경(superior laryngeal nerve)의 외측분지가 손상받지 않도록 주의하며 갑상선쪽으로 최대한 붙여서 결찰한다.

1) 정중선 봉합

(그림 3-21A, B) 트로카를 통하여 바늘 드라이버를 넣고 흡수봉합사를 이용하여 분리된 띠근육을 봉합한다.

2) 배액관 삽입

(그림 3-21C) 1개의 J-P 배액관을 겨드랑이를 통해 띠근육 아래로 삽입한다.

3) 피부 봉합

(그림 3-21D) 출혈이 없음을 내시경으로 확인한 뒤 트로카를 제거한다. 양측 유륜과 겨드랑이를 흡수봉합사를 이용하여 매듭숨김 봉합(knot-burying suture)를 시행하고 Steri-Strip®을 붙인다.

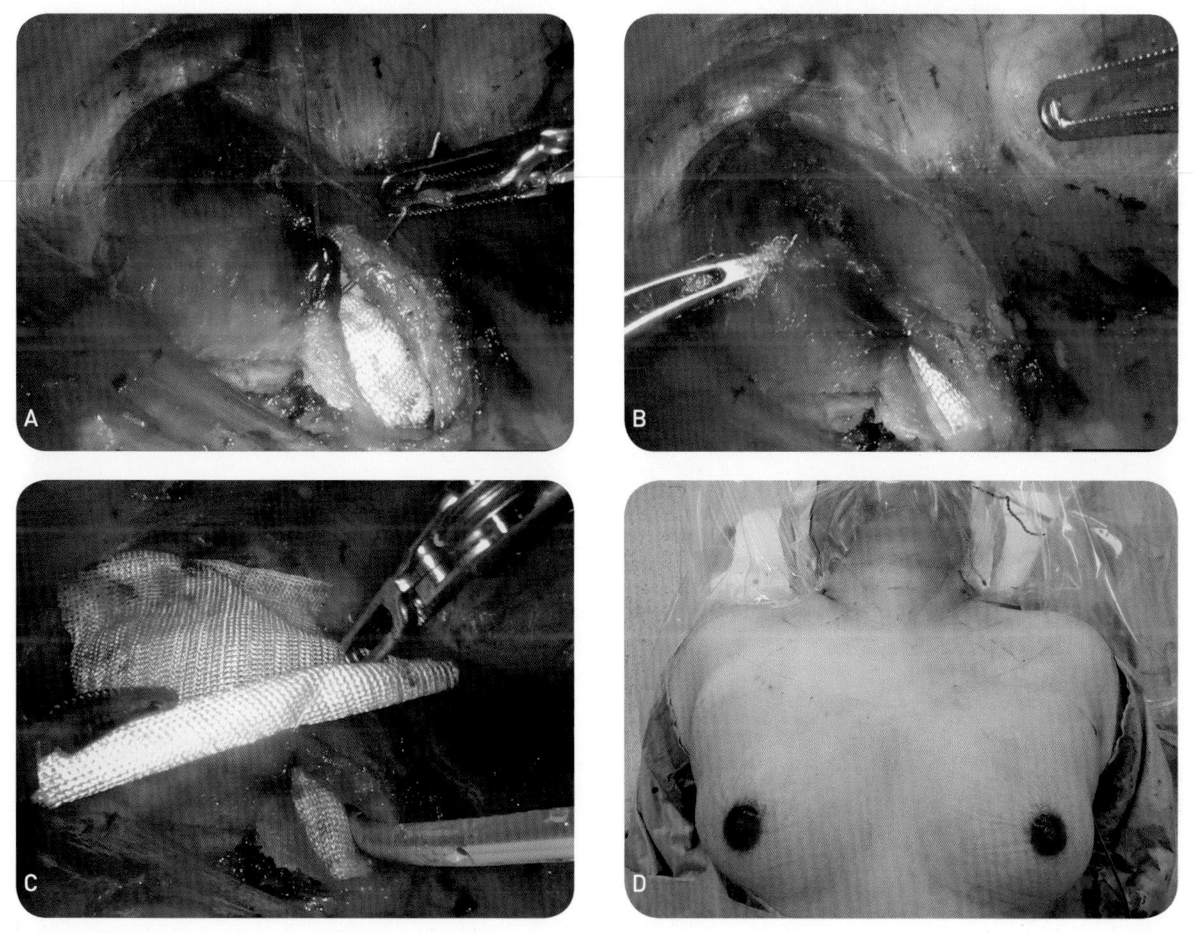

그림 3-21 수술 마무리
A. 중앙선 봉합, B. 중앙선 봉합 후, C. 배액관 삽입, D. 피부봉합

4) 수술환자용 압박브라 (Robo-bra®)를 이용한 압박드레싱 (Compressive Dressing)

(그림 3-22) 외과용 패드를 비절개박리를 시행한 전흉부(anterior chest, area 2)의 공간에 놓고 수술환자용 압박브라(Robo-bra®)를 이용하여 압박 드레싱을 시행한다.

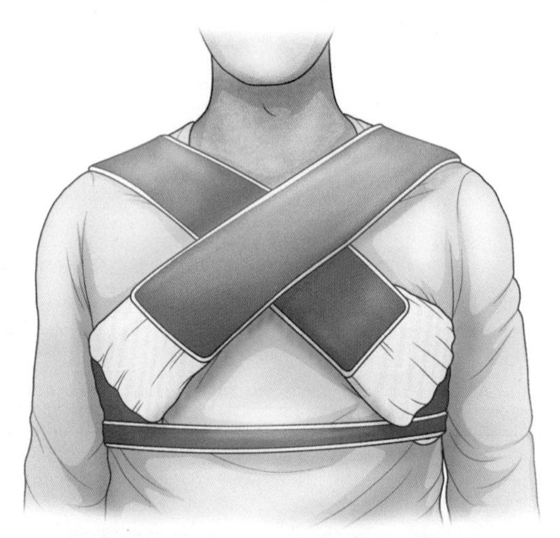
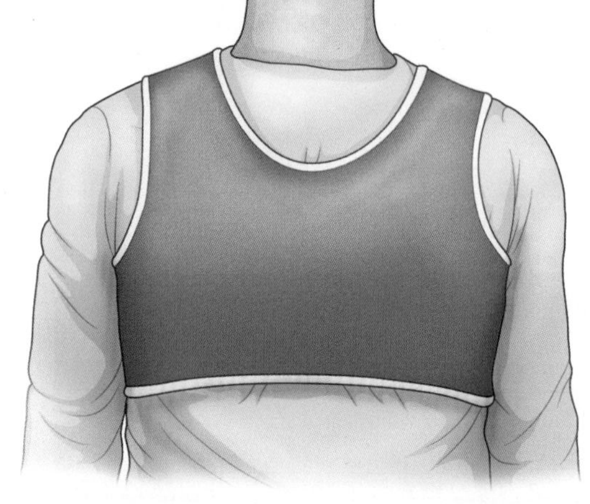

그림 3-22 로보브라(robo-bra®)를 착용한 모습

CHAPTER 4

겨드랑이 접근 내시경/로봇 갑상선 절제술

Endoscopic/robotic thyroidectomy, axillary approach

1. 적응증

술자의 축적된 수술 경험과 시행 기관의 방침에 따라 다를 수 있다.

- 직경 5 cm 미만의 양성 갑상선 결절 및 여포종양
- 2 cm 미만의 분화 갑상선암
- 갑상선외 침범이 없는 4 cm 미만의 분화 갑상선암(선택적)

2. 비적응증

- 병변의 크기와 상관없이 갑상선 후면의 피막 근처에 위치하여 기관이나 식도, 되돌이후 두신경의 침범 가능성이 있는 경우
- 다발성 림프절 전이가 있는 경우(선택적)

3. 마취

전신 마취 하에 기관 삽관 후 수술을 시행한다.

4. 수술 준비

1) 내시경적 갑상선 수술

30° 복강경 카메라, 비디오 시스템, 투관침(10 mm, 5 mm), 외부견인기(Chung's retractor), 초음파절삭기, 내시경 수술장비(grasper, dissector)

2) 이중 절개/단일 절개를 이용한 로봇 보조하 갑상선 수술

로봇 시스템(da Vinci robotic surgery system, Intuitive), 외부견인기(Chung's retractor), 로봇 수술 장비(dual channel endoscope, Harmonic curved shears, Maryland dissector, ProGrasp forceps)

5. 수술 과정

1) 환자 자세

(그림 4-1) 환자는 누운 자세에서 어깨를 받쳐 경부를 약간 신전시킨 자세로 수술을 준비한다. 환측의 팔을 머리 위로 180°로 뻗어 팔고정대에 고정시키고 액와부를 노출시켜 액와부와 갑상선 간의 거리를 최대한 단축시킨다.

2) 피부절개 및 작업공간 만들기

(그림 4-1) 환측의 액와부에 대흉근의 가쪽 가장 자리를 따라 약 5~6 cm 정도의 횡절개를 한다. 절개 후 견인기로 피부를 들어올려 육안으로 보면서 대흉근막과 피하조직 사이를 전기 소작기로 박리한다. 대흉근의 앞부분을 넘어서 흉쇄유돌근의 앞 모서리, 흉골절흔을 노출시킨다. 액와부에서 전경부까지 넓은목근 하층을 박리한다.

(그림 4-2) 흉쇄유돌근의 흉골기시부와 쇄골 기시부의 사이를 벌려 견인기로 흉골 기시부를 들어올리고, 견갑설골근의 움직임이 자유로울 수 있도록 박리한다. 내경정맥 및 총경동맥에 주의하며 띠근육 하방을 박리하여 병변 반대쪽 갑상선이 보일 때까지 갑상선을 노출시킨다.

3) 외부 견인기 장착

(그림 4-3) 외부 견인기(Chung's retractor)를 박리된 띠근육 하방에 삽입하고 이를 거상기에 연결하여 피판을 거상 시킨다. 외부 견인기를 장착한 후 수술 준비가 끝난 상태에서 병변 반대편의 띠근육이 외부 견인기에 걸려 피판과 함께 거상된 상태여야 한다.

4) 기구 설치

(1) 내시경적 갑상선 수술

(그림 4-4) 환측 전흉부에 쇄골 안쪽 1/3지점에 서 아래로 2~3 cm 떨어진 지점에 0.5 cm 피부 절개를 넣고 5 mm 투관침을 고정시킨다. 액와부 절개 부위 상측에 10 mm 투관침을 purse-string suture로 고정한다. 10 mm 투관침을 통해 30° 카메라를 삽입하고, 남은 공간과 5 mm 투관침을 이용하여 내시경용 수술기를 위치시킨다. 조수가 환자의

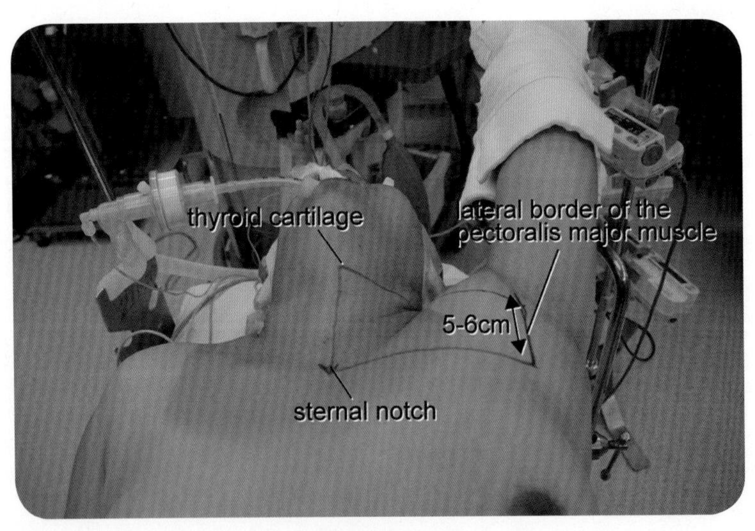

그림 4-3

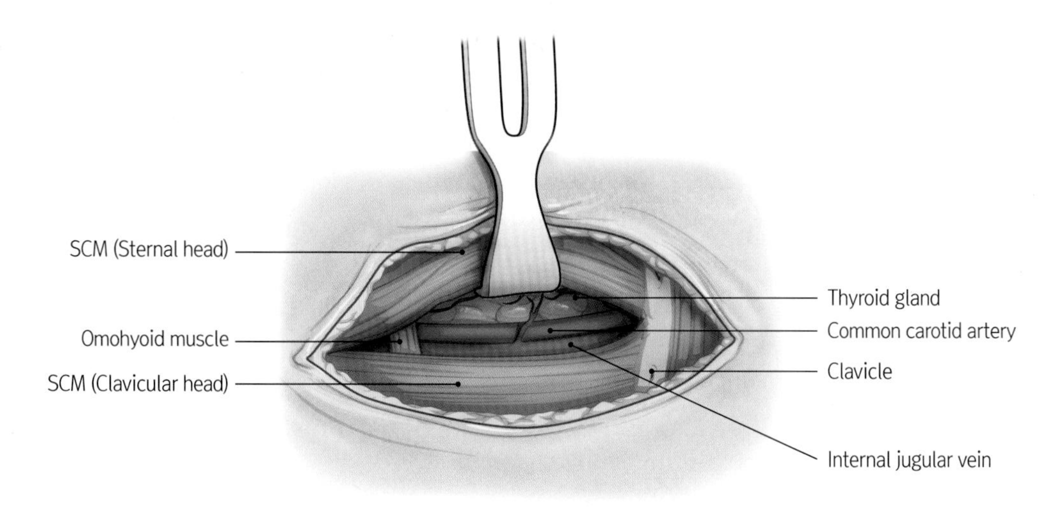

그림 4-2

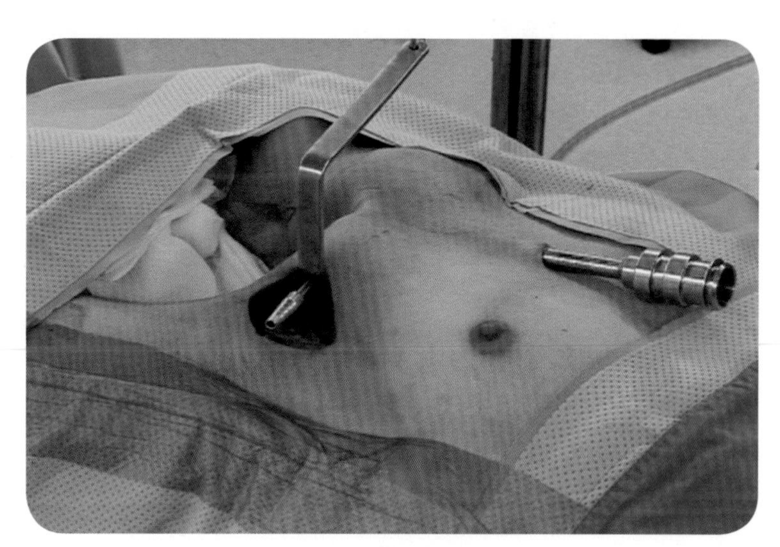

그림 4-3

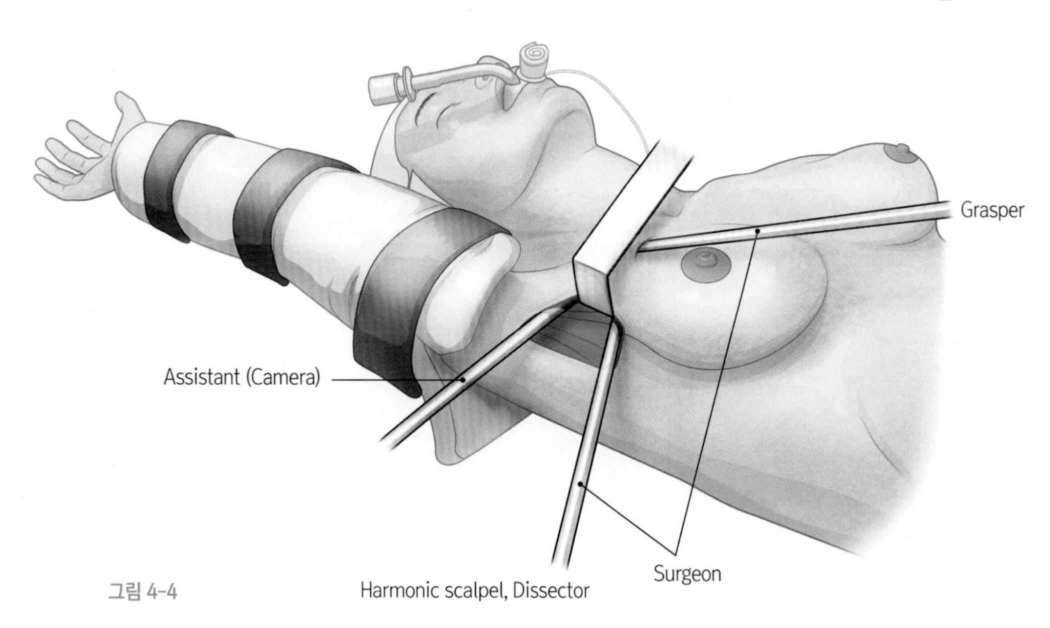

그림 4-4

머리 쪽에 위치하여 내시경 카메라를 조절하고, 수술자는 조수의 옆(환자의 다리 쪽)에 위치하여 내시경 수술 기구를 이용하여 술기를 시작한다.

(2) 이중 절개를 이용한 로봇 보조하 갑상선 수술

(그림 4-3, 5) 전흉부의 환측 유두에서 상부로 2 cm, 내측으로 6~8 cm 떨어진 위치에 4번째 로봇 팔 삽입을 위한 별도의 0.8 cm 피부 절개를 한다. 총 4개의 로봇 팔을 사용하는데, 3개는 액와부를 통해, 1개는 전흉부의 절개를 이용하여 수술 공간까지 위치시킨다. 액와부를 통해 위치한 3개의 로봇 팔들 중 중앙에는 dual channel endoscope (Intuitive Inc.)을, 나머지 두 팔에는 Harmonic curved shears (Intuitive Inc.)와 Maryland dissector (Intuitive Inc.)를 장착시키고, 전흉부의 로봇 팔에는 ProGrasp forceps (Intuitive Inc.)를 장착시킨다.

(3) 단일 절개를 이용한 로봇 보조하 갑상선 수술

(그림 4-6, 7) 이중 절개를 이용한 수술법과는 다르게 단일 경로를 이용하는 경우는 로봇의 모든 팔들이 액와부의 절개창을 통해서 들어가므로 각 팔들 사이의 부딪힘이나 방해를 피하기 위해서는 ProGrasp forceps의 위치와 각 팔들의 진입 각도와 팔들 사이의 거리 유지가 아주 중요하다. 실제 로봇 팔들의 위치는 ProGrasp forceps의 위치를 제외 하고는 이중 절개를 이용한 수술법과 거의 유사하다. 오른쪽 병변의 경우를 예로 들면, 12 mm 투관침에 30° dual channel endoscope을 장착하고 액와부 절개의 중앙에 위치 시킨다. 카메라는 절개창의 가장 아랫부분에 위치 시킨 후 카메라의 끝은 위쪽을 향하도록 삽입한다. ProGrasp forceps은 카메라의 바로 오른쪽에 견인기의 흡인관과 평행하게 진행을 해서 위치 시킨다. 이때 ProGrasp forceps은 가능한 한 견인기에 가까이 위치 시킨다. Maryland dissector는 카메라의 왼쪽에 Harmonic curved shears는 카메라의 오른쪽에 위치 시키며 둘 다 카메라로부터 최대한 멀리 거리를 유지하며 위치 시킨다.

5) 갑상선 절제술

수술과정은 고식적인 경부절개 수술법과 동일한 방법으로 진행한다. 총경동맥부위부터 림프절을 포함한 연부조직 박리를 진행하면서 갑상선의 외측을 박리한 후 갑상선의 상극 및 하극 부위의 혈관들을 결찰한다. 내시경 유도 하에서 Maryland dissector 혹은 dissector로 갑상선 상극을 아래쪽으로 견인하면서 박리하여 상부 갑상선 혈관을 확인하고 Harmonic curved shears을 이용하여

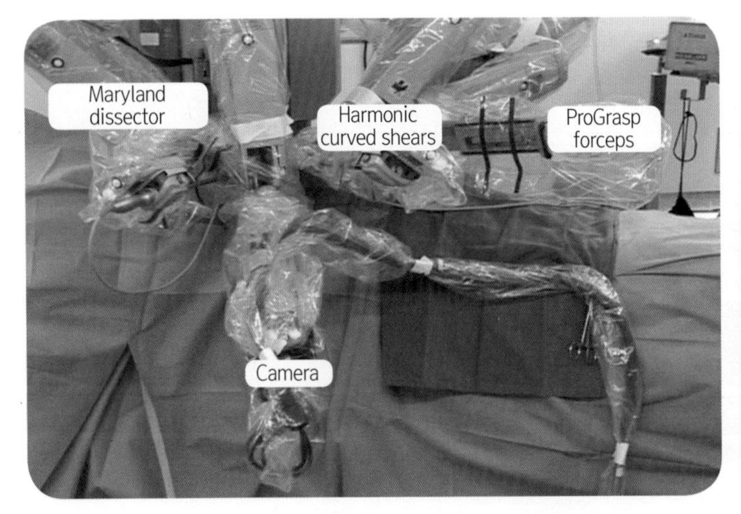

그림 4-5

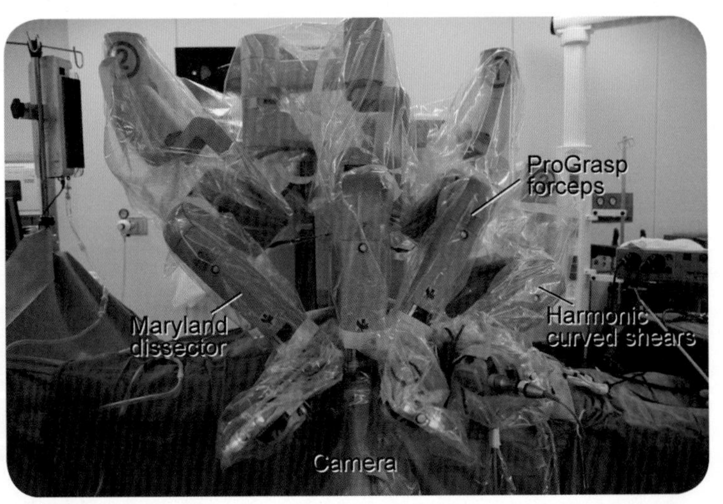

그림 4-6

각각의 혈관을 결찰한다.

이때 상후두신경의 외측 가지의 손상을 방지하고 상 부갑상선으로의 혈류가 차단되지 않도록 하기 위해 가능한 한 갑상선 표면에서 혈관의 두 번째 혹은 세 번째 분지를 결찰하는 것이 중요하다. 갑상선을 내측으로 견인한 상태에서 Harmonic curved shears를 이용하여 중간갑상선정맥을 분리하고, Maryland dissector 혹은 dissector를 이용하여 갑상선 주위 근막을 세심하게 박리하여 하갑상선동맥과 되돌이후두신경을 확인한다. 하갑상선동맥은 두 번째 혹은 세 번째 분지까지 박리하여 최대한 원위부에서 Harmonic curved shears를 이용하여 결찰하는 것이 되돌이후두신경의 열손상을 방지하고 상부 및 하부 부갑상선으로의 혈류를 보존하여 수술 후 부갑상선기능저하증을 예방하기 위해 중요하다 (그림 4-8).

중앙경부 림프절절제술은 갑상선을 상내측으로 견인한 상태에서 되돌이후두신경의 주행 경로를 확인하면서 갑상-흉선 인대(thyrothymic ligament) 부위의 연부조직을 박리한 후 환측 갑상선 및 림프절 포함 연부조직을 기관으로부터 박리하여 절제한다. 이때 연부조직, 미세혈관 및 림프관을 거칠게 한 번에 결찰하는 것보다는 미세혈관과 림프절을 박리하여 각각 개별적으로 먼저 결찰하는 것이 림프절을 포함한 연부조직을 출혈 없이 박리하고 제거하는 데 도움이 된다. Berry 인대를 Harmonic curved shears를 이용하여 기관으로부터 분리할 때는 세심한 박리를 통해 되돌이후두신경에서 최대한 멀리에서 결찰하며 이때 Harmonic curved shears의 active blade가 되돌이후두신경을 향하지 않도록 회전시켜 사용함으로써 열손상을 방지한다. 갑상선전절제를 시행하는 경우 환측 엽의 절제 후 반대쪽 엽의 절제도 같은 내시경 시야 하에서 갑상선을 전내측으로 견인하여 되돌이후두신경 및 부갑상선을 보존하면서 절제술을 시행한다.

6) 검체 제거

절제된 검체는 액와부의 피부 절개를 통해 적출한다.

7) 지혈과 세척

갑상선절제술 후에는 수술 부위와 피판 부위의 출혈 여부를 관찰하고 수술 부위를 식염수로 세척한다.

8) 배액관 삽입 및 피부 봉합

액와부 절개에서 1, 2 cm 외측으로 배액관을 넣은 뒤 피판 사이를 지나 반대 쪽 기관-식도 고랑에 위치하도록 한다. 전흉부 및 액와부 피부 절개창은 흡수사를 이용하여 표피밑 봉합(subcuticular suture)을 한다.

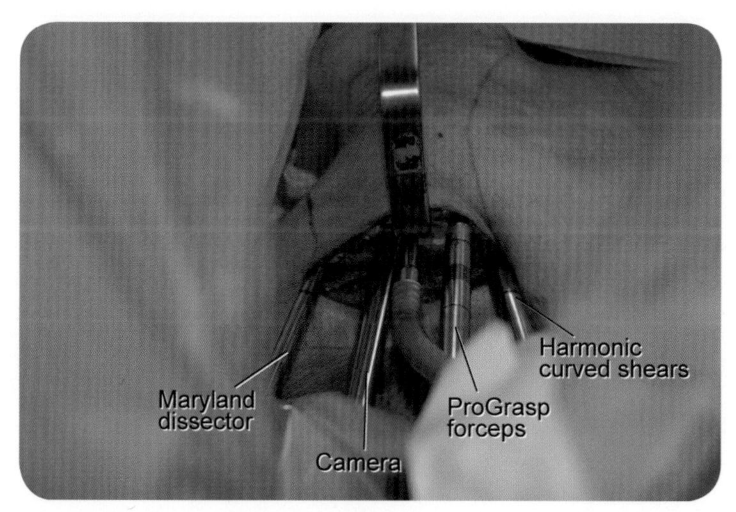

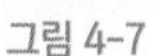
그림 4-7

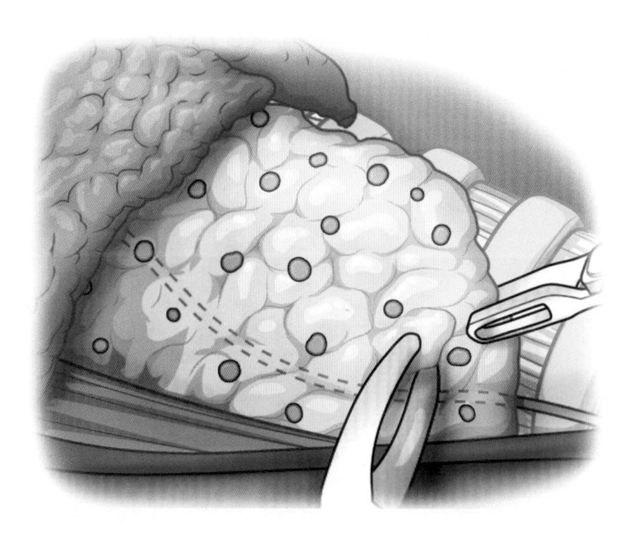

그림 4-8

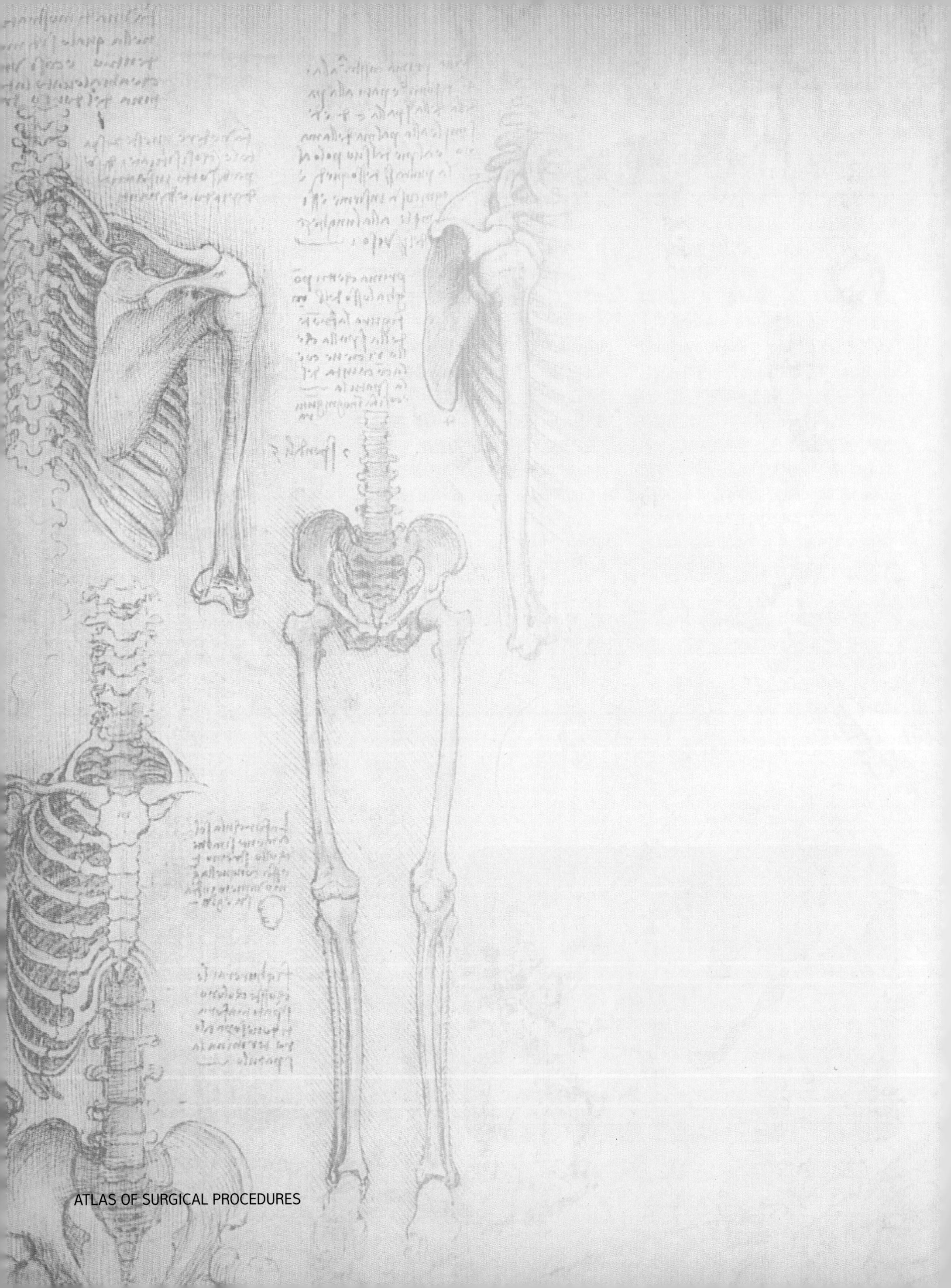
ATLAS OF SURGICAL PROCEDURES

CHAPTER 5

경구 내시경/로봇 갑상선 절제술

Endoscopic/robotic thyroidectomy, transoral approach

1. 적응증

- 비후성 흉터(hypertrophic scarring)의 병력 또는 경부 절개를 피하고자 하는 동기를 가진 환자
- 갑상선 가로직경 ≤ 10 cm
- 권장되는 결절 크기(Recommended nodule size): 갑상선 결절크기 ≤ 6 cm (양성) 또는 ≤ 2 cm (악성 또는 악성의심)
- 양성병변, 다결절 고이터, 세포검사 상 미결정(indeterminate) 결절
- 신중하게 선정된 일부 Graves' 병 환자 및 악성으로 의심되는 결절들

2. 비적응증

- 두경부 수술의 과거력
- 머리와 목, 종격동의 방사선치료 과거력
- 전신마취 위험도가 높은 환자
- 조절되지 않은 갑상선항진증 환자
- 수술 전 평가 상 확인되는 되돌이후두신경 마비
- 경부 임파선 전이 소견
- 기도 또는 식도 등으로의 갑상선 결절 침범 소견
- 구강 내 농양
- 흉골하 갑상샘 확장
- 미분화 갑상선암
- 경구 갑상선 절제술의 적응증을 충족하지 못하는 경우

3. 수술 전 처치

경구 갑상선 절제술을 안전하고 성공적으로 시행하기 위해서는 전문화된 팀의 구성이 절대적으로 필수적이다. 집도의는 갑상선 절제술의 표준 절차와 해부학적 지식을 갖추어야 하며 수술에 필요한 기구(내시경 또는 로봇) 사용에 능숙하여야 한다. 또한, 비교적 새롭게 도입된 수술법이므로 수술을 고려하는 단계에 환자가 수술의 새로운 특성에 대하여 완전히 이해하고, 수술 방법과 수술 후에 일어나는 회복 과정에 대해 충분히 교육되어야 한다. 질병의 진단을 위한 수술 전 일반 검사 외에 되돌이후두신경의 기능을 평가하기 위한 후두경 검사가 권고되며 수술 전 치과 검진을 통해 치료가 필요한 충치 또는 구강 내 감염여부를 확인하는 것이 좋다.

4. 마취

반드시 전신마취가 필요한 술기로 마취 유도 후 정맥 주사로 예방적 항생제를 투여한다. 수술 중 후두 신경모니터링을 통한 되돌이후두신경 기능의 평가를 위해 근전도 모니터링이 가능한 전용 기관삽관 튜브(Electromyography-monitoring endo-tracheal tube)의 사용이 추천되며, 갑상선 수술 중 신경모니터링 기술 시행 시 마취방법의 기준에 대해 마취과와 사전에 충분한 상의가 필요하다(그림 5-1A, B).

일반적으로 기관 내 마취의 초기 단계에서는 탈분극성근이완제(depolarizing neuromuscular blockade)인 석시닐콜린(succinylcholine, 1 mg/kg)이 사용되어야 하며, 수술 중 좌우 갑상피열근(thyroarytenoid muscle)의 근전도 활동 기록이 필요하므로 삽관 후에 추가적인 신경근 차단제 사용은 금지되어야 한다.

5. 환자 자세

누운 자세에서 마취를 시행하고 수술 시작 전 갑상선 베개 등을 사용하여 환자의 목을 뒤로 약간 젖혀준다. 수술을 위한 flap 생성 후 약 15° 가량의 Trendelenburg 자세를 하여야 하므로 knee belt 등을 통해 환자를 수술대에 잘 고정하도록 한다. 팔은 몸에 붙인 자세가 선호된다. 집도의는 환자의 머리측, 카메라 scopist/제1보조의는 집도의의 좌 또는 우측 측면에 위치하는 것이 좋다.

6. 수술 준비

내시경 경구 갑상선 수술의 경우 30° 내시경을 포함한 복강경 수술 시스템이 필요하고, 로봇 경구 갑상선 수술의 경우 da Vinci Robotic Surgical System을 사용할 수 있다.

7. 절개 및 노출

기관 삽관 후 EMG 튜브는 좌 또는 우측 윗입술 꼬리측에 고정시킨다. 가슴 위쪽과 양측 겨드랑이에서 윗입술까지 피부 소독 및 드레이핑을 시행한다(그림 5-2). 목의 중앙선, 흉쇄유돌근의의 앞쪽 경계선 및 쇄골뼈 경계선을 피부에 표시한다. 목의 중앙선을 따라 피부 견인을 위한 suture를 적용할 수 있다. Hexamedine과 povidone 용액을 사용하여 구강 내 세척을 시행한다.

아랫입술 중앙에 1:500,000으로 희석한 에피네프린 용액을 주입하여 넓은목근 아래로 hydro-dissection을 시행한다(그림 5-3). Gingival-buccal sulcus에 3개의 절개를 넣는다. 아랫입술의 frenulum으로부터 약 1 cm 상방에 20 mm 가량의 inverted U-shape 절개를 넣고 양측 입꼬리 근방에 5 mm 가량의 절개가 각각 들어간다(그림 5-4). Blunt-curved mosquito를 사용하여 중앙절개선을 통해 근육면 아래를 박리한다. Kelly forcep과 vascular tunnler를 사용하여 중앙 박리부위를 확장한다. 양측 입꼬리의 절개선 또한 blunt-curved musquito를 사용하여 근육면 아래로 박리를 시행한다(그림 5-5).

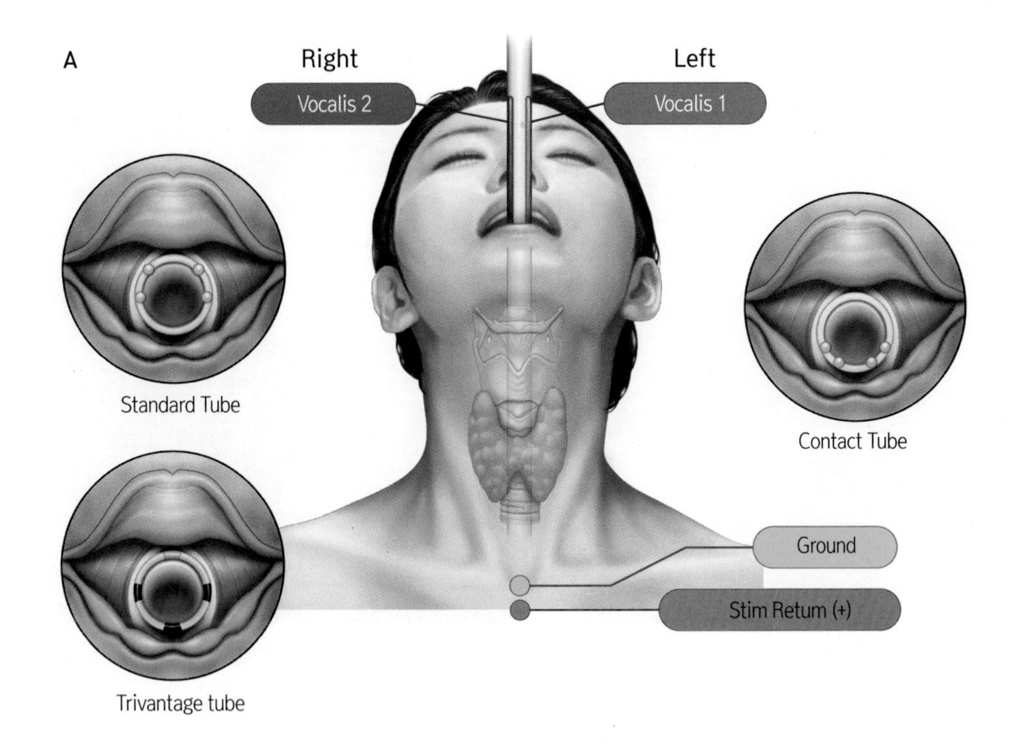

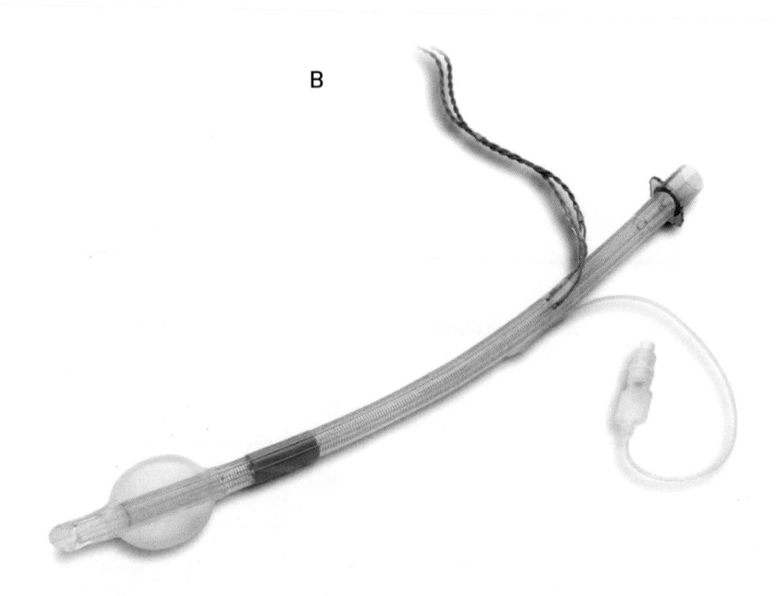

그림 5-1 기관 삽관 튜브(endotracheal tube)의 벽에 부착된 두 쌍의 와이어 전극을 양측 성대 점막에 접촉시킴으로써 신경 자극에 따른 성대근육의 움직임을 감지하게 된다.

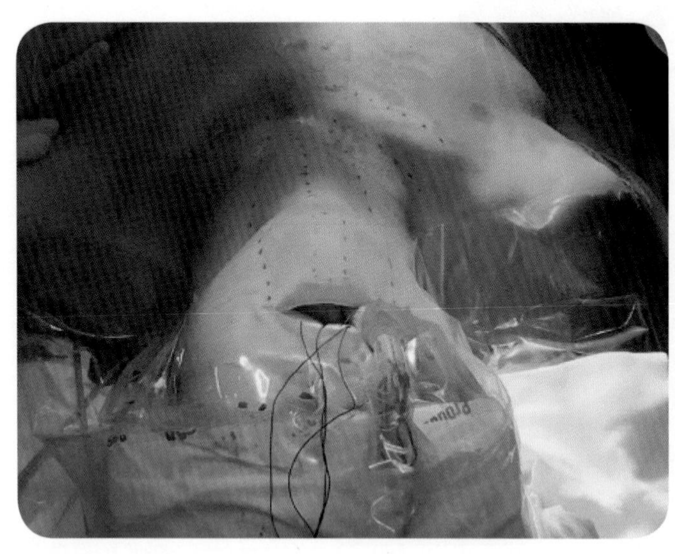

그림 5-2 EMG 튜브는 좌/우 윗입술 꼬리측에 고정시키고, 가슴 위쪽과 양측 겨드랑이를 포함한 윗입술까지 피부 소독 및 드레이핑을 시행한다.

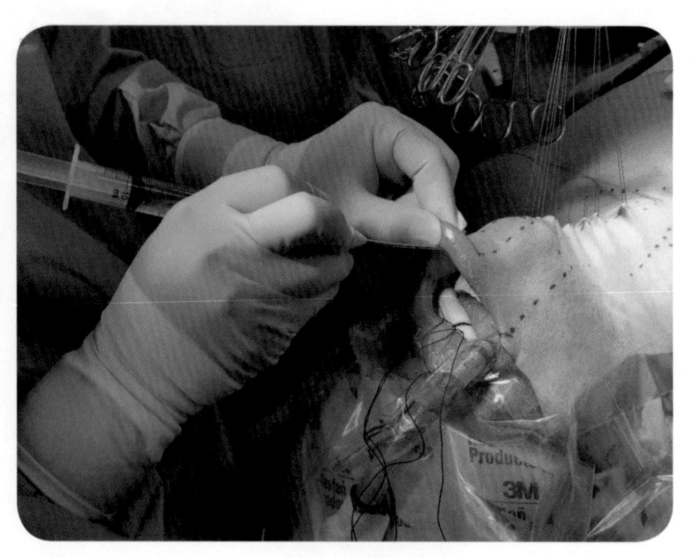

그림 5-3 Subplatysmal plane의 Hydro-dissection

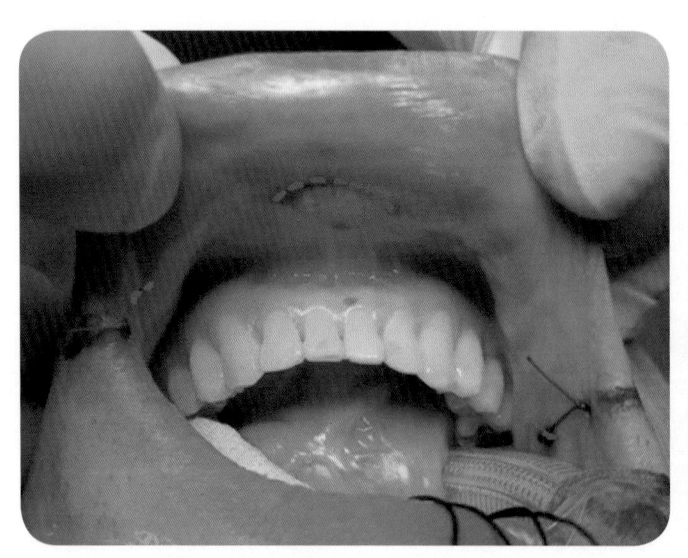

그림 5-4 구강 내 절개선의 위치(파란색)

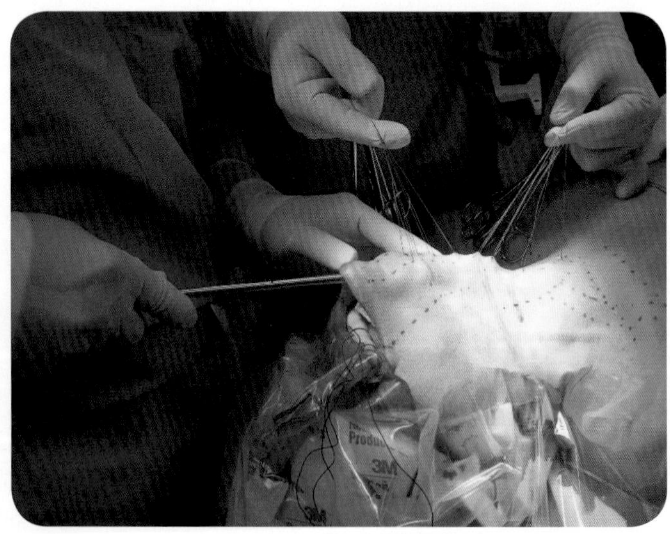

그림 5-5 Vascular tunneler를 사용한 박리

구강 내 3개의 박리된 절개로 투관침을 삽입한다. 중간 투관침에 CO_2 가스선을 연결하여 5~7 mmHg의 압력으로 CO_2 주입을 유지하면서 카메라를 삽입한다. 입술 좌우 투관침을 통해 내시경 도구를 삽입하고 수술 부위 박리를 시행한다. 하악골(mandible)에서부터 하방으로는 쇄골뼈 머리까지, 측면으로는 흉쇄유돌근의 전방 경계선까지 넓은목근의 박리가 필요하다.

로봇 경구 갑상선 절제술의 경우 우측 겨드랑이를 통한 투관침 삽입이 필요하므로, 넓은 넓은목근의 박리가 끝나면 우측 전방 겨드랑이 접힘 부위에 8 mm가량의 절개 후 피하 박리를 통해 쇄골뼈 위 흉쇄유돌근 방향으로 long trocar를 삽입한다(그림 5-6).

수술부위 공간 확보를 위한 박리가 끝나면 로봇 경구 갑상선 절제술의 경우 로봇 거치를 시행한다(그림 5-7).

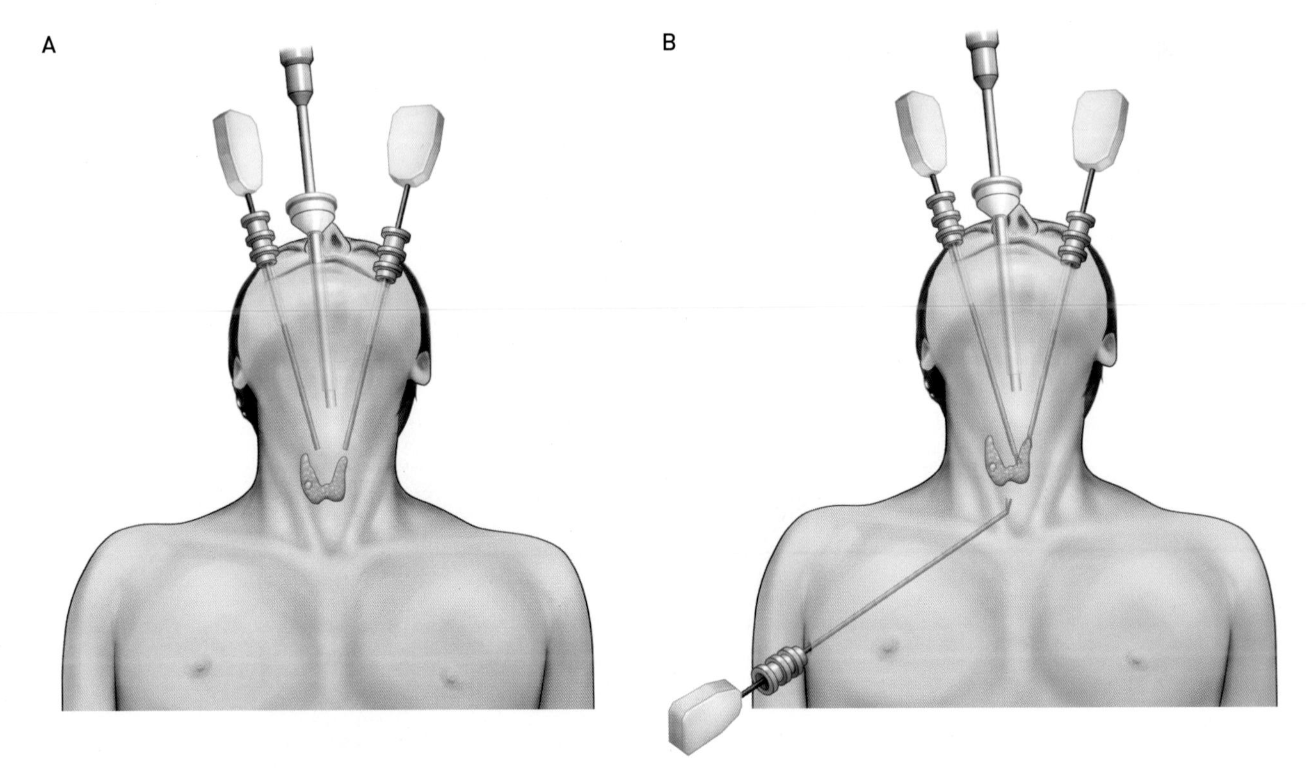

그림 5-6
A. 내시경 경구 갑상선 절제술 시 투관침 삽입의 예
B. 우측 겨드랑이 투관침을 활용하는 로봇 경구 갑상선 절제술 투관침 삽입의 예.

A

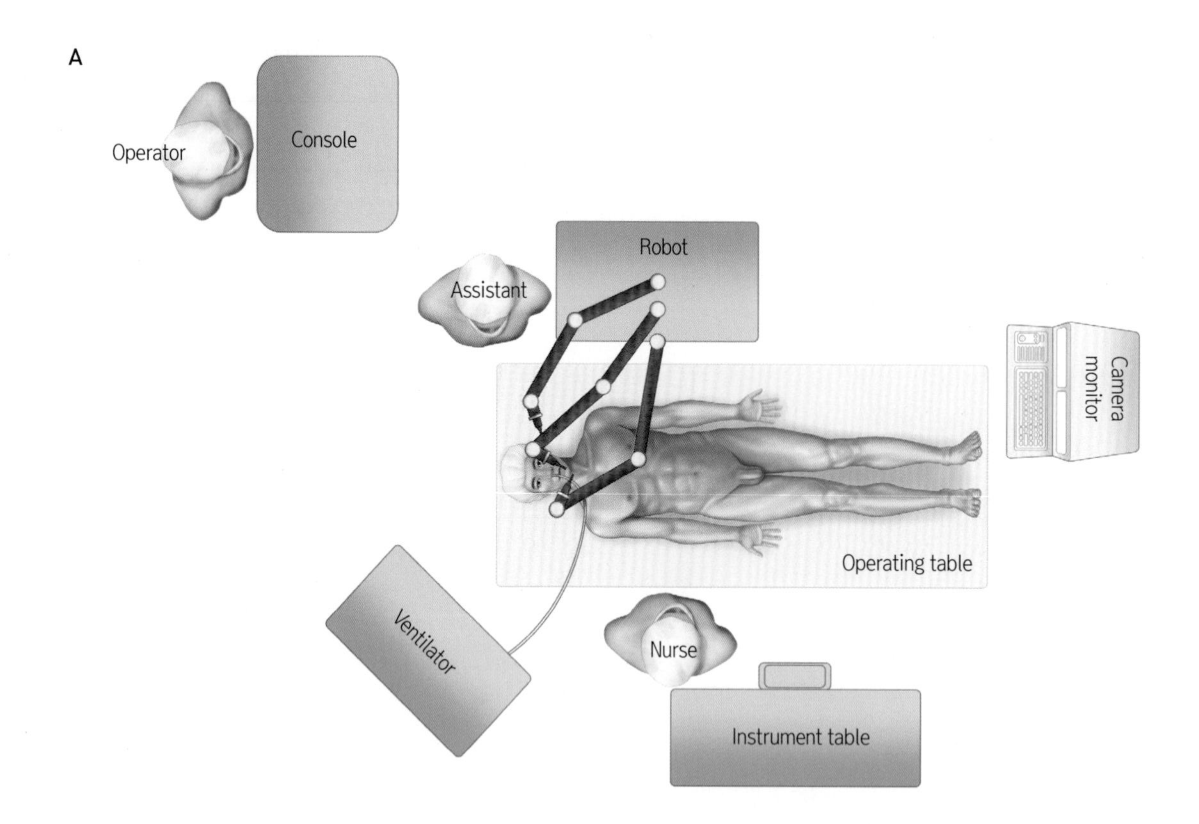

B

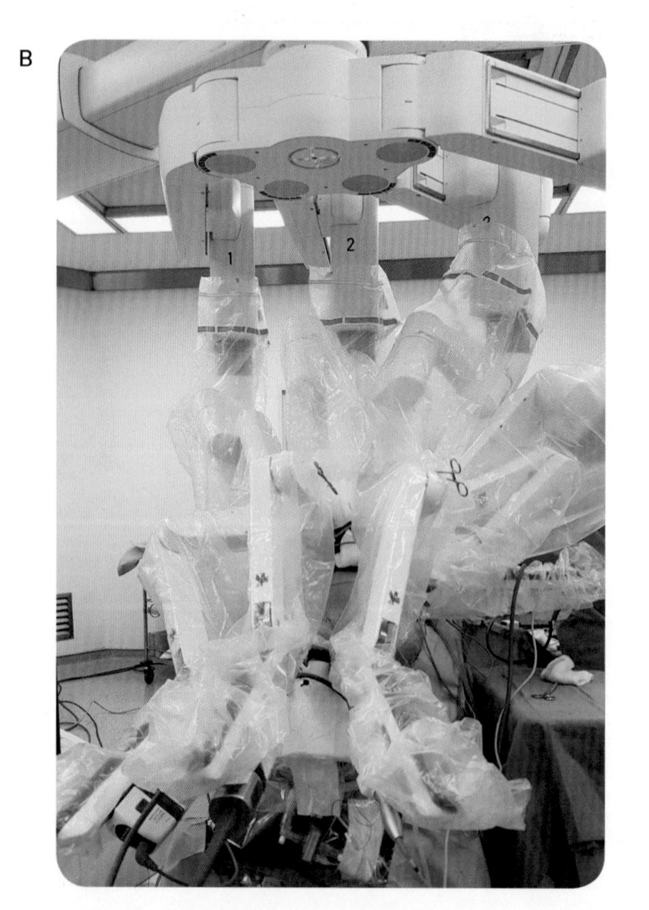

그림 5-7
A. 로봇 경구 갑상선 절제술의 수술실 세팅의 예
B. da Vinci Xi 모델 거치 후.

8. 수술 과정

갑상연골에서 흉골절흔까지 띠근육을 나눈다(그림 5-8). 갑상선 협부의 후측 표면을 Berry 인대까지 박리한다. 이후 갑상선 우엽의 측면을 띠근육으로부터 박리시킨 후 중간갑상선 정맥을 결찰한다. 흉골갑상근을 절개하고 갑상선의 상부를 노출시킨다. 갑상선의 피막이 손상되지 않도록 주의하면서 주요 상부 갑상선 혈관들을 결찰한다(그림 5-9).

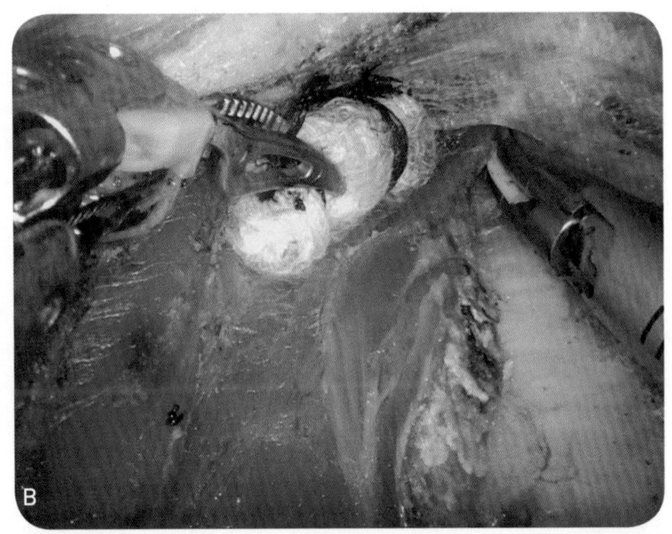

그림 5-8
A. Division of the strap muscle
B. Dissection of the isthmus

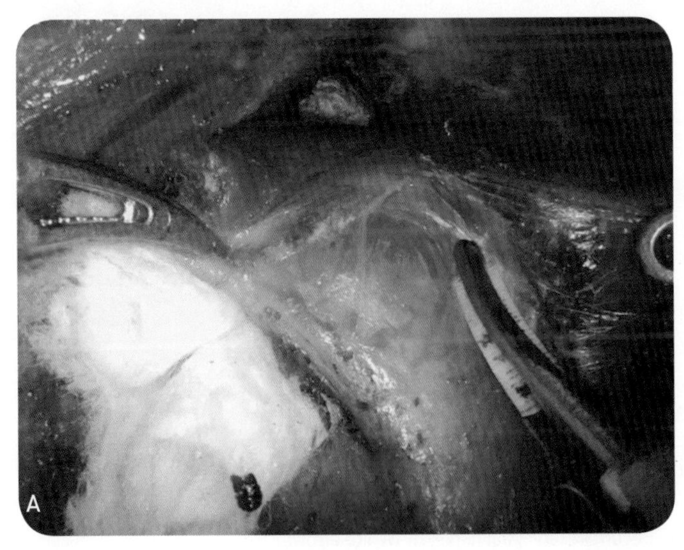

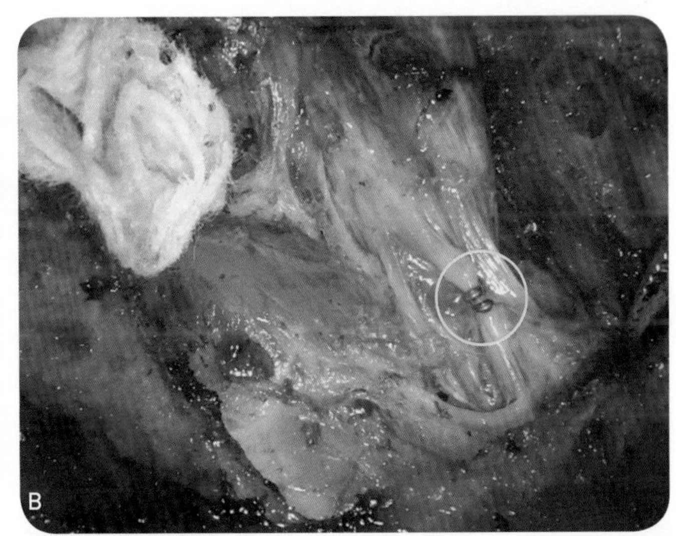

그림 5-9
A. Strap muscle dissection for right lobe exposure,
B. Ligation of right superior thyroid vessels (white circle)

갑상선 상부에서 Berry 인대를 지나 갑상선 하부까지 주의 깊게 박리를 시행한다. 박리과정 중 주요 구조물인 상부/하부 부갑상선 및 되돌이후두신경을 확인하여야 한다(그림 5-10).

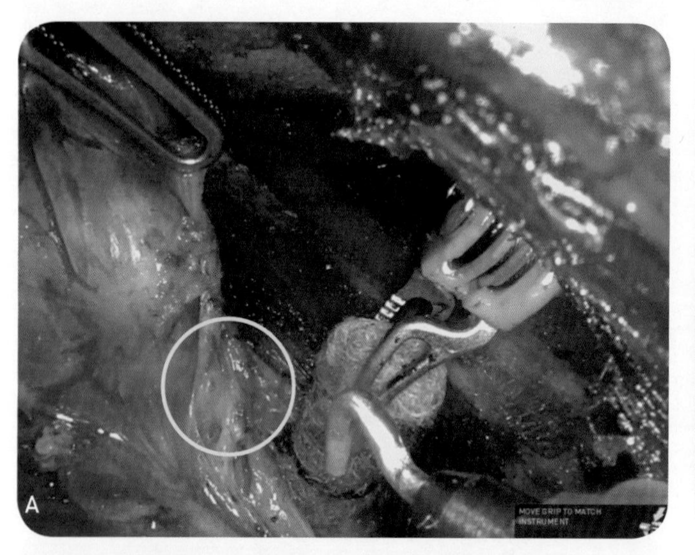

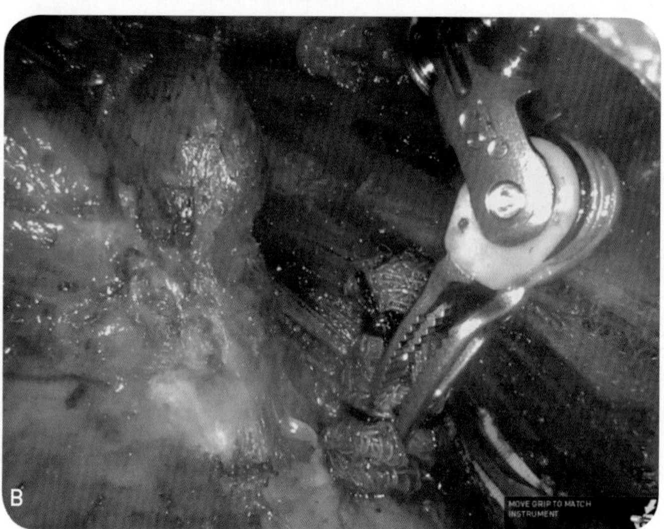

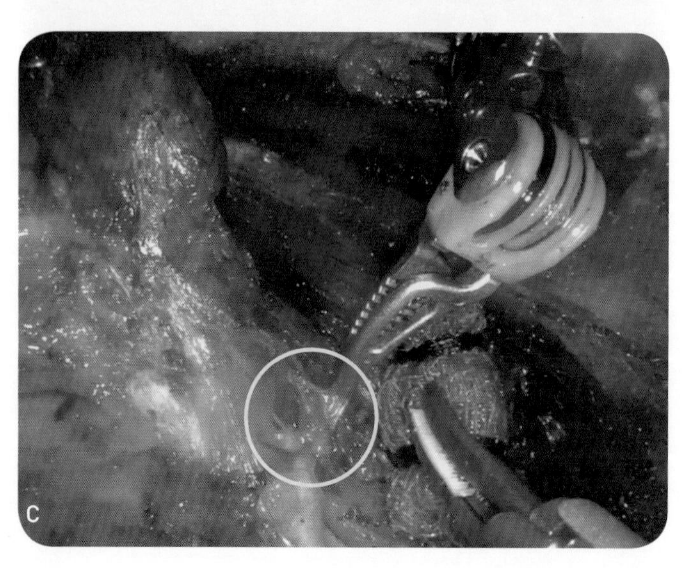

그림 5-10
A.Superior parathyroid gland, Rt (white circle)
B. Recurrent laryngeal nerve, Rt (White arrow)
C. Inferior parathyroid gland, Rt (white circle)

갑상선 우엽의 박리 및 절제가 끝나면 경부 구역 VI의 예방적 림프절 절제술이 함께 시행될 수 있으며(그림 5-11), 절제된 조직은 endo bag에 넣어 구강 내 중앙 절개부(내시경) 또는 우측 겨드랑이 절개부(로봇)를 통해 제거할 수 있다. 동일한 방법으로 갑상선 좌엽 절제술을 이어서 시행한다.

9. 폐복

수술 부위의 세심한 지혈을 시행한다. 로봇 경구 갑상선 절제술의 경우 우측 겨드랑이 절개부를 통해 배액관 삽입이 가능한다. 지혈 및 배액관 삽입 완료 후 띠근육을 봉합한다. 구강 내 절개선은 흡수성 봉합사를 사용하여 단일층으로 봉합한다. 봉합 완료 후 아랫턱을 중심으로 가벼운 압박드레싱을 시행하여 준다.

10. 수술 후 관리

수술 완료 후 4시간 뒤부터 음료 및 미음 등의 식이가 가능하며 수술 후 첫날부터 정상적인 식사의 진행이 가능하다.

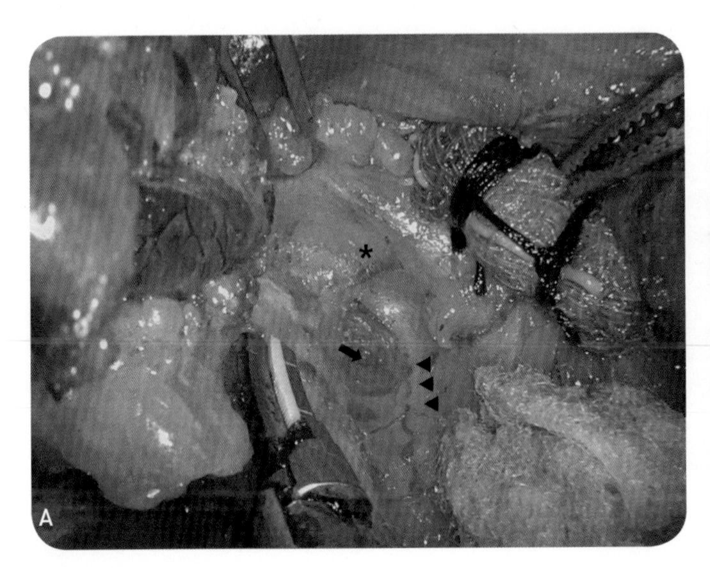

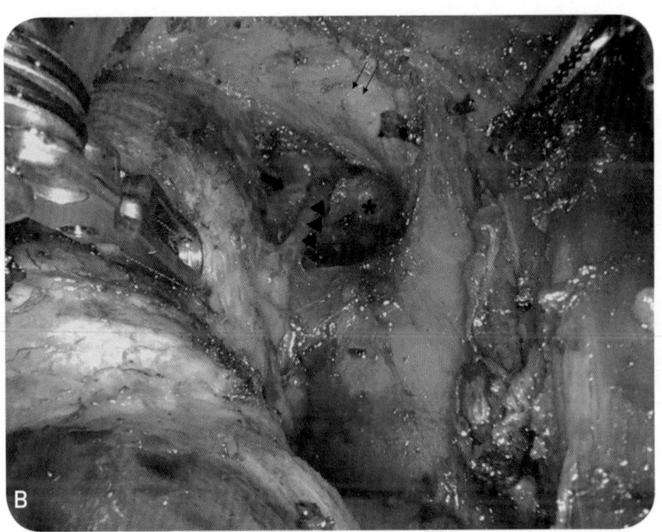

그림 5-11
A. Pre-dissection
B. Post-dissection

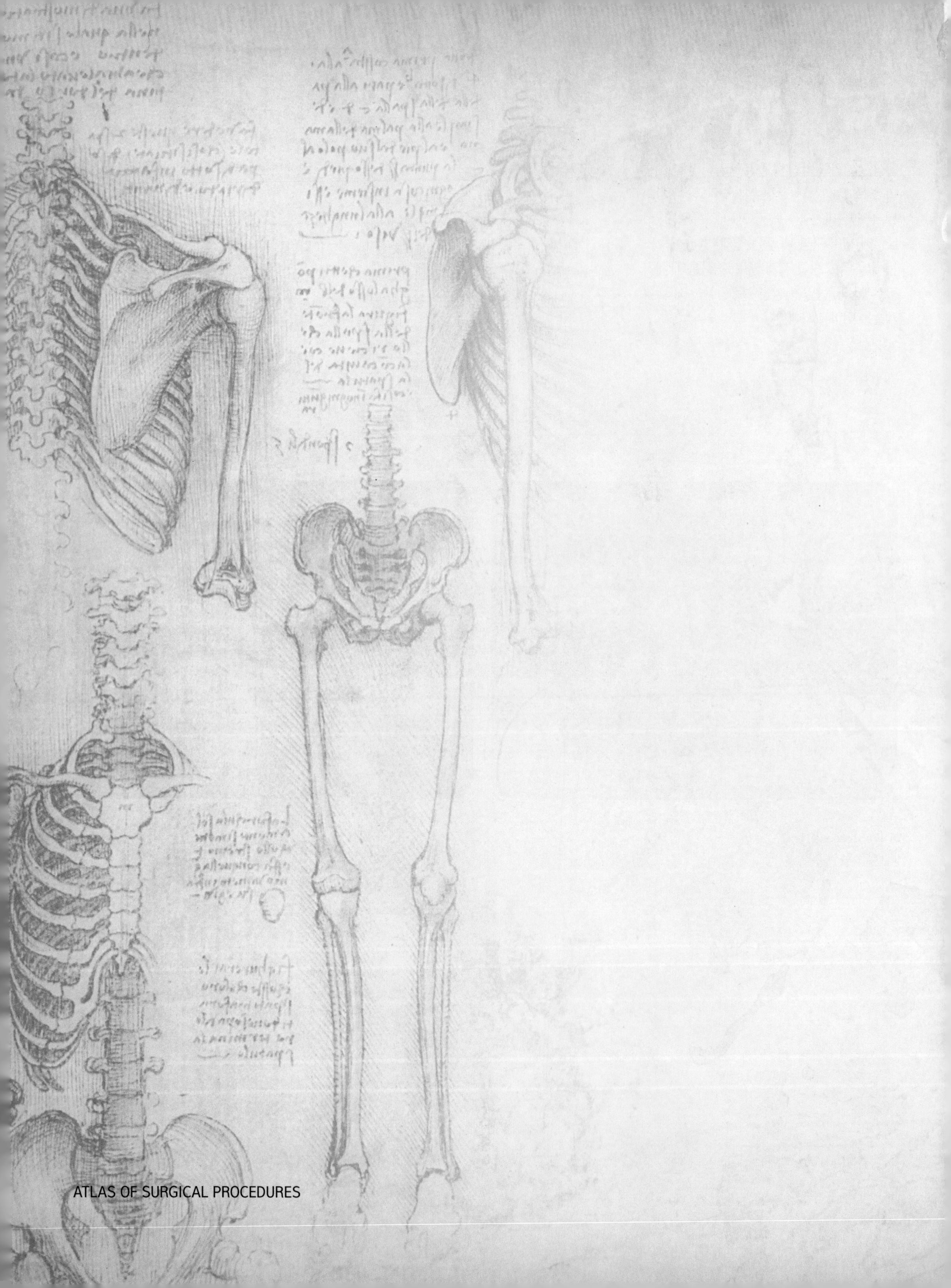

ATLAS OF SURGICAL PROCEDURES

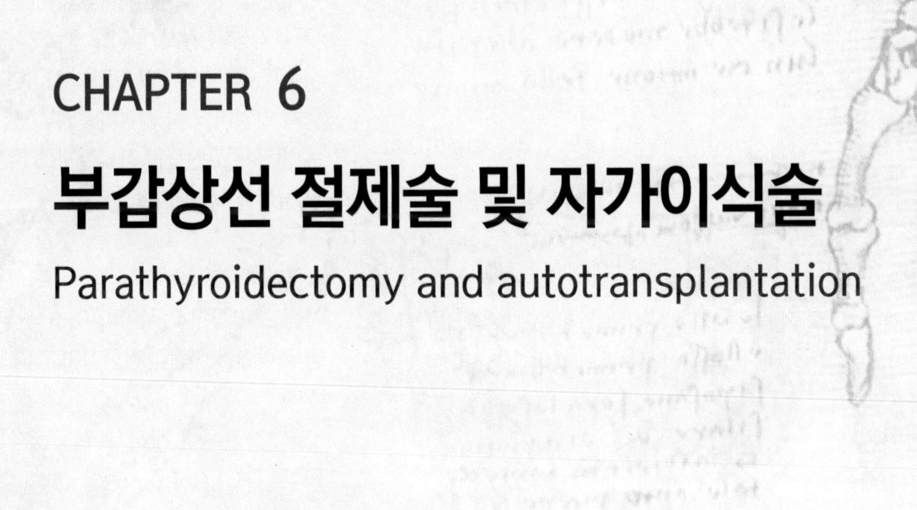

CHAPTER 6

부갑상선 절제술 및 자가이식술

Parathyroidectomy and autotransplantation

1. 서론

부갑상선 수술은 수술술기 자체가 어려운 수술은 아니지만 발생학적인 이유로 부갑상선의 위치를 찾기가 어렵고 이차성 부갑상선기능항진증 환자의 전반적인 건강상태가 좋지 않은 경우가 많으며 부갑상선 절제 후 혈중 칼슘농도의 급격한 하락으로 인한 전신적인 저칼슘혈증을 겪는 경우도 흔하게 있어 수술을 쉽게 결정하기 어렵다. 그러나 일차성 부갑상선기능항진증 그리고 약물에 반응하지 않는 이차성 부갑상선기능항진증 환자에서 수술은 유일한 완치 수단이므로 수술의 적응증이 되는 경우 철저히 준비하여 성공적인 수술이 되도록 하여야 한다.

2. 적응증

1) 일차성 부갑상선기능항진증

고칼슘혈증으로 인한 증상이 있는 경우 일차적인 적응증이 되지만 다음의 경우 무증상이라도 수술의 적응증이 된다(표 6-1). 다만 최소침습성부갑상선절제술이 광범위하게 적용됨에 따라 수술 후 합병증 이환율이 크게 감소하고 비특이적인 증상개선에도 부갑상선절제술이 효과가 있다는 보고가 많아 구미에서는 적응증이 보다 광범위한 경향이 있다.

2) 이차성 부갑상선기능항진증

(1) 증상 발현 시

- High bone turn over
- 이소성 석회화
- 근골격계, 심혈관계 증상

(2) 무증상 이차성 부갑상선기능항진증: 정해진 기준이 없다.

- KDOQI 진료권고안: 내과적인 치료에 반응하지 않을 때
- KDIGO 진료권고안: 부갑상선호르몬 수치 > 800 pg/ml

3) 삼차성 부갑상선기능항진증

신장이식 후 1~2년 이상 고칼슘 혈증이 지속되면 수술의 적응증이 된다.

4) 최소침습성부갑상선절제술

일차성 부갑상선기능항진증에서 위치가 확인된 단일부갑상선선종의 경우 가능하다.

3. 수술 전 처치

1) 수술 전 위치 확인

부갑상선의 해부학적 발생학적인 구조를 숙지하여 이소성 부갑상선을 놓치지 않도록 유의하여야 한다(그림 6-1, 2). 또한 부갑상선이 4개보다 많을 가능성을 항상 유의하여야 한다(5~7개까지 보고됨). 위치확인을 위한 각각의 검사가 장단점이 있지만 공통적으로 특이도는 높으나 민감도가 낮은 특성이 있어 특히 다발성 병변의 경우 위치확정이 어렵다. 그러나 일차성 부갑상선기능항진증의 경우 95% 이상 단일부갑상선선종이 원인이므로 가장 보편적인 검사인 경부초음파와 부갑상선스캔 검사를 일차적인 검사로 사용하고 두 검사에서 병변의 위치가 일치하면서 단독 병변일 경우 추가적인 검사 없이도 최소침습성부갑상선절제술의 성공률은 95%에 달한다. 수술 전 위치 확인이 되지 않거나 다발성 병변의 경우는 반드시 고전적인 경부절개를 통한 양측 경부 탐색을 하여야 한다.

(1) 경부 초음파

가장 보편적인 검사이나 이소성 부갑상선의 경우 찾기가 어렵다는 단점이 있다.

(2) 부갑상선 스캔검사

SPECT-CT검사로 시행할 경우 정확도가 더 높아진다는 보고가 많다.

표 6-1 무증상부갑상선기능항진증의 수술 적응증

적응증	세부사항
혈중 칼슘 상승 근골격계 이상	정상참고범위 최고치보다 1.0 mg/dl 초과 상승할 때
골밀도 감소	BMD T SCORE < -2.5
골절 신장기능이상	영상으로 확인된 척추골절
요소청소율 감소	60 cc/min 미만
24시간 소변 중 칼슘 신장결석	400 mg/dl 초과하거나 결석의 위험도가 높은 생화학적 증거가 있을 때 초음파 CT 등으로 확인된 결석
연령	50세 이하

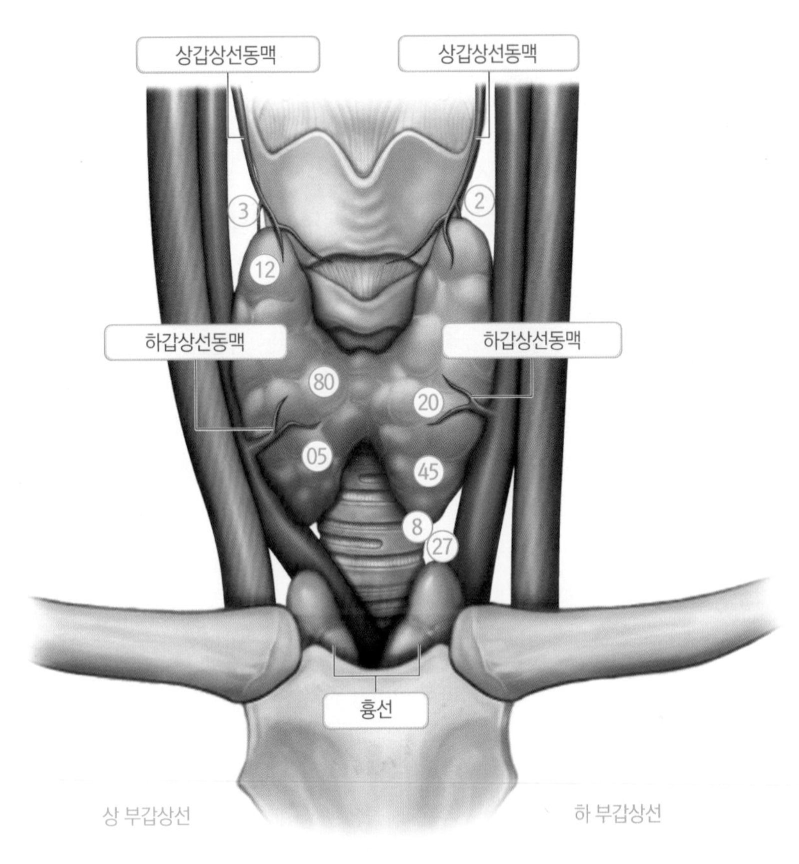

그림 6-1 부갑상선의 위치 변이와 빈도

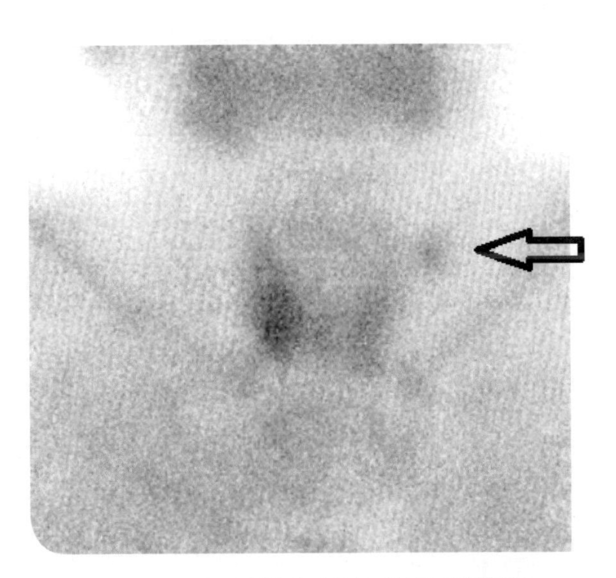

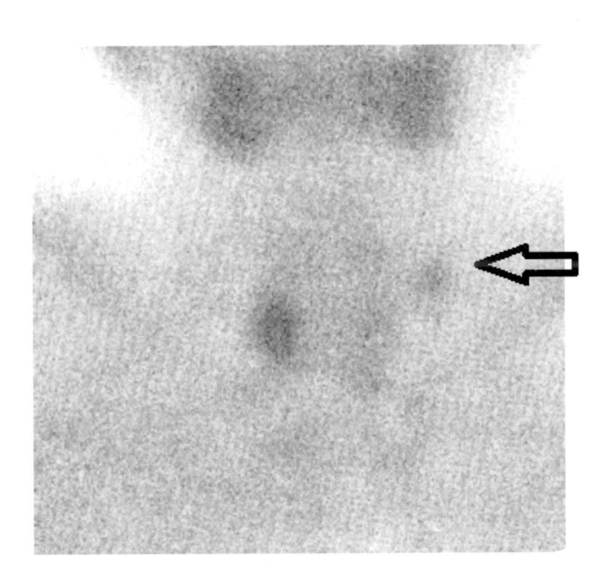

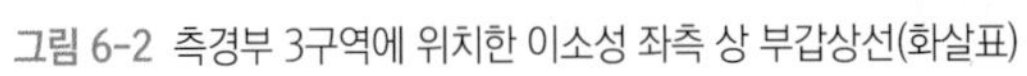
그림 6-2 측경부 3구역에 위치한 이소성 좌측 상 부갑상선(화살표)

(3) 컴퓨터 단층촬영 (CT)

3차례 영상을 촬영하는 four dimensional CT를 사용하면 특이도가 높아지므로 일차 수술이 실패한 경우 잔류 부갑상선을 찾는데 유용하다.

(4) 수술 중 부갑상선호르몬 측정

부갑상선의 수술 전 위치확인의 목적이 성공적인 부갑상선의 제거라는 측면에서 수술 중 부갑상선호르몬 측정은 가장 정확한 위치확인 방법이다. 일차성 부갑상선기능항진증의 경우 표준방법으로 구미에서는 인정되고 있으며 비교적 간단하게 시도할 수 있다. 여러가지 방법이 제시되고 있으나 가장 많이 사용되는 방법은 마이애미 기준(Miami criteria)으로 도관을 설치한 후 절개 직전, 절제 직전, 절제 완료 후 5분, 절제 완료 후 10분에 각각 채혈 후 부갑상선호르몬 수치를 측정한다.

이후 절개 직전과 절제 직전 부갑상선호르몬 수치 중 높은 것 하나와 절제 완료 5분 후 그리고 10분 후 수치 중 낮은 것 하나를 비교하여 50% 이상 감소하였을 때 절제 완료로 판정하는 방법이다. 다만 부갑상선질환 특히 일차성 부갑상선기능항진증의 유병률이 상대적으로 낮은 우리나라에서 이 검사를 위한 기반시설을 확보하기 어렵다는 점, 그리고 이차성이나 삼차성 부갑상선기능항진증의 경우 정확한 기준이 아직 확립되지 않았다는 점에서 우리나라에서 표준술기로 도입되기에 어려운 점이 있다.

(5) 수술 중 초음파

수술 전 부갑상선의 위치를 최종적으로 확인하는데 유용하며 특히 최소침습성부갑상선절제술을 계획하는 경우 절개창의 위치를 결정하는데 유용하다.

4. 마취

미국의 경우 국소마취하에서 부갑상선 수술을 하는 경우가 많으나 국내에서는 기도삽관하 전신마취를 권장한다. 통상의 마취와 특별히 다른 점은 없으나 이차성 부갑상선기능항진증의 경우 신장기능에 유의하여야 하고 수술 전후 투석을 할 수 있어야 한다.

5. 환자자세 및 수술준비

통상적인 갑상선 수술과 동일한 앙와위 그리고 목을 과신전 시킨 자세를 취한다. 환자의 등 밑에 베개 등을 위치시켜 과신전 자세를 유지한다. 수술 중 부갑상선호르몬 측정을 하기 위해서는 미리 정맥 혹은 동맥에 혈액채취용 도관을 삽입한다. 자세를 취한 후에는 필요한 경우 수술 중 초음파검사를 시행할 수 있다(그림 6-3).

6. 절개 및 노출

1) 최소침습성부갑상선절제술

수술 중 초음파로 병변의 위치를 확인 후 절제 대상이 되는 부갑상선 바로 위에 2~3 cm 정도의 절개창을 만든다(그림 6-4). 재수술을 감안하여 목의 주름과 평행한 절개창을 만드는 것이 일반적이나 상 부갑상선의 경우 흉쇄유돌근의 전연부를 이용한 절개를 할 수도 있다. 수술 전 위치확인에서 경부의 깊은 곳에 부갑상선이 위치할 것으로 예상되는 경우 조금 더 큰 절개창이 필요할 수 있다. 넓은목근이 노출되면 넓은목근을 절개 후 넓은목근 후면을 따라서 상하좌우로 피판을 만든다. 피판을 아주 넓게 만들 필요는 없으나 부갑상선의 위치가 예상과 다를 경우가 있으므로 충분하게 작업공간을 확보하는 것이 좋다. 부갑상선의 접근은 흉쇄유돌근과 띠근육 사이의 공간으로 접근하는 것이 일반적이다. 필요한 경우 띠근육을 절개하여 접근해도 무방하다.

2) 부갑상선전절제술 또는 부갑상선아전절제술

고전적 경부절개로 일반적인 갑상선절제술과 동일한 절개창을 이용한다. 피판형성 과정도 동일하다.

7. 수술과정

1) 최소침습성부갑상선절제술

부갑상선의 위치를 확인하는 것이 가장 중요하고 일단 찾기만 하면 절제는 어렵지 않다. 하 부갑상선의 경우 갑상선 하극의 견인이 필요할 수 있다(그림 6-5). 상 부갑상선의 경우는 갑상선의 견인이 필수이며 견인기 하나를 이용하여 흉쇄유돌근을 외측으로 견인하고 갑상선을 내측으로 견인하여 상 부갑상선의 위치를 확인한다. 위치가 확인되면 주변으로 주행하는 되돌이후두신경의 주행에 유의하면서 절제하고 지혈 후 봉합한다.

2) 부갑상선전절제술 또는 부갑상선아전절제술

정중절개로 띠근육을 좌우로 분리한다. 이때 갑상선에 손상이 없도록 띠근육을 충분히 들어올려서 절개하는 것이 중요하다. 정중절개 후 갑상선을 내측으로 견인하면서 갑상선을 흉골갑상근에서 분리한다. 어느 정도 분리가 되면 견인기를 이용하여 흉골갑상근을 외측으로 견인하면 박리가 더욱 쉽다(그림 6-6).

갑상선을 견인할 때는 지혈겸자나 앨리스(Allis) 겸자를 사용하는데 갑상선을 보존하는 수술이므로 갑상선에 손상이 없도록 조심해서 견인한다(그림 6-7). 흉골갑상근은 충분히 박리하여 부갑상선이 위치할 수 있는 모든 곳을 탐색할 수 있어야 한다. 일반적으로 하측은 흉선이 노출되도록 외측은 경동맥이 노출될 때까지, 그리고 상측은 갑상선 상극이 노출되어야 한다. 중간갑상선정맥을 미리 결찰하면 갑상선의 견인이 쉬워지고 수술시야가 넓어지지만 아전절제술을 계획하는 경우 남겨질 부갑상선의 혈행에 문제가 생길 수 있으므로 가능한 중간갑상선정맥은 결찰하지 않고 부갑상선을 탐색하는 것이 좋다(그림 6-8).

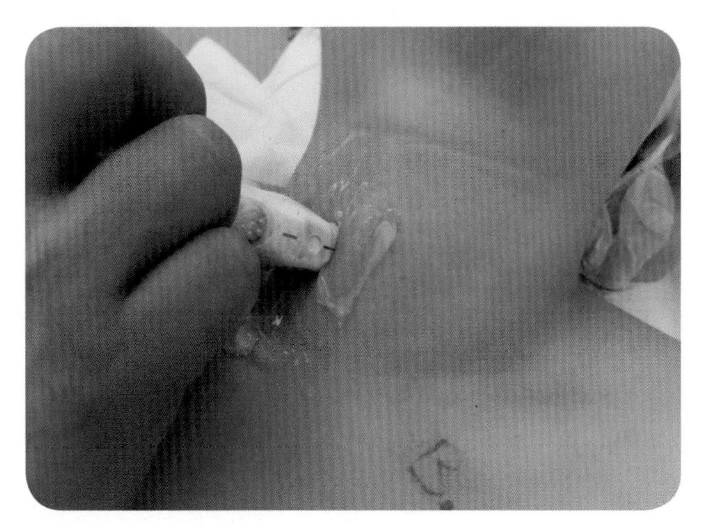

그림 6-3

그림 6-4

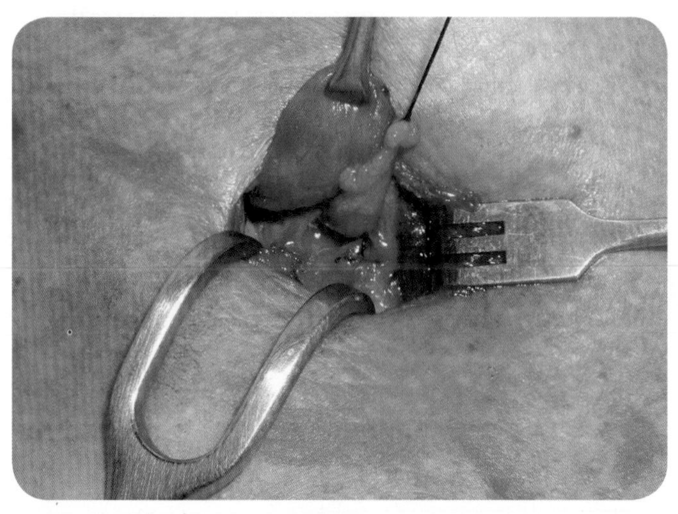

그림 6-5

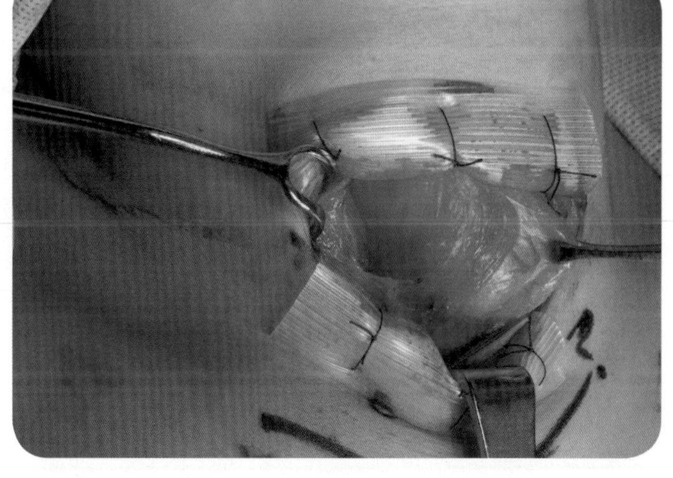

그림 6-6

그림 6-7

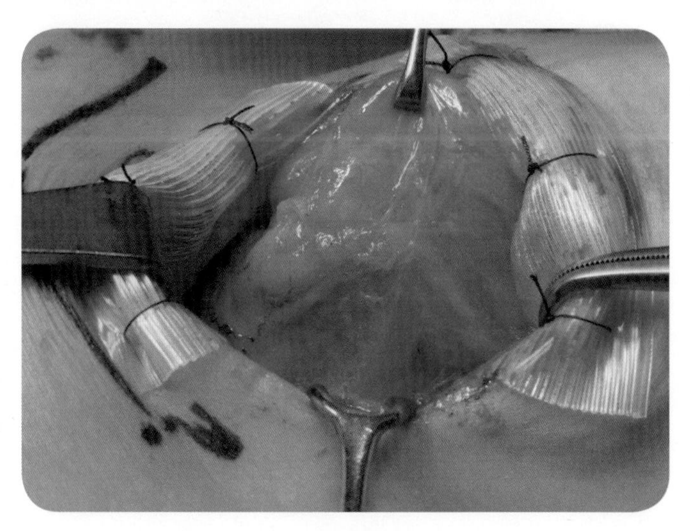

그림 6-8

갑상선의 박리가 끝나면 좌우 상하 4개의 부갑상선을 탐색한다. 부갑상선의 절제 자체는 어렵지 않으므로 부갑상선을 찾는 과정이 가장 중요한 과정이다. 아전절제술의 경우 초음파 소견과 실제로 과증식한 부갑상선이 일치하지 않을 수 있으므로 4개의 부갑상선을 확실히 찾은 후 남길 부갑상선을 먼저 정하고 나머지 부갑상선을 절제하는 것이 수술 성공률을 높인다. 부갑상선은 선종화 하여 단단하게 만져질 수도 있고 (그림 6-9) 정상으로 보일수도 있다(그림 6-10). 절제 후 부갑상선이 절제되었는지 의심스러운 경우는 동결절편으로 확인하는 방법도 있다. 아전절제술의 경우 최대한 정상에 가까운 부갑상선이 남길 대상이 되고 부갑상선과증식증으로 인한 일차성 부갑상선기능항진증의 경우 또는 1형 다발성내분비선종증(Multiple endocrine neoplasia I, MEN I)의 경우 정상적으로 보이는 부갑상선을 그대로 보존하는 경우도 있지만 대부분 절반정도 절제 후 남은 부갑상선에 금속성 클립 혹은 비흡수성 봉합사로 표지하여 삼출을 막고 재발 시 찾기에 쉽도록 한다(그림 6-11). (그림 6-12)는 아전절제술 후 절제된 부갑상선의 표본이다. 전절제술의 경우 영구적인 부갑상선기능저하를 예방하기 위하여 절제 후 자가이식술을 시행한다. 이 경우, 네개 혹은 그 이상의 부갑상선을 절제한 후, 정상적인 모양의 부갑상선을 선택하여 1 × 3 mm 정도로 얇게 잘라주거나 죽처럼 곱게 갈아낸 후 주로 사용하는 팔의 반대쪽 팔이나 혈액투석용 동정맥루가 없는 팔의 전완부에 약 50 mg의 부갑상선 조직을 이식하게 된다. 전완부의 손바닥쪽 면의 전말단부 방향으로 절개한 후 완요골근(brachioradialis)에 4~6개의 이식장소를 만든 후 잘라 놓은 부갑상선 조각들을 각각의 구멍에 이식한다. 이때 작은 겸자를 이용하여 근육 결방향으로 벌린 후 조각을 조심스럽게 근육 사이로 삽입한다(그림 6-13).

8. 봉합

최소침습성부갑상선절제술의 경우 띠근육과 흉쇄유돌근 사이의 절개 공간은 봉합할 필요가 없다. 넓은목근과 피부는 흡수 봉합사로 봉합하고 단속봉합(interrupted suture)으로 knot burying 술기를 하는 것을 선호한다. 부갑상선전절제술 혹은 아전절제술의 경우는 고전적인 갑상선절제술과 동일한 방식으로 봉합하면 된다.

9. 수술 후 관리

수술 후 출혈, 감염, 되돌이후두신경 손상 등 일반적인 경부 수술에서 나타날 수 있는 합병증이 동일하게 나타날 수 있고 혈중 칼슘농도가 급격하게 떨어질 수 있으므로 이점을 유의하는 것이 가장 중요하다.

1) 일차성 부갑상선기능항진증

수술 후 골기아증후군(hungry bone syndrome, 골형성증가로 혈중 칼슘 농도가 급격하게 떨어지는 현상)은 나타나지 않는 경우가 많다. 수술 후 1~2일간 혈중 칼슘농도가 급격하게 떨어지지 않으면 퇴원 가능하다.

2) 이차성 및 삼차성 부갑상선기능항진증

골기아증후군의 발생빈도가 높으므로 칼슘농도에 유의한다. 필자의 기관에서는 전절제술 후 자가이식 혹은 아전절제술을 한 경우에는 글루콘산칼슘을 경정맥으로 투여하고 수술 후 24시간 유지한 후 혈중 칼슘 농도에 따라 경구로 전환한다.

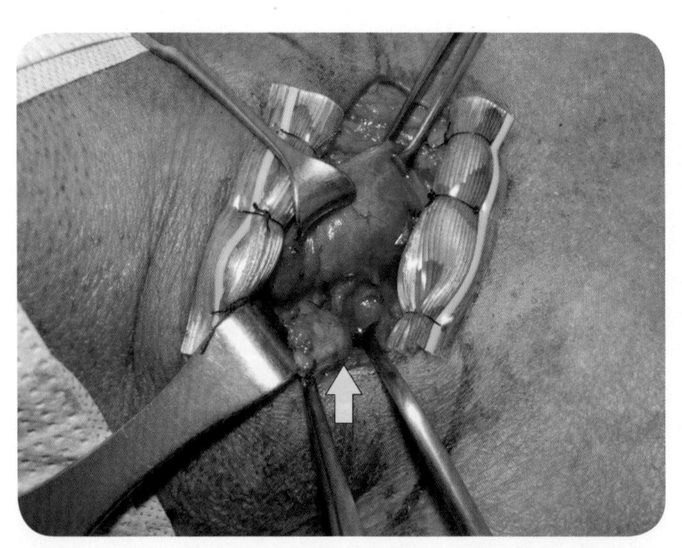

그림 6-9 (화살표)

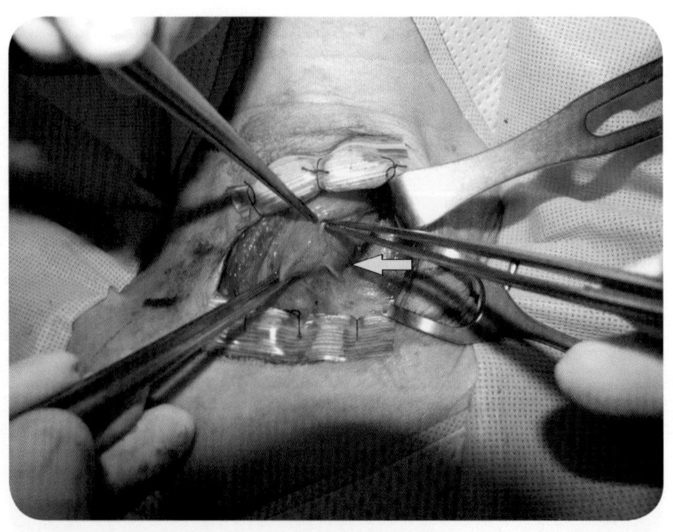

그림 6-10 (화살표)

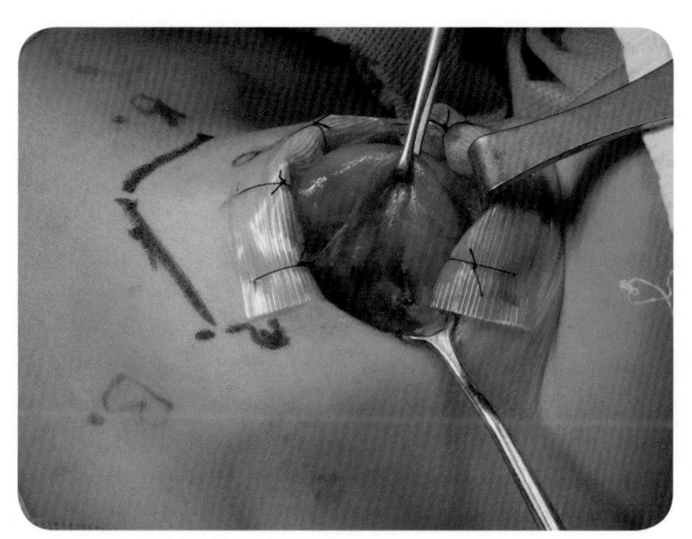

그림 6-11

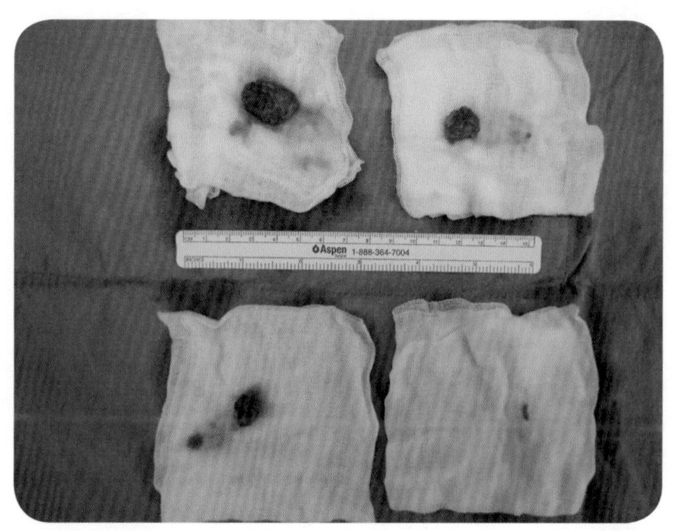

그림 6-12 좌하부 부갑상선이 반만 절제되고 반은 경부에 남겨져 있다.

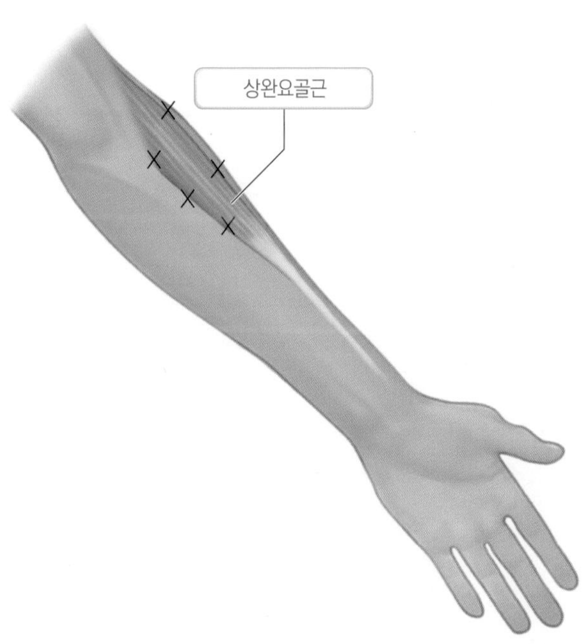

그림 6-13 부갑상선의 자가이식

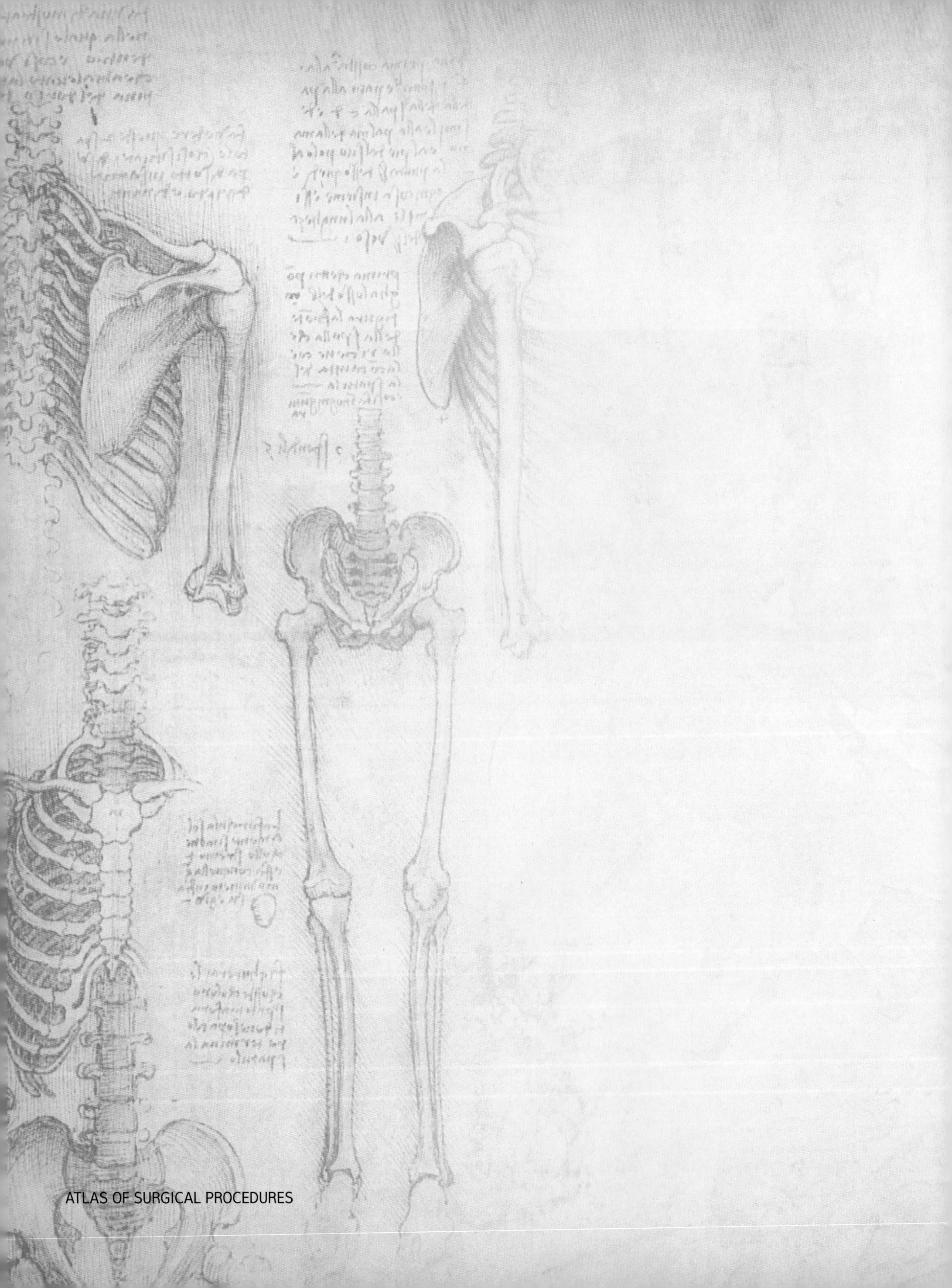

ATLAS OF SURGICAL PROCEDURES

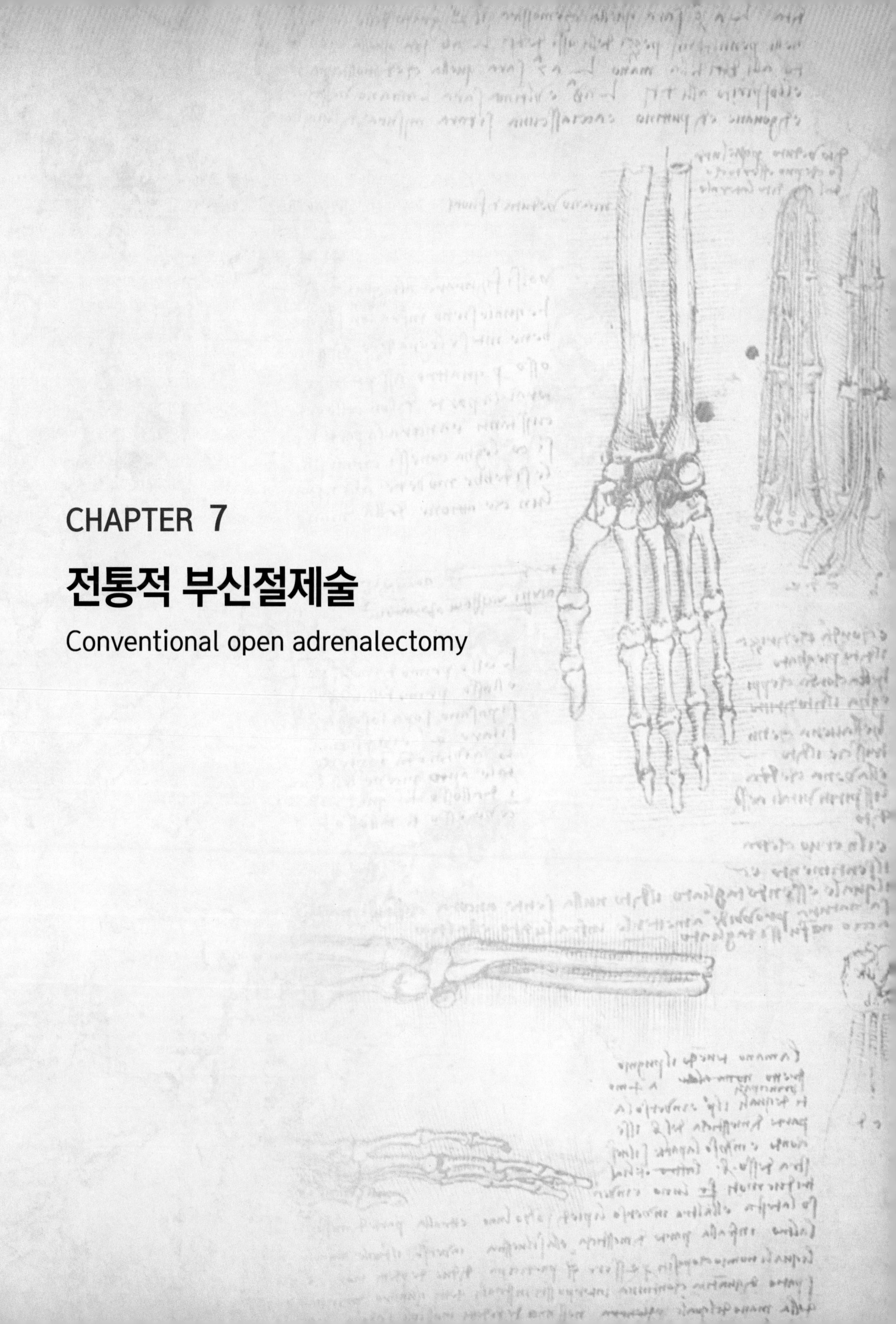

CHAPTER 7

전통적 부신절제술

Conventional open adrenalectomy

1. 서론

부신의 수술적 치료는 드물게 시행되어 왔지만, 최근 영상진단의 발전으로 부신 우연종의 발견이 증가하면서 수술의 적응이 되는 경우도 증가하고 있다. 현재 대부분의 부신절제술은 복강경을 이용하여 시행되고 있지만, 아주 큰 종양이나 진행된 암종의 경우와 같이 여전히 전통적인 부신절제술이 필요한 경우들이 있으며, 복강경 수술에서 전통적 수술로 전환해야 하는 경우도 드물게 있다.

전통적 부신절제는 몇 가지 접근법이 있는데, 1889년 Thornton에 의해 처음으로 복강을 통한 전방 접근법이 시행되었고, 1927년 Mayo는 옆구리를 통한 접근법을, 1936년 Young은 후방 접근법을 소개하였다. 드물게 흉복 또는 경흉강 접근법이 필요할 수도 있다. 각각의 방법은 고유의 장단점이 있으므로, 수술 방법은 질환의 종류, 악성 가능성, 환자 상태와 체형, 해부학적 특성, 양측성 유무, 외과의사의 선호도 등의 요소들을 고려하여 선택해야 한다. 수술 전 장 청결이 필요하며, 호르몬 분비 과잉이 있는 경우 가능한 수술 전에 그 효과를 정상화시키는 것이 중요하다.

2. 수술 과정

1) 전방접근법

전방 접근법은 외과의에게 친숙한 접근법으로 전통적 개방 접근에서 흔히 선택된다. 양측 또는 편측 늑골하절개를 많이 사용하지만, 정중절개도 가능하다. 전방 접근법의 장점 중 하나는 환자의 자세를 바꾸지 않고 동일한 절개를 통해 양측 부신에 접근할 수 있다는 점이다. 또한 종양의 크기에 제한받지 않으며, 주위로 침윤된 암종의 경우에도 근치적 절제를 시행할 수 있는 장점이 있다.

환자를 앙와위로 두고 늑골하절개 또는 정중절개를 가한다.

(그림 7-1) 우측 부신을 노출시키기 위해서는 먼저 결장의 간굽이를 박리하여 아래로 견인하고, 간우엽의 삼각인대를 박리하여 간을 상방으로 견인한다. 필요시 Kocher 술식을 이용하여 십이지장 C-루프를 내측으로 견인하기도 한다.

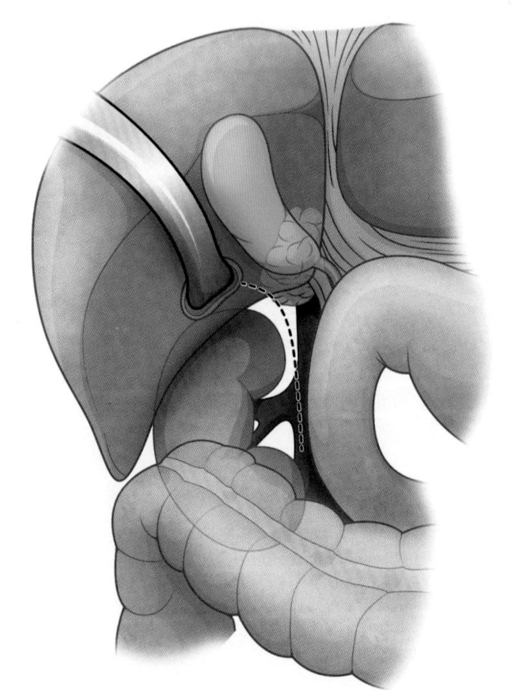

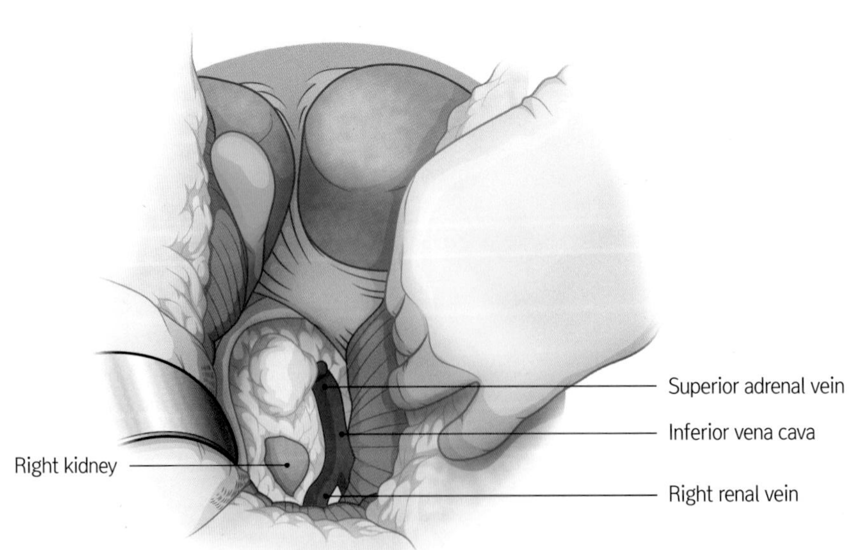

그림 7-1

(그림 7-2) 우측 부신이 노출되면, 먼저 하대정맥과 접하는 부분을 박리하여 부신정맥을 찾고 결찰한다. 부신정맥은 우측 부신의 상내측에서 나와서 하대정맥의 후외측으로 들어간다. 특히 갈색세포종의 경우에는 부신정맥의 조기 결찰이 이 후의 수술을 용이하게 해준다. 부신정맥은 단순 결찰보다는 봉합을 이용한 결찰이 심각한 출혈의 가능성을 낮춰준다.

나머지 부신의 작은 정맥이나 동맥은 결찰하거나 초음파절삭기 또는 전파절삭기로 절단한다.

(그림 7-3) 좌측 부신의 경우 먼저 결장의 비장굽이를 박리하고, 위결장 인대를 하장간막정맥의 위치까지 분리한 뒤 박리한 결장을 아래로 견인한다. 노출된 췌장 하연을 열고 췌장과 비장을 상방으로 견인하여 부신을 노출시킨다. 이때 비장피막이 찢어져 출혈이 생기지 않도록 유의한다.

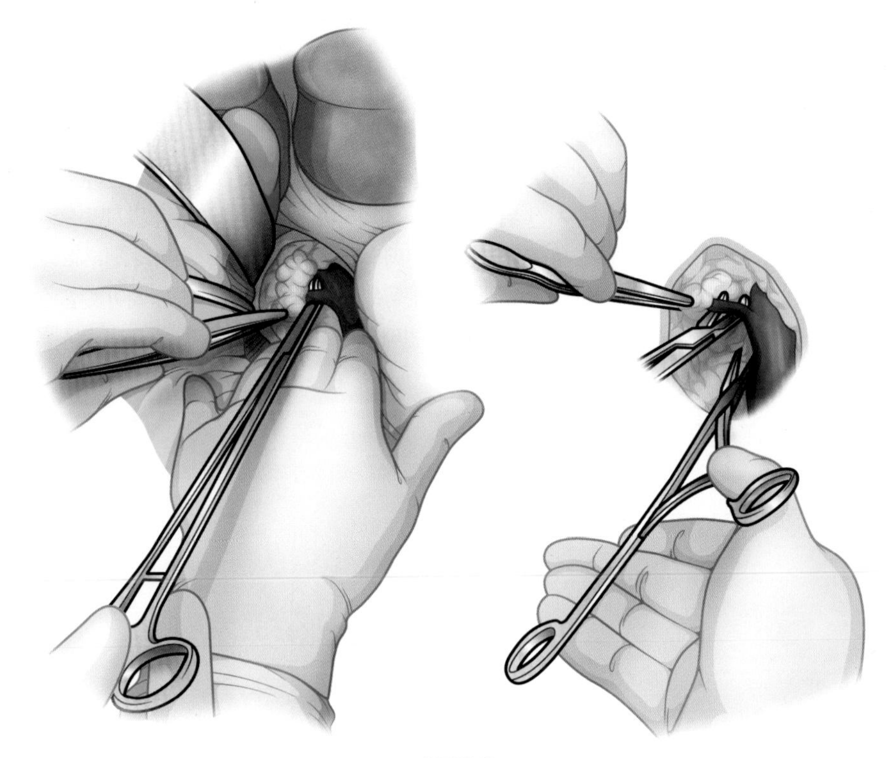

그림 7-2

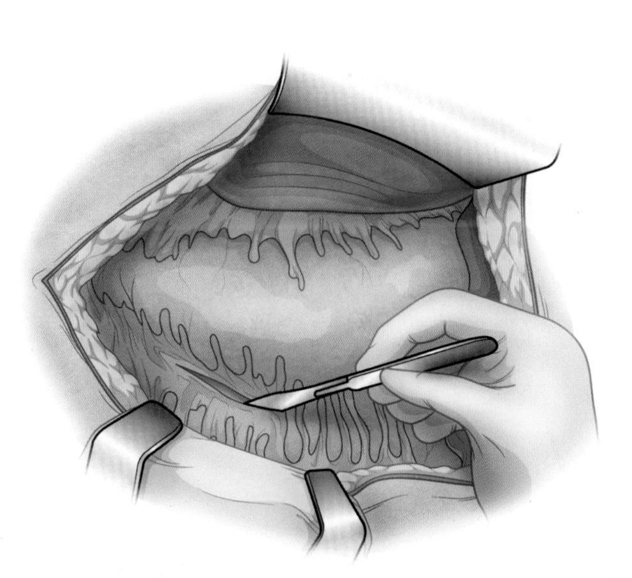

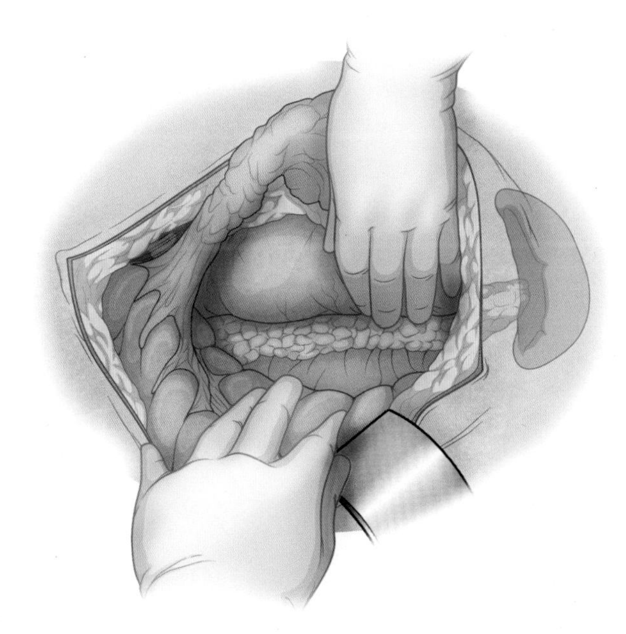

그림 7-3

(그림 7-4) 좌측 부신정맥은 부신의 아래쪽 내측에서 나와서 좌측 신정맥으로 바로 들어가는 경우가 대부분이므로 이 부위를 찾아 결찰한다. 나머지 부신의 작은 정맥이나 동맥은 우측 부신절제와 같은 방법으로 처리한다.

2) 후방접근법

후방 접근법은 외과의사에게 익숙하지 않고, 부신 종양이 아주 크거나 이소성인 경우에는 사용이 어려운 단점이 있지만, 방법이 간단하고 수술 후 회복이 빨라 국소화가 잘 된 부신 종양의 절제에 적합하다. 유방암 전이의 경우와 같이 복막 전이가 수술을 방해하는 경우에 고식적 부신 절제의 가장 좋은 접근 방법이다. 환자를 복와위(prone position)로 위치시키고 수술대를 12번째 늑골 부위에서 꺾은 뒤, 골반과 가슴 부위에 스폰지 등으로 깔아준다. 복부가 눌리지 않고 어깨가 떨어지지 않도록 지지하는 것에 유의해야 한다.

(그림 7-5) 절개는 11번째 늑골 위에 척추주위(paraspinatus muscle) 외연의 바로 내측에서 시작해서 12번째 늑골 끝 아래까지 휘어진 곡선 모양으로 가한다. 절개가 높으면 늑막 손상의 위험이 크므로 수술 전 12번째 늑골을 확인하는 것이 좋다. 12번째 늑골을 따라 횡절개를 가하는 방법도 있다.

(그림 7-6, 7) 광배근(latissimus dorsi)을 피부 절개와 같은 방향으로 절개하고, 척추주위근을 노출시킨 뒤 위아래로 박리하여 분리하고 내측으로 견인하여 12번째 늑골을 노출시킨다. 이때 늑간혈관 손상에 유의한다. 골막에 절개를 가한 뒤 가능한 12번째 늑골 내측까지 제거한다.

(그림 7-8) 마취과의사가 폐를 확장시키면 늑막의 움직임을 확인할 수 있다. 늑막 바로 아래 횡격막의 근육 부착부위가 보이는데 이를 외측에서 내측 방향으로 절개한다. 이때 늑간혈관을 결찰 할 수 있으나, 늑간신경은 보존해야 한다. 늑막을 11번째 늑골 위로 견인하고 복횡근막(transversalis fascia)과 제로타 근막(Gerota's fascia)을 같은 방향으로 절개한다. 신장을 앞쪽 외측으로 밀면 부신이 그 상방 내측에서 보인다.

우측의 경우 간이 수술 창의 전상방에 위치함을 명심한다. 왼쪽 부신은 신장에 붙어있는 경우가 많지만 오른쪽은 아닌 경우도 많다. 부신 주위의 연부조직을 조금 붙여서 부신을 박리하는 것이 수술 중 부신을 다루는데 유리하다. 작은 혈관 분지를 결찰하거나 전기 소작하면서 부신을 박리하여 부신정맥을 찾아 간다.

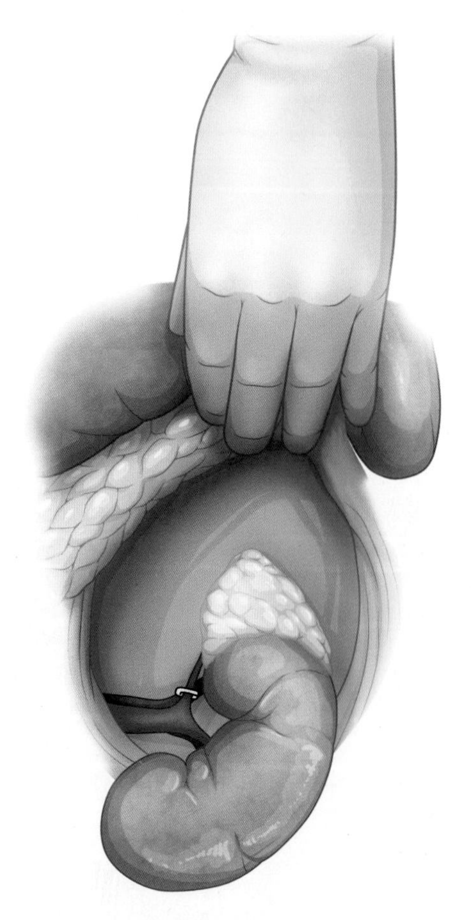

그림 7-4

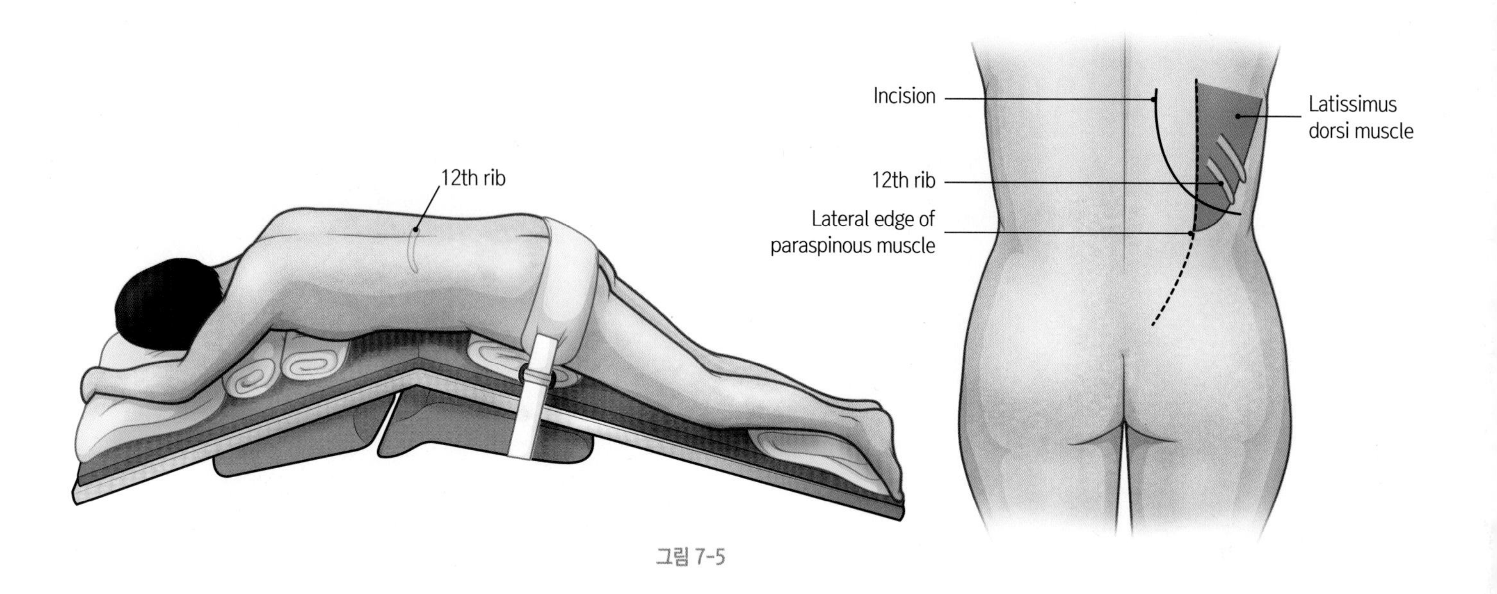
12th rib
Incision
12th rib
Lateral edge of
paraspinous muscle
Latissimus
dorsi muscle

그림 7-5

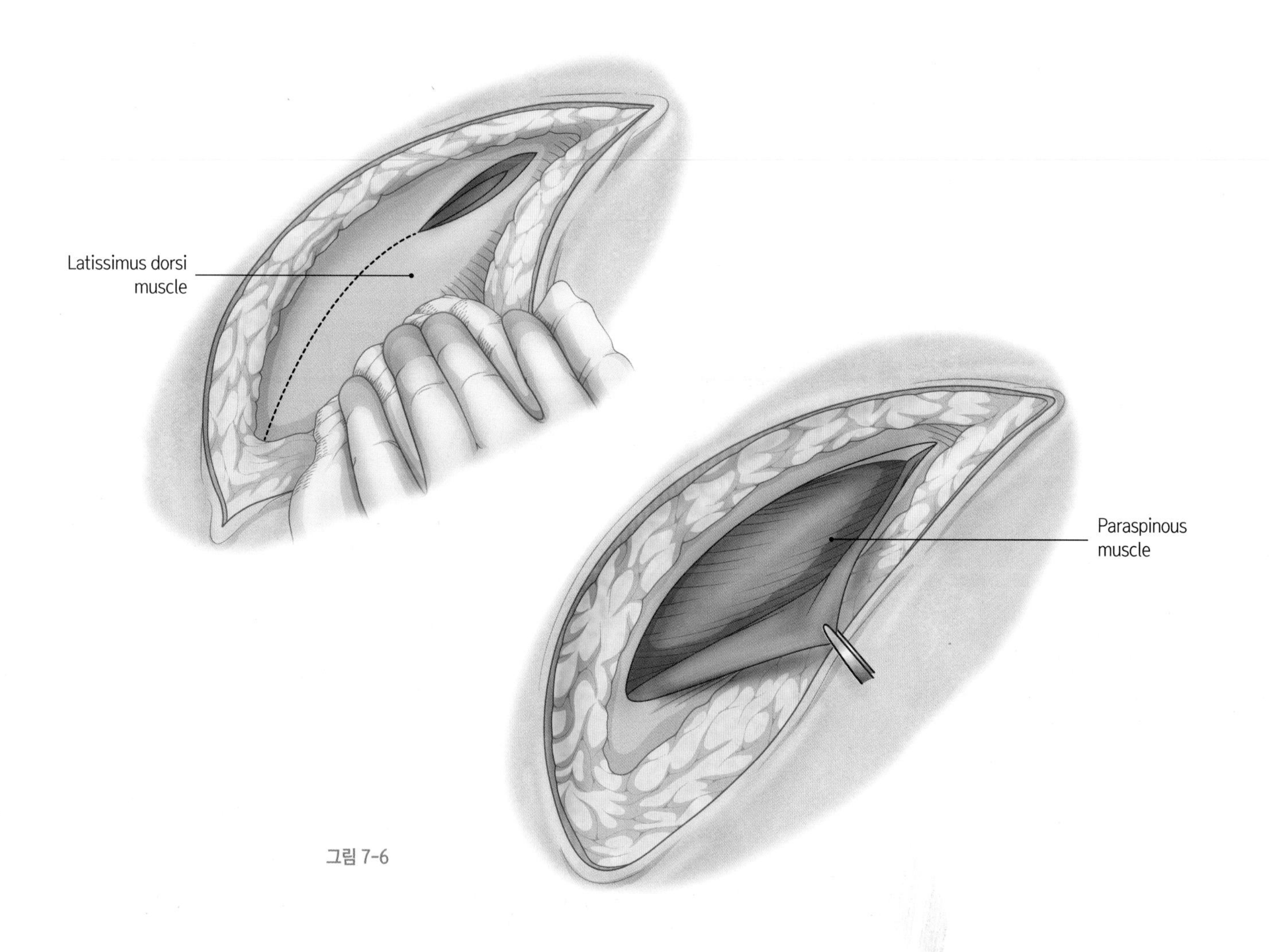
Latissimus dorsi
muscle
Paraspinous
muscle

그림 7-6

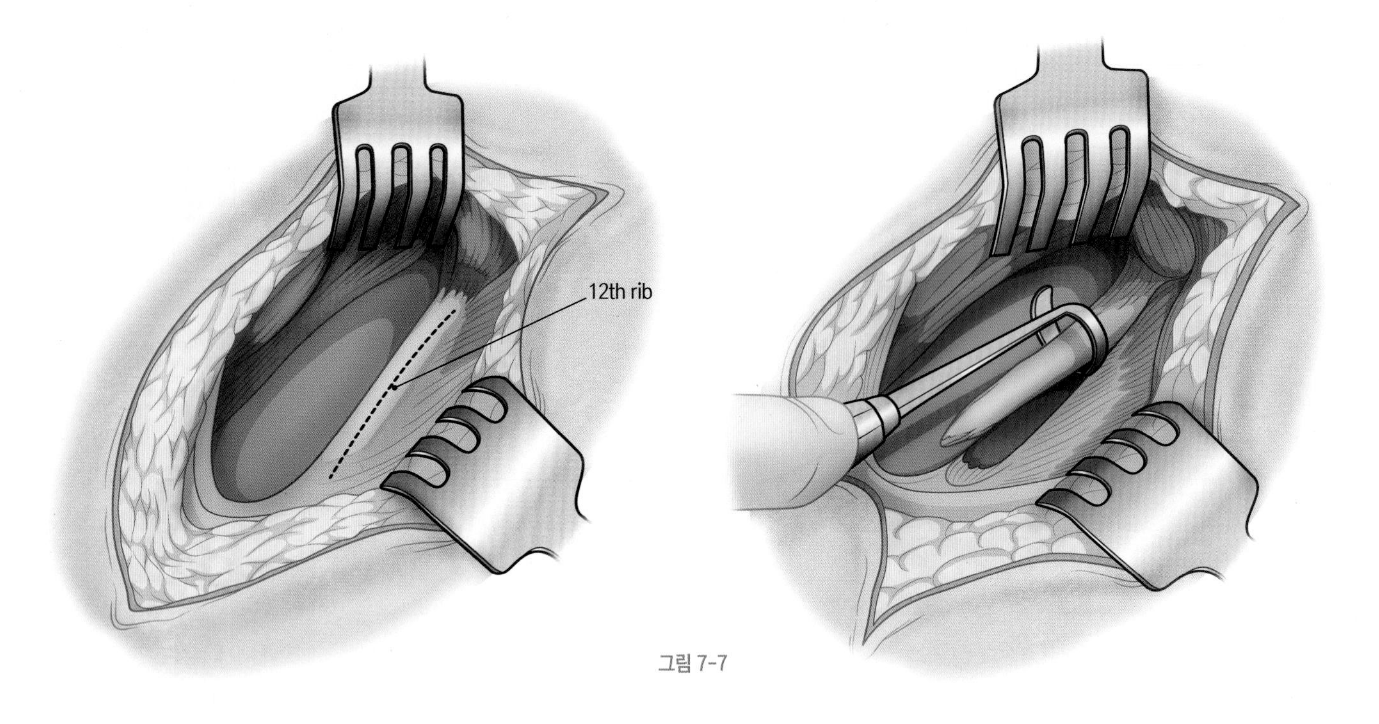

그림 7-7

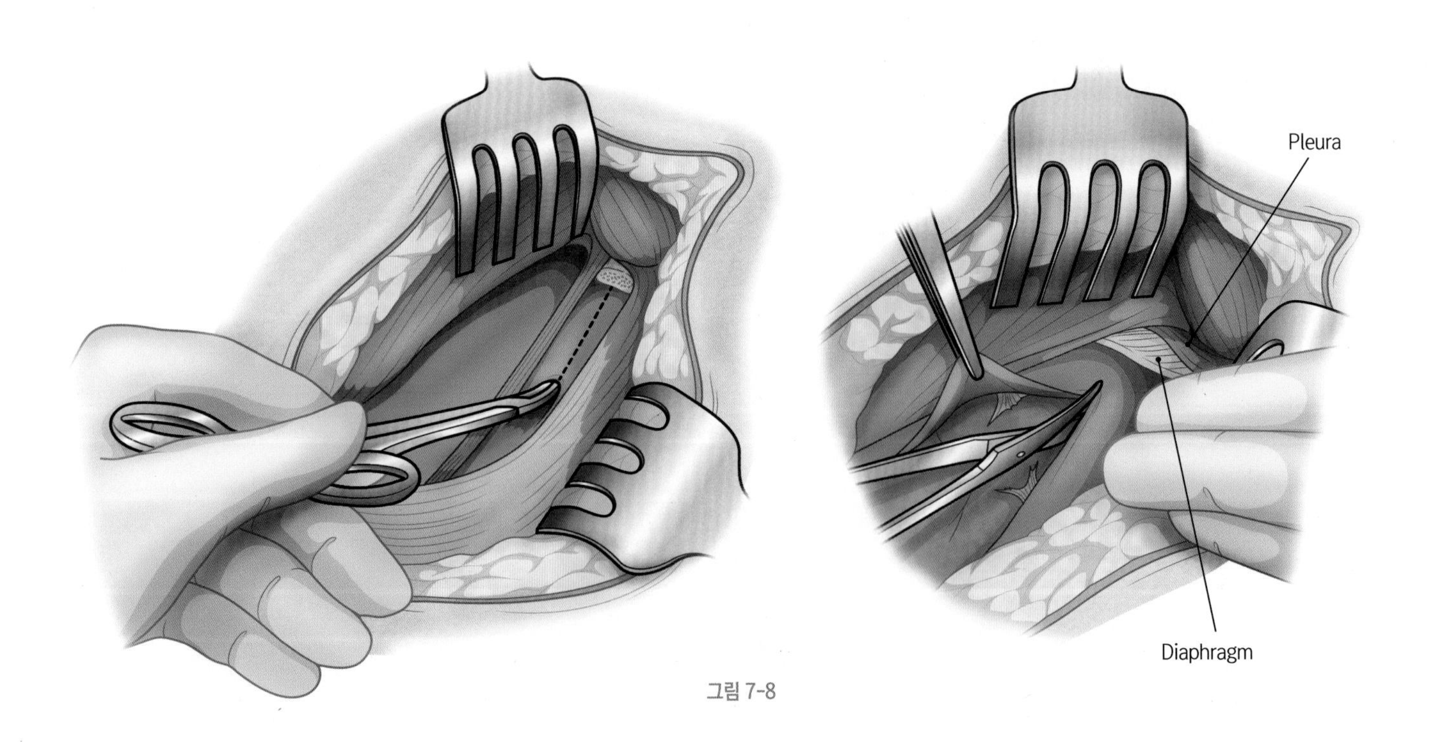

그림 7-8

우측 부신의 경우 하대정맥 위에 놓여있으면서 부신 정맥과 연결되어있어 조심스럽게 박리한다. 부신 정맥을 박리하여 봉합결찰한다. (그림 7-9) 부신 정맥의 결찰은 대부분의 경우 크게 문제가 되지 않지만, 짧고 넓은 목을 가진 경우에는 예기치 못한 출혈에 유의해야 한다. 단속 봉합으로 제로타근막을 닫고, 횡격막 부착 부위와 후방 늑골 골막을 봉합한다. 이때 12번째 늑간 신경이 손상되지 않도록 유의해야 한다. 전방 골막도 봉합이 가능하면 해주고, 광배근을 봉합한 뒤 피부 봉합을 시행한다.

3) 흉복 또는 경흉강 접근법

흉복 또는 경흉강 접근법은 큰 절개를 가하고, 흉강과 복강을 모두 열게 된다. 기본적으로 편측 부신만 절제할 수 있으므로, 매우 큰 종양이나 주위로의 광범위한 침윤이 예상되는 경우, 종양이 하대정맥으로 침윤한 경우와 같이 특수한 경우에 제한적으로 이용된다.

(그림 7-10) 환자를 완전측와위나 반측와위(후방으로 약간 기울임)로 둔다. 10번째 늑골을 확인하고 이를 따라서 늑골연을 지나 상복부까지 절개를 가한다. 좌측부신의 경우 11번째 늑골을 기준으로 삼는다.

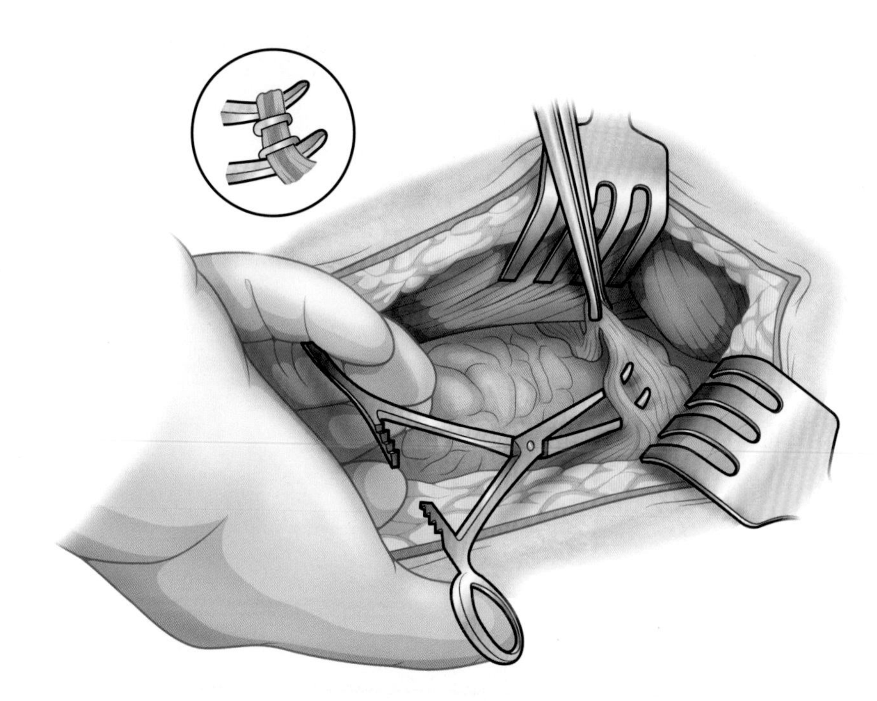

그림 7-9

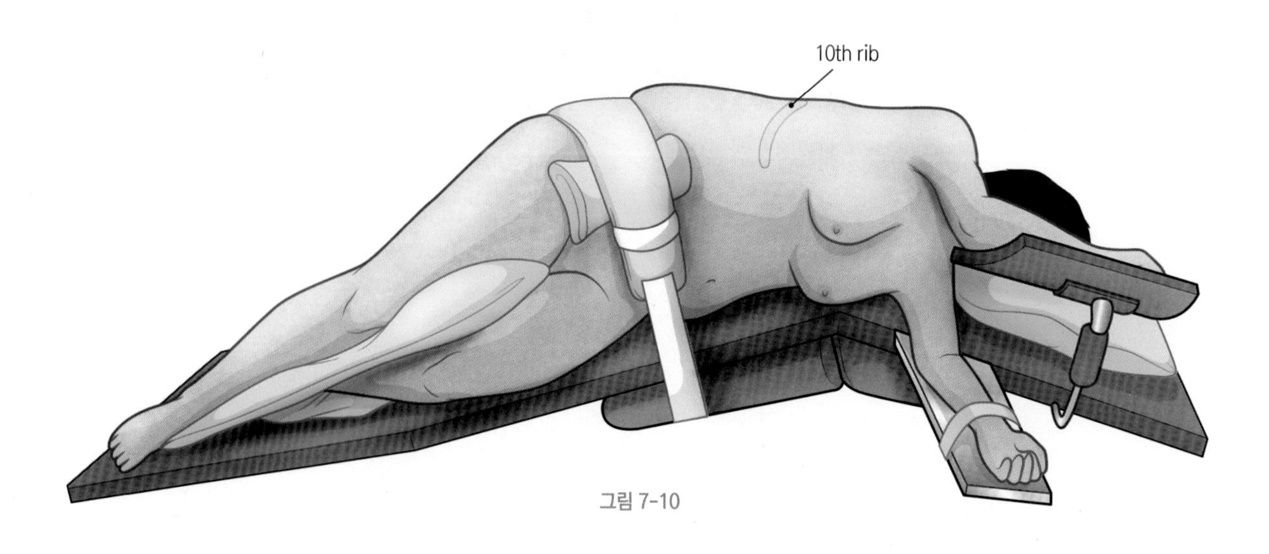

그림 7-10

(그림 7-11) 피하조직을 절개하면 나타나는 하흉부와 상복부의 근육(광배근, 복사근)을 절개하고, 10번째 늑골의 골막을 열고 늑골의 제거한다.

(그림 7-12) 늑막을 열고 종격동, 늑막강, 횡격막, 흉곽내 주요 혈관 등을 촉지하여 종양이 없음을 확인한다. 앞쪽으로 상복부의 근육을 확인하고, 외복사근과 내복사근을 차례로 절개한다. 횡격막의 외측 부착 부위에서부터 전방으로 절개하면서 복막이 확인되면 이를 열고 복강으로 접근한다. 손가락을 복강 내로 넣고 후방으로 횡격막을 절개한다.

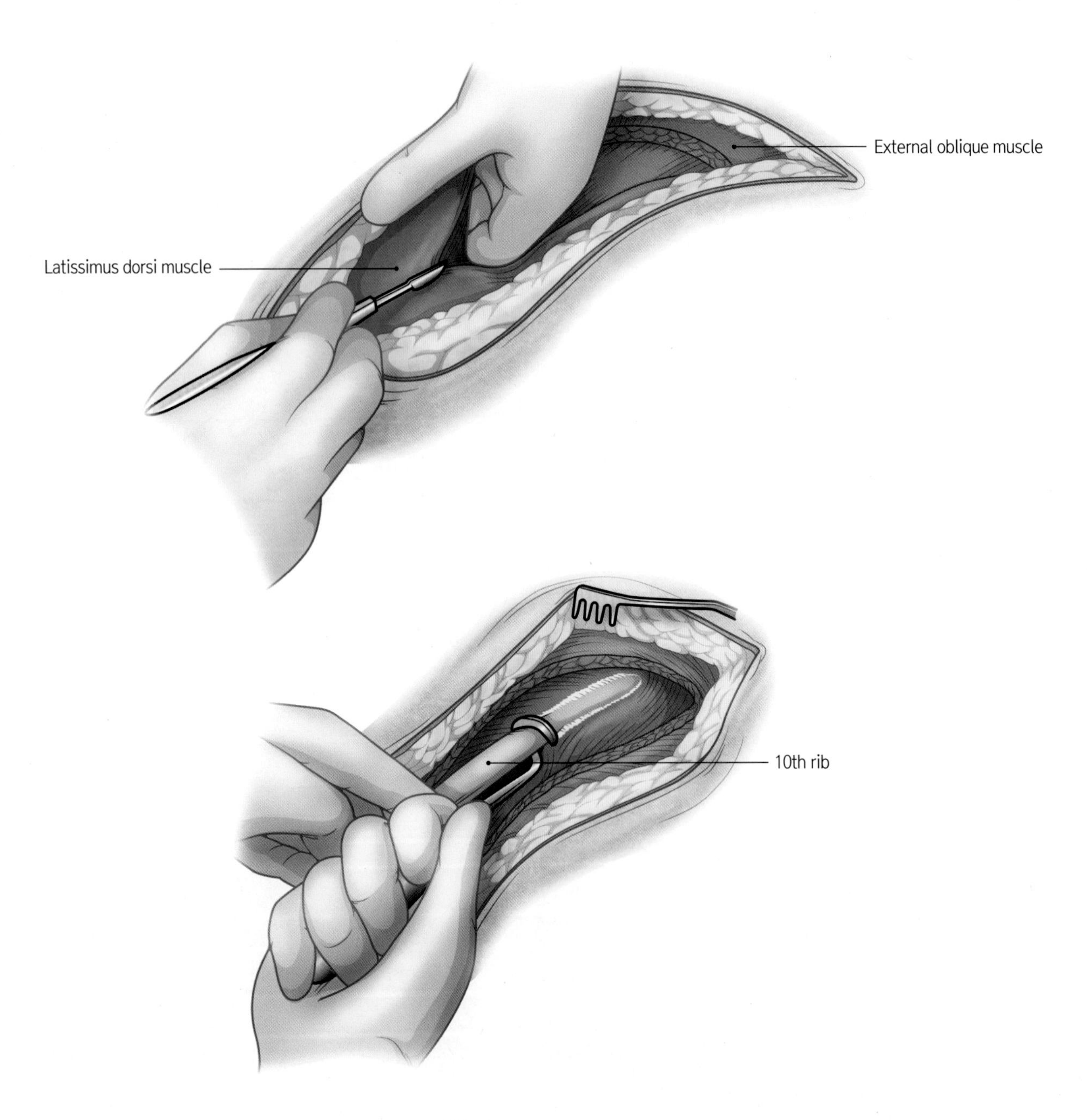

그림 7-11

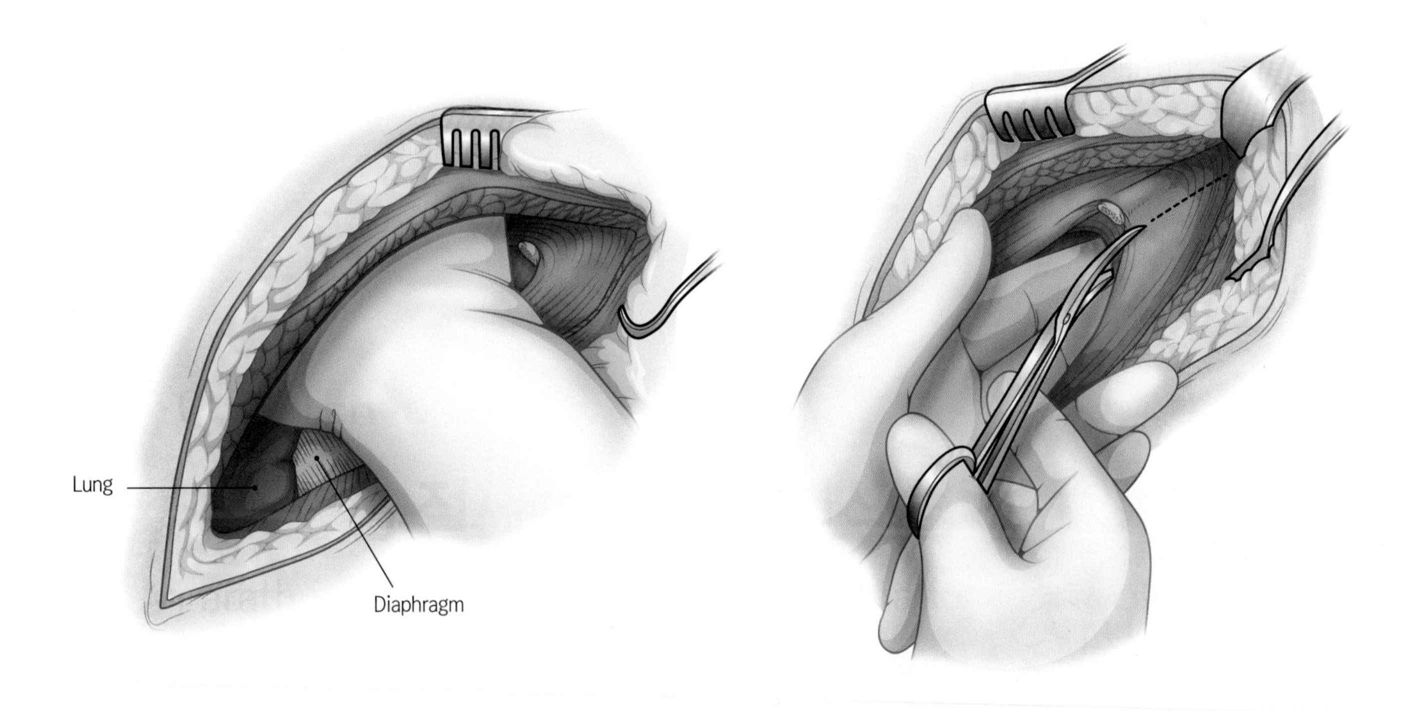

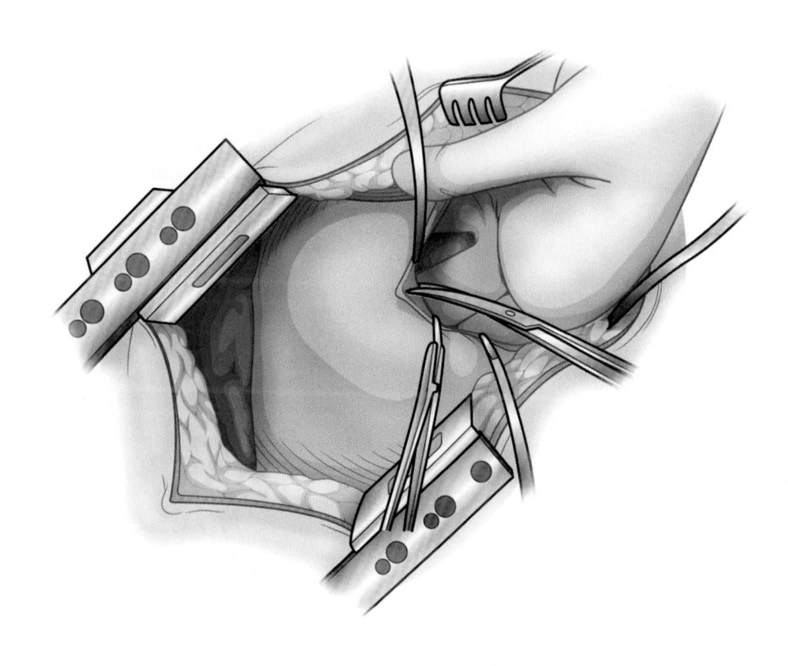

그림 7-12

(그림 7-13) 우측 부신 절제를 위해서는 간우엽을 박리할 필요가 있다. 간우엽을 견인하면 횡격막각(crus)을 찾을 수 있고, 근처에서 우측 부신을 확인할 수 있다. 먼저 부신의 상단으로 향하는 하횡격막혈관의 분지를 찾아 결찰하고 자른다. 부신의 상방과 외측면의 복막을 분리하여 부신 상부를 횡격막극으로부터 분리시킨다. 부신의 박리를 더 진행해서 하대정맥을 노출시키고, 부신으로부터 하대정맥으로 연결되는 주(main) 부신정맥을 확인한다.
신정맥으로부터 부신 하부로 들어가는 혈관 분지를 확인하고 결찰 후 분리한다. 마지막으로 주 부신정맥을 봉합결찰하고 부신을 적출한다. 수술 부위를 주의 깊게 살펴보고, 출혈이 없음을 확인한 뒤 수술 창상을 봉합한다.
횡격막은 2-0 실크를 이용하여 흉강쪽에서 봉합하고, 복막은 2-0 단속 봉합으로 닫는다. 늑막강에 흉관을 삽입하고 수술창을 통해 외부로 빼낸다. 벌어진 늑골을 가깝게 한 뒤 골막을 봉합한다. 흉부와 복부의 근육층을 봉합한 뒤 피하층과 피부를 봉합한다. 피부 봉합의 마지막 단계에서 흉관에 흡인기를 연결하고 흉강내압을 양압으로 유지하면서 흉관을 제거한다.

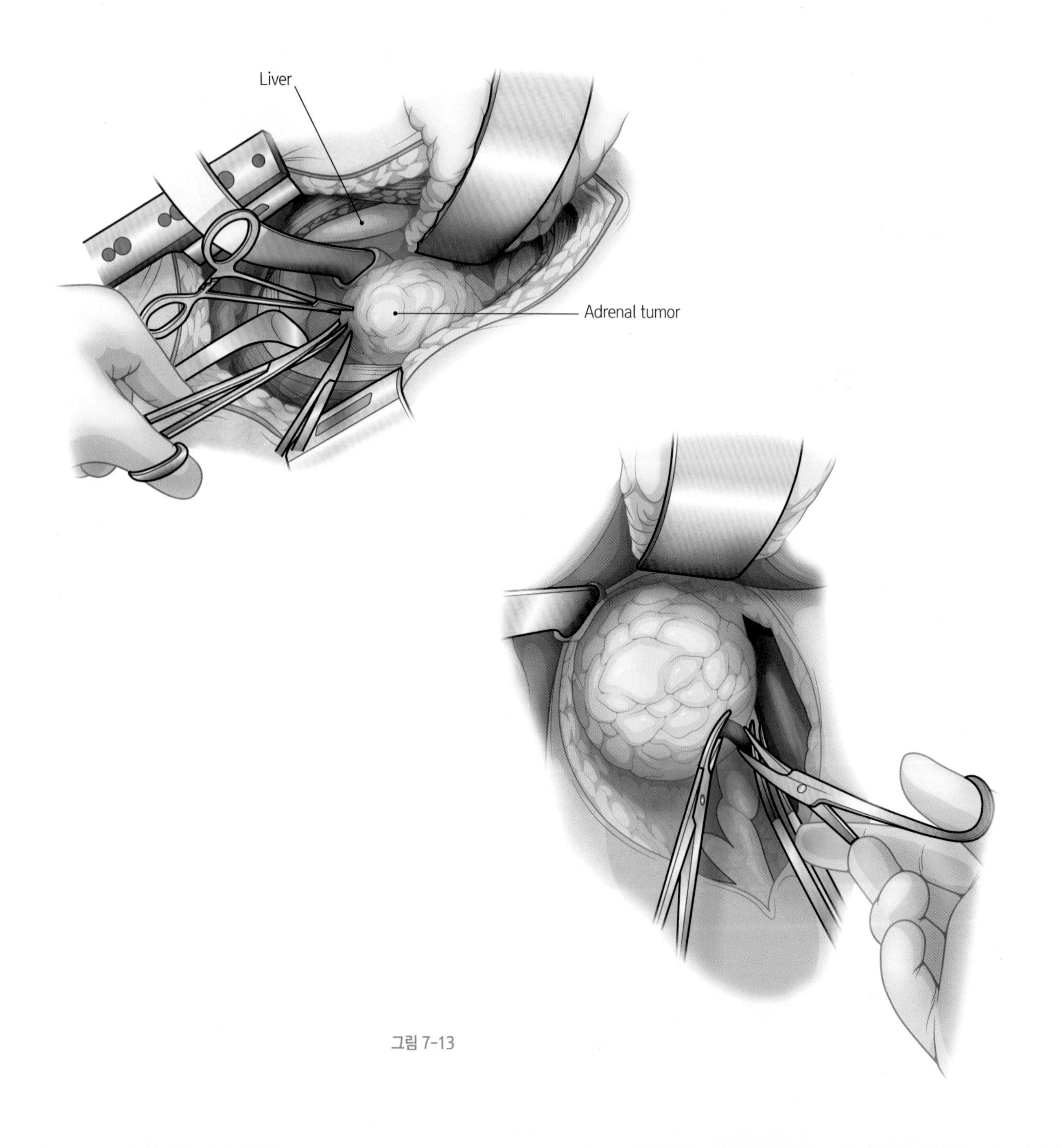

그림 7-13

4) 옆구리 접근법

옆구리 접근법은 후방 접근법과 마찬가지로 복막외 접근법이다. 비만 환자인 경우와, 이전 수술로 인해 복강을 통한 접근이 어려운 경우에 유용하며, 복강경 부신절제술이 실패하여 개방절제술로 전환할 때 유용하다.

(그림 7-14) 환자는 측와위로 두고 수술대를 꺾어 늑골하연과 장골능선의 거리가 최대로 벌어지게 한다. 11번째 또는 12번째 늑골의 끝에서 시작해서 늑골을 따라 후방으로 피부절개를 가한다. 광배근, 외복사근, 내복사근, 복횡근을 절개하고 11번째 늑골을 노출시킨 뒤 골막하 박리 후 늑골을 제거한다. 우측의 경우, 간, 십이지장, 우측 결장의 복막을 신장 주위 지방 조직으로부터 분리한다. 좌측의 경우에는 췌장, 비장, 좌측 결장의 복막을 박리하여 분리한다. 제로타근막을 열고 부신을 찾는다. 이하 수술 과정은 후방접근법의 경우와 같다.

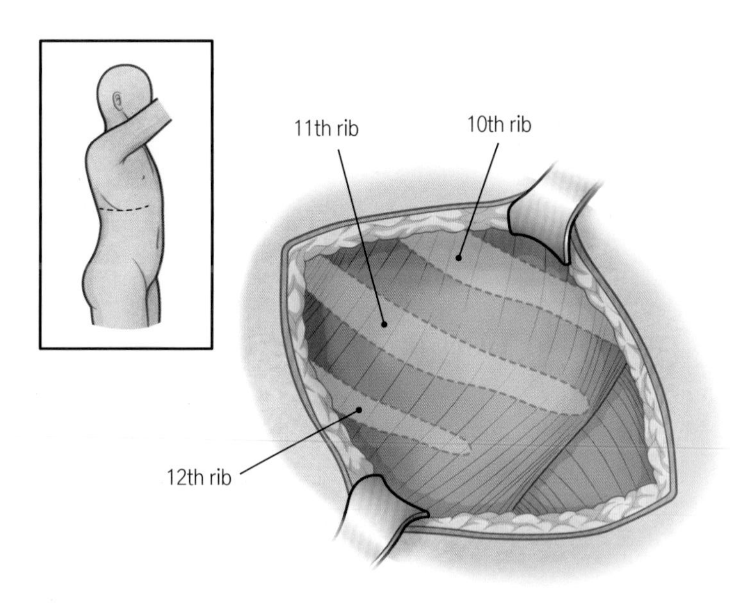

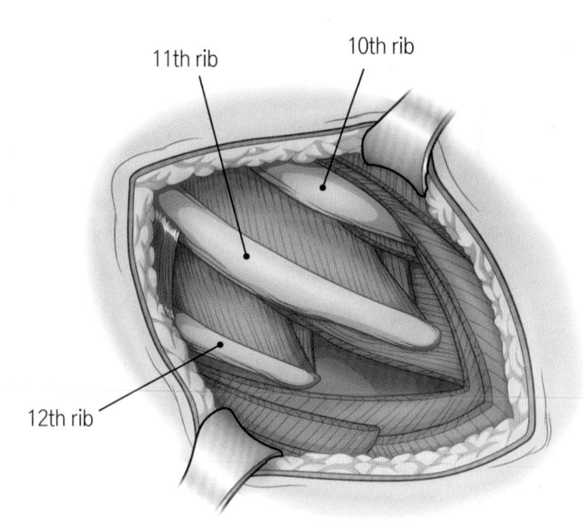

그림 7-14

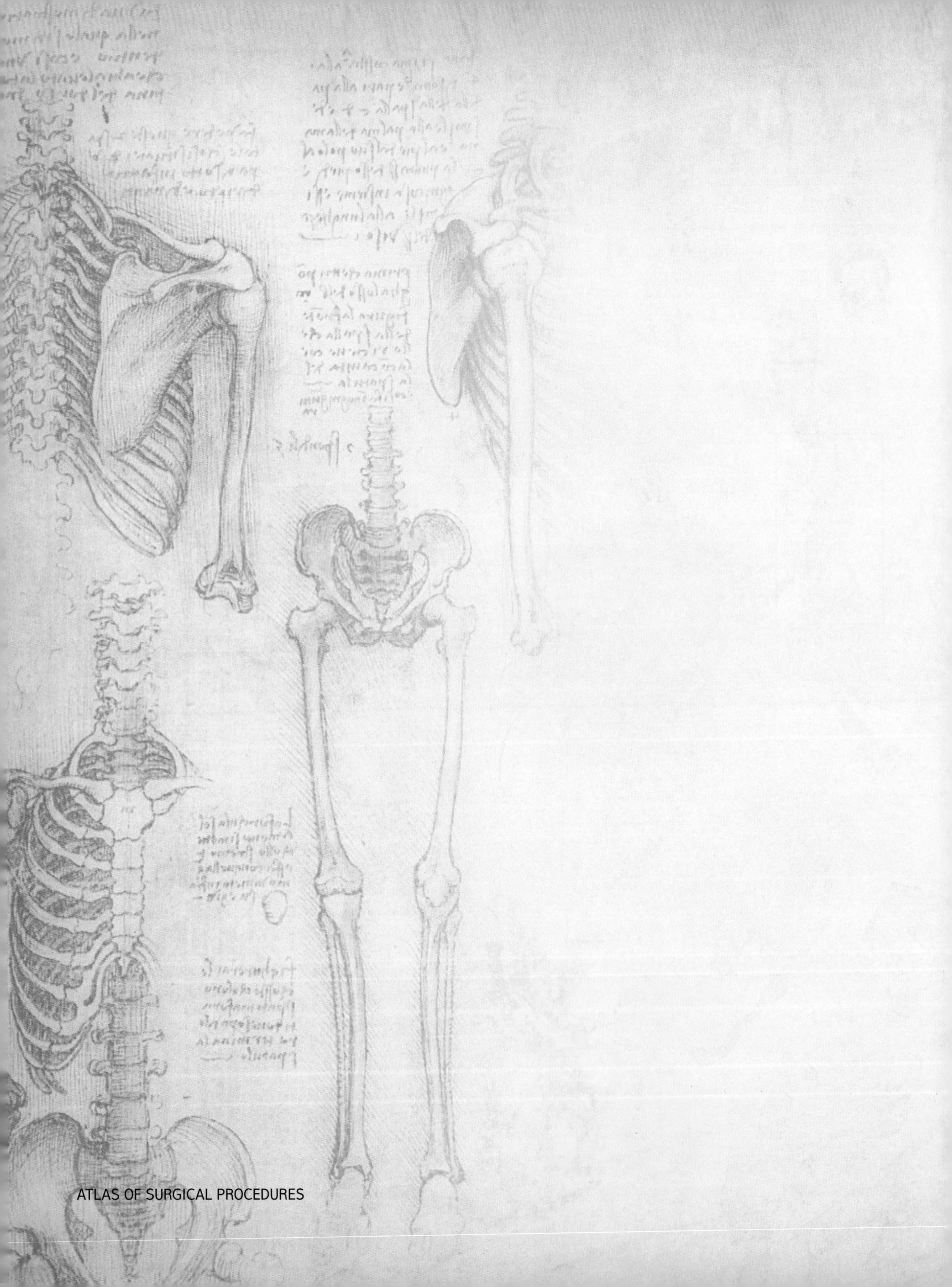
ATLAS OF SURGICAL PROCEDURES

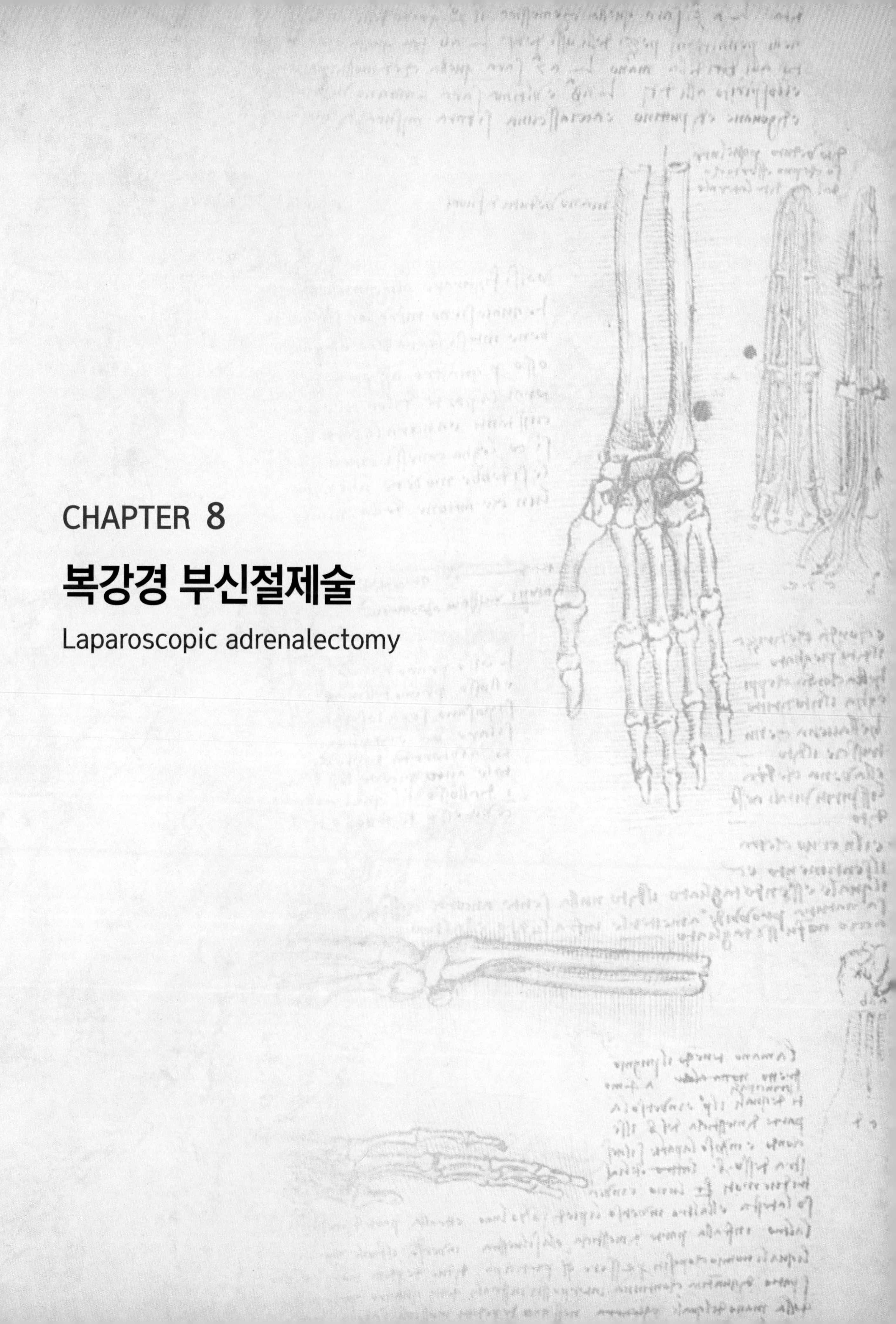

CHAPTER 8

복강경 부신절제술

Laparoscopic adrenalectomy

1. 적응증

알도스테론종, 쿠싱증후군, 부신선종, 일차성 부신과형성(adrenal hyperplasia), 갈색세포종(pheochromocytoma)

2. 비적응증

국소적으로 침범이 있거나 크기가 큰 부신의 악성종양, 크기가 큰 (10 cm 이상) 양성 부신종양, 복강경 수술의 금기사항을 가진 환자, 수술 할 부위의 수술 기왕력이 있는 환자

3. 수술 전 처치

기능성 부신종양을 가진 환자들은 수술 전 혈압 조절과 전해질 이상을 교정 하여야 한다. 특히 갈색세포종 환자의 경우 수술 6~7일 전부터 α차단제(α-blocker)로 혈압을 조절하도록 하며, 수술 전 또는 수술 중 갑작스러운 빈맥이 발생하는 경우에는 β차단제(β-blocker)로 조절하도록 한다. 또한 기능성 부신 종양으로 인해 발생하는 쿠싱증후군의 경우, 수술 전후에 코르티코스테로이드의 정맥투여가 필요하다. 복강경 부신절제술의 경우 일반적으로는 비위관 삽입은 필요치 않는다.

4. 마취

전신마취 하에 기관 삽관 후 예상되는 세균에 대한 예방적 항생제를 투여한다.

I. 경복막 접근법(Transperitoneal approach)

1. 환자 자세

(그림 8-1) 환자가 마취되면 환자를 측와위로 위치 시키며, 이때 환자의 수술부위가 위쪽을 향하도록 한 후, 환자의 허리부위가 잘 노출될 수 있도록 수술대를 굴곡(flexion)시킨다. 굴곡 부위에 환자의 장골능선(iliac crest)을 위치시킨 후, 콩팥베개(kidney bar)가 올라오도록 한다.

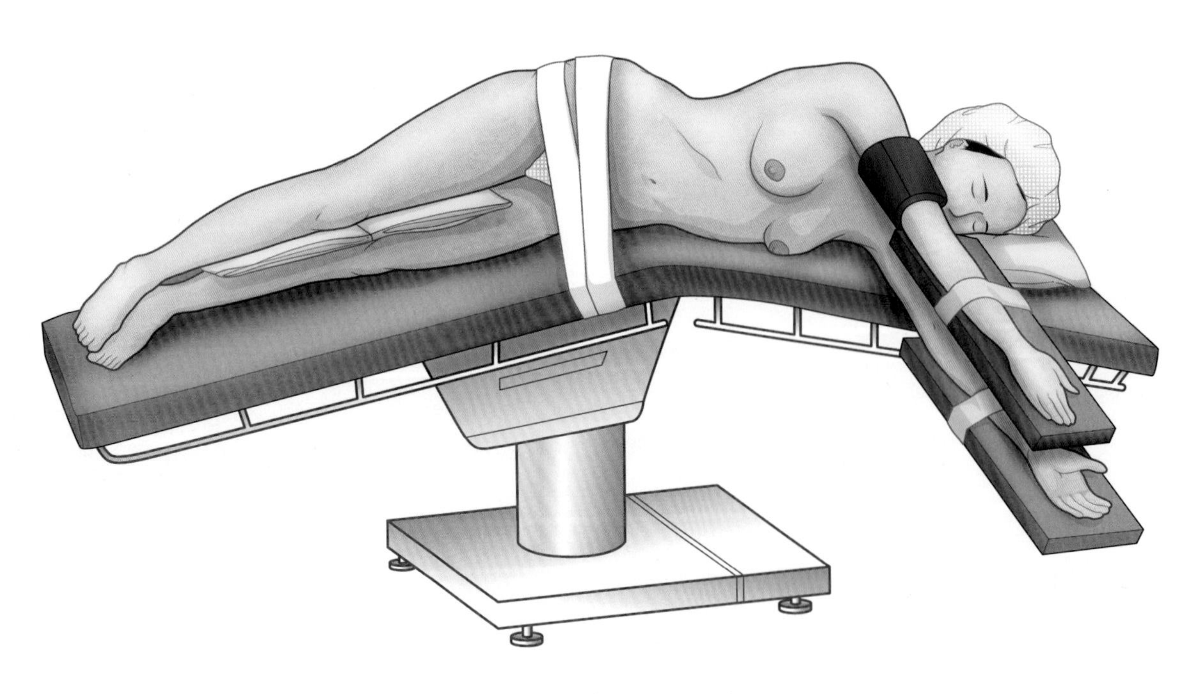

그림 8-1

(그림 8-2) 수술자의 위치는 우측 부신 절제술의 경우 환자의 우측에 위치하며, 제1 보조의는 환자의 좌측에 위치하도록 한다. 카메라를 작동하는 사람은 보조의와 같이 환자의 좌측 하부에 위치하도록 한다. 수술자가 환자의 좌측에 위치하면 간을 거상하는 제1 보조의, 카메라 보조의가 모두 좌측에 위치하여 어려울 수 있으나 선호도에 따라 달라지기도 한다. 좌측 부신절제술의 경우에는 이와 반대로 위치하면 된다.

2. 수술 준비

30° 또는 flexible 복강경 카메라, 투관침, 비디오 시스템, 복강경 수술기구, 초음파 절삭기

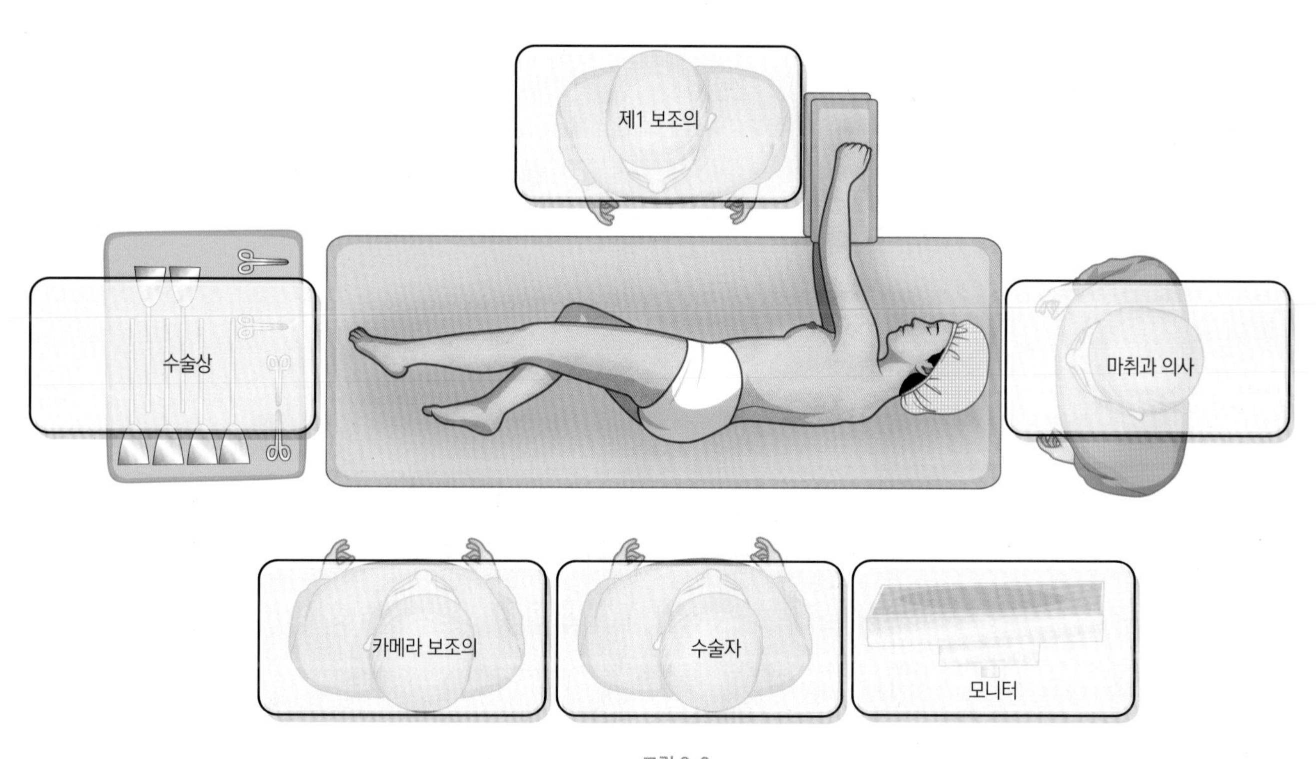

그림 8-2

3. 절개 및 노출

(그림 8-3) 환자의 기복 형성을 위해 veress 침을 이용할 수도 있으나, 이는 내부장기, 혈관 손상 등의 합병증을 유발 시킬 수 있기 때문에, 가급적이면 Hasson방법(open technique)을 이용하도록 한다.

카메라 삽입을 위한 첫 번째 투관침은 환자의 늑골연에서 2 cm 정도 하방의 중쇄골선상에 삽입하도록 하며, 이때 11 mm 크기의 투관침을 사용하도록 한다. 이후 이산화탄소를 주입하여 12 mmHg의 압력으로 기복을 형성한다. 기복이 형성되면 복강경 카메라를 삽입하여 복강 내 동반질환 유무를 확인하도록 한다. 두번째 투관침은 11 mm 투관침을 사용하여 흉골 직하방에서 2 cm 정도 떨어진 곳에 삽입하도록 한다.

세 번째와 네 번째 투관침은 늑골연에서 2 cm 정도 하방의 전액와 선상과 후액와 선상에 삽입하도록 하며, 5 mm 투관침을 사용한다. 첫 번째 투관침을 제외한 나머지 투관침 삽입시 주의할 점은, 반드시 복강경 카메라로 투관침 삽입 부위 및 과정을 확인하여 내부장기 손상과 같은 합병증 발생이 생기지 않도록 예방하는 것이다.

1) 우측 부신절제술

(그림 8-4) 투관침 삽입이 완료되면 흉골 직하방에 위치한 투관침에 간 견인기(liver retractor)를 삽입하여 간우엽을 거상 시킨다. 이후 간우엽의 후복막부 부착 부위에서부터 하대 정맥 안쪽 경계부위까지 박리 하도록 한다.

(그림 8-5) 박리가 끝나면 신장 상부에서 부신을 확인할 수가 있으며, 일단 부신을 확인하게 되면 부신의 박리를 시작하도록 한다. 박리는 부신의 내측면으로부터 시작하도록 한다. 이때 수술자는 항상 하대정맥의 위치를 인지하고 있어야 한다. 부신의 내측을 조심스럽게 박리하다 보면 우측 부신 정맥을 확인할 수 있다. 또한 부신 정맥 주위로 보조 정맥이 있을 수 있으므로 부신 정맥 박리 시 항상 주의하여야 한다.

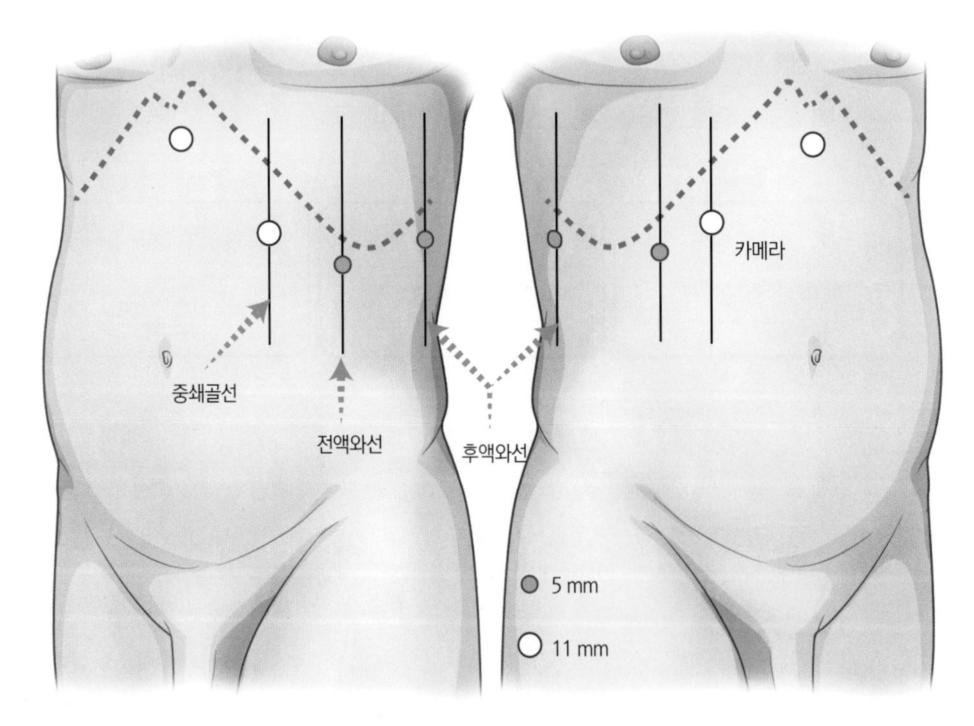

그림 8-3

TIP 1
이때 간의 삼각 인대(triangular ligament)를 박리하면, 간우엽을 좀더 쉽게 거상 시킬 수 있다.

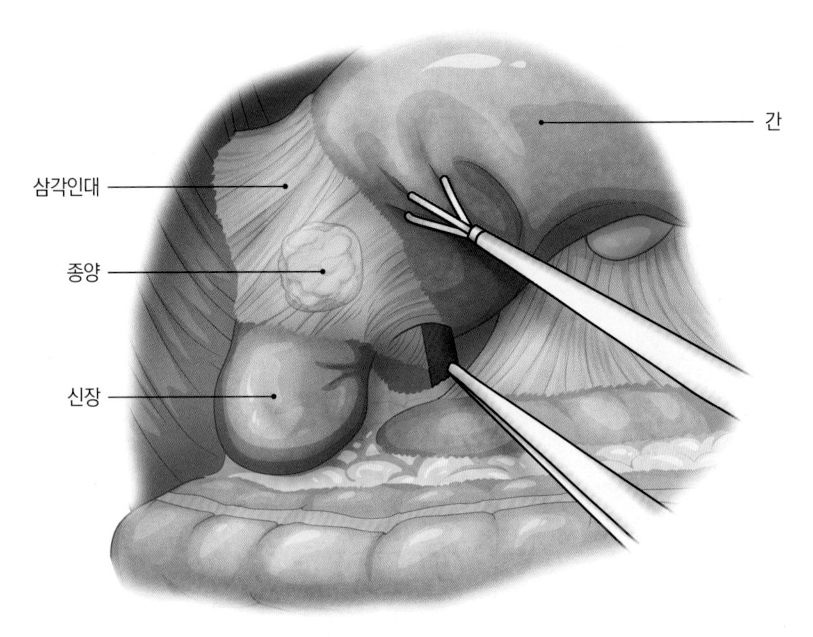

그림 8-4

TIP 2
우측 부신 정맥은 전형적으로 넓고 짧게 생겼으며, 이를 기억해 두면 부신 정맥을 구분하는 데 도움이 된다. 부신 정맥을 주변 조직에서 박리할 때 부신 정맥의 견인은 적은 힘만 주어 조심스럽게 시행함으로서 부신 정맥이 찢어지지 않도록 주의하여야 한다.

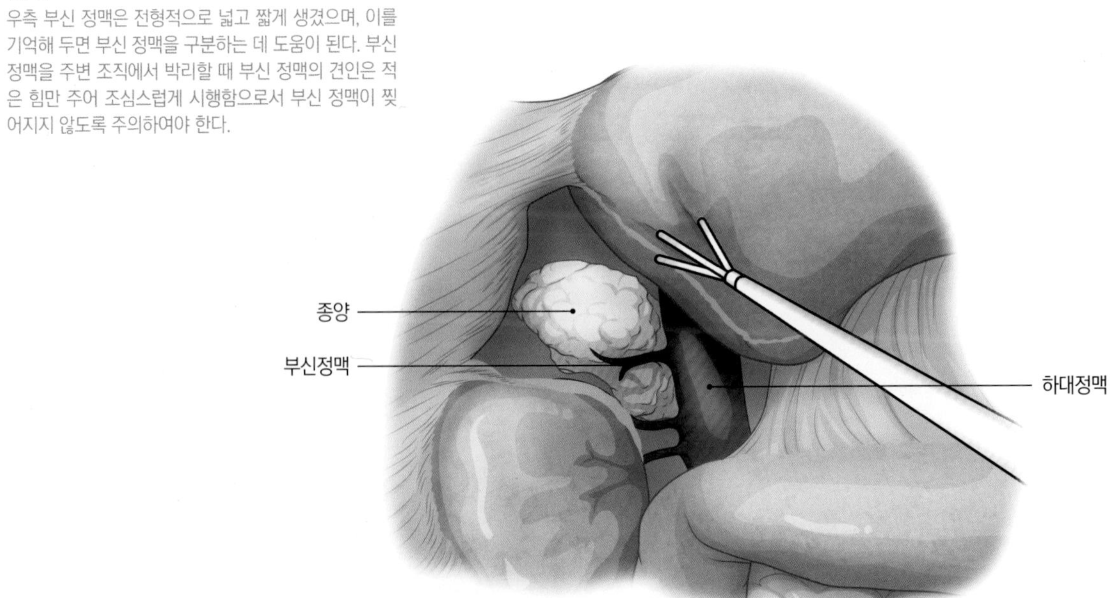

그림 8-5

(그림 8-6) 조심스럽게 부신 정맥의 후방을 박리한 후, 복강경 클립을 사용하여서 부신 정맥을 결찰 하도록 한다. 이때 3개의 복강경 클립을 사용하여 2개는 하대정맥에 인접하여 결찰하도록 하며, 나머지 1개는 부신 근처에서 결찰 하도록 한다. 이후 초음파 절삭기를 이용하여서 부신 정맥을 절단하도록 한다. 만약 부신정맥이나 하대정맥에 손상을 주어 출혈이 일어나면 지혈이 굉장히 힘들 뿐만 아니라 공기 색전증을 일으킬 수 있기 때문에, 이 부분을 박리할 때는 각별히 주의하여야 한다. 부신정맥을 절단한 이후에는 박리를 하방 내측으로부터 상방으로 진행하면서 부신을 절제한다. 이때 부신으로 들어가는 동맥들을 만나게 되는데 이는 초음파 절삭기를 사용하여 절단하도록 하며, 경우에 따라서는 복강경 클립을 사용 할 수도 있다.

(그림 8-7) 이후 부신의 외측면을 후복강으로부터 박리하여 부신을 완전히 절제하도록 한다. 절제된 부신은 복강경용 비닐 주머니에 넣어서 11 mm 투관침을 통하여 체외로 꺼내도록 한다. 이후 수술 부위를 세척하고 출혈부위가 있는지 확인하도록 한다. 출혈 부위가 없으면 체내에서 가스를 완전히 빼내고 투관침을 제거하도록 한다.

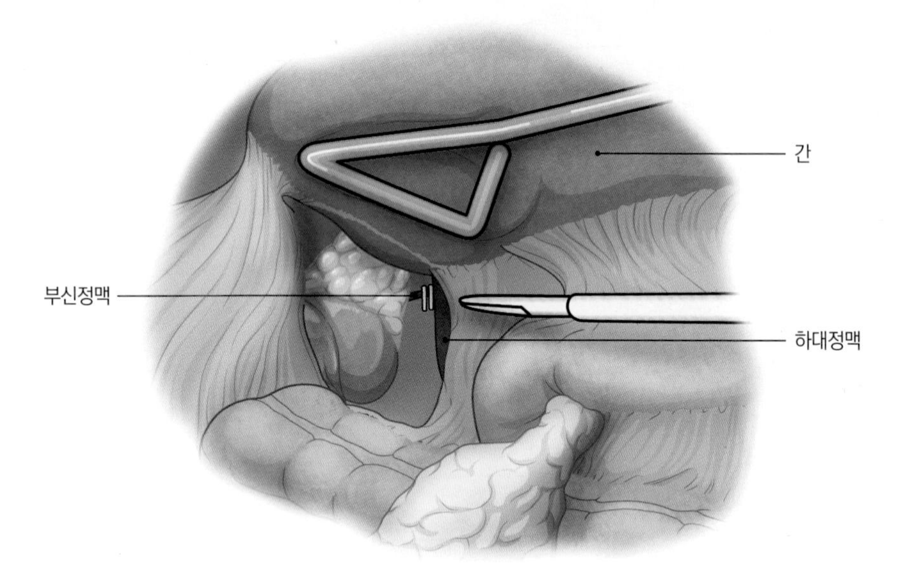

그림 8-6

TIP 3
부신을 견인할 때에는 종양이 부서지지 않도록 주의하여야 하는데, 이를 위해 부신 조직이나 종양을 직접적 잡지 말고 부신 주위의 연조직을 잡아서 견인하도록 한다.

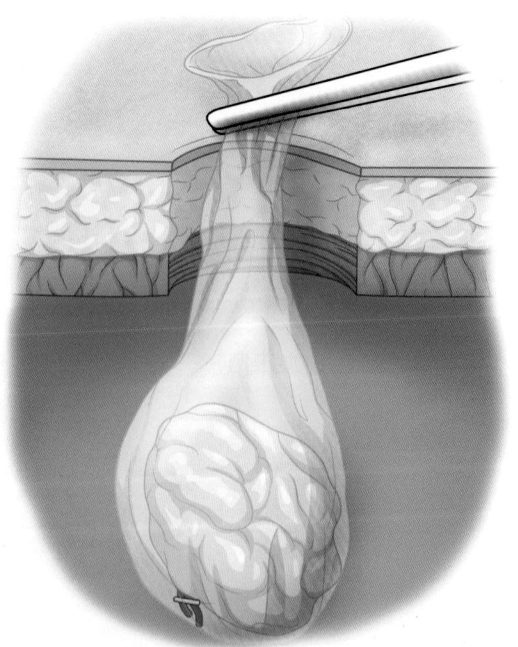

그림 8-7

TIP 4
수술창 봉합 시 11 mm 투관침 삽입부는 흡수성 봉합사를 이용하여 근막을 봉합한 후 피부를 봉합하도록 하나, 5 mm 투관침 삽입부의 경우는 근막 봉합없이 바로 피부 봉합을 시행하여도 무방하다.

2) 좌측 부신절제술

(그림 8-8) 좌측 부신 절제술의 첫번째 단계는 비장만곡(splenic flexure)을 유동화하는 것이다. 이를 위하여 먼저 하행 결장의 바깥쪽에 있는 벽쪽복막(parietal peritoneum)을 절제하도록 하며, 이어서 비장인대(splenocolic ligament)와 비신인대(splenorenal ligament)를 절제하여서 비장이 복강 중심부 쪽으로 제쳐지도록 한다. 다음 단계로 신장과 췌장미부 사이의 평면을 대동맥에 이르기까지 박리하여서 췌장미부를 복강 중심부 쪽으로 제치면, 부신의 하방이 노출된다.

(그림 8-9) 이후 후복막강 내의 지방조직을 계속 박리하면, 신장의 상내측에 위치한 부신을 발견할 수 있다. 하지만 부신의 위치에 따라 처음에는 이를 찾기 어려울 수 있으며, 특히 후복막강 내에 지방조직이 너무 많거나, 부신 종양이 너무 작은 경우 더 어렵다. 이 과정을 통해서 부신을 확인하게 되면, 부신의 경계면을 깨끗이 박리하도록 한다. 부신정맥은 부신의 하방 내측의 경계면에서 확인 할 수 있다. 이렇게 확인된 부신 정맥은 우측 부신 절제술 때와 마찬가지 방법으로 복강경 클립을 사용하여서 결찰한 후, 초음파 절삭기를 사용하여서 절단하도록 한다.

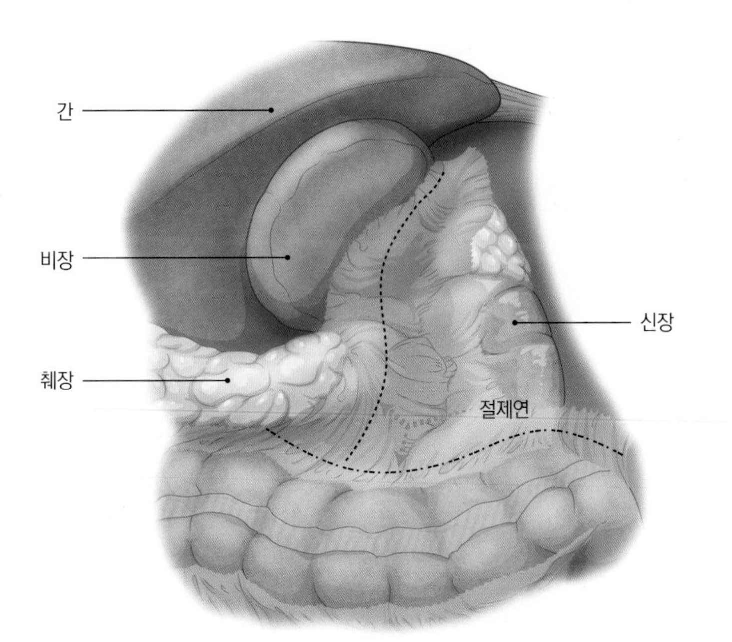

그림 8-8

TIP 5
비장인대와 비신인대를 절제하고 비장을 복강 중심부로 제치면, 중력으로 인해서 특별한 견인 없이도 자연스럽게 수술 시야가 확보된다.

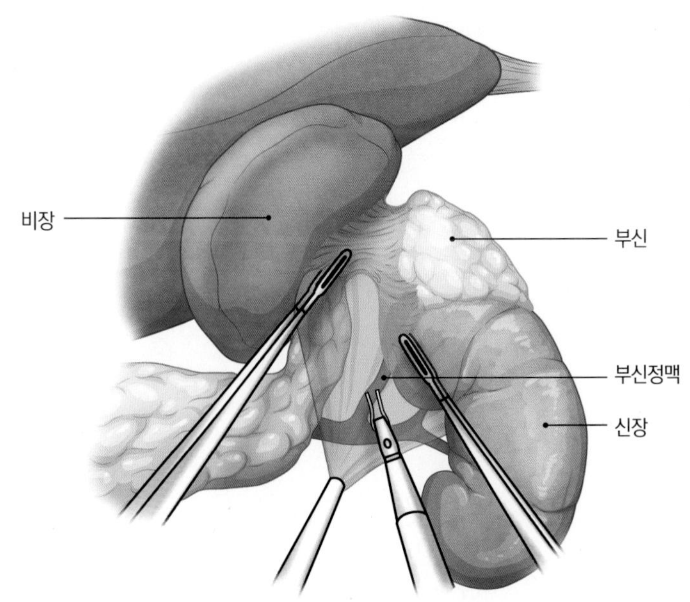

그림 8-9

(그림 8-10) 부신정맥이 절단되면 부신의 하방과 내측 경계연을 깨끗이 박리한 후, 나머지 부위를 박리하도록 한다. 부신의 내측과 외측을 박리하게 될 때 신장과 하횡격막동맥(inferior phrenic artery)에서 나오는 여러 동맥분지들을 만날 수 있는데, 이는 초음파 절삭기을 이용하여 절단 하도록 하며 경우에 따라서는 복강경 클립을 사용 하도록 한다. 완전히 절제된 부신은 우측 부신 절제술 때와 같은 방법을 사용하여서 복강 내에서 제거하도록 한다.

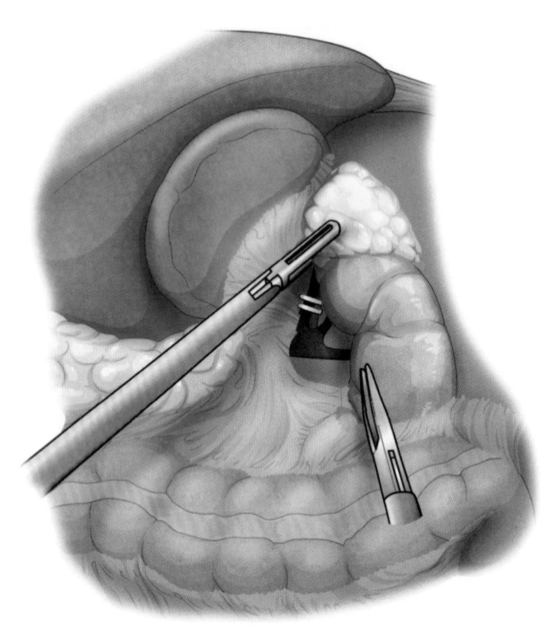

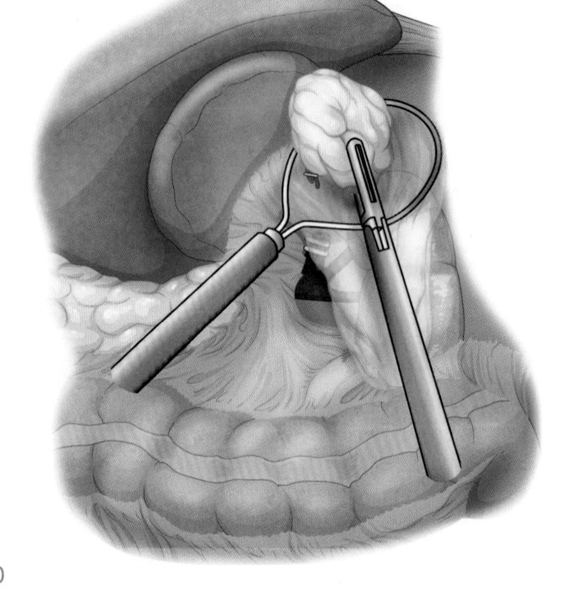

그림 8-10

TIP 6

부신을 주위 조직으로부터 박리할 때 유의할 점은 부신의 외측면을 후복강으로부터 너무 빨리 분리시키면 안된다는 점이다. 이럴 경우에는 부신이 중력으로 인해 복강 중심내로 제쳐지게 되고 나머지 부위의 박리가 힘들어 질 수 있으므로 유의하여야 한다.

II. 후복막 접근법(Retroperitoneal approach)

후복막을 통한 부신 절제술에서 부신의 박리와 절제 원리는 경복막 접근법과 큰 차이가 없다. 따라서 후복막 접근법은 주로 투관침 삽입 위치와 방법, 그리고 부신으로의 접근법에 대하여서 알아보도록 하겠다.

1. 환자 자세

(그림 8-11) 환자가 마취된 후 복와위로 위치시킨다. 이때 Cloward table saddle를 이용하도록 하며, 환자의 고관절과 슬관절이 각각 약 90°가 되도록 한다.

2. 절개 및 노출

(그림 8-12) 먼저 촉지를 통해 12번째 늑골을 확인한 후 12번째 늑골끝 직하방에 약 1.5 cm의 수평절개를 가한 후 절개 또는 비절개 박리를 적절히 시행하여서 후복막강내로 접근한다. 이후 검지손가락을 이용하여서 후복막강 내 작은 공간을 만든다. 이후 두 번째 11 mm 투관침은 첫 번째 투관침의 내측(medial side)에 삽입하게 되는데, 이는 척추주위근육을 따라서 삽입하게 된다. 이때 아직까지 복강경 카메라를 삽입하지 않은 상태이므로, 검지 손가락을 후복막강내로 삽입하여서 촉지를 통하여서 두번째 투관침 삽입 시 이상 발생 여부를 반드시 확인하도록 한다. 세 번째 투관침은 5 mm 투관침을 첫번째 투관침과 유사한 방법으로 첫 번째 투관침의 4~5 cm 외측에서 11번째 늑골 아래에 절개를 가하고 삽입하도록 한다. 이후 첫 번째 절개부위에 11 mm 투관침을 넣고, 카메라를 삽입한다. 이때 투관침 방향은 부신을 향하도록 한다. 이후 20~24 mmHg의 압력으로 기복을 형성하도록 한다.

1) 우측과 좌측 부신절제술

(그림 8-13) 기복이 형성되면 후복막강의 박리를 시행하여서 수술할 충분한 공간을 만들도록 한다. 수술 공간 확보 후 카메라를 내측의 투관침으로 옮겨서 삽입하도록 한다. 횡경막 하방을 더욱더 박리한 후 제로타근막을 박리하고, 신장의 상극(upper pole)을 확인한다.

TIP 7
이때 주의하여야 할 점은 환자의 무릎 부위에 적절한 쿠션을 사용하여서 너무 많은 압력이 무릎에 가해지지 않도록 해야 한다. 너무 많은 압력이 가해지면 고관절 탈구를 유발 할 수 있으며, 이는 특히 비만 환자의 경우에 더욱 유의하여야 한다.

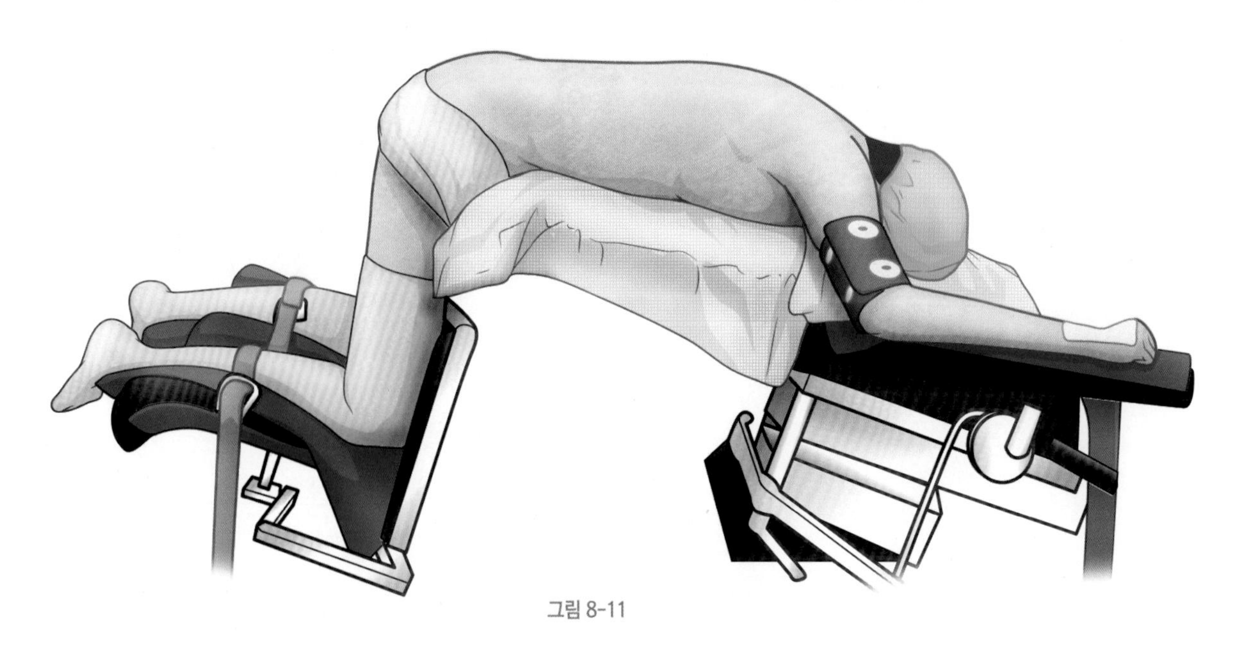

그림 8-11

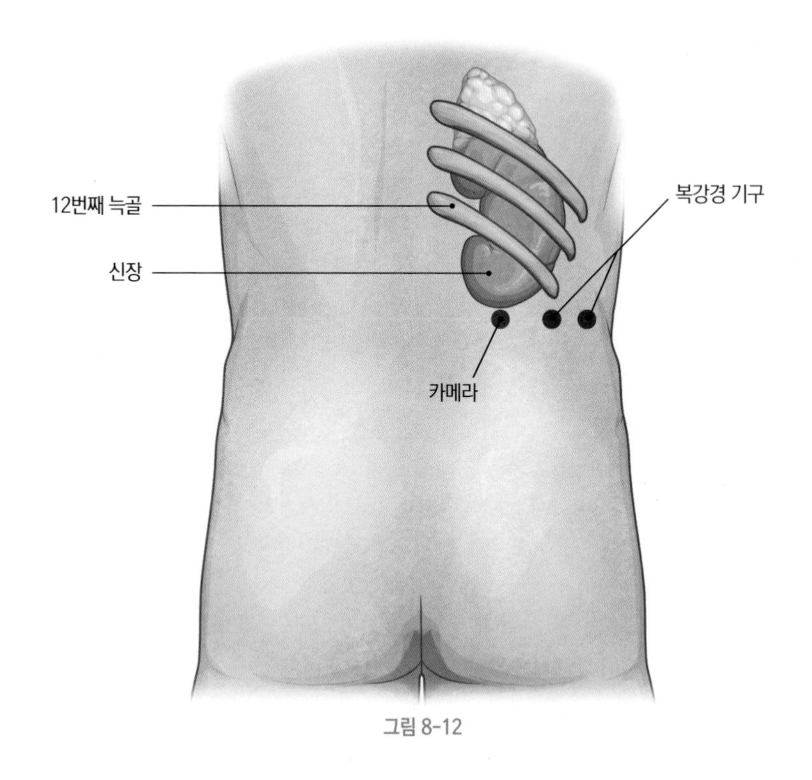

그림 8-12

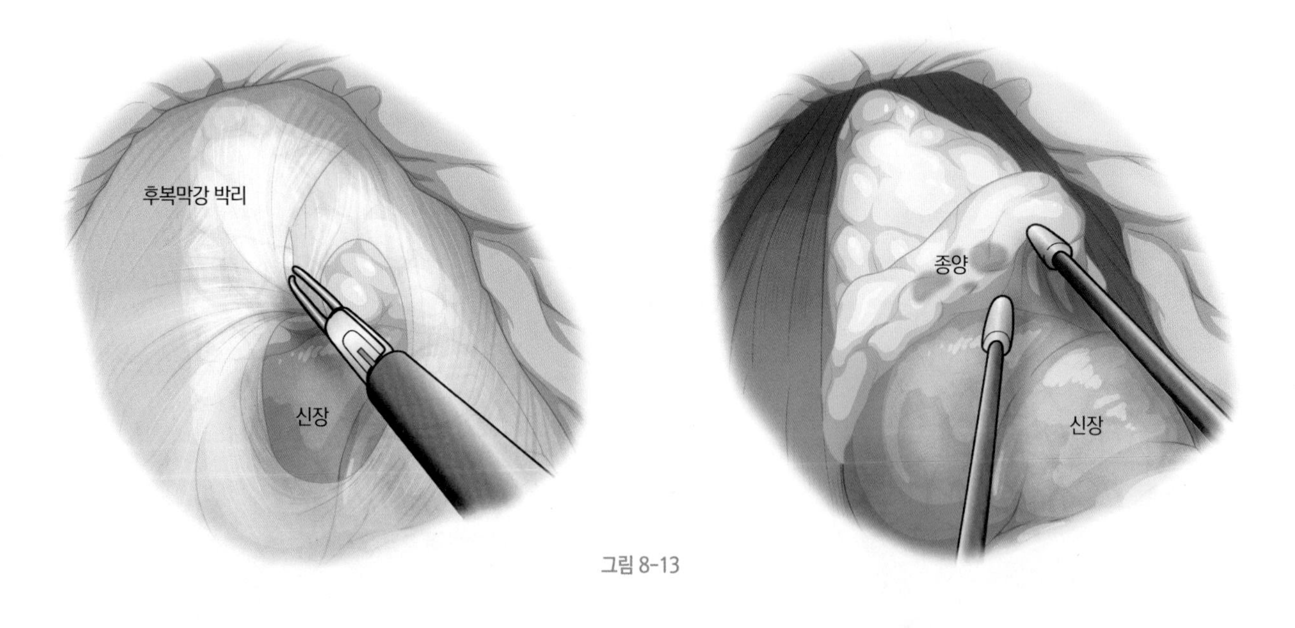

그림 8-13

TIP 8
이런 과정을 거치면 수술 시에 척추주위 근육 (paraspinal muscle), 간의 후면 또는 비장, 그리고 신장의 상극을 확인 할 수 있는데 이들을 수술 시 기준점으로 삼을 수 있다.

(그림 8-14) 이후 부신 하방을 포함한 신장의 윗쪽에 위치한 조직을 신장으로부터 완전히 박리하도록 한다. 이때 중요한 점은 부신의 상방과 내측이 고정되어 있을 때 부신을 신장으로부터 완전히 분리해야 한다는 점이다. 신장으로부터 부신이 분리되면, 부신 내 측면을 조심스럽게 박리한 후 부신 정맥을 찾아서 클립으로 결찰한다. 이후 부신의 후방과 외측 그리고 횡경막과의 박리를 시행하도록 한다. 이때 박리과정은 경복막 부신절제술 때와 같은 방법으로 시행하도록 한다. 이후 절제된 부신은 복강경용 비닐 주머니를 사용하여 체외로 꺼내도록 한다.

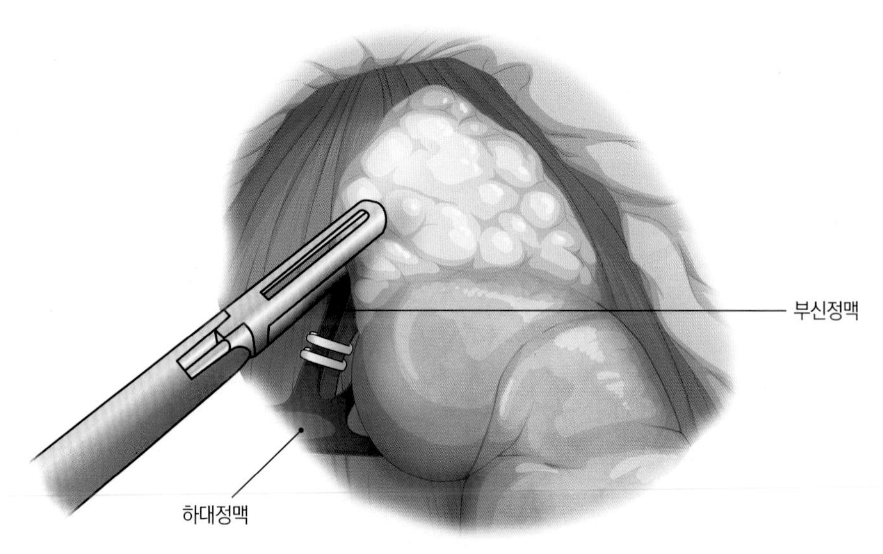

그림 8-14

TIP 9
분리된 신장은 기구를 이용하여서 하부로 견인하면서 수술을 시행하면 수술시야 확보가 더욱 용의하며 수술진행이 더욱 쉬워질 수 있다. 그리고 우측 부신 절제술의 경우에는 하대정맥의 후방에서 접근을 하게 되면 부신정맥 찾기가 더욱 쉽다.

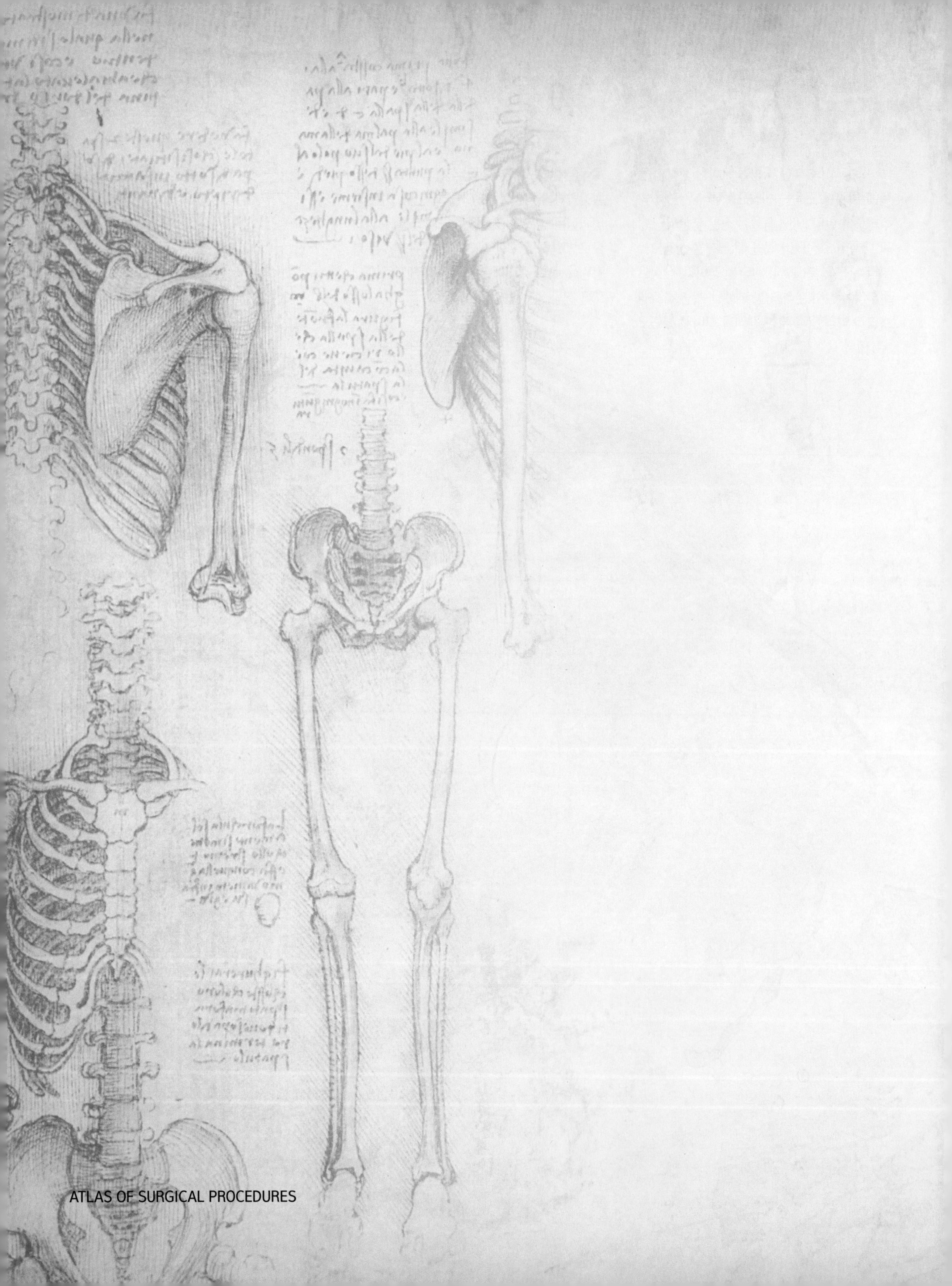
ATLAS OF SURGICAL PROCEDURES

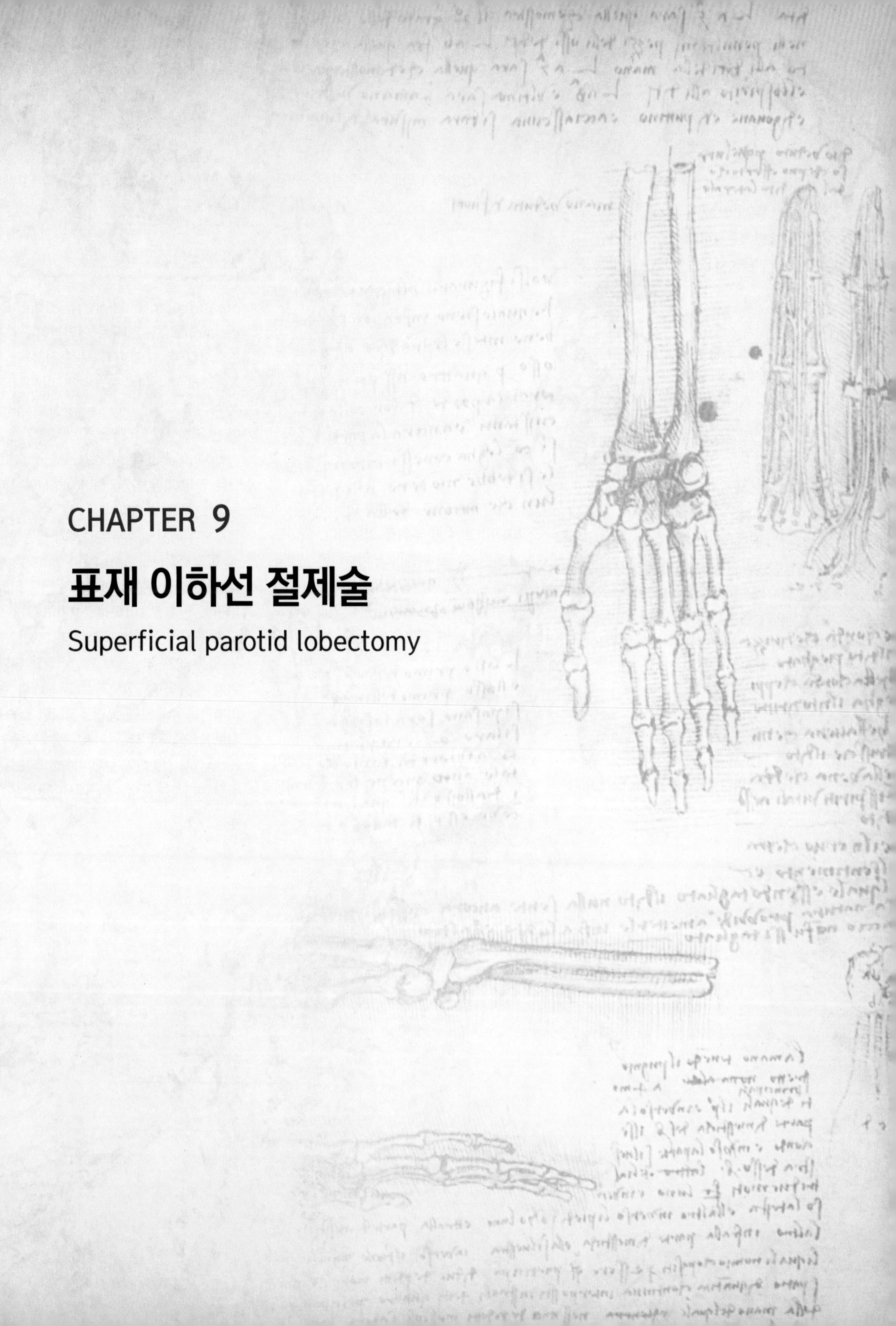

CHAPTER 9

표재 이하선 절제술

Superficial parotid lobectomy

1. 적응증

- 이하선 종양(양성 또는 악성)
- 전이 병변 또는 전이가 의심되는 경우
- 치료에 반응하지 않는 이하선 감염, 농양

2. 비적응증

- 심각한 심폐 질환 환자나 혈류역학적으로 불안정한 환자
- 수술 전 검사에서 종양이 주위 조직에 침범된 환자

3. 수술 전 처치와 환자 설명

환자는 보통 수술 1일 전에 입원한다. 수술 전 특별한 처치는 필요 없다. 환자에게 수술에 관한 후유증으로 안면신경 마비의 가능성과 수술 후 일시적인 얼굴 근육의 약화에 대해 충분히 설명한다. 또한 악성종양의 경우, 안면신경이 침범되었을 때 안면신경 절제 가능성이 있음을 설명한다.

4. 마취

전신마취 하에 수술을 시행하며 수술부위에 추가적인 국소마취제 투여를 할 수 있다. 마취과 의사와 상의하여 되도록 근이완제는 사용하지 않도록 한다.

5. 환자 자세

환자를 바로 누운 자세로 수술대에 눕힌다. 환자의 목은 뒤로 약간 젖히고, 머리는 수술부위의 반대쪽으로 돌린다. 환자의 머리에는 스폰지 도넛을 받치고, 필요하면 동측 어깨 밑에 패드를 넣기도 한다. 수술대는 환자의 머리 쪽을 올린다(head-up postion).

6. 수술 준비

소독포와 반창고를 사용하여 머리카락을 완전히 가리고 수술 부위를 확보한다. 외이도는 소독된 솜으로 폐쇄한다. 가능하면 신경자극기와 양극 전기소작기(bipolar cautery)를 준비한다. 피부 소독은 일반적 외과 수술과 같다.

7. 절개 및 노출

1) 피부 절개

(그림 9-1) 피부 절개 방법에는 두가지 방법이 주로 사용된다. 첫번째는 광대활(zygomatic arch) 위치에서 귓바퀴가 얼굴과 만나는 지점에서 시작하여 이주(tragus) 하부를 돌아 턱의 각을 따라 하부로 내려가면서 흉쇄유돌근의 전면부를 따라 2 cm 정도까지 연장되는 절개 방법을 사용한다(그림 9-1A, preauricular incision, modified Blair incision). 이 방법으로 안면신경을 충분히 노출시킬 수 있으며 경부림프절절제술까지 가능하게 된다. 다른 방법은 귀 앞쪽에서 시작하여 피부 주름을 따라 귀 후면으로 머리카락이 난 경계부를 따라 하방으로 내려가는 절개 방법이다(Facelift-type incision). 이 방법으로 절개 피판을 견인하여 이하선과 경부 상부를 노출시킬 수 있다.

절개 부위에서 심층부로 내려가 넓은목근 아래 이하저작근막(parotido-masseteric fascia)을 확인한다. 이하선 전면을 따라 피부판을 만들고, 이하선 전면이 모두 노출될 때까지 앞쪽으로 박리한다. 이때 이하선의 앞쪽 경계 부위에서 안면신경의 말단 부위가 손상될 수 있으므로 주의해야 한다. 피부판을 수술포에 봉합결찰하면 수술부위 확보에 도움이 된다. 근막 절개를 하악골 하부 2 cm까지 진행하여 전체 이하선이 노출되면 하부 이하선을 흉쇄유돌근에서 분리한다.

TIP 1
수술대를 수술자의 반대쪽으로 10~15° 정도 기울이면 더 좋은 수술 시야를 얻을 수 있다.

A

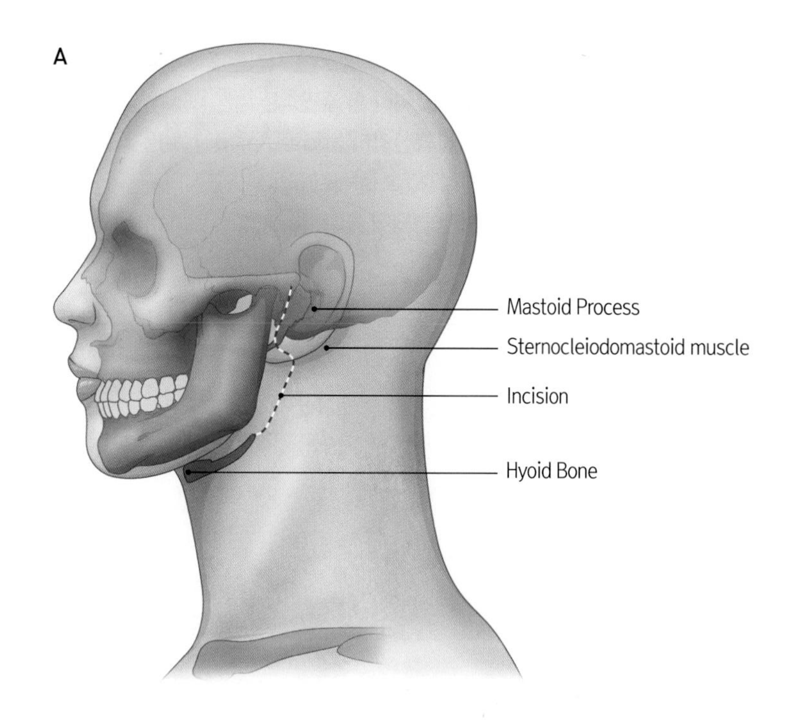

B

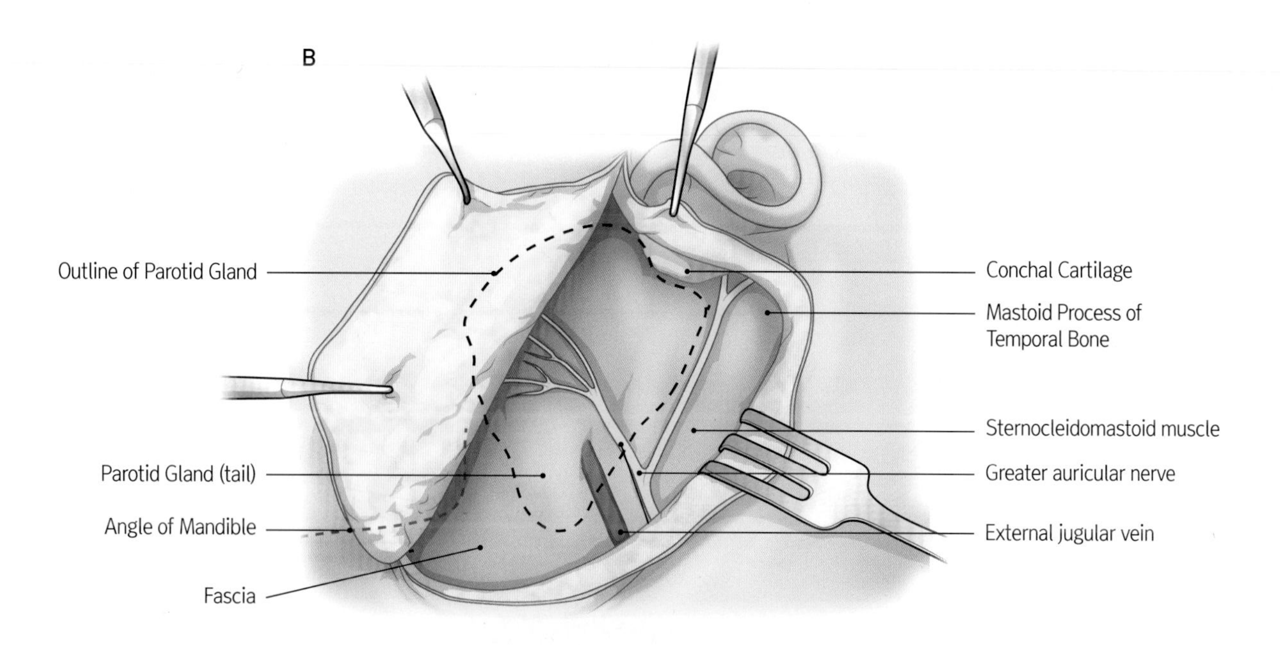

그림 9-1

TIP 2
간혹 안면신경을 잘 구분하기 위하여 타액관 내에 색소를 주입하여 타액관과 주변 이하선을 염색하여 신경과 구분하기 쉽도록 시도하기도 하나 대부분의 경우에는 이러한 조작이 필요하지는 않다.

(그림 9-2) 이 과정에서 대이개신경(greater auricular nerve)을 절단하거나 후방으로 견인할 수 있다.

2) 안면신경 확인

숙련된 외과의는 안면신경을 신속하게 식별할 수 있으며, 일단 안면신경이 식별되면 주변 조직에서 이하선의 경계부를 분리하는 것이 아주 어려운 술기는 아니다. 즉, 표재 이하선 절제술에서 가장 중요한 지점은 안면신경을 확인하는 것이라 할 수 있다.

(그림 9-3) 하악신경(mandibular nerve)은 대개 안면정맥(facial vein)의 후방분지의 표면 쪽에서 발견되며 볼가지(buccal branch)는 타액선(Stensen' s duct)의 하방에서 발견되어 근막의 표면으로 주행한다. 광대분지(zygomatic branch)는 타액선의 상부에서 나타나 역시 근막의 표면으로 주행하고 이마분지(frontal branch)는 흔히 여러 분지로 갈라지며 측두혈관의 전면부 약 1 cm에서 나타나 상당히 표면적으로 주행하게 된다.

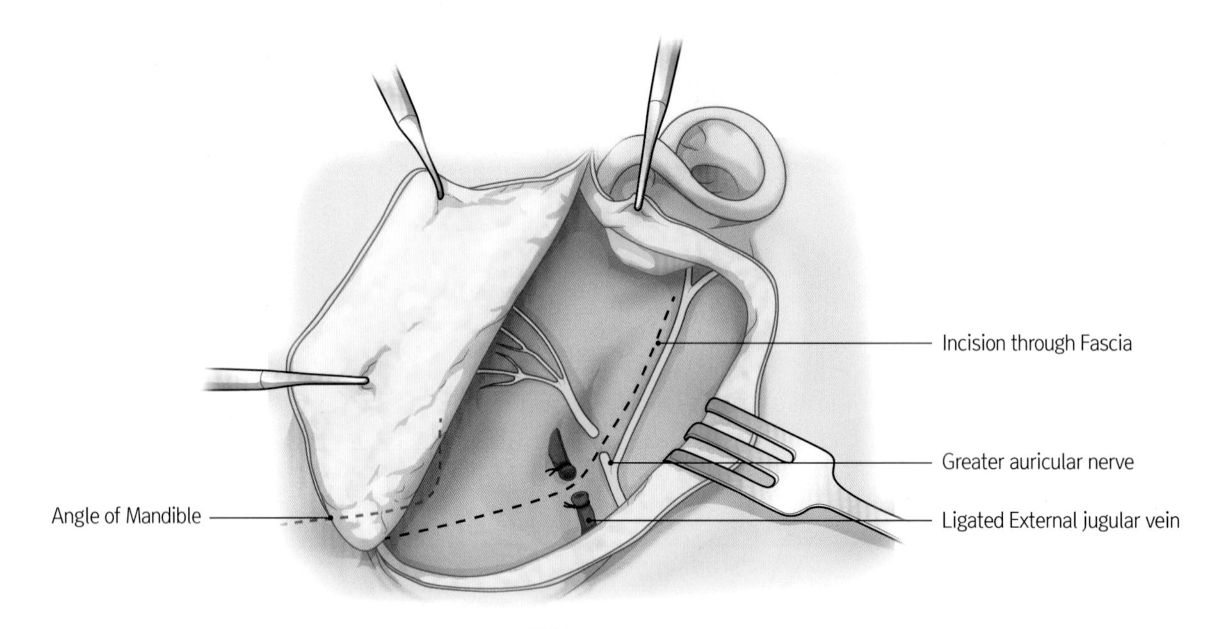

그림 9-2

TIP 3
주변 신경에 과도한 자극이나 손상을 줄이기 위하여 양극 전기소작기를 추천하는 의견도 있다.

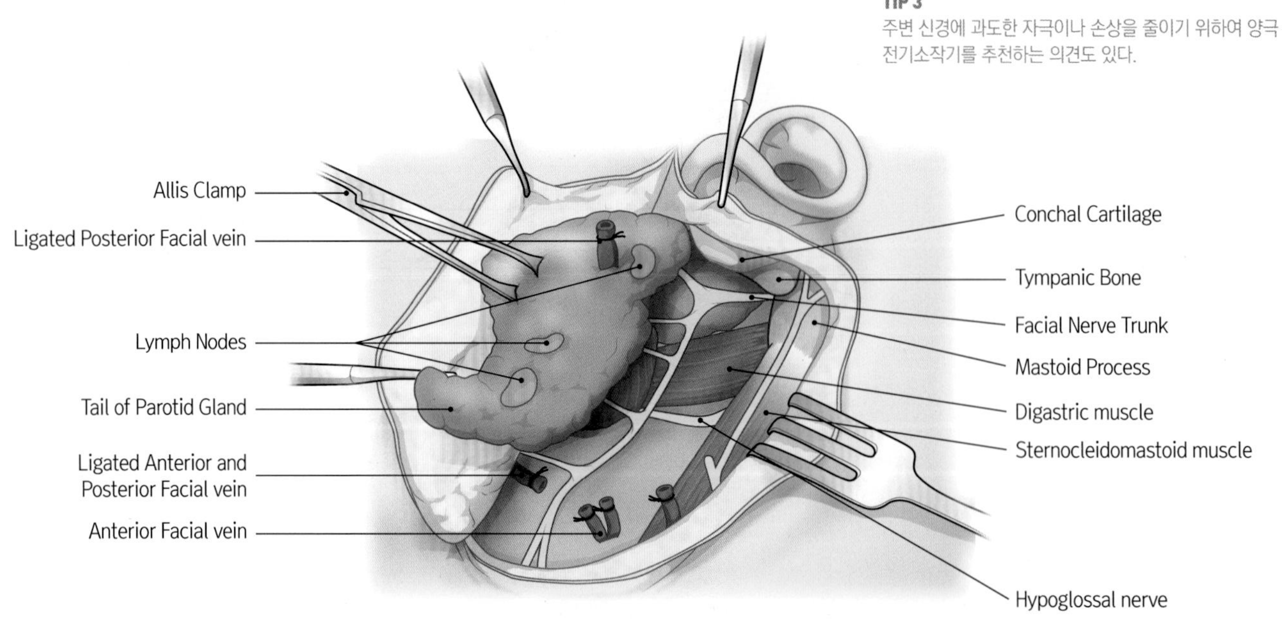

그림 9-3

후방안면정맥은 이하선 하부에서 결찰하고 분리되며, 보존할 수도 있다. 이하선의 끝부분을 흉쇄유돌근의 전면부를 젖히고 분리하면서 이복근을을 확인한다. 안면신경을 찾기 위하여 이복근의 상부로 찾아 올라가면 꼭지돌기 끝부분(mastoid tip)이 나타나며 이 과정에서 이복근 고랑부위(digastric groove)를 지나게 된다.

(그림 9-4) 안면신경을 찾기 위해 외이도 연골부위에서 이하선을 분리하고, 박리를 진행하면서 이주(tragus) 시작부위에서 1 cm 심부, 전하방 위치에서 탐색한다. 또는 고실꼭지접합선(tympanomastoid suture line)을 찾아 이 선의 6~8 mm 심부에서 두개골 하부에서부터 안면신경이 나오는 부위를 찾는 방법도 있다.

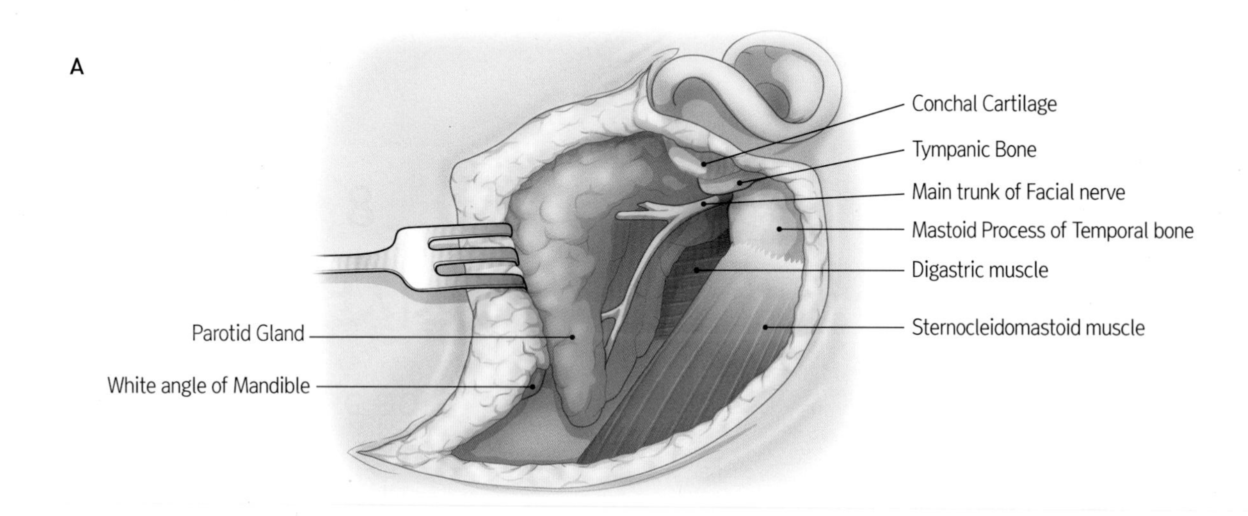

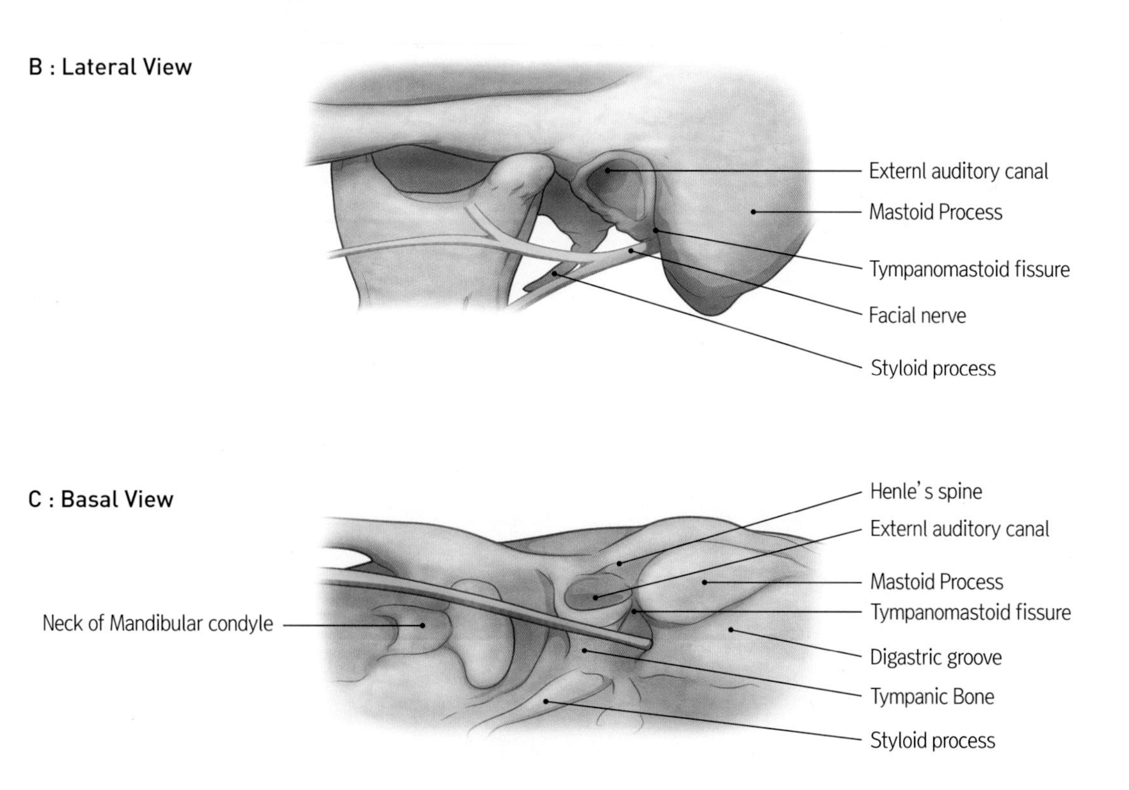

그림 9-4

(그림 9-5) 기존 수술이나 재발종양으로 안면신경의 확인이 어려운 경우, 꼭지돌기를 절단하여 안면신경을 찾기도 한다.
주의 안면신경 주위를 박리할 때에는 주변 조직을 충분히 박리해 두어야 한다. 좁은 수술창으로 수술할 경우 안면신경 손상의 위험이 높아지기 때문이다. 조직을 자르기 전에는 안면신경이 아니라고 확신할 수 있어야 한다. 또한 안면신경 주위에서의 무분별한 결찰은 신경 손상의 위험을 높이므로, 출혈에 대한 특별한 주의가 요구된다.

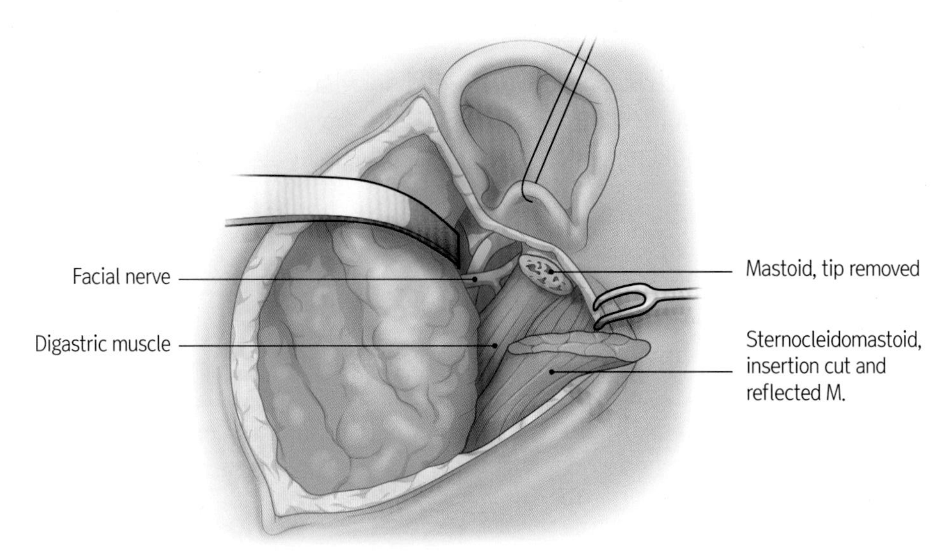

그림 9-5

3) 표재 이하선 절제

(그림 9-6) 안면신경을 찾게 되면 신경 방향과 평행하게 조직을 박리한다.

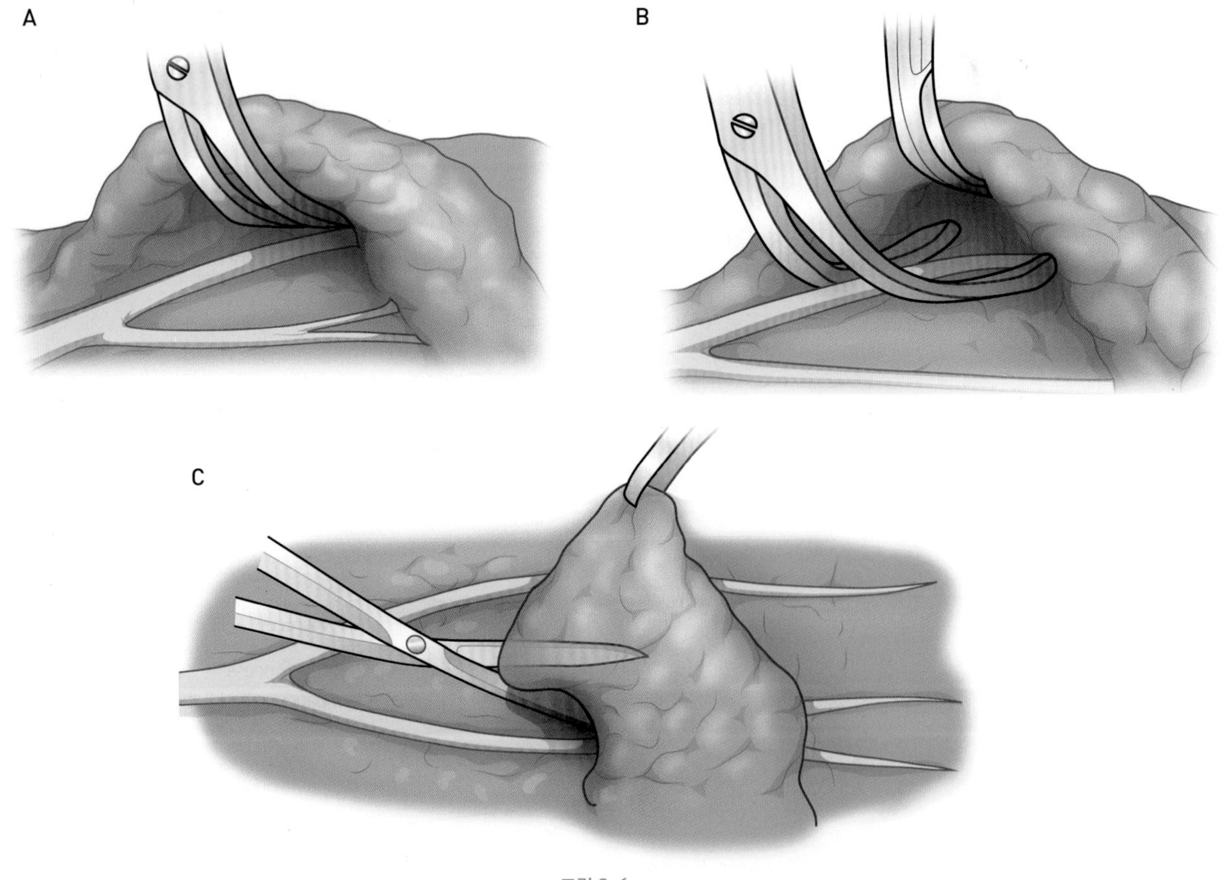

그림 9-6

(그림 9-7) 주 안면신경 분지가 확인되면 신경을 따라 이하선 안으로 표층을 박리하여 터널을 만들고 표재 이하선을 절제한다. 각 안면신경의 분지를 확인하고 각 분지의 상부로 터널을 만든 후 각 표재 이하선을 절제한다. 각 안면신경의 분지가 당겨지거나 과도하게 조작하지 말아야 한다. 동일한 방법으로 각 분지 위에서 모든 표재 이하선을 제거한다. 대부분의 이하선 종양이 실질 조직이 더 풍부한 표재 이하선 부위에서 발생되지만 약 10% 정도의 이하선 조직은 심부에 위치하게 된다.

(그림 9-8) 절제 후에는 조심스럽게 세척 후 배액관을 설치하고 수술창을 봉합한다.

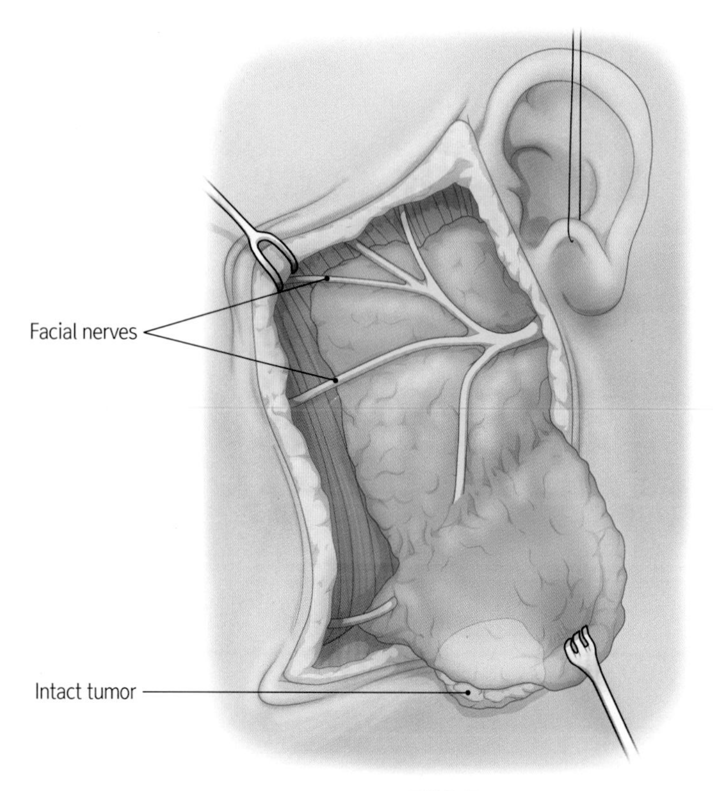

그림 9-7

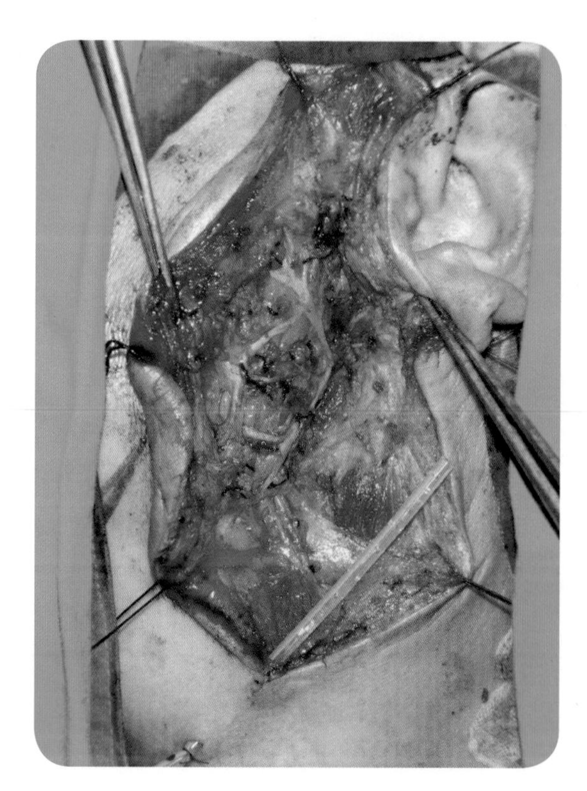

그림 9-8

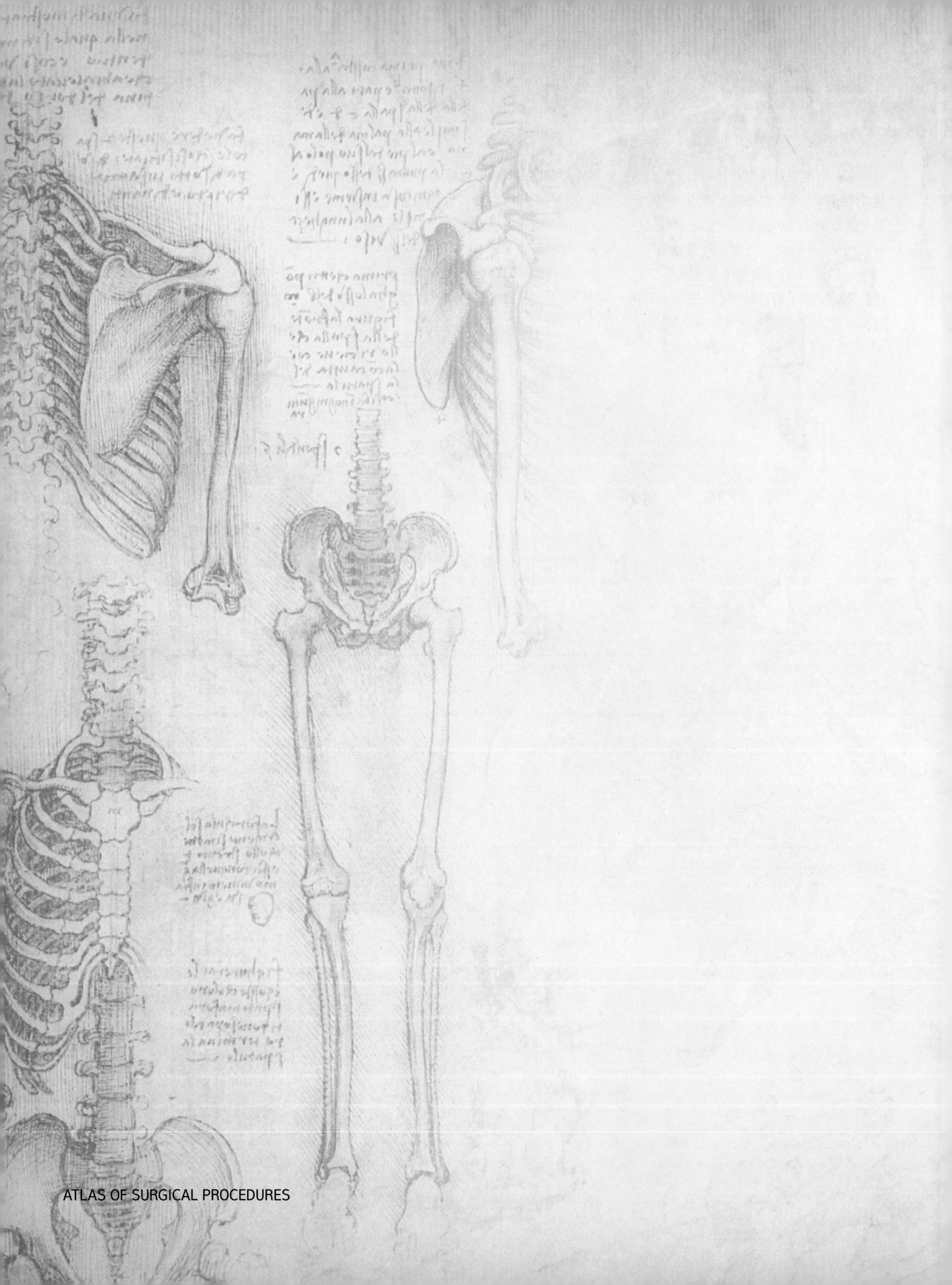

ATLAS OF SURGICAL PROCEDURES

찾아보기(한글)

ATLAS OF SURGICAL PROCEDURES

ㅊ

찾아보기(영문)

ATLAS OF SURGICAL PROCEDURES

A

B

C

M

N

O

S

T

U

V

W

Y